Möllers
Juristische Methodenlehre

Juristische Methodenlehre

von

Dr. Thomas M. J. Möllers

o. Professor an der Universität Augsburg

4. Auflage
2021

C.H.BECK

Übersetzung:
Thomas M.J. Möllers, Legal Methods. How to work with legal arguments, Oxford u.a. 2020.

Zitiervorschlag:
Möllers, Juristische Methodenlehre, 4. Aufl. 2021, § 2 Rn. 32

www.beck.de

ISBN 978 3 406 77776 9

Druck: Beltz Grafische Betriebe GmbH
Am Fliegerhorst 8, 99947 Bad Langensalza

Satz: Textservice Zink, 74869 Schwarzach

Umschlaggestaltung: Martina Busch, Grafikdesign, Homburg Saar

CO_2
neutral
chbeck.de/nachhaltig

Gedruckt auf säurefreiem, alterungsbeständigem Papier
(hergestellt aus chlorfrei gebleichtem Zellstoff)

In memoriam
Wolfgang Fikentscher

Vorwort zur vierten Auflage

Die ehemalige Vizepräsidentin am Europäischen Gerichtshof für Menschenrechte Angelika Nußberger sagte über ihre tägliche Arbeit als Richterin: „Die Rechtswissenschaft ist im Wesentlichen eine Argumentationswissenschaft" (§ 1). Juristische Entscheidungen werden akzeptiert, wenn sie gut begründet sind und damit überzeugen. Das vorliegende Werk gibt dem Juristen weit mehr als 100 juristische *Argumentationsfiguren* an die Hand, die verwendet werden, um eine juristische Entscheidung zu begründen. Viele davon gelten weltweit.

Das Buch setzt sich mit aktuellen Entscheidungen höchster Gerichte auseinander, deren Begründungen auf Widerspruch stoßen: Als „objektiv willkürlich" und „methodisch nicht mehr nachvollziehbar" hatte der zweite Senat des BVerfG das PSPP-Urteil des EuGH bezeichnet und es als „rechtlich unverbindlich" qualifiziert. Sind diese Vorwürfe berechtigt? Der erste Senat strebt mit seinen zwei Entscheidungen zum Recht auf Vergessen viel stärker eine Kooperation mit dem EuGH an. Das Buch nimmt zu der Überzeugungskraft dieser gewichtigen Entscheidungen samt der einschlägigen Argumentationsfiguren Stellung. Der Leser soll dann selbst beurteilen können, ob ihn die Ausführungen der beiden Senate des BVerfG überzeugen. Die Entscheidungen zeigen aufs Beste: Die Juristische Methodenlehre lebt vom Dialog und der Auseinandersetzung mit widerstreitenden Ideen.

Der wissenschaftliche Austausch mit Richtern der obersten Gerichte in Europa, Praktikern, aber vor allem auch mit Kollegen der Rechtsliteratur, bilden die Grundlage, um auch die 4. Auflage wieder mit einer Reihe neuer Gedanken zu bereichern.

Das Werk hat seit 2017 erfreulicherweise bereits drei Auflagen erlebt und war jeweils schnell vergriffen. Es hat schon nach kurzer Zeit zahlreiche Rezensionen im In- und Ausland erhalten und wird von Rechtsprechung und Rechtsliteratur zitiert. Eine englischsprachige Fassung erschien 2020 und eine Ausgabe in chinesischer Sprache folgt mit der 4. Auflage 2021. Erfreulicherweise wird es inzwischen an vielen Universitäten zur Vorbereitung auf das Erste Staatsexamen und in der Referendarzeit für das Zweite Staatsexamen verwendet.

In dieser Auflage vertieft wurden unter anderem Ausführungen zum Begründungsstil der Gerichte (§ 1), zum Anwendungsvorrang europäischen Rechts sowie der Mindest- und Vollharmonisierung (§ 2), zum Redaktionsversehen und zu Übersetzungsfehlern auf europäischer Ebene, zur teleologischen Extension (§ 6), zur Rechtsprechung zur Corona-Pandemie (§§ 10, 11, 13, 14) oder zur geschäftsmäßigen Sterbehilfe (§ 11), der richtlinienkonformen Rechtsfortbildung (§ 12), aber auch den Grenzen zulässiger Rechtsfortbildung im Kooperationsverhältnis von BVerfG und EuGH (§ 13), dem Verhältnis von Auslegungsziel und Auslegungsfiguren und dem Verhältnis von Methodenlehre zur Gerechtigkeit (§ 14).

Anregungen sind jederzeit willkommen.

Augsburg, im Frühsommer 2021 — Professor Dr. Thomas M. J. Möllers

Vorwort zur Erstauflage

Wer den *Kleinen Prinz* von Antoine de Saint-Exupéry kennt, der weiß, dass sich hinter etwas Offensichtlichem manchmal etwas ganz anderes verbergen kann; dass hinter der Zeichnung eines Hutes auch die Zeichnung einer Riesenschlange, die einen Elefanten verschlungen hat, versteckt sein kann. Wie der Kleine Prinz möchte die Juristische Methodenlehre die Augen für das Verborgene öffnen. Die Juristischen Methoden lassen einen Blick „hinter die Kulissen" einer Norm zu. Sie geben eine neue Sichtweise auf vorher Unbekanntes sowie die Möglichkeit, etwas Neues zu entwickeln und stärken dadurch das Vertrauen in unser Rechtssystem.

Recht wird immer komplexer. Die Rechtslösung ist anspruchsvoll, wenn sich eine strittige Rechtsfrage nicht unmittelbar aus dem Gesetz oder der bisherigen Rechtsprechung ergibt. Deshalb ist es unabdingbar, die rechtsdogmatischen und methodischen Grundlagen zu beherrschen. Wen die *Suche nach der gerechten Entscheidung* umtreibt, will tiefer in das Recht eindringen. Aber wie entwickelt man eine gute Rechtslösung, wenn das Recht nicht eindeutig ist oder gänzlich schweigt? Ist es ein Zu-Ende-Denken der Interessens- und Wertungsgrundlagen der einschlägigen Gesetze oder ein Widerstreit von Rechtsprinzipien der Rechtsordnung? Verlangt die Rechtslösung eine rational überzeugende Argumentation oder entscheidet der Richter rechtsschöpferisch kraft seiner Autorität?

Dieses Buch möchte nicht nur die klassischen Auslegungsfiguren vorstellen, sondern geht – in einem fächerübergreifenden und rechtsdogmatischen Kontext – darüber hinaus. Thematisiert werden die Rechtsquellen, die klassischen und modernen Interpretationsfiguren und der Einfluss von Verfassung und Europarecht als höherrangiges Recht. Hinzu kommen die anspruchsvolle Konkretisierung von Recht, wie der Umgang mit Generalklauseln, dem Richterrecht und Rechtsprinzipien, die Bestimmung der Grenzen zulässiger Rechtsfortbildung, eine Prüfungsfolge der einschlägigen Argumentationsfiguren sowie die für die Praxis so relevante Sachverhaltshermeneutik. Das Werk beschreibt die wichtigsten Argumentationsfiguren und entwickelt eine moderne Juristische Methodenlehre. Sie bringt dem Studenten, dem Wissenschaftler und dem Praktiker für seine tägliche Arbeit einen unmittelbaren Mehrwert. Das Ziel des Werkes ist einfach und anspruchsvoll zugleich: Es will den Juristen in die Lage versetzen, die Lösung für bisher ungeklärte Rechtsprobleme Schritt für Schritt so zu entwickeln, dass sie die Gegenseite – auch im Streitfalle – von dem *Gehalt der juristischen Argumentation überzeugt.*

Augsburg, im Sommer 2017 Professor Dr. Thomas M. J. Möllers

Danksagung

An dieser Stelle möchte ich den wichtigsten tatkräftigen Helfern an meinem Lehrstuhl danken, die mich in den letzten Jahren unterstützt haben. Für die inhaltliche Kritik danke ich allen voran meinen hauptverantwortlichen Mitarbeiterinnen Frau Isabella Brosig, M.Sc. und Frau Assessorin Natalie Höck. Neben ihnen gebührt dieser Dank auch den Mitarbeitern Herrn Konstantin Sauer und Herrn Assessor Matthias J. Sauer und Herrn Julian Glas. Außerdem bin ich für die Umsetzung der Formalia den Herren Pirmin Herz und Dominic Merk zu Dank verpflichtet. Zuletzt soll auch das Engagement all meiner studentischen Mitarbeiter und ehemaligen, mit dem Werk befassten Mitarbeiter nicht vergessen sein. Die zweite Auflage wurde federführend von meinen Mitarbeitern Herrn Assessor Konstantin Sauer und Herrn Assessor Sebastian Schwarz betreut. Für die Prüfung der Formalien sei Frau cand. iur. Lisa Wolf und Herrn cand. iur. Tobias Manhardt besonders gedankt. Die dritte Auflage wurde federführend von meiner Mitarbeiterin Frau Juristin (Univ.) Lisa Wolf und meinen Mitarbeitern Herrn Jurist (Univ.) Julian Glas, LL.M. und Herrn Diplom-Jurist Tobias Manhardt betreut. Zudem sei den studentischen Mitarbeiterinnen Frau Laura Kögel und Frau cand. iur. Laura Mähle sowie Herrn Assessor Konstantin Sauer und Herrn Assessor Sebastian Schwarz für ihre Unterstützung besonders gedankt.

Da die dritte Auflage wiederum schnell vergriffen war, ist der Kreis der Mitarbeiter fast deckungsgleich mit der jetzigen vierten Auflage: Wichtige „Sparringspartner" waren meine Mitarbeiterin Frau Diplom-Juristin Lisa Wolf und mein Mitarbeiter Herr Diplom-Jurist Tobias Manhardt. Zudem sei den studentischen Mitarbeiterinnen Frau Annika Häutle, Frau Laura Kögel, Frau Lea Wolf sowie den Herren Jan Längle und Maximilian Springer für ihre Unterstützung erneut ganz herzlich gedankt. Besonderer Dank gilt auch Herrn Assessor Andreas Mirbt und Herrn Prof. Dr. Klaus Weber vom Verlag C.H.Beck, die das Werk von Anfang an nachhaltig unterstützt haben.

Über allem gebührt meiner Frau und meinen Kindern der Dank für die Zeit, die sie mir für diese Arbeit gewährt haben. Ohne sie wäre das Buch nicht geschrieben worden.

Inhaltsverzeichnis

Vorwort zur vierten Auflage ... VII
Vorwort zu Erstauflage ... VIII
Grafiken ... XXXI
Abkürzungsverzeichnis ... XXXIII
Literaturverzeichnis ... XLV

1. Teil. Grundlagen – die Rechtsquellen

§ 1 Juristische Methodenlehre als Begründungs- und Legitimationslehre ... 1
I. Der Zweck der Juristischen Methodenlehre ... 2
1. Zur Notwendigkeit einer Juristischen Methodenlehre ... 2
a) Die Argumentation als Teil von Begründung und juristischer Entscheidung ... 2
b) Die postmoderne Methodenlehre als Kritik an der klassischen Methodenlehre ... 3
2. Eine Moderne Juristische Methodenlehre ... 3
a) Methodenlehre als Legitimations- und Argumentationslehre ... 3
b) Die Struktur dieses Werkes ... 4
3. Juristische Methodenlehre als Schule Juristischen Denkens ... 6
a) Die Schulung Juristischen Denkens in der Juristischen Ausbildung ... 6
b) Juristisches Denken als Juristisches Begründen ... 8
c) Juristische Methodenlehre für Wissenschaft und Praxis ... 8
4. Der Einfluss des europäischen Rechts auf die Rechtsfindung ... 9
a) Europa-Artikel und Mehrebenensystem ... 9
b) Der nationale Richter als Unionsrichter ... 9
c) Zum globalen Anspruch juristischer Argumentationsfiguren ... 10
II. Juristische Methoden als Legitimationslehre ... 11
1. Verfassungsrechtliche Anforderungen an eine richterliche Entscheidung ... 11
a) Das Gewaltenteilungsprinzip ... 11
b) Legalismus ... 12
c) Wesentlichkeitstheorie und Gesetzlichkeitsprinzip (nullum crimen sine lege) ... 12
d) Recht auf rechtliches Gehör und verfassungsrechtliche Begründungspflicht ... 13
e) Verstoß gegen die Rechtsanwendungsgleichheit des Art. 3 Abs. 1 GG ... 15
f) Die Begründungspflicht auf europäischer Ebene ... 15
2. Methodenlehre als Legitimationslehre zur Machtbegrenzung des Richters ... 16
a) Machtbegrenzung gegenüber dem Parlament ... 16
b) Machtbegrenzung gegenüber dem Bürger ... 16
c) Berechtigung des Richters zur Rechtsfortbildung (Art. 20 Abs. 3 GG) ... 17
3. Zum Begründungsstil und zur Zitierpraxis der Gerichte in Europa ... 20
a) Zum Urteils- und Zitierstil nationaler Gerichte ... 20
b) Zum Begründungsstil des EuGH ... 22
III. Methodenlehre als Argumentationslehre ... 23
1. Wahrheitsanspruch und die streitbaren Juristen ... 23
a) Die vermeintlich richtige Entscheidung: One-right-answer-thesis ... 23

b) Das Entscheiden nach einem festen Vorverständnis 24
c) Die Begründung einer vertretbaren Entscheidung 26
2. Zweck der Argumentationslehre 27
a) Widerlegbarkeit (Falsifizierung) falscher Ansichten 28
b) Begründung vertretbarer Ergebnisse 28
c) Synthese und die überzeugendste Lösung 29
3. Juristische Argumentationsfiguren 31
a) These, Prämisse und Argument 31
b) Die juristische Argumentationsfigur als Prämisse für eine These 32
c) Gewichtung von Argumentationsfiguren 32
d) Begriff der juristischen Argumentationsfigur 34

IV. Zum inhaltlichen Gerechtigkeitsanspruch juristischer Methoden 35
1. Juristische Methodenlehre und der Gerechtigkeitsanspruch 35
a) Das vermeintlich Ungerechte an der Methodenlehre (Rüthers) 35
b) Diskurstheorien 35
2. Rechtsfriede und Gerechtigkeit als Rechtsideen 36
a) Gerechtigkeit nach Aristoteles 36
b) Gerechtigkeit, Zweckmäßigkeit und Rechtssicherheit als Rechtsideen (Radbruch) 37
c) Menschenwürde und Rechtsgüterschutz 37
d) Sicherstellung von Freiheitsräumen 38
3. Juristische Methodenlehre als wertgebundene Argumentations- und Legitimationslehre 38
a) Die Menschenwürde und das Naturrecht als letzter Geltungsgrund 38
b) Die verschiedenen Aufgaben der Juristischen Methodenlehre 39

Zusammenfassung zu § 1 40

§ 2 Rechtsquellen 43

I. Recht und Rechtsquellen 44
1. Kriterien zur Umschreibung von Recht 44
a) Rechtsquellen und Rechtserkenntnisquellen 44
b) Geltung und Bindungswirkung 45
c) Rechtssätze als Sollensnormen 46
d) Sanktion und Vollzug von Gesetzen 47
2. Abgrenzung des Rechts zur Moral, Ethik und political correctness 48
a) Moral, Ethik und political correctness 48
b) Abgrenzung zum Recht 49
c) Die gegenseitige Beeinflussung von Moral und Recht 50

II. Hierarchie von Rechtsquellen in Deutschland 51
1. Gesetze als Rechtsquelle in Deutschland 51
a) Abgrenzung und Überschneidung von öffentlichem und privatem Recht 51
b) Unterscheidung von Rechtsnormen: Gesetz, Verordnung und Satzung 52
2. Höherrangiges Recht: Der Stufenbau des Rechts und der *Lex-superior*-Satz als Kollisionsregel 53
3. Der Stufenbau des deutschen Rechts 54
a) Bundesrecht und Landesrecht 54
b) Kollision von Bundes- und Landesrecht (Artt. 31, 72 GG) 55
4. Gesetzesänderung, Rechtssicherheit und Vertrauensschutz 55
a) Begrifflichkeiten 56
b) Echte Rückwirkung/Rückbewirkung von Rechtsfolgen 56
c) Unechte Rückwirkung/tatbestandliche Rückanknüpfung 57

III. Der heutige Stufenbau in Deutschland unter Einbeziehung des europäischen Rechts 58
1. Rechtsetzung in der EU 58

a) Die Europäische Union als supranationale Rechtsordnung 58
b) Zur Gewaltenteilung zwischen den Mitgliedstaaten und der EU 59
c) Subsidiaritätsprinzip und Verhältnismäßigkeitsgrundsatz als Kompetenzausübungsregeln 59
d) Europäische Rechtsquellen – Zur Unterscheidung von Primär-, Sekundär- und Tertiärrecht 60
e) Mindest- und Vollharmonisierung als Formen der Rechtsangleichung 61
2. Die autonome Auslegung des Europarechts und die Auslegung innerhalb der europäischen Normenhierarchie 63
a) Autonome Auslegung durch den EuGH 63
b) Normenhierarchie und primärrechtskonforme Auslegung des europäischen Rechts 64
3. Höherrangigkeit des Unionsrechts gegenüber dem nationalen Recht – Geltung und Anwendungsvorrang 66
a) Die monistische Perspektive des EuGH: unmittelbare Geltung des europäischen Rechts 66
b) Anwendungsvorrang des Unionsrechts 67
c) Die dualistische Perspektive des zweiten Senats des BVerfG: Identitätsvorbehalt und Ultra-vires-Kontrolle 69
d) Die Weiterentwicklung des Anwendungsvorrangs durch den EuGH: nationale Gestaltungsspielräume bei der Anwendung europäischen Rechts 72
e) Die Anwendung europäischer Grundrechte durch den ersten Senat des BVerfG 73
4. Die Anwendung des nationalen Rechts im Rahmen der Mindestharmonisierung 75
a) Die Anwendung des nationalen Rechts außerhalb des harmonisierten Bereichs 75
b) Die Rückverweisungsklausel als Ausnahme zur autonomen Auslegung 75
c) Gestaltungsbereich und Zweifel über den Harmonisierungsgrad europäischer Richtlinien oder Verordnungen 76
d) Nochmals: Trennungs- und Überlappungsthese im Gestaltungsbereich 77

IV. Der heutige Stufenbau in Deutschland unter Einbeziehung des internationalen Rechts 77
1. Rechtsquellen auf internationaler Ebene 77
2. Die autonome Auslegung von internationalen Abkommen 78
3. Der Stufenbau des Völkerrechts 79
4. Völkerrecht und nationales Recht 79
a) Verhältnis des Völkerrechts zum Grundgesetz 79
b) Verhältnis der EMRK zum Grundgesetz 80

V. Naturrecht 81
1. Zur Relevanz des Naturrechts 81
a) Gegner des Naturrechts 81
b) Historische Entwicklung des Naturrechts 82
c) Vermittelnde Ansicht: Enger Bereich des Naturrechts und weiter Bereich übergesetzlicher Rechtsprinzipien 82
2. Vorrang von Naturrecht gegenüber dem eindeutigen Unrechtsgesetz (Radbruch'sche Formel) 83
3. Positive Formen von Naturrecht 85
a) Naturrecht und Anthropologie 85
b) Rechtsideen und keine unmittelbare Subsumtion 85

Zusammenfassung zu § 2 85

§ 3 Sekundäre Rechtsquellen und Rechtserkenntnisquellen 87
I. Problemstellung: Rechts(erkenntnis)quellen neben primären Rechtsquellen? ... 88
1. Die bisherige dualistische Ansicht: enger Begriff der Rechtsquellen versus Rechtserkenntnisquelle 88
2. Der weite Rechtsquellenbegriff – vernetzte Rechtsstrukturen als Alternative zum Stufenbau des Rechts 90
3. Vermittelnde Ansicht: Die Lehre von den sekundären Rechtsquellen 92
a) Befassungspflicht, subsidiäre Befolgungspflicht und Vermutungswirkung 92
b) Umfang der Vermutungswirkung 94
4. Jenseits von Rechtspositivismus und Naturrecht 94
a) Rechtspositivismus (Kelsen) und der Methodendualismus 94
b) Erweiterung der Rechtsquellenlehre zur Methodenpolarität 94
II. Die Bedeutung des Richterrechts für die Rechtsfindung 95
1. Zur Rolle des Gewohnheitsrechts 95
2. Lehre von den sekundären Rechtsquellen 96
a) Befassungs- und Befolgungspflichten sowie Ablehnung von Gewohnheitsrecht 96
b) Rechtsprechungsänderung: Rechtssicherheit und Vertrauensschutz versus materielle Gerechtigkeit 97
c) Rechtsprechungsänderung durch den EuGH, Rechtssicherheit und Vertrauensschutz 100
3. Strenge Präjudizienbindung als rechtliche Ausnahme im deutschen Rechtskreis 100
a) Die *stare decisis rule* und *persuasive authorities* im anglo-amerikanischen Rechtskreis 100
b) Bindungswirkung von Entscheidungen des BVerfG 101
c) Bindungswirkung zwischen Gerichten 101
d) Bindungswirkung von EuGH-Entscheidungen 102
III. Verwaltungsvorschriften, Rechtsvorschriften Privater und europäische Empfehlungen 103
1. Verwaltungsvorschriften 103
a) Norminterpretierende und normkonkretisierende Verwaltungsvorschriften 103
b) Verwaltungsvorschriften als sekundäre Rechtsquellen 104
c) Vertrauensschutz des Bürgers 104
2. Rechtsnormen Privater und die Abgrenzung zu Allgemeinen Geschäftsbedingungen, Verträgen und soft law 105
a) Verrechtlichung privater Normen 105
b) Gesetzliche Vermutungswirkung 105
c) Entsprechenserklärung *(comply or explain)* 106
d) Konkretisierung von Generalklauseln durch private Regelwerke 107
3. Rechtsfolgen 107
a) Vermutungswirkung und ihre Voraussetzungen 107
b) Rechtssicherheit und Vertrauensschutz 108
4. Empfehlungen und Verwaltungsvorschriften des EU-Rechts 109
a) Vermutungswirkung für Empfehlungen und Verwaltungsvorschriften des EU-Rechts 109
b) Gesetzliche Beispiele der Befassungs- und Befolgungspflichten 109
IV. Die Bedeutung ausländischer Urteile für die Rechtsfindung 110
1. Die Pflicht zur rechtsvergleichenden Auslegung im Europarecht, im internationalen Einheitsrecht und im Völkerrecht 110
a) Internationales Privatrecht 111
b) Internationales Einheitsrecht (vgl. Art. 7 UN-Kaufrecht) 111

c) Grundrechte der EMRK ... 112
d) Der nationale Rechtsanwender als europäischer Rechtsanwender ... 112
2. Fallgruppen freiwilliger Rechtsvergleichung ... 112
3. Rechtsqualität ausländischer Urteile: Zwischen persuasive authority und bloßer Rechtserkenntnisquelle ... 115
4. Die Bedeutung der Rechtsvergleichung für den EuGH und den EGMR ... 116
a) Pflicht zur Rechtsvergleichung durch den EuGH ... 116
b) Freiwillige Rechtsvergleichung durch den EuGH ... 117
c) Rechtsvergleichung durch den EGMR ... 117

V. Rechtsliteratur ... 117

Zusammenfassung zu § 3 ... 118

2. Teil. Auslegung

§ 4 Wortlaut, Systematik und Geschichte als klassische Auslegungsmethoden ... 119

I. Auslegung und Subsumtion ... 120
1. Deduktiver Syllogismus und Subsumtion ... 120
a) Die Subsumtion als logischer Schluss ... 120
b) Die Bausteintechnik ... 122
c) Wechselwirkung von Norm und Sachverhalt – Das Hin- und Herwandern des Blickes und die Fallnormtheorie ... 122
d) Das Entwickeln von Definitionen zur Konkretisierung von Tatbestandsmerkmalen ... 125
2. Der klassische Viererkanon ... 125
a) Die Begründung des Auslegungskanons durch *von Savigny* ... 125
b) Die heutige Bedeutung der vier Auslegungsarten und deren Bedeutung in einzelnen Mitgliedstaaten ... 127
c) Die Bedeutung des Auslegungskanons für den EuGH ... 128
3. Die Kritik an den vier Auslegungsmethoden und dem Subsumtionsmodell ... 129
4. Auslegung, Konkretisierung und Rechtsfortbildung ... 130
a) Auslegung, Konkretisierung und Rechtsfortbildung als Rechtsschöpfung ... 130
b) Die Wortlautgrenze als Grenze zwischen Auslegung und Rechtsfortbildung ... 131
c) Der fließende Übergang zwischen Auslegung und Rechtsfortbildung ... 131
d) Folgerungen – die erhöhte Begründungslast ... 131

II. Die grammatische Auslegung ... 132
1. Die grammatische Auslegung als Beginn des Auslegungsprozesses ... 132
2. Hilfsmittel zur Bestimmung eines eindeutigen und mehrdeutigen Wortlauts ... 133
a) Legaldefinitionen, Vermutungen und Fiktionen als juristischer Sprachgebrauch des Gesetzgebers ... 134
b) Normative und deskriptive Begriffe ... 136
c) Enge (restriktive) und weite (extensive) Auslegung des Tatbestandsmerkmals ... 136
d) Allgemeiner Sprachgebrauch ... 137
3. Die Eindeutigkeitsregel des Wortlauts (Acte-clair-Doktrin, literal rule, textualism) als Auslegungsfigur ... 138
4. Wortlautgrenze und Analogieverbot ... 139
a) Die vier Ausformungen des Gesetzlichkeitsprinzips ... 139
b) Das Analogieverbot (nullum crimen, nulla poena sine lege stricta) ... 139

c) Das Verbot unbestimmter Strafgesetze (nullum crimen, nulla poena sine lege certa) 142
d) Gewohnheitsrechtsverbot (nulla poena sine lege scripta) 143
e) Das Verbot rückwirkender Bestrafung (nulla poena sine lege praevia) 144
5. Die Bedeutung des Wortlauts für den EuGH 145
a) Der Wortlaut bei mehrsprachigen Rechtstexten 145
b) Die Unterscheidung von juristischem und allgemeinem Sprachgebrauch durch den EuGH 145
c) Der EuGH und die Wortlautgrenze im Straf- und Steuerrecht 146

III. Die systematische Auslegung 146
1. Bedeutung 146
a) Das Ideal der widerspruchsfreien Rechtsordnung 146
b) Systematische Auslegung im Stufenbau des Rechts 149
c) Das äußere System des BGB – Begriffsjurisprudenz: Begriffspyramiden – Bausteintechnik – Verweisungen 149
d) Das innere System des Gesetzes und die Wertungen des BGB 151
2. Einzelne systematische Auslegungsfiguren 153
a) Vergleich der Tatbestandsmerkmale einer Norm 153
b) Stellung des Tatbestandsmerkmals innerhalb der Gliederung des Gesetzes 154
c) Ausnahmen dürfen nicht erweiternd ausgelegt werden *(singularia non sunt extendenda)* 154
d) Einheit der Rechtsordnung und Einheit der Verfassung 155
3. Kollisionsregeln 156
a) Das höhere Gesetz geht dem niedrigeren vor (lex superior derogat legi inferiori) 157
b) Das spätere Gesetz geht dem früheren vor (lex posterior derogat legi priori) 157
c) Das besondere Gesetz geht dem allgemeineren vor (lex specialis derogat legi generali) 157
4. Die systematische Auslegung durch den EuGH 158
a) Zur Rolle der Systematik 158
b) Kollisionsregeln 158
c) Ausnahmen sind eng auszulegen 159
d) Weitere Argumentationsfiguren 159

IV. Die historische Auslegung 160
1. Historische Auslegung im weiteren und engeren Sinne 160
a) Relevanz und historische Auslegung im weiteren Sinne 160
b) Begrifflichkeiten 161
c) Vorläufernormen als Hilfsmittel für die historische Auslegung i. e. S. 161
d) Kontinuität zwischen Vorgängernorm und jetziger Norm (droit constant) 162
e) Verfassungstradition 162
2. Der gesetzgeberische Wille in den Materialien der konkreten Norm 163
a) Die genetische Auslegung 163
b) Präambel und Programmsatz als gesetzesimmanente Materialien 163
c) Amtliche Materialien im Gesetzgebungsverfahren als Hilfsmittel 164
d) Wille der Mehrheit der gesetzgeberischen Körperschaft versus individueller Wille 166
e) Kontinuitätsargument: eindeutiger Wille gilt heute noch 166
f) Kumulation von genetischen Quellen 166
3. Die Bedeutung der Gesetzesgeschichte für den EuGH 167
a) Die Bedeutung der historischen Auslegung i. w. S. für den EuGH 167
b) Kontinuität mit der Vorläufernorm als historische Auslegung i. e. S. 168
c) Verfassungstradition als historische Auslegung i. e. S. 168

d) Genetische Auslegung – Präambel und Erwägungsgründe als gesetzesimmanente Quellen 168
e) Amtliche Materialien als Hilfsmittel der genetischen Auslegung 169

Zusammenfassung zu § 4 170

§ 5 Telos, Logik und folgenorientierte Auslegung 171

I. Der Gesetzeszweck als teleologische Auslegung 172
1. Zum Telos, der ratio legis 172
a) Begriff 172
b) Der Sinn und Zweck des Primär- und Sekundärrechts der EU 173
c) Zur vermeintlichen Überflüssigkeit des Telos 173
d) Das Telos als Prämisse 174
2. Die Bestimmung des Gesetzeszwecks 175
a) Interner Gesetzeszweck 175
b) Ausdrücklicher oder konkludenter Normzweck 175
c) Die Erwägungsgründe zur Präzisierung von Normtext und Regelungsziel 176
d) Auslegungshilfen: In dubio pro libertate, pro consumente, favor laboris 177
3. Interessenjurisprudenz und Wertungsjurisprudenz 177
a) Von der Interessen- zur Wertungsjurisprudenz 177
b) Unterscheidung zwischen interessenorientierter und teleologischer Auslegung 179

II. Einzelne logische Argumentationsfiguren 180
1. Verstoß gegen Denkgesetze 180
2. Zirkelschluss *(petitio principii)* 181
a) Der Zirkelschluss *(petitio principii)* 181
b) Das *argumentum ex silentio* 183
3. Sprung im Schließen *(saltus in concludendo)* 184
4. Vermeidung einer Gesetzesumgehung 184
5. Vermeidung von Regelungswidersprüchen, Normangleichung und Erhalt des Anwendungsbereichs einer Norm 185
6. Einzelne Argumentationsfiguren des EuGH 186

III. Folgenorientierte Auslegung 187
1. Begriff und Relevanz der folgenorientierten Auslegung 187
2. Grenzen der folgenorientierten Auslegung 188
3. Einzelne Argumentationsfiguren 189
a) Vermeidung absurder oder unpraktikabler Ergebnisse *(argumentum ad absurdum)* 189
b) Wirtschaftliche Betrachtung: Vermeidung einer Übermaßhaftung oder einer unbilligen Härte 191
c) Das Recht kümmert sich nicht um Kleinigkeiten *(de minimis non curat lex)* 193
d) Vermeidung schädlicher Effekte und Ermöglichung praktikabler Ergebnisse 194
e) Allgemeine Lebenserfahrung und empirische Untersuchungen 196
f) Normative Kraft des Faktischen 197
g) Akzeptanz der Entscheidung und herrschende Meinung 198
h) Versuch einer vermittelnden Rechtsansicht 199
4. Die folgenorientierte Argumentation des EuGH 200
a) Vermeidung absurder Ergebnisse *(argumentum ad absurdum)* 200
b) Effet utile 200
c) Die Entwicklung neuer Rechtsbehelfe 201
d) Das Recht kümmert sich nicht um Kleinigkeiten aus europäischer Sicht 202
e) Praktikables Ergebnis 202

IV. Ökonomische Analyse des Rechts ... 203
1. Zielsetzung und Methoden des *Law and Economics*-Ansatzes ... 203
a) Homo oeconomicus und Allokationseffizienz ... 203
b) Cost-benefit analysis und cheapest cost avoider ... 204
2. Grenzen des ökonomischen Ansatzes ... 205
a) Begrenzte Rationalität des Menschen (*bounded rationality*) ... 205
b) Verfassungsrechtliche Gesichtspunkte und Wertungen des Gesetzgebers ... 207
c) Unzureichende empirische Daten ... 207
3. Bedeutung für die juristische Methodenlehre ... 208
a) Relevanz für die juristische Rechtsanwendung ... 208
b) Kosten-Nutzen-Bewertung, cheapest cost avoider und Haftungsrecht ... 209
c) Haftungsrecht und Prävention ... 210
d) Informationsgefälle und cheapest cost avoider ... 212
e) Das Principal-Agent-Problem ... 213
f) Spieltheorie ... 214
4. Ökonomische Überlegungen des EuGH ... 214
a) Ökonomische Fragestellungen im EU-Kartellrecht ... 214
b) Binnenmarkt und effektiver Rechtsschutz ... 215

Zusammenfassung zu § 5 ... 215

§ 6 Teleologische Gegenfiguren und einfache Formen der Rechtsfortbildung ... 217

I. Teleologische Gegenfiguren zu Formalargumenten ... 218
1. Wortlaut ... 218
a) Ablehnung der Eindeutigkeitsregel ... 218
b) Juristischer Sprachgebrauch ... 220
c) Unmöglichkeit der reinen Wortlautauslegung ... 220
d) Rechtsfortbildung ... 220
2. Systematik ... 221
a) Korrektur der systematischen Stellung eines Tatbestandsmerkmals ... 221
b) Relativität der Rechtsbegriffe und gespaltene Auslegung ... 222
c) Weite Auslegung von Ausnahmen ... 225
d) Kollisionsregeln: Der Grundsatz der Alternativität verdrängt die Lex-specialis-Regel ... 226
e) Relativierung des Lex-posterior-Satzes ... 227
f) Grundsätze in dubio pro libertate, pro consumente, favor laboris gelten nicht ... 227
3. Historische Auslegung ... 228
a) Diskontinuität im Rahmen der genetischen Auslegung: subjektiver Wille der Vorläufernorm gilt nicht mehr ... 228
b) Subjektiver Wille ist unklar, mehrdeutig oder widersprüchlich (Perplexität) ... 228
c) Maßgeblichkeit eines normativen, subjektiven Willens ... 229
d) Redaktionsversehen ... 229
e) Die objektive Theorie ... 231
4. Telos, Folgenorientierung und ökonomische Analyse ... 231
a) Unlogisches Recht ... 231
b) Grenzen der folgenorientierten Auslegung und der ökonomischen Analyse ... 232

II. Subjektive versus objektive Theorie ... 233
1. Der Streitstand als Dauerbrenner der juristischen Methodenlehre ... 233
2. Die subjektive Theorie ... 235
a) Maßgeblichkeit des Willens des damaligen Gesetzgebers ... 235
b) Lücke nicht planwidrig – beredtes Schweigen des Gesetzgebers ... 235
c) Kritik an der subjektiven Theorie ... 236
3. Die objektive Theorie ... 237

a) Die Interpretation des Gesetzes in seinem zeitlichen Kontext 237
b) Das Gesetz ist klüger als der Gesetzgeber und Altern der Kodifikation – der ursprüngliche Regelungszweck passt nicht mehr 237
c) Dynamische Verfassungsinterpretation 238
d) Kritik an der objektiven Theorie 238
4. Die subjektiv-objektive Theorie als Vereinigungstheorie 240
5. Gegenfiguren aus europäischer und rechtsvergleichender Perspektive 240
a) Redaktionsversehen 240
b) Übersetzungsfehler als Redaktionsversehen 241
c) Die dynamische Auslegung des EuGH und EGMR 242
d) Die US-amerikanische Perspektive: textualism, purposivism versus living originalism 243

III. Einfache Formen der Rechtsfortbildung 244
1. Teleologische Reduktion 244
a) Methodische Grundlagen 244
b) Vier Prüfungsschritte zur Begründung der teleologischen Reduktion 245
c) Unbilligkeit und argumentum ad absurdum als Argumentationsfiguren .. 247
2. Der Streit über den Lückenbegriff 248
a) Die Lücke als fata morgana? 248
b) Die planwidrige Lücke als Prämisse 249
c) Die verschiedenen Formen der Lücke 250
3. Einzelanalogie (Gesetzesanalogie) 250
a) Methodische Grundlagen – das Ähnlichkeitsargument (argumentum a simile) 250
b) Vier Prüfungsschritte zur Begründung der Einzelanalogie 251
c) Erst-Recht-Schluss und Unbilligkeit als Argumentationsfiguren 253
d) Zwei Varianten des Ähnlichkeitsvergleichs 255
e) Planwidrigkeit der Lücke und das Umgehungsargument 256
4. Gesamtanalogie (Rechtsanalogie) 257
a) Methodische Grundlagen 257
b) Vier Prüfungsschritte zur Begründung der Gesamtanalogie 258
c) Die Stimmigkeit mit dem inneren System des Gesetzes als Argumentationsfigur zur Begründung der Planwidrigkeit der Lücke 260
5. Die schwierige Suche nach dem Telos 262
a) Die teleologische Extension bei fehlender Ähnlichkeit zu einem gesetzlichen Tatbestandsmerkmal 262
b) Mehrfache Regelungszwecke 265
6. Einfache Formen der Rechtsfortbildung auf europäischer Ebene 265
a) Zum Begriff der „Interprétation“ 265
b) Teleologische Reduktion 266
c) Einzelanalogie 266
d) Gesamtanalogie und das Entwickeln neuer Rechtsinstitute 267

IV. Die Auslegung von Rechtsgeschäften und Verträgen 267
1. Ziel der Auslegung von Rechtsgeschäften und Verträgen 268
a) Auslegungsgrundsätze 268
b) Der Wille des Erklärenden und der Vertrauensschutz Dritter 268
2. Natürliche Auslegung 269
a) Nicht empfangsbedürftige Willenserklärungen 269
b) falsa demonstratio non nocet 269
3. Objektiv-normative Auslegung und einzelne Auslegungsgrundsätze 270
a) Auslegung nach dem Empfängerhorizont 270
b) Wortlaut, Systematik und Begleitumstände als Teil der Entstehungsgeschichte 270
c) Teleologische Auslegung – Interessenlage und Zweck einer Regelung 271
d) Verträge mit einem größeren Personenkreis 272

4. Ergänzende Vertragsauslegung ... 272
a) Abgrenzungen ... 272
b) Voraussetzungen der ergänzenden Vertragsauslegung ... 273

Zusammenfassung zu § 6 ... 275

3. Teil. Konkretisierung und Konstruktion

§ 7 Konkretisierung von Recht durch Gesetzgeber, Verwaltung und Gerichte ... 277

I. Konkretisierung von Recht ... 277
1. Auslegung versus Konkretisierung ... 277
a) Die Auslegung als erster Arbeitsschritt ... 277
b) Die Konkretisierung als erforderlicher zweiter Arbeitsschritt ... 278
2. Generalklauseln – Fluch oder Segen? ... 279
a) Generalklauseln und unbestimmte Rechtsbegriffe ... 279
b) Delegations-, Rechtsfortbildungs-, Flexibilitäts- und Rezeptionsfunktion von Generalklauseln ... 280
c) Generalklauseln im europäischen Recht ... 282

II. Konkretisierung durch den Gesetzgeber ... 283
1. Generalklauseln und Regelbeispiele im deutschen Recht ... 283
a) Systematische und teleologische Auslegung ... 283
b) Legaldefinitionen und Regelbeispiele im Zivilrecht ... 283
2. Generalklauseln und Regelbeispiele im Strafrecht ... 284
a) Unbestimmte Rechtsbegriffe im Tatbestand ... 284
b) Regelbeispiele auf der Rechtsfolgenseite ... 285
3. Konkretisierung von Generalklauseln durch den europäischen Gesetzgeber ... 286
a) Legaldefinitionen und Regelbeispiele ... 286
b) Anhänge ... 287
c) Abschließender oder offener Charakter gesetzlicher Konkretisierung ... 287

III. Konkretisierung durch die Verwaltung oder private Regelwerke ... 287
1. Deutsches Recht ... 287
a) Gesetz und Rechtsverordnung ... 288
b) Verwaltungsvorschriften ... 288
c) Private Regelwerke ... 288
2. Europäisches Recht ... 289

IV. Die Vergleichsfallmethode als Konkretisierung durch die Gerichte ... 290
1. Die Ähnlichkeit zwischen Einzelanalogie und Vergleichsfallmethode ... 290
a) Die Vergleichsfallmethode im anglo-amerikanischen Recht ... 290
b) Das Denken von Fall zu Fall (Schluss vom Besonderen auf das Besondere) ... 291
c) Die Argumente im Rahmen der Vergleichsfallmethode ... 292
d) Die Bildung eines verallgemeinerungsfähigen Rechtssatzes durch die Kombination von Induktion und Deduktion ... 293
2. Bindungswirkung von Gerichtsentscheidungen ... 294
a) Das anglo-amerikanische Recht: tragende Gründe (ratio decidendi), sonstige Erwägungen (obiter dictum), distinguishing und overruling ... 294
b) Das deutsche Recht: tragende Gründe (ratio decidendi), sonstige Erwägung (obiter dictum), distinguishing und overruling ... 298
3. Die Vergleichsfallmethode des EuGH ... 299
4. Einzelne Argumentationsfiguren zum Richterrecht ... 300
a) Grundsatzentscheidungen und gefestigte Rechtsprechung als Argumentationsfiguren ... 300
b) Argumentationsfiguren zur Hierarchie des Richterrechts ... 300
5. Die rechtsvergleichende Methode: Das „Wie“ ... 301

a) Verpflichtende Rechtsvergleichung am Beispiel des Einheitsrechts und im europäischen Recht 301
b) Freiwillige Rechtsvergleichung 301
c) Rechtsvergleichung des EuGH und des EGMR 304
Zusammenfassung zu § 7 305

§ 8 Bewegliches System, Fallgruppen und Fallgruppenvergleich als Methoden der Konkretisierung 307
I. Das Bewegliche System 308
1. Grundsätzliches 308
a) Entdecker des Beweglichen Systems 308
b) Der Streit zur Relevanz eines Beweglichen Systems 309
c) Abschließende Bewertung 309
2. Anwendungsfälle im deutschen Recht 310
a) Zurechnungskriterien zur Konkretisierung der Verkehrspflichten im Rahmen des § 823 Abs. 1 BGB 310
b) Die Zurechnungskriterien für die Sittenwidrigkeit gem. § 138 und § 826 BGB 311
c) Vorvertragliche und vertragliche Aufklärungspflichten 313
3. Anwendungsfälle im europäischen Recht 314
II. Fallgruppen zur Konkretisierung von Generalklauseln 315
1. Fallgruppen 315
a) Das Ziel einer Fallgruppe 315
b) Tatbestandsähnliche Voraussetzungen einer Fallgruppe 315
c) Chancen und Risiken 316
2. Fallgruppennormen im europäischen Recht 317
III. Die Strukturierung von mehreren Zurechnungskriterien verschiedener Fallgruppen 317
1. Zurechnungskriterien verschiedener Fallgruppen als Bewegliches System 318
2. Das Entwickeln neuer Fallgruppen – ein Kommen und Gehen 320
3. Bildung einer neuen Fallgruppe im europäischen Recht 322
Zusammenfassung zu § 8 322

§ 9 Rechtsdogmatik und allgemeine Rechtsprinzipien 325
I. Allgemeine Rechtsprinzipien und Rechtsdogmatik 326
1. Der Nutzen der Rechtsdogmatik für die Juristische Methodenlehre 326
a) Ziele und Begriff der Rechtsdogmatik 326
b) Risiken der „Gebrauchsdogmatik“ 327
c) Scheinbegründungen wie die „Natur der Sache“ 328
2. Rechtsdogmatik und Juristische Methodenlehre 329
a) Verbindung von Rechtsdogmatik und Methodenlehre 329
b) Konkretisierung und Konstruktion als Argumentationsfiguren zur Einbindung der Rechtsdogmatik in die Methodenlehre 330
c) Die Vorteile der Verbindung von Methodenlehre und Rechtsdogmatik 331
3. Zur Differenzierung zwischen Rechtsidee, Rechtsprinzip und Rechtsinstitut 332
a) Rechtsideen als Werte 333
b) Rechtsprinzipien 333
c) Rechtsinstitute als Rechtssätze 334
II. Die Arbeit mit Rechtsprinzipien in der Fallbearbeitung: Begründung und Konstruktion des Rechtsprinzips 335
1. Die Begründung des Rechtsprinzips als erster Schritt: Rückgriff auf Gesetz oder Induktion 335
a) Die historische Ableitung von Rechtsprinzipien 335

b) Einzel- oder Gesamtanalogie ... 335
c) Verschiedene Wege zur Begründung eines Rechtsprinzips ... 336
2. Konkretisierung von Rechtsprinzipen als notwendiger zweiter Schritt ... 337
a) Die Konkretisierung von Rechtsprinzipien zum Rechtssatz oder Rechtsinstitut ... 337
b) Die Konkretisierung durch Abwägung ... 338

III. Rechtsprinzipien im Zivilrecht: Herleitung und Konkretisierung der Privatautonomie ... 338
1. Induktive Herleitung von pacta sunt servanda ... 339
a) Vertragsfreiheit als Ausfluss der Willensfreiheit ... 339
b) Die Begründung der Vertragsbindung (pacta sunt servanda) ... 340
2. Vertragsfreiheit und vermeintlich widersprechende Rechtsprinzipien ... 341
a) Die umstrittene rechtsdogmatische Begründung des Kontrahierungszwangs ... 341
b) Zur umstrittenen Preiskontrolle von Verträgen – die laesio enormis ... 342
c) Störung der Geschäftsgrundlage und clausula rebus sic stantibus ... 342

IV. Das Selbstbestimmungsrecht als Rechtfertigungsgrund verschiedener Rechtsinstitute ... 344
1. Ansätze in der Literatur ... 344
a) Privatautonomie und Vertragsgerechtigkeit ... 344
b) Das Prinzip des Sozialen und die Privatautonomie als Optimierungsgebot ... 344
c) Weitere Ansätze zur Begründung der Privatautonomie ... 345
2. Privatautonomie als Selbstbestimmung beider Parteien ... 346
a) Selbstbestimmung des Einzelnen und beiderseitige Selbstbestimmung ... 346
b) Die Herleitung des Selbstbestimmungsprinzips aus dem BGB und der Verfassung ... 346
c) Freiheitsbeschränkende Einschränkung der Selbstbestimmung als konkretisierender Maßstab für eine Korrektur des Vertrages ... 347
3. Die rechtsdogmatische Begründung der verschiedenen Rechtsinstitute mit dem fehlenden Selbstbestimmungsrecht ... 348
a) Kontrahierungszwang und fehlende Selbstbestimmung ... 348
b) Preiskontrolle gem. § 138 Abs. 1 BGB bei Verträgen, die stark freiheitsbeschränkend in die selbstbestimmte Lebensführung eingreifen ... 348
c) Freiheitsbeschränkende fehlende Äquivalenz als Störung der Geschäftsgrundlage ... 349
4. Die Konkretisierung und Begründung von Rechtsinstituten durch das Prinzip der Selbstbestimmung ... 350

V. Rechtsprinzipien auf europäischer Ebene ... 351
1. Herausforderungen bei der Ableitung von Prinzipien auf europäischer Ebene ... 351
a) Schwierigkeiten auf europäischer Ebene ... 351
b) Differenzierung zwischen Primär- und Sekundärrecht ... 352
2. Allgemeine Rechtsprinzipien im europäischen Recht ... 352
a) Vereinzelte Kodifizierung europäischer Rechtsprinzipien ... 352
b) Rückgriff auf die allgemeinen Rechtsgrundsätze oder Verfassungstraditionen der Mitgliedstaaten ... 352
c) Weitere Rechtsprinzipien des europäischen Zivilrechts ... 354
d) Der Einfluss eines europäischen Rechtsprinzips auf das nationale Recht ... 355

Zusammenfassung zu § 9 ... 355

§ 10 Abwägung als Konstruktion ... 357

I. Abwägung im Öffentlichen Recht ... 358
1. Abwägung als Konstruktion ... 358

a) Konstruktion von „offenen" Verfassungsnormen 358
b) Abwägung als Prozess zur Konkretisierung kollidierender Rechtsprinzipien 359
2. Die Struktur der Abwägung 361
a) Abwägungsauftrag und Auswahl der abwägungsrelevanten Gesichtspunkte 361
b) Abstrakte Gewichtung der Abwägungsgesichtspunkte 362
c) Konkrete Gewichtung im Einzelfall 362
d) Abwägungsvorgang im Einzelfall 363
3. Rechtsdogmatische Schlussfolgerungen aus der Abwägung 365
a) Zwischenschichten, Stufen, Leitbilder etc. 365
b) Zwingende Vorrangregel 366
c) Vermutungs- und Argumentationslastregel 367
d) Abwägungsregel und Verhältnismäßigkeitsgrundsatz 367
4. Die Prüfung von Grundrechten als gelungene Konstruktion von Recht 368
II. Abwägung von Grundrechten 369
1. Sachlicher Schutzbereich des Grundrechts 369
2. Eingriff und Beeinträchtigungen 371
3. Rechtfertigung des Eingriffs (Schranke) 372
4. Grenzen der Einschränkbarkeit (Schranken-Schranke), insbesondere Verhältnismäßigkeit 374
III. Abwägung europäischer Grundrechte und Grundfreiheiten 378
1. Vergleich der Konkretisierung von Grundrechten und Grundfreiheiten 378
2. Europäische Grundrechte 379
a) Die Quellen europäischer Grundrechte 379
b) Rechtfertigung des Eingriffs (Schranken) und Verhältnismäßigkeit 381
3. Europäische Grundfreiheiten – Unterschiede zum deutschen Recht 381
a) Die Idee der Grundfreiheiten 381
b) Beschränkung der Grundfreiheiten und deren Rechtfertigung 382
c) Verhältnismäßigkeit 383
IV. Abwägung kollidierender Rechtsprinzipen im Zivilrecht 385
1. Widerstreitende Prinzipien im Zivilrecht 385
a) Vorrang eines Prinzips gegenüber dem anderen 385
b) Abwägung kollidierender Rechtsgüter im Zivilrecht 387
2. Die Abwägung von Rechtsprinzipien am Beispiel des Vertrags mit Schutzwirkung zugunsten Dritter als Rechtsinstitut widerstreitender Rechtsprinzipien 387
a) Tatbestandsähnliche Voraussetzungen der Rechtsprechung 387
b) Rechtsdogmatische Begründungsversuche 388
c) Der Ausgleich zwischen Nichtstörungsgebot und Vertragsfreiheit 389
3. Der Verhältnismäßigkeitsgrundsatz im Zivilrecht 391
a) Die bejahende Rechtsansicht 391
b) Die grundsätzlich ablehnende Rechtsansicht 391
c) Vermittelnde Ansicht: begrenzte Anwendung des Verhältnismäßigkeitsgrundsatzes im BGB 392
Zusammenfassung zu § 10 394

4. Teil. Vorrang durch Verfassungs- und Europarecht

§ 11 Verfassung als höherrangiges Recht 395
I. Die verschiedenen Funktionen der Verfassung 396
1. Grundrechte und Grundgesetz als objektive Wertordnung 396
a) Abwehrrechte gegenüber dem Staat 396

b) Das Grundgesetz als Wertordnung ... 397
c) Grundrechte als Schutzpflichten des Staates gegenüber dem Bürger ... 398
d) Übermaß- und Untermaßverbot ... 400
2. Wirkung der Grundrechte gegenüber Privaten ... 401
a) Lehre von der mittelbaren Drittwirkung ... 401
b) Lehre von der unmittelbaren Drittwirkung ... 402
c) Grundrechte als Schutzpflichten ... 403
3. Der Einfluss der Verfassung auf die Rechtsprechung ... 405
a) Das Fachgericht als Verfassungsgericht ... 405
b) Kontrolle der Rechtsprechung ... 406
c) Kontrolle des Gesetzgebers gem. Art. 100 Abs. 1 GG ... 406

II. Verfassungswidrigkeit und Argumentationsfiguren des Verfassungsrechts ... 407
1. Nichtigkeit eines verfassungswidrigen Gesetzes ... 407
2. Ausnahmen von der Nichtigkeit ... 408
a) Unvereinbarkeitserklärung und Anordnung der befristeten Fortgeltung der verfassungswidrigen Regelung ... 408
b) Pflicht zur verfassungskonformen Auslegung ... 409
3. Umstrittene Argumentationsfiguren des Verfassungsrechts ... 410
a) Die unpräzise Verwendung der verfassungskonformen Auslegung durch das Bundesverfassungsgericht ... 410
b) Die Dreiteilung von verfassungsorientierter, verfassungskonformer Auslegung und verfassungskonformer Rechtsfortbildung ... 410

III. Die verfassungsorientierte Auslegung ... 410
1. Die verfassungsorientierte Auslegung als Auslegungsfigur ... 410
a) Der Meinungsstreit ... 410
b) Die verfassungsorientierte Auslegung als reine Argumentationsfigur ... 411
2. Die verfassungsorientierte Auslegung als einfache Abwägungsregel im Zivilrecht ... 412
a) Eigentumsfreiheit des Vermieters versus Rechte des Mieters ... 412
b) Eingriff in Unternehmen versus Meinungsfreiheit ... 413

IV. Verfassungskonforme Auslegung ... 414
1. Grundsatzfragen zur verfassungskonformen Auslegung ... 414
a) Die Begrifflichkeit nach den Vorgaben des Bundesverfassungsgerichts ... 414
b) Vorrang der Verfassung als eigenständige Auslegungsfigur ... 415
2. Verfassungskonforme Auslegung im Öffentlichen Recht ... 415
3. Verfassungskonforme Auslegung im Zivilrecht ... 416
a) Schutz von Rechtsgütern ... 416
b) Abwehr von übermäßigen Freiheitsbeschränkungen ... 416

V. Verfassungskonforme Rechtsfortbildung ... 418
1. Die widersprüchliche Rechtsprechung des Bundesverfassungsgerichts ... 418
2. Die verfassungskonforme Rechtsfortbildung als Rechtsfigur ... 419
3. Fallgruppen zulässiger verfassungskonformer Rechtsfortbildung ... 420
a) Teleologische Reduktion ... 420
b) Schutz vor offensichtlichen Grundrechtsverletzungen des Betroffenen ... 420
c) Schutz anderer Grundrechte ... 423
4. Grenzen der verfassungskonformen Rechtsfortbildung bei Grundrechtsbeeinträchtigungen Dritter – der Streit der Verfassungssenate ... 423
a) Zweiter Senat: Rechtsfortbildung unabhängig von Grundrechtspositionen Dritter ... 423
b) Erster Senat: hohe Anforderungen an Rechtsfortbildung bei Beeinträchtigung von Grundrechtspositionen Dritter ... 424
c) Eigene Ansicht: unzulässige Rechtsfortbildung contra legem nur bei schwerer Grundrechtsbeeinträchtigung des Dritten ... 425

Zusammenfassung zu § 11 ... 427

§ 12 Der Vorrang von Europarecht und Völkerrecht ... 429
I. Unmittelbare Anwendbarkeit als Voraussetzung des Anwendungsvorrangs ... 430
1. Zum Verhältnis von unmittelbarer Anwendbarkeit, Anwendungsvorrang und unionskonformer Auslegung ... 430
2. Unmittelbare Anwendbarkeit bzw. unmittelbare Wirkung europäischen Rechts (direct effect) ... 431
a) Voraussetzungen der unmittelbaren Wirkung (direct effect) ... 431
b) Der Anwendungsvorrang als Folge der unmittelbaren Wirkung ... 432
3. Drittwirkung des Primärrechts zwischen Privaten ... 432
a) Beispiele der unmittelbaren Drittwirkung gegenüber Privaten ... 432
b) Unmittelbare und mittelbare Drittwirkung sowie Schutzpflichten ... 433
c) Kombinationstheorie ... 434
II. Anwendungsvorrang und Pflicht zur unionskonformen Auslegung ... 434
1. Europäische Terminologie ... 434
2. Die zweistufige primärrechtskonforme Auslegung ... 435
a) Primärrechtskonforme Auslegung des abgeleiteten Unionsrechts ... 435
b) Primärrechtskonforme Auslegung des nationalen Rechts ... 435
3. Verhältnis von Anwendungsvorrang und unionskonformer Auslegung ... 436
a) Die ungeklärten Grenzen der primärrechtskonformen Rechtsfortbildung ... 436
b) Die nationale Rechtsprechung zur primärrechtskonformen Rechtsfortbildung ... 437
III. Sekundärrecht: Verordnungen, Richtlinien, Empfehlungen ... 439
1. Vorrangwirkung von Verordnungen und verordnungskonforme Auslegung ... 439
2. Vorrangwirkung von Richtlinien und richtlinienkonforme Auslegung i.w.S. ... 439
a) Vertikale Wirkung von Richtlinien ... 439
b) Fehlende horizontale Drittwirkung von Richtlinien ... 440
3. Die horizontale richtlinienkonforme Auslegung i.e.S. ... 442
a) Richtlinienkonforme Auslegung als Auslegungsziel und Vermutungsregel ... 442
b) Wandel des Sprachgebrauchs ... 443
4. Die richtlinienkonforme Rechtsfortbildung ... 444
a) Die Vorgaben des EuGH zur richtlinienkonformen Rechtsfortbildung ... 444
b) Der Meinungsstreit zur richtlinienkonformen Rechtsfortbildung ... 445
c) Eigene weitere Ansicht – die richtlinienkonforme Rechtsfortbildung als Teil der nationalen Methodenlehre ... 447
d) Die Anerkennung der richtlinienkonformen Rechtsfortbildung durch die Rechtsprechung ... 450
e) Die Contra-legem-Grenze als Grenze der richtlinienkonformen Rechtsfortbildung ... 451
5. Weitere Umsetzungsfragen von Richtlinien ... 454
a) Vorwirkung ... 454
b) Überschießende Umsetzung: richtlinienorientierte Auslegung versus gespaltene Auslegung ... 455
6. Befassungs- und subsidiäre Befolgungspflicht von Empfehlungen ... 456
7. Zusammenfassung ... 457
IV. Weitere Mittel zur Durchsetzung des Europäischen Rechts ... 458
1. Die Verpflichtung zur eindeutigen Umsetzung von Europäischem Recht ... 458
a) Transparenzgebot: Die Verpflichtung zur eindeutigen Umsetzung von Richtlinien ... 458
b) Anpassungspflicht von nationalen Gesetzen, die gegen Europarecht verstoßen ... 459

c) Pflicht zur effektiven Umsetzung von Richtlinien 460
2. Vorabentscheidungsverfahren und Vorlageverpflichtung gem. Art. 267 AEUV 460
a) Vorlagepflicht und Acte-clair-Doktrin 460
b) Rechtsfolgen bei Nichtbeachtung der Vorlageverpflichtung 461
3. Vertragsverletzungsverfahren gem. Art. 258 f. AEUV 463
4. Der unionsrechtliche Staatshaftungsanspruch 464
a) Herleitung und Anwendbarkeit 464
b) Voraussetzungen und Rechtsfolgen 464
V. Völkerrecht 465
1. Grundsatz der völkerrechtsfreundlichen Auslegung 465
2. Gemeinsamkeiten und Unterschiede 466
3. Bewertung 468
Zusammenfassung zu § 12 468

5. Teil. Rechtsfrieden und Rechtssicherheit als Ziele der Juristischen Methodenlehre

§ 13 Grenzen der Rechtsfortbildung 469
I. Die unsicheren Grenzen zulässiger Rechtsfortbildung 471
1. Die Grenzen zulässiger Rechtsfortbildung als Dauerstreit der Juristischen Methodenlehre 471
2. Folgen zulässiger oder unzulässiger Rechtsfortbildung 472
3. Methodischer Blindflug 472
a) Wider der verdeckten Rechtsfortbildung 472
b) Unklare Einzelfragen 473
4. Begriffsbestimmungen zur Grenze zulässiger Rechtsfortbildung 474
a) Bisherige Begrifflichkeiten: Gesetzesimmanente, gesetzesübersteigende Rechtsfortbildung und Rechtsfortbildung contra legem 474
b) Lückenfüllendes, gesetzeskonkretisierendes, gesetzesvertretendes und gesetzeskorrigierendes Richterrecht 475
c) Zur Neubestimmung der Begriffe: Rechtsfortbildung und Rechtsfortbildung contra legem 476
5. Argumentationsfiguren zur Vermeidung einer unzulässigen Rechtsfortbildung 477
II. Erster Schritt: Klassische Argumentationsfiguren 477
1. Eindeutigkeit und Offenheit des Wortlauts 477
2. Arbeiten am System – Lücke und geschlossenes System 478
a) Geschlossenes System und unzulässige Änderung der Grundkonzeption des Gesetzgebers 478
b) Zulässige Erweiterungen in einem offenen System 480
3. Wille des Gesetzgebers und der sich im Gesetz wiederfindende Wandel der Lebensverhältnisse (objektive Auslegung) 481
a) Relevanz des subjektiven Willens 481
b) Die Reaktion des Gesetzgebers auf die Rechtsprechung 481
c) Interpretationsmöglichkeiten auf ein Schweigen des Gesetzgebers 481
4. Der Zweck als Rechtfertigungsgrund einer Rechtsfortbildung 482
a) Der Zweck der Norm als Begründung der Rechtsfortbildung 482
b) Die Relevanz gewandelter Lebensverhältnisse für die Rechtsanwendung .. 482
III. Zweiter Schritt: Der Blick auf die Rechtsfolgen 483
1. Folgenorientierte Überlegungen bei der Rechtsfortbildung 483
2. Unbillige Härte bei offensichtlicher Rechtsschutzlücke und Untätigkeit des Gesetzgebers 483

a) Unbillige Härte bei offensichtlicher Rechtsschutzlücke ... 483
b) Die Untätigkeit des Gesetzgebers ... 485
c) Kein anderweitiger Rechtsschutz möglich ... 486
3. Konsens, rechtsvergleichende Bestätigung und Erhöhung der Rechtssicherheit ... 486
a) Konsens und die allgemeine Rechtsüberzeugung ... 486
b) Bestätigung durch ausländische Entscheidungen ... 487
c) Praktikabilität und Rechtssicherheit ... 487
IV. Dritter Schritt: Die Verfassung als höherrangiges Recht ... 489
1. Grundrechtsschutz des Verletzten und Grundrechtsbeeinträchtigung des Dritten ... 489
2. Grundrechtsbeeinträchtigungen und schützenswertes Vertrauen ... 489
3. Vertrauensschutz bei Rechtsprechungsänderung ... 491
4. Gesetzlichkeitsprinzip als Ausdruck des berechtigten Vertrauens des Bürgers ... 491
V. Vierter Schritt: Höherrangiges Europarecht und internationales Recht ... 492
1. Die primärrechts- und verordnungskonforme Rechtsfortbildung ... 492
2. Richtlinienkonforme Rechtsfortbildung des nationalen Rechts und ihre Grenzen ... 492
3. Das Vertrauen des Einzelnen als Grenze zulässiger Rechtsfortbildung ... 492
VI. Fünfter Schritt: Kompetenzgrenzen ... 493
1. Gesetzesvorbehalt und die Kompetenz des Parlaments ... 493
a) Allgemeiner Gesetzesvorbehalt und Wesentlichkeitstheorie zugunsten des Gesetzgebers ... 493
b) Kein Gesetzesvorbehalt zulasten der Gerichte ... 494
2. Gewaltenteilung und die Grenzen der Gerichte ... 496
a) Gewaltenteilung, Gesetzesvorrang und richterliche Selbstbeschränkung (judicial self-restraint) ... 496
b) Der Richter als Ersatzgesetzgeber und das BVerfG als politisches Gericht ... 498
c) Unzulässige Rechtsgestaltung (judicial activism) gegenüber dem Gesetzgeber ... 500
3. Konkretisierung und Rechtsfortbildung ... 500
a) Rechtsmethodik und Rechtsdogmatik als Mittel der Konkretisierung von Recht ... 500
b) Das Gebot der Rückverweisung an den Gesetzgeber ... 501
c) Zur Zulässigkeit von gesetzesergänzender oder gesetzeskorrigierender Rechtsfortbildung ... 502
4. Kompetenzstreitigkeit zwischen den Gerichten ... 503
a) Das BVerfG als Superrevisionsinstanz gegenüber Fachgerichten ... 503
b) Die Rolle des BVerfG im „Dialog der Gerichte" ... 504
c) Das Prinzip des institutionellen Gleichgewichts als Kompetenzgrenze des EuGH bei der Rechtsfortbildung ... 507
d) Kooperationsverhältnis, Ultra-vires-Kontrolle und Wege aus der Sackgasse 508
VII. Abwägung und Gewichtung verschiedener Argumentationsfiguren im Rahmen der Rechtsfortbildung ... 511
1. Vorrang-, Vermutungs- und Argumentationslastregel ... 511
2. Abwägungsregel ... 511
3. Zum Verhältnis des Fünf-Stufen-Systems zu den Abwägungsregeln ... 511
Zusammenfassung zu § 13 ... 513

§ 14 Eine Moderne Juristische Methodenlehre ... 515
I. Auf dem Weg zu einer Modernen Methodenlehre ... 516
1. Klassische versus postmoderne Methodenlehre ... 516

2. Eine Moderne Methodenlehre 516
II. Die Fallhermeneutik als Teil der Juristischen Methodenlehre 517
1. Zur Wechselwirkung von Sachverhalt und Rechtsnorm 518
a) Bisherige Ansichten (Engisch, Fikentscher) 518
b) Die Normbereichslehre von F. Müller 518
2. Sachverhaltshermeneutik zur Ermittlung des Fallbereichs 519
a) Zur Notwendigkeit einer eigenen Sachverhaltshermeneutik 519
b) Vom Rohsachverhalt zum Sachverhalt: Recherchepflichten und Interviewing 520
c) Beibringungs- und Untersuchungsgrundsatz 523
3. Der Normbereich 524
a) Untersuchungsgrundsatz und Normbereich 524
b) Die Fallhermeneutik am Beispiel eines potentiellen Burkaverbotes 524
c) Maßstabbildung in den Entscheidungen des BVerfG 527
d) Stellungnahme 528
III. Richterliche Dezision und Juristische Kreativität 530
1. Richterliche Dezision 530
a) Dezisionismus und die Paradoxie des Entscheidens 530
b) Process of discovery and process of justification 531
2. Juristische Kreativität durch juristische Innovationen 531
a) Grenzen der systematisch-deduktiven Entscheidungsbegründung und der Abwägung 531
b) Innovationen und juristische Entdeckungen 532
3. Die Lehre von der Topik und Juristische Kreativität 533
a) Die Lehre von der Topik als Ausgangspunkt der Problemlösung 533
b) Topoi und Juristische Kreativität 534
c) Topoi, Rechtsdogmatik und Methodenlehre 535
d) Die Typenlehre 536
IV. Prüfungsfolge und Gewichtung als Bausteine einer Metamethodik 537
1. Methodenpluralismus 537
a) Pragmatischer Methodenpluralismus und Methodenchaos 537
b) Die Metamethodik als Antwort auf den Rationalitätsanspruch Juristischen Denkens 539
2. Prüfungsfolge zur Begründung der Rechtslösung 539
a) Erster Schritt: Sachverhaltshermeneutik 539
b) Zweiter Schritt: Deduktion – Der Savigny'sche Auslegungskanon und die folgenorientierte Auslegung 540
c) Dritter Schritt: Konkretisierung und Konstruktion 540
d) Vierter Schritt: Prüfung von höherrangigem Recht 540
e) Fünfter Schritt: Rechtsfortbildung und ihre Grenzen 540
f) Sechster Schritt: Billigkeitskontrolle und Richtigkeitsgewähr 541
3. Gewichtung von Argumentationsfiguren 542
a) Strikte Vorrangregeln 543
b) Vermutungsregel 544
c) Abwägungsregel eines Beweglichen Systems 544
d) Argumentationslastregel 545
e) Die differenzierte Gewichtung juristischer Argumente 546
f) Gewichtung juristischer Argumente und Auslegungsziel 546
V. Quellen der Juristischen Methodenlehre 548
1. Die Grundlagenfächer als Nachbardisziplinen 548
a) Rechtsgeschichte und der Wandel juristischer Methoden 548
b) Rechtsvergleichung 550
c) Rechtstheorie 550
d) Rechtssoziologie 551

2. Staatstheorie, Rechtsdogmatik und Rechtsphilosophie 551
a) Methodenlehre als Argumentations- und Legitimationslehre 551
b) Rechtsdogmatik und die Berührung zur Juristischen Methodenlehre 552
c) Rechtsphilosophie: Auf der Suche nach der gerechten Entscheidung 552
VI. Eine Moderne Methodenlehre als Schule Juristischen Denkens 554
1. Zum Legitimations- und Rationalitätsanspruch – Methodenlehre als Garant Juristischen Denkens 554
2. Denkstrukturen einer Modernen Methodenlehre 555
3. Elemente rationalen Begründens 556
a) Kumulativer Methodeneinsatz 556
b) Methodentransparenz 557
c) Metamethodik: Gewichtung und Prüfungsfolge der Argumentationsfiguren 557
4. Unzulässige Begründungsdefizite 558
a) Richterliche Dezision und Vorverständnis 558
b) Begründungsverzicht, Scheinbegründungen und Methodenpluralismus 558
c) Jenseits des Systems und der einfachen Deduktion 558
5. Auf dem Weg zu einer europäischen Juristischen Methodenlehre 560
a) Eine Juristische Methodenlehre für alle juristischen Teildisziplinen 560
b) Eckpunkte einer europäischen Methodenlehre 560
Zusammenfassung zu § 14 561
Statt eines Schlusswortes – Zum Wert der Juristischen Methoden 563

§ 15 Vertiefungsfälle 565

Anhang: Die wichtigsten Argumentationsfiguren 583
Rechtsprechungsübersicht 589
Stichwortverzeichnis 601

Grafiken

§ 1 Struktur des Lehrbuchs ... 6
These, Prämisse, Argument und Auslegungsziel ... 34
§ 2 Hierarchie von Rechtsquellen in Deutschland ... 55
Rückbewirkung von Rechtsfolgen und tatbestandliche Rückanknüpfung ... 57
Hierarchie von Rechtsquellen im heutigen Mehrebenensystem ... 81
§ 3 Vernetztes Recht ... 91
Primäre Rechtsquellen – Sekundäre Rechtsquellen – soft law ... 93
§ 4 Subsumtionstechnik ... 121
Bausteintechnik ... 122
Konkretisierung des Begriffs der Gesundheitsschädigung durch „Hin- und Herwandern" ... 124
Begriffskern/Begriffshof und Drei-Bereiche-Modell anhand des Beispiels „Waffe" ... 133
Das Rechtsgeschäft ... 151
§ 5 Beispiel für einen Zirkelschluss ... 183
§ 6 Ausgewählte Argumentationsfiguren und ihre gegenläufigen Argumentationsfiguren ... 233
Die teleologische Reduktion ... 247
Rechtsfindung im Rahmen der Einzelanalogie (Gesetzesanalogie) ... 253
Rechtsfindung im Rahmen der Gesamtanalogie (Rechtsanalogie) ... 258
§ 7 Rechtsfindung im Rahmen der Vergleichsfallmethode ... 294
§ 8 Zurechnungskriterien für Verkehrspflichten des § 823 Abs. 1 BGB ... 311
Sittenwidrigkeit eines Rechtsgeschäfts ... 319
§ 9 Zum Verhältnis von Rechtsidee, Rechtsprinzip und Rechtsinstitut ... 338
Das Prinzip der Selbstbestimmung mit Rechtsinstituten ... 351
§ 10 Prüfung von Grundrechten ... 378
Widerstreitende Rechtsprinzipien und Konkretisierung der Voraussetzungen des Vertrages mit Schutzwirkung zugunsten Dritter ... 390
§ 11 Drittwirkung und Schutzpflichtenlehre ... 405
Die Dreiteilung von verfassungsorientierter und verfassungskonformer Auslegung sowie verfassungskonformer Rechtsfortbildung ... 427
§ 12 Unionskonforme Auslegung (Terminologie) ... 435
Vertikale und horizontale Drittwirkung von Richtlinien bei fehlender Umsetzung ... 441
Vier vertikale Stufen der Rechtsfindung ... 458
§ 13 Fünf Stufen-System zur Vermeidung einer Entscheidung contra legem ... 512
§ 14 Sechsstufige Prüfungsfolge der Rechtslösung und die Gewichtung der Argumentationsfiguren zur Rechtsfindung ... 547
Quellen der Juristischen Methodenlehre ... 554
Eine Moderne Methodenlehre als Schule Juristischen Denkens ... 559
§ 15 Beweislasterleichterung im Rahmen der Produzentenhaftung ... 569

Abkürzungsverzeichnis[1]

a.A.	andere Ansicht
a.a.O.	am angegebenen Ort
A.C.	Law Reports, Appeal Cases, House of Lords and Privy Council (seit 1890)
a.F.	alte Fassung
ABGB	Allgemeines Bürgerliches Gesetzbuch v. 1.6.1811, Österreich, JGS Nr 946/1811
abgedr.	abgedruckt
ABl.	Amtsblatt der EG bzw. EU Teil Nr. L (Rechtsvorschriften) und Teil Nr. C (Mitteilungen und Bekanntmachungen)
Abs.	Absatz
Abschn.	Abschnitt
Abt.	Abteilung
AcP	Archiv für die civilistische Praxis (Zeitschrift)
ADR	Alternative Dispute Resolution
AEMR	Allgemeine Erklärung der Menschenrechte v. 10.12.1948, GA Res. 217 (III), UN Doc A/810 at 71 (1948)
AEUV	Vertrag über die Arbeitsweise der Europäischen Union (konsolidierte Fassung) v. 26.10.2012, ABl. Nr. C 326, S. 47
AG	Aktiengesellschaft; Die Aktiengesellschaft (Zeitschrift); Amtsgericht
AGB	Allgemeine Geschäftsbedingungen
AGB-RL	Richtlinie 93/13/EWG des Rates über missbräuchliche Klauseln in Verbraucherverträgen v. 5.4.1993, ABl. Nr. L 95, S. 29
AGG	Allgemeines Gleichbehandlungsgesetz v. 14.8.2006, BGBl. I, S. 1897
ähnl.	ähnlich
AJP/PJA	Aktuelle Juristische Praxis/Pratique Juridique Actuelle
AK-GG	Alternativkommentar zum Grundgesetz
AktG	Aktiengesetz v. 6.9.1965, BGBl. I, S. 1089
All E.R.	All England Law Reports
ALR	Allgemeines Landrecht für die Preußischen Staaten von 1794
Alt.	Alternative
Am. J. Comp.L.	American Journal of Comparative Law
Am. L. & Econ. Rev.	American Law and Economics Review
Anh.	Anhang
Anm.	Anmerkung
AöR	Archiv des öffentlichen Rechts (Zeitschrift)
AP	Arbeitsrechtliche Praxis (Zeitschrift)
ArbGG	Arbeitsgerichtsgesetz v. 2.7.1979, BGBl. I, S. 853
Archiv PT	Archiv für Post und Telekommunikation (Zeitschrift)
ArchSozWiss	Archiv für Sozialwissenschaft und Sozialpolitik (Zeitschrift)
ARSP	Archiv für Rechts- und Sozialphilosophie (Zeitschrift)
Art. (Artt.)	Artikel (Plural)
AS	Amtliche Sammlung des Bundesrechts (Schweiz)
AT	Allgemeiner Teil

[1] Weitere Abkürzungen werden im laufenden Text erklärt.

AtG	Atomgesetz v. 15.7.1985, BGBl. I, S. 1565
Aufl.	Auflage
Az.	Aktenzeichen
B.U. L. Rev.	Boston University Law Review
B2C	Business to Consumer (Verhältnis zwischen Unternehmer und Verbraucher)
BaFin	Bundesanstalt für Finanzdienstleistungsaufsicht
BAG	Bundesarbeitsgericht
BAGE	Sammlung der Entscheidungen des Bundesarbeitsgerichts
BauGB	Baugesetzbuch v. 23.9.2004, BGBl. I, S. 2414
BayBO	Bayerische Bauordnung v. 14.8.2007, GVBl. 2007, S. 588
BayGVBl.	Bayerisches Gesetz- und Verordnungsblatt
BayObLG	Bayerisches Oberstes Landesgericht
BayPAG	Bayerisches Polizeiaufgabengesetz v. 14.9.1990, GVBl. 1990, S. 397
BayVBl.	Bayerische Verwaltungsblätter
BayVerf	Bayerische Verfassung v. 15.12.1998, GVBl. 1998, S. 991
BB	Betriebs-Berater (Zeitschrift)
Bd. (Bde.)	Band (Bände)
BDSG	Bundesdatenschutzgesetz v. 14.1.2003, BGBl. I, S. 66
Bearb.	Bearbeitung
BeckOGK	Beck'scher Online-Großkommentar
BeckOK	Beck'scher Online-Kommentar
BeckRS	Beck-Rechtsprechung
Begr.	Begründung
ber.	berichtigt
Beschl.	Beschluss
BetrVG	Betriebsverfassungsgesetz v. 25.9.2001, BGBl. I, S. 2518
BFH	Bundesfinanzhof
BFHE	Amtliche Sammlung des BFH
BGB	Bürgerliches Gesetzbuch v. 2.1.2002, BGBl. I, S. 42
BGBl.	Bundesgesetzblatt
BGE	Entscheidungen des Schweizerischen Bundesgerichts
BGer	Schweizerisches Bundesgericht
BGH	Bundesgerichtshof
BGHSt	Amtliche Sammlung des BGH in Strafsachen
BGHZ	Amtliche Sammlung des BGH in Zivilsachen
BKR	Bank- und Kapitalmarktrecht (Zeitschrift)
BK-ZGB	Berner Kommentar zum schweizerischen Privatrecht
BMJV	Bundesministerium der Justiz und für Verbraucherschutz
BNatSchG	Bundesnaturschutzgesetz v. 29.7.2009, BGBl. I, S. 2542
BRD	Bundesrepublik Deutschland
BR-Drs.	Bundesrat-Drucksache
BSG	Bundessozialgericht
BSGE	Amtliche Sammlung des BSG
BT-Drs.	Bundestags-Drucksache
BT-Plenarprotokoll	Bundestags-Plenarprotokoll
BtMG	Betäubungsmittelgesetz v. 1.3.1994, BGBl. I, S. 358
Bull. civ.	Bulletin des arrêts des chambres civiles de la Cour de cassation (amtliche Entscheidungssammlung des französischen Cour de Cassation)
Bull. EG	Bulletin der Europäischen Gemeinschaft
BVerfG	Bundesverfassungsgericht
BVerfGE	Amtliche Sammlung des BVerfG

BVerfGG .... Bundesverfassungsgerichtsgesetz v. 11.8.1993, BGBl. I, S. 1473
BVerwG .... Bundesverwaltungsgericht
BVerwGE .... Amtliche Sammlung des BVerwG
BW .... Baden-Württemberg
BYU L. Rev. .... Brigham Young University Law Review
bzw. .... beziehungsweise

C. .... Codex (Teil des Corpus Iuris Civilis)
C.A. .... Court of Appeal
C.C. .... Conseil constitutionnel
C.D. Cal. .... Central District of California
c.i.c. .... culpa in contrahendo (Verschulden bei Vertragsverhandlungen)
C.L.J. .... The Cambridge Law Journal
C.L.Rep. .... Commonwealth Law Reports
Calif. L. Rev. .... California Law Review
Can. J.L.&Juris. .... The Canadian Journal of Law and Jurisprudence
Cass. .... (Cour de) Cassation
cc .... Code Civil
Cels. .... Celsus
CESL .... Common European Sales Law
CESR .... Committee of European Securities Regulators
Ch. D. .... Chancery Division
Ch. .... Chambre
Chap. .... Chapitre/Chapter
Cir. .... Circuit
CISG .... Convention on Contracts for the International Sale of Goods (Übereinkommen der Vereinten Nationen über Verträge über den Internationalen Warenkauf v. 11.4.1980, BGBl. II, S. 586)
Cl. .... Clause
CMBC .... Codex Maximilianeus Bavaricus Civilis v. 1756
CML Rev. .... Common Market Law Review
CMR .... Convention relative au Contrat de transport international de marchandises par route, Übereinkommen über den Beförderungsvertrag im internationalen Straßengüterverkehr v. 19.5.1956, BGBl. II, S. 1120
Co. .... Company
Colum. J. Eur. L. .... Columbia Journal of European Law
Colum. J. Transnat'l L. .... Columbia Journal of Transnational Law
Colum. L. Rev. .... Columbia Law Review
Conn. L. Rev. .... Connecticut Law Review
Cornell L. Rev. .... Cornell Law Review
CPS .... Comparative Political Studies
Crim. .... Cour de Cassation, Chambre criminelle

D. .... Digesten; Recueil Dalloz et Sirey de doctrine, de jurisprudence et de législation
d.h. .... das heißt
DB .... Der Betrieb (Zeitschrift)
DCFR .... Draft Common Frame of Reference
DCGK .... Deutscher Corporate Governance Kodex v. 16.12.2019 (abrufbar unter www.dcgk.de)
ders. .... derselbe
dies. .... dieselbe(n)
DIN .... Deutsches Institut für Normung
DJT .... Deutscher Juristentag

DKR .... Dänische Krone
DNotZ .... Deutsche Notar-Zeitschrift
DÖV .... Die Öffentliche Verwaltung (Zeitschrift)
DStR .... Deutsches Steuerrecht (Zeitschrift)
DuR .... Demokratie und Recht
DVBl. .... Deutsches Verwaltungsblatt (Zeitschrift)
DVO .... Durchführungsverordnung
DZWiR .... Deutsche Zeitschrift für Wirtschafts- und Insolvenzrecht

-E .... Entwurf
E.L.Rep. .... European Law Reporter
E.L.Rev. .... European Law Review
E.R. .... English Reports
EBA .... European Banking Authority
ebd. .... ebenda
EBOR .... European Business and Organization Law Review
ECFR .... European Company and Financial Law Review
ECLI .... European Case Law Identifier (europäischer Rechtsprechungsidentifikator)
ECMH .... Efficient Capital Market Hypothesis
Econ.J. .... Economic Journal
éd. .... édition
ed./Ed. .... editor; edition; Edition
eds. .... editors
EG .... Europäische Gemeinschaft (jetzt: Europäische Union)
EGBGB .... Einführungsgesetz zum Bürgerlichen Gesetzbuch v. 21. 9.1994, BGBl. I, S. 2494
EGMR/ECHR .... Europäischer Gerichtshof für Menschenrechte/European Court of Human Rights
EGV .... Vertrag zur Gründung der Europäischen Gemeinschaften v. 2.10.1997, ABl. Nr. C 340, S. 1
EGZPO .... Einführungsgesetz zur Zivilprozessordnung v. 30.1.1877, RGBl. I, S. 244
Einf. .... Einführung
Einl. .... Einleitung
EL .... Ergänzungslieferung
EMRK .... Europäische Konvention zum Schutze der Menschenrechte und Grundfreiheiten v. 4.11.1950, BGBl. 1952 II, S. 685
engl. .... englisch
ErbStG .... Erbschaftsteuer- und Schenkungsteuergesetz v. 27.2.1997, BGBl. I, S. 378
Erg. .... Ergänzung
ErwG. .... Erwägungsgrund (europäischer Verordungen oder Richtlinien)
ESM .... Europäischer Stabilitätsmechanismus
ESMA .... European Securities and Markets Authority
etc. .... et cetera
EU .... Europäische Union
EuConst .... European Constitutional Law Review
EuG .... Gericht der Europäischen Union
EuGH .... Europäischer Gerichtshof
EuGRZ .... Europäische Grundrechtezeitschrift
EUR .... Euro
EuR .... Europarecht (Zeitschrift)
Eur.Rev.Priv.L. .... European Review of Private Law (Zeitschrift)

EUV	Vertrag über die Europäische Union (konsolidierte Fassung) v. 26.10.2012, ABl. Nr. C 326, S. 13
EuZA	Europäische Zeitschrift für Arbeitsrecht
EuZW	Europäische Zeitschrift für Wirtschaft
evtl.	eventuell
EVÜ	Übereinkommen 80/934/EWG über das auf vertragliche Schuldverhältnisse anzuwendende Recht v. 19.6.1980, ABl. Nr. L 266, S. 1
EWG	Europäische Wirtschaftsgemeinschaft
EWGV	Vertrag zur Gründung der Europäischen Wirtschaftsgemeinschaft v. 25.3.1957, BGBl. II, S. 766
EWS	Europäisches Wirtschafts- und Steuerrecht (Zeitschrift)
Ex.	Exodus (Altes Testament der Bibel, 2. Buch Mose)
EZB	Europäische Zentralbank
f. (ff.)	folgend(e)
F.2d	Federal Reporter, Second Series
F.C.R.	Federal Court reports (Australien)
F.Supp.2d	Federal Supplement, Second Series
FamRZ	Zeitschrift für das gesamte Familienrecht
FAS	Frankfurter Allgemeine Sonntagszeitung
FAZ	Frankfurter Allgemeine Zeitung
FG	Festgabe
FGO	Finanzgerichtsordnung v. 28.3.2001, BGBl. I, S. 442
FIS	Fédération Internationale de Ski
Fn.	Fußnote
FS	Festschrift
FStrAbG	Fernstraßenausbaugesetz v. 20.1.2005, BGBl. I, S. 201
FStrG	Bundesfernstraßengesetz v. 28.6.2007, BGBl. I, S. 1206
FT	Financial Times
FuR	Familie und Recht (Zeitschrift)
GA	Generalanwalt; Goltdammer's Archiv für Strafrecht (Zeitschrift)
Ga. L. Rev.	Georgia Law Review
GA Res.	General Assembly Resolutions
GATT	General Agreement on Tariffs and Trade
Gazz. Uff.	Gazzetta Ufficiale della Repubblica Italiana
GBO	Grundbuchordnung v. 26.5.1994, BGBl. I, S. 1114
GbR	Gesellschaft bürgerlichen Rechts
gem.	gemäß
gen.	genannt
GesRZ	Der Gesellschafter (Zeitschrift)
GG	Grundgesetz v. 23.5.1949, BGBl. I, S. 1
GGO	Gemeinsame Geschäftsordnung der Bundesministerien i.d.F. v. 22.1.2020
ggf.	gegebenenfalls
GK-AktG	Der Großkommentar zum Aktiengesetz
Gleichbehandlungs-RL	Richtlinie 2004/113/EG des Rates zur Verwirklichung des Grundsatzes der Gleichbehandlung von Männern und Frauen beim Zugang zu und bei der Versorgung mit Gütern und Dienstleistungen v. 13.12.2004, ABl. Nr. L 373, S. 37
GmbH	Gesellschaft mit beschränkter Haftung
GMBl.	Gemeinsames Ministerialblatt
GPR	Zeitschrift für das Privatrecht der Europäischen Union

GRCh .... Charta der Grundrechte der Europäischen Union v. 26.10.2012, ABl. Nr. C 326, S. 391
griech. ZGB .... griechisches Zivilgesetzbuch
griech. .... griechisch
GrS .... Großer Senat
GrünhutsZ .... Zeitschrift für das Privat- und öffentliche Recht der Gegenwart, begründet von Grünhut
GRUR .... Gewerblicher Rechtsschutz und Urheberrecht (Zeitschrift)
GS .... Gedächtnisschrift
GSSt .... Großer Senat für Strafsachen
GSZ .... Großer Senat für Zivilsachen
GVBl. .... Gesetz- und Verordnungsblatt
GVG .... Gerichtsverfassungsgesetz v. 9.5.1975, BGBl. I, S. 1077
GWB .... Gesetz gegen Wettbewerbsbeschränkungen v. 26.6.2013, BGBl. I, 1750

H.L. (E.) .... House of Lords, Appeal from England or Wales
h.M. .... herrschende Meinung
Harv.Int'l L.J. .... Harvard International Law Journal
Harv. L. Rev. .... Harvard Law Review
Harv.J.L.&Pub.Pol'y ...... Harvard Journal of Law and Public Policy
HCA .... High Court of Australia
HdB .... Handbuch
HdB GR .... Handbuch der Grundrechte in Deutschland und Europa
HStR .... Handbuch des Staatsrechts der Bundesrepublik Deutschland
HGB .... Handelsgesetzbuch v. 10.5.1897, RGBl. I, S. 219
HK-BGB .... Handkommentar zum Bürgerlichen Gesetzbuch
HKK-BGB .... Historisch-kritischer Kommentar zum Bürgerlichen Gesetzbuch
Hrsg. .... Herausgeber
Hs. .... Halbsatz

I. .... Institutionen
I.C.R. .... Industrial Cases Report
i.d.F. .... in der Fassung
i.d.R. .... in der Regel
i.e.S. .... im engeren Sinne
i.H.v. .... in Höhe von
i.S.d. .... im Sinne des
i.S.v. .... im Sinne von
i.V.m. .... in Verbindung mit
i.w.S. .... im weiteren Sinne
IDW .... Institut der Wirtschaftsprüfer
IFRS .... International Financial Reporting Standards
IfSG .... Infektionsschutzgesetz v. 20.7.2000, BGBl. I, S. 1045
IGH-Statut .... Statut des Internationalen Gerichtshofs v. 26.6.1945, BGBl. II, S. 505
Inc. .... Incorporation
insb. .... insbesondere
Int'l & Comp. L.Q. ...... International and Comparative Law Quarterly (Zeitschrift)
Int'l Rev. L. & Econ. ..... International Review of Law and Economics
IPR .... Internationales Privatrecht
Iul. .... Iulianus

J. Appl. Corp. Fin. .... Journal of Applied Corporate Finance
J.C.P. .... Juris-Classeur périodique (Zeitschrift)

J.Consumer Pol'y .... Journal of Consumer Policy
JEP .... Journal of Economic Perspectives
J.Fin. .... Journal of Finance
J.L. & Econ. .... Journal of Law and Economics
J.L. Soc'y .... Journal of Law in Society
J. Leg.Pluralism& Unofficial L. .... Journal of Legal Pluralism and Unofficial Law
J. Leg. Stud. .... Journal of Legal Studies
Jb. f. Dogmatik .... Jahrbücher für die Dogmatik des heutigen römischen und deutschen Rechts (Zeitschrift)
JbJZ .... Jahrbuch der jungen Zivilrechtswissenschaftler
JBl. .... Juristische Blätter (Zeitschrift)
JCMS .... Journal of Common Market Studies
J. Fin. .... Journal of Finance
JGG .... Jugendgerichtsgesetz v. 11.12.1974, BGBl. I, S. 3427
JGS .... Justizgesetzsammlung (Österreich, 1780–1848)
JhJb .... Jherings Jahrbücher (Zeitschrift)
JöR .... Jahrbuch des öffentlichen Rechts der Gegenwart (Zeitschrift)
JPE .... Journal of Political Economy
JR .... Juristische Rundschau (Zeitschrift)
Jr. .... Junior
Jura .... Juristische Ausbildung (Zeitschrift)
JuS .... Juristische Schulung (Zeitschrift)
JW .... Juristische Wochenschrift (Zeitschrift, 1872–1939)
JZ .... Juristenzeitung

K.B. .... Court of King's Bench; Law reports, King's Bench Division (1901–1952)
Kap. .... Kapitel
KapMUG .... Kapitalanleger-Musterverfahrensgesetz v. 19.10.2012, BGBl. I, S. 2182
Kartellschadensersatz-RL . Richtlinie 2014/104/EG über bestimmte Vorschriften für Schadensersatzklagen nach nationalem Recht wegen Zuwiderhandlungen gegen wettbewerbsrechtliche Bestimmungen der Mitgliedstaaten und der Europäischen Union v. 26.11.2014, ABl. Nr. L 349, S. 1
KG .... Kommanditgesellschaft
KK .... Kölner Kommentar
KMRK .... Kapitalmarktrechts-Kommentar
KO .... Konkursordnung v. 20.5.1898, RGBl., S. 612
KOM .... Europäische Kommission
krit. .... Kritisch
KSG .... Klimaschutzgesetz

L. & Contemp. Probs. ... Law and Contemporary Problems (Zeitschrift)
L. & Soc'y Rev. .... Law and Society Review
L.I.E.E.I. .... Legal Issue of European Economic Integration
L.Q.Rev. .... Law Quarterly Review
L.Rep. .... Law Reports
L. Rev. .... Law Review
lat. .... lateinisch
Lfg. .... Lieferung
LG .... Landgericht
lit. .... litera (Buchstabe)
Liv. .... Livre

LK-StGB	Leipziger Kommentar zum Strafgesetzbuch
LMK	Kommentierte BGH-Rechtsprechung Lindenmaier-Möhring
Ls.	Leitsatz
Ltd.	Limited
LTO	Legal Tribune Online
LZ	Leipziger Zeitschrift
m. Anm.	mit Anmerkung
m.E.	meines Erachtens
m.w.Nachw.	mit weiteren Nachweisen
m.W.v.	mit Wirkung vom
MAR	Verordnung Nr. 56/2014 des Europäischen Parlaments und des Rates über den Marktmissbrauch v. 12.6.2014, ABl. Nr. L 173, S. 1
Matt.	Matthäus (Neues Testament der Bibel)
Md. L. Rev.	Maryland Law Review
MDR	Monatsschrift für Deutsches Recht (Zeitschrift)
MedR	Medizinrecht (Zeitschrift)
Mich. L. Rev.	Michigan Law Review
MiFiD II	Richtlinie 2014/65/EU über Märkte für Finanzinstrumente (MiFID II) v. 15.5.2014, ABl. Nr. L 173, S. 349
Mod. L. Rev.	Modern Law Review
Mod.	Modestinus
Mot.	Motive zu dem Entwurfe eines Bürgerlichen Gesetzbuches für das Deutsche Reich, Bd. I-V, 1896
MPI	Max-Planck-Institut
MSA	Übereinkommen über die Zuständigkeit der Behörden und das anzuwendende Recht auf dem Gebiet des Schutzes von Minderjährigen (Haager Minderjährigenschutzabkommen) v. 5.10.1961, BGBl. II, S. 219
Mugdan	Die gesammten Materialien zum Bürgerlichen Gesetzbuch für das Deutsche Reich, Bd. I-V, 1899
MünchKomm	Münchener Kommentar
n.F.	neue Fassung
NK	Nomos Kommentar
N.W.2d	North Western Reporter, Second Series
Neubearb.	Neubearbeitung
niederl.	niederländisch
NJW	Neue Juristische Wochenschrift (Zeitschrift)
NJW-RR	NJW Rechtsprechungsreport Zivilrecht (Zeitschrift)
NK	NomosKommentar
Nr.	Nummer
NRW	Nordrhein-Westfalen
NStZ	Neue Zeitschrift für Strafrecht
NuR	Natur und Recht (Zeitschrift)
NVwZ	Neue Zeitschrift für Verwaltungsrecht
NWVBl.	Nordrhein-Westfälische Verwaltungsblätter (Zeitschrift)
NZA	Neue Zeitschrift für Arbeits- und Sozialrecht
NZFam	Neue Zeitschrift für Familienrecht
NZG	Neue Zeitschrift für Gesellschaftsrecht
NZM	Neue Zeitschrift für Miet- und Wohnungsrecht
O.J.L.S.	Oxford Journal of Legal Studies
ÖBA	BankArchiv – Zeitschrift für das gesamte Bank- und Börsenwesen (Österreich)

OGH	Oberster Gerichtshof (Österreich)
oHG	offene Handelsgesellschaft
Ohio St.L.J.	Ohio State Law Journal
OLG	Oberlandesgericht
OMT	Outright Monetary Transactions
ONU L. Rev.	Ohio Northern University Law Review
OR	Obligationenrecht v. 30.3.1911, Schweiz, AS 27, S. 317
OVG	Oberverwaltungsgericht
p.	page
Pap.	Papinianus
par.	paragraph
Paul.	Paulus
PflVG	Pflichtversicherungsgesetz v. 5.4.1965, BGBl. I, S. 213
PharmInd	Die Pharmazeutische Industrie (Zeitschrift)
Pomp.	Pomponius
pr.	principium
ProdHaftG	Produkthaftungsgesetz v. 15.12.1989, BGBl. I, S. 2198
Produkthaftungs-RL	RL 85/374/EWG v. 25.7.1985 über die Haftung für fehlerhafte Produkte, ABl. Nr. L 210, S. 29
Prot.	Protokolle der Kommission für die zweite Lesung des Entwurfs des Bürgerlichen Gesetzbuchs, Bd. I-V, 1897–1898
PrOVG	Preußisches Oberverwaltungsgericht
ProVGE	Amtliche Sammlung der Entscheidungen des Preußischen Oberverwaltungsgerichts
PSPP	Public Sector Purchase Programme
Q.B.	Court of Queen's Bench; Law Report, Queen's Bench Division
Q.J. Econ.	Quarterly Journal of Economics
R.I.D.C.	Revue internationale de droit comparé
RabelsZ	Rabels Zeitschrift für ausländisches und internationales Privatrecht, begründet von Rabel
RdA	Recht der Arbeit (Zeitschrift)
RDIPP	Rivista di diritto internazionale privato e processuale (Zeitschrift)
Rechtshist. J.	Rechtshistorisches Journal
RefE	Referentenentwurf
RegE	Regierungsentwurf
Rev.trim.dr.civ.	Revue trimestrielle de droit civil
RG	Reichsgericht
RGBl.	Reichsgesetzblatt
RGRK	Das Bürgerliche Gesetzbuch mit besonderer Berücksichtigung der Rechtsprechung des Bundesgerichtshofs, Kommentar, herausgegeben von Mitgliedern des Bundesgerichtshofs
RGSt	Amtliche Sammlung des Reichsgerichtshofs in Strafsachen
RGZ	Amtliche Sammlung des Reichsgerichtshofs in Zivilsachen
RL	Richtlinie
RIW	Recht der internationalen Wirtschaft (Zeitschrift)
Rn.	Randnummer
ROG	Raumordnungsgesetz v. 22.12.2008, BGBl. I, S. 2986
Rspr.	Rechtsprechung
RTA	Road Traffic Act (Singapur)
RW	Rechtswissenschaft (Zeitschrift)

S.	Seite; Satz
s.	siehe
S. Calif. L. Rev.	Southern California Law Review
S.Ct.	Supreme Court Reporter
SchlA	Schlussantrag
SD	Staff Document
SE	Societas Europaea (Europäische Aktiengesellschaft)
SE-VO	Societas Europaea-VO Nr. 2157/2001 v. 8.10.2001, ABl. Nr. L 294, S. 1
Sec.	Section
SGB	Sozialgesetzbuch
SGD	Singapur-Dollar
SGG	Sozialgerichtsgesetz v. 23.9.1975, BGBl. I, S. 2535
SJZ	Süddeutsche Juristenzeitung
Slg.	Amtliche Sammlung des EuGH, I.- und II.-Abteilung
sog.	sogenannt(e)
Sp.	Spalte; Spiegelstrich
SPTA	Singapore Parks and Trees Act (Singapur)
Stan. L. Rev.	Stanford Law Review
StGB	Strafgesetzbuch v. 13.11.1998, BGBl. I, S. 3322
StPO	Strafprozessordnung v. 7.4.1987, BGBl. I, S. 1074
st. Rspr.	ständige Rechtsprechung
str.	strittig
StV	Strafverteidiger (Zeitschrift)
StVG	Straßenverkehrsgesetz v. 5.3.2003, BGBl. I, S. 310
StVj	Steuerliche Vierteljahresschrift (Zeitschrift)
StVO	Straßenverkehrs-Ordnung v. 6.3.2013, BGBl. I, S. 367
Subsec.	Subsection
Sup. Ct. Econ. Rev.	Supreme Court Economic Review
TBT-Übereinkommen	Technical Barriers to Trade (Übereinkommen über technische Handelshemmnisse)
Teilurt.	Teilurteil
Trib.	Tribunal
Trib.Civ.Seine	Tribunal Civil de la Seine
u.a.	unter anderem; und andere
U.Chi. L. Rev.	University of Chicago Law Review
UKSC	United Kingdom Supreme Court
U.S.	United States Reports
U.S.Const.	Constitution of the United States of America v. 4.7.1776, abrufbar unter www.usconstitution.net
U.Toronto L.J.	University of Toronto Law Journal
UAbs.	Unterabsatz
Überbl.	Überblick
UCC	Uniform Commercial Code
UCLA L. Rev.	University of California Law Review
UEFA	Union of European Football Associations
ugs.	umgangssprachlich
U-Haft	Untersuchungshaft
UIG	Umweltinformationsgesetz v. 27.10.2014, BGBl. I, S. 1643
Ulp.	Ulpian
UmwG	Umwandlungsgesetz v. 28.10.1994, BGBl. I, S. 3210
UN	United Nations (Vereinte Nationen)
UN GAOR	United Nations, The General Assembly Official Records

UN-Kaufrecht	Übereinkommen der Vereinten Nationen über Verträge über den internationalen Warenkauf v. 23.10.1990, BGBl. II, S. 1477
Urt.	Urteil
US-Supreme Court	Oberster Gerichtshof der Vereinigten Staaten
UWG	Gesetz gegen den unlauteren Wettbewerb v. 3.3.2010, BGBl. I, S. 254
v.	vom; versus
v.a.	vor allem
Va. L. Rev.	Virginia Law Review
Vand. L. Rev.	Vanderbilt Law Review
verb.	verbundene
Verbandsklagen-RL	RL (EU) 2020/1828 über Verbandsklagen zum Schutz der Kollektivinteressen der Verbraucher v. 25.11.2020, ABl. Nr. L 409, S. 1
Verbrauchsgüterkauf-RL	Richtlinie 1999/44/EG des Europäischen Parlaments und des Rates zu bestimmten Aspekten des Verbrauchsgüterkaufs und der Garantien für Verbrauchsgüter v. 25.5.1999, ABl. Nr. L 171, S. 12 (ersetzt durch Warenkauf-RL)
Verf.	Verfasser; Verfassung
Verfassungsausschuss, 1948	Verfassungsausschuss der Ministerpräsidenten-Konferenz der westlichen Besatzungszonen (Hrsg.), Bericht über den Verfassungskonvent auf Herrenchiemsee vom 10. bis 23. August 1948, München 1948
VfGH	(österreichischer) Verfasssungsgerichtshof
VerfO Gerichtshof	Verfahrensordnung des Gerichtshofs v. 29.9.2012, ABl. Nr. L 265, S. 1
VersammlG	Versammlungsgesetz v. 15.11.1978, BGBl. I, S. 1789
VersR	Versicherungsrecht, Juristische Rundschau für die Individualversicherung (Zeitschrift)
VerwArch	Verwaltungsarchiv (Zeitschrift)
VfSlg.	Sammlung der Erkenntnisse und wichtigsten Beschlüsse des Verfassungsgerichtshofes
VG	Verwaltungsgericht
VGH	Verwaltungsgerichtshof
vgl.	vergleiche
VO	Verordnung
Vol.	Volume
Vorb.; Vorbem.	Vorbemerkung
Vorlagebeschl.	Vorlagebeschluss
VVDStRL	Veröffentlichung der Vereinigung der Deutschen Staatsrechtslehrer (Zeitschrift)
VwGO	Verwaltungsgerichtsordnung v. 19.3.1991, BGBl. I, S. 686
VwVfG	Verwaltungsverfahrensgesetz v. 23.1.2003, BGBl. I, S. 102
W.L.Rep.	Weekly Law Reports
Warenkauf-RL	Richtlinie 2019/771/EU des Europäischen Parlaments und des Rates über bestimmte vertragsrechtliche Aspekte des Warenkaufs v. 20.5.2019, ABl. Nr. L 136, S. 28
Wash.U.L. Rev.	Washington University Law Review
WM	Wertpapiermitteilungen (Zeitschrift), Zeitschrift für Wirtschaft und Bankrecht
WpHG	Wertpapierhandelsgesetz v. 9.9.1998, BGBl. I, S. 2708
WpPG	Wertpapierprospektgesetz v. 22.6.2005, BGBl. I, S. 1698

WpÜG	Wertpapiererwerbs- und Übernahmegesetz v. 20.12.2001, BGBl. I, S. 3822
WRP	Wettbewerb in Recht und Praxis (Zeitschrift)
WRV	Die Verfassung des Deutschen Reiches v. 11.8.1919, RGBl. 1919, S. 1383
WTO	Welthandelsorganisation (World Trade Organisation)
WuB	Entscheidungssammlung zum Wirtschafts- und Bankrecht (Zeitschrift)
WVRK	Wiener Konvention über das Recht der Verträge v. 23.5.1969, BGBl. 1985 II, S. 926
Yale L.J.	Yale Law Journal
z.B.	zum Beispiel
z.Z.	zur Zeit
ZaöRV	Zeitschrift für ausländisches öffentliches Recht und Völkerrecht
ZBB	Zeitschrift für Bankrecht und Bankwirtschaft
ZBJV	Zeitschrift des Bernischen Juristenvereins
ZDF	Zweites Deutsches Fernsehen
ZEuP	Zeitschrift für Europäisches Privatrecht
ZEuS	Zeitschrift für Europarechtliche Studien
ZEV	Zeitschrift für Erbrecht und Vermögensnachfolge
ZfBR	Zeitschrift für deutsches und internationales Bau- und Vergaberecht
ZPhF	Zeitschrift für philosophische Forschung
ZfPW	Zeitschrift für die gesamte Privatrechtswissenschaft
ZfRV	Zeitschrift für Rechtsvergleichung
ZfS	Zeitschrift für Schadensrecht
ZG	Zeitschrift für Gesetzgebung
ZGB	Zivilgesetzbuch v. 10.12.1907, Schweiz, AS 24, S. 233
ZGR	Zeitschrift für Unternehmens- und Gesellschaftsrecht
ZGS	Zeitschrift für Vertragsgestaltung, Schuld- und Haftungsrecht
ZgS	Zeitschrift für die gesamte Staatswissenschaft
ZHR	Zeitschrift für das gesamte Handels- und Wirtschaftsrecht
Ziff.	Ziffer(n)
ZIP	Zeitschrift für Wirtschaftsrecht
ZJS	Zeitschrift für das Juristische Studium
ZKM	Zeitschrift Konfliktmanagement
ZNR	Zeitschrift für Neuere Rechtsgeschichte
ZPO	Zivilprozessordnung v. 5.12.2005, BGBl. I, S. 3202
ZRG GA	Zeitschrift der Savigny-Stiftung für Rechtsgeschichte, Germanistische Abteilung
ZRG RA	Zeitschrift der Savigny-Stiftung für Rechtsgeschichte, Romanistische Abteilung
ZRP	Zeitschrift für Rechtspolitik
ZRph	Zeitschrift für Rechtsphilosophie
ZSE	Zeitschrift für Staats- und Europawissenschaften
ZSR	Zeitschrift für Schweizerisches Recht
ZSR-NF	Zeitschrift für Schweizerisches Recht, Neue Folge
ZStW	Zeitschrift für die gesamte Strafrechtswissenschaft
ZZP	Zeitschrift für Zivilprozess

Literaturverzeichnis[2]

Adomeit, Klaus/Hähnchen, Susanne, Rechtstheorie mit Juristischer Methodenlehre, 7. Aufl. Heidelberg 2018.

Alexy, Robert, Theorie der juristischen Argumentation. Die Theorie des rationalen Diskurses als Theorie der juristischen Begründung, Frankfurt a. M. 1983.

Bailey, Diggory/Norbury, Luke, Bennion on Statutory Interpretation, 7th ed. London 2017.

Beaucamp, Guy/Treder, Lutz, Methoden und Technik der Rechtsanwendung, 4. Aufl. Heidelberg 2019.

Bengoetxea, Joxerramon, The Legal Reasoning of the European Court of Justice: Towards a European Jurisprudence, Oxford 1993.

Bobek, Michal, Comparative Reasoning in European Supreme Courts, Oxford 2013.

Braun, Johann, Deduktion und Invention, Tübingen 2016.

Burton, Steven J., An Introduction to Law and Legal Reasoning, 3rd ed. New York 2007.

Bydlinski, Franz, Juristische Methodenlehre und Rechtsbegriff, 2. Aufl. Wien 1991, Nachdruck 2011.

Bydlinski, Franz/Bydlinski, Peter, Grundzüge der juristischen Methodenlehre, 3. Aufl. Wien 2018.

Canaris, Claus-Wilhelm, Systemdenken und Systembegriff in der Jurisprudenz, 2. Aufl. Berlin 1983.

Canaris, Claus-Wilhelm, Grundrechte und Privatrecht, Berlin 1999.

Carter, Lief/Burke, Thomas F., Reason in Law, 9th ed. Chicago 2016.

Christensen, Ralph/Kudlich, Hans, Theorie richterlichen Begründens, Berlin 2001.

Coing, Helmut, Juristische Methodenlehre, Berlin 1972.

Cross, Rupert/Harris, James W., Precedent in English Law, 4th ed. Oxford 1991, reprinted 2004.

Engisch, Karl (Verf.)/Würtenberger, Thomas/Otto, Dirk (Hrsg.), Einführung in das Juristische Denken, 12. Aufl. Stuttgart 2018.

Feteris, Eveline T., Fundamentals of Legal Argumentation: A Survey of Theories on the Justification of Judicial Decisions, 2nd ed. Dordrecht 2017.

Hart, Henry M./Sacks, Albert M., The Legal Process: Basic Problems in the Making and Application of Law, Westbury 1994.

Fikentscher, Wolfgang, Methoden des Rechts in vergleichender Darstellung, 5 Bde., Tübingen 1975–1977.

Gast, Wolfgang, Juristische Rhetorik, 5. Aufl. Heidelberg 2015.

Hager, Günter, Rechtsmethoden in Europa, Tübingen 2009.

Hager, Günter, Strukturen des Privatrechts in Europa, Tübingen 2012.

Henninger, Thomas, Europäisches Privatrecht und Methode, Tübingen 2013.

Herresthal, Carsten/Weiß, Johannes, Fälle zur Methodenlehre. Die juristische Methode in der Fallbearbeitung, München 2020.

Heusinger, Bruno, Rechtsfindung und Rechtsfortbildung im Spiegel richterlicher Erfahrung, Köln 1975.

Kaufmann, Arthur, Das Verfahren der Rechtsgewinnung. Eine rationale Analyse, München 1999.

Koch, Hans-Joachim/Rüßmann, Helmut, Juristische Begründungslehre, München 1982.

Koller, Peter, Theorie des Rechts, 2. Aufl. Wien 1997.

Kramer, Ernst, Juristische Methodenlehre, 6. Aufl. Bern 2019.

Krüper, Julian (Hrsg.), Grundlagen des Rechts, 4. Aufl. Baden-Baden 2021.

[2] In das Literaturverzeichnis wurden nur die wichtigsten Werke zur Juristischen Methodenlehre aufgenommen. Weitere Literaturnachweise finden sich vor den einzelnen Paragraphen.

Langenbucher, Katja (Hrsg.), Europäisches Privat- und Wirtschaftsrecht, 4. Aufl. Baden-Baden 2017.

Larenz, Karl, Methodenlehre der Rechtswissenschaft, 6. Aufl. Berlin 1991.

Larenz, Karl/*Canaris, Claus-Wilhelm*, Methodenlehre der Rechtswissenschaft – Studienausgabe, 3. Aufl. Berlin 1996.

Levi, Edward H., An Introduction to Legal Reasoning, Chicago 1950.

Looschelders, Dirk/Roth, Wolfgang, Juristische Methodik im Prozeß der Rechtsanwendung, Berlin 1996.

MacCormick, Neil, Legal Reasoning and Legal Theory, 2nd ed. Oxford 1994.

MacCormick, Neil/Summers, Robert S. (eds.), Interpreting Statutes. A Comparative Study, Aldershot 1991.

MacCormick, Neil/Summers, Robert S. (eds.), Interpreting Precedents. A Comparative Study, Aldershot 1997.

Mahlmann, Matthias, Rechtsphilosophie und Rechtstheorie, 6. Aufl. Baden-Baden 2021.

Martens, Sebastian A. E., Methodenlehre des Unionsrechts, Tübingen 2013.

Mastronardi, Philippe, Juristisches Denken, 2. Aufl. Bern 2003.

Müller, Friedrich/Christensen, Ralph, Juristische Methodik. Grundlegung für die Arbeitsmethoden der Rechtspraxis, Bd. I, 11. Aufl. Berlin 2013.

Müller, Friedrich/Christensen, Ralph, Juristische Methodik, Europarecht, Bd. II, 3. Aufl. Berlin 2012.

Muthorst, Olaf, Grundlagen der Rechtswissenschaft. Methode – Begriff – System, 2. Aufl. München 2019.

Neumann, Ulfrid, Juristische Argumentationslehre, Darmstadt 1986.

Pawlowski, Hans-Martin, Einführung in die Juristische Methodenlehre, 2. Aufl. Heidelberg 2000.

Pawlowski, Hans-Martin, Methodenlehre für Juristen, 3. Aufl. Heidelberg 1999.

Potacs, Michael, Auslegung im öffentlichen Recht, Baden-Baden 1994.

Potacs, Michael, Rechtstheorie, 2. Aufl. Wien 2019.

Puppe, Ingeborg, Kleine Schule des juristischen Denkens, 4. Aufl. Stuttgart 2019.

Raisch, Peter, Juristische Methoden: Vom antiken Rom bis zur Gegenwart, Heidelberg 1995.

Reimer, Franz, Juristische Methodenlehre, 2. Aufl. Baden-Baden 2020.

Riesenhuber, Karl (Hrsg.), Europäische Methodenlehre, 4. Aufl. Berlin 2021; übersetzt als *Riesenhuber, Karl (Ed.)*, European Legal Methodology, Cambridge 2018.

Röhl, Klaus, Grundlagen der Methodenlehre I: Aufgaben und Kritik, II: Rechtspraxis, Auslegungsmethoden, Kontext des Rechts, in: Enzyklopädie zur Rechtsphilosophie, 2/2013, abrufbar unter www.enzyklopaedie-rechtsphilosophie.net.

Röhl, Klaus/Röhl, Hans Christian, Allgemeine Rechtslehre, 3. Aufl. Köln 2008.

Rückert, Joachim/Seinecke, Ralf, Methodik des Zivilrechts – von Savigny bis Teuber, Baden-Baden 3. Aufl. 2017.

Rüthers, Bernd, Die unbegrenzte Auslegung, Tübingen 1968 (8. Aufl. 2017).

Rüthers, Bernd/Fischer, Christian/Birk, Axel, Rechtstheorie mit Juristischer Methodenlehre, 11. Aufl. München 2020.

Scalia, Antonin/Garner, Bryan A., Reading Law, St. Paul 2012.

Schapp, Jan, Methodenlehre des Zivilrechts, Tübingen 1998.

Schauer, Frederick, Thinking Like a Lawyer, Cambridge (Massachusetts) 2012.

Schwacke, Peter, Juristische Methodik, 5. Aufl. Stuttgart 2011.

Seiler, Wolfgang, Höchstrichterliche Entscheidungsbegründung und Methode im Zivilrecht, Baden-Baden 1992.

Schmalz, Dieter, Methodenlehre für das juristische Studium, 4. Aufl. Baden-Baden 1998.

Schröder, Jan, Recht als Wissenschaft. Geschichte der juristischen Methodenlehre in der Neuzeit (1500–1990), 2. Bde., 3. Aufl. München 2020.

Strauch, Hans-Joachim, Methodenlehre des gerichtlichen Erkenntnisverfahrens. Prozesse richterlicher Kognition, Freiburg 2017.

Twining, William, How To Do Things with Rules, 5th ed. Cambridge 2010.

Vandevelde, Kenneth J., Thinking Like a Lawyer. An Introduction to Legal Reasoning, 2nd ed. Boulder 2011.
Vesting, Thomas, Rechtstheorie, 2. Aufl. München 2015; übersetzt als *Vesting, Thomas*, Legal Theory, Oxford 2018.
Vogel, Joachim, Juristische Methodik, Berlin 1998.
Vogenauer, Stefan, Die Auslegung von Gesetzen in England und auf dem Kontinent, 2. Bde., Tübingen 2001.
Wank, Rolf, Die Auslegung von Gesetzen, 6. Aufl. München 2015.
Wank, Rolf, Juristische Methodenlehre, München 2020.
Wienbracke, Mike, Juristische Methodenlehre, Heidelberg 2013.
Zippelius, Reinhold (Hrsg. von Würtenberger, Thomas), Juristische Methodenlehre, 12. Aufl. München 2020.

Einer meiner früheren Assistenten erzählte mir den Witz vom Juristen und dem Bauern: Ein Jurist soll bei der Kartoffelernte helfen und der Bauer bittet ihn, einen großen Berg Kartoffeln zu sortieren, die großen in die linke und die kleinen in die rechte Kiste. Nach vier Stunden kommt der Bauer von der Ernte zurück und möchte sehen, was der Jurist „weggeschafft" hat. Überrascht muss er feststellen, dass die linke Kiste nur mit drei und die rechte Kiste mit wenig mehr Kartoffeln gefüllt sind. Auf die Frage, woran es denn läge, warum er nicht seine Arbeit mache, lamentierte der Jurist: „Immer diese Entscheidungen."

1. Teil. Grundlagen – die Rechtsquellen*

§ 1 Juristische Methodenlehre als Begründungs- und Legitimationslehre

Literatur: *Bitter, Georg/Rauhut, Tilman*, Grundzüge zivilrechtlicher Methodik, JuS 2009, 289–298; *Brugger, Winfried*, Konkretisierung des Rechts und Auslegung der Gesetze, AöR 119 (1994), 1–34; *Dreier, Ralf*, Was ist Gerechtigkeit?, JuS 1996, 580–584; *Engel, Christoph/Schön, Wolfgang (Hrsg.)*, Das Proprium der Rechtswissenschaft, 2007; *Greco, Luís*, Richterliche Macht ohne richterliche Verantwortung, RW 2020, 29–62; *Hassemer, Winfried*, Juristische Methodenlehre und richterliche Pragmatik, Rechtstheorie 39 (2008), 1–22; *Herbst, Tobias*, Die These der einzig richtigen Entscheidung, JZ 2012, 891–900; *Honsell, Heinrich*, Die rhetorischen Wurzeln der juristischen Auslegung, ZfPW 2016, 106–128; *Jestaedt, Matthias*, Wissenschaft im Recht, JZ 2014, 1–12; *Kaufmann, Arthur*, Theorie der Gerechtigkeit, Problemgeschichtliche Betrachtungen, 1986; *Kischel, Uwe*, Die Begründung, Zur Erläuterung staatlicher Entscheidungen gegenüber dem Bürger, 2003; *Lübbe-Wolff, Gertrude*, Form, Stil und Substanz gerichtlicher Urteile – am Beispiel der Verfassungsgerichtsbarkeit, in: Schürmann, Eva/von Plato, Levno, Rechtsästhetik in rechtsphilosophischer Absicht, 2020, S. 17–40; *Möllers, Thomas M.J.*, Wie Juristen denken und arbeiten – Konsequenzen für die Rolle juristischer Methoden in der juristischen Ausbildung, ZfPW 2019, 94–121; *Poscher, Ralf*, Wozu Juristen streiten, JZ 2013, 1–11; *Rüthers, Bernd*, Wozu auch noch Methodenlehre, JuS 2011, 865–870; *Starck, Christian*, Zur Notwendigkeit einer Wertbegründung des Rechts, ARSP Beiheft 37 (1990), 47–61; *Vogenauer, Stefan*, Sources of Law and Legal Method in Comparative Law, in: Reimann, Mathias/Zimmermann, Reinhard, The Oxford Handbook of Comparative Law, 2nd ed. 2019, Chap. 32, S. 877–901.

Übersicht

	Rn.
I. Der Zweck der Juristischen Methodenlehre	1
1. Zur Notwendigkeit einer Juristischen Methodenlehre	1
2. Eine Moderne Juristische Methodenlehre	7

* Der Fett- und Kursivdruck in wörtlichen Zitaten wurde grundsätzlich von mir vorgenommen. Als Hilfestellung wurde bei wörtlichen Zitaten mit altem Recht die aktuelle Gesetzesfundstelle in eckigen Klammern hinzugefügt. Alle zitierten Internetseiten waren bei Drucklegung abrufbar. Aus Gründen der besseren Lesbarkeit wird im Folgenden das generische Maskulinum verwendet. Es bezieht sich auf Personen aller Geschlechter. Im Übrigen s. *Möllers*, Juristische Arbeitstechnik und wissenschaftliches Arbeiten, 10. Aufl. 2021.

3. Juristische Methodenlehre als Schule Juristischen Denkens 18
4. Der Einfluss des europäischens Rechts auf die Rechtsfindung 27
II. Juristische Methoden als Legitimationslehre 33
1. Verfassungsrechtliche Anforderungen an eine richterliche Entscheidung 33
2. Methodenlehre als Legitimationslehre zur Machtbegrenzung des Richters ... 45
3. Zum Begründungsstil und zur Zitierpraxis der Gerichte in Europa 54
III. Methodenlehre als Argumentationslehre 63
1. Wahrheitsanspruch und die streitbaren Juristen 64
2. Zweck der Argumentationslehre 78
3. Juristische Argumentationsfiguren 93
IV. Zum inhaltlichen Gerechtigkeitsanspruch juristischer Methoden 105
1. Juristische Methodenlehre und der Gerechtigkeitsanspruch 105
2. Rechtsfriede und Gerechtigkeit als Rechtsideen 107
3. Juristische Methodenlehre als wertgebundene Argumentations- und Legitimationslehre 112

I. Der Zweck der Juristischen Methodenlehre

1. Zur Notwendigkeit einer Juristischen Methodenlehre

a) Die Argumentation als Teil von Begründung und juristischer Entscheidung

1 Die ehemalige Vizepräsidentin am Europäischen Gerichtshof für Menschenrechte *Nußberger* formulierte in einem Interview: „Die Rechtswissenschaft ist im Wesentlichen eine Argumentationswissenschaft. Man prüft die Überzeugungskraft verschiedener Argumentationsmuster. Dies ist das Rüstzeug für die Praxis. Gut zu argumentieren ist das Wichtigste bei den Verhandlungen am Gericht.“[1] Das Ziel dieses Werkes ist es, dem Juristen mehr als 100 Argumentationsfiguren an die Hand zu geben, die als Argumentationsmuster weltweit verwendet werden, um Entscheidungen zu begründen und damit das Gericht und im Idealfall auch die gegnerische Partei zu überzeugen. Juristen müssen entscheiden und dürfen nicht, wie der Jurist beim Bauer, verzweifeln und den Kopf in den Sand stecken.

2 In einfachen Fällen wird meist kein Jurist gefragt werden, weil die Entscheidung jedem einleuchtet. In schwierigen Fällen, den sog. „hard cases“, bedarf es eines Juristen. Das sind Fälle, die sich nicht einfach mit dem Gesetz oder der bisherigen Rechtsprechung lösen lassen.[2] Vor allem diese kommen vor Gericht. Und sie müssen umfangreich begründet werden, weil die Rechtslösung weniger eindeutig ist. Die Juristische Methodenlehre und die Rechtsdogmatik ermöglichen es, die Lösung von Rechtsproblemen rational überzeugend zu begründen. Methode[3] ist das systematische Verfahren zur Gewinnung von Erkenntnissen. Es stellt damit den Weg zum Ziel in den Vordergrund, das Juristische Begründen, sodass im Englischen auch von „legal reasoning“[4] gesprochen wird. Dazu werden weniger überzeugende Lösungswege ausgeschlossen. Das gilt erst Recht, wenn das Gesetz schweigt, auslegungsfähig, lückenhaft oder vielleicht sogar unrichtig ist oder bei neuen, bisher nicht entschiedenen Konstellationen. Studenten und bereits praktizie-

---

[1] *Nußberger*, „Seitenwechsel“, Forschung & Lehre 1/19, S. 48.

[2] *Dworkin*, 88 Harv. L. Rev. 1057 (1975): „‚hard cases‘ [are] those cases in which the result is not clearly dictated by statute or precedent.“

[3] Griech. μέθοδος, méthodos = das Verfolgen, der Weg zu etwas hin; lat. methodus. Hierzu ausführlich *Fikentscher*, Methoden des Rechts, Bd. IV, 1977, S. 122 ff.

[4] *Vogenauer*, in: Reimann/Zimmermann, The Oxford Handbook of Comparative Law, 2nd ed. 2019, S. 877, 890.

rende Juristen bekommen mit der Juristischen Methodenlehre zudem eine genaue Anleitung an die Hand, um ihre Argumentation zu strukturieren und das Begründungsniveau der Ausführungen zu heben.

Recht ist oft viel weniger eindeutig als es erscheint. Der folgende Mutter-Kind-Fall verdeutlicht, dass juristische Ergebnisse nicht immer einfach auf der Hand liegen, sondern ausführlich zu begründen sind. 3

Mutter-Kind-Abteil: Ludwig Löwenstein (L) reist mit seiner acht Monate alten Tochter Annabelle (A) mit der vom Bundesland B betriebenen lokalen Eisenbahn. Im vollbesetzten Zug findet er mit seiner Tochter einen Platz in einem Abteil, das als „Mutter mit Kind-Abteil" ausgewiesen ist. Das Abteil ist noch vollständig frei und für die weitere Strecke nicht reserviert. L nimmt erfreut Platz, da er noch eine mehrstündige Reise vor sich hat. Als der Zugbegleiter die Fahrkarten kontrolliert, bittet er L das Abteil unverzüglich zu verlassen, da ein „Mutter mit Kind-Abteil" nur für Mütter mit Kindern bestimmt sei. L ist empört und meint, er dürfe in Begleitung seiner acht Monate alten Tochter A in dem Abteil sitzen bleiben. Wer hat Recht?[5] 4

Der vermeintlich einfache Mutter-Kind-Fall bereitet Probleme. Was ist hier mit den Begriffen „*Mutter*" und „*Kind*" gemeint? Ist der Begriff „Mutter" wirklich so klar? Meint er „Frau" oder „Begleitperson"? Darf der Vater im Abteil sitzen bleiben, wenn man die Regel nach Sinn und Zweck auch auf ihn anwendet? In der Vorlesung Juristische Methodenlehre zur Abstimmung gestellt, gibt es regelmäßig keine klaren Ergebnisse: In einem Jahr entscheiden sich 60:40 für die Ansicht des Vaters, im Folgejahr „gewinnt" hingegen der Zugbegleiter mit 60:40 Stimmen. Da nicht eine zufällige Mehrheit im Saal entscheiden kann, bedarf es juristischer Argumente. 5

b) Die postmoderne Methodenlehre als Kritik an der klassischen Methodenlehre

Ist die Juristische Methodenlehre überholt, ja sogar gegenstandslos? *Esser* kritisiert, dass Theorie und Praxis auseinanderfallen und betont, „daß unsere akademische Methodenlehre dem Richter weder Hilfe noch Kontrolle bedeutet."[6] Der klassischen Methodenlehre wird vorgeworfen, sie sei bedeutungslos, weil der Rechtsanwender nach seinem Vorverständnis (§ 1 Rn. 70 ff.) entscheide. Oft sei die Rechtsfortbildung freie Rechtsfindung, der Richter entscheide dezisionistisch, d.h. kraft richterlicher Autorität, aber ohne Bindung an das Recht (§ 14 Rn. 40 ff.). Die vier Auslegungsfiguren von Savigny taugten nichts (§ 4 Fn. 57); die teleologische Auslegung sei zirkulär und überflüssig (§ 5 Rn. 6) und schließlich könne die Methodenlehre die Rolle der Rechtsdogmatik nicht erklären (§ 9 Rn. 7 ff.). Die verdeckte Rechtsfortbildung sei zulässig (§ 13 Rn. 10), ja im Ergebnis herrsche pragmatischer Methodenpluralismus, jeder dürfe seine Argumentationsfiguren frei wählen (§ 14 Rn. 64). 6

2. Eine Moderne Juristische Methodenlehre

a) Methodenlehre als Legitimations- und Argumentationslehre

Auf all diese Einwände muss eine Juristische Methodenlehre, die im 21. Jahrhundert geschrieben wird, reagieren. Ziel ist nicht die postmoderne, sondern eine Moderne Juristische Methodenlehre. Die Juristische Methodenlehre, wie man sie mit ihren vier klassischen Auslegungsfiguren von Savigny kennt, muss mit der Zeit gehen, sich stetig fortentwickeln und sich mit kritischen Stimmen auseinandersetzen (§ 14 Rn. 2). Es kommen 7

---

[5] Ein leicht abgewandelter Fall findet sich bei *Stein*, Die rechtswissenschaftliche Arbeit, 2000, S. 51, der allerdings nur verschiedene Lösungsmöglichkeiten andeutet, ohne den Fall zu lösen. Zur Lösung s. § 1 Rn. 73 ff., 84 f., 90 f.

[6] *Esser*, Vorverständnis und Methodenwahl, 1970, S. 7.

weitere Argumentationsfiguren hinzu, wie folgenorientierte oder ökonomische Gesichtspunkte. In dem Lehrbuch ist auch zu zeigen, dass neben der Auslegung vor allem Techniken zur Konkretisierung und Konstruktion (3. Teil) erlernt werden müssen. Eine Methodenlehre muss Techniken aufzeigen, um etwa neu entwickelte Rechtsinstitute oder nicht im Gesetz angelegte Fallgruppen oder Prüfungsschritte der Grundrechte gleichsam als notwendige Zwischenschritte vor der Subsumtion im klassischen Sinn zu entwickeln und zu erklären. Versteht man Methodenlehre als Legitimationslehre, ist auch zu fragen, was der Richter noch darf, wo also die Grenzen zulässiger Rechtsfortbildung verlaufen. Damit sind auch Entwicklungen der postmodernen Methodenlehre (§ 14 Rn. 1 f.) thematisiert, die zwischen dem Prozess der Erkenntnis und dem Prozess der Begründung unterscheidet (§ 14 Rn. 42).

8 Die Juristische Methodenlehre, so *Esser*, strukturiert einen Teil jener argumentativen Figuren, „*in denen wir Plausibilität von Begründungszusammenhängen zumindest für Juristenkreise konsensfähig machen*".[7] Sie ist zum einen **Legitimationslehre**. Konkretisiert wird dies mit dem Gesetzlichkeitsprinzip, der Pflicht zur Rechtsanwendungsgleichheit und der Pflicht, Gerichtsentscheidungen zu begründen. Sie will die Autorität des Richters gegenüber dem Parlament begrenzen und bezweckt auch Machtbegrenzung gegenüber dem Bürger (ausführlich § 1 Rn. 47 ff.). Sie ist zum anderen **Begründungs- bzw. Argumentationslehre**, indem sie das Instrumentarium für die Auslegung, Konkretisierung und Fortentwicklung des Rechts vorgibt.[8] Im Alltag des Juristen stellen sich immer wieder neue Rechtsprobleme. Dieses Lehrbuch zur Juristischen Methodenlehre will dem Juristen folglich einen Apparat von Argumentationsfiguren an die Hand geben, um Meinungen zu entwickeln, gegenüberzustellen und gut zu begründen. Es will den Juristen schulen, wichtige von unwichtigen, überzeugende von nicht überzeugenden und vertretbare von nicht vertretbaren Argumenten zu unterscheiden (ausführlich § 1 Rn. 18 ff.).

b) Die Struktur dieses Werkes

9 Die obigen Überlegungen bestimmen den Aufbau des vorliegenden Lehrbuchs. Ein erster Teil setzt die Grundlagen und nennt insbesondere die Rechtsquellen. Nachdem die Juristische Methodenlehre als *Legitimations-* und *Argumentationslehre* dargestellt worden ist (§ 1), stellt sich die Frage, was zur Rechtsfindung herangezogen werden kann, also was Recht ist. Dies wird durch die *Rechtsquellenlehre* bestimmt (§ 2). Sodann ist der Rechtsquellenbegriff zu erweitern und auf die Rolle von Richterrecht, privater Rechtsetzung und ausländischen Urteilen einzugehen (§ 3).

10 Der zweite Teil beginnt mit der *Auslegung*. Nachdem die Frage geklärt ist, was zum Recht gehört, ist auf die klassischen Auslegungsfiguren einzugehen, also Wortlaut, Systematik und Geschichte der Norm (§ 4). Dazu gehört auch der Regelungszweck (Telos), der mit modernen Formen der Gesetzesinterpretation wie der Interessenabwägung, der folgenorientierten Auslegung und der ökonomischen Analyse des Rechts vorgestellt wird (§ 5). Die teleologische Auslegung kann dann auch zahlreiche Gegenfiguren erzeugen. Im Rahmen der Auslegung und Interpretation ist auf einfache Formen der Rechtsfortbildung wie Einzelanalogie und teleologische Reduktion sowie die Auslegung von Rechtsgeschäften und Verträgen einzugehen (§ 6).

11 Anzuerkennen ist, dass die Auslegung oft nur der erste Schritt zur Rechtsfindung sein kann. Ein dritter Teil befasst sich mit der *Konkretisierung* von Recht, etwa bei unbestimmten Rechtsbegriffen und Generalklauseln. Hier hilft teilweise der Gesetzgeber mit

---

[7] *Esser*, JZ 1975, 555; s. unten § 1 Rn. 47.

[8] *Gaier*, in: Lobinger/Piekenbrock/Stoffels, Zur Integrationskraft zivilrechtlicher Dogmatik, 2014, S. 85, 86. Sie grenzt sich insoweit von den Argumentationstheorien von Alexy, Christensen/Kudlich, Feteris, Neumann u.a. ab, die Recht vorrangig beobachten und theoretisch reflektieren. Zur Rechtstheorie s. unten § 14 Rn. 108.

Regelbeispielen oder Rechtsverordnungen (§ 7). Ansonsten können Rechtsprechung, die darauf aufbauende Vergleichsfallmethode, das Herausarbeiten von Fallgruppen und das Bewegliche System zur Konkretisierung beitragen (§ 8). Anschließend soll die Rolle der Rechtsdogmatik bei der Rechtsfindung beleuchtet werden. Hier ist von *Konstruktion* zu sprechen, wenn etwa neue Rechtsinstitute und Zwischenschritte entwickelt werden, die sich oft nicht mehr unmittelbar aus einer einzelnen Rechtsnorm ableiten lassen und die Vorschrift erst subsumierbar machen. Die Konstruktion bezeichnet den Prozess des Herausarbeitens selbst, während Rechtsprinzip und Rechtsinstitut jeweils Ergebnisse dieses Prozesses sind. Das Rechtsinstitut ist weniger abstrakt als das Rechtsprinzip und bereits subsumierbar, während das Rechtsprinzip als solches nur Argumentationsmaterial bietet und damit als Auslegungshilfe dient. Die Arbeit mit *Rechtsprinzipien* gehört zu den schwierigeren Aufgaben, vor allem, wenn diese nicht kodifiziert sind (§ 9). Grundrechte und europäische Grundfreiheiten sind weitgehend gesetzlich normiert. Hier stehen die *Abwägung* und die Verhältnismäßigkeitsprüfung im Vordergrund (§ 10). Zu vertiefen ist vor allem das Verhältnis der Methodenlehre zur *Rechtsdogmatik*, die auf Begriffs-, System- und Prinzipienbildung abzielt und danach fragt, auf welchen Wertungen Teile der Rechtsordnung beruhen (ausführlich § 9 Rn. 2 ff.).[9] Methodenlehre muss das Ziel haben, auch die Dogmatik zu erklären.[10]

Um die Beziehung zu weiteren Ebenen des Rechts zu berücksichtigen, nämlich gegebenenfalls den Vorrang von *höherrangigem Recht*, richtet sich in einem vierten Teil der Blick auf den Einfluss von Verfassungsrecht (§ 11) sowie Europa- und Völkerrecht auf das einfache Recht (§ 12). **12**

Ein letzter, fünfter Teil schließt mit dem Thema Rechtsfrieden und Rechtssicherheit: Dabei sind die *Grenzen zulässiger Rechtsfortbildung* aufzuzeigen (§ 13). **13**

Die Sachverhaltshermeneutik zeigt auf, dass in der Praxis oft der Sachverhalt nur ein „Rohsachverhalt" ist, der im Dialog von Richter oder Rechtsanwalt weiter ergänzt werden muss, bevor eine überzeugende Lösung des Falls gelingen kann. Bevor das Buch endet, soll auf die Grundsatzkritik gegenüber der Juristischen Methodenlehre eingegangen werden, die heute auch als postmoderne Methodenlehre bezeichnet wird. Auf einschlägige Kritik kann mit der *Sachverhaltshermeneutik* und einer Metamethodik, die aus einer *Prüfungsfolge und einer Gewichtung* der Argumentationsfiguren besteht, reagiert werden (§ 14). **14**

Die Methodenlehre kann auch Argumentationsstrukturen der Nachbardisziplinen aufnehmen, denn die Juristische Methodenlehre hat schließlich Berührungspunkte zu zahlreichen anderen Grundlagenfächern. Das geschieht nicht dadurch, dass eine Rechtstheorie geschrieben wird und die Juristische Methodenlehre als kleine Teilmenge der Rechtstheorie verstanden und kritisiert wird.[11] Vielmehr ist der umgekehrte Weg zu gehen. Die Juristische Methodenlehre kann mit den Nachbardisziplinen kommunizieren. So gibt es Berührungspunkte zur Rechtssoziologie, weil bei der Auslegung die Lebenswirklichkeit zu berücksichtigen ist (§ 5 Rn. 91 ff.). *Rechtstheoretische Fragen* und *Fragen der Hermeneutik* (§ 1 Rn. 14, § 4 Rn. 10) sind zu beantworten. Damit einhergehend muss die Juristische Methodenlehre auch immer ihren historischen Wurzeln nachgehen, erschließt die *Rechtsgeschichte* die Bedeutung der einzelnen Rechtsfiguren und Argumente doch viel klarer.[12] Zahlreiche Rechtsfiguren sind zum Teil 2000 Jahre alt. Schließlich überschneidet sich die Methodenlehre auch mit der *Rechtsphilosophie,* denn jede Entschei- **15**

[9] S. etwa *Luhmann*, Rechtssystem und Rechtsdogmatik, 1974, S. 19 ff.; *Muthorst*, Grundlagen der Rechtswissenschaft, 2. Aufl. 2019, § 2 Rn. 17; *Stürner*, JZ 2012, 10 ff.

[10] *Lennartz*, Dogmatik als Methode, 2017, S. 2.

[11] S. etwa *Röhl/Röhl*, Allgemeine Rechtslehre, 3. Aufl. 2008, S. 3; *Rüthers/Fischer/Birk,* Rechtstheorie, 11. Aufl. 2020, Rn. 983 ff.; *Vesting*, Rechtstheorie, 2. Aufl. 2015, Rn. 191 ff.

[12] *Rüthers*, NJW 1996, 1249, 1253; *ders*., JZ 2006, 53, 56 und zusammenfassend unten § 14 Rn. 98 ff.

dung zielt auch auf ein gerechtes Ergebnis (§ 1 Rn. 105, § 14 Rn. 114 ff.). Am Ende des Werkes ist darauf zurückzukommen (§ 14 Rn. 74 ff., 114 ff.).

16 Wiederholungsfragen und Fälle dienen dem weiteren Einüben und Vertiefen der Rechts- und Argumentationsfiguren (§ 15). Das Buch beginnt beim Einfachen und geht zum Anspruchsvolleren über. Siehe hierzu die folgende Grafik:

17 **Grafik: Struktur des Lehrbuchs**

1. Teil: Grundlagen (§§ 1–3)
Methodenlehre als **Begründungs- und Legitimationslehre** (§ 1)

Rechtsquellen (§ 2):	**Sekundäre Rechtsquellen** (§ 3):	**Rechtserkenntnisquellen** (§ 3):
Gesetze	Richterrecht	ausländische Urteile
Hierarchie	Bindungswirkung	Rechtsliteratur

2. Teil: Auslegung (§§ 4–5)
Auslegung des Gesetzes anhand von Rechtsbegriffen innerhalb der Wortlautgrenze:
- Wortlaut, Systematik und Gesetzgebungsgeschichte (§ 4)
- Telos, Logik und folgenorientierte Auslegung (§ 5)

Teleologische Gegenfiguren und einfache Formen der Rechtsfortbildung durch Einzelanalogie bzw. teleologische Reduktion (§ 6)

3. Teil: Konkretisierung und Konstruktion (§§ 7–10)

Konkretisierung: Wortlautgrenze versagt weitgehend bei unbestimmten Rechtsbegriffen
- Arbeit mit Regelbeispielen, Richterrecht, Vergleichsfallmethode (§ 7)
- Fallgruppen, Bewegliches System (§ 8)

Konstruktion: fehlender unmittelbarer Bezug zu einer Rechtsquelle
- Arbeit mit allgemeinen Rechtsprinzipien durch Deduktion und Induktion (§ 9)
- Abwägung von Rechtsprinzipien, wie Grundrechten etc. (§ 10)

4. Teil: Vorrang durch Verfassungs- (§ 11) und Europarecht (§ 12)

5. Teil: Gerechtigkeit, Zweckmäßigkeit und Rechtsfrieden (§§ 13–14)
Grenzen der **Rechtsfortbildung** (§ 13)
Fallhermeneutik, Prüfungsfolge + Hierarchie der Interpretationsregeln (§ 14)

3. Juristische Methodenlehre als Schule Juristischen Denkens

a) Die Schulung Juristischen Denkens in der Juristischen Ausbildung

18 Was zeichnet den guten Juristen aus und was verlangt ein juristisches Studium? Ein guter Jurist muss das Recht verstehen, er muss das Recht als Ganzes anwenden können, vor allem aber muss er in der Lage sein, es beurteilen, analysieren und in Frage stellen zu können. Als Jurist muss man lernen, sich unter Bedingungen *juristischer Unsicherheiten* wohlzufühlen.[13] Konsequent formuliert die Juristische Ausbildungsordnung (JAPO) für die Staatsexamen im Freistaat Bayern: „Überblick über das Recht, juristisches Verständnis und **Fähigkeit zu methodischem Arbeiten** sollen im Vordergrund von Aufgabenstellung und Leistungsbewertung stehen."[14] Ähnlich verlangt auch das Deutsche Richtergesetz den Erwerb der „rechtswissenschaftlichen Methoden", § 5 Abs. 2 S. 3 DRiG.

[13] *Kötz*, RabelsZ 54 (1990), 203, 215.

[14] § 16 Abs. 2 S. 2 bayer. JAPO v. 13.10.2003, GVBl. 1990, S. 397 (Bayerische Ausbildungs- und Prüfungsordnung für Juristen). Ähnlich auch § 7 Abs. 2 S. 2 JAPrO BW v. 2.5.2019, GBl. 2019, S. 131 (Juristenausbildungs- und Prüfungsordnung für Baden-Württemberg); § 2 Abs. 2 JAG NRW v. 11.3.2003, GV. NRW 2003, S. 310 (Juristenausbildungsgesetz Nordrhein-Westfalen). S. unten § 14 Rn. 140.

Für das juristische Staatsexamen ist insbesondere die Fähigkeit des Juristischen Denkens und Argumentierens von Bedeutung, weil zur Bewältigung der Klausuren nicht nur ein umfangreiches und zum Teil sehr detailliertes juristisches Fachwissen[15] sowie Juristische Arbeitstechnik[16] und der Fallaufbau gefragt sind. Dieses Lehrbuch möchte zeigen, wie man unnötiges Auswendiglernen vermeiden kann.[17] Es ist damit auch ein *Gebot lernökonomischer Klugheit*, wenn man statt einem Zuviel an Einzelwissen lieber systematisch und strukturiert das Recht erfasst und sich die juristischen Argumentationsfiguren schon früh in der juristischen Ausbildung aneignet.[18] 19

Wie können unbekannte Fälle gelöst werden? Was bedeutet juristische Streitkultur? Gefordert ist *rationales, d.h. vor allem nachvollziehbares Begründen*. Der Jurist soll zeigen, dass er juristisch denken[19] kann. Er muss in der Lage sein, die verschiedenen Interessen der Beteiligten zu erkennen und die eigene Ansicht gegenüber fremden Argumenten zu verteidigen. Dazu muss er bereit sein, neue Gedanken in offener Diskussion zu entwickeln, abzuwägen, zu entkräften und in der Folge die einzelnen Schritte hin zur Lösung mit fundierten Argumenten zu belegen. In der juristischen Ausbildung lässt sich das Juristische Denken noch stärker schulen. Hierzu bieten sich die Grundlagenfächer geradezu an. Der Jurastudent sollte in seiner Ausbildung lernen, juristische Entscheidungen und Fachaufsätze so zu analysieren, dass er zu einer kritischen Reflektion der juristischen Argumentation in der Lage ist. Strukturiertes Argumentieren, das zu einer rationalen Entscheidung führt, ist wissenschaftlich (§ 1 Rn. 120). Gerade in schriftlichen Arbeiten muss der angehende Jurist das Recht kritisch hinterfragen[20], in der Doktorarbeit soll er es auch weiterentwickeln können.[21] Diesem Anspruch entsprechend werden auch in der juristischen Arbeit, sei es in der Klausur oder in der Hausarbeit, vorrangig nicht die gefundene Lösung, sondern der Lösungsweg und die zum Ergebnis führende Argumentation bewertet.[22] Dazu bedarf es im Zweifel eines hohen Maßes an Kreativität oder „schöpferischer Geistestätigkeit".[23] Hassemer und Kübler schrieben schon vor 30 Jahren: 20

> „Nicht im Wissen erschöpft sich das Lernziel […]. Ein guter Jurist überblickt sein Gebiet nicht nur; er kann mit ihm umgehen, sich auf ihm bewegen, er kann ‚juristisch denken' (und handeln). […] *Juristisches Denken* verlangt nicht nur, daß man ein rechtsdogmatisches Institut oder eine rechtspraktische Institution (von innen her) kennt; man muß sie auch in ihren historischen, theoretischen und realen Bedingungen (von außen her) betrachten, relativieren und in größere Zusammenhänge einordnen können."[24] 21

[15] Vielleicht fühlt man mit *von Goethes* Faust, Der Tragödie Erster Teil, 1790, Nacht: „Habe nun, ach! Philosophie,/Juristerei und Medizin,/Und leider auch Theologie/Durchaus studiert, mit heißem Bemühn./Da steh ich nun, ich armer Tor!/Und bin so klug als wie zuvor."

[16] S. *Möllers*, Juristische Arbeitstechnik und wissenschaftliches Arbeiten, 10. Aufl. 2021.

[17] *Hassemer/Kübler*, 58. DJT 1990, E 7, 33: „Blinde Reproduktion juristischer Regeln und Begriffe ist ein Feind juristischen Denkens und belastet deshalb alle Fächer und Juristenprofessionen."

[18] Es ist z.B. wenig sinnvoll, sich die zahlreichen Verkehrspflichten, welche die Rechtsprechung entwickelt hat, alphabetisch einzuprägen. Hier helfen Elemente eines Beweglichen Systems (§ 8 Rn. 2 ff.). Zu verschiedenen Lerntechniken s. *Möllers* (ebd.), § 1 Rn. 61 ff.

[19] Nach *Kant*, Anthropologie in pragmatischer Sicht, 1798, S. 109 ist Denken reden mit sich selbst.

[20] Folglich will das Studium auch ein kritisches Verständnis des Rechts und dessen Fortentwicklung vermitteln, § 2 Abs. 1 Nr. 4 STO JF Augsburg v. 10.8.2004 (Studien- und Prüfungsordnung für das Studium der Rechtswissenschaft an der Juristischen Fakultät der Universität Augsburg); ähnlich § 4 Abs. 1 STO JF Humboldt v. 24.10.2013 (Studienordnung für den Studiengang der Rechtswissenschaft an der Juristischen Fakultät der Humboldt-Universität zu Berlin).

[21] Zu wissenschaftlichen Arbeiten und zur Doktorarbeit s. *Möllers* (ebd.), § 7 und § 9.

[22] *Sauer*, in: Krüper, Grundlagen des Rechts, 4. Aufl. 2021, § 9 Rn. 2 f.

[23] So *Larenz*, Methodenlehre der Rechtswissenschaft, 6. Aufl. 1991, S. 346, s. unten § 1 Rn. 86 ff. und zu juristischen Innovationen ausführlich § 14 Rn. 46 ff.

[24] *Hassemer/Kübler*, 58. DJT 1990, E 88 f. m.w.Nachw.; zu Vorschlägen für die juristische Ausbildung, s. weiterführend *Möllers*, ZfPW 2019, 94 ff.

b) Juristisches Denken als Juristisches Begründen

22 Wie kommt der Jurist nun zu einer rationalen Entscheidung? Juristen denken oft in kontradiktorischen Gegensätzen: ein Anspruch besteht oder besteht nicht; ein Verhalten ist rechtmäßig oder rechtswidrig (§ 5 Rn. 31). Ausgangspunkt Juristischen Denkens ist eine Juristische These, die begründet oder widerlegt werden muss (§ 1 Rn. 79, 93). Dazu argumentiert der Jurist mit dem Recht. Sind Rechtsfragen offen, muss er eine rationale Entscheidung ermöglichen, die Dritte überzeugend und vor allem überzeugender als andere Lösungsvorschläge finden (§ 1 Rn. 86 ff.). Die Juristische Methodenlehre will die Argumentationsfiguren bereit stellen, die eine umfassende Begründung der Entscheidung ermöglichen. Sie zielt auf Rechtssicherheit, Gleichbehandlung und Transparenz der Entscheidungsfindung (§ 1 Rn. 115 ff.).

23 Die Juristische Methodenlehre schult das *Juristische Denken* in den Bereichen von Auslegung, Konkretisierung und Konstruktion, indem sie die Grundlage für eine nachvollziehbare Begründung schafft. Zu den Denkrichtungen, die in diesem Lehrbuch vorgestellt werden, gehören neben der Deduktion und Induktion auch die Abwägung und verschiedene Arten der Innovation. Dazu muss man die zahlreichen Argumentationsfiguren kennen und sie einsetzen können. Sie sind in eine Prüfungsfolge zu bringen und zu gewichten. Umgekehrt werden aber auch weniger überzeugende Denkrichtungen aufgezeigt wie das Vorverständnis, die Juristische Dezision und das nachträgliche Begründen. Abzulehnen ist das Gegenteil einer rationalen juristischen Begründung. Das sind Begründungsdefizite in der Form von Scheinbegründungen, der versteckten Rechtsfortbildung oder einem flexiblen Methodenpluralismus.

24 Dieses Werk will zeigen, dass die Juristische Methodenlehre nicht überflüssig, sondern ganz im Gegenteil elementarer Bestandteil des Juristischen Denkens und damit der Juristischen Ausbildung und Praxis ist. Ziel der Methodenlehre ist es, gerechte Entscheidungen im Sinne der bestmöglichen, *überzeugendsten* Antwort auf eine Frage (§ 1 Rn. 103) zu treffen. Nimmt man den Rationalitätsanspruch ernst und will überzeugen, so muss man begründen und die besseren Argumente haben.

c) Juristische Methodenlehre für Wissenschaft und Praxis

25 Zum Teil wird behauptet, es gäbe mehrere Methodenlehren, die eine für die Wissenschaft, die andere für die Praxis. Diese Unterscheidung wird damit begründet,[25] die Praxis hätte gar nicht die Zeit, methodisch sauber zu arbeiten.[26] Sicherlich kann in einfachen Fällen auf eine „Gebrauchsdogmatik" (§ 9 Rn. 4 ff.) abgestellt werden. Im Übrigen ist aber zu widersprechen, weil die Juristische Entscheidung einer überzeugenden Begründung bedarf. Zudem geht es vielmehr um das Verstehen und Anwenden des Rechts. Die Methodenlehre will helfen, die Rechtsdogmatik zu erklären. Sie will das Juristische Denken bis zur Rechtsfindung schulen. Dies gilt insbesondere in „hard cases" (§ 1 Rn. 2).

26 Nach der in diesem Lehrbuch vertretenen Ansicht sind Wissenschaft und Praxis für Juristen nicht gegensätzlich, denn beide Seiten müssen das Juristische Denken beherrschen. Viele Rechts- und Argumentationsfiguren werden deshalb unmittelbar auf die Rechtsprechung der obersten nationalen und supra- oder internationalen Gerichte zurückgeführt. Es setzt sich auch mit jüngeren Urteilen intensiver auseinander, wenn sie ganze Rechtsgebiete beeinflussen. Das Buch gibt damit auch einen Überblick über eine Reihe von **Grundsatzentscheidungen *(leading cases)*** der letzten Jahrzehnte der höchsten deutschen Gerichte und des EuGH.

---

[25] *Strauch,* Methodenlehre des gerichtlichen Erkenntnisverfahrens, 2017, S. 57 f.

[26] *Braun,* Deduktion und Invention, 2016, S. 185 ff.; *ders.*, JZ 2020, 353, 354 ff. Zu einer Differenzierung s. auch *Ch. Möllers,* in: Hoffmann-Riem/Schmidt-Aßmann/Voßkuhle, Grundlagen des Verwaltungsrechts, Bd. 1 2. Aufl. 2012, § 3 Rn. 21 ff.; ausführlich *Hoffmann-Riem,* in: Schmidt-Aßmann/ders., Methoden der Verwaltungsrechtswissenschaft, 2004, S. 9, 67 ff.

4. Der Einfluss des europäischen Rechts auf die Rechtsfindung

a) Europa-Artikel und Mehrebenensystem

Der obige Mutter-Kind-Fall wird sogleich auch zeigen, dass auch europäische Fragen 27
bei der Auslegung nationalen Rechts eine Rolle spielen können. Eingangstor für die Relevanz europäischen Rechts für das deutsche Recht war in der Vergangenheit Art. 24 GG, der den Bund zur Übertragung von Hoheitsrechten auf zwischenstaatliche Einrichtungen berechtigt. Im Vorfeld der Ratifikation des Maastrichtvertrages wurde Art. 23 GG geschaffen, der als Europa-Artikel[27] die Beteiligung des Bundestages und des Bundesrates bei der Übertragung von Hoheitsrechten regelt. In der Literatur wird insoweit von einem Europäischen Verfassungsverbund[28] mit geteilter Souveränität[29] gesprochen. Es handelt sich um ein Rechtssystem auf mehreren Ebenen[30], einem Verfassungspluralismus in einem Mehrebenensystem[31], einem „*multilevel constitutionalism*".[32]

b) Der nationale Richter als Unionsrichter

Seit mehr als 60 Jahren wird in Europa durch Verträge eine eigene Rechtsordnung mit 28
supranationaler Wirkung geschaffen. Das Recht in Deutschland wird in immer stärkerem Maße durch europäisches Recht unmittelbar und mittelbar beeinflusst. Das gilt für den EGV (heute: EUV und AEUV) und europäische Grundrechte ebenso wie für Verordnungen und Richtlinien als sekundäres Gemeinschaftsrecht (§ 2 Rn. 61 ff.). Inzwischen entspringen schon mehr als 50% aller nationalen Gesetze dem europäischen Recht, im Wirtschaftsrecht sind es sogar 80%.[33] Das BGB ist durch zahlreiche Verbraucherschutz-Richtlinien europäisiert worden.[34] Nach Art. 4 Abs. 3 EUV treffen die Mitgliedstaaten alle geeigneten Maßnahmen zur Erfüllung der Verpflichtungen, die sich aus den europäischen Verträgen oder aus Handlungen der Organe der Gemeinschaft ergeben. Die Pflicht wird als **Grundsatz der loyalen Zusammenarbeit** oder **Prinzip der Unionstreue** bezeichnet.[35] Sie unterstützen die europäischen Institutionen damit in der Erfüllung ihrer Aufgaben.

Der nationale Richter ist immer auch zugleich **europäischer Richter** bzw. **Unionsrichter.**[36] Er hat das europäische Recht anzuwenden (§ 2 Rn. 102). Als solcher muss er europäisches Recht autonom, d.h. unabhängig von seinem nationalen Normverständnis auslegen. Wenn die autonome Auslegung dem nationalem Recht widerspricht, kann das in bestimmten Fällen dazu führen, dass sie dem nationalen Recht vorgeht (§ 2 Rn. 70 ff.). Gegebenenfalls hat er rechtsvergleichend zu arbeiten (§ 3 Rn. 76 ff.). Zudem ist das nati- 29

[27] *Häberle*, in: FS Everling, Bd. 1, 1995, S. 355, 374 ff. spricht vom sog. „Europaverfassungsrecht".

[28] *Pernice*, EuR 1996, 27 ff.; *Wollenschläger*, in: Dreier, GG, 3. Aufl. 2015, Art. 23 Rn. 20; BVerfG, Urt. v. 12.10.1993, 2 BvR 2134/92 u.a., BVerfGE 89, 155, 183 – Maastricht spricht von „Rechtsverbund einer zwischenstaatlichen Gemeinschaft".

[29] *Pernice*, EuR 1984, 126, 138.

[30] „multilevel system", s. *Remien*, RabelsZ 62 (1998), 627, 630; *Schmid*, ZfRV 1999, 213, 214.

[31] *F.C. Mayer*, Kompetenzüberschreitung und Letztentscheidung, 2000, S. 31 ff. m.w.Nachw.; ausführlich *ders.*, VVDStRL 75 (2016), 8, 23 ff.

[32] *Pernice*, 36 Common Mkt. L. Rev. 703 ff. (1999); *Wollenschläger*, in: Dreier, GG, 3. Aufl. 2015, Art. 23 Rn. 17 m.w.Nachw.

[33] So die Zahlen des BVerfG, Urt. v. 12.10.1993, 2 BvR 2134/92 u.a., BVerfGE 89, 155, 173 – Maastricht; es handelte sich ursprünglich um eine Prognose von *Delors*, Bull. EG 1988 Nr. 7/8, S. 124.

[34] *Möllers*, JZ 2002, 121 ff.; *Herresthal*, in: Langenbucher, Europäisches Privat- und Wirtschaftsrecht, 4. Aufl. 2017, § 2 Rn. 35 ff.; *Gebauer/Wiedmann (Hrsg.)*, Zivilrecht unter europäischem Einfluss, 2. Aufl. 2010, insbesondere S. 143 ff.

[35] Calliess/Ruffert/*Kahl*, EUV/AEUV, 5. Aufl. 2016, Art. 4 EUV Rn. 34 ff.; Streinz/*Streinz*, EUV/AEUV, 3. Aufl. 2018, Art. 4 EUV Rn. 30 ff.; *Lang*, 27 CML Rev. 645 ff. (1990).

[36] *Pernice*, EuR 1996, 27, 33; *Zuleeg*, JZ 1994, 1, 2; *Möllers*, Die Rolle des Rechts im Rahmen der europäischen Integration, 1999, S. 73.

onale Recht unionsrechtskonform und richtlinienkonform auszulegen. Ist die Auslegung europäischen Rechts zweifelhaft, müssen nationale Gerichte die Frage dem EuGH vorlegen (§ 12 Rn. 115 f.). Hierbei besteht zu den europäischen Gerichten ein Kooperationsverhältnis (§ 13 Rn. 121 ff.). Verstößt ein Gericht gegen Unionsrecht, ist eine Staatshaftung für judikatives Unrecht aufgrund des unionsrechtlichen Staatshaftungsanspruchs denkbar (§ 12 Rn. 123 ff.). So formuliert der EuGH in dem Gutachten zum Europäischen Patentgericht[37] deutlich:

30 „Es ist auch darauf hinzuweisen, dass die Mitgliedstaaten nach dem in Art. 4 Abs. 3 Unterabs. 1 EUV niedergelegten *Grundsatz der loyalen Zusammenarbeit* in ihrem Hoheitsgebiet insbesondere für die Anwendung und Wahrung des Unionsrechts zu sorgen haben (vgl. in diesem Sinne Urteil vom 16. Juli 1998, Oelmühle und Schmidt Söhne, C-298/96, Slg. 1998, I-4767, Randnr. 23). Außerdem haben die Mitgliedstaaten nach Unterabs. 2 dieser Bestimmung alle geeigneten Maßnahmen allgemeiner oder besonderer Art zur Erfüllung der Verpflichtungen zu ergreifen, die sich aus den Verträgen oder den Handlungen der Organe der Union ergeben. Insoweit ist es Sache der nationalen Gerichte und des Gerichtshofs, die volle Anwendung des *Unionsrechts in allen Mitgliedstaaten und den Schutz der Rechte zu gewährleisten, die den Einzelnen aus diesem Recht erwachsen* (vgl. in diesem Sinne Urteil vom 13. März 2007, Unibet, C-432/05, Slg. 2007, I-2271, Randnr. 38 und die dort angeführte Rechtsprechung).

Das nationale Gericht erfüllt nämlich in Zusammenarbeit mit dem Gerichtshof eine Aufgabe, die beiden gemeinsam übertragen ist, um die Wahrung des Rechts bei der Anwendung und Auslegung der Verträge zu sichern […].“

c) Zum globalen Anspruch juristischer Argumentationsfiguren

31 Für das europäische Recht ist ein anderes methodisches Vorgehen erforderlich als für das deutsche. Die Methodik ist zunächst zwar immer auf das nationale Recht bezogen und zum Teil wird der nationale Charakter der Methodenlehre ausdrücklich betont.[38] Der Einfluss des europäischen Rechts auf das nationale Recht ist bisher in nahezu allen Lehrbüchern zur Juristischen Methodenlehre noch nicht (ausreichend) nachvollzogen worden.[39] Eine solche rein nationale Perspektive erscheint aber überholt, wird man doch mit einer isoliert nationalen Methodik der Komplexität des modernen Rechts nicht gerecht.[40] Zudem, ist jeder nationale Richter bei der Anwendung europäischen Rechts auch europäischer Richter. Will eine Juristische Methodenlehre die Mehrdimensionalität von Recht in der Europäischen Union und auf globalen Märkten nachzeichnen, schließt das die Notwendigkeit ein, auch **rechtsvergleichend** die „Methoden des Rechts“ zu erörtern.[41] Damit ist die **Europäisierung und Internationalisierung der nationalen Methoden** zu thematisieren.[42] Dabei zeigt sich, dass es, selbst wenn es wünschenswert wäre, „die eine“ Juristische Methodenlehre nicht gibt, sondern schon im nationalen Kontext verschiedene Varianten existieren, sodass im Strafrecht etwa andere Figuren im Vordergrund stehen als im Zivilrecht. Zudem gibt es im Europarecht eigene Modifikationen der verschiedenen Auslegungsfiguren.

[37] EuGH, v. 8.3.2011, C-1/09, EU:C:2011:123, Rn. 66 ff. – Europäisches Patentgericht.

[38] So *Wagner/Zimmermann*, AcP 214 (2014), 1, 3: „Juristische Methodenlehre ist seit dem Entstehen von Nationalstaaten […] eine nationale Disziplin.“ S. auch unten § 14 Rn. 137 f.

[39] Zur berechtigten Kritik insoweit *Flessner*, JZ 2002, 14, 15; *Herresthal*, Rechtsfortbildung im europarechtlichen Bezugsrahmen, 2006, S. 7 Fn. 27.

[40] *Kramer*, Juristische Methodenlehre, 6. Aufl. 2019, S. 50 f.

[41] Hierzu grundlegend *Fikentscher*, Methoden des Rechts, Bd. I–IV, 1975–1977.

[42] *Möllers*, Die Rolle des Rechts im Rahmen der europäischen Integration, 1999; *Berger*, ZEuP 2001, 4, 6 ff.; *Vogenauer*, ZEuP 2005, 234 ff. S. § 14 Rn. 136 ff.

Da insgesamt die Gemeinsamkeiten überwiegen, rechtfertigt es sich allerdings, diese zu betonen, also in diesem Buch an **einer Juristischen Methodenlehre in ihren verschiedenen Varianten** festzuhalten und nur die jeweiligen Unterschiede herauszuarbeiten. Das gilt für die verschiedenen Rechtsgebiete, also das öffentliche Recht, das Zivilrecht und das Strafrecht.[43] Das gilt aber auch europa- und weltweit. Zahlreiche Argumentationsmuster sind **weltweit von Relevanz** bei der Begründung juristischer Entscheidungen: das gilt etwa für den klassischen Kanon von *Savigny*, also die Auslegung nach Wortlaut, Systematik, Entstehungsgeschichte oder Telos. Aber auch die Fragen nach den Interessen der Parteien oder den Folgen einer Entscheidung sind in jeder Rechtsordnung gleichermaßen zu stellen (2. Teil). Fragen der Konkretisierung von Recht sowie der Konstruktion und der Grenzen zulässiger Rechtsfortbildung sind ebenso von weltweiter Relevanz, selbst wenn Abweichungen im Einzelfall existieren (§ 14 Rn. 136 ff.).[44] **32**

II. Juristische Methoden als Legitimationslehre

1. Verfassungsrechtliche Anforderungen an eine richterliche Entscheidung

Die neuere Lehre im deutschen[45] und im anglo-amerikanischen Rechtskreis[46] betrachtet die juristische Methodik in erster Linie unter staats- und verfassungsrechtlichen Gesichtspunkten. Einzelne Bestandteile der Juristischen Methodenlehre lassen sich mittelbar und unmittelbar aus dem Verfassungsrecht ableiten. **33**

a) Das Gewaltenteilungsprinzip

Ausgehend von *Locke*[47] und *Montesquieu*[48] entwickelte sich der Gedanke der Gewaltenteilung. Er findet sich in Art. 20 Abs. 2 S. 2 GG. Das Gewaltenteilungsprinzip verlangt, dass die Rechtsprechung das Normsetzungsprimat des Gesetzgebers akzeptiert.[49] Gesetze werden durch die Legislative gemacht und von den Gerichten angewendet. Richter sind weder direkt legitimiert noch müssen sie sich nachträglich für ihre Positionen in einem öffentlichen Rahmen rechtfertigen wie dies zum Beispiel gewählte Politiker tun müssen. Im Ergebnis besteht keine *konkurrierende Zuständigkeit* für Gesetzgebung zwischen Legislative und Judikative.[50] In den Worten von *Brugger*: „In einem demokratischen und ge- **34**

---

[43] **A.A.** *Wagner/Zimmermann*, AcP 214 (2014), 1, 5, die schon ein Abkapseln von Teilrechtsgebieten mit einem jeweils eigenen Verständnishorizont und Spezialdiskurs diagnostizieren.

[44] Zur Idee der Annäherung verschiedener Rechtskreise (§ 7 Rn. 81), der Konvergenzthese, s. etwa *Kötz*, ZEuP 1998, 493, 497 ff.; *Gordley*, in: Assmann/Brüggemeier/Sethe, Unterschiedliche Rechtskulturen, 2001, S. 63 ff.; ausführlich *Kischel*, Rechtsvergleichung, 2015, § 7 Rn. 228 ff.; *Husa*, Rechtstheorie 47 (2016), 397, 403 f.

[45] S. etwa *Kriele*, Theorie der Rechtsgewinnung, 2. Aufl. 1976; *Koch*, in: Alexy/Koch/Kuhlen/Rüßmann, Elemente einer juristischen Begründungslehre, 2003, S. 179 ff.; *Brugger*, AöR 119 (1994), 1 ff.; *F. Müller/Christensen*, Juristische Methodik, Bd. I, 11. Aufl. 2013, Rn. 4; Zippelius/*Würtenberger*, Juristische Methodenlehre, 12. Aufl. 2020, S. 40; *Rüthers/Fischer/Birk*, Rechtstheorie, 11. Aufl. 2020, Rn. 543, 649, 704 ff.: „Methodenfragen sind Verfassungsfragen"; *Kramer*, Juristische Methodenlehre, 6. Aufl. 2019, S. 44 f. **A.A.** *Martens*, Methodenlehre des Unionsrechts, 2013, S. 72 f., der nur die Begründungslehre hervorhebt.

[46] *MacCormick*, 6 Ratio Juris (1993), 16, 19: „Still, the law is a forum of institutional argumentation [...]". Zur Rechtskreislehre s. unten § 7 Rn. 81.

[47] *Locke*, The Second Treatise of Government, 1689, 7. Kap. § 93.

[48] Plastisch *Montesquieu*, De l'esprit des lois, 1748, 11. Buch, 6. Kap.: „Alles wäre verloren, wenn ein und derselbe Mann oder dieselbe Körperschaft der Fürsten, des Adels oder des Volkes diese drei Gewalten ausübte: Gesetze zu erlassen, sie in die Tat umzusetzen und über Verbrechen und private Streitigkeiten zu richten."

[49] *Larenz*, Methodenlehre der Rechtswissenschaft, 6. Aufl. 1991, S. 376; *Rüthers/Fischer/Birk*, Rechtstheorie, 11. Aufl. 2020, Rn. 649.

[50] Larenz/*Canaris*, Methodenlehre der Rechtswissenschaft, 3. Aufl. 1995, S. 246 f.

waltenteiligen Rechtssystem stellt die legislative Rechtskonkretisierung für die Gerichte eine verbindliche Vorgabe dar. Das von der Legislative Gesagte und Gewollte bindet die richterliche Auslegung, soweit nicht höherrangiges Recht verletzt wird."[51]

b) Legalismus

35 Zur europäischen Rechtstradition gehört der **Legalismus,** also das Monopol der staatlichen Gewalt für Rechtsetzung und Rechtsfortbildung gegenüber sozialen Regelungssystemen wie Religion, Moral, Sitte und Brauch.[52] Im aufgeklärten Absolutismus gab der Legalismus dem Herrscher die Möglichkeit, seinen Willen gegenüber den Richtern möglichst umfassend durchzusetzen; mit möglichst präzisen Gesetzen versuchte der absolutistisch regierende König, den Richter soweit wie möglich zu binden. Allerdings wirkte diese Bindung in beide Richtungen: *Sie band nicht nur den Richter, sondern auch den Herrscher und schützte den Bürger vor Willkür.*[53] Daraus entwickelten sich die Grundsätze der Rechtsstaatlichkeit, wie Vorbehalt und Vorrang des Gesetzes, rechtliches Gehör und Gesetzlichkeitsprinzip mit seinem Grundsatz „nullum crimen sine lege".

c) Wesentlichkeitstheorie und Gesetzlichkeitsprinzip (nullum crimen sine lege)

36 Die Juristische Methodenlehre bindet aber auch den Richter gegenüber dem Bürger. Der Bürger darf gegenüber dem Richter darauf vertrauen, dass der Richter nur das vom Parlament geschaffene Recht anwendet und nicht daneben sein eigenes Recht formt. Die aus Art. 20 Abs. 3 GG abgeleitete Bindung des Richters an das Parlament entfaltet insoweit Drittschutz zugunsten des Bürgers. Das gerade genannte Recht des Richters auf Rechtsfortbildung wird in zwei wichtigen Bereichen eingeschränkt. Die *Wesentlichkeitstheorie* besagt, dass der Gesetzgeber die für die Grundrechtsverwirklichung maßgeblichen Regelungen im Wesentlichen selbst treffen muss (§ 13 Rn. 83 ff.). Im Strafrecht ist diese Bindung besonders stark, der Richter quasi aufgrund der Eingriffsintensität vom Gesetzgeber an die kurze Leine genommen. Das **Gesetzlichkeitsprinzip** bedeutet andererseits, dass *keine Strafe ohne gesetzliche Grundlage erfolgen darf.* Das heißt, dass zum Zeitpunkt der Tat ein hinreichend bestimmtes förmliches Gesetz in Kraft sein muss, das die im Tatbestand umschriebene Verhaltensweise mit Geld- oder Freiheitsstrafe[54] sanktioniert (*nullum crimen, nulla poena sine lege*). Das Gesetzlichkeitsprinzip versteht sich als Konkretisierung des allgemeinen Rechtsstaatsprinzips (Art. 20 Abs. 3 GG), die speziell für den Bereich des Strafrechts besondere Anforderungen an den Gesetzesvorbehalt, dessen Reichweite, die Bestimmtheit als Ausdruck von Rechtssicherheit und die Rückwirkung aufstellt.[55] Den Grundsatz gab es schon in Ansätzen im römischen Recht,[56] findet sich dann in der Constitutio Criminalis Carolina von 1532 für die Todesstrafe[57] und bei

---

[51] *Brugger,* AöR 119 (1994), 1, 2.

[52] *Wieacker,* in: Behrends/Dießelhorst/Voss, Römisches Recht in der europäischen Tradition, 1985, S. 355, 360 f.; *Schulze,* in: Müller-Graff, Gemeinsames Privatrecht in der Europäischen Gemeinschaft, 2. Aufl. 1999, S. 127, 129.

[53] Für einen Überblick s. Roxin/*Greco,* Strafrecht Allgemeiner Teil, Bd. I, 5. Aufl. 2020, § 5 Rn. 12 ff.

[54] Der Begriff der „Strafe" umfasst dabei aber nicht ausschließlich Geld- oder Freiheitsstrafe. Vielmehr wird er in einem weiteren Sinne verstanden. S. *Schulze-Fielitz,* in: Dreier, GG, 3. Aufl. 2018, Art. 103 II Rn. 19 ff.

[55] Sachs/*Degenhart,* GG, 9. Aufl. 2021, Art. 103 Rn. 53 ff., 63 ff., 71 ff.; *Möstl,* in: HStR VIII, 3. Aufl. 2010, § 179 Rn. 56.

[56] *Kubiciel,* in: Handwörterbuch zur deutschen Rechtsgeschichte, Lfg. 25 (2017), S. 2; *Pohlreich,* in: Bonner Kommentar zum Grundgesetz, 208. EL November 2020, Art. 103 Abs. 2 Rn. 29; *Dannecker,* Das intertemporale Strafrecht, 1993, S. 32 ff.

[57] Constitutio Criminalis Carolina (CCC) v. 27.7.1532: Grundsätzlich steht dem Richter gem. Art. 105 CCC zwar das Recht zur Analogie zu. Todesstrafen dürfen aber gem. Art. 104 S. 2 CCC nur bei gesetzlicher Anordnung verhängt werden; s. auch *Schaffstein,* Studien zur Entwicklung der Deliktstatbestände im Gemeinen Deutschen Strafrecht, 1985, S. 47.

Feuerbach.[58] Seine Grundgedanken kommen heute nicht nur in Art. 103 Abs. 2 GG und § 1 StGB zum Ausdruck, sondern auch in supranationalen Regelwerken wie der Europäischen Menschenrechtskonvention (Art. 7 EMRK)[59] oder der Europäischen Grundrechtecharta (Art. 49 Abs. 1 GRCh).[60]

Besondere Geltung kommt dem Gesetzlichkeitsprinzip als positivrechtlich normierte Schranke der richterlichen Rechtsfortbildung zu. Im Strafrecht bildet somit die Wortlautgrenze die „rote Linie" zwischen zulässiger Auslegung und unzulässiger strafbarkeitsbegründender bzw. strafschärfender Rechtsfortbildung. Das BVerfG hat das Gesetzlichkeitsprinzip in zahlreichen Urteilen präzisiert. Danach kann der Bürger nur dann mit Strafe belegt werden, wenn er die strafrechtliche Relevanz seines Verhaltens und die damit verbundenen Konsequenzen hinreichend klar vorhersehen konnte[61], ähnlich wie dies auch im anglo-amerikanischen Recht formuliert wird.[62] Zudem enthält Art. 103 Abs. 2 GG einen strengen Gesetzesvorbehalt, der die Strafgerichte auf die Rechtsanwendung beschränkt (ausführlich § 4 Rn. 67 ff.).[63] 37

d) Recht auf rechtliches Gehör und verfassungsrechtliche Begründungspflicht

aa) Der lateinische Rechtssatz ***audiatur et altera pars*** – man höre die andere Seite – hat eine lange Tradition und findet sich im griechischen[64] und ägyptischen[65] Recht sowie in der Bibel wieder.[66] Zudem lässt er sich im römischen[67] und im germanischen Recht nachweisen, etwa im Sachsenspiegel mit dem Gebot an den Richter, Rede und Gegenrede zu erfragen.[68] Die Justitia wird regelmäßig mit einer Augenbinde gezeigt; sie soll neutral urteilen können.[69] Dafür muss sie aber beide Seiten hören. Dafür muss das Gericht die Erwägungen beider Seiten zur Kenntnis nehmen und in seine Erwägungen einbeziehen.[70] 38

bb) Konsequenterweise folgt aus der Berücksichtigungs- und Erwägungspflicht auch eine **Begründungspflicht**. Noch bis ins 18. Jahrhundert verzichtete das Reichskammer- 39

[58] *Feuerbach*, Lehrbuch des gemeinen in Deutschland gültigen peinlichen Rechts, 4. Aufl. 1808, § 20, S. 21.

[59] Vgl. EGMR, Urt. v. 17.12.2009, 19359/04, CE:ECHR:2009:1217JUD001935904, Rn. 126 – Rückwirkende Verlängerung der Sicherungsverwahrung. Zur rechtsvergleichenden Auslegung des EGMR in diesem Urteil vgl. § 7 Rn. 90.

[60] Vgl. zur Anerkennung als allgemeiner Rechtsgrundsatz auch schon vor Schaffung der GRCh EuGH, Urt. v. 12.12.1996, C-74/95 u.a., EU:C:1996:491, Rn. 25 – Strafverfahren gegen X; im Völkerrecht findet sich das Gesetzlichkeitsprinzip etwa in Art. 22 ff. des Römischen Statuts des Internationalen Strafgerichtshofs v. 17.7.1998, Art. 11 Nr. 2 der Allgemeinen Erklärung der Menschenrechte vom 10.12.1948 oder Art. 15 des Internationalen Paktes über bürgerliche und politische Rechte vom 19.12.1966.

[61] BVerfG, Beschl. v. 10.1.1995, 1 BvR 718/89 u.a., BVerfGE 92, 1, 12 – Sitzblockaden II.

[62] *United States v. Campos-Serrano*, 404 U.S. 293, 297 (1971) m.w.Nachw.: „that one is not to be subjected to a penalty unless the words of the statue plainly impose it."

[63] BVerfG, Beschl. v. 10.1.1995, 1 BvR 718/89 u.a., BVerfGE 92, 1, 12 – Sitzblockaden II; vorher bereits BVerfG, Beschl. v. 23.10.1985, 1 BvR 1053/82, BVerfGE 71, 108, 115 – Anti-Atomkraftplakette.

[64] *Demosthenes*, Über die Krone, Übersetzung Raumer, 1811, S. 102: „und dem Eide, in welchem unter allem übrigen Gerechten auch dies geschrieben steht, beide gleichmäßig anzuhören"; *Isokrates*, Antidosis Rede, Rn. 21, Übersetzung Ley-Hutton, in: Sämtliche Werke, Bd. II, 1997, S. 121: „trotz eures jährlich wiederholten Schwurs, den Anklägern und den Angeklagten in gleicher Weise Gehör zu schenken."

[65] *Allam*, Das Verfahrensrecht in der altägyptischen Arbeitersiedlung von Deir El-Medineh, 1973, S. 46.

[66] Jesus Sirach, 11,7 f.: „Verdamme Niemand, ehe Du untersucht hast; erkenne es zuvor, und strafe es dann. Du sollst nicht urtheilen, ehe Du die Sache hörest hast, und lass die Leute zuvor ausreden."

[67] Ausführlich zu Einzelheiten *Wacke*, in: FS Waldstein, 1993, S. 369, 375 ff.

[68] *Sachsenspiegel*, Buch 1, § 62, 5. Zobelsche Ausgabe 1595: „Der Richter sol immer den Man fragen/ ob er an seines vorsprechen wort gehe/und so auch viertel fragen auff zweyer Man rede und gegenrede".

[69] *Kissel*, Die Justitia: Reflexionen über ein Symbol und seine Darstellung in der bildenden Kunst, 2. Aufl. 1997, S. 82 ff.

[70] *Schulze-Fielitz*, in: Dreier, GG, 3. Aufl. 2018, Art. 103 I, Rn. 20, 60 ff.

gericht auf eine Begründung von Urteilen.[71] Die Gründe, so der Gelehrte Stryk, „muss der Richter nicht ins Urteil schreiben […], weil der Richter töricht handelt, der die Gründe hinzufügt und so einer Partei einen Anlass gibt, zum Zanken und zum Hänseln.“[72] Diese Ansicht wandelte sich erfreulicherweise im Zuge der Aufklärung. Wenn nach Montesquieu der Staat seine Befugnis zur Zwangsanwendung von der freien Entscheidung der Bürger ableitet, muss jede staatliche Gewalt gegenüber dem eigentlichen Souverän, dem Volk, legitimiert werden.[73] Die Begründungspflicht begrenzt die Willkür des Richters gegenüber der Exekutive und dem Bürger. Eine grundlose Entscheidung über Recht oder Unrecht würde „das Geschehen aus dem Rechtssystem hinaus in die blanke Politik“ verschieben.[74] Die Begründungspflicht wurde schon im 18. und 19. Jahrhundert in verschiedenen Gesetzen deutscher Einzelstaaten aufgenommen.[75] Die Pflicht, eine Entscheidung zu begründen, ergibt sich *regelmäßig bereits aus dem einfachen Recht,* nämlich aus den jeweiligen Vorschriften über die Urteilsfindung.[76] Mittelbar ergibt sich die Begründungspflicht auch aus dem Rechtsmittelrecht, da der Prüfungsumfang der Revisionsinstanz grundsätzlich auf die Erwägungen in der Urteilsbegründung beschränkt ist.[77] Damit wird eine diskursive Entscheidung vor Gericht gewährleistet.[78]

40 cc) Die Begründungspflicht ist auch in der Verfassung verankert. Aus dem **Recht auf rechtliches Gehör gem. Art. 103 Abs. 1 GG** folgt, dass eine Begründungspflicht hinsichtlich der Erwägungen in tatsächlicher und rechtlicher Hinsicht besteht. Nur so kann der Betroffene prüfen, ob sein Vorbringen umfassend berücksichtigt wurde.[79] Auch soll das **Rechtsstaatsprinzip des Art. 20 Abs. 3 GG** tangiert sein, wenn Gerichtsentscheidungen nicht begründet werden.[80] Sowohl aus der Bindung der Rechtsprechung an Recht und Gesetz als auch aus der Rechtsstaatlichkeit folge die Verpflichtung, das Ergebnis nachvollziehbar zu begründen und damit das Gebot, auf den Methodenkanon zur Rechtsgewinnung zurückzugreifen.[81]

41 Allerdings gibt es auch Ausnahmen. Eine Begründung soll bei letztinstanzlichen Entscheidungen oft nicht erforderlich sein, weil weiterer Rechtsschutz dann nicht möglich

---

[71] *Hocks*, Gerichtsgeheimnis und Begründungszwang, 2002, S. 18 f.; *Lübbe-Wolff*, in: Schürmann/von Plato, Rechtsästhetik in rechtsphilosophischer Absicht, 2020, S. 17, 24 f.; s. auch *Günzl*, Eine andere Geschichte der Begründungspflicht, 2021.

[72] *Stryk*, Introductio ad praxin forensem caute instituendam, 1697, Cap. XXII, § 5, S. 169: *Rationes decidendi ut in sententia exprimantur, necessarium non est,* […] *stolidus sit judex, qui addit rationes decidendi, & parti suppeditat ansam disputandi vel cavillandi.*

[73] Ähnlich *Ch. Becker*, Was bleibt? Recht und Postmoderne, 2014, S. 9; *Bumke*, in: ders., Richterrecht zwischen Gesetzesrecht und Rechtsgestaltung, 2012, S. 33, 34; *Dworkin*, Law's Empire, 1986, S. 93 f.

[74] *Fögen*, Ancilla Iuris 2007, 42, 44 zu den Eumeniden des Aischylos.

[75] S. § 42 des 13. Titels der preußischen Prozessordnung von 1795; Art. 275 der Bayerischen Prozessordnung von 1869; § 46 der Verfassungsurkunde des Königreichs Sachsens v. 4.9.1831; s. *Brüggemann*, Die richterliche Begründungspflicht, 1971, S. 121 ff.

[76] Etwa § 30 Abs. 1 BVerfGG; § 313 Abs. 1 Nr. 6, Abs. 3 ZPO; §§ 267 Abs. 1, 275 StPO oder § 117 Abs. 2 Nr. 5 VwGO; §§ 60 Abs. 2, 4, 96 Abs. 2 ArbGG.

[77] S. exemplarisch für die Revision im Strafprozess *Knauer/Kudlich*, in: MünchKomm-StPO, 2019, § 352 Rn. 22; BeckOK-StPO/*Wiedner*, 39. Ed. 1.1.2021, § 352 Rn. 8; Karlsruher Kommentar StPO/*Gericke*, 8. Aufl. 2019, § 352 Rn. 16.

[78] *Steinberger*, Konzeption und Grenzen freiheitlicher Demokratie, 1974, S. 265; *Schulze-Fielitz*, in: Dreier, GG, 3. Aufl. 2018, Art. 103 I, Rn. 12.

[79] BVerfG, Beschl. v. 17.5.1983 (2 BvR 731/80), BVerfGE, 64, 135, 143 ff.; BVerfG, Beschl. v. 19.5.1992, 1 BvR 986/91, BVerfGE 86, 133, 144 f.; BVerwG, Urt. v. 18.10.2006, 9 B 6/06, NVwZ 2007, 216, 218; *Schulze-Fielitz*, in: Dreier, GG, 3. Aufl. 2018, Art. 103 I, Rn. 76.

[80] *Lücke*, Begründungszwang und Verfassung, 1987, S. 44 m.w.Nachw.; *F. Müller/Christensen*, Juristische Methodik, Bd. I, 11. Aufl. 2013, Rn. 223 f.; *Schulze-Fielitz*, in: Dreier, GG, 3. Aufl. 2015, Art. 20 (Rechtsstaat), Rn. 176; ausführlich *Kischel*, Die Begründung, 2003, S. 64 ff.

[81] *Rennert*, NJW 1991, 12, 16; *Lücke*, Begründungszwang und Verfassung, 1987, S. 44 ff. m.w.Nachw.; *F. Müller/Christensen* (ebd.), Rn. 223 f.; *Larenz*, Methodenlehre der Rechtswissenschaft, 6. Aufl. 1991, S. 234; *Schulze-Fielitz*, in: Dreier, GG, 3. Aufl. 2015, Art. 20 (Rechtsstaat), Rn. 176; *Kischel* (ebd.), S. 63 ff.

ist.[82] Zudem sind die Fälle, in denen ein Schweigen des Gerichts zu Parteivorbringen als unzulässige Nichtberücksichtigung und Verletzung des Grundsatzes auf rechtliches Gehör angesehen wurde, selten, weil das Revisionsgericht insoweit lediglich eine Evidenzkontrolle vornimmt. Grundsätzlich darf es Überlegungen einer Seite außer Acht lassen, die nach seiner Auffassung unerheblich oder unsubstantiiert sind.[83] Das rechtliche Gehör ist erst dann verletzt, wenn sich deutlich ergibt, dass das Gericht ein tatsächliches Vorbringen überhaupt nicht zur Kenntnis genommen hat.[84]

e) Verstoß gegen die Rechtsanwendungsgleichheit des Art. 3 Abs. 1 GG

Ein unbegründetes Abweichen von einer strittigen höchstrichterlichen Rechtspre- 42
chung kann gegen das Willkürverbot in Form der Pflicht zur **Rechtsanwendungsgleichheit des Art. 3 Abs. 1 GG** verstoßen.[85] Das Bundesverfassungsgericht setzt die Grenzen für das Eingreifen von Willkür allerdings hoch an: Die Entscheidung muss auf sachfremden Erwägungen beruhen und objektiv unangemessen sein.[86] Gleiches gleich und Ungleiches ungleich zu behandeln, prägt auch das systematische Denken des Juristen (§ 4 Rn. 109).

f) Die Begründungspflicht auf europäischer Ebene

Auch auf europäischer Ebene ist das Recht auf Begründung gegenüber Organen der 43
Union anerkannt. Die Begründungspflicht der EU-Organe wird aus dem Recht auf effektiven Rechtsschutz abgeleitet. Im Hinblick auf die Begründungspflicht des EuGH findet sich in Art. 36 EuGH-Satzung die maßgebliche Norm.[87] Sie will ein faires Gerichtsverfahren sicherstellen und fußt außerdem auf Art. 47 Abs. 2 GrCh und Art. 6 EMRK.[88] Für die Verwaltung ergibt sich dies ausdrücklich aus Art. 296 Abs. 2 AEUV und Art. 41 Abs. 2 c) GrCh.[89] Dies zwingt die Verwaltung zu einer Selbstkontrolle, weil sie sich mit dem Rechtsakt vertieft auseinandersetzen muss.[90] Die Rechtssicherheit, aber auch der An-

[82] S. § 544 Abs. 4 S. 2 ZPO, § 321a ZPO, § 93d Abs. 1 S. 3 BVerfGG; krit. *Zuck*, NJW 2016, 3573, 3575, 3577; die Nichtannahmeentscheidung der Dreierkammer muss einstimmig ergehen. Zudem bleibt der leichte Zugang zum BVerfG sichergestellt, s. *Lübbe-Wolff*, in: Schürmann/von Plato, Rechtsästhetik in rechtsphilosophischer Absicht, 2020, S. 17, 25 f.

[83] BVerfG, Beschl. v. 19.5.1992, 1 BvR 986/91, BVerfGE 86, 133, 146; *Musielak*, in: MünchKomm-ZPO, 6. Aufl. 2020, § 313 Rn. 17.

[84] *Hübner*, DStR 2018, 1410, 1411.

[85] BVerfG, Beschl. v. 6.10.1981, 2 BvR 1290/80, BVerfGE 58, 163, 168 – Willkürverbot; BVerfG, Beschl. v. 5.1.1985, 2 BvR 1434/83, BVerfGE 71, 122, 135 f.; *Bydlinski*, Juristische Methodenlehre und Rechtsbegriff, 2. Aufl. 1991, S. 81; *Rennert*, NJW 1991, 12; *Rüthers/Fischer/Birk*, Rechtstheorie, 11. Aufl. 2020, Rn. 650.

[86] BVerfG, Beschl. v. 6.10.1981, 2 BvR 1290/80, BVerfGE 58, 163, 168 – Willkürverbot; BVerfG, Beschl. v. 4.6.1985, 1 BvR 1222/82, BVerfGE 70, 93, 97 – Zypressenhecke; BVerfG, Beschl. v. 13.1.1987, 2 BvR 209/84, BVerfGE 74, 102, 127. Zum Teil wird betont, dass bei einer fehlenden Entscheidungsbegründung das Demokratieprinzip verletzt sein kann, da Entscheidungen auch demokratische Legitimität, insbesondere Akzeptanz und Transparenz, verlangen; *Kroitsch*, NJW 1994, 1032, 1033.

[87] *Dittert*, in: von der Groeben/Schwarze/Hatje, Europäisches Unionsrecht, 7. Aufl. 2015, Art. 36 EuGH-Satzung Rn. 1; vgl. *Riesenhuber*, IWRZ 2018, 243.

[88] EGMR, Urt. v. 16.11.2010, 926/05, CE:ECHR:2010:1116JUD000092605, Rn. 91 – Taxquet v. Belgium.

[89] EuGH, Urt. v. 21.11.1991, C-269/90, EU:C:1991:438, Rn. 14 – Technische Universität München: „Zu diesen Garantien gehören insbesondere die Verpflichtung des zuständigen Organs, sorgfältig und unparteiisch alle relevanten Gesichtspunkte des Einzelfalles zu untersuchen, das Recht des Betroffenen, seinen Standpunkt zu Gehör zu bringen und das *Recht auf eine ausreichende Begründung der Entscheidung*. Nur so kann der Gerichtshof überprüfen, ob die für die Wahrnehmung des Beurteilungsspielraums maßgeblichen sachlichen und rechtlichen Umstände vorgelegen haben."

[90] Streinz/*Gellermann*, EUV/AEUV, 3. Aufl. 2018, Art. 296 AEUV Rn. 5; Callies/Ruffert/*Callies*, EUV/AEUV, 5. Aufl. 2016, Art. 296 AEUV Rn. 14.

spruch auf Gleichbehandlung und Transparenz der Entscheidungsfindung verlangen eine ausreichende Begründung, die ein intersubjektiv nachvollziehbares Denkverfahren ermöglichen.[91] Dies ist der Kern der Juristischen Methodenlehre. Konsequent formuliert auch das EuG:

44 „Nach ständiger Rechtsprechung muss die Begründung einer Einzelfallentscheidung die Überlegungen des Gemeinschaftsorgans, das den Rechtsakt erlassen hat, *so klar und eindeutig zum Ausdruck bringen, dass die Betroffenen ihr die Gründe für die erlassene Maßnahme entnehmen können* und das zuständige Gericht seine Kontrollaufgabe wahrnehmen kann […].“[92]

2. Methodenlehre als Legitimationslehre zur Machtbegrenzung des Richters

45 Ein tragender Gedanke der Methodenlehre ist die **Machtbegrenzung** des hoheitlich handelnden Juristen, vor allem des Richters (2.). Dieser Gedanke lässt sich in zwei Varianten durchspielen. Er gilt einmal im Verhältnis von Judikative zur Legislative, also regelmäßig gegenüber dem Parlament (a). Sie fordert zweitens Machtbegrenzung des Richters gegenüber dem Bürger (b). Denn zum einen sagt das Gesetzlichkeitsprinzip als Ausdruck des Rechtsstaatsprinzips im Strafrecht, dass keine Strafe ohne gesetzliche Grundlage erfolgen darf („nullum crimen, nulla poena sine lege“). Zum anderen kann dieses Prinzip aber nur dann praktische Durchschlagskraft erlangen, wenn der Richter auch verpflichtet ist, seine **Entscheidung zu begründen**.

a) Machtbegrenzung gegenüber dem Parlament

46 Die Methodenlehre dient der verfassungsgebotenen Machtbegrenzung des Richters gegenüber dem Parlament.[93] Die Juristische Methodenlehre übernimmt damit eine **Legitimationsfunktion** im demokratischen Rechtsstaat. Der Richter, der durch seine Norminterpretation gestaltend tätig wird, muss mithin deutlich machen, dass er seine – durch die Gewaltenteilung begrenzten – Kompetenzen **nicht überschreitet**. Der Richter ist nach den Artt. 20 Abs. 3, 97 Abs. 1 GG an Gesetz und Recht gebunden. Für ihn und die Verwaltung gilt der Gesetzesvorrang[94], sodass eine „Erstzuständigkeit des Gesetzgebers“[95] dahingehend begründet ist, über das Sachziel zu entscheiden.[96] Das Demokratieprinzip verlangt, dass wesentliche Entscheidungen dem Parlament vorbehalten bleiben. Juristische Methodik darf daher nicht dazu genutzt werden, mit einer unzulässigen Rechtsfortbildung *contra legem* diese Grundsteine der Demokratie auszuhöhlen. Darauf wird bei den Grenzen zulässiger Rechtsfortbildung zurückzukommen sein (§ 13 Rn. 82 ff.).

b) Machtbegrenzung gegenüber dem Bürger

47 Recht, welches das Individum ernst nimmt, muss Macht gegenüber dem Individuum legitimieren können.[97] Alle Staatgewalt geht vom Volk aus, Art. 20 Abs. 2 S. 1 GG. Der Staat legitimiert sich nicht aus sich selbst heraus, sondern aus abgeleitetem Recht, das ihm

---

[91] *Rebhan*, ZfPW 2016, 281, 289.
[92] EuG, Urt. v. 5.4.2006, T-279/02, EU:C:EU:T:2006:103, Rn. 192 – Degussa.
[93] Zum Folgenden *Möllers*, ZfPW 2019, 94, 95, 98.
[94] *Schulze-Fielitz*, in: Dreier, GG, 3. Aufl. 2015, Art. 20 (Rechtsstaat), Rn. 101 m.w.Nachw.
[95] BVerfG, Urt. v. 11.11.1999, 2 BvF 2/98 u.a., BVerfGE 101, 158, 217 f.; *Hermes*, VVDStR 61 (2002), 119, 129. Hierzu unten § 13 Rn. 91.
[96] *Flume*, Richter und Recht, 46. DJT, 1967, K 18.
[97] Ganz ähnlich *Greco*, RW 2020, 29, 60, der vom Rechtskonzept spricht, welches das Individuum ernst nimmt.

von den hinter ihm stehenden Individuen übertragen wird.[98] Der nicht verwirklichte Entwurf des Art. 1 Abs. 1 GG von Herrenchiemsee lautete: „Der Staat ist um des Menschen willen da, nicht der Mensch um des Staates willen".[99] Die Methodenlehre dient damit auch der Machtbegrenzung des Richters als Teil des Staates gegenüber dem Bürger. Sie verlangt einen Richter als Individuum mit individueller Verantwortung, was damit den Roboter-Richter grundsätzlich ausschließt.[100] Die Begründung einer Entscheidung ist der Maßstab, um illegitimen Zwang von legitimer Autorität zu unterscheiden.[101] Die Pflicht zur Begründung einer Entscheidung ist damit notwendiger Bestandteil einer juristischen Darstellung.[102] In der Literatur wird vom Gebot der Methodenehrlichkeit[103] gesprochen. *Positiv* formuliert, sind die einschlägigen Argumente offen zu legen. Der erforderliche Argumentationsaufwand ist auch tatsächlich zu betreiben. Die **Begründungspflicht** verlangt eine nachprüfbare Ableitung zwischen der Prämisse eines Gesetzes bzw. Prinzips oder einer Regel und der Folgerung des Richters.[104] Ziel der juristischen Methodik ist es, die Rechtsgewinnung zu objektivieren,[105] indem die Rechtsquelle bezeichnet und die Rechtsgewinnung auf das positive Recht bezogen wird. Das Ergebnis kann in möglichst weitem Umfang einer rationalen, formal-logischen Nachprüfung unterzogen werden und hält ihr im Idealfall stand. Schließlich nötigt die Begründungspflicht die Entscheidungsinstanzen zu einer Selbstkontrolle, verbreitert die Konsensfähigkeit der Entscheidung und erleichtert es den Betroffenen auch, diese zu akzeptieren.[106] Juristische Methoden zielen damit auch auf Rechtssicherheit ab, weil sie der Vorhersehbarkeit der Rechtsfindung dienen.[107] *Negativ* formuliert, will sie willkürliche, d.h. nicht einsichtig begründete Entscheidungen verhindern und verbietet, mit Scheinbegriffen wie Natur der Sache etc. zu arbeiten, die eine logische Schlussfolgerung nur suggerieren.[108] Dieses **Gebot der Methodentransparenz** durchzieht das Werk als roter Faden und wird am Ende nochmals zusammengefasst (§ 14 Rn. 126).

c) Berechtigung des Richters zur Rechtsfortbildung (Art. 20 Abs. 3 GG)

aa) Die Gewaltenteilung sieht vor, dass die Gesetze durch die Legislative gemacht werden und Gerichte diese Gesetze anwenden. Die Lehre vom **Rechtspositivismus** geht davon aus, dass sich das Recht ausschließlich aus den Gesetzen ergibt. Nach *Montesquieu* ist der Richter „der Mund, der die Worte des Gesetzes verkündet".[109] Im Zeichen der Aufklärung führte der vernunftrechtliche Glaube an ein absolut richtiges Recht im Allgemeinen Preußischen Landrecht (ALR) von 1794 zu 17.000 Paragrafen, die alle erdenklichen Verhältnisse regeln sollten. Bereits Friedrich II. gestattete nicht, „daß irgend ein Richter […] Unsere Gesetze zu interpretieren, auszudehnen oder einzuschränken, vielweniger neue 48

[98] *Greco*, RW 2020, 29, 60. Vorher bereits BVerfG, Beschl. v. 15.2.1978, 2 BvR 134/76 u.a., BVerfGE 47, 253, 273 ff. – Gemeindeparlamente; *Dreier*, in: Dreier, GG, 3. Aufl. 2015, Art. 20 (Demokratie), Rn. 86.

[99] *Verfassungsausschuss*, 1948, S. 61.

[100] Weiterführend *Greco*, RW 2020, 29, 60 ff.

[101] So die deutlichen Worte von *Kudlich/Christensen*, Die Methodik des BGH in Strafsachen, 2009, S. 5.

[102] S. *Möllers*, Juristische Arbeitstechnik und wissenschaftliches Arbeiten, 10. Aufl. 2021, § 3 Rn. 3 ff.

[103] *Kramer*, Juristische Methodenlehre, 6. Aufl. 2019, S. 280 f.; *Rüthers/Fischer/Birk*, Rechtstheorie, 11. Aufl. 2020, Rn. 653.

[104] *Kramer* (ebd.), S. 280 ff.; *Rüthers/Fischer/Birk* (ebd.), Rn. 650; rechtshistorisch herleitend *Zippelius*, Allgemeine Staatslehre, 17. Aufl. 2017, S. 247 ff.

[105] *Bydlinski*, JBl 1994, 433; *Picker*, JZ 1988, 62, 72; *Kramer*, Juristische Methodenlehre, 6. Aufl. 2019, S. 57; *Rüthers/Fischer/Birk*, Rechtstheorie, 11. Aufl. 2020, Rn. 650 f., 653.

[106] BVerfG, Beschl. v. 14.2.1973, 1 BvR 112/65, BVerfGE 34, 269, 287 – Soraya: „seine Entscheidung muß auf rationaler Argumentation beruhen." S. unten § 13 Rn. 16.

[107] *Vogenauer*, ZEuP 2005, 234, 235; Zippelius/*Würtenberger*, Juristische Methodenlehre, 12. Aufl. 2020, S. 13.

[108] S. ausführlich *Fischer*, Topoi verdeckter Rechtsfortbildungen im Zivilrecht, 2007, S. 553 ff.; *Rüthers/Fischer/Birk*, Rechtstheorie, 11. Aufl. 2020, Rn. 724; s. unten § 9 Rn. 6a.

[109] „la bouche qui prononce les paroles de la loi", s. *Montesquieu*, De l'esprit des lois, 1768, Liv. XI, Chap. 6.

Gesetze zu geben, sich einfallen lasse".[110] Für die Auslegung des ALR verbot Friedrich Wilhelm II. dem Richter, „unter dem Vorwande einer aus dem Zweck und der Absicht des Gesetzes abzuleitenden Auslegung, die geringste eigenmächtige Abweichung bey Vermeidung Unserer höchsten Ungnade und schwerer Ahndung sich zu erlauben." Zweifel über die Auslegung des Gesetzes musste der Richter stattdessen einer Gesetzeskommission vorlegen und „deren Beurtheilung" beantragen.[111] Auch in Bayern untersagte ein königliches Publikationspatent die Kommentierung des Bayerischen Strafgesetzbuchs von 1813.[112] Eine Rechtsfortbildung war den Gerichten damit untersagt.

49 In immer stärkerem Maße setzte sich allerdings die Einsicht durch, dass der Gesetzgeber nicht alle zu entscheidenden Fälle überschauen und regeln kann.[113] Schon im Jahre 1811 wurde in § 7 des österreichischen ABGB das Recht auf Rechtsfortbildung aufgenommen.[114] *Von Savigny* war ein starker Kritiker der Auslegungsverbote und Begründer der Auslegungslehre (§ 4 Rn. 17 ff.); er warnte am Anfang des 19. Jahrhunderts auch vor einem zu großen Kodifikationsoptimismus und der damit einhergehenden Degradierung der Richterschaft.[115] Auch in der Schweiz, Italien oder Spanien finden sich explizite Normen zur Rechtsfortbildung.[116] Der erste Entwurf sah für das BGB noch ausdrücklich eine Berechtigung zur Rechtsfortbildung vor.[117] Diese Vorschrift wurde nur deshalb nicht Gesetz, weil der Gesetzgeber das Recht auf Rechtsfortbildung als selbstverständlich ansah.[118]

50 bb) Heutzutage finden sich immerhin im Prozessrecht zahlreiche Vorschriften, die die großen Senate der höchsten Gerichte ausdrücklich zur **Rechtsfortbildung ermächtigen**.[119] Nach Art. 20 Abs. 3 GG sind Gerichte an *„Gesetz und Recht"*[120] gebunden. Das be-

---

[110] In einer Kabinettsorder vom 14.4.1780, NCC Bd. VI, Nr. 13, Sp. 1935, 1942; hierzu *Conrad*, Richter und Gesetz im Übergang vom Absolutismus zum Verfassungsstaat, 1971, S. 16.

[111] Patent wegen Publikation des neuen allgemeinen Landrechts für die Preußischen Staaten v. 5.2.1794, S. XXI, das dem ALR vorangestellt ist. Zum Verfahren s. §§ 46, 47, 50 Einl. ALR.

[112] *von Gönners*, Anmerkungen zum Strafgesetzbuche für das Königreich Bayern, 1838, Band 1, Vorwort. Von Feuerbach selbst unterstützte zwar das Kommentierungsverbot, sah allerdings durchaus eine Auslegungsbefugnis des Richters, vgl. *von Feuerbach*, Kritik des kleinschrodischen Entwurfs zu einem peinlichen Gesetzbuche für die Chur-Pfalz-Bayrischen Staaten, 1804, Zweiter Teil, S. 18 ff. Vertiefend *Eb. Schmidt*, Einführung in die Geschichte der deutschen Strafrechtspflege, 3. Aufl. 1965, S. 266 f.

[113] Engisch/*Würtenberger/Otto*, Einführung in das juristische Denken, 12. Aufl. 2018, S. 139, bezeichnen die damaligen Auslegungsverbote als „Denkmäler gesetzgeberischer Naivität".

[114] „Läßt sich ein Rechtsfall weder aus den Worten, noch aus dem natürlichen Sinne eines Gesetzes entscheiden, so muß auf ähnliche Fälle, in den Gesetzen bestimmt entschiedene Fälle, und auf die Gründe anderer verwandter Gesetze Rücksicht genommen werden. Bleibt der Rechtsfall noch zweifelhaft, so muß solcher mit Hinsicht auf die sorgfältig gesammelten und reiflich erwogenen Umstände nach den natürlichen Rechtsgrundsätzen entschieden werden."

[115] Berühmt ist der Streit zwischen Befürworter des Kodifikationsgedankens *Thibaut* (Über die Notwendigkeit eines allgemeinen bürgerlichen Rechts für Deutschland, 1814) und dem Gegner *von Savigny* (Vom Beruf unserer Zeit für Gesetzgebung und Rechtswissenschaft, 1814). Bekanntlich dauert es dann auch noch bis 1900 bis zum Inkrafttreten des BGB. Vertiefend hierzu *Wieacker*, Privatrechtsgeschichte der Neuzeit, 2. Aufl. 1967, S. 391 ff. und *Kriele*, Theorie der Rechtsgewinnung, 2. Aufl. 1976, S. 61 ff.

[116] Art. 1 schweizerisches ZGB (§ 13 Fn. 75); Art. 12 Abs. 2 codice civile, Art. 4 no. 1 Código Civil. S. unten § 4 Fn. 49. Für einen Überblick von Methodennormen, s. *Wendehorst*, RabelsZ 75 (2011), 730 ff.; *L. Schmid*, Rechtstheorie 47 (2016), 199 ff. Inzwischen existieren mit den Artt. 52–54 GRCh auch europäische Integrationsregeln. Hierzu etwa § 10 Rn. 57.

[117] § 1 Entwurf eines bürgerlichen Gesetzbuches für das Deutsche Reich, 1888 lautete: „Auf Verhältnisse, für welche das Gesetz keine Vorschrift enthält, finden die für rechtsähnliche Verhältnisse gegebenen Vorschriften entsprechende Anwendung. In Ermangelung solcher Vorschriften sind die aus dem Geiste der Rechtsordnung sich ergebenden Grundsätze maßgebend."

[118] Mot. I, S. 8, 16 f.

[119] §§ 132 Abs. 4 GVG, 45 Abs. 2 S. 2 ArbGG, 11 Abs. 4 VwGO, 41 Abs. 4 SGG, 11 Abs. 4 FGO: „Der erkennende Senat kann eine Frage von grundsätzlicher Bedeutung dem Großen Senat zur Entscheidung vorlegen, wenn das nach seiner Auffassung zur Fortbildung des Rechts oder zur Sicherung einer einheitlichen Rechtsprechung erforderlich ist." Hierzu *Wiedemann*, NJW 2014, 2407.

[120] Man spricht von *ius* und *lex*, s. *Broggini*, in: FG Gutzwiller, 1959, S. 23 ff.

deutet einmal einen Gesetzesvorrang, also den Vorrang des Gesetzes gegenüber dem Richter (§ 13 Rn. 91), zum anderen aber auch die Bindung des Richters gegenüber dem Recht und nicht nur gegenüber dem Gesetz. Wenn der Gesetzgeber nicht tautologisch formulieren wollte, muss Recht also weiter zu verstehen sein als das Gesetz.[121] Maßgeblich ist somit die gesamte Rechtsordnung. Die juristischen Methoden erlauben Ergänzungen und Korrekturen des Gesetzesrechts, um mithilfe der Verfassung, des Europarechts und der gesamten Rechtsordnungen die Wertungen des Gesetzes aufzuzeigen. Nur mit diesem Ansatz können die höchsten Gerichte Recht fortbilden, etwa so gewichtige Rechtsinstitute wie Verschulden bei Vertragsverhandlungen (*culpa in contrahendo*), Störung der Geschäftsgrundlage, aber auch den Schmerzensgeldanspruch bei Persönlichkeitsverletzungen „erfinden" (§ 11 Rn. 72, § 14 Rn. 46 ff.) sowie die nationalsozialistischen Unrechtsgesetze als rechtlich unerheblich qualifizieren (§ 2 Rn. 131 ff.). Nur konsequent setzte das BVerfG in der berühmten *Soraya*-Entscheidung, in der es den vom BGH im Wege der Rechtsfortbildung entwickelten Schmerzensgeldanspruch für Persönlichkeitsverletzungen billigte, Maßstäbe für die richterliche Rechtsfortbildung und formulierte:

„Die traditionelle Bindung des Richters an das Gesetz, ein tragender Bestandteil des Gewaltentrennungsgrundsatzes und damit der Rechtsstaatlichkeit, ist im Grundgesetz jedenfalls der Formulierung nach dahin abgewandelt, daß die Rechtsprechung an *‚Gesetz und Recht'* gebunden ist (Art. 20 Abs. 3). Damit wird nach allgemeiner Meinung ein *enger Gesetzespositivismus* abgelehnt. 51

Die Formel hält das Bewußtsein aufrecht, daß sich Gesetz und Recht zwar faktisch im Allgemeinen, aber nicht notwendig und immer decken. Das Recht ist nicht mit der Gesamtheit der geschriebenen Gesetze identisch. Gegenüber den positiven Satzungen der Staatsgewalt kann unter Umständen ein Mehr an Recht bestehen, das seine Quelle in der verfassungsmäßigen Rechtsordnung als einem Sinnganzen besitzt und dem geschriebenen Gesetz gegenüber als Korrektiv zu wirken vermag; es zu finden und in Entscheidungen zu verwirklichen, ist Aufgabe der Rechtsprechung. Der Richter ist nach dem Grundgesetz nicht darauf verwiesen, gesetzgeberische Weisungen in den Grenzen des möglichen Wortsinns auf den Einzelfall anzuwenden. Eine solche Auffassung würde die grundsätzliche *Lückenlosigkeit* der positiven staatlichen Rechtsordnung voraussetzen, ein Zustand, der als prinzipielles Postulat der Rechtssicherheit vertretbar, aber praktisch unerreichbar ist."[122]

cc) Eine weitere, wichtige Ausprägung ist schließlich das schon alte[123] **Rechtsverweigerungsverbot**. Der Richter darf die Entscheidung nicht verschieben, sondern er muss den Fall entscheiden. Es gibt folglich auch keine unentschiedenen gerichtshängigen Rechtsfragen.[124] Schon 1804 hatte Napoleon dies ausdrücklich im code civil geregelt.[125] Das Rechtsverweigerungsverbot ergibt sich aus **Art. 103 Abs. 1 GG**, dem allgemeinen Rechtsstaatsprinzip sowie Art. 47 Abs. 1 der Europäischen Grundrechtecharta (GRCh). Allerdings sind auch hier die Grenzen umstritten: So wird aus der Entscheidungspflicht 52

[121] H.M., s. etwa *Schulze-Fielitz*, in: Dreier, GG, 3. Aufl. 2015, Art. 20 (Rechtsstaat) Rn. 94.

[122] BVerfG, Beschl. v. 14.2.1973, 1 BvR 112/65, BVerfGE 34, 269, 286 f. – Soraya; zu *Montesquieu* s. auch BVerfG, Beschl. v. 8.4.1987, 2 BvR 687/85, BVerfGE 75, 223, 243 f. – Kloppenburg-Beschluss.

[123] Historisch zum Rechtsverweigerungsverbot *Schumann*, ZZP 81 (1968), 83 ff.; *Fögen*, in: FS Kramer, 2004, S. 3 ff.

[124] Enneccerus/*Nipperdey*, Allgemeiner Teil des Bürgerlichen Rechts, 15. Aufl. 1959, S. 336; *Meier-Hayoz*, JZ 1981, 417; *Rüthers/Fischer/Birk*, Rechtstheorie, 11. Aufl. 2020, Rn. 314; s. auch *Larenz*, Methodenlehre der Rechtswissenschaft, 6. Aufl. 1991, S. 368, 402.

[125] Art. 4 cc: Der Richter, der unter dem Vorwand des Schweigens, der Unklarheit oder Unzulänglichkeit des Gesetzes ablehnt, ein Urteil zu fällen, kann wie einer verfolgt werden, der sich der Verweigerung von Rechtsschutz schuldig gemacht hat. – *Le juge qui refusera de juger, sous prétexte du silence, de l'obscurité ou de l'insuffisance de la loi, pourra être poursuivi comme coupable de déni de justice.*

die grundsätzliche Berechtigung abgeleitet, Lücken des Gesetzes durch Richterrecht rechtsfortbildend zu schließen.[126] Die Gegenansicht schlussfolgert aus dem Rechtsverweigerungsverbot dagegen nur, dass es unzulässig ist, eine Entscheidung überhaupt zu verweigern. Wenn das Gesetz lückenhaft ist und eine positive Regelung zugunsten des Klägers nicht vorgesehen ist, könne der Richter den geltend gemachten Anspruch aber jederzeit ablehnen.[127] Darauf wird zurückzukommen sein (§ 6 Rn. 66 ff. sowie § 13).

53 Die grundsätzliche **Berechtigung der Gerichte zur Rechtsfortbildung** ist damit gegeben. Ihre Grenze findet diese Berechtigung im Strafrecht vor allem durch das Gesetzlichkeitsprinzip bzw. Analogieverbot. Weitere Grenzen sind schwieriger festzulegen. Die Frage, ab wann der Richter das Gesetz unzulässig weiterentwickelt, wann er *contra legem* entscheidet, gehört zu den schwierigsten der juristischen Methodik und wird ausführlich in § 13 behandelt.

3. Zum Begründungsstil und zur Zitierpraxis der Gerichte in Europa

a) Zum Urteils- und Zitierstil nationaler Gerichte

54 aa) In Deutschland unterscheidet man zwischen Urteilen und Beschlüssen. Während Urteile aufgrund mündlicher Verhandlung ergehen, werden Beschlüsse ohne mündliche Verhandlung erlassen.[128] Die Begründung von Entscheidungen ist im deutschen und anglo-amerikanischen Rechtskreis, aber auch bei den europäischen Gerichten, ganz üblich. In Deutschland werden der Sachverhalt und die Stellungnahme der Parteien und Dritter bei Entscheidungen des BVerfG umfangreich wiedergegeben.[129] Knapper sind dagegen die Ausführungen in zivilrechtlichen Streitigkeiten, weil es nach § 313 Abs. 2 ZPO ausreicht, dass im Tatbestand nur die wesentlichen Angriffs- und Verteidigungsmittel genannt und ansonsten auf die Schriftsätze, Protokolle und andere Unterlagen verwiesen wird. Der Wortlaut von Gesetzen wird regelmäßig nicht zitiert, sondern als bekannt vorausgesetzt. Vor allem der BGH gibt den Sachverhalt regelmäßig nur recht knapp wieder, was dazu führt, dass der Leser die Begründung manchmal nur schwer nachvollziehen kann.[130] Der Urteilsstil folgt grundsätzlich dem Subsumtionsstil (§ 4 Rn. 2 ff.). In weiten Strecken ist er, wie im anglo-amerikanischen Rechtskreis, ebenfalls im Pro und Contra der Argumente[131], was mit der Verpflichtung zusammenhängt, Urteile nachvollziehbar zu begründen. Der Stil ist allerdings unpersönlich, weil nicht ein Richter, sondern „das Gericht" entscheidet.[132] In diesem Mehrheitserfordernis steckt ein institutionalisierter Zwang zum Kompromiss.[133] Ein von dem Urteil abweichendes Sondervotum steht nur Richtern des Bundesverfassungsgerichts zu, § 30 Abs. 2 BVerfGG.[134]

55 Die Zitierpraxis des Bundesverfassungsgerichts und der Bundesgerichte in Deutschland orientiert sich an der US-amerikanischen Rechtspraxis, die durchaus umfangreich

---

[126] *Schulze-Fielitz*, in: Dreier, GG, 3. Aufl. 2018, Art. 92 Rn. 41; *ders.*, in: Dreier, GG, 3. Aufl. 2015, Art. 20 (Rechtsstaat) Rn. 102; *Martens*, Methodenlehre des Unionsrechts, 2013, S. 506 f.

[127] *Bruns*, JZ 2014, 162, 170.

[128] *Lübbe-Wolff*, in: Schürmann/von Plato, Rechtsästhetik in rechtsphilosophischer Absicht, 2020, S. 17, 18.

[129] Zur Sachverhaltshermeneutik ausführlich § 14 Rn. 11 ff.; krit. *Heitmann*, NJW 1997, 1826 ff.

[130] Vgl. zu den Aufgaben des Richters *Rennert*, JZ 2013, 297, 298 f.

[131] *Alexy/R. Dreier*, in: MacCormick/Summers, Interpreting Precedents, 1997, S. 17, 21. Ähnliches gilt für Entscheidungen von höchsten italienischen und spanischen Gerichten, s. *Miguel/Laporta* in: MacCormick/Summers (ebd.), S. 259, 264 f.

[132] Zu Fragen des juristischen Stils s. *Möllers*, Juristische Arbeitstechnik und wissenschaftliches Arbeiten, 10. Aufl. 2021, § 6.

[133] So *Lübbe-Wolff*, in: Schürmann/von Plato, Rechtsästhetik in rechtsphilosophischer Absicht, 2020, S. 17, 21.

[134] S. *Zierlein*, NJW 1993, 1048 ff.; vgl. *Steiner*, ZRP 2007, 245 f.

ist.[135] Tatsächlich ist die Zitierpraxis von Senat zu Senat höchst unterschiedlich[136], da es keine verbindlichen Leitlinien gibt. Der im Urteil entstehende Dialog zwischen Literatur und Rechtsprechung führt dazu, dass in Deutschland regelmäßig Schlüssigkeit und Überzeugungskraft der Entscheidung in Urteilsbesprechungen analysiert werden.[137]

Schweizer Urteile hingegen zeichnen sich insgesamt oft durch eine Fülle von direkt aufeinander folgenden Argumenten aus, sodass sie den Eindruck großer „Bürgerfreundlichkeit" erwecken. Juristische Entscheidungen sollen so verständlich wie möglich erklärt werden.[138] Auch *österreichische* Gerichte bemühen sich, Urteile für den Leser möglichst verständlich abzufassen. So begnügen sie sich nicht nur mit Schlagworten, sondern erklären diese auch und legen den Zweck einzelner Rechtsinstitute dar.[139] **56**

bb) Der Stil *englischer* Urteile ist ebenfalls sehr argumentativ.[140] Der Sachverhalt und die einschlägigen Rechtsgrundlagen werden als wörtliche Zitate mitgeteilt, bevor die Entscheidungsgründe ergehen. Die Urteile enthalten neben den Tatsachen die entscheidungserheblichen *rules*, *principles* und *policies*. Oft zeichnen sich die Urteile durch einen sehr persönlichen Stil aus, indem die Richter oft auch die erste Person benutzen. Das Urteil zielt auf Rechtfertigung gegenüber den Rechtsexperten und gegenüber jedermann ab.[141] Das mag zwar mitunter ausgesprochen modern und pointiert klingen, hat aber den Nachteil, dass der Leser den tragenden Konsens der Entscheidung oft erst suchen muss.[142] **57**

Die Präjudizienbindung im anglo-amerikanischen Rechtskreis (§ 3 Rn. 44) führt dazu, dass sich die Gerichte zuerst an der eigenen Gerichtspraxis orientieren. Englische Urteile zitieren höchst selten die Rechtsliteratur. Nur wenige Werke gelten als *books of authority*.[143]

cc) Im Gegensatz dazu bestehen Entscheidungen *französischer Zivilgerichte* oft nur aus einem Satz („jugement á phrase unique") und sind selten länger als eine Seite. Durch eingeschobene Relativsätze, die durch die Formulierung „Attendu que …" beginnen, werden die wesentlichen Elemente der Prozessgeschichte mitgeteilt, soweit der Kassationshof dies für zweckdienlich erachtet. Der Begründungsstil ist formalistisch und beruht auf der legalistischen Rechtsgesinnung, das gefundene Ergebnis unmittelbar aus dem Gesetz ableiten zu wollen.[144] Jeglicher Zweifel, jedes Pro und Contra ist insoweit fehl am Platze.[145] Kryptisch und thesenartig formuliert ist das Urteil damit nur bedingt in der Lage, argumentativ zu **58**

[135] Aufgearbeitet etwa von *Merryman*, 50 S. Calif. L. Rev. 381 ff. (1976/77); *Friedman/Kagan/Cartwright/Wheeler*, 33 Stan. L. Rev. 773 ff. (1980/81). Was die Häufigkeit von Schrifttumszitaten betrifft, ließen sich deutsche Gerichte, wie *Kötz* spitz formuliert, von „niemanden übertreffen", *Kötz*, RabelsZ 52 (1988), 644, 657.

[136] In Zivilsachen zitiert nach meiner Erfahrung beim BGH etwa der 1. Sen. (Wettbewerbsrecht), der 2. Sen. (Gesellschaftsrecht) und der 11. Sen. (Bankrecht) umfangreicher, der 6. (Deliktsrecht) dagegen eher zurückhaltender. S. dazu die folgenden Originalfundstellen, etwa § 8 Rn. 19.

[137] Zur Gattung der Urteilsbesprechungen s. *Möllers* (ebd.), § 4 Rn. 92 ff.

[138] Beispiele: BGer, Urt. v. 2.2.1954, BGE 80 II 26 – Seelig; BGer, Urt. v. 7.6.1988, BGE 114 II 131 – Picasso.

[139] Etwa OGH, Urt. v. 28.1.1986, 5 Ob 544/85, EvBl. 1987/75, wiedergegeben bei *Schwenzer/Müller-Chen*, Rechtsvergleichung, 1996, S. 58 ff.

[140] *Bankowski/MacCormick/Marshall*, in: MacCormick/Summers, Interpreting Precedents, 1997, S. 315, 318 f.; *de Cruz*, Comparative Law in a Changing World, 3rd ed. 2007, S. 255 ff.

[141] *Bell*, Judiciaries within Europe: A Comparative Review, 2006, S. 9 f.; *Arden*, 128 L.Q.Rev. 515, 517 f. (2012).

[142] Ähnlich *Lübbe-Wolff*, in: Schürmann/von Plato, Rechtsästhetik in rechtsphilosophischer Absicht, 2020, S. 17, 32 f.: „mangelnde Orientierungsleistung gerade der höchstrichterlichen Entscheidungen."

[143] *Kötz*, RabelsZ 52 (1988), 644, 650 nennt z.B. *Glanvill*, *Bracton*, *Littleton* oder *Coke*.

[144] *Ranieri*, in: Beaud/Heyen, Eine deutsch-französische Rechtswissenschaft?, 1999, S. 183, 193 f.; *Troper/Grezegorczyk*, in: MacCormick/Summers, Interpreting Precedents, 1997, S. 103, 107 f.; *Weber*, Der Begründungsstil von Conseil constitutionnel und Bundesverfassungsgericht, 2019. Zur Gewaltenteilung im Sinne von *Montesquieu* s. oben § 1 Rn. 48.

[145] Zur Kritik s. *Tunc/Touffait*, Rev.trim.dr.civ. 72 (1974), 487 ff. Sarkastisch *Kötz*, RabelsZ 52 (1988), 644, 648: „gefundene Lösungen immer noch so präsentiert, als seien sie mit Hilfe des Zauberstabes der Subsumtion geradewegs aus dem Wortlaut des Gesetzes hervorgeholt."

überzeugen.[146] Allerdings beginnt der Cour de Cassation damit, inzwischen Entscheidungen zumindest knapp zu begründen.[147]

59 Im Gegensatz zur deutschen Praxis zitieren französische Gerichte keine Rechtsliteratur. Dieser Umstand ist dem Willen französischer Gerichte geschuldet, die Begründung der Entscheidung unmittelbar aus dem Gesetz abzuleiten. Noch restriktiver ist die Rechtslage in Italien. Italienische Gerichte dürfen keine Rechtsliteratur zitieren. Dieses Verbot geht zurück auf ein Gesetz aus dem 18. Jahrhundert, als Gerichte die Begründung ihrer Urteile mit einem Wust von Literaturnachweisen verschleierten.[148]

b) Zum Begründungsstil des EuGH

60 Die *Gerichtsentscheidungen des EuGH* werden in Anlehnung an die französische Rechtstradition durch einen sog. Schlussantrag des Generalanwaltes vorbereitet, Art. 252 Abs. 2 AEUV. Darin stellt der Generalanwalt die verschiedenen Rechtsansichten dar und zitiert auch Quellen, etwa aus der Literatur. Der Schlussantrag bildet regelmäßig nur einen Entscheidungsvorschlag, an den sich der EuGH oft, aber nicht immer hält.

61 Der französischen Rechtstradition folgend machte sich auch der EuGH in der Vergangenheit oft nicht die Mühe, den Leser seiner Entscheidungen überzeugen zu wollen. Sie bestanden oft nur aus thesenartigen Feststellungen statt aus einer Rechtfertigung des Ergebnisses.[149] Dies hat sich inzwischen geändert: Der Sachverhalt wird in Entscheidungen des EuGH oft äußerst umfangreich wiedergegeben, sowohl im nationalen wie auch im europäischen Kontext. Daneben werden die einschlägigen Rechtsgrundlagen auf europäischer und nationaler Ebene genannt und vor allem deren genauer Wortlaut wiedergegeben. Wenn im Vorabentscheidungsverfahren die Vereinbarkeit einer nationalen Norm mit einer europäischen Richtlinie geprüft wird, ist eine solche „Serviceleistung" hilfreich, weil nur den wenigsten Lesern der anderen 26 Mitgliedstaaten der nationale Kontext des konkreten Verfahrens bekannt sein dürfte. Diese Vorgehensweise erinnert an englische Urteile und erleichtert es, die eigentliche Begründung nachzuvollziehen.[150] Die Entscheidung des EuGH selbst ist dagegen regelmäßig deutlich kürzer als der Entscheidungsvorschlag des Generalanwaltes. Es herrscht ein deduktiver Stil, in dem das Urteil aus dem Gesetz und Rechtsprinzipien abgeleitet wird.[151]

62 Der EuGH zitiert regelmäßig keine Rechtsliteratur und folgt damit der Tradition französischer Gerichte. Nachweise der einschlägigen Fundstellen finden sich aber oft im Schlussantrag des Generalanwaltes.

---

[146] Nachweise beispielsweise bei *Everling*, EuR 1994, 127, 132 f.; *Kötz*, Über den Stil höchstrichterlicher Entscheidungen, 1973, S. 7 ff.; Zweigert/*ders.*, Einführung in die Rechtsvergleichung, 3. Aufl. 1996, S. 121 f., 128. Abschreckende Beispiele etwa Cass., 1ere ch. civ., 31.1.1973, n 71–12953, D. 1973, 149; Cass., 1ere ch. civ., 20.10.1959, n 57–10.110, D. 1959, 537.

[147] Cass., 1re ch. Civ., 19.11.2014, n°13–13405, Bull. civ. 2014, I, n° 196; Cass., ch. commerciale, 27.6.2006, n°03–19863, Bull. civ., IV, n° 149.

[148] Art. 118 Abs. 3 der Disposizioni per l'attuazione del Codice di procedura civile v. 18.12.1941, Gazz. Uff. 1941 Nr. 302 (Suppl.) v. 24.12.1941 (In jedem Fall muss jegliches Zitieren juristischer Autoren weggelassen werden. – *In ogni caso deve essere omessa ogni citazione di autori giuridici*). Zu dem Vorläufer, dem Verbot des Königs von Savoyen und Piemont aus dem Jahre 1729, s. *Gorla*, in: FS Rheinstein, Bd. 1, 1969, S. 103 ff.; *Kindler*, Einführung in das italienische Recht, 2. Aufl. 2008, § 5 Rn. 19 f.

[149] S. etwa EuGH, Urt. v. 28.4.1988, C-120/86, EU:C:1988:213, Rn. 23–29 – Mulder; s. vertiefend *Everling*, EuR 1994, 127, 136 ff.

[150] S. oben § 1 Rn. 57.

[151] *Barceló*, in: MacCormick/Summers, Interpreting Precedents, 1997, S. 407, 411. Zur Begründungspflicht auf europäischer Ebene s. oben § 1 Rn. 43.

III. Methodenlehre als Argumentationslehre

63 Wenn juristische Entscheidungen begründet werden müssen (§ 1 Rn. 38 ff., 47), ist die Juristische Methodenlehre vor allem auch eine Argumentationslehre. Die Wurzeln der Argumentationslehre liegen bei den Sophisten. Mit Ihnen haben sich insbesondere Platon und Aristoteles in der antiken griechischen und später römischen Rhetorik mit ihren Gerichts- und politischen Reden auseinandergesetzt (§ 6 Rn. 2).[152] Aus der Rhetorik entwickelte sich die Logik und Topik (§ 14 Rn. 50). Zur Logik gehören Subsumtion und Syllogismus (§ 4 Rn. 2). Die griechische Philosophie begründete auch die Dialektik.[153] Eine Einsicht war Suche nach Wahrheit durch entgegengesetzte Standpunkte, die Gliederung in Thesis und Antithesis (§ 1 Rn. 86 ff.).[154] Was kann die Juristische Methodenlehre nun leisten? Eine einzige richtige Entscheidung zu treffen wie in der Mathematik? Ist sie vielleicht komplett überflüssig? Schafft sie zumindest vertretbare oder sogar überzeugende Entscheidungen (1.)? Gelingt es ihr oft, falsche Entscheidungen eindeutig nachzuweisen und durch einen intensiven Austausch von Argumenten zu noch überzeugenderen, besseren Lösungen zu führen (2.)?

1. Wahrheitsanspruch und die streitbaren Juristen

a) Die vermeintlich richtige Entscheidung: One-right-answer-thesis

64 Was die juristischen Methoden leisten können, ist bis heute heftig umstritten. Die erste Ansicht behauptet, die Juristische Methodenlehre ermögliche es, regelmäßig die richtige Entscheidung zu finden. Prominentes Beispiel ist die Eindeutigkeitsregel, wonach bei einem eindeutigen Wortlaut die übrigen Auslegungsregeln gar nicht mehr zur Anwendung kommen (§ 4 Rn. 64). Im anglo-amerikanischen Recht behauptet etwa *Dworkin* mit seiner berühmten **One-right-answer-thesis**: „My arguments suppose that there is often a single right answer to complex questions of law", denn der Richter könne der Partei wohl kaum erklären, er hätte auch anders entscheiden können.[155]

65 Sicherlich gibt es auch in der Rechtswissenschaft Antworten auf Rechtsfragen, die eindeutig als „richtig" oder „falsch" qualifiziert werden können. Das gilt für alle Fälle, in denen eine Subsumtion zu keinerlei Schwierigkeiten führt, es also keine Beurteilungsalternativen gibt.

66 Ein Auto ist eine Sache i.S.v. § 90 BGB oder eine dringende Zahlungsaufforderung eine Mahnung.[156] Der 23-jähriger Student kann nicht zum Bundespräsidenten gewählt werden, denn hierfür müsste er mindestens 40 Jahre alt sein, Art. 54 Abs. 1 S. 2 GG.[157] Eine Rechtsansicht, welche die Wahl für zulässig erachtete, wäre eindeutig falsch. Die Altersfrage ist durch Auslegung nicht anders zu lösen, das Ergebnis ist eindeutig.

---

[152] Ausführlich *Honsell*, ZfPW 2016, 106, 108 ff.

[153] Griech. διαλεκτική (τέχνη), dialektiké (téchne) = Kunst der Unterredung; lat. ars dialectica = Kunst der Gesprächsführung.

[154] S. etwa *Protagoras*, in: Diogenes Laertius, Leben und Lehren berühmter Philosophen, IX 51: Καὶ πρῶτος ἔφη δύο λόγους εἶναι περὶ παντὸς πράγματος ἀντικειμένους ἀλλήλοις – Und er sagte als erster, dass es über jede Angelegenheit zwei einander entgegengesetzte Aussagen gibt. *Cicero*, in: M. Antonium, Ciceronis Opera Omnia, Nr. 138: „Ferner müssen wir bewirken, dass wir bei dem einen Gesetz den Sinn, bei dem andern den Wortlaut verteidigen."

[155] *Dworkin*, Taking Rights Seriously, 1977, S. 82 ff.; ebenso *Canaris*, in: Grazer Universitätsreden, 1993, S. 3, 23 ff.: dass es bei der Rechtsfindung grundsätzlich „nur eine richtige Lösung gibt"; prozedural auch *Habermas*, Faktizität und Geltung, 1992, S. 277; vgl. hierzu *Herbst*, JZ 2012, 891 ff.; *Poscher*, JZ 2013, 1 ff.

[156] Palandt/*Grüneberg*, BGB, 80. Aufl. 2021, Einl. Rn. 39.

[157] *Herzog*, in: Maunz/Dürig, GG, 92. EL August 2020, Art. 54 Rn. 22 f.; *Fink*, in: von Mangoldt/Klein/Starck, GG, 7. Aufl. 2018, Art. 54 Rn. 22.

67 **Vertiefung** – *Präsident der USA*: In den USA wurde in der politischen Diskussion vorgeschlagen, den in Österreich geborenen früheren Gouverneur von Kalifornien, *Arnold Schwarzenegger*, zum Präsidentschaftskandidaten aufzustellen. Die US-amerikanische Verfassung verlangt allerdings, in den USA geboren zu sein, um Präsident der USA werden zu können.[158] Könnte man durch Auslegung oder Rechtsfortbildung ein anderes Ergebnis begründen?[159]

68 Ein weiterer wichtiger Bereich der *One-right-answer-thesis* sind **Vorrangregeln**, die sich ausnahmsweise bei juristischen Argumentationsfiguren ergeben. So führt etwa die Höherrangigkeit von Europarecht oder Verfassungsrecht gegenüber dem einfachen (nationalen) Recht zu einem Vorrang im Sinne des Lex-specialis-Grundsatzes. Das niederrangige Recht darf nicht mehr angewendet werden. Ein anderes Ergebnis wäre falsch (§ 2 Rn. 37 ff.).

69 Abgesehen von den unzweifelhaften Fällen ist die *One-right-answer-thesis* allerdings problematisch. Der Wortlaut einer Norm ist oft weniger eindeutig als man denkt (§ 6 Rn. 3 ff.). Recht bildet die gesellschaftlichen Verhältnisse ab; zahlreiche Wertungen fließen in das Recht ein, wobei Abwägungen von verschiedenen Rechtspositionen vorgenommen werden müssen. Rechtliche Regeln sind oft auslegungsfähig und damit offen.[160] Die Rechtswissenschaft ist gerade keine Naturwissenschaft mit strengen Naturgesetzen. Stattdessen gelten die Gesetze der Juristen, selbst wenn sie der Lebenswirklichkeit widersprechen (§ 4 Rn. 54 f.). Vor allem: Wenn es immer die richtige Meinung gibt, warum zeichnet sich die Rechtwissenschaft auch dadurch aus, dass die „richtige" Lösung vieler Rechtsprobleme so heftig umstritten ist? Dies gilt gerade im Bereich der Rechtsfortbildung. Mit der Ansicht, dass es nur eine richtige Lösung gebe, verengt sich der Blick frühzeitig auf eine vorgefasste Meinung wie der Mutter-Kind-Fall verdeutlicht.

b) Das Entscheiden nach einem festen Vorverständnis

70 aa) Eine zweite Meinung behauptet das Gegenteil: Die juristischen Methoden könnten gar nichts begründen. Mit ihnen ließe sich alles behaupten; sie seien in Wirklichkeit überflüssig. Die Ansicht der *Freirechtsschule* bestand in der Vorstellung, dass Entscheidungen irrational getroffen würden und die Normen lediglich zur nachträglichen Begründung der in Wahrheit schon getroffenen Entscheidung dienten.[161] *Kantorowicz* gibt die Anekdote über den berühmten Juristen *Bartolus* wieder, der erst die Entscheidung getroffen habe, um sich dann von seinem Freunde Tigrinius eine passende Corpus Juris–Stelle geben zu lassen.[162] Differenzierter stellte *Gadamer* in seinem philosophischen Hauptwerk die These auf, dass der Interpret einem Text nicht unbefangen gegenübertrete, sondern mit seinem „Vor-Urteil" (**„Vorverständnis"**). Dieses Vorverständnis leite den Verstehensvorgang, werde aber im Zuge des Verstehensprozesses laufend korrigiert, worin sich die Zirkelhaftigkeit des hermeneutischen[163] Vorgangs manifestiere **(hermeneutischer Zirkel)**.[164] Dieses Voraus- und Zurückblicken wurde später als **hermeneutische Spirale** be-

---

[158] Art. 2 Sec. 1 Cl. 5 U.S.Const.

[159] Zur Lösung s. unten § 15 Rn. 2.

[160] *Hart*, The Concept of Law, 3rd ed. 2012, S. 140 f.: „open character of legal rules"; ebenso *Langenbucher*, Die Entwicklung und Auslegung von Richterrecht, 1996, S. 36.

[161] Sie wurde Anfang des 20. Jahrhunderts vertreten, s. *Kantorowicz (Flavius)*, Der Kampf um die Rechtswissenschaft, 1906, S. 10 ff.; *Isay*, Rechtsnorm und Entscheidung, 1929, S. 162: „Die Entscheidung entsteht vielmehr unmittelbar auf Grund des Rechtsgefühls entweder allein oder in Verbindung mit der praktischen Vernunft (…)".

[162] *Kantorowicz (Flavius)*, Der Kampf um die Rechtswissenschaft, 1906, S. 21.

[163] Die Hermeneutik (griech. ἑρμηνεύειν, hermeneúein) ist die „Wissenschaft oder Kunst des Sinnverstehens, des Verstehens menschlicher Äußerungen." *Röhl/Röhl*, Allgemeine Rechtslehre, 3. Aufl. 2008, S. 116, die auf Hermes, den Boten und Dolmetscher der Götter hinweisen und vor diesem mythologischen Hintergrund als Bedeutung „mitteilen und dolmetschen" herleiten.

[164] *Gadamer*, Wahrheit und Methode, 6. Aufl. 1990, S. 281 ff., 296 ff.

zeichnet.[165] *Esser* übertrug diesen Gedanken auf die Rechtswissenschaft: Der Richter entscheide aufgrund außerpositiver Grundlagen, seiner Richtigkeitsüberzeugung, seines Vorverständnisses.[166] Der Rechtsanwender versuche, das durch sein Vorverständnis geprägte Ergebnis durch die Wahl seiner juristischen Methoden nachträglich methodisch zu rechtfertigen.[167] Auch heute wird dieser Vorwurf noch mit Vehemenz vertreten: „Methodische Argumente, wenn sie überhaupt vorkommen, dienen in der Regel nur als Fassade, um das vorgefasste Ergebnis mit einem rationalen Entscheidungsweg zu tarnen."[168] Der Eindruck der **Subjektivität der Interpretation** im Sinne eines *„anything goes"*[169] zeige sich auch daran, dass von den Gerichten vom Ergebnis bestimmte, historische oder grammatische, systematische oder zweckreflektierende Interpretationsmerkmale selektiv benutzt würden.[170] Gerade der objektiven Theorie (§ 6 Rn. 69) wird dieser Vorwurf gemacht. Dem US-amerikanischen Supreme Court wird etwa vorgeworfen, mit einem politisch vorgeprägten Vorverständnis Entscheidungen zu fällen.

So hat der Supreme Court jahrhundertelang der schwarzen Bevölkerung die Gleichberechtigung verwehrt.[171] Bis heute kontrovers diskutiert wird die Entscheidung Roe v. Wade unter dem liberalen Obersten Richter *Warren E. Burger*, in welchem der Schwangerschaftsabbruch für rechtmäßig erklärt wurde.[172] 71

bb) Wenn wir durch unser Vorverständnis geprägt werden, ist es schwer, ja praktisch unmöglich, diese Ansicht zu beweisen oder zu widerlegen.[173] An der Theorie vom Vorverständnis ist zutreffend, dass jeder Rechtsinterpret in seinen jeweiligen Kontext und „Zeitgeist" eingebettet ist. Insoweit ist es ein wichtiger Schritt, dass sich der Rechtsanwender bewusst wird, dass er mit einem Vorverständnis handelt. Eine subjektive Auslegung nach den Befindlichkeiten des Richters ist nicht zulässig, sondern bedarf weiterer dogmatischer Absicherung. Wenn Richter über ein Vorverständnis verfügen, dann ist dies aber regelmäßig nicht ein subjektiv geleitetes Verständnis, sondern die jahrzehntelange Rechtspraxis. Dieses **professionelle Rechtsjudiz** ist der Rechtsfindung nicht abträglich, sondern hilft, nach einer tragbaren, rationalen Entscheidung zu suchen.[174] Der Richter bezieht damit die Rechtsnorm auf die sozialen Zusammenhänge, die Strukturen der Rechtsverhältnisse, auf die sich die Rechtsnormen beziehen; F. Müller spricht vom **Normbereich** (§ 14 Rn. 7 ff.). Die Rechtsfindung ist auf der Grundlage des Rechts zu treffen.[175] Oder in den Worten von Engisch: „Die dem Richter gestellte Aufgabe heißt: Fin- 72

---

[165] *Hassemer*, Tatbestand und Typus, 1968, S. 107 f. S. hierzu die Grafiken von *Muthorst*, Grundlagen der Rechtswissenschaft, 2. Aufl. 2019, S. 45 f.

[166] *Esser*, Vorverständnis und Methodenwahl, 1970, S. 139 ff., 149 ff.

[167] *Esser*, Vorverständnis und Methodenwahl, 1970, S. 7. S. auch *Ogorek*, in: FG Kübler, 1997, S. 3, 14 ff.: „Gesetzesbindungsikone [...] [als] historisch deutbare Lebenslügen des Rechtsstaats".

[168] So *Rüthers*, JZ 2006, 53, 54.

[169] *Feyerabend*, Against Method, 1975, S. 23 ff.; *Kramer*, Juristische Methodenlehre, 6. Aufl. 2019, S. 55, der den Begriff allerdings ohne Quellennachweis verwendet.

[170] *Esser*, Vorverständnis und Methodenwahl, 1970, S. 126.

[171] Zum Abweichen von einer früheren Entscheidung, dem „overruling" s. § 7 Rn. 71.

[172] *Roe v. Wade*, 410 U.S. 113, 162 ff. (1973) – Schwangerschaftsabbruch, s. unten § 6 Rn. 90 und § 11 Rn. 6 ff. In Deutschland ist der Schwangerschaftsabbruch dagegen grundsätzlich unzulässig, s. BVerfG, Urt. v. 28.5.1993, 2 BvF 2/90, BVerfGE 88, 203 – Schwangerschaftsabbruch II (§ 11 Rn. 7 f.). Weitere kontroverse Entscheidungen sind der Mauerschützenprozess (§ 2 Rn. 137) und die Entscheidung zur Nachfolge beim Tod des Mieters (§ 6 Rn. 74 ff.).

[173] So deutlich *Röhl/Röhl*, Allgemeine Rechtslehre, 3. Aufl. 2008, S. 121.

[174] S. schon *Heck*, AcP 112 (1914), 1, 243 f. zum Rechtsgefühl; *Kramer*, Juristische Methodenlehre, 6. Aufl. 2019, S. 370, spricht von einem „professionelle[n] Vorverständnis", s. auch *Mastronardi*, Juristisches Denken, 2. Aufl. 2003, Rn. 576 f.

[175] *F. Müller/Christensen*, Juristische Methodik, Bd. I, 11. Aufl. 2013, Rn. 15 ff., 235 und unten § 6 Rn. 7 ff., § 13 Rn. 82 ff.

dung einer *durch das Gesetz* begründeten Entscheidung".[176] Vor allem sind zahlreiche Sachverhalte heutzutage so komplex, dass sich eine vorschnelle Entscheidung verbietet.[177] Nicht von ungefähr dauert die Klausur im Juristischen Staatsexamen fünf Stunden. Der Jurist kann die „Lösung" gar nicht spontan finden, sondern muss diese nach Abwägung aller Fakten erst in einem juristischen Prozess Schritt für Schritt aus dem Gesetz mithilfe der juristischen Methoden entwickeln. Gute Juristen zeichnen sich dadurch aus, dass sie gewillt sind, eine spontan gefällte Entscheidung zu korrigieren.[178] Damit dient die Juristische Methodenlehre auch dazu, ein Vorverständnis zu korrigieren.[179]

73 *Mutter-Kind-Abteil – Position des Vaters: Die Begründung der Analogie nach dem Telos:* Entgegen des Wortlauts wird L argumentieren, er könne auch als Vater im Abteil bleiben. Das gesonderte Abteil *bezwecke* erstens, einen besonderen Bereich für Babys vorzusehen, um diese besonders zu schützen. L begleite das acht Monate alte Baby A und das Abteil sei für Babys vorgesehen. Das Abteil *bezwecke* zum zweiten, schreiende Kleinkinder und die anderen Reisenden voneinander zu trennen. Auch deshalb dürfe L sitzen bleiben. Müssten Männer das Abteil verlassen, wäre eine solche Regelung *absurd* (§ 5 Rn. 66), weil dann eine Familie mit drei Kindern und den Eltern nur zu viert in das Abteil dürfte, der Vater aber in einem anderen Abteil Platz nehmen müsse. Wenn schon die Mutter mit Kind, dann dürfe ebenso die Familie mit Kind im Abteil verbleiben. Im Ergebnis sei es demzufolge gleichgültig, ob das Kind von der Mutter, also einer Frau, oder dem Vater als Mann begleitet werde. Der Wortlaut der Regelung sei offensichtlich ungenau und deshalb allgemein auf „Kinder mit Begleitpersonen" auszudehnen. Dogmatisch seien Mann und Frau gleich zu stellen, also die *Einzelanalogie* mit dem Ähnlichkeitsargument (§ 6 Rn. 112 ff.) gerechtfertigt. Schließlich gebiete auch höheres *Verfassungs-* und *Europarecht* eine solche Auslegung. Nach dem Gleichheitsgrundsatz des Art. 3 Abs. 2 S. 1, 3 Abs. 3 GG seien Frauen und Männer gleichberechtigt; eine Ungleichbehandlung sei damit rechtswidrig. Schließlich verstoße eine Ungleichbehandlung auch gegen das europäische Recht, da gem. Art. 4 Abs. 1 der allgemeinen Gleichbehandlungs-RL 2004/113/EG Männer und Frauen wegen des Geschlechts bei öffentlich zugänglichen Dienstleistungen nicht ungleich behandelt werden dürften. Die Norm muss im Lichte der Verfassung ausgelegt werden, weil die Verfassung höherrangig ist (§ 11 Rn. 47). Die Ansicht, der Vater sei vom Abteil auszuschließen, verstößt gegen § 19 Abs. 1 AGG, der die europäische Richtlinie umsetzt.

c) Die Begründung einer vertretbaren Entscheidung

74 Ganz überwiegend wird in der Rechtsliteratur und Rechtsprechung einer dritten Ansicht gefolgt. Nur bei einer einfachen Subsumtion gibt es die „einzig" richtige Entscheidung.[180] Bei schwierigeren Fällen kann die Methodenlehre eine einzige richtige Ansicht jedoch nicht herleiten, sondern nur eine **vertretbare Entscheidung** begründen.

75 *Mutter-Kind-Abteil – Position des Zugbegleiters: Das Stillen als Telos zur Begründung einer Ungleichheit:* In einem zweiten Schritt ließe sich die Ansicht des Vaters entkräften: Der Schutz der Reisenden vor schreienden Kleinkindern sei mitnichten der **Regelungszweck**

---

[176] Engisch/*Würtenberger/Otto*, Einführung in das Juristische Denken, 12. Aufl. 2018, S. 77. Zum process of justification s. unten § 14 Rn. 42.

[177] Bydlinski/*Bydlinski*, Grundzüge der juristischen Methodenlehre, 3. Aufl. 2018, S. 68 ff. Nicht umsonst formuliert man, der Jurastudent erlerne im ersten Jahr die Regel, im zweiten Jahr die Ausnahme und im dritten Jahr die Ausnahme von der Ausnahme, s. *Möllers*, Juristische Arbeitstechnik und wissenschaftliches Arbeiten, 10. Aufl. 2021, § 1 Rn. 53. Zur Sachverhaltshermeneutik s. unten § 14 Rn. 11 ff.

[178] *Gröschner*, JZ 1987, 903, 908. Für den Mutter-Kind-Fall s. unten § 1 Rn. 90; zu § 904 BGB s. unten § 6 Rn. 165 ff.

[179] *Mastronardi*, Juristisches Denken, 2. Aufl. 2003, S. 182; Zippelius/*Würtenberger*, Juristische Methodenlehre, 12. Aufl. 2020, S. 10.

[180] **A. A.** *Kramer*, Juristische Methodenlehre, 6. Aufl. 2019, S. 372 f., der meint, es gebe nie die eine richtige Entscheidung.

des „Mutter mit Kind-Abteils". Nach dem Wortlaut würde die Regelung ausdrücklich „Mütter" und nicht Frauen ansprechen, das Abteil diene damit primär stillenden Müttern. Deren Privat- und Intimsphäre solle geschützt werden. Diese würde beeinträchtigt, wenn sich auch Männer in dem Abteil aufhielten. Eine solche Regelung wäre auch nicht absurd, weil die Partnerin die Beeinträchtigung der Privat- und Intimsphäre beim Stillen wohl toleriert, wenn der Vater mit den Kindern im Abteil verbliebe. Weil nur Mütter, nicht aber Väter stillen können, sei dogmatisch nicht das Ähnlichkeitsargument, sondern vielmehr der *Umkehrschluss* (§ 6 Rn. 129) überzeugend. Wer also auf die Schutzbedürftigkeit der Reisenden abstelle, begehe eine *petitio principii*, weil er etwas behaupte, was eigentlich erst darzulegen und zu beweisen wäre (§ 5 Rn. 36 ff.). Schließlich sei auch der Gleichheitsgrundsatz nicht verletzt, denn er verlange nur, dass Gleiches gleichbehandelt werde, verbiete aber nicht, Ungleiches ungleich zu behandeln. Beim Stillen eines Babys liegt eine biologische, naturgegebene Ungleichheit zwischen Mann und Frau vor. Insoweit greife der Gleichheitsgrundsatz des Art. 3 GG nicht ein; *Verfassungsrecht* sei also nicht verletzt.[181] Auch *europäisches Recht* sei nicht verletzt, weil der auf europäischem Recht beruhende § 20 Abs. 1 Nr. 2 AGG ausdrücklich die Intimsphäre als Rechtfertigungsgrund zulässt.[182]

Die Existenz mehrerer Interpretationsmöglichkeiten im Rahmen des Gesetzestextes ist nicht gleichzusetzen mit einer Beliebigkeit der Entscheidung. Bei schwierigen Entscheidungen bleiben verschiedene Alternativen möglich. Das Herausarbeiten der überzeugendsten Lösung muss das Ziel sein (§ 1 Rn. 89). Juristische Wahrheitssuche als Streit oder als Diskurs findet sich schon bei Kelsen[183] und entspricht der herrschenden Ansicht im deutschen[184] und anglo-amerikanischen Rechtskreis.[185] Konsequent formulierte auch das Bundesverfassungsgericht: 76

„Die Auslegung insbesondere des Verfassungsrechts hat den Charakter eines *Diskurses*, in dem auch bei methodisch einwandfreier Arbeit *nicht absolut richtige*, unter Fachkundigen nicht bezweifelbare Aussagen dargeboten werden, sondern Gründe geltend gemacht, andere Gründe dagegengestellt werden und schließlich die besseren Gründe den Ausschlag geben sollen."[186] 77

2. Zweck der Argumentationslehre

Ziel der Juristischen Methodenlehre ist es, als Argumentationslehre Entscheidungen überprüfbar zu machen. Sie will erstens falsche Entscheidungen widerlegen, zweitens vertretbare Entscheidungen begründen und schließlich drittens aus mehreren vertretbaren Entscheidungen die letztlich überzeugendste Entscheidung herausfiltern. Dazu bedient sie sich einer Reihe von Argumentationstechniken und lenkt so die Rechtsfindung. 78

[181] Eine Benachteiligung wegen des Geschlechts ist nach Art. 3 Abs. 3 S. 1 GG nur zulässig, soweit sie zur Lösung von Problemen, die ihrer Natur nach nur bei Männern oder nur bei Frauen auftreten können, zwingend erforderlich ist, BVerfG, Beschl. v. 10.7.2012, 1 BvL 2/10 u.a., BVerfGE 132, 72 Rn. 58; BVerfG, Beschl. v. 25.10.2005, 2 BvR 524/01, BVerfGE 114, 357, 364.

[182] Auch Art. 4 Abs. 2 Allgemeine Gleichbehandlungsrichtlinie 2004/113/EG erlaubt „günstigerer Bestimmungen zum Schutz der Frauen in Bezug auf Schwangerschaft oder Mutterschaft".

[183] *Kelsen*, Reine Rechtslehre, 2. Aufl. 1960, S. 349 f.: „Alle bisher entwickelten Interpretationsmethoden führen stets nur zu einem möglichen, niemals zu einem einzig richtigen Resultat."

[184] *Esser*, AcP 172 (1972), 97, 129; *Kramer*, Juristische Methodenlehre, 6. Aufl. 2019, S. 372 ff.; *Rüthers/Fischer/Birk*, Rechtstheorie, 11. Aufl. 2020, Rn. 315 ff.; *F. Müller/Christensen*, Juristische Methodik, Bd. I, 11. Aufl. 2013, Rn. 535; *Schuhr*, JZ 2008, 603 ff.; *Poscher*, JZ 2013, 1 ff. mit einer agonistischen Theorie.

[185] *Hart*, 11 Ga. L. Rev. 969, 984 f. (1976/1977); *Henley*, 3 Ratio Juris 14, 25 f. (1990).

[186] BVerfG, Beschl. v. 5.4.1990, 2 BvR 413/88, BVerfGE 82, 30, 38 f. – Befangenheit Kirchhof.

a) Widerlegbarkeit (Falsifizierung) falscher Ansichten

79 Die Idee des Falsifizierens (Widerlegens) wurde für den empirischen Beweis von *Popper* und *Albert* entwickelt.[187] In der Rechtswissenschaft wird diskutiert, inwieweit man diese Überlegungen auf juristische Sachverhalte übertragen kann.[188] Obwohl es auf Rechtsfragen in der Regel keine einzig richtige Antwort gibt, existieren dennoch falsche Entscheidungen. Mit juristischen Methoden lässt sich feststellen, welche Interpretationsversuche eindeutig unrichtig sind. Die einzig richtige Gesetzesinterpretation lässt sich zwar nur sehr selten *verifizieren* (beweisen), weil nur selten eine einzige richtige Entscheidung zutreffend ist (§ 1 Rn. 64 ff.).[189] Regelmäßig lassen sich aber **nicht vertretbare Interpretationen** *falsifizieren* (widerlegen); die Methodenlehre will damit vertretbare von falschen Entscheidungen trennen.[190] Werden bestimmte Methoden nicht eingehalten, ist dies ein Rechtsfehler, beispielsweise wenn ein Gericht eine Vorschrift analog anwendet, ohne dass die Voraussetzungen vorliegen.

80 *Bespanntes-Fuhrwerk:* Ein deutlicher Verstoß gegen das strafrechtliche Analogieverbot liegt in der Entscheidung des BGH vor, in welcher ein Forstdiebstahl (von über 400 Weihnachtsbäumen) mithilfe eines Kraftfahrzeuges mit dem eines „bespannten Fuhrwerks" gleichgesetzt wurde (§ 4 Rn. 69).[191]

81 Nur zu oft lassen sich Gedankensprünge oder Zirkelschlüsse (§ 5 Rn. 36 ff.) nachweisen, die ein bestimmtes Ergebnis entkräften. Noch problematischer sind Verstöße gegen Denkgesetze oder die allgemeine Lebenserfahrung (§ 5 Rn. 91 ff.).

82 So wird L im Mutter-Kind-Fall nicht deshalb im Abteil verbleiben dürfen, weil er als Erster das Abteil betrat. Die Beschilderung des Abteils als „Mutter mit Kind-Abteil" möchte gerade ein solches Prioritätsprinzip („First come, first served") ausschließen. Eine derartige Argumentation mit einem solchen sachfremden Kriterium wäre nicht mehr vertretbar. Ähnlich wäre zu argumentieren, wenn eine 90-jährige Mutter sich mit ihrem 70-jährigen „Kind" auf das „Mutter mit Kind-Abteil" berufen wollte.[192]

b) Begründung vertretbarer Ergebnisse

83 Wie erreicht man nun vertretbare Ergebnisse? Bei der Lektüre einschlägiger Lehrbücher zur juristischen Methode gewinnt man nicht selten den Eindruck, dass die Rechtsfiguren oft mit einer gewissen Beliebigkeit herangezogen werden können. So wird formuliert: „Das jeweilige Gewicht der verschiedenen Kriterien hängt nicht zuletzt davon ab, was sie im Einzelfall hergeben."[193] Natürlich ist immer der Einzelfall entscheidend, gleichwohl ist die Formulierung zumindest missverständlich, denn es lassen sich durchaus unterschiedlich starke Argumentationsfiguren erkennen. So existieren etwa reine Formalargumente mit geringer Überzeugungskraft, weil sie mit gleichgewichtigen Gegenargu-

---

[187] *Popper*, Conjectures and Refutations, 5th ed. 1989, S. 192, deutsche Übersetzung: Vermutungen und Widerlegungen, 1994, S. 280; *Albert*, Traktat über die kritische Vernunft, 1968, S. 141.

[188] *Neumann*, Juristische Argumentationslehre, 1986, S. 37 ff.; *Braun*, Deduktion und Invention, 2016, S. 109 ff.

[189] Enger, eine Verifizierung immer ausschließend *Kramer*, Juristische Methodenlehre, 6. Aufl. 2019, Fn. 1129; *Braun*, Deduktion und Invention, 2016, S. 132.

[190] *Pawlowski*, Einführung in die juristische Methodenlehre, 2. Aufl. 2000, Rn. 4; *Braun* (ebd.), S. 109 ff., 111: „Entgegen unserem Vorverständnis zeigt sich die Wahrheit für uns also nicht positiv, sondern allen negativ durch die Widerlegung des Falschen." Zu einer vermeintlich „nicht mehr vertretbaren Entscheidung" s. das PSPP-Urteil des BVerfG (§ 13 Rn. 115).

[191] BGH, Urt. v. 13.9.1957, 1 StR 338/57, BGHSt 10, 375 f. – Bespanntes Fuhrwerk; weitere Beispiele oben § 1 Rn. 66.

[192] Zur teleologischen Reduktion s. § 6 Rn. 92 ff.

[193] *Larenz*, Methodenlehre der Rechtswissenschaft, 6. Aufl. 1991, S. 345; in die Richtung auch *Martens*, Methodenlehre des Unionsrechts, 2013, S. 500 ff.; krit. dagegen *Rüthers/Fischer/Birk*, Rechtstheorie, 11. Aufl. 2020, Rn. 815.

menten entkräftet werden können. Zudem gibt es Argumente höherer Wertigkeit (§ 6). Zum Verhältnis der Auslegungsfiguren untereinander wird zurückzukommen sein (§ 14 Rn. 77 ff.).

Mutter-Kind-Abteil – Die dritte Runde: Auffassung des Vaters: Gegen die Position des Zugbegleiters könnte der Vater einwenden: Ob wirklich stillende Mütter geschützt werden sollen, sei schon vom Wortlaut her nicht so eindeutig, wie behauptet, weil von „Kindern" und nicht von „Babys" oder „Kleinkindern" die Rede ist. Selbst wenn stillende Mütter geschützt werden sollten, sei die Anerkennung einer öffentlichen Intimsphäre heutzutage abwegig. Die gewandelten sexuellen Moralvorstellungen hätten zur Folge, dass die ganz überwiegende Mehrheit der Bevölkerung das Stillen eines Babys in der Öffentlichkeit nicht mehr als „moralisch anstößig" empfinden würde; die Anerkennung einer solchen „Schutzzone" wäre rechtlich überschießend, also unverhältnismäßig (§ 10 Rn. 41 ff.), weil man diese Plätze den anderen Reisenden verwehren würde. 84

Mutter-Kind-Abteil – Die vierte Runde: Ansicht des Zugbegleiters: Der Zugbegleiter könnte entgegnen: Der Begriff „Mutter" unterscheide sich deutlich von dem Begriff „Frau" und impliziere das Stillen. Ob das Stillen moralisch anstößig sei, sei aber nicht aus der Sicht eines Dritten oder der Mehrheit der Bevölkerung zu beurteilen, sondern aus der Sicht der Mutter, die sich auf ihre Intimsphäre berufen könne, die nach Art. 2 Abs. 1 i.V.m. Art. 1 GG geschützt sei.[194] 85

c) Synthese und die überzeugendste Lösung

aa) Im Idealfall reicht eine nur vertretbare, also diskussionswürdige Entscheidung, nicht aus. Der Jurist muss **überzeugen**: Im anhängigen Rechtsstreit versucht jede Partei, den Richter zu überzeugen; mit dem Urteil versucht der Richter, die Parteien und die Allgemeinheit von seinem Richterspruch zu überzeugen; bei den höchsten Gerichten will der Berichterstatter die Mehrheit des Senates überzeugen.[195] Schließlich muss auch der Student mit seinem Lösungsweg in der Klausur oder Hausarbeit überzeugen. Nur wie lässt sich dies erreichen? 86

Schwierige juristische Fälle zeichnen sich dadurch aus, dass allein mit der Auslegung des Wortlauts oder auch mit logischen Überlegungen der Fall nicht entschieden werden kann. Es muss daher auf Wertungen zurückgegriffen werden, die, wie der Mutter-Kind-Fall zeigt, oft mehrdeutig sind. Diese dürfen nicht auf der persönlichen Entscheidung des Richters beruhen, sondern müssen sich im Recht wiederfinden. *Je komplizierter und weniger eindeutig die Rechtslage ist, desto umfangreicher wird der Jurist den gesamten Kanon juristischer Methoden anwenden müssen.* Je umstrittener, aber auch je unerforschter die zu entscheidende Frage ist, desto höher ist auch der erforderliche Begründungsaufwand. So sind juristische Methoden unabdingbar, wenn über einen neuen, in der Rechtsprechung und Rechtsliteratur noch gänzlich unbekannten Fall zu entscheiden ist. Die Methodenlehre kann helfen, wenn es etwa um die Auslegung eines einzigen Wortes geht[196] oder Wertungen verschiedener Gesetze im Widerspruch stehen (§ 5 Rn. 54). 87

bb) Daraus folgt, dass der Jurist die Bereitschaft entwickeln muss, am Anfang zunächst **mehrere Lösungswege für denkbar**[197] zu erachten und deshalb auch zu durchdenken. Die erste Eingebung muss nicht richtig sein. Erst im Widerstreit von These und Antithese finden sich die Argumente und Gegenargumente. Dazu ist es hilfreich, sich in die Position des advocatus diaboli (des Anwalts des Teufels) hineinzuversetzen.[198] Diese Dis- 88

[194] Hierzu generell *Dreier*, in: Dreier, GG, 3. Aufl. 2013, Art. 2 I Rn. 71.
[195] *Kaufmann*, in: Mélanges Patry, 1988, S. 366, 372.
[196] Beispiel bei *Möllers/Leisch*, WM 1999, 765 ff.
[197] **A. A.** *Vesting*, Rechtstheorie, 2. Aufl. 2015, Rn. 226. Zum Dezisionismus s. § 14 Rn. 41.
[198] Zum Einüben des Diskurses durch private Arbeitsgemeinschaften, s. *Möllers*, Juristische Arbeitstechnik und wissenschaftliches Arbeiten, 10. Aufl. 2021, § 1 Rn. 72.

kussion überwindet die eigene Subjektivität hin zu einer „Übersubjektivität“[199]; das ist auch der Grund, warum die höchsten Gerichte Kollegialgerichte darstellen, die einen Gedankenaustausch in der Beratung ermöglichen.[200] Stellen Sie nicht nur die von Ihnen anvisierte Ansicht dar, sondern auch Gegenansichten. Im Idealfall bildet sich im Diskurs von *These* und *Antithese* eine dritte Ansicht, eine **Synthese** im Sinne von *Hegel*,[201] die alle Argumente berücksichtigt. Ein guter Jurist ist für verschiedene Lösungswege offen und findet auch kreative Lösungen, die beiden Ansichten Rechnung tragen.[202] Anschaulich beschrieb dies jüngst P. Huber in einem Kommentar zum PSPP-Urteil für das Kooperationsverhältnis zwischen BVerfG und EuGH: „Für mich ist es ein dialektischer Prozess, bei dem jeder den anderen ernst nimmt, sich auf die Argumente des anderen einlässt, bereit ist zu lernen und sich zu korrigieren.“[203] Umgekehrt gilt auch: Wer mit einem Wahrheitsanspruch ausgestattet die einzig richtige Meinung verficht (§ 1 Rn. 64), wird oft weniger offen für alternative Lösungen sein und damit die überzeugendste Lösung verfehlen.

88a Es ist allerdings irritierend, wenn die Überlegungen der Gegenseite, d.h. hier die Begründung des EuGH, als „methodisch nicht mehr vertretbar“ (§ 13 Rn. 115) bezeichnet wird. Denn rüde „Basta-Entscheidungen“[204] stehen einem auf Synthese, auf höhere Erkenntnis angelegten Dialog, der in einem Kooperationsverhältnis durch „wechselseitige Rücksichtnahme“ (§ 2 Rn. 100) geprägt ist, entgegen. Hinzu kommt, dass die Grenzen des judicial self-restraint, der richterlichen Zurückhaltung aufgrund der Erstzuständigkeit des Parlaments, überschritten werden, wenn eine vertretbare Entscheidung durch eine andere vertretbare Entscheidung ersetzt wird (§ 13 Rn. 91 ff.).

89 Ähnlich wird zum Teil gefordert, dass der Lösungsweg auch aufzeigt, welche von den möglichen Entscheidungsoptionen die **überzeugendste** ist. Von mehreren Lösungen hat der Rechtsanwender die sachgerechteste und plausibelste zu wählen.[205] Sie verlangt vom Juristen in besonderem Maße, die verschiedenen Positionen aufzudecken und den Normzweck zu ermitteln (§ 5 Rn. 7 ff., § 6 Rn. 159 ff.). Gegebenenfalls müssen folgenorientierte Überlegungen vorgetragen werden. Damit ist auch darzutun, dass es keine besser begründbare andere Entscheidung gibt.[206] Die bestmögliche Entscheidung ist dann auch am wenigsten ungerecht (§ 1 Rn. 105 ff.).[207]

90 *Mutter-Kind-Abteil – Vermittelnde Ansicht und Abwägung verschiedener Interessen:* Neben den zwei Meinungen könnte man noch an weitere Ansichten denken. L könne sitzen bleiben, weil er früher kam oder er könne sitzen bleiben, solange er noch keiner Mutter mit Kind einen Platz wegnehme. Und schließlich: **L dürfe im Abteil sitzen bleiben, solange keine Mutter mit einem Kind das Abteil betritt, die ihr Kind stillen möchte und welcher die Anwesenheit anderer Fahrgäste unerwünscht ist**. Mit dieser Lösung würde nicht nur den *Interessen* (§ 5 Rn. 19 ff.) potentiell stillender Mütter Rechnung getragen, sondern vor allem den Belangen des Kindes und der übrigen Mitreisenden vor Ruhestörungen. Bedenkt man die *praktischen Folgen* (§ 5 Rn. 56 ff.), würde sich der Schaffner „Stress“, nämlich eine

---

[199] *Bollnow*, ZPhF 16 (1962), 3, 17, der *Nietzsche* zitiert: „Einer hat immer Unrecht; aber mit zweien beginnt die Wahrheit.“ S. dazu *Nietzsche*, Die fröhliche Wissenschaft, 1882, Buch 3, Nr. 260.

[200] *Engisch*, Wahrheit und Richtigkeit im juristischen Denken, 1963, S. 20.

[201] Zur Dialektik s. oben § 1 Rn. 63 und *Hegel*, Wissenschaft der Logik, Erster Band: Die objektive Logik, 2. Aufl. 1832, S. 78: „Werden ist nur, insofern sie [Sein und Nichts, das Paradigma des Widerstreits von These und Antithese] unterschieden sind.“

[202] Zu Mittelwegen s. unten § 5 Rn. 105 f.

[203] *P. Huber* war zuständiger Berichterstatter im PSPP-Urteil des BVerfG, s. dazu das Interview von ihm, FAZ v. 13.5.2020, S. 2.

[204] So die treffende Überlegung der Vizepräsidentin des EGMR *Nußberger*, FAZ v. 20.5.2020, S. 6.

[205] Palandt/*Grüneberg*, BGB, 80. Aufl. 2021, Einl. Rn. 46. Im Ergebnis ebenso *Braun*, Deduktion und Invention, 2016, S. 129: „Ziel ist also die Vorzugswürdigkeit im Verhältnis zu konkurrierenden Alternativen.“

[206] Oppermann/*Classen*/*Nettesheim*, Europarecht, 9. Aufl. 2021, § 9 Rn. 166, 182.

[207] Vgl. stattdessen *Strauch*, Methodenlehre des gerichtlichen Erkenntnisverfahrens, 2017, S. 33, der mit dem unzulässigen Komparativ betont, dass diese Entscheidung stimmiger und damit „richtiger“ sei.

aufwendige Diskussion mit dem Reisenden, ersparen. Zudem, gewichtiger, hätte er den Reisenden als Kunden nicht verärgert. Im Ergebnis wäre eine solche Ansicht vermittelnd und würde damit einen Ausgleich zu den ersten beiden extremeren Positionen herstellen (§ 5 Rn. 105 f.). Von den verschiedenen vertretbaren Ansichten ist diese wohl am überzeugendsten.

Zusammenfassend: Der Mutter-Kind-Fall ist über das konkrete Ergebnis hinaus lehrreich. Er zeigt, dass Rechtslösungen oft nicht einfach sind,[208] und er verdeutlicht den gerade vorgestellten Zweck juristischer Methodik: Mit einem Rechtsgefühl oder Vorverständnis kann man den kurzen und vermeintlich einfachen Fall spontan wohl kaum entscheiden. Die Konzentration auf eine vermeintlich richtige Entscheidung verstellt damit den Blick auf Alternativen, an die man vorab noch gar nicht gedacht hat. Erst der Diskurs ermöglicht es, verschiedene Streitstände zu entwickeln und vielleicht eine Lösung zu finden, die den verschiedenen Interessen und Argumenten Rechnung trägt. **91**

Folglich wird in jüngster Zeit für die juristische Ausbildung eine deutlichere Fokussierung auf eigenständige Thesen und ihre überzeugende Begründung verlangt. Wirklich Neues kann erst in der Unterscheidbarkeit von These, Antithese und Synthese entstehen. Wissenschaftliche Arbeiten, aber auch Urteile müssen mit dem geltenden Recht Neues entwickeln, oft nicht nur Gesetze auslegen, sondern konkretisieren und konstruieren. Das verlangt ein gutes Maß an juristischer Kreativität.[209] Genau darauf zielt die Juristische Methodenlehre; sie gibt dem Studenten in der Klausur und Hausarbeit das nötige Handwerkszeug. **92**

3. Juristische Argumentationsfiguren

a) These, Prämisse und Argument

Der kontinentaleuropäisch geschulte Jurist zieht zur Lösung eines Falls stets zuerst das Gesetz heran[210] und betrachtet die einschlägige Rechtsprechung. Eine Lösung gestaltet sich unter anderem dann schwieriger, wenn eine Einzelfrage umstritten, der Wortlaut der Norm unklar oder wenig ergiebig ist. Im Folgenden werden mehr als 100 verschiedene Argumentationsfiguren[211] vorgestellt. Argumentieren verlangt die Unterscheidung zwischen Thesen, Prämissen und Argumenten. **Thesen** sind Behauptungen, die streitig gestellt werden können und daher *bewiesen oder begründet werden müssen.*[212] Die These wird mit der Prämisse und dem Argument begründet. Die **Prämisse** stellt *Bedingungen, die erfüllt sein müssen*, damit die gewünschte These zutrifft. Die These, V habe einen Anspruch gegen K auf Zahlung von 20.000 EUR, wird begründet mit der Prämisse, dass V dem K ein Kfz verkauft hat und beide diesen Kaufpreis vereinbart haben. Ist der Zusammenhang zwischen Prämisse und These weniger offensichtlich, bedarf es der Untermauerung mit **Argumenten**. *Argumente schlagen die Brücke von These zur Prämisse.* Im Idealfall muss der Jurist nur wenige, starke Argumente zur Stützung seiner These vortragen. Der Einwand etwa, der Kaufvertrag wäre nichtig, weil er nicht schriftlich abgeschlossen wurde, kann mit dem Argument entkräftet werden, dass auch mündlich abgeschlossene **93**

---

[208] *Quod erat demonstrandum* (Was zu beweisen war) – oder wie man aus einer Mücke einen Elefanten macht.

[209] Zur juristischen Kreativität s. unten § 14 Rn. 46 ff. Zu Recht wird im Englischen von der Erstellung einer *thesis* und im Französischen von der *thèse* gesprochen, prägnant *Weller*, ZEuP 2014, 463, 466 zur Diskussion zu den Vorschlägen des Wissenschaftsrates. Zur Juristenausbildung generell *Möllers*, ZfPW 2019, 94 ff.

[210] Pointiert formuliert von *Nipperdey*: „Ein Blick ins Gesetz erleichtert die Rechtsfindung.“, vgl. *Dauner-Lieb/Langen*, in: NK-BGB, Schuldrecht, 3. Aufl. 2016, Vorwort.

[211] *Lindner*, Theorie der Grundrechtsdogmatik, 2005, S. 157.

[212] Zum Folgenden sehr anschaulich *Gast*, Juristische Rhetorik, 5. Aufl. 2015, Rn. 73 ff.; s. auch *Muthorst*, Grundlagen der Rechtswissenschaft, 2. Aufl. 2019, Rn. § 7 Rn. 54 ff.

Kaufverträge wirksam sind. Je schwieriger und ungeklärter die Sach- oder Rechtsfrage ist, desto umfangreicher muss er argumentieren (etwa, dass das Zuwinken während einer Auktion als Willenserklärung zu werten ist),[213] um vor allem auch die Gegenargumente zu entkräften.

b) Die juristische Argumentationsfigur als Prämisse für eine These

94 Argumentationsfiguren können mit einer Prämisse versehen zu einem offenkundigen Ergebnis führen. Bei einer einfachen Subsumtion gibt es Raum für die „*One-right-answer-thesis*" (§ 1 Rn. 64). Oft stellen die Argumentationsfiguren allerdings wiederum nur **Prämissen** dar. Ob in dem Mutter-Kind-Fall der Mann das Abteil verlassen muss, ist weniger klar. Deshalb sollte man von Anfang an zwei Gefahren erkennen: Nur zu oft wird ein Lösungsvorschlag mit dem Hinweis auf die Billigkeit, die Gerechtigkeit oder die Natur der Sache verbunden. Das sind allerdings keine Argumentationsfiguren oder Argumente, sondern nur *Leerformeln*, die für sich genommen noch gar nichts begründen (§ 9 Rn. 6a f.). Ohne entsprechende Begründung, d.h. Konkretisierung, bleibt die *Prämisse* wertlos. Eine zweite Herausforderung sind sog. *Formalargumente,* wie der Erst-Recht-Schluss oder die Figur „Ausnahmen sind eng auszulegen". Tatsächlich sind es nur Prämissen, die mit **Argumenten** weiter zu begründen sind. So ist beispielsweise die juristische Figur, dass „Ausnahmen eng auszulegen sind" oder dass eine Lücke mit einem sog. „Erst-Recht-Schluss" gefüllt werden kann, genauso überzeugend wie die entsprechende Gegenfigur, dass „Ausnahmen ausnahmsweise weit auszulegen sind" oder dass ein „Umkehrschluss" dazu zwingt, die Lücke gerade nicht zu füllen. In der Rechtsliteratur werden diese Figuren als sog. Formalargumente, die leicht widerlegt werden können, geschmäht (§ 6 I.). Eine Prämisse wird also erst durch ihre Begründung zu einem überzeugenden Argument. Damit müssen die Prämissen mit Argumenten gestützt werden. Wer also eine Lücke behauptet, muss diese begründen. Wer dann behauptet, die Lücke mittels Einzelanalogie schließen zu dürfen, muss darlegen, dass das zu ergänzende Tatbestandsmerkmal mit dem gesetzlich geregelten Fall vergleichbar ist. Hierfür sind Argumente vorzutragen (§ 6 Rn. 112 ff.).

95 Zudem soll an dieser Stelle noch die Unterscheidung von Interpretations-, Auslegungsfiguren oder Auslegungsmittel einerseits und Interpretations- oder **Auslegungsziel** andererseits getroffen werden. Die Auslegungsregel ist nur Mittel zum Zweck, nämlich um das Auslegungsziel zu erforschen. Das Auslegungsziel zielt auf den Zweck der Norm.[214] Darauf wird im Rahmen der teleologischen Auslegung zurückzukommen sein (§ 5 Rn. 7 f.), aber auch im Rahmen der Verfassung (§ 11 Rn. 39 ff.), der richtlinienkonformen Rechtsfortbildung (§ 12 Rn. 65) und der Reihenfolge und Gewichtung der Interpretationsfiguren (§ 14 Rn. 69 ff.).

c) Gewichtung von Argumentationsfiguren

96 In diesem Werk werden zahlreiche juristische Argumentationsfiguren vorgestellt. Damit wird zu zeigen sein, dass es einfache Auslegungsregeln und bessere, höherwertige Instrumente der Interpretation gibt.

97 aa) Zum Teil wird behauptet, ein Vorrang wäre nie möglich, weil sich der Vorrang einer Argumentationsfigur erst nach Abwägung der Argumente ergäbe.[215] Diese Meinung

---

[213] Hierzu ausführlich § 4 Rn. 96 ff.

[214] *Lindner,* Theorie der Grundrechtsdogmatik, 2005, S. 138; *Stein/Frank,* Staatsrecht, 21. Aufl. 2010, S. 37 geht weiter: „Folglich gibt es nicht, wie oft […] behauptet wird, vier klassische Auslegungsmethoden, sondern nur eine einzige, die teleologische, deren drei Elemente die sprachliche, die historische und die systematische Interpretation sind."; *Rüthers/Fischer/Birk,* Rechtstheorie, 11. Aufl. 2020, Rn. 725 f.

[215] *Martens,* Methodenlehre des Unionsrechts, 2013, S. 500. Dieses Argument findet sich auch bei der Diskussion über verfassungsorientierte und verfassungskonforme Auslegung s. unten § 11 Rn. 38.

übersieht allerdings, dass bereits auf abstrakter Ebene Argumentationsfiguren existieren, wie etwa die Wortlautgrenze im Strafrecht, die zwingend sind und eine Abwägung nicht zulassen (§ 4 Rn. 65 ff.). Von einem strikten oder absoluten Vorrangverhältnis zwischen zwei Auslegungskriterien kann man nur sprechen, wenn *sich die Argumentationsfigur in allen Konfliktfällen durchsetzt.*[216] In dem hier verstandenen Sinne führen **Vorrangargumente** zu einer eindeutigen Rechtsfolge, sie bedingen ein bestimmtes Ergebnis. Es gilt dann ausnahmsweise die „One-right-answer-thesis": nur eine Antwort ist richtig – eine Gegenauffassung wäre falsch und nicht vertretbar (§ 1 Rn. 64 f.).

bb) **Vermutungsregeln** sprechen dem ersten Anschein nach (prima facie)[217] für eine 98
bestimmte Rechtslösung. Die Vermutungsregel führt zu einer Vermutung *zugunsten desjenigen, der sich auf die Argumentationsfigur beruft.* Will der Rechtsanwender von der Rechtsfolge abweichen, muss er dies begründen. Er trägt insoweit die Argumentations-, d.h. Begründungslast. Zum Teil wird der Versuch unternommen, rein deskriptiv bestimmten Argumentationsfiguren jeweils einen Prima-facie-Vorrang zuzuschreiben.[218] Grundsätzlich spricht für die Vermutung, dass der Wortlaut der Norm sich auch im Ergebnis durchsetzt und dass das, was der Gesetzgeber sagt und will, auch zur Anwendung kommen soll.[219]

Grundsätzlich sind die Argumentationsfiguren reine *Abwägungsgebote*. Canaris ver- 99
gleicht sie mit Prinzipien (§ 9 Rn. 11 ff.), weil sie abzuwägen sind und es sich um komparative Sätze im Sinne von „Je … desto" handelt.[220] Methodisch lässt sich der Gedanke *des Beweglichen Systems* (§ 8 Rn. 2 ff.) nutzen.[221] Die vier Auslegungselemente von *Savigny* haben ihre Berechtigung und finden weltweit Beachtung (§ 4 Rn. 24 ff.). Sie sind nicht abstrakt höher oder geringer einzustufen, sondern ihnen kommt je nach Sachverhalt und Norm ein anderes Gewicht zu. So kann einmal das Wortlautargument und das andere Mal das teleologische Argument überzeugender sein und umgekehrt (§ 14 Rn. 87).

Und schließlich gibt es Argumentationsfiguren, die nicht zu einer Vermutung führen, 100
sondern umgekehrt zu einer mit der Argumentationsfigur verbundenen Begründungslast, die Relevanz und Überzeugungskraft der Argumentationsfigur herzuleiten. Hier soll von einer Argumentationslastregel gesprochen werden, weil der Rechtsanwender die Argumentationslast trägt, die von ihm gewünschte Rechtsfolge methodisch überzeugend zu begründen.[222] Wer etwa über den Wortlaut hinaus eine Rechtsfortbildung annehmen möchte, muss begründen, dass eine planwidrige Lücke vorliegt und diese geschlossen werden kann (§ 6 Rn. 107 ff.). Auch ausländische Urteile gelten und binden nicht im Inland. Wer sich auf die Entscheidungsgründe und Argumente eines ausländischen Urteils beruft, muss begründen, warum diese Überlegungen auch in Deutschland für die Entscheidungsfindung überzeugend sind (§ 3 Rn. 75 ff.).

---

[216] *Alexy/R. Dreier*, in: MacCormick/Summers, Statutory Interpretation, 1991, S. 73, 92; *Rahlf*, in: Neumann/Rahlf/von Savigny, Juristische Dogmatik und Wissenschaftstheorie, 1976, S. 79, 82; *Vogenauer*, Die Auslegung von Gesetzen in England und auf dem Kontinent, 2001, S. 51. **A.A.** *Canaris*, in: FS Medicus, 1999, S. 25, 60, mit der Inkonsequenz dann doch Ausnahmen zuzulassen (s. § 15 Rn. 61).

[217] Lat.: „erstes Gesicht", somit dem ersten Anschein nach oder auf den ersten Blick. Von *prima-facie-*Vorrang sprechen *Alexy/R. Dreier*, in: MacCormick/Summers (ebd.), S. 73, 92; *Vogenauer*, Die Auslegung von Gesetzen in England und auf dem Kontinent, 2001, S. 51.

[218] *Vogenauer* (ebd.), S. 1282.

[219] *Alexy*, Theorie der juristischen Argumentation, 1983, S. 305; *Canaris*, JZ 1987, 543, 546; *Neuner*, Allgemeiner Teil des Bürgerlichen Rechts, 12. Aufl. 2020, § 4 Rn. 74; *Reimer*, Juristische Methodenlehre, 2. Aufl. 2020, Rn. 701; siehe auch § 14 Rn. 84.

[220] *Canaris*, in: FS Medicus, 1999, S. 25, 58 f.

[221] *Bydlinski*, Juristische Methodenlehre und Rechtsbegriff, 2. Aufl. 1991, S. 556, 564 f.; zustimmend *Canaris*, in: FS Kramer, 2004, S. 141, 144; *Morlok*, in: Gabriel/Gröschner, Subsumtion, 2012, S. 179, 180; *Potacs*, Auslegung im öffentlichen Recht, 1994, S. 38; *Reimer* (ebd.), Rn. 414.

[222] Abzugrenzen ist davon der Begriff der Darlegungslast, den es im Zivilprozess gibt, um etwa die Tatbestandsvoraussetzungen eines Rechtsanspruchs nachzuweisen.

101 Am Beispiel des Mutter-Kind-Falls lässt sich die Differenzierung von These, Prämisse und Argumenten verdeutlichen, wobei hier nur zwei Ansichten dargestellt werden:

Grafik: These, Prämisse, Argument und Auslegungsziel

These

Vater muss das Abteil verlassen	**Vater darf im Abteil sitzen bleiben**
↑	↑

Prämisse und Argument
(Argumentationsfiguren: Vorrang, Vermutung, Abwägung, Argumentationslast)

Wortlaut eindeutig Lücke nicht planwidrig Ungleichheit von Mann und Frau Umkehrschluss	Einzelanalogie wegen Lücke möglich Ähnlichkeitsvergleich Erst-Recht-Schluss argumentum ad absurdum Gleichheitsargument (§ 1 Rn. 75)
↑	↑

Auslegungsziel
(Zweck)

Mutter soll stillen können (§ 1 Rn. 75)	Schutz der Mitreisenden Schutz des Kindes

d) Begriff der juristischen Argumentationsfigur

102 Damit kann auch auf den Begriff der Argumentationsfigur eingegangen werden. In der Literatur ist insoweit häufig von „Elementen“[223], „Argumenten“[224], „Argumentationsformen“[225], „Hilfsmitteln“[226], „Auslegungsmitteln“[227], „Auslegungskriterien“[228], „Auslegungskanones“[229], „Auslegungstopoi“[230], „Argumentationsmustern“[231], „Interpretationsmitteln“[232] oder „Interpretationsregeln“[233] die Rede. Die Begriffe werden oft synonym verwendet.

103 Hier soll der Begriff der Argumentationsfigur verwendet werden. Gemeint ist damit zweierlei: Argumentationsfiguren sind erstens oft gar keine Argumente, sondern nur *Prämissen* etwa für die These, dass die Voraussetzungen der Rechtsnorm im vorliegenden Fall vorliegen. Ist die Prämisse nicht offensichtlich als wahr anzusehen, muss sie weiter begründet werden (§ 1 Rn. 93). Die Frage, ob der Wortlaut eindeutig ist, Ausnahmen eng

[223] *von Savigny*, System des Römischen Rechts, Bd. 1, 1840, S. 213 ff. (§ 4 Rn. 19). Von „Auslegungselementen“ spricht *Kramer*, Juristische Methodenlehre, 6. Aufl. 2019, S. 66 ff.

[224] *Dworkin*, Taking Rights Seriously, 1977, S. 90; *Alexy*, Theorie der juristischen Argumentation, 1983, S. 305; *Canaris*, in: FS Kramer, 2004, S. 141, 144.

[225] Palandt/*Grüneberg*, BGB, 80. Aufl. 2021, Einl. Rn. 47.

[226] *Huber*, in: Lorenz, Karlsruher Forum 2002: Schuldrechtsmodernisierung, 2003, S. 139, 140.

[227] *Rüthers/Fischer/Birk*, Rechtstheorie, 11. Aufl. 2020, Rn. 725.

[228] *Larenz*, Methodenlehre der Rechtswissenschaft, 6. Aufl. 1991, S. 343; *Vogenauer*, Die Auslegung von Gesetzen in England und auf dem Kontinent, 2001, S. 1282; Zippelius/*Würtenberger*, Juristische Methodenlehre, 12. Aufl. 2020, §§ 8, 10; *Wank*, Juristische Methodenlehre, 2020, § 6 Rn. 153.

[229] *Brugger*, AöR 116 (1994), 1, 21; *Heun*, AöR 116 (1991), 185, 205.

[230] *Waldhoff*, in: Fleischer, Mysterium „Gesetzesmaterialien“, 2013, S. 75, 92.

[231] *Nußberger*, „Seitenwechsel“, Forschung & Lehre 1/19, S. 48.

[232] *Lindner*, Theorie der Grundrechtsdogmatik, 2005, S. 150.

[233] *F. Müller/Christensen*, Juristische Methodik, Bd. I, 11. Aufl. 2013, Rn. 31.

auszulegen sind oder eine Lücke vorliegt, ist zuerst einmal nur eine Prämisse, die stimmen kann, aber auch nicht. Sie muss weiter mit Argumenten wie etwa dem Ähnlichkeitsargument begründet werden. Der Begriff „Argumentationsfigur" ist damit untechnisch zu verstehen, weil er eben oft noch kein unmittelbares Argument darstellt.

Zudem ist die Argumentationsfigur präziser als der Begriff des Auslegungstopos oder **104**
des Arguments. Mit dem Begriff der Argumentationsfigur soll verdeutlicht werden, dass nur *juristisches* Argumentieren zulässig ist. Zwar sind juristische Argumentationsfiguren möglicherweise schwach, beispielsweise wenn ökonomische Überlegungen juristischen Wertungen entgegenstehen (§ 5 Rn. 130 f.). Sie können und dürfen im Prozess aber vorgetragen werden. Für den Juristen dagegen grundsätzlich unerheblich sind etwa Fragen der Moral. Führt jemand ein Lotterleben, ist er untreu oder nicht sparsam, sind dies regelmäßig keine Fragen juristischer Argumentation, sondern von Moral oder Sitte (§ 2 Rn. 15 ff.).

IV. Zum inhaltlichen Gerechtigkeitsanspruch juristischer Methoden

1. Juristische Methodenlehre und der Gerechtigkeitsanspruch

a) Das vermeintlich Ungerechte an der Methodenlehre (Rüthers)

Die Suche nach Gerechtigkeit ist so alt wie unsere Zivilisation. Gerechtigkeit ist nach **105**
Platon „Jedem das Seine" zu geben, also das, was seinem Wesen und den individuellen Umständen entspricht;[234] der vom oströmischen Kaiser *Justinian* veranlasste Corpus Iuris Civilis[235] schrieb in den Institutionen folglich „Gerechtigkeit ist der unwandelbare und dauerhafte Wille, jedem sein Recht zukommen zu lassen".[236] Von *Celsus* stammt die Formulierung „Recht ist die Wissenschaft dessen, was recht und billig ist".[237] Die Frage der Gerechtigkeit gehört zu den Grundfragen der *Rechtsphilosophie.*[238] Der zentralen Frage der Rechtsphilosophie „Was ist Recht?" folgt die Juristische Methodenlehre mit der Frage „Wie wird Recht richtig angewendet?". Darf die Juristische Methodenlehre Fragen der Gerechtigkeit ausklammern? Nach *Rüthers* müsse die Juristische Methodenlehre die Wertmaßstäbe immer im Recht suchen und sei deshalb nicht in der Lage „gerechte" von „ungerechten" Lösungen zu unterscheiden. Anders als die Rechtsphilosophie verfüge sie nicht über materielle Kriterien der Gerechtigkeit.[239] Sie sei insoweit reine Handwerkslehre.[240]

b) Diskurstheorien

Statt inhaltlich nach Kriterien zu suchen, welche ein gerechtes Urteil rechtfertigen, ge- **106**
hen die Diskurs- und Argumentationstheorien von *Habermas*, *Alexy* und weiteren einen anderen, nämlich *formalen* Weg. Nach diesen Theorien soll man unter bestimmten Dis-

---

[234] Griech. τὸ τὰ αὑτοῦ πράττειν καὶ μὴ πολυπραγμονεῖν δικαιοσύνη ἐστί, s. *Platon*, Politeia, IV, 433a.

[235] Der Corpus Iuris Civilis gliedert sich in vier Teile, den Institutionen (I.), den Digesten (D.), Codex (C.) und den Novellen. Die Digesten werden griechisch auch Pandekten genannt. Digesten und Codex sind in Bücher, Titel, Fragmente und Paragraphen unterteilt.

[236] I. 1,1, pr.: *Iustitia est constans et perpetua voluntas ius suum cuique tribuens.*

[237] Cels. D. 1,1,1. pr.: *Ius est ars boni et aequi*; hierzu auch unten § 14 Rn. 40.

[238] *Kaufmann*, Rechtsphilosophie, 2. Aufl. 1997, S. 152 ff.; *Mahlmann*, Rechtsphilosophie und Rechtstheorie, 6. Aufl. 2021, § 32–34; *Seelmann/Demko*, Rechtsphilosophie, 7. Aufl. 2019, §§ 9–12; *Volkmann*, Rechtsphilosophie, 2018, § 2 C.; ausführlich *Honsell*, Was ist Gerechtigkeit?, 2019; *Reimer*, Gerechtigkeit als Methodenfrage, 2020 und unten § 14 Rn. 114 ff.

[239] *Rüthers*, Die unbegrenzte Auslegung, 8. Aufl. 2017, S. 443; *Rüthers/Fischer/Birk*, Rechtstheorie, 11. Aufl. 2020, Rn. 992 f; ihnen folgend *Zimmermann*, RabelsZ 83 (2019), 242, 286.

[240] So *Wank*, Grenzen richterlicher Rechtsfortbildung, 1978, S. 81, der Rüthers ausdrücklich folgt.

kursbedingungen und -regeln einen Konsens mit einem normativen Geltungs- und Richtigkeitsanspruch ableiten können.[241] Richtig daran ist, dass der Diskurs die Rechtsfindung fördert. Recht gilt aber und verlangt befolgt zu werden (§ 2 Rn. 7). Im Diskurs kann man grundsätzlich den Geltungsanspruch des Rechts nicht in Frage stellen. Auch ist im Diskurs, im Gegensatz zur politischen Diskussion, nicht jedermann beteiligt, sondern Recht sprechen unabhängige, nur dem Gesetz unterworfene Richter. Schließlich bliebe ein Diskursmodell ohne inhaltliche Kriterien ein „leeres Prinzip".[242]

2. Rechtsfriede und Gerechtigkeit als Rechtsideen

a) Gerechtigkeit nach Aristoteles

107 *Aristoteles* unterscheidet zwischen der ausgleichenden Gerechtigkeit und der verteilenden Gerechtigkeit.[243] Die ausgleichende Gerechtigkeit (*iustitia commutativa*) bestimmt, was einem jeden durch das Prinzip der Gegenseitigkeit (Reziprozität) zukommt. Sie ist damit eine Fortentwicklung der Figur des Talions, der Vergeltung von Gleichem mit Gleichem.[244] Eine weitere Ausprägung der ausgleichenden Gerechtigkeit findet sich in der liberalen Marktwirtschaft in dem Gedanken der Tauschgerechtigkeit, dem *do ut des*[245], welche dem synallagmatischen Vertrag zu Grunde liegt. Daraus folgt, dass niemand vorzuleisten braucht,[246] das ohne Grund Geleistete zurückgefordert werden kann,[247] man nur bei eigener Vertragstreue fordern darf[248] und widersprüchliches Verhalten unzulässig ist.[249]

108 Die verteilende Gerechtigkeit *(iustitia distributiva)* ist regelmäßig nicht in einem Gleichordnungs-, sondern Über- und Unterordnungsverhältnis angesiedelt. Der Staat verbietet nach Art. 3 Abs. 1 GG die willkürliche Ungleichbehandlung. Gleiches ist gleich zu behandeln; ungleiches darf allein schon deswegen ungleich behandelt werden, weil es ungleich ist (§ 10 Rn. 39 f.). Gleiches darf dann anders behandelt werden, wenn vernünftige Gründe vorliegen. Die verteilende Gerechtigkeit erlaubt aber auch korrigierende Eingriffe in das Erziehungs-, Ausbildungs- und Wirtschaftssystem.[250] So sieht etwa die soziale Marktwirtschaft, wie sie in Deutschland bekannt ist, im Kartellrecht oder zum Schutz des Schwächeren im Miet-, Arbeits- und Verbraucherschutzrecht Korrekturen vor.[251]

---

[241] Allgemein begründet von *Habermas*, in: FS Schulz, 1973, S. 211 ff.; *ders.*, Faktizität und Geltung, 1992; für das Recht übertragen von *Alexy*, Theorie der juristischen Argumentation, 1983, S. 261 ff.; s. auch *Neumann*, Juristische Argumentationslehre, 1986, S. 91 ff.

[242] Krit. folglich *Kaufmann*, Theorie der Gerechtigkeit, Problemgeschichtliche Betrachtungen, 1984, S. 35 ff.; *ders.*, in: FS Maihofer, 1988, S. 11 ff., 28, 34; *Neuner*, Die Rechtsfindung contra legem, 2. Aufl. 2005, S. 38 ff.; *Röhl/Röhl*, Allgemeine Rechtslehre, 3. Aufl. 2008, S. 188; *Mahlmann*, Rechtsphilosophie und Rechtstheorie, 6. Aufl. 2021, § 20 Rn. 49 ff.; *Herbst*, JZ 2012, 891, 897 ff.

[243] *Aristoteles*, Nikomachische Ethik, 5. Buch, 4–9. Hierzu *Rüthers*, JZ 2009, 969, 970; *Honsell*, in: Staudinger, BGB, Neubearb. 2018, Einl. zum BGB Rn. 113b.

[244] Er findet sich schon in den §§ 196–201 des Codex Hammurabi und auch im Alten Testament („Auge um Auge, Zahn um Zahn", Ex. 21, 24; Levitikus 24, 20) und diente der Schadensbegrenzung.

[245] Lat. „Ich gebe, damit du gibst", zu den historischen Vorläufern s. etwa Paul. D. 19, 5, 5 pr.

[246] § 320 BGB: Einrede des nichterfüllten Vertrages.

[247] §§ 812 ff. BGB: Rückforderung einer ungerechtfertigten Bereicherung.

[248] Fallgruppe des § 242 BGB: Tu quoque – eigene Vertragstreue.

[249] Fallgruppe des § 242 BGB: venire contra factum proprium, BGH, Urt. v. 5.11.1974, VI ZR 100/73, BGHZ 63, 140, 143 ff. – Schadensersatzanspruch eines Fußballverbandsspielers.

[250] *R. Dreier*, JuS 1996, 580, 583.

[251] S. *Möllers*, JuS 1999, 1191 ff.

b) Gerechtigkeit, Zweckmäßigkeit und Rechtssicherheit als Rechtsideen (Radbruch)

Radbruch nimmt diese Gerechtigkeit von Aristoteles auf und nennt als weitere allgemeine Rechtsideen die Zweckmäßigkeit und den Rechtsfrieden.[252] Rechtssicherheit und Rechtsfrieden werden dadurch erreicht, dass der Staat verbindliche Regelungen für das Zusammenleben, also Rechtsnormen, setzt. Bürger wissen dann, wozu die einzelnen Rechtsnormen verpflichten oder berechtigen. So können unnötige Rechtsstreitigkeiten vermieden werden. Der Rechtsfrieden wird aber auch erreicht, indem der Staat jedem Einzelnen Mittel zur Verfügung stellt, um seine Rechte durchzusetzen; in diesem Fall wird der Rechtsfriede durch die gerichtliche Klärung des streitigen Sachverhalts erreicht. Mit Hilfe staatlicher Gerichte wird dem Einzelnen zu seinem Recht verholfen, denn Selbstjustiz und Faustrecht sind verboten. Dies schließt die Anarchie aus. Auch die Rechtskraft von Urteilen (§§ 322, 705 ZPO) und die Verjährungsregelungen dienen dem Rechtsfrieden (§§ 194 ff. BGB etc.). Außerhalb des Prozesses kann die außergerichtliche Streitbeilegung zum Rechtsfrieden beitragen. **109**

c) Menschenwürde und Rechtsgüterschutz

Zur Gerechtigkeit gehören der Rechtsgüterschutz und Fragen der Gleichheit. Wegen der menschlichen Verletzbarkeit sind persönliche Rechtsgüter und die Menschenwürde besonders geschützt.[253] In Deutschland werden diese Rechtsgüter über Art. 2 Abs. 2 GG, die §§ 823 ff. BGB und die §§ 211 ff. StGB geschützt.[254] Die Anerkennung der Menschenwürde in Art. 1 GG führt beispielsweise zur Begrenzung des Strafanspruchs[255] und zur Ablehnung der Todesstrafe.[256] Das Verbot, den anderen zu schädigen, ist ein uralter römischrechtlicher Satz (*alterum non laedere*).[257] Zum Teil wird die Ansicht vertreten, die gesamte Rechtsordnung diene nur dazu, die Rechtsgüter des Menschen zu schützen.[258] Schaden ist demnach ein „Weniger" als das, was dem Geschädigten gehört. Was dem Geschädigten gehört, lässt sich daran erkennen, was ihm bereits von der Natur her zukommt: Das sind Leben, Körper, Gesundheit, also die persönlichen Rechtsgüter.[259] (Schuldhafte) Schadenszufügung verlangt wiederherstellende Gerechtigkeit (*iustitia restitutiva*); eine Verletzung der Rechtsgüter ggf. strafende Gerechtigkeit (*iustitia vindicativa*).[260] **110**

---

[252] *Radbruch*, Grundzüge der Rechtsphilosophie, 1914, S. 82 ff.; *ders.*, Rechtsphilosophie, 8. Aufl. 1973, § 9 unterscheidet Gerechtigkeit, Zweckmäßigkeit und Rechtsicherheit; hierzu etwa *Kaufmann*, Rechtsphilosophie, 2. Aufl. 1997, S. 169 ff.; *Larenz*, Richtiges Recht, 1979, S. 12 ff., 33 ff.

[253] Zum Naturrecht s. sogleich unter § 2 Rn. 128 ff.

[254] S. *Möllers*, Rechtsgüterschutz im Umwelt- und Haftungsrecht, 1996, § 5. Angesprochen schon in BVerfG, Beschl. v. 8.8.1978, 2 BvL 8/77, BVerfGE 49, 89, 142 – Kalkar I. Zur Schutzpflichtenlehre s. unten § 11 Rn. 5 ff. **A.A.** *Kubiciel*, JZ 2018, 171, 178: nicht generelle Schutzwürdigkeit von Rechtsgütern, sondern Garantie bestimmter subjektiver Rechte.

[255] Die Menschenwürde verlangt, dass auch der Mörder die Chance haben muss, wieder die Freiheit zu erlangen, BVerfG, Urt. v. 21.6.1977, 1 BvL 14/76, BVerfGE 45, 187, 229 ff. – Lebenslange Freiheitsstrafe und § 57a StGB (§ 11 Rn. 69).

[256] Ebenso für alle Mitglieder der EU und des Europarates, s. Art. 2 Abs. 2 GRCh und Protokoll Nr. 6 zur Konvention zum Schutze der Menschenrechte und Grundfreiheiten, über die Abschaffung der Todesstrafe in der Fassung des Protokolls Nr. 11, BGBl. 2002 II, S. 1054. Die Todesstrafe gilt allerdings noch in China, Japan (hierzu *Herrmann*, in: FS Nishihara, 1998, S. 401 ff.) und in einzelnen Bundesstaaten der USA.

[257] Ulp. D. 1,1,10,2. Zu diesem allgemeinen Schädigungsverbot s. unten § 10 Rn. 87.

[258] *Hart*, Law, Liberty, and Morality, 1963, S. 25 ff.; ähnlich auch *Rüthers*, Die Wende-Experten, 2. Aufl. 1995, S. 184: „Recht ist zu allen Zeiten nichts anderes als der Versuch, als wertvoll angesehene Rechtsgüter durch Normen zu schützen"; vorher schon *Mill*, On Liberty, 2nd ed. 1859, Chap. IV, S. 134, der den Mitgliedern einer Gesellschaft die Pflicht auferlegt, gegenseitig auf die rechtlich schützenswerten Interessen zu achten und dieser Pflicht Rechtscharakter zukommen lässt.

[259] S. *Zimmermann*, The Law of Obligations, 1990, S. 1086 m.w.Nachw., sowie unten § 2 Rn. 138.

[260] Aus dem unüberschaubaren Schrifttum s. etwa *R. Dreier*, JuS 1996, 580, 581; *Rüthers/Fischer/Birk*, Rechtstheorie, 11. Aufl. 2020, Rn. 361 ff.

d) Sicherstellung von Freiheitsräumen

111 Das Recht möchte vor allem **Freiheitsräume** schaffen. Die Privatautonomie mit ihrer Vertragsfreiheit ist ein wichtiges Prinzip westlicher Gesellschaften. Die Autonomie des Menschen bedingt seine Freiheit. Die Verfassung möchte Freiheitsräume sicherstellen.[261] Vertragsfreiheit verlangt Selbstbestimmung, so wie Art. 2 Abs. 1 GG die freie Entfaltung der Persönlichkeit formuliert. Allerdings muss der einseitige Machtmissbrauch zulasten anderer begrenzt werden. Maßstab ist nicht die Sicherstellung des Gerechten, sondern die Verhinderung des Ungerechten.[262] *Coing* spricht von der *iustitia protectiva*, der begrenzenden Gerechtigkeit.[263] Dazu dient das Wettbewerbsrecht. Freiräume müssen vor allem auch über das Öffentliche Recht sichergestellt werden, indem der Staat Gemeinwohlinteressen schützt, die Voraussetzung für die Freiheit des Einzelnen ist. Der Staat muss sicherstellen, dass die Lebensgrundlagen in einem Mindestmaß erhalten bleiben, weil die natürlichen Ressourcen unserer Erde begrenzt sind.[264]

3. Juristische Methodenlehre als wertgebundene Argumentations- und Legitimationslehre

a) Die Menschenwürde und das Naturrecht als letzter Geltungsgrund

112 Recht hat den Anspruch, gerecht zu sein.[265] Im Idealfall ist die konkrete Entscheidung nicht nur vertretbar und überzeugend, sondern vor allem auch gerecht. Jede Jurisprudenz ist notwendigerweise Wertungsjurisprudenz, indem auf die Wertungen des Gesetzes und der gesamten Rechtsordnung abgestellt wird (§ 5 Rn. 22 ff.). Methodik soll letztlich zu einer gerechten Entscheidung führen oder in den Worten *Essers*:

113 „Damit wird die Rolle der Dogmatik deutlich, als Weg *Gerechtigkeitsfragen* in ihren Einzelbereichen juristisch operational zu machen. Darunter verstehe ich, daß Werturteile in einer Form vollzogen bzw. nachvollzogen werden, die sich als ‚Denken' i.S. von Objekt-Erkenntnis und entsprechender Verfeinerung der Lösungsschemata versteht. Ein solcher Umsetzungsprozess von *Richtigkeitserwägungen* in Denkbarkeitsfragen und Denkaufgaben ist die eigentlich innerste Bestimmung von *Rechtsmethodik*."[266]

114 Zuzustimmen ist der These, dass sich die Methodenlehre grundsätzlich auf die Wertungen der jeweiligen Rechtsordnung beziehen müsse. Das führte auch dazu, dass das StGB und das BGB in fünf verschiedenen Regimen zur Anwendung kam und während der Zeit

---

[261] Bereits Art. 16 Déclaration des droits de l'homme et du citoyen (französische Menschenrechtserklärung) v. 26.8.1789: Eine Gesellschaft, in der die Verbürgung der Rechte nicht gesichert und die Gewaltenteilung nicht festgelegt ist, hat keine Verfassung – *Toute société dans laquelle la garantie des droits n'est pas assurée, ni la séparation des pouvoirs déterminée, n'a point de Constitution.* Ähnlich BVerfG, Beschl. v. 20.12.1960, 1 BvL 21/60, BVerfGE 12, 45, 51 – Kriegsdienstverweigerung I: „Das Grundgesetz ist eine wertgebundene Ordnung, die den Schutz von Freiheit und Menschenwürde als den obersten Zweck allen Rechts erkennt."

[262] *von Hayek*, Recht, Gesetzgebung und Freiheit, Bd. 2, 1981, S. 62 ff. S. hierzu ausführlich § 8 Rn. 38 ff. und § 9 Rn. 44 ff., 49.

[263] *Coing*, Die obersten Grundsätze des Rechts, 1947, S. 48; *ders.*, 5. Aufl. 1993, S. 197.

[264] Grundlegend *Jonas*, Das Prinzip Verantwortung, 1979; *Hösle*, Die Krise der Gegenwart und die Verantwortung der Philosophie, Transzendentalpragmatik, Letztbegründung, Ethik, 3. Aufl. 1997, S. 257 f. Jüngst zur Verpflichtung gegenüber den nachfolgenden Generationen s. BVerfG, Beschl. v. 24.3.2021, 1 BvR 2656/18 u.a., BeckRS 2021, 8946 Rn. 182 ff., 192 - KSG. Zum Naturrecht s. unten § 2 Rn. 128 ff.

[265] *Pawlowski*, Methodenlehre für Juristen, 3. Aufl. 1999, Rn. 40. Zu den verschiedenen Gerechtigkeitstheorien s. *Seelmann/Demko*, Rechtsphilosophie, 7. Aufl. 2019, § 7.

[266] *Esser*, AcP 172 (1972), 97, 113; s. auch BVerfG, Beschl. v. 14.2.1973, 1 BvR 112/65, BVerfGE 34, 269, 287 – Soraya: fundierte allgemeine Gerechtigkeitsvorstellungen. S. *Larenz*, Methodenlehre der Rechtswissenschaft, 6. Aufl. 1991, S. 122 f.; *Fikentscher*, Methoden des Rechts, Bd. III, 1976, S. 426 f., 650 f., Bd. IV, 1977, S. 6, 188 ff.; *Pawlowski*, Methodenlehre für Juristen, 3. Aufl. 1999, Rn. 40.

des Nationalsozialismus „völkisch" uminterpretiert werden konnte (§ 4 Rn. 67 f. und § 14 Rn. 100 ff.). Das Grundgesetz stellt seither sicher, dass sich derartiges nicht wiederholen kann. Art. 1 GG verpflichtet alle staatliche Gewalt die Menschenwürde zu achten. Dieser Artikel kann nicht geändert werden, wie die **Ewigkeitsgarantie** des Art. 79 Abs. 3 GG verdeutlicht (§ 2 Rn. 41). Das gilt gerade auch wegen des Bezugs von Art. 1 GG auf die Präambel der Allgemeinen Erklärung der Menschenrechte (AEMR) von 1948.[267] Das BVerfG wacht darüber. Im Übrigen ist die Radbruch'sche Formel anerkannt (§ 2 Rn. 131 ff.). Die Juristischen Methodenlehre nach modernem Verständnis umfasst damit sowohl verfassungsrechtliche Fragestellungen als auch Rechtsfiguren der Nachbardisziplinen. Für die Rechtsfortbildung ist das schon deshalb naheliegend, weil die Gerichte in unzulässiger Weise in die Gesetzgebungskompetenz des Parlaments eingreifen können.[268] Damit ist *Rüthers* (§ 1 Rn. 105) zu widersprechen: Die Juristische Methodenlehre ist verpflichtet, ungerechte Ergebnisse zu verhindern. Die Ewigkeitsgarantie des Art. 79 Abs. 3 GG will sicherstellen, dass das Recht und damit die Juristische Methodenlehre nicht mehr missbraucht werden kann. Die Frage nach dem Gerechtigkeitsanspruch der Methodenlehre wird am Ende des Werkes noch einmal aufgenommen (§ 14 Rn. 114 ff.).

b) Die verschiedenen Aufgaben der Juristischen Methodenlehre

Die Rechtswissenschaft ist frei; sie entscheidet nicht. Im Rahmen der Verfassung darf nur die Politik rechtspolitisch frei entscheiden. Die Rechtspraxis muss dagegen geltendes Recht befolgen, wie der Gesetzesvorrang des Art. 20 Abs. 3 Hs. 2 GG verdeutlicht, und ist damit methodisch gebunden.[269] Spiegelbildlich gilt auch: Die Juristische Methode will somit die Bindung an das Recht und die ihm zugrunde liegenden Werte sicherstellen.[270] Aufgabe des Juristen ist es, ausgehend vom Sachverhalt konkrete Regeln aus dem Recht zu finden, um die auftauchenden Probleme angemessen zu lösen. Die Methodenlehre zielt also auf eine verfassungsgemäße, rational kontrollierte und kontrollierbare Anwendung von Rechtsnormen auf konkrete Sachverhalte. **115**

Zuallererst möchte sie die subjektiven Präferenzen des Rechtsanwenders begrenzen; die Rechtsgewinnung soll mithin **verobjektiviert** (§ 1 Rn. 47) werden, indem etwa die Rechtsquellen bezeichnet werden und die Rechtsgewinnung auf das positive Recht bezogen wird. Damit einhergehend kann das Ergebnis in möglichst weitem Umfang einer **rationalen Nachprüfung** unterzogen werden.[271] Dieses Begründungsgebot folgt aus verfassungsrechtlichen Grundsätzen, wie etwa dem Willkürverbot und dem Recht auf rechtliches Gehör (§ 1 Rn. 40). **116**

Die Methodenlehre zielt zweitens darauf, Ergebnisse möglichst ohne Wertungswidersprüche mit der Rechtsordnung zu begründen. Die Methodenlehre übernimmt somit auch eine wichtige **Systematisierungsfunktion**.[272] Damit einhergehend besteht auch eine fortlaufende Koordinierungs- und Harmonisierungsfunktion. Das gilt in besonderem Maße für das Einpassen europäischer Vorgaben in das nationale Recht.[273] Das Ziel der Methodenanwendung ist die Bestimmung und Fortbildung des geltenden Rechts. Die Methodenlehre hat damit auch eine Erkenntnisfunktion.[274] **117**

---

[267] Präambel Abs. 1 AEMR; hierzu ausführlich *Rensmann*, Wertordnung und Verfassung, 2007, S. 27 ff.

[268] § 1 Rn. 34. Darauf wird vor allem in § 13 und § 14 ausführlich eingegangen.

[269] *Rückert/Seinecke*, in: dies., Methodik des Zivilrechts – von Savigny bis Teubner, 3. Aufl. 2017, S. 39, 40 f.

[270] *Morlok*, in: Gabriel/Gröschner, Subsumtion, 2012, S. 179, 183.

[271] Instruktiv zum juristischen Denken, s. *Gauch*, in: FS Kramer, 2004, S. 169 ff.

[272] *Larenz*, Methodenlehre der Rechtswissenschaft, 6. Aufl. 1991, S. 437 ff.; zum Systembegriff s. *Zimmermann*, 112 L.Q.Rev. (1996), 576, 585.

[273] S. ausführlich unten § 12. **A.A.** aber *Flessner*, JZ 2002, 14, 16, der dies wegen der unsystematischen Gesetzgebung auf europäischer Ebene in Frage stellt.

[274] *Larenz*, Methodenlehre der Rechtswissenschaft, 6. Aufl. 1991, S. 244.

118 Die Rückanbindung des Ergebnisses mittels juristischer Methoden erhöht drittens die Überzeugungskraft. Hierzu lenkt der Methodenkanon den Rechtsgewinnungsprozess und dient der *Rechtssicherheit*. Die **Kontrollfunktion** erlaubt schließlich, unzutreffende Ergebnisse anhand der juristischen Methode auszusondern. Die Methodenlehre ist vor allem dann gefordert, wenn der Jurist neue Ergebnisse entwickelt. Das wird im Rahmen der Rechtsfortbildung noch genauer zu zeigen sein. Das gilt erst Recht in zweifelhaften Grenzbereichen, wenn beispielsweise das Gesetz vollständig schweigt (§ 13 Rn. 39 ff.).

119 Die Juristische Methodenlehre strebt die überzeugendste von verschiedenen Lösungsmöglichkeiten an. Mit ihrem Rationalitätsanspruch zielt sie auf Kohärenz[275] und Akzeptanz (§ 5 Rn. 101 ff.). Damit will sie ausdrücklich dem Entscheiden nach eigenem Vorverständnis (§ 1 Rn. 70 f.) oder kraft richterlicher Dezision (§ 14 Rn. 40 ff.) entgehen.

120 Wissenschaft versucht schrittweise, mit wohlüberlegten Methoden, Wissen über einen Gegenstand zu gewinnen. Diese Ergebnisse müssen rational begründet werden.[276] Dabei muss man sich vergegenwärtigen, dass das Bemühen um Wahrheit als „etwas noch nicht ganz Gefundenes und nie ganz Aufzufindendes“[277] zu akzeptieren ist.[278] Nach den gerade genannten Funktionen der Juristischen Methodenlehre[279] ist ihr die Wissenschaftlichkeit nicht abzusprechen.[280]

Zusammenfassung zu § 1

121 I. Die Juristische Methodenlehre umfasst die Rechtquellenlehre (1. Teil) und die Auslegung (2. Teil). Die Konkretisierung und Konstruktion finden im Rahmen der Vergleichsfallmethode und mit Fallgruppen und Rechtsprinzipien statt (3. Teil). Die Verfassung und das Europarecht können als höherrangiges Recht einfaches Recht in der Anwendung überlagern (4. Teil). Die Juristische Methodenlehre zielt auf Rechtsfrieden und Rechtssicherheit. Insoweit sind die Grenzen der Rechtsfortbildung ebenso zu erörtern wie die Fallhermeneutik, eine Prüfungsfolge und die Hierarchie der Auslegungsfiguren (5. Teil).

II. Die Juristische Methodenlehre ist eine *Legitimationslehre*. Konkretisiert wird dies mit dem Gesetzlichkeitsprinzip, der Pflicht zur Rechtsanwendungsgleichheit und der Pflicht, Gerichtsentscheidungen zu begründen. Sie will einerseits die Macht des Richters gegenüber dem Parlament begrenzen. So dient der Gesetzesvorbehalt auch der Sicherung der Gewaltenteilung. Andererseits bezweckt sie Machtbegrenzung gegenüber dem Bürger. Die Begründung gerichtlicher Entscheidungen ist eine Errungenschaft der Neuzeit.

III. Die Juristische Methodenlehre ist damit eine *Argumentations- und Begründungslehre*. Sie will falsche Ansichten widerlegen, eine vertretbare Ansicht begründen und von

---

[275] Ausführlich *Strauch*, Methodenlehre des gerichtlichen Erkenntnisverfahrens, 2017, Teil B.

[276] Forschung ist dabei die geistige Tätigkeit mit dem Ziele, in methodischer, systematischer und nachprüfbarer Weise neue Erkenntnisse zu gewinnen, Bundesbericht Forschung III, BT-Drs. V/4335, S. 4. Vorher bereits *Canaris*, Systemdenken und Systembegriff in der Jurisprudenz, 2. Aufl. 1983, S. 43: Jurisprudenz als ein methodisch geleitetes, auf rationaler Argumentation beruhendes Unternehmen.

[277] *von Humboldt*, Über die innere und äußere Organisation der höheren wissenschaftlichen Anstalten in Berlin, in: *Preußische Akademie der Wissenschaft*, W. v. Humboldt, Schriften, Bd. 10, 1903, S. 250, 253.

[278] Instruktiv BVerfG, Urt. v. 29.5.1973, 1 BvR 424/71 u.a., BVerfGE 35, 79, 113 – Hochschul-Urteil.

[279] Hierzu *Rüthers/Fischer/Birk*, Rechtstheorie, 11. Aufl. 2020, Rn. 649 ff. sowie Rn. 321 ff. (zur Rechtsdogmatik); *Herresthal*, Rechtsfortbildung im europarechtlichen Bezugsrahmen, 2006, S. 48 ff.

[280] *Coing*, Grundzüge der Rechtsphilosophie, 5. Aufl. 1993, S. 298; *Kaufmann*, ARSP 72 (1986), 425 ff.; *ders.*, Das Verfahren der Rechtsgewinnung, 1999, S. 38, 42; *Zimmermann*, 112 L.Q.Rev. 112 (1996), 576, 585; Bydlinski/*Bydlinski*, Grundzüge der juristischen Methodenlehre, 3. Aufl. 2018, S. 17. **A.A.** *Honsell*, Was ist Gerechtigkeit?, 2019, S. 111: nicht Wissenschaft im engeren Sinne, sondern lediglich Wertungswisssenschaft und Argumentationskunst; Palandt/*Grüneberg*, BGB, 80. Aufl. 2021, Einl. Rn. 46 (hierzu § 14 Rn. 40). Krit. auch *Jestaedt*, JZ 2014, 1 ff.; *Kuntz*, AcP 216 (2016), 866 ff.

mehreren Ansichten die überzeugendste Ansicht herausarbeiten. Dazu schult sie das *Juristische Denken* im Bereich von Auslegung, Konkretisierung und Konstruktion, indem sie eine nachvollziehbare Begründung erfordert. Zu den Denkrichtungen gehören neben der Deduktion und Induktion auch die Abwägung und die Innovation durch die Topik. Umgekehrt werden weniger überzeugende Denkrichtungen abgelehnt wie das Vorverständnis, die Juristische Dezision und das nachträgliche Begründen.

IV. Die Juristische Methodenlehre ist gerade nicht wertfrei. Sie bezweckt die rationale Nachprüfung ihrer Begründung und zielt damit auf *Gerechtigkeit* durch Verfahren ab.

§ 2 Rechtsquellen

Literatur: *Canaris, Claus-Wilhelm*, Die Stellung der „UNIDROIT Principles" und der „Principles of European Contract Law" im System der Rechtsquellen, in: Basedow, Jürgen, Europäische Vertragsvereinheitlichung und deutsches Recht, 2000, S. 5–31; *Dreier, Horst*, Gustav Radbruch und die Mauerschützen, JZ 1997, 421–434; *Dreier, Ralf*, Der Begriff des Rechts, NJW 1986, 890–896; *Everling, Ulrich/Roth, Wulf-Henning (Hrsg.)*, Mindestharmonisierung im Europäischen Binnenmarkt, 1997; *Gsell, Beate/Herresthal, Carsten (Hrsg.)*, Vollharmonisierung im Privatrecht, 2009; *Haack, Stefan*, Theorie des öffentlichen Rechts, 2017; *Hart, Herbert Lionel Adolphus*, The Concept of Law, 3rd ed. 2012; *Hilbert, Patrick*, An welche Normen ist der Richter gebunden?, JZ 2013, 130–136; *Hoerster, Norbert*, Zur Verteidigung der rechtspositivistischen Trennungsthese, ARSP Beiheft 37 (1990), S. 27–32; *Hof, Hagen*, Rechtsethologie, 1996; *Hruschka, Joachim*, Vorpositives Recht als Gegenstand und Aufgabe der Rechtswissenschaft, JZ 1992, 429–438; *Kahl, Wolfgang/Schwind, Manuel*, Europäische Grundrechte und Grundfreiheiten – Grundbausteine einer Interaktionslehre, EuR 2014, 170–195; *Kaufmann, Arthur*, Die Radbruchsche Formel vom gesetzlichen Unrecht und vom übergesetzlichen Recht in der Diskussion um das im Namen der DDR begangene Unrecht, NJW 1995, 81–86; *Kelsen, Hans*, Reine Rechtslehre, 2. Aufl. 1960; *Merkl, Adolf*, Prolegomena einer Theorie des rechtlichen Stufenbaues, in: FS Kelsen, 1931, S. 253–294; *Meyer, Franz C.*, Kompetenzüberschreitung und Letztentscheidung, 2000; *Radbruch, Gustav*, Gesetzliches Unrecht und übergesetzliches Recht, Süddeutsche JZ 1946, 105–108; *Thym, Daniel*, Freundliche Übernahme, oder: die Macht des „ersten Wortes" – „Recht auf Vergessen" als Paradigmenwechsel, JZ 2020, 1017–1027.

Übersicht

Rn.

I. Recht und Rechtsquellen 2
1. Kriterien zur Umschreibung von Recht 2
2. Abgrenzung des Rechts zur Moral, Ethik und political correctness 15
II. Hierarchie von Rechtsquellen in Deutschland 28
1. Gesetze als Rechtsquelle in Deutschland 28a
2. Höherrangiges Recht: Der Stufenbau des Rechts und der *Lex-superior*-Satz als Kollisionsregel 36
3. Der Stufenbau des deutschen Rechts 41
4. Gesetzesänderung, Rechtssicherheit und Vertrauensschutz 44
III. Der heutige Stufenbau in Deutschland unter Einbeziehung des europäischen Rechts 52
1. Rechtsetzung in der EU 53
2. Die autonome Auslegung des Europarechts und die Auslegung innerhalb der europäischen Normenhierarchie 70
3. Höherrangigkeit des Unionsrechts gegenüber dem nationalen Recht – Geltung und Anwendungsvorrang 82
4. Die Anwendung des nationalen Rechts im Rahmen der Mindestharmonisierung 110
IV. Der heutige Stufenbau in Deutschland unter Einbeziehung des internationalen Rechts 116
1. Rechtsquellen auf internationaler Ebene 116
2. Die autonome Auslegung von internationalen Abkommen 118
3. Der Stufenbau des Völkerrechts 121
4. Völkerrecht und nationales Recht 122
V. Naturrecht 128
1. Zur Relevanz des Naturrechts 128
2. Vorrang von Naturrecht gegenüber dem eindeutigen Unrechtsgesetz (Radbruch'sche Formel) 133
3. Positive Formen von Naturrecht 138

1 Im folgenden Kapitel wird erörtert, welche Rechtsquellen zur Lösung eines Falls herangezogen werden dürfen und müssen. Welche Quellen gilt es dabei zu berücksichtigen und in welcher Beziehung oder Hierarchie stehen diese zueinander (I.)? Hierfür wird die wichtigste juristische Argumentationsfigur vorgestellt, die *Lex-superior*-Regel. Sie ist keine Auslegungsregel, sondern eine strenge Vorrangregel. Sie führt dazu, dass andere Auslegungsergebnisse unrichtig sind (§ 1 Rn. 64 ff.). Wer gegen die Vorrangregel verstößt, kommt zu einem falschen Ergebnis (II.). Viele Einzelheiten sind dabei umstritten, gerade wenn das europäische (III.) und das internationale Recht (IV.) hinzugezogen werden. Schließlich kann auch das Naturrecht zur Rechtsfindung herangezogen werden (V.).

I. Recht und Rechtsquellen

1. Kriterien zur Umschreibung von Recht

a) Rechtsquellen und Rechtserkenntnisquellen

2 aa) "Die vollziehende Gewalt und die Rechtsprechung sind an Gesetz und Recht gebunden", heißt es in Art. 20 Abs. 3 GG. Bevor man Recht auslegt, interpretiert oder konkretisiert, muss man erst einmal wissen, was unter Recht zu verstehen ist. Die Rechtsquellenlehre fragt also, *ob* ein bestimmter Rechtssatz bei der Rechtsfindung überhaupt berücksichtigt werden kann oder muss. Dabei kann das Recht auf nationaler, europäischer und internationaler Ebene herangezogen werden. Relevant können aber auch die Rechtsprechung und Rechtsliteratur sein (§ 3 Rn. 22 ff. und Rn. 100). Davon ist die Rechtsanwendung zu unterscheiden, also die Frage, *wie* Recht anzuwenden ist.

3 Formal versteht man unter Recht allgemeinverbindliche Normen, die entweder vom Gesetzgeber erlassen oder zumindest anerkannt werden oder von den Gerichten angewendet werden.[1] Inhaltlich lässt sich Recht als Gesamtheit sozialer Normen definieren, deren Wirksamkeit im Großen und Ganzen durch organisierten Zwang garantiert wird, deren Anwendung und Erzeugung einer entsprechenden Ermächtigung bedarf und deren Verbindlichkeitsanspruch die Überzeugung ihrer Legitimität voraussetzt.[2] Verlangt man zudem, dass Recht nicht unerträglich ungerecht sein darf,[3] kann man Recht als Rechtsregeln beschreiben, die vom *Gesetzgeber erlassen oder zumindest anerkannt* werden oder von den *Gerichten angewendet* werden, *nicht unerträglich ungerecht* sind und mit *staatlichen Zwangsmitteln* durchgesetzt werden können.[4] Damit umfasst Recht nicht nur das gesetzte Recht (sog. positives Recht), sondern auch Naturrecht (sog. überpositives Recht), Rechtsprinzipien und ungeschriebenes Recht. Diesem objektiven Recht wird das subjektive Recht gegenübergestellt. Damit gemeint sind etwa Ansprüche, also nach der Legaldefinition des § 194 Abs. 1 BGB das Recht, das dem Einzelnen zusteht, von einem anderen ein Tun oder Unterlassen zu verlangen. Das objektive Recht hat damit gegenüber dem subjektiven Recht eine dienende Funktion.[5]

4 bb) Der Begriff „Rechtsquelle" ist wenig geklärt.[6] Er umschreibt Erscheinungsformen, in denen das objektive Recht auftritt: alle Rechtsnormen der Verfassung, der Gesetze und

---

[1] So *Rüthers/Fischer/Birk*, Rechtstheorie, 11. Aufl. 2020, Rn. 53, 56; ähnlich *Hilbert*, JZ 2013, 130, 132.

[2] *Koller*, Theorie des Rechts, 2. Aufl. 1997, S. 44.

[3] Zur Radbruch'schen Formel s. unten § 2 Rn. 131 ff.

[4] Vgl. auch *R. Dreier*, NJW 1986, 890, 896.

[5] *Jellinek*, System der subjektiven öffentlichen Rechte, 2. Aufl. 1905, S. 9: „Eine objektive Ordnung des öffentlichen Rechtes ist daher Grund des subjektiven öffentlichen Rechtes."; *Haack*, Theorie des öffentlichen Rechts, 2017, S. 22 f.

[6] Zu den unterschiedlichen Begriffen s. etwa *Ruffert*, in: Hoffmann-Riem/Schmidt-Aßmann/Voßkuhle, Grundlagen des Verwaltungsrechts, Bd. 1, 2. Aufl. 2012, § 17 Rn. 1; *Canaris*, in: Basedow, Europäische Vertragsrechtsvereinheitlichung und deutsches Recht, 2000, S. 5 ff.

Verordnungen. Im weiteren Sinne umfasst der Begriff alle Einflussfaktoren, die für das Recht maßgeblich sind, etwa die rechtswissenschaftliche Literatur, die Verwaltungsübung oder die Gerichtspraxis. Die vorherrschende Ansicht verwendet den Begriff „Rechtsquelle" allerdings enger. Als Rechtsquelle wird nur anerkannt, was für den Rechtsanwender einen **verbindlichen Rechtssatz** darstellt.[7]

Gesetze, Rechtsverordnungen und Satzungen werden als sog. **primäre Rechtsquellen** 5
bezeichnet. Die Verfassung ist Ausgangspunkt der Rechtsquellenlehre.[8] Gesetze und Verordnungen gelten und binden, es sei denn, diese sind aus formellen oder materiellen[9] Gründen nichtig. Ihre Geltungs- und Bindungswirkung verlieren sie, wenn sie vom Gesetzgeber aufgehoben werden. Satzungen werden schon bei Verstößen gegen höherrangiges Recht automatisch unwirksam, so dass die Aufhebung nur deklaratorisch ist.[10] Satzungen in Form von Bauleitplänen können überdies auch durch faktische Funktionslosigkeit ihre Wirkung verlieren.[11] Dabei ist der Gesetzgeber durch den Vertrauensschutz eingeschränkt. Nach der hier vertretenen Ansicht gibt es zudem **sekundäre Rechtsquellen**, wie Richterrecht, Verwaltungsvorschriften und private Normsetzung, die eine geringere Form von Verbindlichkeit aufweisen.

Im Unterschied werden rechtlich nicht bindende Einflussfaktoren nur als unverbindli- 6
che **Rechtserkenntnisquellen** bezeichnet. Dieser dritte Bereich lässt sich auch als ***soft law*** bezeichnen. Dazu gehören etwa ausländische Urteile, die auf freiwilliger Basis herangezogen werden (§ 3 Rn. 94), Modellgesetze (§ 3 Rn. 17) oder das juristische Schrifttum.[12] Diese soziologischen Rechtsquellen sind Rechtserkenntnisquellen, die dem Richter helfen können, das geltende Recht zutreffend zu erkennen[13], ohne aber selbst Bindungswirkung zu erzeugen.

b) Geltung und Bindungswirkung

Wie ist mit schweren Menschenrechtsverletzungen während der Zeit des Nationalsozi- 6a
alismus oder der DDR umzugehen? Welches Recht gilt (§ 2 Rn. 130 ff.)? Oder wie ist bei Kollisionen zwischen europäischem Recht und nationalem Recht vorzugehen? Juristisch muss streng zwischen Geltung und Bindungswirkung verschiedener Rechtsquellen unterschieden werden. So stellt sich zuerst die Frage, ob eine Rechtsquelle *gilt*.[14] Als die europäischen Verträge 1958 in Kraft traten, war ungeklärt, ob europäisches Recht automatisch in den Mitgliedstaaten der Europäischen Union gilt (§ 2 Rn. 82 ff.). Ausländische Urteile gelten in der Regel nicht in Deutschland (ausführlich § 3 Rn. 76 ff., 94). Auch private Regelwerke sind i.d.R. nur Rechtserkenntnisquellen, gelten also nicht automatisch. Sie können aber zur Geltung gebracht werden[15], eine widerlegbare Vermutung begründen oder zur Beweiswürdigung im Prozess herangezogen werden (§ 3 Rn. 60 ff.).

Davon zu trennen ist die Frage, ob die Rechtsquelle auch *Bindungswirkung* für die Lö- 6b
sung des konkreten Falls erzeugt. Auch hier stellt sich das Problem bei der Kollision verschiedener Gesetzestexte. Die Verfassung gilt zwar in ganz Deutschland, bindet aber im Privatrecht die Parteien i.d.R. nur mittelbar (§ 11 Rn. 11 ff.). Im Europarecht kann Europarecht zwar gelten, aber nur unter bestimmten Voraussetzungen mit dem sogenannten

---

[7] *Rüthers/Fischer/Birk*, Rechtstheorie, 11. Aufl. 2020, Rn. 217.

[8] *Röhl/Röhl*, Allgemeine Rechtslehre, 3. Aufl. 2008, S. 520 f.; *Gaier*, in: Lobinger/Piekenbrock/Stoffels, Zur Integrationskraft zivilrechtlicher Dogmatik, 2014, S. 85, 95 ff.

[9] Etwa weil sie gegen höherrangiges Recht verstoßen (§ 2 Rn. 36 ff.).

[10] BVerwG, Beschl. v. 6.5.1993, 4 N 2/92, BVerwGE 92, 266, 270; *Hoffmann-Riem*, in: ders./Schmidt-Aßmann/Voßkuhle, Grundlagen des Verwaltungsrechts, Bd. 2, 2. Aufl. 2012, § 33 Rn. 3.

[11] BVerwG, Urt. v. 3.8.1990, 7 C 41/89 u.a., BVerwGE 85, 273, 281 f.; BVerwG, Urt. v. 6.4.2016, 4 CN 3/15, NVwZ 2016, 1481, 1482.

[12] Zu dieser Dreiteilung (Trichotomie) wird in § 3 Stellung genommen.

[13] *Rüthers/Fischer/Birk*, Rechtstheorie, 11. Aufl. 2020, Rn. 217.

[14] *Haack*, Theorie des öffentlichen Rechts, 2017, S. 24 f.

[15] Zur Entsprechungserklärung des § 161 Abs. 1 AktG s. § 3 Rn. 63 ff.

Anwendungsvorrang zur Anwendung kommen (§ 12 Rn. 4 ff.). Wiederum gelten Besonderheiten zwischen Privatpersonen oder aber bei der Anwendung europäischer Richtlinien. Urteile in Europa gelten zwar, binden in der Regel aber nur die Parteien und nicht jedermann (ausführlich § 3 Rn. 3). Etwas anderes gilt wiederum im anglo-amerikanischen Rechtskreis (§ 3 Rn. 44).

c) Rechtssätze als Sollensnormen

7 aa) In England definierte *Austin* objektives Recht als Gebot und Befehl des Souveräns an seine Untertanen.[16] Ähnlich entwickelte *Thon* Ende des 19. Jahrhunderts in Deutschland die Imperativentheorie. Für ihn ist das gesamte Recht einer Gemeinschaft „nichts als ein Complex von Imperativen".[17] Ein Rechtssatz besteht aus Geboten und Verboten. Das Gebot billigt und fordert ein bestimmtes Tun; das Verbot missbilligt ein Tun und fordert ein Unterlassen; ein Rechtssatz ist damit eine **Sollensnorm.**[18] Die Rechtsnorm besteht regelmäßig aus Tatbestand, Kopula und Rechtsfolge.[19] Zum Tatbestand gehört alles, was die zu regelnde Situation kennzeichnet. Zur Rechtsfolge gehört alles, was den Inhalt des Gebotes oder Verbotes näher bestimmt, wie etwa Erfüllung, Unterlassung oder Schadensersatz. Die Kopula (lateinisch für Band) verbindet Tatbestand und Rechtsfolge und enthält die Sollenspflicht. Typische Formulierungen sind: „hat, muss, ist […] verpflichtet, kann nicht." Es zeichnet die Rechtsnorm somit aus, dass sie etwas fordert, damit die Rechtsfolge eintritt.

8 *Vgl. z.B. § 823 Abs. 1 BGB:*

Tatbestand:	Wer vorsätzlich oder fahrlässig das Leben, den Körper, die Gesundheit, die Freiheit, das Eigentum oder ein sonstiges Recht eines anderen widerrechtlich verletzt und ihm dadurch einen Schaden zufügt,
Kopula:	ist verpflichtet,
Rechtsfolge:	dem anderen Ersatz zu leisten.

9 bb) Rechtssätze unterscheiden sich von Tatsachen, weil sie gelten, d.h. für diejenigen, die durch sie betroffen sind, verbindlich sind.[20] Als Sollenssätze fordern sie zu einem Tun oder Unterlassen auf und gelten unabhängig davon, ob sie mit der Lebenswirklichkeit übereinstimmen oder nicht. Gesetzliche Fiktionen weichen sogar regelmäßig von der Lebenswirklichkeit ab. So gilt das Grundbuch zugunsten des Gutgläubigen gem. § 892 Abs. 1 S. 1 BGB als richtig, obwohl es objektiv falsch ist (§ 4 Rn. 55). Sein und Sollen sind somit zu unterscheiden (§ 3 Rn. 20 ff.).

10 cc) Der Amerikaner *Llewellyn* arbeitete heraus, dass Recht nicht nur der Verhaltenssteuerung dient, sondern eine Ordnungsfunktion erfüllt, indem einzelne Normen, ohne Pflichten zu begründen, etwa subjektive Rechte begründen (wie beispielsweise das Eigentum in § 903 BGB) oder Legaldefinitionen umfassen.[21] Nach *Larenz* sind alle Rechtssätze

---

[16] *Austin*, Lectures on Jurisprudence or the Philosophy of Positive Law, Vol. I, 5th ed. 1885, S. 90, 94: „The command of the lawgiver is, therefore, a law or rule."

[17] *Thon*, Rechtsnorm und subjektives Recht, 1878, S. 8. Zu den subjektiven Rechten s. gerade *Jellinek* (§ 2 Fn. 5).

[18] Neben *Thon* auch *Radbruch*, Grundzüge der Rechtsphilosophie, 1914, S. 72 f.; *Kelsen*, Reine Rechtslehre, 2. Aufl. 1960, S. 4 f., 25 f., 45; Engisch/*Würtenberger/Otto*, Einführung in das juristische Denken, 12. Aufl. 2018, S. 36 ff.; *Rüthers/Fischer/Birk*, Rechtstheorie, 11. Aufl. 2020, Rn. 148 ff.; Zippelius/*Würtenberger*, Juristische Methodenlehre, 12. Aufl. 2020, S. 2 ff.

[19] Weitere Differenzierungen s. *Schnapp*, Logik für Juristen, 7. Aufl. 2016, S. 76 f. Andere sprechen nur von Tatbestand und Rechtsfolge etwa *Larenz*, Methodenlehre der Rechtswissenschaft, 6. Aufl. 1991, S. 251 f.

[20] *Henkel*, Einführung in die Rechtsphilosophie, 2. Aufl. 1977, S. 41 f.

[21] *Llewellyn*, 49 Yale L.J. 1355 ff. (1939/40); s. hierzu *Rehbinder*, Rechtssoziologie, 8. Aufl. 2014, Rn. 96 ff.; *Bydlinski*, Juristische Methodenlehre und Rechtsbegriff, 2. Aufl. 1991, S. 197 ff.; *Hart*, The Concept of Law, 3rd ed. 2012, S. 27 ff.

Bestimmungen.[22] Allerdings ist diese Theorie recht blass. Subjektive Rechte und Legaldefinitionen werden regelmäßig mit Imperativen verbunden. Für § 823 Abs. 1 BGB wird etwa die Legaldefinition des Begriffs Eigentum nach § 903 BGB und der Schadensbegriff benötigt, der sich erst aus den §§ 249–253 BGB erschließt. Nicht von ungefähr lernt der angehende Jurist, die Gesetze nach Imperativen, sei es nach Anspruchsgrundlagen, Verboten oder Ermächtigungsgrundlagen, zu durchforsten.[23] Ohne Zwang gibt es deshalb in letzter Konsequenz kein Recht.[24]

d) Sanktion und Vollzug von Gesetzen

Eine ganze Forschungsrichtung, die Rechtsethnologie, beschäftigt sich mit den Wech- **11** selbeziehungen von Verhalten und rechtlicher Verhaltensregelung.[25] Gesetze müssen von den Betroffenen als verpflichtend empfunden werden.[26] Dazu bedarf es Sanktionen, die tatsächlich durchgesetzt werden. Ohne solche Sanktionen besteht die Gefahr, dass die Rechtsnorm vom Bürger nicht als verbindlich angesehen wird und damit auch kein entsprechendes Rechtsbewusstsein schafft.[27] Gesetze, die nur eine politische Aktivität des Gesetzgebers vortäuschen, ohne aber deren Anwendung zu gewährleisten, werden vom Bürger ignoriert oder wirken irritierend. Der Erlass solcher Gesetze ist nur symbolisch; man spricht treffend von **symbolischer Gesetzgebung** oder Schaufenstergesetzen.[28] Mühevoll war der Versuch der Stadtverwaltung von San Francisco, mit drei immer größeren Aufklebern die Rücksichtnahmepflicht von Fahrgästen in öffentlichen Bussen gegenüber älteren Bürgern durchsetzen:

Rücksichtnahmepflicht: **12**
1. "Your cooperation is requested in reserving these seats for seniors and handicapped passengers."
2. "Federal Law 49 CFR 37, requires: 5–14. These seats must be vacated for seniors and disabled persons."
3. "It's the Law. Front seats must be vacated for seniors and persons with disabilities."

Gurtpflicht: Die gesetzliche Anschnallpflicht in Kraftfahrzeugen war zwar bekannt und **13** bestimmt genug und wurde auch vom Bundesverfassungsgericht als verhältnismäßig und mit Art. 2 GG vereinbar angesehen.[29] Sie wurde von der Mehrheit der Autofahrer aber erst

---

[22] *Larenz*, Methodenlehre der Rechtswissenschaft, 6. Aufl. 1991, S. 256; *ders.*, in: FS Engisch, 1969, S. 150, 153 ff.; zustimmend *Henkel*, Einführung in die Rechtsphilosophie, 2. Aufl. 1977, S. 44.

[23] *Möllers*, Juristische Arbeitstechnik und wissenschaftliches Arbeiten, 10. Aufl. 2021, § 2 Rn. 13 ff.

[24] Prägnant formulierte schon *von Jhering*, Der Zweck im Recht, Bd. 1, 4. Aufl. 1904, S. 250: „Der vom Staat in Vollzug gesetzte Zwang bildet das absolute Kriterium des Rechts, ein Rechtssatz ohne Zwang ist ein Widerspruch in sich selbst, ein Feuer, das nicht brennt, ein Licht, das nicht leuchtet."

[25] S. etwa *Hof*, Rechtsethologie, 1996, S. 1. Zum Nudging (Stupsen) s. unten § 5 Rn. 129a.

[26] *Heller*, Allgemeine Staatslehre, 4. Aufl. 1970, S. 191 ff.; *Welzel*, Die Frage nach der Rechtsgeltung, 1966, S. 15.

[27] *Gruter*, in: Engisch u.a., Rechtstheorie, Bd. 11, 1980, S. 96; *Habermas*, Faktizität und Geltung, 1992, S. 143 ff.; *Rehbinder*, Rechtssoziologie, 8. Aufl. 2014, Rn. 115; Zur Feldforschung der Kapauku in New Guinea anschaulich *Pospišil*, Anthropology of Law: A comparative theory, 1974. Ein sehr anschauliches literarisches Beispiel hierzu liefert auch *William Goldings*, Lord of the Flies, 1954. Die auf einer Insel gestrandeten Kinder verwenden eine Muschel, um sich eine Ordnung zu geben. Nur wer die Muschel jeweils in der Hand hält, darf bei den Versammlungen sprechen („Hear him! He's got the conch!" S. 111). Das Konzept scheitert letztlich daran, dass es keine Sanktion bei Regelverstößen gibt („The rules!" shouted Ralph, „you're breaking the rules!" „Who cares?" S. 114) und die Ordnung wie auch die Muschel zerbricht am Ende („the conch exploded into a thousand white fragments and ceased to exist." S. 222).

[28] *Schmehl*, ZRP 1991, 251 ff.; *Voß*, Symbolische Gesetzgebung: Fragen zur Rationalität von Strafgesetzgebungsakten, 1989; *Sendler*, NJW 1989, 1761, 1763; *Deckert*, Folgenorientierung in der Rechtsanwendung, 1995, S. 24, 97.

[29] BVerfG, KBeschl. v. 24.7.1986, 1 BvR 331/85, NJW 1987, 180 – Gurtanschnallpflicht.

beachtet, nachdem der Gesetzgeber das Nichtanschnallen mit einem Bußgeld von 40 DM (inzwischen 30 EUR) belegte.[30]

14 Gesetze müssen aber nicht nur publik gemacht und mit einer Sanktionsfolge versehen werden, sondern auch vollzogen werden. Das **Vollzugsdefizit** im Umweltrecht,[31] im Straßenverkehrsrecht oder auch im Steuerrecht ist allseits bekannt. Solange Gesetze nicht vollzogen werden, die Sanktionen nur wenige Bürger eher zufällig treffen, werden sie von der Mehrzahl der Bürger oft missachtet.

14a Wer die Regeln des Straßenverkehrs verletzt, muss in vielen Staaten wie etwa Norwegen oder der Schweiz mit hohen Bußgeldern oder Strafen rechnen. Auch wegen seiner hohen Strafen[32] gilt Singapur als einer der sichersten Staaten Asiens.[33] Man mag solche Sanktionen als unverhältnismäßig erachten. Heftig umstritten ist zudem, ob solche hohen Sanktionen abschreckend, also generalpräventiv, wirken (vgl. § 5 Rn. 127). Wird eine Norm nicht streng genug überwacht, hilft auch die höchste Strafandrohung nicht. Obwohl zahlreiche Staaten in den USA die Todesstrafe kennen, haben die USA eine deutlich höhere Kriminalitätsrate als europäische Staaten.[34] Wirksamer als eine Strafschärfung ist deshalb oft eine verlässliche und schnelle Sanktionierung.[35]

2. Abgrenzung des Rechts zur Moral, Ethik und political correctness

a) Moral, Ethik und political correctness

15 In der Klausur darf man nicht mit Moral oder Ethik argumentieren, sondern muss sich an das geschriebene Recht halten. Wie unterscheiden sich nun Moral und Recht voneinander? **Moral** (lat. *moralis*), Sittlichkeit oder Sitten bezeichnen die Grundsätze und Werte, die das zwischenmenschliche Verhalten in einer Gesellschaft bestimmen und von Einzelnen oder dem überwiegenden Teil der Gesellschaft als verbindlich akzeptiert oder zumindest hingenommen werden.[36] Solche sog. Gefälligkeitshandlungen führen regelmäßig nicht zu Rechtspflichten.[37] Wer nur mit einer Badehose bekleidet eine Theatervorstellung besucht, muss damit rechnen, dass sein Verhalten von der überwiegenden Anzahl der Besucher als moralisch anstößig empfunden wird.

16 Unter **Sittlichkeit** verbergen sich oft „Sekundärtugenden" wie Höflichkeit und gutes Benehmen, eheliche Treue oder Sparsamkeit. Der Eingeladene soll ein Gastgeschenk mitbringen, der Dame öffnet man die Tür etc. So können sittliche Verhaltensregeln auf einer Religion oder einer Weltanschauung beruhen, wie z.B. die christliche Ethik: „Liebe deinen Nächsten wie dich selbst."[38] Daneben kann das sittliche Empfinden des Einzelnen betroffen sein, wenn die sittliche Verpflichtung auf das eigene Gewissen zurückgeführt wird. In einer pluralistischen Gesellschaft schwindet jedoch der Konsens über das, was moralisch oder sittlich allgemeinverbindlich ist. Als gemeinsame Grundlage kann viel-

---

[30] Vgl. §§ 21, 21a Abs. 1 S. 1, 49 Abs. 1 Nr. 20a StVO, §§ 24, 26 a Abs. 1 Nr. 2 StVG, Lfd. Nr. 100 Anlage zu § 1 Abs. 1 Bußgeldkatalog (BKat).

[31] *Möllers*, Rechtsgüterschutz im Umwelt- und Haftungsrecht, 1996, S. 6 ff.

[32] Sanktionen zwischen 2000 bis 5000 SGD, wer unberechtigt Affen in Nationalparks füttert (Sec. 9 Subsec. 1, 4 SPTA) oder Strafen von bis zu 1000 SGD oder max. 6 Monate Gefängnis, wer mit einem Handy ein Kfz steuert (Sec. 65B erlaubt).

[33] S. Singapore Police Force Annual Crime Brief 2020, abrufbar unter https://www.police.gov.sg//media/9750BE30F12D4BAC859982A1D0EC8B07.ashx.

[34] S. *United Nations Office on Drugs and Crime – UNODC*, Global Study on Homicide, 2019, abrufbar unter www.unodc.org/unodc/en/data-and-analysis/global-study-on-homicide.html.

[35] *Hof*, Rechtsethologie, 1996, S. 474 f.

[36] Oft wird die Moral auch als Ethik bezeichnet, *Patzig*, Ethik ohne Metaphysik, 2. Aufl. 1983, S. 4; *Seelmann/Demko*, Rechtsphilosophie, 7. Aufl. 2019, § 3 Rn. 3 ff.

[37] Hierzu *Neuner*, Allgemeiner Teil des Bürgerlichen Rechts, 12. Aufl. 2020, § 28 Rn. 17 ff.

[38] So in der Bibel, s. Galater 5,14; Jakobus 2,8; Matt. 19,19; 22,39.

leicht die bekannte „Goldene Regel" gelten: „Was du nicht willst, das man dir tu', das füg' auch keinem anderen zu."[39]

Auch die **Verkehrssitte** stellt keine Rechtsquelle dar. Es besteht bei ihr noch keine Rechtsüberzeugung, dass es sich um Recht handelt.[40] Sie kann aber bei der Auslegung nach § 157 BGB herangezogen werden. 17

Schließlich gibt es auch eine Reihe politischer Wertvorstellungen, welche die Kultur eines Landes prägen, wie etwa die Diskussion über die „deutsche Leitkultur" verdeutlicht.[41] In diesem Bereich lässt sich auch die **„political correctness"** einordnen, die einem Ausländer oft auffällt, weil bestimmte Themen (nur) in diesem Land als besonders sensibel gelten. Sie sind oft auf die kulturellen und historischen Besonderheiten einer Nation bezogen. Ein Verstoß gegen die „political correctness" führt zwar regelmäßig nicht zu einem Strafverfahren; gerade Politiker kann ein solcher Verstoß aber schnell die Karriere kosten. Beispielsweise muss in Deutschland mit allen Bezügen zur nationalsozialistischen Vergangenheit vorsichtig umgegangen werden. In den USA hingegen haben sexuelle Moralvorstellungen eine besondere Wichtigkeit. 18

Der ehemalige Bundestagspräsident *Jenninger* musste wegen einer missverständlichen Gedenkrede[42] zu den Pogromen der sog. Reichspogromnacht 1938 zurücktreten. Die Lewinsky-Affäre kostete US-Präsident *Clinton* fast das Amt; ein Amtsenthebungsverfahren scheiterte nur knapp. 19

b) Abgrenzung zum Recht

Recht, Ethik und Moral haben gemeinsam, dass sie als soziale Normen Sollenssätze darstellen. Ansonsten unterscheiden sich Recht und Moral aber in doppelter Hinsicht. Zwar kann auch versucht werden, die Verletzung moralischer oder sittlicher Regeln durch sozialen Zwang wie Missachtung, Tadel oder Ausgrenzung durchzusetzen.[43] Das funktioniert aber nur in kleinen überschaubaren Gemeinschaften und man wird zweifeln können, ob in einer westlichen pluralistischen Gesellschaft überhaupt noch ein Konsens an verbindlichen Sekundärtugenden existiert. Recht unterscheidet sich somit von Sitte und Sittlichkeit einerseits durch die Art des Zwanges: Nur das Recht kann mit **Mitteln des Staates** durchgesetzt werden.[44] 20

Edelmann: Der Generaldirektor eines Unternehmens G hatte K als Betriebsleiter eingestellt und ihm ein Haus als Dienstwohnung angeboten, das K dann auch kaufen könne. Als K auf Erfüllung drängt, betonte G, der notarielle Akt könne jederzeit vorgenommen werden, sei aber zwischen ihnen nicht nötig. Dieser sei nur reine Formsache, sein Edelmannswort sei so gut wie ein Vertrag. Kann K erfolgreich auf Erfüllung der Vereinbarung klagen? 21

Lösung: Wegen der fehlenden notariellen Beurkundung ist der Vertrag gem. §§ 125, 311b Abs. 1 S. 1 BGB unwirksam. Das Reichsgericht wies die Klage ab und verneinte neben dem Übereignungsanspruch auch eine sittenwidrige Schädigung gem. § 826 BGB. Es liege „im 22

---

[39] Oder positiv formuliert: Behandele die anderen so, wie Du selbst von ihnen behandelt werden möchest – *Quod vis ut alii tibi faciant, tu ipsis facies.*, s. *Thomasius*, Fundamenta Juris naturae et Gentium, 4. Aufl. 1718, I. Buch, Kap. VI, § 41; ebenso im Neuen Testament, Matt. 7,12: „Alles, was ihr also von anderen erwartet, das tut auch Ihnen." Noch weitergehender der kategorische Imperativ von *Kant*, Grundlegung zur Metaphysik der Sitten, 3. Aufl. 1792, S. 52: „Handle nur nach derjenigen Maxime, die du zugleich wollen kannst, daß sie ein allgemeines Gesetz werde". Hierzu *Hruschka*, JZ 1992, 429, 434.

[40] Palandt/*Grüneberg*, BGB, 80. Aufl. 2021, Einl. Rn. 23.

[41] Vertiefend *Pautz*, Die deutsche Leitkultur: eine Identitätsdebatte, 2005, S. 69 ff.; *Lammert (Hrsg.)*, Verfassung, Patriotismus, Leitkultur, 2006.

[42] Abrufbar unter https://www.lmz-bw.de/fileadmin/user_upload/Downloads/Handouts/2018-06-13-jenninger-rede.pdf; vertiefend *Hölscher* (Hrsg.), Political Correctness, 2008.

[43] *Hart*, The Concept of Law, 3rd ed. 2012, S. 163 ff.

[44] H.M., s. *Weber*, Rechtssoziologie, 2. Aufl. 1967, S. 71 f.

Wesen einer gesetzlichen Formvorschrift begründet, daß, wenn die Form nicht gewahrt ist, die Erklärung des rechtsgeschäftlichen Willens nicht verpflichtet.“[45]

23 Allerdings kann die Moral gegenüber dem Recht ein **„Mehr“** schaffen. Inhaltlich regelt das Recht oft weniger als das, was die Moral oder die Sittlichkeit fordern; es will nur ein erträgliches Zusammenleben zwischen den Menschen ermöglichen und Mindeststandards setzen. Der Angeklagte muss im Strafprozess nicht die Wahrheit sagen; er hat das Recht zu schweigen (§ 136 StPO) und darf in gewissen Grenzen sogar lügen. Moralische Normen verlangen Beachtung unabhängig von der Androhung von Sanktionen; der moralische Druck folgt aus dem „inneren Schuldgefühl“, dem **Gewissen**.[46] Bildlich gesprochen bilden Recht und moralische Vorstellungen zwei Kreise, die eine gemeinsame Schnittmenge haben.

24 **Vertiefung** – *Zehn Gebote:* Sind die Zehn Gebote der Bibel[47] Regeln der Moral oder des Rechts?

c) Die gegenseitige Beeinflussung von Moral und Recht

25 Recht dient auch dazu, mit Hilfe staatlicher Sanktionen moralische Vorstellungen durchzusetzen. Die §§ 138 und 826 BGB verweisen auf die guten Sitten. Sittliche Vorstellungen werden dabei **verrechtlicht**. Nach dem Willen der Väter des BGB ist ein Rechtsgeschäft sittenwidrig, wenn es gegen das „Anstandsgefühl aller billig und gerecht Denkenden“[48] verstößt. Abzustellen ist nicht auf die Sitte im Sinne der tatsächlich geübten Konvention, sondern die herrschende Rechts- und Sozialmoral (§ 7 Rn. 11). Allerdings sind die moralischen Vorstellungen einem ständigen Wandlungsprozess unterworfen. Dabei lassen sich zwei gegensätzliche Strömungen feststellen:

26 Einerseits findet in einer pluralistischen Gesellschaft eine **Liberalisierung moralischer Vorstellungen** statt. Zahlreiche Tatbestände, die früher als sittenwidrig galten, sind weggefallen und prägen dadurch die Moralvorstellungen nicht mehr. Die frühere Vorstellung, dass außereheliche Beziehungen grundsätzlich sittenwidrig sind, ist seit langem überholt.[49] Mittlerweile steht in Deutschland das Institut der Ehe auch gleichgeschlechtlichen Paaren offen.[50] Auch Prostitution,[51] Telefonsex[52] oder Peepshows[53] wird man nicht mehr als sittenwidrig bezeichnen können, nachdem der Gesetzgeber im ProstG[54] Prostituierten einen Anspruch gegen den Freier zugesteht. Schließlich spiegeln sich die moralischen Wertvorstellungen auch in der Auslegung der Verfassung durch das BVerfG wider (§ 11 Rn. 4b).

---

[45] RG, Urt. v. 21.5.1927, V 476/26, RGZ 117, 121, 126 – Edelmann; s. aber *Neuner*, Allgemeiner Teil des Bürgerlichen Rechts, 12. Aufl. 2020, § 44 Rn. 63 ff. und unten § 5 Rn. 51.

[46] *Rüthers/Fischer/Birk*, Rechtstheorie, 11. Aufl. 2020, Rn. 99d.

[47] So etwa in der Bibel, s. Exodus 20,3–17. Zur Antwort s. unten § 15 Rn. 4.

[48] Mot. II, S. 727 (§ 7 Fn. 45); ebenso RG, Urt. v. 11.4.1901, VI 443/00, RGZ 48, 114, 124.

[49] Palandt/*Ellenberger*, BGB, 80. Aufl. 2021, § 138 Rn. 51; **a. A.** noch BGH, Urt. v. 15.2.1956, IV ZR 294/55, BGHZ 20, 71, 72 – Sittenwidrigkeit eines Testaments; BGH, Beschl. v. 31.3.1970, III ZB 23/68, BGHZ 53, 369, 376 – Geliebtentestament.

[50] S. Gesetz zur Einführung des Rechts auf Eheschließung für Personen gleichen Geschlechts v. 20.7.2017, BGBl. I, S. 2787; zur Problematik der Verfassungsmäßigkeit der Gleichstellung s. ausführlich *Wollenschläger/Coester-Waltjen*, Ehe für Alle, 2018 und unten § 4 Rn. 49.

[51] Es handelt sich um einen einseitig verpflichtenden Vertrag. Die Prostituierte erwirbt einen Entgeltanspruch, wegen der Menschenwürde der Freier dagegen nicht einen Erfüllungsanspruch, s. Begr. AbgeordnetenE, BT-Drs. 14/5958, S. 4, 6; BGH, Urt. v. 13.7.2006, I ZR 241/03, BGHZ 168, 314, 319 – Kontaktanzeigen in Zeitungen.

[52] **A. A.** noch BGH, Urt. v. 9.6.1998, XI ZR 192/97, NJW 1998, 2895 – Telefonsex.

[53] *Armbrüster*, in: MünchKomm BGB, 8. Aufl. 2018, § 138 Rn. 58; **a. A.** zum früheren Recht BVerwG, Urt. v. 15.12.1981, 1 C 232/79, BVerwGE 64, 274, 279 f. – Peep Show.

[54] Prostitutionsgesetz (ProstG) v. 20.12.2001, BGBl. I, S. 3983.

Andererseits werden neue Rechtsregeln in Lebensbereichen erlassen, bei denen man früher glaubte, dass die entsprechenden Verhaltensweisen schon über Anstand, Sitte und Moral funktionierten. Sozialer Druck, das normale kooperative Verhalten oder das Gewissen als Kontrollinstanz funktionieren in einer pluralistischen Gesellschaft schlechter, weshalb Regeln, die sich bisher auf soziale Übereinkunft stützen konnten, nun **verrechtlicht werden**. Oder auch umgekehrt lässt sich feststellen: die gestiegene Sensibilität für sexuelle Übergriffe verlangt eine Sanktion.[55] Hierzu gehört etwa das Mobbing, die Diskriminierung am Arbeitsplatz (§ 12 Rn. 84), die Verschärfung des Sexualstrafrechts[56] oder die neu eingeführte Strafbarkeit des Dopings.[57] Das Strafrecht ist damit ein Spiegel der jeweiligen Gesellschaft.[58] 27

II. Hierarchie von Rechtsquellen in Deutschland

Wie lässt sich Recht nun im Einzelnen klassifizieren und wie stehen die Rechtsquellen zueinander? 28

1. Gesetze als Rechtsquelle in Deutschland

a) Abgrenzung und Überschneidung von öffentlichem und privatem Recht

aa) Das staatliche Recht lässt sich in Privatrecht und Öffentliches Recht unterteilen. 28a
Durch das Privatrecht werden die Rechtsbeziehungen zwischen Privatpersonen, den einzelnen Bürgern untereinander, geregelt. Kennzeichnend für das Privatrecht ist die Entscheidungsfreiheit des Einzelnen, die sog. Privatautonomie. Der Staat nimmt sich auf diesem Gebiet zurück. Typische Handlungsform ist der Vertrag. Durch das Öffentliche Recht wird das hoheitliche Handeln des Staates, insbesondere gegenüber dem Bürger, geregelt. Der Staat kann eigene Machtmittel einsetzen, also hoheitlich handeln, wie z. B. im Polizeirecht. Auch das Strafrecht kann als Teil des Öffentlichen Rechts gesehen werden, denn der strafende Staat greift besonders intensiv in die Rechtssphäre des Bürgers ein.[59] Der Staat kann dagegen auch wie ein Privater tätig werden, z. B. einen Computer kaufen. In diesen Fällen macht er von den hoheitlichen Befugnissen keinen Gebrauch, d.h. er kann auf diese Machtmittel verzichten. Daneben kann der Staat fürsorgend handeln, so etwa dem Studenten BAföG[60] gewähren. Kennzeichnend für das Öffentliche Recht ist die Bindung an Gesetz und Recht, vgl. Art. 20 Abs. 3 GG (§ 1 Rn. 46). Anders als private Parteien sieht sich der Staat bei seinem Tätigwerden grundsätzlich Einschränkungen gegenüber. Beispielsweise unterliegt er in seinem Ermessen dem Diskriminierungsverbot des Art. 3 Abs. 2, 3 GG; Verwaltungsakte des Staates sind zu begründen, § 39 VwVfG.

bb) Wenn man klagen möchte, ist die Abgrenzung zwischen Öffentlichem Recht und 29
Zivilrecht wichtig, um den richtigen Rechtsweg zu wählen. Hierzu waren in der Vergan-

[55] *Kubiciel*, JZ 2018, 171, 174 gegen *Kindhäuser*, ZStW 129 (2017), 382, 385; *Zabel*, ZRP 2016, 202, 204.

[56] Gesetz zur Verbesserung der sexuellen Selbstbestimmung v. 4.11.2016, BGBl. I, S. 2460. So verlangt die sexuelle Nötigung des § 177 StGB nicht mehr „Gewalt, Drohung oder das Ausnutzen einer schutzlosen Lage", sondern nur noch sexuelle Handlungen gegen den „erkennbaren Willen" der anderen Person. Kritisch zu diesem „Nein-heißt-Nein-Modell" *Hoven/Weigend*, JZ 2017, 182 ff.

[57] Anti-Doping-Gesetz (AntiDopG) v. 10.12.2015, BGBl. I, S. 2210.

[58] *Welzel*, Das Deutsche Strafrecht, 2. Aufl. 1949, 195 f.; *Jescheck*, Das Menschenbild unserer Zeit und die Strafrechtsreform, 1957, S. 4, 8.

[59] Das Strafrecht nimmt aus historischen Gründen eine Sonderrolle ein. Auch wenn das Strafrecht Teil des öffentlichen Rechts ist, ist die ordentliche Gerichtsbarkeit zuständig (§ 13 GVG). Vgl. BVerfG, Urt. v. 6.6.1967, 2 BvR 375, 53/60 u. a., BVerfGE 22, 49, 77 f., 80; *Schilken*, Gerichtsverfassungsrecht, 4. Aufl. 2007, § 21 Rn. 404.

[60] Bundesausbildungsförderungsgesetz (BAföG) v. 7.12.2010, BGBl. I, S. 1952.

genheit die Einzelheiten umstritten. Nach der *Interessentheorie* soll entscheidend sein, ob durch ein rechtliches Handeln des Staates öffentliche oder lediglich private Interessen betroffen sind.[61] Allerdings kann sie keine klare Trennung zwischen Öffentlichem Recht und Zivilrecht ziehen. So kann der Straßenbau, der grundsätzlich öffentlich-rechtlicher Natur ist, auch private Interessen tangieren, wenn z.B. Eigentümer enteignet werden müssen. Die *Subordinationstheorie* bezeichnet als wesentliches Kennzeichen des Öffentlichen Rechts das Über- und Unterordnungsverhältnis, im Privatrecht herrsche dagegen Gleichordnung zwischen den an einem Rechtsverhältnis beteiligten Personen. Diese Theorie versagt z.B., wenn Länder einen Vertrag abschließen und deshalb gleichgeordnet auftreten. Die sog. *Subjektstheorie* fragt danach, wer Zuordnungssubjekt eines Rechtssatzes sein kann: Ein Rechtssatz gehört demnach dem Öffentlichen Recht an, soweit er ein Rechtsverhältnis regelt, an dem notwendigerweise ein Träger hoheitlicher Gewalt beteiligt ist. Er gehört dem Privatrecht an, soweit die Rechte und Pflichten aus dem geregelten Rechtsverhältnis grundsätzlich jedermann treffen können. Die Rechtsprechung **kombiniert** Subordinations- und Subjektstheorie.[62]

30 Erwirbt beispielsweise die Stadt ein Grundstück, wird sie wie ein Privater tätig, sodass Zivilrecht Anwendung findet. In diesem Fall verzichtet der Staat auf seine Machtmittel und tritt dem Bürger „auf Augenhöhe" gegenüber. So kann er einen Grundstücksinhaber grundsätzlich weder zur Annahme des Kaufangebots noch zu einem bestimmten Kaufpreis verpflichten. – Erteilt die Stadt dagegen dem Bauherrn eine Baugenehmigung, wird sie hoheitlich und damit öffentlich-rechtlich tätig. Diese Genehmigung wird etwa in Bayern aufgrund von Art. 68 Abs. 1 S. 1 BayBO erlassen, der nur der staatlichen Behörde diese Befugnis einräumt (Subjektstheorie). Der Bauherr ist an den Inhalt der Baugenehmigung gebunden und die Stadt kann deren Befolgung mit rechtlichen Zwangsmitteln durchsetzen. Folglich steht sie dem Bürger gegenüber in einem Überordnungsverhältnis.

b) Unterscheidung von Rechtsnormen: Gesetz, Verordnung und Satzung

31 Eine Rechtsnorm regelt einen bestimmten Lebensbereich für unbestimmt viele Personen und Fälle, wie § 311b BGB, der bestimmt, dass ein Grundstück nur durch notariell beurkundeten Kaufvertrag wirksam verkauft werden kann. Die Rechtsnorm ist damit eine generell-abstrakte Regelung, die Pflichten und Rechte für den Bürger oder selbstständige Rechtspersonen schafft, begründet oder aufhebt.[63] Das gesetzte Recht wird von den zuständigen Verfassungsorganen eines Staates ausdrücklich erlassen. Hier lassen sich Gesetz, Rechtsverordnung und Satzung unterscheiden.

32 aa) Die Begrifflichkeit des **formellen Gesetzes** knüpft an die Art und Weise des Zustandekommens des Rechtssatzes an.[64] Ein formelles Gesetz wird durch den Gesetzgeber geschaffen. In der Bundesrepublik Deutschland sind dies auf Bundesebene nach dem von den Artt. 76 ff. GG vorgegebenen Zwei-Kammern-System der Bundestag und der Bundesrat. Bei den Gesetzgebungsverfahren der Länder sind die entsprechenden Vorschriften der jeweiligen Landesverfassung anzuwenden, z.B. Artt. 70 ff. BayVerf. **Materielle Gesetze** werden nicht nach der Art und Weise ihres Zustandekommens definiert, sondern allein nach ihrem Inhalt, indem allgemeinverbindliche Rechtssätze erlassen werden.[65] Als Rechtsnormen binden sie die Adressaten genauso wie ein formelles Gesetz.

33 bb) **Rechtsverordnungen** werden als materielle Gesetze von der Exekutive, also von der Verwaltung oder deren Spitze wie den Ministern oder der Regierung erlassen. Vor-

---

[61] So schon Ulp. D. 1,1,1,2.

[62] BGH, Beschl. v. 10.4.1986, GmS-OGB 1/85, BGHZ 97, 312, 314 – Rechtsweg; s. auch BGH, Beschl. v. 29.10.1987, GmS-OGB 1/86, BGHZ 102, 280, 283 – Rechtsweg.

[63] *Maurer/Waldhoff*, Allgemeines Verwaltungsrecht, 20. Aufl. 2020, § 4 Rn. 4.

[64] *Ossenbühl*, in: HStR V, 3. Aufl. 2007, § 100 Rn. 9.

[65] *Kloepfer*, Verfassungsrecht, Bd. I, 2011, § 21 Rn. 26.

aussetzung für den Erlass einer solchen Rechtsverordnung ist, dass eine Ermächtigung in einem formellen Gesetz enthalten ist und das Gesetz Inhalt, Zweck und Ausmaß der Ermächtigung bestimmt, **Art. 80 Abs. 1 S. 2 GG** (sog. Bestimmtheitstrias). Ein Beispiel bildet § 6 Abs. 1 Straßenverkehrsgesetz (StVG). Dieser ermächtigt den Bundesminister zum Erlass einer Rechtsverordnung, was mit der Straßenverkehrsordnung (StVO) geschehen ist. Zudem gelten die Grundsätze der Wesentlichkeitstheorie (§ 13 Rn. 83 ff.). Damit soll sichergestellt werden, dass das Parlament zumindest mittelbaren Einfluss auf den Inhalt der Rechtsverordnung behält. Das BVerfG formuliert zu dieser Bestimmtheitstrias recht deutlich:

„Sinn der Regelung des Art. 80 Abs. 1 GG ist es, das Parlament darin zu *hindern, sich seiner Verantwortung als gesetzgebende Körperschaft zu entäußern.* Es soll nicht einen Teil seiner Gesetzgebungsmacht der Exekutive übertragen können, ohne die Grenzen dieser Befugnis bedacht und diese nach Tendenz und Programm so genau umrissen zu haben, daß schon aus der Ermächtigung erkennbar und vorhersehbar ist, was dem Bürger gegenüber zulässig sein soll (vgl. BVerfGE 58, 257 [277] m.w.N.).“[66] 34

cc) Schließlich genießen Körperschaften des Öffentlichen Rechts, wie etwa Kommunen, Anwalts- und Ärztekammern oder Universitäten, eine Satzungshoheit, die sie ermächtigt, **autonome Satzungen** als materielle Gesetze zu erlassen.[67] So darf sich z.B. jede Universität eine Promotionsordnung geben. Abzugrenzen sind hiervon die Satzungen eines privaten Vereins, denen der Staat in der Regel keine Rechtsetzungsbefugnis eingeräumt hat. 35

2. Höherrangiges Recht: Der Stufenbau des Rechts und der *Lex-superior*-Satz als Kollisionsregel

a) Überall auf der Welt besteht die Möglichkeit, dass mehrere Rechtsgebiete bei der Lösung eines Falles gleichzeitig gelten. Dann stellt sich die Frage, wie die beiden Rechtsquellen zueinanderstehen, welche Rechtsquelle anwendbar ist. Das gilt etwa für das Verhältnis der Verfassung zum einfachen Recht oder das Verhältnis vom Europarecht zum Recht der Mitgliedstaaten. Dies wird im Einzelnen im 4. Teil erörtert. Auch bei föderalen Strukturen stellt sich das Verhältnis von Recht des Bundes zum Recht der Bundesstaaten.[68] Hier soll nur die **Höherrangigkeit des Rechts** und eine erste Kollisionsregel vorgestellt werden. *Merkl* erfand in den 30er Jahren des letzten Jahrhunderts den Stufenbau des Rechts.[69] Dieser besagt, dass die Rechtsordnung auf verschiedenen Stufen von Rechtsnormen aufbaut, die in einem Über- und Unterordnungsverhältnis zueinander stehen. Es existiert insoweit eine Normenhierarchie. Die höhere Stufe ist Geltungsgrund für die jeweils niedrigere Stufe und regelt das Verfahren, wie die niedrigere Norm geschaffen wird, ggf. auch deren Inhalt. Die Lehre vom Stufenbau des Rechts ist inzwischen ganz herrschend,[70] auch wenn man sie noch um vernetzte Strukturen ergänzen muss (§ 3 Rn. 9 ff.). 36

Die rechtlichen Konsequenzen dieses Stufenbaus sind beachtlich. Eine Normkollision liegt bei einem unmittelbaren Widerspruch zweier an sich gültiger Normen vor, die un- 37

---

[66] BVerfG, Beschl. v. 8.6.1988, 2 BvL 9/85 u.a., BVerfGE 78, 249, 272 – Fehlbelegungsabgabe.

[67] *Maurer/Waldhoff*, Allgemeines Verwaltungsrecht, 20. Aufl. 2020, § 4 Rn. 24 ff.

[68] Zum anglo-amerikanischen Recht s. *Vandevelde*, Thinking Like a Lawyer, 2nd ed. 2011, S. 210.

[69] *Merkl*, in: FS Kelsen, 1931, S. 252, 272 ff.

[70] *Kelsen*, Reine Rechtslehre, 2. Aufl. 1960, S. 228 ff.; *Röhl/Röhl*, Allgemeine Rechtslehre, 3. Aufl. 2008, S. 308 ff.; *Rüthers/Fischer/Birk*, Rechtstheorie, 11. Aufl. 2020, Rn. 272 f.; *Bydlinski*, Juristische Methodenlehre und Rechtsbegriff, 2. Aufl. 1991, S. 201; *Kramer*, Juristische Methodenlehre, 6. Aufl. 2019, S. 103; **a.A.** etwa *Teubner*, Soziale Systeme 2 (1996), 229, 231: „grandiose Selbsttäuschung des Rechts“.

terschiedlichen Quellen entspringen und dieselbe Rechtsfrage regeln.[71] Sofern Normen kollidieren, kommt es nicht zu einer Abwägung der einzelnen Normen gegeneinander; vielmehr kommt eine eindeutige Vorrangregel zur Anwendung. Das höherrangige Recht geht dem niederrangigen Recht vor, lateinisch: **lex superior derogat legi inferiori**.[72] Dieser Gedanke entwickelte sich in der Neuzeit aus der Überlegung, dass der höhere Gesetzgeber widersprechendes Recht des niederen Gesetzgebers verhindern oder aufheben kann.[73] Drei verschiedene rechtliche Konsequenzen sind denkbar:

38 b) Eine mögliche Folge ist, dass niederrangiges Recht, welches gegen höherrangiges Recht verstößt, nichtig ist. Das kann der Fall sein, weil das höherrangige Recht

- keine Ermächtigung enthält, niederrangiges Recht zu setzen,
- zwar eine Ermächtigung besteht, das Verfahren zum Erlass der niederrangigen Norm aber nicht eingehalten ist oder
- zwar eine Ermächtigung besteht und das Verfahren eingehalten ist, der Inhalt der niederrangigen Norm aber die durch das höherrangige Recht gesetzten Grenzen überschreitet.[74]

39 Eine weitere denkbare Konsequenz der Vorrangregel ist der Anwendungsvorrang, der vor allem im europäischen Recht gilt. Anwendungsvorrang bedeutet, dass die nationale Norm zwar nicht nichtig ist, sie aber im konkreten Fall nicht angewendet werden darf. In diesem Fall gilt allein die höherrangige Norm des Europa- oder Völkerrechts.

40 Schließlich kann die Vorrangregel bedeuten, dass die niederrangige Rechtsnorm erhalten bleibt, aber im Lichte der höherrangigen Norm auszulegen ist. Dies ist das Domizil der verfassungskonformen und europarechtskonformen Auslegung. Diese Vorrangregeln und Konformitätsregeln werden in eigenen Kapiteln zur Verfassung (§ 11) und zum Europarecht (§ 12) erläutert.

3. Der Stufenbau des deutschen Rechts

a) Bundesrecht und Landesrecht

41 Der Stufenbau des Rechts lässt sich in einem ersten Schritt ausschließlich anhand der deutschen Rechtsquellen darstellen. Im deutschen Recht stehen in einer abgestuften Rangfolge die bundesstaatliche Ordnung, die Mitwirkung der Länder bei der Gesetzgebung und die in den Artt. 1 und 20 GG niedergelegten Grundsätze unter der Ewigkeitsgarantie des Art. 79 Abs. 3 GG sowie das Naturrecht an der Spitze der Normenhierarchie. Sie können nicht durch den Verfassungsgesetzgeber aufgehoben werden und stellen die höchste Stufe des nationalen Rechts dar. Auf der zweiten Ebene folgen die sonstigen Bestimmungen des Grundgesetzes. Unter dem Grundgesetz stehen die einfachen Bundesgesetze, wie etwa das BGB oder das StGB. Es folgen Rechtsverordnungen und Satzungen. Inhaltlich parallel zum Bundesrecht bildet das Landesrecht eine eigene Hierarchie. Hier steht die Landesverfassung ganz oben. Landesrechtsverordnungen und -satzungen stehen unterhalb der Landesgesetze.

---

[71] BVerfG, Beschl. v. 4.6.1969, 2 BvR 173/66 u. a., BVerfGE 26, 116, 135; *Stern*, Das Staatsrecht der Bundesrepublik Deutschland, Bd. I, 2. Aufl. 1984, S. 720.

[72] In den Worten von *Merkl*, in: FS Kelsen, 1931, S. 252, 276: „Ein Rechtssatz, der gegenüber einem anderen Rechtssatz derogierende Kraft hat, während dieser andere Rechtssatz ihm gegenüber keine derogierende Kraft hat, ist aus diesem Grunde von höherem Rang und der derogierbare Rechtssatz im Vergleich mit dem derogierenden Rechtssatz von niedrigerem Rang."

[73] *Lex superior tollat legem inferioris*, s. *Medici*, in: Medici/Curtius/Tommai, De legibus, statutis, et consuetudine, 1574, S. 90; s. hierzu *Schröder*, Recht als Wissenschaft, Bd. 1, 3. Aufl. 2020, S. 21.

[74] *Vogel*, Juristische Methodik, 1998, S. 54.

b) Kollision von Bundes- und Landesrecht (Artt. 31, 72 GG)

Deutschland ist ein föderaler Rechtsstaat. Nach dem Bundesrecht ist das Landesrecht zu beachten. Art. 31 GG lautet lapidar: „Bundesrecht bricht Landesrecht". Art. 31 GG erklärt sich aus dem nationalstaatlichen Selbstverständnis und ist ein klassischer *Lex-superior*-Satz.[75] Vergleichbare Normen finden sich in der Schweiz, Australien, Kanada und mittelbar auch in der US-Verfassung.[76] Unter dem gesamten Bundesrecht steht folglich das gesamte Landesrecht. Denkbar ist damit grundsätzlich auch, dass eine Norm der Landesverfassung deshalb als nichtig anzusehen ist, weil sie mit einer Rechtsverordnung des Bundes unvereinbar ist. Art. 31 GG wird allerdings durch *speziellere* Normen weitgehend verdrängt, etwa die Gesetzgebungskompetenzen der Artt. 70 ff. GG.[77] Anlässlich der Föderalismusreform von 2006 wurde mit Art. 72 Abs. 3 S. 3 GG eine weitere das Verhältnis von Bundes- zu Landesrecht betreffende Regelung geschaffen und eine *Lex-posterior*-Regel damit positives Verfassungsrecht. 42

In zahlreichen Lehrbüchern[78] finden sich Pyramiden, welche den Stufenbau wie folgt darstellen: 43

Grafik: Hierarchie von Rechtsquellen in Deutschland

4. Gesetzesänderung, Rechtssicherheit und Vertrauensschutz

Der Gesetzgeber ist bei Rechtsänderungen durch den Vertrauensschutz eingeschränkt. Ein rückwirkendes Strafgesetz könnte, wie im Mauerschützenprozess, gegen den Grundsatz *nulla poena sine lege* verstoßen (§ 1 Rn. 36). Im Umkehrschluss zum expliziten Rück- 44

[75] Man spricht insoweit von Rangordnungsnorm, s. Sachs/*P. Huber*, GG, 9. Aufl. 2021, Art. 31 Rn. 7; **a. A.** *Dreier*, in: Dreier, GG, 3. Aufl. 2015, Art. 31 Rn. 18.

[76] S. U.S.Const. Art. 1, Sec. 1; Art 1, Sec. 8 Cl. 18; Art. 6 Cl. 2; U.S.Const. Amendment 10; *Brugger*, Einführung in das öffentliche Recht der USA, 2. Aufl. 2001, S. 31 ff.

[77] Neben den Artt. 70 ff., 84 Abs. 1 S. 4, 125a Abs. 1 S. 2 und Art. 142 GG; Sachs/*P. Huber* (ebd.), Art. 31 Rn. 5 f.

[78] *Katz/Sander*, Staatsrecht, 19. Aufl. 2019, Rn. 8; Augsberg/*Augsberg/Schwabenbauer*, Klausurtraining Verfassungsrecht, 4. Aufl. 2021, S. 25; *Papier/Krönke*, Grundkurs Öffentliches Recht 1, 3. Aufl. 2019, Rn. 43; *Sodan/Ziekow*, Grundkurs Öffentliches Recht, 9. Aufl. 2020, § 4 Rn. 21; *Kämmerer*, Staatsorganisationsrecht, 3. Aufl. 2016, Rn. 21.

wirkungsverbot in Art. 103 Abs. 2 GG im Strafrecht ist eine Rückwirkung im Übrigen nicht völlig ausgeschlossen. Das BVerfG hat deshalb Grundsätze zur Rückwirkung entwickelt, die der Gesetzgeber zu beachten hat.[79]

a) Begrifflichkeiten

45 Früher unterschied man zwischen echter und unechter Rückwirkung.[80] Die inzwischen herrschende Ansicht unterscheidet zwischen Rückbewirkung von Rechtsfolgen und tatbestandlicher Rückanknüpfung.[81] Es handelt sich lediglich um begriffliche Neuerungen, ohne dass sich inhaltlich etwas ändert. Die Begriffe werden auch vom zweiten Senat des BVerfG synonym verwendet. So formuliert er:

46 „Eine Rechtsnorm entfaltet **„echte" Rückwirkung**, wenn sie nachträglich in einen abgeschlossenen Sachverhalt ändernd eingreift (vgl. BVerfGE 101, 239 [263]; 123, 186 [257]). Dies ist insbesondere der Fall, wenn ihre Rechtsfolge mit belastender Wirkung schon vor dem Zeitpunkt ihrer Verkündung für bereits abgeschlossene Tatbestände gelten soll (**„Rückbewirkung von Rechtsfolgen"**; vgl. BVerfGE 127, 1 [17]). Normen mit echter Rückwirkung sind *grundsätzlich verfassungsrechtlich unzulässig* (vgl. BVerfGE 13, 261 [271]; 101, 239 [263]). [...].

Eine **unechte Rückwirkung** liegt vor, wenn eine Norm auf gegenwärtige, noch nicht abgeschlossene Sachverhalte und Rechtsbeziehungen für die Zukunft einwirkt und damit zugleich die betroffene Rechtsposition entwertet (vgl. BVerfGE 101, 239 [263]; 123, 186 [257]), so wenn belastende Rechtsfolgen einer Norm erst nach ihrer Verkündung eintreten, tatbestandlich aber von einem bereits ins Werk gesetzten Sachverhalt ausgelöst werden (**„tatbestandliche Rückanknüpfung"**; vgl. BVerfGE 63, 343 [356]; 72, 200 [242]; 97, 67 [79]; 105, 17 [37 f.]; 127, 1 [17]). Sie ist *grundsätzlich zulässig.* Allerdings können sich aus dem Grundsatz des Vertrauensschutzes und dem Verhältnismäßigkeitsprinzip Grenzen der Zulässigkeit ergeben. Diese Grenzen sind erst überschritten, wenn die vom Gesetzgeber angeordnete unechte Rückwirkung zur Erreichung des Gesetzeszwecks nicht geeignet oder erforderlich ist oder wenn die Bestandsinteressen der Betroffenen die Veränderungsgründe des Gesetzgebers überwiegen (vgl. BVerfGE 95, 64 [86]; 101, 239 [263]; 122, 374 [394 f.]; stRspr)."[82]

b) Echte Rückwirkung/Rückbewirkung von Rechtsfolgen

47 Eine **echte Rückwirkung** oder **Rückbewirkung von Rechtsfolgen** liegt vor, wenn ein Gesetz nachträglich ändernd in abgeschlossene, der Vergangenheit angehörende Tatbestände eingreift. Das gilt sowohl für einen bereits beendeten, gestreckten[83] (s. sogleich Fall 1 der Grafik) als auch für einen einzelnen Sachverhalt (s. Fall 2 der Grafik). Eine solche Rückbewirkung von Rechtsfolgen ist grundsätzlich verboten. So wäre es unzulässig, die Umsatzsteuer rückwirkend für die letzten zwei Jahre zu erhöhen, da dies auch alle bereits abgeschlossenen Kaufverträge rückwirkend betreffen würde. Das Verbot greift allerdings nicht bei fehlender Schutzbedürftigkeit des Betroffenen, z.B. weil auf die Wirksamkeit der Norm nicht vertraut wurde, kein beachtlicher Nachteil besteht oder aber zwingende Belange des Allgemeinwohls vorgehen.

---

[79] Zum Ganzen prägnant BVerfG, Beschl. v. 18.2.2009, 1 BvR 3076/08, BVerfGE 122, 374, 394 f. – EEG; Sachs/*Sachs*, GG, 9. Aufl. 2021, Art. 20 Rn. 132 ff.

[80] S. BVerfG, Beschl. v. 31.5.1960, 2 BvL 4/59, BVerfGE 11, 139, 145 f.

[81] S. BVerfG, Beschl. v. 3.12.1997, 2 BvR 882/97, BVerfGE 97, 67, 78 f.; *Schmidt-Aßmann*, in: HStR II, 3. Aufl. 2004, § 26 Rn. 86; *Vogel*, in: FS Heckel, 1999, S. 875, 877 ff.

[82] BVerfG, Beschl. v. 10.10.2012, 1 BvL 6/07, BVerfGE 132, 302 Rn. 42 f. – Unechte Rückwirkung im Steuerrecht.

[83] Ein gestreckter Sachverhalt ist ein Sachverhalt, der sich über einen längeren Zeitraum erstreckt, etwa die Entscheidung des Vorstandes, zurückzutreten, die erst noch der Zustimmung des Aufsichtsrates bedarf.

c) Unechte Rückwirkung/tatbestandliche Rückanknüpfung

Eine **unechte Rückwirkung** oder **tatbestandliche Rückanknüpfung** besteht, wenn das Gesetz für einen in der Vergangenheit begonnenen, aber noch andauernden Sachverhalt mit Wirkung für die Zukunft erstmalig erfasst oder geänderte Rechtsfolgen vorsieht (s. Fall 3 der Grafik). Eine solche tatbestandliche Rückanknüpfung ist grundsätzlich zulässig und nur dann verboten, wenn die schutzwürdigen Belange des Betroffenen Vorrang vor den Belangen des Gemeinwohls haben. Hierfür sind das Gewicht des Vertrauensschutzes, die betroffenen Rechtsgüter und die Intensität der Nachteile von Relevanz. 48

Rückwirkende Änderung des KAGG[84]*:* Der Gesetzgeber wollte Ende 2003 ein Schlupfloch im Körperschaftsteuerrecht auch rückwirkend für die Veranlagungszeiträume 2001 und 2002 schließen. Die Mehrheit des ersten Senats des BVerfG bejahte zum ersten Mal seit über 40 Jahren einen Verstoß gegen die Grundsätze der echten Rückwirkung/Rückbewirkung von Rechtsfolgen und erklärte das Gesetz für verfassungswidrig. Soweit ein Gesetz nur auslegungsbedürftig ist, dürfe der Bürger auf den Bestand des Gesetzes vertrauen.[85] Zudem reiche bereits das abstrakte Vertrauen in die Geltung von Gesetzen aus.[86] 49

Der Mehrheitsentscheidung hielt *Masing* in einem Sondervotum entgegen, eine echte Rückwirkung/Rückbewirkung von Rechtsfolgen sei dagegen zulässig, weil die Rechtslage höchst umstritten und damit offen war und deshalb der Bürger nicht darauf vertrauen durfte, dass das Gesetz Bestand haben würde. Die Mehrheitsansicht würde zudem die Rechte des Parlaments zu stark beschneiden.[87] 50

Grafik: Rückbewirkung von Rechtsfolgen und tatbestandliche Rückanknüpfung 51

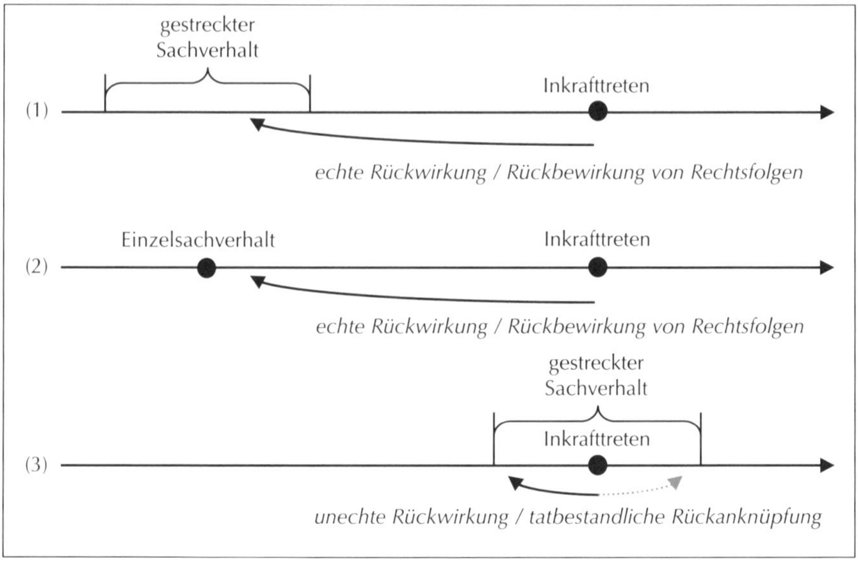

[84] Kapitalanlagegesellschaftengesetz a. F. (KAGG) v. 16.4.1957, BGBl. I, S. 378.

[85] BVerfG, Beschl. v. 17.12.2013, 1 BvL 5/08, BVerfGE 135, 1, 23 ff. – Echte Rückwirkung im Steuerrecht.

[86] So *Michael*, JZ 2015, 425, 427; **a. A.** ausdrücklich die Autoren in § 2 Fn. 87. Noch weitergehend *Hey*, JZ 2014, 500, 503: Vertrauen des Bürgers, dass sich die für ihn günstigste Auslegung durchsetzt.

[87] So das Sondervotum von *Masing*, in: BVerfG, Beschl. v. 17.12.2013, 1 BvL 5/08, BVerfGE 135, 1, 29 Rn. 2, 31; ihm zustimmend *Lepsius*, JZ 2014, 488, 492 ff.; *ders.*, JZ 2015, 435, 437 ff.

III. Der heutige Stufenbau in Deutschland unter Einbeziehung des europäischen Rechts

52 Kommt europäisches Recht zur Anwendung, handelt der nationale Richter als europäischer Richter (§ 1 Rn. 28 ff.). *Merkl* und *Kelsen* konnten die Entwicklung in Europa im Sinne eines Mehrebenensystems (*multilevel system*) natürlich noch nicht vorhersehen. Der Stufenbau ist heute deutlich komplexer als noch vor 80 Jahren. Die obige Pyramide (§ 2 Rn. 43) ist, wie sogleich gezeigt wird, für einen ersten Erklärungsversuch hilfreich, ansonsten aber unvollständig, weil sie die Realität heute nur noch unvollkommen abbildet. Im Folgenden ist deshalb das deutsche Recht mit dem europäischen und internationalen Recht zu verbinden. Das führt zu einer komplexeren Pyramide (§ 2 Rn. 127), die im Folgenden entwickelt wird. Dazu wird zuerst das europäische Recht vorgestellt (1./2.), bevor dann das Verhältnis von europäischem Recht zu nationalem Recht thematisiert wird.

1. Rechtssetzung in der EU

a) Die Europäische Union als supranationale Rechtsordnung

53 Das Verhältnis der Europäischen Union zu ihren Mitgliedstaaten war in den ersten Jahren ungeklärt. Der EuGH hat in ständiger Rechtsprechung betont, dass die EU eine *supranationale* Organisation mit eigener (von den Mitgliedstaaten delegierter) Rechtsetzungskompetenz ist, die sich von den herkömmlichen internationalen Organisationen deutlich unterscheidet. Sie wird deshalb als supranationaler Integrationsverbund[88] oder auch als Staatenverbund[89] bezeichnet. Der EU wird durch die Kompetenzbestimmungen des Primärrechts eigene Rechtsetzungsgewalt zugewiesen, die als originäre Befugnis des Staatenverbundes anzusehen ist.

54 *Costa/E.N.E.L.-Entscheidung:* Kurz nach der Gründung der EWG verstaatlichte Italien die Erzeugung und Verteilung von Strom und gründete die juristische Person E.N.E.L. Art. 37 AEUV untersagt Diskriminierungen zwischen den Bürgern der Mitgliedstaaten aufgrund staatlicher Handelsmonopole. Das nationale Ausgangsgericht hatte deshalb zu prüfen, ob die Gründung von E.N.E.L. zu einer Diskriminierung führte. Der Aktionär Flaminio Costa hielt die Gründung von E.N.E.L. für europarechtswidrig und bezahlte seine Stromrechnungen nicht mehr. Italien hielt es für unzulässig, dem EuGH diese Frage überhaupt vorzulegen.

55 In der Entscheidung *Costa/E.N.E.L.* bejahte der EuGH schon vor mehr als 40 Jahren die Zulässigkeit eines Vorabentscheidungsverfahrens und stellte fest:

> „Zum Unterschied von gewöhnlichen internationalen Verträgen hat der EWG-Vertrag [jetzt: AEUV] eine *eigene Rechtsordnung* geschaffen, die bei seinem Inkrafttreten in die Rechtsordnungen der Mitgliedstaaten aufgenommen worden und von ihren Gerichten anzuwenden ist. Denn durch die Gründung einer Gemeinschaft für unbegrenzte Zeit, die mit eigenen Organen, mit der Rechts- und Geschäftsfähigkeit, mit internationaler Handlungsfähigkeit und insbesondere mit echten, aus der Beschränkung der Zuständigkeit der Mitgliedstaaten oder der Übertragung von Hoheitsrechten der Mitgliedstaaten auf die Gemeinschaft herrührenden Hoheitsrechten ausgestattet ist, haben die Mitglied-

---

[88] *Ohler*, in: Grabitz/Hilf/Nettesheim, Das Recht der Europäischen Union, 71. EL August 2020, Art. 48 EUV Rn. 14.

[89] BVerfG, Urt. v. 12.10.1993, 2 BvR 2134/92 u.a., BVerfGE 89, 155, 183 – Maastricht.

staaten, wenn auch auf einem begrenzten Gebiet, ihre *Souveränitätsrechte beschränkt und so einen Rechtskörper geschaffen, der für ihre Angehörigen und sie selbst verbindlich* ist."[90]

b) Zur Gewaltenteilung zwischen den Mitgliedstaaten und der EU

aa) Mit dem **Prinzip der begrenzten Einzelermächtigung** sowie den ergänzenden Kompetenzausübungsregeln der Subsidiarität und der Verhältnismäßigkeit will man sicherstellen, dass die Mitgliedstaaten „*Herren der Verträge*" (§ 13 Rn. 126) bleiben. Sie entscheiden daher selbst, welche Kompetenzen sie an die europäischen Institutionen übertragen. Das Primärrecht, also EUV und AEUV sowie die GrCh, können nur durch eine *einstimmige* Vertragsänderung mit anschließender Ratifizierung durch alle Mitgliedstaaten geändert werden, Art. 48 Abs. 4 UAbs. 2 EUV. Damit will man die Entwicklung zu einem europäischen Superstaat verhindern, der im Sinne einer *Kompetenz-Kompetenz* selbst entscheidet, welche Kompetenzen er gegenüber den Mitgliedstaaten hat.[91] 56

bb) Seit der Änderungen der Verträge durch den Lissabon-Vertrag existiert ein kodifizierter **Kompetenzkatalog**. Das Europäische Recht differenziert dabei in den Kompetenzkatalogen der Artt. 2 ff. AEUV zwischen ausschließlicher (Artt. 2 Abs. 1, 3 Abs. 1 AEUV), geteilter (Artt. 2 Abs. 2, 4 AEUV) und ergänzender Zuständigkeit (Art. 2 Abs. 3–5 AEUV). Bei ausschließlicher Zuständigkeit dürfen die Mitgliedstaaten grundsätzlich nicht tätig werden. Es obliegt allein dem europäischen Gesetzgeber, bestimmte Regelungen zu treffen, z. B. eine Änderung der Zollvorschriften oder von Handelsabkommen mit Drittstaaten. Im Rahmen der konkurrierenden Zuständigkeit können dagegen die Mitgliedstaaten tätig werden, solange die Union selbst noch nicht von ihrer Kompetenz Gebrauch gemacht hat. Ergänzende Zuständigkeit bedeutet schließlich, dass die Union lediglich Koordinierungs- und Unterstützungsmaßnahmen trifft, sofern die Mitgliedstaaten eine Maßnahme mit europäischer Zielsetzung vornehmen. 57

c) Subsidiaritätsprinzip und Verhältnismäßigkeitsgrundsatz als Kompetenzausübungsregeln

Liegt nach den Kompetenzkatalogen der Artt. 2 ff. AEUV eine Kompetenz der Union vor, kann von dieser Kompetenz nur Gebrauch gemacht werden, wenn die Kompetenzausübungsregeln der Subsidiarität und der Verhältnismäßigkeit gewahrt sind. Das **Subsidiaritätsprinzip** des Art. 5 Abs. 3 EUV besagt, dass die Union, soweit keine ausschließliche Kompetenz gegeben ist, nur tätig werden darf, sofern und soweit die Ziele der in Betracht kommenden Maßnahmen von den Mitgliedstaaten weder auf zentraler noch auf regionaler oder lokaler Ebene ausreichend verwirklicht werden können, sondern vielmehr wegen ihres Umfangs oder ihrer Wirkungen auf Unionsebene besser zu verwirklichen sind (§ 8 Rn. 34). Dieses Prinzip wird vom **Verhältnismäßigkeitsgrundsatz** des Art. 5 Abs. 4 EUV ergänzt. Danach dürfen die Maßnahmen der Union inhaltlich wie formal nicht über das zur Erreichung der Ziele der Verträge erforderliche Maß hinausgehen (§ 10 Rn. 70 ff.). Der zweite Senat des BVerfG hat jüngst im PSPP-Urteil festgestellt, dass die EZB und der EuGH gegen das Prinzip der begrenzten Einzelermächtigung und gegen den Verhältnismäßigkeitsgrundsatz verstoßen haben (§ 2 Rn. 99 ff.). 58

[90] EuGH, Urt. v. 15.7.1964, 6/64, EU:C:1964:66, 1253, 1269 – Costa/E.N.E.L.; vorher schon in ähnlicher Formulierung EuGH, Urt. v. 5.2.1963, 26/62, EU:C:1963:1, 25 – van Gend.

[91] S. Calliess/Ruffert/*Calliess*, EUV/AEUV, 5. Aufl. 2016, Art. 5 EUV Rn. 6 ff.

d) Europäische Rechtsquellen – Zur Unterscheidung von Primär-, Sekundär- und Tertiärrecht

59 aa) Im Einzelnen ist zwischen Primärrecht und Sekundärrecht[92] zu unterscheiden; zum Teil findet sich auch der Begriff des Tertiärrechts. Das Primärrecht wird als Verfassungsrecht der Europäischen Union bezeichnet.[93] Zu dem **geschriebenen Primärrecht** zählen die Gründungsverträge der Europäischen Gemeinschaften unter Einschluss der späteren Ergänzungen und Änderungen (AEUV), der Vertrag zur Gründung der Europäischen Union (EUV) und die Grundrechtecharta (GRCh). Zudem sind die Protokolle und auch die Beitrittsverträge[94] mit neuen Mitgliedstaaten Teil des Primärrechts. Zu den ungeschriebenen Rechtsnormen des Primärrechts gehören die **allgemeinen Rechtsgrundsätze**, die als Werte in Art. 2 EUV genannt werden.[95]

60 Neben dem Primärrecht gibt es völkerrechtliche Verträge der Europäischen Gemeinschaft mit dritten Staaten oder Organisationen, sog. **Unionsabkommen**. Nach der monistischen Sichtweise des EuGH werden sie ohne weiteren Transformationsakt zu Bestandteilen des Unionsrechts, Art. 216 Abs. 2 AEUV.[96] Dies gilt auch für das Völkergewohnheitsrecht.[97] Damit bilden EU-Recht und Völkerrecht zwei untrennbare Teile einer einzigen Rechtsordnung.[98] Nach dem aktuellen Stand des Unionsrechts haben die Organe der EU und die Mitgliedstaaten die Pflichten aus den Abkommen zu erfüllen, soweit die Normen unmittelbar anwendbar sind.[99]

61 bb) Neben dem europäischen Primärrecht existiert das **europäische Sekundärrecht.** Dies ist das Recht, welches die Komission, der Rat und das Parlament neu schaffen. Hier gilt im Unterschied zum Primärrecht das Mehrheitsprinzip, sodass Mitgliedstaaten im Rechtsetzungsverfahren überstimmt werden können.[100] Art. 288 AEUV bringt die originäre Rechtsetzungsbefugnis deutlich zum Ausdruck, ist insoweit aber nicht abschließend. Art. 288 AEUV lautet:

62 > Für die Ausübung der Zuständigkeiten der Union nehmen die Organe Verordnungen, Richtlinien, Beschlüsse, Empfehlungen und Stellungnahmen an.
>
> Die Verordnung hat allgemeine Geltung. Sie ist in allen ihren Teilen verbindlich und gilt unmittelbar in jedem Mitgliedstaat.
>
> Die Richtlinie ist für jeden Mitgliedstaat, an den sie gerichtet wird, hinsichtlich des zu erreichenden Ziels verbindlich, überlässt jedoch den innerstaatlichen Stellen die Wahl der Form und der Mittel.
>
> Beschlüsse sind in allen ihren Teilen verbindlich. Sind sie an bestimmte Adressaten gerichtet, so sind sie nur für diese verbindlich.
>
> Die Empfehlungen und Stellungnahmen sind nicht verbindlich.

63 Die europäische Begrifflichkeit der Verordnung gem. Art. 288 Abs. 2 AEUV ist damit von der deutschen Rechtsverordnung strikt zu unterscheiden. Während die nationale Rechtsverordnung in der Hierarchie unterhalb eines Gesetzes steht (§ 2 Rn. 33), gilt die eu-

---

[92] Zur Normenhierarchie innerhalb des Sekundärrechts *Meurs*, Normenhierarchien im europäischen Sekundärrecht, 2012.

[93] Calliess/Ruffert/*Ruffert*, EUV/AEUV, 5. Aufl. 2016, Art. 1 AEUV Rn. 8 ff.

[94] EuGH, Urt. v. 14.7.1976, C-3/76 u.a., EU:C:1976:114, Ls. 1 – Kramer.

[95] Wie Achtung der Menschenwürde, Freiheit, Demokratie, Gleichheit, Rechtsstaatlichkeit und Wahrung der Menschenrechte. Für einen Überblick s. *Nettesheim*, in: Grabitz/Hilf/Nettesheim, Das Recht der Europäischen Union, 71. EL August 2020, Art. 288 AEUV Rn. 27 ff.; Streinz/*W. Schroeder*, EUV/AEUV, 3. Aufl. 2018, Art. 288 AEUV Rn. 17 f.

[96] EuGH, Urt. v. 30.4.1974, C-181/73, EU:C:1974:41, Rn. 2, 6 – Haegeman; EuGH, Urt. v. 20.9.1990, C-192/89, EU:C:1990:322, Rn. 8 – Sevince; Streinz/*Mögele*, EUV/AEUV, 3. Aufl. 2018, Art. 216 AEUV Rn. 49.

[97] EuGH, Urt. v. 16.6.1998, C-162/96, EU:C:1998:293, Rn. 46 – Racke.

[98] *Fischer*, in: FS Zemanek, 1994, S. 179, 202.

[99] EuGH, Urt. v. 26.10.1982, C-104/81, EU:C:1982:362, Rn. 12 – Kupferberg.

[100] Zur einfachen und qualifizierten Mehrheit, s. Art. 238 AEUV.

ropäische Verordnung unmittelbar, ist also in der Hierarchie mit einem Bundesgesetz vergleichbar. Richtlinien sind schwächer als Verordnungen, weil sie erst in nationales Recht umgesetzt werden müsssen, bevor dann das nationale Gesetz zur Anwendung kommt. Auch ohne Umsetzung können sie jedoch unter bestimmten Voraussetzungen Wirkung entfalten, man spricht von vertikaler Wirkung (§ 12 Rn. 36 ff.) und der Pflicht zur richtlinienkonformen Auslegung (§ 12 Rn. 35 ff.). Verbindlich sind Verordnungen, Richtlinien und Entscheidungen, wobei letztere nicht gegenüber einem unbestimmten Personenkreis ergehen. Jenseits von Art. 288 AEUV sind Beschlüsse der Unionsorgane von erheblicher Bedeutung. Sie führen zu einer Änderung der Rechtslage, ohne dass sie sich an einen bestimmten Adressaten wenden. Sie sind rechtsverbindlich. Verordnungen, Richtlinien und Beschlüsse ergehen in einem ordentlichen Gesetzgebungsverfahren, Art. 289 AEUV.

Empfehlungen und Stellungnahmen sind nach dem Wortlaut der Norm nicht verbind- **64**
lich. Der EuGH misst ihnen allerdings Rechtsnormcharakter mit gewissen rechtlichen Pflichten bei (§ 3 Rn. 71 f.). Resolutionen, Entschließungen[101], Mitteilungen oder Erklärungen europäischer Organe sind jeweils rechtlich nicht verbindlich.[102]

cc) Inzwischen sehen immer mehr Verordnungen und Richtlinien Ermächtigungs- **65**
normen vor, die zum Erlass von delegierten Rechtsakten, wie Verordnungen oder Richtlinien, durch die Verwaltung berechtigen (sog. Komitologieverfahren). Dabei muss bereits der Rechtsakt des Sekundärrechts gem. Art. 290 Abs. 1 UAbs. 2 S. 1 AEUV Ziele, Inhalt, Geltungsbereich und Dauer ausdrücklich festlegen. Die Vorschrift ähnelt damit Art. 80 Abs. 1 S. 2 GG (§ 2 Rn. 33 f.). Dies dient dazu, das Recht weiter zu konkretisieren (§ 7 Rn. 41 f.). Eine spezielle Form dieses Verfahrens gibt es für das Kapitalmarktrecht mit dem Lamfalussy-Verfahren.[103] Hier sollte man von **Tertiärrecht** sprechen.[104]

e) Mindest- und Vollharmonisierung als Formen der Rechtsangleichung

aa) Von **Vollharmonisierung** spricht man, wenn die Richtlinie ihrem Inhalt nach ab- **66**
schließend ist, also kein abweichendes nationales Recht gestattet.[105] Dadurch sollen gleiche Wettbewerbsbedingungen (*level playing field*) in einem europäischen Binnenmarkt (Art. 26 Abs. 2 AEUV) hergestellt werden. Solche grundsätzlich abschließenden Richtlinien sind etwa die Produkthaftungs-RL[106], die Warenkauf-RL, die MAR als Verordnung[107] oder die MiFiD II[108]. Eine typische Formulierung lautet etwa: „Sofern in dieser Richtlinie nichts anderes bestimmt ist, dürfen die Mitgliedstaaten in ihrem nationalen Recht keine von den Bestimmungen dieser Richtlinie abweichenden Vorschriften aufrechterhalten oder einführen; dies gilt auch für strengere oder weniger strenge Vorschriften zur Gewährleistung eines anderen Verbraucherschutzniveaus."[109]

---

[101] EuGH, Urt. v. 13.11.1964, 90/63 u.a., EU:C:1964:80, 1329, 1345 – Kommission/Belgien und Luxemburg.

[102] *Nettesheim*, in: Grabitz/Hilf/Nettesheim, Das Recht der Europäischen Union, 71. EL August 2020, Art. 288 AEUV Rn. 211 ff.

[103] Hierzu *Möllers*, ZEuP 2008, 480, 504 ff.; *ders.*, ZEuP 2016, 325 ff.

[104] *Nettesheim*, in: Grabitz/Hilf/Nettesheim, Das Recht der Europäischen Union, 71. EL August 2020, Art. 288 AEUV Rn. 31; *von Bogdandy/Bast/Arndt*, ZaöRV 2002, 77 ff.; *Streinz*, Europarecht, 11. Aufl. 2019, Rn. 474, 573; Streinz/*Gellermann*, EUV/AEUV, 3. Aufl. 2018, Art. 290 AEUV Rn. 3.

[105] Zum Folgenden s. *Möllers*, in: Gsell/Herresthal, Vollharmonisierung im Privatrecht, 2009, S. 247, 249 f.

[106] Bezogen auf den materiellen Schaden s. EuGH, Urt. v. 25.4.2002, C-183/00, EU:C:2002:255, Rn. 25 ff. – Sánchez v. Medicina Asturiana; EuGH, Urt. v. 25.4.2002, C-52/00, EU:C:2002:252, Rn. 24 – Kommission/Frankreich.

[107] S. ErwG. 5 S. 4 MAR: „Diese Verordnung wird zur Folge haben, dass in der gesamten Union alle natürlichen und juristischen Personen die gleichen Regeln zu befolgen haben"; *Veil*, Handbuch zum Marktmissbrauchsrecht, 2018, § 3 Rn. 20; *Klöhn*, AG 2016, 423, 425.

[108] Str. S. unten § 2 Rn. 113.

[109] Art. 4 Warenkauf-RL. Ähnlich bereits Art. 31 Abs. 1 UAbs. 2 der RL 2004/39/EG v. 21.4.2004 über Märkte für Finanzinstrumente (MiFID I), ABl. Nr. L 2004, 145, S. 1.

67 bb) Gegen eine Rechtsharmonisierung sprechen aber die daraus resultierende Versteinerung und größere Komplexität des Rechts.[110] Außerdem kann im Rahmen der Harmonisierung nur bedingt auf mitgliedstaatliche Rechtstraditionen Rücksicht genommen werden. Mit ihren unterschiedlichen Rechtsordnungen kann es zu einem konstruktiven Wettbewerb der Rechtsordnungen kommen.[111] Schließlich wird die Harmonisierung durch das Prinzip der begrenzten Einzelermächtigung und das Subsidiaritätsprinzip eingeschränkt (§ 2 Rn. 56 ff.). Um einen politischen Kompromiss zu ermöglichen, erlaubt die **Mindestharmonisierung** den Mitgliedstaaten, über das europäische Recht hinaus strengeres nationales Recht zu erlassen. Diese häufig vorkommenden *Mindest- oder Minimumklauseln* lauten typischerweise: „Die vorliegende Richtlinie hindert die Mitgliedstaaten nicht daran, noch günstigere (Verbraucherschutz-) Bestimmungen auf dem Gebiet dieser Richtlinie zu erlassen oder beizubehalten."[112] Daneben erlauben *Optional- oder Wahlklauseln* den Mitgliedstaaten, Regelungsinhalte umzusetzen, ohne dazu gezwungen zu sein.[113] *Rückverweisungsklauseln* schaffen nur einen Harmonisierungsrahmen, in welchem die Mitgliedstaaten die einzelnen Voraussetzungen festlegen (§ 2 Rn. 112). *Unbestimmte Rechtsbegriffe* lassen sich nicht auf den konkreten Sachverhalt anwenden; sie bedürfen weiterer Konkretisierung (§ 7 Rn. 32 ff.). Schließlich existieren zahlreiche *Lücken*.

68 cc) Auch **supranationale Rechtsformen**, die der europäische Gesetzgeber den Akteuren zur Verfügung stellt, wollen das Recht in der EU vereinheitlichen. Dazu gehören etwa die Europäische Unionsmarke[114] oder die Europäische Aktiengesellschaft (Societas Europaea – SE). Als indirekte Form der Rechtsharmonisierung kann man schließlich die **gegenseitige Anerkennung** nennen. Die für die SE gefundene Lösung kombiniert diese mit der Mindestharmonisierung und erlaubt so etwa die gegenseitige Anerkennung von Aufsichtsrat und Board of Directors.[115] Schließlich führt die Prüfung der Grundfreiheiten durch den EuGH zu einer gegenseitigen Anerkennung und damit einer Rechtsharmonisierung durch die Hintertür (§ 10 Rn. 67).

69 dd) Nur zu oft gibt es aber *Überschneidungen*: Das Konzept einer Mindest- oder Vollharmonisierung wird regelmäßig nicht in Reinkultur in einer Richtlinie oder Verordnung umgesetzt. Trotz der Betonung des grundsätzlich abschließenden Charakters der Vollharmonisierung finden sich in einer Richtlinie oder Verordnung regelmäßig Klauseln, die nationales Recht zulassen wie Optional-, Experimentier- oder Rückverweisungsklauseln auf das nationale Recht. Auch existieren unbestimmte Rechtsbegriffe und Lücken. Die Differenzierung von Mindest- und Vollharmonisierung ist deshalb gewichtig, weil im vollharmonisierten Bereich die autonome Auslegung anzuwenden ist (§ 2 Rn. 70 ff.), während im nicht harmonisierten Bereich grundsätzlich erst einmal nationales Recht gilt. Ob die Richtlinie abschließenden Charakter hat, ist im Zweifel sehr aufwändig im Wege der Auslegung festzustellen (§ 2 Rn. 113).

---

110 *Schön*, in: Everling/Roth, Mindestharmonisierung im Europäischen Binnenmarkt, 1997, S. 55, 69; allgemein *Kieninger*, Wettbewerb der Privatrechtsordnungen im Europäischen Binnenmarkt, 2002.

111 Hierzu krit. *Kötz*, RabelsZ 50 (1986), 1; *Kübler*, KritV 1994, 79, 87 ff.; *Dreher*, JZ 1999, 105, 109; *van Hulle*, EWS 2000, 521, 522 f.; *Ebke*, in: FS Lutter, 2000, S. 17; *Grundmann*, ZGR 2001, 783; *Heine*, Regulierungswettbewerb im Gesellschaftsrecht, 2003.

112 Nahezu alle bisherigen Richtlinien zum Verbraucherschutz sind mit solchen Mindestklauseln versehen. Krit. hierzu ErwG. 6 ff. Warenkauf-RL. S. sogleich § 2 Rn. 110 f.

113 Beispielsweise die Rügeobliegenheit gem. Art. 12 Warenkauf-RL: „die Mitgliedstaaten können Bestimmungen beibehalten oder einführen", ausführlich *Möllers*, in: FS Grunewald, 2021, S. 771, 788 ff.

114 S. Gemeinschaftsmarke-VO (EU) 207/2009 v. 26.2.2009, ABl. Nr. L 78, S. 1 und SE-VO. Die Gemeinschaftsmarke wurde inzwischen durch die Unionsmarke ersetzt, Ströbele/Hacker/Thiering/*Thiering*, Markengengesetz, 13. Aufl. 2021, § 126 MarkG Rn. 1.

115 Art. 38 ff. SE-VO. Zum Wahlrecht zwischen dualistischem und monistischem System, s. *Möllers*, in: Schulze/Janssen/Kadelbach, Europarecht, 4. Aufl. 2020, § 19 Rn. 219.

2. Die autonome Auslegung des Europarechts und die Auslegung innerhalb der europäischen Normenhierarchie

f) Autonome Auslegung durch den EuGH

Der EuGH ist in seiner Auslegung nicht auf das Vorverständnis der Begrifflichkeiten in den Mitgliedstaaten festgelegt, das sich oft voneinander unterscheidet.[116] Eine einheitliche Auslegung europäischen Rechts kann nur sichergestellt werden, wenn die Begriffe des Primär- und Sekundärrechts unabhängig vom Vorverständnis der Mitgliedstaaten **autonom** ausgelegt werden. In diesem Rahmen stellt der EuGH auch rechtsvergleichende Überlegungen an (§ 7 Rn. 87 ff.). Im Übrigen kennt der EuGH den Auslegungskanon von *Savigny* (§ 4 Rn. 27 f.). 70

„Hierzu ist daran zu erinnern, dass die einheitliche Anwendung des Gemeinschaftsrechts und der Gleichheitssatz verlangen, dass Begriffe einer Vorschrift des Gemeinschaftsrechts, die für die Ermittlung ihres Sinnes und ihrer Bedeutung nicht ausdrücklich auf das Recht der Mitgliedstaaten verweist, in der Regel in der gesamten Gemeinschaft *autonom und einheitlich* ausgelegt werden, wobei diese Auslegung unter Berücksichtigung des Regelungszusammenhangs und des mit der Regelung verfolgten Zweckes zu ermitteln ist (vgl. insbesondere Urteile vom 19. September 2000 in der Rechtssache C-287/98 – Linster, Slg. 2000, I-6917, Randnr. 43, und vom 12. Oktober 2004 in der Rechtssache C-55/02 – Kommission/Portugal, Slg. 2004, I-0000, Rn. 45)."[117] 71

Widerspricht diese autonome Begrifflichkeit dem nationalen Sprachgebrauch, geht die autonome Auslegung der Auslegung in den Mitgliedstaaten vor. 72

Öffentliche Verwaltung: Art. 45 Abs. 4 AEUV verwendet den Begriff der „öffentlichen Verwaltung". Nach dieser Vorschrift findet die Arbeitnehmerfreizügigkeit keine Anwendung auf die Beschäftigung in der öffentlichen Verwaltung. In Deutschland konnte in der Vergangenheit nur Beamter werden, wer die deutsche Staatsangehörigkeit besitzt.[118] Der EuGH hat sich in ständiger Rechtsprechung geweigert, das nationale Vorverständnis für den Begriff der öffentlichen Verwaltung anzuwenden und damit etwa alle Beamtenstellen grundsätzlich von der Arbeitnehmerfreizügigkeit auszunehmen. Um der Arbeitnehmerfreizügigkeit als einer der wesentlichen Grundfreiheiten einen möglichst weiten Anwendungsbereich zu eröffnen, legt der EuGH die Vorschrift eng aus und verlangt, dass die Stelle eine besondere Verbundenheit des Stelleninhabers zum Staat voraussetzt. Das ist etwa bei Polizisten, Richtern und Steuerbeamten der Fall, nicht aber bei Wissenschaftlern oder Studienreferendaren.[119]

Da jeder nationale Richter bei der Auslegung von Begriffen, die auf europäisches Recht zurückgehen, auch europäischer Richter ist, **muss auch der nationale Richter** diese Begriffe autonom auslegen.[120] 73

[116] EuGH, Urt. v. 6.10.1982, C-283/81, EU:C:1982:335, Rn. 19 – C.I.L.F.I.T.; s. auch EuGH, Urt. v. 22.11.1977, C-43/77, EU:C:1977:188, Rn. 28 – Industrial Diamond; EuGH, Urt. v. 2.4.1998, C-296/95, EU:C:1998:152, Rn. 30 – Queen/Commissioners of Customs and Excise.

[117] EuGH, Urt. v. 27.1.2005, C-188/03, EU:C:2005:59, Rn. 29 – Junk.

[118] § 4 Abs. 1 Nr. 1 BRRG v. 31.3.1999, BGBl. I, S. 654 (Beamtenrechtsrahmengesetz); später ergänzt („oder die Staatsangehörigkeit eines anderen Mitgliedstaates der Europäischen Gemeinschaft besitzt") durch das zehnte Gesetz zur Änderung dienstrechtlicher Vorschriften v. 20.12.1993, BGBl. I, S. 2136.

[119] St. Rspr., s. EuGH, Urt. v. 12.2.1974, C-152/73, EU:C:1974:13, Rn. 5 – Sotgiu; EuGH, Urt. v. 3.7.1986, 66/85, EU:C:1986:284, Rn. 26 f. – Lawrie-Blum; EuGH, Urt. v. 2.7.1996, C-473/93, EU:C:1996:263, Rn. 26 – Kommission/Luxemburg. Nach § 7 Abs. 1 Nr. 1 Bundesbeamtengesetz kann nun Beamter werden, wer die deutsche *oder die europäische* Staatsbürgerschaft besitzt.

[120] *Pernice*, EuR 1996, 27, 33; *Zuleeg*, JZ 1994, 1, 2; *ders.*, RdA 1996, 71 ff.; *Möllers*, Die Rolle des Rechts im Rahmen der europäischen Integration, 1999, S. 73; *Nowak*, EuR 2000, 724, 725.

g) Normenhierarchie und primärrechtskonforme Auslegung des europäischen Rechts

74 aa) Der EuGH erkennt eine **Normenhierarchie** im Sinne des *Lex-superior*-Grundsatzes an (§ 2 Rn. 36 ff.). Zum **Primärrecht** zählen der EUV, der AEUV und die GRCh, die nur von den Mitgliedstaaten als „Herren der Verträge" erlassen bzw. geändert werden können. Art. 6 Abs. 1 Hs. 2 EUV spricht von der Gleichrangigkeit zwischen diesen drei Verträgen. Ein Staat kann der Europäischen Union nur dann beitreten, wenn er diese Werte achtet, Art. 49 EUV. Nach Art. 7 EUV kann ein Sanktionsverfahren gegen einen Mitgliedstaat eingeleitet werden, wenn er diese Werte missachtet. Die europäischen Werte stellen insoweit eine Geschäftsgrundlage dar.[121] Vielleicht sollte man aber noch deutlicher die in Art. 2 EUV genannten Werte zu den **änderungsfesten Rechtssätzen** zählen.[122] Dafür spricht, dass der EuGH sich ausdrücklich gegen eine Abweichung von diesen Werten ausgesprochen hat.[123] Das Primärrecht umfasst darüber hinaus allgemeine Rechtsprinzipien. Diese Rechtsprinzipien müssen nicht zwingend kodifiziert sein.[124] Sie können auch ungeschrieben sein, wie etwa der Vertrauensgrundsatz (§ 9 Rn. 17).

75 Das Primärrecht geht dem Sekundärrecht vor.[125] **Völkerrechtliche Verträge** der EU mit Dritten stehen unter dem Primärrecht, jedoch über dem Sekundärrecht.[126] Von europäischem **Sekundärrecht** spricht man bei Recht, das die EU aufgrund ihrer Kompetenzen setzt, üblicherweise Verordnungen und Richtlinien. Das Sekundärrecht muss im Lichte des Primärrechts ausgelegt werden.[127] Das **Tertiärrecht** muss den Vorgaben des Sekundärrechts entsprechen.[128]

76 bb) Widerspricht dabei das niederrangige Recht dem höherrangigen, muss es vorab im Lichte des höherrangigen Rechts ausgelegt werden. Hierfür wird auch der Begriff der vertragskonformen[129] oder **primärrechtskonformen** Auslegung gewählt. Vom Gebot der primärrechtskonformen Auslegung ist das gesamte abgeleitete Unionsrecht erfasst.[130] Die primärrechtliche Auslegung lässt sich nochmals nach dem Inhalt des Primärrechts unterscheiden in **grundfreiheitenkonforme** und grundrechtskonforme Auslegung[131]. Demnach müssen etwa *Mindestklauseln im Lichte der Grundfreiheiten ausgelegt* werden. Obwohl die Richtlinie 84/450/EWG über irreführende Werbung[132] nur eine Mindestharmonisierung vorsah und damit grundsätzlich strengeres Recht zugunsten des Verbrauchers zulässt, grenzte der EuGH den Verbraucherschutz zugunsten der Warenverkehrsfreiheit ein. Zudem ist das Sekundärrecht im Lichte völkerrechtlicher Verträge auszulegen.

---

[121] *Calliess*, JZ 2004, 1033, 1040; Calliess/Ruffert/*Calliess*, EUV/AEUV, 5. Aufl. 2016, Art. 2 EUV Rn. 32.

[122] So schon zu Art. 6 EUV a. F. s. *Möllers*, Die Rolle des Rechts im Rahmen der europäischen Integration, 1999, S. 29 ff.

[123] EuGH, Urt. v. 3.9.2008, C-402/05 P u.a., EU:C:2008:461, Rn. 285, 303 – Kadi.

[124] Wie das Prinzip der begrenzten Einzelermächtigung oder das Subsidiaritätsprinzip in Art. 5 EUV, s. § 2 Rn. 56 ff.

[125] Calliess/Ruffert/*Ruffert*, EUV/AEUV, 5. Aufl. 2016, Art. 288 AEUV Rn. 8; s. auch *Meurs*, Normenhierarchien im europäischen Sekundärrecht, 2012, S. 15.

[126] EuGH, Urt. v. 10.9.1996, C-61/94, EU:C:1996:313, Rn. 52 – Kommission/Deutschland.

[127] EuGH, Urt. v. 21.3.1991, C-314/89, EU:C:1991:143, Rn. 17 – Rauh/Hauptzollamt Nürnberg-Fürth; in ähnlicher Formulierung EuGH, Urt. v. 21.9.1989, C-46/87 u.a., EU:C:1989:337, Rn. 12 – Hoechst/Kommission.

[128] EuGH, Urt. v. 13.3.1997, C-103/96, EU:C:1997:151, Rn. 20 – Directeur General/Eridania.

[129] *Vogenauer*, Die Auslegung von Gesetzen in England und auf dem Kontinent, 2001, S. 387.

[130] EuGH, Urt. v. 9.3.2006, C-499/04, EU:C:2006:168, Rn. 32 – Werhof.

[131] *Leible/Domröse*, in: Riesenhuber, Europäische Methodenlehre, 4. Aufl. 2021, § 8 Rn. 14 ff.

[132] Art. 7 Richtlinie 84/450/EWG zur Angleichung der Rechts- und Verwaltungsvorschriften der Mitgliedstaaten über irreführende Werbung v. 10.9.1984, ABl. Nr. L 250, S. 17. Ebenso als Nachfolger Art. 8 Abs. 1 Richtlinie 2006/114/EG v. 12.12.2006 über irreführende und vergleichende Werbung, ABl. Nr. L 376, S. 21.

Gleichermaßen ist eine Durchführungsverordnung im Lichte der Rahmenverordnung auszulegen.[133]

cc) Verstoßen Rechtsakte des Sekundärrechts gegen das Primärrecht, können sie für nichtig erklärt werden, Artt. 263 Abs. 2, 264, 267 Abs. 1 lit. b) und Art. 277 AEUV. Im Falle der Unvereinbarkeit muss der EuGH den Rechtsakt nicht zwingend *ex tunc* für nichtig erklären, sondern kann bestimmte Wirkungen gem. Art. 264 Abs. 2 AEUV aufrechterhalten.[134] 77

Clinique: In der Clinique-Entscheidung hatte das LG Berlin zu prüfen, ob der Begriff „Clinique" für ein Make-up von Estée Lauder irreführend für den Verbraucher sei, weil er dem Produkt medizinische Wirkung zuschreiben könnte. Der EuGH sah darin einen unverhältnismäßigen Eingriff in die Warenverkehrsfreiheit des Art. 34 AEUV. Diese kam aber nicht unmittelbar zur Anwendung, weil der Bereich durch die Irreführungs-Richtlinie 84/450/EWG harmonisiert war und harmonisiertes Recht grundsätzlich als lex specialis den Grundfreiheiten vorgeht. Die Bundesrepublik Deutschland berief sich auf die Mindestklausel in Art. 7 Irreführungs-RL 84/450/EWG, wonach Mitgliedstaaten zugunsten der Verbraucher einen stärkeren Schutz zulassen dürfen als die Richtlinie vorsieht. Diesem durchaus überzeugenden Argument setzte der EuGH den Vorrang des Primärrechts (Art. 34 AEUV) gegenüber dem Sekundärrecht (Irreführungs-RL 84/450/EWG) entgegen, sodass diese *Mindestklausel im Lichte der Warenverkehrsfreiheit* auszulegen ist.[135] Im Ergebnis war deshalb eine Irreführung zu verneinen. 78

dd) Allerdings müssen die Grundfreiheiten wiederum im Lichte der europäischen Grundrechte ausgelegt werden. Man spricht von **grundrechtskonformer** Auslegung.[136] Oder Grundfreiheiten können durch Grundrechte eingeschränkt werden. Als die österreichische Polizei eine Blockade der Brennerautobahn durch Lkws nicht stoppte, prüfte der EuGH einerseits die Warenverkehrsfreiheit der EU-Mitbürger, andererseits aber das Demonstrationsrecht der österreichischen Bürger. Der EuGH stellte fest, dass die Grundrechte einen Rechtfertigungsgrund zur Einschränkung der Warenverkehrsfreiheit darstellen. Er prüfte dann aber ausführlich die Verhältnismäßigkeit der durch die Behörden tolerierten Demonstration (s. § 10 Rn. 70 ff.) und schrieb: 79

„Strengere Auflagen hinsichtlich des Ortes der fraglichen Versammlung – z.B. neben der Brenner-Autobahn – wie ihrer Dauer – nur wenige Stunden – hätten als übermäßige Beschränkung wahrgenommen werden können, die der Aktion einen wesentlichen Teil ihrer Wirkung hätte nehmen können. Zwar müssen die zuständigen nationalen Stellen bestrebt sein, die mit einer Demonstration auf öffentlichen Straßen verbundenen unausbleiblichen Auswirkungen auf die Freiheit des Verkehrs möglichst gering zu halten, doch haben sie dieses Interesse gegenüber dem der Demonstranten, die öffentliche Meinung auf die Ziele ihrer Aktion aufmerksam zu machen, abzuwägen. 80

Zwar bringt eine derartige Aktion gewöhnlich für unbeteiligte Personen bestimmte Nachteile mit sich, insbesondere was die Freiheit des Verkehrs angeht, doch können diese grundsätzlich hingenommen werden, wenn damit im Wesentlichen der Zweck verfolgt wird, auf rechtmäßige Weise eine Meinung öffentlich zu äußern."[137]

---

[133] EuGH, Urt. v. 10.9.1996, C-61/94, EU:C:1996:313, Rn. 52 – Kommission/Deutschland; Streinz/*W. Schroeder*, EUV/AEUV, 3. Aufl. 2018, Art. 288 AEUV Rn. 24.

[134] *Martens*, Methodenlehre des Unionsrechts, 2013, S. 424 f.

[135] EuGH, Urt. v. 2.2.1994, C-315/92, EU:C:1994:34, Rn. 12 – Clinique. Weitere Beispiele bei *Leible/Domröse*, in: Riesenhuber, Europäische Methodenlehre, 4. Aufl. 2021, § 8 Rn. 7 ff.

[136] Calliess/Ruffert/*Kluth*, EUV/AEUV, 5. Aufl. 2016, Art. 57 AEUV Rn. 59 ff.; *Kahl/Schwind*, EuR 2014, 170, 184.

[137] EuGH, Urt. v. 12.6.2003, C-112/00, EU:C:2003:333, Rn. 91 f. – Schmidberger. In diesem Urteil lehnte der EuGH zudem in Rn. 65 ff. eine Staatshaftung ab.

81 ee) Umgekehrt ist auch zu klären, ob das **Primärrecht im Lichte des Sekundärrechts** auszulegen ist. Der EuGH hat eine solche Auslegung gelegentlich durchgeführt.[138] In der Literatur ist dieses Vorgehen zum Teil mit dem Grundsatz der richterlichen Zurückhaltung im Bereich der Rechtsetzung und -gestaltung verteidigt worden.[139] Mit einer solchen Auslegung wird allerdings die Normenhierarchie (§ 2 Rn. 74) auf den Kopf gestellt.[140] Kompetenzrechtlich steht dem entgegen, dass die Auslegung des Primärrechts gemäß Art. 19 Abs. 1 S. 2 EUV allein dem EuGH zusteht. Die Gewaltenteilung erlaubt nicht, dass die Kommission oder der Rat durch sekundärrechtliche Begriffsbestimmungen die Auslegung des Primärrechts vorgeben. Nur durch eine Änderung des Primärrechts kann der europäische Gesetzgeber unmittelbar auf das Primärrecht Einfluss nehmen. Deshalb kann die Auslegungsfigur nur ein bereits vorher gefundenes Auslegungsergebnis zusätzlich absichern und ergänzen.[141] In diese Richtung geht auch die Argumentation des EuGH.[142]

3. Höherrangigkeit des Unionsrechts gegenüber dem nationalen Recht – Geltung und Anwendungsvorrang

a) Die monistische Perspektive des EuGH: unmittelbare Geltung des europäischen Rechts

82 Der EuGH unterscheidet zwischen der **unmittelbaren Geltung** (*direct applicability; applicabilité directe*) (§ 2 Rn. 84), dem **Anwendungsvorrang** (§ 2 Rn. 85) und der **unmittelbaren Anwendbarkeit/Wirkung** (*direct effect; effet direct*) von europäischen Rechtsnormen (§ 12 Rn. 4 ff.). Es ist streng zwischen unmittelbarer Geltung und unmittelbarer Anwendbarkeit zu differenzieren. In einem Mehrebenensystem der Europäischen Union mit ihren Mitgliedstaaten (§ 2 Rn. 52) kann es zu der Frage kommen, ob im konkreten Fall europäisches Recht oder nationales Recht Anwendung findet. In zahlreichen Urteilen hat der EuGH die **Höherrangigkeit** (*supremacy*) des europäischen Rechts gegenüber dem Recht der Mitgliedstaaten festgestellt.[143] Es ist damit zwischen der normenhierarchischen Vorrangregel Höherrangigkeit (*supremacy*) und der nicht-hierarchischen Vorrangregel Anwendungsvorrang (*primacy*) zu unterscheiden.[144] Im Folgenden sind verschiedene Fragestellungen auseinanderzuhalten: *Gilt* europäisches Recht (§ 2 Rn. 83)? Wann führt es zu einem *Anwendungsvorrang*, so dass es die Parteien bindet (§ 2 Rn. 85 ff. und § 12 Rn. 24 ff.)? Und schließlich: Können nationale Besonderheiten, wie etwa die Integrationsverantwortung des BVerfG, diese Überlegungen wieder einschränken (§ 2 Rn. 94 ff.)?

---

[138] EuGH, Urt. v. 12.12.1974, C-36/74, EU:C:1974:140, Rn. 20/24 – Walrave; EuGH, Urt. v. 12.10.1978, C-13/78, EU:C:1978:182, Rn. 23 – Eggers.

[139] *Mayer*, in: Grabitz/Hilf/Nettesheim, Das Recht der Europäischen Union, 71. EL August 2020, Art. 19 EUV Rn. 65; *Colneric*, ZEuP 2005, 225, 229.

[140] So die zutreffende Kritik von *Anweiler*, Die Auslegungsmethoden des Gerichtshofes der Europäischen Gemeinschaften, 1997, S. 197; *F. Müller/Christensen*, Juristische Methodik, Bd. II, 3. Aufl. 2012, Rn. 559.

[141] *Anweiler* (ebd.), S. 198; *F. Müller/Christensen* (ebd.), Rn. 560; *Möllers*, ZHR 171 (2007), 754, 755.

[142] EuGH, Urt. v. 26.2.1991, C-292/89, EU:C:1991:80, Rn. 14 – Antonissen: „Diese Auslegung des EWG-Vertrags [jetzt AEU-Vertrag] entspricht im übrigen der Auffassung der rechtsetzenden Organe der Gemeinschaft, wie sie sich aus den Bestimmungen zur Durchführung der Freizügigkeit, insbesondere den Artikeln 1 und 5 der Verordnung (EWG) Nr. 1612/68 des Rates vom 15. Oktober 1968 über die Freizügigkeit der Arbeitnehmer innerhalb der Gemeinschaft (ABl. L 257, S. 2), ergibt […]".

[143] Ausführlich *Costa/Peers*, Steiner&Woods EU Law, 14th ed. 2020, S. 90 ff.

[144] *C.F. Mayer*, VVDStRL 75 (2016), 8, 43.

Mit den Urteilen van Gend & Loos sowie Costa v. E.N.E.L. aus den Jahren 1963 und 1964 hatte der EuGH das europäische Recht deutlich gestärkt (§ 2 Rn. 54 f.). Obwohl eine entsprechende Norm in den europäischen Verträgen fehlte, begründete der EuGH eine unmittelbare Geltung des europäischen Rechts und bei Kollisionen zwischen europäischem Recht und nationalem Recht ggf. einen Vorrang des europäischen Rechts.[145] Der EuGH entwickelte ein Zweistufenkonzept und unterscheidet zwischen unmittelbarer Geltung und dem Anwendungsvorrang. Eine europäische Norm gilt unmittelbar in jedem Mitgliedstaat, ohne dass es einer konkreten Zustimmung des Mitgliedstaates bedarf.[146] Der EuGH begründet diese **unmittelbare Geltung** (*direct applicability; applicabilité directe*) des europäischen Rechts in den Mitgliedstaaten damit, dass die Rechtsetzungskompetenzen schon durch die Unterzeichnung des EWG-Vertrages von den Mitgliedstaaten auf die EU übergegangen sind. Die Europäische Union bildet, wie der EuGH in der *Costa/E.N.E.L.*-Entscheidung feststellte, eine eigene Rechtsordnung, welche die Souveränitätsrechte der Mitgliedstaaten beschränkt hat (§ 2 Rn. 54 f.). Zudem stellt der EuGH auf den Grundsatz des *effet utile* ab, der die Durchsetzbarkeit und Wirksamkeit des Europarechts sicherstellen soll (§ 5 Rn. 108 ff.).[147] Die Geltungswirkung findet sich für Verordnungen in Art. 288 Abs. 2 AEUV (§ 2 Rn. 62) und lässt sich mit einem Erst-Recht-Schluss auch auf das Primärrecht übertragen.[148] Diese Geltung bezieht sich auf alle Rechtsquellen des Unionsrechts einschließlich des sekundären Unionsrechts. Damit **gelten** Richtlinien in jedem Mitgliedstaat, unabhängig von der Frage, ob sie auch *unmittelbar anwendbar* sind (§ 12 Rn. 4). Diese Grundsätze wurden in der Simmenthal II-Entscheidung weiterentwickelt. Einer monistischen Sichtweise folgend gelten europäische Normen unmittelbar in den Mitgliedstaaten: 83

„*Unmittelbare Geltung* bedeutet unter diesem Blickwinkel, daß die Bestimmungen des *Gemeinschaftsrechts ihre volle Wirkung einheitlich in sämtlichen Mitgliedstaaten vom Zeitpunkt ihres Inkrafttretens an und während der gesamten Dauer ihrer Gültigkeit entfalten müssen.* Diese Bestimmungen sind somit unmittelbare Quellen von Rechten und Pflichten für alle diejenigen, die sie betreffen, einerlei ob es sich um die Mitgliedstaaten oder um solche Einzelpersonen handelt, die an Rechtsverhältnissen beteiligt sind, welche dem Gemeinschaftsrecht unterliegen. Diese Wirkung erstreckt sich auch auf jedes Gericht, das, angerufen im Rahmen seiner Zuständigkeit, als Organ eines Mitgliedstaats die Aufgabe hat, die Rechte zu schützen, die das Gemeinschaftsrecht den Einzelnen verleiht."[149] 84

b) Anwendungsvorrang des Unionsrechts

aa) Die unmittelbare Geltung des Unionsrechts führt zu einem **Anwendungsvorrang** (*primacy*) des Primärrechts und von Verordnungen gegenüber dem nationalen Recht. Dieser Anwendungsvorrang wurde vom EuGH in der *Costa/E.N.E.L.*-Entscheidung entwickelt[150] und dann in der Simmenthal II-Entscheidung weiter konkretisiert: 85

---

[145] Zur Kritik an dieser Entwicklung, s. unten § 13 Rn. 118 ff.

[146] *Nettesheim*, in: Grabitz/Hilf/Nettesheim, Das Recht der Europäischen Union, 71. EL August 2020, Art. 288 AEUV Rn. 38 ff.; *Frenz*, Europarecht, 2. Aufl. 2016, Rn. 9.

[147] S. vorher auch schon EuGH, Urt. v. 15.7.1964, 6/64, EU:C:1964:66, 1259, 1269 ff. – Costa/E.N.E.L.

[148] EuGH, Urt. v. 15.7.1964, 6/64, EU:C:1964:66, 1253, 1270 – Costa/E.N.E.L. **A.A.** für Richtlinien *Klein*, Unmittelbare Geltung, Anwendbarkeit und Wirkung von Europäischem Gemeinschaftsrecht, 1988, S. 11; *Berger*, Anwendungsvorrang und nationale Verfassungsgerichte, 2016, S. 52. Von Beachtungsvorrang spricht *Herresthal*, Rechtsfortbildung im europarechtlichen Bezugsrahmen, 2006, S. 168.

[149] EuGH, Urt. v. 9.3.1978, C-106/77, EU:C:1978:49, Rn. 14 ff.– Simmenthal II.

[150] EuGH, Urt. v. 15.7.1964, 6/64, EU:C:1964:66, 1253, 1269 ff. – Costa/E.N.E.L.

86 „Darüber hinaus haben nach dem *Grundsatz des Vorrangs des Gemeinschaftsrechts* die Vertragsbestimmungen und die unmittelbar geltenden Rechtsakte der Gemeinschaftsorgane in ihrem Verhältnis zum internen Recht der Mitgliedstaaten nicht nur zur Folge, daß allein durch ihr Inkrafttreten jede *entgegenstehende Bestimmung des geltenden staatlichen Rechts ohne weiteres unanwendbar wird,* sondern auch – da diese Bestimmungen und Rechtsakte vorrangiger Bestandteil der im Gebiet eines jeden Mitgliedstaats bestehenden Rechtsordnung sind – daß ein wirksames Zustandekommen neuer staatlicher Gesetzgebungsakte insoweit verhindert wird, als diese mit Gemeinschaftsnormen unvereinbar wären."[151]

87 Diese Regel ist bis heute in den Verträgen selbst zwar nicht kodifiziert, aber schon deshalb zwingend, weil ansonsten die EU handlungsunfähig würde.[152] Der Anwendungsvorrang findet sich nun auch in der Erklärung Nr. 17 zum Lissaboner Vertrag.[153] Weil die Mitgliedstaaten diese unterschrieben und ratifiziert haben, ist der Vorrang heutzutage kodifiziert.[154] Er ist eine der wichtigsten Kollisionsregeln im Rahmen von Konflikten zwischen nationalem und europäischem Recht.[155]

88 bb) Europäische Normen verlangen aber zwei *Voraussetzungen*, bevor sie bei einer Normenkollision den nationalen Vorschriften im Sinne einer lex specialis vorgezogen werden können: Erstens muss die Vorschrift konkret genug sein, um *unmittelbar anwendbar* (*direct effect*) zu sein (§ 12 Rn. 4 ff.). Und zweitens ist zu prüfen, ob die nationale Bestimmung, die gegen das europäische Recht verstößt, nicht *primärrechtskonform* (*indirect effect*) ausgelegt und so gerettet werden kann. Dies wird noch ausführlich thematisiert (§ 12 Rn. 26 ff.).

89 cc) Weil europäisches Recht unmittelbar zur Anwendung kommt, sind verbindliche Auslegungsregeln der Mitgliedstaaten, die dem entgegenstehen, nicht mehr zulässig.[156] Verstößt eine nationale Norm gegen Europarecht, wird diese **nicht nichtig**, d.h. sie bleibt gültig,[157] weil dem EuGH für die Anordnung einer solchen Rechtsfolge schlicht die Kompetenz fehlt.[158] Damit existiert nach ganz herrschender Meinung und Rechtsprechung des EuGH[159] trotz unmittelbarer Geltung des Unionsrechts gerade **kein Geltungsvorrang**. Der Unterschied zwischen Anwendungs- und Geltungsvorrang liegt dabei nicht allein in bloßen Begrifflichkeiten. Bleibt die nationale Norm in ihrer Gültigkeit bestehen, so kann sie für Sachverhalte ohne Unionsrechtsbezug weiterhin uneingeschränkt angewendet werden.[160] Vor diesem Hintergrund wird erneut die grundlegende Erkenntnis deutlich, dass das nationale Recht und das Unionsrecht zwei selbstständig nebeneinander stehende Rechtsordnungen sind. Nur im Kollisionsfall greift das Unionsrecht auf das nationale Recht über und verhindert ggf. dessen Anwendung im Einzelfall. Die sog. *Inländerdiskri-*

---

[151] EuGH, Urt. v. 9.3.1978, C-106/77, EU:C:1978:49, Rn. 17 f. – Simmenthal II. S. auch *Tuori*, European Constitutionalism, 2015, S. 71.

[152] Calliess/Ruffert/*Ruffert*, EUV/AEUV, 5. Aufl. 2016, Art. 1 AEUV Rn. 17.

[153] 17. Erklärung zum Vorrang, Erklärungen zur Schlussakte des Vertrages von Lissabon v. 17.12.2007, ABl. Nr. C 306, S. 249: „Nach der Rechtsprechung des Gerichtshofs ist der Vorrang des EG-Rechts einer der Grundpfeiler des Gemeinschaftsrechts [...]".

[154] Für Deutschland s. Begr. RegE, BT-Drs. 16/8300; hierzu *C.F. Mayer*, VVDStRL 75 (2016), 8, 42.

[155] *Kruis*, Der Anwendungsvorrang des EU-Rechts in Theorie und Praxis, 2013, S. 44 und S. 94 ff.

[156] Callies/Ruffert/*Ruffert*, EUV/AEUV, 5. Aufl. 2016, Art. 288 AEUV Rn. 20.

[157] BVerfG, Urt. v. 30.6.2009, 2 BvE 2/08 u.a., BVerfGE 123, 267, 398 – Lissabon-Vertrag.

[158] Vgl. Art. 19 Abs. 1 S. 2 EUV: „Auslegung und Anwendung der Verträge" wonach der EuGH europäisches Recht auslegt, s. auch Calliess/Ruffert/*Ruffert*, EUV/AEUV, 5. Aufl. 2016, Art. 1 AEUV Rn. 18.

[159] So ausdrücklich der EuGH, Urt. v. 22.10.1998, C-10/97 u.a., EU:C:1998:498, Rn. 21 – IN.CO.GE.'90; vorher schon EuGH, Urt. v. 7.2.1991, C-184/89, EU:C:1991:50, Rn. 19 – Nimz.

[160] S. näher *Ehlers*, in: Schulze/Janssen/Kadelbach, Europarecht, 4. Aufl. 2020, § 11 Rn. 52 ff., 64, der allerdings für den Fall der fehlenden Gesetzgebungskompetenz des Mitgliedstaates ausnahmsweise doch Nichtigkeit annimmt.

minierung oder auch *umgekehrte Diskriminierung* wird von den Grundfreiheiten des Europarechts nicht erfasst.[161]

90 Eine direkte Normenkollision liegt vor, wenn eine europäische und eine nationale Norm denselben Sachverhalt betreffen. Der Anwendungsvorrang führt zu einer *Lex-superior-Regel*, also einem normenhierarchischen Vorrang des Unionsrechts gegenüber dem nationalen Recht (*Stufenbau des Rechts*).[162] Wie der EuGH ausführt, gilt die Vorrangregel auch für jüngere Gesetze; die *Lex-posterior-Regel* (§ 4 Rn. 132) gilt damit nicht.

91 *Reinheitsgebot:* Der Anwendungsvorrang hat beispielsweise zur Folge, dass französisches Bier in Deutschland gekauft werden kann, ohne dass es dem Reinheitsgebot entsprechen muss.[163] Die Warenverkehrsfreiheit des Art. 34 AEUV geht insoweit §§ 9 f. BiersteuerG a.F. vor, d.h. die deutsche Norm durfte nicht angewendet werden. Für Bier, das in Deutschland produziert und verkauft wird, behielt §§ 9 f. BiersteuerG a.F. wegen des fehlenden Geltungsvorrangs seine Wirkung, sodass deutsches Bier weiterhin nach dem Reinheitsgebot gebraut werden musste. Die sog. **Inländerdiskriminierung** verstößt nicht gegen Europarecht, sondern ggf. gegen Art. 3 Abs. 1 GG.

92 Schließlich sind auch indirekte Normenkollisionen denkbar. In diesen Fällen treffen nicht zwei Normen aufeinander, sondern nur die Modalitäten oder Verfahren führen zu widersprechenden Ergebnissen. Nach Ansicht des EuGH gelten hier die Grundsätze des *effet utile*.[164]

93 dd) Der **Anwendungsvorrang** bedeutet, dass die nationale Norm, die gegen europäisches Recht verstößt, **nicht mehr angewendet** werden darf.[165] Europäisches Recht ist vom Gesetzgeber, der Verwaltung und den Gerichten in jedem Mitgliedstaat zu beachten. Der Anwendungsvorrang wirkt gegenüber allen Rechtsquellen des nationalen Rechts, einschließlich des nationalen Verfassungsrechts und sogar der nationalen Grundrechte.[166]

c) Die dualistische Perspektive des zweiten Senats des BVerfG: Identitätsvorbehalt und Ultra-vires-Kontrolle

94 aa) In Deutschland wird zwar im Grundsatz unstrittig anerkannt, dass Unionsrecht auf das nationale Recht einwirkt und von deutschen Gerichten anzuwenden ist.[167] Umstritten ist aber, ob dem BVerfG ein eigenes Prüfungs- und Verwerfungsrecht gegenüber europäischen Akten verbleibt. Dies wird vom BVerfG bejaht, während der EuGH betont, dass die Mitgliedstaaten ihre souveränen Rechte durch den Beitritt zum EG-Vertrag aufgegeben haben (§ 2 Rn. 53). Das BVerfG favorisiert eine **dualistische Sichtweise**, wonach sich die EU als Staatenverbund darstellt, „dessen Gemeinschaftsgewalt sich von den Mitgliedstaaten ableitet und im deutschen Hoheitsbereich *nur kraft des deutschen Rechtsanwendungsbefehls verbindlich wirken kann*".[168] Das Unionsrecht tritt damit über die

---

[161] EuGH, Urt. v. 28.1.1992, C-332/90, EU:C:1992:40, Rn. 8 ff. – Steen.

[162] Oppermann/*Classen/Nettesheim*, Europarecht, 9. Aufl. 2021, § 10 Rn. 4 ff.

[163] EuGH, Urt. v. 12.3.1987, C-178/84, EU:C:1987:126, Rn. 53 f. – Reinheitsgebot für Bier.

[164] St. Rspr., s. EuGH, Urt. v. 15.9.1998, C-231/96, EU:C:1998:401, Rn. 34 – Edis; Calliess/Ruffert/*Ruffert*, EUV/AEUV, 5. Aufl. 2016, Art. 1 AEUV Rn. 22.

[165] EuGH, Urt. v. 9.3.1978, C-106/77, EU:C:1978:49, Rn. 17/18 – Simmenthal II; EuGH, Urt. v. 22.10.1998, C-10/97 u.a., EU:C:1998:498, Rn. 21 – IN.CO.GE.'90.

[166] EuGH, Urt. v. 17.12.1970, C-11/70, EU:C:1970:114, Rn. 3 – Internationale Handelsgesellschaft; Calliess/Ruffert/*Ruffert*, EUV/AEUV, 5. Aufl. 2016, Art. 1 AEUV Rn. 19.

[167] BVerfG, Beschl. v. 18.10.1967, 1 BvR 248/63 u.a., BVerfGE 22, 293, 296 – EWG-Verordnungen; BVerfG, Beschl. v. 9.6.1971, 2 BvR 225/69, BVerfGE 31, 145, 173 f. – Milchpulver; BVerfG, Beschl. v. 8.4.1987, 2 BvR 687/85, BVerfGE 75, 223, 240 f. – Kloppenburg-Beschluss; BVerfG, Beschl. v. 22.10.1986, 2 BvR 197/83, BVerfGE 73, 339, 375 – Solange II; BVerwG, Urt. v. 17.2.1993, 11 C 47/92, BVerwGE 92, 81, 83, 85 ff. – Rückforderung von rechtswidrigen Beihilfen; BGH, Urt. v. 5.2.1998, I ZR 211/95, BGHZ 138, 55, 59 ff. – Vergleichende Werbung.

[168] BVerfG, Urt. v. 12.10.1993, 2 BvR 2134/92 u.a., BVerfGE 89, 155, 188, 190 – Maastricht; in ähnlicher Formulierung BVerfG (ebd.), BVerfGE 73, 339, 367 f. – Solange II.

„Brücke" des deutschen Zustimmungsgesetzes nach Art. 23 GG in die deutsche Rechtsordnung ein.[169]

95 bb) Danach hat das BVerfG eine Integrationsverantwortung, aus der ihm die Kompetenz zuwächst, zu prüfen, ob in concreto gegen die Zustimmungsgesetze der Artt. 23 f. GG verstoßen wurde.[170] Die vom BVerfG hergeleitete eigene Prüfungs- und Verwerfungskompetenz europäischer Rechtsakte umfasst drei Facetten: Was den *Grundrechtsschutz* betraf, hatte das BVerfG die Geltung europäischen Rechts gegenüber dem nationalen Recht in der *Solange I*-Entscheidung in Zweifel gezogen und betont, „solange" Grundrechte zu prüfen, bis ein vergleichbarer Rechtsschutz durch Grundrechte auf europäischer Ebene existiert.[171] Der EuGH entwickelte daraufhin ungeschriebene Grundrechte aus den gemeinsamen Verfassungstraditionen der Mitgliedstaaten, sodass das BVerfG in der *Solange II*-Entscheidung seine Rechtsprechung revidierte und ausdrücklich auf die Prüfung europäischer Grundrechte verzichtete.[172] Diese Trennung nationaler und europäischer Grundrechte prägte in den letzten Jahrzehnten die Rechtsprechung des BVerfG. Manche sprechen von der sog. **Trennungsthese.**[173] Nur soweit das europäische Recht den Mitgliedstaaten ausnahmsweise einen Gestaltungsspielraum überließ, nahm das BVerfG eine Kontrolle anhand deutscher Grundrechte vor.[174]

96 cc) In der Folgezeit betonte der zweite Senat des BVerfG in der Maastricht- und dann in der Lissabon-Entscheidung, dass die Mitgliedstaaten auch innerhalb der EU wichtige Kompetenzen behalten müssen. Zu diesem **Identitätsvorbehalt** formulierte er:

97 „Die europäische Vereinigung auf der Grundlage einer Vertragsunion souveräner Staaten *darf allerdings nicht so verwirklicht werden*, dass in den Mitgliedstaaten kein ausreichender Raum zur politischen Gestaltung der wirtschaftlichen, kulturellen und sozialen Lebensverhältnisse mehr bleibt. Dies gilt insbesondere für Sachbereiche, die die Lebensumstände der Bürger, vor allem ihren von den Grundrechten geschützten privaten Raum der Eigenverantwortung und der persönlichen und sozialen Sicherheit prägen, sowie für solche politische Entscheidungen, die in besonderer Weise auf kulturelle, historische und sprachliche Vorverständnisse angewiesen sind, und die sich im parteipolitisch und parlamentarisch organisierten Raum einer politischen Öffentlichkeit diskursiv entfalten. Zu wesentlichen Bereichen demokratischer Gestaltung gehören unter anderem die Staatsbürgerschaft, das zivile und militärische *Gewaltmonopol*, Einnahmen und Ausgaben einschließlich der *Kreditaufnahme* sowie die für die Grundrechtsverwirklichung maßgeblichen Eingriffstatbestände, vor allem bei intensiven Grundrechtseingriffen wie dem Freiheitsentzug in der *Strafrechtspflege* oder bei Unterbringungsmaßnahmen. Zu diesen bedeutsamen Sachbereichen gehören auch kulturelle Fragen wie die

[169] Zu dieser „Brückentheorie", s. *P. Kirchhof*, JZ 1998, 965 f.; *ders.*, in: HStR X, 3. Aufl. 2012, § 214 Rn. 158 f.

[170] Deutlich BVerfG, Beschl. v. 14.1.2014, 2 BvR 2728/13 u.a., BVerfGE 134, 366 Rn. 44 ff. – OMT-Beschluss.

[171] BVerfG, Beschl. v. 29.5.1974, 2 BvL 52/71, BVerfGE 37, 271, 285 – Solange I.

[172] BVerfG, Beschl. v. 22.10.1986, 2 BvR 197/83, BVerfGE 73, 339, 387 – Solange II: „Solange [...] die Rechtsprechung des Gerichtshofs der Gemeinschaften einen wirksamen Schutz der Grundrechte gegenüber der Hoheitsgewalt der Gemeinschaften generell gewährleisten, der dem vom Grundgesetz als unabdingbar gebotenen Grundrechtsschutz im wesentlichen gleichzuachten ist, [...] wird das Bundesverfassungsgericht seine Gerichtsbarkeit über die Anwendbarkeit von abgeleitetem Gemeinschaftsrecht [...] nicht mehr ausüben und dieses Recht mithin nicht mehr am Maßstab der Grundrechte des Grundgesetzes überprüfen; entsprechende Vorlagen nach Art. 100 Abs. 1 GG sind somit unzulässig." Hierzu *Stein*, in: FS Zeidler, Bd. 2, 1987, S. 1711 ff.; *Vedder*, NJW 1987, 526 ff.; *Möllers/Redcay*, EuR 2013, 409 ff.

[173] Zu dem Begriff s. *Thym*, JZ 2014, 53, 54 f.; *Wendel*, JZ 2020, 157, 159.

[174] BVerfG, Beschl. v. 13.3.2007, BvF 1/05, BVerfGE 118, 79, 98 – Treibhausgas I; BVerfG, Urt. v. 2.3.2010, 1 BvR 256/08 u.a., BVerfGE 125, 260, 306 f. – Vorratsspeicherung I. S. sogleich § 2 Rn. 102 f.

> Verfügung über die Sprache, die Gestaltung der Familien- und *Bildungsverhältnisse*, die Ordnung der Meinungs-, Presse- und Versammlungsfreiheit oder der Umgang mit dem religiösen oder weltanschaulichen Bekenntnis."[175]

Den Identitätsvorbehalt kombinierte der zweite Senat sodann mit der **Ultra-vires-Kontrolle.** Hiernach können Handlungen europäischer Institutionen, die außerhalb der vertraglich zugestandenen Kompetenzen liegen, nicht verbindlich sein.[176] Dazu prüft das BVerfG, ob Rechtsakte der europäischen Einrichtungen und Organe in Deutschland anzuwenden sind. In einer Kette von Entscheidungen wurde dann das Ultra-vires-Prinzip weiter konkretisiert.[177] Unterhalb einer Eingriffsschwelle wird eine Fehlertoleranz akzeptiert.[178] **98**

Im PSPP-Urteil bejahte der zweite Senat des BVerfG erstmals einen Ultra-vires-Verstoß, weil die EZB und der Europäische Gerichtshof nicht ausführlich begründet hatten, warum der Ankauf von Wertpapieren noch verhältnismäßig ist. Der Ultra-vires-Verstoß bedarf einer *gewissen Eingriffsschwelle*, wonach er „hinreichend qualifiziert" und „offensichtlich" sein muss. Dazu definiert der zweite Senat des BVerfG die Voraussetzungen, wann europäische Institutionen in einer „spezifisch verletzenden Art" gegen das Prinzip der begrenzten Einzelermächtigung (§ 2 Rn. 56) verstoßen. Die Begründung des EuGH sei „methodisch nicht mehr nachvollziehbar" (§ 13 Rn. 115). Es verlangt hierfür eine „strukturell bedeutsame Verschiebung" der Kompetenzen zulasten der Mitgliedstaaten. Weil die Mitgliedstaaten die Herren der Verträge sind, seien sie letztlich zu einer solchen Kontrolle auch berechtigt: **99**

> „*Ersichtlich* ist ein Verstoß gegen das Prinzip der begrenzten Einzelermächtigung nur dann, wenn die Organe, Einrichtungen und sonstigen Stellen der Europäischen Union die Grenzen ihrer Kompetenzen in einer das Prinzip der begrenzten Einzelermächtigung *spezifisch verletzenden* Art überschritten haben (Art. 23 Abs. 1 GG), der Kompetenzverstoß mit anderen Worten *hinreichend qualifiziert* ist. Das setzt voraus, dass das kompetenzwidrige Handeln der Unionsgewalt *offensichtlich* ist und innerhalb des Kompetenzgefüges zu einer *strukturell bedeutsamen Verschiebung zulasten mitgliedstaatlicher Kompetenzen* führt. Eine *strukturell bedeutsame Verschiebung* zulasten mitgliedstaatlicher Kompetenzen liegt vor, wenn die Kompetenzüberschreitung im Hinblick auf das Prinzip der begrenzten Einzelermächtigung und die rechtsstaatliche Gesetzesbindung *erheblich ins Gewicht* fällt (vgl. BVerfGE 126, 286 [304]). [...] **100**
>
> Die Pflicht des BVerfG, substantiierten Rügen eines Ultra-vires-Handelns von Organen, Einrichtungen und sonstigen Stellen der Europäischen Union nachzugehen, ist mit der vertraglich dem Gerichtshof übertragenen Aufgabe zu koordinieren, die Verträge auszulegen und anzuwenden und dabei die Einheit und Kohärenz des Unionsrechts zu wahren (vgl. Art. 19 I UAbs. 1 S. 2 EUV, Art. 267 AEUV). Wenn jeder Mitgliedstaat ohne Weiteres für sich in Anspruch nähme, durch eigene Gerichte über die Gültigkeit von Rechtsakten der Union zu entscheiden, könnte der Anwendungsvorrang praktisch unterlaufen werden, und die einheitliche Anwendung des Unionsrechts wäre gefährdet. Würden aber andererseits die Mitgliedstaaten vollständig auf die Ultra-vires-Kontrolle verzichten, so wäre die Disposition über die vertragliche Grundlage allein auf die Uni-

[175] BVerfG, Urt. v. 30.6.2009, 2 BvE 2/08 u.a., BVerfGE 123, 267, 357 f. – Lissabon.

[176] BVerfG, Urt. v. 12.10.1993, 2 BvR 2134/92 u.a., BVerfGE 89, 155, 188 – Maastricht: „Die deutschen Staatsorgane wären aus verfassungsrechtlichen Gründen gehindert, diese Rechtsakte in Deutschland anzuwenden"; s. hierzu *Makowsky,* 16 U.Pa.J.Int'l Bus.L. 155 ff. (1995).

[177] BVerfG, Beschl. v. 6.7.2010, 2 BvR 2661/06, BVerfGE 126, 286, 302 ff. – Honeywell; BVerfG, Urt. v. 21.6.2016, 2 BvR 2728/13 u.a., BVerfGE 142, 123 Rn. 143 ff. – OMT-Urteil; BVerfG, Urt. 30.7.2019, 2 BvR 1685/14 u.a., BVerfGE 151, 202 Rn. 151 – Europäische Bankenunion.

[178] BVerfG, Beschl. v. 6.7.2010, 2 BvR 2661/06, BVerfGE 126, 286, 307 – Honeywell.

onsorgane verlagert, und zwar auch dann, wenn deren Rechtsverständnis im Ergebnis auf eine Vertragsänderung oder Kompetenzausweitung hinausliefe. Dass in den – wie nach den institutionellen und prozeduralen Vorkehrungen des Unionsrechts zu erwarten – seltenen Grenzfällen möglicher Kompetenzüberschreitung seitens der Organe, Einrichtungen und sonstigen Stellen der Europäischen Union die verfassungsrechtliche und die unionsrechtliche Perspektive nicht vollständig harmonieren, ist dem Umstand geschuldet, dass die Mitgliedstaaten der Europäischen Union auch nach Inkrafttreten des Vertrags von Lissabon Herren der Verträge bleiben und die Schwelle zum Bundesstaat nicht überschritten wurde (vgl. BVerfGE 123, 267 [370 f.]). Die nach dieser Konstruktion im Grundsatz unvermeidlichen Spannungslagen sind im Einklang mit der europäischen Integrationsidee kooperativ auszugleichen und durch wechselseitige Rücksichtnahme zu entschärfen. Dies kennzeichnet die Europäische Union, die ein Staaten-, Verfassungs-, Verwaltungs- und Rechtsprechungsverbund (vgl. BVerfGE 140, 317 [338] Rn. 44) ist."[179]

101 Diese Rechtsprechung ist nicht unumstritten. Anerkannt wird, dass das BVerfG über den **unantastbaren Kerngehalt der Verfassungsidentität** wachen darf, da die Ewigkeitsgarantie ausdrücklich in den Artt. 23 Abs. 1 S. 3 i.V.m. 79 Abs. 3 GG normiert ist. Dazu zählt man die Volkssouveränität Deutschlands (Art. 20 Abs. 2 GG), das föderale Prinzip des GG (Art. 20 Abs. 1 GG), aber auch das Demokratieprinzip.[180] Der Identitätsvorbehalt soll nach Ansicht des zweiten Senats aber noch weitere Bereiche umfassen (§ 2 Rn. 94). Dies ist zweifelhaft, soll doch die Ewigkeitsgarantie des Art. 79 Abs. 3 GG vor dem Rückfall in die Barbarei des Nationalsozialismus bewahren (§ 1 Rn. 114) und nicht eine Integration Deutschlands in die EU verhindern.[181] Darüber hinaus wird aber die pauschale Drohung mit der Ultra-vires-Lehre als verfehlt angesehen, weil ansonsten ein Gericht eines Mitgliedstaates in der Hand hätte, europäisches Recht für unverbindlich zu erklären. Das BVerfG sieht selbst die Gefahr, dass der Anwendungsvorrang praktisch unterlaufen würde. Darüber hinaus besteht die Gefahr, dass Verfassungsgerichte anderer Staaten dem EuGH nicht mehr folgen.[182] Ob der zweite Senat des BVerfG mit dem PSPP-Urteil aber nicht seinerseits seine Kompetenzen überschritten hat und sich damit über die Grenzen zulässiger Rechtsfortbildung hinwegsetzt, wird weiter unten zu thematisieren sein (§ 13 Rn. 114 ff.).

d) Die Weiterentwicklung des Anwendungsvorrangs durch den EuGH: nationale Gestaltungsspielräume bei der Anwendung europäischen Rechts

102 aa) Der EuGH hat den strikten Anwendungsvorrang inzwischen weiterentwickelt. So erkennt er in der Zwischenzeit ausdrücklich an, dass er nicht alle Fälle entscheiden kann und auf die Zusammenarbeit mit nationalen Gerichten angewiesen ist. Er gesteht den nationalen Gerichten zu unmittelbar europäisches Recht anzuwenden, ohne dass dies dann durch den EuGH geprüft werden muss. Dies dient dem Kooperationsverhältnis zwischen EuGH und den nationalen Gerichten (§ 2 Rn. 94 ff., § 13 Rn. 121 ff.) und trägt dem Subsidiaritätsprinzip (§ 2 Rn. 58) Rechnung. Mit der Unterscheidung zwischen den Begriffen

[179] BVerfG, Urt. v. 5.5.2020, 2 BvR 895/15, BVerfGE 154, 17, 90 ff. Rn. 110 ff.– PSPP-Urteil.

[180] Ausführlich *Haratsch/Koenig/Pechstein*, Europarecht, 12. Aufl. 2020, Rn. 147 ff.

[181] Noch zugespitzter *Lübbe-Wolff*, im Sondervotum zu BVerfG, Urt. v. 18.7.2005, 2 BvR 2236/04, BVerfGE 113, 273, 327, 336 – Europäischer Haftbefehl: „denn Sinn dieser Bestimmung ist es, einen Rückfall unseres Landes in Diktatur und Barbarei auszuschließen, und nichts dient diesem Ziel mit höherer Wahrscheinlichkeit als Deutschlands Integration in die Europäische Union."

[182] Zu dieser Tendenz s. bereits der polnische Generalstaatsanwalt *Ziobro* in dem Verfahren K 7/18, EuGRZ 2018, 703, 710; Verfassungsgericht von Dänemark (SCDK), Urt. v. 6.12.2016, 15/2014, n. 75 S. 47 – Dansk Industri (DI); Verfassungsgericht von Italien (ICC), Urt. v. 10.4.2018, No. 115/2018 – Taricco II; s. auch die rechtsvergleichende Argumentation in BVerfGE 152, 216 Rn. 50 – Recht auf Vergessen II (§ 3 Rn. 93a). Weiterführend *Lenaerts*, EuR 2015, 3, 17 ff.

„**Auslegung**" und „**Anwendung**" europäischen Rechts gibt der EuGH den Mitgliedstaaten Kompetenzen zurück. Der EuGH hat das europäische Recht auszulegen, Art 19 Abs. 1 S. 2 EUV. Bestehen Zweifel, müssen Gerichte dem EuGH die Fragen zum europäischen Recht im Rahmen des Vorabentscheidungsverfahrens vorlegen (§ 12 Rn. 115 ff.). Dagegen hat das nationale Gericht europäisches Recht anzuwenden, wenn sich keine Auslegungsfragen stellen. Es ist insoweit auch europäisches Gericht (§ 1 Rn. 29). In diesem Rahmen überlässt der EuGH den *nationalen Gerichten zum Teil erhebliche Konkretisierungsspielräume.* Dies hat der EuGH früher schon für die Anwendung von Generalklauseln im europäischen Sekundärrecht bejaht (§ 7 Rn. 15, 32 ff.) und auch bei der Anwendung von europäischen Grundfreiheiten[183] betont. Aber auch für die europäischen Grundrechte formuliert er:

> „Hat das Gericht eines Mitgliedstaats zu prüfen, ob mit den Grundrechten eine nationale Vorschrift oder Maßnahme vereinbar ist, die in einer Situation, in der das Handeln eines Mitgliedstaats *nicht vollständig durch das Unionsrecht* bestimmt wird, das Unionsrecht im Sinne von Art. 51 Abs. 1 der Charta durchführt, steht es somit den *nationalen Behörden und Gerichten weiterhin frei, nationale Schutzstandards für die Grundrechte anzuwenden, sofern* durch diese Anwendung weder das Schutzniveau der Charta, wie sie vom Gerichtshof ausgelegt wird, noch der Vorrang, die Einheit und die Wirksamkeit des Unionsrechts beeinträchtigt werden (vgl. für diesen letzten Aspekt Urt. v. 26.2.2013, Melloni, C-399/11, Rn. 60)."[184] **103**

bb) Begrenzt wird dieser nationale Gestaltungsspielraum aber, weil er unter dem Vorbehalt steht, dass das Schutzniveau der Charta nicht beeinträchtigt ist.[185] Damit kommt es zu einer parallelen Anwendung von Grundrechten. **104**

e) Die Anwendung europäischer Grundrechte durch den ersten Senat des BVerfG

aa) In Kontinuität mit der bisherigen Rechtsprechung (§ 2 Rn. 95, 103) betont der erste Senat des BVerfG in der *Recht auf Vergessen I-Entscheidung*, dass im *Gestaltungsbereich* des nationalen Gesetzgebers nationale Grundrechte vom BVerfG zu prüfen sind. Die deutschen Grundrechte sind dann aber *chartakonform* auszulegen (§ 10 Rn. 57c). **105**

Eigentliche Brisanz hat allerdings vor allem die Recht auf Vergessen II-Entscheidung, die vollständig anwendbares Unionsrecht betrifft. In Abkehr zu der in der Solange II-Entscheidung entwickelten Trennungsthese, entwickelt Masing als Berichterstatter des Verfahrens die sog. **Überlappungsthese**[186], wonach künftig das BVerfG und der EuGH die Unionsgrundrechte prüfen. Alle nationalen Fachgerichte hätten Unionsgrundrechte anzuwenden und diese würden wiederum durch das BVerfG überprüft. Statt Identitätskontrolle, Ultra-vires-Drohungen und der Abgrenzung von Kompetenzen zwischen BVerfG und EuGH überwindet der erste Senat diese Trennung, indem er die Unterscheidung des EuGH von „Auslegung" und „Anwendung" europäischen Rechts aufnimmt (§ 2 Rn. 102). Eine solche Kooperation würden auch schon nationale Verfassungsgerichte anderer Mitgliedstaaten gegenüber dem EuGH vornehmen (§ 3 Fn. 223 ff.). Hierzu formuliert der erste Senat: **106**

---

[183] EuGH, Urt. v. 8.3.2001, C-405/98, EU:C:2001:135, Rn. 33, 41 – Schwedisches Werbeverbot für Alkohol.

[184] EuGH, Urt. v. 26.2.2013, C-617/10, EU:C:2013:105, Rn. 28 – Åkerberg Fransson; vorher bereits EuGH, Urt. v. 6.11.2003, C-101/01, EU:C:2003:596, Rn. 90 – Lindqvist; hierzu *Lenaerts*, EuR 2015, 3, 20 ff.; *Franzius*, ZaöRV 2015, 383, 384 ff.

[185] Krit. *Britz*, EuGRZ 2015, 275, 279 f.; *Masing*, JZ 2015, 477, 481 ff.; *Ohler*, NVwZ 2013, 1433, 1438.

[186] Zu diesem Ansatz bereits *Bäcker*, EuR 2015, 389, 410 ff. Von „Überlappung" sprechen *Wendel*, JZ 2020, 157, 160; *Kühling*, NJW 2020, 275, 278. Den Begriff „Verbindungsthese" verwendet *Franzius*, ZaöRV 2015, 383, 388.

107 „In solch konkretisierender *Anwendung* liegt eine eigene Verantwortung der Fachgerichte, die sich nicht durch Vorlagen auf den Europäischen Gerichtshof verlagern lässt. Vielmehr fasst der Gerichtshof seine Auslegung der Grundrechte in anwendungsbedürftige verallgemeinernde Grundsätze und erwartet umgekehrt von den mitgliedstaatlichen Gerichten, dass sie diese – auch in weiteren Fällen – verständig umsetzen und konkretisierend mit Leben füllen. Dabei belässt er ihnen zum Teil erhebliche Konkretisierungsspielräume (vgl. nur EuGH, Urt. v. 6.11.2003, Lindqvist, EuGH C-101/01, EU:C:2003:596, Rn. 86 ff., 90; EuGH, Urt. v. 9.3.2017, Manni, EuGH C-398/15, EU:C:2017:197, Rn. 62 f.; EuGH, Urt. v. 27.9.2017, Puškár, C-73/16, EU:C:2017:725, Rn. 72; vgl. auch EuGH, Urt. v. 19.10.2016, Breyer, EuGH C-582/14, EU:C:2016:779, Rn. 62) […]. Der Gerichtshof trägt damit vielmehr dem Umstand Rechnung, dass die Grundrechte auch dort, wo die Rechtsanwendung im Geist unionsweiter Einheitlichkeit und Gleichförmigkeit steht, nur dann ihre individualschützende Kraft entfalten können, wenn sie einzelfallgerecht auf den jeweiligen Sachverhalt hin konkretisiert werden. Dies ist Aufgabe der mitgliedstaatlichen Fachgerichte.

Als Garant eines umfassenden innerstaatlichen Grundrechtsschutzes hat das Bundesverfassungsgericht die Fachgerichte diesbezüglich zu kontrollieren. Das aber erfordert eine Kontrolle nicht nur am Maßstab des Art. 101 Abs. 1 S. 2 GG, sondern die *Einbeziehung der Unionsgrundrechte selbst in seinen Prüfungsmaßstab.*“[187]

108 *Recht auf Vergessen II*: In der Recht auf Vergessen II-Entscheidung wollte der Beschwerdeführer sicherstellen, dass bei der Eingabe seines Namens in die Online-Suchmaschine Google nicht auf der ersten Seite ein Link zu einem negativen Fernsehbericht angezeigt wird. Diese Rechtsfrage wird durch die Europäische Datenschutzverordnung vollharmonisierend geregelt.[188] Gleichwohl prüft der erste Senat europäische Grundrechte und beansprucht für sich eine Erstzuständigkeit. Im Unterschied zur bisherigen Rechtsprechung des EuGH erörtert das BVerfG neben der unternehmerischen Freiheit des Art. 16 GRCh auch die Medienfreiheit des Art. 11 GRCh.[189] Während der EuGH von einem Vorrang des Datenschutzes ausgeht,[190] nimmt der erste Senat des BVerfG eine umfassende Abwägung zwischen dem Informationsinteresse der Öffentlichkeit und dem Persönlichkeitsrecht des Betroffenen vor, wobei auch der Zeitablauf seit der ursprünglichen Veröffentlichung und weitere Schutzmaßnahmen zu berücksichtigen sind.[191] Die Überlegungen mögen in der Sache überzeugend sein; sie hätten als Fragen aber dem EuGH vorgelegt werden müssen.[192]

109 Die Entscheidungen Recht auf Vergessen I und II wurden als bahnbrechende Rechtsprechungswende beurteilt: Sie seien „mehr als ein Nullsummenspiel verschiedener Gerichte“[193], weil sie die Trennungsthese und das Konfliktpotential zwischen nationalen Gerichten und dem EuGH entschärfen könnten. Ein *Erstinterpretationsrecht* des BVerfG hätte eine Indizwirkung[194] und würde einem Bedeutungsverlust des BVerfG vorbeugen.[195]

[187] BVerfG, Beschl. v. 6.11.2019, 1 BvR 276/17, BVerfGE 152, 216 Rn. 65 f. – Recht auf Vergessen II und unten § 12 Rn. 119.

[188] EuGH, Urt. v. 29.7.2019, C-40/17, EU:C:2019:629, Rn. 54 f. – Fashion ID.

[189] BVerfG (ebd.), BVerfGE 152, 216 Rn. 105 ff. – Recht auf Vergessen II.

[190] EuGH, Urt. v. 24.9.2019, C-136/117, EU:C:2019: 773, Rn. 66 ff.

[191] BVerfG (ebd.), BVerfGE 152, 216 Rn. 114 ff. – Recht auf Vergessen II.

[192] *Kühling*, NJW 2020, 275, 278; *Thym*, JZ 2020, 1017, 1020: verletzt die Vorlagepflicht. **A.A.** BVerfG, (ebd.), BVerfGE 152, 216 Rn. 137 ff. – Recht auf Vergessen II. Zum Vorabentscheidungsverfahren s. unten § 12 Rn. 115 ff.

[193] *Wendel*, JZ 2020, 157, 158; *Thym*, JZ 2020, 1017.

[194] *Thym*, JZ 2020, 1017, 1021 spricht von der Macht des „ersten Wortes“ und verweist auf dessen entscheidungspsychologische Bedeutung hin unter Hinweis auf *Twersky/Kahnemann*, 30 Science 453 ff. (1981).

[195] *Thym*, JZ 2020, 1017, 1021.

Vor allem würde der effektive Rechtsschutz gestärkt, weil jetzt Fachgerichte, das BVerfG und der EuGH, über die Einhaltung der Grundrechte wachen. Weitere Überlegungen sind dann im Rahmen der Rechtsfortbildung vorzunehmen (§ 13 Rn. 127 ff.).

4. Die Anwendung des nationalen Rechts im Rahmen der Mindestharmonisierung

a) Die Anwendung des nationalen Rechts außerhalb des harmonisierten Bereichs

Europäisches Recht ist autonom auszulegen (§ 2 Rn. 70 ff.). Es genießt Anwendungs- **110**
vorrang gegenüber anderslautendem nationalen Recht (§ 2 Rn. 85 ff.). Ggf. muss nationales Recht unionskonform ausgelegt werden (§ 12 Rn. 20 ff.). Ausnahmsweise gilt dies auch im überschießenden Bereich (§ 12 Rn. 90 ff.). Außerhalb des Anwendungsbereichs einer Richtlinie oder einer Verordnung verbleibt es aber grundsätzlich bei der Anwendung von nationalem Recht. Einfach ist es, wenn der europäische Gesetzgeber den Anwendungsbereich ausdrücklich begrenzt, also eine Rechtsfrage nicht regelt, sondern die Beantwortung den Mitgliedstaaten überlässt. Die Warenkauf-RL sieht beispielsweise eine Vollharmonisierung für Rechtsbehelfe bei mangelhaften Waren vor (§ 2 Rn. 66). Sie definiert aber auch den Bereich, der nicht harmonisiert wird und stellt in diesem Umfang gerade keine Vollharmonisierung dar:

„Diese Richtlinie berührt nicht die Freiheit der Mitgliedstaaten zur Regelung von Aspek- **111**
ten des allgemeinen Vertragsrechts, wie der Bestimmungen über das Zustandekommen, die Wirksamkeit, die Nichtigkeit oder die Wirkungen eines Vertrags einschließlich der Folgen der Vertragsbeendigung, soweit diese Aspekte nicht in dieser Richtlinie geregelt werden, oder zur Regelung des Rechts auf Schadensersatz.“[196]

b) Die Rückverweisungsklausel als Ausnahme zur autonomen Auslegung

Vom Grundsatz der autonomen Auslegung des Europarechts gibt es eine zweite Aus- **112**
nahme: Soweit europäisches Recht **auf das Recht der Mitgliedstaaten verweist**, bleibt es bei der gewohnten nationalen Arbeitstechnik.[197] Beispiele finden sich immer dann, wenn der europäische Gesetzgeber eine stärkere Harmonisierung nicht durchsetzen konnte.[198] Art. 35a Rating-VO sieht zwar erstmals eine Haftung der Ratingagenturen vor. Allerdings wird dann bei den meisten Tatbestandsmerkmalen auf das nationale Recht zurückverwiesen.[199] Der EuGH hat für diese Fälle die Auslegungskompetenz der Mitgliedstaaten bestätigt.[200] Selbst im Rahmen der autonomen Auslegung hat er ausnahmsweise eine Auslegungskompetenz der Mitgliedstaaten zugelassen.[201]

[196] Art. 3 Abs. 6 Warenkauf-RL.

[197] EuGH, Urt. v. 11.4.2013, C-443/11, EU:C:2013:224, Rn. 61 – Jeltes.

[198] So z.B. zahlreiche Normen der europäischen Aktiengesellschaft (SE), s. Artt. 3 Abs. 1, 7 S. 1, 61 Abs. 1, 63 Abs. 1 und generell Art. 9 Abs. 1 lit. c) ii) SE-VO; s. *Möllers*, in: Schulze/Janssen/Kadelbach, Europarecht, 4. Aufl. 2020, § 19 Rn. 214; *Hommelhoff*, AG 2001, 279, 285.

[199] Art. 35a Abs. 4 S. 1 Änderungs-RatingVO (EU) Nr. 462/2013 v. 21.5.2013, ABl. Nr. L 146, S. 1: „Begriffe wie ‚Schaden', ‚Vorsatz', ‚grobe Fahrlässigkeit', ‚in vertretbarer Weise verlassen', ‚gebührende Sorgfalt', ‚Auswirkung', ‚angemessen' und ‚verhältnismäßig', die in diesem Artikel genannt aber nicht definiert werden, werden im Einklang mit dem jeweils geltenden nationalen Recht gemäß den einschlägigen Bestimmungen des internationalen Privatrechts ausgelegt und angewandt.“

[200] EuGH, Urt. v. 27.1.2005, C-188/03, EU:C:2005:59, Rn. 29 – Junk (§ 2 Rn. 71); zustimmend *Riesenhuber*, in: Riesenhuber, Europäische Methodenlehre, 4. Aufl. 2021, § 10 Rn. 6.

[201] EuGH, Urt. v. 6.2.2003, C-245/00, EU:C:2003:68, Rn. 34 – SENA/NOS; kritisch zu dieser Ausnahme *Heinemann*, JZ 2003, 678, 679 f.

c) Gestaltungsbereich und Zweifel über den Harmonisierungsgrad europäischer Richtlinien oder Verordnungen

113 Oft schweigt die Richtlinie oder die Verordnung, ob im Einzelfall nicht doch nur Mindestharmonisierung gewollt ist. Oder der Anwendungsbereich ist auslegungsfähig.[202] Wenn der europäische Gesetzgeber schweigt, ist anhand jeder einzelnen Vorschrift zu prüfen, ob sie abschließend ist oder strengeres nationales Recht zulässt.[203] Dann sind die Erwägungsgründe heranzuziehen (§ 5 Rn. 16). Liefern auch sie keine Antwort, hat letztlich der EuGH die Rechtsfrage zu beantworten. So wird etwa behauptet, dass wegen des abschließenden Charakters von MiFiD II[204] und MAR[205] keine zivilrechtliche Haftung zulässig wäre. Die Gegenmeinung geht dagegen davon aus, dass nur die öffentlich-rechtliche Durchsetzung durch eine Aufsichtsbehörde harmonisiert wurde, so dass die Mitgliedstaaten weiterhin die Normen zivilrechtlich durchsetzen dürften; dies gelte sowohl für MiFiD II[206] als auch für die MAR.[207] Für diese Ansicht spricht der effet utile-Gedanke des europäischen Rechts und der nicht statthafte Schluss, aus dem Schweigen des europäischen Gesetzgebers auf eine abschließende Regelung.[208] Folglich hat der EuGH den Mitgliedstaaten diese Kompetenz zugestanden.[209]

114 Wegen der fehlenden Vollharmonisierung ungeklärt sind auch die Fälle, in denen der nationale Gesetzgeber auf eine Umsetzung verzichtet oder den Richtlinientext nur Einszu-eins in nationales Recht umsetzt.[210] Konsequent wäre eine Auslegung des nicht geregelten Bereichs nach nationalem Recht.[211] In der Vergangenheit hat der EuGH den persönlichen oder sachlichen Anwendungsbereich von Richtlinien aber nicht selten weit ausgelegt: Obwohl der Wortlaut der jeweiligen Richtlinie hierzu nichts regelte, bejahte der EuGH etwa einen immateriellen Schadensersatzanspruch bei der Diskriminierung am Arbeitsplatz[212] oder verneinte bei der Nachlieferung Ersatzansprüche des Verkäufers für Nutzungen und Wertverlust.[213] Noch nicht geklärt ist, ob dem Verkäufer solche Ersatzansprüche auch bei Vertragsbeendigung zustehen.[214] Damit bleibt im Ergebnis ein „Restrisiko", dass der EuGH kraft seiner *Kompetenz zur autonomen Auslegung* (§ 2 Rn. 70 ff.) letztlich den Mindestgehalt einer Richtlinie oder Verordnung weit auslegt.

---

[202] Etwa die gerade genannte Einschränkung „soweit nicht (…)" des Art. 3 Abs. 6 Warenkauf-RL.

[203] *Buchmann*, Umsetzung vollharmonisierter Richtlinien, 2008, S. 66 ff.; *Möllers*, in: Gsell/Herresthal, Vollharmonisierung im Privatrecht, 2009, S. 247, 255 ff. S. gerade § 2 Rn. 66 f.

[204] *Mülbert*, WM 2007, 1156: „Das Ende von Bond durch die MiFID"; *ders.*, ZHR 172 (2008), 183; *Herresthal*, ZBB 2009, 348, 351 ff.; *Sethe*, in: FS Nobbe, 2009, S. 769, 786 f.

[205] Für die Marktmanipulation ausdrücklich *Schmolke*, NZG 2016, 721, 723; differenzierend *Klöhn*, in: Kalss/Fleischer/Vogt, Gesellschafts- und Kapitalmarktrecht in Deutschland, Österreich und der Schweiz, 2013, S. 220, 246 ff.

[206] OLG Düsseldorf, Urt. v. 16.12.2010, I-6 U 200/09, WM 2011, 399, 400; *Poelzig*, ZGR 2015, 801, 814; Assmann/Schneider/Mülbert/*Koller*, Wertpapierhandelsrecht, 7. Aufl. 2019, § 63 WpHG Rn. 11; Schwark/Zimmer/*Rothenhöfer*, KMRK, 5. Aufl. 2020, § 63 WpHG Rn. 13.

[207] Schwark/Zimmer/*Zimmer/Steinhaueser* (ebd.), §§ 97, 98 WpHG Rn. 7.

[208] SchlA v. 13.12.2001, GA *Geelhoed*, C-253/00, EU:C:2001:697, Rn. 55 – Muñoz. Zu dieser Argumentationsfigur s. ausführlich § 13 Rn. 39 ff.

[209] EuGH, Urt. v. 19.12.2013, C-174/12, EU:C:2013:856, Rn. 42 f. – Hirmann (§ 5 Fn. 145): zivilrechtliche Haftung Sache der Mitgliedstaaten.

[210] *Vetter*, in: FS Hopt, 2020, S. 1383, 1389, 1398 ff. wählt hierfür Beispiele aus der der 2. Aktionärsrechte-RL 2017/828/EG v. 17.5.2017, ABl. Nr. L 132, S. 1 und die Ablehnung optimaler Regelungen durch das ARAG II, Begr. RegE, BT-Drs. 19/9739, S. 35, 80; in der Analyse ebenso *Seibert*, in: FS E. Vetter, 2019, S. 749, 759 f.

[211] So ausdrücklich *Vetter*, in: FS Hopt, 2020, S. 1383, 1389, 1398 ff. Zur gespaltenen Auslegung s. unten § 12 Rn. 95.

[212] S. die Nachweise in § 9 Fn. 248.

[213] EuGH, Urt. v. 17.4.2008, C-404/06, EU:C2008:231, Rn. 34 – Quelle (§ 12 Rn. 58 f.).

[214] S. ErwG. 60 Warenkauf-RL und vertiefend *Möllers*, in: FS Grunewald, 2021, S. 771, 785 ff.

d) Nochmals: Trennungs- und Überlappungsthese im Gestaltungsbereich

Interessant ist nun der Vergleich zwischen dem Zivilrecht und dem Verfassungsrecht: 115
Im Zivilrecht hält man noch an der Trennungsthese fest, versucht also zwischen den Kompetenzen des europäischen Rechts und der Auslegungskompetenz des EuGH und den nationalen Kompetenzen horizontal zu trennen. Das gelingt, wie gerade gezeigt (§ 2 Rn. 113 f.), für Lücken und den unklaren Gestaltungsspielraum im Rahmen der Mindestharmonisierung noch nicht wirklich, so dass die Rechtsfrage solange ungeklärt ist, bis letztlich der EuGH entschieden hat. Der erste Senat des BVerfG geht für das Verfassungsrecht einen anderen Weg, indem er sowohl im Gestaltungsbereich als auch im vollharmonisierten Bereich europäische Grundrechte prüft. Das führt zu einer vertikalen Überlappung von Kompetenzen, weil im Zweifel Fachgerichte, das BVerfG und der EuGH, europäische Grundrechte prüfen. So sichert sich das BVerfG ein Erstinterpretationsrecht gegenüber dem EuGH (§ 2 Rn. 109). Würde im Zivilrecht ebenso verfahren, würden die nationalen Gerichte gestärkt, indem sie dem EuGH nicht nur Fragen vorlegen, sondern mutig bereits einen Entscheidungsvorschlag mitliefern.

IV. Der heutige Stufenbau in Deutschland unter Einbeziehung des internationalen Rechts

1. Rechtsquellen auf internationaler Ebene

a) Zu den Regeln des Völkerrechts gehören einmal die **zwingenden Regeln des Völkerrechts *(ius cogens)***, Artt. 53 und 64 Wiener Vertragsrechtskonvention (WVRK).[215] Dazu zählen etwa elementare Menschenrechte wie die Verbote des Genozids, der Sklaverei und der Folter.[216] Zum Völkerrecht zählt daneben das **internationale Völkergewohnheitsrecht,** vgl. Art. 38 Abs. 1 lit b) des IGH-Statuts. Internationales Völkergewohnheitsrecht soll vorliegen, sobald der Nachweis erbracht ist, dass eine von der *opinio iuris* getragene, gefestigte Übung der überwiegenden Mehrheit der Staaten besteht.[217] Die allgemeinen Regeln werden durch Art. 25 GG in das deutsche Recht transformiert. Zum Völkerrecht gehören zum anderen die **völkerrechtlichen Verträge**, wie etwa Staatsverträge. Hier gelten besondere Auslegungsgrundsätze. Die völkerrechtlichen Verträge werden darüber hinaus gem. Art. 59 Abs. 2 GG in das nationale Recht transformiert, der gegenüber Art. 25 GG die speziellere Norm ist.[218] 116

b) Die allgemein anerkannten Regeln des Völkerrechts sind nach Art. 25 GG Bestandteil des Bundesrechts und gehen den nationalen Gesetzen vor. Im Völkerrecht findet die WVRK Anwendung, welche im Wesentlichen das Recht der völkerrechtlichen Verträge regelt, welche die Hauptquelle des modernen Völkerrechts darstellen.[219] Sie enthält auch recht „spärliche"[220] Auslegungsregeln, wie Art. 31 Abs. 1 WVRK: „Ein Vertrag ist nach Treu und Glauben in Übereinstimmung mit der gewöhnlichen, seinen Bestimmungen in ihrem Zusammenhang zukommenden Bedeutung und im Lichte seines Zieles und Zweckes auszulegen."[221] Zudem ist auch die Rechtsprechung zu berücksichtigen, Art. 31 117

---

[215] BVerfG, Beschl. v. 31.3.1987, 2 BvM 2/86, BVerfGE 75, 1, 18 ff., 20 – Völkerrecht.

[216] *Wollenschläger*, in: Dreier, GG, 3. Aufl. 2015, Art. 25 Rn. 18.

[217] BVerfG, Beschl. v. 30.10.1962, 2 BvM 1/60, BVerfGE 15, 25, 34 – Jugoslawische Militärmission; *Wollenschläger*, in: Dreier, GG, 3. Aufl. 2015, Art. 25 Rn. 19.

[218] *Ossenbühl*, in: HStR V, 3. Aufl. 2007, § 100 Rn. 87.

[219] Dahm/*Delbrück*/*Wolfrum*, Völkerrecht, Bd. I/3, 2. Aufl. 2002, vor § 143 S. 512; *Kempen/Hillgruber*, Völkerrecht, 2. Aufl. 2012, § 13 Rn. 7.

[220] *Doehring*, Völkerrecht, 2. Aufl. 2004, Rn. 390.

[221] Hierzu *Stein/von Buttlar*, Völkerrecht, 14. Aufl. 2017, Rn. 81 ff.

Abs. 3b WVRK. Das gilt aber nur, wenn die höchstrichterliche Rechtsprechung eines Vertragsstaates in der überwiegenden Anzahl der anderen Staaten anerkannt wird.[222]

2. Die autonome Auslegung von internationalen Abkommen

118 a) Seit 1980 gilt das UN-Kaufrecht für mehr als 60 Vertragsstaaten bei grenzüberschreitenden Kaufverträgen von Kaufleuten. Art. 7 Abs. 1 UN-Kaufrecht verpflichtet die nationalen Gerichte, bei der Auslegung des Übereinkommens den internationalen Charakter und die Notwendigkeit einer einheitlichen Anwendung zu berücksichtigen.[223] Um den Zweck einer dauerhaften Vereinheitlichung nicht zu konterkarieren, ist deshalb grundsätzlich nur eine Auslegung im Rahmen des jeweiligen Gesetzes selbst geboten.[224] Damit sind die Begriffe dieser Abkommen grundsätzlich aus sich selbst heraus und nicht etwa unter Rückgriff auf die Bedeutung derselben Begriffe im nationalen Recht zu interpretieren.[225] Lehre und Rechtsprechung sprechen insofern – wie im Umgang mit europäischem Recht – von einer **autonomen Auslegung.**[226] Die Pflicht zur autonomen Auslegung gilt auch dann, wenn das Gesetz Ausdrücke verwendet, die im nationalen Recht des Anwenders ein bestimmtes juristisches Vorverständnis hervorrufen (so die Ausdrücke „dommages-intérts", „breach of contract", „good faith").[227] Die meisten[228] der neueren Einheitsvertragskonventionen weisen auf dieses Gebot der autonomen Auslegung ausdrücklich hin.[229]

119 Während der EuGH über die einheitliche Auslegung des Europäischen Rechts wacht, fehlt ein entsprechendes Gericht etwa im UN-Kaufrecht. Deshalb haben die jeweiligen nationalen Gerichte das internationale Recht auch letztinstanzlich auszulegen. Im Ergebnis führt die autonome Auslegung zu einer hervorgehobenen Stellung der grammatischen Auslegung, weil die Anwendung nationaler Interpretationsmethoden den Zweck einer Rechtsvereinheitlichung gefährden könnte.[230] Als Grundlage für die Wortlautinterpretation ist dabei ausschließlich der Text des Originals heranzuziehen. Existiert dieses in mehreren Übersetzungen, sind alle gleichermaßen zu beachten und damit an sich zu vergleichen.

120 b) Zu beachten ist allerdings, dass auch die Pflicht zur autonomen Auslegung **Ausnahmen** kennt. So ist es allgemein anerkannt, dass eine Interpretation gemäß dem natio-

---

[222] BVerfG, Beschl. v. 30.10.1962, 2 BvM 1/60, BVerfGE 15, 25, 36 ff. – Jugoslawische Militärmission; BVerfG, Beschl. v. 13.12.1977, 2 BvM 1/76, BVerfGE 46, 342, 364 ff. – Philippinische Botschaft.

[223] *Schlechtriem/Schroeter,* Internationales UN-Kaufrecht, 6. Aufl. 2016, Rn. 90 ff.; *Magnus,* in: Staudinger, BGB, Neubearb. 2018, Art. 7 CISG Rn. 11 ff.; *G. Schmid,* Einheitliche Anwendung von internationalem Einheitsrecht, 2004, S. 40 ff.

[224] *Honsell,* in: Staudinger, BGB, Neubearb. 2018, Einl. zum BGB Rn. 146; für die Wiener Konvention zum UN-Kaufrecht vgl. Schlechtriem/Schwenzer/Schroeter/*Ferrari,* Kommentar zum Einheitlichen UN-Kaufrecht, 7. Aufl. 2019, Art. 7 CISG Rn. 9.

[225] Für das Wiener UN-Kaufrecht s. *Magnus,* in: Staudinger, BGB, Neubearb. 2018, Art. 7 CISG Rn. 12.

[226] *Bonell,* Convenzione di Vienna sui contratti di vendita internazionale di beni mobili, commento all' Art. 7, Le Nuove leggi civili commentate 12 (1989), 20, 21; *Ferrari,* RIDC 1996, 813, 827; *Honsell,* in: Staudinger, BGB, Neubearb. 2018, Einl. zum BGB Rn. 146; vgl. etwa Trib. Modena, Urt. v. 9.12.2005, 4143/2001 R.G.A.C., RDIPP 2007, 387, 390; BGH, Urt. v. 2.3.2005, VIII ZR 67/04, CISG-online 999, NJW-RR 2005, 1218, 1219.

[227] Schlechtriem/Schwenzer/Schroeter/*Ferrari* (ebd.), 7. Aufl. 2019, Art. 7 CISG Rn. 10 m.w.Nachw.; s. z.B. BGH, Urt. v. 3.4.1996, VIII ZR 51/95, BGHZ 132, 290, 296.

[228] Schlechtriem/Schwenzer/Schroeter/*Ferrari* (ebd.), Art. 7 CISG Rn. 4.

[229] So heißt es zum Beispiel in Art. 7 Abs. 1 der Wiener Konvention zum UN-Kaufrecht: „Bei der Auslegung dieses Übereinkommens sind sein internationaler Charakter und die Notwendigkeit zu berücksichtigen, seine einheitliche Anwendung und die Wahrung des guten Glaubens im internationalen Handel zu fördern.", BGBl. 1989 II, S. 590.

[230] Eine vom Wortlaut abweichende Auslegung verlangt nach Ansicht des BGH zufolge einer besonderen Rechtfertigung, die sich nur aus „schwerwiegende[n], am Gerechtigkeitsdenken orientierte[n] Gründe[n]" ergeben kann, BGH, Urt. v. 25.9.1991, VIII ZR 209/90, NJW 1992, 619, 620.

nalen Verständnis dann in Betracht kommt, wenn sich aus der Entstehungsgeschichte der Vertragsnorm ergibt, dass sich ihre Verfasser an diesem orientiert haben.[231] Daneben kann auf das nach den Kollisionsnormen des Forumstaates[232] zu bestimmende nationale Recht zurückzugreifen sein.[233]

3. Der Stufenbau des Völkerrechts

121 Das Völkerrecht hat eigene Vorrangregeln. So stehen die zwingenden Normen des Völkerrechts (*ius cogens*) über den einfachen Regeln des Völkergewohnheitsrechts und den allgemein anerkannten Rechtsregeln des Art. 38 Abs. 1 lit. b), c) des IGH-Statuts.[234] Zu den zwingenden Regeln des Völkerrechts zählen etwa die internationale Friedenssicherung, das Selbstbestimmungsrecht, grundlegende Menschenrechte sowie Kernnormen zum Schutz der Umwelt.[235] Art. 30 WVRK formuliert den Lex-posterior-Grundsatz (§ 4 Rn. 132).

4. Völkerrecht und nationales Recht

a) Verhältnis des Völkerrechts zum Grundgesetz

122 aa) Wie Völkerrecht in das europäische und deutsche Recht einwirkt, ist ein noch nicht abschließend geklärter Entwicklungsprozess. Aufgrund der Erfahrungen aus dem Dritten Reich, zu dessen Zeit das Völkerrecht massiv ignoriert wurde, führte man nach dem Zweiten Weltkrieg Art. 25 GG ein.[236] Unstrittig steht damit das Völkerrecht über dem Bundes- und Landesrecht.[237] Darüber hinaus wird diskutiert, ob das *ius cogens* als Recht, das nach Art. 53 WVRK allgemeinverbindliche Geltung beansprucht, dem europäischen Primärrecht[238] und dem GG vorgeht, also von diesen nicht verdrängt werden kann. Die allgemeinen Regeln des Völkerrechts sollen gleichrangig neben der Verfassung stehen.[239] Andere ordnen das völkerrechtliche ius cogens unterhalb der Verfassung ein.[240] So spricht Art. 25 GG nur davon, dass den allgemeinen Regeln des Völkerrechts gegenüber den Gesetzen Vorrang eingeräumt wird – hierunter versteht man nicht das Verfassungsrecht. Billigt man ihnen jedenfalls Verfassungsrang zu, führt dies zu einem schleichenden Verfassungswandel, der gegen die Ewigkeitsgarantie des Art. 79 Abs. 1 GG verstößt. Das Gebot, das Grundgesetz völkerrechtsfreundlich auszulegen, führt

---

[231] Schlechtriem/Schwenzer/Schroeter/*Ferrari*, Kommentar zum Einheitlichen UN-Kaufrecht, 7. Aufl. 2019, Art. 7 CISG Rn. 10; *Magnus*, in: Staudinger, BGB, Neubearb. 2018, Art. 7 CISG Rn. 13.

[232] Unter Forumstaat versteht man den Staat, dessen Gerichte zur Entscheidung einer Rechtsstreitigkeit nach den allgemeinen Kollisionsregeln international zuständig sind.

[233] Als Beispiele sind für das UN-Kaufrecht der Begriff der „Vertragspartei" sowie des „Internationalen Privatrechts" anzuführen, Schlechtriem/Schwenzer/Schroeter/*Ferrari* (ebd.), 7. Aufl. 2019, Art. 7 CISG Rn. 12 f. m.w.Nachw.

[234] Angesprochen schon von *Kelsen*, Reine Rechtslehre, 2. Aufl. 1960, S. 324 f.

[235] BVerfG, Beschl. v. 26.10.2004, 2 BvR 955/00 u.a., BVerfGE 112, 1, 27 f. – Bodenreform III.

[236] Art. 25 GG lautet: „[1]Die allgemeinen Regeln des Völkerrechts sind Bestandteil des Bundesrechts. [2]Sie gehen den Gesetzen vor und erzeugen Rechte und Pflichten unmittelbar für die Bewohner des Bundesgebietes."

[237] BVerfG, Beschl. v. 26.10.2004, 2 BvR 955/00 u.a., BVerfGE 112, 1, 24 – Bodenreform III.

[238] *Wollenschläger*, in: Dreier, GG, 3. Aufl. 2015, Art. 25 Rn. 8.

[239] Str., s. Sachs/*Streinz*, GG, 9. Aufl. 2021, Art. 25 Rn. 85 ff.

[240] *Wollenschläger*, in: Dreier, GG, 3. Aufl. 2015, Art. 25 Rn. 30; *Ossenbühl*, in: HStR V, 3. Aufl. 2007, § 100 Rn. 87, der diese über dem Bundesrecht, aber noch unterhalb des Verfassungsrechts einordnet. Von einem „Zwischenrang" sprechen *Koenig/König*, in: von Mangoldt/Klein/Starck, GG, 7. Aufl. 2018, Art. 25 Rn. 51 ff.

ohnehin zu einer faktischen Gleichstellung des völkerrechtlichen ius cogens mit dem Verfassungsrecht.[241]

123 Das BVerfG[242] hat sich zu einer solchen Differenzierung noch nicht durchgerungen. Es erkennt die Pflicht an, Völkerrecht zu beachten, „soweit es dem in den Art. 23 bis 26 GG sowie in den Art. 1 Abs. 2, Art. 16 Abs. 2 Satz 2 GG niedergelegten Konzept des Grundgesetzes entspricht." Ganz bewusst formuliert das BVerfG aber: „das Grundgesetz [...] ordnet nicht die Unterwerfung der deutschen Rechtsordnung unter die Völkerrechtsordnung und den unbedingten Geltungsvorrang von Völkerrecht vor dem Verfassungsrecht an." Mit dieser Relativierung möchte das BVerfG, ähnlich wie im Verhältnis zum Europarecht (§ 2 Rn. 95 ff.), die „letzte Verantwortung für die Achtung der Würde des Menschen und die Beachtung der Grundrechte durch die deutsche öffentliche Gewalt [nicht] aus der Hand [...] geben." Allerdings scheint das BVerfG zumindest den Vorrang des völkerrechtlichen ius cogens anzuerkennen. Im Ergebnis ist die völkerrechtsfreundliche Auslegung aber deutlich schwächer als die Verpflichtung zur unionskonformen Auslegung (§ 12 Rn. 132).

124 bb) **Völkerrechtliche Verträge**, die durch Zustimmungsgesetz gem. Art. 59 Abs. 2 GG in das deutsche Recht transformiert werden müssen, folgen dem Bundesrecht nach.

b) Verhältnis der EMRK zum Grundgesetz

125 aa) Die Europäische Menschenrechtskonvention (EMRK)[243] partizipiert nicht an dem Privileg des Völkergewohnheitsrechts gem. Art. 25 S. 2 GG, denn in Deutschland steht sie nach herrschender Ansicht lediglich **im Rang eines Bundesgesetzes**.[244] In Österreich hat die EMRK dagegen Verfassungsrang und geht daher dem nationalen einfachen Recht vor.[245] Dogmatisch handelt es sich hier nur bedingt um eine Frage der Über-/Unterordnung, weil einerseits der Europäische Gerichtshof für Menschenrechte Entscheidungen des BVerfG nicht aufheben kann und andererseits das BVerfG den Entwicklungsstand der EMRK bei der Auslegung von Grundrechten mitberücksichtigt. Die deutschen Gerichte folgen dem Grundsatz der völkerrechtsfreundlichen Auslegung (§ 12 Rn. 130 ff.).[246] Vielleicht kann sich in Zukunft ein Kooperationsverhältnis zwischen den höchsten Verfassungsgerichten der Mitgliedstaaten und dem EGMR entwickeln (§ 12 Rn. 136).

126 Die obige Pyramide (§ 2 Rn. 43) lässt sich nun, unter Berücksichtigung des sogleich noch zu bestimmenden Naturrechts, wie folgt ergänzen: Isoliert betrachtet, haben das deutsche Recht, das europäische Recht sowie das Völkerrecht jeweils eine eigene Stufenhierarchie des Rechts. Europarecht und Völkerrecht wirken auf das deutsche Recht ein, gegebenenfalls auf unterschiedlichen Stufen. So stehen alle Stufen des Europarechts (linke Pyramide) über allen Stufen des nationalen Rechts, sodass sich nationales Recht stets an den europarechtlichen Vorgaben zu messen hat. Das „einfache" Völkerrecht hingegen (rechte Pyramide) steht nicht über dem nationalen Recht. Das Völkergewohnheitsrecht steht vielmehr auf gleicher Stufe mit unserem Grundgesetz, während das Völkervertragsrecht den Rang von einfachem Bundesrecht hat.

---

[241] Für eine vollständige Diskussion siehe die differenzierte Argumentation bei *Wollenschläger*, in: Dreier, GG, 3. Aufl. 2015, Art. 25 Rn. 30 m.w.Nachw.

[242] BVerfG, Beschl. v. 26.10.2004, 2 BvR 955/00 u.a., BVerfGE 112, 1, 25 f. – Bodenreform III.

[243] Einführend *Braasch*, JuS 2013, 602 ff.

[244] BVerfG, Urt. v. 4.5.2011, 2 BvR 2365/09 u.a., BVerfGE 128, 326, 367 f. – Sicherungsverwahrung IV; *Dreier*, in: Dreier, GG, 3. Aufl. 2013, Vorb. vor Art. 1 Rn. 29.

[245] Art. 2 Nr. 7 Gesetz v. 6.4.1964, Österreich, BGBl. 59/1964. Rechtsvergleichender Überblick bei *Grabenwarter/Pabel*, EMRK, 7. Aufl. 2021, § 3 Rn. 1 ff. m.w.Nachw.

[246] *Meyer-Ladewig/Nettesheim/von Raumer*, Europäische Menschenrechtskonvention, 4. Aufl. 2017, Einl. Rn. 19.

Grafik: Hierarchie von Rechtsquellen im heutigen Mehrebenensystem 127

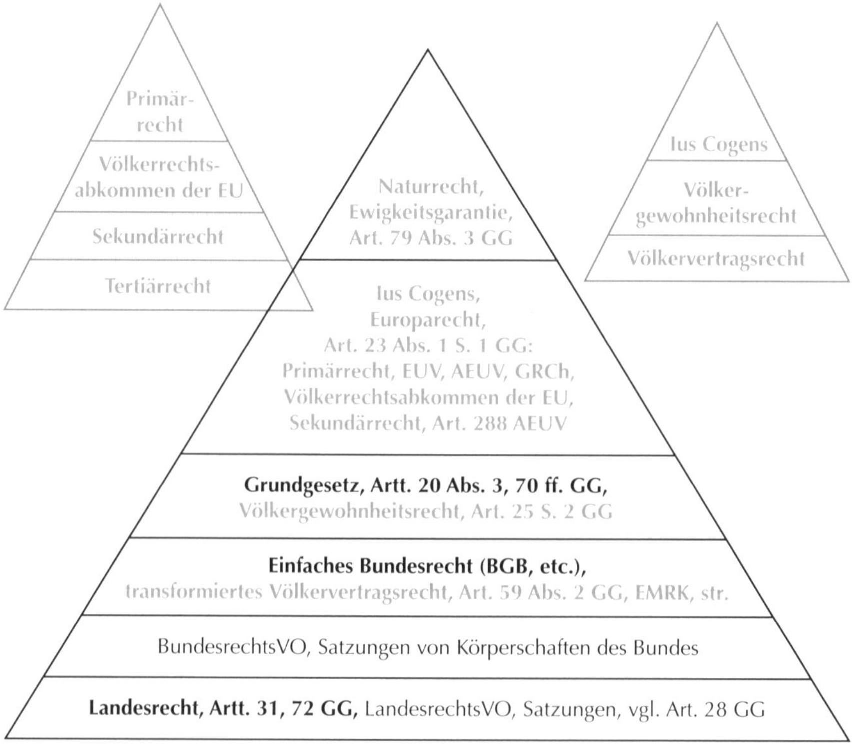

V. Naturrecht

1. Zur Relevanz des Naturrechts

a) Gegner des Naturrechts

Gibt es übergesetzliches Recht, das unabhängig vom Gesetzgeber gilt, das sog. Naturrecht? Verlangt der Gesetzesvorbehalt nicht vielmehr, dass für alle wichtigen Entscheidungen eine ausdrückliche, gesetzliche Grundlage erforderlich ist? Wie steht das *nullum-crimen-sine-lege*-Verbot (§ 1 Rn. 36) zum Naturrecht? Zum Teil wird Naturrecht massiv abgelehnt. Aus der Perspektive der Rechtspositivisten kann nur der Gesetzgeber Recht setzen. Die von den Anhängern des Rechtspositivismus vertretene *Trennungsthese* besagt, dass die Rechtsqualität von Normen in keiner Weise von deren moralischem Status abhängen soll.[247] Wenn Sein und Sollen zu trennen sind (§ 3 Rn. 20 ff.), kann das Sein (die Vernunft, die Natur) nicht das Sollen beeinflussen.[248] Soll empirisch feststellbares Naturrecht nachgewiesen werden, bedarf es der Maßstäbe von Gut und Böse, die offenbar nicht selbst aus der menschlichen Natur genommen werden können; die Überlegungen geraten 128

[247] *Hart*, 71 Harv. L. Rev. 593, 616 (1957/58); hierzu *Röhl/Röhl*, Allgemeine Rechtslehre, 3. Aufl. 2008, S. 294 ff.
[248] *Kelsen*, Reine Rechtslehre, 2. Aufl. 1960, S. 409.

zum Zirkelschluss.[249] Wer Mitmenschlichkeit und Fürsorge zum Naturrecht zählt,[250] verwechsele Moral mit Recht. Schließlich seien rechtsethische Prinzipien wie beispielsweise „Gerechtigkeit“ zu allgemein, um sie auf den konkreten Fall anzuwenden; sie geraten deshalb zu reinen Leerformeln, ohne für die Rechtsanwendung verwendet werden zu können.[251]

b) Historische Entwicklung des Naturrechts

129 Allerdings lassen sich naturrechtliche Strömungen seit weit mehr als 2500 Jahren nachweisen.[252] Die Wurzeln des Naturrechts liegen bei *Platon*, der objektive Werte bejahte, die unabhängig von den tatsächlichen Zuständen in der Welt Gültigkeit besitzen.[253] *Aristoteles* baute in seiner Nikomachischen Ethik die Naturrechtslehre weiter aus: Für ihn gilt Naturrecht überall und unabhängig von konventionellen Gesetzen; zum Naturrecht gehören für ihn die Gleichheit der Menschen und die Idee der Gerechtigkeit (§ 1 Rn. 107 ff.).[254] Damit findet sich das Naturrecht auch bei Cicero[255] und an verschiedenen Stellen in den Digesten.[256] Nach dem von *Augustinus* begründeten christlich-theologischen Naturrecht gibt Gott eine gerechte Ordnung vor. Dazu gehören etwa die Gleichordnung aller Menschen oder das Vorrecht des Menschen gegenüber Tieren und Pflanzen, die natürliche Ordnung von Ehe, Familie und Eigentum.[257] Durch *Locke*[258] und *Rousseau*[259] wurde der Grundstein für die späteren Grundrechte gelegt, die, in der Verfassung der Vereinigten Staaten von Amerika und der französischen Menschenrechtserklärung formuliert, ihren Siegeszug um die ganze Welt antraten.[260]

c) Vermittelnde Ansicht: Enger Bereich des Naturrechts und weiter Bereich übergesetzlicher Rechtsprinzipien

130 Einzelne Rechtssätze als naturrechtlich zeitlos anzusehen, erscheint problematisch. So wurde etwa im Altertum die Sklaverei mit dem Naturrecht gerechtfertigt oder Frauen von jeglicher Mitsprache in der Politik ausgeschlossen, obwohl solche Rechtssätze, wie wir heute sehen, zeit- und kulturabhängig waren.[261] Selbst in demokratischen Rechtsordnun-

---

[249] *Kelsen*, Reine Rechtslehre, 2. Aufl. 1960, S. 403, 411 f.; angesprochen bei Bydlinski/*Bydlinski*, Grundzüge der juristischen Methodenlehre, 3. Aufl. 2018, S. 49 ff.

[250] So etwa *Starck*, ARSP Beiheft 37 (1990), 47, 56 unter Bezug auf *Dworkin*, Taking Rights Seriously, 1977, S. XV.

[251] Im Ergebnis auch ablehnend *Gast*, Juristische Rhetorik, 5. Aufl. 2015, Rn. 1192 f.

[252] S. *Wieacker*, Privatrechtsgeschichte der Neuzeit, 2. Aufl. 1967, S. 249 ff., 599 ff.; *Schlosser*, Neuere Europäische Rechtsgeschichte, 4. Aufl. 2021, 8. Kap.; s. auch *Rüthers/Fischer/Birk*, Rechtstheorie, 11. Aufl. 2020, Rn. 417 ff., 445 ff.

[253] *Platon*, Der Staat, 7. Buch, 514a ff.

[254] *Aristoteles*, Nikomachische Ethik, 5. Buch, 1131b ff.; *ders.*, Rhetorik, 1368b.

[255] *Cicero*, De re publica, 3,12,8; *ders.*, De legibus, 1,18; weiterführend *Honsell*, Was ist Gerechtigkeit?, 2019, S. 90 ff.

[256] D. 1,1,1,3; Paul. D. 1,1,11: […] *quod semper aqeuum ac bonum est* – […], das, was immer gut und billig ist. S. auch oben § 1 Fn. 236 f.

[257] *Augustinus*, De libero arbitrio, 1, 16 ff.; später von *Aquin*, Summa Theologica, 1775, Buch II/1. *Thomasius* löste das Naturrecht endgültig von der Theologie: *Thomasius*, Fundamenta Juris naturae et Gentium, 4. Aufl. 1718, I. Buch, Kap. VI, § 41.

[258] *Locke*, Two Treatises of Government, Book II (1698), Rn. 95 ff., 123 ff.

[259] *Rousseau*, Du Contrat Social, 1762, S. 16 ff., 39 ff.

[260] Zur historischen Entwicklung s. *Oestreich*, Geschichte der Menschenrechte und Grundfreiheiten im Umriß, 2. Aufl. 1978; *Dreier*, in: Dreier, GG, 3. Aufl. 2013, Vorb. vor Art. 1 Rn. 1 ff.

[261] Pointiert *Dreier*, JZ 1997, 421, 429. Der Große Senat des BGH stellte noch 1954 fest, dass der außereheliche Geschlechtsverkehr gegen das Sittengesetz verstoße, das unabhängig davon gelte, ob man es persönlich anerkennt, BGH, Beschl. v. 17.2.1954, GSSt 3/53, BGHSt 6, 46, 53 f. – Kuppelei gegenüber Verlobten.

gen erfahren einzelne Rechtsnormen eine unterschiedliche Bewertung, wie die Frage nach der Zulässigkeit der Todesstrafe verdeutlicht.[262]

Dem Vorwurf der Verwechslung von Moral und Recht kann man entgehen, indem man den Bereich des Naturrechts zurückdrängt und nur von übergesetzlichem oder objektivem Recht oder Rechtsprinzipien spricht. Diese haben sich im Unterschied zum Naturrecht über Jahrhunderte hinweg historisch geformt und sind damit gerade nicht zeitlos, sondern dynamisch. Sie sind folglich auch wandelbar.[263] Zudem gibt es auch Gesetze, die man unschwer als Unrechtsgesetze bezeichnen kann. Offensichtliches Unrecht wie Raub, Vergewaltigung, Mord und Totschlag können und dürfen nicht mit dem Begriff des Rechts verbunden werden.[264] Damit lässt sich ein **negativer Bereich** definieren, wann Gesetze als Unrechtsgesetze gegen Naturrecht verstoßen. Großen Einfluss auf die deutsche Rechtsprechung und Rechtsliteratur hatten die naturrechtlichen Überlegungen, die *Radbruch* unmittelbar nach dem 2. Weltkrieg formulierte und die heute als **„Radbruch'sche Formel"** bekannt sind: 131

„Der Konflikt zwischen der Gerechtigkeit und der Rechtssicherheit dürfte dahin zu lösen sein, daß das positive, durch Satzung und Macht gesicherte *Recht auch dann den Vorrang hat, wenn es inhaltlich ungerecht und unzweckmäßig ist, es sei denn*, daß der *Widerspruch des positiven Gesetzes zur Gerechtigkeit ein so unerträgliches Maß erreicht, daß das Gesetz als „unrichtiges Recht" der Gerechtigkeit zu weichen hat.* Es ist unmöglich eine schärfere Linie zu ziehen zwischen den Fällen des gesetzlichen Unrechts und den trotz unrichtigen Inhalts dennoch geltenden Gesetzen; eine andere Grenzziehung aber kann mit aller Schärfe vorgenommen werden: Wo Gerechtigkeit nicht einmal erstrebt wird, *wo die Gleichheit, die den Kern der Gerechtigkeit ausmacht, bei der Setzung positiven Rechts bewußt verleugnet wurde, da ist das Gesetz nicht etwa nur „unrichtiges Recht", vielmehr entbehrt es überhaupt der Rechtsnatur.* Denn man kann Recht, auch positives Recht, gar nicht anders definieren, denn als eine Ordnung und Satzung, die ihrem Sinn nach bestimmt ist, der Gerechtigkeit zu dienen. An diesem Maßstab gemessen sind *ganze Partien nationalsozialistischen Rechts niemals zur Würde geltenden Rechts gelangt.*"[265] 132

2. Vorrang von Naturrecht gegenüber dem eindeutigen Unrechtsgesetz (Radbruch'sche Formel)

Die Radbruch'sche Formel kann dazu verhelfen, auch positives Recht als schwerwiegendes gesetzliches Unrecht zu erkennen. Das gilt zumindest dann, wenn Menschenrechte unübersehbar und offensichtlich entgegenstehen. Voraussetzung für eine solche Erkenntnis ist nicht ein umfassendes Wissen zu den Inhalten von Gerechtigkeit, richtigem Recht oder Menschenrechten. Vielmehr reicht eine „unspezifische Erfassung des Kerngedankens" aus.[266] 133

Die 11. Verordnung zum Reichsbürgergesetz v. 25.11.1941 sah beispielsweise vor, dass emigrierten Juden aus rassischen Gründen die deutsche Staatsangehörigkeit entzogen wurde. Das BVerfG lehnt einen strikten Gesetzespositivismus à la *Kelsen* ab und zitierte vielmehr die Radbruch'sche Formel: 134

---

[262] S. oben § 1 Fn. 256.

[263] *Starck*, ARSP Beiheft 37 (1990), 47, 51 f.; *Coing*, Grundzüge der Rechtsphilosophie, 5. Aufl. 1993, S. 201 ff.; *Radbruch*, in: Schmidt, Eine Feuerbach-Gedenkrede sowie drei Aufsätze aus dem wissenschaftlichen Nachlaß, 1952 (postum), S. 31 ff.

[264] Sog. Unrechtsargument, s. *R. Dreier*, NJW 1986, 890, 891; *Hoerster*, ARSP Beiheft 37 (1990), S. 27 ff.; *Hruschka*, JZ 1992, 429, 436.

[265] *Radbruch*, Süddeutsche JZ 1946, 105, 107. Vorher ähnlich schon *Reichel*, Gesetz und Richterspruch, 1915, S. 142; s. RG, Urt. v. 28.11.1923, V 31/23, RGZ 107, 78, 87 ff.

[266] *Kaufmann*, NJW 1995, 81, 86.

135 „Recht und Gerechtigkeit stehen nicht zur Disposition des Gesetzgebers. Die Vorstellung, dass ein „Verfassungsgeber alles nach seinem Willen ordnen kann, *würde einen Rückfall in die Geisteshaltung eines wertungsfreien Gesetzespositivismus bedeuten*, wie sie in der juristischen Wissenschaft und Praxis seit längerem überwunden ist. Gerade die Zeit des nationalsozialistischen Regimes in Deutschland hat gelehrt, daß auch der Gesetzgeber Unrecht setzen kann." (BVerfGE 3, 225 [232]). Daher hat das Bundesverfassungsgericht die Möglichkeit bejaht, nationalsozialistischen „Rechts-" Vorschriften die Geltung als Recht abzuerkennen, „weil sie fundamentalen Prinzipien der Gerechtigkeit so evident widersprechen, daß der Richter, der sie anwenden oder ihre Rechtsfolgen anerkennen wollte, Unrecht statt Recht sprechen würde" (BVerfGE 3, 58 [119]; 6, 132 [198]).

[...] Die 11. Verordnung verstieß gegen diese fundamentalen Prinzipien. In ihr hat der *Widerspruch zur Gerechtigkeit ein so unerträgliches Maß erreicht, daß sie von Anfang an als nichtig erachtet werden muß* (vgl. BGH, RzW 1962, 563; BGHZ 9, 34 [44]; 10, 340 [342]; 16, 350 [354]; 26, 91 [93]). [...]

Das zu diesen Grundsätzen gehörende Willkürverbot hat heute in Art. 3 Abs. 1 und teilweise auch in Art. 3 Abs. 3 GG seinen positiv-rechtlichen Ausdruck gefunden. [...] Die Anerkennung der Rechtswirksamkeit der Ausbürgerungen durch die 11. Verordnung *würde daher gegen Art. 3 Abs. 1 und 3 GG verstoßen.*"[267]

136 Die negative Beweisführung mit Hilfe der Radbruch'schen Formel ist auf Extremfälle beschränkt.[268] Auf Art. 3 GG konnte das BVerfG nicht unmittelbar abstellen, weil es dann gegen das Rückwirkungsverbot (§ 1 Rn. 36) verstoßen hätte. Das GG ist nämlich jüngeren Datums als die Gesetze aus dem Dritten Reich.[269]

137 *Mauerschützen-Entscheidung*: Während der DDR-Zeit wurden an der innerdeutschen Grenze insgesamt mehrere hundert Menschen von Grenzpolizisten erschossen, weil sie das Staatsgebiet der DDR verlassen wollten. Die Grenzpolizisten beriefen sich dabei auf § 27 Abs. 2 S. 1 Grenzgesetz[270], wonach die DDR-Bürger notfalls auch mit Anwendung der Schusswaffe an der Flucht gehindert werden durften. Nachdem 1990 die DDR der Bundesrepublik Deutschland beigetreten war, hatte der BGH zu prüfen, ob der Grenzpolizist G wegen Tötung bestraft werden konnte (§ 2 Rn. 44). Der zuständige Strafsenat kombinierte die Radbruch'sche Formel mit dem Ausreiserecht des Internationalen Pakts über bürgerliche und politische Rechte vom 19.12.1966, den die DDR damals ratifiziert hatte, sodass der Schießbefehl menschenrechtsfreundlich auszulegen war. Das Rückwirkungsverbot des Art. 103 Abs. 2 GG war zu relativieren, wenn „die in der Völkerrechtsgemeinschaft allgemein anerkannten Menschenrechte in schwerwiegender Weise mißachtet" werden.[271]

---

[267] BVerfG, Beschl. v. 14.2.1968, 2 BvR 557/62, BVerfGE 23, 98, 106 f. – Ausbürgerung I.

[268] Ähnlich die Formulierung bei BVerfG, Beschl. v. 24.10.1996, 2 BvR 1851/94 u.a., BVerfGE 95, 96, 134 – Mauerschützen; *Rüthers/Fischer/Birk*, Rechtstheorie, 11. Aufl. 2020, Rn. 267, 971.

[269] Deshalb verwendete das BVerfG den Konjunktiv („würde").

[270] DDR-GrenzG v. 25.3.1982, GBl. I, S. 197.

[271] BVerfG, Urt. v. 24.10.1996, 2 BvR 1851/94 u.a., BVerfGE 95, 96, 134 ff. und Ls. 3 – Mauerschützen; BGH, Urt. v. 3.11.1992, 5 StR 370/92, BGHSt 39, 1, 15 ff. – Mauerschützen. Krit. aber *Dreier*, JZ 1997, 421, 431 f., der u.a. einen Verstoß gegen das Rückwirkungsverbot des Art. 103 Abs. 2 GG bejaht und deshalb eine Änderung dieser Norm fordert; ebenfalls krit. *Amelung*, JuS 1993, 637, 643; *Hofmann*, Einführung in die Rechts- und Staatsphilosophie, 5. Aufl. 2011, s. 117 f. S. aber unten § 13 Rn. 77 f.

3. Positive Formen von Naturrecht

a) Naturrecht und Anthropologie

Will man überhaupt einen engen, positiven Bereich des Naturrechts definieren, sollte man zwischen einem anthropologischen Ansatz einerseits und allgemeinen Rechtsgrundsätzen andererseits unterscheiden. Überzeugend erscheint der Ansatz, der das Naturrecht an einzelne, dem Menschen angeborene Verhaltensweisen anknüpft. Der Mensch trachtet nach Erhaltung seines Lebens und seiner Nachkommen. Wegen der unzulänglichen Fähigkeiten des Einzelnen lässt sich das menschliche Leben am besten in der Gemeinschaft erhalten. Um den Zusammenhalt und die Lebensfähigkeit (in) der Gruppe zu sichern, müssen Menschen seit Anbeginn zwischen Gut und Böse unterscheiden. Daraus hat *Hart* eine Reihe von anthropologischen Regeln abgeleitet, die er zu dem Minimalgehalt des Naturrechts zählt.[272] Dazu gehören die *menschliche Verletzbarkeit* und dementsprechend das Verbot der Verletzung und Tötung. Ebenso umfasst ist die *annähernde Gleichheit der Menschen*, die es dem Einzelnen unmöglich macht, die anderen ohne entsprechende Zusammenarbeit zu beherrschen. Der Minimalgehalt des Naturrechts beinhalte auch den begrenzten Altruismus der Menschen, also deren Neigung, die Interessen anderer nur in eingeschränktem Maße über ihre eigenen Interessen zu stellen, die Begrenztheit der Ressourcen, die eine Minimalform von geschütztem, wenn auch nicht notwendig individuellem Eigentum erfordert und die begrenzte Einsicht und Willensstärke des Menschen, welche Sanktionen bei der Missachtung von Regeln verlangt. Zudem wurde auf die *Fähigkeit zur Selbstbestimmung* hingewiesen.[273] **138**

b) Rechtsideen und keine unmittelbare Subsumtion

Inzwischen haben zahlreiche dieser Ideen und Regeln in Gestalt von Rechtsprinzipien oder Rechtsnormen Eingang in Gesetze gefunden, sind also positivrechtlich formuliert worden. Im deutschen Recht finden sich die Grundrechte in den Artt. 1–19 GG, das Demokratie- und Rechtsstaatsprinzip in Art. 20 GG. Innerhalb der Mitgliedstaaten der EU gelten die Grundrechte und bestimmte Werte, Artt. 2, 6 EUV (§ 2 Rn. 59, 74). Zahlreiche Rechtsideen, wie Rechtsfrieden oder Gerechtigkeit, sind aber nicht unmittelbar aus dem Gesetz ableitbar.[274] Zur Gerechtigkeit gehören der Rechtsgüterschutz und Fragen der Gleichheit (§ 1 Rn. 107 ff.). **139**

Von der ganz herrschenden Meinung ist anerkannt, dass aus den Grundwerten oder Rechtsideen wie Gerechtigkeit oder Frieden nicht unmittelbar der einzelne Fall entschieden werden kann und damit nicht unmittelbar subsumiert werden können.[275] Sie würden ansonsten reine Leerformeln (§ 9 Rn. 10) darstellen. Hier bedarf es einer Konkretisierung, oft auch einer Abwägung verschiedener Prinzipien. Die allgemeinen Rechtsgrundsätze haben dabei oft eine „Lücken- und Verstärkerfunktion". Darauf wird ausführlich in § 9 und § 10 eingegangen. **140**

Zusammenfassung zu § 2

I. Recht lässt sich als Gesamtheit von Rechtsregeln beschreiben, die vom Gesetzgeber erlassen oder zumindest anerkannt werden oder von den Gerichten angewendet werden, **141**

---

[272] *Hart*, The Concept of Law, 3rd ed. 2012, S. 193 ff.; ihm folgend *Bydlinski*, Juristische Methodenlehre und Rechtsbegriff, 2. Aufl. 1991, S. 263 ff.

[273] *Starck*, ARSP Beiheft 37 (1990), 47, 54 ff.

[274] Sog. Prinzipienargument s. *R. Dreier*, NJW 1986, 890, 892.

[275] *Coing*, Grundzüge der Rechtsphilosophie, 5. Aufl. 1993, S. 202.

nicht unerträglich ungerecht sind und mit staatlichen Zwangsmitteln durchgesetzt werden können. Im Unterschied zu Moral und Sitte gilt Recht aufgrund staatlicher Sanktion.

II. Es gibt einen *Stufenbau des Rechts*, mithin höherrangiges Recht, das sich gegenüber dem niederrangigen Recht durchsetzt.

III. Auch im *europäischen Recht* existiert eine Normenhierarchie. Das Prinzip der begrenzten Einzelermächtigung des Art. 5 Abs. 2 S. 1 EUV bestimmt, dass die Union nur innerhalb der Grenzen der Zuständigkeiten tätig werden darf, welche die Mitgliedstaaten ihr übertragen haben. Zudem kann das europäische gegenüber dem nationalen Recht einen Vorrang genießen. Im Sekundärrecht existieren Richtlinien und Verordnungen, die eine Mindest- oder Vollharmonisierung bezwecken. Beide Senate des BVerfG relativieren den Vorrang europäischen Rechts, der erste Senat mit der selbstständigen Prüfung europäischer Grundrechte (Überlappungsthese) oder der zweite Senat mit der potentiellen Unverbindlichkeit europäischer Akte (Ultra-vires-Lehre).

IV. Schließlich existiert auch im *internationalen Recht* eine Normenhierarchie. Zudem kann das *internationale* gegenüber dem nationalen Recht einen Vorrang genießen.

V. Inwieweit *Naturrecht* existiert, ist umstritten. Die *Radbruch'sche Formel* umschreibt, was grobes Unrecht ist. Positiv kann man bestimmte, dem Menschen angeborene Fähigkeiten zum Naturrecht erklären.

§ 3 Sekundäre Rechtsquellen und Rechtserkenntnisquellen

Literatur: *Augsberg, Stefan*, Rechtsetzung zwischen Staat und Gesellschaft, 2003; *Bachmann, Gregor*, Private Ordnung, 2006; *Boehme-Neßler, Volker*, Unscharfes Recht, 2008; *Buck-Heeb, Petra/Dieckmann, Andreas*, Selbstregulierung im Privatrecht, 2010; *Bydlinski, Franz*, Richterrecht über Richterrecht, in: FG 50 Jahre BGH, 2000, S. 3–56; *Calliess, Gralf-Peter (Hrsg.)*, Transnationales Recht, 2014; *Calliess, Gralf-Peter/Zumbansen, Peer*, Rough Consensus and Running Code: A Theory of Transnational Private Law, 2012; *Drobnig, Ulrich/van Erp, Sjef (eds.)*, The Use of Comparative Law by Courts, 1997; *Eifert, Martin*, Regulierungsstrategien, in: Hoffmann-Riem, Wolfgang/Schmidt-Aßmann, Eberhard/Voßkuhle, Andreas, Grundlagen des Verwaltungsrechts, Bd. 1, 2. Aufl. 2012, § 19; *Kirchhof, Ferdinand*, Private Rechtsetzung, 1987; *Leyens, Patrick C.*, Selbstbindungen an untergesetzliche Verhaltensregeln, AcP 215 (2015), 611–654; *Köndgen, Johannes*, Privatisierung des Rechts, AcP 206 (2006), 477–525; *Meder, Stefan*, Ius non scriptum, 2. Aufl. 2009; *Möllers, Thomas M.J.*, Sekundäre Rechtsquellen, in: FS Buchner, 2009, S. 649–665; *ders. (Hrsg.)*, Geltung und Faktizität von Standards, 2009; *ders./Fekonja, Benjamin*, Private Rechtsetzung im Schatten des Gesetzes, ZGR 2012, 777–816; *Ruffert, Matthias*, Rechtsquellen und Rechtsschichten des Verwaltungsrechts, in: Hoffmann-Riem, Wolfgang/Schmidt-Aßmann, Eberhard/Voßkuhle, Andreas, Grundlagen des Verwaltungsrechts, Bd. 1, 2. Aufl. 2012, § 17.

Übersicht

	Rn.
I. Problemstellung: Rechts(erkenntnis)quellen neben primären Rechtsquellen?	2
1. Die bisherige dualistische Ansicht: enger Begriff der Rechtsquellen versus Rechtserkenntnisquelle	3
2. Der weite Rechtsquellenbegriff – vernetzte Rechtsstrukturen als Alternative zum Stufenbau des Rechts	9
3. Vermittelnde Ansicht: Die Lehre von den sekundären Rechtsquellen	12
4. Jenseits von Rechtspositivismus und Naturrecht	20
II. Die Bedeutung des Richterrechts für die Rechtsfindung	22
1. Zur Rolle des Gewohnheitsrechts	23
2. Lehre von den sekundären Rechtsquellen	25
3. Strenge Präjudizienbindung als rechtliche Ausnahme im deutschen Rechtskreis	43
III. Verwaltungsvorschriften, Rechtsvorschriften Privater und europäische Empfehlungen	54
1. Verwaltungsvorschriften	54
2. Rechtsnormen Privater und die Abgrenzung zu Allgemeinen Geschäftsbedingungen, Verträgen und soft law	60
3. Rechtsfolgen	67
4. Empfehlungen und Verwaltungsvorschriften des EU-Rechts	71
IV. Die Bedeutung ausländischer Urteile für die Rechtsfindung	75
1. Die Pflicht zur rechtsvergleichenden Auslegung im Europarecht, im internationalen Einheitsrecht und im Völkerrecht	76
2. Fallgruppen freiwilliger Rechtsvergleichung	86
3. Rechtsqualität ausländischer Urteile: Zwischen persuasive authority und bloßer Rechtserkenntnisquelle	94
4. Die Bedeutung der Rechtsvergleichung für den EuGH und den EGMR	96
V. Rechtsliteratur	100

1 Im vorherigen Kapitel wurden Gesetze und Naturrecht als sog. primäre Rechtsquellen vorgestellt. Im Folgenden ist zu fragen, was noch als Rechtsquelle bezeichnet werden kann, d.h. was darüber hinaus bei der Fallbearbeitung herangezogen werden kann und soll. Das ist heftig umstritten (I.). Im Einzelnen ist dann auf Gerichtsentscheidungen (II.), Verwaltungsvorschriften und private Rechtsnormen (III.) sowie auf ausländische Urteile (IV.) und die Rechtsliteratur (V.) als Rechtserkenntnisquellen einzugehen.

I. Problemstellung: Rechts(erkenntnis)quellen neben primären Rechtsquellen?

2 Der bloße Blick in Gesetze genügt oft nicht, um die Rechtslage zweifelsfrei beurteilen zu können. Es ist allgemein bekannt, dass sich die Gerichte bei der Urteilsfindung in gewissem Maße auch an der früheren Rechtsprechung orientieren. Für die Rechtssicherheit der Bürger ist es wichtig, dass Verwaltungsvorschriften Bindungswirkung entfalten. Die gesamte Rechtswissenschaft wäre obsolet, wenn die Rechtsliteratur keine Beachtung fände. Was gilt mithin als Rechtsquelle und was nicht? Was meint Rechtserkenntnisquelle? All dies ist heftig umstritten.

1. Die bisherige dualistische Ansicht: enger Begriff der Rechtsquellen versus Rechtserkenntnisquelle

3 a) In der bisherigen Rechtsliteratur wurden Rechtsquellen eng definiert (§ 2 Rn. 4 f.); Richterrecht, Verwaltungsvorschriften und private Rechtsetzung zählen jeweils nicht dazu. Ihnen wurde regelmäßig nur eine faktische Bindungswirkung zugesprochen, sie seien reine Rechtserkenntnisquellen.[1] Für Richterrecht wird dies damit begründet, dass Entscheidungen nur zwischen den Parteien (*inter partes*) wirken, den Entscheidungen der Gerichte somit grundsätzlich keine dem Gesetzesrecht vergleichbare generelle Wirkung zukommt.[2] So formuliert das BVerfG: „Höchstrichterliche Urteile sind kein Gesetzesrecht und erzeugen keine damit vergleichbare Rechtsbindung."[3] Jegliche subsidiäre Bindung an eine *ratio decidendi*[4] sei im deutschen Recht unzulässig.[5] Man spricht von einer dualistischen Ansicht.

4 Erklärbar ist diese dualistische Ansicht, weil bisher zwischen Rechtsetzung und Rechtsanwendung unterschieden wurde.[6] So ist zwischen verbindlichem *hard law* und unverbindlichem *soft law* zu differenzieren.[7] Diese Dichotomie, dieser Gegensatz, setzt

[1] Für das Richterrecht: *Larenz*, Methodenlehre der Rechtswissenschaft, 6. Aufl. 1991, S. 432; *Picker*, JZ 1988, 62, 72 f.; *Köhler*, JR 1984, 45, 48. Für Verwaltungsvorschriften: BVerwG, Urt. v. 6.11.1986, 3 C 72/84, BVerwGE 75, 109, 115, 117 f.; BVerwG, Beschl. v. 25.11.1993, 5 N 1/92, BVerwGE 94, 335, 340; *Maurer/Waldhoff*, Allgemeines Verwaltungsrecht, 20. Aufl. 2020, § 27 Rn. 6. Für die private Rechtsetzung: *Wagner*, in: MünchKomm-BGB, 8. Aufl. 2020, § 823 Rn. 499, 747. Zum Folgenden *Möllers*, in: FS Buchner, 2009, S. 649 ff.

[2] *Vogel*, Juristische Methodik, 1998, S. 84.

[3] BVerfG, Beschl. v. 26.6.1991, 1 BvR 779/85, BVerfGE 84, 212, 227 – Aussperrung.

[4] *Ratio decidendi* sind die für eine Gerichtsentscheidung tragenden Gründe, die im anglo-amerikanischen Bereich für die nachrangigen Gerichte bindend sind. Im Gegensatz dazu steht das *obiter dictum* (das nebenbei Gesagte). Als Exkurs kann es wegfallen, ohne dass die Begründung entfiele. Es hat folglich für andere auch keine Bindungswirkung, s. genauer unten § 7 Rn. 68.

[5] *Larenz*, Methodenlehre der Rechtswissenschaft, 6. Aufl. 1991, S. 434 f.; *Picker*, JZ 1988, 62, 72 f. und *Köhler*, JR 1984, 45, 48.

[6] *von Bogdandy*, Gubernative Rechtsetzung, 2000, S. 156.

[7] *Kelsen*, ArchSozWiss 39 (1915), S. 839, 842 ff.; *Weber*, Wirtschaft und Gesellschaft, 5. Aufl. 1972, S. 187 ff.; *Ehricke*, NJW 1989, 1906 f.; *Köndgen*, AcP 206 (2006), 477, 510. Für den anglo-amerikanischen Rechtskreis zu nennen ist *Austin*, The Province of Jurisprudence Determined, 1832, Lecture 1.

sich in dem Gegensatzpaar Rechtsgeltung versus Faktizität fort; *hard law* gilt als bindendes Recht, während *soft law* nur faktisch wirkt, aber mangels Bindungswirkung nicht zwingend beachtet werden muss.

b) Der bisher herrschenden Ansicht, dass Urteile in Kontinentaleuropa grundsätzlich nicht jedermann binden, ist in einem ersten Schritt durchaus beizupflichten. Dafür sprechen schon das Demokratieprinzip und die Gewaltenteilung.[8] Die fehlende Bindungswirkung gegenüber jedermann hat den Vorteil, dass bestimmte Aussagen früherer Urteile durch die spätere Rechtsprechung einfacher eingeschränkt und korrigiert werden können (§ 3 Rn. 31 ff.).[9] Dies unterscheidet auch die Rechtslage gegenüber der des anglo-amerikanischen Rechtskreises (§ 3 Rn. 44). 5

Ansonsten erscheint die Zweiteilung in zwingendes und nicht-zwingendes Recht jedoch überholt. Der Begriff der „Rechtserkenntnisquelle" (§ 2 Rn. 6) verschleiert mehr als dass er aufhellt, macht er doch Glauben, es stünde im Belieben des Rechtsanwenders, die bisherige Rechtsprechung zu verwenden. Zu Recht kritisiert *Bydlinski*, dass die überkommene Methodenlehre die Präjudizienanwendung bis in die jüngste Vergangenheit „in einem halblegitimen Bereich" gehalten hat.[10] Untere Gerichte richten sich regelmäßig an den Präjudizien höherer Gerichte aus und diese an ihrer früheren Rechtsauffassung.[11] Rein faktisch zitiert die höchste Rechtsprechung in über 90% aller Entscheidungen ihre eigenen Präjudizien.[12] Ein Jurist ist gut beraten, nach bisherigen Fällen, also einschlägigen Präjudizien zu suchen und zu prüfen, ob sie auf den aktuellen Fall passen.[13] Rechtsanwälte, welche die einschlägigen Präjudizien nicht kennen, machen sich sogar schadensersatzpflichtig; sie haften.[14] „Das Urteil wirkt aufgrund der Macht, bzw. Befugnis **(auctoritas)** der Gerichte, Recht zu sprechen. Die Wirkung geht sogar so weit, dass auch nicht überzeugende oder gar falsche Urteile um des Rechtsfriedens willen akzeptiert werden müssen."[15] Die Kompetenz der höchsten Gerichte, einheitliches Recht zu sprechen, wird im Verfassungsrecht und europäischen Recht durch die Vorlagepflichten (§ 12 Rn. 115 ff.) abgesichert.[16] Zudem würde die Rechtssicherheit erheblich leiden, wenn frühere Rechtsprechung nicht beachtet werden würde.[17] Schließlich vertraut der Bürger auf eine entsprechende Rechtsprechung, andernfalls würde der Kläger nicht klagen und der Beklagte die Zahlung der Forderung nicht verweigern. Frühere Urteile zu ignorieren, wäre nicht effektiv, müsste man doch jeweils den ganzen Argumentationsaufwand von vorne betreiben. Schließlich führt der Verzicht auf jegliche Präjudizienbindung dazu, dass sich ein geordnetes, systematisches Fallrecht nicht entwickeln kann. Die Präjudizien also als reine Erkenntnisquelle abzutun, wird ihrem Stellenwert nicht gerecht. 6

c) Verwaltungsvorschriften stellen grundsätzlich nur unverbindliche Interna dar, um Handlungsrichtlinien für die Verwaltung aufzustellen. Sie werden in der Praxis aber oft 7

---

[8] § 2 Rn. 6b; *Picker*, JZ 1988, 62, 72 f.

[9] Zu diesem Flexibilitätsargument s. *Esser*, in: FS Hippel, 1967, S. 95, 121; *Larenz*, Methodenlehre der Rechtswissenschaft, 6. Aufl. 1991, S. 431 f.; *Kramer*, Juristische Methodenlehre, 6. Aufl. 2019, S. 275 f.; *Röhricht*, ZGR 1999, 445, 454 f.

[10] *Bydlinski*, Juristische Methodenlehre und Rechtsbegriff, 2. Aufl. 1991, S. 502.

[11] *Buchner*, in: GS Dietz, 1973, S. 175, 180; *Larenz*, Methodenlehre der Rechtswissenschaft, 6. Aufl. 1995, S. 429.

[12] S. die Nachweise bei *Alexy/R. Dreier*, in: MacCormick/Summers, Interpreting Precedents, 1997, S. 17, 23.

[13] *Bydlinski*, Juristische Methodenlehre und Rechtsbegriff, 2. Aufl. 1991, S. 502.

[14] Unkenntnis entschuldigt nicht; man hat das Recht und damit auch die Rechtsprechung zu kennen, BGH, Urt. v. 11.1.1984, VIII ZR 255/82, BGHZ 89, 296, 302 f. – Ersatzpflicht bei unberechtigter Kündigung; BGH, Urt. v. 14.6.1994, XI ZR 210/93, NJW 1994, 2754, 2755; Palandt/*Grüneberg*, BGB, 80. Aufl. 2021, § 280 Rn. 68.

[15] *Klein*, VVDStRL 50 (1991), 56, 66 f. zu EuGH-Urteilen, die möglicherweise die Kompetenz überschreiten; *Streinz*, ZEuS 2004, 387, 413 und unten § 13 Rn. 114 ff.

[16] S. hierzu *Vogel*, Juristische Methodik, 1998, S. 85, der diesen Geltungsanspruch betont.

[17] *Kriele*, Theorie der Rechtsgewinnung, 2. Aufl. 1976, S. 259.

wie unmittelbare Außenrechtssätze behandelt und werden wie formell gesetztes Recht beachtet.[18] Diese Wirkung bildet die juristische Dogmatik hingegen nicht ab.[19] Aber auch private Rechtsetzung, wie etwa die Regelungen des Deutschen Corporate Governance Kodex (DCGK), wird ganz überwiegend befolgt[20] und die Rechtsprechung setzt sich inhaltlich mit dem DCGK auseinander.[21] *Köndgen* hat die „Armut der traditionellen Rechtsquellenlehre" angeprangert, weil der numerus clausus der Rechtsnormen die Wirklichkeit nur unzutreffend beschreibe.[22]

8 Folglich musste die bisherige Ansicht schon früh **Ausnahmen** vorsehen und damit den Rechtsquellenbegriff erweitern. Für Richterrecht war bisher anerkannt, dass es ausnahmsweise in Gewohnheitsrecht erstarken kann (§ 3 Rn. 23 f., 36). Verwaltungsvorschriften können Außenwirkung haben, wenn sie normkonkretisierend sind.[23] Regelungen Privater können den Charakter von Rechtsnormen annehmen, wenn der Staat die privatrechtlichen Normen für allgemeinverbindlich erklärt (§ 3 Rn. 61).

2. Der weite Rechtsquellenbegriff – vernetzte Rechtsstrukturen als Alternative zum Stufenbau des Rechts

9 a) In der Literatur wird nun zum Teil im Sinne einer *tabula rasa* gefordert, den Rechtsquellenbegriff deutlich auszudehnen. Man spricht auch von einem soziologischen Rechtsquellenbegriff.[24] Wer den Begriff Recht für staatliche Normen reserviert, laufe Gefahr, einen Großteil aktueller Erscheinungsformen der Rechtsbildung zu vernachlässigen.[25] Folglich könnte Richterrecht mit seinen Präjudizien, wie im anglo-amerikanischen Rechtskreis (§ 3 Rn. 44 ff.), bindende Wirkung gegenüber jedermann haben.[26] Auch Verwaltungsvorschriften sollen nach einer stärker werdenden Literaturansicht Außenwirkung gegenüber dem Bürger besitzen.[27] Schließlich sollen zudem Regelwerke Privater Normativität aufweisen und damit die Rolle des Rechts einnehmen. Insoweit spricht man sich gerade im internationalen Bereich für einen Rechtspluralismus aus.[28] Man spricht von transnationalem Rechtspluralismus, wenn etwa internationale Organisationen als

---

[18] *Wahl*, in: FG 50 Jahre BVerwG, 2003, S. 571, 582.

[19] *Wahl*, in: FG 50 Jahre BVerwG, 2003, S. 571, 586 Fn. 51; *Maurer*, JZ 2005, 895, 896 f.; *von Bogdandy*, Gubernative Rechtsetzung, 2000, S. 455.

[20] S. die jährlichen Übersichten seit 2010 *von Werder/Talaulicar*, DB 2010, 853 ff. und zuletzt *von Werder/Danilov*, DB 2018, 1997 ff.

[21] LG München I, Urt. v. 22.11.2007, 5HK O 10614/07, WM 2008, 130 ff. – MAN; OLG Düsseldorf, Urt. v. 14.12.2006, 6 U 241/05, NZG 2007, 235, 236; OLG Frankfurt, Urt. v. 17.7.2007, 5 U 229/05, WM 2007, 1704, 1706 – Deutsche Bank.

[22] *Köndgen*, AcP 206 (2006), 477, 516 f.

[23] Für den Bereich des Umwelt- und Technikrechts s. etwa BVerwG, Urt. v. 19.12.1985, 7 C 65/82, BVerwGE 72, 300, 320 f. – Wyhl; BVerwG, Urt. v. 28.10.1998, 8 C 16/96, BVerwGE 107, 338, 340 ff. Weitere Ausnahmen im laufenden Text.

[24] *Rüthers/Fischer/Birk*, Rechtstheorie, 11. Aufl. 2020, Rn. 217; *Vesting*, Rechtstheorie, 2. Aufl. 2015, Rn. 185; *Hilbert*, JZ 2013, 130, 132 ff.

[25] *Meder*, in: Calliess, Transnationales Recht, 2014, S. 257, 262.

[26] *Pawlowski*, Methodenlehre für Juristen, 3. Aufl. 1999, Rn. 519 ff., 1020; *Biaggini*, Verfassung und Richterrecht, 1991, S. 381; *Seiler*, Gewaltenteilung, 1994, S. 298 f. Richterrecht als Rechtsquelle bezeichnen *Rüthers/Fischer/Birk*, Rechtstheorie, 11. Aufl. 2020, Rn. 239 ff.

[27] *Ossenbühl*, in: FG 25 Jahre BVerwG, 1978, S. 433 ff.; *ders.*, in: HStR V, 3. Aufl. 2007, § 104 Rn. 48 ff.; *Vogel*, in: FS Thieme, 1993, S. 605, 607 ff.; *Wahl*, in: FG 50 Jahre BVerwG, 2003, S. 571, 595; *Leisner*, JZ 2002, 219 ff.; vgl. auch VGH Mannheim, Beschl. v. 4.5.1990, 6 S 2821/89, NVwZ 1991, 92 f.

[28] *Teubner*, in: FS Esser, 1995, S. 191, 198 ff.; *ders.*, Rechtshistorisches Journal 15 (1996), 255 ff.; *ders.*, in: Teubner, Global Law Without a State, 1997, S. 3, 20 f.; *ders.*, ZaÖRV 63 (2003), 1, 15: Private Regelwerke als „Normen konstitutioneller Qualität"; *Ladeur/Augsberg I.*, Rechtstheorie 36 (2005), 143, 165 ff.; *Vesting*, Rechtstheorie, 2. Aufl. 2015, Rn. 183 ff. Aus dem anglo-amerikanischen Rechtskreis etwa *Roberts*, 68 Mod. L. Rev. 16 ff. (2005); *Backer*, 39 Conn. L. Rev. 1739 ff. (2007); *Griffiths*, 24 J. Leg. Pluralism & Unofficial L. 1 ff. (1986); *Zumbansen*, 38 J.L. Soc'y. 50 ff. (2011).

globale Zivilverfassungen Standards schaffen, die dann allgemeine Beachtung finden.[29] Autonome Rechtsordnungen treten neben das nationale Recht. Konsequent weitergedacht, würden dann auch Urteile und private Regelwerke jedermann wie Gesetze binden. Man spricht von heterarchischen Modellen und von Netzwerken.[30] Grafisch würden Rechtsquellen dann nicht durch eine Pyramide, den oben aufgezeigten Stufenbau des Rechts, erklärt (§ 2 Rn. 43), sondern stattdessen als Netzstruktur visualisiert.

Grafik: Vernetztes Recht[31] 10

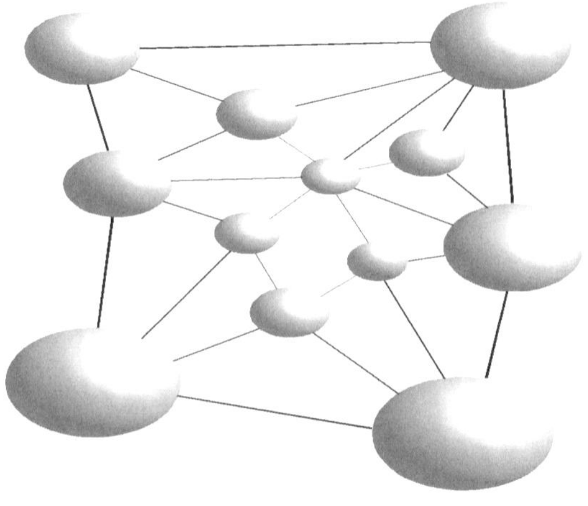

b) Diesen Literaturansichten ist zuzugeben, dass eine faktische Bindungswirkung im Gegensatz zur rechtlichen Bindung nur unzureichend die Rechtswirkungen von Urteilen, Verwaltungsvorschriften und privater Normsetzung umschreibt. Allerdings erscheint die von der Literatur zugesprochene Wirkung zu ausufernd. Aufgrund ihrer Inter-partes-Wirkung, sind z.B. Urteile nicht unmittelbar mit Gesetzesrecht vergleichbar (§ 2 Rn. 6b).[32] Die Bindungswirkung von Verwaltungsvorschriften ist ebenfalls nicht überzeugend, wenn diese den Bürger möglicherweise gar nicht tangieren.[33] Ein weiter Rechtsquellenbegriff verdunkelt diese Differenzierung.[34] Der auf dem Rechtsstaatsprinzip beruhende[35] Grundsatz vom Gesetzesvorbehalt verlangt, dass bestimmte Maßnahmen des Staates einer parlamentsgesetzlichen Grundlage bedürfen.[36] Die Rechtsprechung des Bundesverfassungsgerichts fordert, dass der Gesetzgeber in grundlegenden normativen Bereichen alle wesentlichen Entscheidungen selbst treffen muss (§ 13 Rn. 83 ff.). Auch das Demokratieprinzip des Art. 20 Abs. 2 GG verlangt, dass wichtige Entscheidungen in öffentlicher Debatte zu klären sind.[37] Dieser Vorwurf lässt sich auf das internationale 11

[29] *Calliess/Zumbansen*, Rough Consensus and Running Code, 2012, S. 258 ff.; *Meder*, Ius non scriptum, 2. Aufl. 2009, S. 112 ff.; *Calliess (Hrsg.)*, Transnationales Recht, 2014.

[30] *Ch. Möllers*, ZaöRV 65 (2005), 351, 380 ff.; *ders.*, in: Oebbecke, Nicht-normative Steuerung in dezentralen Systemen, 2005, S. 285 ff.; *Boehme-Neßler*, Unscharfes Recht, 2008, S. 535 ff.

[31] Die Grafik findet sich auch bei *Arndt*, Sinn und Unsinn von Soft Law, 2011, S. 205.

[32] S. oben § 3 Fn. 3.

[33] So zu Recht *Maurer/Waldhoff*, Allgemeines Verwaltungsrecht, 20. Aufl. 2020, § 24 Rn. 24, 30.

[34] *Canaris*, in: Basedow, Europäische Vertragsrechtsvereinheitlichung und deutsches Recht, 2000, S. 5, 9.

[35] BVerfG, Beschl. v. 10.5.1988, 1 BvR 482/84 u.a., BVerfGE 78, 179, 197 – Heilpraktikergesetz.

[36] BVerfG, Urt. v. 14.7.1998, 1 BvR 1640/97, BVerfGE 98, 218, 251 – Rechtschreibreform.

[37] BVerfG, Beschl. v. 25.3.1992, 1 BvR 1430/88, BVerfGE 85, 386, 403 f. – Fangschaltungen; BVerfG, Urt. v. 8.4.1997, 1 BvR 48/94, BVerfGE 95, 267, 307 f. – Altschulden der LPG.

Recht übertragen: transnationales Recht ist grundsätzlich undemokratisch, sodass alle Staaten einen Ordre-public-Vorbehalt kennen, d.h. dass Regeln dann keine Anwendung finden, wenn sie gegen wesentliche Grundsätze nationalen Rechts verstoßen.[38] Folglich ist an der Konzeption des Stufenbaus festzuhalten.[39]

3. Vermittelnde Ansicht: Die Lehre von den sekundären Rechtsquellen

12 Die Dichotomie der bisherigen Rechtsquellenlehre geht davon aus, dass es neben Rechtsquellen, die rechtsverbindlich gelten, einfache Rechtserkenntnisquellen gibt, die bestenfalls eine faktische Bindungswirkung erzeugen. Diese Zweiteilung ist im Folgenden um eine dritte Kategorie, die sekundären Rechtsquellen, zu erweitern, sodass im Sinne einer vermittelnden Ansicht von einer **Trichotomie** zu sprechen ist. Zu diesen sekundären Rechtsquellen können die Rechtsprechung (II.), aber auch Verwaltungsvorschriften und private Normsetzung (III.) gehören.

a) Befassungspflicht, subsidiäre Befolgungspflicht und Vermutungswirkung

13 Die Rechtsprechung ist schon als subsidiäre,[40] schwächere[41] oder mittelbare Rechtsquelle[42] bezeichnet worden. Im Folgenden ist besser von sekundären Rechtsquellen[43] zu sprechen, um zu verdeutlichen, dass sich diese Rechtsquellen auf das Gesetz oder zumindest staatliche Gewalt beziehen. Die sekundären Rechtsquellen zeichnen sich dadurch aus, dass sie gegenüber der Bindungswirkung des Gesetzes nachrangig sind und nicht immer Allgemeinverbindlichkeit beanspruchen, also gegenüber jedermann gelten. Sie binden Gerichte weniger stark als Gesetze oder Rechtsverordnungen. Sekundäre Rechtsquellen sind aber stärker als unverbindliches *soft law*, weil sie überhaupt Rechtspflichten erzeugen können.

14 Es gehört heutzutage zum gesicherten Bestand der Rechtstheorie, dass außer den primären Rechtsquellen auch das Richterrecht mehr als nur eine faktische Bindung erzeugt.[44] Dazu müssen sich Gerichte mit den früheren einschlägigen Urteilen befassen. Es besteht eine sog. **Befassungspflicht**.

15 Zudem besteht für den Richter eine erstmals von *Kriele*, *Bydlinski* und *Alexy* postulierte **subsidiäre Befolgungspflicht**: Wenn mehrere Lösungen möglich und annähernd gleichermaßen vertretbar sind, sind höchstrichterliche Entscheidungen in der Weise verbindlich, als sich die Argumentationslast ändert: Wer von früheren Urteilen abweichen will, muss dies besonders begründen.[45] Grundsätzlich ist im Gegensatz zur anglo-amerikanischen *stare decisis rule* nicht ein *overruling*[46] erforderlich (§ 7 Rn. 71). Im Ergebnis

[38] *Röhl/Röhl*, Allgemeine Rechtslehre, 3. Aufl. 2008, S. 528. Art. 6 EGBGB lautet: „Eine Rechtsnorm eines anderen Staates ist nicht anzuwenden, wenn ihre Anwendung zu einem Ergebnis führt, das mit wesentlichen Grundsätzen des deutschen Rechts offensichtlich unvereinbar ist. Sie ist insbesondere nicht anzuwenden, wenn die Anwendung mit den Grundrechten unvereinbar ist."

[39] Ausführlich *Röhl/Röhl* (ebd.), S. 308 ff. S. aber unten § 3 Rn. 74.

[40] So bereits *Bydlinski*, Juristische Methodenlehre und Rechtsbegriff, 2. Aufl. 1991, S. 510; *ders.*, in: FG 50 Jahre BGH, 2000, S. 3 ff.; *Kramer*, Juristische Methodenlehre, 6. Aufl. 2019, S. 277; *Canaris*, in: Basedow, Europäische Vertragsrechtsvereinheitlichung und deutsches Recht, 2000, S. 5, 8: „Rechtsgeltungsquelle – wenn auch nur als subsidiäre".

[41] *Caroni*, Einleitungstitel des Zivilgesetzbuches, 1996, S. 173: „schwächere Rechtsquelle"; *Hager*, Rechtsmethoden in Europa, 2009, 4. Kap. Rn. 233: „Rechtsquelle eigener Art".

[42] So *Ulmer*, ZHR 166 (2002), 150, 160.

[43] Dieser Begriff wurde auch verwendet von *Meyer-Cording*, Die Rechtsnormen, 1971, S. 56.

[44] *Rüthers/Fischer/Birk*, Rechtstheorie, 11. Aufl. 2020, Rn. 244; *Kramer*, Juristische Methodenlehre, 6. Aufl. 2019, S. 271 ff.; *Hilbert*, JZ 2013, 130, 134.

[45] *Kriele*, Theorie der Rechtsgewinnung, 2. Aufl. 1976, S. 243 ff.; *Bydlinski*, Juristische Methodenlehre und Rechtsbegriff, 2. Aufl. 1991, S. 506 ff.; *Alexy*, Theorie der juristischen Argumentation, 1983, S. 339 f.

[46] Ebenso *Bydlinski*, Juristische Methodenlehre und Rechtsbegriff, 2. Aufl. 1991, S. 508.

verlangt die subsidiäre Befolgungspflicht die Einsicht, dass es sich bei der Rechtsprechung, der man folgt, um richtiges Recht (*veritas*) handelt.[47] Dazu können auch Entscheidungen unterinstanzlicher Gerichte gehören, da es jeweils auf die **Qualität der Argumentation** ankommt.[48] Es gilt, die einzelnen tragenden Gründe nachzuvollziehen und zu prüfen, ob die Begründung auch heute noch trägt. Für die mögliche Rechtsänderung ist die Durchsetzung materieller Gerechtigkeit darzulegen. Der Richter hat lediglich auszuführen, dass in Wahrheit die deutlich besseren oder sogar die ganz überwiegenden Argumente gegen das Präjudiz sprechen.[49] Er kann somit von dem Präjudiz abweichen, ohne aufzuführen, dass die bisherige Rechtsprechung falsch oder veraltet ist.[50]

Inzwischen geht auch die überwiegende Meinung von einer solchen subsidiären Befolgungspflicht oder Präjudizienvermutung aus.[51] Die subsidiäre Befolgungspflicht ähnelt den anglo-amerikanischen *persuasive authorities* (§ 3 Rn. 45). Es besteht zwar eine gewisse **Vermutung** der Richtigkeit, der Richter wird ihnen jedoch nur folgen, wenn er sie auch inhaltlich überzeugend findet. Entscheidend ist die Überzeugungskraft der Begründung. Ein solches Ergebnis entspricht auch der Praxis des EuGH, wonach Präjudizien nicht binden und eine Abweichung von der früheren Rechtsprechung zwar möglich, aber aufzudecken und begründungsbedürftig ist (§ 3 Rn. 52 f.). 16

Grafik: Primäre Rechtsquellen – Sekundäre Rechtsquellen – soft law 17

primäre Rechtsquellen	**sekundäre Rechtsquellen**	***soft law***
allgemeinverbindlich	nur eingeschränkte Bindungswirkung	keine Bindungswirkung
typischerweise Gesetze, Rechtsverordnungen	Richterrecht, Verwaltungsvorschrift, inkorporierte private Normen	Modellgesetze: etwa UNIDROIT Principles; zum Teil DCGK
umfassender Geltungsanspruch	1. **Befassungspflicht** und 2. **Subsidiäre Befolgungspflicht** 3. Indiz- und Vermutungswirkung	keine Befolgungspflicht
Grundsätze echter/unechter Rückwirkung	eingeschränkte Geltung der Grundsätze der echten/unechten Rückwirkung	kein Vertrauensschutz

Von „soft law" und damit einer unverbindlichen *Rechtserkenntnisquelle* (§ 2 Rn. 6) lässt sich sprechen, wenn es an einem Akt fehlt, der eine Richtigkeitsvermutung für das Regelwerk erzeugt und Befassungs- und Befolgungspflichten begründen könnte. Das gilt etwa für weite Bereiche des Völkerrechts und für sog. **Modellgesetze**.[52] Modellgesetze sind unverbindliche Regelwerke, die einem Staat nur als Vorbild für die eigene Gesetzge- 18

[47] *Pawlowski*, Methodenlehre für Juristen, 3. Aufl. 1999, Rn. 933 ff.; *Streinz*, ZEuS 2004, 387, 413.

[48] *Bydlinski*, Juristische Methodenlehre und Rechtsbegriff, 2. Aufl. 1991, S. 508.

[49] Larenz/*Canaris*, Methodenlehre der Rechtwissenschaft, 3. Aufl. 1995, S. 257.

[50] Zu diesen Voraussetzungen im anglo-amerikanischen Recht s. unten § 7 Rn. 71.

[51] *Fikentscher*, in: Blaurock, Die Bedeutung von Präjudizien im deutschen und französischen Recht, 1985, S. 11, 19; *Raisch*, Juristische Methoden, 1995, S. 192; *Vogel*, Juristische Methodik, 1998, S. 86; *Langenbucher*, Die Entwicklung und Auslegung von Richterrecht, 1996, S. 105 ff.; *Möllers*, Die Rolle des Rechts im Rahmen der europäischen Integration, 1999, S. 70. *Canaris* führt die Rechtsansicht von *Larenz* nicht mehr fort, s. Larenz/*Canaris* (ebd.), S. 256 f.

[52] *Canaris*, in: Basedow, Europäische Vertragsrechtsvereinheitlichung und deutsches Recht, 2000, S. 5, 11, spricht von den UNIDROIT Principles als „Rechtsgewinnungsquelle"; *Arndt*, Sinn und Unsinn von Soft Law, 2011, S. 36 ff.

bung dienen sollen.[53] Damit lassen sich die primären Rechtsquellen von den sekundären Rechtsquellen und dem soft law abgrenzen.[54]

b) Umfang der Vermutungswirkung

19 Wenig geklärt sind noch die Kriterien zur Begründung einer solchen Vermutungswirkung. Canaris möchte die Befassungspflicht und die Präjudizienvermutung auf die höchstrichterliche Rechtsprechung begrenzt wissen.[55] Diese Formulierung scheint zu pauschal. Im Sinne eines Beweglichen Systems (§ 8 Rn. 2 ff.) sind Elemente zusammenzutragen, die eine Vermutungswirkung begründen können, wie **Dauer der Rechtsprechung, Akzeptanz, Überzeugungskraft der Argumentation, Bedeutung des Gerichts** (*auctoritas*). Diese Überlegungen werden sogleich bei den Ausführungen zur Rechtsprechungsänderung vertieft (§ 3 Rn. 31 ff.).

4. Jenseits von Rechtspositivismus und Naturrecht

a) Rechtspositivismus (Kelsen) und der Methodendualismus

20 Hauptvertreter des Rechtspositivismus war *Kelsen*, mit seinem Werk „Reine Rechtslehre". Die Rechtswissenschaft habe es mit Normen, also mit einem Sollen, nicht mit einem faktischen Geschehen (dem Sein) zu tun. Man spricht von einer **Sein-Sollen-Dichotomie.** Folglich formulierte er einen strikten Methodendualismus.[56] Darauf folge eine logische Trennung von Sollen und Sein.[57] Folglich gelte eine Norm, wenn sie nur ordnungsgemäß gesetzt wurde.[58] Vorher hatten schon *Hume*[59] und *Kant*[60] zwischen Sollen und Sein getrennt. Der Gesetzgeber ist frei, ein Sollen anzuordnen; dieses gilt erst einmal unabhängig vom Sein (§ 2 Rn. 9). Daran ist auch richtig, dass Regeln gelten müssen und Sanktionen bedürfen, um durchgesetzt zu werden (§ 2 Rn. 11 ff.). Allerdings ist diese Trennung von Sein und Sollen oft durchbrochen (§ 3 Rn. 21, § 14 Rn. 7 ff., 109 f.).

b) Erweiterung der Rechtsquellenlehre zur Methodenpolarität

21 Der enge Rechtsquellenbegriff ist zu schmal. Einerseits muss es möglich sein, grob ungerechtes Recht für unwirksam zu erklären, wie es das *Naturrecht* mit der Radbruch'schen

---

[53] Die Kompetenz für die Polizei obliegt den Bundesländern. Der Bund konnte daher nur einen „Entwurf eines Modell-Gesetzes über die öffentliche Sicherheit und Ordnung" vorschlagen. Auf internationaler Ebene etwa UNCITRAL Model Law on International Commercial Arbitration. Für die USA etwa der Uniform Commercial Code (UCC).

[54] **A.A.** *Meder*, in: Calliess, Transnationales Recht, 2014, S. 257, 269, der in der Sache dann aber der hier vertretenen Ansicht folgt.

[55] Larenz/*Canaris*, Methodenlehre der Rechtswissenschaft, 3. Aufl. 1995, S. 257; ebenso *Rüthers/Fischer/Birk*, Rechtstheorie, 11. Aufl. 2020, Rn. 239.

[56] *Kelsen*, Reine Rechtslehre, 2. Aufl. 1960, S. 5: „Der Unterschied zwischen Sein und Sollen kann nicht näher erklärt werden. Er ist unserem Bewußtsein unmittelbar gegeben. Niemand kann leugnen, daß die Aussage: etwas ist – das ist die Aussage, mit dem eine Seins-Tatsache beschrieben wird – wesentlich verschieden ist von der Aussage: daß etwas sein soll – das ist die Aussage, mit der eine Norm beschrieben wird; und daß daraus, [...] daß etwas sein soll, nicht folgen kann, daß etwas ist."; vorher schon *ders.*, Archiv für Sozialwissenschaft und Sozialpolitik 39 (1915), 839, 841. *Hoerster*, ARSP 55 (1969), 11 ff.; s. auch die Ansprache beim Bundestag am 22.9.2011 von *Papst Benedikt XVI.*, Rechtstheorie 42 (2011), 275 ff.; *Dreier*, JZ 2011, 1151 ff.

[57] Die Reinheit des Rechts liege darin, dass es von allen Einflüssen der Politik, Soziologie, Psychologie, Ethik oder Religion befreit werde, *Kelsen*, Reine Rechtslehre, 2. Aufl. 1960, S. 1.

[58] Im Ergebnis kann laut *Kelsen*, Reine Rechtslehre, 2. Aufl. 1960, S. 201 „jeder beliebige Inhalt Recht sein."

[59] *Hume*, A Treatise on Human Nature, Book III, 1740, Part I, Sec. 1, S. 455 ff. Zum Teil wird auch vom humeschen Gesetz gesprochen.

[60] *Kant*, Kritik der reinen Vernunft, 2. Aufl. 1787, S. 575.

Formel ermöglicht (§ 2 Rn. 131 ff.). Andererseits sind neben den primären Rechtsquellen die *sekundären Rechtsquellen* – und damit auch Richterrecht und private Rechtsetzung – anzuerkennen. Drittens stehen Sachverhalt und Recht in einer Wechselwirkung. Das Hin- und Herwandern des Blickes und die *Sachverhaltshermeneutik* zeigen, dass Fall und Norm sich gegenseitig bedingen.[61] Schließlich wirkt die Lebenswirklichkeit auf die Rechtsquelle, also das Sein auf das Sollen, ein. Dies erkannt zu haben, ist der Verdienst der Rechtssoziologie (§ 14 Rn. 22 ff.). Man spricht insoweit von einer Methodenpolarität.[62]

II. Die Bedeutung des Richterrechts für die Rechtsfindung

Der gerade dargestellte Meinungsstreit hat auch Auswirkungen auf den Begriff des Ge- 22
wohnheitsrechts. Nach der bisher noch überwiegend vertretenen dualistischen Ansicht stellt Richterrecht keine Rechtsquelle dar (§ 3 Rn. 3).[63] Das soll aber anders sein, wenn sich Richterrecht in sog. Gewohnheitsrecht umwandelt. Dies wäre dann wie ein Gesetz gegenüber jedermann verbindlich (1.). Die hier vertretene Lehre von den sekundären Rechtsquellen kann dagegen auf das Gewohnheitsrecht als Rechtsinstitut grundsätzlich verzichten (2.). Im Vergleich zum anglo-amerikanischen Recht kennt das deutsche Recht nur ausnahmsweise eine strenge Präjudizienbindung (3.).

1. Zur Rolle des Gewohnheitsrechts

Nach bisher noch vorherrschender Ansicht soll Richterrecht, das grundsätzlich nur die 23
streitenden Parteien bindet, zu gegenüber jedermann allgemeinverbindlichem Recht, dem sog. Gewohnheitsrecht erstarken können.[64] Gesetzesrecht und Gewohnheitsrecht sind nach bisher herrschender Meinung gleichwertige Rechtsquellen.[65] Das Gewohnheitsrecht findet sich schon in den Digesten[66] des Codex Iustinianus.[67] Üblicherweise verlangt eine solche Entwicklung ein objektives und ein subjektives Element. Als Gewohnheitsrecht bezeichnet man nach bisheriger Meinung Rechtsregeln, die erstens auf einer lang dauernden tatsächlichen Übung ***(longa inveterata consuetudo)*** beruhen und die zweitens durch die allgemeine Überzeugung ihrer Rechtsverbindlichkeit ***(opinio necessitatis)*** begründet sind.[68] Gewohnheitsrecht soll nicht entstehen, wenn es an der verbindlichen Rechtsüberzeugung fehlt.[69] Zum Gewohnheitsrecht werden Rechtsinstitute gezählt, die von der Rechtsprechung durch Rechtsfortbildung entwickelt wurden, beispielsweise die culpa in contrahendo, die positive Forderungsverletzung oder der Vertrag mit Schutzwirkung zugunsten Dritter (§ 10 Rn. 82 ff.). Durch den Gesetzgeber soll das Ge-

[61] Ausführlich zur Sachverhaltshermeneutik, § 14 Rn. 11 f.

[62] *Kaufmann/von der Pfordten*, in: Hassemer/Neumann/Saliger, Einführung in die Rechtsphilosophie und Rechtstheorie der Gegenwart, 9. Aufl. 2016, S. 81 ff.; *Fikentscher*, Methoden des Rechts, Bd. IV, 1977, S. 388; noch weitergehend *Vesting*, Rechtstheorie, 2. Aufl. 2015, Rn. 42 ff.

[63] Instruktiv zur Geschichte des Richterrechts *Müßig*, ZNR 2006, 79 ff.

[64] *Flume*, Gewohnheitsrecht und römisches Recht, 1975, S. 8, 38 ff.; Palandt/*Grüneberg*, BGB, 80. Aufl. 2021, Einl. Rn. 22; *Krebs/Becker*, JuS 2013, 97, 98.

[65] Enneccerus/*Nipperdey*, Allgemeiner Teil des Bürgerlichen Rechts, 15. Aufl. 1959, S. 271; einschränkend *Röhl/Röhl*, Allgemeine Rechtslehre, 3. Aufl. 2008, S. 556.

[66] In den Digesten des Codex Iuris Civilis ist das römische Recht aus den Werken römischer Rechtsgelehrter gesammelt. S. oben § 1 Fn. 2356.

[67] Die beste Gesetzesinterpretin ist die Gewohnheit – *Optima legum interpres consuetudo*, Paul. D. 1,3,37.

[68] BVerfG, Beschl. v. 28.6.1967, 2 BvR 143/61, BVerfGE 22, 114, 121; *Röhl/Röhl*, Allgemeine Rechtslehre, 3. Aufl. 2008, S. 554.

[69] S. BVerfG, Beschl. v. 17.3.1959, 1 BvR 53/56, BVerfGE 9, 213, 221 – Heilmittelwerbeverordnung.

wohnheitsrecht normiert oder abgeschafft werden können. Auch die Rechtsprechung soll das Gewohnheitsrecht abschaffen können.[70]

24 Der Gesetzgeber hat durch die Schuldrechtsreform die Rechtsinstitute Störung der Geschäftsgrundlage (§ 313 BGB), culpa in contrahendo (§ 280 Abs. 1 BGB i.V.m. § 311 Abs. 2 BGB) und die positive Forderungsverletzung (§ 280 Abs. 1 i.V.m. § 241 Abs. 2 BGB) positiv normiert. Vor dieser Kodifikation galten diese Institute anerkanntermaßen als Gewohnheitsrecht.[71] Das Züchtigungsrecht der Lehrer, in den 50er Jahren noch als Gewohnheitsrecht anerkannt, ist dagegen heute in den meisten Bundesländern durch Gesetz verboten.[72]

2. Lehre von den sekundären Rechtsquellen

a) Befassungs- und Befolgungspflichten sowie Ablehnung von Gewohnheitsrecht

25 aa) Die Lehre von den sekundären Rechtsquellen postuliert für Richterrecht die oben dargestellten Befassungs- und Befolgungspflichten (§ 3 Rn. 14 ff.). Nach der hier vertretenen Ansicht kann auf das Gewohnheitsrecht als Rechtsfigur verzichtet werden. Schon die Voraussetzungen zur Begründung von Gewohnheitsrecht sind wenig überzeugend: Wann eine „langandauernde Übung" vorliegt und wie diese von der „ständigen oder gefestigten Rechtsprechung" abzugrenzen ist, konnte bis heute nicht überzeugend begründet werden. Auch die „allgemeine Überzeugung der Rechtsverbindlichkeit" ist als Abgrenzungskriterium nur bedingt tauglich. Zu oft verbleiben Streitfälle, ob Gewohnheitsrecht überhaupt existiert, wie bei der Anerkennung des Schmerzensgeldanspruchs bei Persönlichkeitsverletzungen[73] oder dem Institut der Sicherungsübereignung.[74]

26 Noch gewichtiger sind verfassungsrechtliche Bedenken: Wenn das Gewaltenteilungsprinzip nach Art. 20 Abs. 3 GG verlangt, dass bei Eingriffen in die Rechte des Bürgers Gesetze erforderlich sind (zur Wesentlichkeitstheorie s. § 13 Rn. 83 f.) und im Strafrecht gem. Art. 103 Abs. 2 GG das Gesetzlichkeitsprinzip gilt (§ 1 Rn. 36 f.), ist Gewohnheitsrecht in diesen Bereichen *zulasten des Bürgers* nicht zulässig (§ 4 Rn. 81 f.). Es widerspricht dem Gewaltenteilungsprinzip (§ 13 Rn. 91 f.), wenn Gerichte und nicht das Parlament gegenüber jedermann rechtsverbindliche Rechtsquellen schaffen. Verfassungsrechtlich ebenso bedenklich ist, warum Gewohnheitsrecht durch Gerichte wieder abgeschafft werden soll.

27 Nach der Sitztheorie erlangte eine Gesellschaft, die in einem anderen Mitgliedstaat gegründet wurde und nach dortigem Recht rechtsfähig wurde, nur durch nochmalige Gründung in Deutschland die Rechtsfähigkeit nach deutschem Recht. Die Inspire Art-Rechtsprechung des EuGH hatte die Sitztheorie als einen Verstoß gegen die Niederlassungsfreiheit erachtet.[75] Der BGH hat daraufhin die Sitztheorie bei Zuzugsfällen innerhalb der EU aufgegeben, die vorher gewohnheitsrechtlich anerkannt war.[76]

---

[70] BGH, Beschl. v. 19.6.1992, I ZB 10/61, BGHZ 37, 219, 224 – Drahtseilverbindung, wonach schon ein Urteil das Gewohnheitsrecht hinfällig werden lassen kann. S. zu dieser Problematik auch BGH, Beschl. v. 25.11.1965, I ZB 28/64, BGHZ 44, 346 – Batterie.

[71] Enneccerus/*Lehmann*, Recht der Schuldverhältnisse, 13. Aufl. 1950, § 43.III., S. 179 ff., und § 55, S. 121 ff.

[72] BayOblG, Beschl. v. 4.12.1978, 5 St 194/78, NJW 1979, 1371, 1372 – Züchtigungsrecht; Lackner/Kühl/*Kühl*, StGB, 29. Aufl. 2018, § 223 Rn. 11.

[73] Gewohnheitsrecht bejahend Larenz/*Canaris*, Methodenlehre der Rechtswissenschaft, 3. Aufl. 1995, S. 259; verneinend heute noch wegen Widerspruchs durch die Rechtsliteratur *Rüthers/Fischer/Birk*, Rechtstheorie, 11. Aufl. 2020, Rn. 238.

[74] Gewohnheitsrecht bejahend Larenz/*Canaris* (ebd.), S. 259; verneinend *Raisch*, Juristische Methoden, 1995, S. 197.

[75] EuGH, Urt. v. 5.11.2002, C-208/00, EU:C:2002:632, Rn. 52 ff. – Überseering; EuGH, Urt. v. 30.9.2003, C-167/01, EU:C:2003:512, Rn. 97 ff. – Inspire Art.

[76] BGH, Urt. v. 13.3.2003, VII ZR 370/98, BGHZ 154, 185 – Sitztheorie in der EG; BGH, Urt. v. 5.7.2004, II ZR 389/02, NJW-RR 2004, 1618; BGH, Urt. v. 13.9.2004, II ZR 276/02, NJW 2004, 2706, 3707.

Es überzeugt methodisch nicht, dass dem Richterrecht die Rechtsquellenqualität grundsätzlich abgesprochen wird, im Bereich des Gewohnheitsrechts ihm aber eine solche zukommen soll. Die Zweiteilung in Gewohnheitsrecht als Rechtsquelle und sonstiges Richterrecht als bloße Rechtserkenntnisquelle ist damit nicht stimmig. Für die hier vorgetragene Auffassung spricht auch, dass Gewohnheitsrecht auf europäischer Ebene praktisch nicht existiert.[77] Vielmehr sollte man in allen Bereichen des Richterrechts von sekundären Rechtsquellen sprechen. 28

Gewohnheitsrecht als rechtliche Kategorie **abzulehnen**, hat damit zwei Konsequenzen: Erstens können Eingriffe in Rechte des Bürgers nicht mehr durch Gewohnheitsrecht begründet werden. So ist etwa Standesrecht, wie die Pflicht vor Gericht eine Robe zu tragen, gesetzlich zu regeln, da es in die Berufsfreiheit gem. Art. 12 GG eingreift.[78] Zweitens kann auch Gewohnheitsrecht von der Rechtsprechung unter Wahrung der Grundsätze der Rechtssicherheit und des Vertrauensschutzes geändert werden, weil es gerade keine primäre Rechtsquelle darstellt. Schon *Max Weber* hat darauf hingewiesen, dass Gewohnheitsrecht in Wahrheit Juristenrecht sei.[79] Es handele sich beim Gewohnheitsrecht nur um die langandauernde und gefestigte Rechtsprechung.[80] Das Gewohnheitsrecht als Argumentationsfigur ist nach der hier vertretenen Ansicht deshalb aufzugeben.[81] 29

bb) Etwas anderes mag im Völkerrecht gelten, weil Art. 38 Abs. 1 lit. b) IGH-Statut ausdrücklich das Gewohnheitsrecht als Rechtsquelle nennt (§ 2 Rn. 116 f., 121). Dem Gewohnheitsrecht kommt im Völkerrecht eine wichtige Ergänzungsfunktion zu, weil dort geschriebene Rechtsquellen oft fehlen.[82] 30

b) Rechtsprechungsänderung: Rechtssicherheit und Vertrauensschutz versus materielle Gerechtigkeit

aa) Indizwirkung und Präjudizienvermutung erhalten ihre eigentliche Relevanz erst durch die zweite Seite der Medaille, nämlich die Frage, in welchem Umfang durch die Änderung der Rechtsprechung das **Vertrauen** des Bürgers verletzt wird. Eine absolute Grenze gibt es als Ausformung des Gesetzlichkeitsprinzips mit dem Verbot rückwirkender Bestrafung (§ 4 Rn. 83 f.). Vertrauensschutz und Rechtssicherheit sind Prinzipien, welche das Recht zur Änderung von Gesetzen (§ 2 Rn. 44 ff.) sowie die Berechtigung der Rechtsfortbildung (§ 13 Rn. 76) begrenzen. Die Grundsätze von echter und unechter Rückwirkung von Gesetzen gelten allerdings nur eingeschränkt, wenn die Gerichte ihre eigene Rechtsprechung ändern möchten. Der BGH formuliert hierzu: 31

> „Das Bundesverfassungsgericht hat in dieser Hinsicht bisher keine allgemein gültigen Regeln aufgestellt (vgl. BVerfGE 84, 212, 227 f.), sondern sich mit Entscheidungen im Einzelfall begnügt. Danach können sich Schranken der Rückwirkung aus dem rechtsstaatlichen *Prinzip der Rechtssicherheit* ergeben. Diese bedeutet für den Bürger in erster Linie *Vertrauensschutz*. Durfte die von der Rückwirkung betroffene Partei mit der Fortgeltung der bisherigen Rechtslage rechnen und verdient dieses Interesse bei einer *Abwägung* mit den Belangen des Vertragspartners und den Anliegen der Allgemeinheit den Vorzug, greift die Rückwirkung in rechtlich geschützte Positionen ein (BVerfGE 72, 175, 196; BGH, Urt. v. 18. Januar 1996, a.a.O.). Bei der danach zu treffenden Abwägung ist 32

---

[77] *Nettesheim*, in: Grabitz/Hilf/Nettesheim, Das Recht der Europäischen Union, 71. EL August 2020, Art. 288 AEUV Rn. 29; Streinz/*W. Schroeder*, EUV/AEUV, 3. Aufl. 2018, Art. 288 AEUV Rn. 18.

[78] BVerfG, Beschl. v. 18.2.1970, 1 BvR 226/69, BVerfGE 28, 21, 28 – Robenstreit.

[79] *Weber*, Rechtssoziologie, 2. Aufl. 1967, S. 209 ff.

[80] Zweifelnd auch *Rüthers/Fischer/Birk*, Rechtstheorie, 11. Aufl. 2020, Rn. 233.

[81] Im Ergebnis ebenso *Honsell*, in: Staudinger, BGB, Neubearb. 2018, Einl. zum BGB Rn. 233 ff.; *Bydlinski*, in: FG 50 Jahre BGH, Bd. 1, 2000, S. 3, 22.

[82] S. ausführlich *Dörr*, in: Ipsen/Epping/Heintschel von Heinegg, Völkerrecht, 7. Aufl. 2018, § 19.

insbesondere zu beachten, daß die *materielle Gerechtigkeit* einen dem Grundsatz der Rechtssicherheit mindestens ebenbürtigen Bestandteil des Rechtsstaatsprinzips verkörpert (vgl. BVerfGE 7, 89, 92; 194,196; 22, 322, 329; 35, 41, 47; 74, 129, 152)."[83]

33 Grundsätzlich ist damit zu prüfen, ob den Interessen des auf die Fortgeltung der Rechtslage Vertrauenden Vorrang gegenüber der materiellen Gerechtigkeit einzuräumen ist. Einzelheiten sind noch wenig geklärt. Man wird hier erneut Elemente in einem Beweglichen System (§ 8 Rn. 2 ff.) zueinander setzen können: Grundsätzlich ist aber anerkannt, dass das **Ziel gerechter und rechtmäßiger Entscheidungen Vorrang vor Vertrauensschutzbelangen** haben muss.[84] Anlass für eine solche Rechtsprechungsänderung können die Lebensrealität, geänderte Gerechtigkeitsvorstellungen oder aber nur der Wunsch nach einer gerechten Einzelfallentscheidung darstellen.[85]

34 bb) Bei der Abwägung zwischen Rechtssicherheit und materieller Gerechtigkeit sind die *Dauerhaftigkeit der Rechtsprechung*, die bisherige *Akzeptanz*, die *Bedeutung des Gerichts* (auctoritas) und des Urteils und vor allem die berechtigten Vertrauensinvestitionen der Beteiligten sowie schließlich berechtigte Interessen Dritter zu berücksichtigen.[86] Zudem können kompetenzrechtliche Fragen den Vertrauensschutz einschränken – die nationale Rechtsprechung darf wegen Vertrauensschutzgesichtspunkten nicht die Wirksamkeit europäischer Urteile untergraben (§ 12 Rn. 36 f.).[87]

35 Die Kriterien für die Dauerhaftigkeit der bisherigen Rechtsprechung sind fließend (§ 7 Rn. 73 ff.). Einen Vertrauenstatbestand kann ein einzelnes Präjudiz ohnehin nur setzen, wenn die Maxime, von der das Urteil getragen wird, *verallgemeinerungsfähig* ist.[88] Solange die Rechtsprechung umstritten ist, kann sich etwa ein entsprechendes schutzwürdiges Vertrauen nicht entwickeln.[89] In diesem Rahmen wird die Bedeutung des Gerichts gewichtig sein,[90] denn solange Entscheidungen noch per Berufung oder Revision angefochten werden können, ist ein Vertrauensschutz nur in engen Grenzen möglich.

36 Als weiteres Kriterium wird man, wie bei dem bisher anerkannten Gewohnheitsrecht, zudem noch verlangen müssen, dass die bisherige Rechtsprechung als unstrittig anerkannt (*opinio necessitatis*) und damit als richtig oder wahr (*veritas*) angesehen worden ist.[91] Dies ist schon deswegen erforderlich, weil die Voraussetzungen, wann eine Rechtsprechung ständig ist, schwer zu erfassen sind, womit Klarheit und Eindeutigkeit, mithin Überzeugungskraft des Präjudizes von entscheidender Bedeutung sind.[92]

37 cc) Nach Ansicht des BGH sind *materielle Gerechtigkeitsgesichtspunkte* zu berücksichtigen, „wenn deutlich überwiegende oder sogar schlechthin zwingende Gründe dafür spre-

[83] BGH, Urt. v. 29.2.1996, IX ZR 153/95, BGHZ 132, 119, 129 f. – Blanko-Bürgschaft.

[84] *Schulze-Fielitz*, in: Dreier, GG, 3. Aufl. 2015, Art. 20 (Rechtsstaat) Rn. 177; für die Schweiz differenzierend *Kramer*, Juristische Methodenlehre, 6. Aufl. 2019, S. 324 ff.

[85] *Levedag*, in: FS 100 Jahre BFH, 2018, S. 181, 192 ff.

[86] In der Literatur wird von Vertrauensinvestitionen und unzumutbarer Härte gesprochen, *Langenbucher*, JZ 2003, 1132, 1138.

[87] BAG, Urt. v. 23.3.2006, 2 AZR 343/05, BAGE 117, 281, 286 ff. – Anzeigepflicht bei einer Massenentlassung; BAG, Urt. v. 26.4.2006, 7 AZR 500/04, BAGE 118, 76; hierzu *Rüthers/Fischer/Birk*, Rechtstheorie, 11. Aufl. 2020, Rn. 249, 253.

[88] *Rüberg*, Vertrauensschutz gegenüber rückwirkender Rechtsprechungsänderung, 1977, S. 168.

[89] Auch die Rechtsprechung hat einen Vertrauensschutz wegen einer bis dato umstrittenen Rechtsfrage abgelehnt. S. BGH, Urt. v. 21.12.1972, VII ZR 237/71, NJW 1973, 364: „seit Jahren in Rechtsprechung und im Schrifttum umstritten"; *Fikentscher*, Methoden des Rechts, Bd. III, 1976, S. 711 ff.

[90] Zum EuGH s. unten § 3 Rn. 41 f.

[91] *Pawlowski*, Methodenlehre für Juristen, 3. Aufl. 1999, Rn. 933 ff.; *Streinz*, ZEuS 2004, 387, 413. S. als Beispiel für fehlende Anerkennung der Rechtsprechung BGH, Urt. v. 7.12.1988, IVb ZR 93/87, BGHZ 106, 169, 174 – Fingierter Gesamtplanungsvertrag.

[92] *Rüberg* (ebd.), S. 164 f., 167.

chen."[93] Die Gegenansicht lässt dagegen schon „bessere Argumente" für eine abweichende Lösung ausreichen. Auch das BVerfG ist dagegen deutlich großzügiger, um eine Rechtsprechungsänderung zu gestatten: „Es bedarf [...] nicht des Nachweises wesentlicher Änderungen der Verhältnisse oder der allgemeinen Anschauungen, damit ein Gericht ohne Verstoß gegen Art. 20 Abs. 3 GG von seiner früheren Rechtsprechung abweichen kann."[94]

dd) Im Ergebnis hat also eine **Abwägung** zwischen dem Bedürfnis nach einer Rechtsprechungsänderung einerseits und dem schutzwürdigen Vertrauen der Parteien andererseits stattzufinden. Wer eine Änderung der Rechtsprechung ablehnt, weil er auf die bisherige Rechtsprechung vertraut, muss begründen, warum sein Vertrauen schutzwürdig ist.[95] Regelmäßig wird die Änderung einer höchstrichterlichen Rechtsprechung auch zurückwirken, weil das Urteil über einen abgeschlossenen Sachverhalt getroffen wird.[96] Eine solche Rückwirkung wird grundsätzlich für zulässig erachtet. Ausnahmen können sich jedoch ergeben, wenn die von der Rückwirkung betroffene Partei auf die Weitergeltung der Rechtsprechung vertrauen durfte und die Anwendung der neuen Rechtsansicht auf ihren Fall für sie eine unzumutbare Härte bedeuten würde.[97] Ist im Ergebnis das Vertrauen relevant, handelt es sich dogmatisch um einen entschuldbaren Rechtsirrtum. 38

Bei besonders gewichtigen Vertrauenstatbeständen können oberste Gerichte entweder eine Rechtsprechungsänderung als *obiter dictum*, also nicht entscheidungserheblichen Erwägungen (§ 7 Rn. 68) **ankündigen**[98] oder **die Rückwirkung der Urteilskraft beschränken**. 39

In der Regel geht es um Schadensersatzansprüche, denen sich der durch die Rechtsprechungsänderung betroffene Bürger ausgesetzt sehen könnte. Im Deliktsrecht bejahte der BGH etwa die Verletzung einer Verkehrspflicht, lehnte aber ein Verschulden des Beklagten ab, weil die Rechtsprechung erst vor kurzer Zeit gegensätzlich entschieden hatte.[99] – Als der BGH die Außenhaftung der Gesellschafter einer GbR bejahte, erkannte er auch das Vertrauen der in einen Fonds investierenden Anleger an, von existenzvernichtenden Haftungsrisiken verschont zu bleiben.[100] – Bevor der Große Senat über die Zulässigkeit der Rügeverkümmerung entschied, hatten zwei Senate des BGH die Rechtsprechungsänderung schon angekündigt,[101] sodass der Angeklagte mit einer Änderung der Rechtsprechung rechnen musste und insoweit kein berechtigtes Vertrauen bestand. 40

[93] BGH, Beschl. v. 4.10.1982, GSZ 1/82, BGHZ 85, 64, 66; mit identischer Formulierung s. BGH, Urt. v. 25.3.1983, V ZR 268/81, BGHZ 87, 150, 156 – falsa demonstratio.

[94] BVerfG, Beschl. v. 26.1.1991, 1 BvR 779/85, BVerfGE 84, 212, 227 – Aussperrung. Für den großzügigeren Maßstab etwa *Kramer*, Juristische Methodenlehre, 6. Aufl. 2019, S. 324 ff.; etwa enger Larenz/*Canaris*, Methodenlehre der Rechtswissenschaft, 3. Aufl. 1995, S. 256: deutlich bessere oder ganz überwiegende Argumente.

[95] Von Beweislast spricht *Langenbucher*, JZ 2003, 1132, 1137.

[96] Im Strafrecht besteht dagegen ein Rückwirkungsverbot (*nullum crimen, nulla poena sine lege praevia*), s. § 4 Rn. 83.

[97] BAG, Urt. v. 23.3.2006, 2 AZR 343/05, BAGE 117, 281, 292 Rn. 34 – Anzeigepflicht bei Massenentlassung; s. auch BGH, Urt. v. 29.2.1996, IX ZR 153/95, BGHZ 132, 119 – Blanko-Bürgschaft. Im Steuerrecht verlangt man zudem, dass das Vertrauen mit Dispositionen verbunden war und zudem objektiv schutzwürdig ist, s. BFH, Beschl. v. 17.12.2007, GrS 2/04, BFHE 220, 129, 146 ff. – Vererblichkeit des Verlustabzugs.

[98] BAG, Urt. v. 14.12.2005, 4 AZR 536/04, BAGE 116, 326 – Auslegung zur Gleichstellungsabrede; *Bydlinski*, Methodenlehre und Rechtsbegriff, 2. Aufl. 1991, S. 509 f.; *Kramer*, Juristische Methodenlehre, 6. Aufl. 2019, S. 330 f.; krit. aber *Picker*, JZ 1984, 153 ff.

[99] BGH, Urt. v. 14.3.1995, NJW 1995, 2631, 2632 – Oberleitung; hierzu *Möllers*, VersR 1996, 153, 159; vorher schon BGH, Urt. v. 23.10.1984, VI ZR 85/83, NJW 1985, 620, 621 – Schleppliftunternehmer.

[100] BGH, Urt. v. 21.1.2002, II ZR 2/00, BGHZ 150, 1, 5 – Haftungsbeschränkung; BGH, Urt. v. 7.4.2003, II ZR 56/02, BGHZ 154, 370 – Haftung für Altverbindlichkeiten; BGH, Urt. v. 12.12.2005, II ZR 283/03, NJW 2006, 765, 766 – Haftung für Altverbindlichkeiten.

[101] Nämlich der 1. und 2. Senat, s. BGH, Urt. v. 13.10.2005, 1 StR 386/05, NStZ 2006, 181; BGH, Urt. v. 12.1.2005, 2 StR 138/04, NStZ 2005, 281; hierzu BVerfGE 122, 248, 277 – Rügeverkümmerung (§ 13 Rn. 74).

c) Rechtsprechungsänderung durch den EuGH, Rechtssicherheit und Vertrauensschutz

41 Wie auch im nationalen Recht ist die Rückwirkung belastender Urteile auch auf europäischer Ebene von hoher Brisanz, weil eine Beschränkung der Rückwirkung zu deutlichen Steuerausfällen führen kann.[102] Zu Rückwirkung und Vertrauensschutz bei **Änderung seiner eigenen Rechtsprechung** hat sich der EuGH bisher nur einmal vage geäußert und begrenzt die Rückwirkung seiner geänderten Rechtsprechung aus Gründen der Rechtssicherheit und des Vertrauensschutzes.[103]

42 Bei der Rückwirkung von EuGH-Entscheidungen ist zwischen den einzelnen Verfahrensarten zu unterscheiden. Der EuGH kann eine angefochtene Handlung gem. Art. 264 Abs. 1 AEUV für nichtig erklären, wobei Art. 264 Abs. 2 AEUV dem EuGH gestattet, diese Wirkung zu begrenzen. Eine Beschränkung der Wirkungen auf die Zukunft *(ex nunc)* hat er zur Schonung mitgliedstaatlicher oder unionsrechtlicher Ressourcen oder aus Vertrauensschutzgesichtspunkten[104] ausgesprochen. Das Vorabentscheidungsverfahren sieht in Art. 267 AEUV keine Beschränkung der zeitlichen Wirkung vor; die Entscheidung wirkt damit grundsätzlich ex tunc.[105] In einigen wenigen Fällen hat der EuGH jedoch Ausnahmen von der ex tunc-Wirkung aufgrund des Vertrauensschutzes und der Rechtssicherheit vorgenommen und dabei Art. 264 Abs. 2 AEUV analog auf das Vorabentscheidungsverfahren angewendet.[106]

3. Strenge Präjudizienbindung als rechtliche Ausnahme im deutschen Rechtskreis

43 Schließlich soll nicht unerwähnt bleiben, dass es nicht nur im anglo-amerikanischen Rechtskreis eine strenge Präjudizienbindung gibt, sondern durchaus auch im deutschen Rechtskreis, gem. § 31 BVerfGG auch bei Entscheidungen des BVerfG. Außerdem ist eine Bindungswirkung zwischen den Gerichten bekannt, § 322 ZPO.

a) Die *stare decisis rule* und *persuasive authorities* im anglo-amerikanischen Rechtskreis

44 aa) Im anglo-amerikanischen Rechtskreis gibt es in einzelnen Rechtsgebieten, wie etwa im Bereich des contract, tort oder property law (Vertrags, Delikts- und Sachenrecht), bis heute kaum Gesetzesrecht. Diese Rechtsgebiete werden hauptsächlich durch Entscheidungen der Gerichte, das sog. case law, geregelt. Nach der ***stare decisis rule***[107] binden Urteile, die Präjudizien, nicht nur die Parteien, sondern sie gelten erga omnes, also gegenüber jedermann. Dabei bindet die Entscheidung des höheren Gerichts die unteren Gerichte und frühere Entscheidungen die späteren Entscheidungen desselben Ge-

---

102 S. hierzu ausführlich *Kokott/Henze*, NJW 2006, 177 ff.

103 EuGH, Urt. v. 30.4.1996, C-308/93, EU:C:1996:169, Rn. 46 f. – Bestuur van de Sociale Verzekeringsbank.

104 EuGH, Urt. v. 6.10.1982, C-59/81, EU:C:1982:332, Rn. 39 – Beamtenbezüge; EuGH, Urt. v. 26.3.1987, C-45/86, EU:C:1987:163, Rn. 23 – Zollpräferenzen; EuGH, Urt. v. 16.7.1992, C-65/90, EU:C:1992:325, Rn. 23 f. – Güterkraftverkehr.

105 EuGH, Urt. v. 27.3.1980, C-66/79 u.a., EU:C:1980:101, Rn. 9 ff. – Meridionale Industria; EuGH, Urt. v. 26.4.1994, C-228/92, EU:C:1994:168, Rn. 25 ff. – Roquette; *Waldhoff*, EuR 2006, 615, 628 f.

106 EuGH, Urt. v. 27.2.1985, C-112/83, EU:C:1985:86, Rn. 17 f. – Société des produits des mais; vorher schon EuGH, Urt. v. 8.4.1976, C-43/75, EU:C:1976:56, Rn. 71 ff. – Defrenne; EuGH, Urt. v. 27.3.1980, C-61/79, EU:C:1980:100, Rn. 17 f. – Denkavit; EuGH, Urt. v. 27.3.1980, C-66/79 u.a., EU:C:1980:101, Rn. 10 ff. – Meridionale Industria; EuGH, Urt. v. 10.7.1980, C-811/79, EU:C:1980:195, Rn. 7 – Ariete.

107 *Stare decisis et non quieta movere* – Bei den Entscheidungen stehen bleiben und das Ruhende nicht bewegen, s. Zweigert/*Kötz*, Einführung in die Rechtsvergleichung, 3. Aufl. 1996, S. 253 ff.

richts.[108] Die stare decisis-Lehre schafft damit ein hohes Maß an Rechtssicherheit.[109] Die Bindungswirkung erstreckt sich auf die tragenden Gründe ***(ratio decidendi)*** einer Entscheidung. Nur ausnahmsweise darf von ihnen abgewichen werden. Im Einzelnen wird diese Technik bei der Vergleichsfallmethode vertieft (§ 7 Rn. 44 ff.).

bb) Daneben gibt es die sogenannten ***persuasive authorities*** (überzeugende Autoritäten). Das sind Überlegungen, die nicht von der Bindungswirkung umfasst sind, aber regelmäßig bei der Urteilsfindung herangezogen werden. Zu den persuasive authorities zählen das obiter dictum, dissenting opinions, unterinstanzliche Entscheidungen sowie Entscheidungen aus anderen Staaten.[110] Die Gerichte sind *verpflichtet*, sie zu beachten und sich mit ihnen auseinanderzusetzen. Sie müssen also prüfen, ob sie ihnen folgen wollen, können aber von ihnen abweichen, wenn dafür die besseren Argumente bestehen. Im Unterschied zu Präjudizien binden die persuasive authorities den Richter nicht. Vielmehr wird er ihnen nur folgen, wenn er sie auch inhaltlich überzeugend findet. **45**

Prägnant formulierte *Harris:* „The judge may simply be obliged to consider the former decision as part of the material on which his present decision could be based, or he may be obliged to decide the case before him in the same way as that in which the previous case was decided unless he can give a good reason for not doing so. Finally the judge in the instant case may be obliged to decide it in the same way as that in which the previous case was decided, even if he can give a good reason for not doing so. In the last-mentioned situation the precedent is said to be 'binding' […]."[111] **46**

b) Bindungswirkung von Entscheidungen des BVerfG

Das Grundgesetz orientiert sich in zahlreichen Punkten an der US-amerikanischen Verfassung; dazu gehört auch die bedeutende Rolle des Bundesverfassungsgerichts.[112] Nach § 31 Abs. 1 BVerfGG binden Entscheidungen des Bundesverfassungsgerichts die Verfassungsorgane des Bundes und der Länder sowie alle Gerichte und Behörden. Soweit das BVerfG eine Norm für ungültig erklärt, kommt dieser Entscheidung für bestimmte Verfahren Gesetzeskraft zu.[113] Auch für Entscheidungen des BVerfG stellt sich, wie bei den Präjudizien im anglo-amerikanischen Recht, die Frage, in welchem Umfang sie gelten und ob gegebenenfalls von ihnen abgewichen werden kann (§ 7 Rn. 67 ff.). **47**

c) Bindungswirkung zwischen Gerichten

Im Verhältnis zwischen **untergeordnetem und übergeordnetem Gericht** können verschiedene Bindungen auftreten. Im Revisionsverfahren ist das Gericht an die Ausführungen des obersten Gerichts gebunden, das das Verfahren an das untere Gericht zurückver- **48**

[108] *Cross/Harris*, Precedent in English Law, 4th ed. 1991, S. 3 ff., 24 ff.; *Radin*, 33 Colum. L. Rev. 199 (1933); *Burnham*, Introduction to the Law and Legal System of the United States, 6th ed. 2006, S. 70; *Hay*, US-Amerikanisches Recht, 7. Aufl. 2020, Rn. 20.

[109] *Payne v. Tennessee*, 501 U.S. 808, 827 (1991); *Kriele*, Theorie der Rechtsgewinnung, 2. Aufl. 1976, S. 259 ff.; *Fikentscher*, in: Blaurock, Die Bedeutung von Präjudizien im deutschen und französischen Recht, 1985, S. 11, 19.

[110] *Bailey/Ching/Taylor*, Smith, Bailey and Gunn on the Modern English Legal System, 5th ed. 2007, S. 512. Zudem können auch Entscheidungen aus Staaten herangezogen werden, die der Tradition des *common law* verpflichtet sind, etwa die Staaten des Commonwealth und Schottland oder den USA oder Israel. *Ingman*, The English Legal Process, 13th ed. 2011, S. 214 ff.; *State v. Southers*, 1988 Ohio App. LEXIS 4648 (Ohio Ct. App., Pickaway County Nov. 23, 1988); *G. Schmid*, Einheitliche Anwendung von internationalem Einheitsrecht, 2004, S. 99 ff.

[111] Cross/*Harris*, Precedent in English Law, 4th ed. 1991, S. 4.

[112] *Kau*, United States Supreme Court und Bundesverfassungsgericht, 2007, S. 29.

[113] Nach § 31 Abs. 2 BVerfGG in abstrakten Normenkontrollverfahren, Kompetenzkontrollverfahren, konkreten Normenkontrollverfahren, völkerrechtlichen Normenverifikationsverfahren, Verfahren nach Art. 126 GG sowie Verfassungsbeschwerden.

weist.[114] Ansonsten gibt es eine Reihe von Regeln, die schon abstrakt den Umgang mit möglichen Kollisionen regeln: Will ein OLG als letzte Instanz von der Rechtsprechung des BGH oder eines anderen OLG abweichen, muss es die Sache dem BGH vorlegen.[115] Vergleichbares gilt für die Landesverfassungsgerichte im Verhältnis zum BVerfG, Art. 100 Abs. 3 GG.

49 Eine Bindungswirkung kann es auch zwischen **gleichgestellten höchsten Gerichten und Senaten** geben. Die Senate eines obersten Gerichts können in ihrer Rechtsprechung voneinander abweichen. Will ein Senat von der Rechtsprechung eines anderen Senates abweichen, muss er die Rechtsfrage dem Großen Senat, beim BVerfG dem Plenum, vorlegen.[116] Die Entscheidung **bindet** den vorlegenden Senat.[117] Zudem kann der Große Senat angerufen werden, um eine einheitliche Rechtsprechung und Rechtsfortbildung zu sichern.

50 Verschiedene höchste Gerichte können in ihrer Rechtsprechung voneinander abweichen. Um eine einheitliche Rechtsprechung zu gewährleisten, muss ein Gericht den Gemeinsamen Senat anrufen, wenn es von der Rechtsprechung eines anderen Gerichts abweichen möchte. Da die Senate dieses Verfahren vermeiden, ist die Kunst der Differenzierung zwischen ratio decidendi (tragenden Gründen) und obiter dicta (beiläufigen Ausführungen) sowie das distinguishing besonders ausgeprägt (§ 7 Rn. 67 ff.).

d) Bindungswirkung von EuGH-Entscheidungen

51 aa) Urteile des EuGH binden die Parteien und auch die nationalen Ausgangsgerichte.[118] Allerdings kann das nationale Gericht eine Auslegungsfrage, die unklar geblieben ist, nochmals vorlegen.[119] Entscheidungen des EuGH, mit denen ein europäischer Rechtsakt für ungültig erklärt wird, haben allgemeinverbindliche Wirkung. Innerstaatliche Stellen haben die entsprechende Handlung als ungültig anzusehen.[120] Diese Erga-omnes-Wirkung gilt nur für die Nichtigkeitsklage.[121]

52 bb) Für alle anderen Klagearten fehlt es im AEUV an einer ausdrücklichen Vorschrift, welche vergleichbar mit § 31 BVerfGG die Bindungswirkung gegenüber jedermann anordnen würde. Das Vorabentscheidungsverfahren bezieht sich etwa nur auf eine Auslegungsfrage in einem konkreten Rechtsstreit, weshalb zu Recht die Erga-omnes-Wirkung solcher Urteile teilweise verneint wird.[122] Die Gegenmeinung bejaht dagegen eine allgemeinverbindliche Bindungswirkung von EuGH-Urteilen, um so eine einheitliche Anwendung des Europarechts sicherzustellen.[123]

53 cc) Einem solchen Effet-utile-Gedanken (§ 5 Rn. 108 ff.) steht der Grundsatz der begrenzten Einzelermächtigung des Art. 5 Abs. 1 EUV (§ 2 Rn. 56) entgegen. Aufgrund der

---

[114] §§ 563 Abs. 2 ZPO; 358 Abs. 1 StPO; 144 Abs. 6 VwGO.

[115] S. § 121 Abs. 2 GVG; § 70 Abs. 2 Nr. 2 FamFG (erfordert Vorlage zur „Sicherung einer einheitlichen Rechtsprechung").

[116] §§ 16 Abs. 1 BVerfGG; 132 Abs. 2 GVG; 11 Abs. 2 VwGO; 45 Abs. 2 ArbGG; 11 Abs. 2 FGO; 41 Abs. 2 SGG.

[117] §§ 16 BVerfGG; 138 Abs. 1 S. 3 GVG; 11 Abs. 7 S. 3 VwGO; 45 Abs. 7 S. 3 ArbGG; 11 Abs. 7 S. 3 FGO; 41 Abs. 7 S. 3 SGG.

[118] EuGH, Urt. v. 3.2.1977, C-52/76, EU:C:1977:16, Rn. 26 f. – Benedetti; BAG, Urt. v. 24.3.2009, 9 AZR 983/07, BAGE 130, 119, 132 Rn. 47 – Urlaubsentgelt.

[119] EuGH, Urt. v. 3.6.1992, C-45/90, EU:C:1992:236 – Paletta I; EuGH, Urt. v. 2.5.1996, C-206/94, EU:C:1996:182 – Paletta II.

[120] EuGH, Urt. v. 8.11.2007, C-421/06, EU:C:2007:662, Rn. 54 – Fratelli Martini.

[121] Zur Nichtigkeitsklage gem. Art. 266 AEUV s. etwa EuGH, Urt. v. 13.5.1981, C-66/80, EU:C:1981:102, Rn. 13 – International Chemical Corporation.

[122] *Classen*, in: Schulze/Janssen/Kadelbach, Europarecht, 4. Aufl. 2020, § 4 Rn. 79; so auch kritisch feststellend *Vogenauer*, ZEuP 2005, 234, 257; *Cross/Harris*, Precedent in English Law, 4th ed. 1991, S. 16.

[123] Streinz/*Ehricke*, EUV/AEUV, 3. Aufl. 2018, Art. 267 AEUV Rn. 69; ohne Begründung *Honsell*, in: Staudinger, BGB, Neubearb. 2018, Einl. zum BGB Rn. 228.

Vorlagepflicht besteht aber eine mittelbare Bindungswirkung für die letztentscheidenden Gerichte. An dieser Stelle erscheint die Lehre von den sekundären Rechtsquellen wieder überzeugend (§ 3 Rn. 25 ff.): Würde das nationale Gericht abweichen wollen, müsste es nach der Acte-clair-Doktrin erneut vorlegen.[124] Die Rechtsprechung des EuGH wird in weitem Umfang beachtet und umgesetzt.[125] Man spricht von der „tatsächlich rechtsbildenden Kraft"[126] der EuGH-Entscheidungen.

III. Verwaltungsvorschriften, Rechtsvorschriften Privater und europäische Empfehlungen

1. Verwaltungsvorschriften

a) Norminterpretierende und normkonkretisierende Verwaltungsvorschriften

aa) Die Verwaltung kann neben Rechtsverordnungen und Satzungen Richtlinien, Verlautbarungen, Bekanntmachungen, Rundschreiben etc. erlassen und verfügt damit über zahlreiche Instrumentarien. Hiervon macht etwa die Bundesanstalt für Finanzdienstleistungsaufsicht (BaFin) regen Gebrauch.[127] Nach bisher herrschender Meinung handelt es sich jeweils um sog. **norminterpretierende Verwaltungsvorschriften**, welche nur die Behörde, nicht aber den Bürger oder die Gerichte binden. Im gerichtlichen Verfahren werden sie vollumgänglich überprüft.[128] Der Bürger darf auf solche Vorschriften nicht vertrauen.[129] Damit gibt die h.M. dem Bürger zu wenig, weil sie jede Rechtswirkung für den Bürger ablehnt; die Gegenmeinung, die von zwingenden Rechtsnormen spricht[130], gibt dem Bürger oft aber zu viel, weil Gerichte dadurch gezwungen werden, die Rechtswidrigkeit der Verwaltungsvorschrift positiv festzustellen. Die Exekutive kann und darf schon mit Hinblick auf die Gewaltenteilung die Gerichte nicht durch ihre Verwaltungsvorschriften binden. 54

Die Anwendung einer norminterpretierenden Verwaltungsvorschrift über einen langen Zeitraum hinweg begründet aber eine einheitliche Verwaltungspraxis, durch die sich die Verwaltung selbst bindet (sog. **Selbstbindung der Verwaltung**).[131] Wenn sie ohne einen sachlichen Grund von dieser Praxis abweicht, kann dies im Einzelfall zu einem einklagbaren Anspruch wegen Verstoßes gegen den Gleichheitsgrundsatz des Art. 3 Abs. 1 GG führen.[132] 55

bb) Den sog. **normkonkretisierenden Verwaltungsvorschriften** gesteht die Rechtsprechung im Gegensatz dazu eine Außenwirkung zu, wenn diese Standards in hohem Maße wissenschaftlich-technischen Sachverstand und allgemeine Folgenbewertung ver- 56

---

[124] Zum C.I.L.F.I.T.-Urteil und der Acte-clair-Doktrin s. § 12 Rn. 115 f.

[125] *Classen*, in: Schulze/Janssen/Kadelbach, Europarecht, 4. Aufl. 2020, § 4 Rn. 79; *Brandner*, in: FS 50 Jahre BGH, 2000, S. 299, 311 ff.

[126] *Bieber/Epiney/Haag/Kotzur*, Die Europäische Union, 14. Aufl. 2021, § 9 Rn. 102; übereinstimmend Schwarze/*Schwarze/Wunderlich*, EU-Kommentar, 4. Aufl. 2019, Art. 267 AEUV Rn. 72.

[127] *Schädle*, Exekutive Normsetzung, 2007.

[128] S. BGH, Urt. v. 8.5.2001, XI ZR 192/00, BGHZ 147, 343, 350 – Margin zur Richtlinie nach § 35 WpHG a.F.; ebenso *Köndgen*, ZBB 1996, 361; *Möllers/Ganten*, ZGR 1998, 773, 800 ff.

[129] *Maurer/Waldhoff*, Allgemeines Verwaltungsrecht, 20. Aufl. 2020, § 24 Rn. 24, 30.

[130] *Ossenbühl*, in: FG 25 Jahre BVerwG, 1978, S. 433 ff.; *ders.*, in: HStR V, 3. Aufl. 2007, § 104 Rn. 48 ff.

[131] *Maurer/Waldhoff* (ebd.), § 24 Rn. 27.

[132] So die h.M., s. BVerwG, Urt. v. 28.5.1958, V C 216/54, BVerwGE 8, 4, 10; BVerwG, Urt. v. 8.4.1997, 3 C 6/95, BVerwGE 104, 220, 223; BVerwG, Urt. v. 24.3.1977, II C 14/75, BVerwGE 52, 193, 199 f.; *Maurer/Waldhoff* (ebd.), § 24 Rn. 27; **a.A.** *Ossenbühl*, in: HStR V, 3. Aufl. 2007, § 104 Rn. 58, der zu Recht kritisiert, dass der Gedanke einer fiktiven „antizipierten Verwaltungspraxis" das gesamte System der Selbstbindung kraft Gleichbehandlung sprengt.

körpern. Das soll etwa für die TA-Luft[133] und TA-Lärm[134] gelten. Aber auch dann können Gerichte prüfen, ob diese Standards nicht durch Erkenntnisfortschritte in Wissenschaft und Technik überholt sind.[135]

b) Verwaltungsvorschriften als sekundäre Rechtsquellen

57 Nach der hier vertretenen Ansicht sind Verwaltungsvorschriften als sekundäre Rechtsquelle zu behandeln.[136] Dies deckt sich mit den Verlautbarungen der ESMA (§ 3 Rn. 73). Grundsätzlich gibt es eine Indizwirkung für die Richtigkeit der Verwaltungsvorschriften. Folglich haben sich auch Gerichte mit der Verwaltungsvorschrift auseinanderzusetzen. Wenn der 2. Senat des BGH also den Emittentenleitfaden der Bundesanstalt für Finanzdienstleistungsaufsicht (BaFin) ignoriert und jede inhaltliche Auseinandersetzung ablehnt,[137] verstößt er gegen diese Pflicht. Umgekehrt können Gerichte die Verbindlichkeit einer Norm ablehnen, wenn sie davon ausgehen dürfen, dass der Gesetzgeber eine inhaltliche Regelung durch die Verwaltung nicht wollte und es so an der Ermächtigungsgrundlage fehlt.[138] Eine Vermutungswirkung für die inhaltliche Richtigkeit der Verwaltungsvorschrift lässt sich vor allem dann begründen, wenn Dauerhaftigkeit, Akzeptanz und Überzeugungskraft (§ 3 Rn. 19) für sie sprechen.

c) Vertrauensschutz des Bürgers

58 In der Literatur wird bisher ganz überwiegend ein Vertrauensschutz des Bürgers abgelehnt.[139] Das ist wenig überzeugend, wenn sich die Behörde an einen bestimmten Adressatenkreis richtet und die Verwaltungsvorschrift in einem gesetzesähnlichen Verfahren mit Anhörung der beteiligten Kreise erlassen wird.[140] Der Gedanke des widersprüchlichen Verhaltens drängt sich auf, wenn die Verwaltung „Gesetzestreue" einfordert, *ex post* die Rechtsprechung dann aber den betroffenen Kreisen rechtswidriges Handeln vorwirft. Überträgt man die Elemente, die für den Vertrauensschutz in der Rechtsprechung gelten, so wird man weiter differenzieren können: Dauerhaftigkeit, Akzeptanz, mögliche Schadensersatzansprüche des Betroffenen, aber auch solche Dritter sind in die Abwägung zwischen materieller Gerechtigkeit und Vertrauensschutz einzubeziehen, bevor das Gericht eine Verwaltungsvorschrift verwerfen darf.[141]

59 Diese Überlegungen gelten etwa auch im Verhältnis öffentlich-rechtlicher und zivilrechtlicher Pflichten im Bereich des Deliktsrechts. In Rechtsprechung und Literatur ist seit Jahrzehnten anerkannt, dass öffentlich-rechtliche Standards nicht blind und abschließend für das Deliktsrecht übernommen werden dürfen, weil insoweit ein höherer zivilrechtlicher Standard gilt; das Zivilrecht übernimmt die Steuerung für den Einzelfall. Wer

---

[133] Technische Anleitung zur Reinhaltung der Luft v. 24.7.2002, GMBl. Nr. 25, S. 511.

[134] Technische Anleitung zum Schutz gegen Lärm v. 28.8.1998, GMBl. Nr. 26, S. 503.

[135] S. BVerwG, Beschl. v. 10.1.1995, 7 B 112/94, DVBl. 1995, 516, 517 – TA-Luft.

[136] Zustimmend *Hupka*, JbJZ 2009, S. 291, 313; *Poelzig*, ZBB 2019, 1, 8 ff.; für persuasive authority *Bedkowski*, BB 2009, 394, 400.

[137] So lapidar BGH, Urt. v. 25.2.2008, II ZB 9/0, WM 2008, 641 Rn. 24: „Der Emittentenleitfaden der BaFin befasst sich zwar mit der Frage der hinreichenden Wahrscheinlichkeit, stellt jedoch lediglich eine norminterpretierende Verwaltungsvorschrift dar"; krit. deshalb *Möllers*, NZG 2008, 330, 331.

[138] Dies war Inhalt der Entscheidung des 11. Senates des BGH zur Richtlinie zu § 35 WpHG a.F., s. BGH, Urt. v. 24.1.2006, XI ZR 320/04, BGHZ 166, 56, 62. Hierzu *Möllers/Ganten*, ZGR 1998, 773, 803; KK-WpHG/*Möllers*, 2007, § 34 Rn. 46.

[139] Zur h.M. s. oben Fn. 130; **a.A.** den Vertrauensschutz bejahend dagegen *Klein*, in: FS Forsthoff, 1972, S. 165, 177 ff.; *Stern*, JZ 1960, 557, 559; BVerwG, Urt. v. 17.4.1970, VII C 60/68, BVerwGE 35, 159, 161 f.

[140] Das ist etwa beim Emittentenleitfaden der BaFin der Fall, der erst nach Anhörung der einschlägigen Kreise erlassen wird, abrufbar unter www.bafin.de/DE/Aufsicht/BoersenMaerkte/Emittentenleitfaden/emittentenleitfaden_node.html.

[141] Vertiefend *Möllers*, ZEuP 2008, 480, 491 ff.

sich an öffentlich-rechtlichen Standards orientiere, handele nicht zwingend rechtmäßig;[142] es bestehe keine Vermutungswirkung für diese.[143] Auch die Genehmigung durch eine Behörde lasse den Verschuldensvorwurf bestehen.[144] Zum Schutz der Rechtsgüter ist die gegenüber dem Öffentlichen Recht höhere Pflichtenstellung zivilrechtlicher Verkehrspflichten in einem ersten Schritt ohne Weiteres nachvollziehbar und auch verfassungsrechtlich geboten.[145] Gleichwohl wird man in einem zweiten Schritt die obigen Kriterien bei der Abwägung zwischen materieller Gerechtigkeit und Vertrauensschutz zu berücksichtigen haben. Denn das Vertrauen in die Verwaltung als Teil des Staates kann nicht von vornherein als rechtlich irrelevant erklärt werden.

2. Rechtsnormen Privater und die Abgrenzung zu Allgemeinen Geschäftsbedingungen, Verträgen und soft law

a) Verrechtlichung privater Normen

In der Literatur werden teilweise auch Verträge oder Allgemeine Geschäftsbedingungen als Rechtsquellen angesehen.[146] Dem steht entgegen, dass diese nicht allgemein, sondern nur zwischen den Parteien wirken (*inter partes*). Zudem werden sie nicht vom Staat gesetzt, ihnen fehlt damit der „höhere Autoritätsanspruch“. Verträge binden folglich immer nur die Parteien.[147] **60**

Allerdings können Regelungen Privater den Charakter von Rechtsnormen annehmen, wenn der Staat die privatrechtlichen Normen für **allgemeinverbindlich erklärt**. Es existieren unterschiedliche Verrechtlichungsgrade derartiger Standards. Die stärkste Form der Verrechtlichung tritt ein, wenn Standards privater Normsetzungsgremien durch den Gesetzgeber „verrechtlicht“ werden. Dadurch werden sie zu primären Rechtsquellen. So bestimmt etwa § 4 Abs. 1 Tarifvertragsgesetz (TVG)[148], dass Rechtsnormen in Tarifverträgen, die den Inhalt, den Abschluss oder die Beendigung des Arbeitsverhältnisses regeln, für die beiderseits Tarifgebundenen unmittelbar und zwingend gelten. Auch Betriebsvereinbarungen zwischen Arbeitgeber und dem Betriebsrat bilden eine Rechtsquelle, da die Vereinbarung unmittelbar und zwingend auf die Arbeitsverhältnisse einwirkt, § 77 Abs. 2, 4 BetrVG.[149] Das gleiche gilt für die International Financial Reporting Standards (IFRS), die regelmäßig in europäische Richtlinien umgesetzt werden.[150] **61**

b) Gesetzliche Vermutungswirkung

Eine abgemilderte Form der Bindungswirkung tritt ein, wenn der Gesetzgeber nur auf private Rechtsetzung Bezug nimmt, etwa in Form von konkretisierungsbedürftigen Generalklauseln oder Verweisungen.[151] Im Bilanzrecht wurde jüngst ein privates Rechnungslegungsgremium ermächtigt, Grundsätze über die Konzernrechnungslegung zu entwickeln, § 342 Abs. 1 S. 1 Nr. 1 HGB. Bei den Verweisungen normiert der Gesetzge- **62**

---

142 *Wagner*, in: MünchKomm-BGB, 8. Aufl. 2020, § 823 Rn. 498 f.; **a. A.** *Marburger*, Regeln der Technik, 1979, S. 439 f.

143 *Wagner*, in: MünchKomm-BGB, 8. Aufl. 2020, § 823 Rn. 619, 675.

144 *Wagner*, in: MünchKomm-BGB, 8. Aufl. 2020, § 823 Rn. 505, 675, 711.

145 *Möllers*, Rechtsgüterschutz im Umwelt- und Haftungsrecht, 1996, S. 142 ff.

146 *Kelsen*, Reine Rechtslehre, 2. Aufl. 1960, S. 261 ff., ihm folgend *Vogel*, Juristische Methodik, 1998, S. 41.

147 *Buck-Heeb/Dieckmann*, Selbstregulierung im Privatrecht, 2010, S. 256 f., die Vertrag und Norm als Endpunkte einer Skala beschreiben, auf der sich private Regelordnungen bewegen.

148 Tarifvertragsgesetz (TVG) v. 25.8.1969, BGBl. I, S. 1323.

149 Brox/*Rüthers/Henssler*, Arbeitsrecht, 20. Aufl. 2020, Rn. 141, 1059 ff.

150 *Möllers*, in: Schulze/Janssen/Kadelbach, Europarecht, 4. Aufl. 2020, § 19 Rn. 90 ff.

151 *Ruffert*, in: Hoffmann-Riem/Schmidt-Aßmann/Voßkuhle, Grundlagen des Verwaltungsrechts, Bd. 1, 2. Aufl. 2012, § 17 Rn. 89.

ber regelmäßig, dass zugunsten des Normunterworfenen die **widerlegliche Vermutung** gesetzeskonformen Handelns gilt: Soweit sich der Betroffene an die privaten Regelwerke hält, wird widerlegbar vermutet, dass er rechtmäßig gehandelt hat.[152] Bei den normkonkretisierenden Verweisungen ist anerkannt, dass die privaten Regelwerke den Stand der (Wissenschaft und) Technik mit der widerlegbaren Vermutung der Richtigkeit[153] umschreiben. Vergleichbare Vermutungswirkungen finden sich im europäischen Recht[154] und im internationalen Wirtschaftsrecht.[155] Bezüglich solcher Vermutungen ist umstritten, ob diese wirklich eine Beweislastverteilung anordnen oder aber wegen der vorzunehmenden Wertungen eher eine partielle materielle Bindungswirkung normieren.[156]

c) Entsprechenserklärung *(comply or explain)*

63 Inzwischen übernimmt auch der europäische Gesetzgeber die Pflichtenstellung der sekundären Rechtsquellen, wie sie im Rahmen der Comply-or-explain-Regeln im Bereich der Corporate Governance (§ 161 AktG) bekannt ist. Zum Teil wird der DCGK als soft law ohne Rechtsbindung bezeichnet.[157] Dem ist zu widersprechen. Der Gesetzgeber verpflichtet den Vorstand und den Aufsichtsrat einer börsennotierten Gesellschaft, den Aktionären zu erklären, ob sie den Empfehlungen der Regierungskommission DCGK ganz, nur teilweise oder überhaupt nicht entsprochen haben, und falls nicht, diese Abweichung zu begründen. Diese **gesetzliche Pflicht zur Abgabe einer Entsprechenserklärung** nach dem Comply or explain-Prinzip (§ 161 Abs. 1 AktG)[158] ist eine Form der hoheitlichen Rezeption privater Regelwerke.[159] Insofern wird daher auch von einem Geltungsanspruch mit Ausstiegsklausel gesprochen.[160] Die Ausstiegsklausel eröffnet den Unternehmen die Möglichkeit zu erklären, dass einzelne Bestimmungen des Kodex für sie nicht gelten sollen, weil sie mit den spezifischen Eigenheiten des Unternehmens ihrer Auffassung nach nicht vereinbar sind.[161] Insoweit lässt sich auch hier die Lehre von den sekundären Rechtsquellen fruchtbar machen.[162]

64 *Deutscher Corporate Governance Kodex:* Der Vorstand erhält nach der Neufassung des § 87 Abs. 1 AktG die „übliche Vergütung".[163] Die Empfehlung des DCGK konkretisiert die-

---

[152] S. § 342 Abs. 2 HGB (hierzu *Borges*, ZGR 2003, 508, 519) und § 16 Abs. 1 TPG v. 4.9.2007, BGBl. I, S. 2206 (Transplantationsgesetz).

[153] *Marburger*, Regeln der Technik, 1979, S. 395 ff.; *Ruffert*, in: Hoffmann-Riem/Schmidt-Aßmann/Voßkuhle, Grundlagen des Verwaltungsrechts, Bd. 1, 2. Aufl. 2012, § 17 Rn. 89.

[154] Vgl. Leitlinien einer neuen Konzeption, Anhang II zur Entschließung des Rates vom 7.5.1985 über eine neue Konzeption auf dem Gebiet der technischen Harmonisierung und der Normung v. 7.5.1985, ABl. Nr. C 136, S. 2 f. Hierzu *Marburger*, in: FS Feldhaus, 1999, S. 387, 390 ff.

[155] Für das WTO-Recht s. den Beitritt der EU und Art. 2.5. S. 2 TBT-Übereinkommen v. 22.12.1994, ABl. Nr. L 336, S. 87.

[156] Für § 342 Abs. 2 HGB s. *Augsberg*, Rechtsetzung zwischen Staat und Gesellschaft, 2003, S. 192 ff.

[157] *Lutter*, ZGR 2000, 1, 18; *von Werder*, DB 2002, 801; *Borges*, ZGR 2003, 508 ff.; *E. Vetter*, DNotZ 2003, 748, 754; *Kort*, AG 2008, 137, 138; *Linnerz*, BB 2008, 581, 582; in diese Richtung auch Grigoleit/*Grigoleit/Zellner*, AktG, 2. Aufl. 2020, § 161 Rn. 4.

[158] § 161 Abs. 1 S. 1 AktG lautet: „Vorstand und Aufsichtsrat der börsennotierten Gesellschaft erklären jährlich, dass den (...) Empfehlungen der Regierungskommission Deutscher Corporate Governance Kodex entsprochen wurde und wird oder welche Empfehlungen nicht angewendet wurden oder werden und warum nicht".

[159] *Hohl*, Private Standardsetzung im Gesellschafts- und Bilanzrecht, 2007, S. 37 ff.; *Möllers/Hailer*, JZ 2012, 841, 843.

[160] *Hüffer/Koch*, AktG, 14. Aufl. 2020, § 161 Rn. 3; *Buck-Heeb/Dieckmann*, Selbstregulierung im Privatrecht, 2010, S. 101: „Selbstbindung auf Widerruf".

[161] Präambel des DCGK; Schmidt/Lutter/*Spindler*, AktG, 4. Aufl. 2020, § 161 Rn. 35 ff.

[162] Ausführlich *Möllers/Fekonja*, ZGR 2012, 777, 803 ff.

[163] Art. 1 Nr. 1 a) Gesetz zur Angemessenheit der Vorstandsvergütung (VorstAG) v. 31.7.2009, BGBl. I, S. 2509.

sen unbestimmten Rechtsbegriff in den Empfehlungen G.2 und G.3 dahingehend, dass nicht nur die Branchenüblichkeit (horizontaler Vergleich) sondern auch die Vergütungsstruktur innerhalb der Gesellschaft (vertikaler Vergleich) berücksichtigt werden soll.[164]

Verstöße gegen die Entsprechenserklärung führen dazu, dass der Entlastungsbeschluss, der in der Hauptversammlung getroffen wurde, angefochten werden kann. So schreibt der BGH: 65

> „Die Entlastungsbeschlüsse für Vorstand und Aufsichtsrat sind aber für nichtig zu erklären, weil die Entsprechenserklärung gemäß § 161 Satz 1 AktG a.F. hinsichtlich der Einhaltung der Empfehlung 5.5.3 des DCGK [jetzt: Empfehlung E.1] unrichtig geworden war und nicht berichtigt wurde. Ist die Entsprechenserklärung von vorneherein in *einem nicht unwesentlichen Punkt unrichtig* oder wird sie bei einer später eintretenden Abweichung von den DCGK-Empfehlungen in einem solchen Punkt nicht umgehend berichtigt, so liegt darin ein *Gesetzesverstoß* (§ 243 Abs. 1 AktG), der dem Verstoß zuwider gefasste Entlastungsbeschlüsse *anfechtbar* macht (Senat BGHZ 180, 9 Tz. 19 „Kirch/Deutsche Bank")."[165]

d) Konkretisierung von Generalklauseln durch private Regelwerke

Auch ohne Verrechtlichung privater Regelwerke können Gerichte private Regelwerke als unterstützende Hilfsmittel heranziehen, um etwa Generalklauseln zu konkretisieren. Das gilt z.B. für die Verkehrspflichten des § 823 Abs. 1 BGB oder die erforderliche Sorgfalt gem. § 276 BGB. Beispiele für solche private Rechtsetzung bilden das Deutsche Institut für Normsetzung, welches die DIN-Normen entwickelt[166] oder die FIS-Regeln, welche der internationale Skiverband (Fédération Internationale de Ski – FIS) in den letzten Jahren aufstellte und aktualisierte. Wirtschaftsprüfer prüfen Aktiengesellschaften einmal jährlich und erstellen ein Testat, § 322 Abs. 1 HGB. In diesem Rahmen orientieren sie sich an den IDW-Prüfungsstandards des Instituts der Wirtschaftsprüfer (IDW-Standards). Die IDW entfalten zwar keine rechtsgleiche Wirkung.[167] Ein positives Prüfungsergebnis kann eine positive Wirkung entfalten[168], etwa für die Effektivität eines Compliance Management System (CMS).[169] 66

3. Rechtsfolgen

a) Vermutungswirkung und ihre Voraussetzungen

Der BGH stellt zu Recht fest, dass private Regelwerke keine Rechtsquellen, noch konkreter gesagt, keine primären Rechtsquellen darstellen. Vielmehr müsse man im Einzelfall prüfen, ob diese zur Anwendung kommen. DIN-Normen sind zwar keine Rechtsnor- 67

[164] S. *Möllers/Fekonja*, ZGR 2012, 777, 805; *Kling*, DZWiR 2010, 221, 225 f. Mit diesem Kriterium greift der Kodex zudem eine Interpretation auf, die bereits in der Regierungsbegründung enthalten war, Beschlussempfehlung und Bericht des Rechtsausschusses (6. Ausschuss), BT-Drs. 16/13433, S. 10. Zum historischen Willen s. § 4 Rn 146 ff.

[165] BGH, Urt. v. 21.9.2009, II ZR 174/08, BGHZ 182, 272 Rn. 16 – Umschreibungsstopp; bezugnehmend auf BGH, Urt. v. 16.9.2009, II ZR 185/07, BGHZ 180, 9 Rn. 19 – Kirch/Deutsche Bank.

[166] *Marburger*, Regeln der Technik, 1979, S. 200 ff.

[167] OLG Stuttgart, Beschl. v. 15.10.2013, 20 W 3/13, ZIP 2013, 2201, 2202; *Fleischer*, NZG 2014, 321, 325; vgl. hierzu *Schülke*, IDW-Standards und Unternehmensrecht – zur Geltung und Wirkung privat gesetzter Regeln, 2014.

[168] Baumbach/Hopt/*Merkt*, HGB, 40. Aufl. 2021, § 323 HGB Rn. 1: „persuasive"; Ähnlich *Spindler*, in: MünchKomm-AktG, 5. Aufl. 2019, § 91 Rn. 33: „Signalwirkung".

[169] Etwas im Rahmen der richterlichen Beweiswürdigung im Prozess, *Merkt*, DB 2014, 2331, 2334 ff.

men, können aber die anerkannten Regeln der Technik beeinflussen.[170] Dem Kläger muss es möglich sein, die Voraussetzungen für eine Vermutungswirkung einer privaten Regelung zu begründen: Dazu wird man auf die obigen Überlegungen zur Indiz- und Vermutungswirkung von Richterrecht und Verwaltungsvorschriften aufbauen können. Dazu wird derjenige, der sich auf die privaten Regelungen beruft, neben den obigen Elementen wie Dauerhaftigkeit der Regelung, Akzeptanz, Vertrauen auch die Art und Weise der Inkorporation und ein rechtsstaatliches Verfahren für den Umfang der Vermutungswirkung zu berücksichtigen haben.[171] Man spricht von Qualitätssicherung mittels prozeduraler Richtigkeitsgewähr. Das ist beim DCGK gegeben[172] und zum Teil auch bei den Gremien, welche die FIS-Regeln oder die DIN-Normen schaffen. Aber auch wenn eine Verrechtlichung privater Regelwerke fehlt, sind solche Regelwerke immer noch besser als die Regelbildung durch Gerichte ohne weitere Hilfestellung, weil es den Gerichten an der erforderlichen Nähe zur Sachmaterie fehlt.[173] Sind die genannten Kriterien erfüllt, besteht eine **Vermutungswirkung für die Richtigkeit** der Regeln.[174] Damit muss die Gegenseite widerlegen, warum die Regeln nicht gelten sollen.[175]

68 **Vertiefung** – *Skifahrer:* Die Skifahrer A und B stoßen in einem Winkel von 45 Grad an einem Hang zusammen. A erleidet einen Oberschenkeldrehbruch und behauptet, der Beklagte B habe das Gelände nicht genügend beobachtet. B hingegen trägt vor, der Kläger A sei wesentlich schneller als er gefahren und habe ihn unvermutet von hinten angefahren. A klagt auf Schadensersatz. Zu Recht?[176]

b) Rechtssicherheit und Vertrauensschutz

69 Wenig diskutiert ist die Frage, ob neben der Vermutungswirkung, die private Regelwerke erzeugen, dem Betroffenen auch spiegelbildlich **Vertrauensschutz** gewährt wird, wenn diese privaten Regelwerke geändert werden. Wie oben diskutiert, wird man wiederum weitere Elemente eines Beweglichen Systems heranziehen, um Vermutungswirkung und Vertrauensschutz gegenüber dem materiell richtigen Ergebnis abzuwägen (§ 3 Rn. 31 ff.). Zu nennen ist etwa die *Akzeptanz* der privaten Regeln und ein *berechtigtes Vertrauen* des Bürgers in das Regelwerk.[177] Auch die Art und Weise der Inkorporation wird auf die Berechtigung des Vertrauens einwirken. Wiederum ist zu prüfen, ob sich der Unterworfene *Schadensersatzansprüchen* ausgesetzt sieht oder umgekehrt Dritte wegen einer beschränkten Rückwirkung Schadensersatzansprüche nicht geltend machen können. Schließlich sind kompetenzrechtliche Regeln zu berücksichtigen.[178]

---

[170] BGH, Urt. v. 1.3.1988, VI ZR 190/87, BGHZ 103, 338, 341 f. – Verkehrssicherungspflicht auf Kinderspielplatz; BGH, Urt. v. 14.5.1998, VII ZR 184/97, BGHZ 139, 16, 19 f. – vertraglich geschuldeter Schallschutz.

[171] *Luhmann*, Legitimation durch Verfahren, 2. Aufl. 1975, S. 30 f.; *Eifert*, in: Hoffmann-Riem/Schmidt-Aßmann/Voßkuhle, Grundlagen des Verwaltungsrechts, Bd. 1, 2. Aufl. 2012, § 19 Rn. 67 ff.; *Köndgen*, AcP 206 (2006), 477, 523.

[172] So wird der DCGK etwa vom BMJV im elektronischen Bundesanzeiger veröffentlicht. Es ist allerdings umstritten, ob der DCGK den vom Vorstand geschuldeten Verhaltensstandard beeinflusst, bejahend *Kort*, in: FS K. Schmidt, 2009, S. 945, 959; verneinend etwa *Goette*, in: MünchKomm-AktG, 4. Aufl. 2018, § 161 Rn. 32.

[173] *Bachmann*, Private Ordnung, 2006, S. 340.

[174] *Eifert*, in: Hoffmann-Riem/Schmidt-Aßmann/Voßkuhle, Grundlagen des Verwaltungsrechts, Bd. 1, 2. Aufl. 2012, § 19 Rn. 63. Ebenfalls *Borges*, ZGR 2003, 508, 520; ähnlich auch *Buck-Heeb/Dieckmann*, Selbstregulierung im Privatrecht, 2010, S. 272 ff.

[175] *Bachmann*, Private Ordnung, 2006, S. 341.

[176] Zur Lösung s. unten § 15 Rn. 6.

[177] So *Lamb*, Kooperative Gesetzeskonkretisierung, 1995, S. 96 f. für die Frage, ob private Regeln anerkannte Regeln der Technik darstellen können.

[178] *Eifert*, in: Hoffmann-Riem/Schmidt-Aßmann/Voßkuhle, Grundlagen des Verwaltungsrechts, Bd. 1, 2. Aufl. 2012, § 19 Rn. 65.

Ein Beispiel bilden etwa die Freiverkehrsregeln der Börse: Als die Frankfurter Börse, sog. Penny-Stocks, Aktien, deren Wert weniger als 1 EUR betrugen, zwangsweise vom Marktsegment Neuer Markt ausschließen wollte, verlangte das OLG Frankfurt, ausreichende Gründe für die Einführung der neuen Anschlusskriterien vorzutragen und berücksichtigte insoweit das Vertrauen der börsennotierten Unternehmen.[179] 70

4. Empfehlungen und Verwaltungsvorschriften des EU-Rechts

a) Vermutungswirkung für Empfehlungen und Verwaltungsvorschriften des EU-Rechts

Nach dem Wortlaut von Art. 288 Abs. 5 AEUV sind Empfehlungen von Unionsorganen „nicht verbindlich" (§ 2 Rn. 64).[180] Ungeachtet dieses vermeintlich klaren Wortlauts postuliert der EuGH auch für Empfehlungen bestimmte Rechtspflichten. Er verlangt von den Mitgliedstaaten, die Empfehlungen der Kommission bei der Auslegung innerstaatlichen Rechts, bei der Umsetzung von Rechtsvorschriften oder zur Ergänzung verbindlicher gemeinschaftlicher Vorschriften zu berücksichtigen. Als Adressaten hätten die Mitgliedstaaten die Empfehlung ernsthaft zu prüfen und sich nach ihnen zu richten oder aber sie mit ausreichender Erklärung zurückzuweisen. Dies folge aus der allgemeinen Treuepflicht des Art. 4 Abs. 3 UAbs. 2 EUV (§ 1 Rn. 28).[181] Eine solche Befassungs- und subsidiäre Befolgungspflicht entspricht den Pflichten im Rahmen der sekundären Rechtsquellen (§ 3 Rn. 13 ff.). Wörtlich formuliert der EuGH: 71

„Wenn die Empfehlungen des Gemischten Ausschusses auch keine Rechte für den Einzelnen begründen können, auf die dieser sich vor den nationalen Gerichten berufen könnte, so sind die nationalen Gerichte dennoch verpflichtet, sie bei der Entscheidung der bei ihnen anhängigen Rechtsstreitigkeiten zu berücksichtigen, zumal wenn sie, wie beim Sachverhalt des Ausgangsverfahrens, für die Auslegung der Bestimmungen des Übereinkommens von Nutzen sind."[182] 72

b) Gesetzliche Beispiele der Befassungs- und Befolgungspflichten

Noch stärkere Überzeugungskraft hat die Lehre von den sekundären Rechtsquellen für Verlautbarungen europäischer Behörden, wie etwa der CESR oder der ESMA als Nachfolgebehörde. Diese konkretisieren das europäische Kapitalmarktrecht. Leitlinien und Empfehlungen kommt zwar keine rechtliche Verbindlichkeit zu, allerdings unternehmen „die zuständigen Behörden und die Finanzmarktteilnehmer [...] alle erforderlichen Anstrengungen, um diesen Leitlinien und Empfehlungen nachzukommen."[183] Damit übernimmt der europäische Gesetzgeber die Pflichtenstellung der sekundären Rechtsquellen, wie sie im Rahmen der *Comply-or-explain*-Regeln im Bereich der Corporate Governance (§ 161 AktG, s. § 3 Rn. 63) oder gerade für die Empfehlung gem. Art. 288 Abs. 5 AEUV vorge- 73

[179] OLG Frankfurt, Urt. v. 23.4.2002, 5 U 278/01, NJW 2002, 1958 – Penny Stock.

[180] Vielmehr sollen sie lediglich zur „weichen", influenzierenden Steuerung eingesetzt werden, *Ruffert*, in: Hoffmann-Riem/Schmidt-Aßmann/Voßkuhle, Grundlagen des Verwaltungsrechts, Bd. 1, 2. Aufl. 2012, § 17 Rn. 37; weiter werden sie auch als „autonomieschonende Handlungsform" für eine „sanfte Harmonisierung" bezeichnet, *Fleischer*, ZGR 2012, 160, 177.

[181] *Nettesheim*, in: Grabitz/Hilf/Nettesheim, Das Recht der Europäischen Union, 71. EL August 2020, Art. 288 AEUV Rn. 206.

[182] EuGH, Urt. v. 21.1.1993, C-188/91, EU:C:1993:24, Rn. 18 – Shell; vorher schon EuGH, Urt. v. 13.12.1989, C-322/88, EU:C:1989:646, Rn. 18 – Grimaldi/Fonds des maladies professionnelles.

[183] So der Wortlaut von Art. 16 Abs. 3 ESMA-VO (EU) Nr. 1095/2010 v. 24.11.2010 zur Errichtung einer Europäischen Bankenaufsichtsbehörde (ESMA), ABl. Nr. L 331, S. 84.

stellt wurde (§ 3 Rn. 71): Für die Empfehlung der Finanzaufsichtsbehörden EBA, ESMA und EIOPA[184] hat die nationale Behörde der Aufsichtsbehörde zu bestätigen, dass sie der Empfehlung nachkommt. Will sie von der Empfehlung abweichen, hat sie der europäischen Finanzaufsichtsbehörde die Gründe mitzuteilen.[185] Auch hier wird man von einer *sekundären Rechtsquelle* sprechen können, da die zuständige Behörde sich mit der Empfehlung auseinanderzusetzen und ihr mangels besserer Gründe Folge zu leisten hat.[186]

74 Abschließendes: Die Idee der Netzstrukturen (§ 3 Rn. 9 ff.) hat für die sekundären Rechtsquellen eine gewisse Überzeugungskraft, wirken diese noch nur mittelbar und sind sie doch nur „halbverbindliches Recht", weil man ihnen nicht folgen muss. Der DCGK erweitert etwa den Pflichtenkanon von Vorstand und Aufsichtsrat. Europäische Empfehlungen können nicht einfach ignoriert werden. Grafisch müsste man insoweit den Stufenbau um die sekundären Rechtsquellen als Netzstruktur erweitern.

IV. Die Bedeutung ausländischer Urteile für die Rechtsfindung

75 Viele Lehrbücher zur Methodenlehre sprechen die Rechtsvergleichung nicht an, was vor dem Hintergrund der zunehmenden Europäisierung und Internationalisierung des Rechts nicht mehr zeitgemäß erscheint.[187] Unter Rechtsvergleichung versteht man die Frage, wie ein Rechtsproblem in einer anderen Rechtsordnung gelöst wird. Besondere Bedeutung kommt dabei weniger der rechtsdogmatischen Einordnung als der Begründung zu.[188] Wenn die Relevanz von Richterrecht schon strittig ist, so gilt dies erst recht für die Frage, *ob* ausländische Urteile bei der Rechtsfindung zu berücksichtigen sind. Einerseits wird behauptet, sie hätten keine normative Kraft und seien reine Rechtserkenntnisquelle;[189] andere stellen fest, der Rechtsanwender müsse vor einer Entscheidung prüfen, ob ausländische Urteile für die Entscheidung Relevanz hätten.[190] Tatsächlich wird man danach zu differenzieren haben, welche Rechtsquellen man jeweils rechtsvergleichend prüft. Danach kann die Berücksichtigung ausländischer Urteile zwingend sein (1.), im rein nationalen Kontext dagegen fakultativ (2.).[191] Weiter unten wird dann das *wie* der Rechtsvergleichung im Rahmen der Vergleichsfallmethode thematisiert (§ 7 Rn. 78 ff.).

1. Die Pflicht zur rechtsvergleichenden Auslegung im Europarecht, im internationalen Einheitsrecht und im Völkerrecht

76 Eine Pflicht, ausländische Entscheidungen bei der Urteilsfindung heranzuziehen, lässt sich ohne Weiteres für vier Bereiche feststellen: im Kollisionsrecht, bei der Anwendung von Europarecht, im Internationalen Einheitsrecht und im Völkerrecht.

---

[184] European Banking Authority (EBA); European Securities and Markets Authority (ESMA); European Insurance and Occupational Pensions Authority (EIOPA).

[185] Art. 16 Abs. 3 UAbs. 2 ESMA-VO (EU) Nr. 1095/2010 (§ 3 Fn. 183).

[186] *Möllers*, NZG 2010, 285, 286; *ders.*, 10 E.B.O.R. 2010, 379, 390 ff.; ihm folgend BVerwG, Urt. v. 24.5.2011, 7 C 6/10, ZIP 2011, 1313 Rn. 26; *Spindler/Hupka*, in: Möllers, Geltung und Faktizität von Standards, 2009, S. 117, 141; *Noack/Zetzsche*, in: FS 200 Jahre Carl Heymanns Verlag, 2015, S. 213, 223; *Frank*, Die Rechtswirkungen der Leitlinien und Empfehlungen der Europäischen Wertpapier- und Marktaufsichtsbehörde, 2012, S. 121 ff., 203; *Hänle*, Die neue Finanzaufsicht, 2012, S. 127; *Veil*, in: FS 25 Jahre WpHG, 2020, S. 87, 97; **a. A.** *Walla*, BKR 2012, 265, 267.

[187] Zur Kritik schon oben § 1 Fn. 39.

[188] Zweigert/*Kötz*, Einführung in die Rechtsvergleichung, 3. Aufl. 1996, S. 33 f.

[189] In die Richtung *Aubin*, RabelsZ 34 (1970), 458, 477; *Ranieri*, Das Europäische Privatrecht des 19. und 20. Jahrhunderts, 2007, S. 167, 189: „nur Unterstützung einer bereits vorgefundenen Lösung", die allerdings die Relevanz des internationalen Rechts übersehen. Hierzu unten § 3 Rn. 94 f.

[190] *Zweigert*, RabelsZ 15 (1949/1950), 5, 9 ff.

[191] So schon die Differenzierung von *Drobnig*, RabelsZ 50 (1986), 610, 612, 628.

a) Internationales Privatrecht

Ohne Zweifel ist ausländisches Recht anzuwenden bei Kollisionsfällen mit Auslandsbezug, wenn im **Internationalen Privatrecht (IPR)** das Kollisionsrecht auf das ausländische, materielle Recht verweist.[192] Hierzu schreibt der BGH: 77

> „Die dem deutschen Richter dabei obliegende Aufgabe ist es, die Vorschriften des ausländischen Rechts, insbesondere wenn sie eine dem deutschen Recht unbekannte Rechtsfigur enthält, nach ihrem Sinn und Zweck zu erfassen, ihre Bedeutung vom Standpunkt des ausländischen Rechts zu würdigen und sie mit Einrichtungen der deutschen Rechtsordnung zu vergleichen. Auf der so gewonnenen Grundlage ist sie den aus den Begriffen und Abgrenzungen der deutschen Rechtsordnung aufgebauten Merkmalen der deutschen Kollisionsnormen [...] zuzuordnen."[193]

Wenn im IPR an ausländisches Recht angeknüpft wird, dieses also zur Anwendung kommt, handelt es sich nicht um Rechtsvergleichung, sondern um die Anwendung ausländischen Rechts. 78

b) Internationales Einheitsrecht (vgl. Art. 7 UN-Kaufrecht)

Auch im Internationalen Einheitsrecht müssen ausländische Urteile beachtet werden. Streng genommen handelt es sich hier nicht um Rechtsvergleichung als Vergleich verschiedener Rechtsordnungen, da jeweils nur das Einheitsrecht in verschiedenen Staaten anzuwenden ist. Internationale Abkommen sind grundsätzlich **autonom** auszulegen, wie der BGH bei der Auslegung des Warschauer Übereinkommens[194] betont: „Innerstaatliche Rechtsbegriffe dürfen dabei nicht unbesehen übernommen werden, weil sonst das Ziel der Rechtsvereinheitlichung gefährdet würde."[195] 79

Allerdings verlangt Art. 7 Abs. 1 UN-Kaufrecht bei der Interpretation des Übereinkommens die einheitliche Anwendung zu fördern. Dazu sind auch die ausländischen Urteile zu berücksichtigen.[196] Zur Sicherstellung der einheitlichen Anwendung hat der Rechtsanwender dann die Rechtsprechung anderer Staaten mit heranzuziehen. Im Rahmen von Art. 3 MSA[197] hat der BGH folglich festgestellt: 80

> „Wesentliche Bedeutung bei der Interpretation eines Staatsvertrages muß dem Verständnis des Abkommens in den anderen Vertragsstaaten beigemessen werden. Vor allem ist die **Rechtspraxis der anderen Vertragsstaaten zu berücksichtigen** und eine einheitliche Auslegung des Vertragswerkes anzustreben (vgl. Art. 36 EGBGB [a.F.] sowie Palandt/Heldrich, aaO, Einleitung vor Art. 3 EGBGB Anm. 2bbb)."[198] 81

---

[192] Vgl. Art. 3, 4 EGBGB.

[193] BGH, Urt. v. 19.12.1958, IV ZR 87/58, BGHZ 29, 137, 139 – Handschuhe; in ähnlicher Formulierung BGH, Urt. v. 22.3.1967, IV ZR 148/65, BGHZ 47, 324, 332.

[194] Warschauer Übereinkommen über die Vereinheitlichung des internationalen Luftbeförderungsrechts v. 12.10.1929, RGBl. 1933 II, S. 1039 in der Fassung des Protokolls v. 28.9.1955, BGBl. 1958 II, S. 291.

[195] BGH, Urt. v. 19.3.1976, I ZR 75/74, NJW 1976, 1583, 1584 – Art. 12 Abs. 3 Warschauer Übereinkommen; BGH, Urt. v. 2.5.1990, I ZR 114/76, NJW 1979, 493, 494 – zu Art. 18 Warschauer Übereinkommen.

[196] Schlechtriem/Schwenzer/Schroeter/*Ferrari*, Kommentar zum Einheitlichen UN-Kaufrecht, 7. Aufl. 2019, Art. 7 CISG Rn. 17 ff.

[197] Übereinkommen über die Zuständigkeit der Behörden und das anzuwendende Recht auf dem Gebiet des Schutzes von Minderjährigen (Haager Minderjährigenschutzabkommen) v. 5.10.1961, BGBl. 1971 II, S. 219.

[198] BGH, Beschl. v. 2.5.1990, XII ZB 63/89, BGHZ 111, 199, 209 – Amtspflegschaft für nichteheliche Ausländerkinder.

c) Grundrechte der EMRK

82 Die Grundrechte der EMRK müssen bei der Auslegung der deutschen Grundrechte des Grundgesetzes beachtet werden. Damit ist auch die Rechtsprechung des Europäischen Gerichtshofs für Menschenrechte eine „Auslegungshilfe für die Bestimmung von Inhalt und Reichweite der Grundrechte des Grundgesetzes" (§ 12 Rn. 132 ff.).

d) Der nationale Rechtsanwender als europäischer Rechtsanwender

83 Da jeder nationale Richter bei der Auslegung von Begriffen, die auf europäisches Recht zurückgehen, auch **europäischer Richter** ist, muss er diese Begriffe autonom auslegen. Soweit europäisches Recht anzuwenden ist, geht dieses dem nationalen Recht vor (zum Anwendungsvorrang § 2 Rn. 39 ff., § 12 Rn. 3 ff.). Entscheidungen des EuGH sind damit zwingend zu beachten, wenn sie die Nichtanwendbarkeit nationalen Rechts postulieren (§ 3 Rn. 51). Umstritten ist die Frage, was bei Richtlinien gilt. Diese sind in nationales Recht umzusetzen. Der ins nationale Recht umgesetzte Rechtstext ist im Zweifel richtlinienkonform auszulegen. Während höchste Gerichte dem EuGH Auslegungsfragen zum europäischen Recht im Vorabentscheidungsverfahren vorlegen müssen (§ 12 Rn. 115 ff.), gilt dies nicht für die unteren Gerichte. Wenn sie nicht vorlegen wollen, müssen sie die Richtlinien in deren Kontext **autonom** auslegen (§ 2 Rn. 70 ff.).

84 Bei der Anwendung nationaler Vorschriften, die auf europäischen Richtlinien beruhen, soll der Rechtsanwender die Normen in anderen nationalen Rechtsordnungen, die auf der Richtlinie basieren, im Blick haben.[199] Diese *Pflicht zur horizontalen Rechtsvergleichung* ist zwar theoretisch anerkannt, findet in der Praxis aber trotzdem kaum statt.[200] Ohne europäische Vorgaben kann die rechtsvergleichende Arbeit nicht erzwungen, sondern nur als wünschenswertes Postulat eingefordert werden.[201] Das „wie" der Rechtsvergleichung wird dann unter § 7 Rn. 78 ff. erörtert. Hierzu schreibt *von Bar* anschaulich:

85 „Was für ein Fortschritt wäre es, wenn sich die Obergerichte der Staaten der Europäischen Union so etwas wie eine *persuasive authority* einräumen würden, also die Obliegenheit empfänden zu untersuchen, ob „ihr" Fall anderswo in der Union schon einmal entschieden ist, ob es zu ihm gar eine Art „herrschende europäische Rechtsansicht" gibt und nötigenfalls zu begründen, warum man ihr unter den noch bestehenden Gegebenheiten des eigenen Rechts in casu nicht folgen könnte! Wie viel mehr Lebendigkeit käme in unsere Urteilsgründe, wenn sie einen europäischen Geist atmeten, wie viel größer würden die Chancen der Juristen, wieder die geistige Elite ihres Landes für das Recht zu gewinnen, wenn es wie jede Wissenschaft, die diesen Namen verdient, weltoffen betrieben würde."[202]

2. Fallgruppen freiwilliger Rechtsvergleichung

86 a) Rein faktisch ist die Rechtsvergleichung stark verbreitet in der Schweiz, in Österreich, aber auch in Großbritannien, den Niederlanden sowie in Portugal und Griechen-

---

[199] So bereits *Lutter*, JZ 1992, 593, 604; *Möllers*, Die Rolle des Rechts im Rahmen der europäischen Integration, 1999, S. 74 ff.; *Kötz*, in: FG 50 Jahre BGH, Bd. 2, 2000, S. 825, 831; *Rösler*, Europäische Gerichtsbarkeit auf dem Gebiet des Zivilrechts, 2012, S. 437 ff.; *Gsell*, AcP 214 (2014), 99, 141 ff. Zu dieser Technik s. unten § 7 Rn. 79 f.

[200] Krit. insoweit *Gsell*, AcP 214 (2014), 99, 142. Positive Beispiele etwa *Kamanabrou*, Richtlinienkonforme Auslegung im Rechtsvergleich, 2021; *Wietfeld*, JZ 2020, 485, 492 ff.

[201] *Odersky*, ZEuP 1994, 1, 2 ff.; *von Bar*, ZfRV 35 (1994), 221, 230 f.; *Möllers*, Die Rolle des Rechts im Rahmen der europäischen Integration, 1999, S. 74 ff.; *Legeais*, R.I.D.C. 1994, 347, 354 ff.; *Kramer*, in: Assmann/Brüggemeier/Sethe, Unterschiedliche Rechtskulturen, 2001, S. 31, 40 ff.; *Vogenauer*, ZEuP 2005, 234, 248 ff.; **a.A.** *Flessner*, JZ 2002, 14, 17 f.

[202] *von Bar*, ZfRV 35 (1994), 221, 231; ebenso *Schwartze*, in: Riesenhuber, Europäische Methodenlehre, 4. Aufl. 2021, § 4 Rn. 34.

land.[203] Für Österreich[204] und die Schweiz[205] ist dies erklärbar, weil die dortigen Gerichte sich auch an deutschen Urteilen orientieren, wenn im jeweiligen Heimatland noch kein Urteil zu der Rechtssache ergangen war. Großbritannien ist historisch mit dem Commonwealth und den USA im anglo-amerikanischen Rechtskreis verbunden. Wegen der gemeinsamen Sprache und den gemeinsamen Rechtsinstituten ist die Rechtsvergleichung hier besonders leicht zu handhaben. Englische Gerichte zitieren kanadische, australische und neuseeländische Entscheidungen fast mit derselben Selbstverständlichkeit wie eigene englische Entscheidungen und umgekehrt.[206]

In Großbritannien wurde beispielsweise in einer Entscheidung das damals noch unbekannte deutsche Rechtsinstitut „Vertrag mit Schutzwirkung zugunsten Dritter" diskutiert.[207] – Das höchste niederländische Gericht übernahm die *market share liability* aus dem US-amerikanischen Recht.[208] – Als in Australien erstmals eine Umsatzsteuer (Goods and Service Tax – GST) eingeführt wurde, bezog sich der Richter bei der Beschreibung dieser Steuer auf ein Urteil des EuGH.[209] **87**

Dagegen zitieren deutsche Bundesgerichte nur selten ausländische Urteile.[210] Das mag an dem relativ kleinen deutschen Rechtskreis oder der unzureichenden Kenntnis der Gerichte und Anwälte vom ausländischen Recht liegen. Wenn ausländisches Recht im konkreten Verfahren fallentscheidend ist, kann das Gericht gem. § 293 ZPO ein Sachverständigengutachten einholen.[211] Hiervon wird aber abgesehen vom Internationalen Privatrecht nur selten Gebrauch gemacht. **88**

b) Wenn sich der Fall einfach darstellt und der Rechtsanwender ein eindeutiges Ergebnis auch mit anderen methodischen Mitteln erreicht, ist Rechtsvergleichung zu zeit- und kostenaufwändig. Umgekehrt bedeutet dies: In komplizierten oder wirtschaftlich bedeutenden Fällen, in denen etwa der Gesetzeswortlaut keine Hilfestellung verspricht, kann Rechtsvergleichung sinnvoll sein.[212] Die bisherige deutsche Rechtsprechung, die ausländische Urteile heranzieht, lässt sich in drei Fallgruppen einteilen.[213] **89**

---

[203] *von Bar*, ZfRV 35 (1994), 221, 230; *Gelter/Siems*, 21 Sup. Ct. Econ. Rev. 1 ff. (2013) nennen 1430 Zitierungen ausländischer Quellen von höchsten Gerichten in Österreich, Belgien, England, Frankreich, Deutschland, Irland, Italien, die Niederlande, Spanien und die Schweiz.

[204] *Posch*, ZEuP 1998, 521, 522 f.; s. auch *Bydlinski*, Juristische Methodenlehre und Rechtsbegriff, 2. Aufl. 1991, S. 461.

[205] BGer, Urt. v. 7.6.1988, BGE 114 II 131 – Picasso; *Meier-Hayoz*, in: BK-ZGB, 1966, Art. 1 Rn. 356 ff.; *Kramer*, Juristische Methodenlehre, 6. Aufl. 2019, S. 297 ff.

[206] „with an authority almost equal to (…)", s. *David/Brierley*, Major Legal Systems in the World Today, 1985, S. 8; *Örücü*, in: Drobnig/van Erp, The Use of Comparative Law by Courts, 1999, S. 253, 257; *de Cruz*, Comparative Law in a Changing World, 3rd ed. 2007, S. 258.

[207] *White v. Jones (H.L.(E.))* [1995] 2 A.C. 207, 236 f. per Steyn L.J. mit rechtsvergleichenden Anm. *W. Lorenz*, JZ 1995, 317 ff.; *Zimmermann*, ZEuP 1995, 731, 733. Weitere Entscheidungen finden sich bei *von Bar*, ZfRV 35 (1994), 221, 231.

[208] Hoge Raad, Urt. v. 9.10.1992, NL:HR:1992:ZC0706, Ars Aequi 42 (1993), 123, 124 – DES-dochters; hierzu *Koopmans*, 45 Int'l & Comp. L.Q. 545, 551 f. (1996); s. generell *van Erp*, in: Drobnig/van Erp, The Use of Comparative Law by Courts, 1997, S. 235, 239 ff.

[209] *HP Mercantile Pty. Ltd. v. Commissioner of Taxation* (2005) 143 F.C.R. 553, 557 f.; s. generell *Chen*, in: Drobnig/van Erp (ebd.), S. 25, 32.

[210] Empirisch aufbereitet von *Drobnig*, in: Drobnig/van Erp (ebd.), S. 127, 129 ff.; *Kötz*, in: FG 50 Jahre BGH, 2000, S. 825, 832 spricht nur von etwa einem Dutzend Entscheidungen bei denen auf „freiwilliger Basis" rechtsvergleichend gearbeitet wurde. Für einen Überblick s. *Bobek*, Comparative Reasoning in European Supreme Courts, 2013.

[211] Dies ist eine Ausnahme zu dem Grundsatz, dass das Gericht das Recht kennen muss (iura novit curia), § 293 ZPO. S. auch § 7 Rn. 81.

[212] *Gamper*, in: *Gamper/Verschraegen*, Rechtsvergleichung als juristische Auslegungsmethode, 2013, S. 163, 180.

[213] *Drobnig*, RabelsZ 50 (1986), 610, 629 nennt die ersten drei, ohne auf das europäische Recht als vierte Fallgruppe einzugehen.

90 aa) Auffällig ist erstens, dass ausländische Urteile dann von der Rechtsprechung herangezogen wurden, wenn noch kein vergleichbarer Fall in Deutschland entschieden war, wenn also ein **Präjudiz im nationalen Recht fehlt**,[214] umgekehrt aber ein vergleichbarer Fall durch ein ausländisches Gericht bereits entschieden wurde[215]. Es ist prozessökonomisch sinnvoll, sich mit einer bereits vorhandenen Argumentation auseinanderzusetzen, statt diese mühevoll selbst entwickeln zu müssen. Weil oft Entscheidungen im US-amerikanische Recht schon vorliegen, wird gerne auf diesen Rechtskreis zurückgegriffen. Oft können die Gerichte auf umfangreiche rechtsvergleichende Vorarbeiten der Rechtsliteratur aufbauen. Deutsche Gerichte zogen etwa ausländische Präjudizien des „Wrongful Life" heran, wo es um die Frage ging, ob dem Kind einen Schadensersatzanspruch zusteht, weil der Arzt während der Schwangerschaft der Mutter eine Röteluntersuchung unterlassen hatte.[216]

91 bb) Die rechtsvergleichende Argumentation erscheint zweitens auch im Falle der **Rechtsprechungsänderung** sinnvoll: Will der Richter von der bisherigen Rechtsprechung abweichen, muss er besonders gute Argumente vorbringen, weil die Parteien auf die bisherige Rechtsprechung vertrauen (§ 3 Rn. 31 ff.). In einem Zivilverfahren sprach der BGH dem Kläger Schmerzensgeld bei einer Persönlichkeitsverletzung zu, obwohl § 847 BGB a.F. dieses nicht vorsah (§ 11 Rn. 72 ff.).[217] In Strafsachen führt eine unterlassene Beschuldigtenbelehrung entgegen § 136 Abs. 1 S. 2 StPO nicht ausnahmslos zu einem Beweisverwertungsverbot.[218] Diese Überlegungen werden auch durch Erfahrungen in anderen Staaten bestätigt.

92 US-amerikanische Gerichte nehmen ausländische Entscheidungen praktisch gar nicht wahr. Geht es jedoch darum, Recht fortzubilden und sich gegen die bisherige Ansicht zu wenden, finden sich durchaus rechtsvergleichende Überlegungen. So bezog sich der Supreme Court auf die Rechtsprechung anderer westlicher Staaten, um in Abkehr zur bisherigen Rechtsprechung die Todesstrafe für geistig zurückgebliebene[219] sowie jugendliche[220] Straftäter zu verbieten.

93 cc) Schließlich arbeitet das BVerfG bei der **Konkretisierung der Grundrechte** immer wieder auch rechtsvergleichend. Das ist nicht ganz abwegig, weil schon Art. 1 GG an die Wertordnung der Präambel der Allgemeinen Menschenrechtskonvention anknüpft (§ 1 Rn. 114). Die Verfassungsrechtsprechung ist für Rechtsvergleichung schon deshalb besonders „anfällig", weil eine Verfassung kraft Natur der Sache besonders viele unbestimmte Rechtsbegriffe enthält, die der Konkretisierung bedürfen. So enthält das Grundgesetz selbst vergleichsweise wenige Normen, weshalb der Verfassungstext für sich der Rechtsprechung kaum Grenzen setzt (§ 10 Rn. 4 f.). Hinzu kommt, dass gerade die demokratischen Grundprinzipien durch die Betrachtung anderer Verfassungen geprägt wurden, in Deutschland nicht zuletzt aufgrund der Beeinflussung durch die Besatzungsmächte.[221] Der Blick über den Tellerrand ist zudem besonders hilfreich, wenn es zur Entscheidung eines Rückgriffs auf allgemeine Verfassungsprinzipien bedarf oder es an aus-

---

214 **A.A.** *Aubin*, RabelsZ 34 (1970), 458, 467 Fn. 45.

215 *Kodek*, in: Gamper/Verschraegen, Rechtsvergleichung als juristische Auslegungsmethode, 2013, S. 31, 45 f.

216 BGH, Urt. v. 18.1.1983, VI ZR 114/81, BGHZ 86, 240, 250 f. – Wrongful Life; s. auch § 7 Rn. 69.

217 BVerfG, Beschl. 14.2.1973, 1 BvR 112/65, BVerfGE 34, 269, 289, 291 – Soraya; *Drobnig*, RabelsZ 50 (1986), 610, 627. Vorher schon BGH, Urt. v. 19.9.1961, VI ZR 259/60, BGHZ 35, 363, 369 – Ginseng; BGH, Urt. v. 5.3.1963, VI ZR 55/62, BGHZ 39, 124, 132 – Fernsehansagerin.

218 BGH, Urt. v. 27.2.1992, 5 StR 190/91, BGHSt 38, 214, 228 ff. – Unterbliebene Belehrung unter Aufgabe von BGH, Beschl. v. 7.6.1983, 5 StR 409/81, BGHSt 31, 395, 401 – Unterbliebene Belehrung.

219 *Atkins v. Virginia*, 536 U.S. 304, 316 Fn. 21 (2002) – Todesstrafe für geistig Behinderte; s. *Gelinsky*, FAZ v. 13.3.2006, S. 10.

220 *Roper v. Simmons*, 543 U.S. 551, 561, 575 ff. (2005) – Todesstrafe für jugendliche Straftäter.

221 *Mössner*, AöR 99 (1974), 193, 215.

reichend nationalen Erfahrungswerten fehlt.[222] Dabei bezieht das BVerfG bei der Prüfung der Grundrechte[223] und Verfahrensgrundrechte[224] gerne rechtsvergleichende Überlegungen mit ein. Gewichtige Entscheidungen mit rechtsvergleichender Argumentation betrafen etwa den Schwangerschaftsabbruch[225] sowie den Rang des Europarechts im deutschen Rechtssystem.[226] Prominent argumentiert der erste Senat des BVerfG in der Recht auf Vergessen II-Entscheidung rechtsvergleichend für ein eigenes Prüfungsrecht der Unionsgrundrechte:

> „Soweit die Grundrechte des Grundgesetzes durch den Anwendungsvorrang des Unionsrechts verdrängt werden, kontrolliert das Bundesverfassungsgericht dessen Anwendung durch deutsche Stellen am Maßstab der Unionsgrundrechte (vgl. zur verfassungsgerichtlichen Prüfung anhand der Grundrechtecharta Verfassungsgerichtshof Österreich, Erkenntnis v. 14.3.2012, U 466/11 u.a., AT:VFGH:2012:U466.2011, sub. 5.5; vgl. auch Verfassungsgerichtshof Belgien, Entscheid v. 15.3.2018, Nr. 29/2018, B.9., B.10.5., B.15. ff.; Conseil Constitutionnel, Urt. v. 26.7.2018, Nr. 2018-768 DC, Rn. 10, 12, 38; Corte costituzionale, Entscheidung v. 23.1.2019, Nr. 20/2019, IT:COST:2019:20, Rn. 2.1, 2.3)."[227] **93a**

3. Rechtsqualität ausländischer Urteile: Zwischen persuasive authority und bloßer Rechtserkenntnisquelle

a) Zum Teil wird behauptet, ausländische Urteile würden eine *persuasive authority* **94** darstellen.[228] Hier gilt es zu differenzieren: Bei der *freiwilligen Rechtsvergleichung* kann man sie heranziehen, muss es aber nicht. Damit obliegt es grundsätzlich den Parteien, rechtsvergleichend zu argumentieren, also zu begründen, warum ausländische Entscheidungen für den nationalen Fall herangezogen werden können (§ 3 Rn. 89). Grundsätzlich binden Urteile ausländischer Gerichte die nationalen Gerichte nicht, denn jedes Gericht hat nur innerhalb seiner Jurisdiktion die Zuständigkeit, Recht zu sprechen. Ausländische Urteile sind unverbindlich und damit *reine Rechtserkenntnisquelle*.[229] Die Rechtsvergleichung wird als nur eine Argumentationsfigur neben den vier tradierten Auslegungsformen angesehen; ihr wird jedoch eine gewisse „Nähe" zur teleologischen Auslegung zuge-

---

[222] *Mössner*, AöR 99 (1974), 193, 223.

[223] Zur Menschenwürde s. BVerfG, Urt. v. 13.6.1952, 1 BvR 137/52, BVerfGE 1, 332, 347 (Vergleich mit österreichischem Recht); BVerfG, Beschl. v. 26.1.1982, 2 BvR 856/81, BVerfGE 59, 280, 283 ff. (Vergleich mit französischer, niederländischer, schweizerischer und englischer Rechtsprechung sowie einem österreichischen Gesetz). Zum Persönlichkeitsrecht s. § 11 Rn. 71 ff.; zur Pressefreiheit BVerfG, Teilurt. v. 5.8.1966, 1 BvR 586/62, 610/63 und 512/64, BVerfGE 20, 162, 220 f. – Spiegel (Vergleich v.a. mit dem schweizerischen Recht).

[224] Zu *ne bis in idem*: BVerfG, Urt. v. 31.3.1987, 2 BvM 2/86, BVerfGE 75, 1, 21 ff. (Vergleich mit amerikanischem, indischem, japanischem, costa-ricanischem, kanadischem und portugiesischem Verfassungsrecht).

[225] BVerfG, Urt. v. 28.5.1993, 2 BvF 4/92, BVerfGE 88, 203, 295 – Schwangerschaftsabbruch II (Vergleich mit Erfahrungen in der französischen Rechtspraxis).

[226] BVerfG, Beschl. v. 8.4.1987, 2 BvR 687/85, BVerfGE 75, 223, 239 f.; hierzu *Drobnig*, in: Drobnig/van Erp, The Use of Comparative Law by Courts, 1999, S. 127, 133.

[227] BVerfG, Beschl. v. 6.12.2019, 1 BvR 276/17, BVerfGE 152, 216 Rn. 50 – Recht auf Vergessen II. Hierzu *Wendel*, JZ 2020, 157, 163 f.

[228] *Gamper*, in: Gamper/Verschraegen, Rechtsvergleichung als juristische Auslegungsmethode, 2013, S. 163, 179, allerdings mit der Definition der *persuasive authority* als moralisch-psychologische Überzeugungsfunktion. Zur *persuasive authority* s. oben § 3 Rn. 45.

[229] *Großfeld*, AcP 184 (1984), 289, 295: „Sie hat keine normative Kraft; sie kann keine für die Entscheidung unmittelbar verwertbaren Erkenntnisse liefern"; *Canaris*, in: Basedow, Europäische Vertragsrechtsvereinheitlichung und deutsches Recht, 2000, S. 5, 8.

sprochen.[230] Die rechtsvergleichende Methode ist insoweit ergänzend und absichernd.[231] Darauf wird in § 7 Rn. 78 ff. einzugehen sein.

95 b) Anders verhält es sich, wenn der Rechtsanwender zwingend das ausländische Recht zu berücksichtigen hat, also bei der *verpflichtenden Rechtsvergleichung*. Die herrschende Meinung im deutschen Recht möchte ausländischer Rechtsprechung im *internationalen Einheitsrecht* eine Wirkung zugestehen, die höchstrichterlichen Präjudizien im deutschen Recht gleichkommt. Danach müsse der Rechtsanwender ausländischen Urteilen nicht zwingend folgen. Allerdings soll er von der Freiheit, von ausländischen Entscheidungen abweichen zu können, nur Gebrauch machen dürfen, wenn überzeugende Gründe für die Unrichtigkeit eines ausländischen Präjudizes sprechen.[232] Diese subsidiäre Befolgungspflicht (§ 3 Rn. 15) findet sich in der ausländischen Literatur mit der Formulierung der persuasive authority (§ 3 Rn. 45).[233]

4. Die Bedeutung der Rechtsvergleichung für den EuGH und den EGMR

a) Pflicht zur Rechtsvergleichung durch den EuGH

96 Jeder Mitgliedstaat entsendet einen Richter zum EuGH, sodass der Gerichtshof inzwischen aus 27 Richtern besteht. Die Richter bringen ihre jeweils eigenen, ganz unterschiedlichen Rechtskulturen und Rechtstraditionen mit ein. Deshalb liegt es nahe, dass der EuGH regelmäßig rechtsvergleichende Untersuchungen anstellt, bevor eine Entscheidung fällt; er kann hierfür auf eine eigene Forschungsabteilung zurückgreifen.[234] Der EuGH ist zur Rechtsvergleichung verpflichtet, wenn Primär- oder Sekundärrecht ausdrücklich auf das Recht eines oder mehrerer Mitgliedstaaten **verweist**. So bestimmt beispielsweise Art. 340 Abs. 2 AEUV, dass sich die außervertragliche Haftung „nach den allgemeinen Rechtsgrundsätzen richtet, die den Rechtsordnungen der Mitgliedstaaten gemeinsam sind". Ohne eine eindeutige Rechtsgrundlage im Primärrecht schuf der EuGH europäische Grundrechte auf rechtsvergleichender Basis. Im EG-Vertrag finden sich die Grundrechte nur sehr punktuell wieder, deshalb argumentierte der EuGH vorrangig rechtsvergleichend, indem er sich auf die „Verfassungsnormen und [die] Verfassungspraxis der […] Mitgliedstaaten"[235] bzw. die „gemeinsamen Verfassungsüberlieferungen der Mitgliedstaaten"[236] und damit auf eine gemeinsame europäische Rechtstradition als gemeinsame Wurzel einer europäischen Rechtskultur berief (jetzt: Art. 6 Abs. 3 EUV).[237]

---

[230] *Häberle*, in: ders., Rechtsvergleichung im Kraftfeld des Verfassungsstaates, 1992, S. 36, 38 f.

[231] *Bydlinski*, Juristische Methodenlehre und Rechtsbegriff, 2. Aufl. 1991, S. 461.

[232] *Kropholler*, Internationales Einheitsrecht, 1975, S. 281 f.; s. auch *G. Schmid*, Einheitliche Anwendung von internationalem Einheitsrecht, 2004, S. 77 ff.

[233] Ausführlich zum Meinungsstreit s. Schlechtriem/Schwenzer/Schroeter/*Ferrari*, Kommentar zum Einheitlichen UN-Kaufrecht, 7. Aufl. 2019, Art. 7 CISG Rn. 24.

[234] *Iglesias*, NJW 1999, 1, 8 ff.; *Colneric*, ZEuP 2005, 225, 229. Zur Direktion Wissenschaftlicher Dienst und Dokumentation, s. https://curia.europa.eu/jcms/jcms/Jo2_11968/direction-de-la-recherche-et-documentation.

[235] EuGH, Urt. v. 13.12.1979, C-44/79, EU:C:1979:290, Rn. 20 – Hauer.

[236] EuGH, Urt. v. 14.5.1974, C-4/73, EU:C:1974:51, Rn. 13 – Nold; s. vorher schon EuGH, Urt. v. 17.12.1970, C-11/70, EU:C:1970:114, Rn. 4 – Internationale Handelsgesellschaft; auf die rechtsvergleichende Gesamtschau abstellend EuGH, Urt. v. 12.11.1969, C-29/69, EU:C:1969:57, Rn. 3 – Stauder; *Rengeling*, Grundrechtsschutz in der Europäischen Gemeinschaft, 1993, S. 223 ff.; *Grundmann*, in: FS Fikentscher, 1998, S. 671, 673 ff.

[237] Auch Sekundärrecht verweist nicht selten auf das Recht der Mitgliedstaaten, etwa zahlreiche Vorschriften der SE-VO.

b) Freiwillige Rechtsvergleichung durch den EuGH

Grundsätzlich interpretiert der EuGH das europäische Recht aber **autonom**, d.h. unabhängig vom Vorverständnis eines Mitgliedstaates (§ 2 Rn. 70 ff.).[238] Rechtsvergleichende Ausführungen sind in den Urteilen folglich eher selten,[239] beim Schlussantrag des Generalanwaltes dagegen deutlich häufiger anzutreffen (§ 7 Rn. 89).[240] Von der rechtsvergleichenden Arbeit zu unterscheiden ist die Aufgabe, einen europäischen Text in den amtlichen Sprachen der EU auszulegen (§ 4 Rn. 85 ff.). Hier handelt es sich um dieselbe Regelung und damit nicht um Rechtsvergleichung.[241] **97**

c) Rechtsvergleichung durch den EGMR

Der EGMR legt die EMRK **autonom**, d.h. aus dem Vertragstext selbst heraus aus;[242] dies entspricht dem Ansatz des EuGH (§ 2 Rn. 70 ff.). Zudem arbeitet er auch in einer wertenden Rechtsvergleichung[243] und berücksichtigt damit neben den einschlägigen Vorschriften der EMRK, die Vorschriften des beklagten Staates und anderer Staaten. Der EGMR schreibt: **98**

> „Whilst the Court thus concludes that the concept of 'civil rights and obligations' is *autonomous*, it nevertheless does not consider that, in this context, the legislation of the State concerned is without importance. Whether or not a right is to be regarded as civil within the meaning of this expression in the Convention must be determined by reference to the substantive content and effects of the right – and not its legal classification – *under the domestic law of the State* concerned. In the exercise of its supervisory functions, the Court must also take account of the object and purpose of the Convention and of the *national legal systems of the other Contracting States* (see, mutatis mutandis, the above-mentioned Engel and others judgment, p. 35, para. 82)."[244] **99**

V. Rechtsliteratur

Über viele Jahrhunderte hinweg hatten Lehrmeinungen normative Verbindlichkeit: Das galt etwa für die Juristen des römischen Rechts, wie *Papinian, Paulus, Gaius, Ulpian,*[245] ebenso wie später für die Zeit der Glossatoren und Postglossatoren[246] bis ins 19. Jahrhundert.[247] Heutzutage ist man sich einig, dass es sich bei der Rechtsliteratur nicht um **100**

[238] EuGH, Urt. v. 18.10.2011, C-34/10, EU:C:2011:669, Rn. 27 ff. – Brüstle; zum Staatshaftungsanspruch s. etwa § 12 Rn. 123 ff.

[239] S. etwa EuGH, Urt. v. 10.7.1957, 7/56 u.a., EU:C:1957:7, S. 91, 118 ff. – Algera; EuGH, Urt. v. 18.5.1982, C-155/79, EU:C:1982:157, Rn. 18 ff. – AM & S Europe; s. auch *Kakouris*, in: Drobnig/van Erp, The Use of Comparative Law by Courts, 1999, S. 97, 99 ff.; *Bredimas,* Methods of Interpretation and Community Law, 1978, S. 125 ff.

[240] SchlA v. 12.6.1956, GA *Maurice Lagrange*, 8/55, EU:C:1956:8, 234, 267 ff.; SchlA v. 10.3.2011, GA *Yves Bot*, C-34/10, EU:C:2011:138, Rn. 65 ff. – Brüstle.

[241] *Schwartze*, in: Riesenhuber, Europäische Methodenlehre, 4. Aufl. 2021, § 4 Rn. 25.

[242] *Grabenwarter/Pabel*, EMRK, 7. Aufl. 2021, § 5 Rn. 9 f.

[243] *Grabenwarter*, in: Gamper/Verschraegen, Rechtsvergleichung als juristische Auslegungsmethode, 2013, S. 95 ff.; *Grabenwarter/Pabel*, EMRK, 7. Aufl. 2021, § 5 Rn. 11.

[244] EGMR, Urt. v. 28.6.1978, 6232/73, CE:ECHR:1978:0628JUD000623273, Rn. 89 – Duration of Proceedings. Weiterer Anwendungsfall s. unten § 14 Rn. 28 ff.

[245] Zu dem Zitiergesetz v. Kaiser Theodosius II und Valentinian III, s. *Schulz*, Prinzipien des Römischen Rechts, 1954, S. 167.

[246] Zur *communis opinio doctorum*, s. *Schröder*, in: Baur, Das Eigentum, 1989, S. 143, 149 ff.; *Raisch*, Juristische Methoden, 1995, S. 22.

[247] Zur Bedeutung etwa von *Windscheid* s. *Bucher*, ZBJV 102 (1966), 274, 284.

eine Rechtsquelle – auch nicht eine sekundäre – handelt, sondern vielmehr (nur) um eine **Rechtserkenntnisquelle**.[248] Deutsche Richter zitieren in den Urteilen häufig Rechtsliteratur (§ 1 Rn. 55). Ansonsten wird im Völkerrecht ausdrücklich auf die „Lehrmeinung der fähigsten Völkerrechtler" als Rechtserkenntnisquelle abgestellt.[249]

Zusammenfassung zu § 3

101 I. Die Zweiteilung *von hard law und soft law ist* überholt. Zum Recht zählen vielmehr primäre und sekundäre Rechtsquellen sowie Rechtserkenntnisquellen, die keine Bindungswirkung entfalten. Gesetze binden als *primäre Rechtsquelle* jedermann. Von soft law und damit einer unverbindlichen *Rechtserkenntnisquelle* lässt sich sprechen, wenn es an einem Akt fehlt, der eine Richtigkeitsvermutung für das Regelwerk erzeugt und Befassungs- und Befolgungspflichten begründen könnte.

II. Richterrecht bindet grundsätzlich nicht jedermann, sondern nur die Parteien. Es führt aber als sog. *sekundäre Rechtsquelle* zu einer Befassungspflicht und einer subsidiären Befolgungspflicht, d.h. der Rechtsanwender hat der Entscheidung zu folgen, wenn er keine besseren Argumente für einen anderen Lösungsweg vorbringen kann. Gewohnheitsrecht, das im Gegensatz zu Richterrecht gegenüber jedermann gelten soll, ist abzulehnen.

III. Auch Verwaltungsvorschriften und private Regelwerke können *sekundäre Rechtsquellen* darstellen, wenn eine Allgemeinverbindlichkeit erklärt wurde (§ 4 TVG) oder wenn sie eine gewisse Verbindlichkeit erzeugen, wie etwa die *Comply or explain*-Regeln des DCGK in § 161 AktG.

IV. Ausländische Urteile müssen selten als Rechtsquelle herangezogen werden, etwa beim internationalen Recht. Dazu gehören das UN-Kaufrecht oder die EMRK. Ansonsten sind ausländische Urteile als Rechtserkenntnisquelle Grundlage der rechtsvergleichenden Argumentation.

V. Die Rechtsliteratur ist reine *Rechtserkenntnisquelle.*

---

[248] *Vogel*, Juristische Methodik, 1998, S. 106. Unklar *Kramer*, Juristische Methodenlehre, 6. Aufl. 2019, S. 285, der von Inspirationsquelle mit *persuasive authority* spricht.

[249] Zu Art. 38 Abs. 1 lit. d) des IGH-Statuts v. 26.6.1945, BGBl. 1973 II, S. 505, 521, s. *Verdross/Simma*, Universelles Völkerrecht, 3. Aufl. 1984, S. 10, 395 ff.

Quelle: Feicke, Habt Ihr nichts Besseres zu tun?, 2012, S. 7.

2. Teil. Auslegung

§ 4 Wortlaut, Systematik und Geschichte als klassische Auslegungsmethoden

Literatur: *Bäcker, Carsten*, Der Syllogismus als Grundstruktur des juristischen Begründens, Rechtstheorie 40 (2009), 404–424; *Baldus, Manfred*, Die Einheit der Rechtsordnung, 1995; *Barczak, Tristan*, Normenkonkurrenz und Normenkollision, JuS 2015, 969–976; *Bitter, Georg/Rauhut, Tilman*, Grundzüge zivilrechtlicher Methodik – Schlüssel zu einer gelungenen Fallbearbeitung, JuS 2009, 289–298; *Brudney, James J.*, Below the Surface: Comparing Legislative History Usage by the House of Lords and the Supreme Court, 85 Wash.U.L. Rev. 1–71 (2007); *Buchwald, Delf*, Die canones der Auslegung und rationale juristische Begründung, ARSP 79 (1993), 16–47; *Canaris, Claus-Wilhelm*, Systemdenken und Systembegriff in der Jurisprudenz, 2. Aufl. 1983; *Deckert, Martina*, Die Methodik der Gesetzesauslegung, JA 1994, 412–419; *Dederichs, Mariele*, Die Methodik des EuGH, 2004; *Engisch, Karl*, Die Einheit der Rechtsordnung, 1935; *ders.*, Logische Studien zur Gesetzesanwendung, 3. Aufl. 1963; *Felix, Dagmar*, Einheit der Rechtsordnung, 1998; *Fleischer, Holger (Hrsg.)*, Mysterium „Gesetzgebungsmaterialien", 2013; *Gabriel, Gottfried/Gröschner, Rolf (Hrsg.)*, Subsumtion, 2012; *Grundmann, Stefan*, „Inter-Instrumental-Interpretation", RabelsZ 75 (2011), 882–932; *Honsell, Thomas*, Historische Argumente im Zivilrecht, 1982; *Huber, Ulrich*, Savignys Lehre von der Auslegung der Gesetze in heutiger Sicht, JZ 2003, 1–17; *Leisner, Walter Georg*, Die subjektiv-historische Auslegung des Gemeinschaftsrechts, Der „Wille des Gesetzgebers" in der Judikatur des EuGH, EuR 2007, 689–706; *MacCormick, Neil*, Argumentation and Interpretation in Law, 6 Ratio Juris (1993), 16–29; *Mertens, Bernd*, Gesetzgebungskunst im Zeitalter der Kodifikationen, 2004; *Schäfers, Dominik*, Einführung in die Methodik der Gesetzesauslegung, JuS 2015, 876–880; *von Savigny, Carl*, System des heutigen Römischen Rechts, Bd. I–VIII, 1840–1849; *Wischmeyer, Thomas*, Der „Wille des Gesetzgebers", JZ 2015, 957–966.

§ 4 *Wortlaut, Systematik und Geschichte als klassische Auslegungsmethoden*

Übersicht

Rn.

I. Auslegung und Subsumtion ... 2
1. Deduktiver Syllogismus und Subsumtion ... 2
2. Der klassische Viererkanon ... 17
3. Die Kritik an den vier Auslegungsmethoden und dem Subsumtionsmodell .. 30
4. Auslegung, Konkretisierung und Rechtsfortbildung ... 34

II. Die grammatische Auslegung ... 39
1. Die grammatische Auslegung als Beginn des Auslegungsprozesses ... 39
2. Hilfsmittel zur Bestimmung eines eindeutigen und mehrdeutigen Wortlauts . 43
3. Die Eindeutigkeitsregel des Wortlauts (Acte-clair-Doktrin, literal rule, textualism) als Auslegungsfigur ... 64
4. Wortlautgrenze und Analogieverbot ... 65
5. Die Bedeutung des Wortlauts für den EuGH ... 85

III. Die systematische Auslegung ... 92
1. Bedeutung ... 92
2. Einzelne systematische Auslegungsfiguren ... 114
3. Kollisionsregeln ... 130
4. Die systematische Auslegung durch den EuGH ... 136

IV. Die historische Auslegung ... 146
1. Historische Auslegung im weiteren und engeren Sinne ... 146
2. Der gesetzgeberische Wille in den Materialien der konkreten Norm ... 156
3. Die Bedeutung der Gesetzesgeschichte für den EuGH ... 172

1 Haben Sie als Jurist gerne das letzte Wort? Wenn der Sensenmann als personifizierter Tod erscheint, würde man sicherlich kämpfen wollen, um anhand schlagkräftiger Argumente einen Ausweg aus der vermeintlich ausweglosen Lage zu finden. Der Cartoon zeigt den Reiz oder vielleicht sogar die Notwendigkeit, auszulegen und nach Argumenten zu suchen. Der Auslegungskanon von *Savigny* ist mehr als 150 Jahre alt und in zahlreichen Rechtsordnungen bekannt. Er wird auch vom EuGH verwendet. Im Folgenden sollen der Auslegungskanon und seine Bedeutung kurz vorgestellt werden, um dann auf die einzelnen Auslegungsarten wie die grammatische (II.), systematische (III.) und historische Auslegung (IV.) anhand verschiedener Beispiele einzugehen, denn mit den Worten *Flumes* kann man „die ‚Kunst' der Auslegung […] nicht in Sätzen erlernen, sondern nur in der Übung erfahren."[1] In den folgenden §§ 5 und 6 werden die Auslegungsfiguren dann Schritt für Schritt um teleologische und folgenorientierte Argumente sowie die Verfassung (§ 11) und das Europarecht (§ 12) ergänzt und erweitert.

I. Auslegung und Subsumtion

1. Deduktiver Syllogismus und Subsumtion

a) Die Subsumtion als logischer Schluss

2 Als Imperative bestehen Rechtsnormen regelmäßig aus Tatbestand, Kopula und Rechtsfolge (§ 2 Rn. 7 ff.). Der **Syllogismus**[2] findet sich schon bei Aristoteles.[3] Er wendet

---

[1] *Flume*, Allgemeiner Teil des Bürgerlichen Rechts, Bd. II, 4. Aufl. 1992, S. 317; vorher schon *von Savigny*, System des heutigen römischen Rechts, Bd. 1, 1840, § 32 S. 211.

[2] Griech. συλλογισμός, syllogismós = das Zusammenrechnen.

[3] *Aristoteles*, Analytica Priora, 2. Buch Kap. 24; *ders.*, Topik, 1. Buch Kap. 1 Rn. 100a 18; hierzu *Gröschner*, in: Gabriel/Gröschner, Subsumtion, 2012, S. 421, 422 ff. Ebenso für das anglo-amerikanische Recht *Vandevelde*, Thinking Like a Lawyer, 2nd ed. 2011, S. 93.

das Gesetz auf den Fall an, der **deduktive Schluss** wird durch Ableitung vom allgemeinen auf den engeren Begriff gezogen, das logisch zwingende Verfahren wird von „oben" nach „unten" durchgeführt, vom Obersatz zum Untersatz.

Bekannter ist der Begriff der Subsumtion: Spiegelbildlich **zum Syllogismus** bedeutet 3
Subsumtion[4] die Unterordnung des Besonderen unter das Allgemeine, also die Beantwortung der Frage, ob der Sachverhalt den Tatbestand der Norm erfüllt.[5] Die Subsumtion stellt sich im rechtslogischen Sinne als „Schlussverfahren" dar. Ihre beiden Bestandteile heißen Obersatz und Untersatz. Der gesetzliche Tatbestand bildet den *Obersatz*. Aus den entscheidenden Angaben im Sachverhalt ergibt sich der *Untersatz*.

Grafik: Subsumtionstechnik 4

Rechtsnorm (Obersatz)	Sachverhalt (Untersatz)
„Wer vorsätzlich oder fahrlässig das Leben, den Körper, die Gesundheit, die Freiheit, das Eigentum oder ein sonstiges Recht eines anderen widerrechtlich verletzt, ist dem anderen zum Ersatz des daraus entstehenden Schadens verpflichtet." (§ 823 Abs. 1 BGB)	A fährt mit dem Fahrrad. Aus Unachtsamkeit und aufgrund seines zu schnellen Fahrstils kollidiert er mit der Fußgängerin B. B zieht sich infolge des Unfalls Schürfwunden zu. Die Behandlungskosten betragen 100 EUR.

Subsumtion:

Wer vorsätzlich oder fahrlässig …	… das Leben, den Körper, die Gesundheit, die Freiheit, das Eigentum oder ein sonstiges Recht eines anderen …	… widerrechtlich verletzt, …	… ist dem anderen zum Ersatz des daraus entstehenden Schadens verpflichtet.
⬇	⬇	⬇	⬇
Aus Unachtsamkeit und aufgrund seines zu schnellen Fahrstils …	B zieht sich infolge des Unfalls Schürfwunden zu.	A fährt mit dem Fahrrad. […] kollidiert er mit der Fußgängerin B.	Die Behandlungskosten betragen 100 EUR

Conclusio: A ist gegenüber der B aus § 823 Abs. 1 BGB zum Ersatz des entstandenen Schadens in Höhe von 100 EUR verpflichtet.

Im Rahmen der Subsumtion ist zu prüfen, ob alle Tatbestandsmerkmale einer Norm 5
durch Angaben im Sachverhalt gedeckt sind. Der Sachverhalt wird gewissermaßen unter die Norm bzw. die einzelnen Normbestandteile gezogen.[6] Dies bildet die Grundlage für die logische Schlussfolgerung (*conclusio*). Liegt eine vollständige Deckung zwischen Ober- und Untersatz vor, ist die Norm einschlägig und die angeordnete Rechtsfolge tritt ein: Berühmtes Beispiel ist der Obersatz „Alle Menschen sind sterblich", der Untersatz

[4] *Larenz*, Methodenlehre der Rechtswissenschaft, 6. Aufl. 1991, S. 271.

[5] So bereits *Kant*, Kritik der reinen Vernunft, 2. Aufl. 1787, S. 171: „Wenn der Verstand überhaupt als das Vermögen der Regeln erklärt wird, so ist Urteilskraft das Vermögen, unter Regel zu *subsumieren*, d.i. zu unterscheiden, ob etwas unter einer gegebenen Regel *(casus datae legis)* stehe, oder nicht."

[6] Lat. *sub* + *sumere* = unter + annehmen.

„Sokrates ist ein Mensch" und die Schlussfolgerung „Sokrates ist sterblich".[7] Gehen Sachverhalt und Norm aber schon in einem einzigen Punkt auseinander, tritt die Rechtsfolge nicht ein. Wenn einzelne Tatbestandsmerkmale unklar sind, bedarf es der Auslegung. Dazu kann auch die Präzisierung des Sachverhalts dienen.

6 Logisch an diesem Verfahren ist die Tatsache, dass jede Aussage eines hinreichenden Grundes bedarf.[8] Notwendig sind also Ableitungen; ohne Zwischenschritte wird das Ergebnis nicht schlüssig. Rechtsfindung muss deshalb den vertretbaren Lösungsweg aufzeigen. Der Rechtsanwender muss also Gesetze und Sachverhalt zusammenbringen. Subsumtion ist damit ein Leitfaden, um den Zusammenhang zwischen Sachverhalt und Rechtsnorm zu entdecken oder herzustellen.[9] Diese Arbeitsweise liegt auch einer erfolgreichen Klausurbearbeitung zu Grunde. Vom Sachverhalt ausgehend muss der Student möglicherweise passende Normen heranziehen (Anspruchsgrundlagen, Straftatbestände, Rechtsbehelfe), anschließend die einzelnen Angaben des Sachverhalts den jeweiligen Tatbestandsmerkmalen oder Prüfungspunkten zuordnen und darunter subsumieren und abschließend anhand der vom Gesetz vorgegebenen Struktur (= Prüfschema) das Ergebnis in der Klausur darstellen.[10]

b) Die Bausteintechnik

7 In der Regel lässt sich der *Obersatz* nicht einfach aus einer einzigen Gesetzesnorm bilden. Die Abstraktion des Gesetzes zeigt sich auch darin, dass oft ein Rechtssatz erst mit Hilfe weiterer Rechtssätze vollständig wird oder seinen Sinn offenbart. Die Rechtsnorm setzt sich damit aus einer Reihe von Begriffen zusammen; erst eine Vielzahl von unbestimmten Rechtssätzen vervollständigt die Rechtsnorm.[11] Solche Kombinationen in der Form einer Bausteintechnik bilden üblicherweise im Zivilrecht auch die Verweisungsketten (§ 4 Rn. 105 ff.). Das Strafrecht ist insoweit einfacher, da sich im StGB oft sämtliche Voraussetzungen eines Tatbestands bereits aus der einzelnen Norm ergeben, ohne dass es der Bausteintechnik bedarf.[12]

8 **Grafik: Bausteintechnik**

Die Pflichten des Verkäufers nach § 433 Abs. 1 S. 1 BGB ergeben sich aus folgenden Normen:

Tatbestandsmerkmale:	Durch den Kaufvertrag[13] wird der Verkäufer einer Sache	→ §§ 90 ff.
Kopula:	verpflichtet,	
Rechtsfolge:	dem Käufer die Sache zu übergeben	→ §§ 854 ff.
	und das Eigentum	→ § 903
	an der Sache zu verschaffen	→ §§ 929 ff.

c) Wechselwirkung von Norm und Sachverhalt – Das Hin- und Herwandern des Blickes und die Fallnormtheorie

9 Die Auslegung ist Ausgangspunkt jeder Subsumtion und im gerichtlichen Prozess Ausgangspunkt jeder richterlichen Sinnermittlung einer Norm.[14] Auslegung heißt zu klä-

---

[7] *Lege*, in: Gabriel/Gröschner, Subsumtion, 2012, S. 259, 260.
[8] *Schnapp*, Logik für Juristen, 7. Aufl. 2016, S. 101 f.
[9] *Gast*, Juristische Rhetorik, 5. Aufl. 2015, Rn. 59 Fn. 1.
[10] S. *Möllers*, Juristische Arbeitstechnik und wissenschaftliches Arbeiten, 10. Aufl. 2021, § 2.
[11] *Larenz*, Methodenlehre der Rechtswissenschaft, 6. Aufl. 1991, S. 264.
[12] Verweisungsketten finden sich dagegen im Bereich des Nebenstrafrechts, s. etwa BtMG sowie WaffG v. 11.10.2002, BGBl. I, S. 3970 (Waffengesetz), AufenthG v. 25.2.2008, BGBl. I, S. 162 (Aufenthaltsgesetz).
[13] Bestehend aus zwei korrespondierenden Willenserklärungen gem. §§ 145 ff. BGB.
[14] *Meyer-Hayoz*, Der Richter als Gesetzgeber, 1951, S. 42.

ren, was der Text bedeutet, also den Gedanken eines Gesetzes oder einer Regelung herauszuarbeiten. Auslegung bedeutet also Klärung der Sprache, der Wertungen und Prinzipien, auf denen das Gesetz beruht. Auch in anderen Geisteswissenschaften müssen Texte ausgelegt werden, etwa in den Geschichtswissenschaften die Textquellen in ihrem historischen Kontext oder die Bibel als zentrale Quelle der katholischen und evangelischen Theologie.[15]

Die Subsumtion erfolgt regelmäßig nicht abstrakt, sondern aufgrund der Frage, ob der einschlägige Sachverhalt unter die Norm fällt. Oft muss der Obersatz weiter präzisiert werden, bevor der Sachverhalt subsumiert werden kann. In der Falllösung ist die Auslegung zuerst einmal wichtiges Mittel, um unbekannte bzw. nicht (legal-)definierte Begriffe zu entschlüsseln und so eine Subsumtion zu ermöglichen. *Engisch* hat hierfür das Bild vom **„Hin- und Herwandern des Blickes"** geprägt. „Für den *Obersatz* ist wesentlich, was auf den konkreten Fall Bezug hat, am konkreten Fall ist wesentlich, was auf den Obersatz Bezug hat."[16] Notwendig ist damit ein Hin- und Herwandern des Blicks zwischen Sachverhalt und Tatbestand. Bedeutsam wird dieses Hin- und Herwandern des Blickes nur für diejenigen Tatbestandsmerkmale, die nicht eindeutig zum Sachverhalt passen. Damit beginnt die eigentliche Arbeit des Juristen, der durch Auslegung und Konkretisierung festzustellen hat, ob der Sachverhalt noch unter die Norm fällt. Dieses Hin- und Herwandern führt nicht zum Ausgangspunkt zurück (das wäre ein Zirkelschluss, vgl. § 5 Rn. 36 ff.), sondern hebt das Verständnis auf eine neue Stufe.[17] 10

Fikentscher hatte dieses Vorgehen anschaulich als **Fallnormtheorie** bezeichnet: Notwendig ist die Konkretisierung der Rechtsnorm zur Fallnorm. „Die Bildung der Fallnorm ist dann erreicht, wenn der hermeneutische Zirkel nur noch einmal zwischen Norm und Sachverhalt ‚aufsteigt und absteigt' und keine weitere positiv zu beantwortende Rückfrage mehr erfolgt, ob der Sachverhalt auch die richtige Norm zu seiner Beurteilung gewährt."[18] Zu weitgehend ist zwar die These, dass noch nicht das Gesetz, sondern erst die Fallnorm verbindliches Recht wäre.[19] Allerdings ist an diesem Bild treffend, dass eine streng logische Operation unmittelbar aus dem Gesetz selten möglich ist, sondern vielmehr Tatbestandsmerkmale in einem *Zwischenschritt* konkretisiert werden müssen, um die Subsumtion zu ermöglichen.[20] Das soll an dieser Stelle genügen; die sog. Sachverhaltshermeneutik wird dann noch weiter vertieft (§ 14 Rn. 6 ff.). 11

Vorsätzliche-Alkoholzufuhr: Der Kommilitone Konrad (K) schüttet der Studentin Susanne (S) Whiskey in ihren Orangensaft. Sie bemerkt nichts von dem hochprozentigen Alkohol und trinkt mehrere Gläser. Am nächsten Morgen kann sie sich an nichts mehr erinnern. Liegt eine Gesundheitsschädigung gem. § 223 Abs. 1 Alt. 2 StGB vor? 12

Lösung: Eine Gesundheitsschädigung zu bejahen, erscheint nicht ganz einfach. Tatsächlich wird man hier nicht nur die vier Auslegungsarten zur Hilfe nehmen müssen, sondern auch mit Vergleichsfällen versuchen, das einschlägige Tatbestandsmerkmal „Gesundheitsschädigung" zu konkretisieren. Durch die Alkoholzufuhr wurde beim Opfer ein Rausch 13

[15] Damit gehören die Rechtswissenschaften zu den Geisteswissenschaften, siehe *Betti*, Allgemeine Auslegungslehre als Methodik der Geisteswissenschaften, 1967, S. 47, 438 ff.

[16] *Engisch*, Logische Studien zur Gesetzesanwendung, 3. Aufl. 1963, S. 15; zustimmend etwa *Kriele*, Theorie der Rechtsgewinnung, 2. Aufl. 1976, S. 197; *Esser*, Vorverständnis und Methodenwahl, 1970, S. 76 ff.; *Bydlinski*, Juristische Methodenlehre und Rechtsbegriff, 2. Aufl. 1991, S. 421 f.; *Pavčnik*, Rechtstheorie 39 (2006), 557 ff.; *Mastronardi*, Juristisches Denken, 2. Aufl. 2003, Rn. 677 ff.

[17] *Larenz*, Methodenlehre der Rechtswissenschaft, 6. Aufl. 1991, S. 206. Kritisch zu diesem Bild aber *Gröschner*, JZ 2018, 737, 741.

[18] *Fikentscher*, Methoden des Rechts, Bd. IV, 1977, S. 201 f.

[19] So aber *Fikentscher* (ebd.), S. 323. Dagegen *Larenz*, Methodenlehre der Rechtswissenschaft, 6. Aufl. 1991, S. 144; *Bydlinski*, Juristische Methodenlehre und Rechtsbegriff, 2. Aufl. 1991, S. 518 f.

[20] So auch *Bydlinski*, Juristische Methodenlehre und Rechtsbegriff, 2. Aufl. 1991, S. 518: „Diese Einsicht wird von der ‚Theorie der Fallnorm' mit wohl noch nie dagewesenem Nachdruck verdeutlicht." Zur Abgrenzung zur Normtheorie *von F. Müller* s. unten § 14 Rn. 7 ff.

herbeigeführt, der zu Erinnerungslücken führte. Zu prüfen ist, ob dies eine vorsätzliche Gesundheitsschädigung darstellt. Unter einer Gesundheitsschädigung versteht die Rechtsprechung grundsätzlich das Hervorrufen oder Steigern eines wenn auch nur vorübergehenden pathologischen Zustandes.[21]

14 Bei S tritt infolge der Alkoholzufuhr durch K ein vorübergehender Gedächtnisverlust ein. In einem zweiten Schritt ist nun zu prüfen, ob ein Rausch ein krankhafter Zustand ist. Die Formel der Rechtsprechung erlaubt noch nicht die Subsumtion, weil ein Rausch vom natürlichen Sprachgebrauch her zunächst einmal keine Krankheit ist. Krankhaft ist jedoch auch ein Zustand, der nachteilig vom Normalzustand des Opfers abweicht.[22] Da sich S am nächsten Tag nicht mehr an den Vorabend erinnern kann, dies aber bei normalem Lauf der Dinge der Fall gewesen wäre, wurde ihr Erinnerungsvermögen und damit ihr körperlicher Zustand negativ beeinträchtigt, nämlich ihre geistigen Funktionen gemindert bzw. ausgeschlossen.

15 **Grafik: Konkretisierung des Begriffs der Gesundheitsschädigung durch „Hin- und Herwandern"**

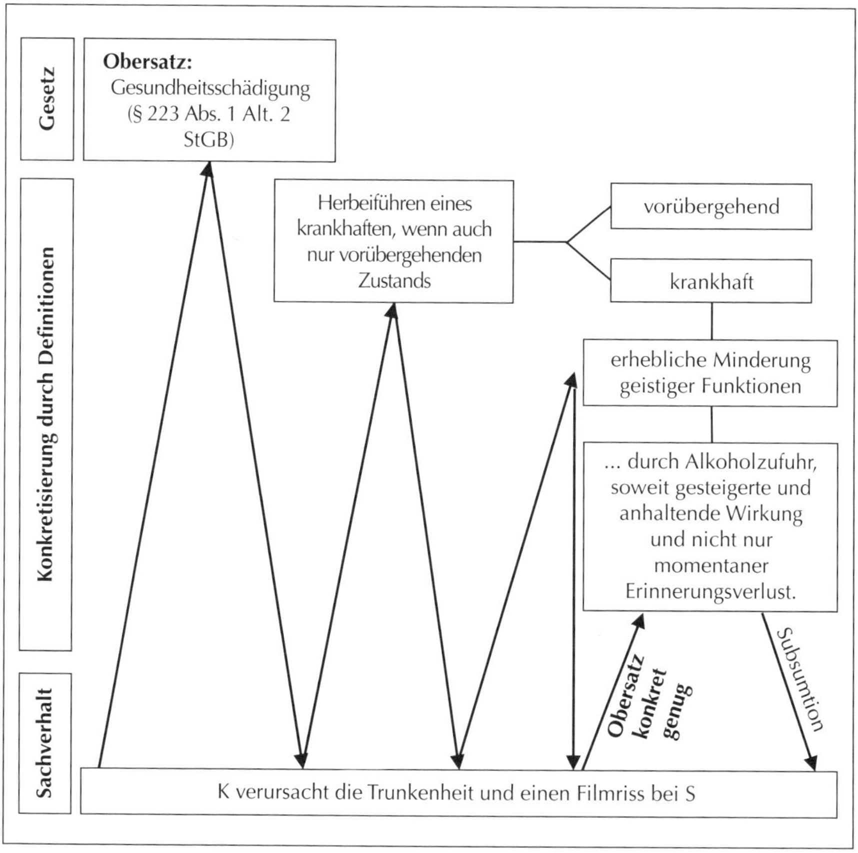

[21] *Fischer*, StGB, 68. Aufl. 2021, § 223 Rn. 8; *Paeffgen/Böse*, in: Kindhäuser/Neumann/Paeffgen, StGB, 5. Aufl. 2017, § 223 Rn. 14.

[22] *Joecks/Hardtung*, in: MünchKomm-StGB, 3. Aufl. 2017, § 223 Rn. 29.

Zu thematisieren ist drittens, in welchem Umfang die geistigen Funktionen gemindert sein müssen. Hierzu ist eine Beeinträchtigung zu fordern, die hinsichtlich ihrer Dauer und Nachhaltigkeit eine gewisse Erheblichkeitsschwelle überschreitet.[23] Wenn der Zustand aufgrund des Rausches der S nur kurz andauert oder sozialüblich ist, wird die Beeinträchtigung nicht erheblich sein.[24] Angesichts des Rauschzustands der S und der beachtlichen Erinnerungslücken, die gegenüber einem leichten Schwips eine erhöhte Qualität der Beeinträchtigung darstellen, ist nicht mehr von einem sozialadäquaten Zustand auszugehen, sodass ein krankhafter Zustand gegeben sein und eine Gesundheitsschädigung bejaht werden könnte. Für eine Gesundheitsschädigung spricht auch, dass in vergleichbaren Fällen eine Gesundheitsschädigung bejaht wurde, etwa bei einem bloßen Sich-Übergeben und dem gleichzeitig auftretenden Koordinationsverlust.[25] Bei diesen Beeinträchtigungen liegt ähnlich wie beim vorliegenden Gedächtnisverlust ein Eingriff in die körperliche Unversehrtheit vor, der zumindest eine Beeinträchtigung der körperlichen Unversehrtheit darstellt. Damit liegt eine vorsätzliche Gesundheitsschädigung vor. **16**

d) Das Entwickeln von Definitionen zur Konkretisierung von Tatbestandsmerkmalen

Im ersten Semester lernen die Studenten, dass das Gesetz in der Regel zu unbestimmt ist, um auf den Sachverhalt angewendet werden zu können. Für die Subsumtion sind drei Schritte notwendig: der Sachverhalt, das gesetzliche Tatbestandsmerkmal und üblicherweise eine Definition, welche das Tatbestandsmerkmal konkretisiert. Der obige Fall war nur ein erstes Beispiel, für die zahlreichen Zwischenschritte, die bei neuen Fällen erforderlich sind, um das Gesetz so zu konkretisieren, dass es auf den Sachverhalt unmittelbar angewendet werden kann. Im erwähnten Beispiel wurde der Begriff der Gesundheitsgefährdung zunächst weiter konkretisiert als „Herbeiführen, Steigern oder Aufrechterhalten eines krankhaften, wenn auch nur vorübergehenden Zustandes". Anschließend wurde die Definition erweitert, weil dem krankhaften Zustand „die erhebliche Minderung geistiger Funktionen durch Alkoholzufluss" gleichgestellt wurde. In den folgenden §§ 7–11 des Werkes werden wir sehen, dass die Definitionen nicht „vom Himmel fallen", sondern in einem langwierigen Prozess mittels Rechtsdogmatik und Juristischer Methodenlehre entwickelt werden (§ 9 Rn. 2 ff.). An dieser Stelle soll genügen, dass die Konkretisierung von Tatbestandsmerkmalen durch Definitionen auch mit Hilfe des Sachverhaltes vonstatten geht. Hierfür ist das Hin- und Herwandern von Sachverhalt zum Tatbestandsmerkmal ein von Engisch geprägtes prägnantes Bild (§ 4 Rn. 10). **16a**

2. Der klassische Viererkanon

a) Die Begründung des Auslegungskanons durch *von Savigny*

aa) In den Digesten finden sich schon einige vereinzelte Interpretationsmaximen, wobei damit noch keine geschlossene Auslegungslehre entwickelt wurde.[26] Bereits seit Mitte des 16. Jahrhunderts wurden die Interpretationsmaximen systematisch geordnet und zusammengefasst.[27] Hervorzuheben ist hierbei *Thomasius*, der Ende des 17. Jahrhunderts **17**

---

[23] *Paeffgen/Böse*, in: Kindhäuser/Neumann/Paeffgen, StGB, 5. Aufl. 2017, § 223 Rn. 16.

[24] *Kudlich*, JA 2006, 570.

[25] BGH, Urt. v. 4.3.1981, 2 StR 734/80, NJW 1983, 462 f. – Alkoholgenuss, wobei der BGH hier selbst die Vergleichsfallmethode (§ 7 Rn. 44 ff.) anwendet, indem er sich auf seine frühere Rechtsprechung bezieht. Hier stellt er fest, dass eine Körperverletzung zuvor bejaht wurde, wenn der Rausch aufgrund von Alkoholgenuss zur Bewusstlosigkeit führt.

[26] D. 50,16: *De verborum significatione* – Über die Bedeutung der Wörter und D. 50,17: *De diversis regulis iuris antiqui* – Von alten Rechtsregeln.

[27] *Rogerius*, Tractatus de Iuris Interpretatione, 1549, S. 25, der die Unterscheidung von *interpretatio correctiva, extensiva, restrictiva, declarativa* vornimmt.

erstmals zwischen grammatischen und logischen Argumenten unterschied, wobei die logische Argumentation als Sammelbegriff aller zulässigen Argumente genutzt wurde.[28] Diese Unterteilung wurde zu Beginn des 18. Jahrhunderts aufgegriffen[29] und fand in Deutschland schnell weitere Anhänger.[30]

18 bb) Bei der Entwicklung unseres heutigen Auslegungskanons nimmt von Savigny neben von Jhering eine herausragende Position ein: Mit dem Ende des Heiligen Römischen Reichs Deutscher Nation begründete von Savigny die Historische Rechtsschule, welche die Erneuerung des geltenden Rechts durch geschichtlich gewachsene Stoffmassen, vorrangig des römischen Rechts, vorantrieb.[31] Diese Systematisierung leistete von Savigny erstmals in seiner Vorlesung 1802/1803[32] und dann vor allem in seinem Hauptwerk „System des heutigen Römischen Rechts".[33] Er ordnete die methodischen Argumentationsfiguren neu und gliederte sie in nun vier Elemente der juristischen Auslegung.[34] Er schrieb:

19 „Das ist das Geschäft der Auslegung, die wir daher bestimmen können als die Reconstruction des dem Gesetz inwohnenden Gedankens […] So müssen wir in ihr [sic. der Auslegung] Vier Elemente unterscheiden: ein grammatisches, logisches, historisches und systematisches.

Das grammatische Element der Auslegung hat zum Gegenstand das Wort, welches den Übergang aus dem Denken des Gesetzgebers in unser Denken vermittelt. Es besteht daher in der Darlegung der von dem Gesetzgeber angewendeten Sprachgesetze.

Das logische Element geht auf die Gliederung des Gedankens, also auf das logische Verhältniß, in welchem die einzelnen Theile desselben zu einander stehen.

Das historische Element hat zum Gegenstand den zur Zeit des gegebenen Gesetzes für das vorliegende Rechtsverhältniß durch Rechtsregeln bestimmten Zustand. In diesen Zustand sollte das Gesetz auf bestimmte Weise eingreifen, und die Art dieses Eingreifens, das was dem Recht durch dieses Gesetz neu eingefügt worden ist, soll jenes Element zur Anschauung bringen.

Das systematische Element endlich bezieht sich auf den inneren Zusammenhang, welcher alle Rechtsinstitute und Rechtsregeln zu einer großen Einheit verknüpft (§ 5). Dieser Zusammenhang, so gut als der historische, hat dem Gesetzgeber gleichfalls vorgeschwebt, und wir werden also seinen Gedanken nur dann vollständig erkennen, wenn wir uns klar machen, in welchem Verhältniß dieses Gesetz zu dem ganzen Rechtssystem steht, und wie es in das System wirksam eingreifen soll (b).

Mit diesen vier Elementen ist die Einsicht in den Inhalt des Gesetzes vollendet."[35]

[28] *Thomasius*, Ausübung der Vernunftlehre, 1691, § 58, S. 175, § 95, S. 201.

[29] *Boehmer/Boehmer*, Exercitationes ad Pandectas, Bd. III, 1748, S. 29 ff., abrufbar unter http://docnum.unistra.fr/cdm/ref/collection/coll2/id/51909; *Thibaut*, Theorie der logischen Auslegung des römischen Rechts, 2. Aufl. 1806, S. 28 ff.

[30] *Glück*, Ausführliche Erläuterung der Pandekten, Erster Teil, 2. Aufl. 1797, S. 225; *Hufeland*, Lehrbuch des in den deutschen Ländern geltenden gemeinen oder subsidiarischen Civilrechts, Bd. I, 1808, S. 23.

[31] *Schlosser*, Privatrechtsgeschichte, 10. Aufl. 2005, S. 144 ff.; *Meder*, Rechtsgeschichte, 7. Aufl. 2021, S. 299 ff.; zu von Savigny s. auch *Baldus*, in: Riesenhuber, Europäische Methodenlehre, 4. Aufl. 2021, § 3 Rn. 30 ff.

[32] Der Auslegungskanon wurde schon 1802/1803 in seiner Vorlesung entwickelt, von *Jakob Grimm* mitgeschrieben und von diesem ausgearbeitet, *Grimm*, in: Wesenberg (Hrsg.), von Savigny, Juristische Methodenlehre, 1951, S. 19: ohne die systematische Auslegung. Zu den Auslegungsmethoden von Savigny s. anschaulich *Rückert*, in: Rückert/Seinecke, Methodik des Zivilrechts – von Savigny bis Teubner, 3. Aufl. 2017, S. 53 ff.

[33] *von Savigny*, System des heutigen Römischen Rechts, Bd. I–VIII, 1840–1849.

[34] Man spricht auch von Auslegungskriterien oder Auslegungskanones. Sie finden sich auf 124 Seiten im 4. Kapitel des Systems, sehr knapp bei *Larenz*, Methodenlehre der Rechtswissenschaft, 6. Aufl. 1991, S. 320 ff.

[35] *von Savigny*, System des heutigen Römischen Rechts, Bd. 1, 1840, S. 213 ff.

cc) Betrachtet man die vier Auslegungsschritte genauer, so fehlt die teleologische Auslegung. Der Zweck einer Vorschrift lag nach *von Savigny* grundsätzlich außerhalb der Grenzen der Auslegung.[36] Daraus wird der Schluss gezogen, von Savigny hätte eine Berücksichtigung von Sinn und Zweck abgelehnt.[37] Nach anderer Ansicht hatte er den obigen Auslegungskanon auf eine Anwendung beschränken wollen, bei der der Sinn der Gesetze klar vorliege („gesunder Zustand des Gesetzes"); bei mangelhaften Gesetzen sei die teleologische Auslegung zulässig.[38] So formuliert *von Savigny*: „Das erste Hülfsmittel besteht in dem inneren Zusammenhang der Gesetzgebung; ein zweytes in dem Zusammenhang des Gesetzes mit seinem Grunde; ein drittes in dem inneren Werthe des aus der Auslegung hervorgehenden Inhalts."[39] 20

dd) Deutlich klarer forderte dann *von Jhering*, dass nach dem Zweck der jeweiligen Regeln zu forschen sei. Anschaulich formuliert er: „Der Grundgedanke des gegenwärtigen Werkes besteht darin, daß der *Zweck der Schöpfer* des gesamten Rechts ist, daß es keinen Rechtssatz gibt, der nicht einem Zweck, d.i. einem praktischen Motiv seinen Ursprung verdankt."[40] Ende des 19. Jahrhunderts finden sich Zwecküberlegungen dann schon in zahlreichen Werken, z.B. bei *Regelsberger*[41] oder *Windscheid*[42]. 21

b) Die heutige Bedeutung der vier Auslegungsarten und deren Bedeutung in einzelnen Mitgliedstaaten

Vor allem den Methodenlehren von *Engisch* und *Larenz* ist die massive Verbreitung und Fortentwicklung des Viererkanons im deutschen Sprachraum zu verdanken. Dabei wurde die systematische und logische Auslegung zusammengefasst, weil das logische Element auch im grammatischen und systematischen Element enthalten ist (§ 4 Rn. 39).[43] Die Relevanz der teleologischen Auslegung wurde dann vor allem im 20. Jahrhundert mit der Interessen- und Wertungsjurisprudenz (§ 5 Rn. 19 ff.) angemessen herausgearbeitet. Die vier Auslegungsarten werden von allen Gerichten in Deutschland herangezogen. Das BVerfG formuliert beispielsweise: 22

> „Diesem Auslegungsziel dienen die Auslegung aus dem *Wortlaut* der Norm (grammatische Auslegung), aus ihrem *Zusammenhang* (systematische Auslegung), aus ihrem *Zweck* (teleologische Auslegung) und aus den Gesetzesmaterialien und der *Entstehungsgeschichte* (historische Auslegung)."[44] 23

---

[36] *von Savigny* (ebd.), S. 216 f.: „Ist es nun die Aufgabe der Auslegung, uns den Inhalt des Gesetzes zum Bewußtsein zu bringen, so liegt Alles, was nicht Theil dieses Inhaltes ist, wie verwandt es ihm auch seyn möge, streng genommen *außer den Gänze* jener Aufgabe. Dahin gehört also auch die Einsicht in den Grund des Gesetzes (ratio legis)." Etwas positiver, aber immer noch sehr zurückhaltend formuliert er (S. 220): „Ungleich bedenklicher, und nur mit großer Vorsicht zulässig, ist der Gebrauch des Gesetzesgrundes zur Auslegung der Gesetze […]."

[37] So *Larenz*, Methodenlehre der Rechtswissenschaft, 6. Aufl. 1991, S. 12 f.; *Kramer*, Juristische Methodenlehre, 6. Aufl. 2019, S. 66.

[38] *Rückert*, in: Rückert/Seinecke, Methodik des Zivilrechts – von Savigny bis Teubner, 3. Aufl. 2017, S. 53, 75 f.; *U. Huber*, JZ 2003, 1, 8; *Rüthers/Fischer/Birk*, Rechtstheorie, 11. Aufl. 2020, Rn. 701 f.

[39] *von Savigny*, System des heutigen Römischen Rechts, Bd. 1, 1840, S. 223.

[40] *von Jhering*, Der Zweck im Recht, Bd. 1, 2. Aufl. 1884, S. VIII., 435 ff.; hierzu *Müller-Erzbach*, JhJ 61 (1912), 343, 377 ff.

[41] *Regelsberger*, Pandekten, Bd. 1, 1893, S. 140: „Die auf Ermittelung des Sinns gerichtete Thätigkeit ist die Auslegung des Gesetzes, *interpretatio legis.*"

[42] *Windscheid*, Lehrbuch des Pandektenrechts, Bd. 1, 7. Aufl. 1891, S. 54: „Sie [die Auslegung] hat ferner die Aufgabe, hinter dem Sinne, welchen der Gesetzgeber hat ausdrücken wollen, dessen eigentlichen Gedanken hervorzuziehen."

[43] *Koller*, Theorie des Rechts, 2. Aufl. 1997, S. 212 f.

[44] BVerfG, Beschl. v. 17.5.1960, 2 BvL 11/59 u.a., BVerfGE 11, 126, 130 – Nachkonstitutioneller Bestätigungswille; vorher schon in ähnlicher Formulierung BVerfG, Urt. v. 21.5.1952, 2 BvH 2/52, BVerfGE 1, 299, 312 – Wohnungsbauförderung; s. auch BGH, Urt. v. 30.6.1966, K ZR 5/65, BGHZ 46, 74, 76 – Preisbindung für Schallplatten.

24 Dieser Auslegungskanon ist auch in der juristischen Literatur herrschend; er findet sich in den Lehrbüchern zur Juristischen Methodenlehre in Deutschland,[45] Österreich[46] und der Schweiz.[47] Laut *Fikentscher* hat der Viererkanon einen Siegeszug um die ganze Welt angetreten.[48]

25 In Spanien nahm man den Viererkanon ausdrücklich in Art. 3 no. 1 des spanischen Codigo Civil auf: „Normen werden gemäß der eigenen Bedeutung ihrer Worte unter Berücksichtigung des Zusammenhangs, der historischen und gesetzgeberischen Vorgeschichte sowie der sozialen Wirklichkeit der Zeit, in der sie angewendet werden müssen, ausgelegt, wobei grundsätzlich Sinn und Zweck jener Gesetze zu beachten sind.“[49]

26 Im französischen und anglo-amerikanischen Rechtskreis findet sich zwar auch die Berücksichtigung von Wortlaut, Systematik und Gesetzeszweck.[50] In Frankreich hat man aber nicht den Savigny'schen Viererkanon übernommen, da man Thomasius, nicht aber von Savigny rezipierte. Folglich unterscheidet man nur zwischen grammatischer und logischer Auslegung, wobei unter die logische Auslegung wiederum auch Geschichte, Zusammenhang und Zweck der Norm fallen.[51] Auch im englischen Recht kannte man in der Vergangenheit nur diese Zweiteilung zwischen Wortlaut und Systematik.[52] Allerdings scheint hier ein Wandel anzustehen. In der Literatur werden inzwischen ausdrücklich die vier Auslegungsarten genannt und zwischen „linguistic, systematic, teleological and transcategorical arguments“ unterschieden.[53] Man spricht von *„canons of instruction“* (§ 6 Rn. 89).

c) Die Bedeutung des Auslegungskanons für den EuGH

27 aa) Auch der EuGH hat den Auslegungskanon, wie er von Savigny entwickelt wurde, wenngleich mit bestimmten Modifikationen, übernommen und unterscheidet zwischen Wortlaut, Systematik und Gesetzeszweck. Wortlaut, Telos und Systematik werden besonders häufig herangezogen.[54] In jüngerer Zeit wird auch die historische Auslegung genutzt. So formuliert der EuGH:

---

[45] S. *Larenz*, Methodenlehre der Rechtswissenschaft, 6. Aufl. 1991, S. 1 f.; Engisch/*Würtenberger/Otto*, Einführung in das juristische Denken, 12. Aufl. 2018, S. 107 ff.; Zippelius/*Würtenberger*, Juristische Methodenlehre, 12. Aufl. 2020, S. 35 ff.; *Koch/Rüßmann*, Juristische Begründungslehre, 1982, S. 166; *Vogel*, Juristische Methodik, 1998, S. 112 ff.; *Raisch*, Juristische Methoden, 1995, S. 105 ff.; relativierend aber *Fikentscher*, Methoden des Rechts, Bd. IV, 1977, S. 356 ff.; *Vogenauer*, Die Auslegung von Gesetzen in England und auf dem Kontinent, 2001; Palandt/*Grüneberg*, BGB, 80. Aufl. 2021, Einl. Rn. 40 ff. Für das Öffentliche Recht s. *Morlok*, in: Gabriel/Gröschner, Subsumtion, 2012, S. 179 ff.

[46] *Bydlinski*, Juristische Methodenlehre und Rechtsbegriff, 2. Aufl. 1991, S. 436 ff.; *Koller*, Theorie des Rechts, 2. Aufl. 1997, S. 211 ff.

[47] *Meier-Hayoz*, in: BK-ZGB, 1966, Art. 1 Rn. 179 ff.; *Kramer*, Juristische Methodenlehre, 6. Aufl. 2019, S. 66 ff.

[48] *Fikentscher*, Methoden des Rechts, Bd. III, 1976, S. 67.

[49] „Las normas se interpretarán según el sentido propio des sus palabras, en relación con el contexto, los antecedentes históricos y legislativos, y la realidad social del tiempo en que han de ser aplicadas, atendiendo fundamentalmente al espiritu y finalidad de aquellas." Zum Verzicht auf eine Interpretationsregel im BGB für die Rechtsfortbildung, s. oben § 1 Rn. 117 f.

[50] *Posner*, 50 U. Chi. L. Rev. 800, 818 (1983); *MacCormick*, 6 Ratio Juris, 16, 21 (1993) allerdings mit anderer Betonung des historischen Arguments.

[51] Zur Rezeption und der heutigen Bedeutung in Frankreich, s. *Vogenauer*, Die Auslegung von Gesetzen in England und auf dem Kontinent, 2001, S. 234 ff., 441, 1255.

[52] *Vogenauer*, Die Auslegung von Gesetzen in England und auf dem Kontinent, 2001, S. 964 ff., 1255. Zu einer rein summarischen Aufzählung verschiedener Auslegungselemente s. *Ealing L.B.C. v. Race Relations Board* [1972] A.C. 342 at 361 per Lord Simon (H.L. (E.)).

[53] *MacCormick*, 6 Ratio Juris 16, 21 (1993), wobei das *transcategorical argument* ausdrücklich zwischen dem subjektiven und objektiven Willen des Gesetzgebers unterscheidet.

[54] *Mayer*, in: Grabitz/Hilf/Nettesheim, Das Recht der Europäischen Union, 71. EL August 2020, Art. 19 EUV Rn. 53 ff.; *Borchardt*, in: Schulze/Janssen/Kadelbach, Europarecht, 4. Aufl. 2020, § 15 Rn. 34 ff.; *Buck*, Über die Auslegungsmethoden des Gerichtshofs der Europäischen Gemeinschaft, 1998, S. 169, 201.

„Zur Begründetheit dieses ersten Teils des ersten Rechtsmittelgrundes ist darauf hinzuweisen, dass bei der Auslegung einer Vorschrift des Unionsrechts nach ständiger Rechtsprechung des Gerichtshofs nicht nur ihr *Wortlaut* und die mit ihr verfolgten *Ziele* zu berücksichtigen sind, sondern auch ihr *Zusammenhang* und das gesamte Unionsrecht (vgl. in diesem Sinne Urteil vom 6. Oktober 1982, Cilfit u.a., 283/81, Slg. 1982, 3415, Randnr. 20). Die *Entstehungsgeschichte* einer Vorschrift des Unionsrechts kann ebenfalls relevante Anhaltspunkte für deren Auslegung liefern (vgl. in diesem Sinne Urteil vom 27. November 2012, Pringle, C-370/12, Randnr. 135)."[55] 28

bb) Das europäische Recht kennt zwar den Savigny'schen Auslegungskanon, weist aber eigene Besonderheiten bezogen auf Wortlaut (§ 4 Rn. 85), Systematik (§ 4 Rn. 136 ff.), Geschichte (§ 4 Rn. 172 ff.) und Telos auf. Bei der folgenorientierten Auslegung ist unter anderem der Grundsatz effet utile eine Argumentationsfigur des europäischen Rechts, den der nationale Anwender berücksichtigen muss (§ 5 Rn. 108 ff.). Besonderheiten gelten für die Wortlautgrenze (§ 6 Rn. 172 f.). Bei der Auslegung ist zudem zu berücksichtigen, dass mehrere Rechtsquellen einzubeziehen sind. Dabei ist das europäische oder internationale Recht **autonom**, d.h. unabhängig vom nationalen Recht auszulegen (§ 2 Rn. 70 ff.). 29

3. Die Kritik an den vier Auslegungsmethoden und dem Subsumtionsmodell

Bei all der Anerkennung und der weiten Verbreitung darf die Entwicklung der Auslegungsmethoden nicht beim Savigny'schen Auslegungskanon stehen bleiben. Vielmehr sind neue Gedanken und Ansätze für eine moderne Methodenlehre erforderlich: Zunächst ist das Recht immer im Zusammenhang mit dem Sachverhalt zu sehen und zu ergänzen. Das Hin- und Herwandern von *Engisch* und die Fallnormtheorie von *Fikentscher* waren hierfür erste wichtige Überlegungen (§ 4 Rn. 10 f.), sie werden am Ende des Werkes noch um eine eigene **Sachverhaltshermeneutik** ergänzt (§ 14 Rn. 11 ff.). 30

Zweitens ist die Auslegung einer Rechtsnorm anhand der vier Auslegungsarten oft nur der erste Schritt der Rechtsgewinnung. Einzelne Auslegungsarten versagen, beispielsweise wenn der Wortlaut nicht weiterhilft. Die Rechtsgewinnung ist damit nicht nur Rechtserkenntnis, sondern auch Rechtsgestaltung. Zur **Konkretisierung** unbestimmter Rechtsbegriffe oder Generalklauseln ist gegebenenfalls ein zweiter Schritt erforderlich, nämlich die Konkretisierung durch Fallvergleichung, dem Beweglichen System oder der Fallgruppenbildung. Neben dem Gesetz sind Prinzipien und die Rechtsprechung zu Rate zu ziehen. In einem dritten Kapitel wird daher auf die Konkretisierung und **Konstruktion** eingegangen (§§ 7–10). Das bedeutet aber gerade keine Beliebigkeit der Rechtsgewinnung (ausführlich § 14 Rn. 64 ff.). 31

Und drittens sind die Savigny'schen Auslegungsfiguren zu ergänzen. So haben etwa **teleologische** und **folgenorientierte** Überlegungen an Bedeutung gewonnen (§ 5 Rn. 56 ff.). Das führt dazu, dass eine Reihe der traditionellen Auslegungsfiguren korrigiert, d.h. mit teleologischen Überlegungen „überspielt" werden können. Sie sind insoweit nur bedingt überzeugende Formalargumente. Ein eigener Teil (§ 6) wird dies verdeutlichen. Zudem werden die Auslegungsfiguren im Mehrebenensystem (§ 2 Rn. 52 f.) um den Einfluss der **Verfassung** (§ 11) und des **Europarechts** (§ 12) ergänzt, wobei in bestimmten Fallkonstellationen die Verfassung und das Europarecht den vier Auslegungsmethoden vorgehen. Hier spricht man von Vorrangargumenten.[56] 32

[55] EuGH, Urt. v. 3.10.2013, C-583/11P, EU:C:2013:625, Rn. 50 – Inuit Tapiriit Kanatami u.a.; st. Rspr., s. EuGH, Urt. v. 17.4.2818, C-414/16, EU:C:2018:257, Rn. 44 – Egenberger.

[56] S. unten § 14 Rn. 78 ff.

33 Im Ergebnis können die Auslegungsfiguren eine hilfreiche Struktur vorgeben, um das Gesetz zu prüfen. So ist einleuchtend, die Auslegung eines Begriffs mit dem Wortsinn zu beginnen. Mit der obigen Einschränkung kann man sich dem Petitum von Kramer anschließen, dass der Savigny'sche Auslegungskanon mit den entsprechenden Modifikationen im Bereich der Gesetzesauslegung **durchaus tragfähig** geblieben ist.[57]

4. Auslegung, Konkretisierung und Rechtsfortbildung

a) Auslegung, Konkretisierung und Rechtsfortbildung als Rechtsschöpfung

34 In der Vergangenheit wurde die Auslegung oft noch als bloßer Erkenntnisakt angesehen, durch den der inhaltliche Gehalt der Norm an sich unberührt bleibt. Die Auslegung lässt die Norm in ihrer Substanz unverändert, sie verschiebt nicht die Grenze des Anwendungsbereichs, sondern fördert nur einen bereits vorhandenen Inhalt zu Tage. Der Rechtsanwender ist insoweit reiner Rechts*finder*, der eine möglicherweise bislang unerkannte, aber in der Norm bereits angelegte Bedeutungsebene freilegt. Die Ablehnung jeglichen rechtsschöpferischen Elements im Rahmen der Auslegung korrespondiert mit dem mechanistischen Richterbild der Aufklärung, wie es Montesquieu[58] oder Beccaria[59] und – mit Einschränkungen – letztlich auch von Savigny[60] vertraten.[61] Insoweit fügt sich dieses Verständnis von Auslegung auch in das Denken der Begriffsjurisprudenz (§ 4 Rn. 102 ff.) ein.

35 Schon *von Bülow* formulierte: „[…] nicht das Gesetz, sondern Gesetz und Richteramt schafft dem Volke sein Recht."[62] Es sei originäre Aufgabe des Richters, das vom Gesetzgeber begonnene Werk fortzuführen und zu vollenden.[63] Die Grenzen der Rechtsfortbildung sind unter § 13 zu erörtern. An dieser Stelle reicht der Hinweis, dass mit dem Einzug der Interessen- und Wertungsjurisprudenz neben die Bindung des Richters an das Gesetz zugleich dessen Bindung an die Wertungen des Gesetzgebers trat (§ 5 Rn. 19 ff.).[64] Der Akt der Rechtsfindung im Wege der Gesetzesauslegung dient damit letzten Endes der Durchsetzung der gesetzgeberischen Wertentscheidungen.[65] Gesetzesauslegung und richterliche Rechtsfortbildung sind somit nicht wesensverschieden, sondern nur ineinan-

---

[57] *Flume*, Allgemeiner Teil des Bürgerlichen Rechts, Bd. II, 4. Aufl. 1992, S. 294; *Kramer*, Juristische Methodenlehre, 6. Aufl. 2019, S. 66 f.; vorher schon *Esser*, Grundsatz und Norm, 1956, S. 59: „In 99 von 100 Fällen wird diese Aufgabe durch die herkömmlichen Interpretationsmethoden bewältigt". **A.A.** aber *Bydlinski*, Juristische Methodenlehre und Rechtsbegriff, 2. Aufl. 1991, S. 437: „Obwohl manche an ihm festhalten wollen, ist der ‚Kanon' somit überholt." Ähnlich auch *Rüthers/Fischer/Birk*, Rechtstheorie, 11. Aufl. 2020, Rn. 703: „Erkenntnisfortschritt […] eher gering".

[58] *Montesquieu*, De l'esprit des lois, 1768, Liv. XI, Chap. 6 (§ 1 Fn. 109).

[59] *Beccaria*, Verbrechen und Strafen, 1778, § 4; dazu auch *Küper*, Die Rechtsidee der Strafprozessordnung und ihre geschichtlichen Grundlagen, 1967, S. 50 ff.

[60] *Grimm*, in: Wesenberg von Savigny, Juristische Methodenlehre, 1951, S. 15. *Von Savigny* plädierte zwar für die „freye Geistestätigkeit" des Richters, beschränkte diese Aufgabe aber auf die logische Ableitung aus dem vorhandenen Normgefüge: „Jetzt entscheidet nicht mehr die Willkür des Richters, sondern das Gesetz selbst, der Richter erkennt nur die Regeln und wendet sie auf den einzelnen Fall an." Dazu *Küper*, Die Rechtsidee der Strafprozessordnung und ihre geschichtlichen Grundlagen, 1967, S. 153 ff., 156.

[61] *Krey*, Studien zum Gesetzesvorbehalt im Strafrecht, 1977, S. 61; vertiefend dazu *Küper*, Die Rechtsidee der Strafprozessordnung und ihre geschichtlichen Grundlagen, 1967, S. 55 ff., 153 ff.

[62] *von Bülow*, Gesetz und Richteramt, 1885, S. 48.

[63] *von Bülow*, Gesetz und Richteramt, 1885, S. 3 ff., 28 ff., 45 ff.

[64] *Heck*, Begriffsbildung und Interessenjurisprudenz, 1932, S. 106 f. (§ 5 Rn. 19 ff.); *Warda*, Dogmatische Grundlagen des richterlichen Ermessens im Strafrecht, 1962, S. 116 ff.

[65] *Rüthers*, Die unbegrenzte Auslegung, 8. Aufl. 2017, S. 435 ff.; *Canaris*, Systemdenken und Systembegriff in der Jurisprudenz, 1983, S. 23; von der Durchsetzung der Wertung des Gesetzgebers spricht auch *Roth-Stielow*, Die Auflehnung des Richters gegen das Gesetz, 1963, S. 96.

der übergehende Stufen des Rechtsfindungsverfahrens.[66] Jede Interpretation eines Textes, die sich nicht in der Wiedergabe von bereits Bekanntem erschöpft, ist gleichsam ein *schöpferischer*, d.h. rechtsfortbildender Akt des Interpretierenden; die Zugabe eines eigenen, kreativen Beitrags ist damit schon bei der Auslegung i.e.S. gegeben, weil der Text erst durch das Verständnis des Rechtsanwenders und nicht von sich aus spricht[67] (s. auch unten § 13 Rn. 13 ff.).

b) Die Wortlautgrenze als Grenze zwischen Auslegung und Rechtsfortbildung

In Deutschland spricht die h.M. immer dann von Rechtsfortbildung, wenn die Grenzen des möglichen Wortlauts überschritten sind.[68] Diese Wortlautgrenze hat ihre Berechtigung vor allem im Strafrecht, um den Bürger vor einer Bestrafung zu schützen, mit der er mangels erkennbaren Wortlauts nicht rechnen muss (ausführlich § 4 Rn. 65 ff.). Historisch gesehen, trennte man in der frühen Neuzeit nicht zwischen Auslegung und Rechtsfortbildung, sondern sprach von *interpretatio restrictiva* und *interpretatio extensiva*, um teleologische Reduktion und Einzelanalogie zu begründen.[69] Die Unterscheidung von Auslegung und Rechtsfortbildung ist auch im französischen und englischen Recht nicht üblich.[70] Auch der EuGH verwendet im europäischen Recht oft nur den Begriff „Auslegung" i.w.S. oder „interprétation" (§ 6 Rn. 172). Allerdings gibt es inzwischen auch internationale Regelwerke, die zwischen Auslegung und Rechtsfortbildung unterscheiden.[71] **36**

c) Der fließende Übergang zwischen Auslegung und Rechtsfortbildung

Überzeugend erscheint vor diesem Hintergrund, dass eine starre, qualitative Abgrenzung von Auslegung und Rechtsfortbildung anhand des schöpferischen Anteils nicht möglich ist. Vielmehr liegt im Grenzbereich tatsächlich oftmals nur ein gradueller Unterschied vor.[72] Weiter unten werden weitere Bereiche der Rechtsfortbildung (§ 6 Rn. 91 ff.) vorgestellt. Bei der Arbeit mit Generalklauseln betritt der Rechtsanwender oft Neuland. Auch wenn man sich hier formal im Rahmen des Wortlauts bewegt, ist der rechtsschöpfende Anteil offensichtlich (§ 7 Rn. 10) und insofern als Rechtsfortbildung zu qualifizieren. **37**

d) Folgerungen – die erhöhte Begründungslast

Trotz der Schwierigkeiten bei der Abgrenzung ist die deutsche Unterscheidung zwischen Auslegung und Rechtsfortbildung zu favorisieren. Sie ist zwingend notwendig im Bereich des Gesetzlichkeitsprinzips, wenn die Wortlautgrenze nicht überschritten werden darf (§ 4 Rn. 65 ff.). Sie ist aber auch sinnvoll, wenn Rechtsfortbildung innerhalb des Wortlauts einer Norm betrieben wird. Sie zwingt den Rechtsanwender zur Begründung. Maßgeblich bleibt in erster Linie, dass die Rechtsfindung in jedem Fall über die Methodenlehre an das Gesetz rückangebunden wird. Um dem Gesetzlichkeitsprinzip und dem Grundsatz der Gewaltenteilung Genüge zu tun, steigen die Anforderungen an die richter- **38**

---

[66] *Larenz*, Methodenlehre der Rechtswissenschaft, 6. Aufl. 1991, S. 366; *ders.*, in: FS Olivecrona, 1964, S. 384, 385. S. genauer unten § 13 Rn. 21 ff.

[67] *Larenz* (ebd.), S. 367; vertiefend *Küper*, Die Rechtsidee der Strafprozessordnung und ihre geschichtlichen Grundlagen, 1967, S. 16 f.

[68] *Larenz* (ebd.), S. 366; *Bydlinski*, Juristische Methodenlehre und Rechtsbegriff, 2. Aufl. 1991, S. 467 ff.

[69] S. etwa *Thomasius*, Ausübung der Vernunftlehre, 3. Hauptstück 1691, §§ 102 f., S. 204. Mit umfangreichen weiteren Nachweisen s. *Vogenauer*, Die Auslegung von Gesetzen in England und auf dem Kontinent, 2001, S. 488 ff.

[70] *Vogenauer* (ebd.), S. 1280.

[71] S. etwa Art. I.1:102 DCFR: „Interpretation and development"; *Zimmermann*, RabelsZ 83 (2019), 241, 268.

[72] *Larenz* (ebd.), S. 367.

liche Argumentationslast mit zunehmendem schöpferischem Anteil.[73] Je weiter sich der Richter bei der Rechtsfindung vom Begriffskern oder von Präjudizien entfernt, desto strenger muss die Begründung auf Stringenz und methodische Schlüssigkeit hin untersucht werden. Auf die einzelnen Argumentationsregeln wird zurückzukommen sein (§ 14 Rn. 64 ff.).

II. Die grammatische Auslegung

1. Die grammatische Auslegung als Beginn des Auslegungsprozesses

39 a) Die grammatische Auslegung ist gleichbedeutend mit der Auslegung des Wortlauts, also des Wortsinns eines Tatbestandsmerkmals. Da sich der Gesetzgeber zur Äußerung seines Willens des geschriebenen Wortes bedient, ist dieser Wille zu ermitteln.[74] Der Gesetzgeber wird „beim Wort genommen“.[75] Mit der Auslegung des Wortlauts zu beginnen, ist naheliegend, weil angenommen werden kann, dass der Gesetzgeber die Worte in dem Sinne gebraucht, in dem sie gemeinhin verstanden werden.[76] Sie ist deshalb der Ausgangspunkt der Sinnermittlung,[77] der *starting point*[78] jeder Auslegung. Das BVerfG[79] argumentiert in etwa einem Viertel seiner Entscheidungen mit dem Wortlaut, deutlich häufiger der BGH in Straf-[80] bzw. Zivilsachen[81] mit etwa 50 Prozent.

40 „Dabei ist in aller Regel, wie es hier mit Recht auch das Landgericht getan hat, mit der Auslegung nach dem *Wortlaut zu beginnen* (BGHSt 14, 116, 118; 18, 151, 152; 19, 158, 159), und zwar schon deshalb, weil das nach dem Wortlaut sprachlich Mögliche, also der *mögliche Wortsinn, den Bereich bildet und die Grenzen absteckt, innerhalb derer ein vom Gesetz verwendeter Begriff überhaupt ausgelegt werden kann* (BGHSt 3, 300, 303; Larenz, Methodenlehre der Rechtswissenschaft – 1960 – II. Teil 3. Kapitel Nr. 2a und f, Seiten 241, 258).“[82]

41 b) Eine der wesentlichen Erkenntnisse der Sprachphilosophie ist die Einsicht, dass Worte nicht aus sich heraus ermittelt werden können, sondern nur in dem Zusammenhang, innerhalb dessen der Sprecher das Wort verwendet. Nach *Wittgenstein* ist die Bedeutung eines Wortes sein Gebrauch in der Sprache.[83] Das Wort muss in seinem systematischen Kontext gelesen werden (§ 4 Rn. 92). Das Verständnis des Wortes kann sich im Laufe der Zeit wandeln (§ 4 Rn. 60).

---

[73] So im Ergebnis auch *Krey*, Studien zum Gesetzesvorbehalt im Strafrecht, 1977, S. 246.

[74] *Morlok*, in: Gabriel/Gröschner, Subsumtion, 2012, S. 179, 184.

[75] *Gern*, VerwArch 80 (1989), 415, 417.

[76] Ähnlich *Larenz*, Methodenlehre der Rechtswissenschaft, 6. Aufl. 1991, S. 320; ebenso für den angloamerikanischen Rechtskreis *MacCormick*, 6 Ratio Juris (1993), 16, 22.

[77] *Meier-Hayoz*, Der Richter als Gesetzgeber, 1951, S. 42.

[78] So anschaulich *Kramer*, Juristische Methodenlehre, 6. Aufl. 2019, S. 67.

[79] *Übelacker*, Die genetische Auslegung in der jüngeren Rechtsprechung des Bundesverfassungsgerichts, 1993, S. 194.

[80] *Kudlich/Christensen*, Die Methodik des BGH in Strafsachen, 2009, S. 25.

[81] *Raisch*, Vom Nutzen der überkommenen Auslegungskanones für die praktische Rechtsanwendung, 1988, S. 91.

[82] BGH, Urt. v. 30.6.1966, K ZR 5/65, BGHZ 46, 74, 76 – Preisbindung für Schallplatten, zum Begriff „Verlag“.

[83] *Wittgenstein*, Philosophische Untersuchungen, 1953 (posthum), Rn. 43: „Die Bedeutung eines Wortes ist sein Gebrauch in der Sprache“; *Roellecke*, in: FS Müller, 1970, S. 323 ff.; *Schünemann*, in: FS Klug, 1983, S. 169 ff.; *Herbert*, Rechtstheorie als Sprachkritik, 1995, S. 52 ff.; *Kuntz*, AcP 215 (2015), 387 ff.

c) Unstrittig bildet die Wortlautgrenze im Zivilrecht nicht die Grenze der Rechtsfin- 42
dung, weil die Rechtsfortbildung das Überschreiten der Wortlautgrenze zulässt. Im Strafrecht kommt der Wortlautgrenze wegen des Prinzips *nulla poena sine lege* (keine Strafe ohne Gesetz) entscheidende Bedeutung zu (§ 4 Rn. 67 ff.).

2. Hilfsmittel zur Bestimmung eines eindeutigen und mehrdeutigen Wortlauts

In der Literatur werden zwei Modelle unterschieden, um eindeutige von schwierigen 43
Fällen zu unterscheiden. *Heck* hat das plastische Bild von Begriffskern und Begriffshof geprägt. Fällt der Sachverhalt eindeutig unter das Tatbestandsmerkmal, liegt er im Begriffskern, andernfalls im Begriffshof.[84] *Koch* entwickelte dagegen ein Drei-Bereiche-Modell: Er unterscheidet zwischen Begriffen, bei denen der fragliche Ausdruck eindeutig angewendet (positiv) oder eindeutig abgelehnt (negativ) werden kann und neutralen Begriffen, bei denen eine sprachliche Zuordnung nicht eindeutig möglich ist.[85]

Bei der Frage, was als „Waffe" i.S.v. § 224 Abs. 1 Nr. 2 Alt. 1 StGB zu bezeichnen ist, wird 44
man wohl das Gewehr und die Pistole positiv unter den Begriff „Waffe" fallen lassen, den in den Rücken gebohrten Zeigefinger dagegen nicht. Neutrale Tatmittel sind nach dem Drei-Bereiche-Modell wohl das Tier oder die Salzsäure.[86]

Grafik: Begriffskern/Begriffshof und Drei-Bereiche-Modell anhand des Beispiels „Waffe" 45

+	o	—
Gewehr	Tier	Zeigefinger
Pistole	Salzsäure	

Beide Überlegungen sind in einem ersten Schritt durchaus hilfreich, um sog. Sprache- 46
videnzen festzustellen.[87] Dabei ist zu prüfen, ob der Sachverhalt unproblematisch unter das Tatbestandsmerkmal subsumiert werden kann. Das ist etwa gegeben, wenn der Begriff klar und eindeutig ist. Dies ist vor allem bei Zahlen und Fristen der Fall.[88] Der Bundespräsident muss 40 Jahre alt sein (Art. 54 Abs. 1 S. 2 GG); den Mittwoch wird man nicht unter Anfang der Woche,[89] die Katze oder den Tanzbären wird man nicht unter den

---

[84] *Heck*, AcP 112 (1914), 1, 173.

[85] *H. Koch*, ARSP 61 (1975), 27, 35; *ders./Rüßmann*, Juristische Begründungslehre, 1982, S. 194 ff.; *Alexy*, Theorie der juristischen Argumentation, 1983, S. 289. Ähnlich *Jellinek*, Gesetz, Gesetzesanwendung und Zweckmäßigkeitserwägung, 1913, S. 37 f., der von „Fällen positiver Gewißheit" und „Fällen negativer Gewißheit" spricht.

[86] Vertiefend zur Salzsäure als Waffe siehe § 4 Rn. 60.

[87] Sie finden sich heute bei Engisch/*Würtenberger/Otto*, Einführung in das juristische Denken, 12. Aufl. 2018, S. 157 ff.; *Höhn*, Praktische Methodik der Gesetzesauslegung, 1993, S. 189 f.; *Honsell*, in: Staudinger, BGB, Neubearb. 2018, Einl. zum BGB Rn. 158; *Bydlinski*, Juristische Methodenlehre und Rechtsbegriff, 2. Aufl. 1991, S. 118 f., 437 f. (jeweils zu *Heck*).

[88] S. aber unten § 6 Rn. 3 f.

[89] Nach einem ironisch verwendeten Bonmot soll der Mittwoch für Veranstaltungen allerdings ungünstig sein, weil an diesem Tag zwei Wochenenden aufeinandertreffen.

Begriff „Hund",[90] „den Vater mit Kind" nicht unter „Mutter mit Kind" (§ 1 Rn. 4) subsumieren können. Auch gibt es Anwendungsfälle, bei denen der Rechtsbegriff zwar auslegungsfähig, aber nicht auslegungsbedürftig ist, weil das Tatbestandsmerkmal eindeutig erfüllt ist. Erleidet nach dem Sachverhalt eine Person durch einen Verkehrsunfall mehrere Knochenbrüche, braucht die Körperverletzung nicht umfangreich definiert werden.[91]

47 Allerdings sollte man sich bewusst sein, dass der Wortlaut oft weniger eindeutig ist, als es auf den ersten Blick scheint und man deshalb nicht vorschnell die Prüfung abbrechen oder unüberlegt ein Tatbestandsmerkmal bejahen darf. Das obige Beispiel zur vorsätzlichen Alkoholzufuhr zeigt, dass die Gesundheitsschädigung nicht einfach zu bejahen ist (§ 4 Rn. 12 ff.). Ähnlich verhält es sich bei unbestimmten Rechtsbegriffen wie „zumutbar", „verhältnismäßig", „angemessen" oder der Frage, was unter „Gewalt"[92] zu verstehen ist.

48 Grundsätzlich kann der Wortlaut eines Rechtsbegriffs in drei Schritten erschlossen werden, indem man zunächst auf den juristischen Sprachgebrauch durch die Vorgaben des Gesetzgebers (a), dann auf den Sprachgebrauch durch die juristische Fachsprache (b) und schließlich auf den allgemeinen Sprachgebrauch (c) abstellt.[93] Ganz ähnlich spricht man im anglo-amerikanischen Rechtskreis von *technical* und *ordinary meaning*.[94] Damit gehen die eindeutigen Vorgaben des Gesetzgebers den juristischen Fachbegriffen und diese wiederum dem allgemeinen Sprachgebrauch vor. Im Strafrecht dagegen ist alleine der allgemeine Sprachgebrauch maßgeblich (§ 4 Rn. 73).

a) Legaldefinitionen, Vermutungen und Fiktionen als juristischer Sprachgebrauch des Gesetzgebers

49 Gesetze sind regelmäßig Sollensnormen (§ 2 Rn. 7 ff.), deshalb steht es dem Gesetzgeber frei, Regeln aufzustellen, die unabhängig davon gelten, ob sich etwas wirklich zugetragen hat und damit wahr ist oder nicht. Der Gesetzgeber kann somit nach Belieben Legaldefinitionen, Vermutungen und Fiktionen aufstellen. **Legaldefinitionen** finden sich häufig in neueren Gesetzen, vorrangig in den ersten Paragraphen,[95] und vor allem in europäischen Richtlinien und Verordnungen. Mit ihnen gibt der Gesetzgeber erst einmal den Inhalt des Begriffes verbindlich vor. In § 192 BGB wird die Mitte des Monats als der 15. Tag des Monats im Gesetz definiert. Das mag in der Regel stimmen, nicht aber für den Monat Februar. Trotzdem ist der Jurist an diese Vorgaben gebunden. Definiert der Gesetzgeber die Ehe als Bündnis, das zwischen zwei Personen verschiedenen oder gleichen Geschlechts geschlossen wird,[96] dann geht dieser Rechtsbegriff dem bisherigen kulturellen oder christlichen Verständnis[97] vom Bund zwischen Mann und Frau vor.[98]

50 Eine eigene Begriffsbildung ist grundsätzlich überflüssig und falsch. Allerdings sind nicht alle Legaldefinitionen eindeutig; dann sind sie ihrerseits auszulegen.

---

[90] Dieses Beispiel wird verwendet von *Henkel*, Einführung in die Rechtsphilosophie, 2. Aufl. 1977, S. 201; *Neuner*, Die Rechtsfindung contra legem, 2. Aufl. 2005, S. 102.

[91] *Vogel*, Juristische Methodik, 1998, S. 102.

[92] S. unten § 4 Rn. 75.

[93] Zu dieser Differenzierung *Vogel*, Juristische Methodik, 1998, S. 114 f.

[94] *MacCormick*, 6 Ratio Juris 16, 21 (1993).

[95] §§ 2–4 ProdHaftG; § 3 UmweltHG; § 3 AGG; § 2 UWG.

[96] Neufassung des § 1353 Abs. 1 BGB, eingeführt durch das Gesetz zur Einführung des Rechts auf Eheschließung für Personen gleichen Geschlechts v. 20.7.2017, BGBl. I Nr. 52, S. 2787.

[97] Zum römischen Recht s. Mod. D. 23,2,1; zum christlichen Verständnis s. Matt. 19,5 f.

[98] Zur verfassungsrechtlichen Vereinbarkeit s. *Wollenschläger*, in: Wollenschläger/Coester-Waltjen, Ehe für Alle, 2018, S. 1 ff. Zur Rechtsfortbildung durch den Gesetzgeber oder Gerichte in dieser Frage s. unten § 13 Rn. 94.

Problematisch ist die Frage, ob Arbeitnehmer unter den Verbraucherbegriff des § 13 BGB fallen.[99] Ähnlich strittig ist die Frage, ob der Schutzzweck des § 1 UWG sicherstellen soll, dass die Normen des UWG als Schutzgesetze i.S.v. § 823 Abs. 2 BGB gelten (§ 5 Rn. 13).[100] Umstritten ist, wie bei Art. 17 Abs. 1 MAR (§ 15 Abs. 1 WpHG a.F.) der Begriff „unverzüglich" auszulegen ist; § 121 BGB gilt wohl nicht (§ 6 Rn. 23).

Bei einer **widerlegbaren Vermutung** wird das Vorliegen der anspruchsbegründenden Tatsachen vermutet, deren Beweis grundsätzlich dem Kläger obliegt.[101] Kann der Beklagte diese Vermutung nicht widerlegen, unterliegt er im Prozess. Mit anderen Worten: Dem Beklagten wird die Beweislast für das Nichtvorliegen der anspruchsbegründenden Tatsachen auferlegt. 51

So wird nach § 891 Abs. 1 BGB die Richtigkeit des Grundbuchs vermutet. Nach § 613 S. 1 BGB wird vermutet, dass die Dienste des Arbeitnehmers im Zweifel in Person zu leisten sind. Bei der Tierhalterhaftung wird gem. § 834 S. 2 BGB das Verschulden des Tierhalters vermutet. 52

Die **unwiderlegbare Vermutung** schließt dagegen jegliche Entlastungsmöglichkeit aus. Sie gilt unabhängig davon, ob sie den Tatsachen entspricht. 53

Nach § 1566 Abs. 1 BGB wird unwiderlegbar vermutet, dass die Ehe gescheitert ist, wenn die Ehegatten seit einem Jahr getrennt leben und beide Ehegatten die Scheidung beantragen oder der Antragsgegner der Scheidung zustimmt. Nach § 1566 Abs. 2 BGB wird unwiderlegbar vermutet, dass die Ehe gescheitert ist, wenn die Ehegatten seit drei Jahren getrennt leben. In diesen Fällen darf – abgesehen von der Härteklausel des § 1568 BGB – keine Ehe gegen einen Scheidungswilligen fortgeführt werden. – S. etwa §§ 108 Abs. 2 S. 2, 119 Abs. 2, 177 Abs. 2 S. 2, 812 Abs. 2, 1923 Abs. 2 BGB.

Die **Fiktion** hat mit der unwiderlegbaren Vermutung gemeinsam, dass der Gesetzgeber die Rechtsfolge zwingend vorgibt. Der Beweis des Gegenteils ist nicht zulässig. Während bei der Vermutung das Vermutete gegeben sein kann, unterstellt der Gesetzgeber bei der Fiktion einen Umstand, welcher der Wirklichkeit nicht entspricht.[102] Oft benutzt der Gesetzgeber hierfür den Begriff „gilt". 54

Gem. § 892 Abs. 1 S. 1 BGB gilt das Grundbuch zugunsten des Gutgläubigen als richtig, obwohl es objektiv falsch ist. – Bis zum Jahre 1969 lautete § 1589 Abs. 2 BGB: „Ein uneheliches Kind und dessen Vater gelten nicht als verwandt",[103] was im biologischen Sinne grober Unfug ist, da der Vater das Kind gezeugt hat. Mit der Regelung wollte der Gesetzgeber verhindern, dass nichteheliche Kinder Erbansprüche geltend machen. Inzwischen ist das nichteheliche Kind dem ehelichen erbrechtlich gleichgestellt.[104] – Grundsätzlich beginnt die Rechtsfähigkeit mit Vollendung der Geburt, § 1 BGB. Damit auch das Ungeborene (die Leibesfrucht, der sog. *nasciturus*) erben kann, formuliert § 1923 Abs. 2 BGB: „Wer zur Zeit des Erbfalls noch nicht lebte, aber bereits gezeugt war, gilt als vor dem Erbfalle geboren."[105] 55

---

[99] *Micklitz*, in: MünchKomm-BGB, 8. Aufl. 2018, § 13 Rn. 58 ff.

[100] Der Wortlaut von § 1 S. 1 UWG lautet: „Dieses Gesetz dient dem Schutz der Mitbewerber, der Verbraucherinnen und Verbraucher sowie der sonstigen Marktteilnehmer vor unlauteren geschäftlichen Handlungen."

[101] *Hübner*, Allgemeiner Teil des Bürgerlichen Rechts, 2. Aufl. 1996, Rn. 90; *Möllers*, Juristische Arbeitstechnik und wissenschaftliches Arbeiten, 10. Aufl. 2021, § 6 Rn. 35.

[102] *Prütting*, in: MünchKomm-ZPO, 6. Aufl. 2020, § 292 Rn. 8.

[103] *Müller-Erzbach*, JhJ 61 (1912), 343, 359; Engisch/*Würtenberger/Otto*, Einführung in das juristische Denken, 12. Aufl. 2018, S. 36.

[104] S. Gesetz zur erbrechtlichen Gleichstellung nichtehelicher Kinder (Erbrechtsgleichstellungsgesetz – ErbGleichG) v. 16.12.1997, BGBl. I, S. 2968.

[105] Weiteres Beispiel aus einem öffentlichem Schwimmbad: § 1: Der Zutritt zur Umkleide für Frauen ist nur Frauen gestattet. § 2: Der Bademeister *gilt* als Frau im Sinne von § 1.; Fall nach Zippelius/*Würtenberger*, Juristische Methodenlehre, 12. Aufl. 2020, S. 29.

b) Normative und deskriptive Begriffe

56 Wenn der Gesetzgeber auf Legaldefinitionen, Vermutungen und Fiktionen verzichtet hat, ist der Rechtsbegriff auszulegen. Dies geschieht mit Hilfe der Rechtsliteratur und Rechtsprechung sowie den einschlägigen Auslegungsfiguren. Generell wird zwischen normativen und deskriptiven Begriffen unterschieden. Normative Begriffe sind juristische Fachausdrücke *(termini technici)*, die sich auf Wertungen oder Abstraktionen beziehen und unabhängig von einer Wirklichkeitsebene sind.[106] Normative Begriffe weichen oft vom allgemeinen Sprachgebrauch ab und sind durch das Gesetz selbst ausgefüllt. Der juristische Laie verwechselt regelmäßig Besitzer und Eigentümer oder setzt diese gleich. Eine „Leihgebühr“ wird erhoben, obwohl juristisch eine Verwahrung oder eine Miete vorliegt.

57 Normative Begriffe sind beispielsweise Gestaltungsrechte wie Kündigung, Aufrechnung, Rücktritt. Der juristische Begriff des „Schadens“ ist vielfältig besetzt und kennt etwa den materiellen und immateriellen oder den natürlichen und den normativen Schadensbegriff.[107] Der Werkunternehmer schuldet nach § 631 BGB den Erfolg seines Werkes. Jedem Juristen ist bekannt, dass die Leihe unentgeltlich ist (§ 598 BGB) und dass Besitz (§ 854 BGB) und Eigentum (§ 903 BGB) zu unterscheiden sind.

58 Deskriptive Begriffe sind Begriffe, die auf einen Wirklichkeitssachverhalt[108] verweisen, also wirkliche oder wirklichkeitsartige, grundsätzlich wahrnehmbare oder erfahrbare Objekte beschreiben. Ihr Sinn ergibt sich bereits aus ihnen selbst heraus. *Engisch* nennt Mensch, Tod, Dunkelheit oder Geschwindigkeit. Zu prüfen ist dann, ob das Gesetz auf den allgemeinen Sprachgebrauch zurückgreift.[109] Schnell wird man aber merken, dass auch für diese Begriffe der rechtliche Kontext maßgeblich ist, z. B. wann der Tod oder die Geburt eines Menschen eintritt (§ 6 Rn. 17 ff.). Überspitzt könnte man sagen, dass alle Tatbestandsmerkmale normativ sind.[110]

c) Enge (restriktive) und weite (extensive) Auslegung des Tatbestandsmerkmals

59 Die enge (restriktive) und weite (extensive) Auslegung bewegen sich noch innerhalb des Wortlauts. Im Strafrecht gilt das strikte Analogieverbot, daher ist auch die Frage entscheidend, wann noch innerhalb des Wortlauts eine sog. weite Auslegung vorgenommen werden kann. Eine weite Auslegung ist noch zulässig, während die den Wortlaut übersteigende Analogie nicht mehr möglich ist.

60 *Salzsäure:* Lässt sich unter den Begriff der „Waffe“ gem. § 224 Abs. 1 Nr. 2 Alt. 1 StGB subsumieren, weil sich der Sprachgebrauch seit Inkrafttreten des StGB gewandelt hat (§ 6 Rn. 12) – Ein weiteres Beispiel für die weite Auslegung des Begriffs des gefährlichen Werkzeuges bildet der „beschuhte Fuß“.[111]

61 *Gegenbeispiele*: Wie gezeigt, wurde der Sitzstreik im Sitzblockadenfall, der nur eine psychische, aber keine körperliche Gewalt bei dem Opfer auslöste, nicht mehr als extensive Auslegung des Gewaltbegriffs verstanden (§ 4 Rn. 75). – Das strafrechtliche Analogieverbot verbietet es, eine Niere als „wichtiges Glied des Körpers“ anzusehen[112] oder den Zusammenschluss von zwei Personen als „Vereinigung“ gem. § 129 StGB zu qualifizieren.[113]

---

[106] *Kramer*, Juristische Methodenlehre, 6. Aufl. 2019, S. 74 f.

[107] Für einen Überblick s. Palandt/*Grüneberg*, BGB, 80. Aufl. 2021, Vorb. vor § 249 Rn. 9 ff. S. auch § 7 Rn. 54 ff.

[108] *Kramer*, Juristische Methodenlehre, 6. Aufl. 2019, S. 68.

[109] Engisch/*Würtenberger/Otto*, Einführung in das juristische Denken, 12. Aufl. 2018, S. 161 f.

[110] *E. Wolf*, Typen der Tatbestandsmäßigkeit, 1931, S. 56 ff.; vgl. auch Roxin/*Greco*, Strafrecht Allgemeiner Teil, Bd. I, 5. Aufl. 2020, § 10 Rn. 11, 59.

[111] BGH, Urt. v. 11.2.1982, 4 StR 689/81, BGHSt 30, 375, 377 – beschuhter Fuß und unten § 7 Rn. 57.

[112] BGH, Urt. v. 15.8.1978, 1 StR 356/78, BGHSt 28, 100, 102 – Niere zu § 224 Abs. 1 StGB a. F.: „Wollte man ein inneres Organ als ‚Glied‘ bezeichnen, so würde das die Grenze einer zulässigen Wortlautauslegung überschreiten.“

[113] BGH, Urt. v. 11.10.1978, 3 StR 105/78 (S), BGHSt 28, 147, 148 – Vereinigung.

d) Allgemeiner Sprachgebrauch

Zuletzt ist der allgemeine Sprachgebrauch zu prüfen, auf den in der Rechtsprechung relativ oft verwiesen wird. Dabei wird auf das Verständnis des rechtsunkundigen Normadressaten abgestellt.[114] Bisher ist noch wenig geklärt, wie ein solcher allgemeiner Sprachgebrauch zu einem bestimmten Begriff des Gesetzes festgestellt werden kann. Sicherlich ist es selten ausreichend, wenn der Richter kraft eigener Fachkompetenz einen bestimmten Sprachgebrauch für maßgeblich erachtet.[115] Oft nutzen Gerichte zur Objektivierung *Nachschlagewerke* wie den Duden oder ein etymologisches Wörterbuch (z.B. Grimms Wörterbuch).[116] Der Zweck des Mängelrechts beim Reisevertrag ist es etwa, den Reisenden vor unliebsamen Abweichungen des Reiseprogramms zu schützen. Ob ein Gecko ein Reisemangel darstellt, hatte ein Gericht mit Hilfe von Brehms Tierlexikon festgestellt.[117] Allerdings wird daran kritisiert, dass Standardnachschlagewerke zwar den Sprachbrauch widerspiegeln oder auch prägen, aber keinen Schluss auf die Üblichkeit[118] bzw. die Wortlautgrenze[119] zulassen. 62

Denkbar sind deshalb empirische Vorgehensweisen wie **demoskopische Untersuchungen**, also die Befragung einer relevanten Anzahl der Bevölkerung. Dies ist im Markenrecht der Fall, wo § 8 Abs. 2 Nr. 3 MarkenG für Zeichen und Angaben ausdrücklich auf den allgemeinen Sprachgebrauch verweist (§ 5 Rn. 92). Darüber hinaus kann man **Datenbanken** abfragen. In den USA hatte eine solche Abfrage gezeigt, dass der allgemeine Sprachgebrauch bei „carries a firearm" davon ausgeht, dass die Waffe am Körper getragen wird und nicht im Handschuhfach.[120] In Deutschland existiert für eine Abfrage das deutsche Referenzkorpus des Instituts für deutsche Sprache.[121] Man wird sich allerdings fragen müssen, wann der Aufwand lohnt: Eher nicht, wenn der juristische Sprachgebrauch dem allgemeinen Sprachgebrauch vorgeht, mit großer Wahrscheinlichkeit, wenn der allgemeine Sprachgebrauch die Grenze der Auslegung im Strafrecht bildet (§ 4 Rn. 73). Der BGH hat beispielsweise Pilze als Pflanzen im Sinne des BtMG angesehen. Dies widerspricht zwar den Vorgaben der Biologie, die Pilze als eigenständige Kategorie einordnen. Entscheidend sei aber der allgemeine Sprachgebrauch, der Pilze als Pflanze qualifiziere. Ausdrücklich verwies der BGH hierfür auf eine Recherche im Internet.[122] 62a

---

[114] BAG, Urt. v. 13.12.2007, 6 AZR 145/07, BAGE 125, 208, 212 – Vertretungszusatz: allgemeiner, nichtjuristischer Sprachgebrauch.

[115] Zutreffend OLG Koblenz, Beschl. v. 15.3.2006, 1 Ss 341/05, NStZ-RR 2006, 218, 219 f. – „Zauberpilze": „Es liegt auf der Hand, dass für die Feststellung des Wortsinns aus Sicht des Bürgers [...] weder die subjektive Vorstellung noch der aktuelle Stand der Allgemeinbildung eines Richters [...] maßgeblich sein kann."

[116] Vgl. *Hamann*, in: Vogel, Zugänge zur Rechtssemantik, 2015, S. 184 ff. Exemplarisch OLG Koblenz, Beschl. v. 15.3.2006, 1 Ss 341/05, NStZ-RR 2006, 218 ff. – „Zauberpilze".

[117] Das LG Frankfurt aus Brehms Tierlexikon: „Brehm schreibt: Einen widerwärtigen Eindruck aber rufen Geckos nur bei dem hervor, welcher sich nicht die Mühe gibt, ihr Treiben zu beachten". Brehm bezeichnet sie als Haustiere im vollsten Sinne des Wortes, treuer noch als Mäuse und jedenfalls nützlicher. Damit wurde im Ergebnis ein Reisemangel verneint. S. dazu LG Frankfurt, Urt. v. 13. 1.1992, 2/24 S 274/91, NJW-RR 1992, 630, 631 – Gecko als Reisemangel.

[118] *Hamann*, in: Vogel (ebd.), S. 184, 199 f. mit dem schönen Vergleich, dass man auch aus Kochbüchern nicht erfahren könnte, was tatsächlich in Deutschlands mittags gegessen wird.

[119] *Lorenz/Pietzcker/Pietzcker*, NStZ 2005, 429, 434.

[120] So die *dissenting opinion* von *Ginsburg u.a.*, in: *Muscarello v. United States,* 524 U.S. 125, 139, 143 (1998) – Beisichtragen einer Waffe; *Mouritsen*, 5 BYU L. Rev. 1915, 1946 ff. (2010); für Deutschland s. *Lorenz/Pietzcker/Pietzcker*, NStZ 2005, 429 f. **A.A.** aber die Mehrheitsmeinung der Richter, welche den Angeklagten verurteilte, *Muscarello v. United States,* 524 U.S. 125, 132 ff. (1998) – Beisichtragen einer Waffe.

[121] www.ids-mannheim.de/kl/projekte/korpora.

[122] BGH, Beschl. v. 25.10.2006, 1 StR 384/06, NJW 2007, 524, 526 – Pflanzenbegriff des Betäubungsmittelrechts; hierzu *Kudlich/Christensen/Sokolowski*, in: F. Müller, Politik, [Neue] Medien und die Sprache des Rechts, 2007, S. 119, 124 ff.

63 **Vertiefung** – *Viren:* In der Tierärztlichen Hochschule wurde mit Viren des Typs leptospira bratislava experimentiert. Eine Studentin infizierte sich mit dem Virus und erkrankte schwer. Sie möchte Schadensersatz nach § 833 S. 1 BGB. Zu Recht?[123]

3. Die Eindeutigkeitsregel des Wortlauts (Acte-clair-Doktrin, literal rule, textualism) als Auslegungsfigur

64 Die Eindeutigkeitsregel besagt: Wenn der Wortlaut eindeutig ist, sind die übrigen Auslegungskriterien überhaupt nicht zu berücksichtigen. Sie findet sich schon in den Digesten[124] und in neuzeitlichen Büchern.[125] Historisch betrachtet entfaltete die strenge Wortlautauslegung ihre volle Blüte mit der Begriffsjurisprudenz (§ 4 Rn. 102). Gelegentlich wird diese Eindeutigkeitsregel vom BVerfG[126] und von Teilen der deutschen Rechtsliteratur immer noch vertreten.[127] Ebenso kennt man die Eindeutigkeitsregel in anderen Staaten, etwa in Österreich.[128] In Frankreich ist die Eindeutigkeitsregel als *Acte-clair* oder *Sens-clair*-Theorie bekannt.[129] In England existierte ursprünglich die *literal rule* oder *plain meaning rule*, wonach der natürliche Wortsinn eines Begriffs im Zweifel vorzugswürdig ist. In eindeutigen Fällen ist dann eine weitere Prüfung nicht mehr erforderlich. Wenn in Deutschland der Bundespräsident 40 Jahre alt sein muss, kann ein 23-jähriger nicht gewählt werden (§ 1 Rn. 66). Hier ist man schon vom allgemeinen Sprachgebrauch im Begriffskern (§ 4 Rn. 45). Auch ist die Vermutung nicht widerlegt, weil es kein rechtliches Argument gibt, das die These stützt, dass auch ein 23-Jähriger Bundespräsident werden kann. Deswegen ist das Ergebnis eindeutig. Es wird aber weiter unten gezeigt, dass die Eindeutigkeitsregel oft nur eine Vermutungsregel darstellt, die durch teleologische Überlegungen zu entkräften ist (§ 6 Rn. 2 ff.).

64a Noch extremer ist die in den USA prominent vertretene Lehre vom *textualism*. Diese Lehre hält nicht nur am Wortlaut der Norm fest. Darüber sind die Begriffe so auslegen, wie sie im Zeitpunkt des Gesetzes nach dem allgemeinen Sprachgebrauch verstanden wurden. Dazu sind etwa die Lexika der damaligen Zeit zu konsultieren.[130] Zudem nutzen sie den systematischen Kontext.[131]

---

[123] S. zur Lösung § 15 Rn. 8.

[124] Wenn in den Worten keine Doppeldeutigkeit ist, darf man die Frage nach dem Willen nicht zulassen – *Cum in verbis nulla ambiguitas est, non debet admitti voluntatis quaestio*, Paul. D. 32,25,1. Zudem existiert die Regel: *Interpretatio cessat in claris* – Bei Klarheit gibt es keine weitere Interpretation, s. *Schott*, in: Schröder, Theorie der Interpretation von Humanismus bis zur Romantik – Rechtswissenschaft, Philosophie, Theologie, 2001, S. 155 ff.; *Honsell*, ZfPW 2016, 106 ff.

[125] S. Codex Maximilianeus Bavaricus Civilis, 1756, Cap. I, § 9 S. 1: „Deutliche Gesetz und Ordnungen soll man nicht auszulegen suchen, sondern die Worte bey ihrer gewöhnlich und landläuffiger Bedeutung ohne Verdrehung belassen."

[126] BVerfG, Beschl. v. 24.4.1952, 1 BvR 36/52, BVerfGE 1, 263, 264 – Bezirksschornsteinfeger: „Für eine Interpretation des Gesetzes ist nur dann Raum, wenn der Wortsinn zweifelhaft erscheint; das ist hier nicht der Fall. Der Gesetzgeber hat vielmehr [...] eindeutig [...] eine Ausnahmebestimmung getroffen. Daran ist das Gericht gebunden."

[127] *Vogel*, Juristische Methodik, 1998, S. 114 Fn. 6; *Gern*, VerwArch 80 (1989), 415, 436; *Röhl/Röhl*, Allgemeine Rechtslehre, 3. Aufl. 2008, S. 632.

[128] Verfassungsgerichtshof, Erkenntnis v. 17.6.1963, B 44/63, VfSlg. 1963, Nr. 4442, S. 316, 317.

[129] C.C., 23 août 1985, n 85-197 DC: „règles constitutionnelles, claires et précises, qui n'appellent aucune interprétation". Zur *école de l'exégèse*, welche die Buchstabentreue betonte, s. *Fikentscher*, Methoden des Rechts, Bd. I, 1975, S. 431 ff.; *Bergel*, Méthodologie juridique, 2ᵉ éd. 2016, Nr. 145.

[130] Etwa von den Richtern *Scalia* und *Easterbrook*; s. *Scalia/Garner*, Reading Law, 2012, S. 16 ff., Nr. 7; *Easterbrook*, 17 Harv.J.L.&Pub.Pol'y. 61 ff. (1994); *Eskridge, Jr.*, 37 UCLA L. Rev. 621, 623 (1990). S. unten § 6 Rn. 89.

[131] *Easterbrook*, 17 Harv. J.L.&Pub.Pol. 61, 64 (1994).

4. Wortlautgrenze und Analogieverbot

a) Die vier Ausformungen des Gesetzlichkeitsprinzips

In Anlehnung an das Begriffskern- und Begriffshofmodell (§ 4 Rn. 43 ff.) kann der Bereich des möglichen Wortlauts dabei in zweierlei Ausprägung verlassen werden. Zum einen kann die Wortlautgrenze – auch bildlich gesprochen – nach außen hin überschritten werden, indem ein Sachverhalt unter die Norm gefasst wird, der außerhalb des Begriffshofs liegt; zum anderen kann die Wortlautgrenze unterschritten werden, indem ein Sachverhalt, der im Bereich des Begriffshofs liegt, aus dem Anwendungsbereich der Norm herausgenommen wird.[132] In beiden Fällen wird insoweit der sprachliche Bedeutungskern der Norm korrigiert, einmal erweiternd, einmal einschränkend.[133] **65**

Das Gesetzlichkeitsprinzip wurde als wichtiger Grundsatz schon eingangs vorgestellt (§ 1 Rn. 36 ff.). Aus dem Wortlaut sowie aus dem Sinn und Zweck des Art. 103 Abs. 2 GG haben sich im Einzelnen vier eng miteinander verbundene Ausformungen[134] des Gesetzlichkeitsprinzips eingebürgert. Mit dem Analogieverbot (*nulla poena sine lege stricta*) und dem Gewohnheitsrechtsverbot (*nulla poena sine lege scripta*) wird über das „ob" einer formell-gesetzlichen Grundlage für eine Bestrafung eine Aussage getroffen. Sie sind in erster Linie an die Gerichte adressiert. Die anderen beiden Ausformungen richten sich zuvorderst an den Gesetzgeber:[135] Der Bestimmtheitsgrundsatz (*nulla poena sine lege certa*) stellt Anforderungen an das „wie" des zu schaffenden Strafgesetzes auf, d.h. er regelt die Reichweite des strengen Gesetzesvorbehalts des Art. 103 Abs. 2 GG. Schließlich gilt das Verbot rückwirkender Bestrafung (*nulla poena sine lege praevia*). **66**

b) Das Analogieverbot (nullum crimen, nulla poena sine lege stricta)

aa) Im Strafrecht ist die Wortlautgrenze wegen des Gesetzlichkeitsprinzips von entscheidender Bedeutung. Ohne gesetzliche Grundlage darf ein Täter nicht bestraft werden (*nullum crimen, nulla poena sine lege stricta*). Eine analoge Anwendung einer Norm auf einen gesetzlich nicht geregelten Fall zulasten des Täters ist nicht zulässig (§ 1 Rn. 53). Im Dritten Reich wurde das Analogieverbot modifiziert und damit praktisch aufgehoben. § 2 StGB lautete: „Bestraft wird, wer eine Tat begeht, die das Gesetz für strafbar erklärt, oder die nach dem Grundgedanken eines Strafgesetzes und nach dem *gesunden Volksempfinden* Bestrafung verdient. Findet auf die Tat kein bestimmtes Strafgesetz unmittelbar Anwendung, so wird die Tat nach dem Gesetz bestraft, dessen Grundgedanke auf sie am besten zutrifft."[136] **67**

Damit wurde anstelle juristischer Auslegung das „gesunde Volksempfinden" zur obersten Richtlinie erklärt.[137] In der Folgezeit wurde von dem Recht zur Analogie reger Gebrauch gemacht, etwa als die Vergiftung mehrerer im Privateigentum stehender Bienenvölker als gemeinschädliche Sachbeschädigung bestraft wurde, obwohl § 304 StGB von der Zerstörung „von Gegenständen zum öffentlichen Nutzen" spricht,[138] oder ein Paar **68**

---

[132] *Krey*, Studien zum Gesetzesvorbehalt im Strafrecht, 1977, S. 48.

[133] *Krey*, Studien zum Gesetzesvorbehalt im Strafrecht, 1977, S. 47.

[134] Begriff nach *Hassemer/Kargl*, in: Kindhäuser/Neumann/Paeffgen, StGB, 5. Aufl. 2017, § 1 Rn. 13.

[135] Roxin/*Greco*, Strafrecht Allgemeiner Teil, Bd. I, 5. Aufl. 2020, § 5 Rn. 7.

[136] Neufassung des § 2 StGB im Gesetz zur Änderung des Strafgesetzbuches v. 28.6.1935, RGBl. I Nr. 70, S. 839. Zum Umfang und seinen Grenzen s. *Kohlrausch*, StGB, 35. Aufl. 1940, Einleitende Bestimmungen Nr. II.

[137] *Bruns*, Die Befreiung des Strafrechts vom zivilistischen Denken, 1938, S. 332.

[138] RG, Urt. v. 12.11.1937, 4 D 498/37, RGSt 72, 1, 4 – Bienenvolk: „Daß eine umfangreiche Vernichtung von Bienenvölkern, wie sie sich der Angeklagte hier hat zuschulden kommen lassen, nach gesundem Volksempfinden Bestrafung verdient, ist klar."

wegen Geschlechtsverkehrs zwischen „Ariern" und Juden bestraft wurde,[139] obwohl sich das Paar gar nicht berührt hatte.[140]

69 Aber auch nach Ende des Nationalsozialismus und der Wiedereinführung des strengen Analogieverbots des § 1 StGB haben Gerichte diesen Grundsatz verletzt.

Der BGH subsumierte ein Kraftfahrzeug unter den Begriff des „bespannten Fuhrwerks" und formulierte in der Entscheidung: „Dem bloßen Wortlaut nach fällt ein Kraftfahrzeug, wie es die Angeklagten zur Ausführung des Forstdiebstahls verwendet haben, allerdings nicht unter die Vorschrift, wohl aber nach ihrem Sinn."[141] Die alte Fassung des § 251 StGB verlangte, dass der Räuber „leichtfertig" den Tod eines anderen verursachte. Der BGH bestrafte auch den Täter, der die Todesfolge vorsätzlich begangen hatte.[142] Inzwischen wurde § 251 StGB geändert und es ist erforderlich, dass der Täter den Tod „wenigstens leichtfertig" verursachte.[143] Die Wegnahme von Zahngoldbruchstücken aus den Verbrennungsrückständen in einem Krematorium wurde unter das Tatbestandsmerkmal Wegnahme von „Asche" subsumiert und daher als Störung der Totenruhe gem. § 168 Abs. 1 StGB qualifiziert.[144]

70 Dieses Phänomen findet sich auch in anderen Staaten: In England wurde ein Fahrrad unter die Bezeichnung „Wagen" *(carriage)* subsumiert.[145] In den USA bestrafte der Court of Appeal wegen Diebstahls eines *motor vehicle,* obwohl das Tatobjekt ein Flugzeug war. Der Supreme Court hob die Entscheidung mit dem Hinweis auf den allgemeinen Sprachgebrauch auf, sodass in der Folgezeit das Gesetz auf den Diebstahl von Flugzeugen erweitert werden musste.[146]

71 bb) Das BVerfG hat das Analogieverbot im Strafrecht in zahlreichen Urteilen präzisiert. Es verlangt, dass der Bürger die Strafbarkeit vorhersehen kann, ähnlich wie dies auch im anglo-amerikanischen Recht formuliert wird.[147] In der Sitzblockade-Entscheidung führt das BVerfG aus:

72 „Sie verpflichtet den Gesetzgeber vielmehr auch, die Voraussetzungen der Strafbarkeit so konkret zu umschreiben, dass Anwendungsbereich und Tragweite der Straftatbestände sich aus dem Wortlaut ergeben oder jedenfalls durch Auslegung ermitteln lassen. Diese Verpflichtung dient einem doppelten Zweck. Sie soll einerseits sicherstellen, daß die **Normadressaten vorhersehen können**, welches Verhalten verboten und mit Strafe

[139] Vgl. § 2 des Gesetzes zum Schutz des deutschen Blutes und der deutschen Ehre v. 15.9.1935 (BlutSchG), RGBl. I, S. 1146 i.V.m. § 11 der ersten AusführungsVO v. 14.11.1935, RGBl. I, S. 1334: „nur Geschlechtsverkehr".

[140] RG, Urt. v. 2.2.1939, 2 D 817/38, RGSt 73, 94, 96 – „Rassenschande": „Weder der Wortlaut des Gesetzes unter Berücksichtigung des Sprachgebrauchs noch der Zweck der gesetzlichen Regelung können zu der Einschränkung führen, daß eine vollendete Rassenschande nur unter Berühren des Körpers des anderen Teiles begangen werden könne. Es würde dem gesunden Volksempfinden und der zielbewußten deutschen Rassenpolitik widersprechen, solche Ersatzhandlungen schlechthin straflos zu lassen […]." S. auch unten § 14 Rn. 100 ff.

[141] BGH, Urt. v. 13.9.1957, 1 StR 338/57, BGHSt 10, 375 – Bespanntes Fuhrwerk.

[142] Obwohl er selbst ausführte: „Der Wortlaut des § 251 StGB stützt – für sich betrachtet – allerdings die Ansicht des vorlegenden Senats nicht.", BGH, Beschl. v. 20.10.1992, GSSt 1/92, BGHSt 39, 100, 103 – Vorsätzliche Herbeiführung der Todesfolge.

[143] Eingeführt durch das 6. Strafrechtsreformgesetz (StrRG) v. 26.1.1998, BGBl. I, S. 164.

[144] BGH, Beschl. v. 30.6.2015, 5 StR 71/15, BGHSt 60, 302 Rn. 5; krit. hierzu *Becker/Martenson*, JZ 2016, 779 ff.

[145] *Lord Goddard C.J.* in: Corkery v. Carpenter [1951] 1.K.B. 102, 105: „[I]t is clear that the word ‚carriage' is wide enough to include a bicycle for this purpose", hierzu *Vogenauer*, Die Auslegung von Gesetzen in England und auf dem Kontinent, 2001, S. 1045 f.

[146] S. die Entscheidung *McBoyle v. U.S.*, 43 F.2d. 273, 274 (10th Cir. 1930), in der mit der *ejusdem generis*-Regel (§ 4 Rn. 116) ein Flugzeug unter „motor vehicle" subsumiert wurde; aufgehoben in *McBoyle v. U.S.*, 283 U.S. 25 (1931) – Todesstrafe für jugendliche Straftäter.

[147] *United States v. Campos-Serrano*, 404 U.S. 293, 297 (1971) m.w.Nachw.: „that one is not to be subjected to a penalty unless the words of the statue plainly impose it."

> bedroht ist. Sie soll andererseits gewährleisten, dass die Entscheidung über strafwürdiges Verhalten im Voraus vom Gesetzgeber und nicht erst nachträglich von der vollziehenden oder rechtsprechenden Gewalt gefällt wird. Insoweit enthält Art. 103 Abs. 2 einen strengen **Gesetzesvorbehalt**, der die Strafgerichte auf die **Rechtsanwendung beschränkt**.
>
> Das schließt allerdings nicht eine Verwendung von Begriffen aus, die in besonderem Maß der Deutung durch den Richter bedürfen. Auch im Strafrecht steht der Gesetzgeber vor der Notwendigkeit, der Vielgestaltigkeit des Lebens Rechnung zu tragen. Ferner ist es wegen der **Allgemeinheit und Abstraktheit von Strafnormen vermeintlich,** dass in Einzelfällen zweifelhaft sein kann, ob ein Verhalten noch unter den gesetzlichen Tatbestand fällt oder nicht. Jedenfalls im Regelfall muss der Normadressat aber anhand der gesetzlichen Vorschrift voraussehen können, ob ein Verhalten strafbar ist. In Grenzfällen ist auf diese Weise wenigstens das Risiko einer Bestrafung erkennbar.
>
> Für die Rechtsprechung folgt aus dem Erfordernis gesetzlicher Bestimmtheit ein **Verbot analoger oder gewohnheitsrechtlicher Strafbegründung**. Dabei ist „Analogie" nicht im engeren technischen Sinn zu verstehen; ausgeschlossen ist vielmehr jede Rechtsanwendung, die über den Inhalt einer gesetzlichen Sanktionsnorm hinausgeht."[148]

cc) Aufgrund des Analogieverbots bildet der **allgemeine Sprachgebrauch** die Grenze für die Auslegung im Strafrecht. Art. 103 Abs. 2 GG garantiert die Vorhersehbarkeit der Strafandrohung für den Normadressaten, deshalb ist die Grenze aus **dessen Sicht** zu bestimmen (§ 4 Rn. 62).[149] Aufgrund des abschließenden Charakters der im StGB niedergeschriebenen Verbotsnormen und der daraus folgenden Straflosigkeit aller nicht ausdrücklich pönalisierten Verhaltensweisen spricht man auch von der **Fragmentarität des Strafrechts**[150] bzw. vom Strafgesetzbuch als „magna charta des Verbrechers"[151]. Dies ist Ausfluss des ultima ratio-Gedankens und des Verhältnismäßigkeitsgrundsatzes.[152] 73

Die Vorgaben des Analogieverbots haben die Strafgerichte oft eingehalten, etwa als das Reichsgericht das Anzapfen von Strom nicht als Diebstahl ansah, da der Tatbestand des Diebstahls eine Sache und damit einen körperlichen Gegenstand verlangt.[153] Um die Strafbarkeitslücke zu füllen, führte der Gesetzgeber daraufhin § 248c StGB ein.[154] – Fügt der Täter dem Opfer schwere Verletzungen zu, indem er es gegen eine Gebäudewand oder den Fußboden stößt, hat er kein „gefährliches Werkzeug" i.S.v. § 224 Abs. 1 Nr. 2 Alt. 2 StGB verwendet. So schreibt der BGH: „Das natürliche Sprachempfinden wehrt sich dagegen, eine feste Wand, den gewachsenen Boden oder einen Fels als ‚Werkzeug' zu bezeichnen."[155] 74

Den sog. vergeistigten Gewaltbegriff im Rahmen der Nötigung nach § 240 StGB hat das BVerfG in der Sitzblockade-Entscheidung für verfassungswidrig erklärt: Der Sitzstreik der 75

[148] BVerfG, Beschl. v. 10.1.1995, 1 BvR 718/89 u.a., BVerfGE 92, 1, 12 – Sitzblockaden II; vorher bereits BVerfG, Beschl. v. 23.10.1985, 1 BvR 1053/82, BVerfGE 71, 108, 115 – Anti-Atomkraftplakette. Zur Ablehnung des Gewohnheitsrechts als Rechtsfigur s. oben § 3 Rn. 25 ff.

[149] BVerfG (ebd.), BVerfGE 92, 1, 12 – Sitzblockaden II; vorher schon BVerfG, Beschl. v. 6.5.1987, 2 BvL 11/85, BVerfGE 75, 329, 341 – Verwaltungsakzessorietät im Umweltstrafrecht; BVerfG, Beschl. v. 20.12.1992, 1 BvR 698/89, BVerfGE 87, 209, 224 – Tanz der Teufel.

[150] *Binding*, Lehrbuch Besonderer Teil, Bd. I, 2. Aufl. 1902, S. 20 ff.

[151] *von Liszt*, Strafrechtliche Vorträge und Aufsätze, Bd. 2, 1905, S. 80.

[152] Roxin/*Greco*, Strafrecht Allgemeiner Teil, Bd. I, 5. Aufl. 2020, § 2 Rn. 97 ff.; hierzu *Kaspar*, Verhältnismäßigkeit und Grundrechtsschutz im Präventionsstrafrecht, 2014, S. 243 ff.; *Jahn/Brodowski*, JZ 2017, 969 ff.

[153] RG, Urt. v. 1.5.1899, 739/99, RGSt 32, 165, 186 f.

[154] Gesetz betreffend die Bestrafung der Entziehung elektrischer Arbeit v. 9.4.1990, RGBl. 1900, S. 228. Ebenso die Rechtslage in Österreich (§ 132 StGB) und der Schweiz (Art. 142 StGB).

[155] BGH, Urt. v. 6.9.1968, 4 StR 320/68, BGHSt 22, 235, 237 f. – Wand zu § 223a Abs. 1 StGB a.F.

Demonstranten löst beim Opfer nur eine psychische, aber keine körperliche Gewalt bei dem Opfer aus. Es liegt eine unzulässige Ausdehnung des Gewaltbegriffs vor.[156] – Der Missbrauch von Scheck- oder Kreditkarten konnte nicht wegen Betrugs oder Untreue gem. §§ 263, 266 StGB bestraft werden, weil in diesen Fällen weder „ein Irrtum erregt" noch „eine Pflicht, fremde Vermögensinteressen wahrzunehmen", verletzt wurde. Der Gesetzgeber führte daraufhin den § 266b StGB ein.

76 dd) Zulässig bleibt jedoch neben einer täterbegünstigenden Analogie[157] im materiellen Strafrecht nach h.M. auch eine täterbelastende Analogie strafprozessualer Normen, insbesondere der StPO.[158] Allerdings kann aus dem Rechtsstaatsprinzip ein Analogieverbot im Einzelfall abzuleiten sein.[159]

c) Das Verbot unbestimmter Strafgesetze (nullum crimen, nulla poena sine lege certa)

77 Die Strafbarkeit muss aus Gründen der Rechtssicherheit durch förmliches Gesetz „bestimmt" sein. Aus dem Bestimmtheitsgebot (*nulla poena sine lege certa*) folgt zweierlei: Zum einen ist es exklusive Aufgabe des parlamentarischen Gesetzgebers, die die Strafbarkeit im Wesentlichen lenkenden Entscheidungen selbst zu treffen. Die Grundentscheidung über Strafe und Strafbarkeit darf nicht der Verwaltung und Rechtsprechung überlassen werden. Diese sind vielmehr auf die Anwendung des Gesetzes beschränkt.[160] Art. 103 Abs. 2 GG greift damit nicht zuletzt die bereits im Rahmen des allgemeinen Demokratie- und Rechtsstaatsprinzips des Art. 20 Abs. 1, 3 GG entwickelte *Wesentlichkeitslehre* (§ 13 Rn. 84) auf. Das Bestimmtheitserfordernis bezieht sich dabei nicht nur auf den strafbarkeitsbegründenden Tatbestand (*nullum crimen*), sondern auch auf die Deliktsfolgen (*nulla poena*), d.h. Art und Rahmen der Sanktion.[161]

78 Zum anderen muss der Gesetzgeber das strafbare Verhalten hinreichend klar formulieren. Unbestimmte Strafgesetze sind verfassungswidrig und können somit vom Bundesverfassungsgericht gem. Art. 100 Abs. 1 GG für nichtig erklärt werden. Unbestimmtheit liegt aber nicht schon automatisch mit Verwendung eines unbestimmten Rechtsbegriffs im Gesetz vor. Art. 103 Abs. 2 GG verbietet nicht die Verwendung unbestimmter Rechtsbegriffe oder Generalklauseln als solche.[162] Denn auch im Strafrecht besteht ein legitimes rechtspolitisches Bedürfnis nach abstrakt formulierten tatbestandlichen Verhaltensweisen, um vor dem Hintergrund des technischen Fortschritts strafwürdige Sachverhalte ahnden zu können. Würde man unbestimmte Rechtsbegriffe gänzlich verbieten, drohte der Gesetzgeber aufgrund langwieriger förmlicher Gesetzgebungsverfahren im Strafrecht hinterherzuhinken. Die Folge wären unbillige Strafbarkeitslücken. Gleichzeitig muss sich der Gesetzgeber aber im Klaren darüber sein, dass er unter Einhaltung des Gesetzlichkeitsprinzips niemals alle möglichen Fallkonstellationen wird erfassen können. Derartige Strafbarkeitslücken mögen im Einzelfall dem allgemeinen Gerechtigkeitsempfinden zuwiderlaufen, sind aber hinzunehmen und können nur Anlass für gesetzgeberische Reformen sein.

---

[156] BVerfG, Beschl. v. 10.1.1995, 1 BvR 718/89 u.a., BVerfGE 92, 1, 17 – Sitzblockaden II.

[157] BeckOK-GG/*Radtke*, 45. Ed. 15.11.2020, Art. 103 Rn. 39 m.w.Nachw.

[158] St. Rspr., s. BVerfG, Urt. v. 12.4.2005, 2 BvR 581/01, BVerfGE 112, 304, 315 – Global Positioning System m.w.Nachw.; *Möstl*, in: HStR VIII, 3. Aufl. 2010, § 179 Rn. 56.

[159] Roxin/*Greco*, Strafrecht Allgemeiner Teil, Bd. I, 5. Aufl. 2020, § 5 Rn. 43; *Kudlich*, in: MünchKomm-StPO, 2014, Einl. Rn. 92 ff.; zur Diskussion auch *Jäger*, GA 2006, 615 ff.; *Wolter*, GA 2016, 316 ff.

[160] Zur Ausnahme der sog. Blankettstrafgesetze s. ausführlich *Dannecker*, in: Leipziger Kommentar StGB, 12. Aufl. 2007, § 1 Rn. 148 ff.; BVerfG, Beschl. v. 25.7.1962, 2 BvL 4/62, BVerfGE 14, 245, 252 – § 21 StVG a.F.

[161] BVerfG, Beschl. v. 21.6.1977, 2 BvR 308/77, BVerfGE 45, 363, 371 f.; Roxin/*Greco* (ebd.), § 5 Rn. 11.

[162] St. Rspr., s. BVerfG, Beschl. v. 15.3.1978, 2 BvR 927/76, BVerfGE 48, 48, 56; BVerfG, Beschl. v. 10.1.1995, 1 BvR 718/89 u.a., BVerfGE 92, 1, 14 – Sitzblockaden II.

79 Das BVerfG hat dieses Spannungsverhältnis zwischen materieller Gerechtigkeit und Rechtssicherheit erkannt und lässt daher für eine Vereinbarkeit mit Art. 103 Abs. 2 GG bereits die sog. Bestimmbarkeit genügen. Demnach ist es ausreichend, „wenn sich mit Hilfe der *üblichen Auslegungsmethoden* – insbesondere durch Heranziehung anderer Vorschriften desselben Gesetzes und durch Berücksichtigung des Normzusammenhangs – oder aufgrund einer *gefestigten Rechtsprechung* eine zuverlässige Grundlage für die Auslegung und Anwendung der Norm gewinnen läßt, sodass der Einzelne die Möglichkeit hat, den durch die Strafnorm geschützten Wert sowie das Verbot bestimmter Verhaltensweisen zu erkennen und die staatliche Reaktion vorauszusehen."[163] Es reicht also, wenn dem unbestimmten Rechtsbegriff bzw. der Generalklausel Konturen, insbesondere durch *eine Fallgruppenbildung* der Rechtsprechung, verliehen werden können.[164] Das BVerfG verfolgt hier einen Ansatz der Korrelation: Je höher die angedrohte Strafe, desto strenger sind die Anforderungen an die Gesetzesbestimmtheit.[165] Den Ausschlag gibt letztlich eine Gesamtbetrachtung unter Berücksichtigung möglicher Regelungsalternativen des konkreten Tatbestands.[166] Ist eine genauere Regelung des im Tatbestand umschriebenen Verhaltens aufgrund der Eigenart des zu ordnenden Sachverhalts nicht möglich, scheidet eine Verletzung des Bestimmtheitsgebots aus.[167] Es muss also abgewogen werden, ob die weite Formulierung bzw. ihre Auslegung im Einzelfall noch im Verhältnis zur angedrohten Strafe steht. Diese in der Fallprüfung schwer greifbaren Grundsätze zeigen den Einzelfallcharakter, den Entscheidungen über die Bestimmtheit von Strafgesetzen haben. Das BVerfG ging bisher in seiner Spruchpraxis erkennbar zurückhaltend mit der Bejahung der Unbestimmtheit um. Gegen das Bestimmtheitsgebot verstießen weder die Strafbarkeit des Unterlassens gem. § 13 StGB,[168] die Beleidigung gem. § 185 StGB[169] oder die Bestrafung wegen „groben Unfugs".[170]

80 Inzwischen ist die Rechtsprechung des BVerfG strenger geworden. Wie schon in der Sitzblockaden-Entscheidung erwähnt, dürfen Begriffe nicht „entgrenzt" werden. Das *Verschleifungsverbot* untersagt, dass von einem Tatbestandsmerkmal auf ein anderes geschlossen wird. Insoweit ist es ein Verstoß gegen das Gesetzlichkeitsprinzip des Art. 103 Abs. 2 GG, wenn bei der Untreue von der Pflichtwidrigkeit auf den Vermögensnachteil[171] und beim Betrug von der Vermögensverfügung auf den Vermögensschaden[172] geschlossen wird. Weitere Ausführungen zum Bestimmtheitsgrundsatz finden sich bei Regelbeispielen im Strafrecht (§ 7 Rn. 23 ff.).

d) Gewohnheitsrechtsverbot (nulla poena sine lege scripta)

81 Aus dem Erfordernis einer „gesetzlichen" Fixierung strafwürdigen Verhaltens folgt neben dem Analogieverbot auch ein Verbot strafbegründenden bzw. strafschärfenden Ge-

---

[163] BVerfG, Beschl. v. 15.3.1978, 2 BvR 927/76, BVerfGE 48, 48, 56 f.

[164] BVerfG, Beschl. v. 23.10.2010, 2 BvR 2559/08 u.a., BVerfGE 126, 170, 210 – Präzisierungsgebot Untreuetatbestand.

[165] BVerfG, Beschl. v. 25.7.1962, 2 BvL 4/62, BVerfGE 14, 245, 251 – § 21 StVG; BVerfG, Beschl. v. 6.5.1987, 2 BvL 11/85, BVerfGE 75, 329, 342 – Verwaltungsakzessorietät im Umweltstrafrecht.

[166] BVerfG (ebd.), BVerfGE 126, 170, 196 – Präzisierungsgebot Untreuetatbestand.

[167] Vgl. BVerfG, Urt. v. 12.12.2000, 1 BvR 1762/95 u.a., BVerfGE 102, 347, 361 – Schockwerbung I Benetton zu § 1 UWG a.F.

[168] BVerfG, Beschl. v. 10.6.1997, 2 BvR 1516/96, BVerfGE 96, 68, 98 – DDR Botschafter.

[169] BVerfG, Beschl. v. 10.10.1995, 1 BvR 1476/91 u.a., BVerfGE 93, 266, 291 f. – „Soldaten sind Mörder".

[170] Nach § 360 Abs. 1 Nr. 11 Alt. 2 StGB a.F., s. BVerfG, Beschl. v. 14.5.1969, 2 BvR 238/68, BVerfGE 26, 41, 43 – Grober Unfug.

[171] BVerfG (ebd.), BVerfGE 126, 170, 211 – Präzisierungsgebot Untreuetatbestand.

[172] BVerfG, Beschl. v. 7.12.2011, 2 BvR 2500/09 u.a., BVerfGE 130, 1, 49 ff. – Verwertungsverbot Wohnraumüberwachung. S. *Kuhlen*, in: FS Neumann, 2017, S. 943 ff.; *Saliger*, in: FS Fischer, 2018, S. 523 ff.

wohnheitsrechts (*nulla poena sine lege scripta*).[173] Ist bereits die „Erfindung" von Strafbarkeit durch Richterrecht in Form einer Analogie unzulässig, muss sich dieses Verbot konsequenterweise auch auf schon „etabliertes" Richterrecht erstrecken. Gewohnheitsrecht, das sich in erster Linie aus nicht explizit niedergeschriebenen allgemeinen Rechtsüberzeugungen speist, ist damit als Rechtsquelle zur Strafbegründung bzw. Strafschärfung ausgeschlossen. Gleichwohl sind die beiden Ausformungen nicht völlig deckungsgleich, da jede Analogie zwar ein Instrument richterlicher Rechtsfortbildung darstellt, umgekehrt aber nicht jedwedes Richterrecht auf einer Analogie beruht.[174]

82 Gewohnheitsrechtliche Rechtfertigungs- und Schuldausschließungsgründe verstoßen nicht gegen das Verbot *nulla poena sine lege scripta*, da diese die Strafbarkeit nicht begründen bzw. verschärfen, sondern gerade beseitigen. Die Strafbarkeit entfällt bei Vorliegen einer rechtfertigenden Einwilligung. Anerkannt sind zudem im Rahmen der Unterlassensstrafbarkeit die sog. rechtfertigende Pflichtenkollision,[175] die Unzumutbarkeit normgemäßen Verhaltens[176] oder der sog. übergesetzliche entschuldigende Notstand (auch entschuldigende Pflichtenkollision genannt).[177]

e) Das Verbot rückwirkender Bestrafung (nulla poena sine lege praevia)

83 Das Verbot rückwirkender Bestrafung *(nulla poena sine lege praevia)* ist eine besondere Ausprägung des sich bereits aus dem allgemeinen Rechtsstaatsprinzip des Art. 20 Abs. 3 GG ergebenden grundsätzlichen Verbots einer den Bürger belastenden *Rückwirkung von Gesetzen*. Dieses Verbot gilt im materiellen Strafrecht absolut,[178] d.h. es findet keine Abwägung zwischen dem Änderungsinteresse des Staates und dem Bestandsinteresse des Bürgers statt.[179]

84 In der Spruchpraxis des BVerfG hat das *Rückwirkungsverbot* eher untergeordnete Bedeutung. Für Aufsehen sorgte es allerdings in den Mauerschützen-Fällen, in denen die strafrechtliche Verantwortlichkeit von Grenzsoldaten der DDR zu klären war. Hier rückte das BVerfG vor allem mit einer teleologischen Argumentation von der Absolutheit des strafrechtlichen Rückwirkungsverbots ab: Das Vertrauen der Mauerschützen auf Straffreiheit nach § 27 DDR-GrenzG sei nicht schutzwürdig, da Art. 103 Abs. 2 GG ein solches nur dann absolut schütze, wenn die Strafgesetze sowie die Rechtfertigungsgründe von einem Gesetzgeber geschaffen wurden, der sich auch der Wahrung der Grundrechte und rechtsstaatlicher Grundsätze verschrieben hat, was auf die DDR keinesfalls zutreffen würde. Das Rückwirkungsverbot gelte nur eingeschränkt und müsste in einem Extremfall wie diesem trotz seines grundsätzlich strikt formalen Charakters hinter dem Gebot materieller Gerechtigkeit ausnahmsweise zurückstehen.[180]

---

[173] BVerfG, Beschl. v. 23.10.1991, 1 BvR 850/88, BVerfGE 85, 69, 78 – Eilversammlungen; *Schulze-Fielitz*, in: Dreier, GG, 3. Aufl. 2018, Art. 103 II Rn. 29.

[174] So auch *Schmitz*, in: MünchKomm-StGB, 3. Aufl. 2017, § 1 Rn. 28.

[175] Roxin/*Greco*, Strafrecht Allgemeiner Teil, Bd. I, 5. Aufl. 2020, § 16 Rn. 115 ff.

[176] Schönke/Schröder/*Sternberg-Lieben*, StGB, 30. Aufl. 2019, Vorbem. §§ 32 ff. Rn. 122 ff.

[177] Die Einzelheiten hierzu sind höchst strittig, s. Schönke/Schröder/*Sternberg-Lieben*, StGB, 30. Aufl. 2019, Vorbem. §§ 32 ff. Rn. 115 ff.

[178] BVerfG, Beschl. v. 23.3.1971, 2 BvL 2/66 u.a., BVerfGE 30, 367, 385 f. – Bundesentschädigungsgesetz; BVerfG, Beschl. v. 24.10.1996, 2 BvR 1851/94 u.a., BVerfGE 95, 96, 131 – Mauerschützen.

[179] BVerfG (ebd.), BVerfGE 95, 96, 131 – Mauerschützen; *Dannecker*, in: LK-StGB, 12. Aufl. 2007, § 1 Rn. 363; s. aber unten Fn. 180.

[180] S. oben § 2 Rn. 44 und BVerfG, Beschl. v. 24.10.1996, 2 BvR 1851/94 u.a., BVerfGE 95, 96, 132 f. – Mauerschützen. Krit. aber *Schulze-Fielitz*, in: Dreier, GG, 3. Aufl. 2018, Art. 103 II Rn. 55 ff. m.w.Nachw. Zum fehlenden berechtigten Vertrauen des Mauerschützen, s. unten § 13 Rn. 77 f.

5. Die Bedeutung des Wortlauts für den EuGH

a) Der Wortlaut bei mehrsprachigen Rechtstexten

Der EuGH arbeitet **autonom** und **rechtsvergleichend** (§ 2 Rn. 70 ff. und § 3 Rn. 96 ff.). 85
Er nutzt im Rahmen der Auslegung am häufigsten den Wortlaut.[181] Das gilt vor allem dann, wenn keinerlei Präjudizien vorliegen.[182] Der EuGH vergleicht regelmäßig die verschiedenen Sprachfassungen einer europäischen Rechtsquelle.[183] Die 24 offiziellen Amtssprachen sind gem. Art. 55 EUV alle gleichrangig zu behandeln.[184] Auch wenn der EuGH in französischer Sprache verhandelt, kann jeder Mitgliedstaat in seiner Sprache vortragen.[185] Es wird nicht nach der Größe der Mitgliedstaaten unterschieden.[186] Ebenso wenig ist nach den inoffiziellen Arbeitssprachen wie Englisch oder Französisch zu differenzieren, weil dies die Gleichrangigkeit konterkarieren würde.[187] Erforderlich ist vielmehr eine Auslegung im Lichte *aller* Sprachfassungen.[188] Falls sie voneinander abweichen, ist auf Wille,[189] Systematik und den Zweck[190] abzustellen. Bei widersprechenden Fassungen sucht der EuGH gelegentlich nach dem kleinsten gemeinsamen Nenner.[191] Auch beim EuGH finden sich gelegentlich Entscheidungen, die auf die Eindeutigkeitsregel schließen lassen.[192] Dieser die Sprachfassungen vergleichende Ansatz gilt auch für den nationalen Richter, wenn er europäisches Recht anwendet (§ 3 Rn. 83).[193] Allerdings stößt ein solches Methodengebot der allseitigen Sprachvergleichung naturgemäß an Grenzen.[194] Auf die Konsequenzen solcher unterschiedlicher Sprachfassungen ist weiter unten einzugehen (§ 6 Rn. 82 ff.).

b) Die Unterscheidung von juristischem und allgemeinem Sprachgebrauch durch den EuGH

Vergleichbar mit der deutschen Methode kann unterschieden werden zwischen dem 86
vom Gesetzgeber vorgegebenen juristischen Sprachgebrauch, juristischen Begriffen und dem allgemeinen Sprachgebrauch.[195]

---

[181] So die statistische Erhebung für das Jahr 1999 von *Dederichs*, Die Methodik des EuGH, 2004, S. 65 f.: Anteil der Wortlautauslegung liegt bei 70%; **a.A.** *Pechstein/Drechsler*, in: Riesenhuber, Europäische Methodenlehre, 4. Aufl. 2021, § 7 Rn. 40: „die klassischen Auslegungsmethoden [stehen] gleichberechtigt nebeneinander".

[182] Für das europäische Arbeitsrecht *Rebhahn/Franzen*, in: Riesenhuber (ebd.), § 17 Rn. 24.

[183] EuGH, Urt. v. 16.3.1977, C-93/76, EU:C:1977:50, Rn. 12/13 – Liegeois; EuGH, Urt. v. 6.10.1982, C-283/81, EU:C:1982:335, Rn. 18 – C.I.L.F.I.T.; EuGH, Urt. v. 7.2.1985, C-135/83, EU:C:1985:55, Rn. 11 – Abels; EuGH, Urt. v. 3.4.2008, C-306/06, EU:C:2008:187, Rn. 24 ff. – 01051 Telecom; EuGH, Urt. v. 16.6.2011, C-65/09 u.a., EU:C:2011:396, Rn. 54 – Weber/Putz. Weitere Beispiele bei *Fenkner*, The Court of Justice of the European Union's Approach to Statutory Wording, 2018, S. 93 ff.

[184] Vgl. auch Art. 22 GRCh, der die Vielfalt der Sprachen nennt, s. *Oppermann*, NJW 2001, 2663, 2264.

[185] Zum Urteilsstil des EuGH s. oben § 1 Rn. 61.

[186] EuGH, Urt. v. 2.4.1998, C-296/95, EU:C:1998:152, Rn. 36 – Queen/Commissioners of Customs and Excise; EuGH, Urt. v. 20.11.2003, C-152/01, EU:C:2003:623, Rn. 32 – Kyocera.

[187] *Stotz*, in: Riesenhuber, Europäische Methodenlehre, 4. Aufl. 2021, § 20 Rn. 12; *Grundmann/Riesenhuber*, JuS 2001, 529, 530. S. auch unten § 6 Rn. 82 ff.

[188] St. Rspr., s. EuGH, Urt. v. 3.4.2008, C-187/07, EU:C:2008:197, Rn. 23 – Dirk Endendijk; EuGH, Urt. v. 30.5.2013, C-488/11, EU:C:2013:341, Rn. 26 – Busse.

[189] EuGH (ebd.), EU:C:2013:341, Rn. 26 – Busse.

[190] EuGH, Urt. v. 30.5.2013, C-604/11, EU:C:2013:344, Rn. 38 – Genil 48 SL.

[191] EuGH, Urt. v. 30.9.1982, C-295/81, EU:C:1982:326, Rn. 7 ff. – IFF; EuGH, Urt. v. 7.2.1985, C-19/83, EU:C:1985:54, Rn. 13 – Wendelboe; s. auch *Anweiler*, Die Auslegungsmethoden des Gerichtshofs der Europäischen Gemeinschaften, 1997, S. 156.

[192] EuGH, Urt. v. 9.3.1978, C-79/77, EU:C:1978:47, Rn. 6 – Kühlhaus Zentrum.

[193] EuGH, Urt. v. 6.10.1982, C-283/81, EU:C:1982:335, Rn. 18 – C.I.L.F.I.T.

[194] *Möllers*, Die Rolle des Rechts im Rahmen der europäischen Integration, 1999, S. 75 f.; *Weiler*, ZEuP 2010, 862, 867; krit. auch *Urban*, 8 Eur.Rev.P.L. 51, 54 (2000).

[195] Unscharf *Pechstein/Drechsler*, in: Riesenhuber, Europäische Methodenlehre, 4. Aufl. 2021, § 7 Rn. 17, die sogleich auf den allgemeinen Sprachgebrauch abstellen.

87 aa) **Legaldefinitionen** finden sich z.T. schon im EUV und AEUV.[196] Sehr häufig finden sie sich aber in den ersten zwei Artikeln von Richtlinien und Verordnungen des Sekundärrechts und in erläuternden Anhängen. Diese Legaldefinitionen werden bei der Auslegung des jeweiligen Begriffs herangezogen, die grundsätzlich autonom erfolgt (§ 2 Rn. 70 ff.).[197]

88 bb) Daneben stellt der EuGH auf den allgemeinen „**Rechtssprachgebrauch**" oder die „Regeln der Rechtssprache" ab, etwa bei den Begriffen „Entlassung"[198] oder der Frage der Vertretung im Steuerrecht.[199]

89 cc) Schließlich ist der „**natürliche Wortsinn**" heranzuziehen, z.B. bei den Begriffen „Wild" als Tierarten, die in freier Wildbahn leben und gejagt werden[200] oder „Gemische" als Erzeugnisse, die aus zwei oder mehr Stoffen zusammengesetzt sind.[201] Dazu kann auf Lexika und Fachbücher zurückgegriffen werden.[202]

c) Der EuGH und die Wortlautgrenze im Straf- und Steuerrecht

90 Der EuGH ist üblicherweise nicht mit Strafrechtsnormen befasst, da die Kompetenz hierfür bei den Mitgliedstaaten verbleibt.[203] Im Rahmen der unionsrechtskonformen Auslegung nationaler Vorschriften bekennt sich der EuGH allerdings eindeutig zum Analogieverbot im Strafrecht (§ 12 Rn. 77). Auch im Steuerrecht lehnt er eine Analogie ab, soweit der Sachverhalt eindeutig nicht unter den Wortlaut fällt. Ganz ähnlich wie das BVerfG (§ 4 Rn. 72) formuliert er:

91 „Auch wenn die von der Kommission vorgeschlagene Auslegung der Logik des Währungsausgleichssystems entspräche, so war es doch Aufgabe des Gemeinschaftsgesetzgebers, die geeigneten Bestimmungen zu erlassen. Der Grundsatz der Rechtssicherheit verlangt, daß eine den **Abgabepflichtigen belastende Regelung klar und deutlich** ist, damit er seine Rechte und Pflichten unzweideutig erkennen und somit seine Vorkehrungen treffen kann."[204]

III. Die systematische Auslegung

1. Bedeutung

a) Das Ideal der widerspruchsfreien Rechtsordnung

92 Die systematische Auslegung „geht von der Grundeinsicht aus, dass der einzelne Rechtssatz nicht isoliert ausgelegt werden darf, sondern im Gesamtzusammenhang des Gesetzes zu verstehen ist".[205] Überspitzt formuliert schließt die Auslegung eines Wortes

---

[196] Z.B. Art. 15 Abs. 2 EUV, Artt. 26 Abs. 2, 28 Abs. 1 AEUV.

[197] EuGH, Urt. v. 8.5.1974, C-183/73, EU:C:1974:50, Rn. 5 ff., 12 – Osram (für Reflektoren aus Pressglass); EuGH, Urt. v. 13.12.1991, C-158/90, EU:C:1991:479, Rn. 4 – Nijs (Woche als Zeitraum zwischen Montag 00.00 Uhr und Sonntag 24.00 Uhr).

[198] EuGH, Urt. v. 27.1.2005, C-188/03, EU:C:2005:59, Rn. 29, 33 – Junk.

[199] EuGH, Urt. v. 2.4.1998, C-296/95, EU:C:1998:152, Rn. 29 ff. – Queen/Commissioners of Customs and Excise.

[200] EuGH, Urt. v. 12.12.1973, C-149/73, EU:C:1973:160, Rn. 3 – Witt.

[201] EuGH 27.9.1989, C-37/88, EU:C:1989:348, Rn. 13 f. – Rheinkrone Kraftfutterwerk.

[202] SchlA v. 30.10.1962, GA *Roemer*, 2/63 u.a., EU:C:1962:3, 893, 902 f. – Sonderabgabe für Lebkuchen.

[203] Eine Ausnahme gilt für das Strafverfahrensrecht und die Harmonisierung für besonders schwere grenzüberschreitende Kriminalität, s. Art. 82 f. AEUV.

[204] EuGH, Urt. v. 9.7.1981, C-169/80, EU:C:1981:171, Rn. 17 – Gondrand.

[205] *Honsell*, in: Staudinger, BGB, Neubearb. 2018, Einl. zum BGB Rn. 143.

die Auslegung der ganzen Rechtsordnung ein.[206] Ziel der systematischen Auslegung ist, die Bedeutung des fraglichen Begriffs aus der systematischen Stellung und dem jeweiligen Zusammenhang zu erschließen. Damit sollen Wertungswidersprüche und inkonsistente Interpretationen vermieden werden.[207] Ausgangspunkt ist die Überlegung, dass mit dem Kodifikationsgedanken das Gesetz, ja die gesamte Rechtsordnung als Einheit zu betrachten ist.[208] Zu dieser Systematik trägt im Idealfall nicht nur der Gesetzgeber, sondern auch die Rechtswissenschaft bei. Auch die Gerichte gehen davon aus, dass der Gesetzgeber eine sachliche Übereinstimmung zwischen den Vorschriften herstellen wollte. So formuliert das BVerfG:

„Bei der systematischen Auslegung ist darauf abzustellen, daß einzelne Rechtssätze, die der Gesetzgeber in einen sachlichen Zusammenhang gestellt hat, grundsätzlich so zu interpretieren sind, daß sie logisch miteinander vereinbar sind. Denn es ist davon auszugehen, daß der Gesetzgeber sachlich Zusammenhängendes so geregelt hat, daß die gesamte Regelung einen durchgehenden, verständlichen Sinn ergibt."[209] **93**

Gedanklich ist insoweit eine Trennung von grammatischer und systematischer Auslegung möglich, als erst die systematische Auslegung den Bezug zu dem Gesamtzusammenhang mit anderen Rechtsnormen herstellt. Deshalb gehören die Regeln „Einheit der Rechtsordnung"[210] und „Ausnahmen sind eng auszulegen"[211] zur systematischen Auslegung. Zum Teil wird die systematische Auslegung mit logischen Figuren verbunden.[212] Logische Figuren werden später im Zusammenhang mit der teleologischen Auslegung erörtert (§ 5 Rn. 31 ff.). **94**

Das Gebot systematischer Auslegung findet sich schon bei den römischen Juristen[213] und wurde in einzelnen Rechtsordnungen kodifiziert.[214] Auch im französischen[215] und im anglo-amerikanischen Recht[216] spricht man vom „ideal of ‚integrity' in a legal system". Die systematische Interpretation ist keine Besonderheit der Rechtswissenschaft, sondern in der geisteswissenschaftlichen Hermeneutik gut bekannt.[217] Die systematische Argumentation wird am Trierer Weinversteigerungsfall deutlich: **95**

---

[206] Das Bonmot lautet: Sobald jemand einen Paragraphen eines Gesetzbuchs anwendet, wendet er das ganze Gesetzbuch an, hierzu *Stammler*, Theorie der Rechtswissenschaft, 2. Aufl. 1970, S. 15; hierzu Engisch/*Würtenberger/Otto*, Einführung in das juristische Denken, 12. Aufl. 2018, S. 99.

[207] *Engisch*, Die Einheit der Rechtsordnung, 1935, S. 67 ff.; *Honsell*, in: Staudinger, BGB, Neubearb. 2018, Einl. zum BGB Rn. 144; *Rüthers/Fischer/Birk*, Rechtstheorie, 11. Aufl. 2020, Rn. 744.

[208] *Engisch*, Die Einheit der Rechtsordnung, 1935, S. 1 ff.; *Kramer*, Juristische Methodenlehre, 6. Aufl. 2019, S. 99 ff.

[209] BVerfG, Beschl. v. 9.5.1978, 2 BvR 952/75, BVerfGE 48, 246, 257 – Ehrenamtlicher Richter.

[210] *Rüthers/Fischer/Birk*, Rechtstheorie, 11. Aufl. 2020, Rn. 744; **a.A.** für Wortlaut *Riesenhuber*, in: ders., Europäische Methodenlehre, 4. Aufl. 2021, § 10 Rn. 20.

[211] *Horn*, Einführung in die Rechtswissenschaft und Rechtsphilosophie, 6. Aufl. 2016, Rn. 181; *Potacs*, Auslegung im öffentlichen Recht, 1994, S. 79; **a.A.** für Wortlaut s. *Vogenauer*, Die Auslegung von Gesetzen in England und auf dem Kontinent, 2001, S. 66; **a.A.** für teleologische Auslegung *Anweiler*, Auslegungsmethoden des Gerichtshofs der Europäischen Gemeinschaften, 1997, S. 231.

[212] *Bydlinski*, Juristische Methodenlehre und Rechtsbegriff, 2. Aufl. 1991, S. 442; *Kramer*, Juristische Methodenlehre, 6. Aufl. 2019, S. 122 ff.

[213] Cels. D. 1,3,24: Es verstößt gegen das Zivilrecht, zu urteilen oder zu gutachten, wenn man nicht das ganze Gesetz gelesen hat, sondern nur einen Artikel vor Augen hat – *Incivile est nisi tota lege perspecta, una aliqua particula eius proposita iudicare.* S. auch oben § 4 Fn. 26.

[214] § 6 ABGB, Art. 1363 Abs. 1 Codice civile; Art. 3 Abs. 1 span. Código Civil.

[215] *Bergel*, Méthodologie juridique, 2ᵉ éd. 2016, Nr. 167.

[216] *MacCormick*, 6 Ratio Juris 16, 24 (1993); vorher schon *MacCormick*, in: Peczenik/Lindahl/Roermund, Theory of Legal Science, 1984, S. 235, 244: „coherence is a desirable ideal feature of a system of law"; *Dworkin*, Law's Empire, 1986, S. 211 ff.

[217] *Betti*, Allgemeine Auslegungslehre als Methodik der Geisteswissenschaften, 1967, S. 219 ff.

96 *Trierer Weinversteigerung:* Stephan Schulze hat sich mit seinem Freund Werner Wunkelmann auf einer Weinversteigerung verabredet. Als Schulze Wunkelmann sieht, winkt er ihm zu. Zu spät merkt er, dass kurz davor der Auktionator „erstens, zweitens" gerufen hat. Mit dem Ruf „drittens" erhält er den Zuschlag für eine Flasche der 92-er Oppenheimer Krötenbrunnen Trockenbeerenauslese zu 2.700 EUR. Ist der Vertrag wirksam?[218]

97 *Lösung:* (1) Bei den subjektiven Voraussetzungen einer Willenserklärung ist zu unterscheiden zwischen Handlungswille, Erklärungsbewusstsein und Geschäftswille. Unstrittig notwendig für eine Willenserklärung ist der Handlungswille; dagegen kann der Geschäftswille, also der Wille, eine bestimmte Rechtsfolge auszulösen, fehlen. Aber der Handelnde kann wegen Irrtums anfechten. Umstritten ist nun, ob das Erklärungsbewusstsein fehlen kann.

98 (2) Nach der *objektiven* oder *Erklärungstheorie* ist das Erklärungsbewusstsein kein konstitutives Erfordernis der Willenserklärung, denn nur so könne der Rechtsverkehr in ausreichendem Maße geschützt werden. Systematisch stützt sich die objektive oder Erklärungstheorie im Wesentlichen auf einen Vergleich des fehlenden Erklärungsbewusstseins mit dem fehlenden Geschäftswillen, also den Fällen des Inhalts- und Erklärungsirrtums des § 119 Abs. 1 BGB und hält beide in wesentlicher Hinsicht für gleichwertig. In beiden Fällen beruhe das Erklärte auf einer unzureichenden Selbstbestimmung. Beim Inhalts- und Erklärungsirrtum sei die Selbstbestimmung fehlerhaft, beim Erklärungsbewusstsein fehle sie ganz. Wenn schon der Irrtum darüber, was man erklärt, zur Anfechtung berechtige, dann erst Recht der Irrtum darüber, dass man etwas erklärt. Im Ergebnis könnten sich beide Fehler ähnlich katastrophal auswirken, etwa wenn der Erklärende mit 25 Gros Toilettenpapier 25 große Packungen meint, obwohl objektiv „Gros" 12x12, also die Bestellung von 3600 Packungen bedeutet (Inhaltsirrtum).[219] Identisch sei ohnehin der objektive Tatbestand, sodass Gesichtspunkte des Vertrauensschutzes und der Rechtssicherheit keine unterschiedliche Behandlung rechtfertigen würden.[220] Diese Interessen würden durch die Wertungen im Gesetz bestätigt: Der Hinweis auf die Relevanz der Erklärungstheorie verdeutliche systematisch auch der geheime Vorbehalt des § 116 BGB, nachdem das insgeheim Gewollte unbeachtlich sei. Zudem seien Verträge nach § 157 BGB mit Rücksicht auf die Verkehrssitte auszulegen. Der Erklärende kann sich danach nur durch Anfechtung nach § 119 Abs. 1 BGB analog von seiner Erklärung lösen.

99 (3) Nach der *subjektiven* oder *Willenstheorie* gehört das Bewusstsein des Erklärenden, mit seinem Verhalten Rechtsfolgen auszulösen, zu den Gültigkeitsvoraussetzungen einer Willenserklärung. Die Privatautonomie verlange eine selbstbestimmte Entscheidung. Die subjektive oder Willenstheorie lehnt damit einen systematischen Vergleich mit einer fehlerhaften Willenserklärung i.S.v. § 119 Abs. 1 BGB ab. In der fehlerhaften Willenserklärung i.S.v. § 119 Abs. 1 BGB sei immerhin noch ein Rest an Selbstbestimmung enthalten, während dieser beim fehlenden Erklärungsbewusstsein gänzlich fehle. Es mache sehr wohl einen entscheidenden Unterschied, ob jemand gar nichts oder etwas anderes will. Die Privatautonomie verlange aber, dass nur derjenige sich verpflichtet, der dies auch wolle. Systematisch finden sich diese Überlegungen auch in den Wertungen des Gesetzes wieder: Nach § 133 BGB sei nach dem wirklichen Willen des Erklärenden zu forschen. Auch finde die Willenstheorie in § 118 BGB, der Vorschrift zur Scherzerklärung, eine Stütze. Dieser gesetzlich geregelte Fall des fehlenden Erklärungsbewusstseins bestimme als Rechtsfolge die Nichtigkeit. Nach dieser Ansicht liegt folglich bei fehlendem Erklärungsbewusstsein allgemein keine gültige Willenserklärung vor;[221] das Vertrauen des Adressaten wird jedoch in analoger Anwendung von § 122 BGB geschützt.[222]

---

[218] Hierzu ausführlich bereits *Möllers*, Juristische Arbeitstechnik und wissenschaftliches Arbeiten, 10. Aufl. 2021, § 3 Rn. 11 ff.

[219] LG Hanau, Urt. v. 30.6.1978, 1 O 175/78, NJW 1979, 721.

[220] Vgl. zum Meinungsstand *Armbrüster*, in: MünchKomm-BGB, 8. Aufl. 2018, § 119 Rn. 97 ff.

[221] *Canaris*, NJW 1984, 2281 f.

[222] *Singer*, JZ 1989, 1030 ff., 1034 f.

(4) Weil beide Ansichten im BGB einen Niederschlag gefunden haben, entwickelte der BGH eine dritte vermittelnde Ansicht, auf die weiter unten noch eingegangen wird (§ 5 Rn. 30). 100

b) Systematische Auslegung im Stufenbau des Rechts

Entscheidend und überragend für die Bedeutung der systematischen Auslegung ist der Stufenbau des Rechts. Damit ist nicht nur das nationale, sondern auch das europäische und internationale Recht so einzubeziehen, dass Widersprüche vermieden werden. Konsequenterweise wird in Teilen der Literatur die verfassungs- und europarechtskonforme Auslegung als Teil der systematischen Auslegung beschrieben.[223] Wegen der überragenden Bedeutung von verfassungs- und gemeinschaftskonformer Auslegung erscheint es allerdings sinnvoller, diese Rechtsebenen auch beim Auslegungsvorgang zu trennen und die verfassungs- und gemeinschaftskonforme Auslegung als eigene Auslegungsarten aufzufassen.[224] Diese sollen daher in den §§ 11 und 12 eigenständig behandelt werden. Gelingt eine primärrechtskonforme Auslegung nicht, gilt der Vorrang der höherrangigen Norm. Solche Vorrangregeln sind zwingend (§ 2 Rn. 42 ff.). 101

c) Das äußere System des BGB – Begriffsjurisprudenz: Begriffspyramiden – Bausteintechnik – Verweisungen

aa) Die Systematik bestimmt die Problemsicht, sie ist deshalb von besonderer Wichtigkeit. *Heck*,[225] *Engisch*[226] und *Canaris*[227] haben diese Überlegungen konkretisiert: Das **äußere System** bezieht sich auf den formellen Aufbau eines Gesetzes, die Gliederung des Gesetzes und die Bildung von Ordnungsbegriffen. Die Begriffsjurisprudenz verstand Rechtswissenschaft als logisches System: Richterliche Rechtsanwendung beschränke sich auf die Deduktion, die Schlussfolgerung, aus vorformulierten oder „rein logisch" zu gewinnenden Sätzen.[228] Nach der sog. naturhistorischen Methode bestand nach dem Frühwerk *von Jhering* das Wesen der juristischen Konstruktion, die Rechtssätze mittels Definitionen in Rechtsbegriffe zu verwandeln und dadurch in einen höheren Aggregatszustand („Geist") zu erheben. So schrieb er: „Die Begriffe sind produktiv, sie paaren sich und zeugen sich neu."[229] Die **Pandektenwissenschaft**[230] systematisierte das römische Recht und wird deshalb auch als historische Schule bezeichnet. Ihr und auch der **Begriffsjurisprudenz** des vorletzten Jahrhunderts ist das klare Strukturdenken im Gesetz, die scharfe Bildung von Begriffen und Begriffspyramiden zu verdanken.[231] Das BGB mit seinem prägnanten äußeren System ist insoweit ein Kind der Pandektenwissenschaft.[232] 102

---

[223] *Säcker*, in: MünchKomm-BGB, 8. Aufl. 2018, Einl. Rn. 141; *Kramer*, Juristische Methodenlehre, 6. Aufl. 2019, S. 101 ff.; Palandt/*Grüneberg*, BGB, 80. Aufl. 2021, Einl. Rn. 42 ff.; *Morlock*, in: Gabriel/Gröschner, Subsumtion, 2012, S. 179, 187.

[224] So auch *Lutter*, JZ 1992, 593, 604 ff.; *Canaris*, in: FS Bydlinski, 2002, S. 47, 79 jeweils für das europäische Recht m.w.Nachw.

[225] *Heck*, Begriffsbildung und Interessenjurisprudenz, 1932, S. 139, 142 ff.

[226] *Engisch*, Die Einheit der Rechtsordnung, 1935, S. 2 f.; *ders.*, Studium generale, 1957, S. 173 ff.

[227] *Canaris*, Systemdenken und Systembegriff in der Jurisprudenz, 2. Aufl. 1983, S. 19 ff. Ihnen folgt die h.M. s. etwa *Karpen*, ZG 1986, 5, 31; *Kramer*, Juristische Methodenlehre, 6. Aufl. 2019, S. 99 ff.

[228] *Wolff*, Institutiones juris et gentium, 1750, S. 32, § 62; *Puchta*, Cursus der Institutionen, Bd. 1, 1841, S. 100 ff., der nur die systematische Kennntnis des Rechts als vollständige Kenntnis des Rechts anerkennt. Als weitere Vertreter gelten *Dernburg und Windscheid.*

[229] *von Jhering*, Geist des römischen Rechts, Bd. I, 4. Aufl. 1878, S. 40; Bd. II/2, S. 384 ff., Bd. III, S. 311 ff. Krit. bereits *von Jhering*, Scherz und Ernst in der Jurisprudenz, 1884, S. 245 ff.; *Brütt*, Die Kunst der Rechtsanwendung, 1907, S. 88. S. auch *Schröder*, Recht als Wissenschaft, Bd. 2, 3. Aufl. 2020, S. 258 f.

[230] Pandekten (griech.) oder Digesten (lat.) des Codex Iuris Civilis von Kaiser Justinian.

[231] S. *Wieacker*, Privatrechtsgeschichte der Neuzeit, 2. Aufl. 1967, S. 367 ff.; *Schröder* (ebd.), S. 252.

[232] So deutlich *Koschaker*, Europa und das römische Recht, 1947, S. 258.

Diese strenge Schlussfolgerung aus systemlogischen Sätzen gilt sicherlich als überwunden, weil inzwischen anerkannt ist, dass Recht nicht nur aus Erkenntnis und Gewinnen besteht, sondern ein gewisses schöpferisches Element innewohnt (§ 4 Rn. 34 f., § 14 Rn. 46 ff.). Das gilt vor allem im Bereich der Konkretisierung.

103 bb) Der Hauptteil eines Gesetzes kann beispielsweise chronologisch (ZPO, StPO), nach Rechtsinstitutionen (BGB), nach Rechtsgütern (StGB) oder materiell- und verfahrensrechtlich (GWB) aufgebaut sein. Der Normalfall hat den Ausnahmen vorzugehen. Im Schluss finden sich oft Übergangsbestimmungen zum zeitlichen und räumlichen Anwendungsbereich. Üblicherweise gliedert sich ein Gesetz in Bücher, Abschnitte, Titel und Paragraphen oder Artikel. Die einzelne Norm lässt sich wiederum in Absätze, Unterabsätze, Sätze und ggf. Nummern oder Buchstaben unterteilen.[233]

104 cc) Oft ist Gesetzen ein **Allgemeiner Teil** vorangestellt (BGB, StGB, SGB), zum Teil existieren mehrere Allgemeine Teile (BGB: Allgemeiner Teil, Schuldrecht Allgemeiner Teil). Das deutsche Recht zeichnet sich durch ein hohes Maß an **Verweisungen** und berühmten Verweisungsketten aus.[234] Dazu zählt auch die Bausteintechnik (§ 4 Rn. 7 f.). Die Schuldrechtsreform hat diese Tendenz noch weiter verstärkt. Der Hauptvorteil der Verweisung liegt darin, Wiederholungen zu vermeiden; auch werden Zusammenhänge aufgezeigt.[235] Allerdings geht die Verweisung regelmäßig auf Kosten der Verständlichkeit. Auch die Präzision leidet, da jeweils festzustellen ist, ob eine Rechtsgrund- oder Rechtsfolgenverweisung vorliegt. Während die Rechtsgrundverweisung auf die Voraussetzungen der zitierten Norm abstellt, ist bei der Rechtsfolgenverweisung nur die Rechtsfolge der Norm anwendbar, auf die verwiesen wird. Zudem sind Verweisungen in andere Gesetze möglich.[236] Im Strafrecht (v.a. im Wirtschafts- und Umweltstrafrecht) können sich Probleme mit dem Bestimmtheitsgrundsatz ergeben.[237]

105 Verweisungsketten im BGB sind Verweisungen auf das Leistungsstörungsrecht: §§ 326 Abs. 5, 346 ff.; §§ 323, 346 ff.; §§ 433, 434 (435), 437 Nr. 2, 323, 346 ff.; §§ 365, 434 (435), 437 ff.; §§ 990 Abs. 2, 280 Abs. 1, 2, 286; auf das Recht der ungerechtfertigten Bereicherung: §§ 951, 812 oder auf das Recht zum Eigentümer-Besitzer-Verhältnis: §§ 292, 987 ff.; §§ 818 Abs. 4, 819, 292, 987 ff.

106 Von einer dynamischen Verweisung spricht man, wenn ein Gesetz auf eine Norm eines anderen kompetenten Rechtssetzers in der jeweils geltenden, also veränderbaren Fassung verweist. Das BVerfG hat solche Verweisungen grundsätzlich für verfassungsgemäß erachtet.[238] Dem Rechtsstaats- und Demokratieprinzip widerspricht es allerdings, wenn der Gesetzgeber seine Normsetzungskompetenzen ohne weitere Vorgaben an private Stellen abtritt.[239] Wenn Verweisungen unklar waren, wurden diese Bestimmungen für nichtig erklärt.[240]

107 dd) Existieren für Begriffe noch Oberbegriffe, spricht man von **Begriffspyramiden**: Jeder abgeleitete Begriff enthält sämtliche Merkmale des Oberbegriffs und mindestens

---

[233] Zu solchen „Monsterparagraphen" s. § 120 WpHG (31 Seiten in der dtv-Gesetzessammlung) und vor allem im Steuerrecht § 2, § 2a EStG v. 18.10.2009, BGBl. I, S. 3366 (Einkommensteuergesetz).

[234] *Mußung*, in: Hill, Zustand und Perspektiven der Gesetzgebung, 1989, S. 23 ff., 33 spricht von „Schnitzeljagd".

[235] Zu den historischen Vorbildern s. *Mertens*, Gesetzgebungskunst im Zeitalter der Kodifikationen, 2004, S. 477 f.

[236] § 2 Abs. 2 UWG verweist auf §§ 13 ff. BGB.

[237] *Tiedemann*, Wirtschaftsstrafrecht, 5. Aufl. 2017, Rn. 240 ff. Exemplarisch BVerfG, Beschl. v. 21.9.2016, 2 BvL 1/15, BVerfGE 143, 38 Rn. 30 ff.

[238] BVerfG, Beschl. v. 15.7.1969, 2 BvF 1/64, BVerfGE 26, 338, 366 ff.; BVerfG, Beschl. v. 25.2.1988, 2 BvL 26/84, BVerfGE 78, 32, 35 f.; **a. A.** *Ossenbühl*, DVBl. 1967, 401, 402 ff.; *Wegge*, DVBl. 1997, 648, 649 f.: Verstoß gegen das Demokratieprinzip.

[239] BVerfG, Beschl. v. 14.6.1983, 2 BvR 488/80, BVerfGE 64, 208, 214 – Tarifvertragliche Regelung.

[240] BVerfG, Urt. v. 30.5.1956, 1 BvF 3/53, BVerfGE 5, 25, 34 – Apothekenerrichtung.

ein weiteres; er kann unter diesen subsumiert werden.[241] Der Vertrag geht dem Begriff Rechtsgeschäft als speziellerer Begriff vor, weil er ein mehrseitiges Rechtsgeschäft ist. Die Einwilligung ist die vorherige Zustimmung (§ 183 BGB), während die Genehmigung die nachträgliche Zustimmung bezeichnet (§ 184 BGB). Ein weiteres Beispiel für Begriffspyramiden sind die Termini rund um den Begriff der Sache nach § 90 BGB. Hier gilt es u.a. vertretbare von nicht vertretbaren Sachen zu unterscheiden.

Grafik: Das Rechtsgeschäft 108

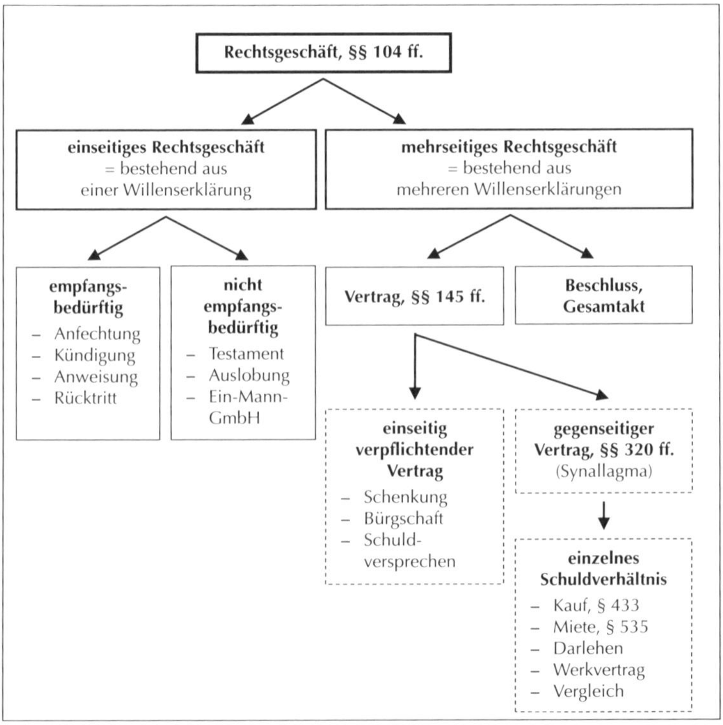

Die historische Schule war im 19. und angehenden 20. Jahrhundert weltweit führend und hatte damit auch großen Einfluss in den USA.[242] Vorreiter war Langdell, der als Dekan der Harvard Law School die sokratische Methode einführte und Recht als legal science und kohärentes System von Rechtsprinzipien verstand. Diese als *classic legal thought* bezeichnete Richtung ging davon aus, dass das Recht es erlaube, in deduktiver Vorgehensweise Lösungen für zukünftige Fälle zu gewinnen.[243] Dominierend ist im angloamerikanischen Recht aber weiterhin die Auffassung, dass der Richter nicht systematisch, sondern von Fall zu Fall arbeitet (§ 7 Rn. 44). 108a

d) Das innere System des Gesetzes und die Wertungen des BGB

aa) Bei der Auslegung eines Tatbestandsmerkmals im systematischen Vergleich, dem Bezug zum gerade genannten „äußeren System“, ist die systematische Auslegung nicht mehr als ein erster Anhaltspunkt, der regelmäßig durch teleologische Überlegungen „über- 109

[241] *Möllers*, Juristische Arbeitstechnik und wissenschaftliches Arbeiten, 10. Aufl. 2021, § 1 Rn. 83 f.
[242] *Riesenfeld*, 37 Am. J. Comp. L. 1 ff. (1989).
[243] S. *Kennedy*, 36 Suffolk U.L. Rev. 631 ff. (2002/03); *Singer*, 76 Calif. L. Rev. 465, 496 f. (1988).

spielt“ und damit korrigiert werden kann. Das **innere System** betrifft die logische Widerspruchsfreiheit und die teleologische Stimmigkeit und bezieht sich dabei auf ein konsistentes System von Wertentscheidungen. Es geht darum, die Rechtsprinzipien als Grundwertungen einer Rechtsordnung aufzuspüren, um dann sicherzustellen, dass Gleiches gleich und Ungleiches ungleich behandelt wird.[244] Insoweit geht das innere System dem äußeren System vor. Darauf ist unter § 6 einzugehen. Die Einsicht, dass Begrifflichkeiten im Zusammenspiel verschiedener Auslegungsmethoden zu interpretieren sind, gilt auch im anglo-amerikanischen Rechtskreis.[245]

110 Eine wichtige Differenzierung im BGB ist die **Unterscheidung zwischen Vertrags- und Deliktsrecht.** Das Vertragsrecht bezieht sich üblicherweise nur auf zwei Parteien, die Vertragsparteien, während im Deliktsrecht der Kreis der potentiell Geschädigten unüberschaubar sein kann. Man denke etwa an eine emittierende Anlage, welche in einer Stadt die Umgebung verschmutzt. Während im Vertragsrecht die Rechte und Pflichten zwischen den Parteien vereinbart wurden, gelten die deliktsrechtlichen Pflichten kraft Gesetzes. Um eine Übermaßhaftung zu vermeiden, müssen die Voraussetzungen für die Zurechnung von Schäden im Deliktsrecht höher sein als im Vertragsrecht. Im Deliktsrecht muss der Geschädigte, das rechtswidrige Tun und das Verschulden des Schädigers grundsätzlich nachweisen. Im Vertragsrecht wird dagegen das Verschulden vermutet, § 280 Abs. 1 S. 2 BGB. Das Vertragsrecht umfasst im Gegensatz zu der kleinen Generalklausel des § 823 Abs. 1 BGB auch den Ersatz von Vermögensschäden.[246] Auf diese Fragestellungen wird zurück zu kommen sein.[247]

111 **Vertiefung** – *§ 253 BGB im System des BGB:* Welche Auswirkungen hat es, dass der Gesetzgeber im Rahmen der Schuldrechtsreform 2001 den Schadensumfang auf Schmerzensgeld in § 847 BGB strich und stattdessen den Umfang des Schadens auf Schmerzensgeld zu den Schadensvorschriften der §§ 249 ff. BGB verschob und den neuen § 253 BGB schuf?[248]

112 bb) Eine gewichtige Bedeutung kommt der systematischen Auslegung bei der Herausarbeitung der Wertungen des Gesetzes oder der Rechtsordnung, dem sog. „inneren System“, zu. Dies gehört zu den schwierigsten Aufgaben des Juristen. Im Einzelnen ist zu prüfen, in welchem Umfang das System, sprich die Rechtsordnung, „offen“ ist für neue Wertungen (§ 13 Rn 34 ff.). Auch hier sind wiederum teleologische Überlegungen anzubringen (§ 6 Rn. 2 ff.). Zudem nutzt die Rechtsdogmatik das äußere und innere System, weil es auf Begriffsbildung zielt und weitere Tiefenstrukturen des Rechts entwickelt (§ 9 Rn. 2 ff.). So ist im deutschen Recht durch die §§ 823 ff. BGB das **Verschuldensprinzip** im allgemeinen Haftungsrecht tragend. Das führt dazu, dass nur in gesetzlich vorgesehenen Fällen die Gefährdungshaftung herangezogen werden darf (§ 13 Rn 30 ff.).

113 § 254 BGB ist unter anderem Ausdruck des *venire contra factum proprium* (widersprüchliches Verhalten), weil man nicht einen Schaden gelten machen darf, den man selbst (mit-)verschuldet hat.[249] Aus § 254 BGB lässt sich ein allgemeines Rechtsprinzip herleiten, wonach die Verteilung des Schadensbeitrags nach dem Grad des Verschuldens und nach Verursachungsbeiträgen vorzunehmen ist. Als allgemeines Rechtsprinzip gilt § 254 BGB

---

[244] *Canaris*, Systemdenken und Systembegriff in der Jurisprudenz, 2. Aufl. 1983, S. 45 f. Zu den Rechtsprinzipien ausführlich § 9.

[245] *Shapo/Walter/Fajans*, Writing and Analysis in the Law, 6th ed. 2013, S. 99 ff. Ansonsten ist das Denken in Systemen im anglo-amerikanischen Recht aber wenig verbreitet, s. *Maxeiner*, in: FS Fikentscher, 1998, S. 114, 119 ff.

[246] Instruktiv *Hager*, in: Staudinger, BGB, Neubearb. 2017, Vor § 823 Rn. 37.

[247] Zu der verfehlten Konstruktion des § 831 BGB und dem Vertrag mit Schutzwirkung zugunsten Dritter s. § 10 Rn. 82 ff. Zur möglichen Analogie von § 844 Abs. 2 BGB s. unten § 15 Rn. 45 ff.

[248] Lösung s. § 15 Rn. 9 f.

[249] BGH, Urt. v. 14.3.1961, VI ZR 189/59, BGHZ 34, 355, 363 f.; BGH, Urt. v. 18.4.1997, V ZR 28/96, BGHZ 135, 235, 240 – Tennisplatz.

über die Verschuldenshaftung hinaus u.a. auch für die Gefährdungshaftung nach § 833 BGB, den Unterlassungsanspruch nach § 1004 BGB oder den Ausgleichanspruch gem. § 906 Abs. 2 S. 2 BGB.[250]

2. Einzelne systematische Auslegungsfiguren

a) Vergleich der Tatbestandsmerkmale einer Norm

aa) Benachbarte Begriffe können das zu klärende Tatbestandsmerkmal erläutern. Des Weiteren kann von der systematischen Stellung auf die Bedeutung eines Tatbestandsmerkmals geschlossen werden. Diese Argumentationsfigur ist in Deutschland wenig bekannt. Das anglo-amerikanische Recht kennt hierfür den Begriff *noscitur a sociis,*[251] wonach der zu klärende Begriff im Rahmen seines Umfeldes präzisiert werden kann. So dürfen Überschriften und die Präambel zur Interpretation herangezogen werden. In Deutschland gilt das nur, wenn die Überschrift amtlich ist, also vom Gesetzgeber und nicht vom Verleger stammt.[252] Ferner kann von der systematischen Stellung auf die Bedeutung eines Tatbestandsmerkmals geschlossen werden. **114**

Die persönlichen Rechtsgüter Leben, Körper und Gesundheit stehen in einer Wertehierarchie zueinander. Diese persönlichen Rechtsgüter sind wiederum höherrangig als das Recht auf Eigentum oder Vermögen. Dies ergibt sich aus der Reihenfolge in § 823 Abs. 1 BGB (in dessen Schutzbereich das Vermögen nicht fällt). Hieraus lässt sich folgern, dass die Pflichten zum Schutz der verschiedenen Rechtsgüter unterschiedlich streng sein können.[253] **115**

bb) Die anglo-amerikanische *Ejusdem-generis-Regel* besagt,[254] dass eine Generalklausel, die durch Einzelbeispiele konkretisiert wird, nicht weiter ausgelegt werden darf, als der Bereich aus dem die genannten Einzelbeispiele stammen. So bezieht sich beispielsweise das Verbot, Bücher, Bilder, Filme, Flugblätter oder dergleichen zu kopieren, nur auf optische Materialien. Mit „dergleichen" wären also nicht akustische Medien wie CDs gemeint. Die *Ejusdem-generis-Regel* findet sich zudem im schweizerischen Recht.[255] In Deutschland lassen sich für diese Auslegungsfiguren ebenfalls Beispiele finden, auch wenn sich für sie hierzulande noch kein Name herausgebildet hat. Die Regel wird bei der Vergleichsfallmethode weiter vertieft (§ 7 Rn. 44 ff.). **116**

Wenn § 224 Abs. 1 Nr. 2 StGB für die gefährliche Körperverletzung den Einsatz „einer Waffe oder eines anderen gefährlichen Werkzeuges" verlangt, ist es erforderlich, den auszulegenden Begriff „gefährliches Werkzeug" in Bezug zur Waffe zu setzen (§ 4 Rn. 60). Das schließt etwa die Wand aus, da diese kein beweglicher Gegenstand ist (§ 4 Rn. 74). – Für das Auffinden des relevanten Kerns kommen dabei verschiedene Methoden in Betracht. So wird z.B. das Mordmerkmal der „niedrigen Beweggründe" des § 211 StGB bestimmbar, wenn man sich verdeutlicht, dass hiervon nur Fälle erfasst sein können, die eine Gleichstellung mit den Mordmerkmalen „Mordlust", „Befriedigung des Geschlechtstriebes" und **117**

---

[250] Palandt/*Grüneberg*, BGB, 80. Aufl. 2021, § 254 Rn. 2 f. Zum Mitverschulden s. den Fall zu den FIS Regeln § 15 Rn. 5 f.

[251] *Bailey/Norbury*, Bennion on Statutory Interpretation, 7th ed. 2017, Sec. 23.1.

[252] Die Paragraphen des BGB versah der Gesetzgeber erst mit dem Schuldrechtsmodernisierungsgesetz mit amtlichen Überschriften, Gesetz zur Modernisierung des Schuldrechts v. 26.11.2001, BGBl. I, S. 3138. Eine amtliche Überschrift erkennt man daran, dass sie nicht in Klammern steht.

[253] Vertiefend *Möllers*, Rechtsgüterschutz im Umwelt- und Haftungsrecht, 1996, § 4.

[254] Oder *eiusdem generis* – der gleichen Klasse angehörend, s. *Quazi v. Quazi* [1980] A.C. 744, 808 f. per Lord Diplock (H.L. (E.)); *Cross/Bell/Engle*, Statutory Interpretation, 3rd ed. 1995, S. 135; *Bailey/Norbury*, Bennion on Statutory Interpretation, 7th ed. 2017, Sec. 23.2; *Scalia/Garner*, Reading Law, 2012, Nr. 32.

[255] *Kramer*, Juristische Methodenlehre, 6. Aufl. 2019, S. 122.

„Habgier“ verdienen. Der bestimmbare Kern ergibt sich hier also aus einem Rückschluss aus der Gleichstellung mit anderen Begriffen.[256]

b) Stellung des Tatbestandsmerkmals innerhalb der Gliederung des Gesetzes

118 Oftmals ist ein Verständnis des Zusammenspiels der Normen erforderlich, um den zugrunde liegenden gesetzgeberischen Imperativ vollständig zu erfassen.[257] Die systematische Auslegung betrachtet die Stellung des Tatbestandsmerkmals oder Rechtssatzes im Aufbau und System des Gesetzes und zieht daraus Schlussfolgerungen für die Auslegung.[258]

119 So wird man den Begriff „Besitz“ in § 854 BGB nur im Zusammenhang mit den §§ 855, 868 BGB verstehen können.[259] Die systematische Trennung zwischen Schuldverhältnissen und Sachenrecht in verschiedenen Büchern führt dazu, dass Regeln aus dem Allgemeinen Teil des Schuldrechts nicht ohne Weiteres in das Sachenrecht übertragen werden können.

120 Der Gedanke einer Wertehierarchie der Rechtsgüter findet Unterstützung darin, dass der Verfassungsgeber in Artt. 1 und 2 GG an besonders hervorgehobener Stelle die Würde des Menschen, das Leben und die Freiheit der Person stellte und damit vor andere, weniger wichtigen Rechtsgütern wie etwa Eigentum in Art. 14 GG.[260] – Die Bedeutung des Begriffs der Sittenwidrigkeit einer Einwilligung in die Körperverletzung gem. § 228 StGB erschließt sich erst durch systematische Überlegungen: Aus einer Zusammenschau mit dem Tatbestand der Tötung auf Verlangen gem. § 216 StGB folgt, dass die Bejahung von Sittenwidrigkeit nur bei konkret lebensgefährlichen Körperverletzungen und schwersten (i.d.R. irreversiblen) Beeinträchtigungen gerechtfertigt ist.[261]

121 Nicht nur die umgebenden Vorschriften einer Norm können zu ihrer Auslegung beitragen; auch die *Ordnung innerhalb einer Vorschrift*, insbesondere ihre Einteilung in Absätze, Sätze, Nummern und Buchstaben, kann zum Verständnis beitragen.

122 Beispielsweise ergibt sich in § 244 Abs. 1 StGB infolge des ausdrücklichen Erfordernisses einer subjektiven Verwendungsabsicht in Nr. 1 b) und des Verzichts hierauf bei Nr. 1 a), dass der Begriff des gefährlichen Werkzeugs im Rahmen von § 244 Abs. 1 Nr. 1 a) StGB ausschließlich objektiv zu bestimmen ist und es gerade keiner subjektiven Komponente bedarf.[262] – Umgekehrt liegt der Fall bei § 254 BGB: Nach der Systematik bezieht sich die Verweisung in § 254 Abs. 2 S. 2 BGB nur auf den zweiten Absatz; hätte der Gesetzgeber eine Erstreckung auch auf Abs. 1 gewollt, hätte er die Verweisung in einem eigenen, dritten Absatz regeln müssen.[263] Die ganz h.M. wendet § 254 Abs. 2 S. 2 BGB aber dennoch auch auf Abs. 1 an, da Schadensentstehung und Schadensminderung im Hinblick auf das Mitverschulden gleichermaßen zu bewerten sind.[264]

c) Ausnahmen dürfen nicht erweiternd ausgelegt werden *(singularia non sunt extendenda)*

123 Ausnahmevorschriften sind Rechtssätze, die einen geschriebenen oder ungeschriebenen Rechtsgrundsatz für besonders geartete Fälle durchbrechen.[265] Berühmt ist der Grund-

---

[256] Weiteres Beispiel: BVerfG, Beschl. v. 10.1.1995, 1 BvR 718/89 u.a., BVerfGE 92, 1, 17 – Sitzblockaden II.

[257] Die Bausteintechnik wurde bereits vorgestellt, § 4 Rn. 7 f.

[258] *Honsell*, in: Staudinger, BGB, Neubearb. 2018, Einl. zum BGB Rn. 145.

[259] *Larenz*, Methodenlehre der Rechtswissenschaft, 6. Aufl. 1991, S. 325.

[260] *Möllers*, Rechtsgüterschutz im Umwelt- und Haftungsrecht, 1996, S. 144 ff.

[261] Roxin/*Greco*, Strafrecht Allgemeiner Teil, Bd. I, 5. Aufl. 2020, § 13 Rn. 41 ff.

[262] BGH, Beschl. v. 3.6.2008, 3 StR 246/07, BGHSt 52, 257, 267; *Fischer*, StGB, 68. Aufl. 2021, § 244 Rn. 18, 22; Schönke/Schröder/*Bosch*, StGB, 30. Aufl. 2019, § 244 Rn. 5a.

[263] Palandt/*Grüneberg*, 80. Aufl. 2021, § 254 Rn. 48.

[264] BGH, Urt. v. 8.3.1951, III ZR 65/50, BGHZ 1, 248, 249; *Oetker*, in: MünchKomm-BGB, 8. Aufl. 2019, § 254 Rn. 126.

[265] Enneccerus/*Nipperdey*, Allgemeiner Teil des Bürgerlichen Rechts, 15. Aufl. 1959, S. 295 f.

satz: „Ausnahmen dürfen nicht ausgeweitet werden" (*singularia non sunt extendenda*), also Ausnahmen sind eng auszulegen. Diese Regel hat ihren Ursprung im römischen Recht[266] und findet sich heute noch in zahlreichen Kodifikationen des romanischen Rechtskreises.[267] Auch in deutschen Urteilen haben sich Gerichte oft auf diesen Grundsatz berufen.[268] Der EuGH verwendet ihn sogar regelmäßig (§ 4 Rn. 140 ff.). Eine vergleichbare Regel im anglo-amerikanischen Recht lautet: *expressio unius est exclusio alterius* („Die ausdrückliche Nennung des einen schließt das andere aus."). Wird in einer Ausnahme etwas ausdrücklich aufgezählt, ist davon auszugehen, dass das Ungenannte nicht von der Ausnahme erfasst ist.[269]

Als Ausnahme werden die Formvorschriften für Schuldverträge bezeichnet[270] oder die **124** Gefährdungshaftung in den Vorschriften der §§ 833 und 836 BGB im Gegensatz zur allgemeinen Verschuldenshaftung des BGB (§ 6 Rn. 156). Auch kann bei einem normalen Verkehrsunfall kein Schadensersatz für entgangene Lebensfreude über eine Analogie zu § 651f Abs. 2 BGB begründet werden, da immaterieller Schadensersatz nach dem Willen des Gesetzgebers nur ausnahmsweise in den § 253 BGB genannten Fällen zulässig ist (§ 11 Rn. 72 ff.).[271] Das Handelsrecht wird als ein über seinen Adressatenkreis nicht ausdehnbares Sonderrecht angesehen.[272]

d) Einheit der Rechtsordnung und Einheit der Verfassung

aa) Der Begriff „Einheit der Rechtsordnung" besagt, dass bestimmte Begriffe in ver- **125** schiedenen Gesetzen gleich auszulegen sind, damit die Einheit der Rechtsordnung gewahrt bleibt.[273] Unterstützung findet diese Regel durch den logischen Satz von der Identität: „Jeder Gegenstand ist mit sich selbst identisch."[274] Diese Regel hat ein Pendant im anglo-amerikanischen Recht. Nach der *In-pari-materia*-Regel (dieselbe Sache betreffend) ist ein Begriff, der denselben Gegenstand betrifft, einheitlich auszulegen.[275]

So gilt der Vorsatzbegriff des Strafrechts über § 823 Abs. 2 BGB grundsätzlich auch im **126** Zivilrecht.[276] – Der „gegenwärtige, rechtswidrige Angriff" im Rahmen der Notwehr in § 227 Abs. 2 BGB und § 32 Abs. 2 StGB wird einheitlich definiert als die durch einen Menschen drohende Verletzung rechtlich geschützter Güter ohne Rechtfertigungsgrund, die

---

[266] Paul. D. 1,3,14: Was gegen die Grundsätze des Rechts anerkannt worden ist, darf nicht auf entsprechende Fälle ausgedehnt werden. – *Quod vero contra rationem iuris receptum est, non est producendum ad consequentias.*

[267] Vgl. z. B. Art. 14 der Einleitung des ital. Codice Civile, Art. 4 Abs. 2 span. Código Civil (§ 1 Fn. 116), § 11 portug. Código Civil. Für Frankreich s. *Bergel*, Méthodologie juridique, 2e éd. 2016, Nr. 156.

[268] RG, Urt. v. 4.12.1900, II 238/00, RGZ 47, 356, 360 – Überbau; BGH, Urt. v. 6.11.1953, I ZR 97/52, BGHZ 11, 135, 143 – öffentliche Schallplattenaufführung; BGH, Urt. v. 22.5.1989, VIII ZR 192/88, BGHZ 107, 315, 319 f. – Zwischenmieter; BGH, Urt. v. 17.10.1995, VI ZR 358/94, NJW 1996, 53, 54 – Ausnahmecharakter des § 1664 BGB; BVerwG, Urt. v. 26.10.1967, II C 62/67, BVerwGE 28, 174, 177 – Beihilferecht.

[269] *Bailey/Norbury*, Bennion on Statutory Interpretation, 7th ed. 2017, Sec. 23.12; *Scalia/Garner*, Reading Law, 2012, Nr. 10. Dieses Rechtsinstitut aber als nicht hilfreich ansehend: *Posner*, 50 U. Chi. L. Rev. 800, 813 (1983); *Cross/Bell/Engle*, Statutory Interpretation, 3rd ed. 1995, S. 140 f.; s. auch das Beispiel bei *Shapo/Walter/Fajans*, Writing and Analysis in the Law, 6th ed. 2013, S. 261.

[270] Enneccerus/*Nipperdey*, Allgemeiner Teil des Bürgerlichen Rechts, 15. Aufl. 1959, S. 296; *Bork*, Allgemeiner Teil des Bürgerlichen Gesetzbuchs, 4. Aufl. 2016, Rn. 1044.

[271] Zu den Problemen s. aber *Wagner*, Gutachten A zum 66. DJT, 2006, S. 27 f.

[272] S. *Canaris*, Handelsrecht, 24. Aufl. 2006, § 1 Rn. 1 f.

[273] *Engisch*, Die Einheit der Rechtsordnung, 1935, S. 13; Engisch/*Würtenberger/Otto*, Einführung in das juristische Denken, 12. Aufl. 2018, S. 223 ff.; s. auch *Larenz*, Methodenlehre der Rechtswissenschaft, 6. Aufl. 1991, S. 166 f.; *Baldus*, Die Einheit der Rechtsordnung, 1995; *Felix*, Einheit der Rechtsordnung, 1998.

[274] *Schnapp*, Logik für Juristen, 7. Aufl. 2016, S. 93 ff.

[275] *Lennon v. Gibson and Howes Ltd* [1919] AC 709, 711 f. per Lord Show (H.L. (E.)), 26 C.L.R. 285; *Shapo/Walter/Fajans*, Writing and Analysis in the Law, 6th ed. 2013, S. 262.

[276] Erman/*Wilhelmi*, BGB, 16. Aufl. 2020, § 823 Rn. 159.

unmittelbar bevorsteht oder noch andauert.[277] – Die „Täuschung" in § 123 Abs. 1 BGB wird so ausgelegt, wie sie in § 263 Abs. 1 StGB definiert ist, nämlich als Erregung, Bestärkung oder Aufrechterhaltung eines Irrtums durch Vorspiegelung falscher oder durch Entstellung oder Unterdrückung wahrer Tatsachen.[278]

127 Die einheitliche Auslegung eines Begriffs in verschiedenen Gesetzen verlangt allerdings eine sog. Wertungsparallelität, also dass auch die Wertungen, die dem Begriff zugrunde liegen, in den verschiedenen Gesetzen oder Rechtsnormen dieselben sind.[279] Dieses Formalargument kann entkräftet werden, indem auf die sog. Relativität der Rechtsbegriffe abgestellt wird (§ 6 Rn. 17 ff.).

128 bb) Als Unterarten dieses Gedankens versucht man eine interpretatorische Normspaltung zu vermeiden, indem auf die „**Einheit der Verfassung**"[280] verwiesen wird. Danach ist die Verfassung „eine einheitliche Ordnung des politischen und gesellschaftlichen Lebens der staatlichen Gemeinschaft."[281] Normlogische Widersprüche sind auszuräumen.[282] Nach dem Wortlaut können uneinschränkbare Grundrechte „nur durch kollidierende Grundrechte oder andere mit Verfassungsrang ausgestattete Rechtswerte begrenzt" werden.[283] Die Religionsfreiheit des Art. 4 GG kann beispielsweise nur im Lichte der Normen der Weimarer Verfassung ausgelegt werden, welche durch Art. 140 GG in das GG inkorporiert wurden und umgekehrt.[284] So formuliert das BVerfG:

129 „Nur kollidierende Grundrechte Dritter und andere mit Verfassungsrang ausgestattete Rechtswerte sind mit Rücksicht auf die Einheit der Verfassung und die von ihr geschützte gesamte Wertordnung ausnahmsweise imstande, auch uneinschränkbare Grundrechte in einzelnen Beziehungen zu begrenzen. Dabei auftretende Konflikte lassen sich nur lösen, indem ermittelt wird, welche Verfassungsbestimmung für die konkret zu entscheidende Frage das höhere Gewicht hat (BVerfGE 2, 1 [72 f.]). Die schwächere Norm darf nur so weit zurückgedrängt werden, wie das logisch und systematisch zwingend erscheint; ihr sachlicher Grundwertgehalt muß in jedem Fall respektiert werden."[285]

3. Kollisionsregeln

130 Der Gedanke der Einheit der Rechtsordnung lässt sich nicht nur auf einen einzelnen Begriff beziehen, sondern auch auf Normen im Ganzen. Wenn zwei Vorschriften gleichzeitig bei einem bestimmten Sachverhalt einschlägig sind, sollen Kollisionsregeln die Frage beantworten, welche Vorschrift gegebenenfalls Vorrang beansprucht und folglich zur Anwendung kommt.

---

[277] Palandt/*Ellenberger*, BGB, 80. Aufl. 2021, § 227 Rn. 2 ff.; *Erb*, in: MünchKomm-StGB, 3. Aufl. 2017, § 32 Rn. 34 ff.; Schönke/Schröder/*Perron*/*Eisele*, StGB, 30. Aufl. 2019, § 32 Rn. 3 ff.

[278] Palandt/*Ellenberger*, BGB, 80. Aufl. 2021, § 123 Rn. 2 f.; *Singer*/*von Finckenstein*, in: Staudinger, BGB, Neubearb. 2017, § 123 Rn. 6.

[279] *Canaris*, Systemdenken und Systembegriff in der Jurisprudenz, 2. Aufl. 1983, S. 122 ff.

[280] St. Rspr., s. BVerfG, Urt. v. 23.10.1951, 2 BvG 1/51, BVerfGE 1, 14, 32 f. – Südweststaat; BVerfG, Beschl. v. 1.8.1978, 2 BvR 1013/77 u.a., BVerfGE 49, 24, 56 – Kontaktsperre-Gesetz; *Ehmke*, VVDStRL 20 (1963), 53, 73 ff.; *Hesse*, Grundzüge des Verfassungsrechts der Bundesrepublik Deutschland, 20. Aufl. 1999, Rn. 71 f.; Sachs/*Sachs*, GG, 9. Aufl. 2021, Einf. Rn. 50. Zur praktischen Konkordanz s. unten § 10 Rn. 47.

[281] BVerfG, Urt. v. 14.12.1965, 1 BvR 413/60 u.a., BVerfGE 19, 206, 220 – Kirchenbausteuer.

[282] Sachs/*Sachs*, GG, 9. Aufl. 2021, Vor Art. 1 Rn. 123.

[283] BVerfG, Beschl. v. 26.5.1970, 1 BvR 83/69 u.a., BVerfGE 28, 243, 261 – Dienstpflichtverweigerung; *Dreier*, in: Dreier, GG, 3. Aufl. 2013, Vorb. vor Art. 1 Rn. 139.

[284] BVerfG, Urt. v. 14.12.1965, 1 BvR 413/60 u.a., BVerfGE 19, 206, 220 – Kirchenbausteuer; BVerfG, Beschl. v. 16.5.1991, 1 BvR 1087/91, BVerfGE 93, 1, 21 – Kruzifix; *Morlok*, in: Dreier, GG, 3. Aufl. 2013, Art. 4 Rn. 55.

[285] BVerfG, Beschl. v. 26.5.1970, 1 BvR 83/69 u.a., BVerfGE 28, 243, 261 – Dienstpflichtverweigerung.

a) Das höhere Gesetz geht dem niedrigeren vor (lex superior derogat legi inferiori)

131 Der wichtigste Grundsatz besagt, dass das höhere Gesetz dem niedrigeren Gesetz vorgeht. Dieser Grundsatz ist als *lex superior derogat legi inferiori* bekannt. Im 19. Jahrhundert wurde dazu der Stufenbau des Rechts entwickelt. Der *Lex-superior*-Satz wurde schon unter § 2 Rn. 36 ff. behandelt. Der Stufenbau des Rechts führt zum weitgehenden Vorrang des europäischen Rechts gegenüber dem nationalen Recht; insoweit gilt der *Lex-superior*-Satz (§ 12 Rn. 3 ff.).

b) Das spätere Gesetz geht dem früheren vor (lex posterior derogat legi priori)

132 Das spätere Gesetz geht dem früheren Gesetz vor. Dieser Grundsatz hat seinen Ursprung ebenfalls im römischen Recht[286] und wurde dann formuliert: *Lex posterior derogat legi priori.*[287] Hintergrund ist die Überlegung, dass das neuere Gesetz auch den aktuelleren Gesetzgebungswillen verkörpert, man also davon ausgehen darf, dass der Gesetzgeber die Normkollision einfach übersehen hat.[288]

133 Anerkannt ist beispielsweise, dass die Religionsbestimmungen der Weimarer Verfassung, die über Art. 140 GG in das GG inkorporiert wurden, gegenüber der Glaubensfreiheit nach Art. 4 GG nachrangig sind.[289]

c) Das besondere Gesetz geht dem allgemeineren vor (lex specialis derogat legi generali)

134 Auch die Regel *lex specialis derogat legi generali* beruht auf römischem Recht[290] und besagt, dass ein spezielleres Gesetz dem allgemeineren Gesetz vorgeht. Im französischen Recht[291] und im anglo-amerikanischen Recht[292] findet sich dieselbe Regel: *Generalia specialibus non derogant*: Eine generelle Vorschrift kann eine speziellere nicht verdrängen. Der *Lex-specialis*-Grundsatz ist zu bejahen, wenn ein Anspruch von einschränkenderen, ungünstigeren Voraussetzungen abhängt.[293]

135 So gehen die Fälle des qualifizierten Verschuldens (§§ 521, 599, 690, 708 BGB) dem § 823 Abs. 1 BGB vor.[294] – Die Regelungen der §§ 490, 543, 569, 626, 723 BGB gehen dem außerordentlichen Kündigungsrecht des § 314 BGB vor.[295] – § 314 BGB schließt wiederum

[286] Mod. D. 1,4,4: αι μεταγενεστεραι διαταξεις ισχυροτεραι των προ αυτων εισιν – Die späteren Konstitutionen gehen den früheren vor.

[287] Der Grundsatz wird schon in den Digesten D. 9,2,1,pr. unter Verweis auf das Zwölf-Tafel-Gesetz aufgestellt: *Lex Aquila omnibus legibus, quae ante se de damno iniuria locutae sunt, derogavit* [...]. *Baldus* greift diesen Grundsatz auf und prägt die heutige gebräuchliche Formulierung, vgl. *Baldus*, Baldi Perusini in Infortiatum, Digestum Novum Commentarii, 1562, S. 170: *posteriores ll. [= leges] derogaverunt prioribus.* Vgl. auch *Medici*, in: Medici/Curtius/Tommai, De legibus, statutis, et consuetudine, 1574, S. 88: *Lex posterior tollit priorem.*

[288] *Kramer*, Juristische Methodenlehre, 6. Aufl. 2019, S. 131; ähnlich *Larenz*, Methodenlehre der Rechtswissenschaft, 6. Aufl. 1991, S. 267.

[289] BVerfG, Urt. v. 14.12.1965, 1 BvR 413/60 u.a., BVerfGE 19, 206, 219 f. – Kirchenbausteuer.

[290] Pap. D. 48,19,41: Es wird auch nirgends bezweifelt, dass im übrigen gesamten Rechte die Art der Gattung derogiere – *nec ambigitur in cetero omni iure speciem generi derogare*; Vgl. auch *Medici*, in: Medici/Curtius/Tommai, De legibus, statutis, et consuetudine, 1574, S. 92: *Lex specialis derogat generali.*

[291] *Bergel*, Méthodologie juridique, 2e éd. 2016, Nr. 113.

[292] Oder wörtlich: Allgemeine Vorschriften gehen spezielleren Vorschriften nicht vor; s. dazu *Bailey/Norbury*, Bennion on Statutory Interpretation, 7th ed. 2017, Sec. 21.4.

[293] *Kramer*, Juristische Methodenlehre, 6. Aufl. 2019, S. 128 unter Hinweis auf *Merz*, in: FS Guhl, 1950, S. 87, 94 ff.

[294] *Larenz*, Methodenlehre der Rechtswissenschaft, 6. Aufl. 1991, S. 270.

[295] Begr. AbgeordnetenE, BT-Drs. 14/6040, S. 177.

das normale Rücktrittsrecht aus. – Der Räuber wird im Wege der Konkurrenzen nur wegen Raubes (mit höherer Strafandrohung) bestraft und nicht wegen Nötigung und Diebstahls, obwohl der Raub deren Tatbestandsmerkmale vollständig enthält.[296]

4. Die systematische Auslegung durch den EuGH

136 Zum Teil wird die systematische Auslegung im Europarecht für bedeutungslos erachtet, weil es an einer systematischen Kodifikation im europäischen Recht fehlt.[297] Dem steht entgegen, dass der EuGH seit Jahrzehnten die systematische Auslegung zur Falllösung heranzieht.[298]

a) Zur Rolle der Systematik

137 In der Literatur wird teilweise behauptet, dass im europäischen Recht und auch im europäischen Vertragsrecht ein inneres System feststellbar sei.[299] Tatsächlich wird man ein inneres System im AEUV nachweisen können. Im Sekundärrecht ist es aber wenig überzeugend, ein inneres System aufzuzeigen, welches mit einer Gesamtkodifikation vergleichbar wäre. Noch ist das harmonisierte Recht zu pointilistisch, um wie bei einer Gesamtkodifikation von geschlossenen Wertungen ausgehen zu können. So sind im Vertragsrecht viele wichtige Rechtsgebiete noch nicht geregelt, etwa das Zustandekommen des Vertrags, das Irrtums- und Minderjährigenrecht sowie die Verjährung.[300]

138 Das schließt es allerdings nicht aus, auch ein Tatbestandsmerkmal und eine Norm in den Zusammenhang mit der gesamten Richtlinie oder der Verordnung zu stellen. Der EuGH betont, dass „jede Vorschrift des Gemeinschaftsrechts in ihrem Zusammenhang zu sehen und im Lichte des gesamten Gemeinschaftsrechts, seiner Ziele und seines Entwicklungsstands zur Zeit der Anwendung der betreffenden Vorschrift auszulegen" ist.[301] Insoweit zielt diese Arbeit auch darauf, Widersprüche zu vermeiden und somit ein stimmiges inneres System zu entwickeln. Die Grundfreiheiten werden einheitlich geprüft (§ 10 Rn. 62 ff.).[302] Er berücksichtigt regelmäßig die am Anfang des Sekundärrechts stehenden Erwägungsgründe (§ 5 Rn. 16 ff.). Außerdem wendet er allgemeine Rechtsgrundsätze an (§ 9 Rn. 66).

b) Kollisionsregeln

139 Im Übrigen berücksichtigt der EuGH auch die *Lex-superior*-Kollisionsregel (§ 2 Rn. 74). Zudem kennt er die *Lex-posterior*-Regel[303] und die *Lex-specialis*-Regel[304].

---

[296] § 249 StGB sowie § 240 und § 242 StGB; *Vogel*, Juristische Methodik, 1998, S. 63.

[297] *Höpfner/Rüthers*, AcP 209 (2009), 1, 12 sowie die knappen Ausführungen bei *Lutter*, JZ 1992, 593, 603.

[298] S. die Nachweise bei *Riesenhuber*, in: ders., Europäische Methodenlehre, 4. Aufl. 2021, § 10 Rn. 21 ff., *Martens*, Methodenlehre des Unionsrechts, 2013, S. 433 ff.

[299] *Grundmann*, Europäisches Schuldvertragsrecht, 1999, S. 27, 104 f.; *Riesenhuber*, System und Prinzipien des Europäischen Vertragsrechts, 2003, S. 52 ff., 62; *ders.*, in: Riesenhuber, Europäische Methodenlehre, 4. Aufl. 2021, § 10 Rn. 22 ff.

[300] **Gegen** *Riesenhuber* etwa *Möllers*, JZ 2004, 1067 f.; krit. auch *Flessner*, JZ 2002, 14, 16; *Vogenauer*, ZEuP 2005, 234, 252 ff.

[301] EuGH, Urt. v. 6.10.1982, C-283/81, EU:C:1982:335, Rn. 20 – C.I.L.F.I.T.; EuGH, Urt. v. 13.4.2000, C-292/97, EU:C:2000:202, Rn. 39 – Karlsson; weitere Urteile bei *Bengoetxea*, Legal Reasoning, S. 240 ff.

[302] Oppermann/*Classen*/*Nettesheim*, Europarecht, 9. Aufl. 2021, § 22 Rn. 9; s. SchlA v. 2.6.2010, GA *Trstenjak*, C-81/09, EU:C:2010:304, Rn. 74 – Idryma Typou.

[303] SchlA v. 29.4.2010, GA *Jääskinen*, C-72/09, EU:C:2010:235, Rn. 28 – Établissements Rimbaud; SchlA v. 18.7.2007, GA *Kokott*, C-275/06, EU:C:2007:454, Rn. 46 – Promusicae.

[304] S. gerade § 4 Fn. 303 sowie oben § 2 Rn. 88.

c) Ausnahmen sind eng auszulegen

In der Rechtsprechung des EuGH ist der Grundsatz „Ausnahmen sind eng auszulegen" eine feste Größe.[305] Er wird zum Teil als eigene Auslegungsregel bezeichnet.[306] Auch im **Primärrecht** geht der EuGH davon aus, dass Ausnahmen zu den Grundfreiheiten eng auszulegen sind.[307] So formuliert er beispielsweise: 140

> „[…] doch ist diese Vorschrift als Ausnahme von der Grundregel, daß alle Hindernisse für den freien Warenverkehr zwischen den Mitgliedstaaten zu beseitigen sind, **eng auszulegen** und kann daher nicht dahin verstanden werden, daß sie andere als die in den Artikeln 30 bis 34 [EWG-Vertrag; jetzt Artt. 34 ff. AEUV] genannten Maßnahmen zuließe."[308] 141

Ziel des europäischen Rechts ist im Primärrecht regelmäßig die Herstellung eines Binnenmarkts, Artt. 3 Abs. 3 EUV, 26 Abs. 2, 119 Abs. 1 AEUV. Der Binnenmarkt umfasst die Gewährleistung der Grundfreiheiten, also einen schrankenlosen Verkehr von Waren, Dienstleistungen, Arbeit und Niederlassungen. Folglich ist es nur konsequent, Ausnahmebestimmungen, welche die Grundfreiheiten beschränken, eng auszulegen. In diesen Zusammenhang gehört auch der Grundsatz, dass die Ausnahme wiederum verhältnismäßig sein muss. 142

Reinheitsgebot: Der EuGH stellte in der Reinheitsgebots-Entscheidung fest, dass sich Verbrauchergewohnheiten ändern können müssen, weil ansonsten Märkte abgeschottet werden. Demzufolge könne der Verbraucher in Europa nicht erwarten, dass „Bier" nach dem Reinheitsgebot gebraut wird. Eine entsprechende Kennzeichnung sei gegenüber einem Verbot weniger eingreifend und damit verhältnismäßig.[309] 143

Öffentlicher Dienst: Es muss ausländischen Lehranwärtern aufgrund der Arbeitnehmerfreizügigkeit möglich sein, den Referendarsdienst in einem anderen Mitgliedstaat wahrzunehmen. Damit muss der Begriff „öffentliche Verwaltung" gemäß Art. 45 Abs. 4 AEUV eng ausgelegt werden, so dass Lehranwärter nicht darunter fallen (§ 2 Rn. 72).[310] 144

d) Weitere Argumentationsfiguren

Darüber hinaus kann man versuchen, nationale Auslegungsfiguren auch im europäischen Recht fruchtbar zu machen. So sind gleiche Begriffe gleicher Materie im Zweifel gleich auszulegen.[311] Der EuGH versucht bei der Auslegung stets Parallelen zu anderen Rechtsakten zu finden und analysiert die in verschiedenen Rechtsakten verwendeten Begrifflichkeiten über mehrere Rechtsakte hinweg. So hat er den Begriff der Pauschalreise in Art. 15 Abs. 3 der Verordnung Nr. 44/2001 über die gerichtliche Zuständigkeit und die Anerkennung und Vollstreckung von Entscheidungen in Zivil- und Handelssachen mit 145

[305] EuGH, Urt. v. 15.5.1986, C-222/84, EU:C:1986:206, Rn. 36 – Johnston; EuGH, Urt. v. 17.10.1995, C-450/93, EU:C:1995:322, Rn. 21 – Kalanke; *Anweiler*, Auslegungsmethoden des Gerichtshofs der Europäischen Gemeinschaften, 1997, S. 231 ff.

[306] *Cremer*, in: Ehlers/Fehling/Pünder, Besonderes Verwaltungsrecht, Bd. 1, 4. Aufl. 2019, § 9 Rn. 37 mit weiteren Rechtsprechungsnachweisen.

[307] EuGH, Urt. v. 14.12.1962, 2/62 u.a., EU:C:1962:45, 873, 881 – Kommission/Luxemburg und Belgien; EuGH, Urt. v. 10.12.1968, 7/68, EU:C:1968:51, 635, 644 – Kommission/Italien, s. hierzu *Vogenauer*, Die Auslegung von Gesetzen in England und auf dem Kontinent, 2001, S. 371 ff.

[308] EuGH, Urt. v. 25.1.1977, C-46/76, EU:C:1977:6, Rn. 12/15 – Bauhuis.

[309] EuGH, Urt. v. 12.3.1987, C-178/84, EU:C:1987:126, Rn. 32 – Reinheitsgebot für Bier.

[310] EuGH, Urt. v. 3.7.1986, C-66/85, EU:C:1986:284, Rn. 26 f. – Lawrie-Blum; EuGH, Urt. v. 2.7.1996, C-473/93, EU:C:1996:263, Rn. 33 f. – Kommission/Luxemburg.

[311] *Grundmann*, RabelsZ 75 (2011), 882, 894 f.; *Martens*, Methodenlehre des Unionsrechts, 2013, S. 449 f., der von horizontaler systematischer Auslegung spricht.

dem Begriff in Art. 6 Abs. 4 Buchst. b) der Verordnung Nr. 593/2008 (ROM I) verglichen. Hier kommt er zu dem Ergebnis, dass der Terminus Pauschalreise einheitlich vom europäischen Gesetzgeber verwendet wird.[312]

IV. Die historische Auslegung

1. Historische Auslegung im weiteren und engeren Sinne

a) Relevanz und historische Auslegung im weiteren Sinne

146 Wie war der Wille des Gesetzgebers, als dieser die Norm geschaffen hat? Ist dieser Wille überhaupt relevant? In den USA wird gelegentlich noch vertreten, es sei verfassungswidrig den historischen Willen heranzuziehen.[313] Auch in England war es nach der sog. *exclusionary rule* früher unzulässig, Gesetzgebungsmaterialien zu berücksichtigen, weil sich die Aufgabe des Gesetzgebers mit Erlass des Gesetzes erschöpft habe.[314]

147 Eine solche Ansicht ist allerdings wenig überzeugend. Verfassungswidrig wäre es lediglich, den damaligen Willen zu verabsolutieren, was in Deutschland aber nicht vertreten wird. Vielmehr geht es darum, die damaligen Wertungen aufzudecken, um ggf. von diesen abzuweichen.[315] Zudem würde man die Anzahl der Argumente verringern, wenn man auf den historischen Willen verzichtet.[316] Auch in den anderen Textwissenschaften[317] hat sich eine allgemeine Auslegungslehre herausgebildet, die Hermeneutik oder Rezeptionstheorie,[318] welche sich mit den Problemen des Textverständnisses im Wandel der Zeit auseinandersetzt.[319] Die Erkundung des „historisch wirklichen Willens des Gesetzgebers" durch den Juristen ist also eine Aufgabe, die in ihren Grundzügen durchaus mit der Auslegung eines Schriftstücks durch den Historiker oder Philologen vergleichbar ist.[320] Folglich geht die heute herrschende Ansicht davon aus, dass die Gesetzesmaterialien zur Urteilsfindung herangezogen werden dürfen.[321] Dies wird von der deutschen Rechtsprechung auch häufig getan.[322] Auch das französische Recht kennt den historischen Willen als Auslegungsfigur[323]. In der Rechtstheorie der Vereinigten Staaten ist die genetisch-historische Auslegung somit als *intentionalism* bekannt.[324] In Abkehr zum frü-

---

[312] EuGH, Urt. v. 7.12.2010, C-585/08 u.a., EU:C:2010:740, Rn. 41 ff. – Pammer u.a.

[313] Zum sog. *originalism* s. *Scalia*, A Matter of Interpretation: Federal Courts and the Law, 1997, S. 17: „[I]t is simply incompatible with democratic government, or indeed, even with fair government, to have the meaning of the law determined by what the lawgiver meant, rather than by what the lawgiver promulgated […]. It is the law that governs, not the intent of the lawgiver."; s. *Hager*, Rechtsmethoden in Europa, 2009, 2. Kap. Rn. 176 f.; *Fleischer*, AcP 211 (2011), 317, 342 f. S. auch unten § 6 Rn. 89 f.

[314] *Radin*, 43 Harv. L. Rev. 863, 871 (1929–1930); *Hager* (ebd.), 2. Kap. Rn. 139.

[315] *Rüthers/Fischer/Birk*, Rechtstheorie, 11. Aufl. 2020, Rn. 794: „verfassungsrechtlich zur historischen Normzweckforschung verpflichtet".

[316] *Honsell*, in: Staudinger, BGB, Neubearb. 2018, Einl. zum BGB Rn. 137.

[317] Hierzu sind die Theologie, Philosophie, Geschichte sowie die Sprach- und Literaturwissenschaften zu zählen.

[318] Bspw. *Gadamer*, Wahrheit und Methode, 6. Aufl. 1990; *Betti*, Allgemeine Auslegungslehre als Methodik der Geisteswissenschaften, 1967, S. 298 ff.

[319] *Rüthers/Fischer/Birk*, Rechtstheorie, 11. Aufl. 2020, Rn. 156 ff.

[320] *Heck*, AcP 112 (1914), 1, 4.

[321] *Vogenauer*, Die Auslegung von Gesetzen in England und auf dem Kontinent, 2001, S. 1256.

[322] *Rüthers/Fischer/Birk*, Rechtstheorie, 11. Aufl. 2020, Rn. 800.

[323] *Bergel*, Méthodologie juridique, 2ᵉ éd. 2016, Nr. 151.

[324] *U.S. v. Hartwell*, 73 U.S. 385, 395 f. (1867): „The object in construing […] statutes, is to ascertain the legislative intent. That constitutes the law"; *Hamdan v. Rumsfeld*, 548 U.S. 557, 581 Fn. 10 (2006); *Shapo/Walter/Fajans*, Writing and Analysis in the Law, 6th ed. 2013, S. 101 ff. Die sog. *federalist papers* der Väter der US-amerikanischen Verfassung werden häufig zitiert, *Maggs*, 87 B.U. L. Rev. 801 (2007).

heren Recht werden inzwischen auch in England die Protokolle zur Entscheidungsfindung herangezogen.[325]

b) Begrifflichkeiten

148 Unter historischer Auslegung werden unterschiedliche Überlegungen verstanden. Es geht einmal um die Frage, ob der heutige Wille oder der damalige Wille entscheidend ist. Im Folgenden soll nur auf den Willen von damals eingegangen werden, wie dies die sog. *subjektive Auslegung* vornimmt. Dem kann der heutige Wille entgegenstehen. Im Einzelnen wird zu fragen sein, wann die Meinung des historischen Gesetzgebers ignoriert werden darf, hier spricht man von *objektiver Auslegung* oder Theorie (§ 6 Rn. 69 ff.).[326] Zudem lässt sich die historische Auslegung danach unterscheiden, ob man auf die Vorläufernormen eingeht oder nur auf den Gesetzgebungsprozess der konkreten Norm. Hierfür werden die Begriffe *historische Auslegung i. e. S.* und *genetische Auslegung* verwendet.[327] Schließlich ist zu prüfen, welche Materialien man verwenden darf, bevor man dann die einzelnen Auslegungsfiguren prüft.

c) Vorläufernormen als Hilfsmittel für die historische Auslegung i.e.S.

149 Die *historische Auslegung* berücksichtigt Vorläufer der einschlägigen Gesetzesnorm, um den historischen Willen des Gesetzgebers zu erkunden. Im Gegensatz zur systematischen Auslegung, die ebenfalls Vergleiche zu anderen Vorschriften zieht, werden ausschließlich außer Kraft gesetzte Normtexte herangezogen.[328] Bereits im gemeinen Recht wurde das vorjustitianische Recht als älteres (Vorläufer-) Recht zur Auslegung des Corpus Iuris herangezogen, was einer historischen Auslegung i.e.S. gleichkommt.[329]

150 Zur Klärung von Einzelfragen kann man beim BGB auch auf die Pandekten und die römisch-rechtlichen Vorläufer der Normen zurückgreifen.[330] Schon das Reichsgericht machte sich die historische Auslegung zu eigen und berücksichtigte vorheriges Recht, insbesondere dann, wenn das aktuelle Gesetz schweigt. In den neuen Urteilen des BGH findet das Recht vor 1900 nur noch selten Erwähnung.[331] Zur Lückenfüllung griff er allerdings auf vorheriges Recht zurück.

151 Ein prominentes Beispiel für eine Vorläufernorm des Allgemeinen Aufopferungsgrundsatz im Rahmen von § 839 BGB bilden die §§ 74, 75 Einl. ALR (Einleitung zum Allgemeinen Landrecht für die Preußischen Staaten), welche die Rechtsprechung noch heute zitiert.[332]

---

[325] Eine Kehrtwende fand durch die Entscheidung statt *Pepper (Inspector of Taxes) v. Hart* [1993] A.C. 593, 634 f.; hierzu *Kavanagh*, 121 L.Q.Rev. 98, 106 f. (2005); *Brudney*, 85 Wash.U.L. Rev. 1, 2 ff. (2007); *Hager*, Rechtsmethoden in Europa, 2009, 2. Kap. Rn. 140 ff.; *Fleischer*, AcP 211 (2011), S. 317, 336 f.

[326] *Kramer*, Juristische Methodenlehre, 6. Aufl. 2019, S. 162 spricht von einer Konsultierungs-, nicht aber Befolgungspflicht; ähnlich *Honsell*, in: Staudinger, BGB, Neubearb. 2018, Einl. zum BGB Rn. 136: „Vorstellungen des historischen Gesetzgebers […] für die Rechtsprechung nicht bindend."

[327] Zu dieser Unterscheidung *Alexy/R. Dreier*, in MacCormick/Summers, Interpreting Statutes, 1991, S. 73, 86 f.; *F. Müller/Christensen*, Juristische Methodik, Bd. I, 11. Aufl. 2013, Rn. 360; *Kramer*, Juristische Methodenlehre, 6. Aufl. 2019, S. 158 Fn. 376.

[328] *F. Müller/Christensen*, Juristische Methodik, Bd. I, 11. Aufl. 2013, Rn. 360.

[329] *Koschaker*, Europa und das römsiche Recht, 1947, S. 63 ff.

[330] Zur entsprechenden Sekundärliteratur s. *Zimmermann*, The Law of Obligations, 1990; Historischer Kommentar zum BGB; *Honsell*, in: Staudinger, BGB, Neubearb. 2018, Einl. zum BGB Rn. 161.

[331] BGH, Urt. v. 11.3.1970, 4 ZR 772/68, BGHZ 53, 352, 353: Der Haftungsmaßstab des § 1359 BGB sei aus dem gemeinen Recht und den Partikularrechten übernommen.

[332] BGH, Urt. v. 26.9.1957, III ZR 190/56, BGHZ 25, 238, 240 – Salvarsanschäden. Vgl. Einl. § 75 Allgemeines Landrecht für die Preußischen Staaten v. 1794: Dagegen ist der Staat denjenigen, welcher seine besonderen Rechte und Vortheile dem Wohle des gemeinen Wesens aufzuopfern genötigt wird, zu entschädigen gehalten.

d) Kontinuität zwischen Vorgängernorm und jetziger Norm (droit constant)

152 Interessant sind eine Reihe von Rechtsfiguren, die zur Begründung der Relevanz der Vorgängernorm vorgetragen werden. Zu beachten ist, dass die Verknüpfung eines geltenden mit einem früheren Normtext meistens über die Darstellung von Kontinuität oder Diskontinuität hergestellt wird: In der Kontinuitätserzählung hat der Gesetzgeber den alten Normtext unverändert übernommen, damit zugleich auch die früher vertretenen Inhalte. Schon die Digesten kannten diese Rechtsfigur.[333] Man spricht vom **droit constant,** dem gleichbleibenden Recht.[334] Die Gerichte interpretieren eine neue Bestimmung so, dass die Kontinuität der Rechtsstruktur gewahrt bleibt.[335] Auch im anglo-amerikanischen Rechtskreis wird vermutet, dass ein späteres Gesetz die Wertungen eines früheren Gesetzes nicht stillschweigend aufhebt, hierfür ist vielmehr eine ausdrückliche Bestimmung erforderlich.[336] So prüfte der BGH, ob ein Schadensersatzanspruch wegen einer Kurspreismanipulation gem. § 823 Abs. 2 BGB i. V. m. § 20a WpGH a. F. existiert und zog in diesem Rahmen die Vorläufernorm des § 88 BörsG[337] heran.[338]

153 *Ankauf durch einen Angestellten:* Nach § 56 HGB gilt derjenige, der in einem Laden oder in einem Warenlager angestellt ist, zu Verkäufen und Entgegennahmen ermächtigt, die in einem derartigen Laden oder Warenlager gewöhnlich geschehen. Der BGH musste sich nun damit auseinandersetzen, ob vom Begriff des „Verkaufs" auch der „Ankauf" mitumfasst ist:

154 „Der Entstehungsgeschichte des Gesetzes ist ein von dem Wortsinn des Ausdrucks „Verkäufe" abweichender Wille des Gesetzgebers nicht zu entnehmen. § 56 HGB beruht – ebenso wie die ihm vorausgegangenen Entwürfe (vgl. § 50 des Entwurfs vom 1895, § 52 des Entwurfs von 1896, § 54 der Bundesratsvorlage, § 55 der Reichstagsvorlage; abgedr. in: Quellen zum HGB von 1897, 1986, S. 232, 360, 484, 605) – auf Art. 50 ADHGB[339] (dazu Denkschrift zum Entwurf von 1895, abgedr. in: Quellen zum HGB von 1897 II, 1987, S. 1, 48), der wiederum auf Art. 54 des Entwurfs eines HGB für die Preußischen Staaten zurückgeht (dazu Prot. der Kommission zur Berathung eines allgemeinen deutschen HGB, I. Theil, 1858, S. 97).

In allen genannten Bestimmungen ist unverändert von „Verkäufen" die Rede."[340]

e) Verfassungstradition

155 Die Argumentation mit Vorgängervorschriften spielt in der Rechtsprechung des BVerfG eine wichtige Rolle, insbesondere unter Berufung auf die Rechtsfigur der Verfassungstradition. Die Artikel des Grundgesetzes sind häufig der „vorläufige bundesrechtliche Schlusspunkt einer *jahrhundertealten verfassungsgeschichtlichen Entwicklung*",[341] *etwa*

[333] Paul. D. 1,3,26: *Non est novum, ut priores leges ad posteriores trahantur.* – Es ist nichts Neues, dass frühere Gesetze auf spätere bezogen werden.

[334] *Bergel*, Méthodologie juridique, 2e éd. 2016, Nr. 221; *Fleischer*, DB 2004, 2031, 2933; Fuchs/*Fleischer*, WpHG, 2. Aufl. 2016, § 20a Rn. 154.

[335] *F. Müller/Christensen*, Juristische Methodik, Bd. I, 11. Aufl. 2013, Rn. 361b.

[336] *Manchester Corporation v. Manchester Palace of Varieties Ltd.* ?1955? S. 133, 147 ff.

[337] Börsengesetz (BörsG) v. 16.7.2007, BGBl. I, S. 1330. Die Nachfolgenormen von § 20a WpHG sind Artt. 12, 15 MAR.

[338] BGH, Urt. v. 13.12.2011, XI ZR 51/10, BGHZ 192, 90, 100 Rn. 25 – IKB; hierzu KK-WpHG/*Mock*, 2. Aufl. 2014, § 20a Rn. 475 ff.

[339] Allgemeines Deutsches Handelsgesetzbuch (ADHGB) v. 31.5.1861, BGBl. des Norddeutschen Bundes, Bd. 1869 Nr. 32, S. 601.

[340] BGH, Urt. v. 4.5.1988, VIII ZR 196/87, NJW 1988, 2109 – Ankauf durch einen Angestellten (§ 56 HGB); weitere Beispiele BGH, Urt. v. 13.12.2011, XI ZR 51/10, BGHZ 192, 90 Rn. 29 – IKB; BGH, Urt. v. 5.11.2003, 8 ZR 371/02, BGHZ 157, 1, 5 f.; BVerfG, Beschl. v. 13.10.1971, 1 BvR 280/66, BVerfGE 32, 54, 69 – Betriebsbetretungsrecht.

[341] So *Durner*, in: Maunz/Dürig, GG, 92. EL August 2020, Art. 11 Rn. 1.

in der Kontinuität der liberalen Denktradition des 19. Jahrhunderts.[342] Das BVerfG leitet beispielsweise den im Grundgesetz nicht normierten Parlamentsvorbehalt für Auslandseinsätze der Bundeswehr aus der deutschen Verfassungstradition ab.[343]

2. Der gesetzgeberische Wille in den Materialien der konkreten Norm

a) Die genetische Auslegung

Die *genetische Auslegung* berücksichtigt die Entstehungsgeschichte des Gesetzes und forscht anhand der Gesetzesmaterialien nach dem Willen des Gesetzgebers bei der Schaffung der Norm. Dabei kann auf den Willen des Gesetzgebers oder auf den normativen Willen abgestellt werden. Der endgültige Gesetzestext stellt historisch betrachtet einen Willensstrom dar, „der aus einer Unzahl von Quellen und Seitenflüssen hervorgegangen ist".[344] Bereits im römischen Recht bildeten die „Verhältnisse der Entstehungszeit" einen festen Topos.[345] Thomasius stelle auf den subjektiven Willen des Gesetzgebers ab.[346] Auch Savigny betonte, dass die Situation zu untersuchen ist, in welcher der Rechtssatz aufgestellt wurde (§ 4 Rn. 20). Die genetische Auslegung beschränkt sich auf das konkrete Gesetzgebungsverfahren und ist im anglo-amerikanischen Recht als *originalism*[347] oder *purposive approach*[348] bekannt. 156

Unter den Gesetzesmaterialien sind die im Gesetzgebungsverfahren anfallenden, amtlich bekundeten und der Öffentlichkeit zugänglich gemachten Dokumente zu verstehen.[349] Maßgeblich sind Stimmen einzelner Gesetzgebungskommissionen, wie sie sich vor allem aus den Materialien, wie Bundestags- und Bundesratsdrucksachen, erschließen lassen.[350] Heute ist die Analyse der Entstehungsgeschichte eines Gesetzes allgemein anerkannt. So sind laut BGH alle „amtlichen Materialien im herkömmlichen Sinne heranzuziehen".[351] 157

b) Präambel und Programmsatz als gesetzesimmanente Materialien

Finden sich Materialien für die genetische Auslegung bereits im Gesetz selbst, handelt es sich um gesetzesimmanente Materialien. Umstritten war lange Zeit, inwieweit die **Präambel**[352] bei der Auslegung des Grundgesetzes zu berücksichtigen ist. Zum Teil wurde vertreten, dass die Präambel nicht zum Inhalt der Verfassung gehöre, da sie dieser vorausgehe und daher keine rechtliche Bedeutung habe.[353] Demgegenüber geht die ganz herrschende Ansicht inzwischen davon aus, dass die Präambel rechtlich relevant ist, etwa weil 158

[342] *Scholl*, Europas symbolische Verfassung, 2006, S. 95.

[343] BVerfG, Urt. v. 12.7.1994, 2 BvE 3/92 u.a., BVerfGE 90, 286, 383 – Out-of-area-Einsätze; krit. hierzu *Depenheuer*, in: Maunz/Dürig, GG, 92. EL August 2020, Art. 87a Rn. 142 ff. m.w.Nachw.

[344] *Heck*, AcP 112 (1914), 1, 106.

[345] *Dernburg*, Pandekten, Bd. 1, 4. Aufl. 1894, S. 77.

[346] *Thomasius*, Ausübung der Vernunftlehre, 1691, 3. Hauptstück, § 25, S. 136: „Die Auslegung (*interpretatio*) ist hier nichts anderes als eine deutliche und in wahrscheinlichen Muthmassungen gegründete Erklärung desjenigen, was ein anderer in seinen Schrifften hat verstehen wollen, und welches zu verstehen etwa schwer oder dunckel ist".

[347] Zum US-amerikanischen Recht *United States v. American Trucking Ass'ns*, 310 U.S. 534, 543 (1940); *Summers*, in: MacCormick/Summers, Interpreting Statutes, 1991, S. 407, 415 ff.

[348] *Kammins Ballrooms Co. Ltd. v. Zenith Investments (Torquay) Ltd.* [1971] A.C. 850, 881 per Lord Diplock (H.L. (E.)); *Vogenauer*, Die Auslegung von Gesetzen in England und auf dem Kontinent, 2001, S. 1115 ff.

[349] *Heck*, AcP 112 (1914), 1, 106.

[350] Zu den einschlägigen Quellen s. *Möllers*, Juristische Arbeitstechnik und wissenschaftliches Arbeiten, 10. Aufl. 2021, § 4 Rn. 30 f., 38 ff.

[351] So BGH, Urt. v. 21.10.1954, 4 ZR 171/52, BGHZ 15, 87, 89 – Reichsbahnanleihe; zur Praxis des BAG auch *Schlachter*, Auslegungsmethoden im Arbeitsrecht – am Beispiel von § 87 Abs. 1 BetrVG, 1987, S. 18.

[352] Lat. *praeambulat* = es geht voraus.

[353] Nachweise bei *Häberle*, in: FS Broermann, 1982, S. 211, 225.

die Präambel des Grundgesetzes von „diesem" und nicht von „dem folgenden" Grundgesetz spricht.[354]

159 Ebenso wie die Präambel sind auch die als Zielbestimmungen formulierten **Programmsätze** bei der Normauslegung zu berücksichtigen.[355] Dies zeigt sich zum Beispiel an der Bedeutung des Staatsziels „Umweltschutz" aus Art. 20a GG für Rechtsetzung und Rechtsanwendung. Vordergründig ist diese Staatszielbestimmung „Handlungsauftrag an die Gesetzgebung" sowie an die Verwaltung.[356] Aber auch die Judikative steht unter dem Einfluss der Staatszielbestimmung. Sie dient als Richtlinie für Auslegung und Rechtsfortbildung,[357] insbesondere für die Konkretisierung zivilrechtlicher Generalklauseln,[358] als Vorgabe für die verfassungskonforme Auslegung,[359] sowie als Maßstab bei der Überprüfung der Verfassungsmäßigkeit von staatlichem Handeln.[360]

160 Als Staatsziel ist Art. 20a GG ein Verfassungsprinzip, welches zwar keinen Anspruch des einzelnen Bürgers auf Beachtung des Ziels begründet, aber dennoch die Staatsgewalt dazu verpflichtet, den Programmsatz im Rahmen des staatlichen Handelns, insbesondere auch bei der Auslegung von Gesetzen, zu beachten.[361] Die grundsätzliche Verteilung von Kompetenzen lässt Art. 20a GG jedoch unberührt.[362] Die Rechtsprechung ist auch beim Umweltschutz an Gesetz und Recht gebunden und kann sich nicht selbstständig ohne rechtliche Grundlage dem Umweltschutz verschreiben.[363] Staatszielbestimmungen entfalten nur eine objektiv-rechtliche Wirkung.[364]

c) Amtliche Materialien im Gesetzgebungsverfahren als Hilfsmittel

161 Welche Materialien existieren, die den Willen des Gesetzgebers wiedergeben könnten? Amtliche Materialien im Gesetzgebungsverfahren können dahingehend unterteilt werden, ob sie bereits vor dem parlamentarischen Gesetzgebungsverfahren oder erst während des eigentlichen Verlaufs erstellt werden.[365]

162 aa) Grundsätzlich wird das parlamentarische Gesetzgebungsverfahren erst durch die nach Art. 76 Abs. 1 GG erforderliche Gesetzesvorlage eingeleitet. Ein Großteil der Gesetzesvorhaben wird von der Bundesregierung als sog. **Regierungsentwurf** gem. Art. 76 Abs. 1 S. 1 GG eingebracht. Dies hat zur Folge, dass das später zustande kommende Gesetz oftmals in weiten Teilen dem Vorschlag der Bundesregierung entspricht. Deshalb wäre es wenig überzeugend, nur die Aussagen in Bundestag und Bundesrat zu berücksichtigen; insbesondere ist auf die **amtliche Begründung** zurückzugreifen, die dem Regierungsentwurf beigefügt wurde.[366]

---

[354] BVerfG, Urt. v. 17.8.1956, 1 BvB 2/51, BVerGE 5, 85, 127; hierzu *Dreier,* in: Dreier, GG, 3. Aufl. 2013, Präambel Rn. 23 ff.

[355] Auf einfachgesetzlicher Ebene siehe unten § 5 Rn. 12; sowie § 1 SGB II: Bei der Auslegung der Normen des SGB II ist darauf zu achten, dass stets die Eigenverantwortung von erwerbsfähigen Leistungsberechtigten als vorgegebener Programsatz gestärkt wird, § 1 SGB II.

[356] *Bundesminister des Inneren/Bundesminister der Justiz,* Staatszielbestimmungen/Gesetzgebungsaufträge, 1983, S. 100 f.

[357] Dies gilt vor allem für unbestimmte Rechtsbegriffe, denen ein Abwägungselement immanent ist; s. auch *Peters,* NVwZ 1995, 555, 557.

[358] *Wienholtz,* AöR 109, 532, 549 f.

[359] *Lücke,* DÖV 1976, 289, 295; *Michel,* NuR 1988, 272, 279; *Stern,* NWVBl. 1988, 1, 6.

[360] Zur Rechtfertigung staatlicher Eingriffe durch den „Umweltschutz" aus Art. 20a GG, s. *Möllers,* Rechtsgüterschutz im Umwelt- und Haftungsrecht, 1996, S. 245 f.

[361] *BMI/BMJ,* Staatszielbestimmungen/Gesetzgebungsaufträge, Bericht der Sachverständigenkommission, 1983, Rn. 7; Sachs/*Murswiek,* GG, 9. Aufl. 2021, Art. 20a Rn. 12 f.; *ders.,* NVwZ 1996, 222, 223.

[362] *Gramm,* DÖV 1999, 540, 545.

[363] *Scholz,* in: Maunz/Dürig, GG, 92. EL August 2020, Art. 20a Rn. 53 ff.; BFH, Urt. v. 29.10.1997, I R 13/97, BFHE 184, 226, 231.

[364] *Klein,* DVBl. 1991, 729, 733.

[365] *Vogenauer,* Die Auslegung von Gesetzen in England und auf dem Kontinent, 2001, S. 31.

[366] *Wank,* Die Auslegung von Gesetzen, 6. Aufl. 2015, S. 69.

bb) Regelmäßig gehen der Einbringung der Gesetzesvorlage Konsultationsvorgänge voraus, die zu berücksichtigen sind. Hierzu sind die **Protokolle** und Begründungen von Gesetzgebungskommissionen heranzuziehen.[367] Sobald die Gesetzesvorlage in den Bundestag eingebracht wurde, ist sie als **Bundestagsdrucksache** nicht nur den Parlamentariern in Papierform zur Verfügung zu stellen, sondern auch der Öffentlichkeit.[368] Bevor der Bundestag ein Gesetz durch Beschlussfassung gem. Art. 77 Abs. 1 S. 1 GG verabschieden kann, hat der Bundestag in **mehreren Lesungen** über den Gesetzesentwurf zu beraten, sodass grundsätzlich die Protokolle von Parlamentsdebatten berücksichtigt werden können.[369] Die inhaltliche Beratung von Gesetzesvorhaben findet oftmals in Ausschüssen statt und wird in einem **Bericht des Ausschusses** wiedergegeben.[370] Hierzu werden in der Regel Sachverständige mit der Erstattung von Gutachten beauftragt. Diese Sachverständigengutachten sind ebenfalls im Rahmen der genetischen Auslegung zu berücksichtigen.[371] Die Änderungs- und Entschließungsanträge sind genau wie die Ausschussmaterialien als Bundestagsdrucksachen zu dokumentieren und bei der Auslegung heranzuziehen.[372] Für die Auslegung ist nach herrschender Auffassung davon auszugehen, dass sich das Parlament denjenigen Sinn und Zweck zu eigen macht, den die eigentlichen Gesetzesverfasser vor Augen hatten und beispielsweise in der Gesetzesbegründung zum Ausdruck gebracht haben.[373] 163

Zu den zu berücksichtigenden Gesetzesmaterialien zählen schließlich auch die Stellungnahmen des Bundesrates.[374] Auch alle anderen dem Bundesrat vorgelegten Beratungsgegenstände werden in **Bundesratsdrucksachen** niedergelegt, die frei abrufbar sind. In den **Plenarprotokollen** werden die Redebeiträge aus den Plenarsitzungen wörtlich festgehalten. Zieht man bei der Auslegung des § 56 HGB nun die genetische Auslegung hinzu, ergibt sich, dass „Ankäufe" von der Norm nicht umfasst sein sollen: 164

> „Daß der Gesetzgeber dabei nicht auch an ‚Ankäufe' gedacht hat, lassen die Erörterungen darüber, ob ‚nur Detailverkäufe oder auch Verkäufe en gros, ob nur Verkäufe gegen sofortige baare Zahlung oder auch Verkäufe auf Kredit' (Entwurf eines HGB für die Preussischen Staaten, II. Theil: Motive, 1857, S. 34) und welche ‚offenen Verkaufslokalitäten', ‚Verkaufslokale' und ‚Verkaufsgewölbe' (Prot. S. 97 f.) von der Vorschrift erfaßt sein sollten, sowie der Umstand vermuten, daß sogar eine Beschränkung auf ‚Verkauf gegen baare Zahlung' erwogen wurde (Prot. S. 99)."[375] 165

[367] *Larenz*, Methodenlehre der Rechtswissenschaft, 6. Aufl. 1991, S. 329.

[368] Drucksachen und Plenarprotokolle von Bundestag und Bundesrat sind im Dokumentations- und Informationssystem für Parlamentarische Vorgänge frei zugänglich unter: https://dipbt.bundestag.de.

[369] *Vogenauer*, Die Auslegung von Gesetzen in England und auf dem Kontinent, 2001, S. 31 m.w.Nachw.; *Geier*, Gesetzesauslegungsmethoden des Reichsgerichts, 1929, S. 11.; *Honsell*, Historische Argumente im Zivilrecht, 1982, S. 90 ff., 139 ff.; *Übelacker*, Die genetische Auslegung in der jüngeren Rechtsprechung des Bundesverfassungsgerichts, 1993, S. 85 ff.

[370] Berichte der Ausschüsse sind abrufbar unter: www.bundestag.de/ausschuesse.

[371] BGH, Urt. v. 12.10.2005, IV ZR 162/03, BGHZ 164, 297, 304 – Klauselersetzung bei kapitalbildender Lebensversicherung.

[372] BGH, Urt. v. 28.5.1963, V BLw 34/62, BGHZ 39, 299, 303 f. – Grundstückserwerb durch kirchliche Stiftungen.

[373] So *Deckert*, JA 1994, 412, 416. Wurde ein Änderungsvorschlag vom Parlament verworfen, darf der Auslegung des Gesetzes nicht die Intention des Änderungsvorschlags zugrunde gelegt werden, *Vogel*, Juristische Methodik, 1998, S. 129 f.

[374] Siehe § 4 Rn. 157.

[375] BGH, Urt. v. 4.5.1988, VIII ZR 196/87, NJW 1988, 2109 – Ankauf durch einen Angestellten (§ 56 HGB); weitere Beispiele RG, Urt. v. 18.4.1912, IV 429/11, RGZ 79, 246, 249 f. – Ochse als Haustier; BGH, Urt. v. 10.10.2005, II ZR 148/03, BGHZ 164, 241, 246 – Nutzung genehmigten Kapitals/Informationspflichten.

166 cc) Stellungnahmen zu dem Gesetzgebungsverfahren von **dritter Seite gehören dagegen nicht** zu den Gesetzesmaterialien.[376] Das sind oft Stellungnahmen von Berufsverbänden, etwa von Unternehmer- oder Arbeitnehmerseite.

d) Wille der Mehrheit der gesetzgeberischen Körperschaft versus individueller Wille

167 Bei den bereits genannten Materialien handelt es sich durchweg um die schriftlich niedergelegten Auffassungen gesetzgebender Organe. Ein einheitlicher Wille des Gesetzgebers existiert damit regelmäßig nicht. Schließlich sind am Gesetzgebungsverfahren nicht nur die Mitglieder des Bundestags, sondern daneben auch noch Ministerien und deren Vertreter sowie die Ländervertreter im Bundesrat beteiligt.

168 Gegen die an sich denkbare persönliche Vernehmung von Gesetzesverfassern, Antragstellern und parlamentarischen Berichterstattern über die Absicht des Gesetzgebers spricht der Umstand, dass die Auslegung abstrakt-genereller Normen davon abhängen könnte, ob bestimmte Personen noch als Auskunftsstelle zur Verfügung stehen oder nicht. Zudem ist das menschliche Erinnerungsvermögen begrenzt.[377] Die Berücksichtigung individueller Meinungen könnte zudem die Gefahr begründen, dass mit Hilfe von willkürlich ausgewählten Einzeläußerungen der zunächst einheitlich erscheinende Wille des korporativen Gesetzgebers seine Konturen verliert und sich deswegen in der Praxis als beliebig auszufüllende Fiktion erweist.[378]

169 Der gesetzgeberische Wille ist somit mit dem Willen der Mehrheit der gesetzgeberischen Körperschaft gleichzusetzen, beziehungsweise mit dem derjenigen Personen, die den verabschiedeten Entwurf verfasst haben.[379] Individuelle Meinungsäußerungen sind grundsätzlich nicht zu berücksichtigen.[380]

e) Kontinuitätsargument: eindeutiger Wille gilt heute noch

170 Das Kontinuitätsargument (§ 4 Rn. 152) findet sich nicht nur bei der historischen, sondern auch bei der genetischen Auslegung. Danach gilt der historische Wille bis in die Gegenwart. Das Kontinuitätsargument wird auch herangezogen, um eine Rechtsfortbildung zu verneinen. Eine Variante lautet: Lässt sich eine Norm unter Zuhilfenahme aller übrigen Auslegungselemente vernünftigerweise gar nicht anders verstehen, als in einem Sinn, den der historische Gesetzgeber der Norm zugedacht hat, so habe es de lege lata damit sein Bewenden, auch wenn sich dieser Sinn heute als antiquiert oder unzweckmäßig erweisen sollte.[381] Eine zweite Variante besagt: Der Richter darf die Lücke nicht schließen, weil sie der Gesetzgeber bewusst nicht geschlossen hat; es fehle an einer planwidrigen Lücke. Dies verlange schon die Gewaltenteilung. Beide Argumente werden später noch einmal beim Streit zwischen subjektiver und objektiver Auslegung (§ 6 Rn. 60 ff.) und den Grenzen zulässiger Rechtsfortbildung (§ 13 Rn. 37 ff.) beleuchtet.

f) Kumulation von genetischen Quellen

171 Hinsichtlich des Rangverhältnisses von Gesetzesmaterialien zueinander kommt *Honsell* zu dem Ergebnis, „daß der Nachweis einer kontinuierlichen gesetzgeberischen Wil-

---

[376] BGH, Urt. v. 21.10.1954, 4 ZR 171/52, BGHZ 15, 87, 89 – Reichsbahnanleihe.

[377] *Bydlinski*, Juristische Methodenlehre und Rechtsbegriff, 2. Aufl. 1991, S. 449 f.

[378] *F. Müller/Christensen*, Juristische Methodik, Bd. I, 11. Aufl. 2013, Rn. 361e, unter Verweis auf *Schmitt*, Gesetz und Urteil, 2. Aufl. 1969, S. 25; *Honsell*, Historische Argumente im Zivilrecht, 1982, S. 42 f.; *Fleischer*, in: ders., Mysterium „Gesetzesmaterialien", 2013, S. 1, 14. **A. A.** *Hirte*, in: FS Kayser, 2020, S. 351, 361 ff.

[379] *F. Müller/Christensen*, Juristische Methodik, Bd. I, 11. Aufl. 2013, Rn. 361 f. m.w.Nachw.

[380] BVerfG, Urt. v. 21.5.1952, 2 BvH 2/52, BVerfGE 1, 299, 312 – Wohnungsbauförderung.

[381] Alles andere wäre ein illegitimes Judizieren *contra rationem legis*, s. *Kramer*, Juristische Methodenlehre, 6. Aufl. 2019, S. 163, 262 ff.

lensbildung über die verschiedenen Stadien des Gesetzgebungsprozesses hinweg praktisch keine Rolle mehr spielt."[382] So differenziere der BGH nicht zwischen den einzelnen Materialien, vielmehr beruhe das Nebeneinander von Motiv- und Protokollzitaten hauptsächlich auf der Erwartung, dass zwei Nachweise besser zu überzeugen vermögen als einer.[383] Allerdings finden sich in jüngerer Zeit zahlreiche Urteile, die umfangreich mit dem Willen des Gesetzgebers argumentieren.[384] Wenn das BVerfG betont, eine verfassungskonforme Einschränkung des Wortlauts sei bei einem eindeutigen Willen des Gesetzgebers nicht zulässig,[385] ist diese Aussage angreifbar: Denn viel zu oft ist der Wille des Gesetzgebers gerade nicht eindeutig[386]. Selbst bei einem eindeutig festgestellten Willen stellt sich aber immer noch die Frage, ob er durch die objektive Auslegung korrigiert werden darf (§ 6 Rn. 66 ff.), also ob auch eine verfassungskonforme Rechtsfortbildung gegen den Willen des historischen Gesetzgebers möglich ist (§ 11 Rn. 75). Im Ergebnis ist der Nachweis des historischen Willens aufwändig und schwierig. Weil das Gesetzgebungsverfahren langwierig ist und der Regierungsentwurf im politischen Entscheidungsprozess oft zahlreiche Änderungen erfährt, erscheint es zielführend, den historischen Willen nicht nur in der amtlichen Begründung des Regierungsentwurfs (§ 4 Rn. 162) zu suchen, sondern auch im Bericht des Aussschusses und den Plenarprotokollen (§ 4 Rn. 163). Da diese am Ende des Gesetzgebungsprozess stehen, können sie den Diskussionsstand sinnvoll ergänzen.[387] Insgesamt bleibt festzuhalten: Ähnlich wie Präjudizien kann der historische Wille eine Vermutungswirkung erzeugen. Man muss ihn konsultieren und im Zweifel widerlegen, wenn man ihm nicht folgen will.[388] Der Grad der Argumentationslast ist abhängig von der Eindeutigkeit des historischen Willens im konkreten Fall.[389]

3. Die Bedeutung der Gesetzesgeschichte für den EuGH

a) Die Bedeutung der historischen Auslegung i.w.S. für den EuGH

Zum Teil wird behauptet, die historische Auslegung spiele für den EuGH keine Rolle,[390] **172**
weil keine Materialien zum EWG-Vertrag von 1958 existieren.[391] Das scheint nicht überzeugend, arbeitet der EuGH heutzutage doch häufig mit der historischen Auslegung.[392]

---

[382] *Honsell*, Historische Argumente im Zivilrecht, 1982, S. 139.

[383] *Honsell*, Historische Argumente im Zivilrecht, 1982, S. 139; vgl. BGH, Urt. v. 24.4.1975, III ZR 147/72, BGHZ 64, 278, 286 – Legitimationswirkung des Sparbuchs.

[384] Etwa BVerfG, Urt. v. 24.10.2002, 2 BvF 1/01, BVerfGE 106, 62, 136 – Altenpflege; BVerfG, Urt. v. 24.4.2013, 1 BvR, 1215/07, BVerfGE 133, 277 Rn. 156 ff. – Antiterrordatei und die Nachweise in den folgende Fußnoten.

[385] BVerfG, Beschl. v. 27.1.2015, 1 BvR 471/10 u.a., BVerfGE 138, 296 Rn. 1323 – Kopftuch II: „Die verfassungskonforme Auslegung findet ihre Grenze dort, wo sie zum Wortlaut und dem klar erkennbaren Willen des Gesetzgebers in Widerspruch treten würde."

[386] S. etwa Sondervotum *Gaier*, in: BVerfG, Beschl. v. 3.7.2012, 2 PBvU 1/11, BVerfGE 132, 1, 24 Rn. 66 – Luftsicherheitsgesetz; Sondervotum *Schluckebier* und *Hermanns*, in: BVerfG, Beschl. v. 27.1.2015, 1 BvR 471/10 u.a., BVerfGE 138, 296, 359 Rn. 23 – Kopftuch II. Zum historischen Willen bei der Umsetzung von Richtlinien s. unten § 12 Rn. 62c.

[387] *Hirte*, in: FS Seibert, 2019, S. 345, 356 f.

[388] *Kramer*, Juristische Methodenlehre, 6. Aufl. 2019, S. 162; *Fleischer*, in: ders., Mysterium „Gesetzesmaterialien", 2013, S. 1, 20. S. auch unten § 6 Rn. 69 ff.

[389] *Waldhoff*, in: Fleischer, Mysterium „Gesetzesmaterialien", 2013, S. 75, 92 spricht von einem beweglichen System oder beweglichen Rahmen.

[390] Die historische Auslegung ignorierend *Bredimas*, Methods of Interpretation and Community Law, 1978, S. 54 ff., 64 f.; *Bengoetxea*, The Legal Reasoning of the European Court of Justice, 1993, S. 233.

[391] *Vogenauer*, Die Auslegung von Gesetzen in England und auf dem Kontinent, 2001, S. 385 f., 420 ff. Der alte EWG-Vertrag wurde durch den AEUV, EUV und die GRCh abgelöst.

[392] *Lutter*, JZ 1992, 593, 600; *Leisner*, EuR 2007, 689, 697 m.w.Nachw.; *Riesenhuber*, in: ders., Europäische Methodenlehre, 4. Aufl. 2021, § 10 Rn. 32 ff.; *Martens*, Methodenlehre des Unionsrechts, 2013, S. 378 ff.; *F. Müller/Christensen*, Juristische Methodik, Bd. II, 3. Aufl. 2012, Rn. 75.

Das gilt auch für das Primärrecht.[393] Wie oben gesehen (§ 4 Rn. 146 ff.), kann zwischen historischer Auslegung i.e.S. und genetischer Auslegung unterschieden werden. Im Europäischen Recht ist zwischen Primär- und Sekundärrecht zu differenzieren. Mit dem Primärrecht schaffen und verändern die Mitgliedstaaten die Verträge, also EUV, AEUV und GRCh, Art. 54 Abs. 1 EUV. Mit dem Sekundärrecht, also den Verordnungen und Richtlinien, schaffen die Kommission, der Rat und das Europäische Parlament europäisches Recht im Rahmen ihrer Kompetenzen, Art. 5 Abs. 1 EUV. Bei der Schaffung des Primärrechts sind die Mitgliedstaaten Herren der Verträge, beim Sekundärrecht dagegen die europäischen Institutionen. Daher muss bei der historischen Auslegung i.w.S. entsprechend der Einordnung als Primär- oder Sekundärrecht auf unterschiedliche Gesetzgebungsmaterialien zurückgegriffen werden.

b) Kontinuität mit der Vorläufernorm als historische Auslegung i.e.S.

173 Auch im Unionsrecht ist eine Auslegung nach Vorgängernormen im Sinne einer historischen Auslegung i.e.S. von Bedeutung.[394] Im Sekundärrecht werden die Vorgänger-Verordnungen oder -Richtlinien zur Auslegung herangezogen.[395] Hier sind die im nationalen Recht bekannten Auslegungsfiguren zur Kontinuität anwendbar. So betont der EuGH die Kontinuität verschiedener Regelungen:

174 „Nach einem den Rechtsordnungen der Mitgliedstaaten gemeinsamen, auf das römische Recht zurückgehenden Grundsatz ist bei Änderung der Gesetzgebung, soweit der Gesetzgeber nicht einen entgegenstehenden Willen zum Ausdruck gebracht hat, der Auslegung der Vorzug zu geben, welche die *Kontinuität der Rechtsstrukturen* gewährleistet."[396]

c) Verfassungstradition als historische Auslegung i.e.S.

175 Auch der EuGH berief sich bei der Entwicklung europäischer Grundrechte auf die Verfassungstraditionen der Mitgliedstaaten, die sich jetzt in Art. 6 Abs. 3 EUV wiederfinden (§ 2 Rn. 95).[397]

d) Genetische Auslegung – Präambel und Erwägungsgründe als gesetzesimmanente Quellen

176 aa) Die Datenbanken der EU offerieren inzwischen umfangreiche Recherchemöglichkeiten zur Entstehungsgeschichte.[398] Daneben besteht gem. Art. 296 Abs. 2 AEUV eine ausdrückliche Begründungspflicht, die insbesondere die spätere gerichtliche Kontrolle erleichtern soll (§ 1 Rn. 43).[399] Zu berücksichtigen ist die **Präambel** eines Vertragstextes.

---

[393] EuGH, Urt. v. 3.10.2013, C-583/11P, EU:C:2013:625, Rn. 50 – Inuit Tapiriit Kanatami u.a.; EuGH, Urt. v. 27.11.2012, C-370/12, EU:C:2012:756, Rn. 135 – Pringle.

[394] EuGH, Urt. v. 22.6.1999, C-412/97, EU:C:1999:324, Rn. 16 – ED; die Auslegung einer früheren Regelung auf die der Nachfolgebestimmung erstreckt die Rechtsprechung zum Brüsseler Zolltarifschema, beispielsweise EuGH, Urt. v. 8.12.1970, C-14/70, EU:C:1970:102, Rn. 9 f. – Bakels.

[395] Siehe *Lutter*, JZ 1992, 593, 599 f.; *Anweiler*, Die Auslegungsmethoden des Gerichtshofs der Europäischen Gemeinschaften, 1997, S. 252, 255 f.; *F. Müller/Christensen*, Juristische Methodik, Bd. II, 3. Aufl. 2012, Rn. 71; EuGH, Urt. v. 1.7.1999, C-14/98, EU:C:1999:343, Rn. 34 – Battital.

[396] EuGH, Urt. v. 25.2.1969, C-23/68, EU:C:1969:6, Rn. 13 – Klomp.

[397] S. beispielsweise EuGH, Urt. v. 14.5.1974, C-4/73, EU:C:1974:51, Rn. 13 – Nold; *Leisner*, EuR 2007, 689, 691 m.w.Nachw.

[398] EURlex und das elektronische Register des Rates; s. *Möllers*, Juristische Arbeitstechnik und wissenschaftliches Arbeiten, 10. Aufl. 2021, § 4 Rn. 15, 31.

[399] *F. Müller/Christensen*, Juristische Methodik, Bd. II, 3. Aufl. 2012, Rn. 75 m.w.Nachw.

Die Präambel gibt den Willen der Vertragsparteien wieder.[400] Nach Art. 31 Abs. 2 der Wiener Vertragsrechtskonvention, der insoweit Völkergewohnheitsrecht kodifiziert, ist die Präambel bei der Auslegung in den Vertragswortlaut einbezogen; dies gilt insofern auch für die Präambel von EUV, AEUV und GRCh als völkerrechtliche Verträge zwischen den Mitgliedstaaten.[401] Sie ist deshalb bei der Auslegung heranzuziehen.

bb) Wegen der gerade genannten Begründungspflicht kommt den **Erwägungsgründen**, die Richtlinien und Verordnungen vorangestellt werden, bei deren Auslegung eine hohe Bedeutung zu.[402] Sie werden vom EuGH grundsätzlich zur Auslegung der Vorschriften herangezogen, wenngleich sie in aller Regel nicht die subjektiven Vorstellungen des europäischen Gesetzgebers wiedergeben, sondern die mit den Regelungen angestrebten Ziele sowie deren systematischen Zusammenhang erklären (§ 5 Rn. 16 f.).[403] 177

e) Amtliche Materialien als Hilfsmittel der genetischen Auslegung

aa) In seinen Urteilen erwähnt der EuGH häufig **Kommissionsvorschläge**.[404] Zwar gilt der Einwand, dass diese im Gesetzgebungsverfahren im Zusammenspiel mit Rat und Parlament regelmäßig noch verändert werden. Allerdings existiert oft ein Ankereffekt, da sich alle späteren Fassungen an dem Vorschlag orientieren.[405] 178

Noch wenig gesichert ist, wie mit **amtlichen Erklärungen** von den jeweiligen Regierungen der Mitgliedstaaten umzugehen ist, die im Ratifikationsverfahren den Parlamenten vorgelegt wurden. Der EuGH griff auf diese Erklärungen der Regierungen zwar schon zurück,[406] ist ansonsten aber eher zurückhaltend. Dieses zurückhaltende Verhalten des EuGH ist insofern überzeugend, als es sich doch regelmäßig um rein politische und keine rechtlich bindenden Stellungnahmen handelt.[407] 179

> „Nach ständiger Rechtsprechung des Gerichtshofes können nämlich derartige einseitige Erklärungen nicht für die Auslegung eines Rechtsakts der Gemeinschaft herangezogen werden, da die allgemeine Geltung der von den Gemeinschaftsorganen erlassenen Normen nicht durch Vorbehalte oder Einwendungen der Mitgliedstaaten bei ihrer Ausarbeitung relativiert werden kann."[408] 180

Das gilt gleichermaßen für Erklärungen von Rat und Kommission. Auch hier ist der EuGH zurückhaltend. Wenn die Institutionen das unverbindliche Format wählen, wollen sie gerade keine Bindungswirkung erzeugen. Handlungen ohne Gesetzeskraft können den Inhalt eines Gesetzes somit nicht fixieren.[409] 181

---

[400] Streinz/*Streinz*, EUV/AEUV, 3. Aufl. 2018, EUV Präambel Rn. 18.

[401] Streinz/*Streinz*, EUV/AEUV, 3. Aufl. 2018, EUV Präambel Rn. 17; *Terhechte*, in: Grabitz/Hilf/Nettesheim, Das Recht der Europäischen Union, 71. EL August 2020, EUV Präambel Rn. 10 ff. **A. A.** *Schroeder*, JuS 2004, 180, 181.

[402] *Leisner*, EuR 2007, 689, 703 m.w.Nachw., zu diesem Ergebnis kommt auch *Dederichs*, EuR 2004, 345, 358: insgesamt 106 Mal im Jahr 1999; ebenso *F. Müller/Christensen*, Juristische Methodik, Bd. II, 3. Aufl. 2012, Rn. 76.

[403] *Borchardt*, in: Schulze/Janssen/Kadelbach, Europarecht, 4. Aufl. 2020, § 15 Rn. 44.

[404] S. die Nachweise bei *Martens*, Methodenlehre des Unionsrechts, 2013, Fn. 512.

[405] *Krüper*, JZ 2010, 655; allgemein zum Ankereffekt s. *Wagner*, ZZP 121 (2008), 5, 27 ff.

[406] EuGH, Urt. v. 16.12.1960, 6/60, EU:C:1960:48, 1169, 1194 f. – Humblet; s. *F. Müller/Christensen*, Juristische Methodik, Bd. II, 3. Aufl. 2012, Rn. 73.

[407] *Nicoll*, 31 JCMS 559, 561 (1993), der davon spricht, dass die Erklärungen keine rechtliche Aussagkraft haben, sondern nur einen Einblick in die Intention der Mitgliedstaaten als Vertragsparteien geben; *Martens*, Methodenlehre des Unionsrechts, 2013, S. 400.

[408] EuGH, Urt. v. 30.1.1985, C-143/83, EU:C:1985:34, Rn. 13 – Kommission/Dänemark.

[409] EuGH, Urt. v. 26.2.1991, C-292/89, EU:C:1991:80, Rn. 17 f. – Antonissen; EuGH, Urt. v. 17.4.2008, C-404/06, EU:C:2008:231, Rn. 32 – Quelle; ausführlich Calliess/Ruffert/*Wegener*, EUV/AEUV, 5. Aufl. 2016, Art. 19 EUV Rn. 14; *Martens*, Methodenlehre des Unionsrechts, 2013, S. 400.

182 bb) Als reine Rechtserkenntnisquelle können die **Grün-** und **Weißbücher** herangezogen werden, welche oft ein Gesetzgebungsverfahren auf europäischer Ebene vorbereiten.[410]

183 cc) Für die genetische Auslegung des Sekundärrechts kann es zudem nützlich sein, den besonderen **nationalrechtlichen Hintergrund** einer EU-Rechtsetzung einzubeziehen, schließlich stehen nicht selten Regelungen, die sich in einzelnen Mitgliedstaaten bewährt haben, Modell für die gemeinschaftsrechtliche Rechtsetzung.[411] Allerdings ist vor einer einfachen Übertragung nationaler Auslegungsergebnisse zu warnen, weil die entsprechenden Vorschriften im EU-Rechtsetzungsverfahren regelmäßig „europäisiert" werden.[412] Gegen eine Auslegung nach der nationalen Vorläufernorm wird zudem argumentiert, dass dem Bedürfnis, das europäische Privatrecht als Gesamtheit zu sehen, damit nicht entsprochen wäre.[413] Insoweit gelten die Grundsätze der **autonomen Auslegung**[414] (§ 2 Rn. 70 ff.).

Zusammenfassung zu § 4

184 I. Die Subsumtion ist die Anwendung eines Rechtssatzes auf einen Sachverhalt. Oft müssen unbestimmte Rechtsbegriffe präzisiert werden. Dieser Gedankengang wird ergänzt um das Hin- und Herwandern des Blickes zwischen Sachverhalt und Norm (Engisch). Der *Auslegungskanon von Savigny* nennt erstmals die vier berühmten Auslegungsfiguren von Wortlaut, Systematik, Geschichte und Telos.

II. Die *grammatische Auslegung* fragt nach dem juristischen und allgemeinen Sprachgebrauch des Wortes; ggf. können Legaldefinitionen helfen.

III. Die *systematische Auslegung* untersucht, in welchem Umfang der auszulegende Begriff in Verhältnis zu anderen Vorschriften in Einklang steht. Sie zielt auf ein konsistentes System von Wertentscheidungen ab.

IV. Die *historische Auslegung i.e.S.* berücksichtigt die Vorläufernormen einer Vorschrift, die *genetische Auslegung* die Gesetzesmaterialien der konkreten Rechtsnorm, die ausgelegt werden soll.

---

[410] S. die Übersicht unter www.eu-info.de/europa-punkt/gesetzgebungsverfahren/weissbuch/.

[411] Calliess/Ruffert/*Wegener*, EUV/AEUV, 5. Aufl. 2016, Art. 19 EUV Rn. 14.

[412] Calliess/Ruffert/*Wegener*, EUV/AEUV, 5. Aufl. 2016, Art. 19 EUV Rn. 14; *Lutter*, JZ 1992, 593, 601 f.

[413] *Flessner*, JZ 2002, 14, 16.

[414] Deutlich EuGH, Urt. v. 14.1.1982, C-64/81, EU:C:1982:5, Rn. 8: „grundsätzlich will die Gemeinschaftsrechtsordnung ihre Begriffe nicht in Anlehnung an eine oder mehrere nationale Rechtsordnungen definieren, sofern dies nicht ausdrücklich vorgesehen ist"; s. auch *Lutter*, JZ 1992, 593, 601 f.; *Grundmann/Riesenhuber*, JuS 2001, 529.

§ 5 Telos, Logik und folgenorientierte Auslegung

Literatur: *Gast, Wolfgang*, Juristische Rhetorik, 5. Aufl. 2015; *Heck, Philipp*, Gesetzesauslegung und Interessenjurisprudenz, AcP 112 (1914), 1–313; *ders.*, Begriffsbildung und Interessenjurisprudenz, 1932; *Holmes, Oliver Wendell, Jr.*, The Path of the Law, 10 Harv. L. Rev. 457–478 (1896/1897); *Jäsche, Gottlob Benjamin (Hrsg.)*, Immanuel Kants Logik. Ein Handbuch zu Vorlesungen, Königsberg 1800; *von Jhering, Rudolf*, Der Zweck im Recht, 2 Bde., 2. Aufl. 1884; *Klug, Ulrich*, Juristische Logik, 4. Aufl. 1982; *Niemöller, Martin*, Die strafrichterliche Beweiswürdigung in der neueren Rechtsprechung des Bundesgerichtshofs, Strafverteidiger 1984, 431–442; *Schluep, Walter R.*, Teleologisches Argument: Trivialer Joker, Trumpf-Ass oder gleichgeordnete Stichkarte?, in: FS Kramer, 2004, S. 271–297; *Singer, Joseph William*, Legal Realism Now, 76 Calif. L. Rev. 465–544 (1988); *Schnapp, Friedrich E.*, Logik für Juristen, 7. Aufl. 2016; *Summers, Robert S.*, Pragmatic Instrumentalism in Twentieth Century American Legal Thought, A Synthesis and Critique of Our Dominant General Theory About Law and its Use, 66 Cornell L. Rev. 870–948 (1980/1981); *Voßkuhle, Andreas*, Der Wandel der Verfassung und seine Grenzen, JuS 2019, 417–423; *Wagner, Gerhard*, Prävention und Verhaltenssteuerung durch Privatrecht, AcP 206 (2006), 352–476; *Weinberger, Ota*, Rechtslogik, 2. Aufl. 1989; *Wischmeyer, Thomas*, Zwecke im Recht des Verfassungsstaates, 2014.

Übersicht

	Rn.
I. Der Gesetzeszweck als teleologische Auslegung	2
1. Zum Telos, der ratio legis	2
2. Die Bestimmung des Gesetzeszwecks	11
3. Interessenjurisprudenz und Wertungsjurisprudenz	19
II. Einzelne logische Argumentationsfiguren	31
1. Verstoß gegen Denkgesetze	31
2. Zirkelschluss *(petitio principii)*	35
3. Sprung im Schließen *(saltus in concludendo)*	46
4. Vermeidung einer Gesetzesumgehung	48
5. Vermeidung von Regelungswidersprüchen, Normangleichung und Erhalt des Anwendungsbereichs einer Norm	52
6. Einzelne Argumentationsfiguren des EuGH	55
III. Folgenorientierte Auslegung	56
1. Begriff und Relevanz der folgenorientierten Auslegung	56
2. Grenzen der folgenorientierten Auslegung	58
3. Einzelne Argumentationsfiguren	61
4. Die folgenorientierte Argumentation des EuGH	107
IV. Ökonomische Analyse des Rechts	122
1. Zielsetzung und Methoden des *Law and Economics*-Ansatzes	122
2. Grenzen des ökonomischen Ansatzes	128
3. Bedeutung für die juristische Methodenlehre	133
4. Ökonomische Überlegungen des EuGH	155

Die teleologische Auslegung, die Frage nach Sinn und Zweck einer Vorschrift, gehört zu den wichtigsten Argumentationsfiguren.[1] Deshalb ist bei der Fallbearbeitung in einem ersten Schritt zu fragen, welcher Sinn einer Vorschrift zugrunde liegt (I.). Ergänzt wird dieser Auslegungsansatz um moderne Argumentationsfiguren, wie logische Figuren (II.), die folgenorientierte Auslegung (III.) und die ökonomische Analyse des Rechts (IV.). Die teleologische Auslegung zeigt auch, dass sie die anderen Argumentationsfiguren ausste- 1

[1] Auch wenn dies gelegentlich bestritten wird, s. sogleich § 5 Rn. 6 ff.

chen, bzw. sie korrigieren kann (§ 6 I.). Sie ist auch wichtig für den Streit, ob die objektive oder subjektive Theorie gilt (§ 6 II.). Damit ist sie entscheidend für die Korrektur des Wortlauts im Rahmen der Analogie bzw. teleologischen Reduktion (§ 6 III.).

I. Der Gesetzeszweck als teleologische Auslegung

1. Zum Telos, der ratio legis

a) Begriff

2 Die teleologische[2] Auslegung sucht nach der **ratio legis**, also dem Sinn und Zweck eines Gesetzes. Was will der Gesetzgeber mit der Regelung erreichen? Welche Rechtsgüter oder Interessen wollte er schützen? Die Norm will einen vernünftig gehaltenen Zweck dienen; damit sind völlig irrationale Ziele ausgeschlossen und ein Rationalitätsmaßstab etabliert.[3] Der Begriff der teleologischen Auslegung zählt in Deutschland erst seit Ende des 19. Jahrhunderts zum allgemeinen juristischen Sprachgebrauch.[4] Teleologische Argumente finden sich allerdings schon in der Bibel[5] oder in den Digesten des römischen Rechts, etwa mit der Formulierung: „Die Gesetze zu kennen heißt nicht, sich an ihren Wortlaut zu halten, sondern an ihren Sinn und Zweck."[6] Während unter Friedrich dem Großen die teleologische Auslegung noch verpönt war (§ 1 Rn. 48), setzte sich die Suche nach dem Zweck der Norm spätestens seit dem Spätwerk von *Jhering* durch (§ 4 Rn. 21 ff.).

3 In der Rechtsprechung des RG und des BGH ist die teleologische Auslegung zur maßgebenden Auslegungsmethode geworden.[7] Das BVerfG bedient sich der teleologischen Auslegung.[8] Auch das BVerwG verwendet teleologische Argumente, insbesondere die sogenannte Schutznormtheorie: Hiernach lässt sich die Frage, ob eine Bestimmung des öffentlichen Rechts nur dem öffentlichen Interesse oder auch Individualinteressen dient „nur durch Auslegung von Sinn und Zweck der jeweils einschlägigen Norm ermitteln".[9] In anderen Staaten wird zwar nicht von teleologischer Auslegung gesprochen; allerdings ist die Suche nach dem Zweck oder dem „Geist des Gesetzes" unter anderem in Frankreich,[10] Spanien[11] oder den USA[12] durchaus bekannt. Auch in England kennt man die ratio legis,[13]

---

[2] Griech. τέλος, télos = das Ziel, der Sinn oder der Zweck.

[3] Zum Folgenden *Morlok*, in: Gabriel/Gröschner, Subsumtion, 2012, S. 179, 202 f.

[4] *Kohler*, GrünhutsZ 13 (1886), 1, 35 Fn. 98: „Man spricht hier von logischer Interpretation; man sollte eher von teleologischer Interpretation sprechen."

[5] Neues Testament, Paul., 2. Korinterbrief, 3,6: „Denn der Buchstabe tötet, der Geist aber macht lebendig." S. sogleich § 5 Fn. 13.

[6] Cels. D. 1,3,17: *Scire leges noc hoc est verba earum tenere, sed vim ac potestatem.* Weitere Textstellen: Paul. D. 1,3,14; Iul. D. 1,3,20; Ulp. D. 48,19,13; Ulp. D. 50,16,6,1; Cels. D. 1,3,18.

[7] So *Honsell*, in: Staudinger, BGB, Neubearb. 2018, Einl. zum BGB Rn. 149.

[8] BVerfG, Urt. v. 25.2.1975, 1 BvF 1/74 u.a., BVerfGE 39, 1, 37 – Schwangerschaftsabbruch I; BVerfG, Urt. v. 24.5.2006, 2 BvR 669/04, BVerfGE 116, 24, 44 f.; Sachs/*Sachs*, GG, 9. Aufl. 2021, Einf. Rn. 38, 43; *Stern*, in: ders., Das Staatsrecht der Bundesrepublik Deutschland, Bd. III/2, 1994, S. 1663 m.w.Nachw.

[9] BVerwG, Urt. v. 24.9.1998, 4 CN 2/98, BVerwG 107, 215, 220 m.w.Nachw.

[10] *Vogenauer*, Die Auslegung von Gesetzen in England und auf dem Kontinent, 2001, S. 245 f., 286.

[11] Art. 3 Abs. 1 des spanischen Código Civil: *espiritu y finalidad.*

[12] § 1–103 lit. a) UCC: „This Act shall be liberally construed and applied to promote its underlying purposes and policies."; s. auch ähnlich *MacCormick*, 6 Ratio Juris, 16, 24 ff. (1993); *Carter/Burke*, Reason in Law, 9th ed. 2016, S. 129 ff.

[13] *Blackstone*, Commentaries on the Law of England, Bd. 1, 2nd ed. 1761, S. 61. Prägnant *Lord Denning*, in: Corocraft Ltd. v. Pan American Airways Inc. [1969] 1 Q.B. 616. 656: „It is the age-old conflict which exists between the most eminent of judges: whether to give the words a literal or liberal interpretation. I take my stand on a liberal interpretation, rembering that ‚The letter killeth, but the Spirit gives life'." S. gerade § 5 Fn. 5.

stellte aber früher mit der *mischief rule* darauf ab, welchem Missstand die Regelung abhelfen sollte.[14] Heutzutage spricht man eher von dem *purposive approach* (§ 4 Rn. 156), *purposivism*[15] oder *teleological interpretation.*[16]

b) Der Sinn und Zweck des Primär- und Sekundärrechts der EU

In der Rechtsprechung des EuGH spielt die teleologische Auslegung bzw. der sogenannte „purposive approach" eine herausragende Rolle.[17] Wenn sich der EuGH auf teleologische Argumente beruft, werden die Begriffe „Sinn", „Zweck", „Ziel" oder „Geist"[18] des Gesetzes verwendet.[19] Zur Herleitung des Gesetzeszwecks bedient sich der EuGH der Systematik und des Wortlauts der jeweiligen Vorschrift.[20] Im Primärrecht sind die Werte und Ziele, die in den Artt. 1–3 EUV formuliert sind, von besonderer Bedeutung, wie die Errichtung eines Binnenmarkts: 4

„Ob die Vorschriften eines völkerrechtlichen Vertrages eine solche Tragweite haben, ist vom *Geist* dieser Vorschriften, von ihrer *Systematik* und von ihrem *Wortlaut* her zu entscheiden. Das Ziel des EWG-Vertrages ist die Schaffung eines gemeinsamen Marktes, dessen Funktionieren die der Gemeinschaft Angehörigen einzelnen unmittelbar betrifft; damit ist zugleich gesagt, daß dieser Vertrag mehr ist als ein Abkommen, das nur wechselseitige Verpflichtungen zwischen den vertragsschließenden Staaten begründet. Diese Auffassung wird durch die Präambel des Vertrages bestätigt, die sich nicht nur an die Regierungen, sondern auch an die Völker richtet. Sie findet eine noch augenfälligere Bestätigung in der Schaffung von Organen, welche Hoheitsrechte übertragen sind, deren Ausübung in gleicher Weise die Mitgliedstaaten wie die Staatsbürger berührt. [...] Aus den vorstehenden Erwägungen ergibt sich, daß nach dem *Geist*, der *Systematik* und dem *Wortlaut* des Vertrages Artikel 12 dahin auszulegen ist, daß er unmittelbare Wirkungen erzeugt und individuelle Rechte begründet, welche die staatlichen Gerichte zu beachten haben."[21] 5

c) Zur vermeintlichen Überflüssigkeit des Telos

In der Literatur wird zum Teil behauptet, die teleologische Argumentation sei zirkulär und damit überflüssig.[22] So heißt es bei Höpfner und Rüthers: „Eine teleologische Auslegung als solche existiert nicht. Denn das Telos einer Norm ist das Ziel jeder Auslegung. Er kann damit nicht zugleich Auslegungsmittel sein."[23] Ist dem so? 6

---

[14] *Maunsell v. Olins* [1975] A.C. 373, 393 per Lord Simon.

[15] *Vandevelde*, Thinking Like a Lawyer, 2nd ed. 2011, S. 163 f. Hierzu *Hart/Sacks*, The Legal Process, 1994, S. 1377 ff.

[16] *Fitzpatrick v. Sterling Housing Association* [1998] Ch. 304, 336 per Ward L.J.

[17] *Hager*, Rechtsmethoden in Europa, 2009, Kap. 6 Rn. 11; in quantitativer Hinsicht steht die teleologische Auslegung gleichwohl nur an dritter Stelle, jedenfalls zufolge einer Untersuchung für das Jahr 1999 vgl. *Dederichs*, EuR 2004, 345, 347.

[18] Engl. spirit; franz. l'esprit, ital. spirito.

[19] Vgl. § 5 Fn. 21. *F. Müller/Christensen*, Juristische Methodik, Bd. II, 3. Aufl. 2012, Rn. 88; *Stotz*, in: Riesenhuber, Europäische Methodenlehre, 4. Aufl. 2021, § 20 Rn. 16.

[20] *F. Müller/Christensen*, Juristische Methodik, Bd. II, 3. Aufl. 2012, Rn. 89; *Hager*, Rechtsmethoden in Europa, 2009, Kap. 6 Rn. 11.

[21] EuGH, Urt. v. 5.2.1963, 26/62, EU:C:1963:1, 7, 24, 27 – van Gend.

[22] Für das Verfassungsrecht bereits *Forsthoff*, Zur Problematik der Verfassungsauslegung, 1961, S. 39. Generell *Herzberg*, NJW 1990, 2525 ff.; *ders.*, JuS 2005, 1, 3 f.; *Putzke/Putzke*, JuS 2012, 500, 503, wonach der Wert der teleogischen Auslegung gering wäre.

[23] *Höpfner/Rüthers*, AcP 209 (2009), 1, 7 f.; ähnlich auch *Rüthers/Fischer/Birk*, Rechtstheorie, 11. Aufl. 2020, Rn. 725 ff.

d) Das Telos als Prämisse

7 aa) Der Kritik ist zuzustimmen, dass das Regelungsziel einer Norm selten offen erkennbar ist. Während die grammatische, systematische und historische Auslegung an der Norm und dem Gesetz unmittelbar ansetzen, fragt die teleologische Auslegung *ohne* einen solchen Anknüpfungspunkt nach der nur „geistig gegebenen Größe vom Normzweck".[24] Die Suche nach dem Sinn hat damit keinen selbstständigen originären Anknüpfungspunkt. Unzulässig ist es auch, wenn der Interpret einen Regelungszweck erfindet, sein Vorverständnis an die Stelle des gesetzgeberischen Willens stellt (§ 1 Rn. 70) oder im Sinne einer objektiven Auslegung (§ 6 Rn. 69) einen externen Regelungszweck[25] erfindet. Insoweit ist vor Worthülsen wie Billigkeit oder Natur der Sache (§ 9 Rn. 6a f.) zu warnen. Das Telos zu bestimmen haftet insoweit etwas Subjektives an und gibt dem Rechtsanwender eine relativ große Freiheit.[26]

8 Die teleologische Auslegung ist *zweistufig*, weil zunächst die Prämisse, die Zweckbehauptung, mit Argumenten verteidigt werden muss, um dann die Konsequenzen für die Interpretation zu entwickeln.[27] Man kann insoweit auch von einem normsystemimmanenten Telos sprechen.[28] Wenn in einem Freibad das Mitnehmen von Hunden verboten ist, dann gilt dies wohl erst recht für Geparden (*These*), etwa um die objektive Gefahr für die Badegäste zu verringern, das angstfreie Baden zu ermöglichen oder zum Schutze der Hygiene (*Telos als Prämisse*)[29] (§ 6 Rn. 127). Dieser einfache Fall wird aber weniger eindeutig, wenn der Badegast seinen Hamster oder seine Spitzmaus mitnehmen möchte. Die Vergleichbarkeit der beiden Fälle muss dann anhand der Wertungen argumentativ begründet oder abgelehnt werden. Damit ist die Suche nach dem Telos nur eine *Prämisse*, das **Auslegungsziel**, das durch weitere Argumentationsfiguren gestärkt werden muss.[30]

9 bb) Was bleibt festzuhalten? Bei Fällen, in denen die grammatische, systematische und historische Auslegung das Telos bestätigen, schießt die ablehnende Rechtsansicht aber über ihr Ziel hinaus:[31] Die teleologische Auslegung bemüht sich um die sachgerechte Entscheidung.[32] Geht man davon aus, dass die Norm das Mittel zur Erreichung eines Zwecks ist, ist der Sinn im Hinblick auf seinen Zweck zu erschließen.[33] Im Einzelnen wird dabei nicht nur auf den subjektiven Willen des historischen Gesetzgebers (§ 4 Rn. 148 ff.), sondern auch auf den jetzigen Willen des Gesetzes abgestellt. Das teleologische Argument kann der Einbettung des Rechts in die Zeit am besten gerecht werden.[34] Zudem kann sich das Telos *unmittelbar* schon aus dem Wortlaut oder der Gesetzgebungsgeschichte ergeben. Dann bedarf es keiner umfangreichen Argumentation, weil er offen zu Tage liegt (§ 5 Rn. 12 ff.). Mit der Suche nach dem bestimmten Problem und dem Herausarbeiten eines bestimmten Zwecks gewinnt die Lösung zweitens oft ein hohes *Maß an spontaner Überzeugungskraft*. Zieht man die ersten drei Auslegungsfiguren und weitere Argumente

---

[24] *Morlok*, in: Gabriel/Gröschner, Subsumtion, 2012, S. 179, 191; ähnlich Sachs/*Sachs*, GG, 9. Aufl. 2021, Einf. Rn. 43.

[25] Hier warnend *Rückert/Seinecke*, in: dies., Methodik des Zivilrechts – von Savigny bis Teubner, 3. Aufl. 2017, S. 39, 46 f. und unten § 6 Rn. 73.

[26] *Morlok*, in: Gabriel/Gröschner, Subsumtion, 2012, S. 179, 191 f.

[27] *Morlok*, in: Gabriel/Gröschner (ebd.), S. 179, 204. Eine Folgerung ist die Rechtsfortbildung durch Analogie oder teleologische Reduktion, um den Normzweck zu verwirklichen.

[28] *Lindner*, Theorie der Grundrechtsdogmatik, 2005, S. 160 ff. Vorher schon *Stern*, in: ders., Das Staatsrecht der Bundesrepublik Deutschland, Bd. III/2, 1994, S. 1663.

[29] *Morlok*, in: Gabriel/Gröschner (ebd.), S. 179, 191 f.; § 1 Rn. 83.

[30] *F. Müller/Christensen*, Juristische Methodik, Bd. II, 3. Aufl. 2012, Rn. 103; *Martens*, Methodenlehre des Unionsrechts, 2013, S. 457, 461.

[31] *Lindner*, Theorie der Grundrechtsdogmatik, 2005, S. 160 f.; *Peine*, Systemgerechtigkeit, 1985, S. 201 f.

[32] *Morlok*, in: Gabriel/Gröschner, Subsumtion, 2012, S. 179, 201.

[33] *Schluep*, in: FS Kramer, 2004, S. 271, 275.

[34] *Schluep*, in: FS Kramer, 2004, S. 271, 296; zur objektiven Auslegung § 6 Rn. 69 ff.

zu Rate, steigert die Ermittlung des Normzwecks als **Auslegungsziel** drittens die *Rationalität* und ist folglich oberstes Gebot.[35] Und viertens wird die teleologische Auslegung durch eine Fülle von *Auslegungsfiguren erweitert,* die in den §§ 5 und 6 im Einzelnen dargestellt werden. Wichtig sind logische, interessengerechte[36] und folgenorientierte Argumente. Entscheidend ist oft auch eine „Auslegung aus dem inneren System der Rechtsordnung, welches neben den gesetzlich normierten Wertungen auch die induktiv aus dem positiven Recht zu gewinnenden Prinzipien und allgemeinen Rechtsgrundsätze umfasst."[37]

cc) Komplizierter wird es, wenn sich die ersten drei Auslegungsarten und das Telos widersprechen oder, wenn das Telos mehrdeutig ist. Die Konflikte zwischen den Argumentationsfiguren gilt es dann aufzulösen.[38] Das wird im Einzelnen an vielen Stellen durchgeführt.[39] Im Ergebnis liegt gerade kein Zirkelschluss vor, weil nicht nur einfach etwas behauptet wird, was es zu beweisen gilt, sondern die Argumentation bestehend aus These, Prämisse und Argument gerade durchgeführt wird. Dies lässt sich auch bei der Rechtsfortbildung durch Einzelanalogie, telelogische Reduktion und teleologische Extension verdeutlichen (§ 6 Rn. 93, 112 ff., 172 ff.). 10

2. Die Bestimmung des Gesetzeszwecks

a) Interner Gesetzeszweck

Gesetzesnormen sind darauf gerichtet, bestimmte Zwecke oder Ziele zu verwirklichen, sie sind „final gedachte Gebote" (§ 2 Rn. 7 ff.). Durch Aufstellung eines Tatbestands und einer daran anknüpfenden Rechtsfolge äußert der Gesetzgeber seine Vorstellungen darüber, wie er diesen Teilausschnitt der Gesellschaft regeln möchte.[40] Hierbei übt der Gesetzgeber ein Regelungsermessen aus: Zum einen bestimmt er die anzustrebenden Zwecke und deren Abgrenzung, zum anderen die Geeignetheit und Angemessenheit der juristischen Mittel, die zur Erreichung dieser Ziele eingesetzt werden.[41] 11

b) Ausdrücklicher oder konkludenter Normzweck

aa) Im Rahmen der Wortlautauslegung sind Legaldefinitionen heranzuziehen, um einen Begriff auszulegen (§ 4 Rn. 49). Der Gesetzgeber kann den Zweck von Normen auch **ausdrücklich** im Gesetz festlegen. Das geschieht in neueren Gesetzen meist in der Präambel oder jeweils in den ersten Paragraphen. 12

Nach § 1 BImSchG[42] und § 1 ChemG[43] soll der Mensch vor schädlichen (Umwelt-) Einwirkungen geschützt werden. – Nach § 1 UWG dient das Gesetz dem Schutz der Mitbewerber, der Verbraucherinnen und der Verbraucher sowie der sonstigen Marktteilnehmer vor unlauteren geschäftlichen Handlungen.[44] – Art. 1 Warenkauf-RL bezweckt ein hohes Ver- 13

---

[35] *Rüthers/Fischer/Birk*, Rechtstheorie, 11. Aufl. 2020, Rn. 728; *Grigoleit*, in: FS Canaris, 2017, S. 241, 261: Zweckwürdigkeit ist das zentrale Element einer rationalen Methodik.

[36] Ebenso *E. Ott*, Juristische Methode in der Sackgasse?, 2006, S. 62 ff.

[37] Umfassend § 9; *Höpfner/Rüthers*, AcP 209 (2009), 1, 7 f., die dies allerdings nicht unter die teleologische Auslegung fassen möchten.

[38] *Martens*, Methodenlehre des Unionsrechts, 2013, S. 460.

[39] S. auch § 6. IV. und § 13.

[40] *Rüthers/Fischer/Birk*, Rechtstheorie, 11. Aufl. 2020, Rn. 136.

[41] Zippelius/*Würtenberger*, Juristische Methodenlehre, 12. Aufl. 2020, S. 41.

[42] Bundes-Immissionsschutzgesetz (BImSchG) v. 17.5.2013, BGBl. I, S. 1274.

[43] Chemikaliengesetz (ChemG) v. 28.8.2013, BGBl. I, S. 3498.

[44] Die Schutzgesetzeigenschaft befürworten *Sack*, GRUR 2004, 625; *Möllers/Heinemann*, The Enforcement of Competition Law in Europe, 2007, S. 278 ff. **A.A.** die h.M., etwa Köhler/Bornkamm/Feddersen/*Köhler*, UWG, 39. Aufl. 2021, § 1 Rn. 39 m.w.Nachw.; *Frank*, Marktordnung durch Haftung, 2016, S. 319 ff.

braucherschutzniveau.[45] – § 3 WpÜG bestimmt allgemeine Grundsätze, wie beispielsweise den Grundsatz der Anlegergleichbehandlung, der bei der Auslegung heranzuziehen ist.[46]

14 bb) Üblicherweise hat der Gesetzgeber den Gesetzeszweck aber nicht ausdrücklich genannt. Dann muss man ihn erst aus den Normen innerhalb eines Gesetzes **konkludent** herauslesen. Das ist die hohe Kunst, ggf. aus mehreren Vorschriften allgemeine Rechtsprinzipien herauszubilden (§ 9 Rn. 17 ff.).

15 Die Pflicht zur notariellen Beurkundung (§ 311b BGB) hat Warn-, Übereilungs-, Beweis- und Belehrungsfunktion (§ 6 Rn. 135 ff.). – Warn- und Übereilungsschutz bezweckt auch das Schriftformerfordernis für die Bürgschaft gem. § 766 BGB. Weil der Kaufmann weniger schützenswert ist, kann bei ihm auf das Schriftformerfordernis bei der Bürgschaft verzichtet werden (§ 766 BGB i. V. m. § 350 HGB). – Der Schadensausgleich im Deliktsrecht hat eine Ausgleichs-, Genugtuungs- und Präventionsfunktion (§ 5 Rn. 142). – Das Bereicherungsrecht dient der Abschöpfung von Vermögensvorteilen, die dem Bereicherten nach dem Gesamturteil der Rechtsordnung nicht zustehen und daher ungerechtfertigt sind.[47] – Das Strafrecht ist final-akzessorisch zum bürgerlichen Recht, indem es die Eigentumsordnung des BGB durch entsprechende Sanktionen bei Sachbeschädigung und Vermögensdelikten schützt.[48]

c) Die Erwägungsgründe zur Präzisierung von Normtext und Regelungsziel

16 Im Sekundärrecht greift der EuGH zudem regelmäßig auf die den Rechtsakten vorangestellten Erwägungsgründe zurück[49], wodurch teleologische und historische Interpretation ineinander übergehen.[50] Sie sind Teil der Richtlinie und haben damit rechtliche Bindungswirkung. Auch sind sie mehr als der historische Wille des Gesetzgebers und dienen unmittelbar der Auslegung einer Norm.[51] Sie sind damit ein wichtiges Hilfsmittel, um den Regelungszweck der Richtlinie und ihre Prinzipien zu ermitteln.[52] Die Erwägungsgründe können damit den eigentlichen *Normtext* der Richtlinie *ergänzen*. Sie sind für die Auslegung europäischen Sekundärrechts unmittelbar relevant und damit Teil der autonomen Auslegung (§ 2 Rn. 70 ff.). Sie beeinflussen aber auch das nationale Recht. Steht das europäische Recht nach der autonomen Auslegung fest, kann es auf das nationale Recht wirken (§ 12 Rn. 102).

16a *Anzahl der Nacherfüllungsversuche:* Art. 13 Abs. 4 lit. b) Warenkauf-RL erlaubt dem Verbraucher den Vertrag zu beendigen, nachdem der Verkäufer „versucht hat" den vertragsgemäßen Zustand herzustellen. Unklar bleibt, ob ein solcher Rücktritt bereits nach nur einem Nacherfüllungsversuch möglich ist oder aber mehrere Versuche voraussetzt. Art. 13 verwendet den Singular, ebenso die anderen Sprachfassungen.[53] Die Erwägungsgründe sprechen dagegen ausdrücklich von einem „weiteren Versuch".[54] Maßgeblich sei aber das Vertrauen des Käufers, dass der Verkäufer den vertragsmäßigen Zustand der Ware herstellen könne. – Der

---

45 Dieser Zweck wird aber teilweise beschränkt, s. § 5 Rn. 18.

46 Begr. RegE, BT-Drs. 14/7034, S. 35 zu § 3 spricht von „grundlegenden Wertungen" des Gesetzgebers, s. *Versteegen*, in: KK-WpÜG, 2. Aufl. 2010, § 3 Rn. 2.

47 Palandt/*Sprau*, BGB, 80. Aufl. 2021, Einf. vor § 812 Rn. 1.

48 Engisch/*Würtenberger/Otto*, Einführung in das juristische Denken, 12. Aufl. 2018, S. 118.

49 S. etwa EuGH, Urt. v. 23.3.2000, C-208/98, EU:C:2000:152, Rn. 20 – Berliner Kindl; EuGH, Urt. v. 22.12.2008, C-549/07, EU:C:2008:771, Rn. 17 – Wallentin-Hermann.

50 *F. Müller/Christensen*, Juristische Methodik, Bd. II, 3. Aufl. 2012, Rn. 89; *Hager*, Rechtsmethoden in Europa, 2009, Kap. 6 Rn. 11 und oben § 4 Rn. 177.

51 Nach EuGH, Urt. v. 13.7.1989, C-215/88, EU:C:1989:331, Rn. 31 – Casa Fleischhandel können diese „dazu beitragen, Aufschluss über die Auslegung einer Rechtsvorschrift zu geben."

52 Für ein Beispiel s. § 6 Rn. 40.

53 Englisch: „having attempted", französisch: „la tentative", spanisch: „al intento", italienisch: „il tentativo".

54 Dafür sprechen auch die anderen Sprachfassungen: englisch: „another attempt", französisch: „une autre tentative", spanisch: „vuelva a intenta", italienisch: „un altro tentativo", ErwG. 52 S. 1–5 Warenkauf-RL.

deutsche Gesetzgeber spricht in § 475d-E Abs. 1 Nr. 2 BGB nun von „versuchter Nacherfüllung". Ohne auf die Erwägungsgründe abzustellen, geht er zutreffend davon aus, dass der Singular maßgeblich ist. Folglich ist der bisherige § 440 S. 2 BGB a. F., der von zwei Nachbesserungsversuchen ausging, beim Verbrauchsgüterkauf nicht mehr anzuwenden.[55]

d) Auslegungshilfen: In dubio pro libertate, pro consumente, favor laboris

Das Telos von einzelnen Gesetzen kann möglicherweise nach bestimmten Leitlinien auszulegen sein. Das BVerfG legt Grundrechte im Sinne einer Freiheitsvermutung aus;[56] man spricht von *in dubio pro libertate* – im Zweifel für die Freiheit.[57] Das hat zur Folge, dass man den Schutzbereich von Grundrechten weit auszulegen hätte.[58] 17

Im europäischen Recht wird zum Teil eine Auslegung zugunsten des Verbrauchers (*in dubio pro consumente*) betont.[59] Dafür spricht, dass Art. 169 Abs. 1 AEUV und viele Richtlinien von einem hohem Verbaucherschutzniveau[60] ausgehen. Der EuGH urteilt beispielsweise, dass „Ausnahmen von gemeinschaftsrechtlichen Verbraucherschutzvorschriften nach ständiger Rechtsprechung eng auszulegen sind […]."[61] Auch im Arbeitsrecht kann man sich des Eindrucks nicht erwehren, dass der EuGH oft zugunsten des Arbeitnehmers entscheidet, um beispielsweise die schwangere Schwangerschaftsvertretung zu schützen.[62] In diesem Rahmen wurde von einer Auslegung zugunsten des Arbeitnehmers (*favor laboris*) gesprochen.[63] Diese Grundsätze erfahren jedoch auch Einschränkungen (§ 6 Rn. 40). 18

3. Interessenjurisprudenz und Wertungsjurisprudenz

a) Von der Interessen- zur Wertungsjurisprudenz

aa) Im Zeitalter der „Buchstabentreue" der Begriffsjurisprudenz galt es im Hinblick auf das Normziel als unzulässig, von einem eindeutigen Wortlaut abzuweichen (§ 4 Rn. 102). Die Interessenjurisprudenz wendete sich gegen die technische Begriffsjurisprudenz. Die Interessenjurisprudenz entwickelte *von Jhering* in seinem Spätwerk, *Heck,*[64] *Stoll*[65] und *Rümelin*[66] bauten darauf auf. Jede Rechtsnorm diene dem Ausgleich widerstreitender Interessen. Diese Interessen habe der Richter zu erforschen und damit die im Gesetz enthaltene Konfliktentscheidung zu konkretisieren. Statt einer formal-logischen Ableitung verlange das Gesetz eine wertende Gebotsbildung. Von der Begriffsjurisprudenz unterscheidet sich die Rechtsanwendungsmethode der Interessenjurisprudenz da- 19

---

[55] § 474d-E Abs. 2 BGB, s. Begr. RegE, BT-Drs. 19/27424, S. 8, 37.

[56] BVerfG, Urt. v. 16.1.1957, 1 BvR 253/56, BVerfGE 6, 32, 42: „grundsätzlichen Freiheitsvermutung des Art. 2 Abs. 1 GG"; Sondervotum *Masing*, in: BVerfG, Beschl. v. 17.12.2013, 1 BvL 5/08, BVerfGE 1, 32 Rn. 10.

[57] Ursprünglich betraf dies die Frage, ob ein Sklave durch Testament die Freiheit erlangte, Pomp. D.50,17,20.

[58] *Höfing*, Offene Grundrechtsinterpretationen, 1987, S. 175 ff. S. auch § 10 Rn. 29 ff.

[59] EuGH, Urt. v. 17.3.1998, C-45/96, EU:C:1998:111, Rn. 19 f. – Dietzinger; *Rösler*, JZ 2006, 400 ff.

[60] Z.B. ErwG. 23 Verbrauchsgüterkauf-RL, ErwG. 2, 3, 5, 10 und Art. 1 Warenkauf-RL.

[61] EuGH, Urt. v. 13.12.2001, C-481/99, EU:C:2001:684, Rn. 31 – Heininger unter Hinweis auf EuGH, Urt. v. 10.5.2001, C-203/99, EU:C:2001:258, Rn. 15 – Veedfald; s. auch SchlA v. 20.9.2001, GA *Tizzano*, C-168/00, EU:C:2001:476, Rn. 26 – Leitner.

[62] EuGH, Urt. v. 14.7.1994, C-32/93, EU:C:1994:300, Rn. 29 – Webb; s. auch zu Urlaubsansprüchen EuGH, Urt. v. 20.1.2009, C-350/06 u.a., EU:C:2009:18, Rn. 44 ff. – Schultz-Hoff.

[63] *Rebhahn/Franzen*, in: Riesenhuber, Europäische Methodenlehre, 4. Aufl. 2021, § 17 Rn. 18 ff.

[64] *Heck*, AcP 112 (1914), 1, 60; *ders.*, Begriffsbildung und Jurisprudenz, 1932, S. 25 ff.; *ders.*, Grundriß des Schuldrechts, 1929, S. 472: „Die Rechtsnormen schützen die Interessen der menschlichen Gemeinschaft und sichern dadurch ihre Lebensbedingungen."

[65] *Stoll*, in: FS Heck/Rümelin/Schmidt, 1931, S. 60, 67: Jeder selbstständige Rechtssatz enthalte „mittelbar ein Werturteil über die ihm zugrunde liegenden Interessensgegensätze".

[66] *Rümelin*, Erlebte Wandlungen in Wissenschaft und Lehre, 1930, S. 32 ff.

durch, dass sie den Richter vom begrifflich-buchstäblichen Gesetzesgehorsam befreit und ihn stattdessen zu einem „denkenden Gehorsam" anhält. So schreibt *Heck* über die Lückenfüllung als Aufgabe der **Interessenjurisprudenz** sehr anschaulich:

20 „Von diesem Gesichtspunkte aus hat der Richter nicht nur die Blankette auszufüllen, sondern auch die vorhandenen Gebote interessengerecht zu ergänzen und eventuell zu berichtigen. Der Richter ist nicht bloß ein Subsumtionsapparat, ein Automat, in den Tatbestand und Rechtsnorm aufgenommen werden und aus dem dann ohne jede Eigenwertung des Richters das Urteil herausspringt. Sondern er ist selbst ein *Schöpfer anzuwendender Normen*, ein Gehilfe des Gesetzgebers, wenn auch ein untergeordneter."[67]

21 Die Interessenjurisprudenz wurde von den Gerichten, insbesondere dem Reichsgericht[68] und dem Bundesgerichtshof,[69] rasch übernommen.

22 bb) Der Interessenjurisprudenz wurde vorgeworfen, nicht deutlich zu benennen, welche Interessen der Richter berücksichtigen dürfe.[70] Unter Bezug auf die Werte der Verfassung wurde die Interessenjurisprudenz zu einer **Wertungsjurisprudenz** von *Coing*[71], *Nipperdey*[72] und *Westermann* weiterentwickelt. Im Vordergrund steht nicht das äußere, geschlossene System (§ 4 Rn. 102 ff.), sondern ein offenes System, das vor allem für die Werte der Verfassung offen ist.[73] *Westermann* formuliert zur Wertungsjurisprudenz wie folgt:

23 „Die Begehrensvorstellungen werden idR nicht genügend von den Maßstäben getrennt, mittels deren die Interessen vom Gesetz bewertet werden. So sind im Fall des § 932 Rechtsschein und Veranlassung, Verkehrsschutz und Eigentumssicherung *Bewertungsmaßstäbe, nicht Interessen*. Die terminologische und wesensgemäße Trennung ist notwendig, um das Wesen der Norm und ihre Anwendung auf den Einzelfall richtig zu verstehen."[74]

24 Während die Interessenjurisprudenz noch zuließ, dass der Richter die Interessen einseitig bestimmen konnte, verlangt die Wertungsjurisprudenz, die Interessen anhand der Wertungen des Gesetzes zu begründen.[75] Das Gesetz will nicht nur Interessenkonflikte regeln, sondern stellt gleichzeitig auch eine Konkretisierung von Werten dar; die Rechtsordnung ist eine Wertordnung.

---

[67] *Heck*, AcP 112 (1914), 1, 22; *ders.*, Grundriß des Schuldrechts, 1929, S. 473. S. auch *Larenz*, Methodenlehre der Rechtswissenschaft, 6. Aufl. 1991, S. 49 ff.; *Fikentscher*, Methoden des Rechts, Bd. III, 1976, S. 373 ff.; *Petersen*, Von der Interessenjurisprudenz zur Wertungsjurisprudenz, 2001.

[68] RG, Urt. v. 7.6.1921, III 508/20, RGZ 102, 272, 274: „Bei der Rechtsfindung […] müssen daher in erster Linie die wirtschaftlichen Interessen berücksichtigt werden, und das Recht muß ihnen, soweit es nur irgend möglich ist, elastisch angepaßt werden. Nur so kann die Rechtsprechung ihre wahren Aufgabe, dem praktischen Leben, also den Lebensbedürfnissen und den Lebensanforderungen zu dienen, gerecht werden." Ausführlich *Müller-Erzbach*, Wohin führt die Interessenjurisprudenz?, 1932.

[69] BGH, Urt. v. 18.5.1955, I ZR 8/54, BGHZ 17, 266, 276 – Magnettonaufnahme: „Jedem Gesetz liegt eine Interessenabwägung zugrunde, die in bestimmter Weise auf das soziale Leben einwirken will."

[70] *Fikentscher*, Methoden des Rechts, Bd. III, 1976, S. 382.

[71] *Coing*, Grundzüge der Rechtsphilosophie, 1950, S. 109.

[72] Enneccerus/*Nipperdey*, in: Neumann/Nipperdey/Scheuner, Die Grundrechte, 1954, Art. 1; *dies.*, Allgemeiner Teil des Bürgerlichen Rechts, 15. Aufl. 1959, § 33. V.; hierzu *Hollstein*, in: Rückert/Seinecke, Methodik des Zivilrechts – von Savigny bis Teubner, 3. Aufl. 2017, S. 203, 209 f.; *Rückert*, ZRG GA 125 (2008), 199 ff.

[73] Hierzu *Fikentscher*, Methoden des Rechts, Bd. III, 1976, S. 406 ff.; *Rückert*, in: ders./Seinecke, Methodik des Zivilrechts – von Savigny bis Teubner, 3. Aufl. 2017, S. 541, 568 ff. Zum Einfluss der Verfassung auf das Privatrecht, § 11 Rn. 4 ff.

[74] *Westermann*, Wesen und Grenzen der richterlichen Streitentscheidung im Zivilrecht, 1955, S. 15; *ders.*, Sachenrecht, 2. Aufl. 1951, S. VII. Vorher schon *Stoll*, in: FG Heck/Rümelin/Schmidt, 1931, S. 60, 67, 69.

[75] *Hassold*, in: FS Larenz, 1983, S. 211, 228 unter Verweis auf *Germann*, Probleme und Methoden der Rechtsfindung, 2. Aufl. 1967, S. 88.

Wenn der subjektive Wille des Gesetzgebers nicht greift, bedarf es der Lückenfüllung durch objektiv-teleologische Überlegungen (§ 6 Rn. 69 ff.). Zum Teil beschränkte man sich hier auf Gesetz und Verfassung als Wertungsquelle.[76] Inzwischen ist ganz unstrittig, dass die Verfassung als Wertordnung auf alle Lebensbereiche und damit auch auf die verschiedenen Rechtsgebiete ausstrahlt (§ 11 Rn. 4). Zum Teil ging man darüber hinaus. Nach *Larenz* gewinnt „die Wendung zur ‚Wertungsjurisprudenz' […] ihre volle Bedeutung jedoch erst dadurch, daß sie bei den meisten Autoren mit der Anerkennung ‚übergesetzlicher' oder ‚vorpositiver' Werte oder Wertungsmaßstäbe verbunden ist, die den gesetzlichen Regeln zugrunde liegen und zu ihrer Auslegung und Ergänzung wenigstens unter bestimmten Bedingungen mit herangezogen werden müssen."[77] Heutzutage stellt man weniger auf das Naturrecht ab, sondern eher auf die Rechtsdogmatik und Rechtsprinzipien, Leitbilder und Zwischenschichten, die man deduktiv, abwägend und kreativ gewinnt (§ 9 Rn. 17 ff., § 10 Rn. 4 ff.). 25

b) Unterscheidung zwischen interessenorientierter und teleologischer Auslegung

Bei der Falllösung kann man zunächst die **Interessenlage ermitteln**, die der Rechtsnorm bzw. dem Gesetz zugrunde liegt. Hinter jeder gesetzlichen Regelung, die eine bestimmte Verhaltensweise vorschreibt und mit einer bestimmten Rechtsfolge verknüpft ist, stehen widerstreitende Interessen (§ 5 Rn. 19). Der § 937 BGB regelt den Eigentumserwerb durch Ersitzung einer beweglichen Sache. Auf der einen Seite steht das Interesse des Eigentümers, sein Eigentum zu erhalten, auf der anderen Seite ist dem Verkehrsschutz und dem Interesse der Allgemeinheit an Rechtssicherheit Rechnung zu tragen.[78] Der Gesetzgeber entscheidet sich für die Rechtssicherheit, wenn der Besitzer die Sache 30 Jahre gutgläubig besitzt. Schließlich ist auf die Interessen der Parteien abzustellen, wenn der Gesetzeswortlaut nicht unmittelbar weiterhilft, sondern vielmehr der *konkludente Parteiwillen* zu ermitteln ist.[79] 26

Wiederum unterscheidet sich die Wertungsjurisprudenz von der Interessenjurisprudenz, weil sie nicht nur auf die Interessen, sondern auf die Wertungen des Gesetzes als „teleologisches Moment" abstellt (§ 5 Rn. 22 ff.). 27

Trierer Weinversteigerung (§ 4 Rn. 96): Im Trierer Weinversteigerungsfall zeigt sich, dass sowohl die Interessen des Erklärenden als auch des Erklärungsempfängers mit der Willens- und Erklärungstheorie im Gesetz einen Niederschlag gefunden haben. 28

(1) Der historische Gesetzgeber hat sich weder für die Willens- noch für die Erklärungstheorie entschieden.[80] Deshalb können beide Ansichten neben Interessen auch die Wertungen verschiedener Gesetzesnormen für ihre Ansicht vortragen. Der Vertrauensschutz des Rechtsverkehrs und die Selbstbestimmung als Teil der Privatautonomie sind beide anerkennenswerte, sich hier allerdings gegenseitig ausschließende Rechtsprinzipien. 29

(2) Der BGH folgt inzwischen einem Mittelweg und bejaht die sog. fahrlässige Willenserklärung unter zwei einschränkenden Voraussetzungen: Danach muss der Erklärende erkennen können, dass seine Erklärung als Willenserklärung aufgefasst wird. Überdies muss der Adressat sie als Willenserklärung aufgefasst haben (Vertrauenstheorie).[81] *Neuner* lehnt dieses Ergebnis ab, weil das Fahrlässigkeitskriterium keinen Widerhall im BGB fände.[82] 30

[76] Wie bei *Westermann*, Wesen und Grenzen der richterlichen Streitentscheidung im Zivilrecht, 1955, S. 14 ff.; *ders.*, Person und Persönlichkeit als Wert im Zivilrecht, 1957, S. 52.

[77] *Larenz*, Methodenlehre der Rechtswissenschaft, 6. Aufl. 1991, S. 122.

[78] S. hierzu BeckOK-BGB/*Kindl*, 56. Ed. 1.11.2020, § 937 Rn. 1.

[79] Zur Lösung s. *Möllers*, JuS 1991, 1028 ff.

[80] *Schermaier*, in: HKK-BGB, 2003, §§ 116–124 Rn. 7 ff.

[81] BGH, Urt. v. 7.6.1984, IX ZR 66/83, BGHZ 91, 324, 330; BGH, Urt. v. 2.11.1989, IX ZR 197/88, BGHZ 109, 171, 177 jeweils m. w. Nachw.

[82] *Neuner*, Allgemeiner Teil des Bürgerlichen Rechts, 12. Aufl. 2020, § 32 Rn. 35.

Dem steht entgegen, dass die Wertungsjurisprudenz auf Wertungen und allgemeine Rechtsprinzipien zurückgreifen kann und sich das Vertrauensprinzip[83] sowie die Rechtssicherheit etwa in § 157 BGB findet. Mit diesem Kriterium arbeitet auch die objektiv-normative Auslegung von Verträgen (§ 6 Rn. 187 ff.). Der Mittelweg des BGH ist vorzugswürdig, weil er interessengerecht beiden Seiten Sorgfaltspflichten auferlegt, um ein fehlerhaftes Handeln zu vermeiden.[84]

II. Einzelne logische Argumentationsfiguren

1. Verstoß gegen Denkgesetze

31 Im Unterschied zu den bisherigen Argumentationsfiguren geht es hier nicht um die Auslegung von Gesetzestexten. Es soll vielmehr ein konkreter Gedankengang angegriffen werden. Der Satz vom ausgeschlossenen Dritten besagt, dass zwei einander entgegengesetzte Urteile nicht beide falsch sein können, sondern eines notwendig wahr sein muss. Eine dritte Möglichkeit scheidet aus. Ein solcher kontradiktorischer Gegensatz besteht beispielsweise zwischen „alle" und „nicht alle".[85]

32 Eine Klage kann nur zulässig oder unzulässig sein; eine dritte Option scheidet aus. – Ein Vertrag kann nur wirksam oder unwirksam sein; eine dritte Option scheidet aus.[86] – Eine bestimmte Handlung kann nur rechtmäßig oder rechtswidrig sein; eine dritte Option scheidet aus.[87] – Die Formulierung: „für die richtigere Ansicht spricht …" ist gleich in zweifacher Hinsicht falsch. Warum?[88]

33 Umschreiben Sie Begriffe nicht doppelt wie den weißen Schimmel; Sie vermeiden damit Tautologien[89], also überflüssige Wiederholungen.

§ 808 Abs. 1 ZPO spricht von der Pfändung der im Gewahrsam des Schuldners befindlichen „körperlichen Sache". Das ist tautologisch, weil Sachen nach § 90 BGB als körperlicher Gegenstand definiert werden, und erklärt sich dadurch, dass die Zivilprozessordnung vom 30.1.1877[90] älter ist als das BGB und damals noch kein klarer Gegenstandsbegriff geprägt war. – Nach Art. 20a GG schützt der Staat „die natürlichen Lebensgrundlagen im Rahmen der verfassungsmäßigen Ordnung durch die Gesetzgebung und nach Maßgabe von Gesetz und Recht durch die vollziehende Gewalt und Rechtsprechung." Dies ist überflüssig, da sich die Bindung der Rechtsprechung an „Gesetz und Recht" bereits aus Art. 20 Abs. 3 GG ergibt.[91]

---

[83] So ausdrücklich *Honsell*, ZfPW 2016, 106, 125, wonach maßgeblich ist, ob der Empfänger auf die Erklärung vertrauen durfte.

[84] Der Lösung des BGH stimmt die h. M. zu, vorher schon *Bydlinski*, JZ 1975, 1 ff.; so auch *Bork*, Allgemeiner Teil des Bürgerlichen Gesetzbuchs, 4. Aufl. 2016, Rn. 596; *Armbrüster*, in: MünchKomm-BGB, 8. Aufl. 2018, § 119 Rn. 96, 104; Palandt/*Ellenberger*, BGB, 80. Aufl. 2021, Einf. vor § 116 Rn. 17.

[85] *Schnapp*, Logik für Juristen, 7. Aufl. 2016, S. 83; *Adomeit/Hähnchen*, Rechtstheorie mit Juristischer Methodenlehre, 7. Aufl. 2018, Rn. 36 ff.

[86] Auch die schwebende Unwirksamkeit führt letztlich zu einer der beiden Alternativen.

[87] „Unbefugten ist das Betreten verboten." Hier ergibt sich schon aus dem Begriff „unbefugt", dass es verboten ist, den Rasen zu betreten.

[88] *Möllers*, Juristische Arbeitstechnik und wissenschaftliches Arbeiten, 10. Aufl. 2021, § 10 Rn. 16.

[89] Auch als Pleonasmus bezeichnet, griech. πλεονασμός, pleonasmós = Überfluss.

[90] Zivilprozessordnung v. 30.1.1877, RGBl. S. 83 ff.

[91] Von „überflüssigen Kautelen" spricht Sachs/*Murswiek*, GG, 9. Aufl. 2021, Art. 20a Rn. 56; weitere Beispiele: § 4 ProdHaftG: „Hersteller […] ist, wer […] hergestellt hat." (hierzu *Oechsler*, in: Staudinger, BGB, Neubearb. 2018, § 4 ProdHaftG Rn. 8); § 14 Abs. 2 BGB: „Eine rechtsfähige Personengesellschaft ist eine Personengesellschaft, die mit der Fähigkeit ausgestattet ist, Rechte zu erwerben und Verbindlichkeiten einzugehen." (hierzu *Flume*, ZIP 2000, 1427, 1428).

Der BGH hat die Denkgesetze als „Normen des ungeschriebenen Rechts“ bezeichnet;[92] Denkfehler unterliegen anerkanntermaßen der Revision.[93] Ein Verstoß gegen die Denkgesetze ist es, den Angeklagten zu verurteilen, eine Tat in München begangen zu haben, wenn er ein Alibi hat, zur Tatzeit in Hamburg gewesen zu sein. – Oder: Ein Blutgruppengutachten zur Bestimmung der Vaterschaft lässt den Gegenbeweis mit anderen Beweismitteln grundsätzlich nicht zu.[94] 34

2. Zirkelschluss *(petitio principii)*

Zum Teil wird die *petitio principii,*[95] zum Teil der Zirkelschluss[96] als Oberbegriff verwendet. Andernorts werden petitio principii und Zirkelschluss synonym[97] genutzt. Es ist eine häufig verwendete Argumentationsfigur.[98] Ein Verstoß gegen die Denkgesetze ist beim Zirkelschluss anzunehmen, weil etwas vorausgesetzt wird, was es erst zu beweisen gilt.[99] 35

a) Der Zirkelschluss *(petitio principii)*

aa) Mit dem Zirkelschluss in der Form der *petitio principii*[100] wird die *These* als bewiesen vorausgesetzt.[101] Die These trägt sich selbst; auf die Prämisse wird verzichtet.[102] Damit liegt der Fehlschluss einer petitio principii vor, wenn man einen Satz als bewiesen annimmt, der gerade bewiesen werden muss.[103] Der Zirkelschluss fand sich schon bei Aristoteles[104] und Kant. *Kant* sagte in seiner Vorlesung: „Unter einer petitio principii versteht man die Annehmung eines Satzes zum Beweisgrunde als eines unmittelbar gewissen Satzes, obgleich er noch eines Beweises bedarf. Und ein Zirkel im Beweisen begeht man, wenn man denjenigen Satz, den man hat beweisen wollen, seinen eigenen Beweise zum Grunde legt.“[105] 36

Nino Ferrer sang in dem Lied Madame Robert folgende Zeilen: „Mein Bruder mag keinen Spinat, und das ist ein Glück für meinen Bruder, denn falls er welchen mögen würde, äße er davon, und er kann ihn nicht ausstehen.“[106] Warum der Bruder keinen Spinat mag, erfährt man allerdings nicht. In der Rechtswissenschaft finden sich unzulässige Zirkelschlüsse zu Hauf. Der bloße Hinweis, „der Anspruch ergibt sich aus § …“ ist ebenso unzulässig, wie der Hinweis auf die bisherige Rechtsprechung, wenn die bisherige Rechtsprechung die Begründung noch gar nicht geliefert hat. Vergleichbares gilt für die 37

---

92 BGH, Urt. v. 18.3.1954, 3 StR 87/53, BGHSt 6, 70, 72 – Beweiswert des Blutgruppengutachtens.

93 Nach § 545 ZPO und § 337 StPO; s. Thomas/Putzo/*Seiler*, ZPO, 42. Aufl. 2021, § 546 Rn. 12; Meyer-Goßner/Schmitt/*Schmitt*, StPO, 64. Aufl. 2021, § 337 Rn. 30.

94 BGH, Urt. v. 18.3.1954, 3 StR 87/53, BGHSt 6, 70, 72 – Beweiswert des Blutgruppengutachtens.

95 *Schnapp*, Logik für Juristen, 7. Aufl. 2016, S. 226, 231.

96 *Gast*, Juristische Rhetorik, 5. Aufl. 2015, Rn. 996 ff.

97 *Puppe*, Kleine Schule des juristischen Denkens, 4. Aufl. 2019, S. 299.

98 Bei juris finden sich über 1000 Nachweise der Rechtsprechung, die diese Figur verwenden.

99 BGH, Urt. v. 22.4.2005, 2 StR 310/04, BGHSt 50, 80, 84; *Niemöller*, StV 1984, 431, 436 spricht von Kreisschlüssen.

100 Lat.: Das Erbitten des ersten Satzes.

101 *Gast*, Juristische Rhetorik, 5. Aufl. 2015, Rn. 1000.

102 *Gast*, Juristische Rhetorik, 5. Aufl. 2015, Rn. 996 mit weiteren Beispielen.

103 *Schnapp*, Logik für Juristen, 7. Aufl. 2016, S. 227.

104 *Aristoteles*, Organon, Erste Analytiken oder Lehre vom Schluss, 2. Buch, 5. Kap. S. 107 (hrsg. v. Kirchmann, 1877).

105 *Jäsche*, Immanuel Kants Logik. Ein Handbuch zu Vorlesungen, 1800, § 92. Petitio principii – circulus in probando.

106 Im Original lauten die Zeilen von *Ferrer*, Madame Robert aus dem Album Je veux être noir, 1966: „Mon frère n'aime pas les épinards, et c'est heureux pour mon frère car, s'il les aimait, il en mangerait et il ne peut pas les supporter.“

herrschende Meinung (§ 5 Rn. 103). Der Verweis, eine Auslegung sei wegen des eindeutigen Wortlauts nicht möglich (§ 4 Rn. 64), verzichtet auf die notwendige Beweisführung (§ 6 Rn. 3 ff.). Oft wird der teleologischen Auslegung vorgeworfen, vorschnell einen Zirkelschluss zu unterstellen.[107] So schreibt das LAG:

38 „Die §§ 651a bis 651k BGB regeln nur bei einem auf eine Gesamtheit von Reiseleistungen gerichteten Vertrag die Rechtsbeziehungen zwischen dem Reiseveranstalter und dem Reisenden (Palandt, 44. Aufl. Einführung 3 vor §§ 651a ff. BGB). Bereits aus diesem Grunde verbietet sich eine analoge Anwendung und damit auch des § 651f Abs. 2 BGB auf den vorliegenden Fall."[108]

39 Wenn der Wortlaut der Norm nicht eingreift (*These*), wäre die Prüfung keinesfalls zu Ende gewesen. Vielmehr hätte gefragt werden müssen, ob eine Analogie (*Prämisse*) gebildet werden kann. Diese müsste dann *argumentativ* abgelehnt werden.

40 bb) Oft ist der Denkfehler allerdings versteckter. Ein Zirkelschluss (*circulus vitiosus*)[109] liegt nicht nur beim Prämissenmangel, sondern auch dann vor, wenn in einem Ableitungsvorgang eine Schlussfolgerung aus einer Reihe von Prämissen gezogen wird, in denen der abzuleitende Satz, also die Schlussfolgerung, bereits enthalten ist.[110] Folglich ist der Zirkelschluss zwar formallogisch korrekt, aber er krankt daran, dass „er so tut, als könne er einen Satz aus Prämissen ableiten, ohne offen zu legen, dass genau dieser erst noch abzuleitende Satz schon der Prämissenmenge angehört, also gleichsam gar nichts Neues erschlossen wird".[111] Bekanntes Beispiel für einen Zirkelschluss ist, dass aus einer Zeugenaussage selbst auf deren Glaubhaftigkeit geschlossen wird.[112]

41 *Aufenthaltserlaubnis:* "Der Antrag des Ausländers A auf Erteilung einer Aufenthaltsgenehmigung wird abgelehnt. Die Aufenthaltsgenehmigung ist zu versagen, wenn der Ausländer seinen Lebensunterhalt nicht aus eigener Erwerbstätigkeit bestreiten kann. Zu einer Erwerbstätigkeit ist A schon deshalb nicht in der Lage, weil er keine Arbeitserlaubnis hat und auch keine erhält. Denn die Arbeitserlaubnis setzt voraus, daß A eine Aufenthaltsgenehmigung hat. Diese kann aber, wie ausgeführt wurde, nicht erteilt werden."[113]

---

[107] *E. Ott*, Juristische Methode in der Sackgasse?, 2006, S. 67.

[108] LAG Berlin, Urt. v. 20.6.1986, 10 Sa 24/86, BB 1987, 470; krit. folglich *W. Müller*, BB 1970, 471; *Gast*, Juristische Rhetorik, 5. Aufl. 2015, Rn. 1004.

[109] Wörtlich: „fehlerhafter Kreis". Nicht zu verwechseln mit dem hermeneutischen Zirkelschluss, der dadurch gekennzeichnet ist, dass sich das textliche Vorverständnis auf die Auslegung auswirkt; s. oben § 1 Fn. 163 ff. und *Joerden*, Logik im Recht, 3. Aufl. 2018, S. 316.

[110] So pointiert *Joerden*, Logik im Recht, 3. Aufl. 2018, S. 316; s. auch *Puppe*, Kleine Schule des juristischen Denkens, 4. Aufl. 2019, S. 259.

[111] *Joerden*, Logik im Recht, 3. Aufl. 2018 S. 316.

[112] BGH, Urt. v. 8.12.2004, 2 StR 441/04, StV 2005, 487, 488: „Ein Zirkelschluß ist gegeben, wenn aus einer Aussage selbst auf ihre Glaubhaftigkeit geschlossen wird."; Graf/*Wiedner*, StPO, 3. Aufl. 2018, § 337 Rn. 149; zahlreiche weitere Beispiele aus dem Strafrecht bei *Puppe*, Kleine Schule des juristischen Denkens, 4. Aufl. 2019, S. 259 ff.

[113] *Schmalz*, Methodenlehre für das juristische Studium, 4. Aufl. 1998, Rn. 177; weiteres Beispiel bei *Hilgendorf*, NJW 1996, 758, 761 f.; Adomeit/*Hähnchen*, Rechtstheorie mit Juristischer Methodenlehre, 7. Aufl. 2018, Rn. 49.

Grafik: Beispiel für einen Zirkelschluss 42

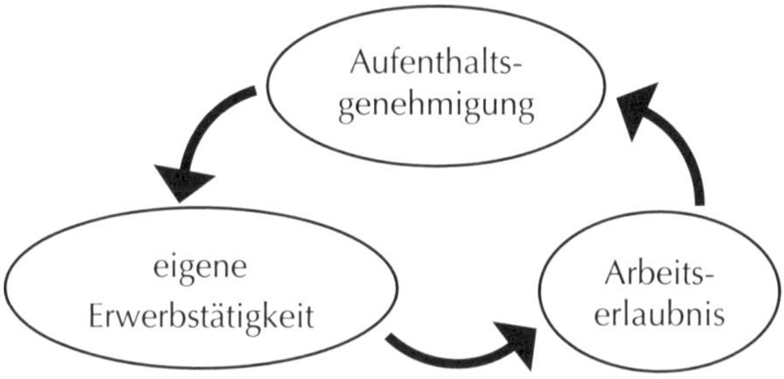

43 *Fehlende Auskunftspflicht:* Der Beklagte teilte verschiedenen Behörden mit, dass unmittelbar nach Ende des zweiten Weltkriegs ein Kriegskamerad einem Russen ein wertvolles Bild von *van Dyck* abgekauft hatte, das sich vorher im Schloss Sanssouci in Potsdam befunden hatte. Der Kriegskamerad wäre bereit, es der Bundesrepublik gegen Aufwendungsersatz zurückzugeben. Die Klage auf Auskunft über den Namen des Kriegskameraden lehnte der BGH ab, weil die Nichtnennung des Namens nicht strafbar sei. Er formulierte: „Es würde einen *Zirkelschluß* bedeuten, die Stellung des Bekl. als Beteiligten an der unerlaubten Handlung aus der Verletzung seiner Auskunftspflicht und die Verletzung der Auskunftspflicht aus der Stellung des Bekl. als Beteiligten herzuleiten.“[114]

44 *Materielles Prüfungsrecht des Bundespräsidenten:* Zum Teil wird ein materielles Prüfungsrecht des Bundespräsidenten bei der Ausfertigung von Gesetzen (Art. 82 GG) damit begründet, dass es Fälle gebe, in denen ein Bundespräsident nicht neutral bleiben könne, wenn er seinem Amt gerecht bleiben will.[115] Andernfalls würde er seinen Amtseid aus Art. 56 GG verletzen: „Ich schwöre, daß ich […] das Grundgesetz und die Gesetze des Bundes wahren und verteidigen, meine Pflichten gewissenhaft erfüllen […] werde.“ Inwiefern liegt ein Zirkelschluss vor?

Der Amtseid kann nicht zur Begründung eines materiellen Prüfungsrechts herangezogen werden, weil eine Verletzung des Amtseids voraussetzt, dass eine entsprechende Prüfungsbefugnis und Prüfungspflicht besteht. Gerade diese Prüfungsbefugnis soll aber erst bewiesen werden.[116] Insofern liegt ein unzulässiger Zirkelschluss vor.

In gleicher Weise versagt das Argument, welches die Prüfungspflicht mit der Möglichkeit der Präsidentenklage aus Art. 61 GG begründen will.[117] Eine „Verletzung des Grundgesetzes“ setzt wiederum die zu beweisende Prüfungspflicht voraus.

b) Das *argumentum ex silentio*

45 Ein Sonderfall des Zirkelschlusses ist die Folgerung aus dem Nichts, dem Schluss aus dem Schweigen (*argumentum ex silentio*). Aus dem Schweigen wird etwas gefolgert, dessen Äußerung nicht grundlos unterblieben sein kann.[118] Allerdings folgt aus dem Schweigen des Gesetzgebers zu einem bestimmten Rechtsproblem zuerst einmal nichts, denn nur ein konkreter Hinweis in den Gesetzesmaterialien zählt.[119] Damit sind Argumentationsfiguren, die aus dem Schweigen eine Schlussfolgerung ziehen, dann angreifbar, wenn

---

[114] BGH, Urt. v. 22.1.1957, VI ZR 334/55, NJW 1957, 669, 670.

[115] *Herzog*, in: Maunz/Dürig, GG, 92. EL August 2020, Art. 54 Rn. 91; *Strauß*, DÖV 1949, 272, 274; *Kniesch*, NJW 1960, 1325, 1327.

[116] *Heun*, in: Dreier, GG, 3. Aufl. 2015, Art. 56 Rn. 6; *Stern*, Das Staatsrecht der Bundesrepublik Deutschland, Bd. II, 1980, S. 208; *Degenhart*, Staatsrecht I Staatsorganisationsrecht, 36. Aufl. 2020, Rn. 810.

[117] *Friauf*, in: FS Carstens, Bd. 2, 1984, S. 545, 550 f.

[118] *Schnapp*, Logik für Juristen, 7. Aufl. 2016, S. 182.

[119] *Gast*, Juristische Rhetorik, 5. Aufl. 2015, Rn. 1020.

sie als Prämissen nicht weiter begründet werden. Das gilt beispielsweise für die Figur des beredten Schweigens (§ 6 Rn. 67) oder das Dulden der Rechtsprechung durch den Gesetzgeber (§ 13 Rn. 39 ff.).

3. Sprung im Schließen *(saltus in concludendo)*

46 *Kant* formulierte schon: „Ein Sprung (saltus) im Schließen oder Beweisen ist die Verbindung Einer Prämisse mit der Conclusion, so daß die andre Prämisse ausgelassen wird. – Ein solcher Sprung ist rechtmäßig (legitimus), wenn ein Jeder die fehlende Prämisse leicht hinzudenken kann; unrechtmäßig (illegitimus) aber, wenn die Subsumtion nicht klar ist. – Es wird hier ein entferntes Merkmal mit einer Sache ohne Zwischenmerkmal (nota intermedia) verknüpft."[120] Bei einem Sprung im Schließen, dem *saltus in concludendo*, ist also die Beweisführung lückenhaft, d.h. Obersatz und Untersatz passen nicht zusammen. Umgekehrt formuliert, besteht ein Prämissenmangel, weil Begriffe nicht begründet werden.[121] Ein Sprung im Schließen liegt auch vor, wenn man zu hoch greift, beispielsweise unmittelbar auf Grundrechte abstellt, ohne die erforderliche Konkretisierung vorzunehmen.[122] Unrichtig ist es, den Anspruch einer getrennt lebenden Ehefrau direkt aus Art. 6 Abs. 1 GG[123] oder die Unpfändbarkeit eines Fernsehers aus der Menschenwürde bzw. dem Sozialstaatprinzip des Art. 20 Abs. 1 GG ableiten zu wollen.[124]

47 *Nichtraucher:* Bei der Frage, ob eine Stewardess einen Anspruch auf einen Nichtraucherflug hat, weil der Arbeitgeber sie vor Gesundheitsgefahren gem. § 618 BGB schützen müsse, argumentierte das BAG, dass das Passivrauchen nach speziellen öffentlich-rechtlichen Normen nicht verboten sei. Das Gericht springt gedanklich, indem es ohne weitere Begründung vom zivilrechtlichen auf den öffentlich-rechtlichen Pflichtenstandard schließt. Dabei wird übersehen, dass nach gefestigter Rechtsprechung öffentlich-rechtliche und zivilrechtliche Pflichten nicht parallel laufen müssen, sondern zivilrechtliche Pflichten strenger sein können als die öffentlich-rechtlichen Vorschriften.[125]

4. Vermeidung einer Gesetzesumgehung

48 a) Die Argumentationsfigur besagt, Normen seien so auszulegen, dass Gesetze nicht umgangen werden. „Die Gesetzesumgehung ist ein Vorgehen, das sich zwar nicht eines ausdrücklich verbotenen Weges bedient, auf diesem Weg aber ein vom Gesetz missbilligtes Ergebnis erreicht."[126] Inhaltlich geht es um die Frage rechtsmissbräuchlichen Verhaltens, das im Zweifel über Treu und Glauben zu lösen ist, § 242 BGB.[127] Teilweise ist dieses Umgehungsverbot spezialgesetzlich normiert, indem die Nichtigkeit ähnlicher Geschäfte oder von Umgehungsgeschäften angeordnet wird. Solche halbzwingenden Vorschriften finden sich vor allem zum Schutz des Verbrauchers, z.B. in § 306a BGB für AGBs, § 512 S. 2 oder § 475 Abs. 1 S. 2 BGB.

---

[120] *Jäsche*, Immanuel Kants Logik. Ein Handbuch zu Vorlesungen, 1800, § 91. Sprung im Schließen.

[121] *Klug*, Juristische Logik, 4. Aufl. 1982, S. 162 f.; *Haft*, Juristische Rhetorik, 8. Aufl. 2009, S. 141.

[122] *Schnapp*, Logik für Juristen, 7. Aufl. 2016, S. 214.

[123] So aber LG Duisburg, Urt. v. 14.11.1961, 1 O 272/61, NJW 1962, 1301, 1302 mit kritischen Anmerkungen *Dunz*.

[124] So aber BFH, Urt. v. 30.1.1990, VII R 97/89, BFHE 159, 421, 422: „Aus heutiger Sicht stellen die Pfändungsverbote zwingende öffentlich-rechtliche Schranken der staatlichen Vollstreckungsgewalt dar. Sie sind Ausfluß der in Art. 1 (‚Würde des Menschen') und Art. 2 (‚freie Entfaltung der Persönlichkeit') des Grundgesetzes (GG) normierten Grundrechte und müssen als Konkretisierung des Sozialstaatsprinzips (Artt. 20, 28 GG) verstanden werden […]"; krit. *Lüke/Beck*, JuS 1994, 22, 25: „Mit der Würde des Menschen (Art. 1 I GG) hat die Pfändbarkeit eines Fernsehgeräts nichts zu tun."

[125] BAG, Urt. v. 8.5.1996, 5 AZR 971/94, BAGE 83, 95, 100 ff. – Nichtraucherflug. Hierzu *Möllers*, JZ 1996, 1050, 1053. Zur Ergänzungsfunktion des Deliktsrechts s. § 6 Rn. 20 f.

[126] BGH, Beschl. v. 13.5.1996, GSSt 1/96, BGHSt 42, 139, 148.

[127] Vgl. *Schubert*, in: MünchKomm-BGB, 8. Aufl. 2019, § 242 Rn. 157.

Um Grunderwerbsteuern zu sparen, wird gelegentlich ein Grundstückskaufvertrag notariell über eine niedrigere als die tatsächlich vereinbarte Summe geschlossen (sog. Schwarzkauf vor dem Notar). Die Folge ist eine doppelte Nichtigkeit: Der notariell beurkundete Vertrag ist als Scheingeschäft gem. § 117 Abs. 1 BGB nichtig und der Grundstücksvertrag über die vereinbarte Summe ist mangels notarieller Beurkundung formnichtig, § 125 S. 1 BGB.[128] 49

b) Aber auch ohne eine spezialgesetzliche Vorschrift gilt das Verbot von Umgehungsgeschäften als Rechtsgrundsatz und Figur der teleologischen Auslegung.[129] Die *ratio legis* ist bei der Klärung der Frage von entscheidender Bedeutung, ob ein Verhalten als eine noch erlaubte Tatbestandsvermeidung oder vielmehr als verbotene Gesetzesumgehung zu qualifizieren ist, also der Sinn und Zweck einer Norm ohne Verwirklichung des Tatbestands durchkreuzt wird.[130] 50

Eine Gesetzesumgehung des § 311b BGB läge vor, wenn im Edelmann-Fall (§ 2 Rn. 21) dem Käufer ein Schadensersatzanspruch aus Verschulden bei Vertragsschluss zustünde. Denn „eine Verpflichtung zum Ersatz des Vertrauensschadens könnte [...] indirekt einen Zwang zur Erfüllung des Grundstücksgeschäfts ausüben und läuft schon deshalb dem Zweck des § 313 Satz 1 BGB [heute § 311b Abs. 1 S. 1 BGB] zuwider".[131] Deshalb wird ein Schadensersatzanspruch grundsätzlich verneint. – Wenn A ihren Ehemann betrügt, darf dies nicht als Sexualbeleidigung strafbar sein, weil man sonst über die Hintertür die Strafbarkeit des Ehebruchs einführen würde, die der Gesetzgeber Ende der 60iger Jahre abgeschafft hat.[132] 51

5. Vermeidung von Regelungswidersprüchen, Normangleichung und Erhalt des Anwendungsbereichs einer Norm

a) Eine Normangleichung ist notwendig, um Regelungswidersprüche zu vermeiden. Diese können daraus resultieren, dass die Schrankenregelung einer einschränkenden Norm weitgehend gegenstandslos bzw. ihr Zweck vereitelt würde, sofern auf die andere Norm zurückgegriffen werden könnte. Ein wichtiger Satz ist es, dass Gesetze möglichst widerspruchsfrei auszulegen sind.[133] Folge ist, dass eine Regel zur *lex specialis* wird.[134] Überlegungen lassen sich durch einzelne Argumentationsfiguren weiter konkretisieren. Diese Argumentationsfiguren werden zwar zum Teil zur systematischen Auslegung gezählt.[135] Bei genauerer Betrachtung sind sie allerdings teleologisch veranlasst. Erst wenn der Regelungszweck festgestellt wurde, lassen sich Normenwidersprüche vermeiden.[136] Grundlage ist die Überlegung, dass Gleiches gleich behandelt werden muss.[137] 52

b) Zudem sind Normen im Zweifel so auszulegen, dass ihr **Anwendungsbereich nicht leerläuft**, sie also **nicht überflüssig** werden. Eine sog. **teleologische Reduktion auf Null** ist dann unzulässig. Dahinter steht die Überlegung, dass der Gesetzgeber keine überflüs- 53

---

[128] BGH, Urt. v. 15.5.1970, V ZR 20/68, BGHZ 54, 56, 62.

[129] *Teichmann*, Die Gesetzesumgehung, 1962, S. 69; BGH, Urt. v. 5.1.1990, II ZR 164/88, BGHZ 110, 47, 64.

[130] *Wank*, Die Auslegung von Gesetzen, 6. Aufl. 2015, S. 73 f.

[131] BGH, Urt. v. 6.12.1991, V ZR 311/89, BGHZ 116, 251, 258; s. auch *Ruhwinkel*, in: MünchKomm-BGB, 8. Aufl. 2019, § 311b Rn. 80. S. § 5 Rn. 15 und § 6 Rn. 137.

[132] Früher sah § 172 StGB a. F. eine Strafbarkeit von Ehebruch vor; s. hierzu Heintschel-Heinegg/*Valerius*, StGB, 3. Aufl. 2018, § 185 Rn. 30.

[133] Vertiefend hierzu *Weiss*, Widersprüche im Recht, 2011, S. 70 ff.

[134] *Vogel*, Juristische Methodik, 1998, S. 61 ff.

[135] *Vogel*, Juristische Methodik, 1998, S. 123.

[136] *Kramer*, Juristische Methodenlehre, 6. Aufl. 2019, S. 179 f.

[137] Zur Rechtsanwendungsgleichheit s. oben § 1 Rn. 42; *Neuner*, Die Rechtsfindung contra legem, 2. Aufl. 2005, S. 105.

sigen Gesetze schaffen wollte.[138] Diese Überlegung findet sich auch im anglo-amerikanischen Recht.[139] Es handelt sich um eine gewichtige Argumentationsfigur, die in der gesamten Rechtsordnung gilt. Oft wird sie als *argumentum ad absurdum* (§ 5 Rn. 62 ff.) eingesetzt. Konsequenterweise darf auch eine Auslegung nicht die Umgehung des Gesetzes zur Folge haben.[140]

54 Der in § 133 BGB genannte Begriff des „wirklichen Willens" kann nicht den inneren Willen meinen, denn sonst würde § 119 BGB überflüssig. § 119 BGB geht gerade davon aus, dass der innere Wille nicht das Rechtsgeschäft bestimmt, sondern nur zur Anfechtung berechtigt. Ansonsten würde das Irrtumsrecht leerlaufen.[141] Dieselbe Wertung ergibt sich auch aus § 116 S. 1 BGB, wonach ein interner Willensvorbehalt unbeachtlich ist. – Eine arglistige Täuschung nach § 123 BGB ist nicht automatisch gleichzeitig ein Sittenverstoß i.S.d. § 138 Abs. 1 BGB, weil sonst die Anfechtungsfrist des § 124 BGB überflüssig wäre. Zudem würde man dem Getäuschten sein Wahlrecht nehmen, ob er überhaupt anfechten will, § 142 Abs. 1 BGB.[142] – Wenn das Gewährleistungsrecht der §§ 433 ff. BGB einschlägig ist, ist die Irrtumsanfechtung des Käufers nach § 119 Abs. 2 BGB ausgeschlossen. Anderenfalls würde das Recht des Verkäufers zur zweiten Andienung durch Nachbesserung oder Nachlieferung sowie die Privilegierung des Verkäufers durch die kürzere kaufrechtliche Verjährungsfrist von der zehnjährigen Verjährungsfrist für die Anfechtung gem. § 121 Abs. 2 BGB unterlaufen.[143] – Der Gesetzgeber hat mit den §§ 21 f. WpPG, 97, 98 WpHG, 12 WpÜG eine Reihe von Normen eingeführt, die dem Anleger einen Schadensersatz bei einem fehlerhaften Verhalten der Gesellschaft zusprechen. Lange Zeit war umstritten, ob es gegen den Grundsatz der Kapitalerhaltung des § 57 AktG verstößt, wenn der Aktionär als geschädigter Anleger nach diesen Vorschriften Schadensersatz fordert. Wenn dem so wäre, wären die eingangs genannten Normen allerdings überflüssig. Man kann dem Gesetzgeber kaum unterstellen, Normen neu zu schaffen, die wegen des Vorrangs des Kapitalerhaltungsgrundsatzes im Ergebnis leer liefen.[144] Der BGH bejahte folglich Ansprüche und lehnte einen Verstoß gegen den Kapitalerhaltungsgrundsatz des § 57 AktG ab.[145]

6. Einzelne Argumentationsfiguren des EuGH

55 Auch der EuGH kennt Argumentationsfiguren wie den Zirkelschluss[146] oder den Grundsatz der Gesetzesumgehung. Von *Normvermeidung* spricht man, wenn die (juristische) Person die rechtlichen Vorgaben des Mitgliedstaates zu umgehen versucht, indem sie sich auf das Unionsrecht beruft. In verschiedenen Staaten wie etwa Deutschland oder Dänemark, verlangt die Gründung einer Gesellschaft mit begrenzter Haftung (GmbH)

---

[138] *Bydlinski*, Juristische Methodenlehre und Rechtsbegriff, 2. Aufl. 1991, S. 444; *Kramer*, Juristische Methodenlehre, 6. Aufl. 2019, S. 117 f.

[139] *Llewellyn*, 3 Vand. L. Rev. 395, 400 (1949/1950): „A statute merely declaring a rule, with no purpose or objective, is nonsense."

[140] *Diederichsen*, in: FS Larenz, 1973, S. 155, 177.

[141] *Busche*, in: MünchKomm-BGB, 8. Aufl. 2018, § 133 Rn. 13. Zum Trierer Weinversteigerungsfall s. § 4 Rn. 96 und § 5 Rn. 28 ff.

[142] Im Gegensatz dazu ist die Nichtigkeit nach § 138 BGB zwingend und steht nicht im Belieben des Getäuschten.

[143] *Beckmann*, in: Staudinger, BGB, Neubearb. 2014, Vor zu §§ 433 ff. Rn. 31.

[144] Zum Streitstand ausführlich KK-WpHG/*Möllers/Leisch*, 2. Aufl. 2014, §§ 37b, c Rn. 38 ff.

[145] BGH, Urt. v. 9.5.2005, II ZR 287/02, NJW 2005, 2450 ff. – EM TV; *Möllers*, BB 2005, 1637 ff.; für das österreichische Recht ebenso OGH, Urt. v. 15.3.2012, 6 Ob 28/12d, ÖBA 2012, 548/1828 Ziff. 2.2., 9.3. f. Auch der EuGH verneinte den Verstoß gegen den Kapitalerhaltungsgrundsatz, s. EuGH, Urt. v. 19.12.2013, C-174/12, EU:C:2013:856, Rn. 39 f. – Hirmann.

[146] SchlA v. 15.9.2016, GA *Wahl*, C-524/14, EU:C:2016:693, Rn. 103.

ein bestimmtes Mindestkapital, etwa in Höhe von 200.000 DKR.[147] Darf man nun stattdessen in Großbritannien eine englische „private limited company" (Ltd.) gründen, die keinerlei Mindestkapital verlangt, um dann das Geschäft aber nicht in Großbritannien, sondern im Ausgangsland Deutschland auszuüben? Der EuGH verneinte eine unzulässige Normvermeidung und argumentierte mit der Niederlassungsfreiheit, die gerade bezwecke, Zweigniederlassungen im Ausland zu gründen.[148]

Umgekehrt gibt es im europäischen Recht auch den Grundsatz der *Normerschleichung.* **55a**
Normerschleichung meint den Fall, dass ein Ausländer, der im Ausland bestimmte Ansprüche nicht hätte, Ansprüche im Inland geltend machen möchte und sich auf unionsrechtliche Regelungen beruft.[149] Wiederum steht die Frage missbräuchlichen Verhaltens im Raum (§ 5 Rn. 48). Können die EU-Mitbürger aus dem Ausland etwa nationale Studienbeihilfen beantragen, wenn sie die nationalen Voraussetzungen hierfür nicht erfüllen, aber vielleicht Arbeitnehmer im Sinne des AEUV sind und sich insoweit auf die Arbeitnehmerfreizügigkeit berufen können? Auch hier definierte der EuGH die Voraussetzungen des missbräuchlichen Verhaltens eher eng.[150]

III. Folgenorientierte Auslegung

Literatur: *Bydlinski, Franz,* Die Suche nach der Mitte als Daueraufgabe der Privatrechtswissenschaft, AcP 204 (2004), 309–395; *Deckert, Martina,* Folgenorientierung in der Rechtsanwendung, 1995; *Diederichsen, Uwe,* Die „Reductio ad absurdum" in der Jurisprudenz, in: FS Larenz, 1973, S. 155–179; *Potacs, Michael,* Effet utile als Auslegungsgrundsatz, EuR 2009, 465–487; *Schnur, Roman,* Der Begriff der „herrschenden Meinung" in der Rechtsdogmatik, in: FG Forsthoff, 1967, S. 43–64; *Stellhorn, Holger,* Das argumentum ad absurdum und seine Bedeutung in examensrelevanten Meinungsstreitigkeiten, ZJS 2014, 467–470.

1. Begriff und Relevanz der folgenorientierten Auslegung

Im Recht finden sich oft Verhaltensanforderungen, Imperative, die das Verhalten des **56**
Menschen steuern wollen (§ 2 Rn. 7 ff.). Der Gesetzgeber ist zur Gesetzesfolgenabschätzung verpflichtet, wobei auch ökonomische Überlegungen anzustellen sind.[151] Naheliegend ist die Überlegung, dass auch die Verwaltung[152] und der Richter die Folgen ihrer Entscheidung berücksichtigen müssen. Danach sind am Ende des Auslegungsprozesses die Folgen der Auslegung zu ermitteln, abzuwägen und das Ergebnis notfalls zu korrigieren, wenn dessen Folgen unerträglich sind.[153] Idealtypisch kann man eine richterliche Entscheidung dahingehend beurteilen, welche Folgen daraus erwachsen (Folgenprognose), wie sie im Hinblick auf ihre Akzeptanz zu bewerten (Folgenbewertung) und wie sie an den gewünschten Folgen auszurichten ist (folgenorientierte Steuerung, auch: Folgenberücksichtigung i.e.S.).[154] Prägnant formuliert *Wacke* mit zahlreichen Beispielen aus

---

[147] Entspricht etwa 25.000 Euro. Das ist auch die Summe, die in Deutschland für die Gründung einer GmbH als Mindestkapital eingezahlt werden muss, § 5 Abs. 1 GmbHG.

[148] EuGH, Urt. v. 9.3.1999, C-212/97, EU:C:1999:126, Rn. 24 ff. – Centros; *Möllers,* in: Schulze/Zuleeg/Kadelbach, Europarecht, 4. Aufl. 2020, § 19 Rn. 204 sowie unten § 5 Rn. 111.

[149] Vertiefend *Kamanabrou,* EuZA 2018, 18, 27; *Schön,* in: FS Wiedemann, 2002, S. 1271 ff.

[150] EuGH, Urt. v. 21.6.1988, C-39/86, EU:C:1988:322, Rn. 43 ff. – Lair; EuGH, Urt. v. 6.11.2003, C-413/01, EU:C:2003:600, Rn. 44 ff. – Ninni-Orasche.

[151] *Blum,* 65. DJT, 2004, I 51 f.; Pflicht zur Gesetzesfolgenabschätzung auf Bundesebene s. § 43 I Nr. 5 GGO, § 42 Abs. 1 i.V.m. Anlage 3 GGO, § 37 GGO II; hierzu *Seckelmann,* ZRP 2010, 213.

[152] *Hermes,* in: Schmidt-Aßmann/Hoffmann-Riem, Methoden der Verwaltungsrechtswissenschaft, 2004, S. 359 ff.

[153] *Hassemer,* JZ 2008, 1, 7; *Freund,* JZ 1992, 993 ff.

[154] *Sambuc,* Folgenerwägungen im Richterrecht, 1977; *Deckert,* Folgenorientierung in der Rechtsanwendung, 1995.

dem römischen Recht: „Da konsequentes Schlußfolgern Voraussetzung für wissenschaftliches Denken ist, ist die Folgenbetrachtungslehre so alt wie die Jurisprudenz."[155]

57 Der Gesetzgeber legt teilweise selbst ausdrücklich fest, dass der Richter die Folgen seiner Entscheidung zu berücksichtigen hat. Im BGB gibt es etwa Härteklauseln für die Wohnraummiete (§ 574 BGB) oder für die Scheidung (§ 1568 BGB). Mit der Härteklausel berücksichtigt der Richter die möglichen Folgen einer Scheidung. Damit kann die Scheidung erst später vollzogen werden, um eine unbillige Härte für ein gemeinsames Kind oder den Ehepartner zu vermeiden. – Im Strafrecht sind beim Strafmaß nach § 46 Abs. 1 S. 2 StGB die Wirkungen zu berücksichtigen, die von der Strafe ausgehend für das künftige Leben des Täters in der Gesellschaft zu erwarten sind. – Im Prozess darf der vorläufige Rechtsschutz das Hauptverfahren nicht vorwegnehmen. Deshalb ist vorrangig als Folge zu berücksichtigen, ob der einstweilige Rechtsschutz „zur Abwehr schwerer Nachteile, zur Verhinderung drohender Gewalt oder aus einem anderen wichtigen Grund zum gemeinen Wohl dringend geboten ist."[156]

2. Grenzen der folgenorientierten Auslegung

58 Wenn der Gesetzgeber den Rechtsanwender aber nicht eindeutig zur Folgenabwägung verpflichtet, ist umstritten, ob und in welchem Umfang eine folgenorientierte Auslegung zulässig ist und auch ökonomische Überlegungen angestellt werden dürfen.[157] Der ehemalige Vizepräsident des BVerfG *Hassemer* warnte davor, dass man mit der folgenorientierten Auslegung Rechtspolitik betreiben könne.[158] Ähnlich wie bei der ökonomischen Analyse ist die Berücksichtigung von Folgen auf jeden Fall erforderlich, wenn der Gesetzgeber sie ausdrücklich anordnet (§ 5 Rn. 57). Darüber hinaus dürfen in die Abwägung nur die vom Gesetz bezweckten und angestrebten Rechtsfolgen einfließen.[159] Schließlich haben folgenorientierte Überlegungen keinen Absolutheitsanspruch, sondern können die Wertungen des Gesetzes nur ergänzen. Ein schönes Beispiel zu den Grenzen der folgenorientierten Auslegung bildet die Rechtsprechung zur Sachverständigenhaftung.

59 *Sachverständigenhaftung*: Bei einem Angeklagten stellte ein Gutachter eine „psychopathische progressive Querulanz mit eindeutigem Krankheitswert" fest, woraufhin dieser zu einer Freiheitsstrafe verurteilt wurde. Das gerichtliche Gutachten war in fahrlässiger Weise unrichtig erstellt. Der BGH verneinte eine Haftung des Sachverständigen wegen Freiheitsentziehung gem. § 823 Abs. 1 BGB und begründete dies damit, dass Sachverständige nicht wegen einfacher Fahrlässigkeit haften. Eine solche teleologische Reduktion (§ 6 Rn. 92 ff.) sei gerechtfertigt, weil eine strenge Haftungsandrohung die Unabhängigkeit des von dem Gericht bestellten Sachverständigen beeinflussen würde und die Rechtspflege beeinträchtigen könne. Er müsse deshalb ähnlich unabhängig sein wie der Richter. Darüber hinaus wäre eine große Zahl von Folgeprozessen zu befürchten, wenn der Sachverständige haften würde.[160]

60 *Lösung*: Das BVerfG lehnte diese Argumentation ab und bejahte eine Haftung des Sachverständigen aus § 823 Abs. 1 BGB.[161] Eine Nichthaftung kann zu weniger Sorgfalt führen.[162] Damit stehen sich zwei Folgeargumente gegenüber. Entscheidend war aber, dass geltendes Deliktsrecht einen gesetzlichen Anspruch gegen jedermann gewährt, der rechtswidrig und

---

155 *Wacke*, in: Mélanges Sturm, Bd. 1, 1999, S. 547, 565 unter Hinweis auf D. 49,17,19,5.

156 § 32 Abs. 1 BVerfGG; s. auch §§ 935 ff. ZPO.

157 *Deckert*, Folgenorientierung in der Rechtsanwendung, 1995, S. 5 ff.; *Lübbe-Wolff*, Rechtsfolgen und Realfolgen, 1981, S. 139 ff.

158 *Hassemer*, JZ 2008, 1, 7: „schnittige outputorientierte Betrachtung".

159 *Raisch*, Juristische Methoden, 1995, S. 186.

160 BGH, Urt. v. 18.12.1973, VI ZR 113/71, BGHZ 62, 54, 59 f. – Sachverständigenhaftung.

161 BVerfG, Beschl. v. 11.10.1978, 1 BvR 84/74, BVerfGE 49, 304, 321 – Sachverständigenhaftung (§ 13 Rn. 71).

162 *Hopt*, JZ 1974, 551, 555.

schuldhaft die persönliche Freiheit eines anderen verletzt. Würde der Sachverständige nicht haften, bliebe die rechtswidrige Freiheitsberaubung sanktionslos (§ 13 Rn. 71). Gesetzliche Wertungen gehen Folgenargumenten vor.

3. Einzelne Argumentationsfiguren

In der Literatur werden zahlreiche Argumentationsfiguren herausgearbeitet[163] und gerade im Rahmen der Rechtsfortbildung wird die folgenorientierte Auslegung zugelassen. Im Einzelnen lassen sich etwa das *argumentum ad absurdum*, die Vermeidung einer Übermaßhaftung, *de minimis non curat lex*, die Sicherstellung praktikabler Ergebnisse, die normative Kraft des Faktischen sowie die Akzeptanz nennen. Das europäische Recht kennt daneben die Figur des *effet utile*. 61

a) Vermeidung absurder oder unpraktikabler Ergebnisse *(argumentum ad absurdum)*

Das *argumentum ad absurdum*[164] findet sich schon bei *Platon*[165] und im römischen Recht[166] und ist auch im anglo-amerikanischen Recht[167] und in Frankreich[168] bekannt. Das argumentum ad absurdum ist für die juristische Anwendung noch wenig geklärt. Zum Teil wird es der Logik,[169] zum Teil dem Telos,[170] zum Teil der Billigkeit[171] zugeordnet oder gleich als Kunstgriff[172] abgetan. Drei Bereiche lassen sich abgrenzen: 62

aa) Das argumentum ad absurdum[173] als folgenorientiertes Argument[174] beweist nicht die eigene These, sondern die Falschheit der Gegenthese, indem Konsequenzen aufgezeigt werden, die offensichtlich inakzeptabel und deshalb absurd sind.[175] Das argumentum ad absurdum ist verwandt mit dem Erst-Recht- bzw. Umkehrschluss (§ 6 Rn. 93 ff.), konzentriert sich aber auf die Rechtsfolgen. Damit das argumentum ad absurdum nicht entkräftet werden kann, verlangt es fünf **Voraussetzungen**, die alle kumulativ vorliegen müssen: Die aufgezeigten Folgen der Gegenansicht müssen (1) absurd, also widersinnig und nicht bloß unerwünscht sein, (2) die absurde Konsequenz muss folgerichtig und nicht nur behauptet sein, (3) es darf keine dritte Ansicht vertreten werden, (4) die absurde These darf nicht bei der eigenen Ansicht eintreten und (5) das absurde Ergebnis kann nur verhindert werden, indem man die Gegenthese aufgibt.[176] 63

---

163 *Deckert*, Folgenorientierung in der Rechtsanwendung, 1995, S. 6, Anh. B, S. 252 ff.

164 Auch *deductio ad absurdum, reductio ad absurdum, demonstratio ad absurdum* genannt.

165 *Platon*, Apologie des Sokrates, 27c/27d.

166 Hierzu ausführlich: *Wacke*, in: Mélanges Sturm, Bd. 1, 1999, S. 547, 549 ff.; vorher bereits *Schopenhauer*, Eristische Dialektik oder Die Kunst, Recht zu behalten, 1983, S. 22 f (erstmals veröffentlicht 1830/31).

167 *Blackstone*, Commentaries on the Laws of England, 2nd ed. 1776, Bd. 1, S. 60; *MacCormick*, Legal Reasoning and Legal Theory, 2nd ed. 1994, S. 108 ff. zu den „consequentialist arguments". Im 19. Jahrhundert berief man sich auf die *golden rule*, um bei absurden Ergebnissen vom Wortlaut abzuweichen, *Vogenauer*, Die Auslegung von Gesetzen in England und auf dem Kontinent, 2001, S. 1126.

168 Trib. Civ. Seine, Urt. v. 24.4.1952, J.C.P. 1952.II.7108.

169 *Klug*, Juristische Logik, 4. Aufl. 1982, S. 151.

170 *Diederichsen*, in: FS Larenz, 1973, S. 155, 161; Enneccerus/*Nipperdey*, Allgemeiner Teil des Bürgerlichen Rechts, 15. Aufl. 1959, S. 344 Anm. 11.

171 *Canaris*, Systemdenken und Systembegriff in der Jurisprudenz, 2. Aufl. 1983, S. 24 Fn. 26: „[D]ie Überzeugungskraft [des argumentum ad absurdum wird] also letztlich nicht am Wert der Wahrheit, sondern an dem der Gerechtigkeit gemessen".

172 *Esser*, Grundsatz und Norm, 1956, S. 128: nur die mit Recht verdächtige „rhetorische" Kunst des Juristen „nach Bedarf" Argumente zu finden.

173 *Diederichsen*, in: FS Larenz, 1973, S. 155 ff.; *Schreier*, Die Interpretation der Gesetze und Rechtsgeschäfte, 1927, S. 42; *Horak*, Rationes decidendi, 1969, S. 267 ff.

174 *Deckert*, Folgenorientierung in der Rechtsanwendung, 1995, S. 84.

175 *Puppe*, Kleine Schule des juristischen Denkens, 4. Aufl. 2019, S. 218.

176 Gute Übersicht bei *Stellhorn*, ZJS 2014, 467 f.

64 bb) In der Regel liegen diese fünf Voraussetzungen aber nicht vor, sodass damit auch das Argument an Überzeugungskraft verliert. Dann gilt es vor allem *Wertungswidersprüche* aufzudecken. Zudem soll mit dem argumentum ad absurdum eines von mehreren möglichen Auslegungsergebnissen außer Betracht bleiben, das zu *unpraktikablen Ergebnissen* führt.[177] Es wird als „**Untragbarkeitsargument**" bezeichnet.[178] Im Ergebnis geht es um Fragen der Zumutbarkeit. So formuliert der BGH recht deutlich, warum zwei Straßenunfälle eines betrunkenen Autofahrers nicht als einheitliche Tat bewertet werden können:

65 „Die gegenteilige Auffassung würde zu *unannehmbaren Ergebnissen* führen: Ein angetrunkener Kraftfahrer beispielsweise, der in Karlsruhe einen Unfall verursacht und über die Autobahn flieht, der auf dieser Fahrt bei Stuttgart und vor München weitere Unfälle verursacht und flieht und schließlich, vielleicht in Unkenntnis der früheren Vorfälle, nur wegen des letzten Unfallgeschehens rechtskräftig abgeurteilt wird, könnte allein deswegen, weil er fahruntüchtig war, wegen des gesamten vorausgegangenen, möglicherweise mit Personenschaden verbundenen strafbaren Verhaltens nicht mehr zur Verantwortung gezogen werden. Das kann nicht Rechtens sein."[179]

66 Es würde zu *absurden oder unerträglichen* Ergebnissen führen, wenn beispielsweise der Arzt ärztliche Hilfe im Einverständnis des todkranken Patienten so lange ablehnen darf, wie dieser bei Bewusstsein ist, er sich aber wegen Totschlags durch Unterlassen schuldig macht, wenn er dem bewusstlos gewordenen Patienten nicht unmittelbar hilft.[180] – Bei der Schenkung an geschäftsunfähige Kleinkinder ist der Anwendungsbereich des Insichgeschäfts i.S.v. § 181 BGB teleologisch zu reduzieren, weil dieser zu *lebensfremden Ergebnissen* führt (§ 6 Rn. 104 ff.). – Es wäre *absurd*, wenn der Vater das Mutter-Kind-Abteil verlassen müsste, die Familie aber sitzen bleiben dürfte (§ 1 Rn. 73).

67 *Nutzungsersatz bei nichtiger Veräußerung*:[181] (1.) Der Verkäufer (V) verkauft und übereignet ein bebautes Grundstück an einen Dritten (D), wobei der schuldrechtliche Vertrag unwirksam und der dingliche Vertrag wirksam ist. Kann V von D die zwischenzeitlich eingenommene Miete verlangen? (2.) Was gilt, wenn V unerkannt geisteskrank ist, sodass auch das dingliche Rechtsgeschäft unwirksam ist?

68 *Lösung*: (1.) V, der sein Eigentum verloren hat, hat gegen D einen Anspruch aus Leistungskondiktion auf Rückübereignung der Sache gem. § 812 Abs. 1 S. 1 Alt. 1. BGB und auf die Miete als gezogene Nutzungen gem. § 818 Abs. 1 BGB. (2.) Wenn beide Rechtsgeschäfte nichtig sind, entsteht ein Eigentümer-Besitzer-Verhältnis. In diesem Fall kann V als Eigentümer die Herausgabe der Sache gem. § 985 BGB, nicht aber Nutzungen von D als redlichen Besitzer verlangen, wie § 993 Abs. 1 Hs. 2 BGB verdeutlicht.

69 Damit steht der Verkäufer, der sein Eigentum verloren hat, besser da, als derjenige, der es behalten hat. Der Eigentümer würde schlechter behandelt als der Besitzer. Das Ergebnis ist untragbar; die absurde Konsequenz muss aufgelöst werden, entweder durch eine Analogie zu § 988 BGB[182] oder indem die Sperrwirkung des § 993 Abs. 1 Hs. 2 BGB zugunsten der Leistungskondiktion aufgegeben wird.[183]

---

[177] *Kramer*, Juristische Methodenlehre, 6. Aufl. 2019, S. 194 f.; *Bydlinski*, Juristische Methodenlehre und Rechtsbegriff, 2. Aufl. 1991, S. 457.

[178] *Diederichsen*, in: FS Larenz, 1973, S. 155, 177; *E. Ott*, Juristische Methode in der Sackgasse?, 2006, S. 64.

[179] BGH, Urt. v. 5.11.1969, 4 StR 519/68, BGHSt 23, 141, 148 f. – Trunkenheitsfahrt.

[180] Der BGH geht inzwischen von einem Fortwirken der mutmaßlichen Einwilligung aus, BGH, Urt. v. 13.9.1994, 1 StR 357/94, BGHSt 40, 257; *Vogel*, Juristische Methodik, 1998, S. 123.

[181] Sachverhalt nach RG, Urt. v. 30.1.1940, GSZ 3/38 u.a., RGZ 163, 348, 350.

[182] RG, Urt. v. 30.1.1940, GSZ 3/38 u.a., RGZ 163, 348, 353; BGH, Urt. v. 5.3.2010, V ZR 106/09, BGHZ 198, 358 Rn. 21.

[183] *Baur/Stürner*, Sachenrecht, 18. Aufl. 2009, § 11 Rn. 38; Medicus/*Petersen*, Bürgerliches Recht, 27. Aufl. 2019, Rn. 600 m.w.Nachw.

cc) Die Voraussetzungen des argumentum ad absurdum, die unter aa) geschildert wurden, liegen oft nicht vor.[184] Auch sind die Folgen – wie unter bb) beschrieben – oft weniger unzumutbar als gedacht. Letztlich darf das argumentum ad absurdum *nicht missbraucht* werden, um nicht Gedankensprünge (§ 5 Rn. 46) oder außerjuristische, ökonomische oder sonstige Überlegungen zu kaschieren. 70

b) Wirtschaftliche Betrachtung: Vermeidung einer Übermaßhaftung oder einer unbilligen Härte

aa) Der Gesetzgeber gesteht handelnden Personen oft zu, ein bestimmtes wirtschaftliches Risiko einzugehen, ohne zugleich haften zu müssen. Im Gesellschaftsrecht gibt es die „business judgement rule" des § 93 Abs. 1 S. 2 AktG, im Wirtschaftsstrafrecht eine restriktive Auslegung des Untreuetatbestands des § 266 StGB. Dies hat zur Folge, dass den Entscheidungsträgern im Unternehmen ein gewisser freier Entscheidungsspielraum in Unternehmensangelegenheiten zugebilligt wird, innerhalb dessen Grenzen sie weder zivilrechtliche noch strafrechtliche Haftung befürchten müssen.[185] Folgenorientiert ist auch die Überlegung, eine Übermaßhaftung oder unbillige Härte zu vermeiden. Im angloamerikanischen Bereich spricht man vom *Dammbruchargument* („floodgates principle").[186] Im Deliktsrecht ist die deutsche Rechtsprechung bei der Weiterentwicklung von Ansprüchen sehr zurückhaltend. Das mag daran liegen, dass der Personenkreis anders als im Vertragsrecht nicht auf den Kreis des Vertragspartners beschränkt, sondern grundsätzlich unüberschaubar ist. Deshalb betont der BGH auch immer wieder, dass **Pflichten nicht überdehnt werden dürfen**,[187] und es Aufgabe des Gesetzgebers ist, entsprechende Schadensersatzansprüche einzuführen, z.B. im Bereich der Gefährdungs- (§ 6 Rn. 156) oder der Kapitalmarkthaftung.[188] Hintergrund sind die **weitreichenden finanziellen Folgen** für den Beklagten oder die Signalwirkung des Urteils für ganze Wirtschaftsbranchen. Auch im Bereich der Staatshaftung formulierte der BGH, etwa bei der Frage, ob Waldbauern wegen sauren Regens einen Schadensersatzanspruch gegen den Staat aus Art. 34 GG i.V.m. § 839 BGB geltend machen können: 71

> „Die Zubilligung von Entschädigungs- oder Ausgleichsansprüchen gegen den Staat für die durch das Waldsterben geschädigten Waldbesitzer kann *weitreichende Folgen für die Staatsfinanzen haben*. Das legt es nahe, die Zubilligung solcher Ansprüche entsprechend dem Grundsatz der Gewaltenteilung und dem demokratischen Prinzip der Entscheidung des Parlamentsgesetzgebers vorzubehalten (vgl. BVerfG – Vorprüfungsausschuß – Beschl. vom 14. September 1983 – 1 BvB 920/83 = NJW 1983, 2931, 2932)."[189] 72

bb) Schließlich nimmt der Richter in der Regel auch eine **Billigkeits- und Ergebniskontrolle** vor; hier muss insbesondere der Blick auf eine möglicherweise unverhältnismäßige Belastung der Beteiligten gelenkt werden; es gilt eine unbillige Härte zulasten ei- 73

[184] Zahlreiche Fälle bei *Puppe*, Kleine Schule des juristischen Denkens, 4. Aufl. 2019, S. 218 ff.; *Schnapp*, Logik für Juristen, 7. Aufl. 2016, S. 176 ff.

[185] BVerfG, Beschl. v. 23.6.2010, 2 BvR 2559/08 u.a., BVerfGE 126, 170, 210 f.: gravierende Pflichtverletzung; hierzu *Fischer*, StGB, 68. Aufl. 2021, § 266 Rn. 66 ff.; Satzger/Schluckebier/Widmaier/*Saliger*, StGB, 5. Aufl. 2021, § 266 Rn. 32, 47 ff.; *Tiedemann*, Wirtschaftsstrafrecht, 5. Aufl. 2017, Rn. 262 ff.

[186] Spartan Steel & Alloys v. Martin & Co (Contractors) Ltd [1970] S. No. 3104: „if claims for economic loss were permitted for this particular hazard, there would be no end of claims".

[187] *Raiser*, JZ 1961, 465, 470 f.; zum Nutzungsersatzanspruch s. unten § 7 Rn. 49 f. (Pelzmantel).

[188] So lehnt der BGH regelmäßig die Schutzgesetzfähigkeit von Normen des WpHG ab, s. hierzu § 13 Rn. 32a; KK-WpHG/*Möllers/Leisch*, 2. Aufl. 2014, §§ 37b, c Rn. 493 ff.

[189] BGH, Urt. v. 10.12.1987, III ZR 220/86, BGHZ 102, 350, 362 – Waldsterben. S. aber auch jüngst zur Verpflichtung des Umweltschutzes gegenüber den nachfolgenden Generationen BVerfG, Beschl. v. 24.3.2021, 1 BvR 2656/18 u.a., BeckRS 2021, 8946 Rn. 182 ff., 192 – KSG.

ner Partei zu vermeiden. Auslöser einer Rechtsfortbildung ist oft die Frage, ob ein bestehender Missstand durch die Rechtsfortbildung abgestellt werden kann. Hier kommen unmittelbar die oben genannten Wertungen und Gerechtigkeitsvorstellungen zum Tragen (§ 1 Rn. 105 ff.). In einem solchen Fall kann auch das Rechtsverweigerungsverbot als Begründung herangezogen werden, sodass der Richter, will er nicht gegen dieses verstoßen, zwingend Gerechtigkeitsargumente anführen muss (§ 1 Rn. 52). Es erinnert an die Radbruch'sche Formel des „unerträglichen Unrechts" (§ 2 Rn. 132).

74 Beispiele gibt es zuhauf: Eingangs wurde der Vertrauensschutz genannt, der einer Rückwirkung von Gesetzen (§ 2 Rn. 44 ff.) und Urteilen (§ 3 Rn. 31 ff.) entgegensteht. Berechtigtes Vertrauen zu schützen ist Ausdruck der Billigkeit.[190] – Die *teleologische Reduktion* der Anfechtungswirkung von Arbeits- oder Gesellschaftsverträgen wird mit Billigkeitsüberlegungen begründet (§ 6 Rn. 134). – Auch die Rechtsfigur des Vertrags mit Schutzwirkung zugunsten Dritter beruht auf Billigkeitsüberlegungen.[191] – Billigkeitserwägungen überzeugen bei der Rechtsprechung zur betrieblich veranlassten Arbeit. Nach dieser Rechtsprechung kann die Haftung wegen Mitverschuldens zugunsten des Arbeitnehmers eingeschränkt werden.[192] Im Verfassungsrecht wird auf das **Schutzbedürfnis** des Bürgers abgestellt.[193] Schließlich ist die Bejahung einer Analogie zu § 656 BGB für Partnerschaftsverträge entgegen der Ansicht des BGH unbillig.

75 *Partnerschaftsvermittlung:* Der Kläger betreibt ein „Institut für Partnervermittlung und Eheanbahnung". Der damals 27 Jahre alte Beklagte unterschrieb einen als „diskreter Vermittlungsauftrag" bezeichneten Formularvertrag des Klägers und leistete eine Teilzahlung von 1.540 DM mit Vermittlungsschecks. Der Kläger fordert Zahlung des ausstehenden Restbetrages. § 656 BGB ist einer der wenigen Verträge, der eine unvollkommene Verbindlichkeit (Naturalobligation) beinhaltet: der Zahlungsanspruch des Maklers wegen erfolgreicher Vermittlung eines Ehepartners kann nicht gerichtlich durchgesetzt werden; wird er aber gezahlt, kann er nicht zurückgefordert werden, d.h. es liegt ein Rechtsgrund i.S.d. § 812 Abs. 1 S. 1 Alt. 1 BGB für die Leistung vor. Der Beklagte verlangt dagegen die Rückzahlung der bereits geleisteten Summe. Findet § 656 BGB analog Anwendung?

76 *Antwort:* Der BGH bejahte eine Lücke und die entsprechende Anwendung des § 656 BGB. Der ursprüngliche Regelungszweck, die „allergrößten Ärgernisse" der Heiratsvermittlung mit der Naturalrestitution als unvollkommene Verbindlichkeit zu diskreditieren,[194] gelte auch heute noch. Hätte der Gesetzgeber die nichteheliche Lebensgemeinschaft als Lebensform im Jahre 1900 schon gekannt, hätte er sie auch dem § 656 BGB unterworfen. Zudem wolle auch heute noch § 656 BGB den Schutz der Privatsphäre dadurch sicherstellen, dass der Kläger den Lohnanspruch nicht in einem Prozess einklagen könne.[195]

77 Die Überlegungen sind allerdings einer Kritik zugänglich: Der *Wille* der Reichstagskommission, einer Kommerzialisierung der Ehevermittlung entgegenzutreten, beruhe auf der Beurteilung dieser Geschäfte als „anrüchig". Der damalige Gesetzgeber hätte den Partnerschaftsvertrag ebenfalls dem § 656 BGB unterworfen, hätte er die nichteheliche Lebensgemeinschaft schon gekannt. Dieser Hinweis würde methodisch den hypothetischen Willen von 1896 als maßgeblich erklären, wäre mithin „Rechtsrückbildung"[196] und nicht Rechts-

---

[190] Zum Vertrauen als Rechtsprinzip s. unten § 9 Rn. 17.

[191] RG, Urt. v. 7.12.1911, VI 240/11, RGZ 78, 239 ff. – Linoleumrolle; BGH, Urt. v. 28.1.1976, VIII ZR 246/74, BGHZ 66, 51 ff. – Gemüseblatt (§ 10 Rn. 82 ff.).

[192] S. ausführlich unten § 13 Rn. 49 f.

[193] BVerfG, Urt. v. 27.2.2008, 1 BvR 370/07 u.a., BVerfGE 120, 274, 306 – Online-Durchsuchung: „Aus der Bedeutung der Nutzung informationstechnischer Systeme für die Persönlichkeitsentfaltung und aus den Persönlichkeitsgefährdungen, die mit dieser Nutzung verbunden sind, folgt ein grundrechtlich erhebliches *Schutzbedürfnis.*"; s. hierzu *Lepsius*, in: Jestaedt/Lepsius/Ch. Möllers/Schönberger, Das entgrenzte Gericht, 2011, S. 159, 168 ff.; *Hornung*, Grundrechtsinnovationen, 2015, S. 356 f.

[194] Entscheidend war dabei die Überlegung, dass „das Nehmen oder Geben eines Lohnes für Heiratsvermittlung" mit dem „sittlichen Charakter der Ehe" nicht vereinbar sei, *Mugdan*, Bd. II, S. 1292 f.

[195] BGH, Urt. v. 11.7.1990, IV ZR 160/89, BGHZ 112, 122, 124 ff.

[196] *Gilles*, NJW 1983, 2819, 2820.

fortbildung, weil das 19. Jahrhundert und nicht heutige Umstände für maßgeblich erklärt würden. Nach Ansicht des BGH würde dieses Telos aber weiterbestehen. Das Diskretionsbedürfnis des Kunden als zweitem *Schutzzweck* der Norm sei frei erfunden und hätte dem Gesetzgeber von 1896 noch nicht vorgeschwebt.[197] Diesem könne hinreichend Rechnung getragen werden, indem im Prozess die Öffentlichkeit ausgeschlossen wird.[198] Den Anspruch auf Privatsphäre dadurch sicherzustellen, dass dem Kläger das Klagerecht für einen Prozess genommen wird, ist nicht nur falsch verstandener Paternalismus, sondern im Ergebnis *absurd*. Gewichtig ist schließlich eine *folgenorientierte* Überlegung: Wegen der Naturalobligation des § 656 Abs. 1 S. 2 BGB kann die einmal getätigte Leistung nicht mehr zurückgefordert werden. In der Praxis wird der Partnersuchende zur Vorkasse gezwungen. Das Druckmittel, die Zahlung der Vergütung bei Schlechtleistung zu verweigern, verliert der Kunde – das *ist wenig interessengerecht*.[199] Die Lücke ist abzulehnen, weil sie nicht planwidrig ist (§ 6 Rn. 110).

Vertiefung – *Verkehrsunfall:* Zwei in Deutschland lebende Türken verursachten im Jahr 1990 einen schweren Verkehrsunfall in der Türkei. Die Versicherung wollte nach türkischem Recht nur 1.000,– DM zahlen; der Kläger verlangte jedoch 25.000,– DM nebst 100.000,– DM Schmerzensgeld nach deutschem Recht. Welches Recht ist anwendbar?[200] 78

c) Das Recht kümmert sich nicht um Kleinigkeiten *(de minimis non curat lex)*

aa) “Das Gesetz kümmert sich nicht um Kleinigkeiten“ (*de minimis non curat lex*)[201] ist als altes römisches Rechtsprinzip bekannt und auch im anglo-amerikanischen Recht anerkannt.[202] Der Grundsatz hat eine formale und eine inhaltliche Seite. **Formal** bedeutet er, dass sich das Gericht nicht um Kleinigkeiten kümmert. 79

Im Strafrecht kann der Staatsanwalt Vergehen, bei denen kein öffentliches Interesse an der Verfolgung besteht und bei denen der Täter nur eine geringe Schuld trägt, wegen Geringfügigkeit einstellen bzw. gar nicht erst weiterverfolgen, § 153 StPO. – Im Zivilrecht ist eine Berufung grundsätzlich nur dann zulässig, wenn der Beschwerdegegenstand 600 EUR überschreitet, § 511 ZPO. – Im Öffentlichen Recht wird eine Verfassungsbeschwerde nicht zugelassen, wenn sie nicht einmal ansatzweise die Mindestanforderungen an eine substantiierte Begründung enthält.[203] 80

bb) Von erheblicher Bedeutung ist auch die **inhaltliche** Seite. In vielen Fällen schließt das Gesetz es bereits aus, unerhebliche Pflichtverletzungen geltend zu machen. Sekundäransprüche werden wegen Unerheblichkeit ausgeschlossen, wie im Allgemeinen Teil des Schuldrechts (§ 281 Abs. 1 S. 3, § 323 Abs. 5 S. 2 BGB).[204] 81

Soweit das Gesetz keine Einschränkungen vorsieht, wird oft bei geringeren Beeinträchtigungen ausgeschlossen, dass der Beeinträchtigte Rechtsansprüche geltend machen kann. Häufig löst man diese Fälle schon auf der Tatbestandsebene. So hat jeder das allge- 82

---

[197] *Peters*, NJW 1990, 2552, 2553.

[198] §§ 171b, 174 Abs. 3 GVG i. V. m. § 353d Nr. 2 StGB. Krit. auch *Peters*, NJW 1990, 2552, 2553; *Finger*, FamRZ 2005, 181 ff.; *Compensis/Reiserer*, BB 1991, 2457, 2460.

[199] *Peters*, NJW 1990, 2552, 2553.

[200] Zur Lösung s. § 15 Rn. 11 f.

[201] Ulp. D. 4,3,9–10; ähnlich auch *Minima non curat praetor* – kleine Angelegenheiten besorgt der Gerichtsmagistrat nicht, vgl. Callistrat. D. 4,1,4; vorher schon *Cicero*, De natura deorum 3, § 86: *ne in regnis quidem reges omnia minima curant* – auch in einem Königreich kümmert sich der König nicht um jede Kleinigkeit; hierzu *Buß*, NJW 1998, 337 ff.

[202] Ausführlich *Bailey/Norbury*, Bennion on Statutory Interpretation, 7th ed. 2017, Sec. 26.7; *Veech/Moon*, 45 Mich. L. Rev. 537 ff. (1947).

[203] BVerfG, KBeschl. v. 14.9.2010, 1 BvR 2070/10, BeckRS 2010, 53152 Rn. 1 mit den Ausführungen: „Sie hat dem Bundesverfassungsgericht ferner mitgeteilt, dass ‚Richter Bärli‘ vom ‚Bundesbärengericht‘ zwei Tage über eine Entscheidung des Bundesverfassungsgerichts geweint habe.“

[204] BGH, Urt. v. 28.5.2014, VIII ZR 94/13, BGHZ 201, 290.

meine Lebensrisiko zu tragen. Allgemein bekannt ist die Rechtsfigur der Sozialadäquanz, wonach das allgemein Übliche, das Sozialadäquate, mangels Erheblichkeit nicht abwehrfähig ist.[205] Zum Teil greift die Einschränkung auch auf der Rechtfertigungsebene ein.[206]

83 Schon in den Motiven zum BGB berief man sich im Kaufrecht auf den *De-minimis-non-curat*-Grundsatz,[207] als § 459 Abs. 1 S. 2 BGB a.F. einen Fehler bei einer „unerheblichen Minderung des Wertes oder der Tauglichkeit" der Kaufsache ausschloss. Nach der Neufassung durch die Schuldrechtsreform enthält § 434 BGB dieses Tatbestandsmerkmal zwar nicht mehr. Gleichwohl ist man sich einig, dass die Kaufsache nach ihrer Beschaffenheit auch geeignet ist, wenn bei einem Kfz etwa Originallackierung zum Teil ersetzt wurde.[208] – Im Reisevertragsrecht sind bloße Unannehmlichkeiten hinzunehmen. So lehnte das AG Mönchengladbach einen Schadensersatzanspruch aufgrund Reisemangels in Höhe von 20 % ab, weil der Beischlaf wegen zweier getrennter Betten nicht beeinträchtigt sei.[209] – Im Deliktsrecht sind Eingriffe in das seelische Wohlbefinden, kurzfristiger Lärm oder Geruchsbelästigungen geringer Intensität hinzunehmen.[210] – Von der herrschenden Ansicht wird eine Freiheitsberaubung verneint, wenn man mit dem Kfz im Stau steht oder im Zug festsitzt.[211] – Hinzunehmen hat der Eigentümer grundsätzlich auch sog. ästhetische Einwirkungen auf sein Grundstück, wie unbekleidete Nachbarn oder ein benachbartes Bordell.[212]

84 Auch im Strafrecht und im Öffentlichen Recht ist die *De-minimis-non-curat*-Regel bekannt. Im Strafrecht ist etwa der Tatbestand der Bestechung gem. § 331 StGB teleologisch zugunsten des Täters zu reduzieren, wenn der Postbote zu Weihnachten ein kleines Geschenk erhält, weil das öffentliche Vertrauen in die Integrität des Postboten nicht tangiert ist.[213] Die Verletzung von Grundrechten verlangt ebenfalls eine gewisse Erheblichkeitsschwelle: Bagatellfälle fallen von vornherein nicht in den Schutzbereich.[214]

d) Vermeidung schädlicher Effekte und Ermöglichung praktikabler Ergebnisse

85 aa) Die folgenorientierte Auslegung will vermeiden, dass schädliche Effekte den Nutzen der Zweckerreichung aufwiegen.[215] Die Ausübung von Rechtspositionen **soll zudem nicht vollständig vereitelt werden**. Dies entspricht der logischen Rechtsfigur, dass es einen Anwendungsbereich für eine Regel geben muss.[216] Gegebenenfalls ist zu prüfen, ob die angeordnete Rechtsfolge dazu führen würde, dass ein bestimmtes Verhalten zwar nicht rechtlich, aber faktisch verboten würde.

---

205 *Welzel*, ZStW 58 (1939), 491, 514 ff.; BGH, Beschl. v. 4.3.1957, GSZ 1/56, BGHZ 24, 21; ablehnend Erman/*Wilhelmi*, BGB, 16. Aufl. 2020, § 823 Rn. 8.

206 Zum Teil wird auch die Figur der mutmaßlichen Einwilligung genutzt, etwa bei sportlichen Wettkämpfen, BGH, Urt. v. 1.4.2003, VI ZR 321/02, BGHZ 154, 316, 322 f. – Porscherennen, m. Anm. *Möllers*, JZ 2004, 95 f.

207 Für das Kaufrecht, *Mugdan*, 1986, Bd. II, S. 225.

208 BGH, Urt. v. 20.5.2009, VIII ZR 191/07, BGHZ 181, 170 Rn. 13.

209 AG Mönchengladbach, Urt. v. 24.4.1991, 5a C 106/91, NJW 1995, 884, 885; weitere Fälle bei *Tempel*, NJW 1997, 2206 ff.

210 *Möllers*, Rechtsgüterschutz im Umwelt- und Haftungsrecht, 1996, S. 46 f.

211 So *Wagner*, in: MünchKomm-BGB, 8. Aufl. 2020, § 823 Rn. 240, mit der zweifelhaften Begründung, dass nur die vom Freiheitsbegriff des § 823 Abs. 1 BGB geschützte Willensfreiheit, nicht aber die Fortbewegungsfreiheit tangiert sein soll, weil sich der Autofahrer weiterhin frei bewegen könnte.

212 Z.B. RG, Urt. v. 8.11.1911, V 328/10, RGZ 76, 130, 131; *Raff*, in: MünchKomm-BGB, 8. Aufl. 2020, § 1004 Rn. 156.

213 Roxin/*Greco*, Strafrecht Allgemeiner Teil, Bd. I, 5. Aufl. 2020, § 10 Rn. 40 gegen die Lehre von *Welzel*, ZStW 58 (1939), 491, 514 ff., der alleine auf die Sozialadäquanz abstellt.

214 *Sachs*, in: Stern, Das Staatsrecht der Bundesrepublik Deutschland, Bd. III/2, 1994, S. 205 ff. Krit. aber *Dreier*, in: Dreier, GG, 3. Aufl. 2013, Vorb. vor Art. 1 Rn. 120 ff. S. auch § 10 Rn. 29 ff.

215 *Puppe*, Kleine Schule des juristischen Denkens, 4. Aufl. 2019, S. 158.

216 S. oben § 5 Rn. 53 und zur teleologischen Reduktion auf Null, BGH, Urt. v. 26.11.2008, VIII ZR 200/05, BGHZ 179, 27, 36 – Quelle (§ 12 Rn. 58 f.).

Schadensersatzansprüche sollen nur kompensieren und den Schaden wiedergutmachen, regelmäßig aber nicht ein Verhalten verbieten. Die Bejahung eines Konstruktionsfehlers würde dazu führen, dass das Produkt vom Markt faktisch verschwindet. Der BGH bejaht deshalb regelmäßig nur Instruktionsfehler.[217] – Das BVerfG hat die Publikation des Werkes „Esra“ von *Biller* zwar verboten. Der BGH lehnte Schadensersatzansprüche des Verfassers wegen der hohen Bedeutung der Kunstfreiheit ab.[218] – Im Strafrecht soll der strafbefreiende Rücktritt ausgeschlossen sein, wenn der Täter auf jegliche honorierfähige Umkehrleistung verzichtet.[219] 86

bb) Hinsichtlich konkreter Gesetzeszwecke dienen die Auslegungsfiguren der Effektivität und Praktikabilität dazu, den Willen des Gesetzgebers möglichst optimal zu verwirklichen.[220] 87

§ 306 BGB bestimmt die Rechtsfolgen für den Fall, dass eine AGB-Klausel unwirksam ist: Der Vertrag bleibt grundsätzlich wirksam (Abs. 1), an die Stelle der insoweit unwirksamen Klausel treten die gesetzlichen Vorschriften (Abs. 2). Würde der Richter bei der unwirksamen Klausel eine geltungserhaltende Reduktion vornehmen, welche „die Klausel auf das gerade noch zulässige Maß zurückführt“, könnte der AGB-Verwender sanktionslos unwirksame Klauseln gebrauchen.[221] Ziel des § 306 BGB ist es jedoch, „dem anderen Vertragsteil nicht erst im Zivilprozess Schutz zu gewähren, sondern ihn davor zu bewahren, dass ihm in der Vertragsabwicklungspraxis Klauseln entgegengehalten werden, von deren Unwirksamkeit er nichts wissen kann.“[222] Aus diesem Grund sprechen sich die h. M. in Literatur[223] und Rechtsprechung[224] grundsätzlich gegen die Zulässigkeit einer geltungserhaltenden Reduktion aus, da anderenfalls der von § 306 BGB bezweckte Schutz nicht effektiv gewährleistet würde. 88

cc) Zur folgenorientierten Auslegung gehört schließlich die Frage, ob das Ergebnis einer Rechtsfortbildung **praktikabel** ist. Dies bedeutet, ob die genannten Kriterien auch für künftige Gerichte anwendbar sind. 89

So hatte der BGH zu klären, ob auch nichteheliche Lebenspartner in ein Mietverhältnis eintreten dürfen, wenn der Mieter stirbt. Dazu hatte der BGH den Einwand zu entkräften, der Kreis der Anspruchsberechtigten würde unüberschaubar. Dieses Argument versuchte er durch eine enge Definition des Begriffs der nichtehelichen Lebensgemeinschaft zu entkräften.[225] – Umgekehrt ist eine Entscheidung wenig praktikabel, die vorsieht, dass eine Rückrufpflicht des Herstellers nur dann bestehen soll, wenn eine entsprechende Warnung nicht ausreicht.[226] In der Literatur wird zu Recht kritisiert, dass unklar bleibt, wie bewiesen 90

[217] *Möllers*, Rechtsgüterschutz im Umwelt- und Haftungsrecht, 1996, S. 249 ff.

[218] BVerfG, Beschl. v. 13.6.2007, 1 BvR1783/05, BVerfGE 119, 1 ff. – Esra; BGH, Urt. v. 24.11.2009, VI ZR 219/08, BGHZ 183, 227, 232 – Esra.

[219] *Puppe*, Kleine Schule des juristischen Denkens, 4. Aufl. 2019, S. 159 ff.; *Roxin*, JZ 1993, 896 gegen BGH, Beschl. v. 19.5.1993, GS 1/93, BGHSt 39, 221, 231.

[220] *Vogel*, Juristische Methodik, 1998, S. 127; *Wank*, Die Auslegung von Gesetzen, 6. Aufl. 2015, S. 72.

[221] *Mäsch*, in: Staudinger, BGB, Neubearb. 2019, § 306 Rn. 20.

[222] *Mäsch* (ebd.).

[223] *Mäsch* (ebd.); *Basedow*, in: MünchKomm-BGB, 8. Aufl. 2019, § 306 Rn. 16 ff.

[224] Grundlegend BGH, Urt. v. 17.5.1982, VII ZR 316/81, BGHZ 84, 109, 115 f.; BGH, Urt. v. 16.10.1984, X ZR 97/83, BGHZ 92, 312.

[225] Unter Bezugnahme auf das BVerfG, s. BGH, Urt. v. 13.1.1993, VIII ARZ 6/92, BGHZ 121, 116, 124: „Danach setze eine eheähnliche Lebensgemeinschaft eine Lebensgemeinschaft zwischen Mann und Frau voraus, die auf Dauer angelegt ist, daneben keine weitere Lebensgemeinschaft gleicher Art zuläßt und sich durch innere Bindungen auszeichnet, die ein gegenseitiges Einstehen der Partner füreinander begründen, also über die Beziehungen in einer reinen Haushalts- und Wirtschaftsgemeinschaft hinausgeht.“ – Eintritt in Mietverhältnis für nichtehelichen Lebenspartner (§ 6 Rn. 74 f.).

[226] So aber BGH, Urt. v. 16.12.2008, VI ZR 170/07, BGHZ 179, 157, 163 ff. – Pflegebetten.

werden kann, ob die Warnung wirksam ist oder nicht.[227] Zudem würden die falschen Anreize gesetzt, weil das Verhalten der Leichtsinnigen privilegiert werde.[228]

e) Allgemeine Lebenserfahrung und empirische Untersuchungen

91 aa) Mit dem Begriff „lebendiges Recht" begründete *Eugen Ehrlich* 1913 die *Rechtssoziologie.* Sie basiert auf der Annahme, dass die natürlichen Gesetzmäßigkeiten des menschlichen Zusammenlebens aus dem durch Beobachtung Erfahrbaren ableitbar sind.[229] Die Erforschung der sozialen Wirklichkeit ist damit Aufgabe der Rechtssoziologie.[230] In den USA entwickelte sich in dieser Zeit der *legal realism*, der es ablehnte, Recht nur als wertneutrale Wissenschaft zu verstehen.[231] Stattdessen sei auf die Ziele des Gesetzgebers abzustellen[232], der es aber auch erlaube, die eigenen Wertvorstellungen des Richters zu berücksichtigen.[233] Mit dem Supreme Court Richter *Oliver Wendell Holmes Jr.* gewann die Lehre großen Einfluss.[234]

92 Den Rückgriff auf empirische Zahlen sieht der Gesetzgeber etwa vor, wenn er auf die Verkehrssitte, Handelsbräuche (§§ 151, 157, 242 BGB, 346 HGB) oder die guten Sitten verweist (§§ 138, 817, 826 BGB, 1 UWG).[235] Zur Tatsachenfeststellung greift der Richter auch auf seine **allgemeine Lebenserfahrung** oder auf **demoskopische Befragungen** zurück. Im Wettbewerbsrecht wird auf die allgemeine Lebenserfahrung oder, wenn eigene Sachkunde des Gerichts nicht ausreicht, um die objektive Verkehrsauffassung zu bestimmen, auf Umfrageforschungen zurückgegriffen.[236]

93 *Feuerwerkskörper:* Als ein Händler Feuerwerkskörper an achtjährige Kinder verkaufte und diese sich daraufhin schwer verletzten, lehnte der BGH einen Schadensersatzanspruch wegen Verletzung von Verkehrspflichten gem. § 823 Abs. 1 BGB ab, weil der Händler auf die Ungefährlichkeit der Feuerwerkskörper vertrauen durfte und zudem davon ausgehen durfte, dass die Kinder die Gebrauchsanweisung lesen und verstehen. Das erscheint wenig stimmig, müsste doch umgekehrt der Händler die Gebrauchsanweisung lesen und achtjährige Kinder dürften darauf vertrauen, dass ein Produkt nicht gefährlich ist. Hier wird gegen die allgemeine Lebenserfahrung verstoßen.[237]

94 bb) Beispiele für den seltenen Fall der Einbeziehung **empirischer Untersuchungen** finden sich auch in der Kriminologie, etwa das psychologische bzw. psychiatrische Gutachten in der strafrechtlichen Gerichtspraxis.[238] Dieses bestimmt die Schuldfähigkeit eines Straftäters anhand seiner Persönlichkeitsstruktur und seines bisherigen Verhaltens

---

[227] *Wagner*, JZ 2009, 908, 910: Doch wie groß muss die Mehrheit sein, welche die Warnung berücksichtigt: 51 %, 70 %, 90 % oder gar 99 %?

[228] *Wagner*, JZ 2009, 908, 910.

[229] *Ehrlich*, Grundlegung der Soziologie des Rechts, 1913, S. 68; hierzu *Raiser*, Grundlagen der Rechtssoziologie, 6. Aufl. 2013, S. 71 ff.; *Larenz*, Methodenlehre der Rechtswissenschaft, 6. Aufl. 1991, S. 63.

[230] *Rehbinder*, Rechtssoziologie, 8. Aufl. 2014, Rn. 1.

[231] Zur Lehre des *classical legal thought* s. oben § 4 Rn. 108a.

[232] Hauptvertreter waren *Oliver Wendell Holmes Jr., Roscoe Pound* und *Benjamin Cardozo*, s. *Holmes Jr.*, 10 Harv. L. Rev. 457, 474 (1896/1897): „we shall spend our energy on a study of the ends sought to be attained and the reasons for desiring them." S. auch *Summers*, 66 Cornell L. Rev. 861, 870 ff. (1980/81).

[233] *Singer*, 76 Calif. L. Rev. 465, 469 f. (1988).

[234] S. z. B. das dissenting opinion von *Holmes Jr.* in: Lochner v. New York, 198 U.S. 45, 76 (1905): „General propositions do not decide concrete cases. The decision will depend on a judgment or intuition more subtle than any articulate major premise."

[235] *Rehbinder*, Rechtssoziologie, 8. Aufl. 2014, Rn. 11; *Raiser* (ebd.), 6. Aufl. 2013, S. 21 ff.

[236] Ströbele/Hacker/Thiering/*Hacker*, Markengesetz, 13. Aufl. 2021, § 4 Rn. 52–59; *Bornkamm*, WRP 2000, 830, 833; *Gloy*, in: FS Erdmann, 2002, S. 811, 823 f.; *Eichmann*, GRUR 1999, 939, 941 ff.

[237] *Möllers*, JZ 1999, 24, 27 f. zu BGH, Urt. v. 26.5.1998, VI ZR 183/97, BGHZ 139, 43, 50 f. – Feuerwerkskörper I; s. hierzu auch *Jansen*, AcP 202 (2002), 517 ff.; **a. A.** *Wagner*, in: MünchKomm-BGB, 8. Aufl. 2020, § 823 Rn. 931.

[238] S. dazu *Foerster*, NJW 1983, 2049, 2050; *Steinke*, NStZ 1994, 16.

bzw. stellt Prognosen bezüglich seines künftigen kriminellen Verhaltens auf. In der Literatur wird gefordert, etwa bei der Bestimmung der erforderlichen Sorgfalt stärker auf empirische Daten zurückzugreifen. Das OLG Schleswig-Holstein hatte etwa ein Mitverschulden des Fahrradfahrers gem. § 254 BGB in Höhe von 20% bejaht, weil er keinen Helm trug. Dem Gericht ist vorgeworfen worden, einschlägige empirische Untersuchungen zur Effizienz des Helmtragens nicht ausgewertet zu haben.[239] Werden empirische Daten falsch gewichtet, kann die Entscheidung angreifbar sein. Am Ende dieses Werkes wird die Sachverhaltshermeneutik als Teil der Juristischen Praxis vorgestellt (§ 14 Rn. 6 ff.).

f) Normative Kraft des Faktischen

Methodisch interessant ist darüber hinaus die Rechtsfigur, die *Jellinek* schon vor mehr als 100 Jahren entwickelte: die **„normative Kraft des Faktischen“**. Danach ist für das Recht vor allem das Sein zu berücksichtigen.[240] Die langandauernde Übung des Gewohnheitsrechts ist ein wiederholendes Faktisches, welches als Normatives angesehen wird.[241] Tatsächlich wirkt nicht selten das „Sein“ auf das „Sollen“. Wer den Besitz hat, hat umfangreiche Abwehransprüche. Für die nicht besitzende Gegenseite ist es schwer, die Rechtmäßigkeit eigenen Eigentums zu beweisen. Die normative Kraft des Faktischen gilt gerade auch in der Politik. Gerichte akzeptieren Entscheidungen der Politik, wenn eine Rückabwicklung faktisch unmöglich ist. 95

Der damalige Bundeskanzler *Schröder* stellte 2005 ein Misstrauensvotum gem. Art. 68 GG, nicht weil er der Meinung war, dass der Bundestag ihm kein Vertrauen mehr entgegenbringt, sondern nur, um Neuwahlen zu erreichen, durch welche er sich bessere Mehrheitsverhältnisse erhoffte. Das BVerfG billigte trotz rechtlicher Bedenken das Misstrauensvotum durch die eigene Partei,[242] setzte allerdings die Voraussetzungen für künftige Fälle so hoch an, dass sich in Zukunft eine solche Situation nicht mehr wiederholen kann:[243] Nun verlangt das Misstrauensvotum als ungeschriebenes Tatbestandsmerkmal eine Lage der politischen Instabilität als „Krisenlage“.[244] 96

Auch auf europäischer Ebene drängt sich die Rechtsfigur der normativen Kraft des Faktischen bei inzwischen weit mehr als 20 Mitgliedstaaten geradezu auf. In regelmäßigen Abständen werden die europäischen Verträge einstimmig verändert und müssen dann in allen Mitgliedstaaten ratifiziert werden. Ein einzelnes Verfassungsgericht würde die Fakten verkennen, wollte es eine solche Vertragsänderung im Alleingang für unverbindlich erklären.[245] 97

---

[239] Ausführlich *Morell*, AcP 214 (2014), 387 ff. gegen OLG Schleswig-Holstein, Urt. v. 5.6.2013, 7 U 11/12, NJOZ 2013, 1494 ff. Ähnlich im Markenrecht, vgl. § 4 Rn. 62a.

[240] *Jellinek*, Bundesstaat und parlamentarische Regierung, in: ders., Ausgewählte Schriften und Reden, Bd. 2, 1911, S. 439, 441: „Aus der richtigen Erkenntnis des Seins [werde sich] für den Politiker auch die richtige Erkenntnis seiner Ziele erschließen.“; *ders.*, Allgemeine Staatslehre, 3. Aufl. 1914, S. 338; s. auch *Radbruch*, Grundzüge der Rechtsphilosophie, 1914, S. 163 ff.; *Grimmer*, Die Rechtsfiguren einer „Normativität des Faktischen“, 1971, S. 19 f.; *Lepsius*, Besitz und Sachherrschaft im öffentlichen Recht, 2002, S. 178.

[241] *Jellinek*, Allgemeine Staatslehre, 3. Aufl. 1914, S. 338.

[242] Deutlich *Ipsen*, NVwZ 2005, 1147: Alles andere wäre eine „politische“ und „verfassungsrechtliche [...] Sensation“ gewesen.

[243] BVerfG, Urt. v. 25.8.2005, 2 BvE 4/05 u.a., BVerfGE 114, 121, 160, 174 – Bundestagsauflösung III 2005: „Einschätzungsprärogative“ des Bundeskanzlers.

[244] Bloße Schwierigkeiten reichen nicht aus, BVerfG, Urt. v. 16.2.1983, 2 BvE 1/83 u.a., BVerfGE 62, 1, 42 ff. – Bundestagsauflösung I; *Hermes*, in: Dreier, GG, 3. Aufl. 2015, Art. 68 Rn. 12 f.

[245] So erkennt das BVerfG selbst, „Wenn jeder Mitgliedstaat ohne Weiteres für sich in Anspruch nähme, durch eigene Gerichte über die Gültigkeit von Rechtsakten der Union zu entscheiden, könnte der Anwendungsvorrang praktisch unterlaufen werden, und die einheitliche Anwendung des Unionsrechts wäre gefährdet.“, BVerfG, Beschl. v. 6.7.2010, 2 BvR 2661/06, BVerfGE 126, 286, 303 – Honeywell; ebenso BVerfGE 154, 17, Rn. 110 ff. – PSPP-Urteil (§ 2 Rn. 100).

Politisch hatte das BVerfG keine andere Wahl als die europäischen Änderungen – wenngleich nicht selten widerstrebend – zu billigen.[246]

98 Im *Maastricht*- und *Lissabon*-Urteil[247] wurden die Vertragsänderungen auf europäischer Ebene zwar letztlich gebilligt. Das BVerfG machte seinerseits aber umfangreiche Vorgaben, um damit die Rolle eines „europäischen Gesetzgebers" einzunehmen.[248]

99 Verbunden wird diese Rechtsfigur oft mit der Überlegung, dem Entscheidenden eine sog. **Entscheidungsprärogative** einzuräumen, die juristisch durch das Gericht nicht überprüft werden soll. Man spricht dann von einer richterlichen Zurückhaltung, dem **judicial self-restraint** (§ 13 Rn. 91 ff.).

100 Auch diese Rechtsfigur erfährt eine Relativierung. Spätestens seit Kelsen ist die Sein-Sollens-Dichotomie bekannt, also dass zwischen dem faktischen „Sein" und dem normativen „Sollen" streng zu trennen ist (§ 3 Rn. 20). Wenn der Rückgriff vom Sein auf das Sollen zulässig wäre, müssten das weit verbreitete Schwarzfahren und die Steuerhinterziehung straffrei sein. Als Gegenfigur der richterlichen Zurückhaltung gibt es die Figur des *judicial activism* (§ 13 Rn. 100).

g) Akzeptanz der Entscheidung und herrschende Meinung

101 aa) Der Richter hat seine Entscheidung zu begründen (§ 1 Rn. 38 ff.). Wenn Gerichte mit ihren Urteilen befrieden wollen, dann ist es naheliegend, dass der Richter darauf achtet, dass seine Entscheidung auf Akzeptanz stößt. Akzeptanz ist damit ein Kriterium zur Begründung der Rechtsfortbildung (§ 13 Rn. 58 f.).[249] Gerade im Rahmen der Rechtsfortbildung wird das Gericht darauf achten, Konsensfähigkeit zu erzielen. Ähnlich wird oft auf die herrschende Ansicht abgestellt, um eine bestimmte Rechtsansicht zu stützen. Für die herrschende Ansicht, die in der Rechtsliteratur und Rechtsprechung vertreten wird, spricht die auf Kontinuität ausgerichtete Rechtssicherheit. Dem ersten Anschein nach ist die herrschende Meinung im Recht; ihr kommt eine Vermutungswirkung zu. Wer diese bestreitet, trägt die Argumentationslast (§ 1 Rn. 100).[250] Schließlich können für die Akzeptanz auch ausländische Urteile herangezogen werden (§ 7 Rn. 81 ff.).[251]

102 Die Anerkennung des Persönlichkeitsrechts (§ 11 Rn. 72 ff.) und der nichtehelichen Lebensgemeinschaft (§ 6 Rn. 74 ff.) durch BGH und BVerfG wurde u. a. damit begründet, dass dieses Recht bzw. die Lebensform praktisch schon Anerkennung gefunden hatte.[252]

103 bb) Allerdings besteht die Gefahr, dass statt der Begründung nur pauschal auf eine herrschende Meinung verwiesen wird, die ihrerseits keine Begründung gibt. Ganz überwiegend wird die herrschende Ansicht deshalb nicht als juristisches Argument akzeptiert. Die herrschende Ansicht fasst regelmäßig nur die bestehenden Argumente zusammen.[253]

---

[246] *Calliess*, ZEuS 2009, 559, 564, 582; dabei sollte nicht vergessen werden, dass die Zustimmungsgesetze zu den Änderungsverträgen von politischen Mehrheiten in Bundestag und Bundesrat getragen wurden.

[247] BVerfG, Urt. v. 12.10.1993, 2 BvR 2134/92 u.a., BVerfGE 89, 155 – Maastricht; BVerfG, Urt. v. 30.6.2009, 2 BvE 2/08 u.a., BVerfGE 123, 267 – Lissabon-Vertrag.

[248] Ausführlich *Möllers/Redcay*, EuR 2013, 409 ff. und unten § 13 Rn. 112 ff.

[249] *Heusinger*, Rechtsfindung und Rechtsfortbildung im Spiegel richterlicher Erfahrung, 1975, S. 89 f.; *Müller*, JuS 1980, 627, 635; *Wank*, Grenzen richterlicher Rechtsfortbildung, 1978, S. 42 f.; *Möllers*, in: FS G. Roth, 2011, S. 473, 484.

[250] *Gast*, Juristische Rhetorik, 5. Aufl. 2015, Rn. 439 ff.; *Pawlowski*, Methodenlehre für Juristen, 3. Aufl. 1999, Rn. 394; *Alexy/R. Dreier*, in: MacCormick/Summers, Interpreting Statutes, 1991, S. 73, 97.

[251] Zur Akzeptanz von Urteilen des EuGH *Mangold*, Gemeinschaftsrecht und deutsches Recht, 2011, S. 160 ff.

[252] *Flume*, Schlussvortrag zum 46. DJT, 1967, K9.

[253] *Zimmermann*, Die Relevanz einer herrschenden Meinung für Anwendung, Fortbildung und wissenschaftlicher Erforschung des Rechts, 1983, S. 148 ff.; *Martens*, Methodenlehre des Unionsrechts, 2013, S. 272.

Zudem ist die langandauernde Übung als Kriterium des Gewohnheitsrechts wenig überzeugend (§ 3 Rn. 25). Somit ist die „konsensfähige Gerechtigkeitsvorstellung" ein problematischer Maßstab, kann sie doch schnell manipuliert sein und ist zudem oft nur schwer feststellbar.[254] Grundrechte dienen auch immer dem Schutz von Minderheiten.[255] Folglich findet man Gegenbeispiele, die zeigen, dass höchste Gerichte bereit waren, höchst unpopuläre Entscheidungen zu treffen.

Aus nationaler Perspektive unpopulär waren das Kruzifix-Urteil[256] oder das Nichtraucher-Urteil[257] des BVerfG. – Als der EuGH einen Staatshaftungsanspruch zulasten der Mitgliedstaaten rechtsfortbildend entwickelte (§ 12 Rn. 123 ff.), war dies für die Mitgliedstaaten sicherlich unpopulär. – Zum Schutz von Minderheiten entschied der Supreme Court etwa zugunsten von Schwarzen für den Zugang zur Schule[258], für „affirmative action" zur Bevorzugung trotz schlechterer Leistung,[259] für den Schwangerschaftsabbruch der Frau[260] oder der gleichgeschlechtlichen Ehe.[261] Einzelne Entscheidungen bleiben bis heute umstritten. Für die USA lässt sich dies auch mit der politischen Rolle des Supreme Court erklären (§ 13 Rn. 98). 104

h) Versuch einer vermittelnden Rechtsansicht

Betrachtet man die Folgen, werden oft Mittelmeinungen gewählt.[262] Das entspricht der Überlegung, dass eine Übermaßhaftung vermieden werden soll (§ 5 Rn. 71 ff.). Eine solche Ansicht wird sich vor allem dann durchsetzen, wenn der Anspruch nicht eindeutig besteht, sondern das Gesetz offen ist, etwa wegen eines unbestimmten Rechtsbegriffs oder einer Generalklausel, die weiter konkretisiert werden müssen. Die Lösung bietet sich an, wenn der Gesetzgeber keine Wertungen vorgibt oder die Wertungen im Gesetz gleich stark sind. Abwägungen finden oft bei Prinzipien (§ 10 Rn. 4 ff.) oder dem Beweglichen System (§ 8 Rn. 2 ff.) statt. Die Suche nach dem Mittelweg findet ihr Pendant im konfuzianischen Denken der Mäßigung, die beiden Seiten erlaubt, ihr Gesicht zu wahren.[263] 105

Der Gesetzgeber hat sich nicht für die Willens- oder Erklärungstheorie entschieden, sodass sich die fahrlässige Willenserklärung als ein Mittelweg zur Lösung des Trierer Weinversteigerungs-Falls anbot (§ 5 Rn. 28 ff.). – Auch der Wegfall der Geschäftsgrundlage lässt sich als mittlere Ansicht zwischen den Grundsätzen „pacta sunt servanda" und „clausula rebus sic stantibus" umschreiben (§ 9 Rn. 55 ff.). – Bei Bierbezugsfällen ist zu fragen, ob eine Knebelung zur Sittenwidrigkeit gem. § 138 BGB führt, wenn der Wirt zeitlich unbegrenzt von einer Brauerei das Bier beziehen muss. Hier ist einerseits zwar die wirtschaftliche Freiheit des Wirts tangiert. Andererseits stattet die Brauerei das Wirtshaus oft auf eigene Kosten aus und muss die Kosten amortisieren. Der BGH versucht hier zu vermitteln, indem der 106

[254] Zippelius/*Würtenberger*, Juristische Methodenlehre, 12. Aufl. 2020, S. 13 f.

[255] Ausdrücklich BVerfG, Beschl. v. 16.5.1995, 1 BvR 1087/91, BVerfGE, 93, 1, 23 f. – Kruzifix; BVerfG, Urt. v. 26.2.2020, 2 BvR 2347/15, BVerfGE 153, 182 Rn. 234 – Geschäftsmäßige Sterbehilfe: „Allerdings kann der Erhalt eines tatsächlich bestehenden oder mutmaßlichen Konsenses über Werte- oder Moralvorstellungen nicht unmittelbares Ziel strafgesetzgeberischer Tätigkeit sein."

[256] S. auch das abweichende Sondervotum *Seidl, Söllner, Haas* in: BVerfG, Beschl. v. 16.5.1995, 1 BvR 1087/91, BVerfGE 93, 1, 25, 27 ff. – Kruzifix sowie *Schulze-Fielitz*, AöR 122 (1997), 1, 2 f.; *Di Fabio*, Das Recht offener Staaten, 1998, S. 66.

[257] BVerfG, Urt. v. 30.7.2008, 1 BvR 3262/07, BVerGE 121, 317.

[258] *Brown v. Board of Education*, 347 U.S. 483 (1954), s. unten § 7 Rn. 65.

[259] *Regents of the University of California v. Bakke*, 438 U.S. 265 (1978).

[260] *Roe v. Wade*, 410 U.S. 113 (1973) – Schwangerschaftsabbruch (§ 1 Rn. 71).

[261] *Obergefell v. Hodges*, 135 S.Ct. 2584 (2015) – Gleichgeschlechtliche Partnerschaft als Ehe.

[262] *Bydlinski*, AcP 204 (2004), 309, 313 ff.

[263] Zur Lehre vom Goldenen Mittelweg, s. *Yutang*, Mein Land und mein Volk, 1935, S. 142 ff.; *Fiss*, 93 Yale L.J. 1073, 1081 (1984).

Bierbezug für die Dauer von 10 bis 15 Jahren in der Regel noch angemessen ist.[264] – Auch der Mutter-Kind-Fall passt hierher (§ 1 Rn. 90), genau wie die vermittelnde Ansicht im Streit zwischen subjektiver und objektiver Auslegung (§ 6 Rn. 77 ff.).

4. Die folgenorientierte Argumentation des EuGH

a) Vermeidung absurder Ergebnisse *(argumentum ad absurdum)*

107 Mit dem argumentum ad absurdum soll eine unpraktikable Auslegungsalternative ausgeschlossen werden (§ 5 Rn. 62 ff.).[265] Im Einzelnen zeigt der EuGH auf, dass ein bestimmtes, oft von einer Partei vorgeschlagenes Ergebnis, abzulehnen ist, weil es unannehmbare, willkürliche oder absurde Folgen hätte.[266]

b) Effet utile

108 aa) Sofern eine Norm auf komplexere Realitäten Bezug nimmt oder bestimmte Aktivitäten fördern oder verhindern will, sind im Rahmen einer Folgenabschätzung Realitätsanalysen erforderlich. Der EuGH trägt den praktischen Folgen von Unionsbestimmungen im Wege einer Prognoseentscheidung Rechnung.[267] In der EU als supranationaler Gemeinschaft trifft man bei 27 verschiedenen Mitgliedstaaten auf ganz unterschiedliche Rechtskulturen; hier muss der EuGH in besonderem Maße sicherstellen, dass europäisches Recht beachtet wird. Dazu hat er die Rechtsdurchsetzung in besonderem Maße intensiviert.

109 Der Grundsatz des **effet utile**[268] besagt, „dass Vertragsbestimmungen dahin auszulegen sind, dass ihr Zweck nach Möglichkeit erreicht wird, dass sie einen **‚praktischen Nutzen' haben, dass ihre ‚Nutzwirkung' sich entfalten kann.** Er kann auch dahin verstanden werden, dass derjenigen Auslegung der Vorzug zu geben ist, bei der sich die Wirkung der Norm am stärksten entfaltet und ihr praktischer Nutzen am größten ist."[269] Der Grundsatz des effet utile hat zur Folge, dass die Auslegung im Sinne der Verwirklichung der Vertragsziele dynamisiert wird.[270]

110 Inhaltlich zielt die Rechtsprechung darauf ab, den Binnenmarkt zu verwirklichen. Das gilt unmittelbar für das Primärrecht. Wenn der EuGH die Grundfreiheiten als Beschränkungsverbote weit auslegt (§ 10 Rn. 63 ff.), wird damit ebenso Effizienzgesichtspunkten Rechnungen getragen, wie wenn er umgekehrt die nationalen Ausnahmen zu den Grundfreiheiten eng auslegt (§ 4 Rn. 140 ff.).

111 Im Gesellschaftsrecht zog der EuGH gleich mehrmals die Grundfreiheiten heran, um Lücken zu füllen. Die *Inspire-Art*-Rechtsprechung dient dazu, die Niederlassungsfreiheit sicherzustellen, indem eine Gesellschaft nur einmal gegründet werden muss und dann ihren

---

[264] BGH, Urt. v. 18.5.1979, V ZR 70/78, BGHZ 74, 293, 298 (15 Jahre); BGH, Urt. v. 25.4.2001, VIII ZR 135/00, BGHZ 147, 279, 283 (10 Jahre); hierzu *Armbrüster*, in: MünchKomm-BGB, 8. Aufl. 2018, § 138 Rn. 75; s. § 8 Rn. 41.

[265] *Martens*, Methodenlehre des Unionsrechts, 2013, S. 328; *Donner*, in: FS Kutscher, 1981, S. 123 ff.

[266] EuGH, Urt. v. 9.6.2011, C-52/10, EU:C:2011:374, Rn. 33 – Eleftheri tileorais und Giannikos; EuGH, Urt. v. 13.2.1980, C-77/79, EU:C:1980:42, Rn. 10 – Damas/FORMA; EuGH, Urt. v. 24.10.1973, C-9/73, EU:C:1973:110, Rn. 17 – Schlüter/Hauptzollamt Lörrach; EuGH, Urt. v. 14.7.1977, C-1/77, EU:C:1977:130, Rn. 4 – Bosch GmbH/Hauptzollamt Hildesheim.

[267] *F. Müller/Christensen*, Juristische Methodik, Bd. II, 3. Aufl. 2012, Rn. 434.

[268] Erstmals EuGH, Urt. v. 15.7.1963, 34/62, EU:C:1963:18, 295, 318 – Deutschland/Kommission.

[269] *Kutscher*, in: Gerichtshof der Europäischen Gemeinschaften, Begegnung von Justiz und Hochschule, 1976, S. I-43; zur Pflicht des EuGH den Vertragszielen zur Verwirklichung zu verhelfen, s. *Schockweiler*, EuR 1995, 191, 194.

[270] *Hager*, Rechtsmethoden in Europa, 2009, S. 254; *Pechstein/Drechsler*, in: Riesenhuber, Europäische Methodenlehre, 4. Aufl. 2021, § 7 Rn. 56–61; *Everling*, JZ 2000, 217, 223.

Hauptverwaltungssitz in einen anderen Mitgliedstaat verlegen kann.[271] – Die *golden-share*-Rechtsprechung dient dazu, die Kapitalverkehrsfreiheit durchzusetzen und zu verhindern, dass Mitgliedstaaten mit einer einzigen goldenen Aktie die Übernahme eines nationalen Unternehmens durch ein ausländisches Unternehmen blockieren.[272]

bb) Der Grundsatz der vollen Wirksamkeit bedeutet auch, eine **Norm so auszulegen, dass sie nicht völlig sinnlos** ist.[273] So wäre beispielsweise der Grundsatz der Niederlassungsfreiheit sinnentleert, wenn der Mitgliedstaat inländischen Unternehmen untersagen könnte, sein Hoheitsgebiet zu verlassen.[274] Der Grundsatz, dass der Anwendungsbereich einer Norm erhalten bleiben muss, ist uns zudem aus dem deutschen Recht bekannt (§ 5 Rn. 53). 112

cc) Als Annex zum Grundsatz der vollen Wirksamkeit (effet utile) fordert der EuGH auf nationaler Ebene in ständiger Rechtsprechung, dass Sanktionen bei der Umsetzung von Richtlinien **„wirksam, verhältnismäßig und abschreckend"** sind. Zur Konkretisierung des Effet-utile-Grundsatzes entwickelte der EuGH den **Äquivalenzgrundsatz** und den **Effektivitätsgrundsatz** als allgemeine Rechtsprinzipien. So formulierte er in der Courage Ltd./Crehan-Entscheidung: 113

> „Mangels einer einschlägigen Gemeinschaftsregelung ist es jedoch Sache des innerstaatlichen Rechts der einzelnen Mitgliedstaaten, die zuständigen Gerichte zu bestimmen und die Verfahrensmodalitäten für Klagen zu regeln, die den Schutz der dem Bürger aus der unmittelbaren Wirkung des Gemeinschaftsrechts erwachsenden Rechte gewährleisten sollen, sofern diese Modalitäten nicht weniger günstig ausgestaltet sind als die entsprechender innerstaatlicher Klagen (*Äquivalenzgrundsatz*) und die Ausübung der durch die Gemeinschaftsrechtsordnung verliehenen Rechte nicht praktisch unmöglich machen oder übermäßig erschweren (*Effektivitätsgrundsatz*) (siehe Urteil vom 10. Juli 1997 in der Rechtssache C-261/95, Palmisani, Slg. 1997, I-4025, Randnr. 27)."[275] 114

dd) Der EuGH hat darüber hinaus im Wege der Rechtfortbildung zahlreiche Rechtsinstitute entwickelt, um die effektive Durchsetzung des Europarechts sicherzustellen, den Anwendungsvorrang des Primärrechts (zum Anwendungsvorrang § 2 Rn. 39, 85 ff., § 12 Rn. 3 ff.) und den Anwendungsvorrang von Verordnungen gegenüber widersprechendem nationalen Recht. Daneben besteht die Verpflichtung, nationales Recht richtlinienkonform auszulegen (§ 12 Rn. 46 ff.). 115

c) Die Entwicklung neuer Rechtsbehelfe

Der EuGH entwickelt neue Rechtsbehelfe und argumentiert mit dem effet-utile-Grundsatz (§ 5 Rn. 108 ff.) Er hat zum effektiven Rechtsschutz der EU-Bürger einen Staatshaftungsanspruch konstruiert, den jedermann gegen den eigenen Mitgliedstaat geltend machen kann, wenn der jeweilige Mitgliedstaat europäisches Recht schwerwiegend verletzt (§ 12 Rn. 123 ff.). Im allgemeinen Zivilrecht findet sich die Tendenz, dass der EuGH die Rechtsdurchsetzung auch bei einem wenig eindeutigen Wortlaut des Gesetzes- 116/117

[271] EuGH, Urt. v. 9.3.1999, C-212/97, EU:C:1999:126, Rn. 24 ff. – Centros; EuGH, Urt. v. 5.11.2002, C-208/00, EU:C:2002:632, Rn. 81 – Überseering; EuGH, Urt. v. 12.7.2012, C-378/10, EU:C:2012:440, Rn. 36 – VALE; EuGH, Urt. v. 30.9.2003, C-167/01, EU:C:2003:512, Rn 104 f. – Inspire Art; s. hierzu *Möllers*, in: Schulze/Janssen/Kadelbach, Europarecht, 4. Aufl. 2020, § 19 Rn. 201 ff.

[272] EuGH, Urt. v. 4.6.2002, C-503/99, EU:C:2002:328, Rn. 38 ff. – Goldene Aktie Belgien; EuGH, Urt. v. 4.6.2002, C-367/98, EU:C:2002:326, Rn. 38 ff. – Goldene Aktie Portugal; s. *Möllers*, in: Schulze/Janssen/Kadelbach, Europarecht, 4. Aufl. 2020, § 19 Rn. 160 ff.

[273] *Kutscher*, in: Gerichtshof der Europäischen Gemeinschaften, Begegnung von Justiz und Hochschule, 1976, S. I-43; *Potacs*, EuR 2009, 465, 468.

[274] EuGH, Urt v. 11.12.2007, C-438/05, EU:C:2007:772, Rn. 69 – Viking.

[275] EuGH, Urt. v. 20.9.2001, C-453/99, EU:C:2001:465, Rn. 29 – Courage Ltd./Crehan.

textes im Zweifel stärkt. Art. 6 der Gleichbehandlungs-RL 76/207/EWG sah beispielsweise nur vor, dass bei einer Diskriminierung der „Zugang zu den Gerichten" gewährleistet ist. Der EuGH entwickelte rechtsfortbildend einen Schadensersatzanspruch, der verschuldensunabhängig gegen den diskriminierenden Arbeitgeber durchgesetzt werden kann (§ 12 Rn. 84). Auch im Kartellrecht entwickelte der EuGH in einem ersten Schritt einen privaten Schadensersatzanspruch gegen den Schädiger, um so eine zivilrechtliche Rechtsdurchsetzung zu ermöglichen. In einem zweiten Schritt sollten sich wegen des Prinzips der begrenzten Einzelermächtigung die einzelnen Voraussetzungen des Anspruchs aus dem nationalen Recht ergeben. Konkret führte er in der *Courage Ltd./Crehan*-Entscheidung aus:

118 „Die *volle Wirksamkeit* des Artikels 85 EG-Vertrag [jetzt: Art. 101 AEUV] und insbesondere die praktische Wirksamkeit des in Artikel 85 Absatz 1 ausgesprochenen Verbots wären beeinträchtigt, wenn nicht jedermann Ersatz des Schadens verlangen könnte, der ihm durch einen Vertrag, der den Wettbewerb beschränken oder verfälschen kann, oder durch ein entsprechendes Verhalten entstanden ist."[276]

119 Inzwischen hat der europäische Gesetzgeber mit der Kartellschadensersatz-RL 2014/104/EU die Klagen Privater gegen Kartellverstöße harmonisiert.[277] Höchst umstritten ist auch, ob etwa die Vorschriften zur Ad-hoc-Publizität und Marktmanipulation der Artt. 12, 15, 17 MAR unionskonform als Schutzgesetze auszulegen sind, sodass Schadensersatzansprüche gem. § 823 Abs. 2 BGB in Betracht kommen (§ 13 Rn. 32a, 93). Dagegen spricht, dass der EuGH mit einer solchen Anerkennung seine Kompetenzen überschreiten würde.[278]

d) Das Recht kümmert sich nicht um Kleinigkeiten aus europäischer Sicht

120 In der Rechtsprechung des EuGH ist die *de minimis non curat*-Regel bekannt (§ 5 Rn. 79). Inhaltlich kümmert sich das Gericht nicht um Kleinigkeiten, verneint also die europarechtliche Relevanz, wenn der Binnenmarkt nicht tangiert ist. Das gilt etwa in Fällen der umgekehrten Diskriminierung (§ 2 Rn. 89), aber auch bei weniger starken Beschränkungen der Warenverkehrsfreiheit, wenn sich nur Verkaufsmodalitäten in den Mitgliedstaaten unterscheiden.[279] *De minimis*-Schwellen gibt es auch im Beihilfe- und im Kartellrecht.[280]

e) Praktikables Ergebnis

121 Neben Folgen- und Gerechtigkeitserwägungen überprüft der EuGH, ob das Ergebnis der Auslegung „vernünftig" und „zweckmäßig" ist.[281] Ziel der Entscheidungen ist es immer auch, praktikable Ergebnisse zu finden.

---

[276] EuGH, Urt. v. 20.9.2001, C-453/99, EU:C:2001:465, Rn. 26 – Courage Ltd./Crehan sowie EuGH, Urt. v. 13.7.2006, C-295/04 u.a., EU:C:2006:461, Rn. 61 – Manfredi.

[277] S. die neu gefassten §§ 33a ff. GWB. Hierzu *Kersting*, VersR 2017, 581 ff.; *Weitbrecht*, NJW 2017, 1754 ff.; *Drexl*, in: FS Canaris, 2017, S. 1019, 1028 ff.

[278] Für die Schutzgesetzfähigkeit etwa *Hellgardt*, AG 2012, 154, 165; *Seibt*, ZGR 177 (2013), 388, 424 f.; dagegen *Buck-Heeb*, Kapitalmarktrecht, 11. Aufl. 2020, Rn. 679 ff.; *Markworth*, ZHR 183 (2019), 46, 64 ff. Offen, weil letztlich der EuGH entscheidet, *Möllers*, in: Derleder/Knops/Bamberger, Deutsches und europäisches Bank- und Kapitalmarktrecht, 3. Aufl. 2017, § 84 Rn. 39. Hierzu unten § 13 Rn. 117 ff.

[279] Grundlegend EuGH, Urt. v. 24.11.1993, C-267/91 u.a., EU:C:1993:905, Rn. 16 – Keck und Mithouard.

[280] Für das Beihilferecht Art. 2 Abs. 2 der D-Minimis-VO (EG) Nr. 1998/2006 v. 15.12.2006, ABl. Nr. L 379, 5. Im Kartellrecht muss eine Wettbewerbsbeschränkung „spürbar" sein, vgl. EuGH, Urt. v. 9.7.1969, C-5/69, EU:C:1969:35, Rn. 7 – Völk/Vervaecke, und die De-minimis-Bekanntmachung der EU-Kommission (2001/368/07), ABl. 2001 Nr. C 368, S. 13, bei Marktanteilen von 10 bzw. 15%.

[281] *Vogenauer*, Die Auslegung von Gesetzen in England und auf dem Kontinent, 2001, S. 355.

IV. Ökonomische Analyse des Rechts

Literatur: *Adams, Michael,* Ökonomische Analyse der Gefährdungs- und Verschuldenshaftung, 1985; *Akerlof, George A.*, The Market for „Lemons": Quality Uncertainty and the Market Mechanism, 84 Q.J. Econ. 488–500 (1970); *ders./Shiller Robert J.*, Animal Spirits, 2009; *Calabresi, Guido,* The Costs of Accidents: A Legal and Economic Analysis, 1977; *Coase, Ronald Harry,* The Problem of Social Cost, 3 J.L. & Econ. 1–44 (1960); *Cooter, Robert D./Ulen, Thomas,* Law & Economics, 6th ed. 2016; *Eidenmüller, Horst,* Effizienz als Rechtsprinzip, 4. Aufl. 2015; *Fama, Eugene F.*, Agency Problems and the Theory of the Firm, 88 JPE 288–307 (1980); *Fleischer, Holger,* Informationsasymmetrien im Vertragsrecht, 2001; *Grechenig, Kristoffel/Gelter, Martin,* Divergente Evolution des Rechtsdenkens – Von amerikanischer Rechtsökonomie und deutscher Rechtsdogmatik, RabelsZ 72 (2008), 513–561; *Grundmann, Stefan,* Methodenpluralismus als Aufgabe, Zur Legalität von ökonomischen und rechtsethischen Argumenten in Auslegung und Rechtsanwendung, RabelsZ 61 (1997), 423–453; *Kirchgässner, Gebhard,* Homo Oeconomicus, 4. Aufl. 2013; *Kötz, Hein/Schäfer, Hans-Bernd (Hrsg.),* Judex oeconomicus, 2003; *Möllers, Thomas M.J.*, Effizienz als Maßstab des Kapitalmarktrechts, AcP 208 (2008), 1–36; *ders./Kernchen, Eva,* Information Overload am Kapitalmarkt, ZGR 2011, 1–26; *Pigou, Arthur Cecil,* The Economics of Welfare, 4th ed. 1932; *Posner, Richard A.*, Economic Analysis of Law, 9th ed. 2014; *Schäfer, Hans-Bernd/Ott, Claus,* Lehrbuch der ökonomischen Analyse des Zivilrechts, 6. Aufl. 2020; *Schwartz, Gary T.*, 42 Reality in the Economic Analysis of Tort Law: Does Tort Law Really deter?, UCLA L. Rev. 377–444 (1994); *Steinbach, Armin/van Aaken, Anne,* Ökonomische Analyse des Völker- und Europarechts, 2019; *Towfigh, Emanuel V./Petersen, Niels,* Ökonomische Methoden im Recht, 2. Aufl. 2017; *Ulen, Thomas S. (ed.),* Methodologies of Law and Economis, 2017; *Wagner, Gerhard,* Privatrechtsdogmatik und ökonomische Analyse, in: FS Canaris, 2017, S. 281–318.

1. Zielsetzung und Methoden des *Law and Economics*-Ansatzes

a) Homo oeconomicus und Allokationseffizienz

Schon *Adam Smith* hat das durch Eigennutz des Menschen geprägte Handeln beschrieben, das wie von einer unsichtbaren Hand geleitet den private Wohlstand in seiner Gesamtheit fördert.[282] Während die traditionelle Rechtswissenschaft vorrangig prüft, ob eine Handlung rechtskonform ist, befasst sich die Wirtschaftswissenschaft mit den Kosten und Nutzen einer Handlung.[283] Soll und muss Recht auch effizient sein? Die ökonomische Analyse des Rechts untersucht die Auswirkungen rechtlicher Regelungen im Sinne einer Folgenabschätzung (positive Analyse) und Zielbestimmung (normative Analyse).[284] Sie wird folglich auch als „besonders geschärftes Folgenkonzept" bezeichnet.[285] Im Rahmen der Bewertung fragt die ökonomische Analyse, ob die rechtliche Regelung effizient ist und das Wohl der Gesamtheit am besten fördert **(Allokationseffizienz)**.[286] Damit soll Recht auch **verhaltenssteuernd** wirken und insbesondere präventive Anreize setzen, um rechtswidriges Verhalten zu vermeiden. **122**

In den USA ist die ökonomische Analyse des Rechts der *Law and Economics-approach,* eine Weiterentwicklung des *legal realism* (§ 5 Rn. 91).[287] Sie wurde durch die Chicago **123**

---

[282] *Smith,* Wealth of Nations, 9th ed. 1799, Bd. III, Book IV, Chap. II, S. 181: „He generally, indeed, neither intends to promote the public interest, nor knows how much he is promoting it. By preferring the support of domestic to that of foreign industry, he intends only his own security; and by directing that industry in such a manner as its produce may be of the greatest value, he intends only his own gain, and he is in this, as in many other cases, led by an *invisible hand* to promote an end which was no part of his intention." S. auch unten § 7 Rn. 30.

[283] *Schmidtchen,* in: Schmidtchen/Weth, Der Effizienz auf der Spur, 1999, S. 9, 14.

[284] *Posner,* Economic Analysis of Law, 9th ed. 2014, § 2.2, S. 31 ff.

[285] *Hassemer,* in: FS Coing, Bd. I, 1982, S. 493, 503 Fn. 39.

[286] *Calabresi,* 70 Yale L.J. 499, 500 ff. (1961); *ders.,* 78 Harv. L. Rev. 713, 722, 734 (1965); *ders.,* The Costs of Accidents, 1977; *Coase,* 3 J.L & Econ. 1, 13 (1960); *Posner,* 1 J. Leg. Stud. 29 (1972); *ders.,* Economic Analysis of Law, 9th ed. 2014, § 2.2., S. 31; *Schäfer/Ott,* Lehrbuch der ökonomischen Analyse des Zivilrechts, 6. Aufl. 2020, S. 14 ff.; *Kirchner,* Ökonomische Theorie des Rechts, 1997, S. 9, 11 ff.

[287] Ausführlich zur Entwicklung der US-amerikanischen und deutschen Rechtsökonomie *Grechenig/Gelter,* RabelsZ 72 (2008) 513, 524 ff.

School, aber auch durch zahlreiche Richter äußerst populär, weil diese die ökonomische Analyse in ihren Urteilen zugrunde legten.[288] Unterstellt wird dabei, dass der einzelne Akteur grundsätzlich rational handelt und seine Entscheidungen egoistisch nach Kosten- und Nutzenaspekten mit dem Ziel der individuellen Nutzenmaximierung trifft (*homo oeconomicus*).[289] Grundannahme dieses *Rational-Choice*-Systems ist, dass der Akteur klar definierte Ziele hat, ihm Instrumente zur Verfügung stehen, um diese Ziele zu erreichen, und dass er weiß, wie er seine Instrumente einzusetzen hat.[290] In den Lehrbüchern zur Juristischen Methodenlehre fehlen weitgehend Ausführungen zur ökonomischen Analyse des Rechts.[291] Gleichwohl ist die ökonomische Analyse des Rechts in Deutschland in den letzten 20 Jahren kräftig rezipiert worden.

b) Cost-benefit analysis und cheapest cost avoider

124 Die ökonomische Analyse wurde von verschiedenen Wissenschaftlern weiterentwickelt. Eine Regel ist dann **Pareto-optimal** und somit vorzugswürdig, wenn *kein Individuum besser gestellt* werden kann, ohne dass gleichzeitig ein anderes Individuum schlechter gestellt wird.[292] So können im Öffentlichen Recht ökonomische Analysen helfen, Fehlsteuerungen zu erkennen und im Hinblick auf knappe Ressourcen Einsparpotentiale zu erzielen. Als öffentliches Gut (*public good*) ist die Umwelt jedem Individuum frei zugänglich und kann dadurch grundsätzlich mit Emissionen belastet werden. Derartige negative externe Effekte (soziale Kosten) müssen durch geeignete Maßnahmen internalisiert, das heißt einbezogen werden.[293] So besteht beispielsweise mit handelbaren Zertifikaten ein Anreiz für Unternehmen, die Emissionsmengen zu verringern, da das „Recht" die Umwelt mit Abgasen zu belasten, einen Preis bekommt und damit in die Entscheidung des Unternehmens über die Emissionshöhe einbezogen wird.[294]

125 Nach dem ***Kaldor-Hicks-Theorem*** ist eine Regel gerecht, wenn die Gewinne der Begünstigten die Verluste der Benachteiligten übersteigen und die Benachteiligungen durch die Begünstigungen kompensiert werden können.[295] Dem ***Coase-Theorem*** zufolge werden ferner Ressourcen im Wege privater Transaktionen immer dorthin gelangen, wo sie am *effizientesten* eingesetzt werden können.[296] Aus diesen Überlegungen wurden u.a. die Schlussfolgerungen gezogen, dass, wenn die **Transaktionskosten**[297] die Effizienzvorteile

---

[288] Vor allem Richter wie *Learned Hand, Posner, Easterbrook* und *Breyer* haben ihre Gerichtsentscheidungen vorrangig mit ökonomischen Überlegungen begründet. Hierzu *Eidenmüller*, Effizienz als Rechtsprinzip, 4. Aufl. 2015, S. 67 f.

[289] Im anglo-amerikanischen Recht wird diese Annahme auch als *REMM-Hypothese (resourceful, evaluating, maximizing man)* bezeichnet, *Jensen/Meckling*, 7 J. Appl. Corp. Fin. 4 (1994); *Kirchner*, Ökonomische Theorie des Rechts, 1997, S. 12 ff.; *Kirchgässner*, JZ 1991, 104, 106; *Schäfer/Ott* (ebd.), S. 107 ff.

[290] *Schäfer/Ott* (ebd.), S. 108.

[291] So bei *Larenz, Engisch, Alexy*; knappe Einführung bei *Rüthers/Fischer/Birk*, Rechtstheorie, 11. Aufl. 2020, Rn. 306a, 368 ff.

[292] *Pareto*, Manual of Political Economy, 1897; hierzu *Sen*, Collective Choice and Social Welfare, 1970, S. 21 f. Zum Utilitarismus als ideengeschichtlichen Vorläufer, s. etwa *Bentham*, An Introduction to the Principles of Morals and Legislation, 2nd ed. 1823, S. 41: „the happiness of the individuals, of whom a community is composed [...] is the end and the sole end which the legislator ought to have in view."

[293] Zur Internalisierung externer Kosten im Umweltrecht s. *Pigou*, The Economics of Welfare, 4th ed. 1932, S. 101 ff. einerseits und *Coase*, 3 J.L. & Econ. 1–44 (1960). Zum ähnlich gelagerten Verursacherprinzip („polluter pays principle"), s. Art. 192 Abs. 2 S. 2 AEUV.

[294] *Sacksofsky*, in: Hoffmann-Riem/Schmidt-Aßmann/Voßkuhle, Grundlagen des Verwaltungsrechts, Bd. 2, 2. Aufl. 2012, § 40 Rn. 70.

[295] Nach den Ökonomen *Kaldor* und *Hicks* benannt, s. *Kaldor*, 49 Econ. J. 549 (1939); *Hicks*, 49 Econ. J. 696 (1939).

[296] *Coase*, 3 J.L. & Econ. 1, 6 ff. (1960); hierzu *Stigler*, The Theory of Price, 1966, S. 113.

[297] Zu den Transaktionskosten ex ante gehören etwa Suchkosten, um sich über Preise zu informieren, sowie Anbahnungs- und Vereinbarungskosten, aber ex post auch Kosten, die bei Abschluss, Kontrolle, Anpassung und der Durchsetzung eines Vertrags entstehen; s. *Coase*, 3 J.L. & Econ. 1, 15 (1960); *Eidenmüller*, Effizienz als Rechtsprinzip, 4. Aufl. 2015, S. 97 ff.

einer Umverteilung von Rechtspositionen nicht übersteigen,[298] die Rechtspositionen demjenigen zugewiesen werden, in dessen Händen sie am effizientesten verwendet werden.[299] Die ökonomische Analyse berücksichtigt ausschließlich **Kosten-Nutzen-Gesichtspunkte** (*cost-benefit analysis*) bei der Beurteilung von Gefahrvermeidungsmaßnahmen.[300] Für die richtige Lösung einer Rechtsfrage ist es deshalb notwendig, Schädiger und Geschädigten in einer Person zu betrachten.[301] Die Effizienz ist durch eine Kosten-Nutzen-Rechnung zu ermitteln. Demzufolge hat derjenige die Kosten zu tragen, welcher den möglichen Schaden mit dem geringsten Aufwand vermeiden kann ***(cheapest cost avoider)***.[302] Das Effizienzkriterium führt dazu, dass den potentiellen Schädiger immer dann keine Verhaltens- oder Sorgfaltspflichten mehr treffen, wenn der nötige Aufwand den potentiellen Schaden übersteigt oder ein Dritter existiert, der den gleichen (Schadensverhinderungs-)Erfolg mit geringeren Kosten erzielen kann.

Schon 1947 urteilte der US-amerikanische Richter *Learned Hand* darüber, ob der Ei- **126**
gentümer eines gesunkenen Schiffes Schadensersatz verlangen kann oder aber verpflichtet ist, ständig einen Kahnführer als Aufsichtsperson an Bord zu haben. Er fragte damit, ob der geschädigte Eigentümer fahrlässig gehandelt habe, weil er Vorsorgemaßnahmen nicht getroffen habe. Das wäre zu bejahen, wenn die Kosten des (Vermeidungs-) Aufwands (B) kleiner sind als das Produkt aus Eintrittswahrscheinlichkeit (P) und Höhe des Schadens (L).

> „[…] the owner's duty, as in other similar situation, to provide against resulting injuries **127**
> is a function of three variables: (1) The *probability* that she will break away; (2) the *gravity* of the resulting injury, if she does; (3) the *burden of adequate precautions*. Possibly it serves to bring this notion into relief to state it in algebraic terms: if the *probability* be called P; the *injury* L; and the *burden* B; liability depends upon whether *B is less than L multiplied by P*: i.e. whether B < PL."[303]

2. Grenzen des ökonomischen Ansatzes

Die ökonomische Analyse des Rechts sieht sich drei Einwänden ausgesetzt, nämlich **128**
der begrenzten Rationalität des Menschen, der fehlenden Berücksichtigung von nichteffizienten Werten und fehlender empirischer Daten.

a) Begrenzte Rationalität des Menschen (*bounded rationality*)

Simon[304] war vor mehr als fünfzig Jahren einer der ersten, der auf die begrenzte Ratio- **129**
nalität der Menschen bei der Entscheidungsfindung hinwies und Zweifel hinsichtlich des Bildes eines „ökonomischen" und „rationalen" Menschen äußerte (§ 5 Rn. 123). Vielmehr handelt der Mensch nur **begrenzt rational *(bounded rationality)***; er sucht nur nach Handlungsalternativen, die zufriedenstellend oder „gut genug" sind. Der Mensch passe sein Entscheidungsverhalten an seine individuell beschränkten Verarbeitungsfähigkeiten

---

[298] *Coase*, 3 J.L. & Econ. 1, 15 (1960).

[299] *Coase*, 3 J.L. & Econ. 1, 19 ff. (1960); *Calabresi*, 11 J.L. & Econ. 67, 68 (1968); s. auch *Cooter/Marks/Mnookin*, 11 J. Leg. Stud. 225, 242 (1982).

[300] Esser/*Weyers*, Schuldrecht Besonderer Teil, Bd. II/2, 8. Aufl. 2000, S. 172; Rechtsprechungsbeispiele aufzählend, in welchen Kosten-Nutzen-Gesichtspunkte maßgebend zur Entscheidungsbegründung herangezogen wurden *Kötz*, in: FS Steindorff, 1990, S. 643, 651.

[301] *Adams*, Ökonomische Analyse der Gefährdungs- und Verschuldenshaftung, 1985, S. 42, 165 ff.

[302] *Calabresi*, The Costs of Accidents, 1977, S. 135 ff.; *Coase*, 3 J.L. & Econ. 1, 6 ff. (1960); *Schäfer/Ott*, Lehrbuch der ökonomischen Analyse des Zivilrechts, 6. Aufl. 2020, S. 279.

[303] Sog. *Learned-Hand-Formel*, s. *United States v. Caroll Towing Co.*, 159 F.2d 169 (2d Cir. 1947) – ökonomische Analyse; s. *Feldmann/Kim*, 7 Am. L. & Econ. Rev. 523 (2005).

[304] *Simon*, Models of Bounded Rationality, 1982.

(begrenzte kognitive Fähigkeiten) und die unausweichlichen Restriktionen in Zeit und Information an und mache dafür Gebrauch von Vereinfachungsmethoden oder „Faustregeln", sogenannten Heuristiken.[305] Diese begrenzte Rationalität gilt auch für das Verarbeiten von Informationen. *Miller* hat bezüglich der kognitiven Fähigkeiten des Menschen herausgefunden, dass der Mensch nicht mehr als sieben (plus/minus zwei) sinnvolle Informationseinheiten, sogenannte *chunks*, zeitgleich in seinem Gedächtnis behalten kann.[306] Der Mensch hat also eine durch exogene (Zeit und Information) und endogene (kognitive Kapazität) Faktoren beschränkte Aufnahme- und Verarbeitungskapazität. Schließlich handele er durchaus altruistisch und mit Fairness und nicht ausschließlich egoistisch.[307]

129a Ein Forschungsansatz macht sich die Einsichten der Verhaltensökonomik zu Nutze und fragt, ob der Gesetzgeber menschliches Verhalten beeinflussen darf, wenn er bestimmte Handlungsformen zwar nicht verbietet, dem Bürger aber eine Vorgabe anbietet, um ihn damit einen Schubser (**Nudge**) zu geben.[308] Wenn etwa jeder automatisch Organspender ist, aber dem widersprechen kann (opt-out-Lösung), ist die Anzahl der Spender viel höher, als wenn man ausdrücklich sich mit einem Organspendeausweis zur Bereitschaft zum Organspenden erklären muss (opt-in-Lösung).[309]

129b Inzwischen ist auch anerkannt, dass die Marktteilnehmer an den Kapitalmärkten nicht immer rational handeln und das Verhaltensweisen aus dem Bereich der Börsenpsychologie (**Behavioral Finance**) die unkritische Haltung der Marktteilnehmer erklären können.[310] Daraus folgt die Frage, ob und in welchem Umfang der Gesetzgeber den Anleger und Verbraucher schützen muss, ggf. auch paternalistisch vor sich selbst.

129c Der Wirecard-Bilanzskandal verdeutlicht dies recht anschaulich:[311] Es ist psychologisch einfacher, dem Herdentrieb zu folgen als gegen die herrschende Ansicht einzutreten (*herding*)[312]. Hinzu kam ein Überoptimismus (*overconfidence bias*)[313], die Euphorie, neben SAP mit Wirecard ein weiteres Unternehmen der New Economy als FinTech-Unternehmen im DAX aufzunehmen. Die Teilnehmer am Kapitalmarkt haben jahrelang die warnenden Stimmen der FT ignoriert. Man spricht von selektiver Wahrnehmung (*selective perception*)[314], und damit vom Ausblenden und Ignorieren unerwünschter Informationen. Erklären lässt sich dies mit dem Wunsch, störende Dissonanzen zu vermeiden (*cognitive dissonance*)[315] und sich an den Finanzintermediären als Ankern zu orientieren (*anchoring*)[316].

---

[305] *Simon*, 69 Q.J. Econ. 99 ff. (1955). *Kahneman*, Thinking, Fast and Slow, 2011; übersetzt als: Schnelles Denken, langsames Denken, 2012.

[306] *Miller*, 63 Psychology Review 81 (1956); *Chase/Simon*, 4 Cognitive Psychology 55, 76 (1973); *Saaty/Ozdemir*, 38 Mathematical and Computer Modelling, 233 ff. (2003); *Simon*, 183 Science 482 ff. (1974).

[307] *Koller*, Theorie des Rechts, 2. Aufl. 1997, S. 211 ff.; *Eidenmüller*, JZ 2005, 216, 219.

[308] Weiterführend: *Thaler/Sunstein*, Nudge, 2008, übersetzt als *Thaler/Sunstein*, Wie man kluge Entscheidungen anstößt, 2011; *Sunstein*, 37 J.Consumer Pol'y, 583 ff. (2014); *Gerg*, Nudging, 2019.

[309] *Englerth/Towfigh*, in: Towfigh/Petersen, Ökonomische Methoden im Recht, 2. Aufl. 2017, Rn. 550.

[310] Grundlegend *Simon* und *Miller* (§ 5 Fn. 305 f.); *Oehler*, ZBB 1992, 97 ff.; *ders.*, ÖBA 2000, 978; *Hirshleifer*, 56 J. Fin. 1533 (2001); *Shiller*, 17 JEP 83 ff. (2003); *Kiehling*, Börsenpsychologie und Behavioral Finance, 2001; *Thaler*, Advances in Behavioral Finance, Vol. 2, 2005. **A. A.** aber die REM-Hypothese *Schäfer/Ott*, Lehrbuch der ökonomischen Analyse des Zivilrechts, 6. Aufl. 2020, S. 107 ff.

[311] Ausführlich *Möllers*, in: FS 50 Jahre Juristische Fakultät Augsburg, 2021 (im Erscheinen).

[312] So bereits *Keynes*, The General Theory of Employment Interest and Money, 1936, S. 158: „Worldy wisdom teaches that it is better for reputation to fail conventionally than to succeed unconventionally"; *Löffler*, Der Beitrag von Finanzanalysten zur Informationsverbreitung, 1998, S. 48 ff., 97 ff.; *Kiehling* (ebd.), S. 143 ff.; *Fleischer*, in: FS Immenga, 2004, S. 575, 583 f.; *Klöhn*, Kapitalmarkt, Spekulation und Behavioral Finance, 2006, S. 125 f.

[313] *Kiehling* (ebd.), 141 ff.; *Klöhn* (ebd.), S. 118 ff.

[314] *Anderson/Jacobson*, JPSP 2 (1965), 531; *Oehler*, ZBB 1992, 97, 100; *Kiehling* (ebd.), S. 53.

[315] *Festinger*, A Theory of Cognitive Dissonance, 1957; *Goldberg/von Nitzsch*, Behavioral Finance, 2004, S. 118 ff.

[316] Zum Ankereffekt grundlegend *Tversky/Kahneman*, Science 185 (1974), 1124 (1128). S. auch unten § 5 Rn. 148.

b) Verfassungsrechtliche Gesichtspunkte und Wertungen des Gesetzgebers

Das Effizienzkriterium beantwortet nicht die Frage, ob die Verteilung der Ressourcen gerecht oder ungerecht ist oder ethischen bzw. sozialen Vorstellungen entspricht.[317] Mit reinen Effizienzüberlegungen ignoriert die ökonomische Analyse des Rechts einschlägige Wertungen des Gesetzgebers.[318] Zu Recht wird betont, dass es Aufgabe des demokratisch legitimierten Gesetzgebers ist, grundgesetzliche Wertungsdirektiven zu befolgen.[319] Verfassungsrechtliche Gesichtspunkte können ökonomischen Überlegungen entgegenstehen. Das Grundgesetz als objektive Wertordnung verpflichtet zu einem rechtlichen Paternalismus, es bestehen also Schutzpflichten des Staates zugunsten des Bürgers. Dies wird in § 11 bei der Auslegung der Verfassung zu thematisieren sein. So können die gerade genannten Emissionszertifikate (§ 5 Rn. 124) nicht immer das richtige Maß an Umweltverschmutzung bestimmen; Gebiete mit Smog (*hot spots*) müssen regulatorisch vermieden werden.[320] Jedermann zu einem prädiktiven Gentest zu verpflichten mag zwar ökonomisch sinnvoll sein, um Krankheitsdispositionen frühzeitig zu erkennen und damit stärkere Kosteneinsparungen im Gesundheitswesen zu erzielen, solche Tests würden aber gegen das aus dem allgemeinen Persönlichkeitsrecht des Art. 2 Abs. 1 i.V.m. Art. 1 Abs. 1 GG abzuleitende Recht auf Nichtwissen verstoßen.[321] 130

Dem Störer oder Schädiger ist zuzumuten, Maßnahmen zu treffen, auch wenn er nicht der *cheapest cost avoider* ist. Allgemeiner formuliert: Die Rechtsgüter Leib und Leben verlangen besondere Verhaltenspflichten, denen durch rein ökonomische Erwägungen nicht ausreichend Rechnung getragen wird.[322] In bloßen Aufwandsüberlegungen würden der Integritätsanspruch des Geschädigten und die kollidierende Handlungsfreiheit des Schädigers nur unzureichend gewürdigt.[323] Der BGH betont folglich, dass sich bei Gefahren für Leib und Leben jede Rücksichtnahme auf Absatzinteressen verbietet.[324] 131

c) Unzureichende empirische Daten

Der ökonomischen Analyse des Rechts wird schließlich auch vorgeworfen, dass sich die durch das Recht bezweckte positive Verhaltenssteuerung empirisch *nicht eindeutig nachweisen* ließe.[325] Tatsächlich gibt es nur wenige Studien, welche die verhaltenssteuernde Wirkung von bestimmten Regelungen nachweisen.[326] Dagegen wird wiederum eingewendet, dass beispielsweise die bezweckte Verhaltenssteuerung im Haftungsrecht auch nicht positiv widerlegt wurde.[327] 132

---

[317] *Kirchgässner*, JZ 1991, 104, 109 f. Hierzu auch *Horst*, in: Buckel/Christensen/Fischer-Lescano, Neue Theorien des Rechts, 3. Aufl. 2020, S. 301, 315 f. Sehr krit. *Stürner*, Markt und Wettbewerb über alles?, 2007.

[318] *Fezer*, JZ 1986, 817, 823; *ders.*, JZ 1988, 223, 226; *Mestmäcker*, A Legal Theory without Law, 2007, S. 48.

[319] *Lindner*, JZ 2008, 957, 963; vorher schon *Ch. Möllers*, in: Hoffmann-Riem/Schmidt-Aßmann/Voßkuhle, Grundlagen des Verwaltungsrechts, Bd. 1, 2. Aufl. 2012, § 3 Rn. 45: Effizienz geht der Demokratie nicht vor.

[320] *Sacksofsky*, in: Hoffmann-Riem/Schmidt-Aßmann/Voßkuhle, Grundlagen des Verwaltungsrechts, Bd. 2, 2. Aufl. 2012, § 40 Rn. 62, 68; s. auch *Lindner*, JZ 2008, 957, 959.

[321] Beispiel von *Linder*, JZ 2008, 957, 963. Etwas anderes gilt, wenn der Patient zustimmt.

[322] *Möllers*, Rechtsgüterschutz im Umwelt- und Haftungsrecht, 1996, S. 123 ff.

[323] *Steffen*, VersR 1980, 409, 411.

[324] BGH, Urt. v. 11.7.1972, VI ZR 194/70, NJW 1972, 2217, 2220 – Kurznarkosemittel (Estil); BGH, Urt. v. 29.11.1983, ZR 137/82, NJW 1984, 801 – Eishockey-Puck (§ 5 Rn. 138 ff.). Ganz ähnlich BVerfG, Urt. v. 30.7.2008, 1 BvR 3262/07 u.a., BVerfGE 121, 317, 358 f. – Rauchverbot in Gaststätten.

[325] *Schwartz*, 42 UCLA L. Rev. 377, 381 ff. (1994).

[326] S. die Nachweise bei *Jansen*, Die Struktur des Haftungsrechts, 2003, S. 171 ff.; *Janssen*, Präventive Gewinnabschöpfung, 2017, S. 124 ff.

[327] *Schlobach*, Das Präventionsprinzip im Recht des Schadensersatzes, 2004, S. 291.

3. Bedeutung für die juristische Methodenlehre

a) Relevanz für die juristische Rechtsanwendung

133 Die ökonomische Analyse kann dazu beitragen, wirtschaftlich effektive Lösungen aufzuzeigen. Dabei dürfen ökonomische Überlegungen nicht gegen die Verfassung verstoßen und müssen mit den Wertungen des Gesetzes konform gehen. Dementsprechend haben auch Anhänger der ökonomischen Analyse den Effizienzgedanken bei bestimmten Rechtsgütern ausdrücklich eingeschränkt,[328] weil die ökonomische Analyse keine „Basiswertung" für diese Rechtsgüter darstellen kann.[329] Folglich kann der Rechtsanwender bei der Auslegung des Rechts ökonomische Überlegungen dann anstellen, wenn der Gesetzgeber selbst ausdrücklich die effiziente Gestaltung als Regelungsziel in das anzuwendende Gesetz aufgenommen hat.[330]

134 Im Kapitalmarktrecht bezieht der Gesetzgeber in seinen Gesetzesvorlagen oder Erwägungsgründen regelmäßig ausdrücklich ökonomische Überlegungen mit ein.[331] Die Funktionsfähigkeit des Kapitalmarkts zählt zu den Zielbestimmungen jedes kapitalmarktrechtlichen Gesetzes. Nur so kann der Markt seine volkswirtschaftliche Funktion erfüllen und das Kapital effizient verteilen.[332] Zur Allokationseffizienz (§ 5 Rn. 122) gehört, dass anlagefähiges Kapital dorthin fließt, wo es am dringendsten und erfolgversprechendsten eingesetzt wird.[333] Wirtschaftswissenschaftlicher Hintergrund der gesetzlichen Informationspflichten ist insoweit die Kapitalmarkteffizienzhypothese. Sie besagt, dass öffentlich zugängliche Informationen sich sofort nach ihrem Bekanntwerden im Marktpreis abbilden.[334]

135 Noch ist umstritten, ob ökonomische Argumente nur dem Gesetzgeber[335] oder aber auch dem Rechtsanwender oder dem Richter bei der Auslegung des Rechts[336] zustehen. Ökonomische Überlegungen wird der Rechtsanwender aber dann vornehmen können, wenn keine spezifischen gesetzlichen oder verfassungsrechtlichen Werte entgegenstehen. Die ökonomische Analyse des Rechts hilft, Generalklauseln, wie die *im Verkehr erforder-*

---

328 *Ott/Schäfer*, JZ 1988, 213, 219: „es kann notwendig sein, zum Schutz höherwertiger Rechtsgüter auch Effizienzverluste in Kauf zu nehmen"; *Kübler*, in: FS Steindorff, 1990, S. 687, 701 f.: Einschränkung der Effizienz für Menschenwürde und individuelle Autonomie; ausführlich auch *Blaschczok*, Gefährdungshaftung und Risikozuweisung, 1993, S. 255 ff., 346.

329 *Schiemann*, Argumente und Prinzipien bei der Fortbildung des Schadensrechts, 1981, S. 181; Larenz/*Canaris*, Lehrbuch des Schuldrechts, Besonderer Teil, Bd. II/2, 13. Aufl. 1994, S. 417 für das Rechtsgut Leben.

330 *Kirchner/Koch*, Analyse und Kritik 11 (1989), 111, 115; *Kohl*, in: Jahrbuch Junger Zivilrechtswissenschaftler, 1992, S. 29, 45; *Taupitz*, AcP 196 (1996), 114, 127, 146; *Grundmann*, RabelsZ 61 (1997), 423, 434 ff.

331 Hierzu *Möllers*, AcP 208 (2008), 1, 5 ff.; *Köndgen*, ZHR Beiheft 74 (2008), 100; *Sester*, ZGR 2009, 310 ff.

332 Begr. RegE, BT-Drs. 12/6679, S. 48; Beschlussempfehlung und Bericht des Finanzausschusses (7. Ausschuss), BT-Drs. 12/7918, S. 96. Vgl. auch *Baums*, ZHR 167 (2003), 139, 150; *Möllers*, in: Möllers/Rotter, Ad-hoc-Publizität, 2003, § 3 Rn. 43; *Hopt/Voigt*, in: dies., Prospekt- und Kapitalmarktinformationshaftung, 2005, S. 9, 107, 113.

333 S. ErwG. 1 Richtlinie 2004/109/EG zur Harmonisierung der Transparenzanforderungen in Bezug auf Informationen über Emittenten, deren Wertpapiere zum Handel auf einem geregelten Markt zugelassen sind v. 15.12.2004, ABl. Nr. L 390, S. 38 (Harmonisierungs-RL).

334 Zur Informationseffizienz der Kapitalmärkte und der *Efficient Capital Market Hypothesis (ECMH)* s. etwa *Fama*, 25 J.Fin. 383, 384 f. (1970); *ders.*, 46 J.Fin. 1575, 1576 (1991); *Fischel*, 74 Cornell L. Rev. 907 (1989).

335 *Eidenmüller*, Effizienz als Rechtsprinzip, 4. Aufl. 2015, S. 426 ff., 454 ff., 486.

336 *Horn*, AcP 176 (1976), 307, 320 ff.; *Schäfer/Ott*, Lehrbuch der ökonomischen Analyse des Zivilrechts, 6. Aufl. 2020, S. 4; *Ott*, in: ders./Schäfer, Allokationseffizienz in der Rechtsordnung, 1989, S. 25, 31 f.; *Kübler*, in: FS Steindorff, 1990, S. 687, 690 ff.; *Grundmann*, RabelsZ 61 (1997), 423, 443 ff.; *Wagner*, AcP 206 (2006), 352, 425 ff.; *Kötz*, Rechtstheorie 30 (1999), 130, 134 ff.; **a. A.** *Eidenmüller* (ebd.).

liche Sorgfalt, zu präzisieren.[337] Wenn Kaldor und Hicks auf den Gesamtwohlstand abstellen (§ 5 Rn. 125), lassen sich diese Überlegungen bei einer Abwägung berücksichtigen.[338] Wer sich auf sie beruft, trägt die Argumentationslast (§ 1 Rn. 100). Zusammenfassend kann die ökonomische Analyse des Rechts deshalb die klassische Rechtsdogmatik nicht ersetzen, aber ergänzen.[339]

b) Kosten-Nutzen-Bewertung, cheapest cost avoider und Haftungsrecht

Der Gesetzgeber hat dem Rechtsanwender ausdrücklich wirtschaftliche Folgebetrachtungen auferlegt, wenn etwa der Grundstückseigentümer eine ortsübliche Immissionsbeeinträchtigung dulden muss, sofern sie nicht durch „wirtschaftlich zumutbare Maßnahmen" verhindert werden kann (*cost-benefit-analysis*), vgl. § 906 Abs. 2 S. 1 BGB.[340] Auch im Deliktsrecht werden zum Teil ökonomische Überlegungen angestellt. Der Wildschutzzaun-Fall des BGH erlangte in der juristischen Literatur eine gewisse Berühmtheit. Wer ist der *cheapest cost avoider*? **136**

Wildschutzzaun: Ein Motorradfahrer kollidierte auf einer Bundesstraße mit einem Damwild und verklagte das Land, weil es keinen Wildschutzzaun an der Bundesstraße angebracht hatte. **137**

Lösung: Der BGH wies die Klage mit der Begründung ab, dass Wild herrenlos sei. Es sei für den Staat nicht möglich, sämtliche Strecken, auf denen ein Wildwechsel vorkommen könnte, durch Schutzzäune zu sichern. Zudem habe sich der Verkehrsteilnehmer auf die Gefahr einstellen können, weil ein Schild auf den Wildwechsel hingewiesen habe.[341] In der Rechtsliteratur wurde kritisiert, dass der BGH hätte prüfen müssen, wer die Kosten als *cheapest cost avoider* am billigsten vermeiden könne. Wenn die Kosten für die Erstellung eines Wildzauns geringer wären, als die durch den Wildwechsel entstandenen Schäden, sei die zuständige Behörde zu Erstellung eines solchen Schutzzauns verpflichtet.[342] Dagegen wurde vorgetragen, Gerichte seien regelmäßig überfordert, eine solche wirtschaftliche Abwägung vorzunehmen – folglich seien ökonomische Überlegungen dem Gesetzgeber vorbehalten.[343] Dem wird entgegengehalten, dass die ökonomischen Fragen wie Unfallhäufigkeit, Höhe des Schadens etc. unschwer von der zuständigen Polizeidienststelle und den Versicherungen hätte erfragt werden können. Pikanterweise ist inzwischen – auch ohne die Verpflichtung durch den BGH – ein entsprechender Wildschutzzaun errichtet worden.[344]

In der Rechtsliteratur wird betont, dass der BGH zwar selten explizit mit ökonomischen Überlegungen argumentiert, faktisch aber regelmäßig danach fragt, wer den Schaden besser hätte vermeiden können. Verhaltensprävention ist dabei ein wichtiges Element zum Schutz der Rechtsgüter (s. sogleich).[345] In der Eishockey-Puck-Entscheidung musste der BGH entscheiden, ob die Besucher eines Eishockeyspiels durch eine Plexiglasscheibe gegen herumfliegende Pucks zu schützen sind; er formulierte: **138**

---

[337] *Ladeur*, RabelsZ 64 (2000), 60, 91 f. S. oben § 5 Rn. 125.

[338] *Grundmann*, RabelsZ 61 (1997), 423, 451.

[339] *Taupitz*, AcP 196 (1996), 114, 126: Verzicht auf Universalitätsanspruch; *Schulze-Fielitz*, in: ders., Staatsrechtslehre als Wissenschaft, 2007, S. 11, 24: „ökonomische Rationalitätsmodelle müssen nach Kriterien des Rechtssystems und der Rechtswissenschaft selektiv rezipiert werden."

[340] Wie hier *Wagner*, in: FS Canaris, 2017, S. 281, 298 ff. **A. A.** *Canaris*, JZ 1993, 377, 384. Vergleichbare Formulierungen finden sich in §§ 249 Abs. 2, 251 Abs. 2 S. 1, 439 Abs. 3 S. 1, 635 Abs. 3 und 651c Abs. 2 S. 2 BGB; *Röthel*, Normkonkretisierung im Privatrecht, 2004, S. 156 f.

[341] BGH, Urt. v. 13.7.1989, III ZR 122/88, BGHZ 108, 273, 277 – Wildschutzzaun.

[342] *Kötz/Schäfer*, JZ 1992, 355; *Schäfer/Ott*, Lehrbuch der ökonomischen Analyse des Zivilrechts, 6. Aufl. 2020, S. 236 f.

[343] *Eidenmüller*, Effizienz als Rechtsprinzip, 4. Aufl. 2015, S. 429 f.; *Taupitz*, AcP 196 (1996), 114, 155 ff.; zweifelnd auch *J. Hager*, in: Staudinger, BGB, Neubearb. 2017, Vor § 823 Rn. 17.

[344] *Kötz/Schäfer*, in: Kötz, Judex oeconomicus, 2003, S. 12.

[345] *Wagner*, in: MünchKomm-BGB, 8. Aufl. 2020, vor § 823 Rn. 56; allgemein bereits *Möllers*, Rechtsgüterschutz im Umwelt- und Haftungsrecht, 1996, S. 8 ff.

139 „Welche Maßnahmen im Einzelnen zu treffen sind, bestimmt sich nach den jeweiligen Umständen der Veranstaltung, vor allem nach der *Intensität und Häufigkeit der sich für die Zuschauer ergebenden Gefährdung,* wobei auch der *finanziellen Belastbarkeit des Veranstalters* (bzw. des Eigentümers der Sportanlage) bei Abwägung der Zumutbarkeit eine gewisse, wenn auch untergeordnete Bedeutung zukommt. [...]

Da die Zuschauer sich wegen des kleinen Umfangs des Pucks und der sehr hohen Geschwindigkeit, mit der er auch bei normalen Spielablauf aus dem Spielfeld über die seitlichen Banden hinaus geschleudert werden kann, gegen die *Gefahr einer Verletzung durch diesen nicht schützen können,* muß der Verkehrssicherungspflichtige dieser Gefahr begegnen."[346]

140 In diesem Fall wurden ökonomische Überlegungen angestellt, die mit den Überlegungen des Richters *Learned Hand* (§ 5 Rn. 126 f.) parallel laufen. Dem BGH ist allerdings darin zuzustimmen, dass finanziellen Belastungen des Veranstalters nur eine „untergeordnete" Bedeutung zukommen kann. Es erfolgt insoweit nur eine eingeschränkte ökonomische Analyse im Sinne des „cheapest cost avoider".[347] Inzwischen findet die Formel von Richter Learned Hand auch Eingang in die Rechtsprechung. Das OLG Rostock hatte zu entscheiden, ob ein Landwirt dafür haftet, dass die von ihm verbreiteten Herbizide die benachbarte Bio-Anbaufläche beschädigte, weil die Herbizide ein Kaufverbot der angebauten Bio-Produkte zur Folge hatten. Das OLG bejahte eine Haftung, weil der Vorsorgeaufwand des Beklagten geringer war als der zu erwartende Schaden. Es bezog sich unmittelbar auf die Formel von Learned Hand.[348]

141 **Vertiefung** – *Hühnerpest:* Der BGH hatte in der Hühnerpest-Entscheidung die Anspruchsdurchsetzung aus § 823 Abs. 1 BGB für den Kläger erleichtert, indem er das Verschulden vermutet und damit die Beweislast dem Beklagten auferlegt. Im vorliegenden Fall waren 4.000 Hühner der Klägerin verendet, obwohl die Tiere mit dem Impfstoff der Beklagten geimpft wurden. Ist dieses Urteil pareto-optimal?[349]

c) Haftungsrecht und Prävention

142 aa) Aus ökonomischer Sicht muss es Ziel des Haftungsrechts sein, Regeln aufzustellen, die so verhaltenssteuernd wirken, dass Rechtsgutsverletzungen vermieden oder so kompensiert werden, dass sich ein Zuwachs an gesamtgesellschaftlicher Wohlfahrt einstellt.[350] Das Schadensrecht und insbesondere Schmerzensgeldansprüche übernehmen nicht nur eine Genugtuungs-, sondern auch eine Präventionsfunktion.[351] Schadensersatzansprüche sind Kosten und wirken damit auch präventiv.[352] Sie sollen die Gesamtkos-

[346] BGH, Urt. v. 29.11.1983, ZR 137/82, NJW 1984, 801 – Eishockey-Puck.

[347] *Eidenmüller,* Effizienz als Rechtsprinzip, 4. Aufl. 2015, S. 471 f.; positiver aber *Kötz/Schäfer,* in: dies., Judex oeconomicus, 2003, S. 13 f.; *Grundmann,* RabelsZ 61 (1997), 423, 428; *Wagner,* in: MünchKomm-BGB, 8. Aufl. 2020, § 823 Rn. 475 ff.

[348] OLG Rostock, Urt. v. 20.7.2006, 7 U 117/04, NJW 2006, 3650, 3653: „Zudem war der mit einer Verlagerung der Spritzarbeiten in die Abendstunden verbundene *Aufwand* ohne Weiteres als deutlich geringer einzuschätzen als der durch ein Unterlassen dieser Schutzmaßnahme möglicherweise entstehende, in seinem Umfang nicht abschätzbare *Schaden* auf den Flächen der Kl. (sog. *Learned-Hand-Formel*)"; Palandt/*Grüneberger,* BGB, 80. Aufl. 2021, § 276 Rn. 19 f.

[349] BGH, Urt. v. 26.11.1968, VI ZR 212/66, BGHZ 51, 91, 105 ff. – Hühnerpest. Zur Lösung unten § 15 Rn. 13 ff.

[350] Kötz/*Wagner,* Deliktsrecht, 14. Aufl. 2021, 4. Kap. Rn. 7.

[351] *Möller,* Das Präventionsprinzip des Schadensrechts, 2006, S. 117 ff.; *Schlobach,* Das Präventionsprinzip im Rechts des Schadensersatzes, 2004, S. 366 ff.; *J. Hager,* in: Staudinger, BGB, Neubearb. 2017, Vor § 823 Rn. 10; *Wagner,* AcP 206 (2006), 352, 451 ff., 461 f.; *ders.,* in: MünchKomm-BGB, 8. Aufl. 2020, Vor § 823 Rn. 45; allgemein bereits *Möllers,* Rechtsgüterschutz im Umwelt- und Haftungsrecht, 1996, S. 8 ff.

[352] *Koller,* VersR 1980, 1, 3.

ten minimieren, indem positive oder negative Anreize geschaffen werden, einen effizienten Schadensvermeidungsaufwand zu betreiben.[353] Um eine Abschreckung zu erzielen, versuchen Vertreter der ökonomischen Analyse daher, dem Präventionsgedanken bei Körperverletzungen dadurch Rechnung zu tragen, dass sie in Schadensfällen höhere Schmerzensgeldsätze fordern, als sie in der Vergangenheit von deutschen Gerichten zugesprochen wurden.[354] Empirisch lässt sich tatsächlich feststellen, dass heutzutage höhere Entschädigungen gezahlt werden als noch vor einigen Jahren. Schwerste Verletzungen werden inzwischen mit einem Schmerzensgeld von 500.000 EUR und höher kompensiert.[355] Der BGH entwickelte eine Reihe von Kriterien und nimmt eine Verhältnismäßigkeitsprüfung vor, z. B. bei seinen Entscheidungen zu einem erfundenen Interview oder der Verletzung des Persönlichkeitsrechts. Ausdrücklich wird der Hemmungseffekt als Präventionsgedanke genannt:

„Das heißt zwar nicht, daß in solchen Fällen rücksichtsloser Kommerzialisierung der Persönlichkeit eine ‚Gewinnabschöpfung' vorzunehmen ist, wohl aber, daß die *Erzielung von Gewinnen* aus der Rechtsverletzung als Bemessungsfaktor in die Entscheidung über die Höhe der Geldentschädigung *einzubeziehen ist.* Von der Höhe der Geldentschädigung muß deshalb ein *echter Hemmungseffekt* auch für solche Vermarktung der Persönlichkeit ausgehen. Als weiterer Bemessungsfaktor kann die *Intensität der Persönlichkeitsrechtsverletzung* berücksichtigt werden. Dabei ist in Betracht zu ziehen, daß vor allem die Veröffentlichung des erfundenen Exklusiv-Interviews schwer wiegt. Weiter gilt es zu berücksichtigen, daß die Geldentschädigung nicht eine Höhe erreichen darf, die die *Pressefreiheit unverhältnismäßig einschränkt.* Hiervon kann allerdings keine Rede sein, wenn die Presse an einer rücksichtslosen Vermarktung der Person gehindert wird, wie sie hier Gegenstand des Rechtsstreits ist."[356] 143

bb) Wer einen Menschen tötet, musste in der Vergangenheit gem. § 844 BGB regelmäßig nur für die Beerdigungskosten und Unterhaltszahlungen gegenüber unmittelbaren Angehörigen aufkommen. Für den Schädiger war dies ein „haftungsrechtlicher Glücksfall", weil schwerste Schäden nicht kompensiert wurden.[357] Ökonomisch setzte man damit falsche Anreize, weil der Schädiger nicht zur Vorsicht angehalten wurde. In der Zwischenzeit hat der Gesetzgeber reagiert: Ein neu eingeführter § 844 Abs. 3 BGB gibt Hinterbliebenen, die zur Zeit der Verletzung zu dem Getöteten in einem besonderen persönlichen Näheverhältnis standen, für das ihnen zugefügte seelische Leid einen Anspruch auf angemessene Entschädigung in Geld.[358] Eine Lücke besteht aber weiterhin für die Unterhaltskosten, wenn keine gesetzliche Unterhaltspflicht besteht (§ 15 Rn. 45 ff.). 144

cc) Im US-amerikanischen Zivilrecht gibt es mit sog. ***punitive damages*** einen „Strafschadensersatz", bei dem der in einem Zivilprozess zugesprochene Schadensersatz (weit) über den tatsächlich erlittenen Schaden hinausgeht und somit präventiv wirken soll. Damit einhergehend ist die *deep pocket doctrine*, nach der Schadensersatzansprüche gegen- 145

[353] *Mataja*, Das Recht des Schadensersatzes vom Standpunkte der Nationalökonomie, 1888, S. 19 ff.

[354] Z. B. *Ott/Schäfer*, JZ 1990, 563, 566; *Kötz/Schäfer*, AcP 189 (1989), 501 ff.; *Eger/Nagel/Weise*, in: Ott/Schäfer, Ökonomische Probleme des Zivilrechts, 1991, S. 18, 32.

[355] Zu den Schmerzensgeldtabellen s. *Hacks/Wellner/Häcker*, Schmerzensgeldbeträge, 38. Aufl. 2020; www.koerperverletzung.com/schmerzensgeldtabelle/; *Jaeger*, VersR 2009, 159 ff.; Kötz/*Wagner*, Deliktsrecht, 14. Aufl. 2021, 10. Kap. Rn. 53 f.

[356] BGH, Urt. v. 15.11.1994, VI ZR 56/94, BGHZ 128, 1, 16 – Caroline von Monaco.

[357] *Wagner*, JZ 2004, 319, 325 f.; ähnlich *Taupitz*, AcP 196 (1996), 114, 152: „Tötung zum Nulltarif".

[358] Art. 1 Gesetz zur Einführung eines Anspruchs auf Hinterbliebenengeld v. 17.7.2017, BGBl. I, S. 2421; *Katzenmeier*, JZ 2017, 869 ff.

über juristischen Personen, die durch die *jury*[359] verhängt werden, regelmäßig höher ausfallen, als gegenüber natürlichen Personen.[360] In Deutschland stoßen diese Rechtsinstitute auf rechtliche Bedenken und können dem ordre public des deutschen Rechts widersprechen.[361] Der EuGH lässt den Strafschaden zu, wenn dieser im nationalen Recht üblich ist.[362] Um die Rechtsdurchsetzung von Verbrauchern zu erleichtern, führt der europäische Gesetzgeber Verbandsklagen ein. Gleichzeitig will er eine US-amerikanische „Klageindustrie" verhindern.[363]

d) Informationsgefälle und cheapest cost avoider

146 aa) Ökonomisch ineffiziente Situationen können durch Informationsdefizite ausgelöst werden. So können Informationsasymmetrien zu Marktversagen und Ineffizienzen führen. Am Beispiel des amerikanischen Gebrauchtwagenmarkts illustrierte *Akerlof* die Informationsasymmetrie: Dort werden oft qualitativ schlechte Gebrauchtwagen vom Verkäufer angeboten, ohne dass der Käufer die Qualität des Autos feststellen kann.[364]

147 Die deutsche Rechtsprechung entwickelte zum Schutz des Verkäufers **umfangreiche Informationspflichten** und **Sekundäransprüche**.[365] Zurechnungsgrund ist das Vertrauen in den Gebrauchtwagenhändler aufgrund seiner Profession, die Pflicht ist aber auch ökonomisch effizient, weil der Gebrauchtwagenhändler deutlich leichter als der Käufer die Mängel am Fahrzeug feststellen kann.[366] So muss er beispielsweise über das Vorliegen eines Unfallwagens aufklären und darf keine Angaben ins Blaue hinein machen.[367] Börsennotierte Unternehmen haben gegenüber dem Anleger einen Informationsvorsprung im Hinblick auf unternehmensinterne Informationen (Informationsasymmetrie); sie sind dahingehend Informationsmonopolisten.[368] Das Unternehmen kann relativ günstig die benötigten Informationen zur Verfügung stellen (sog. *Signalling*), um das Informationsdefizit des Anlegers auszugleichen; das Unternehmen ist *cheapest cost avoider*.[369] Eines der Prinzipien des Kapitalmarktrechts ist es, Informationen zur Verfügung zu stellen und **Informationsasymmetrien abzubauen**.[370] Damit sichern die Aufklärungspflichten, dass die einschlägigen Informationen den Markt erreichen und eingepreist werden (§ 5 Rn. 134). Informationen dienen damit auch der Gleichbehandlung der Marktteilnehmer.[371] So soll beispielsweise die Ad-hoc-Publizität der Art. 17

---

[359] Die *jury* ist ein Organ des Zivil- und Strafverfahrens, das aus zufällig ausgewählten US-Bürgerinnen und Bürger besteht und über streitige Tatfragen entscheidet (Geschworenengericht), während der Richter nur Rechtsfragen beantwortet. Das Recht auf eine jury ergibt sich aus den Zusatzartikeln 5–7 der US-amerikanischen Verfassung. S. *Hay*, US-Amerikanisches Recht, 7. Aufl. 2020, Rn. 198 f., 724 ff.

[360] *MacCoun*, 30 L. & Soc'y Rev. 121 (1996).

[361] BGH, Urt. v. 4.6.1992, IX ZR 149/91, BGHZ 118, 312, 338 ff. – punitive damages. Zur Begrenzung der Schadenshöhe durch den Supreme Court s. *BMW of North America, Inc. v. Ira Gore, Jr.*, 517 U.S. 559, 574 ff. (1996). Weiterführend *Wagner*, Gutachten A zum 66. DJT, 2006, S. 68 ff.

[362] EuGH, Urt. v. 13.7.2006, C-295/04 u.a., EU:C:2006:461, Rn. 93 – Manfredi (§ 15 Rn. 30).

[363] RL (EU) 2020/1828 über Verbandsklagen zum Schutz der Kollektivinteressen der Verbraucher v. 25.11.2020, ABl. Nr. L 409, S. 1. Ausführlich zum VW-Dieselskandal und dem Richtlinienentwurf s. *Gsell/Möllers (eds.)*, Enforcing Consumer and Capital Market Law in Europe, 2020.

[364] Hierzu der berühmte Betrag von *Akerlof*, 84 Q.J. Econ. 488, 494 (1970), der die Gebrauchtwagen als saure Zitronen („lemons") bezeichnete, weil der Käufer versteckte Mängel nicht erkennen kann.

[365] Palandt/*Ellenberger*, BGB, 80. Aufl. 2021, § 123 Rn. 5 ff.

[366] *Schäfer/Ott*, Lehrbuch der ökonomischen Analyse des Zivilrechts, 6. Aufl. 2020, S. 588 ff. und unten § 8 Rn. 21 ff.

[367] BGH, Urt. v. 7.6.2006, VIII ZR 209/05, BGHZ 168, 64 Rn. 13 ff. – Nacherfüllung beim Stückkauf.

[368] Vgl. zu diesem Begriff *Möllers/Leisch*, WM 2001, 1648, 1654.

[369] *Zetzsche*, Aktionärsinformation in der börsennotierten Aktiengesellschaft, 2006, S. 37; *Köndgen*, in: FS Druey, 2002, S. 791, 796, spricht vom *cheapest information provider*.

[370] *Fleischer*, Informationsasymmetrie im Vertragsrecht, 2001, S. 550 ff.

[371] Allgemein *Fleischer*, Gutachten F zum 64. DJT, 2002, S. 1, 27 f.; für das Übernahmerecht s. § 3 Abs. 1 WpÜG.

MAR (§ 15 WpHG a. F.) dazu beitragen, „dass Marktteilnehmer frühzeitig über marktrelevante Informationen verfügen, damit sie sachgerechte Anlageentscheidungen treffen können."[372]

bb) Behavioral Finance (§ 5 Rn. 129b) hat gezeigt, dass die verfügbare Information oft zu umfangreich (Stichwort: Informationsmenge) oder zu detailliert (Stichwort: Informationskomplexität) ist. Zahlreiche Adressaten sind daher durch ihre beschränkte Aufnahme- und Verarbeitungskapazität überfordert[373] und entscheiden nicht mehr rational. Der Leser leidet unter einer **Informationsüberflutung** (*information overload*[374]). Der Gesetzgeber hilft ihm mit knappen, einfachen Informationen. 148

Die Rechtsprechung verlangt, dass die Informationen verständlich sind.[375] – Bei der Anlageberatung hat der Gesetzgeber ein kurzes und leicht verständliches Informationsblatt über das Finanzinstrument eingeführt, § 64 Abs. 2 S. 1 Nr. 1 (§ 31 Abs. 3a a. F.) WpHG. – Art. 7 Abs. 3 S. 2 lit. a) ProspektVO (EU) 2017/1129 verlangt inzwischen bei der Erstellung eines Prospekts eine kurz und allgemein verständliche Zusammenfassung.[376] – Die umfangreichen Jahresberichte liest der Anleger in der Regel nicht, deshalb sollte dem englischen Recht folgend auch in Deutschland de lege ferenda in § 114 (§ 37v a. F.) WpHG die Verpflichtung zur Veröffentlichung eines Kurzfinanzberichts eingeführt werden.[377] 149

e) Das Principal-Agent-Problem

Der Auftraggeber (*Principal*) beauftragt den Vertreter (*Agent*) mit der Durchführung eines Geschäfts. Hat der Agent ein gewisses Ermessen, so besteht die Gefahr, dass er eigene Interessen verfolgt, die nicht notwendigerweise mit denen des Auftraggebers übereinstimmen. Zudem besteht zwischen Agent und Principal nach Vertragsschluss ein Informationsgefälle bezüglich der Qualität seiner Arbeit, welches der Agent zu Ungunsten des Principals für seine eigenen Zwecke ausnutzen kann (*Moral-hazard*-Problematik).[378] 150

Der Gesetzgeber hilft, indem er das Insichgeschäft gem. § 181 BGB verbietet, und umfangreiche Aufklärungs- und Rechenschaftspflichten konstituiert, um das Informationsgefälle abzubauen.[379] Im Gesellschaftsrecht sind beispielsweise die Geschäftsführer und Vorstände *agents* im Verhältnis zu den Gesellschaftern bzw. Aktionären als Eigentümer.[380] Im Einzelnen bedarf es einer sinnvollen Balance zwischen Anreizen und Überwachung. So existieren umfangreiche Fallgruppen unzulässigen Handels, wie ein „Wettbewerbsverbot" für Geschäftsführer.[381] Weitere Treuepflichten verbieten dem Vorstand, Geschäftschancen der Gesellschaft zum eigenen Vorteil zu nutzen.[382] Auch bei börsennotierten Unternehmen stellt sich das Principal-Agent-Problem. Das Insiderhandelsverbot der Art. 14 MAR (§ 14 WpHG a. F.) will verhindern, dass sich der Vorstand als Insider durch 151

372 Art. 7 Abs. 4 MAR; vorher schon Begr. RegE, BT-Drs. 14/8017, S. 87; Begr. RegE, BT-Drs. 15/3174, S. 34.

373 Vgl. dazu auch *Kind*, Die Grenzen des Verbraucherschutzes durch Information, 1998, S. 442 ff.; *Fleischer*, ZEuP 2000, 772, 798.

374 Oder „information overkill", s. *Rogers/Agarwala-Rogers*, Communications in Organisations, 1976, S. 90.

375 BGH, Urt. v. 22.3.2011, XI ZR 33/10, BGHZ 189, 13 Rn. 24 ff. – CMS Spread Ladder Swap.

376 Vertiefend *Möllers/Steinberger*, NZG 2015, 329, 332 ff.

377 Zu dieser Forderung s. *Möllers/Kernchen*, ZGR 2011, 1 ff.

378 *Fama*, 88 JPE 288 (1980); *Baker/Jensen/Murphy*, 43 J. Fin. 593 (1988).

379 § 131 AktG, § 51a GmbHG, § 166 HGB für die KG, § 118 HGB für die oHG.

380 Zum principal-agent-Problem im Gesellschaftsrecht s. *Easterbrook/Fischel*, The Economic Structure of Corporate Law, 1996, S. 90 ff.

381 § 88 AktG, § 112 HGB und für Handlungsgehilfen § 60 HGB.

382 *Mertens/Cahn*, in: KK-AktG, 3. Aufl. 2009, § 88 Rn. 5; *Möllers*, in: Hommelhoff/Hopt/von Werder, Handbuch Corporate Governance, 2. Aufl. 2010, S. 423, 437; *Steffek*, JuS 2010, 295 ff.; Grundsatz 19 S. 2 DCGK; s. auch § 88 Abs. 1 S. 1 AktG.

seinen Informationsvorsprung einen unbilligen Vorteil gegenüber anderen Anlegern verschafft. Aus dieser Überlegung heraus rechtfertigen sich auch die einschlägigen Publizitätsvorschriften wie die Ad-hoc-Publizität (§ 5 Rn. 147).[383]

f) Spieltheorie

152 Von Bedeutung für die ökonomische Analyse des Rechts ist auch die Spieltheorie. Diese geht von Situationen aus, in denen Menschen ihr Verhalten gegenseitig beeinflussen. Oft kommt es zum Kompromiss, so dass die eine Seite abgeben muss, was die andere erhält. Spieltheoretisch führt dies zu einem *Nullsummenspiel*.[384] Im Einzelnen ist zu eruieren, nach welchen Regeln sich die Spieler kooperativ oder nicht-kooperativ und damit egoistisch verhalten.

153 Berühmt ist in diesem Zusammenhang das sog. *prisoner dilemma* (Gefangenendilemma):[385] Zwei Angeklagte haben gemeinsam ein Verbrechen begangen, das man ihnen nur mit einem Geständnis nachweisen kann. Es existiert eine Kronzeugenregelung. Gestehen beide, werden beide mit fünf Jahren Gefängnis bestraft. Gesteht einer, kommt er als Kronzeuge frei, während der andere für sechs Jahre ins Gefängnis muss. Gesteht keiner, werden beide zu einem Jahr Gefängnis verurteilt.

154 Das Strafrecht (§ 46b StGB) und das Kartellrecht[386] nutzen den Eigennutz des Einzelnen, um mit Kronzeugenregelungen Kartelle aufzubrechen, indem der Kartellant das Kartell der Behörde anzeigt und im Gegenzug dafür eine Strafmilderung oder -befreiung erhält.

4. Ökonomische Überlegungen des EuGH

a) Ökonomische Fragestellungen im EU-Kartellrecht

155 Auch dem europäischen Kartellrecht sind ökonomische Überlegungen immanent. In der *Benrather Tankstellen*-Entscheidung, einem Klassiker des Kartellrechts, hatte das RG zu prüfen, ob Kampfpreisunterbietungen rechtlich zulässig sind, wenn sie dazu dienen, den Wettbewerber vom Markt zu drängen. Das RG bejahte einen Verstoß gegen die guten Sitten nach § 826 BGB.[387] Nach heutigem Recht sind § 19 GWB und § 3 UWG einschlägig, wobei weniger moralische, sondern ökonomische Überlegungen den Ausschlag geben. *Behrens* verweist auf den EuGH, der zum Tatbestand des Marktmissbrauchs nach Art. 102 AEUV folgende ökonomischen Überlegungen anstellt:[388]

156 „Preise, die *unter den durchschnittlichen variablen Kosten* (d.h. den Kosten, die je nach den produzierten Mengen variieren) liegen und mit deren Hilfe ein beherrschendes Unternehmen versucht, einen Konkurrenten auszuschalten, sind als missbräuchlich anzusehen. Ein beherrschendes Unternehmen hat nämlich nur dann ein Interesse, derartige Preise zu praktizieren, wenn es seine Konkurrenten ausschalten will, um danach unter Ausnutzung seiner Monopolstellung seine Preise wieder anzuheben, denn jeder Verkauf

[383] S. umfangreich hierzu *Fleischer*, Informationsasymmetrie im Vertragsrecht, 2001, S. 149, 435, 508; *Möllers/Rotter (Hrsg.)*, Ad-hoc-Publizität, 2003.

[384] *Holler/Illing/Napel*, Einführung in die Spieltheorie, 8. Aufl. 2019, S. 61.

[385] *Luce/Raiffa*, Games and Decisions. Introduction and Critical Survey, 1957; *Rapoport/Chammah*, Prisoner's dilemma, 1965.

[386] S. *BKA*, Bekanntmachung Nr. 9/2006 über den Erlass und die Reduktion von Geldbußen in Kartellsachen – Bonusregelung v. 7. März 2006; *Kommission*, Mitteilung der Kommission (2006/C 298/11) über den Erlass und die Ermäßigung von Geldbußen in Kartellsachen, ABl. Nr. C 298 v. 8.12.2006, S. 17 ff.

[387] RG, Urt. v. 18.12.1931, II 514/30, RGZ 134, 3423 – Benrather Tankstelle.

[388] Hierzu instruktiv *Behrends*, in: Kötz/Schäfer, Judex oeconomicus, 2003, S. 96.

bringt für das Unternehmen einen Verlust in Höhe seiner gesamten Fixkosten (d.h. der Kosten, die ungeachtet der produzierten Mengen konstant bleiben) und zumindest eines Teils der variablen Kosten je produzierte Einheit mit sich."[389]

b) Binnenmarkt und effektiver Rechtsschutz

Mit diesen Überlegungen will der EuGH sicherstellen, dass der Markt funktioniert, also Private nicht den Wettbewerb durch Marktmissbrauch beschränken. Staatliche Schranken werden durch die Grundfreiheiten verhindert, die darauf zielen, einen Binnenmarkt herzustellen. In ständiger Rechtsprechung definiert der EuGH Schranken der Mitgliedstaaten also Ausnahmen eng (§ 4 Rn. 140 f.). Auch bei der Rechtsharmonisierung bedenkt er den Binnenmarkt. Im Reisevertragsrecht erkannte der EuGH auch den immateriellen Schaden als ersatzfähigen Schaden, um spürbare Wettbewerbsverzerrungen zwischen den Mitgliedstaaten zu vermeiden.[390] **157**

Zudem achtet der EuGH ein hohes Maß an Prävention, indem er die Rechte des Bürgers stärkt und damit den Verletzer abschreckt, die Verletzungshandlung erneut zu begehen. Zu nennen sind hier Ansprüche Privater bei Kartellverstößen (§ 8 Rn. 52) oder der Staatshaftungsanspruch des Bürgers gegen den Staat (§ 12 Rn. 123 ff.). **158**

Zusammenfassung zu § 5

I. Zum Teil wird behauptet, die teleologische Argumentation sei zirkulär und damit überflüssig. Dem ist zu widersprechen, wenn zwischen dem Normzweck als Auslegungs(zwischen)ziel und den *teleologischen Argumentationsfiguren als Auslegungsmittel* im Sinne von Prämissen unterschieden wird. Man muss sich bewusst sein, dass das Auslegungsziel zunächst immer nur eine Arbeitsthese ist, die dann mit den einschlägigen Argumentationsfiguren zu begründen ist. **159**

II. Folgenorientierte Überlegungen haben keinen Absolutheitsanspruch, sondern können die Wertungen des Gesetzes nur ergänzen. Zur *folgenorientierten Auslegung* gehören Argumentationsfiguren wie das argumentum ad absurdum, die Vermeidung einer Übermaßhaftung oder die normative Kraft des Faktischen.

III. Die *ökonomische Analyse des Rechts* als Unterfall der folgenorientierten Auslegung kann dazu beitragen, wirtschaftlich effektive Lösungen aufzuzeigen. Dabei müssen aber ökonomische Überlegungen mit den Wertungen der Verfassung und anderer Gesetze konform sein.

389 EuGH, Urt. v. 3.7.1991, C-62/86, EU:C:1991:286, Rn. 71 – Akzo Chemie.

390 Dieses Ergebnis war nicht zwingend durch Art. 5 der Reisevertrags-RL 90/314/EWG vorgegeben, EuGH, Urt. v. 12.3.2002, C-168/00, EU:C:2002:163, Rn. 21 – Leitner/TUI Deutschland.

§ 6 Teleologische Gegenfiguren und einfache Formen der Rechtsfortbildung

Literatur: *Canaris, Claus-Wilhelm*, Die Feststellung von Lücken im Gesetz, 2. Aufl. 1983; *Fleischer, Holger*, Rechtsvergleichende Beobachtungen zur Rolle der Gesetzesmaterialien bei der Gesetzesauslegung, AcP 211 (2011), 318–351; *Grundmann, Stefan/Riesenhuber, Karl*, Die Auslegung des Europäischen Privat- und Schuldvertragsrechts, JuS 2001, 529–536; *Herzberg, Rolf D.*, Kritik der teleologischen Gesetzesauslegung, NJW 1990, 2525–2530; *ders.*, Die ratio legis als Schlüssel zum Gesetzesverständnis? – Eine Skizze und Kritik der überkommenen Auslegungsmethodik, JuS 2005, 1–8; *Heun, Werner*, Original Intent und Wille des historischen Gesetzgebers, AöR 116 (1991), 185–209; *Hillgruber, Christian*, Richterliche Rechtsfortbildung als Verfassungsproblem, JZ 1996, 118–125; *Langenbucher, Katja*, Argument by Analogy in European Law, 57 (3) C.L.J. 481–521 (1998); *Leisner, Walter Georg*, Die subjektiv-historische Auslegung des Gemeinschaftsrechts, Der „Wille des Gesetzgebers" in der Judikatur des EuGH, EuR 2007, 689–706; *Manning, John F.*, What Divides Textualists from Purposivists?, 106 Columbia L. Rev. 70–111 (2006); *Meier, Patrick/Jocham, Felix*, Rechtsfortbildung – Methodischer Balanceakt zwischen Gewaltenteilung und materieller Gerechtigkeit, JuS 2016, 392–398; *Müller-Erzbach, Rudolf*, Die Relativität der Begriffe und ihre Begrenzung durch den Zweck des Gesetzes, JhJ 61 (1912), 343–384; *Rüthers, Bernd*, Fortgesetzter Blindflug oder Methodendämmerung der Justiz? – Zur Auslegungspraxis der obersten Bundesgerichte, JZ 2008, 446–451; *ders./Höpfner, Clemens*, Analogieverbot und subjektive Auslegungsmethode, JZ 2005, 21–25; *Ryu, Paul K./Silving, Helen*, Was bedeutet die sogenannte „Relativität der Rechtsbegriffe"?, ARSP 59 (1973), 57–86; *Würdinger, Markus*, Das Ziel der Gesetzesauslegung – ein juristischer Klassiker und Kernstreit der Methodenlehre, JuS 2016, 1–6.

Übersicht

	Rn.
I. Teleologische Gegenfiguren zu Formalargumenten	2
1. Wortlaut	3
2. Systematik	14
3. Historische Auslegung	41
4. Telos, Folgenorientierung und ökonomische Analyse	52
II. Subjektive versus objektive Theorie	60
1. Der Streitstand als Dauerbrenner der juristischen Methodenlehre	60
2. Die subjektive Theorie	63
3. Die objektive Theorie	69
4. Die subjektiv-objektive Theorie als Vereinigungstheorie	77
5. Gegenfiguren aus europäischer und rechtsvergleichender Perspektive	80
III. Einfache Formen der Rechtsfortbildung	91
1. Teleologische Reduktion	92
2. Der Streit über den Lückenbegriff	107
3. Einzelanalogie (Gesetzesanalogie)	112
4. Gesamtanalogie (Rechtsanalogie)	140
5. Die schwierige Suche nach dem Telos	159
6. Einfache Formen der Rechtsfortbildung auf europäischer Ebene	172
IV. Auslegung von Rechtsgeschäften und Verträgen	182
1. Ziele der Auslegung von Rechtsgeschäften und Verträgen	182
2. Natürliche Auslegung	184
3. Objektiv-normative Auslegung und einzelne Auslegungsgrundsätze	187
4. Ergänzende Auslegung	195

1 Die teleologische Auslegung ist, wie gerade gesehen, mehr als ein eigener Auslegungsschritt. Sie ist **Auslegungsziel** und insoweit grundsätzlich der erste Schritt der Rechtsfindung (§ 5 Rn. 6 ff.). In § 5 wurden zahlreiche Rechtsfiguren als Auslegungsmittel vorgestellt. Jetzt ist zu zeigen, dass der Sinn und Zweck einer Norm so wichtig ist, dass er zahlreiche, bisher kennengelernte Argumentationsfiguren widerlegen und als Formalargumente entlarven kann (I.). Ein Hauptproblem der Juristischen Methodenlehre ist die Frage, ob der damalige Wille des Gesetzgebers durch ein heutiges Verständnis der Norm ersetzt werden soll, sog. objektive Theorie (II.). Der Regelungszweck als Auslegungsziel kann vor allem einfache Formen der Rechtsfortbildung in Form von Einzelanalogie und teleologischer Reduktion rechtfertigen (III.). Abschließend sollen noch einige Tücken der teleologischen Auslegung aufgezeigt werden: Sie ist komplex, da beispielweise das Telos nur schwer erschlossen werden kann (IV.).

I. Teleologische Gegenfiguren zu Formalargumenten

2 Viele der bisher vorgestellten Argumentationsfiguren ergeben sich aus Wortlaut, Systematik und Geschichte (§ 4).[1] Sie haben oft Wurzeln im griechischen oder römischen Recht. Die Argumentationsfiguren hatten ursprünglich nicht immer das Ziel, das richtige Ergebnis mit den Mitteln der Methodik zu erreichen, sondern sie waren rhetorische Topoi, die für die eigene Position eingesetzt wurden. Die griechische und römische Rhetorik schulte die Juristen im Argumentieren von Pro- und Contra-Argumenten. Damit erklärt die klassische Rhetorik auch, weshalb es bei Auslegungsregeln Gegensatzpaare gibt (§ 1 Rn. 63). So können eine Reihe von Argumentationsfiguren durch Gegenfiguren entkräftet werden. Sie sind *Formalargumente* mit begrenztem Überzeugungsgrad.[2] Auch in den USA ist die Ansicht verbreitet, dass Argumentationsfiguren gegenläufig sein können.[3] Gegenfiguren sind dann überzeugender als Formalargumente, wenn sie mit teleologischen Überlegungen verbunden werden.

1. Wortlaut

a) Ablehnung der Eindeutigkeitsregel

3 aa) Die oben genannte Eindeutigkeitsregel, wonach bei einem eindeutigen Wortlaut der Begriff nicht auszulegen ist, ist eine Vermutungsregel, die in eindeutigen Fällen eingreifen kann (§ 4 Rn. 64). Allerdings ist sie schon deshalb fragwürdig, weil der Wortlaut oft nur vermeintlich eindeutig ist. Teleologische Überlegungen können damit die Vermutungsregel widerlegen. Wie im Rahmen der systematischen Auslegung zu zeigen sein wird, ist oft der Zusammenhang innerhalb des jeweiligen Gesetzes entscheidend (§ 6 Rn. 17).

4 So dauert eine Stunde nicht zwingend 60 Minuten. Im akademischen Bereich ist die Stunde nur 45 Minuten lang.[4] Auch beginnt diese Stunde je nach den Üblichkeiten nicht etwa zur vollen Stunde, sondern 15 Minuten später (*cum tempore, c.t.*). – Oder die Mitte des Monats ist auch im Februar immer der 15.[5]

---

[1] Es wurden Figuren wie die Eindeutigkeitsregel, Einheit der Rechtsordnung, Ausnahmen sind eng auszulegen, Kollisionsregeln, *droit constant* und subjektiver Wille vorgestellt.

[2] *Säcker*, in: MünchKomm-BGB, 8. Aufl. 2018, Einl. Rn. 115: „Formalargumente"; ähnlich *MacCormick*, 6 Ratio Juris, 16, 22 (1993): „formalistic" oder „legalistic".

[3] *Breyer*, in: Chickasaw Nation v. United States, 534 U.S. 84, 94 (2001): „Specific canons ‚are often counterned […] by some maxim pointing in a different direction'", vorher schon *Llewellyn*, 3 Vand. L. Rev. 395, 401 ff. (1950).

[4] *Höhn*, Praktische Methodik der Gesetzesauslegung, 1993, S. 189.

[5] Wegen der Legaldefinition des § 192 BGB.

Die Feststellung, dass etwas eindeutig ist, setzt damit eine Auslegung voraus. Das Postulat, nur bei einem mehrdeutigen Wortlaut sei eine weitergehende Auslegung zulässig,[6] beruht auf einer unzulässigen *petitio principii*.[7] Das führte in der Vergangenheit dazu, dass am Wortlaut auch festgehalten wurde, wenn er zu absurden Ergebnissen führte.[8] Auf den vermeintlich eindeutigen Wortlaut abzustellen, verengt den im Recht erforderlichen Diskurs und überhöht die eigene Ansicht vorschnell als die einzig richtige (§ 1 Rn. 91). **5**

Der Sprachgebrauch kann sich wandeln (§ 4 Rn. 60). Zudem muss ein Redaktionsversehen des Gesetzgebers korrigiert werden können, auch wenn der Wortlaut eindeutig erscheint (§ 6 Rn. 46 ff.). Würde man der Eindeutigkeitsregel strikt folgen, könnten auch Gesetzesumgehungen nicht als unzulässig eingeordnet werden, weil sie dem Telos der Norm widersprechen. Andernfalls bräuchte man hierfür immer klarstellende Vorschriften, die Umgehungen untersagen, z.B. § 476 Abs. 1 S. 2 BGB, § 42 AO (§ 5 Rn. 48 ff.). Vermeintlich eindeutig definiert der Gesetzgeber einen Begriff durch Legaldefinition. Taucht derselbe Begriff aber an anderer Stelle auf, kann die Legaldefinition nicht vorbehaltslos angewendet werden. Es besteht die Gefahr, dass die Legaldefinition unter Berufung auf die Eindeutigkeitsregel aus dem Gesetzeszusammenhang herausgerissen wird, ohne zu prüfen, ob sie sich in den neuen Kontext einfügt (§ 6 Rn. 17 ff.). **5a**

Schon in den Digesten findet sich das Fragment von Ulpian: „Auch wenn das Edikt des Prätors völlig klar ist, darf doch seine Interpretation nicht vernachlässigt werden."[9] In der Rechtsprechung finden sich zwar Urteile, die der Eindeutigkeitsregel folgen, überwiegend lehnt die Rechtsprechung die Regel aber ab, beispielsweise mit den Worten: **6**

> „Demgemäß ist die Auslegung nach Sinn und Zweck des Gesetzes auch gegenüber einem *sprachlich unzweideutigen Wortlaut nicht ausgeschlossen*; denn die Worte sind nur der möglicherweise unvollkommene Ausdruck der maßgebenden Gedanken."[10] **7**

Folgerichtig lehnt die herrschende Literaturansicht die Eindeutigkeitsregel ab.[11] Vergleichbares gilt für den anglo-amerikanischen Bereich.[12] Schließlich muss auch die Eindeutigkeitsregel ignoriert werden, um absurde Ergebnisse zu vermeiden (§ 5 Rn. 62 ff.). Im Ergebnis handelt es sich bei der Regel oft um ein **bequemes Formalargument**, das die sachliche Begründung abschneidet. **8**

---

[6] Zu dieser Ansicht ausführlich oben § 4 Rn. 64.

[7] *Dworkin*, Law's Empire, 1986, S. 352: „The description 'unclear' is the *result* rather than the *occasion* of Herkules' method of interpreting statutory texts." Zu dieser Rechtsfigur s. oben § 5 Rn. 36 ff.; *F. Müller/Christensen*, Juristische Methodik, Bd. I, 11. Aufl. 2013, Rn. 258 sprechen von „deutender Vorwegnahme des möglichen Normsinns". Noch deutlicher *Säcker*, in: MünchKomm-BGB, 8. Aufl. 2018, Einl. Rn. 116: „Dieser Satz ist […] unhaltbar".

[8] *Lord Esher M.R.*, in: Queen v. Judge of City of London Court [1892] 1 Q.B. 273, 290: „If the words of an Act are clear, you must follow them, even though they lead to a manifest absurdity". Zum US-amerikanischen „textualism" aber unten § 13 Rn. 98.

[9] Ulp. D. 25,4,1,11: *Quamvis sit manifestissimum edictum praetoris attamen non est neglegenda interpretatio eius*. Zur Auslegung nach dem Sinn s. auch Cels. D. 1,3,17 (§ 5 Fn. 6).

[10] BGH, Urt. v. 23.5.1951, 2 ZR 71/50, BGHZ 2, 176, 184 – Baugeräte; vorher schon RG, Urt. v. 17.10.1933, II 108/33, RGZ 142, 36, 40 f.; BVerfG, Urt. v. 10.9.1952, 1 BvR 379/52, BVerfGE 1, 415, 416 f.; BVerfG, Urt. v. 23.10.1958, 1 BvL 45/56, BVerfGE 8, 210, 221 – Vaterschaft.

[11] Enneccerus/*Nipperdey*, Allgemeiner Teil des Bürgerlichen Rechts, 15. Aufl. 1959, S. 333; *Säcker*, in: MünchKomm-BGB, 8. Aufl. 2018, Einl. BGB Rn. 116; *Rüthers/Fischer/Birk*, Rechtstheorie, 11. Aufl. 2020, Rn. 733.

[12] *Eskridge*, 101 Colum. L. Rev. 990, 1087 (2001): „The deepest intellectual error of textualist theory, as elaborated today, is its assertion that determination of textual plain meaning is segregable from normative context."

9 bb) Überwiegend klebt der EuGH nicht am Wortlaut. Er betont, dass er sich *nicht mit einer wörtlichen Auslegung begnügen kann.* „Es ist daher notwendig zu prüfen, ob diese Auslegung durch andere Gesichtspunkte, insbesondere den gemeinsamen Willen der Vertragschließenden und die ratio legis, bestätigt wird."[13] In der C.I.L.F.I.T.-Entscheidung hat der EuGH die *Acte-clair*-Doktrin nahezu aufgegeben und betont, dass Auslegungsfragen zum europäischen Recht immer dem EuGH vorzulegen sind (§ 12 Rn. 115 ff.). Damit kann im nationalen und europäischen Recht der vermeintlich klare Wortlaut durch andere Auslegungsschritte korrigiert werden.

b) Juristischer Sprachgebrauch

10 Der normale Sprachgebrauch kann schon durch den juristischen Sprachgebrauch korrigiert werden. Fiktionen können der Lebenswirklichkeit widersprechen. Der juristische Sprachgebrauch geht dem allgemeinen Sprachgebrauch grundsätzlich vor (§ 4 Rn. 56). Allerdings ist auf den allgemeinen Sprachgebrauch als *Wortlautgrenze* des Strafrechts zu achten (§ 4 Rn. 62, 65 ff.). So liegen Grenzfälle vor, wenn die Signatur eines Malers oder die Ohrenmarke eines Tieres eine Urkunde sein kann[14] oder die Staatsanwaltschaft Papiere gem. § 110 Abs. 1 StPO durchsuchen darf und darunter auch elektronische Datenträger und Notebooks fallen. Das BVerfG beruft sich hier auf den gesetzgeberischen Willen und systematisch auf § 94 StPO, der von „Gegenstand" und nicht nur von „Sache" i.S.v. § 90 BGB spricht. Zudem verwendet der Gesetzgeber den Begriff des „elektronischen Speichermediums" in § 110 Abs. 3 StPO.[15]

c) Unmöglichkeit der reinen Wortlautauslegung

11 Schon *Wittgenstein* hat betont, dass es unmöglich ist, den Wortlaut unabhängig von seinem Gebrauchszusammenhang zu ermitteln. Historische, systematische und teleologische Überlegungen sind damit immer mit zu berücksichtigen (§ 4 Rn. 41). Anerkannt ist, dass sich der Wortlaut der Norm aus dem heutigen Kontext ergibt, der sog. geltungszeitliche Sprachgebrauch entscheidend für die Auslegung ist.[16] Dieser kann vom Willen und Kontext des damaligen Gesetzgebers abweichen.

12 *Salzsäure:* Im Gegensatz zum RG hat es der BGH für zulässig erachtet, Salzsäure unter den Begriff der „Waffe" gem. § 224 Abs. 1 Nr. 2 Alt 1 StGB zu subsumieren. Maßgeblich hierfür war, dass auch in der Umgangssprache der Begriff der chemischen Waffe bekannt ist und der allgemeine Sprachgebrauch sich seit dem Inkrafttreten des StGB gewandelt hat.[17]

d) Rechtsfortbildung

13 Das bedeutet, dass der Wortlaut zwar der Ausgangspunkt der Auslegung ist, man von ihm aber abweichen kann, wenn die *ratio legis* dies erfordert. Dies wird im Rahmen der Rechtsfortbildung aufzuzeigen sein (II.).

---

[13] EuGH, Urt. v. 16.12.1960, 6/60, EU:C:1960:48, 1169, 1194 – Humblet; vgl. auch EuGH, Urt. v. 6.7.1977, C-6/77, EU:C:1977:120, Rn. 8/12 – Schouten; EuGH, Urt. v. 20.3.1980, C-118/79, EU:C:1980:92, Rn. 5 – Knauf; EuGH, Urt. v. 11.7.1985, C-107/84, EU:C:1985:332, Rn. 12 ff. – Befreiung der Post von der Mehrwertsteuer; EuGH, Urt. v. 27.1.2005, C-188/03, EU:C:2005:59, Rn. 33 – Junk.

[14] RG, Urt. 23.12.1914, V. 871/14, DStR 3 (1916), 77 – Bierfilz; *Fischer*, StGB, 68. Aufl. 2021, § 267 Rn. 6.

[15] BVerfG, Beschl. v. 12.4.2005, 2 BvR 1027/02, BVerfGE 113, 29, 51 f. – Anwaltsdaten.

[16] *Krey*, Studien zum Gesetzesvorbehalt im Strafrecht, 1977, S. 162 f.

[17] BGH, Urt. v. 21.11.1950, 4 StR 20/50, BGHSt 1, 1, 3 ff. – Salzsäure.

2. Systematik

a) Korrektur der systematischen Stellung eines Tatbestandsmerkmals

aa) Die systematische Stellung **eines Tatbestandsmerkmals in einer Gesetzesnorm** (§ 4 Rn. 114) kann eine erste Auslegungshilfe sein, ist aber ggf. durch teleologische Überlegungen oder Überlegungen höherrangigen Rechts zu korrigieren. Die Regel gilt auch im anglo-amerikanischen Recht.[18] 14

Allgemeines Persönlichkeitsrecht: Nach § 823 Abs. 1 BGB werden absolute Rechtsgüter und ein sonstiges Recht gegen Rechtsverletzungen geschützt. Es wäre naheliegend, das Persönlichkeitsrecht als sonstiges Recht i.S.v. § 823 Abs. 1 BGB aufzufassen. Nach dem Wortlaut und der systematischen Stellen wäre es durchaus möglich, das Persönlichkeitsrecht als sonstiges Recht zu qualifizieren. Historisch gesehen, wollte der Gesetzgeber aber nur einzelne Persönlichkeitsrechte, wie Name (§ 12 BGB, 17 HGB) oder das Recht am Bilde (§ 22 KunstUrhG[19]) schützen. Im Vergleich zu den anderen Rechtsgütern fehlt dem Persönlichkeitsrecht auch die soziale Offenkundigkeit[20] und die Eigentumsähnlichkeit. Das RG hat deshalb die Einordnung des Persönlichkeitsrechts als sonstiges Recht in ständiger Rechtsprechung abgelehnt.[21] Der BGH und das BVerfG mussten die Verfassung als höherrangiges Recht heranziehen, um über eine *verfassungskonforme Rechtsfortbildung* des § 823 BGB das Persönlichkeitsrecht als sonstiges Recht anerkennen und damit Schadensersatzansprüche bei Verletzung der Persönlichkeit begründen zu können (§ 11 Rn. 72 ff.). 15

bb) Auch der systematische Zusammenhang in **einem Gesetz** kann durch teleologische Überlegungen korrigiert werden. 16

Die Willenserklärung kann subjektiv nach dem Willen des Erklärenden oder objektiv aus der Sicht des Erklärungsempfängers ausgelegt werden. Grundsätzlich wird die Willenserklärung aus der Sicht des Erklärungsempfängers gem. §§ 133, 157 BGB (§ 5 Rn. 28 ff.) ausgelegt; dies gilt grundsätzlich für alle Bücher des BGB. Im Erbrecht ist jedoch zu differenzieren: während wechselbezügliche Verfügungen (§ 2270 BGB) beim gemeinschaftlichen Testament und bindende Verfügungen im Erbvertrag ebenso nach §§ 133, 157 BGB auszulegen sind, wird im Übrigen nicht nach dem objektiven Empfängerhorizont, sondern allein nach dem subjektiven Willen des Erblassers ausgelegt, weil Dritte grundsätzlich nicht schutzwürdig sind (§ 6 Rn. 184). Dies ergibt sich zusätzlich daraus, dass § 157 BGB im Titel über Verträge steht, während sich § 133 BGB im Titel über Willenserklärungen befindet, sodass auch hiernach eine Anwendung des § 157 BGB auf einseitige Verfügungen von Todes wegen ausscheidet. Hinzu kommt schließlich, dass sich in den §§ 2066 ff., 2087 ff. BGB spezielle Auslegungsregelungen finden, die explizit auf den wirklichen Willen abstellen.[22] – Die Willenserklärung ist zwar gem. § 142 BGB grundsätzlich mit Ex-tunc-Wirkung anfechtbar. Das gilt aber nicht im Arbeits- und Gesellschaftsrecht, obwohl beide Vertragstypen im Besonderen Teil des Schuldrechts geregelt sind. Maßgeblich hierfür ist die Überlegung, dass der Arbeitnehmer oder Gesellschafter seine Arbeitsleistung schon erbracht hat und eine Ex-tunc-Wirkung unbillig wäre (§ 6 Rn. 100 ff.).

---

[18] *Lord Scarman* in: Quazi v. Quazi [1980] A.C. 744, 824 „If the legislative purpose of a statute is such that a statutory series should be read *ejusdem generis*, so be it: the rule is helpful. But, if it is not, the rule is more likely to defeat than to fulfil the purpose of the statute. The rule, like many other rules of statutory interpretation, is a useful servant but a bad master."

[19] Kunsturheberrechtsgesetz (KUrhG) v. 9.1.1907, RGBl. 1907, S. 7.

[20] Deshalb muss es als Rahmenrecht mit anderen Rechten abgewogen werden, s. Larenz/*Canaris*, Lehrbuch des Schuldrechts, Besonderer Teil, Bd. II/2, 13. Aufl. 1994, S, 491.

[21] RG, Urt. v. 7.11.1908, I 638/07, RGZ 69, 401, 403 f. – Nietzsche-Briefe; RG, Urt. v. 12.5.1926, I 287/25, RGZ 113, 413, 414; hierzu *Schiemann*, in: FS Deutsch, 2009, S. 895, 897 ff.; *ders.*, in: HKK-BGB, 2013, §§ 823–830, 840, 842–853 Rn. 94; *Schäfer*, in: Staudinger, BGB, 12. Aufl. 1986, § 823 Rn. 196 sowie *Jarass*, NJW 1989, 857, 858.

[22] Palandt/*Weidlich*, BGB, 80. Aufl. 2021, § 2084 Rn. 1.

b) Relativität der Rechtsbegriffe und gespaltene Auslegung

17 aa) Der Grundsatz der Einheit der Rechtsordnung (§ 5 Rn. 125) wird teleologisch durch die Regel von der „Relativität der Rechtsbegriffe" korrigiert.[23] Rechtsbegriffe sind relativ zu verwenden, wenn der Gesetzgeber dem Begriff in den verschiedenen Gesetzen einen unterschiedlichen Sinn geben wollte. Danach besteht eine „Mehrdimensionalität" der Rechtsbegriffe, weil der Rechtsbegriff durch das gegebene Bezugssystem bestimmt wird.[24] Der Grundsatz der Einheit der Rechtsordnung gilt also nicht, wenn sich die Rechtsprinzipien oder Wertungen in den verschiedenen Kodifikationen nicht decken. Dann besteht gerade **keine** Wertungsparallele, welche die einheitliche Auslegung rechtfertigt. Vergleichbares gilt im anglo-amerikanischen Recht.[25] Gegebenenfalls erfolgt eine Einschränkung im Wege der teleologischen Reduktion. Die Rechtsfiguren „Einheit der Rechtsordnung" und „Relativität der Rechtsbegriffe" sind folglich logisch gleichrangige Rechtsfiguren, die erst in Verbindung mit teleologischen Überlegungen an Überzeugungskraft gewinnen. Die Figur „Einheit der Rechtsordnung" stellt die Regel auf, die durch die Figur „Relativität der Rechtsbegriffe" widerlegt werden kann. Damit trägt derjenige die *Begründungslast*, der sich auf die Figur „Relativität der Rechtsbegriffe" beruft.[26]

18 bb) Es ist naheliegend, dass **verschiedene Gesetze und erst recht verschiedene Rechtsgebiete** zum Teil unterschiedliche Wertungen enthalten. So laufen etwa das Zivilrecht und das Öffentliche Recht und vor allem das Strafrecht im Verhältnis zum Zivilrecht in ihren Wertungen nicht immer parallel. Das Zivilrecht regelt die Belange der Privaten; Öffentliches Recht und Strafrecht dagegen das Verhältnis des Staates zu den Bürgern und staatlicher Organe untereinander (§ 2 Rn. 28 ff.).

19 Der Begriff des „Menschen" beginnt nach § 1 BGB mit der „Vollendung der Geburt". Im Strafrecht wird dagegen der Mensch „in oder gleich nach der Geburt" geschützt.[27] – Anerkanntermaßen gilt im BGB kein individuell-subjektiver, sondern ein verobjektivierter Fahrlässigkeitsmaßstab,[28] der gruppenbezogen anhand der typischen Verkehrskreise zu entwickeln ist. Im Strafrecht hingegen muss dem Täter sowohl ein objektiver wie auch ein subjektiver Fahrlässigkeitsvorwurf gemacht werden.[29] – Wer mit 3,0 Promille Auto fährt, ist strafrechtlich zwar schuldunfähig, aber zivilrechtlich verantwortlich. – Die Erteilung einer Baugenehmigung führt nicht dazu, dass private Rechte Dritter, wie etwa Ansprüche aus § 912 Abs. 2 BGB, untergehen.[30]

20 Der Gesetzgeber versucht mit § 906 Abs. 1 S. 2 und 3 BGB zwar einen Gleichklang zwischen privatem und öffentlich-rechtlichem Emissionsschutz herzustellen, indem bei Einhaltung öffentlich-rechtlicher Vorschriften keine „wesentliche Beeinträchtigung" vorliegt.

---

[23] Diese hatte Müller-Erzbach 1912 entwickelt, *Müller-Erzbach*, JhJ 61 (1912), 343 ff.; *Ryu/Silving*, ARSP 59 (1973), 57 ff.; Engisch/*Würtenberger/Otto*, Einführung in das juristische Denken, 12. Aufl. 2018, S. 116 ff.

[24] *Ryu/Silving*, ARSP 59 (1973), 57, 76.

[25] *Cross/Bell/Engle*, Statutory Interpretation, 3rd ed. 1995, S. 150 ff.; *Shapo/Walter/Fajans*, Writing and Analysis in the Law, 6th ed. 2013, S. 263: „Opposing lawyers will often supply a conflicting interpretation based on another canon"; s. auch *Llewellyn*, 3 Vand. L. Rev. 395 (1950).

[26] Zum Verhältnis der Argumentationsfiguren zueinander § 14 Rn. 77 ff.

[27] Entscheidend ist der Beginn des Geburtsakts s. RG, Urt. v. 29.9.1883, 1143/83, RGSt 9, 131 ff. – Beginn des strafrechtlichen Schutzes; *Müller-Erzbach*, JhJ 61 (1912), 343, 350 f. zu § 217 StGB a.F.; obwohl die Norm aufgehoben wurde, hat sich an der h.M. nichts geändert, *Fischer*, StGB, 68. Aufl. 2021, Vor §§ 211–217 Rn. 5.

[28] St. Rspr., s. BGH, Urt. v. 17.3.1981, 6 ZR 191/79, BGHZ 80, 186, 193 – Apfelschorf I (Derosal); *Grundmann*, in: MünchKomm-BGB, 8. Aufl. 2019, § 276 Rn. 54 ff.

[29] BGH, Urt. v. 21.5.1963, VI ZR 254/62, BGHZ 39, 281, 283; BGH, Urt. v. 11.4.2000, X ZR 19/98, NJW 2000, 2812, 2813.

[30] Nach Art. 68 Abs. 4 BayBO wird eine Baugenehmigung unbeschadet von Rechten Dritter erteilt; das öffentliche Baurecht wirkt somit grundsätzlich nicht unmittelbar auf das Privatrecht ein, so *Lechner*, in: Simon/Busse, Bayerische Bauordnung, 135. EL Dezember 2019, Art. 68 Rn. 73.

Allerdings lässt der Gesetzgeber mit der Formulierung „in der Regel" Ausnahmen ausdrücklich zu; die gesetzliche Vermutung (§ 4 Rn. 51) kann der Kläger widerlegen.[31] – Im Zivilrecht können beispielsweise zum Schutze der Rechtsgüter vom Öffentlichen Recht unabhängige eigene, originäre zivilrechtliche (Verkehrs-)Pflichten existieren, deren Verletzung zu Schadensersatzansprüchen gem. § 823 Abs. 1 BGB führt. Das Deliktsrecht übernimmt insoweit eine wichtige **Ergänzungsfunktion**. Konsequent formuliert der BGH in ständiger Rechtsprechung:

> „Daß ein Produkt in dieser Weise *öffentlich-rechtlich* ohne weitergehende Auflagen und Beschränkungen zum Vertrieb zugelassen worden ist, schließt aber nicht aus, daß dem Hersteller zum Schutze der Rechtsgüter der Verwender *zusätzliche Pflichten obliegen*. […] Der Schutz der Rechtsgüter Dritter kann es erfordern, daß der Hersteller sich nicht auf Hinweise beschränkt, die Gesetze oder Rechtsverordnungen und behördliche Zulassungen von ihm verlangen, sondern darüber hinaus dem Letztverkäufer oder dem Verwender alle weiteren Informationen und Hinweise gibt, die dieser benötigt, um die von dem Produkt ausgehenden Gefahren zu erkennen und sich demgemäß zu verhalten."[32] **21**

cc) Schließlich kann selbst eine **Legaldefinition** nicht blind als solche aus einem Gesetzestext übertragen werden, sondern muss vielmehr in ihrem jeweiligen Kontext teleologisch interpretiert werden. **22**

Begriff „unverzüglich": Der Begriff „unverzüglich" verlangt nach § 121 BGB ein Handeln „ohne schuldhaftes Zögern." Das „unverzüglich" in § 121 BGB soll dem Anfechtungsberechtigten eine angemessene Überlegungszeit geben, ob er die Willenserklärung anficht. Oft wird hier eine Frist von drei Tagen für angemessen erachtet.[33] Im Kapitalverkehr sollen kursrelevante Informationen per Ad-hoc-Meldung nach Art. 17 Abs. 1 MAR (§ 15 Abs. 1 WpHG a. F.) ebenfalls „unverzüglich" dem Anlegerpublikum mitgeteilt werden, um Insiderverstöße einzudämmen. Die herrschende Ansicht, wonach die Legaldefinition des § 121 BGB für das gesamte Privatrecht und Öffentliche Recht gilt,[34] ist als zu pauschal abzulehnen. Die „Unverzüglichkeits"-Frist ist hier im Hinblick auf die Besonderheiten des Kapitalmarkts zu bewerten. Das hohe Kursbeeinflussungspotenzial einer Ad-hoc-Meldung sowie die Dynamik der Finanzmärkte erfordern ein schnelleres Handeln. Der Publizitätszeitraum muss an diese Geschwindigkeiten angepasst werden, denn „Sinn und Zweck der ad-hoc-Publizität ist die Entstehung, die Förderung und der Schutz eines kompetitiven Marktes" durch Vertrauen in die aktuell verfügbaren Informationen.[35] Während generell im Rechtsverkehr drei Tage eine akzeptable Zeitspanne für den Informationsfluss darstellen, ist diese am Kapitalmarkt zu lang. Im europäischen Kontext kommt es nicht auf die Schuldhaftigkeit des Zögerns an, da der Begriff *autonom* auszulegen ist (§ 2 Rn. 70 ff.).[36] **23**

Vertiefung – *Hund als Sachbeschädigung:* A tritt oder vergiftet den Hund des Nachbarn. Steht § 90a BGB einer Strafbarkeit nach § 303 StGB entgegen?[37] **24**

---

[31] Palandt/*Herrler*, BGB, 80. Aufl. 2021, § 906 Rn. 15, 20.

[32] BGH, Urt. v. 9.6.1998, VI ZR 238/97, BGHZ 139, 79, 83 – Feuerwerkskörper II. Vorher schon BGH, Urt. v. 23.10.1984, VI ZR 85/83, NJW 1985, 620, 621 – Schleppliftunternehmer; BGH, Urt. v. 29.11.1983, VI ZR 137/82, NJW 1984, 801, 802 – Puck (§ 5 Rn. 138 f.); BGH, Urt. v. 7.10.1986, VI ZR 187/85, NJW 1987, 372, 373 m. w. Nachw. – Spray.

[33] *Bork*, Allgemeiner Teil des Bürgerlichen Gesetzbuchs, 4. Aufl. 2016, Rn. 913.

[34] Palandt/*Ellenberger*, BGB, 80. Aufl. 2021, § 121 Rn. 3; *Neuner*, Allgemeiner Teil des Bürgerlichen Rechts, 12. Aufl. 2020, § 41 Rn. 26.

[35] KK-WpHG/*Klöhn*, 2. Aufl. 2014, § 15 Rn. 5.

[36] Vertiefend *Möllers*, in: FS Horn, 2006, S. 473 ff.; Assmann/Schneider/Mülbert/*Hellgardt*, WpHG, 7. Aufl. 2019, §§ 97, 98 Rn. 87; **a. A.** *Klöhn*, in: ders., Marktmissbrauchsverordnung, 2018, Art. 17 Rn. 105.

[37] Lösung in § 15 Rn. 19.

25 dd) Zudem können auch **innerhalb eines Gesetzes** Begriffe unterschiedlich ausgelegt werden.

26 So beschränkt sich der Begriff „Sache" in § 90 BGB nur auf körperliche Gegenstände, umfasst in § 119 Abs. 2 BGB aber auch Immaterialgüter oder eine Grundschuld, da nicht an dem engen Wortsinne des § 90 BGB festzuhalten ist.[38] – Auch im StGB wird der Begriff der „Wegnahme" teilweise unterschiedlich ausgelegt. Die Wegnahme beim Diebstahl nach § 242 StGB erfolgt durch den Bruch fremden Gewahrsams, wozu ein tatsächliches Herrschaftsverhältnis zwischen einer Person und einer Sache bestehen muss.[39] Bei der Pfandkehr nach § 289 StGB hingegen wird die Wegnahme weiter ausgelegt als Entfernung einer Sache aus dem Zugriffsbereich des Pfandgläubigers, um auch besitzlose Pfandrechte in den Schutzbereich einzubeziehen.[40]

27 ee) Schließlich kann es sogar vorkommen, dass **ein Begriff in ein und derselben Gesetzesnorm unterschiedlich ausgelegt** werden muss. Dies ist etwa der Fall, wenn die Norm zugleich zivilrechtlicher und öffentlich-rechtlicher oder zugleich zivilrechtlicher und strafrechtlicher Natur ist. Während das Zivilrecht grundsätzlich für eine Analogie offen steht, gilt dies für das Strafrecht nur in sehr eingeschränktem Maße (§ 4 Rn. 67 ff.). Normen, die mit Geld- oder Freiheitsstrafe bewehrt sind, sind deshalb nicht zulasten des Adressaten analogiefähig. Ähnliche Unterschiede existieren zwischen Zivilrecht und Öffentlichem Recht. Während im Zivilrecht der Beibringungsgrundsatz im Prozess gilt, muss im Öffentlichen Recht wegen des Untersuchungsgrundsatzes das Gericht die Tatsachen ermitteln. Vermutungen zulasten des Bürgers sind nur ausnahmsweise zulässig. Der Umstand, dass bestimmte Normen einerseits zwischen Privaten gelten und andererseits von Behörden überwacht werden, führt zu einer sog. **gespaltenen Auslegung**[41]: Die Norm ist im Verhältnis privater Parteien untereinander zivilrechtlich auszulegen und öffentlich-rechtlich oder strafrechtlich, wenn eine Behörde bzw. die Staatsanwaltschaft ermittelt. Vor allem gilt der strafrechtliche Bestimmtheitsgrundsatz (§ 4 Rn. 77 ff.) nur für das Strafrecht, nicht aber für das Zivilrecht und Öffentliche Recht. Eine solche gespaltene Auslegung lässt sich vermeiden, wenn die Entscheidung der Behörde Bindungswirkung für die Zivilgerichte zur Folge hat, wie dies etwa im Kartell-[42] oder im Kapitalmarkt- und Verbraucherschutzrecht[43] sein kann.

28 Eine solche gespaltene Auslegung ist seit Jahren im Kartellrecht bei der Frage bekannt, ob derselbe Norminhalt eines Begriffs im Kartellrecht und im Kartellordnungswidrigkeitenrecht verwendet werden kann. So trat das Problem auf, ob das im Ordnungswidrigkeitsverfahren geltende Analogieverbot auch in Verwaltungs- oder Zivilverfahren gilt.[44] Die herrschende Ansicht versucht eine gespaltene Auslegung allerdings zu vermeiden.[45] – Im

---

[38] RG, Urt. v. 22.11.1935, V 77/35, RGZ 149, 235, 238 – Grundschuld als Sache. Für die Überlassung von Standardsoftware sollen die §§ 433 ff. BGB zumindest entsprechend Anwendung finden, BGH, Urt. v. 9.11.1987, VIII 314/86, BGHZ 102, 135, 144 f. – Gewährleistung bei Überlassung von Software.

[39] Schönke/Schröder/*Bosch*, StGB, 30. Aufl. 2019, § 242 Rn. 23.

[40] *Maier*, in: MünchKomm-StGB, 3. Aufl. 2019, § 289 Rn. 15.

[41] Der Begriff „gespaltene Auslegung" wird auch verwendet, wenn die Norm in einem europäischen Kontext nur national und nicht europäisch auszulegen ist, s. unten § 12 Rn. 95; **a.A.** aber KK-WpHG/*Klöhn*, 2. Aufl. 2014, § 15 Rn. 103.

[42] Art. 16 Abs. 1 VO (EG) Nr. 1/2003 des Rates v. 16.12.2002 zur Durchführung der in den Artikeln 81 und 82 des Vertrages niedergelegten Wettbewerbsregeln, ABl. Nr. L 1, S. 1 sowie § 33 Abs. 4 GWB; hierzu *Möllers/Pregler*, ZHR 176 (2012), 144, 155 f.; *Wundenberg*, ZGR 2015, 124, 156; *Maume*, ZHR 180 (2016), 358, 365 ff.

[43] *Gsell/Möllers*, in: Gsell/Möllers, Enforcing Consumer and Capital Markets Law, 2020, S. 465, 490 ff. (§ 5 Fn. 363).

[44] BGH, Urt. v. 24.2.1978, I ZR 79/76, GRUR 1978, 485, 486.

[45] Hierzu *Biermann*, in: Immenga/Mestmäcker, Wettbewerbsrecht, 6. Aufl. 2020, vor § 81 GWB Rn. 71 ff. m.w.Nachw.; der Begriff der „Normspaltung" geht zurück auf *Tiedemann*, Wirtschaftsstrafrecht und Wirtschaftskriminalität, Bd. I, 1976, S. 188.

Kapitalmarktrecht ist die Diskussion bekannt,[46] ob die öffentlich-rechtlichen Aufklärungs- und Beratungspflichten der Wertpapierdienstleistungsunternehmen auch automatisch zivilrechtlich gegenüber ihren Kunden gelten.[47]

ff) Im Ergebnis erkennt auch der EuGH an, dass der Grundsatz der Einheit der Rechtsordnung (§ 4 Rn. 125 ff.) nicht vorbehaltlos gilt und deshalb ein bestimmter Begriff in verschiedenem Kontext nicht notwendig identisch auszulegen ist. So wird der Verbraucher in der Pauschalreise-RL[48] weiter definiert als etwa in der Verbraucherrechte-RL[49], da er bei der Reise nicht notwendigerweise zu privaten Zwecken handeln muss.[50] In einer Entscheidung zum Steuerrecht lehnte der EuGH es ab, die grundsätzlich im Zivilrecht zulässige Stellvertretung auf das Steuerrecht zu übertragen. Vielmehr seien eigene teleologische Überlegungen anzustellen. Er führte aus: 29

„Ferner ist selbst dann, wenn man davon ausgeht, daß der erwähnte Grundsatz allen Mitgliedstaaten gemeinsam ist, mit dem Generalanwalt darauf hinzuweisen, daß es sich dabei um einen Grundsatz des Zivilrechts, genauer: des *Schuldrechts*, handelt, der sich *nicht notwendigerweise* für die Anwendung im *Steuerrecht* eignet, *das eigenständigen Zwecken* dient."[51] 30

gg) Bei der Auslegung eines Tatbestandsmerkmals im systematischen Vergleich, dem Bezug zum gerade genannten „äußeren System" (§ 4 Rn. 102), ist die systematische Auslegung neben dem Wortlaut nur ein erster Anhaltspunkt, der regelmäßig durch **teleologische Überlegungen** „überspielt" und damit korrigiert werden kann. Systematische und teleologische Überlegungen fließen insoweit ineinander.[52] Oder wie *Larenz* formuliert: „Der Bedeutungszusammenhang des Gesetzes und auch die ihm zugrunde liegende begriffliche Systematik erschließt sich dem Verständnis erst dann, wenn man auch die Regelungszwecke beachtet".[53] Diese Einsicht gilt auch im anglo-amerikanischen Rechtskreis.[54] 31

c) Weite Auslegung von Ausnahmen

aa) Die Regel, Ausnahmen sind eng auszulegen (§ 4 Rn. 123 ff.), kann nur einer von mehreren Schritten zur Rechtsfindung sein; sie ist durch teleologische Überlegungen zu ergänzen und gegebenenfalls zu korrigieren.[55] Auch eine Ausnahmevorschrift kann er- 32

---

[46] *Cahn*, ZHR 162 (1998), 1, 8 f.; *Kalss*, in: Riesenhuber, Europäische Methodenlehre, 4. Aufl. 2021, § 18 Rn. 59; *Segna*, ZGR 2015, 84 ff.; *Poelzig*, ZBB 2019, 1 ff.; *Buck-Heeb*, WM 2020, 157 ff.; gegen eine gespaltene Auslegung BGH, Urt. v. 19.7.2011, II ZR 246/09, BGHZ 190, 291 Rn. 33 – Aktienrechtliche Beschlussmängelklage.

[47] KK-WpHG/*Möllers*, 2. Aufl. 2014, § 31 Rn. 22 f.; EuGH, Urt. v. 30.5.2013, C-604/11, EU:C:2013:344, Rn. 57 – Genil 48 SL; BGH, Urt. v. 15.4.2010, III ZR 196/09, BGHZ 185, 185 Rn. 14; **a.A.** BGH; Urt. v. 22.3.2011, XI ZR 33/10, BGHZ 189, 13 Rn. 32; BGH, Urt. v. 27.9.2011, XI ZR 178/10, NJW-RR 2012, 43, 47; *Forschner*, Wechselwirkungen von Aufsichtsrecht und Zivilrecht, 2013.

[48] Richtlinie 90/314/EWG des Rates über Pauschalreisen v. 13.6.1990, ABl. Nr. L 158, S. 59.

[49] Richtlinie 2011/83/EU über die Rechte der Verbraucher v. 25.10.2011, ABl. Nr. L 304, S. 64.

[50] Art. 2 Nr. 4 Pauschalreise-RL 90/314/EWG im Gegensatz zu Art. 2 Verbraucherrechte-RL 2011/83/EU; s. *Riesenhuber*, in: ders., Europäische Methodenlehre, 4. Aufl. 2021, § 10 Rn. 20.

[51] EuGH, Urt. v. 2.4.1998, C-296/95, EU:C:1998:152, Rn. 31 – Queen/Commissioners of Customs and Excise.

[52] Für das Europarecht dezidiert *Colneric*, ZEuP 2005, 225, 227.

[53] *Larenz*, Methodenlehre der Rechtswissenschaft, 6. Aufl. 1991, S. 327.

[54] *Cross/Bell/Engle*, Statutory interpretation, 3rd ed. 1995, S. 135 ff.; *Shapo/Walter/Fajans*, Writing and Analysis in the Law, 4th ed. 2003, S. 83.

[55] *Bydlinski*, Juristische Methodenlehre und Rechtsbegriff, 2. Aufl. 1991, S. 440; *Honsell*, in: Staudinger, BGB, Neubearb. 2018, Einl. zum BGB Rn. 147; *Baader*, JZ 1990, 409, 414 ff.; *Bauer*, in FS Ballerstedt, 1975, S. 305, 310 f.

weitert ausgelegt oder analog[56] angewendet werden. Dies gilt auch im anglo-amerikanischen Recht.[57] Tatsächlich treten oft schon Probleme bei der Ermittlung der Bezugsgröße auf, nämlich bei der Frage, was die Regel und was die Ausnahme darstellt. Die vom Gesetzgeber vorgegebenen Ausnahmen können in der Praxis die Regel darstellen. Auch müssten wohl Unterausnahmen (Ausnahmen von der Ausnahme) weit auszulegen sein, falls sie wiederum zur Regel zurückkehren.[58]

33 Obwohl die notarielle Beurkundung als Ausnahme zur Formfreiheit von Verträgen anzusehen ist, ist § 311b BGB analog auf den Vorvertrag anzuwenden, weil nur so sichergestellt werden kann, dass der Schutzzweck der Norm nicht umgangen wird (§ 6 Rn. 135 ff.). – Gegen den Wortlaut und die Systematik des § 253 Abs. 2 BGB zwingt eine verfassungskonforme Rechtsfortbildung zu einem Schmerzensgeldanspruch bei Persönlichkeitsverletzung (§ 11 Rn. 72 f.).

34 bb) Eine formale Anwendung der Rechtsfigur „Ausnahmen sind eng auszulegen" wäre folglich ein Rückfall in die Begriffsjurisprudenz (§ 4 Rn. 102) und ist abzulehnen, insbesondere dann, wenn sie eine sachhaltige Begründung ersetzen soll.[59] Die Rechtsfigur ist damit ein Formalargument und gegenüber teleologischen Überlegungen nachrangig. Bezieht man die Rechtsfigur aber auf das innere System (§ 4 Rn. 109) und sichert sie damit teleologisch ab, ist es im Einzelfall auch zutreffend, dass Ausnahmen nicht verallgemeinerungsfähig sind.[60] Mit dieser Einschränkung kann die Rechtsfigur in der argumentativen Auseinandersetzung verwendet werden.[61]

35 Im BGB ist das Verschuldensprinzip mit den §§ 823 ff. BGB im allgemeinen Haftungsrecht tragend. § 833 und § 836 BGB sind enge Ausnahmetatbestände. Das führt dazu, dass nicht der Richter durch Rechtsfortbildung, sondern nur der Gesetzgeber neue Gefährdungshaftungstatbestände einführen darf (§ 6 Rn 156).

36 cc) Auf europäischer Ebene wird die Argumentationsfigur „Ausnahmen sind eng auszulegen" vom EuGH nicht sklavisch angewendet. Vielmehr rückt er von der Argumentationsfigur ab, wenn übergeordnete Werte dies erfordern.[62] Wie schon im nationalen Recht, so muss auch hier differenziert werden: Nur als vermeintlich abschließendes Formalargument ist diese Argumentation abzulehnen. Wird das Argument aber mit teleologischen Überlegungen untermauert und bezieht man es auf das innere System, so gewinnt es ohne Weiteres an Überzeugungskraft.[63] Sehr oft ist dies der Fall.

d) Kollisionsregeln: Der Grundsatz der Alternativität verdrängt die Lex-specialis-Regel

37 Der *Lex-specialis*-Grundsatz (§ 4 Rn. 134 ff.) ist zu relativieren. Er gehört nicht zu den Sätzen der Logik.[64] Teleologische Überlegungen müssen maßgeblich sein, um festzustel-

---

[56] Grundsätzlich RG, Urt. v. 22.12.1939, VII 139/39, RGZ 162, 244, 247 f. – Rückversicherung.

[57] Für Großbritannien *Jenkins,* in: Dean v. Wiesengrund [1955] 2 Q.B. 120, 130 f.: „But this maxim is after all no more than an aid to construction and has little, if any, weight whether it is possible, as I think is it in the present case, to account for the *'inclusio unius'* on grounds other than an intention to effect the *'exclusio alterius'*."; ebenso für die USA: *Herman & MacLean v. Huddleston,* 459 U.S. 375, 386 f. (1983).

[58] *Mayer-Maly,* in: Starck, Rangordnung der Gesetze, 1995, S. 123, 141; *Kramer,* Juristische Methodenlehre, 6. Aufl. 2019, S. 243 spricht von einer „maliziösen Frage".

[59] S. bereits *Heck,* AcP 112 (1914), 1, 188: „echte Begriffsjurisprudenz".

[60] Ähnlich *Kramer,* Juristische Methodenlehre, 6. Aufl. 2019, S. 243 f.

[61] **A.A.** *Rütter,* Archiv PT 1993, 283, der die Regel als „schlichtweg falsch" und als „Pseudointerpretationsinstrument" bezeichnet.

[62] EuGH, Urt. v. 22.3.1983, C-88/82, EU:C:1983:89, Rn. 10 – Amministrazione delle finanze; *Martens,* Methodenlehre des Unionsrechts, 2013, S. 321.

[63] In der Sache ähnlich *Riesenhuber,* in: ders., Europäische Methodenlehre, 4. Aufl. 2021, § 10 Rn. 64.

[64] *Kramer,* Juristische Methodenlehre, 6. Aufl. 2019, S. 126 spricht von „Pseudologik"; in der Sache ebenso *Vogel,* Juristische Methodik, 1998, S. 63.

len, ob eine Spezialität zwischen zwei Normen vorliegt.[65] Ansonsten wird man grundsätzlich davon ausgehen können, dass dem Rechtsanwender im Wege der Alternativität Wahlfreiheit zwischen verschiedenen Normen oder Anspruchsgrundlagen zukommt. Auch im anglo-amerikanischen Recht wurde deshalb der *Lex-specialis*-Grundsatz relativiert.[66]

Das außerordentliche Kündigungsrecht für Dauerschuldverhältnisse aus wichtigem Grund gem. § 314 BGB beendet das Vertragsverhältnis grundsätzlich ex nunc und schließt damit das Rücktrittsrecht der §§ 346 ff. BGB aus. Das gilt aber nicht, wenn ein berechtigtes Interesse der Partei besteht, die bereits erbrachten Leistungen zurück zu gewähren.[67] 38

e) Relativierung des Lex-posterior-Satzes

Kritisch zu beurteilen ist der *Lex-posterior*-Grundsatz (§ 4 Rn. 132) allerdings schon vor dem Hintergrund, dass Gesetze ständig novelliert werden, sodass es oft zufällig ist, welches nun das ältere Gesetz darstellt.[68] Auch kann das ältere Gesetz *lex specialis* sein, das neuere Gesetz *lex generalis*, sodass hier ein Widerspruch mit einer anderen Kollisionsregel entsteht.[69] Schließlich muss das höherrangige Gesetz das niedrigere Gesetz immer verdrängen können, auch wenn das niedrigere Gesetz neueren Datums ist.[70] Ansonsten könnten spätere einfache Gesetze die Verfassung oder europäisches Recht aushebeln. Im Ergebnis muss dieser Grundsatz also jederzeit eingeschränkt und gegebenenfalls durch teleologische Überlegungen korrigiert werden können. 39

f) Grundsätze in dubio pro libertate, pro consumente, favor laboris gelten nicht

Die Auslegungsregeln *in dubio pro libertate, pro consumente und favor laboris* (§ 5 Rn. 17 f.) können nur am Beginn der eigentlichen Auslegung stehen. In der Literatur wird etwa ein weiter Schutzbereich von Grundrechten als Folge eines In-dubio-pro-libertate-Grundsatzes bestritten (§ 10 Rn. 29 ff.).[71] Entscheidend ist es, die Regelungszwecke des Gesetzes und der jeweiligen Norm herauszuarbeiten.[72] Die Irreführungs-RL dient dem Verbraucher, aber auch dem Handel und der Allgemeinheit des Wettbewerbs.[73] Der EuGH hat sich etwa im Unlauterkeitsrecht für mehr Wettbewerb in Europa und damit *gegen den weitreichenden deutschen Verbraucherschutz* entschieden.[74] Relevant ist damit der verständige[75] und weniger der schutzbedürftige Verbraucher.[76] Das hohe Verbraucherschutzniveau der Warenkauf-RL wird dadurch relativiert, dass in den Erwägungsgründen neben der Wettbewerbsfähigkeit von Unternehmen auch das ausgewogene Verhältnis 40

---

[65] *Honsell*, in: Staudinger, BGB, Neubearb. 2018, Einl. zum BGB Rn. 147; *Vogel* (ebd.), S. 63.

[66] S. *R v. Horsham Justices, ex parte Farquharson and another* (1982) 2 All E.R. 269, 274–277.

[67] BGH, Urt. v. 25.3.1987, VIII ZR 43/86, NJW 1987, 2004, 2006; BGH, Urt. v. 19.2.2002, X ZR 166/99, NJW 2002, 1870 ff.; Palandt/*Grüneberg*, BGB, 80. Aufl. 2021, § 314 Rn. 12.

[68] *Vogel*, Juristische Methodik, 1998, S. 63.

[69] *Bydlinski*, Juristische Methodenlehre und Rechtsbegriff, 2. Aufl. 1991, S. 573.

[70] *Kramer*, Juristische Methodenlehre, 6. Aufl. 2019, S. 131 f.

[71] *Kingreen/Poscher*, Grundrechte Staatsrecht II, 36. Aufl. 2020, Rn. 280 ff.

[72] Für den Arbeitnehmerschutz *Rebhahn/Franzen*, in: Riesenhuber, Europäische Methodenlehre, 4. Aufl. 2021, § 17 Rn. 19; für den Verbraucherschutz die Rechtsfigur vollständig ablehnend dagegen *Riesenhuber*, in: ders., (ebd.), § 10 Rn. 58 ff.

[73] Vgl. Art. 1 Richtlinie 84/450/EWG über irreführende Werbung (§ 2 Fn. 132).

[74] EuGH, Urt. v. 14.1.2010, C-304/08, EU:C:2010:12, Rn. 41 – Plus Warenhandelsgesellschaft.

[75] EuGH, Urt. v. 6.7.1995, C-470/93, EU:C:1995:224, Rn. 24 – Mars; EuGH, Urt. v. 16.7.1998, C-210/96, EU:C:1998:369, Rn. 31 – Gut Springenheide.

[76] Zum früheren deutschen Verbraucherleitbild des absolut unmündigen Verbrauchers, s. *Emmerich*, in: FS Gernhuber, 1993, S. 857, 870. Zum deutschen und europäischen Verbraucherleitbild s. *Lettl*, Wettbewerbsrecht, 3. Aufl. 2016, S. 39 ff.; Köhler/Bornkamm/Feddersen/*Köhler*, UWG, 39. Aufl. 2021, § 1 Rn. 22 ff.

zwischen den Rechten und Pflichten der Vertragsparteien betont wird.[77] Die Durchsetzung der Grundfreiheiten kann insoweit Vorrang vor dem Verbraucherschutz haben (§ 2 Rn. 76). Ausnahmen zum Diskriminierungsverbot können nicht vorbehaltslos eng ausgelegt werden, weil dieses wiederum eine Ausnahme zur Vertragsfreiheit als dominierendes Rechtsprinzip im Zivilrecht (§ 9 Rn. 29 ff.) darstellt.[78]

3. Historische Auslegung

a) Diskontinuität im Rahmen der genetischen Auslegung: subjektiver Wille der Vorläufernorm gilt nicht mehr

41 Wird der Normtext vom Gesetzgeber **verändert**, ist die Kontinuitätsregel (§ 4 Rn. 152) suspendiert und es ist im Gegenteil davon auszugehen, dass diese Veränderung zu einer neuen Lesart führen muss.[79] Zur Frage des Entzugs einer Trennungszulage für EU-Beamte führt der EuGH aus, dass der Gesetzgeber nicht an dem ursprünglichen Sinn festhalten wollte, weil er das Wort „Umkreis" durch das Wort „Entfernung" ersetzt hat.[80]

b) Subjektiver Wille ist unklar, mehrdeutig oder widersprüchlich (Perplexität)

42 Die Bedeutung des historischen Willens relativiert sich oft. Er ist unklar[81], etwa weil der Gesetzgeber entweder schweigt (sog. **Lückenhaftigkeitsargument**) oder sich bei der Gesetzgebung über das relevante Problem gar keine Gedanken macht.[82] Manchmal ist der gesetzgeberische Wille auch widersprüchlich, also **perplex** (sog. **Unsicherheitsargument**). Im Einzelnen war etwa bis dato strittig, ob der Kläger als Schaden bei einer fehlerhaften Ad-hoc-Mitteilung gem. §§ 97, 98 WpHG nur die Kursdifferenz oder auch die Rückerstattung des Kaufpreises geltend machen kann. Der BGH formuliert folglich auch sehr vorsichtig:

43 „Die zur Auslegung der Normen heranzuziehenden *Gesetzesmaterialien* sind in Bezug auf den Umfang des ersatzfähigen Schadens *bestenfalls ambivalent*. Im allgemeinen Teil der Gesetzesbegründung (BT-Drucks. 14/8017) finden sich sowohl – für eine Beschränkung auf die Kursdifferenz sprechende – Bezugnahmen auf die ‚Integrität und Funktionsfähigkeit des Finanzmarktes' (S. 62) sowie die ‚Herstellung von Transparenz an den Kapitalmärkten' (S. 63) als auch die offen artikulierte Absicht der Stärkung des als unzureichend bemängelten Anlegerschutzes (S. 62, 64, 93)."[83]

44 Ein Unterfall, bei dem sich der gesetzgeberische Wille widerspricht, findet sich auch im europäischen Recht bei der Umsetzung von Richtlinien. Hier wurde festgestellt, dass der **konkrete Wille** für eine bestimmte Regelung im Widerspruch stand mit dem **allgemeinen Willen** des Gesetzgebers, europäisches Recht korrekt umzusetzen (§ 12 Rn. 68).

---

[77] ErwG. 2 und 53 Warenkauf-RL; vertiefend *Möllers*, in: FS Grunewald, 2021, S. 771, 784 f.

[78] So ist z.Z. heftig umstritten, ob die Antidiskriminierungsrichtlinien und das AGG als Rechtsfolge einen Kontrahierungszwang erlauben, dafür *Thüsing/von Hoff*, NJW 2007, 21; **a. A.** *Armbrüster*, NJW 2007, 1494 m.w.Nachw. S. § 12 Rn. 84.

[79] *Potacs*, Auslegung im öffentlichen Recht, 1994, S. 138 f.; *F. Müller/Christensen*, Juristische Methodik, Bd. II, 3. Aufl. 2012, Rn. 66.

[80] EuGH, Urt. v. 1.6.1961, 15/60, EU:C:1961:11, 245, 262 – Simon.

[81] Ebenso im anglo-amerikanischen Recht *Twining/Miers*, How to Do Things with Rules, 5th ed. 2010, S. 150 ff.

[82] So schon treffend *Pfaff/Hoffmann*, Commentar zum österreichischen allgemeinen bürgerlichen Gesetzbuche, Bd. 1, 1877, X: „ein Irrthum zu Glauben, die Urheber eines Gesetzbuches hätten die sicherste Kenntnis von seinem Inhalt"; *Lindner*, Theorie der Grundrechtsdogmatik, 2005, S. 140; § 13 Rn. 39 ff.

[83] BGH, Urt. v. 13.12.2011, XI ZR 51/10, BGHZ 192, 90 Rn. 55 – IKB.

c) Maßgeblichkeit eines normativen, subjektiven Willens

Gegen den historischen Willen wird vorgetragen, dass es oft ganz verschiedene Fundstellen gibt, sodass ein Rosinenpicken[84] sich aufdrängt. Man dürfe deshalb nicht bei der erstbesten Stelle stehen bleiben.[85] Um den historischen Willen des Grundgesetzes festzustellen, müsste man auch den Willen aller Landtage berücksichtigen, die das Grundgesetz ratifiziert haben. Das ist kaum möglich.[86] Seit *Wittgenstein* weiß man, dass ein Wort immer auch in seinem historischen Kontext verstanden werden muss. Der Kontext verändert sich somit ständig (§ 4 Rn. 41). Den Willen des historischen Gesetzgebers festzustellen, verlangt also auch den entsprechenden Kontext zu kennen. Insoweit ist nicht auf den erklärten, sondern einen **normativen Willen** abzustellen.[87] Konsequent weitergedacht, dürfen deshalb nicht Aussagen Einzelner, sondern nur der Wille des gesamten Parlamentes Relevanz besitzen (§ 4 Rn. 171).[88] 45

d) Redaktionsversehen

aa) Von einem Redaktionsversehen spricht man, wenn der Gesetzgeber sich bei der Willensäußerung im Inhalt oder in der Erklärung irrt und damit der Gesetzeswille mit dem Gesetzeswortlaut nicht übereinstimmt.[89] Solche Fehler sind bei mehreren 1.000 Seiten Gesetzestext, die jedes Jahr produziert werden, zahlreicher als man denken würde. Sie können bereits im Text der verabschiedeten Norm enthalten sein oder sich als Publikationsfehler erst in der amtlich publizierten Fassung einschleichen.[90] Wenn der Gesetzgeber Birnen sagt, aber nach dem eindeutigen Willen Äpfel meint, so hat er Äpfel gesagt. Nach dem Grundsatz „falsa demonstratio non nocet" gilt dann das Gewollte.[91] Dass der Wortlaut unbeachtlich ist und nur das Gewollte gilt, verlangt aber, dass sich durch Auslegung der eindeutige Wille des Gesetzgebers ex post feststellen lässt. Dies kann scheitern, wenn der historische Wille nicht zu ermitteln ist (§ 4 Rn. 171). Zudem kann die Auslegung auch ergeben, dass gerade kein Redaktionsversehen vorliegt.[92] Ergibt die Auslegung aber eindeutig, dass sich der Wille nicht im Wortlaut wiederfindet, sind drei Optionen möglich: Aus Gründen der Rechtsklarkeit korrigiert der Gesetzgeber seinen Fehler in einem anschließenden Gesetzgebungsverfahren selbst. Alternativ korrigiert das im Gesetzgebungsverfahren federführende Bundesministerium diesen Fehler, § 61 GGO. Nur zu oft unterbleibt aber eine solche Korrektur, so dass dann als dritte Möglichkeit die Gerichte den Wortlaut durch Auslegung „korrigieren". Der wahre Gesetzeswille setzt sich dann gegenüber dem versehentlich fehlerhaften Gesetzesausdruck durch.[93] 46

[84] *Seibert*, in: Fleischer, Mysterium „Gesetzesmaterialien", 2013, S. 111, 116.

[85] Kritisch folglich das Sondervotum *Schluckebier* und *Hermanns* in BVerfG, Beschl. v. 17.1.2015, 1 BvR 471/10 u.a., BVerfGE 138, 296 Rn. 23 – Kopftuch II.

[86] *Heun*, AöR 116 (1991), 185, 200 ff.; krit. vorher schon *Schmitt*, Gesetz und Urteil, 1912, S. 23 ff., 27 f.

[87] *Heck*, AcP 112 (1914), 1, 53 ff.; *Reinicke*, NJW 1952, 1033, 1037; *Kriele*, Theorie der Rechtsgewinnung, 2. Aufl. 1976, S. 174.

[88] So *Wischmeyer*, JZ 2015, 957, 966.

[89] *Jahr*, in: FS Kaufmann, 1993, S. 141, 142; *Hamann*, AöR 139 (2014), 446, 450.

[90] Zu dieser Unterscheidung ausführlich *Regelsberger*, Pandekten, 1893, S. 137 ff.; *Staats*, ZRP 1974, 183 f.; *Riedl*, AöR 119 (1994), 642, 646 f.

[91] *Hucko*, NJW 1998, 3553; *Schubert*, NZV 2011, 369, 372. Zur falsa demonstratio s. sogleich § 6 Rn. 186.

[92] Ablehnend etwa BVerfG, Urt. v. 17.1.2017, 2 BvB 1/13, BVerfGE 144, 20 Rn. 552 ff. – NPD-Verbotsverfahren zum Begriff des „Beeinträchtigens".

[93] *Vogenauer*, Die Auslegung von Gesetzen in England und auf dem Kontinent, 2001, S. 86, 1267; *Kramer*, Juristische Methodenlehre, 6. Aufl. 2019, S. 166 spricht von korrigierender Interpretation *contra verbis legis*.

47 *Jugendstrafrecht:* Nach § 105 Abs. 1 Nr. 1 JGG kommt es für die Anwendbarkeit des Jugendstrafrechts darauf an, dass sich aus der Gesamtwürdigung der Persönlichkeit des Heranwachsenden bei Berücksichtigung auch der Umweltbedingungen ergibt, dass der Heranwachsende zur Zeit der Tat nach seiner sittlichen und geistigen Entwicklung noch einem Jugendlichen gleichstand. Im konkreten Fall war der Jugendliche bei der Tat zwar schon über den körperlichen und geistigen Zustand eines Jugendlichen hinaus entwickelt, allerdings wurde festgestellt, dass „die Ausbildung seiner seelisch-sittlichen Kräfte nicht Schritt gehalten hatte“. Unklar war insofern, ob die Norm beide Voraussetzungen kumulativ verlangt, damit die den Angeklagten begünstigende Vorschrift angewendet werden kann. Der BGH möchte dies verneinen und beruft sich auf ein Redaktionsversehen des Gesetzgebers:

48 „Die *Entstehungsgeschichte* ergibt indes eindeutig, daß diese Frage [der Anwendbarkeit des JGG] zu bejahen ist. Es ist gerade ein Hauptanliegen jener Vorschrift, eine sinnvolle und zweckentsprechende strafrechtliche Behandlung solcher junger Menschen zu ermöglichen, die nur nach dem – durch den körperlichen und geistigen Reifezustand bestimmten – äußeren Eindruck dem Jugendalter entwachsen scheinen, in Wirklichkeit aber, innerlich unausgereift, ihm noch verhaftet sind. […] Die Fassung des Gesetzes, das die Wendung ‚nach seiner sittlichen und geistigen Entwicklung' augenscheinlich früheren Vorschriften entnommen hat […], scheint die in § 105 Abs. 1 Ziff. 1 JGG 1953 *veränderte Fragestellung übersehen* zu haben.“[94]

49 bb) Dagegen soll im Strafrecht ein Redaktionsversehen dann nicht relevant sein, wenn dadurch ein milderes Gesetz eingeführt wurde.[95] Das Meistbegünstigungsprinzip (*Lex-mitior*-Grundsatz) besagt, dass, wenn nach einer Tat ein Gesetz geändert wurde, das mildere Gesetz auf die Tat anzuwenden ist. Dieser Grundsatz ist in § 2 Abs. 3 StGB und § 4 Abs. 3 OWiG einfachrechtlich verankert. Lex mitior gilt auch dann, wenn ein Zustand der Straflosigkeit eintritt.[96] Im Fokus des Schutzbereichs von lex mitior steht die Erwägung, dass nicht vom zufälligen Zeitpunkt der Verurteilung abhängen solle, welches Recht anwendbar ist; damit wird auch Missbrauch seitens der Strafverfolgung vorgebeugt.[97] Eine Beschränkung von lex mitior auf gewollte Änderungen würde diesen Erwägungen nicht gerecht. Auch auf der Ebene des Europarechts wird durch Art. 49 Abs. 1 S. 3 GRCh und durch Art. 7 EMRK das Meistbegünstigungsprinzip gewährt.[98] Allein die Tatsache, dass eine Sanktionslücke aufgrund von lex mitior einen unionsrechtswidrigen Zustand herstellt, vermag den Grundsatz nicht einzuschränken.[99] In der Vergangenheit ist es bereits

[94] BGH, Urt. v. 19.7.1956, 1 StR 224/56, NJW 1956, 1408 – Anwendung des Jugendstrafrechts auf Heranwachsende; weitere Beispiele: BVerfG, Urt. v. 31.5.1960, 2 BvL 4/59, BVerfGE 11, 139, 148 f.; BVerfG, Urt. v. 15.12.1965, 1 BvR 513/65, BVerfGE 19, 342, 352 f.

[95] BGH, Beschl. v. 9.3.1954, 3 StR 12/54, BGHSt 6, 30, 32; BGH, Urt. v. 8.1.1965, 2 StR 49/64, BGHSt 20, 177, 181; so aber *Tiedemann*, ZBB 2005, 190, 191, bei einem „rein formalen Versehen des Gesetzgebers (unterlassene Anpassung einer Verweisung).“

[96] Satzger/Schluckebier/Widmaier/*Satzger*, StGB, 5. Aufl. 2021, § 2 Rn. 16; *Dannecker/Schuhr*, in: LK-StGB, 13. Aufl. 2020, § 2 Rn. 62.

[97] *Schmitz*, in: MünchKomm-StGB, 4. Aufl. 2020, § 2 Rn. 23; Satzger/Schluckebier/Widmaier/*Satzger*, StGB, 5. Aufl. 2021, § 2 Rn. 15. Allgemeine Gerechtigkeitserwägungen in den Vordergrund stellend: RG, Urt. v. 15.1.1891, 3485/90, RGSt 21, 294 f.; *Maurach/Zipf*, Strafrecht Allgemeiner Teil, Bd. 1, 8. Aufl. 1992, § 12 Rn. 12; Schönke/Schröder/*Hecker*, StGB, 30. Aufl. 2019, § 2 Rn. 14.

[98] EGMR, Urt. v. 17.9.2009, 10249/03, CE:ECHR:2009:0917JUD001024903, Rn. 104 ff. – Scoppola v. Italien, unter Aufgabe der früheren Rspr. in EGMR, Urt. v. 5.12.2000, 35574/97, CE:ECHR:2004:0615JUD 003557497 – Le Petit v. the United Kingdom und EGMR, Urt. v. 6.3.2003, 41171/98, CE:ECHR:2004:0930 JUD004117198 – Zaprianov v. Bulgaria.

[99] EuGH, Urt. v. 8.3.2007, C-45/06, EU:C:2007:154, Rn. 32 – Campina; in diese Richtung auch Satzger/Schluckebier/Widmaier/*Satzger*, StGB, 5. Aufl. 2021, § 2 Rn. 18. Zu einem weiteren Redaktionsversehen s. oben § 5 Rn. 16a.

mehrfach zu nationalen Sanktionslücken gekommen, als Blankettverweise auf EU-Verordnungen nicht an geändertes Unionsrecht angepasst wurden.[100]

MAR: Der deutsche Gesetzgeber hat die Vorschriften zum Marktmissbrauch (§§ 15, 20a WpHG a.F.) am 2.7.2016 mit dem 1. FiMaNoG aufgehoben. Gleichzeitig führte er strafrechtliche Blankettverweise in §§ 119, 120 WpHG auf die Marktmissbrauchsverordnung (MAR) ein, die europaweit unmittelbar ab dem 3.7.2016 zur Anwendung kam. Weil das WpHG[101] für 24 Stunden auf eine Verordnung verwies, die noch nicht unmittelbar galt, wurde in der Literatur die Ansicht vertreten, dass diese Verweise keine Strafbarkeit begründen könnten.[102] Aufgrund des lex mitior Grundsatzes hätte der straffreie 2.7.2016 eine „Generalamnestie" im Kapitalmarktstrafrecht ausgelöst. Der BGH hat stattdessen den Ansatz gewählt, die unionsrechtliche MAR für einen Tag als deutsches Recht anzuwenden.[103] Mangels Anhaltspunkten im Wortlaut und der Entstehungsgeschichte wurde das Urteil durchweg kritisiert.[104] Zielführender ist es, den nicht von Art. 103 Abs. 2 GG erfassten Lex-mitior-Grundsatz durch ein späteres Gesetz (lex posterior) außer Kraft zu setzen.[105] Dies ist nach Ansicht des BVerfG zulässig, weil vom Rückwirkungsverbot nur das „von wann an", nicht aber das „wie lange" der Strafverfolgung geschützt sei.[106] Um auch den unionsrechtlichen Lex-mitior-Grundsatz in Art. 49 Abs. 1 S. 3 GRCh wirksam einzuschränken, muss das spätere Gesetz den formellen und inhaltlichen Anforderungen des Allgemeinvorbehalts in Art. 52 Abs. 1 GRCh genügen. 50

e) Die objektive Theorie

Die objektive Theorie geht davon aus, dass nicht der Wille des Gesetzgebers von damals zwingend gelte, sondern der Wille des Gesetzgebers im heutigen Sinne ausgelegt werden dürfe. Es handelt sich um eine Form der Rechtsfortbildung, die sogleich besprochen wird (§ 6 Rn. 60 ff.). 51

4. Telos, Folgenorientierung und ökonomische Analyse

a) Unlogisches Recht

Recht will nicht nur systematisch, sondern auch logisch sein, etwa bei der Vermeidung eines Zirkelschlusses (§ 5 Rn. 36 ff.). Folglich scheinen logische Argumente zu den stärksten Argumenten überhaupt zu gehören. Allerdings gilt auch hier, dass teleologische Überlegungen stärker sein können. So darf Recht auch unlogisch sein, wie *Kipp* schon 1911 nachgewiesen hat. Die Lehre von der sog. **Kipp'schen Doppelwirkung**[107] besagt, dass es möglich sein kann und muss, nichtiges Recht anzufechten. Dies erscheint zu- 52

---

[100] So im Fall der Fahrgastpersonenverordnung, deren Verweis auf die Verordnung (EWG) 3820/85 nach deren Aufhebung für drei Monate ins Leere ging. Instruktiv dazu *Sachs*, JuS 2009, 556, 557. Zur Einschränkung des *Lex-mitior*-Grundsatzes de lege ferenda vgl. BVerfG, KBeschl. v. 18.9.2008, 2 BvR 1817/08, NJW 2008, 3769.

[101] Zu diesem Zeitpunkt noch §§ 38, 39 WpHG a.F., vgl. Begr. RegE, BT-Drs. 18/7482.

[102] *Rothenfußer/Jäger*, NJW 2016, 2692; *Rossi*, ZIP 2016, 2437, 2442.

[103] BGH, Beschl. v. 10.1.2017, 5 StR 532/16, BGHSt 62, 13 Rn. 6 ff. m. Anm. *Möllers/Herz*, WuB 2017, 309.

[104] *Möllers/Herz*, JZ 2017, 445, 447 ff.; *Rothenfußer*, AG 2017, 149, 152, *Rossi*, NJW 2017, 969.

[105] *Möllers/Herz*, JZ 2017, 445, 449 ff., mit Verweis auf § 52 WpHG a.F (§ 137 WpHG); *Gaede*, wistra 2017, 41, 46 ff.

[106] Bislang lediglich zum Ordnungswidrigkeitenrecht (§ 4 Abs. 3 OWiG): BVerfG, Beschl. v. 29.11.1989, 2 BvL 1491/87 u.a., BVerfGE 81, 132, 136; BVerfG (ebd.), NJW 2008, 3769, 3770; dagegen *Rossi*, ZIP 2016, 2437, 2444 ff.

[107] Zur Kipp'schen Lehre von der Doppelwirkung s. *Kipp*, in: FS von Martitz, 1911, S. 211 ff.; *Fikentscher*, Methoden des Rechts, Bd. IV, 1977, S. 363; Palandt/*Ellenberger*, BGB, 80. Aufl. 2021, Überbl. vor § 104 Rn. 35; hierzu *Möllers*, Juristische Arbeitstechnik und wissenschaftliches Arbeiten, 10. Aufl. 2021, § 10 Rn. 3.

nächst unlogisch: So kann ein nichtiges Rechtsgeschäft gem. § 142 Abs. 1 BGB eigentlich nicht angefochten werden. Wo nichts ist, kann man auch nichts beseitigen. Gleichwohl kann es zum Schutz des Anfechtungsberechtigten trotzdem sinnvoll sein, die Anfechtung zuzulassen.

53 *Kipp'sche Doppelwirkung:* Der 17-jährige V, der keine Ahnung von Antiquitäten hat, erbte von seiner jüngst verstorbenen Großmutter einen alten Renaissanceschrank, der 50.000 EUR wert ist. V verkauft ihn an den Antiquitätenhändler K für 4.000 EUR, weil K den V arglistig über Alter und Wert des Schranks täuscht. K verkauft den Schrank an D weiter. D weiß von der arglistigen Täuschung, nicht dagegen von der Minderjährigkeit des V.

54 D könnte über §§ 929, 932 BGB gutgläubig Eigentum erworben haben. D war grundsätzlich gutgläubig hinsichtlich der Eigentümerstellung des K gem. § 932 BGB, weil er die Minderjährigkeit des V und damit die Nichtigkeit des Verfügungsgeschäfts zwischen K und V nicht kannte.

55 Eine Anfechtung wäre nach §§ 142 Abs. 1, 123 BGB möglich. Rechtsfolge des § 142 Abs. 1 BGB ist die Nichtigkeit der Erklärung. Ist die Erklärung bereits nichtig, scheidet eine Anfechtung nach § 142 Abs. 1 BGB grundsätzlich aus. § 142 Abs. 2 BGB bestimmt aber, dass ein Dritter, wenn er die Anfechtbarkeit des Verfügungsgeschäfts kannte oder kennen musste, sich so behandeln lassen muss, als hätte er die Nichtigkeit des Rechtsgeschäfts gekannt oder hätte diese kennen müssen. § 142 Abs. 2 BGB erweitert damit den Fall der Bösgläubigkeit nach § 932 Abs. 2 BGB. Bösgläubig ist nicht nur derjenige, der die Nichteigentümerstellung i.S.v. § 932 Abs. 2 BGB kennt, sondern auch bereits derjenige, der die Anfechtbarkeit des Rechtsgeschäfts kennt oder kennen musste. Im vorliegenden Fall war D bösgläubig i.S.v. § 142 Abs. 2 BGB, weil er die Arglist des V und damit die Anfechtbarkeit des Rechtsgeschäfts kannte.

56 § 142 Abs. 2 BGB gilt aber nur, wenn V gegenüber K anfechten darf. Eigentlich wäre eine solche Anfechtung logisch überflüssig, weil die dingliche Übereignung von V an K schon wegen der Minderjährigkeit des V nichtig ist. Hier ist der Minderjährige aber schützenswert, sodass die Anfechtung möglich sein muss.

b) Grenzen der folgenorientierten Auslegung und der ökonomischen Analyse

57 Bestimmte Figuren der folgenorientierten Auslegung kennen Einschränkungen und Ausnahmen. Sie provozieren den Widerspruch, etwa wenn das Faktische nicht entscheidend sei (§ 5 Rn. 95 ff.) oder die Mehrheitsmeinung nicht eine Entscheidung vorgeben darf (§ 5 Rn. 101 ff.). Oben wurden bereits die Grenzen der ökonomischen Analyse ausführlich dargestellt, u.a. die Grenze, welche die Verfassung zieht (§ 5 Rn. 130 f.).

58 In folgender Grafik werden ausgewählte *Argumentationsfiguren und ihre jeweiligen gegenläufigen Argumentationsfiguren* zusammenfassend dargestellt. Die Linien, auf denen Punkte sitzen, sind dabei bildhaft als Regler auf einem Mischpult zu verstehen, mit denen in jedem Einzelfall eine Abwägung zwischen der Argumentationsfigur und ihrer Gegenfigur vorgenommen werden soll.

Grafik: Ausgewählte Argumentationsfiguren und ihre gegenläufigen Argumentationsfiguren 59

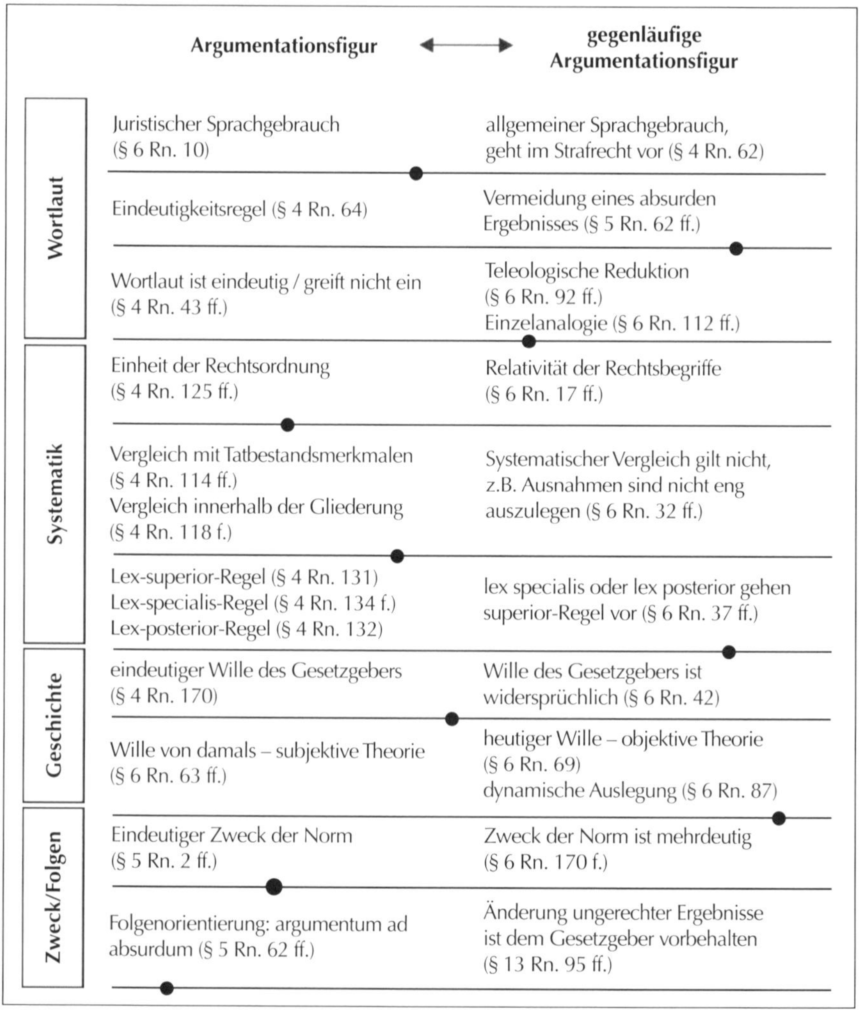

II. Subjektive versus objektive Theorie

1. Der Streitstand als Dauerbrenner der juristischen Methodenlehre

Vor einiger Zeit fand im Feuilleton der Frankfurter Allgemeinen Zeitung ein großer Streit 60
darüber statt, ob sich der Richter als Pianist sehen darf, der das Werk des Gesetzgebers interpretiert oder ob er, das Bild von *Philipp Heck* verwendend, sich als *Diener des Gesetzes* begnügen muss.[108] Der frühere Präsident des Bundesgerichtshofs *Günter Hirsch* prägte das Bild

[108] *Heck*, AcP 112 (1914), 1, 19 ff.

des Richters als *Pianisten*[109] und wurde dafür vehement angegriffen: Mit dem Bild des Pianisten würde der Richter die Rechtsfortbildung nur zu oft verdecken und die juristischen Methoden verwenden, um ein gewünschtes Ergebnis methodisch zu „rationalisieren".[110] Die Figur der objektiven Theorie wird als „interpretative Vernebelungsstrategie" gebrandmarkt, weil man in ein Gesetz hineinlese, was man vorher hineingelegt hätte. Der Hinweis auf vermeintlich überpositives Recht sei oft ein frei verfügbarer Apparat von Leerformeln im Sinne und Interesse des jeweiligen Zeitgeistes.[111] Dieser Vorwurf wird zudem mit den Erfahrungen des Dritten Reichs verbunden. *Hillgruber* stellt die objektive Theorie in die Tradition der Juristen des Dritten Reichs, insbesondere in die von *Freisler* und der im Strafrecht damals zulässigen Analogiebildung zulasten des Beschuldigten.[112] Im Dritten Reich hätte es der Bezug auf den Führerwillen oder das gesunde Volksempfinden erst ermöglicht, den Rechtsbegriff der guten Sitten des § 138 BGB umzudeuten.[113] *Rüthers* hält die objektive Theorie vollends für verfassungswidrig.[114] Die Kritik meines Namensvetters *Christoph Möllers* gipfelte in der Aussage: „[...] in einem solchen Land sind die Richter für die Freiheit eine Bedrohung".[115]

61 Bei der Auslegung von Rechtsnormen können zwei verschiedene Zeitpunkte maßgeblich sein: Zum einen der Zeitpunkt, in dem die Norm entstanden ist, also durch den Gesetzgeber verabschiedet wurde, zum anderen der konkrete Anwendungszeitpunkt der Norm. Zwischen den beiden Zeitpunkten kann unter Umständen ein langer Zeitraum liegen, in dem sich die in einer Gesellschaft prägenden Parameter maßgeblich verändern können. So erfolgten seit Inkrafttreten des BGB im Jahre 1900 in den Jahren 1918/19, 1933, 1945/49 sowie 1989/90 vier einschneidende Zäsuren des politischen Systems, von der Monarchie wilhelminischer Ausprägung bis hin zur wiedervereinigten Bundesrepublik.[116] In manchen Rechtsgebieten reichen aufgrund der Dynamik der Regelungsmaterie deutlich kürzere Zeiträume aus, um einen vergleichbaren Kontextwandel zu bewirken. Beispielhaft ist das Datenschutzrecht zu nennen, das seit jeher mit der rasanten technischen Entwicklung kaum Schritt halten kann. Eine der strittigsten Fragen juristischer Methodik setzt sich daher damit auseinander, ob Gesetze subjektiv nach dem im Zeitpunkt ihrer Verkündung maßgeblichen Verständnis oder vielmehr objektiv aus der Perspektive des späteren Rechtsanwenders anzuwenden sind. Hierzu sind die Begriffe subjektive versus objektive Auslegung bzw. Theorie gebräuchlich.[117]

---

[109] *Hirsch*, ZRP 2006, 161: „Im Konfliktfall hat der Richter seine Entscheidung am (überpositiven) Recht auszurichten, der Positivismus als bedingungsloser Gehorsam gegenüber dem Gesetz ist überwunden. Deshalb entspricht das Bild vom Herrn und Diener nicht mehr unserer Verfassungswirklichkeit. Sucht man ein Bild, so passt meines Erachtens am ehesten das des Pianisten und Komponisten für das Verhältnis des Richters zum Gesetzgeber. Er interpretiert die Vorgaben, mehr oder weniger virtuos, er hat Spielräume, darf das Stück aber nicht verfälschen."

[110] Der Vorwurf lautet, Methode bilde nur eine Fassade oder wie der frühere Präsident des BVerfG, *Zeidler* zitiert wird: „Ach wissen Sie, bei uns hat eigentlich jeder Fall seine eigene Methode", so *Rüthers*, JZ 2006, 53, 54. Zur Freirechtsschule s. *Kantorowicz (Flavius)*, Der Kampf und die Rechtswissenschaft, 1906, S. 10 ff.; *Isay*, Rechtsnorm und Entscheidung, 1929, S. 162 ff. S. auch *Esser*, Vorverständnis und Methodenwahl, 1970, S. 7, 139 ff., 149 ff.; *Ogorek*, in: FG Kübler, 1997, S. 3, 14 ff.: „Gesetzesbindungsikone als historisch deutbare Lebenslüge des Rechtsstaats".

[111] *Rüthers*, JZ 2003, 995, 997; *ders.*, FAZ v. 27.12.2006, S. 31.; *ders.*, JZ 2006, 53, 57.

[112] *Hillgruber*, JZ 2008, 745, 749 ff.; s. etwa *Gürtner/Freisler*, Das neue Strafrecht, 1936, S. 20 ff., 73 ff. und § 4 Rn. 67 f. und § 14 Rn. 100 ff.

[113] *Rüthers*, Die unbegrenzte Auslegung, 8. Aufl. 2017, S. 218 f. sowie *ders.*, JZ 2002, 365, 367; *ders.*, JZ 2006, 53, 56; *ders.*, JZ 2008, 447, 448: „der Pianistenvergleich kann daher als eine Anregung zur Beliebigkeit von Gesetzesinterpretationen verstanden werden".

[114] *Rüthers*, JZ 2006, 53, 60.

[115] *Ch. Möllers*, FAZ v. 26.10.2006, S. 37.

[116] Vgl. *Rüthers*, Die unbegrenzte Auslegung, 8. Aufl. 2017, S. 3, 514, 524. S. oben § 1 Rn. 114.

[117] Zu diesen schon mehr als 100 Jahre alten Streit s. anschaulich Enneccerus/*Nipperdey*, Allgemeiner Teil des Bürgerlichen Rechts, 15. Aufl. 1959, S. 324 ff.; Engisch/*Würtenberger/Otto*, Einführung in das juristische Denken, 12. Aufl. 2018, S. 133 ff.; *Kramer*, Juristische Methodenlehre, 6. Aufl. 2019, S. 135 ff.; *Fikentscher*, Methoden des Rechts, Bd. III, 1976, S. 662 ff.; *Fleischer*, AcP 211 (2011), 318, 321 ff.

In der Rechtsprechung finden sich sowohl Urteile, die der subjektiven (§ 6 Fn. 131), als auch solche, die der objektiven Ansicht (§ 6 Fn. 148) folgen.[118] 62

2. Die subjektive Theorie

a) Maßgeblichkeit des Willens des damaligen Gesetzgebers

Für die Vertreter der **subjektiven Theorie** kommt es in erster Linie auf den Regelungswillen des Gesetzgebers an, der durch historische Gebots- und Normzweckforschung zu ergründen ist (s. auch § 4 Rn. 146 ff.). Schon *von Savigny* und *Windscheid* haben sich auf den historischen Willen des Gesetzgebers berufen.[119] Danach sind die Motive in ihrem geschichtlichen Zusammenhang maßgeblich. Sowohl im Öffentlichen Recht[120] als auch im Zivilrecht[121] finden sich Anhänger der subjektiven Theorie. Begründet wird dies unter anderen mit demokratietheoretischen Aspekten: Maßgeblich muss der Wille des Gesetzgebers sein und nicht des aktuellen Rechtsanwenders.[122] Wäre der Wille des Gesetzgebers irrelevant, würde ihm die Herrschaft über den Inhalt des gesetzten Rechts entzogen.[123] Dies wäre ein Verstoß gegen die Gewaltenteilung und eine Machtverschiebung vom Parlament zur Judikative.[124] Die Vertreter der subjektiven Theorie ziehen die Grenzen zulässiger Rechtsfortbildung eng: Die Rechtsfortbildung ist nach dieser Ansicht bereits dann unzulässig, wenn sie „den klaren Wortlaut des Gesetzes hintanstellt, ihren Widerhall nicht im Gesetz findet und vom Gesetzgeber nicht ausdrücklich oder [...] stillschweigend gebilligt wird".[125] 63

b) Lücke nicht planwidrig – beredetes Schweigen des Gesetzgebers

Als Rechtsfigur wird unter anderem die bewusste Lücke herangezogen: Das Gesetz kann auch **bewusste Regelungslücken** aufweisen, „indem der zu entscheidende Fall von keiner Norm ihrem Regelungsplan nach erfasst wird, [sog.] Lücken *praeter legem*."[126] Möglicherweise hat der Gesetzgeber ein Rechtsinstitut oder eine Rechtsfolge nicht erwähnt, weil er sie nicht zulassen will; man spricht von **beredtem** oder **qualifiziertem Schweigen** bzw. einer **unechten Lücke**.[127] In diesem Fall fehle es an der für einen Analogieschluss erforderlichen Planwidrigkeit der Lücke (§ 6 Rn. 107 ff.). 64

---

[118] Zum Methodenpluralismus ausführlich unten § 14 Rn. 64. Für die Kritik am schweizerischen BGer ausdrücklich *Kramer*, Juristische Methodenlehre, 6. Aufl. 2019, S. 143 ff.

[119] *von Savigny*, System des heutigen römischen Rechts, 1840, S. 213: „Dieses geschieht, indem sie sich in Gedanken auf den Standpunkt des Gesetzgebers versetzen, und dessen Thätigkeit in sich künstlich wiederholen, also das Gesetz in ihrem Denken von Neuem entstehen lassen."; ebenso *Windscheid*, Lehrbuch des Pandektenrechts, Bd. 1, 7. Aufl. 1891, S. 52: „möglichst vollständig in die Seele des Gesetzgebers hineinzudenken".

[120] *Alexy*, Theorie der juristischen Argumentation, 1983, S. 305; *Hillgruber*, JZ 1996, 118, 121.

[121] *Heck*, AcP 112 (1914), 1, 59 ff.; Enneccerus/*Nipperdey*, Allgemeiner Teil des Bürgerlichen Rechts, 15. Aufl. 1959, S. 328; *Neuner*, Die Rechtsfindung contra legem, 2. Aufl. 2005, S. 111 ff.; *Rüthers/Fischer/Birk*, Rechtstheorie, 11. Aufl. 2020 Rn. 730c f.; *Höpfner/Rüthers*, AcP 209 (2009), 1, 7.

[122] *Rüthers/Fischer/Birk*, Rechtstheorie, 11. Aufl. 2020 Rn. 730c.

[123] *Depenheuer*, DVBl. 1987, 809, 812: „Inanspruchnahme von Legislativkompetenz"; *Potacs*, Auslegung im öffentlichen Recht, 1994, S. 26 f. m.w.Nachw.

[124] *Looschelders/W. Roth*, Juristische Methodik im Prozeß der Rechtsanwendung, 1996, S. 50 ff.; *Rüthers*, JZ 2006, 53, 58.

[125] BVerfG, Beschl. v. 14.6.2007, 2 BvR 1447/05 u.a., BVerfGE 118, 212, 243; sowie Minderheitsvotum BVerfG, Beschl. v. 15.1.2009, 2 BvR 2044/07, BVerfGE 122, 248, 283 – Rügeverkümmerung. S. auch *Neuner*, Die Rechtsfindung contra legem, 2. Aufl. 2005, S. 132. Hierzu unten § 13 Rn. 13 ff.

[126] *Rehbinder*, Einführung in die Rechtswissenschaft, 8. Aufl. 1995, S. 82.

[127] *Rehbinder*, Einführung in die Rechtswissenschaft, 8. Aufl. 1995, S. 83.

65 Bei der Schaffung des BGB wollte der Gesetzgeber nur besondere Persönlichkeitsrechte, aber kein allgemeines Persönlichkeitsrecht einführen. – Gem. §§ 1360 Abs. 1, 1601 BGB bestehen Unterhaltsansprüche nur zwischen Verwandten in gerader Linie. Beredtes Schweigen des Gesetzes stellt die bewusste Entscheidung des Gesetzgebers dar, dass unter Geschwistern keine wechselseitigen Unterhaltsansprüche bestehen. Da sich die familiären Bindungen seit In-Kraft-Treten des BGB eher noch gelockert haben, scheidet eine analoge Erstreckung der §§ 1360 Abs. 1, 1601 BGB auf Geschwister aus.[128] – Ein weiteres Beispiel kann in der Entscheidung des Gesetzgebers gesehen werden, nur die zwei engen Gefährdungstatbestände der §§ 833, 836 BGB einzuführen und deshalb keinen allgemeinen Gefährdungstatbestand gewollt zu haben (§ 6 Rn. 156).

c) Kritik an der subjektiven Theorie

66 aa) An der vermeintlich einfachen Definition der subjektiven Auslegung missfällt bereits, dass der Wortlaut in den seltensten Fällen „klar“ und eindeutig ist (§ 6 Rn. 33 ff.), sodass die Gefahr eines Zirkelschlusses droht (§ 5 Rn. 36 ff.), sog. Unsicherheits- und Lückenhaftigkeitsargument. Die Frage nach dem Willen des Gesetzgebers zeigt Spuren eines monarchischen Verständnisses der Rechtsetzung.[129] Würde man am historischen Willen festhalten, würde das *Gesetz „versteinern“* und man würde „interpretatorische Archäologie“ betreiben.[130] Es käme zur Herrschaft der Toten über die Lebenden (§ 6 Rn. 88). In mehreren Fällen existiert ein elementares Bedürfnis, den historischen Willen zu missachten, wenn Verstöße gegen das Willkürverbot, Änderungen der Normsituation, Wandlungen im Wertungsgefüge der Rechtsordnung oder krasse Beeinträchtigungen der Einzelfallgerechtigkeit vorliegen. Die subjektive Theorie muss damit so viele Ausnahmen zulassen, dass von der Regel kaum noch etwas bleibt.[131] Auch der systematische Hinweis auf ein vermeintlich geschlossenes System ist nur bedingt überzeugend. Schließt man höherrangiges Recht in das System ein, können beispielsweise die Verfassung und das Europarecht dazu zwingen, das geschlossene System des BGB zu sprengen und es um die höherrangigen Grundrechte zu erweitern (ausführlich §§ 11 und 12).

67 bb) Die Auslegungsfigur der **unechten** Lücke bzw. des **beredten Schweigens** hat oftmals nur das Argumentationsgewicht eines reinen *Formalarguments*, d.h. sie bleibt eine unbelegte Prämisse. Sie ist ein *argumentum ex silentio* (§ 5 Rn. 45). Einerseits ist schon bei aktiven Aussagen der historische Wille viel weniger eindeutig als erhofft. Das muss erst recht bei einem nicht formulierten Willen gelten. Es kann bei einem Schweigen, einem Unterlassen, immer nur um einen hypothetischen Willen gehen. Dieser kann perplex sein und sich selbst widersprechen (§ 6 Rn. 42 ff.). In Einzelfällen wünscht der Gesetzgeber durchaus eine Lückenfüllung durch die Rechtsprechung, gerade weil er die Lücke bewusst offenließ (§ 13 Rn. 41).

68 Dieselben Überlegungen gelten, wenn eine Rechtsfortbildung stattfand. Auch die stillschweigende Billigung des Gesetzgebers hilft oft nicht weiter, weil das Untätigbleiben des Gesetzgebers weder den Schluss erlaubt, er akzeptiere eine Normanwendungspraxis, noch dass er das Gestaltungsprimat der Rechtsprechung überlasse (§ 13 Rn. 39 ff.).[132]

---

[128] *Schmidt*, VerwArch 97 (2006), 139, 143.

[129] *Morlok*, in: Gabriel/Gröschner, Subsumtion, 2012, S. 179, 198.

[130] *Heun*, AöR 116 (1991), 185, 206; *Eskridge*, Dynamic Statutory Interpretation, 1994, S. 13 ff.; *Kramer*, Juristische Methodenlehre, 6. Aufl. 2019, S. 152 ff.

[131] So *P. Bydlinski*, in: Koller, Einheit und Folgerichtigkeit im juristischen Denken, 1998, S. 27, 29 ff., 31; gegen die Arbeit von *Neuner*, Die Rechtsfindung contra legem, 2. Aufl. 2005, S. 148–178; s. auch Larenz/*Canaris*, Methodenlehre der Rechtswissenschaft, 3. Aufl. 1995, S. 251.

[132] BVerfG, Beschl. v. 15.1.2009, 2 BvR 2044/07, BVerfGE 122, 248, 284 – Rügeverkümmerung.

3. Die objektive Theorie

a) Die Interpretation des Gesetzes in seinem zeitlichen Kontext

Der **objektiven Theorie** liegt hingegen die Vorstellung zugrunde, dass sich das Gesetz 69 mit seiner Veröffentlichung vom Gesetzgeber verselbstständigt, sodass der Wille des historischen Normsetzers gleichgültig werde.[133] Folglich ist es nicht Ziel der objektiven Auslegung, den historisch realen Willen der Normsetzer zu ermitteln, sondern den Willen des Gesetzes zu ergründen. Interpretation ist damit nach *Radbruch* „nicht Nachdenken eines Vorgedachten, sondern Zu-Ende-Denken eines Gedachten".[134] Darin liegt auch kein Verstoß gegen die Gewaltenteilung, weil nun einmal die Gerichte für die Auslegung der Gesetze zuständig sind.[135] Vor allem müssen Gesetze Antworten auf heutige Probleme geben.[136] Damit ist einzugestehen, dass Kodifikation nun einmal altern. Damit kann sich das Telos der Norm gegenüber allen anderen Auslegungsfiguren durchsetzen.[137] Mit seiner dynamischen Verfassungsinterpretation (§ 6 Rn. 72) bekennt sich das BVerfG zur objektiven Auslegung.

b) Das Gesetz ist klüger als der Gesetzgeber und Altern der Kodifikation – der ursprüngliche Regelungszweck passt nicht mehr

Schon im letzten Jahrhundert wurde die Idee geboren, dass nicht der subjektive Wille, 70 sondern der Wille des Gesetzes entscheidend sei. *Radbruch* formulierte prägnant: „Es ist deshalb möglich, als Wille des Gesetzgebers festzustellen, was im bewußten Willen der Gesetzesverfasser niemals vorhanden war. Der Ausleger kann das Gesetz besser verstehen, als es seine Schöpfer verstanden haben, das Gesetz kann klüger sein als seine Verfasser – es muß sogar klüger sein als seine Verfasser."[138] Der ursprüngliche Gesetzeszweck passt damit nicht mehr in die heutige Zeit. Im Ergebnis wird das Gesetz damit modernisiert. Um festzustellen, ob eine solche Aktualisierung angezeigt ist, werden ggf. folgenorientierte Überlegungen angestellt (§ 5 Rn. 56 ff.). Schon in der *Soraya*-Entscheidung aus dem Jahre 1973 formulierte das BVerfG:

> „Hier sieht sich der Richter der großen Kodifikation des Bürgerlichen Gesetzbuchs gegenüber, die seit über 70 Jahren in Kraft steht. Das ist in doppeltem Sinn von Bedeutung: einmal wächst mit dem *„Altern der Kodifikationen"* (Kübler, JZ 1969, S. 645), mit zunehmendem zeitlichen Abstand zwischen Gesetzesbefehl und richterlicher Einzelfallentscheidung notwendig die Freiheit des Richters zur schöpferischen Fortbildung des Rechts. *Die Auslegung einer Gesetzesnorm kann nicht immer auf die Dauer bei dem ihr zu ihrer Entstehungszeit beigelegten Sinn stehenbleiben*. Es ist zu berücksichtigen, welche vernünftige Funktion sie im Zeitpunkt der Anwendung haben kann. Die Norm steht ständig im Kontext der sozialen Verhältnisse und der gesellschaftlich-politischen Anschauungen, auf die sie wirken soll; *ihr Inhalt kann und muß sich unter Umständen mit* 71

---

[133] Begründer der objektiven Theorie waren *Binding*, Handbuch des Strafrechts, Bd. I, 1885, S. 450 ff. und *Kohler*, GrünhutsZ 13 (1886), 1 ff.; *Wach*, Handbuch des Deutschen Civilprozessrechts, 1885, Bd. I, S. 254 ff.; *Larenz*, Methodenlehre der Rechtswissenschaft, 6. Aufl. 1991, S. 332; *Bydlinski*, Juristische Methodenlehre und Rechtsbegriff, 2. Aufl. 1991, S. 562.

[134] *Radbruch*, Einführung in die Rechtswissenschaft, 12. Aufl. 1969, S. 254.

[135] S. § 1 Rn. 34, 45 ff.

[136] *Larenz* (ebd.), S. 318: „Wer das Gesetz jetzt auslegt, sucht in ihm eine Antwort auf die Fragen seiner Zeit."

[137] *Canaris*, Systemdenken und Systembegriff der Jurisprudenz, 2. Aufl. 1983, S. 91 Fn. 23.

[138] *von Bülow*, Gesetz und Richteramt, 1885, S. 37: „das Gesetz ist oft klüger als sein Urheber, das Gesetzbuch weiser als der Gesetzgeber!"; *Kohler*, GrünhutsZ 13 (1886), 1, 40 m.w.Nachw.: „dass das Gesetz weitblickender sein kann als seine Verfasser"; *Radbruch*, Rechtsphilosophie, 8. Aufl. 1973, S. 207.

ihnen wandeln. Das gilt besonders, wenn sich zwischen Entstehung und Anwendung eines Gesetzes die Lebensverhältnisse und Rechtsanschauungen so tiefgreifend geändert haben wie in diesem Jahrhundert. Einem hiernach möglichen Konflikt der Norm mit den materiellen Gerechtigkeitsvorstellungen einer gewandelten Gesellschaft kann sich der Richter nicht mit dem Hinweis auf den unverändert gebliebenen Gesetzeswortlaut entziehen; er ist zu freierer Handhabung der Rechtsnormen gezwungen, wenn er nicht seine Aufgabe, „Recht" zu sprechen, verfehlen will. Zum anderen stoßen, wie die Erfahrung zeigt, gesetzgeberische Reformen gerade dann auf besondere Schwierigkeiten und Hemmnisse, wenn sie zu Änderungen eines der großen Gesetzgebungswerke führen sollen, die das Bild der Rechtsordnung im ganzen so prägen wie die Kodifikation des Privatrechts im Bürgerlichen Gesetzbuch."[139]

c) Dynamische Verfassungsinterpretation

72 Die Rechtsnorm als abstrakt-generelle Norm hat einen in die Zukunft offenen Regelungsanspruch: Sollenssätze tragen damit eine Objektivierung der Norm in sich.[140] Die Verfassung mit weit gefassten, abstrakt-generellen Rechtssätzen wird als „offene" Rahmenordnung bezeichnet (§ 10 Rn. 4). Wenn nach *Wittgenstein* Worte im historischen und systematischen Kontext zu verstehen sind (§ 4 Rn. 41), spricht viel für eine **dynamische Interpretation** der Verfassung als „living constitution"[141], die den *Verfassungswandel* grundsätzlich zulässt (§ 11 Rn. 4b). Ein dynamisches Moment lässt sich in der Rechtsprechung des BVerfG vor allem in den Bereichen Gleichheit (§ 10 Rn. 40), Europäische Integration (§ 2 Rn. 93 f.), Konkretisierung von Leistungsrechten (§ 13 Rn. 103 ff.) und Institutionelle Manifestation nachweisen.[142] Wenn die Verfassung der ständigen Aktualisierung durch die Bürger bedarf,[143] verlangt dies die Interpretationskraft in Form eines aktuellen Verfassungsverständnisses (§ 13 Rn. 99). Im europäischen (§ 6 Rn. 87 f.) und US-amerikanischen Recht (§ 6 Rn. 89 f.) ist diese objektive Auslegung in Form der dynamischen Auslegung ebenfalls bekannt.

d) Kritik an der objektiven Theorie

73 aa) Die Formulierung, das Gesetz sei klüger als sein Gesetzgeber, ist angreifbar, weil das Gesetz keine eigene Intelligenz besitzt. Der Rechtsanwender glaubt, dass er bisweilen klüger sei als der Gesetzgeber.[144] Das Altern einer Kodifikation ist sicherlich ein Faktum. Allerdings kann das Altern der Kodifikation nicht per se rechtfertigen, den Anwendungsbefehl des Rechtssatzes zu relativieren. Konsequent weitergedacht würde dies auf eine „*Halbwertszeit*" von Gesetzen hinauslaufen.[145] Auch bei Kenntnis der Lücke kann der damalige Wille weiterhin gelten (§ 4 Rn. 170).[146] Der Hinweis, dass sich „zwischen Entstehung und Anwendung des Gesetzes die Lebensverhältnisse und Rechtsanschauungen [...] tiefgreifend geändert haben",[147] ist sicherlich nachvollziehbar. Allerdings kann vom Sein noch nicht auf das Sollen geschlossen werden.[148] Das „Rechtsverweigerungsverbot"

[139] BVerfG, Beschl. v. 14.2.1973, 1 BvR 112/65, BVerfGE 34, 269, 288 – Soraya; vorher schon BVerfG, Urt. v. 21.5.1952, 2 BvH 2/52, BVerfGE 1, 299, 312 – Wohnungsbauförderung.

[140] Ähnlich *Waldhoff*, in: Fleischer, Mysterium „Gesetzesmaterialien", 2013, S. 75, 87.

[141] *Strauss*, The Living Constitution, 2010; vorher bereits *MacBain*, Living Constitution, 1927.

[142] *Voßkuhle*, JuS 2019, 417, 418 ff.

[143] *Böckenförde*, Die verfassungsgebende Gewalt des Volkes, 1986, S. 22; *Volkmann*, JZ 2018, 265, 270 f.

[144] So deutlich Engisch/*Würtenberger/Otto*, Einführung in das juristische Denken, 12. Aufl. 2018, S. 154: „Zu unserer Erheiterung bemerken wir, dass also vom objektiven Standpunkt aus nicht nur das Gesetz klüger sein kann als sein Verfasser, sondern auch der Interpret klüger als das Gesetz selbst."; *Kramer*, Juristische Methodenlehre, 6. Aufl. 2019, S. 163.

[145] *Hillgruber*, JZ 1996, 118, 121.

[146] *Rüthers/Höpfner*, JZ 2005, 21, 25; *Rüthers/Fischer/Birk*, Rechtstheorie, 11. Aufl. 2020, Rn. 730c f.

[147] S. gerade § 6 Fn. 139.

[148] *Hillgruber*, JZ 1996, 118, 121 und oben § 3 Rn. 20.

bedeutet erst einmal nur, dass der Richter zu entscheiden hat: Im Zweifel ist die Klage abzuweisen, wenn wegen der Lücke eine gesetzliche Grundlage für den geltend gemachten Anspruch fehlt (§ 1 Rn. 52).

Tod des Mieters und nichteheliche Lebensgemeinschaft: Kann nach § 569a a.F. BGB der nichteheliche Lebenspartner in den Mietvertrag des verstorbenen Mieters eintreten, obwohl nach § 569a a.F. BGB nur der Ehegatte (Abs. 1 S. 1), die Kinder oder die Familienangehörigen (Abs. 2) ein solches Recht haben? 74

Der BGH stellte fest, dass der subjektive Wille des Gesetzgebers der nichtehelichen Lebensgemeinschaft kein Eintrittsrecht in den Mietvertrag geben wollte. Gleichwohl bejahte er eine Analogie, weil der *objektive Wille* entscheidend sei. Der Gesetzgeber von 1964 konnte nicht vorhersehen, dass die nichteheliche Lebensgemeinschaft inzwischen als Erscheinung des sozialen Lebens anerkannt ist. Auch der heutige Gesetzgeber erkennt diese in einer Reihe von Vorschriften an (§ 13 Rn. 46). Wenn der Gesetzgeber schon dem neugeborenen Kind ein Eintrittsrecht gebe, müsste dies *erst recht* für den nichtehelichen Lebenspartner gelten, der seit vielen Jahren mit dem Mieter zusammenlebt. Durch eine enge Definition der nichtehelichen Lebensgemeinschaft könne man auch die notwendige Rechtsicherheit erzeugen.[149]

In der Literatur ist das Ergebnis mit einer Reihe von Argumenten heftig kritisiert worden: Im Unterschied zur *Soraya*-Entscheidung wäre das Altern der Kodifikation weniger überzeugend, weil das Gesetz gerade erst 30 Jahre alt war. Das Selbstbestimmungsrecht des Vermieters als elementarer Teil der Vertragsfreiheit wäre verletzt, wenn ihm eine Vertragspartei gegen seinen Willen aufgezwungen wird. Schließlich dränge sich die Rechtslücke weniger auf, würde die Verfassung mit Art. 6 GG nur die Ehe als Rechtsform, nicht aber die nichteheliche Lebensgemeinschaft besonders schützen. Im Ergebnis betreibe der BGH unzulässige Rechtspolitik.[150] Die Entscheidung ist jedoch vom BVerfG bestätigt worden.[151] Auch der Gesetzgeber hat die Rechtsfortbildung aufgegriffen.[152] Insoweit gelten die Worte *von Kirchmanns*: „drei berichtigende Worte des Gesetzgebers und ganze Bibliotheken werden zur Makulatur."[153] 75

bb) Damit ist schon der Begriff der objektiven „Auslegung" irreführend, denn es handelt sich oft nicht um Auslegung, sondern oft um die den Wortlaut überschreitende Rechtsfortbildung.[154] Die objektive Auslegung ist zudem nicht falsifizierbar[155] und es besteht damit die Gefahr, der *Verwendung von Leerformeln* hinter denen sich der Richter zulasten der Methodenehrlichkeit verstecken kann.[156] Nicht nur das Behaupten der Lücke, sondern auch das Altern der Kodifikation und der geänderte Normzweck als Rechtsfiguren der objektiven Auslegung stellen erst einmal nur Thesen dar, die der weiteren Begründung bedürfen (§ 6 Rn. 110). Für sich genommen haben sie noch keine Überzeugungskraft. 76

---

[149] BGH, Urt. v. 13.1.1993, 8 ARZ 6/92, BGHZ 121, 116, 121 ff. – § 569a BGB a.F. analog, zustimmend BVerfG, Beschl. v. 3.4.1990, 1 BvR 1186/89, BVerfGE 82, 6 (§ 13 Rn. 46).

[150] *Roellecke*, JZ 1990, 813 f.; *Hillgruber*, JZ 1996, 118, 122; *Rüthers/Fischer/Birk*, Rechtstheorie, 11. Aufl. 2020, Rn. 875.

[151] BVerfG, Beschl. v. 3.4.1990, 1 BvR 1186/89, BVerfGE 82, 6, 15 ff.

[152] § 569a BGB a.F. ist aufgegangen in § 563 BGB. Das Eintrittsrecht wurde erweitert auf Lebenspartner (Abs. 1 S. 1) und auf Personen, die einen auf Dauer angelegten gemeinsamen Haushalt führen (Abs. 2 S. 4), Gesetz zur Modernisierung des Schuldrechts v. 26.11.2001, BGBl. I, S. 3138; s. unten § 13 Rn. 46, 65.

[153] *von Kirchmann*, Die Wertlosigkeit der Jurisprudenz als Wissenschaft, 1848, S. 25.

[154] Überzeugend ist auch die Kritik, dass die Begriffe „subjektiv" und „objektiv" zu vertauschen sind, denn die subjektive Theorie ermittelt „objektiv" den Willen des Gesetzgebers, während die objektive Theorie auf das „subjektive" Empfinden des Interpreten abstelle, so *Röhl/Röhl*, Allgemeine Rechtslehre, 3. Aufl. 2008, S. 631; *Rüthers/Fischer/Birk*, Rechtstheorie, 11. Aufl. 2020, Rn. 820; *Kramer*, Juristische Methodenlehre, 6. Aufl. 2019, S. 136; *Reimer*, Juristische Methodenlehre, 2. Aufl. 2020, Rn. 258.

[155] *Hassemer*, Rechtstheorie 39 (2008), 1, 11.

[156] *Kramer*, Juristische Methodenlehre, 6. Aufl. 2019, S. 150.

4. Die subjektiv-objektive Theorie als Vereinigungstheorie

77 Die subjektive Theorie vermeidet, dass vorschnell der Wille des Gesetzgebers ignoriert wird[157] und der Wille des Interpreten an dessen Stelle gesetzt wird. Sie schafft damit eine Distanz zum Interpreten, führt zu einer Umdeutungsbremse und Verobjektivierung.[158]

78 Die teleologische Auslegung bemüht sich um die richtige Entscheidung. Sie dient damit der Rationalität (§ 5 Rn. 2 ff.). Für die objektive Auslegung gibt es auch einen Anwendungsbereich im Bereich der Rechtsfortbildung, beispielsweise bei Verstößen gegen das Willkürverbot, Änderungen der Normsituation, Wandlungen im Wertungsgefüge der Rechtsordnung oder krassen Beeinträchtigungen der Einzelfallgerechtigkeit. Dies wird ausführlich in § 13 erörtert.

79 Beide Ansichten haben folglich Stärken, aber auch Schwächen, weil einzelne Rechtsfiguren angreifbar sind und deshalb nur eine begrenzte Überzeugungskraft haben. Sinnvoll erscheint es daher, mit der herrschenden Ansicht **subjektive und objektive Theorie zu verbinden** (sog. **Vereinigungstheorie**),[159] um damit sicherzustellen, dass man die Argumente der widersprechenden Ansichten erfasst. Damit wird der Rechtsgrundsatz *audiatur et altera pars* verwirklicht. Er ähnelt dem Gedanken, Gerechtigkeit durch Verfahren zu gewährleisten (§ 1 Rn. 38, 98 f.). Damit ist das Gesetz zwar nicht klüger als der Gesetzgeber, aber Gesetzgeber und Richter zusammen klüger als der Gesetzgeber allein.[160] Mithin besteht eine *Vermutungsregel* (§ 1 Rn. 98) und damit Konsultationspflicht, aber keine unbedingte Befolgungspflicht für die subjektive Theorie.[161] Damit einhergehend ist streng zwischen Thesen und Argumenten zu trennen. In einem zweiten Schritt ist dann die objektive Auslegung mit den Wertungen des Rechts abzugleichen. Der Rechtsanwender muss seine Wertungen offenlegen und begründen.

5. Gegenfiguren aus europäischer und rechtsvergleichender Perspektive

a) Redaktionsversehen

80 Auch auf europäischer Ebene kann die Problematik auftauchen, dass der Wortlaut des Gesetzestextes dem Willen von Kommission, Rat und Parlament als europäische Gesetzgeber nicht entspricht. Kann der Wille eindeutig durch Auslegung nachgewiesen werden, gilt in diesem Fall wie im nationalen Recht das Gewollte und nicht das Gesagte (§ 6 Rn. 46). Ein Beispiel findet sich in der Warenkauf-RL:

81 *Fristablauf*: Die neue Warenkauf-RL gibt dem Käufer einen Anspruch auf Vertragsbeendigung, wenn der Verkäufer die Nachbesserung oder Ersatzlieferung nicht vorgenommen hat. Der Wortlaut des Art. 13 Abs. 4 lit. a) Alt. 1 Warenkauf-RL schweigt aber zu der Frage, ob hierfür eine Nachfrist erforderlich ist und wie lange diese sein muss. Auf eine Nachfrist zu verzichten, würde zu dem absurden Ergebnis führen, dass der Verbraucher den Rücktritt auch dann ausüben könnte, wenn der Unternehmer den Mangel gar nicht kennt.[162] Die Erwägungsgründe der Warenkauf-RL gehen folglich von einem Fristablauf aus, weil der Verkäufer die Vertragswidrigkeit in einem „angemessenen Zeitraum" zu beheben hat. Auch die ursprüngliche Fassung des Art. 13 hatte noch von „einer angemessenen Frist" gespro-

---

[157] Davor warnend bereits *Heck*, AcP 112 (1914), 1, 63.

[158] *Rüthers/Fischer/Birk*, Rechtstheorie, 11. Aufl. 2020, Rn. 996 ff.; folgend *Reimer* (ebd.), Rn. 255.

[159] *Larenz*, Methodenlehre der Rechtswissenschaft, 6. Aufl. 1991, S. 318; *Koch/Rüßmann*, Juristische Begründungslehre, S. 178 ff.; *Honsell*, in: Staudinger, BGB, Neubearb. 2018, Einl. zum BGB Rn. 137; *Kramer* (ebd.), S. 154 f.; *Röhl/Röhl* (ebd.), S. 632; *Riesenhuber*, in: ders., Europäische Methodenlehre, 4. Aufl. 2021, § 10 Rn. 11. **A. A.** aber *Rüthers*, JZ 2006, 53, 60: Verfassungswidrigkeit der objektiven Auslegung.

[160] So *Schapp*, Hauptprobleme der juristischen Methodenlehre, 1983, S. 97.

[161] *Kramer* (ebd.), S. 162; sie ähnelt damit der Pflicht zur Konsultation der bisherigen Rechtsprechung s. oben § 3 Rn. 14 f. Zur Argumentationslast s. unten § 14 Rn. 89.

[162] *Wilke*, BB 2019, 2434, 2442: „eklatantes Versehen mit absurden Ergebnissen".

chen.[163] Man muss von einem sog. Redaktionsversehen ausgehen, weil der Wille des Gesetzgebers die Nachfrist beabsichtigt, ohne dass sich dies im Wortlaut des Art. 13 Warenkauf-RL widerspiegelt.[164]

b) Übersetzungsfehler als Redaktionsversehen

aa) Weil europäische Rechtstexte in 24 offiziellen Sprachen der Mitgliedstaaten veröffentlicht werden, sind mehr als 4.000 Mitarbeiter im Übersetzungsdienst der Kommission beschäftigt. Übersetzungsfehler sind bei der Vielzahl der Übersetzungen nicht zu vermeiden. Bei der Behandlung der Fehler gilt es zwischen drei verschiedenen Schritten zu differenzieren: In einem ersten Schritt müssen solche Übersetzungsfehler erkannt werden. Das setzt rechtsvergleichendes Arbeiten als Arbeitstechnik voraus (§ 2 Rn. 70 ff., § 3 Rn. 96 ff.). In einem zweiten Schritt ist dann eigentliche Aufgabe festzustellen, welchen Begriff der europäische Gesetzgeber verwenden wollte. Weil alle Sprachfassungen gleichermaßen verbindlich sind, sind grundsätzlich alle Sprachfassungen heranzuziehen.[165] Oft sind die Fehler einfach erkennbar, etwa wenn mehrere Tatbestandsmerkmale kumulativ und nicht alternativ vorliegen müssen[166] oder eine Voraussetzung im Singular oder Plural (§ 5 Rn. 16a) zu prüfen ist. In der folgenden Entscheidung war unklar, ob die deutsche Fassung („oder") richtig ist oder andere Sprachfassungen, welche die Verfügbarkeit eines Prospekts kumulativ an mehreren Orten verlangten („und"). 82

„Das vorlegende Gericht führt dazu aus, dass der Basisprospekt nach der *deutschen* Sprachfassung dieser Bestimmung dem Publikum am Sitz des Emittenten *oder* beim Finanzintermediär zur Verfügung gestellt werden muss, während er nach ihrer *spanischen, englischen und französischen* Fassung an *beiden* Orten verfügbar sein muss. 83

Insoweit ist darauf hinzuweisen, dass eine Vorschrift, aus deren Wortlaut sich auf Grund von Abweichungen zwischen den verschiedenen Sprachfassungen keine klare und einheitliche Auslegung herleiten lässt, anhand ihrer Zielsetzung und ihres Gesamtsystems auszulegen ist (vgl. u.a. Urteile Bouchereau, 30/77, EU:C:1977:172, Rn. 14; Borgmann, C 1/02, EU:C:2004:202, Rn. 25).

Die Notwendigkeit einer einheitlichen Anwendung und damit Auslegung einer Vorschrift des Unionsrechts *schließt es aus, sie in einer ihrer Fassungen isoliert zu betrachten, sondern gebietet, sie nach dem wirklichen Willen ihres Urhebers und dem von ihm verfolgten Zweck namentlich im Licht ihrer Fassungen in allen Sprachen auszulegen* (vgl. Internetportal und Marketing, C-569/08, EU:C:2010:311, Rn. 35)."[167]

bb) Allerdings können Begriffe schlicht auch unterschiedlich und damit falsch übersetzt werden.[168] Ergibt die Auslegung, dass die eigene, nationale Sprachfassung vom europäischen Willen abweicht, gilt das Auslegungsergebnis, so wie es sich aus der oder den anderslautenden europäischen Sprachfassung(en) ergibt.[169] Der Übersetzungsfehler ist damit grundsätzlich so zu behandeln wie das Redaktionsversehen (§ 6 Rn. 46 ff.). Einfach lässt sich dies für das *Primärrecht* und die *Verordnung* begründen, denn diese gelten im 84

[163] ErwG. 50 S. 2 sowie Art. 9 Abs. 3 lit. b) Vorschlag für eine RL über bestimmte Aspekte des Online-Warenhandels v. 9.12.2015, COM(2015), 635 final.

[164] *Möllers*, in: FS Grunewald, 2021, S. 771, 777 f. Folglich sieht der Gesetzgeber in § 475d Abs. 1 Nr. 1 BGB-E jetzt auch den Ablauf einer Nachfrist vor, s. Begr. RegE, BT-Drs. 19/27424, S. 8, 34 f.

[165] Vgl. Art. 55 Abs. 1 EUV und Art. 22 GRCh. EuGH, Urt. v. 17.7.1997, C-219/95, EU:C:1997:375, Rn. 15 – Ferriere Nord. **A.A.** Schwark/Zimmer/*Preuße*, KMRK, 5. Aufl. 2020, § 1 WpPG Rn. 25: englische Fassung entscheidend.

[166] „und" statt „oder", s. etwa Art. 4 Nr. 47 RL 2006/48 v. 14.6.2006, ABl. Nr. L 177, S. 1 zu den Voraussetzungen für eine Börse.

[167] EuGH, Urt. v. 15.5.2014, C-359/12, EU:C:2014:325, Rn. 61 ff. – Timmel/Aviso Zeta.

[168] Beispiele etwa bei SchlA v. 21.10.2010, GA *Trstenjak*, C-365/08, EU:C:2010:27, Rn. 49 – Agrana Zucker: „Quotenzucker"; SchlA v. 5.4.2017, GA *Wathelet*, C-616/15, EU:C:2017:272, Rn. 106 ff.

[169] *Reimer*, Juristische Methodenlehre, 2. Aufl. 2020, Rn. 609.

nationalen Recht unmittelbar. Dieses verlangt eine autonome Auslegung (§ 2 Rn. 70 ff.). Damit setzt sich der anderslautende Begriff gegenüber dem Begriff in der deutschen Sprachfassung durch.

85 *Unverzüglichkeit*: Die MAR ist als Verordnung autonom auszulegen. Wie bei der Ad-hoc-Mitteilung (§ 6 Rn. 23) verlangt die deutsche Sprachversion auch bei Insiderlisten, dass diese gem. Art. 18 Abs. 4 MAR „unverzüglich" aktualisiert werden müssen. Ein Vergleich mit der englischen („promptly") und französischen („rapidément") Sprachfassung zeigt, dass der Begriff nicht wie § 121 BGB (ohne schuldhaftes Zögern), sondern unabhängig vom individuellen Verschulden objektiv auszulegen ist.[170]

86 cc) Die *Richtlinie* muss dagegen als Sekundärrecht in das nationale Recht umgesetzt werden, so dass dann der Normtext des deutschen Gesetzes ausgelegt werden muss (§ 2 Rn. 63). Es gilt grundsätzlich der nationale Normtext, der allerdings dann richtlinienkonform ausgelegt werden muss. Das kann auch zu einer *richtlinienkonformen Rechtsfortbildung* über den Wortlaut der Norm hinaus verpflichten (§ 12 Rn. 54 ff.). In dem gerade genannten Beispiel (§ 6 Rn. 83) hatte der EuGH festgestellt, dass ein Prospekt im Zweifel an verschiedenenen Orten zu veröffentlichen ist („und"). Der Wille für die Prospekt-RL stand damit fest. Das deutsche Recht sprach dagegen nur von der alternativen Veröffentlichung des Prospektes.[171] In der Literatur wurde behauptet, dass sich das europäische Verständnis, also das „und" unmittelbar durchsetzt, also das „oder" als „und" zu lesen sei.[172] Diese Ansicht übersieht allerdings, dass bei einer Richtlinie für die Anwendung des einschlägigen Rechts auf die nationale Umsetzungsnorm abzustellen ist. Zusätzlich wird man für das obige Auslegungsergebnis deshalb fordern müssen, dass auch der nationale Gesetzgeber einem solchen Redaktionsversehen unterliegt.[173]

c) Die dynamische Auslegung des EuGH und EGMR

87 In der Literatur wird zum Teil auch die Frage diskutiert, inwieweit der EuGH der objektiven oder subjektiven Theorie folgt.[174] Tatsächlich finden sich Urteile, die auf den subjektiven Willen des Gesetzgebers abstellen, wenn sie mit den Erwägungsgründen arbeiten (§ 4 Rn. 177). Allerdings gibt es auch Anhaltspunkte für die objektive Auslegung. Der Grundsatz des *effet utile* (§ 5 Rn. 108 ff.) und die dynamische Auslegung sind Auslegungsfiguren, die auf das heutige Recht und nicht auf den damaligen Willen abzielen. Das Unionsrecht unterliegt einem schnellen Wandel.[175] Daher wurde für das Unionsrecht die Rechtsfigur der **dynamischen Auslegung** entwickelt:[176] Hiernach unterliegt die Auslegung in besonderem Maße dem „teleologischen Fernziel der Integration" und dem „Nahziel einer stufenweisen Verwirklichung" derselben.[177] Der EuGH versteht sich als *Motor der Integration*, als integrationsförderndes Organ der EU.[178] Für diese Form der dynami-

---

[170] Assmann/Schneider/Mülbert/Sethe/*Hellgardt*, WpHG, 7. Aufl. 2019, Art. 18 MAR Rn. 67; Schwark/Zimmer/*Kumpan*/*Grübler*, KMRK, 5. Aufl. 2020, Art. 18 MAR Rn. 72.

[171] § 14 Abs. 2 S. 1 Nr. 2 b) und c) WpPG (a. F.): „oder", in der Fassung vom 25.12.2008 bis 30.6.2012.

[172] *Buck-Heeb*/*Diekmann*, LMK 2014, 359156; *Russ*, EuZW 2014, 584, 585.

[173] Zum generellen und konkrten Umsetzungswillen des nationalen Gesetzgebers. s. unten § 12 Rn. 68, 78. Weiteres Beispiel bei Köhler/Bornkamm/Feddersen/*Köhler*, UWG, 39. Aufl. 2021, § 7 Rn. 99 ff.

[174] *Leisner*, EuR 2007, 689, 698; *Polzin*, in: FS 100 Jahre Walter Schücking Institut, 2014, S. 877, 898.

[175] *Schneider*, DVBl. 1990, 282 ff.; *Leisner*, EuR 2007, 689, 693.

[176] Hierzu jeweils m. w. Nachw. *Bleckmann*, NJW 1982, 1177, 1180 f.; *Anweiler*, Die Auslegungsmethoden des Gerichtshofs der Europäischen Gemeinschaften, 1997, S. 127 ff.; *F. Müller*/*Christensen*, Juristische Methodik, Bd. II, 3. Aufl. 2012, Rn. 79. Zum Teil wird von integrationsdynamischer Auslegung gesprochen, *Ráfales*, EuR 2018, 498 ff.

[177] *Leisner*, EuR 2007, 689, 693.

[178] Hierfür stehen Entscheidungen wie *Costa/E.N.E.L.*, *van Gend & Loos* (§ 2 Rn. 83 ff.), *Francovich* (§ 12 Rn. 123 ff.) oder *Cassis de Dijon* (§ 10 Rn. 68 f.). Hierzu *Weiler*, 4 CPS 510 ff. (1994); *Alter*/*Meunier-Aitsahalia*, 4 CPS 535 ff. (1994); *Bengoetxea*, The Legal Reasoning of the European Court of Justice, 1993, S. 99 ff.; *Conway*, The Limits of Legal Reasoning and the European Court of Justice, 2012, S. 86: „promoter of integration". Krit. Streinz/*P. Huber*, EUV/AEUV, 3. Aufl. 2018, Art. 19 EUV, Rn. 32 ff.

schen Interpretation spricht, dass Art. 1 Abs. 2 EUV von einer „immer engeren Union" spricht und insoweit die Dynamik im europäischen Recht selbst angelegt ist. Die dynamische Auslegung kann damit herangezogen werden, um die Argumentationsfiguren „effet utile" (§ 5 Rn. 108 ff.), „in dubio pro libertate" (§ 5 Rn. 17) und „in dubio pro communitate"[179] zu erklären. Dem steht das Prinzip der begrenzten Einzelermächtigung entgegen.[180] Im Ergebnis wird auch auf europäischer Ebene die Vereinigungstheorie (§ 6 Rn. 79) favorisiert.[181]

Die dynamische Auslegung spielt auch für die Auslegung der EMRK durch den EGMR eine wichtige Rolle,[182] bezeichnet der Europäische Gerichtshof für Menschenrechte doch die Konvention als „*living instrument* which […] must be interpreted in the light of present-day conditions."[183] Soll eine Verfassung keine „Herrschaft der Toten über die Lebenden"[184] sein, so ist sie täglich neu mit Leben zu füllen, um den Herausforderungen gerecht zu werden. **88**

d) Die US-amerikanische Perspektive: textualism, purposivism versus living originalism

Während in Deutschland der Streit zwischen objektiver und subjektiver Auslegung seit 100 Jahren geführt wird, dominieren in den USA bei der Auslegung der Verfassung die Anhänger der subjektiven Auslegung. Allerdings wird der politische Streit im Supreme Court deutlich heftiger geführt als in Deutschland (§ 13 Rn. 98). Die Lehre vom *originalism* stellt ausschließlich auf den Willen des Gesetzgebers bei Erlass einer Vorschrift ab (§ 4 Rn. 156). Man spricht auch vom *purposivism* oder *intentionalism* (§ 5 Rn. 3)[185]. Die Lehre vom *textualism* ist noch strenger und nimmt nicht nur den Wortlaut ernst, sondern möchte den Wortlaut so interpretieren, wie er nach dem allgemeinen Sprachgebrauch bei Erlass des Gesetzes galt (§ 4 Rn. 64a). Konsequent lehnt sie es ab, auf das heutige Verständnis der Norm abzustellen. Damit kann auch die ratio des Gesetzes den Wortlaut des Gesetzes nicht korrigieren.[186] Folglich ist es auch heute noch richtig, dass jedermann das Recht haben muss, Waffen zu tragen.[187] **89**

Zum Teil wird eine objektive Theorie in den USA bestritten[188] oder betont, im Rahmen der subjektiven Auslegung würden objektive Elemente berücksichtigt.[189] Tatsächlich bekennen sich aber inzwischen immer mehr Stimmen zu einem *living originalism*, eine Aus- **90**

---

179 Erstmals *Ipsen/Nicolaysen*, NJW 1964, 339, 342; *Ipsen*, Europäisches Gemeinschaftsrecht, 1972, § 5 Rn. 73 f.; **a. A.** Callies/Ruffert/*Callies*, EUV/AEUV, 5. Aufl. 2016, Art. 3 EUV Rn. 3: „Den Rechtssatz *in dubio pro communitate* gibt es nicht."

180 S. § 2 Rn. 56 ff. und unten § 13 Rn. 123. Zu der umfangreichen Diskussion zur Finalität der EU s. Callies/Ruffert/*Callies*, EUV/AEUV, 5. Aufl. 2016, Art. 1 EUV Rn. 9 ff.

181 *Herresthal*, ZEuP 2009, 600, 606 f.; *Martens*, Methodenlehre des Unionsrechts, 2013, S. 457 ff.; *Riesenhuber*, in: ders., Europäische Methodenlehre, 4. Aufl. 2021, § 10 Rn. 11.

182 *Hager*, Europäische Methoden, 2009, S. 227; *Manchester/Salter*, Exploring the Law, 4 th ed. 2011, Rn. 5-006.

183 EGMR, Urt. v. 25.4.1978, 5856/72, CE:ECHR:1978:0425JUD000585672, Rn. 31 – Tyrer v. the United Kingdom; hierzu *Klocke*, EuR 2015, 148 ff.

184 „Die Toten haben keine Macht über die Lebenden", diese Redewendung stammt von *Jefferson* in einem Brief an *Madison* aus dem Jahr 1789, s. *Bergh (Ed.),* The Writings of Thomas Jefferson, Vol. 7, 1907, S. 454 ff.

185 *Washington v. Glucksberg*, 521 U.S. 702 (1997); *Fallon*, 99 Cornell L. Rev. 685 ff. (2014).

186 *Scalia/Garner*, Reading Law, 2012 Nr. 58: „The false notion that the spirit of a statute should prevail over its letter."; *Easterbrook,* 17 Harv.J.L.&Pub.Pol'y. 61, 68 (1994).

187 So das Mehrheitsvotum in *District of Columbia v. Heller*, 554 U.S. 570, 576 ff., 592 (2008). Krit. hierzu *Stevens*, Six Amendments, 2014, S. 125 ff.

188 So der damalige Befund von *Fikentscher*, Methoden des Rechts, Bd. II, 1975, S. 267.

189 Etwa wenn auf den idealtypischen Willen oder das heutige Verständnis der Norm abgestellt wird, für England s. die Beispiele bei *Vogenauer*, Die Auslegung von Gesetzen in England und auf dem Kontinent, S. 1132 ff.

legung nach dem heutigen Verständnis des Gesetzes.[190] Maßstab ist dabei die vorherrschende Ansicht in der Bevölkerung.[191] Eine Unterart dieser Lesart ist das Verständnis der Verfassung als *living constitution* (§ 6 Rn. 72). Beispiele aus der Rechtsprechung sind Urteile zugunsten von Schwarzen für den Zugang zur Schule, zur „affirmative action", d.h. der Bevorzugung trotz schlechterer Leistung, und zum Schwangerschaftsabbruch der Frau oder der gleichgeschlechtlichen Ehe (§ 5 Rn. 104). Dabei finden sich Argumente wie sie auch in Deutschland vorgebracht werden, etwa dass die Lehre von der living constitution den Willen des Gesetzgebers missachte.[192] Umgekehrt wird die Lehre vom living originalism damit verteidigt, dass der Richter lückenhafte Gesetze schließen müsse.[193] Auch die Verpflichtung zur verfassungskonformen Auslegung von Gesetzen verpflichte im Zweifel dazu, auf ein heutiges Verständnis der Norm abzustellen.[194] Zudem habe der Richter heutige Probleme zu lösen wie der Supreme Court in der Entscheidung zur Anerkennung der gleichgeschlechtlichen Ehe ausdrücklich betonte.[195]

III. Einfache Formen der Rechtsfortbildung

91 Das Gesetz kann nicht alle Fälle regeln, sodass Gerichte grundsätzlich zur Rechtsfortbildung aufgerufen sind (§ 1 Rn. 48 ff.). In diesem Abschnitt werden einfache Fälle der Rechtsfortbildung vorgestellt, z.B. wenn der Wortlaut für den Fall zwar eingreift, vom Zweck her aber nicht passt und deshalb eine teleologische Reduktion vorzunehmen ist (1.). Aufwendiger ist die Einzelanalogie, weil begründet werden muss, dass eine Lücke besteht (2.) und diese geschlossen werden darf (3.) Noch aufwendiger ist die Gesamtanalogie, die aus mehreren Normen einen allgemeinen Rechtssatz ableitet, der dann auf den Sachverhalt angewendet werden kann (4.). Die teleologische Extension ist schwieriger zu bestimmen, wenn Bezugsgrößen zur Lückenfüllung fehlen (5.). Zudem wird auf die einfachen Formen der Rechtsfortbildung durch den EuGH eingegangen (6.).

1. Teleologische Reduktion

a) Methodische Grundlagen

92 Die teleologische Reduktion ist die einfachste Form der Rechtsfortbildung, weil nicht eine offene Lücke (§ 6 Rn. 107 ff.) begründet werden muss. Ausgangslage der teleologischen Reduktion ist eine Norm, die vom Wortlaut her für den Sachverhalt zutrifft, aber dem Regelungszweck der Norm widerspricht. Damit hat man den Wortlaut einzuschränken, zu reduzieren, damit der Zweck der Norm telelogisch passt.[196] Dazu hat man eine

---

[190] Bereits *Dworkin*, Law's Empire, 1986, S. 338: der Richter solle das Gesetz auslegen „in the best light overall"; *Llewellyn*, 3 Vand. L. Rev. 395, 399 (1950): das Gesetz auslegen „to make sense"; *Sunstein*, 103 Harv. L. Rev. 405, 412 ff. (1989); *Balkin*, Living Originalism, 2011.

[191] *Balkin*, Living Originalism, 2011, S. 324.

[192] Krit. etwa *Easterbrook*, 12 Int'l Rev. L. & Econ. 284 (1992): „[T]he concept of 'an' intent for a person is fictive and for an institution hilarious".

[193] *Sunstein*, 103 Harv. L. Rev. 405, 421 ff. (1989).

[194] *Sunstein*, 103 Harv. L. Rev. 405, 457 (1989) und § 11 Rn. 65 f.

[195] *Obergefell v. Hodges*, 135 S.Ct. 2584, 2602 (2015) – Gleichgeschlechtliche Partnerschaft als Ehe: „The right to marry is fundamental as a matter of history and tradition, but rights come not from ancient sources alone. They rise, too, from a better informed understanding of how consitutional imperatives define a liberty that remains urgent in our own era"; hierzu *Porter*, 42 ONU L. Rev. 349 ff. (2015); *Kulick*, JZ 2016, 67 ff. S. auch *Balkin*, Living Originalism, 2011, S. 327 mit den Hinweis auf *Brown v. Board of Education* (§ 13 Rn. 94).

[196] *Kramer*, Juristische Methodenlehre, 6. Aufl. 2019, S. 251 f. spricht von Rechtsfindung *contra verba sed secundum rationem legis*.

Ausnahme zu begründen, warum der zu weite Wortlaut der Vorschrift nicht passt.[197] Wer die teleologische Reduktion verwendet, trägt die Argumentationslast (§ 1 Rn. 100). Im Unterschied dazu wird bei der restriktiven Auslegung (§ 4 Rn. 59 ff.) der Anwendungsbereich der Norm noch innerhalb der Wortlautgrenze reduziert. Die teleologische Reduktion findet sich bereits bei Aristoteles[198] und von Savigny[199] und ist auch im anglo-amerikanischen Recht[200] bekannt. Im schweizerischen Recht war die teleologische Reduktion in der Vergangenheit umstritten. Man glaubte, dass eine sog. „unechte Lücke" grundsätzlich nur vom Gesetzgeber[201] und deshalb nur bei einem offenbaren Normmissbrauch zur Vermeidung krass unbilliger Ergebnisse[202] geschlossen werden dürfe. Inzwischen hat das schweizerische Bundesgericht aber anerkannt, dass eine teleologische Reduktion, also ein klares Abweichen vom Wortlaut der Norm, nicht nur zulässig, sondern geboten ist, wenn sich erweist, dass sonst der wahre Sinn der Norm nicht korrekt zum Ausdruck kommen würde.[203]

Die *These* (§ 1 Rn. 93) lautet, dass der Fall mit der Norm gelöst werden kann, aber der Normzweck für den Fall nicht passt. Zwischen dem Normalfall und dem Fall des Sachverhaltes **fehle** es an der erforderlichen **Vergleichbarkeit.** Wegen der fehlenden Vergleichbarkeit sei als *Prämisse* der **Umkehrschluss *(argumentum e contrario)*** zulässig. Er besagt also, dass der Fall mit dem eigentlichen Normzweck nicht vergleichbar ist. Der Umkehrschluss bildet damit das Gegenstück zum Erst-Recht-Schluss (§ 6 Rn. 113). **93**

Beide Schlüsse sind formal-logisch gleichberechtigt.[204] Somit ist der jeweilige Schluss erst einmal nur eine Prämisse, die in der Regel mit weiteren *Argumenten* begründet werden muss. Entscheidend ist, argumentativ die Wertung der Norm herauszuarbeiten und zu begründen, warum trotz Eingreifens des Wortlauts die Norm auf den Fall nicht angewendet darf. Als Prämisse wird der Umkehrschluss erst dann überzeugend, wenn ausführlich begründet wird, warum der Sachverhalt nicht mit dem Normalfall der gesetzlichen Regelung vergleichbar ist. Der Umkehrschluss führt bei der teleologischen Reduktion dazu, dass **Ungleiches ungleich behandelt** wird und folgt damit dem Gebot der Gerechtigkeit.[205] Die teleologische Reduktion erfordert logisch dieselben Schritte wie die Analogie, allerdings besagt dort der Erst-Recht-Schluss im Rahmen der Analogie, dass Gleiches gleich behandelt werden muss. **94**

b) Vier Prüfungsschritte zur Begründung der teleologischen Reduktion

Zopfabschneiden: Der Täter schneidet dem Opfer mit einem Rasiermesser den Zopf ab. Ist T wegen gefährlicher Körperverletzung gem. § 224 Abs. 1 Nr. 2 Alt. 2 StGB zu bestrafen?[206] **95**

---

[197] *Canaris*, Die Feststellung von Lücken im Gesetz, 2. Aufl. 1983, S. 82; *Vogel*, Juristische Methodik, 1998, S. 137.

[198] *Aristoteles*, Nikomachische Ethik, 5. Buch, 1137b.

[199] *von Savigny*, System des heutigen Römischen Rechts, Bd. 1, 1840, S. 230 f.: „Da nun der Ausdruck bloßes Mittel ist, der Gedanke aber der Zweck, so ist es unbedenklich, daß der Gedanke vorgezogen, der Ausdruck also nach ihm berichtigt werden muß."

[200] *Blackstone*, Commentaries on the Laws of England, Vol. I, 2nd ed. 1761, S. 61; weitere Beispiele bei *Vogenauer*, Die Auslegung von Gesetzen in England und auf dem Kontinent, 2001, S. 717 ff.

[201] *Meier-Hayoz*, in: BK-ZGB, 1966, Art. 1 N 271 ff. Zum Lückenbegriff s. sogleich unten § 6 Rn. 107 ff.

[202] *Meier-Hayoz*, in: BK-ZGB, 1966, Art. 1 N 271, 296; BGer, Urt. v. 1.3.1961, BGE 87 I 10, 16.

[203] BGer, Urt. v. 25.4.1995, BGE 121 III 219, 224 f.; *Kramer*, ZSR Beiheft 15 (1993), 65, 79 ff.; *ders.*, Juristische Methodenlehre, 6. Aufl. 2019, S. 257. *Meier-Hayoz*, ZSR Beiheft 15 (1993), 89, 91 hat den Begriff der unechten Lücke inzwischen aufgegeben.

[204] *Raisch*, Juristische Methoden, 1995, S. 160 f.; *Bydlinski*, Juristische Methodenlehre und Rechtsbegriff, 2. Aufl. 1991, S. 474. Für das französische Recht *Bergel*, Méthodologie juridique, 2e éd. 2016, Nr. 159.

[205] *Canaris*, Die Feststellung von Lücken im Gesetz, 2. Aufl. 1983, S. 45.

[206] BGH, Beschl. v. 17.4.2008, 4 StR 634/07, NStZ-RR 2009, 50; Roxin/*Greco*, Strafrecht Allgemeiner Teil, Bd. I, 5. Aufl. 2020, § 5 Rn. 29.

96 Im Einzelnen lassen sich vier Prüfungsschritte ausmachen:

(1.) Der Sachverhalt kann erstens unter den Anwendungsbereich der Norm subsumiert werden; er wird von der *Norm erfasst*. Der Fall passt aber nach seinem Zweck nicht unter die Norm (These.)

(2.) Es wird zweitens die Prämisse aufgestellt, dass der Normalfall und der vorliegende Sachverhalt *nicht miteinander vergleichbar* sind. Wegen dieser Ungleichheit ist der Umkehrschluss (*argumentum e contrario*) erforderlich. Dazu wird der *Zweck* der anzuwendenden Norm erforscht. Je nach Sachverhalt ist die Prämisse mehr oder weniger offensichtlich (§ 1 Rn. 101).

(3.) Argumentativ muss dann drittens begründet werden, warum der Sachverhalt *nicht* vom Normzweck gedeckt wird. Als Argumentationsfiguren sind folgenorientierte Argumente, wie die Vermeidung unbilliger Ergebnisse und das argumentum ad absurdum heranzuziehen.

(4.) Im Ergebnis scheidet *viertens* eine Subsumtion des Sachverhalts unter die Norm aus, d.h. der Anwendungsbereich wird *teleologisch reduziert.*

97 *Lösung:* (1.) Nach dem Wortlaut ist der Qualifikationstatbestand der gefährlichen Körperverletzung erfüllt, weil T ein Rasiermesser benutzte, um den Zopf abzuschneiden. Die Norm passt aber nicht für den vorliegenden Fall (These).

(2.) Der Normzweck des gesetzlich geregelten Falles passt nicht auf den vorliegenden Fall, sodass mittels Umkehrschluss die Norm nicht auf den Sachverhalt angewendet werden darf (Prämisse). Nach dem Zweck der Vorschrift sollen nur Gegenstände erfasst werden, die nach der objektiven Beschaffenheit und der konkreten Art der Verwendung im Einzelfall geeignet sind, erhebliche Verletzungen herbeizuführen.[207] Grund der Strafschärfung ist, dass bei Verwendung eines gefährlichen Werkzeugs eine gegenüber der einfachen Körperverletzung erhöhte konkrete Gefahr für die Gesundheit des Opfers besteht.[208] Ein Messer zu verwenden, um im konkreten Fall Haare abzuschneiden, stellt keine erhöhte Gefahr für die körperliche Unversehrtheit des Opfers dar. Der Normzweck passt folglich nicht für das Abschneiden von Haaren.

98 (3.) Den Täter nur wegen der Verwendung des Messers strenger zu bestrafen, wäre lebensfremd, also „absurd“ (Argument).

(4.) Deshalb kann der Sachverhalt *nicht* unter die Norm subsumiert werden. Der Täter hat sich nur wegen einfacher Körperverletzung nach § 223 Abs. 1 StGB strafbar gemacht.[209]

99 Grafisch lässt sich dies wie folgt verdeutlichen:

---

[207] BGH, Urt. v. 6.6.1952, 1 StR 708/51, BGHSt 3, 105, 109 – Züchtigungsrecht; BGH, Urt. v. 26.2.1960, 4 StR 582/59, BGHSt, 14, 152, 154 – auf Menschen gehetzter Hund als gefährliches Werkzeug; *Fischer*, StGB, 68. Aufl. 2021, § 224 Rn. 14.

[208] *Fischer*, StGB, 68. Aufl. 2021, § 224 Rn. 2, 9.

[209] Vgl. auch BGH, Urt. v. 23.12.1986, 1 StR 598/86, NStZ 1987, 174 – Setzen einer Arztspritze als gefährliches Werkzeug.

Grafik: Die teleologische Reduktion

§ 224 Abs. 1 Nr. 2 Alt. 2 StGB:
gefährliche Körperverletzung mittels eines gefährlichen Werkzeugs …
(1.) Rasiermesser vom Wortlaut zunächst erfasst:
Anwendung passt aber nicht auf den Fall (These)

(2.) Fehlende Vergleichbarkeit erfordert Umkehrschluss (Prämisse)

Normzweck:
Werkzeug muss nach objektiver Beschaffenheit und nach Art der Verwendung im Einzelfall geeignet sein, erhebliche Verletzungen herbeizuführen (Normalfall)

↔

beim Haareschneiden:
fehlende Eignung, erhebliche Verletzungen herbeizuführen,

(3.) Argumente: *Unbilligkeit oder argumentum ad absurdum*

(4.) Einschränkung des Anwendungsbereichs des § 224 Abs. 1 Nr. 2 Alt. 2 StGB

§ 224 Abs. 1 Nr. 2 Alt. 2 StGB:
Eignung, erhebliche Verletzungen herbeizuführen

Rasiermesser
§ 224 StGB greift nicht ein (–)

c) Unbilligkeit und argumentum ad absurdum als Argumentationsfiguren

aa) Für diese Argumentationsfigur werden vorrangig *folgenorientierte Argumente* vorgetragen. **100** Dazu gehört es vor allem, **unbillige Ergebnisse zu vermeiden**. Auch im angloamerikanischen Recht wird oft mit der Billigkeit argumentiert, um den Gesetzeszweck gegenüber dem Wortlaut zur Anwendung zu bringen.[210] Bekannt ist etwa, die Ex-tunc-Wirkung einer Anfechtung aus § 142 Abs. 1 BGB zu begrenzen, um unbillige Ergebnisse zu vermeiden.

Fehlerhafter Arbeits- oder Gesellschaftsvertrag: Eine teleologische Reduktion kommt **101** auch bei Arbeits- oder Gesellschaftsverträgen in Betracht. Bevor eine Anfechtung erklärt wird, wurden hier i.d.R. von den Beteiligten schon umfangreiche Leistungen erbracht, die sich nicht mehr über das Bereicherungsrecht angemessen rückabwickeln lassen. Obwohl beide Vertragstypen im besonderen Teil des Schuldrechts geregelt sind und damit die im Allgemeinen Teil des BGB stehende Rechtsfolge des § 142 Abs. 1 BGB anwendbar ist, wäre eine Ex-tunc-Wirkung unbillig. Der Anfechtende kann sich daher nicht auf die Ex-tunc-Wirkung berufen, sondern nur auf die Wirkung der Anfechtung ex nunc. Dies bedeutet künftige Leistungen müssen nicht mehr erbracht werden, bereits erbrachte Leistungen werden nicht zurückgewährt. Die ganz h.M. bejaht folglich eine teleologische Reduktion.[211] (§ 6 Rn. 16).

Vertiefung – *Unzulässiges Reurecht beim Inhaltsirrtum:* Konrektorin K bestellt beim **102** Großhändler G 25 Gros Toilettenpapier in der irrigen Annahme, es handele sich bei dem

[210] S. gerade § 6 Fn. 200.

[211] BAG, Urt. v. 5.12.1957, 1 AZR 594/56, NJW 1958, 516 – faktischer Arbeitsvertrag; BGH, Urt. v. 4.10.1951, II ZR 18/51, BGHZ 3, 285, 291 f. – faktischer Gesellschaftsvertrag; *Neuner*, Allgemeiner Teil des Bürgerlichen Rechts, 12. Aufl. 2020, § 41 Rn. 149. **A.A.** *Busche*, in: MünchKomm-BGB, 8. Aufl. 2018, § 142 Rn. 17: Gewohnheitsrecht.

Wort „Gros“ um eine Markenbezeichnung und nicht um die Mengenbezeichnung „12 x 12“. Welche Rechte haben die Parteien?[212]

103 bb) Das ***argumentum ad absurdum***[213] wird verwendet, wenn ein Gesetz vom Wortlaut her zwar auf den Fall passt, bei Anwendung aber absurde Ergebnisse liefert. Diese Rechtsfigur wurde schon bei der folgenorientierten Auslegung (§ 5 Rn. 56 ff.) und gerade beim Zopfabschneide-Fall (§ 6 Rn. 95) thematisiert. Die teleologische Reduktion will dies verhindern.

104 *Spieleisenbahn:* Dürfen die Eltern ihrem fünfjährigen Sohn zu Weihnachten eine Spielzeugeisenbahn schenken? Oder steht § 181 BGB dem entgegen?

Lösung: Da die Eltern als gesetzliche Vertreter ihres minderjährigen Sohnes gem. §§ 1626 Abs. 1, 1629 Abs. 1 BGB beim Schenkungsvertrag das Angebot abgeben und zudem die Annahme erklären müssten, liegt ein Insichgeschäft gem. § 181 BGB vor. Das würde bedeuten, dass die Eltern die Annahmeerklärung gem. §§ 1629 Abs. 2, 1795 Abs. 2 i.V.m. § 181 BGB nicht wirksam erklären könnten und hierfür ein Ergänzungspfleger bestellt werden müsste. Es wäre aber absurd, wenn Eltern bei Weihnachtsgeschenken an ihre fünfjährigen Kinder einen Ergänzungspfleger bestellen oder das Familiengericht anrufen müssten.[214] Deshalb formuliert der BGH:

105 „Ähnlich hält auch § 107 BGB den Minderjährigen bei einer Willenserklärung, durch die er lediglich einen rechtlichen Vorteil erlangt, nicht für schutzbedürftig. Im Gegensatz hierzu müßte eine am Wortlaut des § 181 BGB haftende Auslegung dazu führen, daß Eltern Geschenke, die sie ihren geschäftsunfähigen Kindern machen, nicht in deren Vertretung wirksam annehmen können. Dieses überwiegend als *lebensfremd abgelehnte Ergebnis* läßt sich ohne gezwungene, den Kern nicht treffende Begründungen nur vermeiden, wenn die Vorschrift von vornherein nicht angewandt wird, weil der besorgte Interessenkonflikt bei der ausschließlichen Zuwendung eines rechtlichen Vorteils nach der allgemeinen Natur eines solchen Geschäfts nicht entstehen kann und der Vertretene, den die Norm schützen will, im Ergebnis nur benachteiligt würde […].“[215]

106 dd) In § 12 zum Europarecht werden schließlich Fälle vorgestellt, in welchen der BGH den zu weit geratenen Wortlaut einer nationalen Norm teleologisch reduziert, um den Vorgaben von europäischen Richtlinien zu genügen (§ 12 Rn. 74).

2. Der Streit über den Lückenbegriff

a) Die Lücke als fata morgana?

107 Darf der Richter die Rechtsnorm erweitern, wenn der Fall nicht unter die Norm subsumiert werden kann? Darf er die Gesetzesnorm und ein Tatbestandsmerkmal ergänzen? Der Lückenbegriff ist spätestens seit der Rektoratsrede von *Zitelmann* aus dem Jahre 1902 stark umstritten. Eine Meinung hält die Bejahung einer Lücke für eine „fata morgana“. Der Richter oder Rechtsanwender würde eine Lücke behaupten, um diese dann schließen zu können. Böse formuliert, könne man sich auf Matthäus berufen, der im Neuen Testa-

---

[212] Lösung in § 15 Rn. 21.

[213] Enneccerus/*Nipperdey*, Allgemeiner Teil des Bürgerlichen Rechts, 15. Aufl. 1959, S. 334 spricht davon, dass die Rechtsanwendung ansonsten töricht würde; *Butzer/Epping*, Arbeitstechnik im Öffentlichen Recht, 3. Aufl. 2006, S. 55.

[214] Hinter jedem Weihnachtsbaum müsste ein Vormund stehen, um zu verhindern, dass am Weihnachtstag unwirksame Schenkungsverträge abgeschlossen würden.

[215] BGH, Urt. v. 27.9.1972, IV ZR 225/69, BGHZ 59, 236, 240 – rechtlich nur vorteilhaftes Selbstkontrahieren; s. auch *Möllers*, Juristische Arbeitstechnik und wissenschaftliches Arbeiten, 10. Aufl. 2021, § 10 Rn. 5.

ment sagt: „Suchet, so werdet ihr finden."[216] Tatsächlich läge ein Zirkelschluss vor (§ 5 Rn. 36 ff.),[217] weil der Anwender etwas vorgeben würde, was er erst beweisen müsse. Im Ergebnis würde er sich so an die Stelle des Gesetzgebers begeben, weil der Gesetzgeber und nicht der Richter die Aufgabe hat, Lücken de lege ferenda zu schließen. Am Anfang einer Prüfung könne man deshalb keine Lücke, sondern nur die **Widersprüchlichkeit des Gesetzes** feststellen.[218] Eine Ansicht verzichtet deshalb vollständig auf den Lückenbegriff.[219]

b) Die planwidrige Lücke als Prämisse

aa) Diese Ansicht ist in mehreren Punkten überzeugend, letztlich aber abzulehnen.[220] **108**
Zutreffend ist erstens, dass es gerade im Rahmen der Rechtsfortbildung oft nicht einfach ist, den Regelungszweck einer Norm oder mehrerer Normen festzustellen, wenn der Bezugspunkt fehlt. Schwierigkeiten bereitet auch die teleologische Auslegung, wenn der Norm mehrere Regelungszwecke zugrunde liegen oder der ursprüngliche Regelungszweck wegfällt (§ 6 Rn. 61, 70 ff.). Zudem versagt der Lückenbegriff im Rahmen der Konkretisierung.[221]

bb) Auf den Lückenbegriff vollständig zu verzichten, erscheint aber abwegig, wie z.B. **109**
§ 904 S. 2 BGB verdeutlicht: Der Eigentümer, der wegen einer Notstandslage eines Dritten die Eigentumsverletzung dulden muss, hat Anspruch auf Schadensersatz. Der Gesetzgeber hatte die Regelung des Anspruchsgegners vergessen, da der Eigentümer zwar Schadensersatz verlangen kann, ohne dass der Anspruchsgegner genannt wird. Damit bleibt unklar, ob der Begünstigte oder der auf das Eigentum Einwirkende Ersatz leisten muss. Hier hat der Rechtsanwender zu entscheiden.[222]

Manchmal ist die **Planwidrigkeit der Lücke** leicht nachzuweisen, oft ist es aber weni- **110**
ger einfach festzustellen, ob der Zweck der Norm auch den gesetzlich nicht geregelten Fall erfassen soll. Dann ist die Planwidrigkeit der Lücke als *Prämisse* weniger offensichtlich und muss durch weitere Argumente begründet werden (§ 1 Rn. 93).

Der Rechtsanwender muss dabei die Planwidrigkeit durch eine **wertende Gesamtbetrachtung** der Rechtsnorm und ggf. der gesamten Rechtsordnung ausführlich begründen[223] – sein Rechtsgefühl darf dabei nicht entscheidend sein.[224] Wollte der Gesetzgeber die Lücke nicht schließen?[225] Passt der Wille von damals heute noch[226] oder hat er sich gewandelt?[227] Handelt es sich bei der Rechtsfrage um ein *geschlossenes System*?[228] Ist die Ko-

---

[216] Matt. 7,7; hierzu ausdrücklich *Rüthers/Fischer/Birk*, Rechtstheorie, 11. Aufl. 2020, Rn. 830 und 875.

[217] *Esser*, Vorverständnis und Methodenwahl, 1970, S. 175.

[218] *Pawlowski*, Methodenlehre für Juristen, 3. Aufl. 1999, Rn. 475.

[219] *Röhl/Röhl*, Allgemeine Rechtslehre, 3. Aufl. 2008, S. 635.

[220] So die h.M., etwa *Larenz*, Methodenlehre der Rechtswissenschaft, 6. Aufl. 1991, S. 370 ff., *Rüthers/Fischer/Birk*, Rechtstheorie, 10. Aufl. 2018 Rn. 832 ff.; *Kramer*, Juristische Methodenlehre, 6. Aufl. 2019, S. 205 ff.

[221] Deutlich *Kriele*, ZRP 2008, 51, 53: Gesetzeslücken sind nicht die Ausnahme, sondern die Regel.

[222] *Canaris*, Die Feststellung von Lücken im Gesetz, 2. Aufl. 1983, S. 60 spricht von Rechtsverweigerungslücke. Zur Lösung s. unten § 6 Rn. 166 ff.

[223] *Heck*, AcP 112 (1914), 1, 161 ff.; *Larenz*, Methodenlehre der Rechtswissenschaft, 6. Aufl. 1991, S. 382: „Vorgang des wertenden Denkens".

[224] *Canaris*, Die Feststellung von Lücken im Gesetz, 2. Aufl. 1983, S. 73; *Rüthers/Fischer/Birk*, Rechtstheorie, 10. Aufl. 2018, Rn. 834; *Kramer*, Juristische Methodenlehre, 6. Aufl. 2019, S. 215.

[225] Zum beredten Schweigen s. oben § 6 Rn. 64 ff.

[226] Zur unstrittenen analogen Anwendung des § 656 BGB auf Partnerschaftsverträge s. oben § 5 Rn. 75 ff.

[227] Zur objektiven Theorie, s. BVerfG, Beschl. v. 14.2.1973, 1 BvR 112/65, BVerfGE 34, 269, 288 – Soraya (§ 6 Rn. 70 ff.).

[228] BVerfG v. 11.10.1978, 1 BvR 84/74, BVerfGE 49, 304, 320 – Sachverständigenhaftung (§ 13 Rn. 71); BGH, Urt. v. 6.10.1989, V ZR 152/88, BGHZ 109, 15, 18 f. – Siedlergemeinschaft (§ 13 Rn. 57).

difikation als System um die Verfassung oder das Europarecht zu erweitern?[229] All diese Fragen sind schwierig zu beantworten und werden uns noch ausführlich bei der Bestimmung der Grenzen zulässiger Rechtsfortbildung beschäftigen (§ 13). Damit kann es vorkommen, dass zwar eine Lücke vorliegt, diese aber nicht planwidrig und damit zu akzeptieren ist.[230] Bei der Prüfung ist es deshalb auch statthaft, zuerst einmal nur die Lücke zu unterstellen und die Planwidrigkeit der Lücke **an das Ende der Prüfung der Einzelanalogie** zu stellen.[231]

c) Die verschiedenen Formen der Lücke

111 Gemeinhin wird die **Lücke** als planwidrige Unvollständigkeit des Rechts bezeichnet.[232] Von **anfänglicher Lücke** spricht man, wenn schon der Gesetzgeber das Problem nicht erkannte. Bei § 904 S. 2 BGB wurde z. B. nicht erkannt, dass die Vorschrift den Anspruchsgegner nicht regelt. Bei der nachträglichen Lücke tritt ein Problem erst später auf. Bei der **bewussten Lücke** wusste der Gesetzgeber schon bei Erlass des Gesetzes, dass er einen Teilbereich, etwa die Problematik des Wegfalls der Geschäftsgrundlage, nicht regeln wollte. Bei der **unbewussten Lücke** ist dem Gesetzgeber die Lücke nicht bekannt.[233]

3. Einzelanalogie (Gesetzesanalogie)

a) Methodische Grundlagen – das Ähnlichkeitsargument (argumentum a simile)

112 Einzelanalogie und teleologische Reduktion haben gemein, dass der Wortlaut der Norm den Sachverhalt nicht erfasst, dafür aber der Zweck der Norm den Sachverhalt trifft. In diesen Fällen muss der Wortlaut der Norm korrigiert werden, um der ratio der Norm Rechnung zu tragen.[234] Die *These* (§ 1 Rn. 93) lautet, dass der Fall mit der Norm nicht gelöst werden kann und deshalb mittels Einzelanalogie um ein Tatbestandsmerkmal zu ergänzen ist, damit der Sachverhalt unter die Norm subsumiert werden kann. Es werden zwei *Prämissen* aufgestellt, die argumentativ zu begründen sind, nämlich dass eine planwidrige Lücke vorliegt und der gesetzlich nicht geregelte Fall dem gesetzlich geregelten Fall ähnelt. Historisch gesehen, findet sich die Einzelanalogie schon in den Digesten[235] und dabei bereits im Zwölftafelgesetz.[236] In vielen Staaten ist die Rechtsfortbildung normiert und auch in Deutschland ganz unstrittig anerkannt (§ 1 Rn. 49). In Frankreich ist die Analogie anerkannt.[237] Im anglo-amerikanischen Recht ist im Bereich

---

[229] § 11 Rn. 67 ff.; § 12 Rn. 24 ff., 70 ff.

[230] So etwa der abschließende Charakter der Verschuldenshaftung im BGB, s. § 6 Rn. 156 f., § 13 Rn. 29 ff.

[231] Zu § 844 Abs. 2 BGB analog, s. § 15 Rn. 45 ff.

[232] Erstmals *Elze*, Lücken im Gesetz, 1916, S. 3; *Canaris*, Die Feststellung von Lücken im Gesetz, 2. Aufl. 1983, S. 39; BGH, Urt. v. 4.5.1988, VIII ZR 196/87, NJW 1988, 2109, 2110 – Ankauf durch einen Angestellten.

[233] *Zitelmann*, Lücken im Recht, 1903, S. 24 ff.

[234] *Canaris*, in: FS Medicus, 1999, S. 25, 51.

[235] Iul. D. 1,3,12: Gesetze und Senatsbeschlüsse können nicht für alle Fälle ausdrückliche Bestimmungen enthalten; wenn sie aber für einen Fall eine Regelung enthalten, so kann der Richter die Regel auf ähnliche Fälle erstrecken. – *Non possunt omnes articuli singillatim aut legibus, aut senatus consultis comprehendi, set cum in aliqua causa sententia eorum manifesta est, is, qui jurisdictioni praeest, ad simlia procedure atque ita ius dicere debet.* S. auch Iul. D. 1,3,10. Zur Analogie im römischen Recht s. *Honsell*, ZfPW 2016, 106, 116 f.

[236] Für die Analogie von vierfüßigen auf zweifüßige Tiere, s. bereits Paul. D. 9,1,4: „non quadrupes, sed aliud animal", s. *Honsell*, in: FS Kramer, 2004, S. 193 ff.; s. zur Geschichte der Analogie: *Langhein*, Das Prinzip der Analogie als juristische Methode, 1992; *Zimmermann*, 56 (2) C.L.J. 315, 323 f. (1997); *Vogenauer*, Die Auslegung von Gesetzen in England und auf dem Kontinent, 2001, S. 490 ff.

[237] *Bergel*, Méthodologie juridique, 2ᵉ éd. 2016, Nr. 155.

des Richterrechts die Analogie als Übertragung von Präjudizien auf vergleichbare Fälle wohlbekannt (§ 7 Rn. 58). Während man in der Vergangenheit traditionell eine Einzelanalogie von Gesetzen zurückhalten gegenüberstand, um das durch Richterrecht geprägte „common law" möglichst unberührt zu lassen,[238] sind inzwischen Gerichte zu Analogien von Gesetzesnormen deutlich häufiger bereit.[239]

113 Die erste *Prämisse* lautet, dass der Sachverhalt dem gesetzlich geregelten Fall ähnlich ist, weil eine Teilgleichheit existiert. Man spricht vom ***argumentum a simile*** **(Ähnlichkeitsargument).**[240] Logisch gesehen handelt es sich um eine Prämisse, die es zu begründen gilt (§ 1 Rn. 94): Die Gleichheit lässt sich nicht nachweisen, sondern nur die Ähnlichkeit plausibel rechtfertigen. Je nachdem, ob man die Gemeinsamkeiten oder die Unterschiede betont, gelangt man zu einem Erst-Recht-Schluss oder dem Gegenteil, dem Umkehrschluss.[241] Prägnant formuliert *Kaufmann*: „Ob die Frau dem Mann, der Bär dem Hund, das Flugzeug dem Schiff ähnlich oder unähnlich ist, lässt sich logisch nicht ausmachen; es kommt auf den Aspekt an, unter dem sie verglichen werden sollen."[242]

114 Damit eine solche Teilgleichheit jedoch festgestellt werden kann, müssen *argumentativ* die in der gesetzlichen Regel niedergelegten *Wertungen* herausgearbeitet werden.[243] Daran schließt sich die positive Feststellung an, dass die Wertung für beide Sachverhalte übereinstimmt und die negative Feststellung, dass die Unterschiede nicht von solchem Gewicht sind, dass sie die gesetzliche Wertung konterkarieren. Andernfalls wäre der Umkehrschluss naheliegender.[244] Der *verfassungsrechtliche Gleichheitsgrundsatz*[245] erlaubt nicht nur eine Einzelanalogie, sondern verpflichtet den Rechtsanwender zu dieser.[246]

b) Vier Prüfungsschritte zur Begründung der Einzelanalogie

115 *Tod des Werkunternehmers:* Ein Werkunternehmer sollte einen Ofen liefern und in einem Neubau der Beklagten aufstellen. Bei der Aufstellung des Ofens erlitt er auf einer nicht verkehrssicheren Treppe des Neubaus einen tödlichen Unfall. Seine Hinterbliebenen nahmen die Beklagte aus Vertrag auf Unfallrenten in Anspruch. Ist die Vorschrift des § 618 Abs. 3 BGB auf einen Werkvertrag entsprechend anzuwenden, wenn der Unternehmer zur Erfüllung der ihm obliegenden Verpflichtung die Räume des Bestellers betreten muss und dabei infolge ihrer Beschaffenheit einen tödlichen Unfall erleidet?

Im Einzelnen sind vier Prüfungsschritte durchzuführen:

116 (1.) Zunächst ist festzustellen, dass der konkrete Sachverhalt nicht unter die Norm subsumiert werden kann, aber eine Analogie möglich ist, weil eine planwidrige **Lücke** vorliegt. Das Bestehen einer Lücke ist damit zunächst nur eine *Prämisse*, deren Ergebnis noch offen ist.[247]

117 (2.) Wer die Einzelanalogie begründet, trägt die Argumentationslast (§ 1 Rn. 100). Zweitens muss die **Ähnlichkeit** (*argumentum a simile*) festgestellt werden, die es rechtfertigt, den Tatbestand um den gesetzlich nicht geregelten Fall zu erweitern. Dazu ist der **Zweck** der anzuwendenden Norm zu erforschen und darzulegen, dass der Zweck auch für den gesetzlich nicht geregelten Sachverhalt passt. Dazu ist die Teilgleichheit zwischen

---

[238] *Langenbucher*, 57 (3) C.L.J. 481, 497 ff. (1998).

[239] *Vogenauer*, Die Auslegung von Gesetzen in England und auf dem Kontinent, 2001, S. 1014 ff., 1054 ff. m.w.Nachw.

[240] Ausführlich *Klug*, Juristische Logik, 4. Aufl. 1982, S. 109 ff.

[241] *Alexy*, ARSP Beiheft 119 (2010), 9, 11 ff.; *Martens*, Methodenlehre des Unionsrechts, 2013, S. 318 f.

[242] *Kaufmann*, Analogie und „Natur der Sache", 2. Aufl. 1982, S. 36.

[243] *Bydlinski*, Juristische Methodenlehre und Rechtsbegriff, 2. Aufl. 1991, S. 475 ff.

[244] *Larenz*, Methodenlehre der Rechtswissenschaft, 6. Aufl. 1991, S. 382. Zum Umkehrschluss s. gerade § 6 Rn. 93 f.

[245] Zur Rechtsanwendungsgleichheit s. oben § 1 Rn. 42.

[246] Deutlich *Kramer*, Juristische Methodenlehre, 6. Aufl. 2019, S. 231; vorher schon *Regelsberger*, Pandekten, Bd. 1, 1893, S. 156 f.; *Meyer-Hayoz*, Der Richter als Gesetzgeber, 1951, S. 254.

[247] Zu einem solchen Fall s. unten § 15 Rn. 46 ff.

dem gesetzlich geregelten Tatbestandsmerkmal und dem fehlenden Tatbestandsmerkmal darzustellen. Dies geschieht mit dem Schluss vom Besonderen auf das Besondere oder einem verallgemeinerten Rechtsgedanken das tertium comparationis (§ 6 Rn. 132 f.). Ist der Schutzzweck umstritten oder wenig geklärt (§ 6 Rn. 159 ff.), ist die Analogie besonders sorgfältig zu begründen.

(3.a) Die Ähnlichkeit der beiden Fälle ist mit Argumenten zu stützen. Dazu sind der Erst-Recht-Schluss (*argumentum a fortiori*) heranzuziehen (§ 6 Rn. 123 ff.). Negativ muss der Umkehrschluss ausgeschlossen werden, also dargestellt werden, dass der Unterschied zwischen geregeltem und vorliegendem Sachverhalt für die Norm und ihren Zweck nicht relevant ist. Die Analogie will *unbillige* Ergebnisse vermeiden.

(b) Schließlich ist ggf. noch zu begründen, dass die Lücke planwidrig ist (§ 6 Rn. 139). Dazu lässt sich das *Umgehungsargument* nutzen (§ 6 Rn. 135 ff.).

118 (4.) Erst danach kann viertens die Lücke durch Einzelanalogie *geschlossen* werden. Während bei der teleologischen Reduktion der Anwendungsbereich eingeschränkt wird, wird er bei der Einzelanalogie über den Wortlaut der Norm hinaus erweitert. Schließlich ist zu betonen, dass das Ergebnis der Analogie nicht gegen die Verfassung verstoßen darf.[248]

119 *Lösung:* (1) § 618 Abs. 3 BGB gibt nur Hinterbliebenen einen Anspruch, wenn der Dienstverpflichtete verletzt wird oder stirbt. Ein vergleichbarer Anspruch existiert *nicht* für den Werkunternehmer. Es ist zu prüfen, ob diese Lücke durch eine Einzelanalogie geschlossen werden kann.

(2) Der gesetzlich geregelte Fall ist mit dem gesetzlich geregelten Fall ähnlich und erlaubt einen Erst-Recht Schluss. Der *Zweck* der Vorschrift ist es, den Angehörigen des Dienstverpflichteten Unterhaltsansprüche nach §§ 844 f. BGB zu geben, ohne dass eine unerlaubte Handlung vorliegen muss oder sich der Geschäftsherr gem. § 831 BGB exkulpieren kann. Der Schutz der Angehörigen sollte aber auch bei einem Werkunternehmer gelten, weil die vertraglichen Pflichten von Werkunternehmern und Dienstverpflichteten *ähnlich* sind.

120 (3) Es wäre *unbillig*, den Angehörigen den Rechtsschutz zu versagen, z.B. weil eine Exkulpation gem. § 831 BGB möglich wäre.[249] Diese Lücke ist auch planwidrig.

(4) Die Lücke ist zu schließen, indem die Vorschrift entsprechend auf den Werkunternehmer angewendet wird.

121 Der BGH hatte bei der analogen Anwendung des § 618 BGB auf den Werkvertrag ausdrücklich mit der Billigkeit argumentiert.

> „Die in § 618 Abs. 3 BGB unmittelbar geregelte Sachlage ist nun aber ungemein *ähnlich* derjenigen, die entsteht, wenn der Unternehmer eines Werkvertrages auf Grund seiner Vertragspflicht bei der Herstellung des Werkes in Räumen oder mit Vorrichtungen des Bestellers zu arbeiten hat, die Gefahren für Leib und Leben für ihn mit sich bringen, und die der Besteller oder seine Erfüllungsgehilfen entgegen seiner Vertragspflicht nicht im Rahmen des Möglichen gefahrlos gestellt haben, so daß der Unternehmer oder seine Erfüllungsgehilfen einen tödlichen Unfall erleiden und ihre Hinterbliebenen dadurch ihres Ernährers beraubt werden. *Der Tatbestand, die Interessenlage und die aus ihr abzuleitende gerechte Ordnung der Rechtsfolgen sind so ähnlich, daß sie die entsprechende Anwendung des § 618 Abs. 3 BGB auf so gestaltete Werkverträge – nicht etwa auf alle Werkverträge oder auf den Werkvertrag schlechthin – fordern,* weil bei dieser besonderen Sachgestaltung die Anwendung des Werkvertragsrechts allein und damit die An-

[248] Also etwa, dass Verletzungen gegen den Grundsatz *nulla poena sine lege* oder den des Vorbehalts des Gesetzes ausgeschlossen sein müssen (§ 1 Rn. 36 ff.).

[249] BGH, Beschl. v. 5.2.1952, GSZ 4/51, BGHZ 5, 62, 66 – Unfallhaftung aus Werkvertrag. Zu § 831 BGB s. unten § 10 Rn. 86 ff.

wendung der allgemeinen vertraglichen Schadensersatzregelung des Bürgerlichen Gesetzbuches der Besonderheit des Falles nicht gerecht würde und zu *unbilligen Ergebnissen* führte."[250]

Anhand einer Grafik lässt sich dies wie folgt visualisieren: 122

Grafik: Rechtsfindung im Rahmen der Einzelanalogie (Gesetzesanalogie)

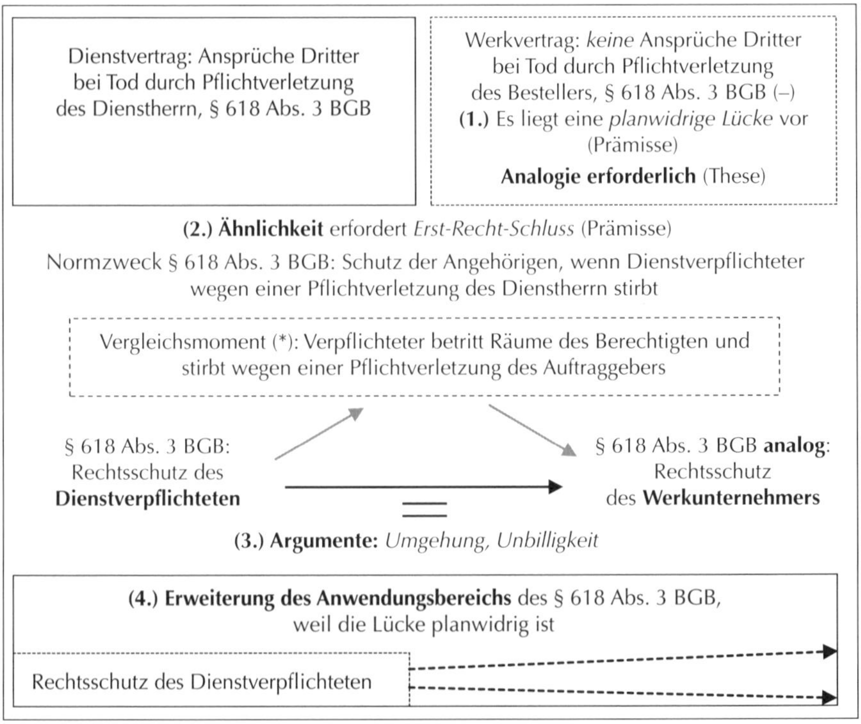

c) Erst-Recht-Schluss und Unbilligkeit als Argumentationsfiguren

aa) Der **Größenschluss von dem Stärkeren auf das Schwächere *(argumentum a fortiori)*** wird auch als **Erst-Recht-Schluss** bezeichnet. Man schließt von der Verknüpfung einer bestimmten Rechtsfolge mit einem Sachverhalt auf ihre Verknüpfung mit einem anderen Sachverhalt, mit der Begründung, dass die Verknüpfung mit dieser enger sei als mit jener im Sinne „wenn schon …, dann erst recht".[251] Zum Teil wird weitergehend zwischen zwei Ausprägungen unterschieden, wofür jeweils die Blickrichtung entscheidend ist.[252] 123

Beim **Schluss vom Größeren auf das Kleinere *(argumentum a maiori ad minus)*** 124
wird gefolgert: Wenn schon für den Tatbestand A die Rechtsfolge R gilt, dann muss sie

[250] BGH, Beschl. v. 5.2.1952, GSZ 4/51, BGHZ 5, 62, 66 f. – Unfallhaftung aus Werkvertrag; hierzu *Raisch*, Juristische Methoden, 1995, S. 154 f. Zudem hat die Rechtsprechung die Analogie auf weitere Bereiche ausgedehnt, ohne allerdings eine Gesamtanalogie zu bejahen, vgl. die Nachweise bei *Wagner*, in: MünchKomm-BGB, 8. Aufl. 2020, § 844 Rn. 11.

[251] *Honsell*, in: Staudinger, BGB, Neubearb. 2018, Einl. zum BGB Rn. 160.

[252] *Klug*, Juristische Logik, 4. Aufl. 1982, S. 147 f.

erst recht für den ihm ähnlichen Tatbestand B gelten, bei dem die *ratio legis* der zugrundeliegenden Norm sogar in noch höherem Maße zutrifft.[253] Wenn man schon für das Größere eintreten muss, dann erst recht für das Kleinere.[254] Der Tatbestand umfasst damit regelmäßig auch das Kleinere.

125 Wenn jemand schon für (leichte) Fahrlässigkeit haftet, dann erst recht für grobe Fahrlässigkeit.[255] – Wenn ein Arbeitsverhältnis aus wichtigem Grund gem. § 626 BGB fristlos gekündigt werden darf, dann erst recht fristgemäß.[256] – Wenn eine Willenserklärung auf Abschluss eines Schenkungsvertrages gerichtet ist, der Bedachte bei seiner Erklärung aber davon ausgeht, dass er nur ein zinsloses Darlehen bekäme, so kommt zumindest ein Vertrag über ein zinsloses Darlehen zustande.[257]

126 Beim **Schluss vom Kleineren auf das Größere *(argumentum a minore ad maius)*** argumentiert man: Wenn man schon für das Kleinere eintreten muss, dann erst recht für das Größere.[258] Hier muss also der Tatbestand über den Wortlaut zwingend ausgedehnt werden.

127 *Tanzbär:* Als Lord *Byron* in seiner Studentenzeit eine Bulldogge in die Collegeräume mitbrachte, wurde ihm dies wegen des Hundeverbots der Hausordnung verwehrt. Er besorgte sich daraufhin einen zahmen Bären.[259] Wenn für die Bibliothek die Mitnahme von Hunden verboten ist, dann erst recht die Mitnahme eines Tanzbären. – Wenn § 904 S. 2 BGB bei einem Eingriff in das Eigentum zu Schadensersatz verpflichtet, muss dies erst recht bei einer Verletzung der Gesundheit oder des Körpers gelten.[260] – Im Rahmen der fahrlässigen Willenserklärung (§ 5 Rn. 30) wird von einer Ansicht argumentiert: Wenn der Mangel des ernstlichen Willens gem. § 118 BGB schon zu Nichtigkeit führt, dann muss dies erst recht gelten, wenn überhaupt kein Erklärungsbewusstsein vorliegt; in diesem Fall wird nicht einmal bewusst ein objektiver Erklärungstatbestand gesetzt.[261]

128 bb) Für diese Argumentationsfigur werden schließlich noch folgenorientierte Argumente vorgetragen, z. B. **unbillige Ergebnisse zu vermeiden** (§ 6 Rn. 121).

129 cc) Der **Umkehrschluss *(argumentum e contrario)*** kann als Argumentationsfigur eingesetzt werden, wenn der Sachverhalt *nicht zu dem Regelungszweck der Norm* passt. Weil die Ähnlichkeit zu verneinen ist (§ 6 Rn. 94), ist damit auch die Einzelanalogie abzulehnen. Im Einzelnen ist also zu begründen, dass die Ungleichheit zwischen dem gesetzlich Geregelten und dem Sachverhalt für die Normanwendung entscheidend ist. Nicht ausreichend ist es, nur darauf abzustellen, ob es sich um eine Ausnahmevorschrift handelt (§ 6 Rn. 32 ff.).

130 *Ankauf durch einen Angestellten* (§ 4 Rn. 153): Nach § 56 HGB gilt eine im Laden angestellte Person als ermächtigt zu Verkäufen oder Empfangnahmen. Der BGH hatte zu klären, ob die Vorschrift analog auch für den *Ankauf* eines Kfz angewendet werden kann. Dem steht entgegen, dass üblicherweise Angestellte nur für den Verkauf, nicht aber für den An-

---

[253] *Larenz*, Methodenlehre der Rechtswissenschaft, 6. Aufl. 1991, S. 389.

[254] *Rüthers/Fischer/Birk*, Rechtstheorie, 11. Aufl. 2020, Rn. 898.

[255] *Nawiasky*, Allgemeine Rechtslehre als System der rechtlichen Grundbegriffe, 2. Aufl. 1948, S. 148.

[256] BAG, Urt. v. 16.7.1959, 1 AZR 193/57, AP BGB Nr. 31 zu § 626 Rn. 23.

[257] *Honsell*, in: Staudinger, BGB, Neubearb. 2018, Einl. zum BGB Rn. 160.

[258] *Klug*, Juristische Logik, 4. Aufl. 1982, S. 147; *Bydlinski*, Juristische Methodenlehre und Rechtsbegriff, 2. Aufl. 1991, S. 479.

[259] *Eisler*, Byron, 1999, S. 135; ein ähnliches Beispiel findet sich schon bei *Radbruch*, Einführung in die Rechtswissenschaft, 4. Aufl. 1919, S. 104.

[260] *Canaris*, JZ 1963, 655, 658; Palandt/*Herrler*, BGB, 80. Aufl. 2021, § 904 Rn. 1; *Rüthers/Fischer/Birk*, Rechtstheorie, 11. Aufl. 2020, Rn. 898; **a. A.** *Larenz*, Methodenlehre der Rechtswissenschaft, 6. Aufl. 1991, S. 389 und *Klug*, Juristische Logik, 4. Aufl. 1982, S. 147, die von einem Schluss „a maiori ad maius" sprechen.

[261] *Lehmann/Hübner*, Allgemeiner Teil des Bürgerlichen Gesetzbuches, 16. Aufl. 1966, § 34.III.1.b).

kauf bevollmächtigt sind.[262] Entscheidend dürfte sein, dass man für den Ankauf einer gebrauchten Sache deutlich mehr Kenntnis und Erfahrung benötigt, als für den Verkauf, bei dem der Geschäftsherr zudem den Preis vorgeben kann und demnach im Vorfeld bereits mehr Kontrolle ausübt. Der BGH bejahte den Umkehrschluss wegen der Ungleichheit zwischen Ankauf und Verkauf von Waren. Im Ergebnis verneinte er eine Rechtsschutzlücke, weil die Käufer durch andere Normen geschützt seien. Er führte aus:

„Auch *fehlt* es daran, daß die Tatbestände des Verkaufs und des Ankaufs *in der für die gesetzliche Bewertung maßgebenden Hinsicht gleich zu bewerten* sind [...] oder daß ihre Gleichbehandlung auch nur von einem unabweisbaren Bedürfnis des Rechtsverkehrs – als Voraussetzung einer „gesetzesüberschreitenden Rechtsfortbildung" [...] – geboten wäre. Es trifft zwar zu, daß die Vorschrift des § 56 HGB die Rechtsvermutung im Interesse der Sicherheit des Verkehrs aufstellt [...]. Weder der Umstand, daß sich das dem § 56 HGB zugrunde liegende „Sozialmodell, das [...] am kleinstädtischen Einzelhandelsgeschäft ausgerichtet ist" [...] gewandelt haben mag, noch die Tatsache, daß es Fälle gibt, in denen der gute Glaube des Kunden an die Befugnis von Ladenangestellten, auch einmal Waren anzukaufen, schützenswert erscheint, gebieten es indessen, die Vorschrift auf Ankäufe entsprechend anzuwenden. Der Kunde wird damit nicht schutzlos: Abgesehen davon, daß er den vollmachtlos handelnden Ladenangestellten gem. § 179 BGB und dessen Prinzipal gegebenenfalls nach den §§ 823 ff., 831 BGB und möglicherweise auch wegen Verhandlungsverschuldens in Verbindung mit § 278 BGB [...] in Anspruch nehmen kann, erlauben es vor allem die in der höchstrichterlichen Rechtsprechung seit langem entwickelten Grundsätze über die Anscheins- und Duldungsvollmacht, den berechtigten Schutzinteressen des Verkehrs hinreichend Rechnung zu tragen."[263] 131

d) Zwei Varianten des Ähnlichkeitsvergleichs

Abschließend ist noch zu betonen, dass die logischen Grundlagen des juristischen Analogieschlusses umstritten sind: Während der deduktive Schluss vom Allgemeinen auf das Besondere geht und der induktive Schluss vom Besonderen auf das Allgemeine, stellt nach überwiegender Ansicht der juristische Analogieschluss formal-logisch eine Kombination aus Induktion und Deduktion dar. Zunächst wird aus der besonderen, gesetzlich geregelten Erscheinung ein allgemeiner Gedanke abstrahiert (*Induktion*). Dieser verallgemeinerte Rechtsgedanke wäre das *Vergleichsmoment* (das ***tertium comparationis***).[264] Anschließend würde dann ein Schluss aus diesem allgemeinen Gedanken auf ein anderes Besonderes gezogen (*Deduktion*).[265] 132

Die Gegenansicht nimmt dagegen einen Schluss vom „**Besonderen auf das Besondere**" vor, denn in Wahrheit würden nur zwei Tatbestände verglichen. Der Rückgriff auf die ratio legis sei lediglich Mittel, die Herausarbeitung eines allgemeinen Gedankens nicht erforderlich.[266] 133

In der Praxis finden sich **allerdings beide Möglichkeiten**, um die Einzelanalogie zu begründen: Die Kombination von Induktion und Deduktion[267] findet sich bei der Ge- 134

[262] *Canaris*, Handelsrecht, 24. Aufl. 2006, § 14 Rn. 8 spricht von fehlender Verkehrstypizität.

[263] BGH, Urt. v. 4.5.1988, VIII ZR 196/87, NJW 1988, 2109, 2110 – Ankauf durch einen Angestellten.

[264] *Mittelstraß (Hrsg.)*, Enzyklopädie Philosophie und Wissenschaftstheorie, Bd. 4, 1996, S. 239 f.

[265] S. bereits *Aristoteles*, Analytica priora et posteriora, II 24; *ders.*, Rhetorik 1. Buch, Rn. 1357b, S. 25 ff.; *Klug*, Juristische Logik, 4. Aufl. 1982, S. 122; Engisch/*Würtenberger/Otto*, Einführung in das juristische Denken, 12. Aufl. 2018, S. 204, 209; *Kramer*, Juristische Methodenlehre, 6. Aufl. 2019, S. 234; *Kaufmann*, Das Verfahren der Rechtsgewinnung, 1999, S. 53 f.; *Martens*, Methodenlehre des Unionsrechts, 2013, S. 320; zur Induktion und Deduktion s. oben § 4 Rn. 2 f.

[266] *Klug*, Juristische Logik, 4. Aufl. 1982, S. 115; *Schnapp*, Logik für Juristen, 7. Aufl. 2016, S. 150.

[267] Die Kombination von Induktion und Deduktion findet sich in der Grafik (§ 6 Rn. 122) mit einem Stern (*).

samtanalogie (§ 6 Rn. 140) und auch bei der Vergleichsfallmethode (§ 7 Rn. 44 ff.). Ansonsten ist sie bei der Einzelanalogie eher selten (§ 6 Rn. 112). Regelmäßig wird direkt argumentiert, also vom Besonderen auf das Besondere geschlossen und aufgezeigt, dass die Unterschiede zwischen dem in der Norm unmittelbar erfassten Falltyp und dem zu beurteilenden Fall nach allen erkennbaren rechtlichen Wertungsmaßstäben bedeutungslos sind.[268] Der Erst-Recht-Schluss ist wie der Umkehrschluss zuerst einmal nur eine Prämisse, deren Voraussetzungen erfüllt sein müssen (§ 1 Rn. 94). Dabei ist das Ähnlichkeitsargument als Prämisse weniger schlagkräftig als die folgenden Varianten des Erstrecht-Schlusses.

e) Planwidrigkeit der Lücke und das Umgehungsargument

135 aa) Häufig wird das **Umgehungsargument** vorgetragen. Es dient dazu, die planwidrige Lücke zu begründen. Ohne die Analogie würde die Anwendung der Vorschrift umgangen und der Schutzzweck vereitelt. Dies deckt sich mit der Überlegung, dass im Zweifel Normen so auszulegen sind, dass ihr Anwendungsbereich nicht leerlauft, sie also nicht überflüssig werden (§ 5 Rn. 53). Bei einem Grundstückskauf bezweckt § 311b Abs. 1 S. 1 BGB Käufer und Verkäufer vor dem Geschäftsabschluss zu warnen, sie also vor Übereilung eines bedeutenden Geschäfts zu schützen.[269] Daneben soll das Geschäft beurkundet und schließlich sollen die Parteien durch den Notar beraten werden.[270]

136 *Vorvertrag Grundstückskauf:* In der Wochenendausgabe entdeckt Käufer Klaus eine ungemein billige Eigentumswohnung in München für 300.000 EUR. Noch am Samstagabend trifft er sich mit dem Verkäufer Victor, der ihm die Wohnung sogleich verkauft. Bei einem Abendessen, zu dem K den V einlädt, wird ein Vorvertrag schriftlich besiegelt. Der Vorvertrag sieht vor, dass V sich verpflichtet, K die Wohnung bei einem Notar zu verkaufen. Als K mit V am Montag einen Termin bei einem Notar vereinbaren möchte, lehnt dieser ab, weil er am Morgen einen Käufer gefunden hat, der bereit ist, einen doppelt so hohen Kaufpreis für die Wohnung zu zahlen. Kann K von V wegen Verletzung des Vorvertrags Schadensersatz verlangen?

137 *Lösung:* Der Vorvertrag verpflichtet die Parteien zum Abschluss des Hauptvertrags. Die Warnfunktion, also der Schutz vor Übereilung gilt gleichermaßen für den Grundstücksvertrag als auch für den Vorvertrag, der zum Abschluss eines Kaufvertrags über ein Grundstück verpflichtet. Würde die notarielle Beurkundungspflicht nicht für den Vorvertrag gelten, würde die Formvorschrift des § 311b BGB für Grundstücksverträge umgangen.[271] Der Verkäufer sähe sich Schadensersatzansprüchen aus dem Vorvertrag ausgesetzt, die wirtschaftlich eine ähnliche Belastung darstellen würden, wie die Pflicht zur Übereignung des zu billig verkauften Grundstücks.[272] Deshalb ist § 311b Abs. 1 S. 1 BGB auf den Vorvertrag *analog* anzuwenden. Konsequenterweise kann mit einer zweiten Analogie die fehlende Formvorschrift durch Vollzug gem. § 311b Abs. 1 S. 2 BGB analog geheilt werden.[273]

138 Für die h. M. ist also die in beiden Fällen eingreifende Warnfunktion das gemeinsame Vergleichsmoment, sodass unmittelbar vom *Besonderen auf das Besondere* geschlossen wird. Eher gekünstelt wirkt es, nach einem gemeinsamen Vergleichsmoment zu suchen, etwa allen Verträgen, die unmittelbar oder mittelbar auf den Abschluss des Grundstücks-

[268] Für beiden Alternativen deshalb auch *Bydlinski,* Juristische Methodenlehre und Rechtsbegriff, 2. Aufl. 1991, S. 475 f.

[269] Oder in der Sprache des Gesetzgebers des 19. Jahrhunderts, Mot. I, S. 179: „Die Nothwendigkeit der Beobachtung einer Form ruft bei den Betheiligten eine geschäftsmäßige Stimmung hervor, weckt das juristische Bewußtsein, fordert zur besonnenen Ueberlegung heraus und gewährleistet die Ernstlichkeit der gefaßten Entschließung."

[270] S. zusammenfassend *Neuner,* Allgemeiner Teil des Bürgerlichen Rechts, 12. Aufl. 2020, § 44.

[271] Entsprechend für den Jagdpachtvorvertrag: RG, Urt. v. 8.12.1925, VI 350/25, RGZ 112, 199, 201 – Jagdpachtvorvertrag.

[272] RG, Urt. v. 8.12.1925, VI 350/25, RGZ 112, 199, 201 – Jagdpachtvorvertrag.

[273] BGH, Urt. v. 18.12.1981, V ZR 233/80, BGHZ 82, 398, 405 – Heilung des Vorvertrages.

vertrags zielen. Die Rechtsprechung bejahte die Warnfunktion ebenfalls für Vorverträge über eine Jagdpacht (§ 11 Abs. 4 S. 1 BJagdG[274])[275] sowie für die Aufhebung eines Arbeitsvertrags gem. § 623 BGB.[276]

bb) Ist die Lücke wenig offensichtlich, sollte man nur von einer Widersprüchlichkeit des Gesetzes sprechen (§ 6 Rn. 107). In diesen Fällen ist es nicht selten höchst umstritten, ob eine Lücke überhaupt vorliegt bzw. geschlossen werden darf. Damit kann es Fälle geben, in denen die Teilvergleichbarkeit beider Fälle als erste Prämisse vorliegt. So lassen sich unschwer eine Teilgleichheit zwischen der Ehe und der ehelichen Lebensgemeinschaft oder zwischen absoluten Rechtsgütern und dem allgemeinen Persönlichkeitsrecht feststellen. Allerdings ist jetzt einem zweiten Schritt die zweite Prämisse argumentativ zu begründen, ob diese Lücke planwidrig ist und damit rechtsfortbildend durch den Richter geschlossen werden darf (Prüfungsschritt 3.b). Wenn dies zu verneinen ist, kann zwar die Vergleichbarkeit vorliegen, die planwidrige Lücke aber zu verneinen sein, so dass die Einzelanalogie im Ergebnis scheitert. Dann kann die Lücke nur durch den Gesetzgeber geschlossen werden (§ 6 Rn. 155 ff.). Im Einzelnen war etwa auch umstritten, ob das Persönlichkeitsrecht in § 823 Abs. 1 BGB (§ 6 Rn. 15) oder die nichteheliche Lebensgemeinschaft in § 569a BGB a.F. (§ 6 Rn. 74 f.) ergänzt werden durften. Die einzelnen Argumentationsfiguren zu den Grenzen zulässiger Rechtsfortbildung werden ausführlich in § 13 erörtert. 139

4. Gesamtanalogie (Rechtsanalogie)

a) Methodische Grundlagen

Die Gesamtanalogie oder Rechtsanalogie ist nochmals schwieriger als die Einzelanalogie. Sie wird im Gegensatz zur Einzelanalogie aus einer Vielzahl einzelner Rechtsvorschriften gewonnen.[277] Formallogisch erfolgt dies im Wege eines *Induktionsschlusses*. Aus einer Vielzahl von Vorschriften wird ein allgemeiner Gedanke abstrahiert, der anschließend zu einem allgemeinen Rechtssatz erklärt und auf einen im Gesetz nicht geregelten Tatbestand angewendet wird, weil er wertungsmäßig ebenso zutrifft, wie die gesetzlich geregelten Tatbestände. Dieser allgemeine Rechtssatz wird auch als *tertium comparationis* bezeichnet.[278] Dann erfolgt die *Deduktion* auf den vom Gesetz nicht umfassten Fall.[279] Zum Teil wird dieses Verfahren auch bei der Einzelanalogie vertreten (§ 6 Rn. 112). Maßgebend für die Gesamtanalogie ist somit die Herausarbeitung einer gemeinsamen ratio legis aus einer Vielzahl von Einzelvorschriften sowie deren Verallgemeinerung.[280] Dabei muss jedes Mal aufs Neue geprüft werden, ob diese gemeinsame ratio legis tatsächlich verallgemeinerungsfähig ist, und es sich bei den Einzelvorschriften nicht lediglich um eine Aneinanderreihung von Sondertatbeständen handelt. 140

Quasi-negatorischer Unterlassungsanspruch: Im Oktober 1902 erschien ein von dem Beklagten verfasstes Buch, das Behauptungen enthält, die geeignet waren, den Kredit der Klägerin zu gefährden und Nachteile für ihren Erwerb herbeizuführen. Kann die Klägerin dagegen vorgehen? 141

---

[274] Bundesjagdgesetz v. 29.9.1976, BGBl. I, S. 2849.

[275] BGH, Urt. v. 7.6.1973, III ZR 71/71, BGHZ 62, 48, 50 f. – Jagdpachtvorvertrag.

[276] BAG, Urt. v. 17.12.2009, 6 AZR 242/09, NJW 2010, 1100 Rn. 25.

[277] Enneccerus/*Nipperdey*, Allgemeiner Teil des Bürgerlichen Rechts, 15. Aufl. 1959, S. 339 f.; *Esser*, Vorverständnis und Methodenwahl, 1970, S. 182 ff.; *Bydlinski*, Juristische Methodenlehre und Rechtsbegriff, 2. Aufl. 1991, S. 478 f.

[278] *Gast*, Juristische Rhetorik, 5. Aufl. 2015, Rn. 1054, 1056.

[279] *Kramer*, Juristische Methodenlehre, 6. Aufl. 2019, S. 234.

[280] *Larenz*, Methodenlehre der Rechtswissenschaft, 6. Aufl. 1991, S. 386.

b) Vier Prüfungsschritte zur Begründung der Gesamtanalogie

142 Im Einzelnen sind vier Prüfungsschritte erforderlich, um eine Gesamtanalogie zu begründen:

(1.) Es ist erstens zunächst im Sinne einer Arbeitshypothese (These) festzuhalten, dass der Fall *nicht* unter eine Rechtsnorm subsumiert werden kann, aber mittels einer Gesamtanalogie geschlossen werden kann. Dazu ist eine Lücke als Prämisse zu behaupten.

(2.) Daraufhin ist die Prämisse aufzustellen, dass mehreren Normen ein *Rechtssatz* zugrunde liegt, der *verallgemeinerungsfähig* ist. Der Normzweck von gesetzlich geregelten Fällen kann folglich zu einem allgemeinen Rechtssatz ausgeweitet werden.

(3.a) Diese Prämisse muss drittens mit Argumenten begründet werden. Dazu ist die *Vergleichbarkeit* der verschiedenen Fälle argumentativ herzuleiten und zu begründen, warum ein allgemeiner Rechtsatz gebildet werden kann. Oft wäre es unbillig, wenn das Gesetz Rechtsschutz in ähnlich Fällen gewährt, in diesem aber wegen der Lücke versagt. Während bei der Einzelanalogie begründet werden muss, warum der gesetzlich nicht geregelte Fall geschlossen werden kann, ist bei der Gesamtanalogie darzutun, warum ein allgemein gewonnener Rechtssatz entwickelt werden kann. Ist dies bejaht, kann er dann unschwer auch auf den vorliegenden, den gesetzlich nicht geregelten Fall angewendet werden.

(3.b) Zudem muss dargetan werden, dass die Gesamtanalogie zulässig ist, weil die Lücke *planwidrig* ist. Die Lücke zu schließen entspräche dem inneren System des Gesetzes (§ 4 Rn. 109 ff., § 6 Rn. 146).

(4.) Wenn dies zu bejahen ist, kann die Gesamtanalogie eingreifen. Grafisch lässt sich dies wie folgt am Beispiel des quasi-negatorischen Unterlassungsanspruchs darstellen:

143 **Grafik: Rechtsfindung im Rahmen der Gesamtanalogie (Rechtsanalogie)**

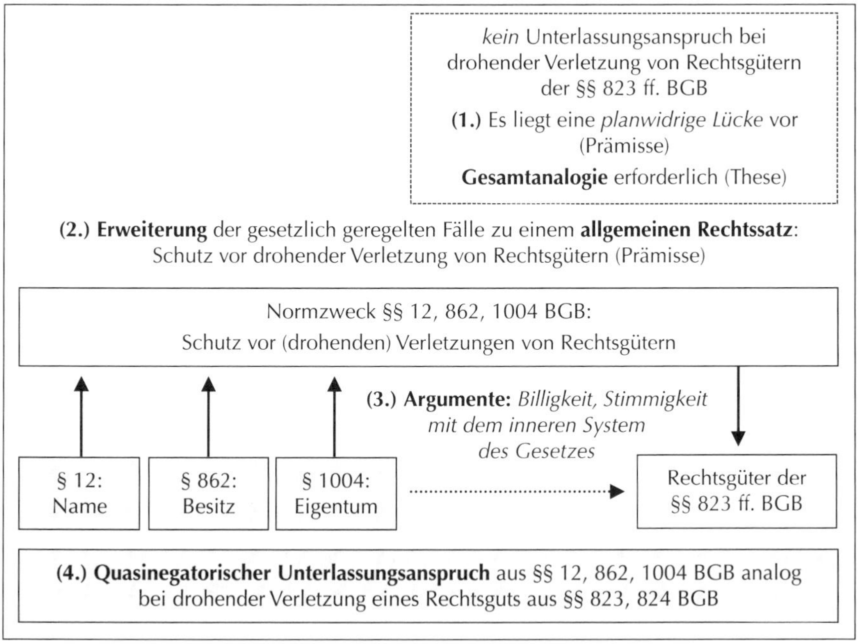

Lösung: (1) Unterlassungsansprüche existieren im BGB nur bei einer drohenden Verletzung von Eigentum (§ 1004 Abs. 1 S. 2), Besitz (§ 862 Abs. 1 S. 2) oder des Namensrechts (§ 12 S. 2).[281] § 824 BGB gibt zwar einen Schadensersatzanspruch bei kreditschädigendem Verhalten, nicht aber einen Unterlassungsanspruch. Es liegt eine planwidrige Lücke vor (Prämisse). Möglicherweise kann diese Lücke durch eine Gesamtanalogie geschlossen werden (These). **144**

(2) In einer Gesamtanalogie zu den §§ 12, 862, 1004 BGB kann man allerdings einen sog. quasi-negatorischen Unterlassungsanspruch *für alle von § 823 Abs. 1 BGB geschützten Rechtsgüter* bejahen (Prämisse). Die gesetzlich geregelten Fälle können zu einem **allgemeinen Rechtssatz erweitert** werden. **145**

(3) Hintergrund ist die Überlegung, dass es *unbillig* erscheint, eine Rechtsverletzung hinnehmen zu müssen, um dann den entstandenen Schaden zu liquidieren. Vielmehr soll man bei der Gefahr des Ersteintritts bzw. einer Wiederholungsgefahr bereits die Möglichkeit haben, den Schaden zu vermeiden. Dies ist allgemeiner Ausfluss des Vorrangs des Bestandsschutzes. Dieses Argument leuchtet für alle absoluten Rechtsgüter unmittelbar ein, denn wenn die Verletzung zum Ausgleich berechtigt, muss erst recht bereits die drohende Gefahr einer Rechtsverletzung geahndet werden. Im Vergleich zum Namens- oder Besitzrecht lässt sich bei absoluten Rechtsgütern ein *A-minori-ad-maius*-Schluss (§ 6 Rn. 126) ziehen. Darüber hinaus hat die Rechtsprechung die Gesamtanalogie auch bei einer unwahren Behauptung gem. §§ 823 Abs. 2, 824 BGB bejaht und vor allem mit der Billigkeit und Gerechtigkeit argumentiert. Heute würde man bei einer unwahren Behauptung auch eine Verletzung des Persönlichkeitsrechts bejahen.[282] Eine solche Lücke ist auch *planwidrig*; die Lücke zu schließen, entspricht dem inneren System des BGB. **146**

(4) Bejaht man die Gesamtanalogie, lässt sich die gewünschte Rechtsfolge herleiten. Hierdurch lässt sich ein Unterlassungsanspruch gegen ein kreditschädigendes Verhalten oder gegen unwahre Behauptungen herleiten. Das RG schreibt zur Gesamtanalogie: **147**

„Der Anspruch auf Unterlassung der Vornahme von Handlungen beschränkt sich nicht auf das Gebiet der unerlaubten Handlungen. Jeder auch nur objektiv widerrechtliche Eingriff in ein vom Gesetz geschütztes Recht berechtigt zu einer Klage auf Unterlassung, wenn weitere Eingriffe zu befürchten sind; das Schuldmoment kommt bei einer solchen Klage nicht in Betracht, ebensowenig die Wahrnehmung berechtigter Interessen. […] Die *Billigkeit* mag erfordern, die Schadensersatzpflicht nur beim Vorhandensein eines Verschuldens anzuerkennen; es ist aber ein *Gebot der Gerechtigkeit*, daß auch ohne ein solches gegen die Wiederholung auch nur objektiv widerrechtlicher Eingriffe ein Schutz gegeben werde […], damit der Zufügung weiteren Schadens vorgebeugt werde, dessen Ersatz sonst, wenn nicht nachträglich ein Verschulden hinzutreten sollte, ebenfalls nicht gefordert werden könnte. Seine gesetzliche Grundlage findet jener Schutz in der analogen Anwendung der Vorschriften der §§ 12, 862, 1004 BGB; dem durch einen widerrechtlichen Eingriff in ein durch das Gesetz geschütztes Rechtsgut Betroffenen steht eine *actio quasi negatoria* zu, wenn weitere Beeinträchtigungen zu besorgen sind. Das Bürgerliche Gesetzbuch schützt, wie sich aus § 824 ergibt, den Kredit, den Erwerb und das Fortkommen einer Person als ein besonderes, der Verletzung zugängliches Rechtsgut."[283] **148**

---

[281] Weitere spezialgesetzliche Ansprüche bestehen gem. §§ 37 Abs. 2 S. 1 HGB, 8 Abs. 1 UWG, 14 Abs. 5, 15 Abs. 4 MarkenG v. 25.10.1994, BGBl. I, S. 3082 (Markengesetz), 97 Abs. 1 UrhG v. 9.9.1965, BGBl. I, S. 1273 (Urrheberrechtsgesetz), 1–2a UKlaG v. 27.8.2002, BGBl. I, S. 3422 (Unterlassungsklagengesetz).

[282] Zur Anspruchskonkurrenz s. *Wagner*, in: MünchKomm-BGB, 8. Aufl. 2020, § 824 Rn. 5.

[283] RG, Urt. v. 5.1.1905, VI 38/04, RGZ 60, 6, 7 f. – Quasi-negatorischer Unterlassungsanspruch.

149 **Vertiefung** – *Tonbandaufnahme:* A nimmt heimlich ein Gespräch mit B mit einem Tonband auf. Kann B die Löschung der Tonbandaufnahmen verlangen? Was ist, wenn eine entsprechende Aufzeichnung droht?[284]

c) Die Stimmigkeit mit dem inneren System des Gesetzes als Argumentationsfigur zur Begründung der Planwidrigkeit der Lücke

150 aa) Die Gesamtanalogie muss nicht nur im Vergleich zu ähnlichen Fällen billig sein, sondern sich auch in das Gesetz einpassen. Dazu muss die Lücke planwidrig sein, das Schließen der Lücke mit dem System des Gesetzes übereinstimmen. Ein Rechtssatz wird aus mehreren gleichartigen Prämissensätzen gefolgert.[285] Hierzu muss man das Vergleichsmoment mit Hilfe des inneren Systems des Gesetzes herleiten. Wie bei der Entwicklung neuer Rechtsprinzipien (§ 9 Rn. 17 ff.) muss ein solcher verallgemeinerungsfähiger Rechtssatz gut begründet werden, z.B. mit Überlegungen zur Billigkeit (§ 6 Rn. 100 ff., 120 f.) oder der Akzeptanz. Gegebenenfalls besteht die Gefahr, dass keine planwidrige Lücke existiert.

151 *Von Jhering* hatte bereits 1861 das Verschulden bei Vertragsverhandlungen entwickelt;[286] es wurde im BGB aber nur für einzelne Bereiche und allgemeiner erst mit der Schuldrechtsreform 2002 mit den neu gefassten § 311 Abs. 2, 3 BGB kodifiziert. Bis dahin hatte man das Verschulden bei Vertragsverhandlungen aus einer Gesamtanalogie aus Normen begründet, die Pflichtverletzungen bei Vertragsverhandlungen kennen und Schadensersatzansprüche nach sich ziehen.[287] Vergleichbares gilt für die positive Forderungsverletzung[288] und das außerordentliche Kündigungsrecht aus wichtigem Grund bei Dauerschuldverhältnissen.[289] Soweit ein solcher Rechtssatz anerkannt wurde, wird dieser Rechtssatz dann auch schnell als Gewohnheitsrecht bezeichnet.[290]

152 *Verjährung bei Gebrauchsüberlassungsverträgen:* Die Beklagten interessierten sich für einen Gabelstapler der Klägerin und vereinbarten einen Kauf auf Probe nach § 454 BGB. Nachdem der Gabelstapler von der Klägerin geliefert wurde, beschädigten die Beklagten das Fahrzeug, ohne bereits vorher den Kauf gebilligt zu haben. Die Klägerin forderte sieben Monate später Schadensersatz für die am Gabelstapler entstanden Schäden, welchen die Beklagten unter Hinweis auf Verjährung zurückwiesen.

153 *Lösung:* Die Rechtsprechung bejahte eine Gesamtanalogie aus den verschiedenen, kurzen sechsmonatigen Verjährungsvorschriften. Damit zwingen auch Verjährungsvorschriften nicht zu einer engen Auslegung, wenn der Zweck dies erfordert.[291] Ohne den Begriff der Gesamtanalogie zu verwenden, argumentiert der BGH für die Anwendung der kurzen Verjährungsvorschrift bei einem *Kauf auf Probe*:

---

[284] Lösung in § 15 Rn. 23.

[285] *Gast*, Juristische Rhetorik, 5. Aufl. 2015, Rn. 1054, 1056.

[286] *von Jhering*, Jb. f. Dogmatik 4 (1861), 1 ff.; hierzu *Diederichsen*, in: Behrends, Privatrecht heute und Jherings evolutionäres Rechtsdenken, 1993, S. 37, 68 ff.

[287] Eine Gesamtanalogie wurde gebildet aus den §§ 122, 179, 523 Abs. 1, 524 Abs. 1, 600, 663 BGB sowie §§ 307, 309, 463 S. 2 BGB a.F.; Engisch/*Würtenberger/Otto*, Einführung in das juristische Denken, 12. Aufl. 2018, S. 210; s. jetzt § 311 Abs. 2 und 3 BGB.

[288] Erfunden von *Staub*, in: FS 26. DJT, 1902, S. 29 ff.; eine Gesamtanalogie wurde gebildet aus den Vorschriften zur Unmöglichkeit und zum Verzug (§§ 280, 286, 325, 326 BGB a.F.), BGH, Urt. v. 13.11.1953, I ZR 140/52, BGHZ 11, 80, 83; s. jetzt § 280 Abs. 1 BGB.

[289] Eine Gesamtanalogie wurde entwickelt aus den §§ 490, 543, 569, 626, 723 Abs. 1 S. 2 BGB, BGH, Urt. v. 1. 4. 1953, 2 ZR 235/52, BGHZ 9, 157, 161 f.; für den Franchisevertrag BGH, Urt. v. 26.9.1996, I ZR 265/95, BGHZ 133, 316, 320; s. vorher schon RG, Urt. v. 6.4.1933, I 301/32, RGZ 140, 264, 275; s. jetzt § 314 BGB.

[290] So für das Verschulden bei Vertragsverhandlungen, BGH, Urt. v. 11.5.1979, V ZR 75/78, NJW 1979, 1983 Rn. 10; für die positive Forderungsverletzung BGH, Urt. v. 19.10.1977, VIII ZR 42/76, NJW 1978, 260 Rn. 11; für den quasi-negatorischen Unterlassungsanspruch Erman/*Ebbing*, BGB, 16. Aufl. 2020, § 1004 Rn. 10. Zum Gewohnheitsrecht oben § 3 Rn. 23 ff.

[291] Palandt/*Ellenberger*, BGB, 80. Aufl. 2021, Überbl. vor § 194 Rn. 12.

154 „Der diese Rechtsprechung tragende Gesichtspunkt liegt darin, daß ebenso wie bei der Miete (§ 558 BGB[292]), der Pacht (§ 581 Abs. 2 BGB), der Leihe (§ 606 BGB) oder dem Nießbrauch (§ 1057 BGB) *auch bei anderen Gebrauchsüberlassungsverhältnissen* eine rasche Abwicklung etwaiger Schadensersatzansprüche im Interesse der Sicherheit des Rechtsverkehrs wünschenswert und geboten erscheint, weil der zur Vertragsanbahnung überlassene Gegenstand in rascher Folge verschiedenen Personen zugänglich werden kann und so die Feststellungen von Schäden, Schädigern und Schadensursachen mit fortschreitendem Zeitablauf immer schwieriger wird (vgl. auch noch BGHZ 55, 392, 397). Diese Rechtsprechung entspricht dem *Willen des Gesetzgebers* (Prot. II, S. 177, 194, 275) und hat im *Schrifttum ganz überwiegend Zustimmung* gefunden (z.B. Staudinger/Mayer-Maly, BGB 12. Aufl. § 558 Rdnr. 9, 9 a; Staudinger/Reuter aaO § 606 Rdnr. 1, 5, 7; Erman/Schopp, BGB 8. Aufl. § 558 Rdnr. 1, § 606 Rdnr. 1, 2; MünchKomm/Voelskow § 558 Rdnr. 4; MünchKomm/Kollhosser § 606 Rdnr. 1, 5)."[293]

155 bb) *Gegen* eine Gesamtanalogie ließe sich vortragen, dass ein Ergebnis dem *inneren System widerspricht.* Dann ist eine Lücke *nicht planwidrig.* Das **Enumerationsprinzip** geht von der Regelung durch Einzeltatbestände aus. Bei Bejahung einer Gesamtanalogie bestünde die Gefahr, das vom Gesetzgeber angelegte System von Einzeltatbeständen zu unterlaufen. Gegebenenfalls kann die Lücke nicht planwidrig sein (§ 6 Rn. 64 ff.).

156 *Gefährdungshaftung:* Im Deliktsrecht des BGB ist grundsätzlich das Verschuldensprinzip normiert; Gefährdungstatbestände finden sich nur in den §§ 833 und 836 BGB. Die Gefährdungshaftung wurde stattdessen im letzten Jahrhundert in Spezialgesetzen normiert (etwa § 1 HaftPflG,[294] § 7 StVG, § 33 LuftVG,[295] § 1 ProdHaftG, § 1 UmweltHG,[296] § 84 AMG,[297] § 32 GenTG,[298] § 1 AtG[299]). Der Verzicht auf ein Verschuldenserfordernis führt ausnahmsweise zu einer Haftungsverschärfung. Dies und die Tatsache, dass die speziellen Tatbestände auch inhaltlich recht unterschiedlich ausgestaltet sind, spricht gegen eine (analoge) Erstreckung der Tatbestände auf einen nicht geregelten Fall, sodass in ständiger Rechtsprechung eine Gesamtanalogie zu den gesetzlich geregelten Gefährdungstatbeständen abgelehnt wird (§ 6 Rn. 65, § 13 Rn. 30 ff.).[300] Ebenso wurde die Annahme einer generellen Haftungsprivilegierung bei außervertraglichen Gefälligkeitsverhältnissen aus §§ 521, 599, 690 BGB abgelehnt, weil es sich dabei um einzelne, auf den jeweiligen Vertragstyp zugeschnittene und nicht verallgemeinerungsfähige Haftungserleichterungen handele.[301]

157 Dass man dies allerdings auch anders sehen kann, etwa weil höherrangige Rechtsgüter zu schützen sind, zeigt die Rechtslage in Österreich, wo eine entsprechende Gesamtanalogie[302] oder zumindest Einzelanalogien[303] bejaht werden.

---

[292] Inzwischen § 548 Abs. 1 S. 1 BGB.

[293] BGH, Urt. v. 24.6.1992, VIII ZR 203/91, BGHZ 119, 35, 39 – Verjährungsfrist beim Kauf auf Probe.

[294] Haftpflichtgesetz (HaftPflG) v. 4.1.1978, BGBl. I, S. 145.

[295] Luftverkehrsgesetz (LuftVG) v. 21.8.1936, Österreich, RGBl. I, Nr. 659/1936.

[296] Umwelthaftungsgesetz (UHG) v. 10.12.1990, BGBl. I, S. 2634.

[297] Arzneimittelgesetz (AMG) v. 12.12.2005, BGBl. I, S. 3394.

[298] Gentechnikgesetz (GenTG) v. 16.12.1993, BGBl. I, S. 2066.

[299] Atomgesetz (AtG) v. 15.7.1985, BGBl. I, S. 1565.

[300] S. bereits RG, Urt. v. 11.1.1912, VI 86/11, RGZ 78, 171, 172 – Zeppelin; BGH, Urt. v. 15.1.1971, 3 ZR 208/68, BGHZ 55, 229, 234 ff. – Rohrbruch in gemeindlicher Wasserleitung; zustimmend die h. M. Enneccerus/*Nipperdey*, Allgemeiner Teil des Bürgerlichen Rechts, 15. Aufl. 1959, S. 296; Larenz/*Canaris*, Lehrbuch des Schuldrechts, Besonderer Teil, Bd. II/2, 13. Aufl. 1994, S. 602; krit. *Bauer*, in: FS Ballerstedt, 1975, S. 305 ff.; Zweigert/*Kötz*, Einführung in die Rechtsvergleichung, 3. Aufl. 1996, S. 663.

[301] BGH, Urt. v. 9.6.1992, VI ZR 49/91, NJW 1992, 2474, 2475; *Koch*, in: MünchKomm-BGB, 8. Aufl. 2019, § 521 Rn. 8; **a. A.** zum deutschen Recht *Honsell*, ZSR 1997, 297, 300 f.

[302] Zu den EKHG v. 21.1.1959, Österreich, BGBl. Nr. 48/1959 (Eisenbahn- und Kraftfahrzeughaftpflichtgesetz), LuftVG, AtomHG v. 10.11.1989, Österreich, BGBl. I, Nr. 170/1998 (Atomhaftungsgesetz),

158 cc) Bei der Rechtsanwendung (in der Klausur oder in der Hausarbeit) wird man regelmäßig nicht erwarten, dass der Student eine Gesamtanalogie neu begründet. Einen allgemein gültigen Rechtssatz aufzustellen, der auf eine große Anzahl unbekannter Fälle Anwendung findet, ist anspruchsvoll, weil man nicht absehen kann, ob die Anwendung des neuen Rechtssatzes auf alle neuen Fälle wirklich sachgerecht ist. Der neue Rechtssatz muss in das Gesamtsystem des Gesetzes und der gesamten Rechtsordnung passen. Argumentativ wenig überzeugend erscheint es auch, die Gesamtanalogie aus der Natur der Sache oder einer Rechtsidee ableiten zu wollen.[304] Nach *Larenz* soll sich der Rechtsanwender im Zweifel eher mit einer Einzel- statt einer Gesamtanalogie begnügen.[305]

5. Die schwierige Suche nach dem Telos

159 Abschließend muss die Relevanz der teleologischen Auslegung, die Suche nach dem Sinn und Zweck der Vorschrift und des Gesetzes noch ein wenig relativiert werden. Die Einzelanalogie ist schwerer zu begründen, wenn Tatbestandsmerkmale, die verglichen werden sollen, fehlen oder der Gesetzeszweck mehrdeutig ist.

a) Die teleologische Extension bei fehlender Ähnlichkeit zu einem gesetzlichen Tatbestandsmerkmal

160 Die Rechtsfigur der teleologischen Extension ist bisher wenig geklärt: Teilweise wird sie als Unterfall der Einzelanalogie bezeichnet,[306] teilsweise als überflüssig.[307] Zudem wird behauptet, sie greife nur ein, wenn die Rechtsfolge der Norm erweitert würde.[308] Wie die Einzelanalogie setzt die teleologische Extension eine Lücke voraus, weshalb der Wortlaut nicht eingreift. Die Norm muss aber ergänzt werden, damit ihr Zweck erreicht werden kann.[309] Über den fehlenden Bezug zu einem gesetzlichen Tatbestand hinaus, wollen andere Autoren die telelogische Extension schon immer dann anwenden, wenn der Ähnlichkeitsvergleich ihrer Ansicht nach nicht überzeugt. So wird die telelogische Extension etwa bei der Frage herangezogen, ob neben Zweibeinern auch für Vierbeiner zu haften ist.[310] Dies ist abzulehnen, weil sich hier der Schluss vom Kleineren auf das Größere (§ 6 Rn. 126 ff.) als Unterfall des Erst-recht-Schlusses geradezu aufdrängt.[311]

161 Im Unterschied zu den ersten zwei Ansichten kann bei der teleologischen Extension aber *kein Ähnlichkeitsvergleich mit einem gesetzlichen Tatbestandsmerkmal der Norm gezogen werden, weil ein solches Tatbestandsmerkmal gerade fehlt.* Deshalb fügt die teleologische Extension dem Tatbestand ein Tatbestandsmerkmal hinzu, ohne einen Ähnlichkeitsvergleich vornehmen zu können.[312] Pawlowski nennt hierfür die Entscheidung des BGH, den Gewerkschaften gegen den damaligen Wortlaut des § 50 ZPO das aktive Kla-

---

RHG v. 1948, Österreich, BGBl. Nr. 144/1928 (Rechnungshofgesetz), s. OGH, Urt. v. 10.9.1947, 1 Ob 500/47, SZ 21/46; OGH, Urt. v. 28.3.1973, 5 Ob 50/73, SZ 46/36; *Koziol*, in: FS Wilburg, 1975, S. 173 ff.; *Bydlinski*, Juristische Methodenlehre und Rechtsbegriff, 2. Aufl. 1991, S. 479.

[303] Einzelanalogie von § 2 Abs. 2 EKHG auf Pistengeräte, OGH, Urt. v. 15.9.2004, 9 Ob A 49/04b, SZ 2004/138. S. auch die Problematik des § 844 Abs. 2 BGB unten § 15 Rn. 45 ff.

[304] So aber *Canaris*, Die Feststellung von Lücken im Gesetz, 2. Aufl. 1983, S. 99 f.; krit. dagegen auch *F. Müller/Christensen*, Juristische Methodik, Bd. I, 11. Aufl. 2013, Rn. 371.

[305] *Larenz*, Methodenlehre der Rechtswissenschaft, 6. Aufl. 1991, S. 386.

[306] *Rüthers/Fischer/Birk*, Rechtstheorie, 11. Aufl. 2020, Rn. 904.

[307] *Bydlinski*, Juristische Methodenlehre und Rechtsbegriff, 2. Aufl. 1991, S. 475.

[308] *Meier/Jocham*, JuS 2016, 392, 394; *Muthorst*, Grundlagen der Rechtswissenschaft, 2. Aufl. 2019, § 8 Rn. 27.

[309] *Larenz*, Methodenlehre der Rechtswissenschaft, 6. Aufl. 1991, S. 398.

[310] *Rüthers/Fischer/Birk*, Rechtstheorie, 11. Aufl. 2020, Rn. 904.

[311] S. *Reimer*, Juristische Methodenlehre, 2. Aufl. 2020, Rn. 623.

[312] *Röver*, in: FS Reuter, 2021 (im Erscheinen) spricht von teleologischer Addition.

gerecht zuzugestehen.[313] Methodisch kommt hier die verfassungskonforme Rechtsfortbildung zum Tragen.[314] Eine Analogie ist nicht möglich, weil die Rechtsfolge gerade kein Klagerecht für den nichtrechtsfähigen Verein vorsieht. Wenn der BGH also zum gegenteiligen Ergebnis kommt, muss er die Rechtsfolge erweitern.

Andere Autoren berufen sich auf die telelologische Extension, wenn die Rechtsfolge über den Wortlaut des Gesetzes erweitert wird. Diese Fallgruppe ist aber weniger überzeugend, weil sie sich im Ergebnis als Unterfall der Einzelanalogie mit einem Vergleichsmoment (tertium comparationis) darstellt. **162**

Als Beispiel wird hierfür die Entscheidung des BGH zu § 844 Abs. 2 BGB herangezogen: Wenn der Schädiger einen Unterhaltspflichtigen tötet, muss er dem Unterhaltsberechtigten für die Dauer des mutmaßlichen Lebens des getöteten Opfers Unterhalt in einer Geldrente zahlen. Was gilt für Rentenansprüche, die vom Unterhaltsanspruch nicht umfasst sind, die aber für den Unterhaltsberechtigten nach dem Tod des Opfers wirksam hätten werden können? Der BGH bejahte nach Sinn und Zweck der Norm und aus Billigkeitsgründen den § 844 Abs. 2 BGB, weil das Opfer während seines Lebens in die Rentenkasse hätte einzahlen können, um etwa eine entsprechende Witwenrente anzusparen.[315] Ein unmittelbarer Vergleich zwischen dem gesetzlich vorgesehenen Unterhaltsanspruch und einer darüber hinaus möglicherweise anzusparenden Rente, der Vergleich vom Besonderen zum Besonderen (§ 6 Rn. 133) erscheint tatsächlich im konkreten Fall nicht möglich.[316] Allerdings ist dieses Beispiel wenig überzeugend, weil es sich als Einzelanalogie denken lässt, indem induktiv nach dem tertium comparationis gesucht wird (§ 6 Rn. 132). So wie man Hunde und Bären zur Gattung der Tiere zählen kann (§ 6 Rn. 127), können die Unterhaltsansprüche und die nicht vom Gesetz umfassten anzusparenden Rentenansprüche als weitere „Barunterhaltsschäden" umschrieben werden. Dies lässt dann die Einzelanalogie zu.[317] **163**

Die teleologische Extension wird nur dann angewendet, wenn jedweder Bezugspunkt für die Lückenschließung fehlt. So etwa bei der Frage nach dem Anspruchsgegner in § 904 S. 2 BGB (s. sogleich). In diesem Fall kann die Lücke nicht durch eine Einzelanalogie geschlossen werden, sondern nur durch die teleologische Extension. Diese wird mit Hilfe der in §§ 4 und 5 kennengelernten Auslegungsfiguren begründet. **164**

Überschwemmung: Das Haus von Hans (H) liegt an einem Hang. Nach einer Schneeschmelze droht der Keller voll zu laufen, in welchem sich wertvolle Gemälde und Teppiche befinden. H ruft die Feuerwehr (F), die einen Graben gräbt und so verhindert, dass der Keller durch das Hangwasser vollläuft. Allerdings leitet der Graben das Wasser nun auf das benachbarte Grundstück des Eigentümers Emil (E), sodass der Keller seines Rohbaus voll Wasser läuft. E verlangt Ersatz der Sanierungskosten. Von wem? Wie soll das Insolvenzrisiko geregelt werden? Überlegen Sie sich anhand von § 904 BGB die möglichen Positionen von E, H und der Feuerwehr – idealerweise mit zwei Kommilitonen in einem Rollenspiel. **165**

Lösung: § 904 BGB regelt den sog. agressiven Notstand. Nach Satz 1 hat der Eigentümer die Einwirkung auf seine Sache zu dulden, wenn der drohende Schaden unverhältnismäßig größer wäre als der durch die Einwirkung entstehende Schaden. Vorliegend sind die Anspruchsvoraussetzungen der Notstandslage und Notstandshandlung unproblematisch gegeben. E hat einen Anspruch auf Ersatz des ihm entstandenen Schadens nach Satz 2 BGB. Allerdings ist das Gesetz lückenhaft, weil der Gesetzgeber vergessen hatte zu regeln, gegen **166**

---

[313] *Pawlowski*, Methodenlehre für Juristen, 3. Aufl. 1999, Rn. 499.

[314] BGHZ 42, 210, 216 ff. – aktive Parteifähigkeit von Gewerkschaften (§ 11 Rn. 78).

[315] BGH, Urt v. 29.4.1960, VI ZR 51/59, BGHZ 32, 246, 249 – Rentenanspruch.

[316] *Larenz*, Methodenlehre der Rechtswissenschaft, 6. Aufl. 1991, S. 398; *Meier/Jocham*, JuS 2016, 392, 394; *Muthorst*, Grundlagen der Rechtswissenschaft, 2. Aufl. 2019, § 8 Rn. 27.

[317] Zu diesem Begriff s. BeckOK-BGB/*Hau/Poseck*, 56. Ed. 1.11.2020, § 844 Rn. 18. *Larenz* (ebd.) und *Kramer*, Juristische Methodenlehre, 6. Aufl. 2019, S. 236 erkennen auch an, dass hier eine deutliche Nähe zur Einzelanalogie besteht.

wen sich der Anspruch richtet, wer also der Anspruchsgegner ist (§ 6 Rn. 109). Folglich lassen sich verschiedene Ansichten vertreten, die entweder für einen Anspruch gegen H oder F oder gegebenenfalls gegenüber beiden als Gesamtschuldner argumentieren.

167 Anspruchsgegner könnte die Feuerwehr F als **Einwirkende** sein. Dafür spricht die *genetische Auslegung*, wonach in der ursprünglichen Gesetzesfassung noch ausdrücklich der Einwirkende als Anspruchsgegner genannt war.[318] *Systematisch* entspricht dies dem allgemeinen Verursacherprinzip, etwa beim Schadensersatz (z. B. §§ 280, 286, 325 f., 823 BGB), wonach derjenige verpflichtet wird, der den Schaden verursacht hat. Der Einwirkende ist gerade derjenige, der das Geschehen in der Hand hat, er soll daher quasi als Handlungsstörer den Schaden ersetzen. Dem Einwirkenden selbst bliebe dann die Möglichkeit beim Begünstigten Regress über §§ 662 ff., 677 ff. oder 812 ff. BGB zu nehmen.[319] Dem Geschädigten würde im Sinne einer folgenorientierten Auslegung die möglicherweise mühsame Suche nach dem Begünstigten erspart bleiben. Schon der *Wortlaut* deutet das *Telos* der Norm an, wonach „Einwirkungsrecht und Schadensersatzpflicht in aller Regel in einer Person zusammenfallen müssen".[320]

168 Denkbar ist auch, den Anspruch gegen H zu richten, da ihm als **Begünstigten** die Umleitung des Wassers zu Gute kommt.[321] Die *genetische Auslegung* lässt sich mit dem Argument entkräften, dass die ursprüngliche Fassung gerade kein Gesetz geworden ist.[322] *Systematisch* spricht die Parallele zur Aufopferung bzw. Enteignung hierfür, da beispielsweise bei einer rechtmäßigen Enteignung den Begünstigten die Entschädigungspflicht trifft (Art. 9 Abs. 2 S. 1 BayEG[323]). Dies wäre auch *interessengerecht*: Einerseits soll der Begünstigte den Schaden ersetzen, weil sein Haus gerade verschont wurde, er also von dem Eingriff profitiert hat. Andererseits sollte im Sinne einer folgenorientierten Auslegung die Hilfsbereitschaft des Einwirkenden gefördert und nicht mit einem Haftungsrisiko belegt werden. *Folgeprobleme* ergeben sich auch für deliktsunfähige Helfer, die nach der Gegenansicht gem. § 904 S. 2 BGB haften sollen.[324] *Teleologisch* ließe sich vortragen, dass dem § 904 S. 2 BGB der Gedanke der Aufopferung[325] zugrunde liegt, der drohende höherrangige Schaden des Begünstigten soll vermindert werden, indem Abwehransprüche des Eigentümers ausgeschlossen, Schäden aber kompensiert werden.

169 Beide Ansichten berücksichtigen allerdings das Insolvenzrisiko nicht ausreichend. Zum Teil wird vorgetragen, es wäre unbillig, wenn der Eingreifende für die Insolvenz des Begünstigten haften müsse.[326] Das ist zutreffend, betrifft aber nur die eine Seite. *Unbillig* wäre es auch, wenn der Eigentümer das Insolvenzrisiko des Einwirkenden oder des Begünstigten zu tragen hätte. Denn wegen der Duldungspflicht aus § 904 S. 1 BGB darf der Eigentümer den Eingriff nicht verhindern. Das entspricht dem § 904 BGB zugrundeliegenden Grundsatz des „dulde und liquidiere". Der für den Geschädigten günstigste Lösungsansatz wäre damit als dritte Ansicht eine **gesamtschuldnerische Haftung** von Einwirkendem und Begünstigtem.[327] Somit könnte er sich von jedem der beiden den vollen Schadensersatz holen, wobei im Innenverhältnis den Begünstigten die Haftung trifft.

---

[318] Im Gesetzgebungsprozess zum BGB wurde vorgeschlagen der Norm § 904 folgenden Wortlaut zu geben: „Der Einwirkende ist dem Eigenthümer zum Schadensersatze verpflichtet.", vgl. *Mugdan*, Bd. I, S. 802.

[319] Erman/*Wilhelmi*, BGB, 16. Aufl. 2020, § 904 Rn. 10; Palandt/*Herrler*, BGB, 80. Aufl. 2021, § 904 Rn. 5.

[320] So instruktiv *Baur/Stürner*, Sachenrecht, 18. Aufl. 2009, § 25 Rn. 8.

[321] *Horn*, JZ 1960, 350, 352; LG Essen, Urt. v. 10.3.1998, 13 S 491/97, MDR 1998, 780; *Althammer*, in: Staudinger, BGB, Neubearb. 2020, § 904 Rn. 38; *Esser/Schmidt*, Schuldrecht, Bd. I/1, 8. Aufl. 1995, S. 137.

[322] Zum Folgenden *Brückner*, in: MünchKomm-BGB, 8. Aufl. 2020, § 904 Rn. 16.

[323] Bayerisches Gesetz über die entschädigungspflichtige Enteignung v. 1.1.1983, BayRS III, S. 601.

[324] *Neuner*, Allgemeiner Teil des Bürgerlichen Rechts, 12. Aufl. 2020, § 21 Rn. 69.

[325] Larenz/*Canaris*, Lehrbuch des Schuldrechts, Besonderer Teil, Bd. II/2, 13. Aufl. 1994, S. 655 f.

[326] Ebd.

[327] *Wieling*, Sachenrecht, 6. Aufl. 2020, § 8 Rn. 10; *Pawlowski*, Allgemeiner Teil des BGB, 7. Aufl. 2003, Rn. 859; *Wellenhofer*, Sachenrecht, 35. Aufl. 2020, § 24 Rn. 29.

b) Mehrfache Regelungszwecke

Das Telos einer Norm kann unklar sein, weil diese mehrere Regelungszwecke enthält. 170
Eine Norm kann ganz verschiedene Personengruppen schützen und inhaltlich unterschiedliche Schutzzwecke verfolgen; bei der notariellen Beurkundung besteht neben der Dokumentations- auch die Warn- und Beratungsfunktion (§ 5 Rn. 15). Je nachdem, welchen Regelungszweck man für entscheidend erachtet, kann eine Einzelanalogie zu bejahen oder zu verneinen sein. Im *Mutter-Kind-Fall* war unklar, ob die Mutter, das Kind oder die mitfahrenden Reisenden geschützt werden sollen (§ 1 Rn. 5, 73, 75). Auch der Schutzzweck des Ehemaklervertrages ist immer noch umstritten (§ 5 Rn. 75 ff.). Für das Öffentliche Recht betonte Brugger zu Recht, dass die teleologische Auslegung es unschwer ermöglicht, sich auf Werte der Verfassung wie Freiheit, Gleichheit, Würde, Demokratie, Wohlfahrt etc. zu berufen.[328]

Eine analoge Anwendung der Formvorschriften zum Grundstückskaufvertrag auf den 171
Vorvertrag wurde mit der Warnfunktion der Norm begründet. Der Hinweis auf die Dokumentationsfunktion des § 311b BGB hätte nicht ausgereicht, um eine Analogie zu begründen (§ 6 Rn. 135). – Umgekehrt ist eine Analogie abzulehnen, wenn dem Schriftformerfordernis nur eine Beweisfunktion, nicht aber eine Warnfunktion zukommt. – Im Kapitalmarktrecht ist anerkannt, dass dieses den Markt als solchen, aber auch den einzelnen Anleger schützen will. Umstritten ist, ob und in welchem Umfang die Normen Schutzgesetze darstellen und ob etwa die Rückabwicklung über das Schadensrecht verlangt werden kann (§ 13 Rn. 32a). – Nach § 1 UWG werden Verbraucher und Verbraucherinnen geschützt, trotzdem können sie nach ganz h.M. nicht selbstständig klagen (§ 4 Rn. 50, § 5 Rn. 13).

6. Einfache Formen der Rechtsfortbildung auf europäischer Ebene

a) Zum Begriff der „Interprétation"

Die richterliche Rechtsfortbildung des Europäischen Gerichtshofs lässt sich nicht ohne 172
Weiteres mit der üblichen methodologischen Herangehensweise deutscher Gerichte vergleichen. Der EuGH kannte in der Vergangenheit die strikte Unterscheidung zwischen Auslegung und den Wortlaut überschreitender Rechtsfortbildung nicht, weil er sich an der französischen Methodik orientierte.[329] Er verwendet den Begriff der Auslegung im weiteren Sinne oder spricht im Original von dem französischen Begriff der „Interprétation".[330] Folglich verwendete er auch die Begriffe Lücke und Analogie nicht.

Auf die Rechtsfortbildung als Rechtsfigur zu verzichten, ist aber wenig überzeugend. 173
Der Begründungsaufwand ist höher, weil begründet werden muss, warum die Rechtslösung zulässig ist, obwohl der Rechtsanwender den Wortlaut des Gesetzes verlässt (§ 4 Rn. 38). Durch die Verwendung von Auslegung oder Interprétation als weitreichende Rechtsfiguren kam es in der Vergangenheit öfters zu einer verdeckten Rechtsfortbildung,[331] die abzulehnen ist (§ 13 Rn. 10). Erfreulicherweise erkennt der EuGH inzwischen immerhin an, dass es methodisch die Rechtsfortbildung gibt und dass eine Grenze zur unzulässigen Rechtsfortbildung („contra legem") exitstiert.[332]

---

[328] *Brugger*, AöR 191 (1994), 1, 29; zur teleologischen Mehrdimensionalität s. *Reimer*, Juristische Methodenlehre, 2. Aufl. 2020, Rn. 365 ff.

[329] *Vogenauer*, Die Auslegung von Gesetzen in England und auf dem Kontinent, 2001, S. 394, 1280 und oben § 4 Rn. 36.

[330] *Schroeder*, in: FS G. Roth, 2011, S. 735, 739; Nach *Borchard*, in: GS Grabitz, 1995, S. 29, 37 sei eine strikte Trennung auch nicht möglich.

[331] *Hummer/Obwexer*, EuZW 1997, 295, 296; *Calliess*, NJW 2005, 929, 931 f.; *Hillgruber*, in: Danwitz/Heintzen/Jestaedt/Korioth/Reinhardt, Auf dem Wege zu einer Europäischen Staatlichkeit, 1993, S. 31, 39.

[332] EuGH, Urt. v. 4.7.2006, C-212/04, EU:C:2006:443, Rn. 110 f. – Adeneler: wobei der EuGH von „Auslegung contra legem des nationalen Rechts" spricht (§ 12 Rn. 47).

b) Teleologische Reduktion

174 Der EuGH kennt auch die teleologische Reduktion, obwohl er auch diesen Begriff noch nicht verwendet.[333] Es finden sich auch zu dieser Rechtsfigur Beispiele aus der Rechtsprechung.

175 *Dory:* Der deutsche Rechtsstudent Dory klagte, weil er die für Männer geltende Wehrpflicht als Verstoß gegen die Gleichbehandlungs-RL ansah. Die Wehrpflicht benachteilige Männer beim Zugang zu einem zivilen Beruf.

c) Einzelanalogie

176 In der Zwischenzeit entwickelte der EuGH sowohl im Primärrecht als auch im Sekundärrecht zahlreiche Analogien. Er verwendet dabei den Begriff der Lücke. Im Vorläufer des AEUV, dem EGV, hatten nur Rat und Kommission ein Klagerecht; im Wege der Analogie hatte der EuGH auch das Parlament für die Nichtigkeitsklage zunächst passiv legitimiert[334] und ihm später die Aktivlegitimation[335] zugestanden.[336] Allgemeine Ausführungen zur Einzelanalogie formuliert der EuGH in der *Krohn*-Entscheidung:

177 „Wie der Gerichtshof in seinen Urteilen vom 20. Februar 1975 in der Rechtssache 64/74 (Reich, Slg. 1975, 261) und vom 11. Juli 1978 in der Rechtssache 6/78 (Union franaise des céréales, Slg. 1978, 1675) entschieden hat, kann jedoch in bestimmten Ausnahmefällen etwas anderes gelten. Nach diesen Urteilen können sich Wirtschaftsteilnehmer mit Erfolg auf die *entsprechende Anwendung* einer Verordnung berufen, die ihren Fall eigentlich nicht erfaßt, wenn sie dartun, dass die für sie geltende Regelung zum einen der Regelung, auf deren *analoge* Anwendung sie sich berufen, *weitgehend entspricht*, und – zum anderen eine *Lücke enthält, die mit einem allgemeinen* Grundsatz des Gemeinschaftsrechts unvereinbar ist und die durch die *entsprechende Anwendung geschlossen* werden kann."[337]

178 Erforderlich sind eine Lücke sowie ein Sachverhalt, der mit dem in der Norm geregelten Sachverhalt ähnlich ist. Zudem ist die Lücke zu schließen, weil das Bestehen der Lücke mit dem allgemeinen Grundsatz des Unionsrechts unvereinbar ist. Methodisch wird vom Besonderen auf das Besondere geschlossen.[338] Argumentativ verwendet der EuGH etwa das *argumentum a fortiori* (§ 6 Rn. 123).[339] Oft wird das **Gleichheitsargument** vorgetragen.[340] Noch wenig geklärt ist, wie Lücken in Richtlinien und Verordnungen als Se-

---

[333] *Neuner*, in: Riesenhuber, Europäische Methodenlehre, 4. Aufl. 2021, § 12 Rn. 38 spricht, die deutsche Terminologie vermeidend, von restriktiver Interpretation.

[334] EuGH, Urt. v. 23.4.1986, C-294/83, EU:C:1986:166, Rn. 24 f. – Les Verts/Parlament zu Art. 173 EWG a. F.

[335] EuGH, Urt. v. 22.5.1990, C-70/88, EU:C:1990:217, Rn. 12 ff. – Parlament/Rat. Der Gesetzgeber hat inzwischen die Passiv- und Aktivlegitimation ins Gesetz aufgenommen, vgl. Art. 263 AEUV.

[336] Weitere Fälle der Analogie durch den EuGH nennt Calliess/Ruffert/*Cremer*, EUV/AEUV, 5. Aufl. 2016, Art. 264 AEUV Rn. 6.

[337] EuGH, Urt. v. 12.12.1985, C-165/84, EU:C:1985:507, Rn. 14, 29 – Krohn/Balm; s. auch EuGH, Urt. v. 26.10.2006, C-248/04, EU:C:2006:666, Rn. 40 – Koninklijke Coöpertie Consun UA; EuGH, Urt. v. 11.7.1978, C-6/78, EU:C:1978:154, Rn. 4 – Union françaises de céréales/HZA Hamburg Jonas.

[338] SchlA v. 4.7.1989, GA *Tesauro*, 30/88, EU:C:1989:285, Rn. 19 – Griechenland/Kommission: „Damit ein juristisch haltbarer Analogieschluss zustande kommt, bedarf es des Nachweises, dass das Besondere, für das die rechtliche Regelung zu vermissen ist …, mit dem Besonderen, für das die Regelung vorhanden ist […], diejenigen Momente gemeinsam hat, auf denen die rechtliche Regelung […] beruht." Er beruft sich hier auf *Engisch*, Einführung in das juristische Denken, 4. Aufl. 1968, S. 143 f.

[339] Ausdrücklich etwa in EuGH, Urt. v. 12.5.1957, 7/56 u. a., EU:C:1957:7, 91, 129 – Algera.

[340] EuGH, Urt. v. 19.11.2009, C-402/07 u. a., EU:C:2009:716, Rn. 60, s. auch Rn. 48 – Sturgeon: „Da die von den Fluggästen im Fall einer Annullierung und einer *Verspätung* erlittenen Schäden einander entsprechen, können die Fluggäste verspäteter Flüge und annullierter Flüge nicht unterschiedlich behandelt werden, ohne dass gegen den Grundsatz der Gleichbehandlung verstoßen würde."

kundärrecht zu schließen sind. Zwar wird man mit der innneren Systematik des Sekundärrechts arbeiten können. Unklarheiten bestehen aber, wann auf nationales statt auf europäisches Recht abgestellt werden darf.[341] Im Bereich des Eingriffshandelns ist die Analogie wegen des aus dem Rechtsstaatsprinzip abzuleitenden Gesetzesvorbehalts dagegen nicht zulässig (§ 1 Rn. 35 ff.).

d) Gesamtanalogie und das Entwickeln neuer Rechtsinstitute

Auch der EuGH prüfte schon eine Gesamtanalogie. In der Rechtssache Dory (§ 6 **179**
Rn. 175) behauptete Dory einen Verstoß gegen die Gleichbehandlungs-RL, weil nur Männer, nicht aber Frauen damals den Militärdienst verrichten mussten. Die Bundesregierung berief sich auf die öffentliche Sicherheit als Ausnahmetatbestand. Ausnahmen zu den Grundfreiheiten sind eng auszulegen, deshalb lehnte der EuGH eine solche Gesamtanalogie im Bereich der Ausnahmetatbestände mit folgenden Worten ab:

> „Der Vertrag sieht nämlich, wie der Gerichtshof bereits festgestellt hat, Ausnahmen aus **180**
> Gründen der öffentlichen Sicherheit nur in den Artikeln 30 EG, 39 EG, 46 EG, 58 EG, 64 EG, 296 EG und 297 EG vor; diese betreffen ganz bestimmte außergewöhnliche Fälle. Aus ihnen lässt sich *kein allgemeiner, dem Vertrag immanenter Vorbehalt* ableiten, der jede Maßnahme, die im Interesse der öffentlichen Sicherheit getroffen wird, vom Anwendungsbereich des Gemeinschaftsrechts ausnähme. Würde ein solcher Vorbehalt unabhängig von den besonderen Tatbestandsmerkmalen der Bestimmungen des Vertrages anerkannt, so könnte das die Verbindlichkeit und die einheitliche Anwendung des Gemeinschaftsrechts beeinträchtigen (vgl. Urteile vom 15. Mai 1986 in der Rechtssache 222/84, Johnston, Slg. 1986, 1651, Randnr. 26, Sirdar, Randnr. 16, und Kreil, Randnr. 16)."[342]

Eine Gesamtanalogie hat der EuGH, soweit ersichtlich, bisher noch nicht entwickelt. **181**
Dagegen hat der EuGH trotz des Prinzips der begrenzten Einzelermächtigung zahlreiche Rechtsinstitute entwickelt. Das gilt im Bereich der Rechtsdurchsetzung (§ 5 Rn. 116/117 ff.), aber auch im Bereich der allgemeinen Rechtsprinzipien oder der Grundrechte (§ 10 Rn. 57 ff.).

IV. Die Auslegung von Rechtsgeschäften und Verträgen

Literatur: *Biehl, Björn*, Grundsätze der Vertragsauslegung, JuS 2010, 195–200; *Cziupka, Johannes*, Die ergänzende Vertragsauslegung, JuS 2009, 103–106; *Ehricke, Ulrich*, Zur Bedeutung der Privatautonomie bei der ergänzenden Vertragsauslegung, RabelsZ 60 (1996), 661–690; *Greiner, Stefan*, Die Auslegung empfangsbedürftiger Willenserklärungen zwischen „Normativität" und subjektivem Empfängerhorizont, AcP 217 (2017), 492–533; *Henckel, Wolfram*, Die ergänzende Vertragsauslegung, AcP 159 (1960/1961), 106–126; *Kötz, Hein*, Europäisches Vertragsrecht, 2. Aufl. 2015, § 6; *Lüderitz, Alexander*, Auslegung von Rechtsgeschäften, 1966; *Singer, Reinhard*, in: Staudinger-BGB, Bearb. 2017, § 133 Rn. 44–76; *Vogenauer, Stefan*, in: HKK-BGB, 2003, §§ 133, 157 Rn. 1–122; *Wiedemann, Herbert*, Ergänzende Vertragsauslegung – richterliche Vertragsergänzung, in: FS Canaris, Bd. 1, 2007, S. 1282–1291; *Zimmermann, Reinhard*, Die Auslegung von Verträgen: Textstufen transnationaler Modellregelungen, in: FS Picker, 2010, S. 1353–1373.

[341] *Schön*, in: FS Canaris, 2017, S. 147, 156 ff. S. auch oben § 2 Rn. 113 ff.
[342] EuGH, Urt. v. 11.3.2003, C-186/01, EU:C:2003:146, Rn. 31 – Dory/BRD.

1. Ziel der Auslegung von Rechtsgeschäften und Verträgen

a) Auslegungsgrundsätze

182 Zum Teil wird betont, die Auslegung einer Willenserklärung oder eines Vertrages unterscheide sich deutlich von der Auslegung von Gesetzen: Die Gesetze wendeten sich an jedermann und müssten deshalb objektiv ausgelegt werden. Auch der subjektive Wille des Gesetzgebers könne sich nicht immer durchsetzen (§ 6 Rn. 77 ff.). Dagegen könne und solle die Auslegung einer Willenserklärung oder eines Vertrages den subjektiven Willen der Parteien berücksichtigen.[343] Diese Unterscheidung ist zutreffend. Wenn zudem behauptet wird, die systematische Auslegung gebe oft nichts her und letztlich könne bei Verträgen der Vertragszweck wegen der gegenläufigen Parteiinteressen unklar sein,[344] erscheint diese Ansicht zu eng. Wie auch im europäischen Recht lassen sich die *einschlägigen Auslegungsfiguren* von Savigny sowie Überlegungen zu Fragen der Lückenfüllung, die in den §§ 4–6 vorgestellt wurden, bei der Auslegung eines Rechtsgeschäfts oder eines Vertrages nutzen. Sie müssen nur auf das *für den Willen der Parteien Typische* angepasst werden.[345]

b) Der Wille des Erklärenden und der Vertrauensschutz Dritter

183 Im Unterschied zu anderen Rechtsordnungen kennt das BGB keine kodifizierte Regel zur Auslegung von Gesetzen (§ 1 Rn. 49). Dagegen finden sich im BGB eine Reihe von Auslegungsregeln für Willenserklärungen und Rechtsgeschäfte; die zwei wichtigsten sind § 133 und § 157 BGB.[346] Nach § 133 BGB ist nach dem wirklichen Willen zu forschen, nach § 157 BGB sind Verträge nach Treu und Glauben unter Berücksichtigung der Verkehrssitte auszulegen. Diese zwei Vorschriften beschreiben die Spannung zwischen *Willens- und Erklärungstheorie*, die weiter oben schon beschrieben wurde (§ 4 Rn. 98 f.). Einerseits will die Privatautonomie den Willen des Erklärenden durchsetzen. Der Wille muss aber erklärt werden; der bloß innere Wille ist unbeachtlich, wie § 116 S. 1 BGB zum Ausdruck bringt.[347] Andererseits ist das Vertrauen des Erklärungsempfängers, wie er eine bestimmte Erklärung verstanden hat, zu schützen (§ 4 Rn. 98 f.). Bei der Auslegung von Willenserklärungen geht es auch darum, das Risiko von Missverständnissen gerecht zu verteilen.[348] Aus dieser Spannungslage ergibt sich das Ziel, mit den traditionellen Argumentationsfiguren so zu verfahren, dass dem Gerechtigkeitsempfinden so weit wie möglich zum Durchbruch verholfen wird.[349] Je nachdem zu welcher Art von Rechtsgeschäft (§ 4 Rn. 108) eine Willenserklärung gehört, wird man ihre Auslegung modifizieren müssen.[350] Zuerst ist zu prüfen, ob überhaupt eine Willenserklärung vorliegt (§ 4 Rn. 97 ff.). Dann ist eine *dreistufige Prüfung* durchzuführen: Man beginnt mit der einfachen Auslegung, nämlich dem subjektiven Willen der Parteien (2.), um dann in einem zweiten Schritt ggf. auf einen objektiven Empfängerhorizont abzustellen (3.).[351] Damit können das

---

343 *Kramer*, Juristische Methodenlehre, 6. Aufl. 2019, S. 168.

344 *Medicus/Petersen*, Allgemeiner Teil des Bürgerlichen Recht, 11. Aufl. 2016, Rn. 307 f.: „nur mit größter Vorsicht".

345 S. bereits *Müller-Erzbach*, Wohin führt die Interessenjurisprudenz?, 1932, S. 83; *Kramer*, Juristische Methodenlehre, 6. Aufl. 2019, S. 169; *Busche*, in: MünchKomm-BGB, 8. Aufl. 2018, § 133 Rn. 7.

346 Im laufenden Text werden u.a. noch die §§ 116 S. 2, 305b f., 2084, 2258 BGB und 346 HGB erwähnt.

347 *Singer*, in: Staudinger, BGB, Neubearb. 2017, § 133 Rn. 1.

348 *Betti*, in: FS Rabel, Bd. II, 1954, S. 79, 133; *Singer*, in: Staudinger, BGB, Neubearb. 2017, § 133 Rn. 2.

349 *Vogenauer*, in: HKK-BGB, 2003, §§ 133, 157 Rn. 122 a.E.

350 Zur Unterscheidung von einseitigen, mehrseitigen, empfangsbedürftigen und nicht empfangsbedürftigen Rechtsgeschäften s. oben § 4 Rn. 108.

351 *Wieser*, JZ 1985, 407, 408; *Kramer*, Juristische Methodenlehre, 6. Aufl. 2019, S. 168. **A.A.** mit dem objektiven Sinn beginnend Fikentscher/*Heinemann*, Schuldrecht, 11. Aufl. 2017, Rn. 156.

Erklärte und das Gewollte auseinanderfallen; ein solcher Irrtum kann im deutschen Recht ggf. durch Anfechtung aus der Welt geschaffen werden. Lässt sich der Wille der Parteien nicht feststellen, kommt die ergänzende Auslegung in Betracht (4.).

2. Natürliche Auslegung

a) Nicht empfangsbedürftige Willenserklärungen

Nach § 133 BGB ist nach dem wirklichen Willen, dem empirischen Willen zu forschen. **184**
Dieser natürliche Wille ist gerade nicht ein objektiv-normativer. Bei einer einseitigen, *nicht empfangsbedürftigen* Willenserklärung gilt ausschließlich das Gewollte, weil kein Empfänger geschützt werden muss. Paradebeispiel ist das Testament. Weil potentielle Erben nicht schützenswert sind, ist im Ergebnis der Wille des Erblassers entscheidend.

Eine Reihe von Auslegungsregeln lassen sich umschreiben: Die obige Eindeutigkeitsre- **185**
gel (§ 4 Rn. 64) gilt gerade nicht.[352] Willenserklärungen können gegen ihren eindeutigen Wortlaut ausgelegt werden.[353] Auch widersprüchliche Erklärungen können ausgelegt werden, soweit ein eindeutiger Wille erkennbar ist.[354] Maßgeblich können persönliche Sprachgewohnheiten und damit wiederum das subjektiv Gewollte sein, wie der Weinkeller, der als „Bibliothek“ bezeichnet wird.[355] Systematisch ist bei mehreren Testamenten zu prüfen, ob einzelne widerrufen wurden oder sich gegenseitig ergänzen; dies bestimmt § 2258 BGB ausdrücklich.[356]

b) falsa demonstratio non nocet

Selbst bei empfangsbedürftigen Willenserklärungen kann nicht das objektiv Erklärte, **186**
sondern das Gewollte entscheidend sein. Wenn der Erklärungsempfänger erkennt, was der Erklärende gewollt hat, gilt das Gewollte und nicht das Erklärte, weil der Empfänger nicht schutzwürdig ist. Auch dieser Auslegungsgrundsatz hat historische Wurzeln: Die falsche Bezeichnung stört nicht – „Falsa demonstratio non nocet“.[357] Dies betont schon die berühmte Entscheidung des Reichsgericht aus dem Jahre 1920: Wenn beide Parteien Walfischfleisch wollen, aber hierfür den unzutreffenden Begriff „Haakjöringsköd“ (Haifischfleisch) verwenden, gilt das Gewollte, also die Lieferung von Walfischfleisch.[358] Diese Regel findet sich auch im französischen Recht[359] oder beim internationalen Warenkauf gem. Art. 8 Abs. 1 CISG. Sie gilt bei Allgemeinen Geschäftsbedingungen, wenn die Beteiligten einer Klausel einen anderen Sinn beilegen, als deren objektive Bedeutung, denn gem. § 305b BGB genießt eine individuelle Abrede Vorrang.[360] Selbst bei formbedürftigen Rechtsgeschäften kann sich das beiderseitig Gewollte durchsetzen, wenn die Falschbezeichnung nur versehentlich erfolgte.[361]

---

[352] *Singer*, in: Staudinger, BGB. Neubearb. 2017, § 133 Rn. 9; BGH, Urt. v. 19.12.2001, XII ZR 281/99, NJW 2002, 1260, 1261; BGH, Urt. v. 8.12.1982, IVa ZR 94/81, BGHZ 86, 41, 46. **A. A.** aber Palandt/*Ellenberger*, BGB, 80. Aufl. 2021, § 133 Rn. 6.

[353] BGH, Urt. v. 9.4.1981, IVa ZB 6/80, BGHZ 80, 246, 249 f.; BGH, Urt. v. 8.12.1982, IVa ZR 94/81, BGHZ 86, 41, 45 f.

[354] BGH, Urt. v. 23.2.1956, II ZR 207/54, BGHZ 20, 109, 110; **a. A.** noch RG, Urt. v. 27.10.1904, VI 601/03, RGZ 59, 217, 219 f.

[355] *Singer*, in: Staudinger, BGB, Neubearb. 2017, § 133 Rn. 39.

[356] BayObLG, Urt. v. 20.8.1980, BReg 1 Z 43/80, Rpfleger 1980, 471, 472; *Otte*, in: Staudinger, BGB, Neubearb. 2019, Vorbem. zu §§ 2064–2086 Rn. 64 ff.

[357] Für das Testament s. Marcian D. 35,1,33 pr. Zu seiner Entwicklung im römischen Recht *Bang*, JhJb 66 (1916), 309, 312 ff.; *Vogenauer*, in: HKK-BGB, 2003, §§ 133, 157 Rn. 85.

[358] RG, Urt. v. 2.6.1920, II 549/19, RGZ 99, 147, 148 – Haakjöringsköd; s. BGH, Urt. v. 7.12.2001, V ZR 65/01, NJW 2002, 1038, 1039; BGH, Urt. v. 18.1.2008, V ZR 174/06, NJW 2008, 1658, 1659.

[359] Zu Art. 1188 cc s. *Greiner*, AcP 217 (2017), 492, 504 f.

[360] BGH, Urt. v. 23.1.1991, VIII ZR 122/90, BGHZ 113, 251, 259 – Auslegung von AGB.

[361] BGH, Urt. v. 21.10.2016, V ZR 78/16, NJW-RR 2017, 712 Rn. 22.

3. Objektiv-normative Auslegung und einzelne Auslegungsgrundsätze

a) Auslegung nach dem Empfängerhorizont

187 Bei einer *empfangsbedürftigen* Willenserklärung ist grundsätzlich der Empfänger der Erklärung schutzbedürftig, sodass auf seine Verständnismöglichkeiten Rücksicht zu nehmen ist. Allerdings wird der Sorgfaltsmaßstab in § 157 BGB mit dem Verweis auf Treu und Glauben konkretisiert. Folglich ist für den Empfängerhorizont entscheidend, „wie der Erklärungsempfänger *die Erklärung nach Treu und Glauben und mit Rücksicht auf die Verkehrssitte* verstehen musste."[362] Damit kommt das normative Element ins Spiel: „Es geht um das, was von Rechts wegen als gewollt zu verstehen ist."[363] Dies entspricht den obigen Grundsätzen zur fahrlässigen Willenserklärung (§ 4 Rn. 96 ff.). Nicht geschützt ist blindes Vertrauen.[364] Der Empfänger darf sich nicht einfach auf die Erklärung verlassen, so wie er sie verstanden hat, sondern muss den Sinn der Erklärung erforschen.[365] Der Begriff objektiv-normative Auslegung beschreibt damit den Einfluss des Richters auf die Auslegung; sie ist aber auch weiterhin subjektiv, weil sie am erklärten Willen der Parteien ansetzt.[366] Hier können die Auslegungsregeln von Savigny in modifizierter Form helfen. Zum Wortlaut, den Begleitumständen und dem Zweck eines Vertrages formuliert der BGH anschaulich:

188 „Nach §§ 133, 157 BGB ist bei der Auslegung von Willenserklärungen und Verträgen der wirkliche Wille der Erklärenden zu erforschen. Dabei ist vom *Wortlaut* der Erklärung auszugehen (BGH, Urteil vom 19. Januar 2000 – VIII ZR 275/98, NJW-RR 2000, 1002 Rn. 20 mwN; MünchKomm.BGB/Busche, 6. Aufl. 2012, § 133 Rn. 56) und demgemäß in erster Linie dieser und der ihm zu entnehmende *objektiv erklärte Parteiwille* zu berücksichtigen. Bei der Willenserforschung sind aber auch der mit der Erklärung verfolgte *Zweck*, die *Interessenlage* der Parteien und die *sonstigen Begleitumstände* zu berücksichtigen, die den Sinngehalt der gewechselten Erklärungen erhellen können (BGH, Urteil vom 16. November 2007 – V ZR 208/06, NJW-RR 2008, 683 Rn. 7 mwN)."[367]

b) Wortlaut, Systematik und Begleitumstände als Teil der Entstehungsgeschichte

189 Anders als bei der Gesetzesauslegung bezieht sich der *Wortlaut* bei der Vertragsauslegung vorrangig auf den allgemeinen Sprachgebrauch,[368] sodass dem Besitz auch das Eigentum zuzurechnen sein kann. Etwas anderes gilt aber, wenn beide Parteien Kaufleute (§ 346 HGB) oder Juristen sind. Dann geht die spezielle Verkehrssprache dem allgemeinen Sprachgebrauch vor.[369] Bei längeren Vertragstexten ist auch die *systematische* Auslegung denkbar. Eine Freizeichnungsklausel unter der Überschrift „Lieferzeit" gilt nur für diese und nicht auch für die Nichtlieferung.[370] Sie ist überdies mit dem Erfahrungssatz,

[362] BGH, Urt. v. 16.10.2012, X ZR 37/12, BGHZ 195, 126 Rn. 18.

[363] Klar Medicus/*Petersen*, Allgemeiner Teil des BGB, 11. Aufl. 2016, Rn. 323 unter Hinweis auf *Flume*, Allgemeiner Teil des Bürgerlichen Gesetzbuchs, Bd. II, 1965, S. 310.

[364] *Singer*, in: Staudinger, BGB, Neubearb. 2017, § 133 Rn. 18.

[365] BGH, Urt. v. 12.2.1981, IVa ZR 103/80, NJW 1981, 2295, 2296 – Festpreisgarantie des Maklers; BGH, Urt. v. 15.2.2017, VIII ZR 59/16, NJW 2017, 1660 Rn. 16 – Ebay-Verkaufsauktion.

[366] Ausführlich *Greiner*, AcP 217 (2017), 492 ff., insb. 530 ff.

[367] BGH, Urt. v. 16.10.2012, X ZR 37/12, BGHZ 195, 126 Rn. 19.

[368] OLG München, Urt. v. 5.4.1995, 15 U 4943/94, NJW-RR 1996, 239 – Vermittlungsprovision und sogleich § 6 Rn. 193.

[369] BGH, Urt. v. 23.6.1994, VII ZR 163/93, NJW-RR 1994, 1108, 1109: Leistungsbeschreibung für technische Fachleute.

[370] BGH, Urt. v. 19.3.1957, VIII ZR 74/56, BGHZ 24, 39 f.

dass niemand ohne Weiteres auf bestehende Rechte verzichtet, eng auszulegen.[371] Auch eine *historische* Auslegung ist möglich, wenn der Schriftwechsel als Teil der Vorgeschichte herangezogen wird.[372] Chronologisch nachvollziehbar verschiedene Entwurfsfassungen zu identifizieren, ist in Zeiten elektronischer Textbearbeitung unschwer möglich.[373] Im Gegensatz zur Auslegung von Gesetzen ist aber nur der Zeitpunkt der Abgabe der empfangsbedürftigen Willenserklärung und nicht ein späterer objektiver Wille relevant.

c) Teleologische Auslegung – Interessenlage und Zweck einer Regelung

Im Rahmen der teleologischen Auslegung ist auf die Interessenlage und den Zweck ei- **190**
ner Regelung im Zeitpunkt des Vertragsschlusses abzustellen. Die bereits oben genannte Interessenjurisprudenz, welche auf die Interessen der Parteien abstellt (§ 5 Rn. 19 ff.), findet sich nun auch bei der Vertragsauslegung. Die teleologische Auslegung berücksichtigt die allgemeine Lebenserfahrung, dass beide Parteien eine vernünftige Regelung anstreben, welche den beiderseitigen Interessen entspricht und zu dem erstrebten Erfolg führt.[374] Allerdings darf die teleologische Auslegung nicht im Widerspruch zum erklärten Willen der Parteien stehen.[375]

Lücken im Vertrag lassen sich per *Einzelanalogie* schließen. Wie bei der Gesetzesanalo- **191**
gie sind vier Prüfungsschritte erforderlich. In einem ersten Schritt kann eine Lücke nur als Prämisse behauptet werden (§ 6 Rn. 108 ff.). Sodann ist die Ähnlichkeit zwischen dem vertraglich geregelten und dem vertraglich nicht geregelten Fall darzutun. Wer sich auf die Lücke beruft, trägt die Argumentationslast, dass sie geschlossen werden kann. Dazu ist festzustellen, was die *Parteien redlicherweise gewollt* haben (§ 6 Rn. 182 ff.). Entscheidend ist sodann der Nachweis der Teilgleichheit, also der Nachweis, warum der nicht geregelte Fall mit dem vertraglich vereinbarten Fall vergleichbar ist. Dazu muss der vertragliche Zweck auch für den vertraglich nicht geregelten Fall passen (§ 6 Rn. 117). Hier lassen sich der Erst-Recht-Schluss oder das Umgehungsargument anbringen. Dann kann schließlich die Lücke geschlossen werden. Der obige Fall, der verbietet, dass Hunde nicht in eine Bibliothek mitgenommen werden dürfen, kann auch als rein privatrechtlicher Fall dargestellt werden, wenn es sich um eine private Bibliothek handelt. Die Frage, ob der Tanzbär dann mitgebracht werden darf, lässt sich mit dem obigen Erst-Recht-Schluss unschwer verneinen (§ 6 Rn. 127).[376] Ein auch heute noch umstrittenes Beispiel zur teleologischen Auslegung ist die Glasbausteine-Entscheidung aus dem Jahre 1961.

Glasbausteine – An ein Grundstück mit Wohnbebauung grenzte ein Fabrikgebäude. Zwi- **192**
schen den Nachbarn war vertraglich vereinbart worden, dass an der Grenzbebauung *keine Fenster* eingebaut werden dürften und die Gebäudewände zu verputzen seien. Der Beklagte setzte Glasbausteine in die Maueröffnungen ein, diesem Einbau widersprach der Nachbar. Umfasste das Verbot, Fenster einzubauen, auch Glasbausteine? – Das Berufungsgericht hielt den Einbau von Glasbausteinen für zulässig, weil man durch Glasbausteine nicht durchsehen könne und diese auch keine Geräusche oder Gerüche auf das Nachbargrundstück durchließen. Vor nächtlichen Lichtimmissionen könne sich der Beklagte durch Dunkelrollos schützen; im übrigen seien ästhetische Beeinträchtigungen nicht relevant.[377] Dem

---

[371] BGH, Urt. v. 20.10.1982, IVa ZR 81/81, NJW 1983, 678, 679.

[372] BGH, Urt. v. 10.10.1989, VI ZR 78/89, BGHZ 109, 19, 22 f.

[373] *Vetter*, RabelsZ 82 (2018), 267, 274.

[374] *Singer*, in: Staudinger, BGB, Neubearb. 2017, § 133 Rn. 52; BGH, Urt. v. 7.3.2005, II ZR 194/03, NJW 2005, 2618, 2619; BGH, Urt. v. 31.1.10.1995, XI ZR 6/95, BGH 131, 136, 138 – Spielsperre durch Spielbank. Vgl. für das Testament § 2084 BGB.

[375] BGH, Urt. v. 1.2.1984, VIII ZR 54/83, BGHZ 90, 69, 77 – Unwirksamkeit der Tagespreisklausel.

[376] *Henckel*, AcP 159 (1960/1961), 106, 118 bildet den Fall eines mietrechtlichen Hundehalteverbotes und dehnt dieses per Analogie auf Affen und ähnliche Tiere aus.

[377] Dem Argument des Berufungsgerichts zustimmend *Honsell*, in: Staudinger, BGB, Neubearb. 2018, Einl. zum BGB Rn. 5.

hat der BGH mit deutlichen Worten widersprochen: Das Gericht dürfe nicht seine ästhetischen Vorstellungen an die Stelle der Parteien setzen.

193 Nach Ansicht des BGH konnte sich der Kläger gegen den Einbau der Glasbausteine zur Wehr setzen, weil schon nach dem *allgemeinen Sprachgebrauch* unter den Begriff Fenster auch Glasbausteine fallen. Dieses Argument ist aber nicht zwingend, da es weniger um eine objektive Auslegung eines Begriffes geht, sondern um das vertraglich Vereinbarte, sodass auch eine mögliche falsa demonstratio nicht schadet (§ 6 Rn. 186).[378] Es gilt deshalb den *Zweck des Vertrages* deutlich herauszuarbeiten und festzustellen, was beide Seiten gewollt haben. Die Nachbarn wollten Beeinträchtigungen zwischen der Fabrik und dem Wohngebäude verhindern, die durch Fenster in der Grenzbebauung entstehen könnten. Das betrifft aber nicht nur den Sichtschutz, sondern auch die nächtlichen Lichtimmissionen, ästhetische Beeinträchtigungen sowie die potentielle Wertminderung des angrenzenden Grundstücks durch den Einbau des Fensters. Wäre der Nachbar nämlich nicht rechtlich eingeschritten, wäre ein Unterlasssungs- oder Beseitigungsanspruch nach 10 Jahren verjährt.[379] Ein solcher Vertragszweck entspricht auch dem redlichen Willen beider Vertragsparteien.[380] Entscheidend war somit die Überlegung, dass der Einbau von Glasbausteinen mit dem Einbau der Fenster *vergleichbar* ist.

d) Verträge mit einem größeren Personenkreis

194 Im Übrigen ist die Auslegung abhängig vom Personenkreis. Je größer er ist, desto eher wird der Vertrag rein objektiv, also unabhängig vom Willen der Verfasser, zu interpretieren sein. Das gilt etwa bei Publikumsgesellschaften,[381] Tarifverträgen[382] oder Allgemeinen Geschäftsbedingungen.[383]

4. Ergänzende Vertragsauslegung

a) Abgrenzungen

195 Die einfache Lückenfüllung ist im Rahmen der objektiv-normativen Auslegung im Wege der Einzelanalogie möglich, weil sich ein Vertragszweck aufgrund des redlichen Willens beider Parteien feststellen lässt. Mit Hilfe des Vertragszwecks kann die Lücke geschlossen werden (§ 6 Rn. 191). Bei der ergänzenden Vertragsauslegung lässt sich dagegen ein entsprechender Wille der Vertragsparteien *nicht feststellen,* weil sie etwa an eine bestimmte Rechtsfrage gar nicht gedacht haben (§ 6 Rn. 199). In der Rechtsprechung wird der Begriff der ergänzenden Auslegung dann verwendet, wenn sich der *wirkliche Wille der Parteien nicht feststellen* lässt. Die ergänzende Vertragsauslegung will damit eine planwidrige Lücke im Vertrag schließen,[384] indem sie ihn um einen *hypothetischen Willen* erweitert. Der Vertrag muss zu Ende gedacht werden.[385] Die ergänzende Vertragsauslegung fragt also, was die Parteien bei angemessener Abwägung ihrer Interessen nach Treu

---

378 *Pleyer,* JZ 1961, 496.

379 BGH, Urt. v. 13.7.1960, V ZR 90/59, LM § 133 BGB (C) Nr. 17 = JZ 1961, 494, 495 f. – Glasbausteine; zustimmend *Pleyer,* JZ 1961, 496; *Flume,* Allgemeiner Teil des Bürgerlichen Gesetzbuchs, Bd. II, 1965, S. 319 spricht von einer „exemplarisch richtigen Entscheidung"; *Koch/Schimmel,* JA 2000, 287 ff.; *Singer,* in: Staudinger, BGB, Neubearb. 2017, § 133 Rn. 54.

380 Zur Abgrenzung zum hypothetischen Willen s. sogleich § 6 Rn. 195.

381 BGH, Urt. v. 5.2.1990, II ZR 94/89, NJW 1990, 2684, 2685 – Änderung eines Gesellschaftervertrages; BGH, Urt. v. 17.7.2006, II ZR 242/04, NJW 2006, 2854 Rn. 9 – Handelsregisteranmeldung.

382 BAG, Urt. v. 24.11.1988, 6 AZR 243/87, NZA 1989, 313, 352 – Tarifliche Gratifikation.

383 BGH, Urt. v. 17.4.2013, VIII ZR 225/12, NJW 2013, 1805 Rn. 9 – Stromlieferungsvertrag. **A. A.** *Neuner,* Allgemeiner Teil des Bürgerlichen Gesetzbuch, 12. Aufl. 2020, § 47 Rn. 46.

384 Erman/*Armbrüster,* BGB, 16. Aufl. 2020, § 157 Rn. 15 f.

385 *Larenz,* Methodenlehre der Rechtswissenschaft, 6. Aufl. 1991, S. 301; *Busche,* in: MünchKomm-BGB, 8. Aufl. 2018, § 157 Rn. 27 f.

und Glauben als redliche Vertragsparteien vereinbart hätten, wenn *sie den nicht geregelten Fall bedacht hätten.*[386]

Ein Teil der Literatur möchte die ergänzende Auslegung als Argumentationsfigur ganz ablehnen, weil damit eine unzulässige verdeckte Rechtsfortbildung betrieben würde.[387] Tatsächlich handelt es sich um eine Fortbildung des Willens der Parteien, eben eines hypothetischen Willens, indem ähnlich wie bei der Rechtfortbildung Lücken im Gesetz ggf. auch mit einem objektiven Willen ergänzt werden (§ 6 Rn. 69 ff.). Ansonsten ist der Vorwurf aber verfehlt, weil nicht im Raum steht, ob der Gesetzgeber als staatliche, demokratisch legitimierte Institution umgangen werden darf. Stattdessen geht es um die Ergänzung des Vertrages, wobei das Weiterdenken des vertraglich Gewollten im Vordergrund steht.[388] Die ergänzende Vertragsauslegung ist eine eigenständige Argumentationsfigur, weil sie den Schwerpunkt auf den Vertrag und den *Regelungsplan der Parteien* setzt, der vom dispositiven Recht abweichen kann.[389] Insoweit unterscheidet sie sich von der rechtsfortbildenden Entscheidung.[390] **196**

Die ergänzende Vertragsauslegung ist schließlich noch von der konkludenten Willenserklärung abzugrenzen. Für eine konkludente Willenserklärung müssen entsprechende Anhaltspunkte vorliegen, damit das Bejahen eines Parteiwillens nicht zur Fiktion gerät.[391] Der Hinweis auf eine konkludente Willenserklärung ist oft auch der methodische Ansatz im anglo-amerikanischen Recht.[392] **197**

b) Voraussetzungen der ergänzenden Vertragsauslegung

Die ergänzende Vertragsauslegung führt zu einer klaren Prüfungsfolge: (1.) Sie kommt erst zur Anwendung, wenn die *eigentliche Auslegung,* d.h. die natürliche oder objektive Auslegung, erfolglos ist. (2.) Zudem bedarf es einer *Lücke.* Eine solche liegt vor, wenn ein regelungsbedürftiger Punkt offen geblieben ist, dessen Ergänzung „zwingend und selbstverständlich" geboten ist, um einen offenbaren Widerspruch zwischen der tatsächlichen entstandenen Lage und dem vertraglich Vereinbarten zu beseitigen.[393] Ohne die Vervollständigung wäre „eine angemessene interessengerechte Lösung nicht zu erzielen".[394] (3.) Kann die Lücke dagegen interessengerecht durch *dispositives Recht* geschlossen werden, ist dieses anzuwenden. (4.) Nur wenn dies auszuschließen ist, kommt es zur eigentlich ergänzenden Auslegung. **198**

(1.) Kann der von beiden Seiten nach Treu und Glauben interessengerechte Wille festgestellt werden, muss ein Wille nicht durch den Richter ergänzt werden, der Vertrag also nicht zu Ende gedacht werden. Zu einer ergänzenden Auslegung kommt es erst dann, wenn sich ein übereinstimmender Wille *nicht* feststellen lässt. Somit folgt die ergänzende Auslegung der einfachen Auslegung nach. Das zeigt die obige Glasbausteine-Entscheidung, die nach der objektiv-normativen Auslegung einen entsprechenden redlichen Willen der Parteien nachweisen konnte.[395] **199**

---

386 BGH, Urt. v. 29.4.1982, III ZR 154/80, BGHZ 84, 1, 7 – Anspruch auf Rückübereignung; BGH, Urt. v. 1.2.1984, VII ZR 54/83, BGVHZ 90, 69, 77 – Unwirksamkeit der Tagespreisklausel. Oder auch *Ripert/Boulanger,* Traité de Droit Civil, Tome II, 1957, n. 470: *l'art de faire ‚parler le contrat'* – Die Kunst, den ‚Vertrag zum Sprechen' zu bringen.

387 *Bierling,* Juristische Prinzipienlehre, Bd. 4, 1911, S. 197 ff.; *Wieacker,* JZ 1967, 385, 390; *Neuner,* Allgemeiner Teil des Bürgerlichen Rechts, 12. Aufl. 2020, § 35 Rn. 68 ff.

388 Erman/*Armbrüster,* BGB, 16. Aufl. 2020, § 157 Rn. 15.

389 *Wiedemann,* in: FS Canaris, Bd. 1, 2007, S. 1281, 1286 ff. und § 6 Rn. 201.

390 *Roth,* in: Staudinger, BGB, Neubearb. 2020, § 157 Rn. 8 a.E. **A.A.** die Autoren in § 6 Fn. 387.

391 BGH, Urt. v. 14.11.2002, III ZR 87/02, BGHZ 152, 391, 396.

392 S. *Lüderitz,* Auslegung von Rechtsgeschäften, 1966, S. 386 ff.; *Kötz,* Europäisches Vertragsrecht, 2. Aufl. 2015, S. 150 ff.

393 BGH, Urt. v. 10.7.1969, III ZR 238/68, WM 1969, 1237, 1239.

394 BGH, Urt. v. 3.12.2004, VIII ZR 370/13, NJW 2015, 1167 Rn. 24.

395 Wie hier die Autoren in § 6 Fn. 379. **A.A.** auf eine ergänzende Vertragsauslegung abstellend Brox/*Walker,* Allgemeiner Teil des BGB, 44. Aufl. 2020, § 6 Rn. 18.

200 (2.) Zudem muss eine Lücke festgestellt werden. Erforderlich ist, dass die Parteien einen Punkt übersehen oder bewusst offen gelassen haben, weil sie ihn für nicht regelungsbedürftig hielten.[396] Eine ergänzende Vertragsauslegung scheidet dagegen aus, wenn die Parteien einen Punkt bewusst nicht regeln wollten.

201 (3.) Das dispositive Recht ist der ergänzenden Auslegung vorrangig.[397] Dem liegt der Gedanke zugrunde, dass der Gesetzgeber bereits eine generalisierende Gerechtigkeit durch die Abwägung der Interessen der Parteien vorgenommen hat.[398] Das gilt aber nur soweit das dispositive Recht dem Willen der Vertragsparteien nicht widerspricht.

202 (4.) So ist im Transaktionsgeschäft, also bei der Veräußerung von Unternehmen, oft das dispositive Recht des BGB nicht gewollt, weil zahlreiche Rechtsbehelfe, wie etwa Rücktritt oder Nachlieferung nicht passen.[399] Das Gesetzesrecht wird in diesen Fällen der Interessenlage des konkreten Vertrages nicht gerecht. Das dispositive Recht greift oft auch nicht ein, wenn Vertragstypen wie der Leasingvertrag gesetzlich nicht geregelt sind.

203 *Ghostwritervertrag*: Bei einem Ghostwritervertrag für eine Autobiografie passt § 648 S. 2 BGB nicht, weil bei einer geistigen Tätigkeit sich der Vertrag nicht zuverlässig in einen erbrachten und einen nicht erbrachten Teil aufspalten lässt. Die ergänzende Vertragsauslegung sah hier einen hälftigen Anspruch als angemessen an.[400] *Praxistauschvertrag*: Wenn zwei Ärzte eine Praxis tauschen, wird eine Vereinbarung in den Vertrag gelesen, dass sie sich für einen angemessenen Zeitraum nicht in der Nähe der früheren Praxis niederlassen dürfen.[401] *Umsatzsteuer:* Die Umsatzsteuer ist grundsätzlich im angebotenen Preis enthalten. Eine ergänzende Auslegung kann in Betracht kommen, wenn beide Parteien irrtümlicherweise übereinstimmend davon ausgegangen sind, dass ein zwischen ihnen getätigter Umsatz nicht der Mehrwertsteuerpflicht unterliegt.[402]

204 Abschließend ist noch das Verhältnis zum *Fortfall der Geschäftsgrundlage* zu klären. Die ergänzende Vertragsauslegung ist vorrangig. Lässt sich aber ein gemeinsamer Wille nicht feststellen, können die Grundsätze des Fortfalls der Geschäftsgrundlage gem. § 313 BGB eingreifen.[403] Da beide Rechtsinstitute tatbestandlich eine planwidrige Unvollständigkeit des Vertrags voraussetzen, sind die Grenzen fließend.[404] Die Geschäftsgrundlage gehört nicht zum Vertragsinhalt; was zum Vertragsinhalt gehört, kann nicht Gegenstand der Geschäftsgrundlage sein.[405] Entzieht sich ein Ereignis wegen der grundlegenden Änderung der Verhältnisse der Beurteilung nach dem Parteiwillen, kommt eine ergänzende Auslegung nicht in Betracht und es bleibt Raum für den Fortfall der Geschäftsgrundlage.[406]

---

[396] BGH, Urt. v. 4.12.2014, VII ZR 4/13, NJW 2015, 955 Rn. 27 – Vorfinanzierungsvertrag.

[397] BGH, Urt. v. Urt. v. 1.6.1979, V ZR 80/77, BGHZ 74, 370, 374; BGH, Urt. v. 13.11.1997, IX ZR 289/96, BGHZ 137, 153, 157.

[398] *Roth*, in: Staudinger, BGB, Neubearb. 2020, § 157 Rn. 23.

[399] *Vetter*, RabelsZ 82 (2018), 267, 273.

[400] OLG Naumburg, Urt. v. 8.5.2008, 2 U 9/08, NJW 2009, 779 – Kündigung eines Ghostwritervertrages.

[401] BGH, Urt. v. 18.12.1954, II ZR 76/54, BGHZ 16, 71, 76 – Praxistausch zwischen Ärzten.

[402] BGH, Urt. v. 28.2. 2002, I ZR 318/99, NJW 2002, 2312.

[403] BGH, Urt. v. 4.10.1988, VI ZR 46/88, BGHZ 105, 243, 245 – Anpassung des Rentenvergleichs.

[404] BGH, Urt. v. 28.5.2013, II ZR 67/12, BGHZ 197, 212 Rn. 26 – Genussschein und Beherrschungsvertrag.

[405] BGH, Urt. v. 1.2.1984, VIII ZR 54/83, BGHZ 90, 69, 74 – Unwirksamkeit der Tagespreisklausel.

[406] BGH (ebd.), BGHZ 197, 212 Rn. 26 – Genussschein und Beherrschungsvertrag.

Zusammenfassung zu § 6

I. Formalargumente können Wertungen nicht ersetzen. Werden die Schlussfolgerungen aber mit den Interessen der Parteien und den Wertungen des Gesetzes unterlegt, so bieten die Formalargumente einen kaum zu überschätzenden Wert, dem Gedankengang eine sinnvolle und nachvollziehbare Struktur zu geben.[407] Auslegung und Rechtsfortbildung sind zu unterscheiden, da für die Rechtsfortbildung der Begründungsaufwand steigt. 205

II. Die inzwischen herrschende Vereinigungstheorie vermeidet die Nachteile der subjektiven bzw. objektiven Theorie, indem zuerst auf den Willen des Gesetzgebers abgestellt wird. In einem zweiten Schritt kann dieser aber korrigiert werden, wenn das heutige Verständnis der Norm dem historischen Willen widerspricht. Redaktionsversehen dürfen korrigiert werden. Um ein solches festzustellen, sind im europäischen Recht vorab alle Sprachfassungen zu vergleichen.

III. Für eine Rechtsfortbildung ist die Lücke oder der zu weite Wortlaut einer Rechtsnorm zu begründen. Einfache Formen der Rechtsfortbildung sind Einzelanalogie, Gesamtanalogie, teleologische Reduktion und teleologische Extension. Die teleologische Extension ist einschlägig, wenn Bezugsgrößen zur Lückenfüllung fehlen. Auch das Telos ist schwierig zu bestimmen, wenn der Rechtsnorm mehrere Regelungszwecke zugrunde liegen.

IV. Bei der Auslegung von Verträgen kann der Auslegungskanon von Savigny genutzt werden, wenn die Argumentationsfiguren auf das für den Willen der Parteien Typische angepasst werden. Man beginnt mit der einfachen Auslegung, nämlich dem subjektiven Willen der Parteien, um dann in einem zweiten Schritt ggf. auf einen objektiven Empfängerhorizont abzustellen. Lässt sich der Wille der Parteien nicht feststellen, kommt die ergänzende Auslegung in Betracht.

---

[407] *Martens*, Methodenlehre des Unionsrechts, 2013, S. 329.

3. Teil. Konkretisierung und Konstruktion

§ 7 Konkretisierung von Recht durch Gesetzgeber, Verwaltung und Gerichte

Literatur: *Auer, Marietta*, Materialisierung, Flexibilisierung, Richterfreiheit, 2005; *Bydlinski, Franz*, Möglichkeiten und Grenzen der Präzisierung aktueller Generalklauseln, in: Behrends, Okko/Dießelhorst, Malte/Dreier, Ralf, Rechtsdogmatik und praktische Vernunft, 1990, S. 189–230; *Bueckling, Adrian*, Der Fluch der Generalklausel, ZRP 1983, 190–194; *Engisch, Karl*, Die Idee der Konkretisierung in Recht und Rechtswissenschaft in unserer Zeit, 2. Aufl. 1968; *Gerhardt, Michael J.*, The Power of Precedent, 2008; *Hedemann, Justus Wilhelm*, Die Flucht in die Generalklauseln, 1933; *Ohly, Ansgar*, Generalklausel und Richterrecht, AcP 201 (2001), 1–47; *Kähler, Lorenz*, Strukturen und Methoden der Rechtsprechungsänderung, 2. Aufl. 2011; *Payandeh, Mehrdad*, Judikative Rechtserzeugung, 2017; *Röthel, Anne*, Normkonkretisierung im Privatrecht, 2004; *Schünemann, Wolfgang B.*, Generalklausel und Regelbeispiele, JZ 2005, 271–279.

Übersicht

	Rn.
I. Konkretisierung von Recht	1
1. Auslegung versus Konkretisierung	1
2. Generalklauseln – Fluch oder Segen?	5
II. Konkretisierung durch den Gesetzgeber	16
1. Generalklauseln und Regelbeispiele im deutschen Recht	16
2. Generalklauseln und Regelbeispiele im Strafrecht	23
3. Konkretisierung von Generalklauseln durch den europäischen Gesetzgeber	30
III. Konkretisierung durch die Verwaltung oder private Regelwerke	35
1. Deutsches Recht	35
2. Europäisches Recht	41
IV. Die Vergleichsfallmethode als Konkretisierung durch die Gerichte	44
1. Die Ähnlichkeit zwischen Einzelanalogie und Vergleichsfallmethode	44
2. Bindungswirkung von Gerichtsentscheidungen	58
3. Die Vergleichsfallmethode des EuGH	72
4. Einzelne Argumentationsfiguren zum Richterrecht	73
5. Die rechtsvergleichende Methode: Das „Wie“	78

I. Konkretisierung von Recht

1. Auslegung versus Konkretisierung

a) Die Auslegung als erster Arbeitsschritt

1 In der juristischen Ausbildung steht die Arbeit am Gesetz mit weitgehend bestimmten Tatbestandsmerkmalen im Vordergrund. Die *Auslegung* wurde im zweiten Teil vorgestellt: Sie umfasst insbesondere den durch *von Savigny* entwickelten Kanon sowie logische und folgenorientierte Argumentationsfiguren (§§ 4–6). Die Auslegung im Kontext der

Verfassung und des Europarechts wird unter anderem Gegenstand der §§ 11–12 sein. Je unbestimmter die Begriffe werden, desto schwerer fällt die Auslegung. Es besteht die Gefahr, dass man etwas hineininterpretiert, was der Begriff gar nicht enthält. Bei der Arbeit mit dem Sachverhalt wurde schon die Methode von *Engisch*, nämlich das Hin- und Herwandern des Blickes zwischen Sachverhalt und Norm als mögliche Konkretisierung eines Tatbestandsmerkmals vorgestellt (§ 4 Rn. 10). Oft sind unbestimmte Rechtsbegriffe oder Generalklauseln zu vage, als dass mit den klassischen Auslegungsfiguren eine sichere Arbeit gelingt. Deshalb bietet es sich an, nach der klassischen Auslegung noch einen weiteren Arbeitsschritt dazwischen zu schalten, nämlich den der Konkretisierung.

b) Die Konkretisierung als erforderlicher zweiter Arbeitsschritt

2 Im Öffentlichen Recht hat sich der Begriff der *Konkretisierung* herausgebildet. Er wird für die Arbeit mit Grundrechten als Prinzipien verwendet. Bei der Konkretisierung wird dem Interpreten eine **„größere Spezifizierungsleistung“**[1] abverlangt, weil der Wortlaut eine Subsumtion nicht unmittelbar zulässt. Der Begriff der Konkretisierung kommt in den bisherigen Lehrbüchern zur Methodenlehre kaum vor.[2] Er lässt sich auch im Zivilrecht und im Strafrecht für die Arbeit mit Generalklauseln nutzbar machen und bringt zum Ausdruck, dass neben den gerade genannten Auslegungsfiguren weitere methodische Schritte erforderlich sind, bevor eine Subsumtion des Sachverhalts gelingt.[3] Denkbar ist z.B. eine Fallgruppenbildung mit einer abstrakt-generellen Bewertung der üblicherweise in diesen Fallgruppen anzutreffenden Zurechnungskriterien (§ 8 Rn. 10 ff.). Die Konkretisierung geht damit über die Auslegungskanones hinaus[4] und sollte der Auslegung in einem zweiten Schritt nachfolgen. Methodisch ist die Konkretisierung anspruchsvoller als die reine Auslegung, weil es dem Rechtsanwender schwerer fällt, ohne klar zu prüfende Tatbestandsmerkmale, eine nachvollziehbare Prüfungsreihenfolge zu entwickeln. Nicht nur Studenten haben große Schwierigkeiten, die Sittenwidrigkeit des § 138 BGB oder die Menschenwürde des Art. 1 Abs. 1 GG zu konkretisieren. Hierzu bedarf es weiterer *Zwischenschritte*, die vor allem die Rechtsprechung entwickelt hat. Die Rechtsdogmatik übernimmt hier eine wichtige Aufgabe. Konkretisierung verlangt damit die Bildung von *Untersätzen*.

3 Zum Teil werden Interpretation und Konkretisierung als Gegensatz angesehen, Interpretation wäre Inhaltsbestimmung des Vorgegebenen, Konkretisierung schöpferische Ausfüllung von etwas nur im Prinzip Festgelegtem.[5] Damit kann die Konkretisierung **Elemente schöpferischer Gestaltung annehmen**.[6] Notwendigerweise hat die *schöpferische Gestaltung* einen deutlich größeren Umfang, wenn die klassischen Auslegungsfiguren, wie Wortlaut oder Gesetzgebungsgeschichte, versagen. Gleichwohl besteht auch dann die Verpflichtung, auf dem Vorhandenen[7] aufzubauen, also die Rechtslösungen mit den Wertungen des Gesetzes und der Rechtsordnung abzustimmen. Wenn unabhängig von der Rechtsquelle rechtsdogmatische Begriffe oder Rechtsinstitute neu erfunden werden, sollte

---

[1] *Morlok*, in: Gabriel/Gröschner, Subsumtion, 2012, S. 175, 206.

[2] S. der kritische Befund bei *Zimmermann*, RabelsZ 83 (2019), 241, 281 Fn. 282.

[3] *Hesse*, Grundzüge des Verfassungsrechts der Bundesrepublik Deutschland, 20. Aufl. 1999, Rn. 59.

[4] **A.A.** *Brugger*, AöR 119 (1994), 1, 2, der die Begriffe synonym verwendet.

[5] So die Unterscheidung bei *Böckenförde*, Staat, Verfassung, Demokratie, 1991, S. 159, 186 f.; *Huber*, ZSR-NF 74 (1955), 173, 201.

[6] *Böckenförde* (ebd.), S. 159, 186 f.; *Hesse*, Grundzüge des Verfassungsrechts der Bundesrepublik Deutschland, 20. Aufl. 1999, Rn. 60: „schöpferischer Akt“; *Lerche*, in: Koller u.a., Einheit und Folgerichtigkeit im Juristischen Denken, 1998, S. 7, 16: „schöpferische Gestaltung“; *Jestaedt*, Grundrechtsentfaltung im Gesetz, 1999, S. 136: „verfassungschaffende Vergegenwärtigung der Verfassung“; *Reimer*, Juristische Methodenlehre, 2. Aufl. 2020, Rn. 476: „Nutzen von Spielräumen“; s. genauer unten § 14 Rn. 46 ff.

[7] Zum Verfassungsrecht s. *Lerche*, in: Koller u.a. (ebd.), S. 7, 15 f. Die Möglichkeit einer Konkretisierung dagegen ablehnend *Auer*, Materialisierung, Flexibilisierung, Richterfreiheit, 2005.

von *Konstruktion* gesprochen werden (§ 9 Rn. 7a). Damit ist zu fragen, wo die Grenzen zulässiger Rechtsgestaltung und damit die *Grenzen zulässiger Rechtsfortbildung* verlaufen (§ 13). Zudem gilt es richterlichen Dezisionimus zu vermeiden (§ 14 Rn. 40 ff.).

Konkretisierung und Konstruktion werden im dritten Teil dieses Werkes in vier Paragraphen (§§ 7–10) erörtert. Methodische Figuren bilden Deduktion, Induktion und Abwägung. In § 7 wird thematisiert, wie der Gesetzgeber (II.), die Verwaltung (III.) und die Gerichte (IV.) Generalklauseln konkretisieren. Zu kurz kommt oft der methodische Umgang mit Generalklauseln.[8] Die Rechtsprechung wird häufig nur in Leitsätzen wahrgenommen. Die Zeit, um in mühevoller Kleinarbeit eine Vielzahl von Entscheidungen zu analysieren und daraus induktiv Entscheidungsreihen, verallgemeinerungsfähige Rechtssätze oder Fallgruppen abzuleiten, fehlt in der Regel. Im Rahmen der Konkretisierung durch die Gerichte wird auf die Vergleichsfallmethode und die Bindungswirkung von Gerichtsentscheidungen eingegangen. § 8 ergänzt die Konkretisierung um das Bewegliche System und die Arbeit mit Fallgruppen. In § 9 wird auf die Rechtsdogmatik eingegangen und der Umgang mit allgemeinen Rechtsprinzipien vorgestellt. Schließlich dient § 10 der Darstellung der Abwägung und des Verhältnismäßigkeitsgrundsatzes, die bei der Arbeit mit Grundrechten und europäischen Grundfreiheiten, aber auch bei Prinzipien im Zivilrecht bekannt sind. 4

2. Generalklauseln – Fluch oder Segen?

a) Generalklauseln und unbestimmte Rechtsbegriffe

Unbestimmte Rechtsbegriffe und Generalklauseln beeinträchtigen die Rechtssicherheit.[9] Schafft der Gesetzgeber „Leerformelberge“[10] und Blankettnormen, welche die Rechtsanwendung erschweren, nicht aus reiner Bequemlichkeit?[11] So finden sich im Gesetz Treue-, Billigkeits- und Härteklauseln, die wichtigen Gründe und die besonders schweren Fälle, die berechtigten Belange, das öffentliche Wohl und die öffentlichen Interessen, Zumutbarkeiten und verständige Würdigungen etc.[12] „Die Flucht in die Generalklauseln“ – so lautet eine berühmte Schrift von *Hedemann* aus dem Jahre 1933.[13] 5

Helfen Tatbestandsmerkmale wie „Treu und Glauben“ in § 242 BGB oder die „guten Sitten“ in § 138 BGB bzw. § 826 BGB wirklich weiter, um einen Fall zu lösen? Wie lassen sich die Verkehrspflichten strukturieren, welche die Rechtsprechung im Rahmen des § 823 Abs. 1 BGB entwickelt hat – nur alphabetisch? Wie arbeitet man grundsätzlich mit Generalklauseln? Enden sie stets in einer Einzelfallbetrachtung[14] oder sind doch Konkretisierungen möglich, die über den Einzelfall hinaus verallgemeinerungsfähig sind? Im Folgenden soll zuerst die Arbeit mit Generalklauseln vorgestellt werden. Deren Konkretisierung obliegt zum einen dem Gesetzgeber (II.) oder der Verwaltung (III.) und zum anderen vorrangig den Gerichten (IV.). Auch bei unbestimmten Rechtsbegriffen und Ge- 6

[8] Die meisten Lehrbücher zur Juristischen Methodenlehre behandeln die Generalklauseln nur stiefmütterlich; erfreuliche Ausnahmen aber in § 7 Fn. 9.

[9] Von „Orientierungssicherheit“ spricht, *Kramer*, Juristische Methodenlehre, 6. Aufl. 2019, S. 80. Nach *Bydlinski*, in: Behrends/Dießelhorst/R. Dreier, Rechtsdogmatik und praktische Vernunft, 1990, S. 189 enthält die Generalklausel damit nicht weniger als die Probleme der Juristischen Methodenlehre überhaupt.

[10] *Bueckling*, ZRP 1983, 190, 191.

[11] Drastisch *Hedemann*, Die Flucht in die Generalklauseln, 1933, S. 66: „Es fehlt die Zeit, die Kraft, die Lust, den zu behandelnden Stoff restlos zu durchdenken, das Denken des Gesetzgebers bricht vorher ab, er tritt die Flucht zur Generalklausel an.“

[12] *Bueckling*, ZRP 1983, 190, 191.

[13] *Hedemann*, Die Flucht in die Generalklauseln, 1933.

[14] *Henkel*, Recht und Individualität, 1958, S. 33: „Kapitulation des vorausplanenden Gesetzes vor der Individualität des ‚ungewöhnlichen‘ Falles“; ihm folgend *Weber*, AcP 192 (1992), 516, 557.

neralklauseln arbeitet man in einem ersten Schritt mit den klassischen Auslegungsfiguren (§§ 4–6). Nachfolgend sind dann aber weitere Hilfsmittel wie die Vergleichsfallmethode zu verwenden (§ 7 Rn. 44 ff.).

7 **Generalklauseln** sind mehr als Rechtsprinzipien, weil sie als Regel Imperative darstellen, also Gebote und Verbote, die in Gesetzesnormen gefasst sind (§ 9 Rn. 12).[15] Die Rechtsprechung definiert Generalklauseln zum Teil nur negativ, nämlich als Bestimmungen, die der Gesetzgeber verwendet, um Sachverhalten gerecht zu werden, die sich jedem ein für alle Mal festgelegten Normschema entziehen.[16] Zum Teil werden Generalklauseln als Tatbestände beschrieben, bei denen die Anwendung stets ein Werturteil des Rechtsanwenders nach einem von ihm selbst erst zu konkretisierenden, ausfüllungsbedürftigen Maßstab voraussetzt.[17] Vorzugswürdig erscheint eine formale Begriffsbildung: Bei der Wortlautauslegung wurde die Differenzierung zwischen Begriffskern und Begriffshof eingeführt (§ 4 Rn. 43 ff.). Generalklauseln sind Begriffe mit hohem Abstraktionsniveau, die *keinen eindeutig fassbaren Begriffskern* mehr besitzen. Eine Subsumtion des Sachverhalts unter den Tatbestand ist deshalb nicht mehr ohne Weiteres möglich.[18]

8 In Abgrenzung zu den Generalklauseln verfügen **unbestimmte Rechtsbegriffe** über einen Begriffskern, den es allerdings mit methodischen Hilfsmitteln zu ergründen bzw. zu präzisieren gilt. Unbestimmte Rechtsbegriffe lassen sich in drei Gruppen einteilen. Die erste Gruppe umfasst diejenigen Begriffe, deren Unbestimmtheit sich auf den Sachverhalt („unnötiger Lärm" oder die „vermeidbare Abgasbelästigung") bezieht.[19] Zur zweiten Gruppe können all diejenigen Begriffe gezählt werden, die den Sachverhalt an Wertmaßstäben messen, z.B. „niedrige Beweggründe". Schließlich werden einer dritten Gruppe all diejenigen Begriffe zugeordnet, bei denen es gilt, auf einer gleitenden Skala einen bestimmten Schwellenwert festzulegen („erheblich", „auffälliges Missverhältnis" oder „verhältnismäßig"). Allerdings ist eine exakte Trennung zwischen bestimmten und unbestimmten Rechtsbegriffen sowie der Generalklausel nicht möglich.[20]

b) Delegations-, Rechtsfortbildungs-, Flexibilitäts- und Rezeptionsfunktion von Generalklauseln

9 In der Literatur werden zahlreiche Funktionen der Generalklausel genannt.[21] Als Erstes zu nennen ist die *Delegationsfunktion*. Generalklauseln stellen „ein Stück offengelassene Gesetzgebung" dar.[22] Einerseits hat man erkannt, dass der Gesetzgeber nicht alle Lebenssachverhalte regeln kann: Das ALR mit seinen 17.000 Paragraphen ist hierfür ein abschreckendes Beispiel (§ 1 Rn. 48). In der ursprünglichen Fassung von 1896 hat das UWG mit seinen Einzelfallbestimmungen ständig zu Umgehungen geführt, weshalb der Gesetzgeber mit § 1 UWG a.F. eine große Generalklausel schuf, welche die Gerichte fast 100 Jahre

---

[15] *Auer*, Materialisierung, Flexibilisierung, Richterfreiheit, 2005, S. 135; **a.A.** *Bydlinski*, in: Behrends/Dießelhorst/R. Dreier, Rechtsdogmatik und praktische Vernunft, 1990, S. 189, 198; *Looschelders/Olzen*, in: Staudinger, BGB, Neubearb. 2019, § 242 Rn. 117.

[16] BGH, Urt. v. 15.6.1955, I ZR 71/54, BGHZ 21, 66, 80 – Kennzeichnungsschutz.

[17] *Larenz*, Methodenlehre der Rechtswissenschaft, 6. Aufl. 1991, S. 288; *Kramer*, Juristische Methodenlehre, 6. Aufl. 2019, S. 79.

[18] *Ohly*, AcP 201 (2001), 1, 5; *Weber*, AcP 192 (1992), 516, 524.

[19] Beispiele nach *Röhl/Röhl*, Allgemeine Rechtslehre, 3. Aufl. 2008, S. 242; s. auch Engisch/*Würtenberger/Otto*, Einführung in das juristische Denken, 12. Aufl. 2018, S. 159 ff.

[20] Plastisch *Hesselink*, in: Hartkamp u.a., Towards a European Civil Code, 4th ed. 2011, S. 639: „Every norm could be placed on a scale which ranges from totally open to totally closed".

[21] *Teubner*, Standards und Direktiven in Generalklauseln, 1972, S. 60 f.; weitere Nachweise bei *Röthel*, Normkonkretisierung im Privatrecht, 2004, S. 31.

[22] So wörtlich *Hedemann*, Die Flucht in die Generalklauseln, 1933, S. 58; *Heck*, Grundriß des Schuldrechts, 1929, S. 11 ff.: „Delegationsnormen"; *Bydlinski*, in: Behrends/Dießelhorst/R. Dreier (ebd.), S. 189, 199.

anwendeten.[23] Andererseits sind Generalklauseln und unbestimmte Rechtsbegriffe nur zu oft Folge des parlamentarischen Zwangs zum Kompromiss und der Furcht vor klaren gesetzlichen Weichenstellungen.[24] Wegen des unbestimmten Wortlauts führen Generalklauseln zu Rechtsunsicherheit: Aus gutem Grund gilt im Strafrecht der Grundsatz *nullum crimen, nulla poena sine lege certa* (§ 4 Rn. 77 ff.), sodass ein Verstoß gegen den Bestimmtheitsgrundsatz das Gesetz verfassungswidrig werden lässt.[25]

Die Generalklausel hat einen weiten Wortlaut. Generalklauseln erlauben es, das Recht an den Wertewandel und den technischen Fortschritt anzupassen, ohne dass der Gesetzgeber eingreifen muss.[26] Generalklauseln ermöglichen damit die Bildung neuer Regeln für neue Situationen, also die flexible Anpassung des Rechts an neue Bedingungen (*Rechtsfortbildungs- und Flexibilitätsfunktion*). Sie sind „*Knautschzonen*", die beim Aufeinandertreffen der starren Gesetzesbegrifflichkeiten und den atypischen und daher nicht subsumierbaren Einzelfällen dabei helfen, größere Schäden an der Rechtsordnung selbst und am Rechtsbewusstsein der Bevölkerung zu vermeiden.[27] In zeitlicher Hinsicht kann die Figur der „Relativität des Rechtsbegriffs" (§ 6 Rn. 17 ff.) für die konkrete Generalklausel genutzt werden.[28] 10

1975 wurde die Vermietung eines Hotelzimmers an ein unverheiratetes Paar noch als sittenwidrig gem. § 138 BGB angesehen.[29] – Der „Stand der Wissenschaft und Technik" gem. § 1 Abs. 2 Nr. 5 ProdHaftG verdeutlicht sehr anschaulich die Flexibilität des geltenden Rechts. 11

Generalklauseln können drittens eine *Verweisungsfunktion* besitzen, z.B. verweist § 346 HGB auf die Handelsbräuche. Ferner öffnen Generalklauseln das Recht für allgemeine Prinzipien der Rechtsordnung und außerrechtliche Wertungen (*Rezeptionsfunktion*).[30] Sie sind „Fenster" für den gesellschaftlichen Wertungshorizont, der den Gesetzen zu Grunde liegt.[31] Der Hinweis auf „Treu und Glauben" in § 242 BGB bzw. § 307 Abs. 1 BGB für die AGB-Kontrolle oder die „guten Sitten" in den § 138 Abs. 1 BGB und § 826 BGB indiziert geradezu den Rückgriff auf solche außerrechtlichen Maßstäbe.[32] Durch die Rezeption gesellschaftlicher Wertungen wird die gesellschaftliche Akzeptanz des Rechts ganz wesentlich gefördert.[33] Solche sozialethischen Anschauungen werden als rechtsethische Maximen und Standards umschrieben, die sich häufig in zum Teil jahrhundertealter Tradition im allgemeinen Rechtsbewusstsein verfestigt haben.[34] Teilweise wird auch von gesellschaftlichen Werten, Idealen oder Überzeugungen gesprochen.[35] 12

In der Literatur ist heftig umstritten, ob Generalklauseln durch Bezugnahme auf *außerrechtliche Normquellen* näher spezifiziert werden dürfen.[36] Nur weil in der Gesellschaft 13

[23] § 1 UWG a.F. des Gesetzes gegen den unlauteren Wettbewerb v. 7.6.1909, RGBl. 499 lautete: „Wer im geschäftlichen Verkehre zu Zwecken des Wettbewerbes Handlungen vornimmt, die gegen die guten Sitten verstoßen, kann auf Unterlassung und Schadensersatz in Anspruch genommen werden".

[24] S. *Kramer*, Juristische Methodenlehre, 6. Aufl. 2019, S. 82 und oben § 7 Fn. 11.

[25] Zu Sitzblockaden im Rahmen der Nötigung gem. § 240 StGB, s. oben § 4 Rn. 75.

[26] Exemplarisch zur Handhabung des technischen Fortschritts im Bereich der Eingriffsbefugnisse der StPO, s. *Sieber*, Gutachten C zum 69. DJT, 2012, S. 64 ff., 103 ff.

[27] *Weber*, AcP 192 (1992), 516, 557.

[28] *Teubner*, Standards und Direktiven in Generalklauseln, 1971, S. 62.

[29] AG Emden, Urt. v. 11.2.1975, 5 C 788/74, NJW 1975, 1363 f.; zum Wandel der moralischen Vorstellungen unter der Relevanz für § 138 BGB s. oben § 2 Rn. 25 ff.

[30] *Ohly*, AcP 201 (2001), 1, 7.

[31] Zu diesen „open texture"-Element s. *Kramer*, Juristische Methodenlehre, 6. Aufl. 2019, S. 83.

[32] Zum Begriff der guten Sitten *Meyer-Cording*, JZ 1964, 273 ff.; *Sack*, NJW 1985, 761 ff.; *Mayer-Maly*, AcP 194 (1994), 105 ff.; *Lindacher*, AcP 173 (1973), 124 ff.

[33] *Kramer*, Juristische Methodenlehre, 6. Aufl. 2019, S. 83 f.

[34] *Looschelders/Olzen*, in: Staudinger, BGB, Neubearb. 2019, § 242 Rn. 150.

[35] *Schubert*, in: MünchKomm-BGB, 8. Aufl. 2019, § 242 Rn. 29.

[36] Zum Streitstand s. *Auer*, Materialisierung, Flexibilisierung, Richterfreiheit, 2005, S. 144 ff.

über bestimmte außerrechtliche Normen ein Grundkonsens besteht, kann daraus nicht automatisch der Schluss gezogen werden, dass diesen Wertmaßstäben normative Bedeutung beigemessen werden kann. Im Dritten Reich hat das Reichsgericht die guten Sitten des § 138 BGB mit dem „Volksempfinden" und dieses mit der „nationalsozialistischen Weltanschauung" gleichgesetzt.[37] Damit wurde unzulässig vom Sein auf das Sollen geschlossen (§ 3 Rn. 20). Die rein faktische Befolgung solcher Verhaltensmaßstäbe ist nicht ausreichend, um deren allgemeine Gültigkeit im Rahmen der Generalklauseln zu rechtfertigen,[38] da Recht und Moral grundsätzlich voneinander zu trennen sind (§ 2 Rn. 20).

14 Weitgehende Einigkeit besteht darüber, dass *innerrechtliche Maßstäbe,* also gesetzliche Wertungen und verfassungsrechtliche Prinzipien für die Konkretisierung von Generalklauseln herangezogen werden dürfen.[39] Vor allem das Bundesverfassungsgericht betont die Eigenschaft der Generalklauseln als Einbruchstellen für die Grundrechte (§ 11 Rn. 11 ff.). Grundrechte bilden einen Minimalkonsens der Wertvorstellungen in einer pluralistischen Gesellschaft.[40]

c) Generalklauseln im europäischen Recht

15 Auch im europäischen Recht gibt es zahlreiche Generalklauseln. Im Mehrebenensystem ist zusätzlich zu erörtern, ob den Mitgliedstaaten oder den europäischen Institutionen die Kompetenz zusteht, über Generalklauseln des europäischen Rechts zu entscheiden, wenn nicht bereits der europäische Normgeber Konkretisierungen vornimmt. Grundsätzlich fällt die Konkretisierung von Generalklauseln in die Zuständigkeit des EuGH. Kann die Entscheidungskompetenz neben dem EuGH bei Delegationsnormen aber auch den nationalen Gerichten zukommen? Diese Frage ist in den letzten Jahren im Rahmen der AGB-Richtlinie ausführlich diskutiert worden.[41] Grundsätzlich legt der EuGH europäisches Recht aus, während der nationale Richter es *anwendet* (§ 12 Rn. 118 ff.). Der EuGH hatte ursprünglich eine Letztkonkretisierungsbefugnis für sich beansprucht,[42] in späteren Entscheidungen aber nur das Recht zur Entwicklung „allgemeiner Kriterien" eingefordert. Während er europäisches Recht auslegt, wird die konkrete Anwendung dieser Kriterien auf den Einzelfall den nationalen Gerichten überlassen.[43] Der EuGH überlässt den nationalen Gerichten damit zum Teil erhebliche Konkretisierungsspielräume (§ 2 Rn. 102).

---

[37] RG, Urt. v. 13.3.1936, V 184/35, RGZ 150, 1, 4: „Der Begriff eines ‚Verstoßes gegen die guten Sitten', wie er in § 138 und § 826 BGB enthalten ist, erhält seinem Wesen nach den Inhalt durch das seit dem Umbruch herrschende Volksempfinden, die nationalsozialistische Weltanschauung." S. ausführlich *Rüthers*, Die unbegrenzte Auslegung, 8. Aufl. 2017, S. 216 ff.

[38] *Arzt*, Ansicht aller billig und gerecht Denkenden, 1962, S. 58 ff.; *Teubner*, Standards und Direktiven in Generalklauseln, 1971, S. 36 f.; *Auer*, Materialisierung, Flexibilisierung, Richterfreiheit, 2005, S. 149.

[39] *Bydlinski*, in: Behrends/Dießelhorst/R. Dreier, Rechtsdogmatik und praktische Vernunft, 1990, S. 189, 203; *Schubert*, in: MünchKomm-BGB, 8. Aufl. 2019, § 242 Rn. 52 ff., 64 ff., 69 ff.

[40] *Ohly*, AcP 201 (2001), 1, 14.

[41] Hierzu *Möllers*, ZEuP 2008, 480, 500 ff.; *Möslein/Röthel*, in: Riesenhuber, Europäische Methodenlehre, 4. Aufl. 2021, § 11 Rn. 20 ff.

[42] EuGH, Urt. v. 27.6.2000, C-240/98 u.a., EU:C:2000:346 – Océano Grupo.

[43] EuGH, Urt. v. 1.4.2004, C-237/02, EU:C:2004:209, Rn. 23 – Freiburger Kommunalbauten; EuGH, Urt. v. 26.4.2012, C-472/10, EU:C:2012:242 – Invitel; EuGH, Urt. v. 14.3.2013, C-415/11, EU:C:2013:164 – Aziz.

II. Konkretisierung durch den Gesetzgeber

1. Generalklauseln und Regelbeispiele im deutschen Recht

a) Systematische und teleologische Auslegung

Der klassische Auslegungskanon ist bei Generalklauseln oft nur bedingt hilfreich: Mangels Begriffskern versagt die *grammatische* Auslegung und wegen der Delegationsfunktion ist auch die *historische* Auslegung nur selten weiterführend.[44] Die guten Sitten in § 138 BGB und § 826 BGB beschrieb der Gesetzgeber in den Motiven als „Anstandsgefühl aller billig und gerecht Denkender."[45] Diese Formel wurde von der Rechtsprechung übernommen,[46] ohne dass damit viel gewonnen wäre.[47] Deshalb kommt der systematischen und teleologischen Auslegung eine stärkere Bedeutung zu.[48] Systematisch hilft der Gesetzgeber bei der Konkretisierung, soweit er neben der Generalklausel oder dem unbestimmten Rechtsbegriff Legaldefinitionen (§ 4 Rn. 49 f.) oder gesetzliche Regelbeispiele einführt. 16

b) Legaldefinitionen und Regelbeispiele im Zivilrecht

aa) Die Regelbeispiele sind Beispiele dafür, wann die Generalklausel eingreift. Sie knüpfen an den Grundgedanken der Generalklausel an. Dadurch wird die Wertung der Generalklausel aufgezeigt (erhellende Funktion). 17

Der Verstoß gegen die guten Sitten in § 138 Abs. 1 BGB wird in § 138 Abs. 2 BGB für besondere Ausbeutungsgeschäfte als Regelbeispiel konkretisiert. Die Definition des Schadens gem. § 249 Abs. 1 BGB wird in den §§ 249 Abs. 2 bis 253 BGB weiter konkretisiert. Die Kontrolle von Allgemeinen Geschäftsbedingungen anhand des § 307 BGB wird durch die Klauselverbote der §§ 308 f. BGB konkretisiert. Im Unlauterkeitsrecht wurde das UWG durch die UWG-Novelle von 2004[49] neu gefasst und die alte große Generalklausel des § 1 UWG a.F.[50] aus dem Jahr 1909 durch eine kleine Generalklausel in einem neuen § 3 UWG sowie durch Einzeltatbestände in den §§ 4–7 UWG konkretisiert. 18

bb) Bei Regelbeispielen ist Folgendes zu beachten: Regelbeispiele gehen der Generalklausel vor und sind insoweit *leges speciales* (§ 4 Rn. 134 f.). Man prüft etwa § 309 vor § 308 und beide wiederum vor § 307 Abs. 2 und diesen vor § 307 Abs. 1 BGB.[51] Die §§ 3 Abs. 2, 3–7 UWG gehen der kleinen Generalklausel des § 3 Abs. 1 UWG vor.[52] Der Anspruch auf entgangenen Gewinn aus § 252 BGB wird vor § 249 BGB geprüft. 19

cc) Liegen die Voraussetzungen des Regelbeispiels vor, wird oft (nur) widerlegbar *vermutet*, dass der unbestimmte Rechtsbegriff zu bejahen ist. Diese Vermutungswirkung wird zum Teil schon vom Gesetzgeber ausdrücklich formuliert, beispielsweise für die un- 20

---

[44] *Röthel*, Normkonkretisierung im Privatrecht, 2004, S. 136.

[45] Mot. II, S. 727.

[46] RG, Urt. v. 11.4.1901, VI 443/00, RGZ 48, 114, 124 – Illoyale Handlungen; BGH, Urt. v. 6.2.2009, V ZR 130/08, NJW 2009, 1346 Rn. 10.

[47] *Heldrich*, AcP 186 (1986), 74, 94; Palandt/*Ellenberger*, BGB, 80. Aufl. 2021, § 138 Rn. 2: „trägt zur inhaltlichen Präzisierung wenig bei"; **a.A.** *Neuner*, Allgemeiner Teil des Bürgerlichen Rechts, 12. Aufl. 2020, § 46 Rn. 8: wichtiger Hinweis zur zulässigen Eigenwertung des Richters.

[48] *Bydlinski*, Juristische Methodenlehre und Rechtsbegriff, 2. Aufl. 1991, S. 583 f.

[49] Gesetz gegen den unlauteren Wettbewerb (UWG) v. 3.7.2004, BGBl. I, S. 1414.

[50] § 7 Fn. 23.

[51] Erman/*Roloff*/*Looschelders*, BGB, 16. Aufl. 2020, § 307 Rn. 2; Palandt/*Grüneberg*, BGB, 80. Aufl. 2021, § 307 Rn. 2.

[52] Köhler/Bornkamm/Feddersen/*Köhler*, UWG, 39. Aufl. 2021, § 3 Rn. 2.21.

angemessene Benachteiligung gem. § 307 Abs. 2 BGB („im Zweifel“) oder für die irreführende Werbung durch die Herabsetzung des Preises gem. § 5 Abs. 4 UWG („vermutet“).

21 dd) Zu prüfen ist sodann, ob die Regelbeispiele nur beispielhaft, also *illustrativ*, sind oder aber abschließend. Die Formulierung „insbesondere“ in einer Norm deutet darauf hin, dass die Regelbeispiele *nicht abschließend* sind, sondern der Gesetzgeber bezweckt, dass die Rechtsprechung weitere Regelbeispiele über den Wortlaut des Gesetzes hinaus entwickeln kann.[53] Fehlt das Wort, kann aber nicht umgekehrt darauf geschlossen werden, dass die Regelbeispiele abschließender Natur sein sollen. Vielmehr ist durch Auslegung zu ermitteln, ob aus Gründen der Rechtssicherheit die Regelbeispiele abschließender Natur sein sollen und sich die Generalklausel nur auf die Regelbeispiele bezieht oder ob die Norm flexibel sein soll und der Rechtsanwender weitere Beispiele entwickeln kann.[54]

22 ee) Generalklausel und Regelbeispiel beziehen sich bei der Auslegung aufeinander[55] und bilden insoweit eine *strukturelle Einheit*. Damit ist auch zu fragen, ob die Rechtsprechung weiterhin auf die Generalklausel zurückgreifen kann, wenn das Regelbeispiel nicht eingreift. So ist anerkannt, dass neben dem Wucher mit den subjektiven Voraussetzungen des § 138 Abs. 2 BGB auch der Tatbestand des § 138 Abs. 1 eingreifen kann (sog. wucherähnliches Rechtsgeschäft; § 8 Rn. 41). Dafür spricht, dass der Gesetzgeber mit § 138 Abs. 2 BGB nur ein einziges Regelbeispiel genannt hat. Wenn der Gesetzgeber dagegen versucht, durch einen ausgefeilten Beispielkatalog die einschlägigen Fälle zu erfassen, wie dies z. B. beim neu geschaffenen UWG der Fall ist, wird man seltener auf die Generalklausel zurückgreifen.[56] Der Anwendungsbereich für § 3 Abs. 1 UWG ist deutlich enger als beim § 1 UWG a. F.[57]

2. Generalklauseln und Regelbeispiele im Strafrecht

23 Die Problematik, dass der Gesetzgeber nicht alle Sachverhalte mit bestimmten Tatbestandsmerkmalen erfassen kann, tritt naturgemäß auch im Strafrecht auf.

a) Unbestimmte Rechtsbegriffe im Tatbestand

24 Wenn sich der Gesetzgeber im Strafrecht auf **Tatbestandsebene** der Technik der Generalklauseln und unbestimmten Rechtsbegriffe bedient, sind solche unbestimmten Rechtsbegriffe zwar nicht per se verfassungswidrig.[58] Jedoch ist zu prüfen, ob sie gegen den Bestimmtheitsgrundsatz und das Analogieverbot verstoßen (§ 4 Rn. 65 ff.). Ein anschauliches Beispiel für das *Bestimmtheitsgebot* stellt der Tatbestand der Nachstellung (§ 238 StGB) dar. Maßgebliche Tathandlung ist dem Wortlaut nach das unbefugte beharrliche Nachstellen; in den nachfolgenden enumerativ aufgelisteten Tatbestandsvarianten Nr. 1 bis 4 wird dieser Oberbegriff präzisiert („indem er beharrlich …“) und es werden verschiedene Ausprägungsformen eines strafbaren Nachstellens aufgezeigt (Kontaktaufnahme, Bestellung von Waren und Dienstleistungen, Bedrohung).

25 Eng verwandt mit dem Bestimmtheitsgrundsatz ist das *Analogieverbot*. Insofern bereiten weit gefasste Auffangtatbestände aus verfassungsrechtlicher Sicht Probleme. Dabei handelt es sich um eine „verfassungsrechtlich zulässige, gesetzlich angeordnete innertatbestandliche Analogie“, wie der Gesetzgeber selbst in der Gesetzesbegründung zu § 238 Abs. 1 Nr. 5 StGB formuliert.[59] Eine solche ist jedoch nur dann mit Art. 103 Abs. 2 GG

---

[53] S. etwa § 308 BGB; § 4, § 7 Abs. 1 S. 2 UWG; Art. 101 f. AEUV.
[54] Für das schweizerische Recht *Kramer*, Juristische Methodenlehre, 6. Aufl. 2019, S. 87.
[55] *Schünemann*, JZ 2005, 271, 273.
[56] *Schünemann*, JZ 2005, 271, 276, 278.
[57] Begr. RegE, BT-Drs. 15/1487, S. 16.
[58] BVerfG, Beschl. v. 21.7.1977, 2 BvR 308/77, BVerfGE 45, 363, 371 f. zum Landesverrat.
[59] Beschlussempfehlung und Bericht des Rechtsausschusses (6. Ausschuss), BT-Drs. 16/3641, S. 14.

vereinbar, wenn die Verhaltensweise, die unter den weiter gefassten Auffangtatbestand subsumiert werden soll, einerseits dem (weiten) Wortlaut des Oberbegriffs entspricht und auch den nachgeordneten gesetzlich ausgestalteten Beispielen wertungsmäßig nahesteht.[60] Der Oberbegriff, seinerseits bereits durch die Tatmodalitäten konkretisiert, stellt folglich die Grenze des Auffangtatbestands dar. Bleibt der Rechtsanwender mit seiner Subsumtion innerhalb dieses Rahmens, ergeben sich keine Probleme mit dem Analogieverbot. Das eigentliche Problem spielt sich bei der Bestimmtheit des Oberbegriffs bzw. vielmehr der Einheit aus Oberbegriff und konkretisierender Beispiele ab.[61]

Der Oberbegriff „Beeinträchtigung der Verkehrssicherheit" in § 315b Abs. 1 StGB wird durch die beiden Modalitäten in § 315b Abs. 1 Nr. 1 und 2 StGB (Zerstörungen eines Fahrzeugs, Bereitung eines Hindernisses) und ihrem gemeinsamen Bezug auf einen verkehrsfremden Außeneingriff in den Straßenverkehr hinreichend präzisiert. Damit kann auch der „ähnliche, ebenso gefährliche Eingriff" in § 315b Abs. 1 Nr. 3 StGB präzisiert werden. Dieser liegt beispielsweise vor, wenn der Täter den Zündschlüssel während der Fahrt abzieht, dadurch die Lenkradsperre aktiviert und damit das Fahrzeug nicht mehr steuerbar ist.[62] 26

Verfassungsrechtliche Bedenken bestehen dagegen beim unbefugten Nachstellen einer Person gem. § 238 Abs. 1 Nr. 5 StGB, der eine „andere vergleichbare Handlung" unter Strafe stellt. Das Problem bei § 238 StGB ist, dass das Rechtsgut der Freiheit der Lebensgestaltung so unscharf umrissen ist, dass hieraus nicht abgeleitet werden kann, ab wann die Grenze des Sozialadäquaten überschritten ist und ein strafwürdiges Nachstellen vorliegt. Von der Tathandlung auf den Erfolg und umgekehrt auf die Tathandlung zu schließen, entspricht einem Zirkelschluss.[63] Die in § 238 Abs. 1 Nr. 1 bis 4 StGB aufgezeigten Handlungsvarianten sind so vielfältig, dass sich mit Ausnahme der Beharrlichkeit kein gemeinsamer Nenner finden lässt, der auch bei einer „ähnlichen Handlung" notwendigerweise vorliegen müsste. Für den Rechtsanwender wird somit nicht ersichtlich, worin die Ähnlichkeit bestehen soll, weil sich aus der Norm kein griffiges verbindendes bzw. gemeinsames Element hinsichtlich der Begehungsweise und des Unrechtsgehalts der Tatmodalitäten ergibt.[64] 27

b) Regelbeispiele auf der Rechtsfolgenseite

Auch auf **Rechtsfolgenseite** verwendet der Gesetzgeber häufig Regelbeispiele zur Konkretisierung eines besonders schweren Falls;[65] es handelt sich dabei um *Strafzumessungsregeln*, die dem Richter bei der Festlegung eines angemessenen Strafmaßes helfen sollen. Liegen die Voraussetzungen des Regelbeispiels vor, gelten wieder bestimmte Regeln: Nach § 243 Abs. 1 S. 1 StGB ist ein besonders schwerer Fall des Diebstahls mit drei Monaten bis zehn Jahren Freiheitsstrafe zu bestrafen. Der Gesetzgeber nennt dann beispielhaft („in der Regel") sieben Fälle in S. 2. Als Konsequenz besteht die *widerlegbare Vermutung* eines „besonders schweren Falls". Wenn keine Anhaltspunkte vorliegen, bedarf es keiner weiteren Prüfung, ob die Anwendung des erhöhten Strafrahmens geboten ist.[66] Al- 28

[60] Schönke/Schröder/*Eisele*, StGB, 30. Aufl. 2019, § 238 Rn. 23a; *ders.*, Die Regelbeispielsmethode im Strafrecht, 2004, S. 405.

[61] *Krey*, Studien zum Gesetzesvorbehalt im Strafrecht, 1977, S. 223 f.; *Eisele*, Die Regelbeispielsmethode im Strafrecht, 2004, S. 405.

[62] OLG Karlsruhe, Urt. v. 19.1.1978, 1 Ss 329/77, NJW 1978, 1391.

[63] *Fischer*, StGB, 68. Aufl. 2021, § 238 Rn. 17a.

[64] Krit. folglich Schönke/Schröder/*Eisele*, StGB, 30. Aufl. 2019, § 238 Rn. 23a; *Fischer*, StGB, 68. Aufl. 2021, § 238 Rn. 5, 17 f.; *Greco*, GA 2012, 452, 466.

[65] *Eisele*, Die Regelbeispielsmethode im Strafrecht, 2004, S. 1. Nur in wenigen Fällen hat sich der Gesetzgeber dagegen entschieden, einen schweren Fall durch Regelbeispiele weiter zu präzisieren; bekannte Regelbeispiele finden sich vor allem bei den Konkretisierungen zum besonders schweren Fall eines Diebstahls (§ 243 Abs. 1 S. 2 StGB) bzw. des Betruges (§ 263 Abs. 3 S. 2 StGB).

[66] BGH, Urt. v. 31.3.2004, 2 StR 482/03, NJW 2004, 2394, 2395; BGH, Urt. v. 11.9.2003, 4 StR 193/03, NStZ 2004, 265, 266; Schönke/Schröder/*Bosch*, StGB, 30. Aufl. 2019, § 243 Rn. 1.

lerdings kann die Vermutung widerlegt werden: So hilft der Gesetzgeber, indem er bestimmte Fälle ausdrücklich aus den Regelbeispielen herausnimmt wie den Diebstahl einer geringwertigen Sache, § 243 Abs. 2 StGB. Regelbeispiele haben umgekehrt eine *Gegenschlusswirkung*: Unterfällt die Tat keinem Regelbeispiel, muss sich das Maß für die Erhöhung der Strafe dennoch an den Regelbeispielen orientieren. Damit kann ein unbenannter besonders schwerer Fall nur dann angenommen werden, wenn der zu entscheidende Fall an Unrechts- und Schuldgehalt einem benannten wertungsmäßig gleichkommt.[67]

29 Entgegen seines Wortlauts ist das *Bestimmtheitsgebot* des Art. 103 Abs. 2 GG nicht nur auf das „ob" („nullum crimen sine lege"), sondern auch auf das „wie" der Strafbarkeit („nulla poena sine lege") anwendbar.[68] Folglich müssen auch Art und Maß der Strafe hinreichend bestimmt sein, was die Regelbeispiele der Strafzumessung miteinschließt.[69] Ist der konkrete Fall nicht als Regelbeispiel im Gesetz aufgeführt, aber einem Regelbeispiel ähnlich, so ist es zulässig, einen **unbenannten schweren Fall** anzunehmen, solange er unter die Generalklausel des „besonders schweren Falles" subsumiert werden kann. Die Generalklausel ist dabei entsprechend der Vorgehensweise auf Tatbestandsebene durch die benannten Regelbeispiele zu konkretisieren. Nach Ansicht des BGH gilt dies unabhängig von einer Ähnlichkeit zu den geschriebenen Regelbeispielen auch dann, wenn die Gesamtumstände in ihrem Gewicht den Regelbeispielen entsprechen.[70] Maßgeblich seien u.a. Intensität des Angriffs, hoher Wert der gestohlenen Sache oder die Tatsache, dass der Täter Amtsträger ist.[71] Auch das BVerfG ist der Ansicht, dass der Begriff des „schweren Falls" vor dem Hintergrund des Art. 103 Abs. 2 GG nicht zu beanstanden ist, „wenn sich mit Hilfe der üblichen Auslegungsmethoden, insbesondere durch Heranziehung anderer Vorschriften desselben Gesetzes, durch Berücksichtigung des Normzusammenhangs oder aufgrund einer gefestigten Rechtsprechung eine zuverlässige Grundlage für die Auslegung und Anwendung der Norm gewinnen läßt, so daß der einzelne die Möglichkeit hat, den durch die Strafnorm geschützten Wert sowie des Verbots bestimmter Verhaltensweisen zu erkennen und die staatliche Reaktion vorauszusehen".[72]

3. Konkretisierung von Generalklauseln durch den europäischen Gesetzgeber

a) Legaldefinitionen und Regelbeispiele

30 Der europäische Gesetzgeber versucht ebenso, Generalklauseln zu konkretisieren, indem er neben Legaldefinitionen auch Regelbeispiele verwendet. Prominentes Beispiel im europäischen Primärrecht sind die Wettbewerbsregeln. So wird die Wettbewerbsbeschränkung durch Kartelle beispielhaft („insbesondere") durch fünf Regelbeispiele konkretisiert, Art. 101 Abs. 1 AEUV; vergleichbare Regelbeispiele finden sich für den Missbrauch einer marktbeherrschenden Stellung in Art. 102 UAbs. 2 AEUV. Auch hier gibt es einige Besonderheiten: Weil sich die Regelbeispiele nur auf die Eignung zur Wettbewerbsbeschränkung beziehen, können diese nicht leges speciales sein, vielmehr sind auch die übrigen Voraussetzungen zu prüfen.[73] Ebenso wie im deutschen Recht sind die Regel-

[67] *Fischer*, StGB, 68. Aufl. 2021, § 46 Rn. 94.

[68] Roxin/*Greco*, Strafrecht Allgemeiner Teil, Bd. I, 5. Aufl. 2020, § 5 Rn. 4; Sachs/*Degenhart*, GG, 9. Aufl. 2021, Art. 103 Rn. 61; § 1 StGB ist insofern präziser formuliert.

[69] BVerfG, Urt. v. 20.3.2002, 2 BvR 794/95, BVerfGE 105, 135, 156 f. – Vermögensstrafe; *Schulze-Fielitz*, in: Dreier, GG, 3. Aufl. 2018, Art. 103 II Rn. 24.

[70] BGH, Urt. v. 29.11.1989, 2 StR 319/89, NJW 1990, 1489 Rn. 13; Schönke/Schröder/*Kinzig*, StGB, 30. Aufl. 2019, Vorbem. §§ 38 ff. Rn. 50.

[71] BGH, Urt. v. 17.9.1980, 2 StR 355/80, BGHSt 29, 319, 322; Satzger/Schluckebier/Widmaier/*Kudlich*, StGB, 5. Aufl. 2021, § 243 Rn. 34.

[72] BVerfG, Beschl. v. 21.6.1977, 2 BvR 308/77, BVerfGE 45, 363, 370 f.; s. auch oben § 4 Rn. 72.

[73] Calliess/Ruffert/*Weiß*, EUV/AEUV, 5. Aufl. 2016, Art. 101 AEUV Rn. 45.

beispiele *nicht abschließend,* sondern nur illustrativ.[74] So regeln die Fälle des Art. 102 UAbs. 2 AEUV Fälle des Ausbeutungsmissbrauchs. Von Art. 102 UAbs. 2 AEUV werden aber auch Fälle des Behinderungsmissbrauchs erfasst, etwa der Verkauf unter Einkaufspreis, um den Mitbewerber vom Markt zu drängen.[75]

b) Anhänge

Im europäischen Sekundärrecht finden sich zur Konkretisierung von unbestimmten Rechtsbegriffen auch Anhänge, beispielsweise im Verbraucherschutzrecht, Wettbewerbsrecht und Kapitalmarktrecht. In Anhang II der MiFID II wird erläutert, wer „professioneller Kunde" im Sinne dieser Richtlinie ist. 31

c) Abschließender oder offener Charakter gesetzlicher Konkretisierung

Bei Richtlinien und Verordnungen als Sekundärrecht stellt sich jeweils die Frage, in welchem Umfang das harmonisierte Recht abschließend ist oder aber weiterhin strengeres nationales Recht zulässt. Denkbar ist, dass die Anhänge nur einen **Mindeststandard harmonisieren**, überwiegend aber strengeres nationales Recht zulassen wollen. Soweit der Anhang Auslegungshilfen gibt, ist er für die Rechtslösung heranzuziehen. Darüber hinaus können Lücken durch das nationale Recht geschlossen werden. 32

AGB-Klauseln: Der EuGH betont, dass der Anhang, auf den Art. 3 Abs. 3 der AGB-RL verweist, lediglich eine als Hinweis dienende und nicht erschöpfende Liste der Klauseln enthält, die für missbräuchlich erklärt werden können. Der EuGH hatte ursprünglich eine Klausel verworfen,[76] später aber seine Prüfungskompetenz zurückgenommen und die umfassende Prüfung des Sachverhalts den nationalen Gerichten überlassen. Das überzeugt z. B. für eine werkvertragliche Klausel, wonach der Erwerber eines zu errichtenden Bauwerks den gesamten Preis hierfür unabhängig von einem Baufortschritt zu zahlen hat. Das Werkvertragsrecht ist durch europäisches Recht nicht harmonisiert, wodurch ein europäischer Maßstab fehlt, an dem eine AGB-Klausel gemessen werden kann. Die Prüfung des nationalen Rechts durch den nationalen Richter ist deshalb nur folgerichtig.[77] 33

Die im Anwendungsbereich genannten Fälle sind abschließend, wenn der Anhang eine **abschließende Vollharmonisierung** des europäischen Rechts bezweckt. Weitere Fälle durch Analogiebildung sind nicht zulässig. Maßgeblich ist der Regelungszweck der Rechtsvereinheitlichung bzw. Nivellierung durch die europäische Richtlinie. 34

III. Konkretisierung durch die Verwaltung oder private Regelwerke

1. Deutsches Recht

Bevor der Rechtsanwender versucht, einen unbestimmten Rechtsbegriff zu konkretisieren, hat er nach Legaldefinitionen und Regelbeispielen im einschlägigen Gesetz zu suchen (s. gerade unter II.). Danach ist zu prüfen, inwieweit es der Gesetzgeber der Exekutive überlässt, durch Rechtsverordnungen einen bestimmten Bereich zu konkretisieren (a). Daneben können Verwaltungsvorschriften (b) oder private Regelwerke (c) relevant sein. 35

---

[74] *Bechtold/Bosch/Brinker,* EU-Kartellrecht, 3. Aufl. 2014, Art. 101 AEUV Rn. 88, Art. 102 AEUV Rn. 33.

[75] EuGH, Urt. v. 3.7.1991, 62/86, EU:C:1991:286, Rn. 71 f. – Akzo; Streinz/*Eilmannsberger/Kruis,* EUV/AEUV, 3. Aufl. 2018, Art. 102 AEUV Rn. 112 ff.

[76] EuGH, Urt. v. 27.6.2000, C-240/98 u. a., EU:C:2000:346, Rn. 22 – Océano Grupo.

[77] EuGH Urt. v. 1.4.2004, C-237/02, EU:C:2004:209, Rn. 20 ff. – Freiburger Kommunalbauten, s. *Möllers,* ZEuP 2008, 480, 500; **a. A.** *Wittwer,* E.L.Rep. 2004, 380, 384 f.

a) Gesetz und Rechtsverordnung

36 Unter den Voraussetzungen des Art. 80 Abs. 1 S. 2 GG kann der Bundesgesetzgeber seine Gesetzgebungsbefugnis an die Verwaltung delegieren (§ 2 Rn. 33 f.). Derartige Rechtsverordnungen finden sich in zahlreichen Bereichen des Zivil- und Wirtschaftsrechts. Beispielsweise wird das StVG durch die StVO präzisiert.

37 *Fahrradunfall:* Der Halter H leiht seiner Freundin F sein Auto. Als der Fahrradfahrer Anton A mit knapp einem Meter Abstand an dem parkenden Auto vorbeifährt, öffnet F plötzlich die Fahrertür. A kann nicht mehr ausweichen und fährt auf die Autotür auf. F behauptet, als Fahrradfahrer hätte A mit größerem Abstand an dem Auto vorbeifahren müssen.

38 F ist nicht der Halter des Fahrzeugs, sodass § 7 StVG nicht einschlägig ist. Allerdings kann auch der Fahrer gem. § 18 Abs. 1 StVG zum Schadensersatz verpflichtet sein, wenn er sich nicht verkehrsgerecht verhalten hat. Gem. § 6 Abs. 1 Nr. 2 lit. s) StVG können die Pflichten und Rechte des Halters im Rahmen des Betriebs der auf ihn zugelassenen Fahrzeuge durch Rechtsverordnung präzisiert werden. Nach § 14 Abs. 1 StVO hat derjenige, der aus einem Fahrzeug ein- oder aussteigt sich so zu verhalten, dass er andere Verkehrsteilnehmer nicht gefährdet. Kommt es in unmittelbar örtlichem und zeitlichem Zusammenhang mit einem Aussteigen zu einem Verkehrsunfall, spricht der Beweis des ersten Anscheins dafür, dass der Ein- oder Aussteigende seine gesetzlichen Sorgfaltspflichten verletzt hat. Es kommt allenfalls ein Mitverschulden des Fahrradfahrers durch Abwägung zwischen Einhaltung des Sicherheitsabstands zu den parkenden Autos und dem Rechtsfahrgebot nach § 2 Abs. 2 StVO in Betracht.[78]

b) Verwaltungsvorschriften

39 Der Bund ist im Rahmen seiner Kompetenzen zum Erlass von Verwaltungsvorschriften (§ 3 Rn. 54 ff.) ermächtigt, Artt. 84 Abs. 2, 85 Abs. 2 S. 1, 86 S. 1 GG. Für Steuergesetze ermächtigt Art. 108 Abs. 7 GG zum Erlass von allgemeinen Verwaltungsvorschriften. Im Sprachgebrauch erlassen die Bundesregierung „*Richtlinien*", die Ministerien „*Erlasse*" und „*Schreiben*". Finanzministerien und Oberfinanzdirektionen erlassen so jährlich mehrere tausend Verwaltungsvorschriften. Sie dienen der Gleichmäßigkeit der Besteuerung, entlasten die Verwaltungsbeamten und erhöhen die Rechtssicherheit.[79]

c) Private Regelwerke

40 Auch private Regelwerke können zur Konkretisierung des Rechts herangezogen werden. Zum Teil stellt der *Gesetzgeber eine Vermutungsregel* auf: Bekannt ist der qualifizierte Mietspiegel, der die ortsübliche Vergleichsmiete wiedergibt. Soweit § 558d Abs. 2 BGB eingehalten wird, wird vermutet, dass die in dem Mietspiegel enthaltenen Entgelte der ortsüblichen Vergleichsmiete entsprechen, § 558d Abs. 3 BGB. Allerdings kann diese Vermutung vor Gericht widerlegt werden.[80] Fehlt es an einer solchen gesetzlichen Vermutungsregel, muss im Einzelnen geprüft werden, in welchem Umfang diese als sekundäre Rechtsquelle eine Bindungswirkung haben und inwieweit eine *widerlegliche Vermutung begründet* werden kann (§ 3 Rn. 62): Wird beides bejaht, so können die privaten Regelwerke herangezogen werden. Für einen Sachmangel im Baurecht muss oft der Stand der Technik festgestellt werden. Hier sind auch DIN-Normen[81] (§ 3 Rn. 66) einschlägig. Insoweit ist auf das Fachwissen von Statikern oder Architekten zurückzugreifen. Bei der Frage, ob eine Sorgfaltspflicht des § 823 Abs. 1 BGB verletzt ist, werden

---

[78] OLG Köln, Beschl. v. 10.7.2014, 19 U 57/14, BeckRS 2015, 01551, Rn. 8.

[79] *Englisch*, in: Tipke/Lang, Steuerrecht, 24. Aufl. 2021, Rn. 5.32.

[80] BGH, Urt. v. 4.5.2011, VIII ZR 227/10, NZM 2011, 511 Rn. 12.

[81] Dabei handelt es sich um freiwillige Standards des Deutschen Instituts für Normung (DIN), durch die materielle und immaterielle Gegenstände vereinheitlicht werden.

die FIS-Regeln herangezogen.[82] Diskutiert wird auch, ob die Empfehlungen des DCGK zur Konkretisierung der allgemeinen Sorgfaltspflichten der §§ 93, 116 AktG herangezogen werden sollen.[83]

2. Europäisches Recht

Bei unbestimmten Rechtsbegriffen lässt sich die Europäische Kommission zur Vorbereitung von Richtlinien und Verordnungen oft durch Ausschüsse oder Sachverständige beraten. Darüber hinaus kann der EU-Gesetzgeber im Rahmen des Komitologieverfahrens Durchführungsbefugnisse auf die Europäische Kommission übertragen (§ 2 Rn. 65).[84] Im Bereich des Kapitalmarktrechts existiert ein spezielles, nämlich beschleunigtes Komitologieverfahren. Hier lassen sich drei Ebenen differenzieren, die bei der Rechtsprüfung herangezogen werden müssen. Nach diesem reformierten Lamfalussy-Verfahren[85] erlassen die Kommission, der Rat und das Parlament auf der ersten Ebene *Basisrechtsakte* wie Richtlinien oder Verordnungen. Sie werden dann auf der zweiten Stufe durch *Durchführungsrechtsakte* und *delegierte Rechtsakte* der Kommission konkretisiert, Artt. 290 f. AEUV. Hinzu kommen technische Regulierungs- und Durchführungsstandards der zuständigen europäischen Aufsichtsbehörde.[86] Auf der dritten Stufe erlässt diese Aufsichtsbehörde *Leitlinien* und *Empfehlungen*, die rechtlich als sekundäre Rechtsquellen mehr als nur faktische Bindungswirkung erzeugen, weil sie eine Richtigkeitsvermutung begründen, sodass der Mitgliedstaat erklären und begründen muss, wenn er den Leitlinien nicht nachkommen will (§ 3 Rn. 71 f.).[87] 41

Schrempp: Der Vorstandsvorsitzende von Daimler Schrempp beschäftigte sich nach der Hauptversammlung der Daimler AG am 6.4.2005 zunehmend mit dem Gedanken, sein bis 2008 laufendes Amt vorzeitig niederzulegen. Ab dem 17.5.2005 erörterte er seine Absicht mit dem Aufsichtsratsvorsitzenden Kopper und anderen Mitgliedern des Aufsichtsrats. Am 28.7.2005 beschloss der Aufsichtsrat das Ausscheiden von Schrempp. Daimler veröffentlichte daraufhin eine Ad-hoc-Mitteilung gem. Art. 17 MAR (§ 15 WpHG a.F.). War diese zu spät? 42

Nach Ansicht des EuGH können bei sog. zeitlich gestreckten Sachverhalten auch Zwischenschritte zu einer Veröffentlichungspflicht führen, wenn das Eintreten der Umstände 43

---

[82] Bei den FIS-Regeln handelt es sich um allgemeine Regeln des Internationalen Ski-Verbandes (Fédération Internationale de Ski); s. Palandt/*Sprau*, BGB, 80. Aufl. 2021, § 823 Rn. 196 m. Hinweisen zur Rechtsprechung.

[83] Bejahend *Lutter*, ZHR 166 (2002), 523, 540; *Borges*, ZGR 2003, 508, 521; *Seidel*, ZIP 2004, 285, 290; BGH, Urt. v. 16.2.2004, II ZR 316/02, BGHZ 158, 122, 127; *Kort*, in: FS K. Schmidt, 2009, S. 945, 958 ff.; **a.A.** *Ulmer*, ZHR 166 (2002), 150, 157; *Spindler*, NZG 2011, 1007, 1010; vertiefend *Möllers/Fekonja*, ZGR 2012, 777, 811 ff. und oben § 3 Rn. 62, 66.

[84] Verordnung (EU) Nr. 182/2011 v. 26.2.2011, ABl. Nr. L 55, S. 13; vorher bereits Komitologie-Beschl. 1999/468/EG v. 28.6.1999, ABl. Nr. L 184, S. 23.

[85] In der Literatur wird zum Teil von Lamfalussy-II-Verfahren gesprochen, s. etwa *Lutter/Bayer/J. Schmidt*, Europäisches Unternehmens- und Kapitalmarktrecht, 6. Aufl. 2018, § 14 Rn. 47; das sog. Lamfalussy-Verfahren ist ein auf den ehemaligen Vorsitzenden des Europäischen Währungsinstitutes Baron *Alexandre Lamfalussy* zurückgehendes Modell, das beschreibt, wie Europäische Gesetzgebung sinnvollerweise stattfinden kann. Das Modell sieht vier Stufen der Normgebung vor, wobei der Konkretisierungsgrad der Regelungen auf jeder Stufe zunimmt, ähnlich wie dies im Verhältnis Gesetz – Rechtsverordnung – Verwaltungsvorschriften der Fall sein kann; hierzu *Möllers*, ZEuP, 2008, 480 ff.; *ders.* ZEuP 2016, 325 ff.

[86] Art. 10 ESMA-VO (EU) Nr. 1095/2010 (v. 24.11.2010 zur Errichtung einer Europäischen Bankenaufsichtsbehörde (ESMA), ABl. Nr. L 331, S. 84) i.V.m. Art. 290 AEUV bzw. Art. 15 ESMA-VO i.V.m. 291 AEUV.

[87] Zu den insgesamt sechs Prüfungsstufen im deutschen und europäischen Kapitalmarktrecht s. *Möllers*, NZG 2010, 285.

hinreichend wahrscheinlich ist.[88] In seinem Schlussantrag verweist Generalanwalt *Mengozzi* ausdrücklich auf die vermeintlich unverbindlichen Leitlinien des Europäischen Wertpapierauschusses (CESR)[89].[90]

IV. Die Vergleichsfallmethode als Konkretisierung durch die Gerichte

Literatur: *von Bar, Christian*, Vereinheitlichung und Angleichung von Deliktsrecht in der Europäischen Union, ZfRV 35 (1994), 221–232; *Bobek, Michal*, Comparative Reasoning in European Supreme Courts, 2013; *Coendet, Thomas*, Rechtsvergleichende Argumentation, 2012; *Drobnig, Ulrich/van Erp, Sjef (eds.)*, The Use of Comparative Law by Courts, 1997; *Kötz, Hein*, Der Bundesgerichtshof und die Rechtsvergleichung, in: FG 50 Jahre BGH, 2000, S. 825–843; *Gamper, Anna/Verschraegen, Bea (Hrsg.)*, Rechtsvergleichung als juristische Auslegungsmethode, 2013; *Klein, Oliver*, Zur Frage der Bindung höchster Gerichte an ihre Rechtsprechung, JZ 2018, 64–70; *Michaels, Ralf*, The Functional Method of Comparative Law, in: Reimann, Mathias/Zimmermann, Reinhard, The Oxford Handbook of Comparative Law, 2nd ed. 2019, Chap. 13, S. 346–389; *Rosenau, Henning*, Plea bargaining in deutschen Strafgerichtssälen: Die Rechtsvergleichung als Auslegungshilfe am Beispiel der Absprachen im Strafverfahren betrachtet, in: FS Puppe, 2011, S. 1597–1628; *Smits, Jan M.*, Comparative Law and its Influence on National Legal Systems, in: Reimann, Mathias/Zimmermann, Reinhard, The Oxford Handbook of Comparative Law, 2nd ed. 2019, Chap. 18, S. 502–523; *Summers, Robert S.*, Precedent in the United States (New York State), in: MacCormick, Neil/Summers, Robert S., Interpreting Precedents, 1997, S. 355–406.

1. Die Ähnlichkeit zwischen Einzelanalogie und Vergleichsfallmethode

a) Die Vergleichsfallmethode im anglo-amerikanischen Recht

44 Wenn der Gesetzeswortlaut versagt, erscheint es besonders naheliegend, sich mit der bisherigen Rechtsprechung, d.h. mit vergleichbaren Fällen zu beschäftigen. Nach *Kaufmann* hat die gesamte juristische Methode „im Kern analogischen Charakter […], das heißt den Charakter eines ‚Fallvergleichs'."[91] Dogmatisch ist dieses Vorgehen immer dann sinnvoll, wenn eine einfache Subsumtion des Sachverhalts unter unbestimmte Rechtsbegriffe oder Generalklauseln nicht möglich ist. Für diese Arbeitsweise spricht auch, die bisher ergangene Rechtsprechung als sekundäre Rechtsquelle mit ihrer Vermutung für die Richtigkeit zu verstehen (§ 3 Rn. 13 ff.). Sich mit der früheren Rechtsprechung auseinanderzusetzen, verlangt schon die Rechtsanwendungsgleichheit (§ 1 Rn. 42), denn was gestern in bestimmter Weise entschieden wurde, wird in der Regel heute nicht anders zu entscheiden sein. Folglich zitieren sich Gerichte umfangreich selbst und bauen auf ihrer früheren Rechtsprechung auf. Mangels Kodifikationen findet sich diese Arbeitsweise typischerweise im *common law* des anglo-amerikanischen Rechts. Man spricht vom ***reasoning from case to case***, das sich strukturell vom systematischen Denken unterscheidet (§ 4 Rn. 102 ff.). Im deutschen Recht hat sich noch kein fester Begriff für dieses Vorgehen herausgebildet.[92] Hier soll von der Ver-

---

[88] EuGH, Urt. v. 28.6.2012, C-19/11, EU:C:2012:397, Rn. 38 ff. – Geltl/Daimler AG; hierzu *Möllers/Seidenschwann*, NJW 2012, 2762 ff.; vorher schon *Möllers*, NZG 2008, 330 ff.

[89] Die Nachfolgebehörde des Committee of European Securities Regulators (CESR) ist die European Securities and Markets Authority (ESMA).

[90] SchlA v. 21.3.2012, GA *Mengozzi*, C-19/11, EU:C:2012:153, Rn. 55 – Geltl/DaimlerAG: „Der Ausschuss der Europäischen Wertpapierregulierungsbehörden (…) stellte im Übrigen in seinen Leitlinien zur Anwendung der Richtlinie 2003/6 vom Juli 2007(9) in Nr. 1.6 fest, dass, wenn die Information einen Vorgang betrifft, der sich über mehrere Stufen erstreckt, jede einzelne Stufe des Vorgangs ebenso wie der Gesamtvorgang selbst eine präzise Information sein kann."

[91] *Kaufmann*, Das Verfahren der Rechtsgewinnung, 1999, S. 6.

[92] Zum Begriff des „reasoning from case to case", s. *Levi*, An Introduction to Legal Reasoning, 1950, S. 1. Bydlinski spricht von „Typenvergleich", Haft und Schmalz von „Vergleichsfalltechnik", Zippelius von „Fallvergleichung"; Schapp von „Fallvergleich" (alle § 7 Fn. 96).

gleichsfallmethode gesprochen werden.[93] Auch die höchstrichterliche Rechtsprechung argumentiert ausdrücklich mit den bisherigen Fällen.[94]

b) Das Denken von Fall zu Fall (Schluss vom Besonderen auf das Besondere)

Die Vergleichsfallmethode ist immerhin schon im römischen Recht bekannt.[95] Sie schließt vom *Besonderen auf das Besondere*. Sie stellt im Rahmen von Auslegung und Konkretisierung den Bezug eines Falls zu einem anderen Fall her (s. sogleich § 7 Rn. 48).[96] Zwei vollkommen identische Fälle existieren in der Praxis selten. Bei einer Teilgleichheit der Fälle entspricht die Vergleichsfallmethode methodisch der Einzelanalogie, nur dass sie nicht auf der Gesetzesebene stattfindet, sondern auf der Sachverhaltsebene.[97] Interessanterweise wird im anglo-amerikanischen Recht der Begriff der Analogie für die Vergleichsfallmethode verwendet[98], während im deutschen Rechtskreis der Begriff der Analogie für die Füllung von Gesetzeslücken vorbehalten ist (§ 6 Rn. 112 ff.). Bei einer Ungleichheit entspricht die Vergleichsfallmethode der teleologischen Reduktion, die den Anwendungsbereich verengt.[99] Wie bei der Einzelanalogie bzw. der teleologischen Reduktion ist zu fragen, ob der zu beurteilende Sachverhalt mit dem bisherigen Recht eine **Teilgleichheit** oder eine Ungleichheit aufweist. Es geht also um eine Gleichbehandlung wesentlich gleicher und eine Ungleichbehandlung wesentlich ungleicher Fälle.[100] Dazu sind einerseits die Tatsachen, andererseits die Wertungen zu vergleichen.[101] Auszugehen ist von der Normalfallmethode: Es ist also zu fragen, welche Fälle üblicherweise unter die Norm fallen. In concreto kann auch nach Gemeinsamkeiten bereits entschiedener Fälle mit dem neuen Fall gesucht werden. Zunächst muss die im Vergleichsfall zum Ausdruck kommende Wertung herausgearbeitet werden, die beiden Fällen innewohnt. Die **Sach- und Interessenlage** muss also in beiden Fällen **wertungsmäßig** dieselbe sein.[102] Man kann insofern auch von einer **analogen Anwendung eines Präjudizes** sprechen.[103] Liegt der Fall dagegen anders, handelt es sich um ein Abweichen („distinguishing", § 7 Rn. 70). Im akademischen Unterricht, aber auch in der Gerichtsverhandlung ist es dabei üblich, nicht nur auf bisher entschiedene Fälle zurückzugreifen, sondern für die Argumentation auch *hypothetische Fälle* zu bilden.[104] 45

Zum Teil wird auch vertreten, dass die Vergleichsfallmethode nicht vom Besonderen auf das Besondere schließt, sondern ein **Vergleichsmoment, das tertium comparatio-** 46

---

[93] Der Methode folgend mit zahlreichen Beispielen aus dem Erbrecht *Würdinger*, JuS 2020, 97 ff.

[94] BGH, Urt. v. 22.1.2015, I ZR 127/13, NJW 2015, 1608 Rn. 13: „Damit ist der vorliegende Fall nicht vergleichbar"; BFH, Urt. v. 16.12.2015, XI R 52/13, BFHE 252, 479 Rn. 40 sowie unten § 7 Fn. 102.

[95] Iul. D. 1,3,12: *Is qui iurisdictioni praeest ad similia proecedere atque ita ius dicere debet.* – Dann muss derjenige, der für die Rechtsprechung zuständig ist, zur Bildung einer analogen Regel fortschreiten und danach Recht sprechen; allgemein zur Fallvergleichung im römischen Recht s. auch *Wacke*, in: Mélanges Sturm, Bd. 1, 1999, S. 550, 563.

[96] *Bydlinski*, Juristische Methodenlehre und Rechtsbegriff, 2. Aufl. 1991, S. 548 ff.; *Schapp*, Hauptprobleme der juristischen Methodenlehre, 1983, S. 64 f.; Zippelius/*Würtenberger*, Juristische Methodenlehre, 12. Aufl. 2020, S. 59 ff.; *Vogel*, Juristische Methodik, 1998, S. 160 ff.; *Haft*, Juristische Rhetorik, 8. Aufl. 2009, S. 89 ff.; vorher schon *Larenz*, in: FS Nikisch, 1958, S. 275, 292 ff.

[97] *Ohly*, AcP 201 (2001), 1, 43.

[98] Etwa *Vandevelde*, Thinking Like a Lawyer, 2nd ed. 2011, S. 116.

[99] *Ohly*, AcP 201 (2001), 1, 43; ähnlich *Langenbucher*, Die Entwicklung und Auslegung von Richterrecht, 1996, S. 99.

[100] Zippelius/*Würtenberger*, Juristische Methodenlehre, 12. Aufl. 2020, S. 59.

[101] *Vogel*, Juristische Methodik, 1998, S. 166.

[102] *Ohly*, AcP 201 (2001), 1, 43. Instruktiv auch die Entscheidung BGH, Urt. v. 9.2.2018, V ZR 311/16, NJW 2018, 1542 Rn. 7 – Nachbarrechtlicher Ausgleichsanspruch: „Ob dies der Fall ist, kann nicht begrifflich, sondern nur in wertender Betrachtung von Fall zu Fall festgestellt werden."

[103] *Ohly*, Richterrecht und Generalklausel im Recht des unlauteren Wettbewerbs, 1997, S. 110; *Vogel*, Juristische Methodik, 1998, S. 167 spricht von einem umgekehrten distinguishing.

[104] *Vandevelde*, Thinking Like a Lawyer, 2nd ed. 2011, S. 302.

nis, eine verallgemeinerungsfähige Regel zwingend voraussetzt.[105] Damit würde zunächst aus dem Besonderen, bereits entschiedenen Fall ein allgemeiner Gedanke abstrahiert werden (**Induktion**). Anschließend würde dann ein Schluss aus diesem allgemeinen Gedanken auf ein anderes Besonderes, den neu zu entscheidenden Sachverhalt, gezogen werden (**Deduktion**).

47 Die Diskussion, ob man direkt vom Besonderen auf das Besondere schließt oder aber nach einem Vergleichsmoment sucht, wurde bei der Einzelanalogie auf der Gesetzesebene schon einmal geführt. Es handelt sich um eine Scheindebatte. Dort wurden beide Lösungswege für denkbar erachtet (§ 6 Rn. 132 ff.). Das Gleiche gilt auch hier: Zuerst wird man nur zwei Fälle miteinander vergleichen. Hier ist der Schluss vom Besonderen auf das Besondere überzeugender. Erst in einem zweiten Schritt hat man die Gelegenheit, mehrere Fälle heranzuziehen, diese zu vergleichen und nach einem Vergleichsmoment oder einem verallgemeinerungsfähigen Rechtssatz zu suchen. Ist dies gelungen, können künftige Fälle einfacher als bisher gelöst werden, weil man die Ähnlichkeit nicht mehr begründen muss, sondern nur noch nachweisen muss, dass der neue Fall unter den allgemeinen Rechtssatz fällt (§ 7 Rn. 52 ff.).

c) Die Argumente im Rahmen der Vergleichsfallmethode

48 Argumentativ kann man auf die Kriterien zurückgreifen, die auch im Rahmen der *Einzelanalogie* von Bedeutung sind (§ 6 Rn. 123 ff., 135 ff.). Für die **Teilgleichheit** des neuen Falls mit früheren Fällen können das **Ähnlichkeitsargument**, der **Erst-Recht-Schluss** und das **Umgehungsargument,** und für die **Ungleichheit** der **Umkehrschluss** und das **argumentum ad absurdum** herangezogen werden. Schließlich muss sichergestellt werden, dass die verbleibenden Unterschiede nicht von solcher Art sind, dass sie eine Ungleichbehandlung rechtfertigen. Ist die Teilgleichheit dann argumentativ begründet, verpflichtet der verfassungsrechtliche Gleichbehandlungsgrundsatz zur Übertragung des bisherigen Falles auf den neuen Fall (§ 6 Rn. 114).

49 *Schwimmbad:* Der BGH hat es in ständiger Rechtsprechung als Vermögensschaden angesehen, wenn ein geschädigtes Kfz nicht genutzt werden kann.[106] Der Ausfall der Nutzungsmöglichkeit wurde als Vermögensschaden kommerzialisiert. Für einen Pelzmantel, der durch einen Dritten beschädigt wurde, soll es dagegen keinen kommerzialisierten Schadensersatz für die entgangene Nutzung geben.[107] Kann der Geschädigte nun einen Schaden geltend machen, wenn er sein Schwimmbad nicht nutzen kann? Der BGH lehnte einen Schadensersatzanspruch wegen der fehlenden Möglichkeit, ein privates Schwimmbad zu nutzen, ab und grenzte diese „Liebhaberei" mit der Vergleichsfallmethode von der Wohnung, dem Haus, dem Mietwagen oder dem Ausfall des Internetzugangs[108] ab.

50 „Allgemein im Mittelpunkt der Wertschätzung steht lediglich die Benutzbarkeit der *Wohnung* oder des *Hauses,* nicht die der jeweils besonderen Einrichtung. Eine Verkehrsauffassung, derzufolge die Benutzbarkeit eines Schwimmbads einen von dessen Substanzwert ‚abspaltbaren' Gebrauchswert darstellen würde, hat sich – zumindest bisher – nicht entwickelt. Das Schwimmbad gilt nach der gegenwärtigen Verkehrsauffassung noch weithin als ‚Liebhaberei'. Es mag – wie ein Pelzmantel – das Lebensgefühl erhöhen.

[105] *Vandevelde* (ebd.), S. 93 ff.; vorher auch *Langenbucher,* Die Entwicklung und Auslegung von Richterrecht, 1996, S. 76 unter Berufung auf *Allen,* Law in the Making, 7th ed. 1964, S. 270. S. auch *Knatchbull v. Hallett* (1880) 13 Ch. D. 696 at p. 712: „The only use of authorities, or decided cases, is the establishment of some principle which the Judge can follow out in deciding the case before him."

[106] BGH, Urt. v. 30.9.1963, III ZR 137/62, BGHZ 40, 345, 348 ff.

[107] BGH, Urt. v. 12.2.1975, VIII ZR 131/73, BGHZ 63, 393, 398 – Pelzmantel.

[108] BGH, Urt. v. 24.1.2013, III ZR 98/12, BGHZ 196, 101 Rn. 9 ff. – Internetzugang.

> Die hierzu aufgewendeten Kosten vermitteln aber nur immaterielle und damit nicht in Geld ersetzbare Werte. Ist das Schwimmbad zur eigenen Nutzung bestimmt, so gibt es keine anerkannten Maßstäbe zur geldmäßigen Bemessung einer zeitweiligen Gebrauchsentbehrung oder Gebrauchsüberlassung, die für einen selbständigen wirtschaftlichen Schaden sprechen könnten (vgl. BGHZ 63, 393, 397). Sie können insbesondere nicht dadurch gewonnen werden, daß auf den üblichen Mietzins abgestellt wird; denn anders als *Mietwagen* pflegen Schwimmbäder nicht vermietet zu werden."[109]

Feuerwerkskörper: Bei der Frage, ob Händler Feuerwerkskörper an Kinder verkaufen dürfen, wäre beispielsweise zu berücksichtigen, dass die Rechtsprechung schon vor Jahren die Haftung von Händlern bejaht hat, die Streichhölzer[110] und Wurfpfeile[111] an Kinder verkaufen. Wenn aber schon Wurfpfeile oder Streichhölzer nicht verkauft werden dürfen, ist es naheliegend mit einem Erst-Recht-Schluss vom Kleineren auf das Größere auch den Verkauf der viel gefährlicheren Feuerwerkskörper zu verbieten. Böllerexplosionen sind in Kinderhänden gefährlicher als das Hantieren mit Zündhölzern. Für den Benutzer ist das drohende Verletzungsausmaß durch die Erhitzung der China-Kracher auf mehr als 2000 Grad viel weniger offensichtlich als der unsachgemäße Gebrauch von Wurfpfeilen oder Streichhölzern.[112] 51

d) Die Bildung eines verallgemeinerungsfähigen Rechtssatzes durch die Kombination von Induktion und Deduktion

Wie bei der Gesamtanalogie (§ 6 Rn. 140 ff.) kann die Kombination von Induktion und Deduktion zu einem allgemeingültigen Rechtssatz führen, der über den direkten Vergleich mit einem anderen Fall hinausgeht. Dieses Vergleichsmoment, das *tertium comparationis*, als verallgemeinerungsfähige Regel gelingt eher, wenn verschiedene **Rechtsprechungslinien** bestehen, die dann eine gewisse Abstraktion (induktiv) ermöglichen. Eine Konkretisierung bietet sich vor allem dann an, wenn sich zahlreiche Rechtsprechungslinien etabliert haben, die zu unterschiedlichen Ergebnissen führen.[113] Erforderlich ist eine Art systematische Auslegung der Rechtsprechung, die nicht nur die linearen Entscheidungsketten, sondern auch die gesamte einschlägige Rechtsprechung umfasst.[114] Der allgemeine Rechtssatz konkretisiert damit den unbestimmten Rechtsbegriff. Er erhebt Geltungsanspruch und dient dazu, die Subsumtion herzuleiten und zu begründen.[115] Dieses Verfahren ist im anglo-amerikanischen Recht wohlbekannt. Auch hier versucht der Richter in der Regel aus verschiedenen Fällen einen allgemeinen Rechtssatz (*general rule*) abzuleiten, um damit künftige Fälle lösen zu können.[116] 52

Der allgemeine Rechtssatz als Vergleichsmoment findet sich oft in Leitsätzen, die einer Entscheidung vorangestellt sind. Bei der Frage, in welchem Umfang für eine beschädigte Sache ein Vermögensschaden wegen entgangener Nutzungsmöglichkeit besteht, kann der BGH bereits auf zahlreiche Entscheidungen zurückblicken. Oft ist es der Große Senat, der 53

[109] BGH, Urt. v. 28.2.1980, VII ZR 183/79, BGHZ 76, 179, 187 – Schwimmbad; s. aber sogleich § 7 Rn. 53 f.

[110] OLG Stuttgart, Urt. v. 8.6.1983, 4 U 185/82, NJW 1984, 182.

[111] BGH, Urt. v. 23.10.1962, VI ZR 26/62, NJW 1963, 101.

[112] *Möllers*, JZ 1999, 24, 27 f. gegen BGH, Urt. v. 26.5.1998, VI ZR 183/97, BGHZ 139, 43 – Feuerwerkskörper I (s. oben § 5 Rn. 93).

[113] *Fikentscher*, Methoden des Rechts, Bd. II, 1975, S. 101 spricht von Präzedenzfallketten und einer „choice between two lines of authority".

[114] *Vogel*, Juristische Methodik, 1998, S. 164.

[115] *Vogel*, Juristische Methodik, 1998, S. 162.

[116] *Vandevelde*, Thinking Like a Lawyer, 2nd ed. 2011, S. 127 f.; *Kischel*, Rechtsvergleichung, 2015, § 5 Rn. 5 ff.

einen Rechtssatz entwickelt, der helfen soll, als allgemeiner Rechtssatz bisher noch ungeklärte Fälle zu entscheiden.

54 *Entgangene Nutzungsmöglichkeit als Schaden:* Im konkreten Fall konnte der Kläger sein Haus nicht mehr nutzen und verlangte hierfür Schadensersatz. Der Große Senat beschränkte den Anspruch wegen entgangener Nutzungsmöglichkeit und verlangte als verallgemeinerungsfähigen Rechtssatz Wirtschaftsgüter von *allgemeiner, zentraler Bedeutung für die Lebenshaltung*, sodass die eigenwirtschaftliche Lebenshaltung typischerweise auf deren ständige Verfügbarkeit angewiesen ist.[117]

55 In einem zweiten Schritt kann man dann neue Fälle entscheiden. Zum Teil reicht alleine der allgemeine Rechtssatz aus, um unbekannte Fälle zu lösen. So war zu entscheiden, ob der unterbrochene Internetanschluss zu einem Schadensersatz wegen entgangener Nutzungsmöglichkeit verpflichtet.[118] Oft muss die Rechtsprechung den Rechtssatz aber weiter präzisieren (§ 8 Rn. 29). Grafisch lässt sich dies wie folgt darstellen:

56 **Grafik: Rechtsfindung im Rahmen der Vergleichsfallmethode**

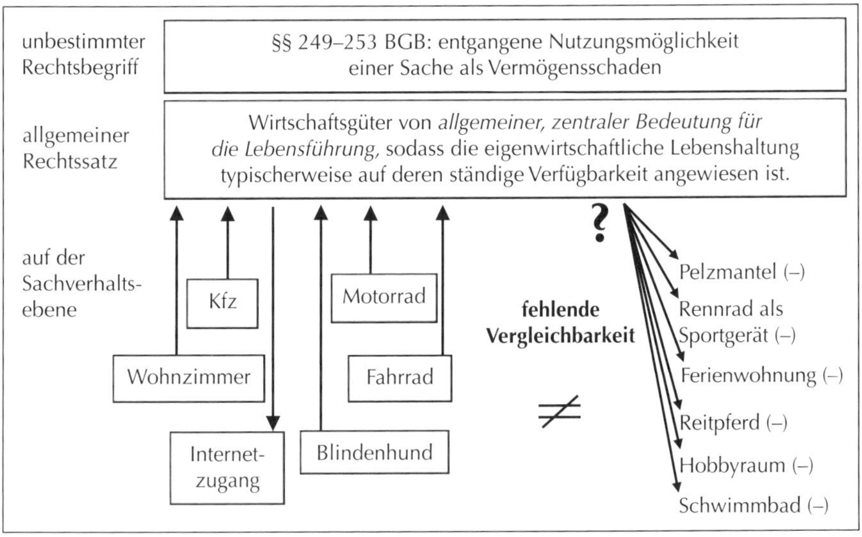

57 **Vertiefung** – *Beschuhter Fuß:* Liegt eine gefährliche Körperverletzung vor, wenn der Täter das Opfer mit einem Schuh an den Kopf tritt?[119]

2. Bindungswirkung von Gerichtsentscheidungen

a) Das anglo-amerikanische Recht: tragende Gründe (ratio decidendi), sonstige Erwägungen (obiter dictum), distinguishing und overruling

58 Im Einzelnen ist es Aufgabe des Gerichts, die tragenden Gründe der früheren Entscheidungen herauszuarbeiten. Dazu sind bei einer Entscheidungskette einzelne Prinzipien und Regeln darzustellen. Sodann ist zu fragen, in welchem Umfang die Präjudizien Ähnlichkeit mit dem zu beurteilenden Fall aufweisen (§ 7 Rn. 45). Die *Stare-decisis*-Rule

[117] BGH, Beschl. v. 9.7.1986, GSZ 1/86, BGHZ 98, 212, 220 ff. – Nutzungsentschädigung.
[118] Bejahend BGH, Urt. v. 24.1.2013, III ZR 98/12, BGHZ 196, 101 Rn. 9 f.
[119] Zur Lösung s. § 15 Rn. 25 f.

führt zu einer Bindungswirkung des Urteils gegenüber jedermann (§ 3 Rn. 44). Sie erlaubt allerdings drei gewichtige Einschränkungen oder Ausnahmen von dieser Bindungswirkung:

aa) Bindungswirkung haben erstens nur die **tragenden Gründe (ratio decidendi)**,[120] nicht aber beiläufige und **nichttragende Erwägungen (obiter dictum**, Plural: *obiter dicta*). Tragende Gründe sind diejenigen Rechtsgrundsätze, die für einen logischen und wertungsmäßig schlüssigen Ableitungszusammenhang zwischen abstrakter Norm und konkreter Entscheidung erforderlich sind, also nicht hinweggedacht werden können, ohne dass dieser Zusammenhang entfiele. Hingegen geht das obiter dictum über den konkret zu entscheidenden Einzelfall hinaus, ist von ihm nicht veranlasst und nicht fallrelevant.[121] Damit wird sich ein Gericht zwar mit dem obiter dictum auseinandersetzen und ihm folgen, wenn es von den Argumenten überzeugt ist.[122] Mangels Bindungswirkung können andere Gerichte oder das Gericht selbst aber jederzeit von einem obiter dictum abweichen.[123] Das obiter dictum des US-amerikanischen Rechts ist somit eine sekundäre Rechtsquelle. 59

bb) Zweitens besteht die Möglichkeit darzutun, dass der vorliegende Sachverhalt andere Umstände aufweist, weshalb die tragenden Gründe des früheren Urteils gerade nicht anwendbar sind. Dieses **Abweichen** wird als ***distinguishing*** bezeichnet.[124] Liegen diese Unterschiede vor, darf von der ratio decidendi eines früheren eigenen Urteils oder eines früheren Urteils eines anderen Gerichts abgewichen werden. 60

Schockschaden: In England wurde ein Vater mit seinen drei Kindern in einen schweren Verkehrsunfall verwickelt, bei dem das jüngste Kind verstarb. Die Mutter, die beim Unfall selbst nicht anwesend war, eilte in das Krankenhaus, und erlitt dort einen Schock, als sie ihre schwerverletzte Familie sah. Solch ein Schock war voraussehbar und deshalb ersatzfähig.[125] – Wenn *dagegen* Zuschauer davon schockiert sind, dass sie bei einer Live-Übertragung im Fernseher miterleben, dass in einem überfüllten Fußballstadion zahlreiche Menschen den Tod finden und dieses Stadion auch von nahestehenden Personen des Zuschauers besucht wurde, fehlt es am engen räumlich-zeitlichen Zusammenhang zum Unfallgeschehen.[126] Ein Abweichen (distinguishing) lässt sich also begründen. 61

cc) Drittens können Gerichte ihre frühere Rechtsprechung gänzlich aufgeben. Könnten Gerichte aber vorbehaltlos von Präjudizien abweichen, bestünde erhebliche Rechtsunsicherheit.[127] Will ein Gericht von einem früheren Präjudiz abweichen, so muss diese Abweichung ausführlich begründet werden.[128] Dieses **overruling**[129] ist nur den höchsten Gerichten erlaubt und geschieht sehr restriktiv.[130] So können technologische Innovationen oder soziale Veränderungen[131] ein Abweichen von früheren Entscheidungen erfordern. Oder aber die frühere Entscheidung war unrichtig und damit falsch bzw. die besse- 62

---

[120] *Hay*, US-amerikanisches Recht, 7. Aufl. 2020, Rn. 22; **a. A.** *Mehren/Murray*, Das Recht in den Vereinigten Staaten von Amerika, 2008, S. 14 f., wonach nur der Urteilsspruch bindet.

[121] Hierzu *Cross/Harris*, Precedent in English Law, 4th ed. 1991, S. 3–10, 24–39; *Schlüter*, Das obiter dictum, 1973, S. 5.

[122] *Vandevelde*, Thinking Like a Lawyer, 2nd ed. 2011, S. 107.

[123] *Bodenheimer*, AcP 160 (1961), 1, 4 f.; *Langenbucher*, Die Entwicklung und Auslegung von Richterrecht, 1996, S. 66 f.

[124] *Summers*, in: MacCormick/Summers, Interpreting Precedents, 1997, S. 355, 390; *Fikentscher*, Methoden des Rechts, Bd. II, 1975, S. 95 ff.

[125] *McLoughlin v. O'Brian* [1983] 1 A.C. 410 at 422 per Lord Wilberforce.

[126] *Alcock v. Chief Constable of South Yorkshire* [1992] 1 A.C. 310 at 405 per Lord Ackner, at 417 per Lord Aylmerton, at 423 per Lord Tullichettle.

[127] House of Lords Practice Statement [1966] 1 W.L.R. 1234.

[128] *Llewellyn*, The case law system in America, 1989, S. 62 ff.

[129] *Summers*, in: MacCormick/Summers, Interpreting Precedents, 1997, S. 355, 396.

[130] *Reg. v. Shivpuri* [1987] A.C. 1 at 8 f.

[131] *Planned Parenthood v. Casey*, 505 U.S. 833, 855 (1992).

ren Gründe sprechen für die nunmehr gewählte Lösung.[132] Dazu müssen zusätzliche, neue Überlegungen (special justification) vorgetragen werden, die bisher noch nicht berücksichtigt wurden.[133] So kann die Rechtsfortbildung das Recht verbessern, wenn es gegenüber dem bisherigen Recht zu einem Mehr an Gerechtigkeit, Vertrauensschutz, Rechtssicherheit und Kohärenz führt.[134] In den USA war die Mehrheitsmeinung des Supreme Court in *Kimble v. Marvel Entertainment* für ein enges Verständnis von overruling. Nur falsche Entscheidungen dürften korrigiert werden, weil Gerichte sich bei der Rechtsfortbildung zurückhalten müssten (judicial self-restraint) und der Gesetzgeber die Möglichkeit hätte, Gesetze oder Rechtsprechung zu korrigieren.[135] In einer dissenting opinion wollten aber mehrere Richter die bisherigen, weiteren Gründe für eine *special justification* zulassen und diese mit den geraden genannten Überlegungen abwägen.[136]

62a Wegen dieses Begründungsaufwandes kommt es nicht selten auch zu einem verdeckten overruling, d.h. einer Aufgabe der Rechtsprechung, ohne dass eine solches Abweichen von der früheren Rechtsprechung ausdrücklich offengelegt wird. Man spricht von **overruling sub silentio.**[137] Oder die Rechtsprechung begründet eine **Ausnahme** um darzulegen, warum der bisher gültige, allgemeine Rechtssatz für den Fall nicht eingreift.[138] Ein schönes Beispiel für ein verdecktes overruling bildet die Entwicklung der Produzentenhaftung in den USA durch den berühmten Richter *Cardozo* in der Entscheidung *Mac Pherson v. Buick Motor Company.*[139]

63 *Mac Pherson v. Buick Motor Company:* Der Kläger hatte einen Buick von einem Händler erworben und verunglückte mit diesem Fahrzeug wegen eines defekten Holzrades. Der Automobilhersteller hätte bei sorgfältiger Untersuchung bei Herstellung des Wagens den Defekt des Rades erkennen können. In der Vergangenheit konnten Ansprüche wegen fahrlässiger Pflichtverletzung nur aus Vertrag geltend gemacht werden. Ein solcher vertraglicher Anspruch fehlt aber zwischen Käufer und dem Automobilhersteller als Drittem (sog. *privity rule*). Fraglich war nun, ob der Automobilhersteller dem Kläger als Drittem aus dem deliktsrechtlichen Institut *negligence* (Fahrlässigkeit) haftet, also ob er auch jedem anderen gegenüber zur Sorgfalt verpflichtet war und nicht nur gegenüber dem Händler als vertraglichem Zwischenkäufer. *Cardozo* konnte nun in seiner Urteilsbegründung auf eine Reihe von Fällen aus der Rechtsprechung zurückgreifen, die einen solchen unmittelbaren Schadensersatzanspruch aus negligence ausnahmsweise für *gefährliche Produkte (inherently dangerous)* begründet hatten: Als gefährliches Produkt wurde zum Beispiel ein Gift angesehen, das fälschlicherweise als Medikament deklariert wurde,[140] ein mangelhaft konstruiertes 90 Fuß hohes Gerüst, welches zusammenbrach und den angestellten Maler des Gerüstkäufers töd-

---

[132] *The Propeller Genesee Chief v. Fitzhugh,* 53 U.S. 443, 459 (1851): „the former decision was founded in error"; *Payne v. Tennessee,* 501 U.S. 808, 830 (1991): „these decisions [...] were wrongly decided and should be, and now are, overruled". S. zum Streit über die Aufgabe zur früheren Rechtsprechung durch die FRoSTA-Entscheidung des BGH unten § 15 Rn. 57 ff.

[133] *Payne v. Tennessee,* 501 U.S. 808, 849 (1991): „Consequently, this Court has never departed from precedent without 'special justification'."

[134] House of Lords Practice Statement [1966] 1 W.L.R. 1234; *Patterson v. McLean Credit Union,* 491 U.S. 164, 173; s. auch *C. (A Minor) v. D.P.P.* [1996] A.C. 1, 28 per Lord Lowry (H.L. (E.)); knapp bei *Langenbucher,* Die Entwicklung und Auslegung von Richterrecht, 1996, S. 130; *Vogenauer,* Die Auslegung von Gesetzen in England und auf dem Kontinent, 2001, S. 1241 sowie unten § 13 Rn. 58 ff.

[135] *Kimble v. Marvel Entertainment LLC,* 135 S. Ct. 2401, 2405 ff., 2409 (2015) – Overruling sowie unten § 13 Rn. 38, 92 f.

[136] S. die Richter *Alito, Roberts* und *Thomas* in ihrer dissenting opinion, *Kimble v. Marvel Entertainment LLC,* 135 S. Ct. 2401, 2415 ff. (2015) – Overruling. Hierzu *Klein,* JZ 2018, 64, 69.

[137] *Vandevelde,* Thinking Like a Lawyer, 2nd ed. 2011, S. 132 f.; *Gerhardt,* The Power of Precedent, 2008, S. 35.

[138] *Vandevelde* (ebd.), S. 133 f.

[139] *MacPherson v. Buick Motor Co.,* 111 N.E. 1050 (N.Y. 1916) – Gefährdungshaftung für Kfz-Hersteller.

[140] *Thomas v. Winchester,* 6 N.Y. 397 at 409 f. (N.Y. 1852).

lich verletzte,[141] und eine explodierende mit Dampfdruck betriebene Kaffeemaschine.[142] Als nicht gefährlich galten dagegen ein kleines Rädchen in einer Maschine, das aufgrund eines Mangels zersprang und einen Dritten verletzte,[143] sowie ein explodierender Dampfkessel, allerdings nur deshalb, weil der Käufer den Kessel getestet und dies dem Hersteller auch mitgeteilt hatte.[144] Bei dem Medikament als Gift, dem Gerüst und der Kaffeemaschine mit Dampfdruck war für den Hersteller vorhersehbar, dass das Produkt aufgrund seiner Beschaffenheit für den Nutzer gefährlich werden konnte.

Cardozo hatte jetzt im Grunde zwei Möglichkeiten: Entweder er fasst den Begriff des gefährlichen Produkts enger und beschränkt sich damit auf die Fälle, in denen ein Produkt schon seiner typischen Beschaffenheit nach gefährlich ist („inherently dangerous"), wie etwa das Gift. Oder er definiert das gefährliche Produkt weiter und nimmt ein solches bereits dann an, wenn das Produkt durch die fahrlässige Herstellung für Leib und Leben all jener gefährlich würde, die typischerweise dieses Produkt ohne weitere Durchführung von Tests benutzen. Er entschied sich für die weitere Haftung und begründete dies u.a. mit der fortschreitenden technischen Entwicklung.[145] Im Ergebnis handelte es sich um eine Aufgabe der früheren Rechtsprechung und damit ein overruling, weil er die Haftung auch auf Produkte erweiterte, die nach ihrer Beschaffenheit nicht offensichtlich gefährlich sind.[146] **64**

Die Entscheidung *Brown v. Board of Education* zur Rassendiskriminierung gehört zu den berühmtesten Entscheidungen des US-amerikanischen Supreme Court als höchstes Gericht der USA. Im Gegensatz zu seinen früheren Entscheidungen erklärte der Supreme Court die bisherige Rassentrennung für unvereinbar mit der Verfassung und gab damit seine früher entwickelte *Separate-but-equal*-Doktrin ausdrücklich auf. Diese verlangte nur eine Gleichbehandlung des Einzelnen innerhalb der Rasse. Hintergrund des overruling war die Überlegung, dass Schulbildung heutzutage elementar für staatsbürgerliche Haltung, soziale Integration und berufliche Qualifikation sei und deshalb die einschlägige Verfassungsnorm[147] im heutigen Verständnis und nicht nach dem historischen Willen von 1787, 1868 oder 1896 auszulegen ist.[148] **65**

In Australien ist die *Mabo*-Entscheidung fundamental, da die Regel aufgegeben wurde, dass das zu besiedelnde Land keinem gehöre (*terra nullius*). Damit wurden erstmals den Aborigines Eigentumsrechte an dem unbesiedelten Land zugestanden.[149] **66**

---

[141] *Devlin v. Smith*, 89 N.Y. 470 at 478 (N.Y. 1882).

[142] *Statler v. Ray Mfg. Co.*, 88 N.E. 1063 at 1064 f. (N.Y. 1909).

[143] *Loop v. Litchfield*, 42 N.Y. 351 at 359 f. (N.Y. 1870).

[144] *Losee v. Clute*, 51 N.Y. 494 (N.Y. 1873).

[145] *MacPherson v. Buick Motor Co.*, 111 N.E. 1050 at 1053 (N.Y. 1916) – Gefährdungshaftung für Kfz-Hersteller: „We hold, that the principle of Thomas v. Winchester is not limited to poisons, explosives, and things of like nature, to things which in their normal operation are implements of destruction. If the nature of a thing is such that it is reasonably certain to place life and limb in peril when negligently made, it is then a thing of danger."

[146] So deutlich *Summers*, in: MacCormick/Summers, Interpreting Precedents, 1997, S. 355, 402 f.; *Hager*, Rechtsmethoden in Europa, 2009, 4. Kp. Rn. 129 f.; **a.A.** *Langenbucher*, Die Entwicklung und Auslegung von Richterrecht, 1996, S. 88: Auslegung der ratio decidendi.

[147] Die Equal Protection Clause des Amendment 14 Sec. 1 U.S.Const. verbietet den Staaten „to deny to any person […] the equal protection of the laws", s. *Brugger*, Einführung in das öffentliche Recht der USA, 2. Aufl. 2001, S. 129 f.

[148] *Brown v. Board of Education*, 347 U.S. 483 at 495 (1954) – Gleichberechtigung der Rassen: „The 'separate but equal' doctrine adopted in *Plessy v. Ferguson*, 163 U.S. 537 (1896), has no place in the field of public education […]"; vorher schon die dissenting opinion von *Harlan*, in: Plessy v. Ferguson, 163 U.S. 537 at 552 f. (1896). Auch die Entscheidung, welche den Schwangerschaftsabbruch legalisierte, war ein solches overruling, s. *Roe v. Wade*, 410 U.S. 113 (1973) – Schwangerschaftsabbruch.

[149] *Mabo v. Queensland* [No. 2] (1992) 175 C.L.R. 1 at 42: „The fiction by which the rights and interests of indigenous inhabitants in land were treated as non-existent was justified by a policy which has no place in the contemporary law of this country." Die Entscheidung erging 4:3; zu der Entscheidung s. *Butt/Eagleson/Lane*, Mabo, Wik & Native Title, 4th ed. 2001.

b) Das deutsche Recht: tragende Gründe (ratio decidendi), sonstige Erwägung (obiter dictum), distinguishing und overruling

67 Anders als im anglo-amerikanischen Recht gelten Entscheidungen der Gerichte in Deutschland nur zwischen den Parteien („inter partes") und nicht gegenüber jedermann („erga omnes"). Sie sind damit schwächer als Gesetze, können als sekundäre Rechtsquellen aber auch Befassungs- und Befolgungspflichten auslösen (§ 3 Rn. 14 ff.). Davon gibt es eine gewichtige Ausnahme: Entscheidungen des BVerfG binden alle staatliche Gewalt, vgl. § 31 BVerfGG (§ 3 Rn. 47).

68 aa) Auch im deutschen Recht ist bei Gerichtsentscheidungen zwischen den **tragenden Gründen *(ratio decidendi)*** und den **sonstigen Erwägungen *(obiter dictum)*** zu unterscheiden.[150] Das BVerfG hatte im Rahmen der Schwangerschaftsabbruchsentscheidung festgestellt, dass ein Kind nicht als Schaden im rechtlichen Sinne qualifiziert werden dürfe.[151] Der BGH ist dem nicht gefolgt, sondern stufte diesen Teil des Urteils als rechtlich nicht bindendes obiter dictum ein. Inhaltlich begründet er gleichwohl ein Abweichen von der Rechtsprechung des BVerfG; wörtlich schreibt der BGH:

69 „Indessen hat der 2. Senat des Bundesverfassungsgerichts in seinem Urteil vom 28. Mai 1993 – 2 BvF 2/90 u.a. – NJW 1993,1751 ff. in Leitsatz 14 sowie unter D V 6 der Gründe in diesem Punkt Bedenken gegen die Rechtsprechung des erkennenden Senats erhoben. Auch wenn *diesen Ausführungen keine Bindungswirkung beikommt* und der erkennende Senat seine Rechtsprechung schon mehrfach kritischer Prüfung unterzogen hat (vgl. z.B. Senatsurteile BGHZ 76, 249, 252 sowie vom 19. Juni 1984 – a.a.O.), machen *sie doch eine neuerliche eingehende Prüfung der Rechtslage erforderlich.*

Das Bundesverfassungsgericht hat ausgeführt, eine rechtliche Qualifikation des Daseins eines Kindes als Schadensquelle komme von Verfassung wegen (Art. 1 Abs. 1 GG) nicht in Betracht. Die Verpflichtung aller staatlichen Gewalt, jeden Menschen in seinem Dasein um seiner selbst willen zu achten – insoweit werde auf I 1 a des gleichen Urteilsabschnitts verwiesen – *verbiete es, die Unterhaltspflicht für ein Kind als Schaden zu begreifen.* Die Rechtsprechung der Zivilgerichte zur Haftung für ärztliche Beratungsfehler oder für fehlgeschlagene Schwangerschaftsabbrüche bedürfe deshalb der Überprüfung.

Der Senat vermag indes diesem Hinweis des Bundesverfassungsgerichts keine Begründung zu entnehmen, die im vorliegenden Fall einer Beurteilung der Aufwendungen für den Unterhalt als Schaden entgegenstünde."[152]

70 bb) Es ist zu prüfen, in welchem Umfang höchste deutsche Gerichte von einer eigenen früheren Entscheidung oder der Entscheidung eines anderen Gerichts abweichen können, wenn ein anderer Sachverhalt gegeben ist ***(distinguishing)***. Der BGH hat in verschiedenen Entscheidungen Kriterien festgelegt, in welchen Fällen eine solche Abweichung zulässig ist. So setzt die Vorlagepflicht des § 121 Abs. 2 GVG voraus, dass das zu fällende Urteil auf einer Rechtsansicht beruht, die von einem Urteil des BGH oder eines anderen OLG abweicht.[153] Vergleichbares gilt nach § 16 BVerfGG.[154] Dies ist nicht der Fall

---

[150] *Schlüter*, Das obiter dictum, 1973, S. 7 ff.; *Payandeh*, Judikative Rechtserzeugung, 2017, S. 452 ff.

[151] BVerfG, Urt. v. 28.5.1993, 2 BvF 2/90, BVerfGE 88, 203, 296 und Leitsatz 14 – Schwangerschaftsabbruch II.

[152] BGH, Urt. v. 16.11.1993, VI ZR 105/92, BGHZ 124, 128, 136 ff. – Wrongful Life.

[153] BGH, Beschl. v. 15.10.1952, 5 StR 763/52, BGHZ 3, 234 – Vorlegungspflicht. Vertiefend *Klein*, JZ 2018, 64 ff.

[154] In der Recht auf Vergessen II-Entscheidung stellte der erste Senat umfangreich fest, warum er nicht von der Solange II-Rechtsprechung des zweiten Senats abweicht. Nach seiner Ansicht habe Solange II nur die Gültigkeit oder Wirksamkeit von Unionsrecht betroffen, während er jetzt über die „richtige Anwendung im Lichte des klaren oder geklärten Gehalts der Unionsgrundrechte" entscheide, s. BVerfGE 152, 216 Rn. 90 – Recht auf Vergessen II (§ 2 Rn. 106 ff.). Krit. hierzu § 2 Rn. 108.

bei bloßen, rechtlich unverbindlichen Empfehlungen und Hinweisen.[155] Auch „Formulierungen, die verallgemeinernd über den zu entscheidenden Fall hinausgreifen, binden selbst dann nicht, wenn sie in dem Teil der Gründe stehen, auf dem die Entscheidung beruht."[156] Ebenso besteht keine Vorlagepflicht, wenn sich die Sachverhalte so unterschiedlich darstellen, dass es sich angesichts dessen nur um allgemeine Rechtsausführungen handelt, die über die beurteilten Fälle hinausgehen.[157] Zudem ist erforderlich, dass von den wirklichen Gründen des Urteils abgewichen wird – ein bloßes Abweichen von dem veröffentlichten Leitsatz reicht nicht aus, um eine Vorlagepflicht zu begründen.[158]

cc) Schließlich ist die Frage des **overruling**, also des Abweichens von der bisherigen Rechtsprechung, zu erörtern. Die Bindungswirkung von Entscheidungen des BVerfG (§ 3 Rn. 47) gilt nicht für das BVerfG selbst.[159] Vergleichbar mit dem anglo-amerikanischen Recht stellte das BVerfG fest, dass es eigene Präjudizien aufgeben kann. Zum Teil werden wie im anglo-amerikanischen Recht (§ 7 Rn. 62) für eine solche Rechtsprechungsänderung besondere Gründe verlangt, die „sich vor allem aus einer wesentlichen Änderung der […] maßgeblichen, tatsächlichen oder rechtlichen Verhältnisse oder der ihr zugrunde liegenden Anschauungen ergeben können".[160] Zum Teil ist das BVerfG aber großzügiger und verzichtet auf einen solchen Nachweis.[161] Dann ist eine Rechtsprechungsänderung aber zu begründen[162]; zudem müssen Gerichte die Grundsätze des Vertrauensschutzes wahren.[163] Folgerichtig verstößt es gegen das Gebot der Methodenehrlichkeit, wenn ein Abweichen stillschweigend geschieht.[164] 71

3. Die Vergleichsfallmethode des EuGH

Der EuGH argumentiert auch mit der Vergleichsfallmethode: In einer Entscheidungskette entwickelte er beispielsweise zuerst eine Staatshaftung für die Nichtumsetzung von Richtlinien durch das nationale Parlament und erweiterte dann die Staatshaftung für die Missachtung europäischen Rechts durch die nationale Verwaltung oder das nationale Gericht (§ 12 Rn. 123 ff.). An anderer Stelle wurde bereits im Rahmen der Einzelanalogie der Vergleich der Rolle des Parlaments mit der des Rates oder der Kommission diskutiert (§ 6 Rn. 176).[165] Für den EuGH ist es einfacher als für das BVerfG seine Entscheidungen zu korrigieren, da es eine mit § 31 BVerfGG vergleichbare Norm im europäischen Recht nicht gibt (§ 3 Rn. 41 f.).[166] 72

---

[155] BGH, Beschl. v. 4.12.1962, 5 StR 440/62, BGHSt 18, 156, 159 – Preisüberhöhung; BGH, Beschl. v. 28.6.1977, 5 StR 30/77, NJW 1977, 1459; BGH, Beschl. v. 6.11.1985, IVa ZB 5/85, BGHZ 96, 198, 201 – Wiederverheiratungsklausel.

[156] BGH, Beschl. v. 9.4.1963, 5 StR 50/63, NJW 1963, 1214; OLG Köln, Beschl. v. 18.9.1973, Ss (OWi) 174/73, NJW 1974, 377, 378.

[157] BGH, Beschl. v. 31.10.1978, 5 StR 432/78, BGHSt 28, 165, 166.

[158] BayObLG, Urt. v. 30.9.1971, RReg. 4 St 50/71, NJW 1972, 302. Zur unkritischen Verwendung von Leitsätzen s. *Fleischer*, ZIP 2018, 605 ff.

[159] BVerfG, Urt. v. 11.8.1954, 2 BvK 2/54, BVerfGE 4, 31, 38; BVerfG, Beschl. v. 19.11.1991, 1 BvR 1425/90, BVerfGE 85, 117, 121.

[160] BVerfG, Urt. v. 15.7.1997, 1 BvL 20/94, BVerfGE 96, 260, 263 – Normwiederholung; BVerfG, Beschl. v. 4.7.2000, 1 BvL 15/99, BVerfGE 102, 127, 141 f.; Sachs/*Detterbeck*, GG, 9. Aufl. 2021, Art. 94 Rn. 13. Zu einzelnen Fallgruppen s. *Kähler*, Strukturen und Methoden der Rechtsprechungsänderung, 2. Aufl. 2011, S. 82 ff.; *Payandeh*, Judikative Rechtserzeugung, 2017, S. 474 ff.

[161] BVerfG, Beschl. v. 15.1.2009, 2 BvR 2044/07, BVerfGE 122, 248, 277: „Es bedarf nicht des Nachweises wesentlicher Änderungen der Verhältnisse oder der allgemeinen Anschauungen."

[162] BVerfG, KBeschl. v. 4.8.2004, 1 BvR 1557/01, NVwZ 2005, 81, 82 – Zusatzversorgungssysteme der DDR; Sachs/*Nußberger*, GG, 9. Aufl. 2021, Art. 3 Rn. 129; BVerfG, Beschl. v. 6.12.2019, 1 BvR 276/17, BVerfGE 152, 216 Rn. 67– Recht auf Vergessen II: Rechtsschutz wird für den Bürger erhöht (§ 2 Rn. 109).

[163] § 3 Rn. 31 ff. und *Klein*, JZ 2018, 64, 67 f.

[164] So bereits *Fikentscher*, Methoden des Rechts, Bd. IV, 1977, S. 243; zum US-amerikanischen Recht insoweit s. gerade § 7 Rn. 62a.

[165] EuGH, Urt. v. 4.10.1991, C-70/88, EU:C:1991:373, Rn. 22 ff. – Parlament/Rat.

[166] S. EuGH, Urt. v. 24.11.1993, C-267/91 u.a., EU:C:1993:905, Rn. 16 – Keck.

4. Einzelne Argumentationsfiguren zum Richterrecht

a) Grundsatzentscheidungen und gefestigte Rechtsprechung als Argumentationsfiguren

73 Der Hinweis auf die bisherige Rechtsprechung hat in der Praxis Juristischer Methoden eine immens wichtige Bedeutung, zitieren Gerichte doch regelmäßig ihre eigene Rechtsprechung. Hier wirkt die Überlegung mit, dass das Gericht kraft seiner Autorität Recht spricht (zur „auctoritas", § 3 Rn. 19). Von den zahlreichen Entscheidungen werden die wichtigsten als **Grundsatzurteile** („leading cases") bezeichnet. Das sind solche, die zu Beginn einer ganzen Entscheidungskette stehen. Entscheidet das Gericht wiederholt in einem bestimmten Sinne, nennt das BVerfG eine solche Entscheidungs- oder Präjudizienkette **ständige Rechtsprechung.**[167] Der BGH benutzt den Begriff der **gefestigten Rechtsprechung.**[168] Der Nachweis einer gefestigten Rechtsprechung wird umso überzeugender, je länger sie sich in die Vergangenheit zurückführen lässt *(longa inveterata consuetudo)*. Diese kann sich dann nach der bisher noch überwiegenden Meinung zum Gewohnheitsrecht entwickeln, während die neuere Meinung nur noch von einer gefestigten Rechtsprechung spricht (§ 3 Rn. 29).

74 Allerdings verlangt der Hinweis auf die bisherige Rechtsprechung auch die Überzeugung, dass es sich um richtiges Recht handelt (zur „veritas" § 3 Rn. 15). Anders formuliert: Der Hinweis auf eine Entscheidungskette ersetzt nicht die Argumentation. Ein solcher Hinweis ist nur dann überzeugend, wenn in früheren Grundsatzurteilen eine inhaltliche Argumentation tatsächlich auch stattgefunden hat.[169] Manchmal kommt es vor, dass Zitate nicht tragen, weil auch in früheren Entscheidungen eine Begründung fehlt.[170] Zudem können sich die damals einschlägigen Überlegungen im heutigen Kontext anders darstellen. Es ist stets im Einzelfall zu prüfen, ob der Hinweis auf die bisherige Rechtsprechung als Argumentationsfigur jeweils mit dem gewissen Maß an Dauerhaftigkeit, Autorität und Überzeugungskraft einhergeht. Eine Änderung der Rechtsprechung ist demnach nur dann überzeugend, wenn sie sich mit den Argumenten der bisherigen Rechtsprechung auseinandersetzt.

b) Argumentationsfiguren zur Hierarchie des Richterrechts

75 aa) Die Rechtsprechung lässt sich auch zueinander ins Verhältnis setzen. Dies kann relevant sein, wenn verschiedene Präjudizien für den Fall einschlägig sind.[171] Die Gewichtigkeit der Entscheidungen lässt sich nach dem Gerichtsaufbau gliedern, also AG, LG, OLG, BGH oder VG, OVG, BVerwG etc. Damit hat das höherrangige Präjudiz mehr Gewicht als das niedrigere (*judicium superius derogat judicio inferiori*).[172] Demgegenüber haben die Entscheidungen des BVerfG gem. § 31 BVerfGG eine strikte Bindungswirkung; sie heben gegebenenfalls Entscheidungen der anderen Bundesgerichte auf.[173] Die obersten Bundesgerichte setzen sich auch dann mit Entscheidungen des BVerfG auseinander,

[167] S. BVerfG, Beschl. v. 24.1.1995, 1 BvR 1229/94, BVerfGE 92, 122, 123.

[168] BGH, Beschl. v. 9.10.1982, GSZ 1/82, BGHZ 85, 64, 66 – Prozessvergleich; BGH, Urt. v. 25.2.1994, V ZR 63/93, BGHZ 125, 218, 222. Nach *Alexy/R. Dreier*, in: MacCormick/Summers, Interpreting Precedents, 1997, S. 17, 50 f. ist die gefestigte Rechtsprechung langandauernder als die ständige Rechtsprechung.

[169] Zur Begründungspflicht s. § 1 Rn. 39 ff.

[170] Zum Problem von Fehlzitaten, s. *Möllers*, Juristische Arbeitstechnik und wissenschaftliches Arbeiten, 10. Aufl. 2021, § 5 Rn. 28.

[171] Angesprochen auch bei *Alexy/R. Dreier*, in: MacCormick/Summers, Interpreting Precedents, 1997, S. 17, 59.

[172] *Vogel*, Juristische Methodik, 1998, S. 88.

[173] S. hierzu § 3 Rn. 47.

wenn einer Passage mangels tragender Gründe keine Bindungswirkung zukommt (§ 7 Rn. 68 f.). Die Entscheidungen der obersten Bundesgerichte sind wiederum den Entscheidungen der jeweiligen Großen Senate bzw. dem Gemeinsamen Senat der obersten Gerichtshöfe des Bundes (§ 3 Rn. 48 ff.) untergeordnet.

bb) Das jüngere Präjudiz hat mehr Gewicht als das ältere (*judicium posterius derogat judicio priori*).[174] Beispielsweise knüpft der BGH öfters an seine eigenen Entscheidungen und nicht an Entscheidungen des Reichsgerichts an. Gibt es eine gefestigte Rechtsprechung, steigt die Überzeugungskraft, wenn jüngere Urteile zu der einschlägigen Problematik existieren, weil dann nicht argumentativ nachgewiesen werden muss, dass die Umstände unverändert geblieben sind (§ 3 Rn. 14 f.). 76

cc) Zudem geht das speziellere Urteil dem allgemeineren vor (*judicium speciale derogat judicio generali*).[175] Damit sind die Entscheidungen, die einen spezielleren, einschlägigeren Rechtssatz enthalten und damit für den Vergleichsfall (§ 7 Rn. 45 ff.) geeignet sind, von höherem Gewicht als diejenigen, die ausschließlich allgemein argumentieren. 77

5. Die rechtsvergleichende Methode: Das „Wie"

Im Rahmen der Rechtsquellenlehre wurde bereits thematisiert, wann vor allem *ausländische Gerichtsentscheidungen* zwingend oder freiwillig zu berücksichtigen sind („ob"). Der nationale Richter *muss* rechtsvergleichend im Hinblick auf ausländische Urteile arbeiten, wenn er internationales Einheitsrecht anwendet oder das nationale Recht auf europäischem Recht, z. B. auf einer Richtlinie, beruht (§ 3 Rn. 83 f.). Solange ausländisches oder europäisches Recht keine Geltung in Deutschland beansprucht, *kann* ein ausländisches Urteil nur als Rechtserkenntnisquelle (§ 3 Rn. 94) und damit auf freiwilliger Basis herangezogen werden. Im Folgenden soll auch beim „wie" weiter differenziert werden. 78

a) Verpflichtende Rechtsvergleichung am Beispiel des Einheitsrechts und im europäischen Recht

Zur einheitlichen Anwendung des UN-Kaufrechts hat das nationale Gericht ausländische Entscheidungen wahrzunehmen (§ 3 Rn. 79 ff.). Dies ist problematisch, wenn die Urteile in fremder Sprache abgefasst oder schwer zugänglich sind. Zahlreiche Datenbanken erleichtern inzwischen aber den Zugang zu den ausländischen Entscheidungen.[176] Geht man von einer „persuasive authority" aus, besteht eine Befassungs- und subsidiäre Befolgungspflicht (§ 3 Rn. 95). 79

Noch schwieriger wird die horizontale Rechtsvergleichung, wenn es darum geht, rechtsvergleichend nach den Wurzeln europäischen Rechts zu suchen. Hier steht der Aufbau von Datenbanken erst am Anfang.[177] Für einzelne Verordnungen ist man schon weiter.[178] Im Zweifel wird man auch auf rechtsvergleichende Untersuchungen der Wissenschaft zurückgreifen können.[179] 80

b) Freiwillige Rechtsvergleichung

aa) Bei der freiwilligen Rechtsvergleichung sind die Strukturen noch deutlich weniger gesichert. Hier fehlt es an jeglicher Bindungswirkung ausländischer Gerichtsentschei- 81

---

[174] *Vogel*, Juristische Methodik, 1998, S. 89.

[175] *Vogel*, Juristische Methodik, 1998, S. 90.

[176] *Bergsten*, in: Janssen/Meyer, CISG Methodology, 2009, S. 5, 30 f.; *De Ly*, in: Ferrari, The 1980 Uniform Sales Law, 2003, S. 335 ff.; Schlechtriem/Schwenzer/Schroeter/*Ferrari*, Kommentar zum Einheitlichen UN-Kaufrecht, 7. Aufl. 2019, Art. 7 CISG Rn. 18 ff.; von den zahlreichen Webseiten s. etwa www.unilex.info; www.cisg-online.ch/index.cfm?pageID=94.

[177] S. dazu www.network-presidents.eu sowie https://beta.e-justice.europa.eu/.

[178] S. etwa www.unalex.eu (kostenpflichtig).

[179] Zum DCFR und CESL s. unten § 8 Rn. 25 und § 9 Rn. 69.

dungen. Traditionell ist man sich bei der rechtsvergleichenden Arbeit weitgehend einig, dass man problemorientiert arbeitet, also **funktional** fragt, wie ein Sachproblem vergleichbar in einer anderen Rechtsordnung gelöst wird. Vergleichen kann man das, was im ausländischen Recht dieselbe Funktion wie im eigenen Recht erfüllt.[180] Die Lehre von den Rechtskreisen versucht die Rechtsvergleichung zu vereinfachen, indem sie mehrere Staaten nach ihrer geschichtlichen Entwicklung, dem juristischen Stil, den Rechtsinstituten und Rechtsquellen einem Rechtsstil und damit einem Rechtskreis zuordnet, etwa dem romanischen, deutschen, anglo-amerikanischen, nordischen etc.[181] Man sucht nach gleichen Ordnungsaufgaben unter vergleichbaren gesellschaftlichen Umständen und nicht nach isolierten Wesenszügen des einen oder anderen Systems. Weniger wichtig ist damit die dogmatische Einordnung des Problems. Die Funktion wird hier zum Vergleichsmoment, dem *tertium comparationis*.[182] Gerichte verfügen oft nicht über rechtsvergleichende Expertise. Sie können allerdings entsprechende Gutachten einholen.[183] Zudem kann eine Partei im Prozess ausländische Urteile einbringen, um eine bestimmte Rechtsansicht mit rechtsvergleichenden Argumenten zu verstärken. Der Grundsatz „iura novit curia" (Das Gericht kennt das Recht), wonach die Parteien im Gerichtsverfahren weder Ausführungen noch Beweisangebote zu dem nach ihrer Auffassung einschlägigen Recht im konkreten Einzelfall machen müssen, gilt insoweit nur eingeschränkt.

82 „Funktional wird der Schutz Angehöriger im französischen und anglo-amerikanischen Rechtskreis bereits durch das Deliktsrecht gewährleistet. Im deutschen Recht wird der Angehörige nicht ausreichend durch das Deliktsrecht geschützt (Exkulpationsmöglichkeit bei § 831 BGB und Problematik eines solventen Schuldners bei § 823 BGB), daher ist ein Rückgriff auf den Vertrag mit Schutzwirkung zugunsten Dritter nötig."[184] – Große Teile des Unlauterkeitsrechts werden in anderen Rechtsordnungen nicht durch Spezialgesetze, wie beispielsweise das UWG in Deutschland, sondern mit deliktsrechtlichen Generalklauseln gelöst.[185]

83 An der funktionalen Rechtsvergleichung ist kritisiert worden, dass sie einen klaren Methodenkanon vermissen lasse. Es bestünde die Gefahr, dass die Rechtsvergleichung zu sehr nach Gemeinsamkeiten suche, wo diese nicht vorhanden sind und dass der Rechtsvergleicher immer mit seinem nationalen Vorverständnis arbeite.[186] Dem wird m. E. zu Recht entgegengehalten, dass das Vergleichen von Sachverhalten und Rechtsregeln zum täglichen Brot des Juristen gehört,[187] wie die Rechtsanalogie (§ 6 Rn. 140 ff.) und die Vergleichsfallmethode (§ 7 Rn. 44 ff.) zeigen. Zudem besteht der Reiz der funktionalen Rechtsvergleichung gerade darin, sich bei der Vergleichung nicht auf Rechtsregeln zu beschränken, sondern die *soziale Wirklichkeit* miteinzubeziehen.[188] Ähnlich fordert die

---

[180] Zum Grundsatz der Funktionalität, s. *Kötz*, RabelsZ 54 (1990), 203, 209 f.; Zweigert/*Kötz*, Einführung in die Rechtsvergleichung, 3. Aufl. 1996, S. 11, 33; *Esser*, Grundsatz und Norm, 1956, S. 31 ff., 349 f.; *Junker*, JZ 1994, 921, 922.

[181] Zu den Vor- und Nachteilen einer solchen Rechtskreislehre s. Zweigert/*Kötz* (ebd.), S. 62 ff.; *Pargendler*, 60 Am. J. Comp.L. 1043 ff. (2012); *David/Jauffret-Spinosi/Goré*, Les grand systèms de droit contemporains, 12e éd. 2016, S. 348; *Kischel*, Rechtsvergleichung, 2015, § 4 Rn. 1 ff.

[182] *de Cruz*, Comparative Law in a Changing World, 2nd ed. 1999, S. 230 ff.; *Michaels*, in: Reimann/Zimmermann, The Oxford Handbook of Comparative Law, 2nd ed. 2019, S. 346, 351, 386 f.

[183] § 293 ZPO, s. § 3 Rn. 88.

[184] Zweigert/*Kötz*, Einführung in die Rechtsvergleichung, 3. Aufl. 1996, S. 459. Zum Vertrag mit Schutzwirkung zugunsten Dritter ausführlich unten § 10 Rn. 82 ff.

[185] S. *Möllers/Heinemann (eds.)*, The Enforcement of Competition Law in Europe, 2007, S. 58.

[186] Zum Streitstand s. die Kritik *Curran*, 46 Am. J.Comp.L. 43, 67 ff. (1998); *Husa*, RabelsZ 67 (2003), 419 ff.; *Piek*, ZEuP 2013, 60 ff.; *Michaels*, in: Reimann/Zimmermann (ebd.), S. 346 ff.; *Kischel*, Rechtsvergleichung, 2015, § 3 Rn. 6 ff.

[187] So bereits *von Kues*, De docta ignorantia, 1440, liber I cap. I: *Comparativa igitur est omnis inquisitio.* – Jede Forschung ist also eine Vergleichende.

[188] Zweigert/*Kötz* (ebd.), S. 45; *Michaels*, in: Reimann/Zimmermann (ebd.), S. 345, 386; *Kischel*, Rechtsvergleichung, 2015, § 3 Rn. 6 ff.; *Rosenau*, in: FS Puppe, 2001, S. 1597, 1608 f.

Rechtsanthropologie, Denkarten („modes of thought“) einzelner Kulturen zu identifizieren, die zu Gemeinsamkeiten oder Unterschieden führen.[189]

bb) Weniger klar ist dann allerdings die Überlegung, wie selektiv man bei der rechtsvergleichenden Arbeit vorgehen darf, d. h. **welche Rechtsordnungen** berücksichtigt werden dürfen oder müssen. Darf man das Ergebnis der Rechtsvergleichung nur heranziehen, wenn sich das Präjudiz in mehreren anderen Rechtsordnungen wiederfindet oder darf man sich das beste Ergebnis herauspicken, selbst wenn es nur in einer einzelnen Rechtsordnung vorgesehen ist?[190] Ist das Ergebnis in allen Rechtsordnungen dasselbe, spricht vieles für die Ansicht, dass diese Rechtslösung auch die überzeugendste ist. Man kann insoweit von der *praesumtio similitudinis*, der Vermutung für die Ähnlichkeit der praktischen Lösung sprechen.[191] Andere Autoren fordern gemeinsame Werte als Voraussetzung der Rechtsvergleichung.[192] Auch wenn das Vereinigte Königreich zum 1.1.2021 aus der Europäischen Union ausgetreten ist, bleiben die Argumente der englischen Gerichte als Rechtserkenntnisquelle weiterhin hilfreich.[193] **84**

Rechtslösungen weichen in den verschiedenen Staaten oft voneinander ab. Gerichte neigen in diesem Fall zum Rosinenpicken, sie greifen sich die Lösung heraus, die ihnen am besten zusagt.[194] Auch eine solche **wertende rechtsvergleichende Arbeit** ist zulässig, wenn man sich vor Augen hält, dass ausländische Urteile grundsätzlich nur eine Rechtserkenntnisquelle darstellen, also noch keine „persuasive authority“ bilden (§ 3 Rn. 94). Ziel ist es, die **Überzeugungskraft des Urteils zu erhöhen**: Ausländische Entscheidungen sind nicht wegen des Ergebnisses, sondern vor allem wegen der Argumentation heranzuziehen. Das Argument aus dem ausländischen Urteil wird herangezogen, weil es im konkreten Fall überzeugt.[195] Die ausländische Rechtslage kann, ähnlich wie ökonomische Überlegungen im Rahmen der ökonomischen Analyse des Rechts, die Entscheidung nur zusätzlich abstützen.[196] Die Entscheidung kann sich aber nicht ausschließlich daraus ableiten, weil das ausländische Recht in Deutschland nicht gilt. Die nationale Lösung kann also selbst dann überzeugen, wenn man sich gegen die Lösung des ausländischen Urteils wendet, etwa weil man auf die soziologischen Unterschiede hinweist.[197] Entscheidend ist eine inhaltliche Auseinandersetzung mit den Argumenten der ausländischen Entscheidung.[198] Damit ist man auch vor der blinden Übernahme ausländischer Rechtslösungen gefeit.[199] **85**

---

[189] Grundlegend *Fikentscher*, Modes of Thoughts, 2nd ed. 2004; *ders.*, Law and Anthropology, 2nd ed. 2016.

[190] Die Frage offen lassend Zweigert/*Kötz*, Einführung in die Rechtsvergleichung, 3. Aufl. 1996, S. 17.

[191] Zweigert/*Kötz* (ebd.), S. 39; *de Cruz*, Comparative Law in a Changing World, 2nd ed. 1999, S. 232.

[192] *Zweigert*, in: FS Schmitthoff, 1973, S. 403, 404 ff.; *de Cruz*, Comparative Law in a Changing World, 2nd ed. 1999, S. 235; *Mehren/Murray*, Das Recht in den Vereinigten Staaten von Amerika, 2008, S. 100 f.; *Rosenau*, in: FS Puppe, 2011, S. 1597, 1610.

[193] Zum Umfang der richtlinienkonformen Rechtsfortbildung s. *Parkwood Leisure Ltd v. Alemo-Herron* (§ 12 Fn. 149).

[194] Ebenso *Bobek*, Comparative Reasoning in European Supreme Courts, 2013, S. 240: „cherry-picking“; s. BGH, Urt. v. 27.2.1992, 5 StR 190/91, BGHSt 38, 214, 230 f. – Unterbliebene Belehrung (§ 3 Rn. 91).

[195] *Smits*, in: Reimann/Zimmermann, The Oxford Handbook of Comparative Law, 2nd ed. 2019, S. 502, 522: „because of its inherent quality“.

[196] *Kodek*, in: Gamper/Verschraegen, Rechtsvergleichung als juristische Auslegungsmethode, 2013, S. 23, 47 oder auch *Gamper*, in: Gamper/Verschraegen (ebd.), S. 163, 178.

[197] *Kötz*, in: FG 50 Jahre BGH, 2000, S. 825, 835 f.; Zweigert/*Kötz*, Einführung in die Rechtsvergleichung, 3. Aufl. 1996, S. 43 ff.

[198] *de Cruz*, Comparative Law in a Changing World, 2nd ed. 1999, S. 280, 287; ähnlich *Kötz*, in: FG 50 Jahre BGH, 2000, S. 825, 835 f., ob das Urteil in der kritischen Auseinandersetzung mit der ausländischen Entscheidung an „Substanz, Anschaulichkeit und Überzeugungskraft wesentlich gewinnt“; *Bobek*, Comparative Reasoning in European Supreme Courts, 2013, S. 247: „quality, not quantity“.

[199] Vor dieser Gefahr warnend *Bydlinski*, Juristische Methodenlehre und Rechtsbegriff, 2. Aufl. 1991, S. 462.

86 Ein anschauliches Beispiel hierfür bilden die exorbitanten *punitive damages* (Strafschadensersatz) im US-amerikanischen Deliktsrecht. Dabei ist der immaterielle Schadensersatz wesentlich höher als in Deutschland. Dem Opfer entstehen in den USA oft hohe zusätzliche Aufwendungen, weil es keine Krankenversicherung besitzt oder der Rechtsanwalt üblicherweise ein 30–40%-iges Erfolgshonorar erhält (contingency fee). Zudem soll der Strafschadensersatz im Gegensatz zum deutschen Recht einen sanktionierenden Charakter haben. Eine Übertragung in das deutsche Recht als Rechtslösung ist daher nicht ohne Weiteres möglich (§ 5 Rn. 145).[200]

c) Rechtsvergleichung des EuGH und des EGMR

87 aa) Auch der EuGH praktiziert die Rechtsvergleichung (§ 3 Rn. 96 f.).[201] Er nutzt dafür einen umfangreichen wissenschaftlichen Dienst.[202] Er geht über den Vergleich ausländischer Gerichtsentscheidungen hinaus, wenn er sich auch unmittelbar mit den ausländischen Rechtsquellen auseinandersetzt. Dabei arbeitet er rechtsvergleichend nicht zwingend die „Mehrheitslösung"[203] heraus, sondern zieht das theoretisch optimale Ergebnis heran, das ggf. nur in einer Rechtsordnung gilt, um eine Lösung zu finden.[204] Dieses Rosinenpicken im Sinne einer **wertenden Rechtsvergleichung** korrespondiert mit der rechtsvergleichenden Arbeit im nationalen Recht (§ 7 Rn. 85). Dieser vertikale Import mitgliedstaatlichen Rechts dient der wechselseitigen Loyalität und ist zulässig, um die Konvergenz von europäischem und mitgliedstaatlichem Recht zu fördern.[205]

88 Das Solidaritätsprinzip des Art. 4 Abs. 3 EUV (§ 1 Rn. 28) hat der EuGH mit der aus dem deutschen Verfassungsrecht bekannten Pflicht zur Bundestreue konkretisiert;[206] den Verhältnismäßigkeitsgrundsatz hat er rechtsvergleichend ebenfalls aus dem deutschen Recht übernommen.[207] Der EuGH hat bei der Herleitung der Unionsgrundrechte ausdrücklich auf die gemeinsame Rechtstradition der Mitgliedstaaten hingewiesen (§ 3 Rn. 96). Oder er legte den Begriff des Schadens nach dem Montrealer Abkommen zur Beförderung im Luftverkehr aus.[208]

89 Formal werden solche rechtsvergleichenden Überlegungen zum Recht in den verschiedenen Mitgliedstaaten aber nur vom Generalanwalt vorgenommen. Im Urteil des EuGH werden rechtsvergleichende Überlegungen grundsätzlich nicht explizit übernommen, weil dieser oft eine rein autonome Auslegung der Verträge favorisiert.[209] Das ist zu bedauern: Wenn die zu entscheidende Rechtsfrage in den verschiedenen Mitgliedstaaten nämlich inhaltlich weitgehend übereinstimmend gelöst wird, würden rechtsvergleichende

---

[200] *Großfeld*, AcP 184 (1984), 289, 309 f.; s. auch BGH, Urt. v. 4.6.1992, IX ZR 149/91, BGHZ 118, 312, 338 ff.

[201] *Iglesias*, NJW 1999, 1, 8 ff.; vorher schon *Bleckmann*, ZGR 1992, 364, 365 f.; *Lutter*, JZ 1992, 593, 603; *Bredimas*, Methods of Interpretation and Community Law, 1978, S. 124.

[202] Die Aufgabe dieses Dienstes ist es dem EuGH, dem EuG und dem EuGöD auf Anfrage eine sog. „note de recherche" („Forschungsnote") zu erstellen, in welcher zu einer bestimmten Rechtsfrage die Rechtslage in den Mitgliedstaaten dargestellt wird; s. *Obwexer*, in: Gamper/Verschraegen, Rechtsvergleichung als juristische Auslegungsmethode, 2013, S. 115, 137.

[203] Zu einer solchen Herleitung s. etwa EuGH, Urt. v. 10.7.1957, 7/56 u.a., EU:C:1957:7, S. 91, 118 f. – Algera.

[204] *Zweigert*, RabelsZ 28 (1964), 601, 610 f.: „wertende Rechtsvergleichung"; hierzu auch Oppermann/*Classen/Nettesheim*, Europarecht, 9. Aufl. 2021, § 9 Rn. 33; zustimmend *Rieckhoff*, Der Vorbehalt des Gesetzes im Europarecht, 2007, S. 188.

[205] *Gsell*, AcP 214 (2014), 99, 127.

[206] *Koopmans*, 39 Am. J.Comp.L. 493, 502 (1991); *Kakouris*, in: Drobnig/van Erp, The Use of Comparative Law by Courts, 1999, S. 97, 106.

[207] *Schockweiler*, EuR 1995, 191, 200; der Verhältnismäßigkeitsgrundsatz findet sich in EuGH, Urt. v. 13.4.2000, C-292/97, EU:C:2000:202, Rn. 45; EuGH, Urt v. 13.7.1989, 5/88, EU:C:1989:321, Rn. 18 – Wachauf; *Craig/de Búrca*, EU Law, 7th ed. 2020, S. 583.

[208] EuGH, Urt. v. 6.5.2010, C-63/09, EU:C:2010:251, Rn. 24 – Axel Walz/Clickair.

[209] S. oben § 2 Rn. 70 ff. und § 3 Rn. 96 f.

Ausführungen nicht nur das Rechtsproblem des einzelnen Mitgliedstaates entscheiden, sondern könnten sogleich eine Hilfestellung für künftige Auslegungsfragen in anderen Mitgliedstaaten geben. Dadurch wären weitere Verfahren zum Teil obsolet. Der EuGH könnte im Urteil entweder das Gemeinsame herausstellen und das zu entscheidende Rechtsproblem mit den Rechtstraditionen der Mitgliedstaaten verbinden. Oder er könnte argumentativ herausarbeiten, warum das Recht einer Rechtsordnung als europäischer Standard vorzugswürdig ist. Mit solchen rechtsvergleichenden Ausführungen würden die europäischen Gerichte die Akzeptanz europäischen Rechts erhöhen und überdies für nationale Gerichte eine Vorbildfunktion einnehmen. Noch stärker als bisher sollten der Generalanwalt und der EuGH die einschlägigen Diskussionen in den jeweiligen Mitgliedstaaten rechtsvergleichend zur Lösung des entsprechenden Falls auswerten.[210]

bb) Rechtsvergleichung gehört auch für den EGMR zum täglichen Brot. Dies umfasst **90** die ganze Prüfung der Grundrechte, wie Schutzbereich, Grundrechtsschranken und insbesondere die Prüfung der Verhältnismäßigkeit von Grundrechtseingriffen.[211] Beispielsweise hat der EGMR bei der autonomen Auslegung des Begriffs „Strafe" in Art. 7 EMRK (Keine Strafe ohne Gesetz) und bei der Beantwortung der Frage, ob die deutsche Sicherheitsverwahrung eine Strafe im Sinne des Art. 7 EMRK darstellt, ein belgisches sowie ein französisches Urteil in seine Erwägungen miteinbezogen, um zu einer Entscheidung zu kommen.[212]

Zusammenfassung zu § 7

I. *Generalklauseln* sind Begriffe ohne eindeutig fassbaren Begriffskern. *Unbestimmte* **91** *Rechtsbegriffe* verfügen über einen Begriffskern, den es allerdings weiter zu präzisieren gilt. Die Grenzen zwischen unbestimmtem Rechtsbegriff und der Generalklausel sind fließend. Sie haben eine Delegations-, Rechtsfortbildungs-, Flexibilitäts- und Rezeptionsfunktion.

II. Der *Gesetzgeber* kann Generalklauseln durch *Regelbeispiele* konkretisieren. Im Einzelnen ist zu prüfen, ob diese abschließend sind.

III. Generalklauseln können durch die *Verwaltung*, z.B. durch *Rechtsverordnungen* konkretisiert werden. Auch private Regelwerke können zur Konkretisierung beitragen, soweit sie Bindungswirkung entfalten.

IV. Die *Vergleichsfallmethode* erlaubt die Konkretisierung durch die *Gerichte*. Wie bei der Einzelanalogie muss die Vergleichbarkeit des ähnlichen Falls mit verschiedenen Argumenten belegt werden. Bindungswirkung kommt nur Entscheidungen des BVerfG zu. Hier ist zwischen tragenden Gründen und sonstigen Erwägungen zu unterscheiden.

Die Rechtsvergleichung ist oft nur freiwilliger Natur und eine Rechtserkenntnisquelle. Es ist darzutun, warum die Argumentation des ausländischen Falls für die Rechtslösung herangezogen werden kann.

---

[210] S. *Remien*, RabelsZ 60 (1996), 1, 28; *Möllers*, Die Rolle des Rechts im Rahmen der europäischen Integration, 1999, S. 58 f.; *Martens*, Methodenlehre des Unionsrechts, 2013, S. 496; *Gsell*, AcP 214 (2014), 99, 127.

[211] *Grabenwarter*, in: Gamper/Verschraegen, Rechtsvergleichung als juristische Auslegungsmethode, 2013, S. 95, 102.

[212] EGMR, Urt. v. 17.12.2009, 19359/04, CE:ECHR:2009:1217JUD001935904, Rn. 126 – Rückwirkende Verlängerung der Sicherheitsverwahrung; s. auch EGMR, Urt. v. 1.7.2014, 43835/11, CE:ECHR:2014:0701JUD004383511, Rn. 147 – S.A.S. v. France (§ 14 Rn. 28 ff. – Französisches Burkaverbot).

§ 8 Bewegliches System, Fallgruppen und Fallgruppenvergleich als Methoden der Konkretisierung

Literatur: *Beater, Axel*, Generalklauseln und Fallgruppen, AcP 194 (1994), 82–89; *Breidenbach, Stefan*, Die Voraussetzungen von Informationspflichten beim Vertragsschluss, 1989; *Bydlinski, Franz*, Das bewegliche System und die Notwendigkeit einer Makrodogmatik, JBl. 1996, 683–698; *Bydlinski, Franz/Krejci, Heinz/Schilcher, Bernd/Steininger, Viktor (Hrsg.)*, Das Bewegliche System im geltenden und künftigen Recht, 1986; *Mayer-Maly, Theo*, Die guten Sitten des Bundesgerichtshofs, in: FG 50 Jahre BGH, Bd. 1, 2000, S. 69–79; *Ohly, Ansgar*, Generalklausel und Richterrecht, AcP 201 (2001), 1–47; *Schilcher, Bernd*, Das Bewegliche System wird Gesetz, in: FS Canaris, 2007, Bd. II, S. 1299–1329; *Weber, Ralph*, Einige Gedanken zur Konkretisierung von Generalklauseln durch Fallgruppen, AcP 192 (1992), 516–567 sowie AcP 194 (1994), 90–104; *Wieacker, Franz*, Zur rechtstheoretischen Präzisierung des § 242 BGB, 1956; *Wilburg, Walter*, Die Elemente des Schadensrechts, 1941; *ders.*, Entwicklung eines Beweglichen Systems im Bürgerlichen Recht, Grazer Rektoratsrede, 1950.

Übersicht

	Rn.
I. Das Bewegliche System	2
1. Grundsätzliches	2
2. Anwendungsfälle im deutschen Recht	9
3. Anwendungsfälle im europäischen Recht	25
II. Fallgruppen zur Konkretisierung von Generalklauseln	26
1. Fallgruppen	26
2. Fallgruppennormen im europäischen Recht	33
III. Die Strukturierung von mehreren Zurechnungskriterien verschiedener Fallgruppen	35
1. Zurechnungskriterien verschiedener Fallgruppen als Bewegliches System	36
2. Das Entwickeln neuer Fallgruppen – ein Kommen und Gehen	42
3. Bildung einer neuen Fallgruppe im europäischen Recht	50

Die Konkretisierung von Generalklauseln ist kein leichtes Unterfangen. Mit Regelbeispielen oder der Vergleichsfallmethode wurde allerdings schon in einem ersten Schritt eine Konkretisierung von unbestimmten Rechtsbegriffen und Generalklauseln durchgeführt. Die Vergleichsfallmethode vergleicht zwei Fälle miteinander oder versucht, aus mehreren Fällen ein Vergleichsmoment zu entwickeln. Im Idealfall entwickelt die Rechtsprechung in einer Kette von Entscheidungen einen allgemeinen Rechtssatz (§ 7 Rn. 52 ff.). In diesem Kapitel wird die Konkretisierung weiter vorangetrieben. Das Bewegliche System schafft eine Reihe von Vergleichsmomenten, sog. Zurechnungskriterien, die es erlauben, einen Fall zu prüfen (I.). Die Methode der Fallgruppenbildung geht noch einen Schritt weiter (II.). Um das Recht zu konkretisieren, versucht sie, *methodologische Zwischenstufen* zwischen Rechtsprinzip und Tatbestandsmerkmal zu bilden. Auf die Rechtsprinzipien wird dann ausführlich in den §§ 9 und 10 eingegangen. 1

I. Das Bewegliche System

1. Grundsätzliches

a) Entdecker des Beweglichen Systems

2 Oben wurde die Vergleichsfallmethode vorgestellt, die einen Fall dadurch löst, dass ein neuer Fall mit den bisher entschiedenen Fällen verglichen wird (§ 7 Rn. 44 ff.). Im Idealfall hat sich schon ein verallgemeinerungsfähiger Rechtssatz aus den bisher entschiedenen Fällen herauskristallisiert. Richterrecht entwickelt sich langsam, Schritt für Schritt, oft tastend und korrigierend. Dies soll im Folgenden aufgezeigt werden.

3 Das Bewegliche System wurde von *Walter Wilburg* in seiner berühmten Grazer Rektoratsrede 1950 prägnant auf den Punkt gebracht. Hier formuliert er für das Schadensrecht:

> „Demgegenüber habe ich versucht, eine innere Ordnung des Schadensrechts in der Annahme zu finden, daß die Haftung sich nicht auf einen einheitlichen Gedanken, sondern auf ein Zusammenspiel von Gesichtspunkten zurückführen läßt, die als Elemente oder, wie ich nunmehr formulieren möchte, als bewegende Kräfte wissenschaftlich und gesetzlich erfasst werden können.
>
> Diese Gesichtspunkte sind:
>
> 1. Ein für das Schadensereignis kausaler *Mangel*, der auf Seiten des Haftenden liegt. Dieser Mangel hat verschiedene Schwere, je nachdem ob er vom Haftenden oder von dessen Gehilfen verschuldet oder überhaupt ohne Verschulden, so z.B. ein unverkennbarer Materialfehler einer Maschine, entstanden ist.
>
> 2. Eine *Gefährdung*, die der Schädiger durch ein Unternehmen oder durch den Besitz einer Sache geschaffen hat und die zum Eintritt des Schadens führte.
>
> 3. Die Nähe des *Kausalzusammenhanges*, der zwischen den haftungsbegründenden Ursachen und dem eingetretenen Schaden besteht.
>
> 4. Die soziale Abwägung der *Vermögenslage* des Beschädigten und des Schädigers.
>
> Jeder einzelne Fall zeigt nach diesen Gesichtspunkten sein besonderes Bild, das sich aus dem jeweiligen Zusammentreffen und Stärkegrad der Kräfte ergibt. Die Kräfte sind nicht absolute, starre Größen, sondern es entscheidet die *Gesamtwirkung ihres variablen Spiels.*
>
> Tritt ein Element in besonderer Stärke auf, *so kann es allein ausreichen*, um eine Schadenshaftung zu rechtfertigen.“[1]

4 Wilburg arbeitet mit „Elementen“ eines Beweglichen Systems, die er induktiv aus dem Recht, einschließlich Richterrecht, juristischer Literatur und Rechtsvergleichung gewinnt.[2] Während der Jurist gewohnt ist, dass der Tatbestand eines Rechtssatzes bei Vorliegen aller Tatbestandsmerkmale bejaht wird, damit die Rechtsfolge eingreift, ist das System von Wilburg „beweglich“, weil im Gegensatz zu einem (klassischen) Tatbestand nicht alle Merkmale erfüllt sein müssen. Es handelt sich um **Zurechnungskriterien**, die es ermöglichen, ein bestimmtes Verhalten als rechtlich relevant einzustufen. Unter Verzicht auf eine abschließende Tatbestandsbildung können vielmehr die Elemente gegeneinander abgewogen werden und sich bei stärkerer bzw. schwächerer Ausprägung ausgleichen. Die Elemente stehen also zueinander in einem **komparativen** Verhältnis: **je mehr** ein Element vorliegt, **desto** eher greift die Rechtsfolge ein.[3] Sie können nicht nur zusammen-

---

[1] *Wilburg*, Entwicklung eines Beweglichen Systems im Bürgerlichen Recht, 1950, S. 12 f.; vorher aber bereits *ders.*, Die Elemente des Schadensrechts, 1941, S. 26 ff., 283 ff.; *ders.*, AcP 163 (1964), 346 ff.

[2] *Bydlinski*, Juristische Methodenlehre und Rechtsbegriff, 2. Aufl. 1991, S. 532. Zur historischen Entwicklung s. *Paas*, Das bewegliche System, 2021.

[3] *Otte*, Jahrbuch für Rechtssoziologie und Rechtstheorie 2 (1972), S. 301, 318; *Steininger* (S. 1, 13) und *Bydlinski* (S. 21, 28) in: Bydlinski/Krejci/Schilcher/Steininger, Das Bewegliche System im geltenden und künftigen Recht, 1986; Larenz/*Canaris*, Lehrbuch des Schuldrechts, Besonderer Teil, Bd. II/2, 13. Aufl. 1994, S. 412.

spielen, sondern sich auch **kompensatorisch** ersetzen.[4] Zudem soll die Anzahl der Kriterien oder Elemente grundsätzlich abschließend sein.[5]

b) Der Streit zur Relevanz eines Beweglichen Systems

Zunächst drängen sich die Nachteile des Beweglichen Systems auf: Elemente, die komparativ im Sinne von „je mehr – desto" vorliegen können, beeinträchtigen die Rechtssicherheit allein schon dadurch, dass etwa ein Element gar nicht vorliegt und die Rechtsfolge trotzdem eingreift.[6] Eine zweite Unsicherheit tritt dadurch auf, dass die Zurechnungselemente oft unpräzise sind, wie im Schadensrecht (§ 8 Rn. 3) oder bei den Informationspflichten (§ 8 Rn. 22 ff.) zu sehen ist. Schließlich bleiben die Elemente zudem unscharf, wenn sie einen eigentlichen Haftungsgrund verschleiern. So sollte für das Schadensrecht der Rechtsgüterschutz, also der Schutz der persönlichen Rechtsgüter vor Verletzungen, der eigentliche Zurechnungsgrund sein[7] und weniger die Frage der Vermögenslage des Schädigers.[8] Darüber hinaus ist nicht überzeugend, warum beispielsweise nur zwei oder drei Elemente abschließender Natur sein sollen.[9] 5

Diese Argumente lassen sich zumindest teilweise entkräften. Das Bewegliche System von Wilburg ist letztlich der Präzisierung zugänglich.[10] Auf der *Mikroebene* einzelner Generalklauseln führt ein Bewegliches System zu Zurechnungskriterien, die den unbestimmten Rechtsbegriff als Tatbestandsmerkmal konkretisieren. Dies ist der Vorteil gegenüber einer unbestimmten Generalklausel und unterscheidet das Bewegliche System auch von der Zusammenstellung von Topoi-Katalogen (§ 14 Rn. 50 ff.).[11] 6

c) Abschließende Bewertung

Das Bewegliche System eignet sich besonders zum ordnenden Verstehen einer zunächst kasuistisch wirkenden Judikatur.[12] Es ist damit einer unsystematischen oder rein alphabetischen Auflistung von Fällen[13] oder Fallgruppen[14] überlegen. Mit einer abschließenden Anzahl von Kriterien grenzt es sich von einer reinen Billigkeitshaftung ab.[15] Konkrete Zurechnungselemente sind folglich genauer als nur „alle Umstände des Einzelfalls".[16] Das Be- 7

---

[4] *Wilburg*, Die Elemente des Schadensrechts, 1941, S. 106; *Jansen*, Die Struktur des Haftungsrechts, 2003, S. 595 f.

[5] *Canaris*, in: Bydlinski/Krejci/Schilcher/Steininger, Das Bewegliche System im geltenden und künftigen Recht, 1986, S. 103, 104: „verhältnismäßig kleiner Kreis, der nicht ad hoc ausgeweitet werden kann."

[6] *Reinhardt*, AcP 148 (1943), 147, 167 ff., 186: „Rechtsunsicherheit größten Stils"; *Esser*, RabelsZ 18 (1953), 156, 166 f.; *Klang*, JBl. 1946, 326, 330; *Pawlowski*, Methodenlehre für Juristen, 3. Aufl. 1999, Rn. 230: „Willkür".

[7] *Möllers*, Rechtsgüterschutz im Umwelt- und Haftungsrecht, 1996, S. 142 ff.

[8] So aber *Wilburg*, s. gerade § 8 Fn. 1.

[9] *Jansen*, Die Struktur des Haftungsrechts, 2003, S. 601.

[10] S. die deutliche Kritik von *Jansen*, Die Struktur des Haftungsrechts, 2003, S. 594 ff.

[11] *Canaris*, Systemdenken und Systembegriff in der Jurisprudenz, 2. Aufl. 1983, S. 76 ff.; *Bydlinski*, Juristische Methodenlehre und Rechtsbegriff, 2. Aufl. 1991, S. 533; **a.A.** *Viehweg*, Topik und Jurisprudenz, 5. Aufl. 1974, S. 105 ff.

[12] *Mayer-Maly*, in: Bydlinski/Krejci/Schilcher/Steininger, Das Bewegliche System im geltenden und künftigen Recht, 1986, S. 117, 126.

[13] S. die alphabetische Aufzählung weiterer Einzelfälle bei Palandt/*Ellenberger*, BGB, 80. Aufl. 2021, § 138 Rn. 77 ff.

[14] S. die alphabetische Aufzählung von Fallgruppen bei Palandt/*Grüneberg*, BGB, 80. Aufl. 2021, § 313 Rn. 44 ff. oder Palandt/*Sprau*, BGB, 80. Aufl. 2021, § 826 Rn. 19 ff.

[15] So bereits *Wilburg*, Entwicklung eines Beweglichen Systems im Bürgerlichen Recht, 1950, S. 22; zustimmend *Bydlinski*, in: Bydlinski/Krejci/Schilcher/Steininger, Das Bewegliche System im geltenden und künftigen Recht, 1986, S. 21, 32 f.

[16] Auf den Einzelfall bei § 138 BGB abstellend aber, *Bork*, Allgemeiner Teil des Bürgerlichen Gesetzbuchs, 4. Aufl. 2016, Rn. 1183; zu Aufklärungspflichten s. BGH, Urt. v. 23.10.2007, XI ZR 167/05, NJW 2008, 640, 641 f.

wegliche System kann auch die Tatbestandsmerkmale einer Norm nicht außer Kraft setzen. Auf das Tatbestandsmerkmal des Verschuldens kann bei § 823 Abs. 1 BGB nicht verzichtet werden. Damit kann das Bewegliche System nicht gesetzgeberische Entscheidungen konterkarieren, etwa die in Deutschland angelegte Zweiteilung von Verschuldenshaftung und Gefährdungshaftung aufheben.[17]

8 Das Bewegliche System hat zwar zahlreiche Anhänger gefunden.[18] Auch der BGH spricht bei der Nichtigkeit von Rechtsgeschäften nach § 138 BGB inzwischen von einem Beweglichen System, einem „Zusammenspiel beweglicher Elemente" (§ 8 Rn. 19). Es wird im deutschen Sprachraum allerdings eher selten rezipiert. Im Zweifel ist eine tatbestandsähnliche Prüfung dem Beweglichen System vorzuziehen, weil dies der Rechtssicherheit zuträglich ist.[19] Statt im Sinne eines „je mehr – desto" müssen die Tatbestandsmerkmale *kumulativ eingreifen, damit die Rechtsfolge eintreten kann.*

2. Anwendungsfälle im deutschen Recht

a) Zurechnungskriterien zur Konkretisierung der Verkehrspflichten im Rahmen des § 823 Abs. 1 BGB

9 Für das Deliktsrecht ist das Bewegliche System auf Zustimmung gestoßen.[20] *Wilburg* begründete die außervertragliche Haftung mit vier Kriterien, die in einem Beweglichen System gegeneinander abgewogen werden müssen: einem Mangel, der Gefährdung durch ein Unternehmen oder den Besitz einer Sache, dem Kausalzusammenhang und der Vermögenslage oder der sozialen Abwägung der Vermögenslage (§ 8 Fn. 1). Später kam als fünftes Kriterium die Konzentration von Vorteil und Gefahr in einem Unternehmen hinzu.[21]

10 Um eine bessere Interessenabwägung zwischen dem Verletzten und dem Handelnden vornehmen zu können, entwickelte *von Bar* in Anlehnung daran ebenfalls vier Kriterien eines Beweglichen Systems: Es bestehe aus (1.) einer Pflicht zur Gefahrenkontrolle bei der Schaffung oder **Unterhaltung einer Gefahr(-enquelle)**, der (2.) Zumutbarkeit der **Gefahrbeherrschung**, der (3.) **Vorteilsziehung** aus der Gefahrenquelle und dem (4.) **Vertrauensschutz** des Betroffenen[22] bzw. der **Erkennbarkeit der Gefahr**.[23] Es handelt sich um tatbestandsähnliche Zurechnungsgründe,[24] die eine Verantwortlichkeit und damit Haftung begründen bzw. ausschließen können. Dagegen müssen Rechtsprinzipien erst noch durch Zwischenschritte weiter konkretisiert werden.[25]

11 Das Zusammenspiel dieser Elemente verdeutlicht am besten das Bild einer Waage mit Kugeln, in dem die Kriterien im Sinne eines „je mehr – desto" von links nach rechts ge-

---

[17] § 6 Rn. 65 und § 6 Rn. 156; **a. A.** aber (wohl vorrangig für das österreichische Recht) *Wilburg*, Entwicklung eines Beweglichen Systems im Bürgerlichen Recht, 1950, S. 12 f.; *Koziol*, in: Bydlinski/Krejci/Schilcher/Steininger, Das Bewegliche System im geltenden und künftigen Recht, 1986, S. 51 f.

[18] S. etwa den Tagungsband von *Bydlinski/Krejci/Schilcher/Steininger (Hrsg.)*, Das Bewegliche System im geltenden und künftigen Recht, 1986; *Westerhoff*, Die Elemente des Beweglichen Systems, 1991; *Göpfert*, JuS 1993, 655 ff. sowie die Nachweise in § 8 Fn. 20, 22, 41.

[19] S. *Grundmann*, in: MünchKomm-BGB, 8. Aufl. 2019, § 276 Rn. 119 ff.

[20] *Mertens*, VersR 1980, 397, 402; *Assmann*, Prospekthaftung, 1985, S. 265; *Deutsch* (S. 43 ff.), *Koziol* (S. 51 ff.) und *von Bar* (S. 63, 72), in: Bydlinski/Krejci/Schilcher/Steininger (ebd.); Larenz/*Canaris*, Lehrbuch des Schuldrechts, Besonderer Teil, Bd. II/2, 13. Aufl. 1994, S. 412 ff.

[21] *Wilburg*, AcP 163 (1964), 346.

[22] *von Bar*, in: Bydlinski/Krejci/Schilcher/Steininger (ebd.), S. 63, 69; ähnlich vorher *ders.*, Verkehrspflichten, 1980, S. 113 ff. Diese sind dann weiter präzisiert worden, s. Larenz/*Canaris* (ebd.), S. 412 ff.

[23] S. auch *Möllers*, Rechtsgüterschutz im Umwelt- und Haftungsrecht, 1996, S. 293.

[24] Larenz/*Canaris* (ebd.), S. 412.

[25] S. ausführlich unten § 9 Rn. 23 ff. und § 10 Rn. 4 ff.; **a. A.** aber *von Bar*, in: Bydlinski/Krejci/Schilcher/Steininger, Das Bewegliche System im geltenden und künftigen Recht, 1986, S. 63, 69; *Petersen*, Unternehmenssteuerrecht und bewegliches System, 1999, S. 30.

schoben werden können. Im Ergebnis muss dann die Summe der Zurechnungskriterien im positiven Bereich liegen, damit eine Haftung bejaht werden kann.[26] Die Zurechnungskriterien für deliktsrechtliche Verkehrspflichten gem. § 823 Abs. 1 BGB können wie folgt visualisiert werden. Sie können im konkreten Fall unterschiedlich stark eingreifen.

Grafik: Zurechnungskriterien für Verkehrspflichten des § 823 Abs. 1 BGB 12

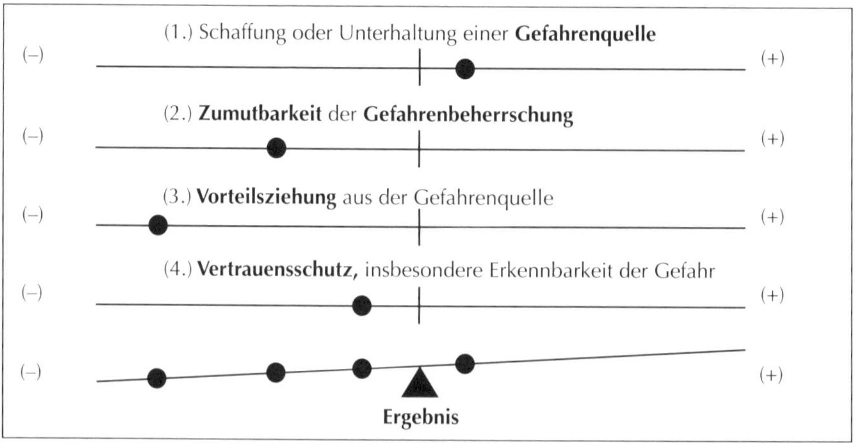

Streupflicht: Muss der Eigentümer vor seiner Haustür noch um 22.00 Uhr den Weg von Schnee befreien und gegebenenfalls streuen? Unwetter und damit auch Schnee sind höhere Gewalt, die gerade *nicht* vom Hauseigentümer oder Mieter (1.) als *Gefahr geschaffen* wurde. Er kann nachts (2.) diese Gefahr durch Schneeschippen nur in unzumutbarer Weise *beherrschen.* (3.) Zudem *zieht* er keinen *Vorteil* aus dieser Gefahr. Passanten können (4.) nicht darauf *vertrauen,* dass die Wege nachts von Schnee freigehalten werden; für sie ist die Gefahr, auf Schnee auszurutschen, auch ohne Weiteres erkennbar. Der Hausbesitzer muss deshalb nachts die Wege nicht frei von Schnee halten. Er hat damit keine Verkehrssicherungspflicht verletzt und ist somit auch nicht zum Schadensersatz verpflichtet. 13

Anders ist es dagegen tagsüber: Die Kriterien (1.) und (3) sind identisch, aber die Kriterien (2.) und (4.) unterscheiden sich. Dann ist die Gefahr für den Hauseigentümer oder Mieter in zumutbarer Weise *beherrschbar* (2.). Und Dritte, wie der Briefträger, dürfen darauf vertrauen, das Grundstück ohne Gefahr für Leib und Leben betreten zu können (4.). Den Hauseigentümer oder Mieter trifft somit tagsüber eine Verkehrssicherungspflicht. 14

Vertiefung – *Gastwirt:* Muss der Gastwirt die neben der Toilettentür befindliche Kellertür sichern, wenn sich hinter der Kellertür eine steil abfallende Treppe befindet? Kann der Gast Schadensersatz verlangen, wenn er die Treppe hinunterstürzt?[27] 15

b) Die Zurechnungskriterien für die Sittenwidrigkeit gem. § 138 und § 826 BGB

aa) Die Sittenwidrigkeit eines Rechtsgeschäftes kann sich aus dem Inhalt des Rechtsgeschäftes, der sog. Inhaltssittenwidrigkeit (§ 8 Rn. 41), oder aus besonderen hinzutretenden Umständen, der sog. Umstandssittenwidrigkeit, ergeben.[28] Es ist seit jeher ein Grundsatz der Rechtsprechung, dass die Sittenwidrigkeit bei § 138 Abs. 1 BGB durch eine 16

[26] *Jansen,* Die Struktur des Haftungsrechts, 2003, S. 599 Fn. 279 benutzt das Bild einer Schwelle, wonach das Gewicht der Kriterien eine bestimmte Schwelle übersteigen muss.

[27] Nach BGH, Urt. v. 9.2.1988, VI ZR 48/87, NJW 1988, 1588 f. Die Lösung findet sich unter § 15 Rn. 28.

[28] S. sogleich BGH Urt. v. 2.2.2012, III ZR 60/11, WM 2012, 458 – Treuhandabrede (§ 8 Rn. 19).

Gesamtwürdigung des Rechtsgeschäfts festzustellen ist. Entscheidend sei der „aus der Zusammenfassung von **Inhalt**, **Motiv** und **Zweck** zu entnehmende **Gesamtcharakter** nach den objektiven und subjektiven Momenten".[29]

17 In der Literatur wird die Sittenwidrigkeit des § 138 BGB mit einem Beweglichen System beschrieben.[30] Inhalt, Motiv oder Zweck des Rechtsgeschäfts können isoliert für sich betrachtet sittenwidrig sein. Schon ein einzelnes, besonders stark ausgeprägtes Element kann zur Sittenwidrigkeit des Rechtsgeschäfts führen. Im Einzelnen reiche etwa das besonders große Missverhältnis zwischen Leistung und Gegenleistung allein aus, um die Sittenwidrigkeit und Nichtigkeit zu begründen.[31]

18 Der BGH hatte diese Ansicht bisher abgelehnt und zudem verlangt, dass subjektiv eine verwerfliche Gesinnung hinzutreten muss.[32] Im Zweifel wird die verwerfliche Gesinnung vermutet, auch wenn der Begünstigte gar keine Kenntnis von dem Wertverhältnis hat.[33] Zu Recht wurde daran kritisiert, dass solche Fiktionen wenig überzeugend sind[34] und es methodisch ehrlicher ist, im Sinne eines Beweglichen Systems auf das subjektive Element zu verzichten.[35] Schon die Motive zum BGB haben in weiser Voraussicht auf das subjektive Kriterium verzichtet.[36] Inzwischen erkennt der III. Senat des BGH das Bewegliche System an und formuliert:

19 „Die Sittenwidrigkeit eines Rechtsgeschäfts kann sich entweder unmittelbar aus dem *Inhalt des Rechtsgeschäfts* oder aus besonderen hinzutretenden Umständen ergeben (vgl. Staudinger/Sack/Fischinger, BGB, Bearb. September 2011, § 138 Rn. 5; BGB-RGRK/Krüger-Nieland/Zöller, 12. Aufl., § 138 Rn. 25 ff.). Nur Letzteres kommt hinsichtlich der Treuhandabrede der Parteien in Betracht. Ob eine solche *Umstandssittenwidrigkeit* gegeben ist, ist aufgrund einer umfassenden Gesamtwürdigung unter Berücksichtigung aller den Vertrag kennzeichnenden Umstände zu beurteilen, namentlich der objektiven Verhältnisse, unter denen der Vertrag zustande gekommen ist, und seiner Auswirkungen sowie der subjektiven Merkmale wie des verfolgten Zwecks und des zugrunde liegenden Beweggrunds. Es geht um seinen aus der *Zusammenfassung von Inhalt, Zweck und Beweggrund folgenden (inhaltlichen) Gesamtcharakter* (vgl. BGH, Urteile vom 7. Juni 1988 – BGH Az. IX ZR 285/86, NJW 1988, 2602; vom 10. Oktober 1997 – BGH Az. V ZR 74/96, NJW-RR 1998, 590, 591; vom 6. Februar 2009 – BGH Az. V ZR 130/08, NJW 2009, 1346 Rn. 10; Staudinger/Sack/Fischinger, aaO Rn. 6; Soergel/Hefermehl, BGB, 13. Aufl., § 138 Rn. 19; BGB-RGRK/Krüger-Nieland/Zöller, aaO Rn. 27). Es handelt sich insoweit um ein *‚Zusammenspiel beweglicher Elemente'; ist ein Element besonders ausgeprägt, kann sich bereits allein aus diesem Element die Sittenwidrigkeit ergeben* (vgl. Münch-KommBGB/Armbrüster, 6. Aufl., § 138 Rn. 27 ff.; Soergel/Hefermehl, aaO; vgl. auch BGH, Urteil vom 9. Juli 1953 – BGH Az. IV ZR 242/52, BGHZ 10, 228, 232 f.)."[37]

---

[29] So bereits RG, Urt. v. 14.12.1903, II 185/03, RGZ 56, 229, 231; BGH, Urt. v. 21.12.1960, VIII ZR 1/60, BGHZ 34, 169, 176 – Umgehung amerikanischer Embargo-Bestimmungen sowie die Nachweise in § 8 Fn. 37.

[30] *Mayer-Maly*, in: Bydlinski/Krejci/Schilcher/Steininger, Das Bewegliche System im geltenden und künftigen Recht, 1986, S. 117, 123; *Armbrüster*, in: MünchKomm-BGB, 8. Aufl. 2018, § 138 Rn. 27 ff.; *Sack/Fischinger*, in: Staudinger, BGB, Neubearb. 2017, § 138 Rn. 117 ff.

[31] *Mayer-Maly*, in: Bydlinski/Krejci/Schilcher/Steininger (ebd.), S. 117, 125.

[32] So bereits BGH, Urt. v. 9.7.1953, IV ZR 242/52, BGHZ 10, 228, 232; BGH, Urt. v. 9.10.2009, V ZR 178/08, NJW 2010, 363 Rn. 6.

[33] BGH, Urt. v. 19.1.2001, V ZR 437/99, BGHZ 146, 298, 302 ff. – Sittenwidriges Grundstücksgeschäft.

[34] *Armbrüster*, in: MünchKomm-BGB, 8. Aufl. 2018, § 138 Rn. 117.

[35] *Mayer-Maly*, in: Bydlinski/Krejci/Schilcher/Steininger (ebd.), S. 117, 125. So im Ergebnis auch die weiteren Autoren in § 8 Fn. 30.

[36] Mot. I, S. 211.

[37] BGH, Urt. v. 2.2.2012, III ZR 60/11, WM 2012, 458 Rn. 20 – Treuhandabrede.

bb) Eine Besonderheit ergibt sich für **§ 138 Abs. 2 BGB**, der ausdrücklich neben dem Wuchertatbestand enumerativ Beeinträchtigungen der Entscheidungsfreiheit nennt. Zum Teil wurde das „Sandhaufentheorem“ vertreten. Danach erlaube der Normzweck, dass die Überfüllung eines Tatbestandsmerkmals die Unterfüllung eines anderen ausgleiche und damit die Rechtsfolge auslöse.[38] Ein solcher Verzicht auf einzelne Tatbestandsmerkmale des § 138 Abs. 2 BGB ist abzulehnen, weil man ansonsten den gesetzgeberischen Willen umginge.[39] Allerdings kann bei Wucher neben § 138 Abs. 2 BGB auch § 138 Abs. 1 BGB eingreifen (§ 8 Rn. 41). 20

c) Vorvertragliche und vertragliche Aufklärungspflichten

Ansprüche wegen Aufklärungs- und Beratungspflichtverletzungen werden üblicherweise auf Verschulden bei Vertragsschluss (§§ 311 Abs. 2, 241 Abs. 2 BGB) gestützt. Auch hier fehlen Tatbestandsmerkmale, die bestimmen, wann eine Seite zur Aufklärung verpflichtet ist. Normalerweise hat sich jede Vertragspartei selbst die für sie günstigen Informationen zu beschaffen.[40] Ausnahmsweise können aber Aufklärungs- und Beratungspflichten der anderen Partei bestehen. Bei vorvertraglichen Verhandlungen sind nach verbreiteter Ansicht Aufklärungspflichten von drei Voraussetzungen abhängig, die sich als Elemente eines Beweglichen Systems verstehen.[41] 21

(1.) Erstens muss die **Information** für den Aufklärungsempfänger wie etwa den Bankkunden **wesentlich** sein. Das sind vor allem solche Umstände, die den Vertragszweck vereiteln oder erschweren können.

(2.) Zudem muss **der Aufklärungspflichtige** einen erheblich **leichteren Zugang zu den Informationen** haben als der Aufklärungsempfänger. Eine solche Regelung ist ökonomisch effizient, weil der Aufklärungspflichtige geringere Informationskosten hat als die Gegenseite (§ 5 Rn. 147).

(3.) Und schließlich muss die Aufklärung für den Aufklärungspflichtigen (z.B. die Bank bei einem Investmentgeschäft) **zumutbar** sein. Dabei ist das dritte Kriterium von besonderer Bedeutung: Oft lässt sich die Aufklärungspflicht mit der besonderen Fachkunde, der *Professionalität* des Aufklärungspflichtigen begründen. Der Aufklärungsbedürftige darf darauf *vertrauen*, dass der Aufklärungspflichtige die Information kennt und auch an ihn weitergibt. Die Rechtsprechung benutzt die Formulierung, dass „der andere Teil nach Treu und Glauben unter Berücksichtigung der Verkehrsanschauung redlicherweise die Mitteilung von Tatsachen erwarten durfte, die für die Willensbildung des anderen Teils offensichtlich von ausschlaggebender Bedeutung sind“.[42]

Eine Literaturmeinung lehnt das Bewegliche System ab, weil Informationspflichten tatbestandlich umrissen werden könnten: Danach verlangt die Aufklärungspflicht von Kre- 22

---

[38] OLG Stuttgart, Urt. v. 24.4.1979, 6 U 169/78, NJW 1979, 2409, 2412; unter Berufung auch *Bender*, in: GS Rödig, 1978, S. 38 ff.

[39] BGH, Urt. v. 12.3.1981, III ZR 92/79, BGHZ 80, 153, 159 f.; *Canaris*, ZIP 1980, 709, 717.

[40] Ursprünglich Ulp. D. 15,3,39: *Curiosus igitur debet esse creditor, quo vertatur.* – Der Gläubiger muss darauf achten, wofür der Kredit verwendet wird. Abgeleitet zu *emptor curiosus esse debet,* auch Caveat-emptor-Prinzip genannt. Der Käufer muss neugierig sein, sich insbesondere die ihm notwendigen Informationen beschaffen. Dazu s. BGH, Urt. v. 15.4.1997, IX ZR 112/96, NJW 1997, 3230, 3231; BGH, Urt. v. 24.3.2010, VIII ZR 122/08, WM 2010, 1283, 1284; *Emmerich,* in: MünchKomm-BGB, 8. Aufl. 2019, § 311 Rn. 66.

[41] *Hopt*, Kapitalanlegerschutz im Recht der Banken, 1975, S. 414 ff.; *ders.*, in: FS Gernhuber, 1993, S. 169, 186; *Breidenbach*, Die Voraussetzungen von Informationspflichten beim Vertragsschluss, 1989, § 13; ausführlich *Fleischer*, Informationsasymmetrien im Vertragsrecht, 2001, S. 985 ff.; *Grigoleit*, in: Bankrechtstag 2012, 2013, S. 25, 35; *Bachmann*, in: MünchKomm-BGB, 8. Aufl. 2019, § 241 Rn. 127 ff.

[42] BGH, Urt. v. 11.8.2010, XII ZR 192/08, NJW 2010, 3362, 3363 – Thor Steinar; ähnlich schon RG, Urt. v. 7.7.1925, II 494/24, RGZ 111, 233, 234 – Arglistige Täuschung; BGH, Urt. v. 28.6.2006, XII ZR 50/04, BGHZ 168, 168 Rn. 15.

ditinstituten (1.) ein erkennbares Aufklärungsbedürfnis, (2.) ein präsentes Wissen über den Auskunftsgegenstand[43] und (3.) keine vertraglichen Vorbehalte.[44]

23 *Gebrauchtwagenhändler*: Muss der Gebrauchtwagenhändler den technisch nicht versierten Käufer darüber aufklären, dass der Motor eines Kraftfahrzeuges nicht mehr die volle Motorleistung erbringt? Die Motorleistung ist für einen Kfz-Kauf wesentlich. Der Gebrauchtwagenhändler hat mehr Sachverstand als der Käufer (Wissensgefälle). Der Käufer erwartet in der Regel auch, dass der Gebrauchtwagenhändler das Kraftfahrzeug vor dem Verkauf geprüft hat. Der Händler muss deshalb sein Wissen weitergeben oder darüber aufklären, dass er ein solches nicht hat (also das Kfz nicht überprüft hat).[45]

24 Allerdings haben Informationspflichten auch typische **Nachteile** wie die Gefahr der Informationsüberflutung oder der nicht rationalen Verarbeitung der Information (§ 5 Rn. 148). Zudem sollten Informationspflichten die Verpflichtung zum eigenverantwortlichen Handeln nicht vollständig konterkarieren. Zu weit und missverständlich ist die Formulierung des XI. Senats, der Bankkunde müsse auf den gleichen Kenntnisstand gesetzt werden wie die Bank selbst.[46] Denn das gesamte Wissen eines Bankkonzerns einschließlich seiner finanzmathematischen Mitarbeiter kann die Bank dem Kunden kaum vermitteln.[47] Der Gesetzgeber baut diese paternalistischen Informationspflichten inzwischen zu umfassenden Fürsorgepflichten aus. Banken müssen bei der Kreditvergabe inzwischen Umstände berücksichtigen wie Arbeitslosigkeit, Erwerbsunfähigkeit, Scheidung, Aufhebung einer Lebenspartnerschaft oder das Versterben des Darlehensnehmers während der Vertragslaufzeit.[48] Ein solcher kaum zu leistender Paternalismus ist kritisch zu betrachten.

3. Anwendungsfälle im europäischen Recht

25 Auch auf europäischer Ebene wird das Bewegliche System befürwortet.[49] Inzwischen gibt es den Draft Common Frame of Reference (DCFR) eines European Civil Code mit einem Deliktsrecht („Non-Contractual Liability Arising out of Damage Caused to Another")[50], das in vielen Bereichen dem Beweglichen System entspricht.[51]

---

[43] Alternativ reicht es aus, dass ein objektiver Dritter erwarten darf, dass das Kreditinstitut über die Expertise verfügt.

[44] So *Grundmann*, in: MünchKomm-BGB, 8. Aufl. 2019, § 276 Rn. 119 ff. in deutlicher Abgrenzung zu den Autoren in § 8 Fn. 41. Vertiefende Ausführungen fehlen allerdings.

[45] S. BGH, Urt. v. 21.1.1975, VIII ZR 101/73, BGHZ 63, 382, 386 – Gebrauchtwagenkauf; weitere Nachweise bei Palandt/*Ellenberger*, BGB, 80. Aufl. 2021, § 123 Rn. 5 ff. Zu den Gebrauchtwagenhändlern und den „lemons" s.o. § 5 Rn. 146 f.

[46] BGH, Urt. v. 22.3.2011, XI ZR 33/10, BGHZ 189, 13 Rn. 29 – Spread-Ladder-Swap: Die Aufklärung muss gewährleisten, dass der Kunde im Hinblick auf das Risiko des Geschäfts im Wesentlichen den gleichen Kenntnis- und Wissensstand hat wie die ihn beratende Bank.

[47] Kritisch zu dieser Entscheidung folglich *Köndgen*, BKR 2011, 283; *Lehmann*, JZ 2011, 749, 750; *Grigoleit*, ZHR 177 (2013), 264, 283 ff.; *Grundmann*, WM 2012, 1745, 1752; *Möllers*, ZEuP 2016, 325, 346.

[48] § 4 Abs. 3 S. 2 Immobiliar-Kreditwürdigkeitsprüfungsleitlinien-Verordnung v. 24.4.2018, BGBl. I S. 529, welche die RL 2014/17/EU über Wohnimmobilienkreditverträge für Verbraucher v. 4.2.2014, ABl. Nr. L 60, S. 34 überschießend umsetzt. Krit. deshalb *Binder*, ZIP 2018, 1201, 1208; *Buck-Heeb/Siedler*, BKR 2018, 269, 273; vertiefend *Früh*, in: Kümpel/Mülbert/Früh/Seyfried, Bank- und Kapitalmarktrecht, 5. Aufl. 2019, Rn. 1.94.

[49] *Flessner*, JZ 2002, 14, 18 ff.; *Röthel*, in: Riesenhuber, Europäische Methodenlehre, 3. Aufl. 2015, § 11 Rn. 42 f. nennt den unionsrechtlichen Vertrauensgrundsatz.

[50] *Study Group on a European Civil Code*, Principles, Definitions and Model Rules of European Private Law, Draft Common Frame of Reference (DCFR), 2008.

[51] *von Bar*, ZEuP 2001, 515, 518; *Schmidt-Kessel*, Reform des Schadensersatzrechts, Bd. I, 2006, S. 193; *Schilcher*, in: FS Canaris, Bd. II, 2007, S. 1299, 1301 ff.

II. Fallgruppen zur Konkretisierung von Generalklauseln

1. Fallgruppen

a) Das Ziel einer Fallgruppe

Generalklauseln und unbestimmte Rechtsbegriffe sind zu unscharf, um einen Fall 26
ohne Weiteres darunter subsumieren zu können; sie bedürfen der Konkretisierung. Diese wird insbesondere durch die Rechtsprechung vorgenommen, sodass im Laufe der Zeit oftmals eine umfangreiche, bisweilen unüberschaubare Kasuistik entsteht. Fallgruppen dienen dazu, ein *grobes Orientierungsmuster* für den Rechtsanwender im Umgang mit solchen Normen zu schaffen.[52] Durch die Bildung von Fallgruppen wird versucht, aus Generalklauseln und unbestimmten Rechtsbegriffen *subsumierbare Normen* zu entwickeln.[53] Eine einzelne Fallgruppe lässt sich dabei unter Zuhilfenahme der Vergleichsfallmethode bilden, d.h. die von der Rechtsprechung bereits entschiedenen Fälle werden einerseits systematisch geordnet und andererseits typisierend bearbeitet, indem die wertungsrelevanten Maßstäbe herausgestellt und ihrer Situationsgebundenheit entkleidet werden.[54] Die so zusammengefassten Urteile bilden die Gruppe der möglicherweise einschlägigen Präjudizien für den zu entscheidenden Fall.[55] Fallgruppen zielen darauf ab, aus der Summe thematisch vergleichbarer Einzelentscheidungen einen verallgemeinerungsfähigen Rechtssatz „herauszudestillieren" und nach bestimmten Zurechnungskriterien zu strukturieren.[56] Die Fallgruppenbildung ist damit die konsequente Weiterentwicklung der Vergleichsfallmethode (§ 8 Rn. 42 ff.). Orientierungspunkt ist dabei die gemeinsame Wertung, die den Einzelfallentscheidungen zugrunde liegt.[57]

b) Tatbestandsähnliche Voraussetzungen einer Fallgruppe

aa) Im Idealfall bilden sich dann **„Fallgruppennormen"**[58], die einerseits flexibel ge- 27
nug und einzelfallbezogen sind, andererseits aber auch konkret genug, um auf den Fall angewendet zu werden.[59] Mithilfe dieser Methode lassen sich für jeden Lebensvorgang, der innerhalb des generell abstrakten Lebensbereichs der Generalklausel bzw. des unbestimmten Rechtsbegriffs angesiedelt werden kann, *konkrete Voraussetzungen* entwickeln, die erfüllt sein müssen, damit die Fallgruppe eingreift. Bei diesem Ansatz müssen dann, im Unterschied zum Beweglichen System mit seinen komparativen Elementen und Zurechnungskriterien (§ 8 Rn. 4), alle Voraussetzungen kumulativ vorliegen. Die Entwicklung von Fallgruppen ist ein mühevoller Prozess. Der Gesetzgeber hatte sich beispielsweise im Jahre 1900 nicht getraut, das Rechtsinstitut der Störung der Geschäftsgrundlage in das BGB aufzunehmen, weil zur damaligen Zeit die Voraussetzungen noch unklar waren. Erst eine umfangreiche Rechtsprechung veranlasste dann den Gesetzgeber, das Rechtsinstitut durch Einfügung des § 313 BGB durch die Schuldrechtsreform im Jahre

[52] *Larenz*, JZ 1962, 105, 106; *Haubelt*, Die Konkretisierung von Generalklauseln, 1978, S. 100 ff.; *Weber*, AcP 192 (1992), 516, 527 sowie § 8 Fn. 65.

[53] *Weber*, AcP 192 (1992), 516, 535.

[54] *Schubert*, in: MünchKomm-BGB, 8. Aufl. 2019, § 242 Rn. 43.

[55] *Ohly*, AcP 201 (2001), 1, 39.

[56] *Schubert*, in: MünchKomm-BGB, 8. Aufl. 2019, § 242 Rn. 41 ff.; *Olzen/Looschelders*, in: Staudinger, BGB, Neubearb. 2019, § 242 Rn. 210 ff.

[57] *Leenen*, Typus und Rechtsfindung, 1971, S. 70.

[58] *Ohly*, AcP 201 (2001), 1, 40.

[59] Zu § 242 BGB *Schubert*, in: MünchKomm-BGB, 8. Aufl. 2019, § 242 Rn. 41 ff.

2001 zu kodifizieren.[60] Die Novellierung des UWG, in dem im Jahre 2010 die große Generalklausel des § 1 UWG durch zahlreiche Fallgruppen in den §§ 3, 7 UWG ersetzt wurde, ist ein weiteres anschauliches Beispiel (§ 7 Rn. 18).

28 bb) Fallgruppen können sich zu Fallgruppennormen verdichten, wenn die Rechtsprechung eine Reihe von tatbestandsähnlichen Voraussetzungen entwickelt, die vorliegen müssen, damit die Rechtsnorm eingreift.

29 *Entgangene Nutzungsmöglichkeit als Schaden:* Wie bereits oben kurz dargestellt, erkennt die Rechtsprechung entgangene Nutzungsmöglichkeiten einer beschädigten Sache, etwa das Kfz, das Fahrrad oder die Wohnung, nur dann als Schaden an, wenn „Wirtschaftsgüter von allgemeiner, zentraler Bedeutung für die Lebenshaltung" tangiert sind, „sodass die eigenwirtschaftliche Lebenshaltung typischerweise auf deren ständige Verfügbarkeit angewiesen ist" (§ 7 Rn. 54). Diese Fallgruppe wurde inzwischen weiter verfeinert und letztlich eingeschränkt, weil nach der gesetzgeberischen Wertung des § 252 BGB der Nutzungsausfall als Nichtvermögensschaden nur ausnahmsweise anzuerkennen ist.[61] Als zusätzliche Voraussetzung hat die Rechtsprechung verlangt, dass der Ausfall für den Eigentümer *fühlbar* sein muss. Dies ist zu verneinen, wenn der Eigentümer während der Ausfallzeit die Sache nicht nutzen will bzw. kann.[62]

30 *Bürgschaft vermögensloser Angehöriger:* Die Fallgruppe der Bürgschaft gegenüber Angehörigen, die durch eine verfassungskonforme Auslegung des § 138 BGB abgeleitet wurde (§ 11 Rn. 58 ff.), hat der BGH inzwischen mit einer Reihe von tatbestandsähnlichen Voraussetzungen weiter verdichtet: So wurde der Begriff des *Angehörigen* ebenso präzisiert wie die *krasse Überforderung des Bürgen.*[63]

c) Chancen und Risiken

31 Auf der einen Seite sind die Vorteile der Konkretisierung nicht von der Hand zu weisen: Die Rechtsprechung entwickelt anhand von Fällen *Schritt für Schritt die Voraussetzungen*, die erforderlich sind, damit die Generalklausel oder der unbestimmte Rechtsbegriff eingreift. Fallgruppennormen mit tatbestandsähnlichen Voraussetzungen schaffen Rechtssicherheit; sie sind ein Mehr gegenüber dem mit der Vergleichsfallmethode gewonnenen Vergleichsmoment (§ 7 Rn. 52 ff.) und mehr als das komparative System von *Wilburg* (§ 8 Rn. 2 ff.).

32 Es sollen aber auch die Gefahren genannt werden, die sich bei blindem Vertrauen auf Fallgruppen oder Fallgruppennormen ergeben: Rechtstheoretisch sind die Fallgruppennormen am Anfang noch nicht jedermann bindendes Recht. Vielmehr stellen Richtersätze anfangs nur „*Normentwürfe*" dar.[64] Deshalb ist der Begriff der subsidiären Rechtsquelle passend, vergleichbar mit den „persuasive authorities" im anglo-amerikanischen Recht (§ 3 Rn. 45). Die Richtigkeitsvermutung der Entscheidungen wächst mit der zunehmenden Anzahl der Einzelfälle. Zudem kann die Rechtsprechung von der bisherigen Rechtsprechung abweichen, wenn sie bessere Argumente findet (§ 3 Rn. 15). Inhaltlich sind Fallgruppen nicht immer so verdichtet, dass sie wie eine Rechtsnorm tatbestandsähnlich die Voraussetzungen nennen, die vorliegen müssen, damit Tatbestand und Rechtsfolge eingreifen. Oft sind die Voraussetzungen unbestimmt. Zudem reicht es nicht aus, nur eine Fallgruppe zu benennen. Vielmehr muss der Rechtsanwender die Voraussetzungen prüfen, welche die Rechtsprechung bisher entwickelt hat. Und die Rechtspre-

---

[60] Grundlegend *Windscheid*, Die Lehre des römischen Rechts von der Voraussetzung, 1850; *Oertmann*, Die Geschäftsgrundlage, 1921; für einen historischen Überblick s. *Meyer-Pritzl*, in: HKK-BGB, 2007, §§ 313–314 Rn. 7 ff.; s. unten § 14 Rn. 48.

[61] BGH, Urt. v. 10.6.2008, VI ZR 248/07, NJW-RR 2008, 1198 Rn. 7.

[62] BGH, Urt. v. 15.4.1966, VI ZR 271/64, BGHZ 45, 212, 219; dies wird bei Krankheit etwa abgelehnt s. BGH, Urt. v. 18.5.1971, VI ZR 52/70, BGHZ 56, 214, 216.

[63] S. zusammenfassend Palandt/*Ellenberger*, BGB, 80. Aufl. 2021, § 138 Rn. 38 ff.

[64] Schön formuliert von *Ohly*, AcP 201 (2001), 1, 31.

chung muss die Bereitschaft aufbringen, die Fallgruppen nicht zu frühzeitig zu „zementieren", sondern sich mit der Kritik der Rechtsliteratur auseinanderzusetzen.[65] Die Subsumtion findet dann wiederum mit Fallvergleichen statt.[66]

2. Fallgruppennormen im europäischen Recht

Auch auf europäischer Ebene führt Richterrecht zur Konkretisierung von Recht und zur Entwicklung von neuen Rechtsinstituten mit immer präziseren Voraussetzungen. Der EUV sieht in Art. 4 Abs. 3 UAbs. 1 eine gegenseitige Loyalitätspflicht von Union und Mitgliedstaaten vor. Diese Pflicht wird in den UAbs. 2 und 3 dahingehend präzisiert, dass der Mitgliedstaat alle Maßnahmen zur Erfüllung der Aufgaben ergreift, die sich aus den Verträgen ergeben. In der Rechtsliteratur wird diese Loyalitätspflicht weiter durch Rechtsinstitute konkretisiert, die der EuGH entwickelt hat, wie den Anwendungsvorrang europäischen Rechts (§ 2 Rn. 85 ff.) oder den Staatshaftungsanspruch (§ 12 Rn. 123 ff.).[67] 33

Das Subsidiaritätsprinzip (§ 2 Rn. 58) findet sich in Art. 5 Abs. 3 EUV. Lange Zeit war umstritten, wie dieses inhaltlich zu konkretisieren ist.[68] Konsequenz dieses Streites war die Einführung eines Zuständigkeitskataloges in den Artt. 2–6 AEUV. Das Subsidiaritätsprinzip wurde inzwischen durch den Lissabon-Vertrag prozedural konkretisiert, indem es in einem eigenen Protokoll zum AEUV den nationalen Parlamenten umfangreiche Mitwirkungsbefugnisse gibt.[69] Inhaltlich sollte man das Subsidiaritätsprinzip strenger als bisher auf die Umsetzung des Binnenmarktes zurückführen.[70] 34

III. Die Strukturierung von mehreren Zurechnungskriterien verschiedener Fallgruppen

Generalklauseln haben eine Flexibilitätsfunktion und sollen Antworten auf neue gesellschaftliche Entwicklungen geben können; sie sind bestens zur Rechtsfortbildung geeignet (§ 7 Rn. 10). Folglich entstehen im Rahmen von § 138 BGB[71] und § 826 BGB immer wieder neue Fallgruppen. Es herrscht ein „Kommen und Gehen".[72] Dogmatisch lassen sich neue Fallgruppen *mit höherrangigem Recht*, etwa den Grundrechten, begründen, wie die gerade genannte Fallgruppe der „Bürgschaft vermögensloser Angehöriger" (§ 11 Rn. 58 ff.) zeigt. Denkbar ist aber auch, eine neue Fallgruppe zu begründen, indem man die Vergleichsmomente, d.h. Zurechnungskriterien mit den bisherigen Fallgruppen herausarbeitet. Hier lässt sich von einem **Unterprinzip** sprechen. Existieren solche Vergleichsmomente? 35

---

[65] Krit. *Herresthal*, in: FS Canaris, 2017, S. 869, 877 ff. zur fehlenden inhaltlichen Auseinandersetzung mit der Rechtsliteratur durch den XI. Senat des BGH, dem Bankensenat. Zur Möglichkeit der Rechtsprechungsänderung s. oben § 3 Rn. 31 ff.

[66] Nur auf die Fallvergleiche abstellend *Ohly*, AcP 201 (2001), 1, 31.

[67] Streinz/*ders.*, EUV/AEUV, 3. Aufl. 2018, Art. 4 EUV Rn. 31 ff.

[68] S. dazu die Entscheidung des BVerfG zum Maastricht-Vertrag oben § 2 Rn. 96 sowie Calliess/Ruffert/*Calliess*, EUV/AEUV, 5. Aufl. 2016, Art. 5 EUV Rn. 69 ff.

[69] Protokoll Nr. 2 zum Lissabon-Vertrag über die Anwendung der Grundsätze der Subsidiarität und der Verhältnismäßigkeit v. 13.12.2007, ABl. Nr. C 306, S. 150.

[70] Vertiefend *Möllers*, in: FS 25 Jahre WpHG, 2019, S. 17, 34 ff.

[71] Zur Fallgruppe der Bürgschaft vermögensloser Angehöriger s. unten § 8 Rn. 40.

[72] Prägnant Erman/*Wilhelmi*, BGB, 16. Aufl. 2020, § 826 Rn. 27.

1. Zurechnungskriterien verschiedener Fallgruppen als Bewegliches System

36 a) Die Zusammenfassung von Inhalt, Motiv und Zweck für § 138[73] bzw. § 826 BGB[74] bleibt für die Subsumtion immer noch zu abstrakt. Zudem sind die Fallgruppen des § 138 BGB zum Teil noch sehr heterogen: Die Rechtsprechung nennt etwa das Verhalten gegenüber dem Geschäftspartner oder gegenüber einem Dritten,[75] andere differenzieren zwischen dem sittenwidrigen Verhalten gegenüber der eigenen Person, dem Geschäftspartner und der Allgemeinheit.[76] *Coing* nannte die erste Gruppe Missbrauch von Machtstellungen, arglistiges Verhalten im Rechtsverkehr und Verletzung ethischer Güter.[77] Andere Autoren nennen wiederum andere Fallgruppen.[78] Im Ergebnis wird bedauert, dass sich keine allgemein anerkannte Einteilung in Fallgruppen durchgesetzt hat.[79]

37 b) Das Bewegliche System kann Zurechnungskriterien für ein Tatbestandsmerkmal oder eine Voraussetzung einer Norm entwickeln, wie etwa für die Verkehrspflicht des § 823 Abs. 1 BGB (*Mikroebene*). Es kann aber auch helfen, fallgruppenübergreifende *Rechtsgedanken* zu entwickeln, welche die Wertungen der verschiedenen Fallgruppen bündeln (*Makroebene*). Es ist insoweit eine gelungene Zwischenebene zwischen der Generalklausel und einzelnen Tatbestandsmerkmalen.[80] Das lässt sich bei der Entwicklung der Fallgruppen im Rahmen von § 138 BGB und § 826 BGB verdeutlichen. *Mayer-Maly*[81] nennt im Rahmen des § 138 BGB beispielhaft die Absicherung anerkannter Ordnungen, die Abwehr von Freiheitsbeschränkungen,[82] die Abwehr von Ausnutzung von Machtpositionen, die Abwehr der Schädigung Dritter, die Abwehr von schweren Äquivalenzstörungen, die Abwehr der Durchkreuzung verwerflicher Gesinnung sowie die Abwehr missbilligter Kommerzialisierung und verpönter Zwecksetzungen als Rechtsgedanken, die im Sinne eines „mehr oder weniger" vorliegen müssen.

38 Diese Rechtsgedanken auf der Makroebene möchten die anderen Zurechnungskriterien nicht negieren. Sie dienen aber dazu, die bisherig wenig strukturierte Fallgruppenbildung des § 138 BGB dadurch besser zu erklären, indem man Rechtsgedanken erkennbar macht, die den verschiedenen Fallgruppen erkennbar zugrunde liegen. Im Idealfall können die Rechtsgedanken bisherige oder neue Fallgruppen besser begründen.[83]

39 Optisch wäre dies wie folgt darstellbar:

---

[73] S. oben § 8 Fn. 29.

[74] S. unten § 8 Fn. 99.

[75] BGH, Urt. v. 21.12.1960, VIII ZR 1/60, BGHZ 34, 169, 176 – Umgehung amerikanischer Embargo-Bestimmungen; s. auch Palandt/*Ellenberger*, BGB, 80. Aufl. 2021, § 138 Rn. 24 ff., 40 ff.

[76] *Neuner*, Allgemeiner Teil des Bürgerlichen Rechts, 12. Aufl. 2020, § 46 Rn. 29 ff.

[77] *Coing*, NJW 1947/48, 213 ff.

[78] S. etwa die Fallgruppen bei *Flume*, Allgemeiner Teil des Bürgerlichen Rechts, Bd. II, 4. Aufl. 1992, § 18; *Schiemann*, in: Staudinger, BGB, Eckpfeiler des Zivilrechts, Neubearb. 2018, Rn. C 177.

[79] Palandt/*Ellenberger*, BGB, 80. Aufl. 2021, § 138 Rn. 24; *Armbrüster*, in: MünchKomm-BGB, 8. Aufl. 2018, § 138 Rn. 31.

[80] *Canaris*, Systemdenken und Systembegriff in der Jurisprudenz, 2. Aufl. 1983, S. 82; so im Ergebnis auch *Jansen*, Die Struktur des Haftungsrechts, 2003, S. 601, 604, 635 f. mit seinem Gesetzesvorschlag für ein Haftungsrecht.

[81] *Mayer-Maly*, in: MünchKomm-BGB, 1978, § 138 Rn. 27 ff. bis zur 3. Aufl., im Anschluss daran *Armbrüster*, in: MünchKomm-BGB, 8. Aufl. 2018, § 138 Rn. 33 ff.

[82] Oft ist hier eine Überforderung des Gläubigers gemeint.

[83] *Armbrüster*, in: MünchKomm-BGB, 8. Aufl. 2018, § 138 Rn. 31; zustimmend *Maurer*, Das Bewegliche System zur Konkretisierung der Sittenwidrigkeit bei § 826 BGB, 2017, S. 149 ff.

Grafik: Sittenwidrigkeit eines Rechtsgeschäfts

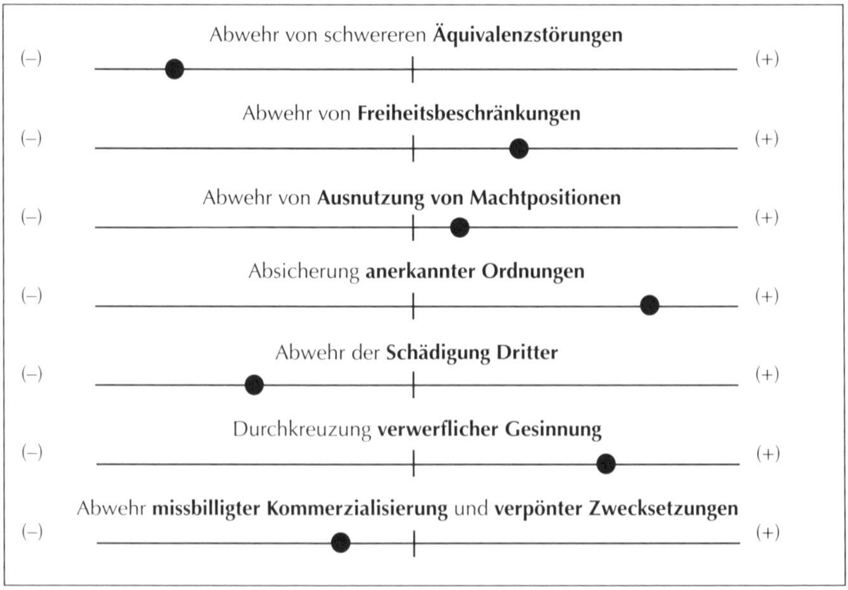

Bürgschaft vermögensloser Angehöriger: Hier war zu prüfen, ob eine Bürgschaft, die eine Bank von einem Angehörigen verlangt, sittenwidrig ist, wenn die Finanzkraft der Angehörigen dauerhaft eingeschränkt wird. Das Bundesverfassungsgericht prüfte die allgemeine Handlungsfreiheit des Art. 2 Abs. 1 GG als Grundrecht im Sinne einer *anerkannten Ordnung* (§ 11 Rn. 58 ff.). Der BGH hat daraufhin den Begriff des „Angehörigen" und die „krasse Überforderung des Bürgen" präzisiert (§ 8 Rn. 30). Zudem greifen als weitere verstärkende Zurechnungskriterien die *Freiheitsbeschränkung* und gegebenenfalls das *Ausnutzen von Machtpositionen* ein. **40**

Äquivalenzstörung: Der BGH prüft grundsätzlich nicht, ob der Preis einer Sache angemessen ist, sondern überlässt dies dem Markt. Die *laesio enormis*, also eine Prüfung der Angemessenheit von Leistung und Gegenleistung, gilt im BGB grundsätzlich nicht (§ 9 Rn. 35 f., 52 ff.). Eine sog. Inhaltssittenwidrigkeit (§ 8 Rn. 16) kann sich aus dem Verhältnis der versprochenen Leistungen ergeben, wenn Leistung und Gegenleistung in einem „auffälligen"[84] bzw. „besonders groben"[85] Missverhältnis zueinander stehen. Ursprünglich hat der BGH das auffällige Missverhältnis von Leistung und Gegenleistung des Wuchertatbestands des § 138 Abs. 2 BGB bei 100% über dem Marktpreis angenommen. Daneben prüft er aber auch ohne die Voraussetzungen des § 138 Abs. 2 BGB eine schwere Äquivalenzstörung und damit Sittenwidrigkeit gem. § 138 Abs. 1 BGB. Er bejaht sie regelmäßig, wenn der Vertragszins doppelt so hoch wie der Marktzins ist,[86] der Kaufpreis eines Grundstücks 90% über dem Marktwert liegt,[87] 50% über den ortsüblichen Vergleichsmieten als Mietzins[88] gezahlt **41**

[84] BGH, Urt. v. 24.3.1988, III ZR 30/87, BGHZ 104, 102, 105 – Ratenkreditvertrag; BGH, Urt. v. 10.2.2012, V ZR 51/11, NJW 2012, 1570 Rn. 8 f.

[85] BGH, Urt. v. 2.7.2004, V ZR 213/03, BGHZ 160, 8, 16 f. – Vergleichswertmethode.

[86] BGH, Urt. v. 24.3.1988, III ZR 30/87, BGHZ 104, 102, 105.

[87] BGH, Urt. v. 24.1.2014, V ZR 249/12, NJW 2014, 1652 Rn. 8.

[88] Einschlägig sind bereits 50% über der ortsüblichen Vergleichsmiete bei Wohnraum (BGH, Urt. v. 8.12.1981, 1 StR 416/81, NJW 1982, 896) und 100% bei Geschäftsräumen BGH, Urt v. 14.7.2004, XII ZR 352/00, NZM 2004, 907. Daneben kann § 5 WiStrG v. 3.6.1975, BGBl. I, S. 1313 (Wirtschaftsstrafgesetz) eingreifen.

werden oder umgekehrt bei einem Arbeitslohn von weniger als zwei Dritteln des tariflich üblichen Lohns.[89] Bei einem besonders groben Missverhältnis von Leistung und Gegenleistung *vermutet* die Rechtsprechung das Vorliegen einer „verwerflichen Gesinnung" als Teil des Sittenwidrigkeitsvorwurfs gem. § 138 Abs. 1 BGB.[90] Sie umgeht damit die strengeren subjektiven Voraussetzungen des § 138 Abs. 2 BGB, der insoweit ein Ausbeutungsbewusstsein und eine objektive Zwangslage verlangt.[91] Für die laesio enormis können als Zurechnungsgrund genannt werden: *schwere Äquivalenzstörung, Machtmissbrauch, Verstoß gegen eine anerkannte Ordnung,* aber vor allem die *Freiheitsbeschränkung*, die dadurch entsteht, dass dem Schuldner zentrale Lebensperspektiven genommen werden (Stichwort: „moderner Schuldturm").[92] Gegebenenfalls ist auch der strafrechtliche Wucher gem. § 134 BGB i.V.m. § 291 StGB einschlägig. Auf diese Thematik wird zurückzukommen sein (§ 9 Rn. 52 ff.).

2. Das Entwickeln neuer Fallgruppen – ein Kommen und Gehen

42 Die Suche nach vergleichbaren Zurechnungsgründen ermöglicht es, neue Fallgruppen zu entwickeln. In Literatur und Rechtsprechung ist etwa die *Informationshaftung bei Anlegern* entwickelt worden, die sich inzwischen in allen wichtigen Kommentaren zum BGB wiederfindet.[93] Dazu musste in einem ersten Schritt überhaupt dargetan werden, ob für das Kapitalmarktrecht eine Haftung nach § 826 BGB in Betracht kommt. Dies lässt sich bejahen, wenn man den neuen Fall mit den bisherigen Fallgruppen vergleicht.

43 *Infomatec:* Das Augsburger Unternehmen Infomatec hatte im Mai 2001 mit einer Ad-hoc-Mitteilung den größten Geschäftsabschluss der Unternehmensgeschichte gemeldet, diese Aussage aber alsbald korrigiert. Das Unternehmen wurde schließlich insolvent; die Aktien des Anlegers waren wertlos, sein Schaden lag bei 90.000 DM. Ist ein solches Handeln überhaupt rechtswidrig oder sogar sittenwidrig?[94]

44 (1) Zuerst einmal war fraglich, ob § 826 BGB eingreifen kann, weil im Jahre 2001 der erst später eingeführte § 37c WpHG a.F. (nun § 98 WpHG) als Spezialvorschrift noch nicht existierte.

Allerdings ist nicht jedes rechtswidrige Verhalten zugleich *sittenwidrig*. Im Allgemeinen genügt hierfür weder die bloße Tatsache, dass der Täter gegen ein gesetzliches Verbot verstoßen hat, noch der Umstand, dass sein Handeln bei einem anderen zu einem Vermögensschaden geführt hat. Sittenwidrigkeit liegt vor, wenn das Verhalten nach Inhalt oder Gesamtcharakter gegen das Anstandsgefühl aller billig und gerecht Denkenden verstößt.[95] Die damit geforderte besondere Verwerflichkeit des Verhaltens kann sich aus dem verfolgten Ziel, den eingesetzten Mitteln, der zu Tage tretenden Gesinnung oder den eingetretenen Folgen ergeben.[96] Manche sprechen hier von einem Beweglichen System (§ 8 Rn. 17).

---

[89] BAG, Urt. v. 22.4.2009, 5 AZR 436/08, BAGE 130, 338 Rn. 13 unter Hinweis auf die Ratenkreditrechtsprechung; vorher hatte das BAG, Urt. v. 24.3.2004, 5 AZR 303/03, BAGE 110, 79, 85 f. zudem mit der allgemeinen Handlungsfreiheit des Art. 2 Abs. 1 GG sowie dem Sozialstaatsprinzip des Art. 20 Abs. 1 GG argumentiert. Durch das Mindestlohngesetz (MiLoG) v. 11.8.2014, BGBl. I, S. 1348, hat diese Fallgruppe aber an Bedeutung verloren.

[90] BGH, Urt. v. 10.7.1986, III ZR 133/85, BGHZ 98, 174, 178; BGH, Urt. v. 19.1.2001, V ZR 437/99, BGHZ 146, 298, 302.

[91] *Armbrüster*, in: MünchKomm-BGB, 8. Aufl. 2018, § 138 Rn. 154.

[92] S. § 11 Rn. 57 ff.

[93] Hierzu bereits *Möllers/Leisch*, WM 2001, 1648 ff.; KK-WpHG/*dies.*, 2. Aufl. 2014, §§ 37b, c Rn. 436 ff.; Palandt/*Sprau*, BGB, 80. Aufl. 2021, § 826 Rn. 35a; *Wagner*, in: MünchKomm-BGB, 8. Aufl. 2020, § 826 Rn. 113 ff.

[94] Als Klausurbeispiel *Grunewald/Schlitt*, Einführung in das Kapitalmarktrecht, 4. Aufl. 2019, S. 318 ff.

[95] S. Mot. II, S. 727; *Oechsler*, in: Staudinger, BGB, Neubearb. 2018, § 826 Rn. 4 ff., 31. Früher wurde auch noch vom „Rechtsgenossen" gesprochen, s. BGH, Urt. v. 2.6.1981, VI ZR 28/80, NJW 1981, 2184, 2185.

[96] BGH, Urt. v. 19.7.2004, II ZR 402/02, BGHZ 160, 149, 157 – Infomatec.

(2) Die Konkretisierung der Generalklausel des § 826 BGB durch die Rechtsprechung und die daran anknüpfende systematisierende Arbeit der Rechtswissenschaft hat zur Herausbildung von Fallgruppen geführt. Im Rahmen informationeller Fehlleistungen haben sich die *Fallgruppe der bewusst unrichtigen Auskunft* und die *Fallgruppe der leichtfertigen Irreleitung Dritter* durch Fehlinformationen herausgebildet. Beiden ist gemein, dass ein Dritter in besonderem Maße auf die Auskunft des Dritten vertraut, etwa auf das (fehlerhafte) Arbeitszeugnis oder die (fehlerhafte) Kreditauskunft. Die Ad-hoc-Mitteilung gibt Auskunft über eine kursrelevante Information des Unternehmens. Das Anlegerpublikum vertraut in besonderem Maße auf die Richtigkeit dieser Information des Vorstandes. Damit ist dieser Fall mit den bisherigen Fällen vergleichbar.[97] Die Rechtsprechung des BGH zur Vorstandshaftung bei fehlerhaften Ad-hoc-Meldungen stellt die konsequente Fortentwicklung der bisherigen Rechtsprechungslinie dar; angesichts der kapitalmarktrechtlichen Besonderheiten lässt sich von einer neuen Fallgruppe der fehlerhaften Kapitalmarktinformationshaftung sprechen, die in einer Rechtsprechungskette (Infomatec, EM.TV, Comroad, IKB) entwickelt wurde.[98] 45

Bei § 826 BGB kann sich die Sittenwidrigkeit und die damit geforderte besondere Verwerflichkeit des Verhaltens aus dem **verfolgten Ziel**, den **eingesetzten Mitteln**, der zu Tage tretenden **Gesinnung** oder den eingetretenen **Folgen** ergeben.[99] Im Unterschied zu § 138 BGB kann bei § 826 BGB aber nicht auf das Vorsatzelement verzichtet werden. Sittenwidrigkeit und Vorsatz sind elementare Tatbestandsmerkmale des § 826 BGB, weil mit diesen erhöhten Anforderungen im deutschen Deliktsrecht ausnahmsweise auch das Vermögen geschützt wird.[100] Auch bei § 826 BGB sprechen einige Vertreter in der Literatur von einem Beweglichen System, um die Sittenwidrigkeit zu beurteilen.[101] Das zeigt sich sehr schön bei einem Vergleich der Infomatec- mit der IKB-Entscheidung. 46

(1) Basis der Sittenwidrigkeitswertung ist – wie in den bestehenden Fallgruppen – die *besondere Bedeutung der Information* für das Anlegerpublikum. Dies kommt in der Anknüpfung des BGH an die „grobe Unrichtigkeit" zum Ausdruck. Die Bedeutung der Information ist den Verantwortlichen im Falle der Veröffentlichung der Ad-hoc-Mitteilung in der Infomatec-Entscheidung auch *erkennbar*, denn mittels einer solchen Meldung dürfen überhaupt nur solche Informationen veröffentlicht werden, die von besonderer Bedeutung sind.[102] Ein weiteres Element der Sittenwidrigkeitswertung ist die besondere *Verwerflichkeit des Mittels.* Der Missbrauch des Rechtsinstituts der Ad-hoc-Publizität wird vom BGH als Zeichen dafür gewertet, dass den hierfür Verantwortlichen offensichtlich jedes Mittel recht ist, um bei potentiellen Anlegern positive Vorstellungen über den Wert des Unternehmens hervorzurufen.[103] 47

Der II. Zivilsenat führte in seinen drei Grundsatzurteilen zu Infomatec aus, dass im Falle direkt vorsätzlicher unlauterer Beeinflussung des Sekundärmarktpublikums durch eine 48

[97] Hierzu ausführlich *Möllers/Leisch*, WM 2001, 1648 ff.; *Hellgardt*, in: FS 25 Jahre WpHG, 2019, S. 701 ff.

[98] KK-WpHG/*Möllers/Leisch*, 2. Aufl. 2014, §§ 37b, c Rn. 443; Fuchs/*Fuchs*, WpHG, 2. Aufl. 2016, vor §§ 37b, 37c Rn. 31 f.

[99] BGH, Urt. v. 19.7.2004, II ZR 402/02, BGHZ 164, 149, 157 – Infomatec; BGH, Urt. v. 13.12.2011, XI ZR 51/10, BGHZ 192, 90 Rn. 28 – IKB.

[100] Ausdrücklich *Oechsler*, in: Staudinger, BGB, Neubearb. 2018, § 826 Rn. 1; Larenz/*Canaris*, Lehrbuch des Schuldrechts, Besonderer Teil, Bd. II/2, 13. Aufl. 1994, S. 454 f.

[101] Erman/*Wilhelmi*, BGB, 16. Aufl. 2020, § 826 Rn. 5; Larenz/*Canaris* (ebd.), S. 453; *Hönn*, in: Soergel, BGB, 13. Aufl. 2005, § 823 Rn. 22; *Maurer*, Das Bewegliche System zur Konkretisierung der Sittenwidrigkeit bei § 826 BGB, 2017; *Mertens*, in: MünchKomm-BGB, 3. Aufl. 1997, § 826 Rn. 7, diesem jedoch nicht folgend *Wagner* (ebd.) ab 4. Aufl. 2004.

[102] BGH, Urt. v. 19.7.2004, II ZR 402/02, BGHZ 160, 149, 156 – Infomatec; BGH, Urt. v. 19.7.2004, II ZR 217/03, NJW 2004, 2668, 2670 – Infomatec, jeweils in Bezug auf das Vorsatzerfordernis.

[103] BGH, Urt. v. 19.7.2004, II ZR 402/02, BGHZ 160, 149, 157 f. – Infomatec; BGH, Urt. v. 19.7.2004, II ZR 217/03, NJW 2004, 2668, 2670 f. – Infomatec; vgl. bereits *Möllers/Leisch*, WM 2001, 1648, 1654; *Krause*, ZGR 2002, 799, 821; *Fuchs/Dühn*, BKR 2002, 1063, 1068.

grob unrichtige Ad-hoc-Mitteilung die Verwerflichkeit des Verhaltens und damit die *Sittenwidrigkeit bereits indiziert* sei. Er hatte also von einer vorsätzlichen Ad-hoc-Mitteilung auf die *Sittenwidrigkeit geschlossen.* Ein solches Verhalten verstoße derart gegen die Mindestanforderungen im Rechtsverkehr auf dem Kapitalmarkt, dass ein Ausgleich der bei den einzelnen Marktteilnehmern verursachten Vermögensschäden geboten erscheine.[104] Damit war die Verfolgung eigener Zwecke in objektiv unlauterer Weise **nicht** mehr als Element erforderlich.[105]

49 (2) In dem IKB-Fall hatte der Vorstandsvorsitzende wider besseren Wissens nach der Lehman-Brothers-Pleite behauptet, das angelegte Geld sei sicher. Der II. Zivilsenat hat diese Indizwirkung ursprünglich für Ad-hoc-Mitteilungen entwickelt und bei „grob unrichtigen Unternehmenszahlen" etwa gefälschte Bilanzen vor Augen gehabt.[106] Der XI. Zivilsenat verlangte nun in der IKB-Entscheidung, dass die besondere Verwerflichkeit des Verhaltens sich aus dem verfolgten Ziel, den eingesetzten Mitteln, der zutage getretenen Gesinnung oder den eingetretenen Folgen ergeben müsse und zudem eine *Gesamtabwägung* stattzufinden habe.[107] Diese höheren Anforderungen sind nachvollziehbar: Die Pressemitteilung der IKB ist gegenüber der Ad-hoc-Mitteilung und der Halbjahresbilanz aber ein weniger bedeutendes Medium zur Information des Kapitalmarktes. Insoweit ist es interessengerecht, dass bei einer Pressemitteilung auch die Gesinnung und die Folgen als weitere Voraussetzungen der Sittenwidrigkeit im Sinne eines Beweglichen Systems geprüft werden.[108]

3. Bildung einer neuen Fallgruppe im europäischen Recht

50 Auch im europäischen Recht kennt der EuGH die Methode, neue Fallgruppen zu bilden, indem er auf ein ursprüngliches Präjudiz Bezug nimmt und die Voraussetzungen dann modifiziert.

51 *Staatshaftungsanspruch:* Der EuGH hat in der Francovich-Entscheidung einen Staatshaftungsanspruch entwickelt, wenn ein Mitgliedstaat eine europäische Richtlinie nicht rechtzeitig umsetzt und einem Bürger daraus ein Schaden entsteht, weil er etwa die Rechte nicht geltend machen kann, die er bei rechtzeitiger Umsetzung der Richtlinie gehabt hätte. Der EuGH hatte dieses Rechtsinstitut zuerst bei einer Missachtung europäischen Rechts durch den nationalen Gesetzgeber angewendet, um diese Grundsätze dann auf die Verwaltung bzw. ein Gericht eines Mitgliedstaates zu übertragen (ausführlich § 12 Rn. 123 ff.). Dazu präzisierte er die Voraussetzungen des Staatshaftungsanspruchs in weiteren Entscheidungen.

52 **Vertiefung** – *Klage gegen Kartelle:* Können Private bei einer Verletzung des europäischen Kartellrechts klagen?[109]

Zusammenfassung zu § 8

53 I. Das *Bewegliche System* von Wilburg arbeitet mit beweglichen Zurechnungskriterien im Bereich von Generalklauseln oder Rechtsprinzipien. Einerseits kann es Zurechnungskriterien für ein Tatbestandsmerkmal oder eine Voraussetzung einer Norm entwickeln, wie beispielsweise für die Verkehrspflicht des § 823 Abs. 1 BGB (Mikroebene). Anderer-

---

[104] BGH, Urt. v. 19.7.2004, II ZR 402/02, BGHZ 160, 149, 157 – Infomatec; BGH, Urt. v. 19.7.2004, II ZR 217/03, NJW 2004, 2668, 2670 f. – Infomatec: zustimmend *Möllers*, JZ 2005, 75, 76.

[105] Zutreffend *Wagner*, in: MünchKomm-BGB, 8. Aufl. 2020, § 826 Rn. 117.

[106] BGH, Urt v. 7.1.2008, II ZR 68/06, WM 2008, 398 Rn. 10 – Comroad VII.

[107] BGH, Urt. v. 13.12.2011, XI ZR 51/10, BGHZ 192, 90 Rn. 28 – IKB.

[108] KK-WpHG/*Möllers/Leisch*, 2. Aufl. 2014, §§ 37b, c Rn. 463.

[109] EuGH, Urt. v. 20.9.2001, C-453/99, EU:C:2001:465, Rn. 24 – Courage Ltd./Crehan; EuGH, Urt. v. 13.7.2006, C-295/04 u.a., EU:C:2006:461, Rn. 61 – Manfredi. Die Lösung findet sich unter § 15 Rn. 30.

seits kann das Bewegliche System aber auch helfen, fallgruppenübergreifende Rechtsgedanken zu entwickeln, welche die Wertungen der verschiedenen Fallgruppen bündeln (Makroebene).

II. Fallgruppen können die Arbeit mit Generalklauseln erleichtern, wenn sie durch die Rechtsprechung und Rechtsliteratur zu Fallgruppennormen mit *tatbestandsähnlichen Voraussetzungen* konkretisiert wurden.

III. Mehrere Fallgruppen können *dieselben Zurechnungskriterien* besitzen. Dies erleichtert die Bildung neuer Fallgruppen.

§ 9 Rechtsdogmatik und allgemeine Rechtsprinzipien

Literatur: *Bumke, Christian*, in: ders., Richterrecht zwischen Gesetzesrecht und Rechtsgestaltung, 2012, S. 1–31; *ders.*, Rechtsdogmatik. Überlegungen zur Entwicklung und zu den Formen einer Denk- und Arbeitsweise der deutschen Rechtswissenschaft, JZ 2014, 641–650; *ders.*, Rechtsdogmatik, 2017; *Canaris, Claus-Wilhelm*, Systemdenken und Systembegriff in der Jurisprudenz, 2. Aufl. 1983; *ders.*, Verfassungs- und europarechtliche Aspekte der Vertragsfreiheit in der Privatgesellschaft, in: FS Lerche, 1993, S. 873–891; *Dreier, Horst (Hrsg.)*, Rechtswissenschaft als Beruf, 2018; *Flume, Werner*, Rechtsgeschäft und Privatautonomie, in: FS 100 Jahre DJT, Bd. 1, 1960, S. 135–238; *Grigoleit, Hans Christoph*, Dogmatik – Methodik – Teleologik, in: FS Canaris, 2017, S. 241–279; *Jestaedt, Matthias*, Wissenschaft im Recht, JZ 2014, 1–12; *Kirchhof, Gregor/Magen, Stefan/Schneider, Karsten*, Was weiß Dogmatik?, 2012; *Lassahn, Philipp/Steenbreker, Thomas*, Gedanken zur Rechtsdogmatik, JR 2015, 553–560; *Lennartz, Jannis*, Dogmatik als Methode, 2017; *Metzger, Axel*, Extra legem, intra ius: Allgemeine Rechtsgrundsätze im Europäischen Privatrecht, 2009; *Möllers, Thomas M.J.*, Europäische Richtlinien zum Bürgerlichen Recht, JZ 2002, 121–134; *ders.*, Zur methodischen Arbeit mit allgemeinen Rechtsprinzipien – aufgezeigt am europäischen Kapitalmarktrecht, in: FS Baums, 2017, S. 805–826; *Neuner, Jörg*, Allgemeiner Teil des Bürgerlichen Rechts, 12. Aufl. 2020, § 10; *Rückert, Joachim*, Das BGB und seine Prinzipien: Aufgabe, Lösung, Erfolg, in: HKK-BGB, 2003, vor § 1 Rn. 1–117; *Stürner, Rolf*, Das Zivilrecht in der Moderne und die Bedeutung der Rechtsdogmatik, JZ 2014, 10–24; *ders.*, Die Zivilrechtswissenschaft in ihre Methodik – zu rechtsanwendungsbezogen und zu wenig grundlagenorientiert?, AcP 124 (2014), 7–54; *Volkmann, Uwe*, Die Dogmatisierung des Verfassungsrechts, JZ 2020, 965–975.

Übersicht

Rn.

I. Allgemeine Rechtsprinzipien und Rechtsdogmatik 2
1. Der Nutzen der Rechtsdogmatik für die Juristische Methodenlehre 2
2. Rechtsdogmatik und Juristische Methodenlehre 7
3. Zur Differenzierung zwischen Rechtsidee, Rechtsprinzip und Rechtsinstitut 9

II. Die Arbeit mit Rechtsprinzipien in der Fallbearbeitung: Begründung und Konstruktion des Rechtsprinzips 15
1. Die Begründung des Rechtsprinzips als erster Schritt: Rückgriff auf Gesetz oder Induktion 16
2. Konkretisierung von Rechtsprinzipen als notwendiger zweiter Schritt 23

III. Rechtsprinzipien im Zivilrecht: Herleitung und Konkretisierung der Privatautonomie 28
1. Induktive Herleitung von pacta sunt servanda 29
2. Vertragsfreiheit und vermeintlich widersprechende Rechtsprinzipien 33

IV. Das Selbstbestimmungsrecht als Rechtfertigungsgrund verschiedener Rechtsinstitute 39
1. Ansätze in der Literatur 39
2. Privatautonomie als Selbstbestimmung beider Parteien 43
3. Die rechtsdogmatische Begründung der verschiedenen Rechtsinstitute mit dem fehlenden Selbstbestimmungsrecht 51
4. Die Konkretisierung und Begründung von Rechtsinstituten durch das Prinzip der Selbstbestimmung 59

V. Rechtsprinzipien auf europäischer Ebene 61
1. Herausforderungen bei der Ableitung von Prinzipien auf europäischer Ebene 61
2. Allgemeine Rechtsprinzipien im europäischen Recht 63

1 Nachdem der Umgang mit Generalklauseln bereits vorgestellt und als komplex eingestuft wurde (§§ 7, 8), ist nun auf die Arbeit mit Rechtsprinzipien einzugehen, wobei diese noch eine Stufe schwieriger ist. Wie lassen sich aus dem Recht Rechtsprinzipien gewinnen? Was sind überhaupt Rechtsprinzipien? Wie stehen Rechtsprinzipien und Rechtsinstitute zueinander? Schon die Arbeit mit Grundrechten als gesetzlich formulierten Prinzipien zeigt, dass es zunächst weiterer konkretisierender Schritte bedarf, um mit ihnen arbeiten zu können, da sie für sich noch nicht unmittelbar subsumierbar sind. Da das Grundgesetz keine konkreten Angaben macht und subsumierbare Tatbestandsmerkmale fehlen, hilft der klassische Savigny'sche Auslegungskanon allein nicht weiter, z. B. bei der Frage, ob ein Ehevertrag gegen Art. 2 Abs. 1 GG verstößt.[1] In § 9 werden die Herleitung von Rechtsprinzipien sowie das Verhältnis zu Rechtsinstituten und zu Rechtsideen erörtert. Vorab ist aber die Rolle der Rechtsdogmatik zu klären, die in den letzten Jahren vor allem im Öffentlichen Recht intensiv diskutiert wurde. Rechtsprinzipien sind mit den Wertungen des Gesetzes zu begründen, aber auch weiter zu konkretisieren. Dafür ist die Abgrenzung von Rechtsidee, Rechtsprinzip und Rechtssatz hilfreich (I.). Die methodische Arbeit mit Rechtsprinzipien ist wenig bekannt (II.). Die Vertragsfreiheit gilt als gewichtiges Rechtsprinzip des Zivilrechts. Rechtsinstitute wie Kontrahierungszwang, Preiskontrolle und Störung der Geschäftsgrundlage scheinen der Vertragsfreiheit hingegen entgegenzustehen (III.). Die gerade genannten Rechtsinstitute lassen sich aber mit dem Rechtsprinzip der Selbstbestimmung als Teil der Privatautonomie erklären (IV.). Schließlich ist auf Rechtsprinzipien im europäischen Recht einzugehen (V.). § 10 widmet sich schließlich der gegenseitigen Abwägung von Rechtsprinzipien.

I. Allgemeine Rechtsprinzipien und Rechtsdogmatik

1. Der Nutzen der Rechtsdogmatik für die Juristische Methodenlehre

a) Ziele und Begriff der Rechtsdogmatik

2 Der Begriff der Rechtsdogmatik ist noch wenig geklärt.[2] Rechtsdogmatik zeichnet sich durch drei wesentliche Elemente aus: Sie kann als System von Sätzen (wie Definitionen, Prinzipien etc.) erstens mit normativem Gehalt beschrieben werden, die zwar zweitens Bezug zum positiven Recht und zur Rechtsprechung aufweisen, aber mit diesen nicht zwingend identisch sind. Zur normativen Dimension gehört die Verpflichtung, Wertungsurteile rational zu begründen.[3] Kennzeichnend für die Rechtsdogmatik ist drittens, dass die genannten Rechtssätze von Wissenschaft und Rechtsprechung aufgestellt und diskutiert werden.[4] Rechtsdogmatik ist damit mehr als Gesetzestext. Man kann sie mit der *Grammatik* vergleichen: Die Sprache – hier die Rechtsnormen – kann ohne Kenntnis der Grammatik weder verstanden noch angewendet werden.[5] Die Dog-

---

[1] BVerfG, Urt. v. 6.2.2001, 1 BvR 12/92, BVerfGE 103, 89, 100 ff. – Unterhaltsverzichtsvertrag; vgl. auch § 11 Fn. 161.

[2] *Lepsius*, in: Jestaedt/Lepsius, Rechtswissenschaftstheorie, 2008, S. 1, 4; *G. Kirchhof/Magen*, in: G. Kirchhof/Magen/K. Schneider, Was weiß Dogmatik?, 2012, S. 151, 153; zu den verschiedenen Definitionen s. *Lennartz*, Dogmatik als Methode, 2017, S. 150 ff.

[3] *Alexy*, Theorie der Grundrechte, 1986, S. 25; ausführlich *Larenz*, Methodenlehre der Rechtswissenschaft, 6. Aufl. 1991, S. 224 ff.: Rechtsdogmatik als wertorientiertes Denken.

[4] Ähnlich *Voßkuhle*, in: Hoffmann-Riem/Schmidt-Aßmann/Voßkuhle, Grundlagen des Verwaltungsrechts, Bd. 1, 2. Aufl. 2012, § 1 Rn. 6; s. die verschiedenen Begriffsbildungen bei *Waldhoff*, in: G. Kirchhof/Magen/K. Schneider, Was weiß Dogmatik?, 2012, S. 17, 22 ff.; *Ch. Möllers*, in: Hoffmann-Riem/Schmidt-Aßmann/Voßkuhle, Grundlagen des Verwaltungsrechts, Bd. 1, 2. Aufl. 2012, § 3 Rn. 35 ff.

[5] *Herberger*, Dogmatik, 1981, S. 37 f., 74 ff., 119, 257 ff. mit umfangreichen Nachweisen zum römischen Recht; *Jansen*, ZEuP 2005, 750, 754.

matik gibt dem Recht eine Struktur und innere Schlüssigkeit, indem sie Prinzipientreue postuliert.

Rechtsdogmatik zielt auf Begriffs-, System- und Prinzipienbildung ab, indem sie fragt, welche Teile des Rechts auf welchen Wertungen beruhen. Dabei verfolgt sie drei Ziele: Sie richtet sich erstens auf das Sammeln und Sichten des Rechtsstoffs als empirische Dimension, sie will zweitens eine begrifflich-systematische Durchdringung des Rechtsstoffs als analytische Dimension erreichen und drittens den Bezug zur praktischen Vernunft als normativ-rechtsethische Dimension sicherstellen.[6] Sie dient damit auch der Bewältigung des Lernstoffs.[7] Rechtsdogmatik setzt den Richtigkeitsanspruch des positiven Rechts voraus.[8] Mit der Rechtsdogmatik werden neue Begriffe, Lehrsätze und Zwischenschichten erarbeitet, die über die Summe der Vorgaben einzelner Gesetzesnormen hinausgehen.[9] Diese Tiefenstruktur der Rechtsordnung wird aus einer Vielzahl miteinander verbundener Ordnungsbegriffe, Lehrsätze, Typologien, Figuren, Leit- und Strukturgedanken gebildet, die unser Verständnis vom Recht und der Bedeutung einzelner Rechtsnormen prägen.[10] Sie entwickelt Prüfprogramme[11], etwa die vierstufige Prüfung der Grundrechte (§ 10 Rn. 54). Sie hat damit auch eine Rechtserzeugungsfunktion[12] im Sinne von Rechtsfortbildung extra legem intra ius (§ 13 Fn. 25). 3

Nach diesen Überlegungen kann Rechtsdogmatik umschrieben werden als *Gesamtheit der von Rechtsprechung und Rechtsliteratur zur Konkretisierung des Rechts entwickelten Regeln, die für die konkrete Rechtslösung herangezogen werden.* Weil diese Regeln oft keinen unmittelbaren Bezug mehr zum Wortlaut des Gesetzes haben, bedarf es einer *Rückanbindung* an das Recht mit Hilfe der *Juristischen Methodenlehre* (§ 9 Rn. 7 ff.). 3a

b) Risiken der „Gebrauchsdogmatik"

Die Rechtsdogmatik wird aus mindestens drei Richtungen kritisiert. Erstens wird ihr vorgeworfen, l'art pour l'art[13] zu betreiben, einen dogmatischen Überbau mit endlosen Verästelungen zu produzieren und damit eine *Feinsystematik* zu schaffen, etwa bei den Grundrechten[14] oder im Bereicherungsrecht,[15] die aufgrund ihrer Abstraktheit der Lebenswirklichkeit nicht gerecht werde.[16] Volkmann warnt vor einer Überdogmatisierung: Urteile würden zu lang, zu komplex, wären im Unterricht nicht mehr lehrbar und würden vor allem auf Kosten von Flexibilität und Entwicklungsoffenheit gehen.[17] 4

---

[6] *R. Dreier*, in: ders., Recht – Staat – Vernunft, 1991, S. 211, 217; ihm folgend *Alexy*, Theorie der Grundrechte, 1986, S. 22 ff.; *Stürner*, JZ 2012, 10 f.

[7] *Alexy*, Theorie der juristischen Argumentation, 1983, S. 330 f.

[8] *Bumke*, JZ 2014, 641, 647.

[9] *Jansen*, ZEuP 2005, 750, 755; *Stürner*, AcP 214 (2014), 7, 11.

[10] *Bumke*, Der Grundrechtsvorbehalt, 1998, S. 26.

[11] *Dreier*, in: ders., Rechtswissenschaft als Beruf, 2018, S. 1, 41 ff.

[12] *Voßkuhle*, in: Hoffmann-Riem/Schmidt-Aßmann/Voßkuhle, Grundlagen des Verwaltungsrechts, Bd. 1, 2. Aufl. 2012, § 1 Rn. 6; zustimmend *Lepsius*, in: Jestaedt/Lepsius, Rechtswissenschaftstheorie, 2008, S. 1, 18.

[13] „Kunst, um der Kunst willen"; Kunst, die sich selbst genügt, ohne einem Zweck zu dienen.

[14] Für die Grundrechtsdogmatik s. *Schwabe*, JZ 2007, 135: „Über Grundpflichtmythen, Abstraktionitis und Überproduktion in der Grundrechtsdogmatik" und Replik von *Ekardt* und Schlusswort *Calliess*. *Lindner*, JZ 2015, 589, 590: „Allein in der ‚Grundrechtsdogmatik', an der seit Jahrzehnten mit großer Intensität gearbeitet und gefeilt wird, scheint es kaum mehr ein ungespaltenes Haar zu geben." S. auch § 12 Rn. 80 ff.

[15] Gegen die einzelfallbezogene Falllösungstechnik im Zivilrecht, s. *Großfeld*, JZ 1992, 22, 23 ff.

[16] Roxin/*Greco*, Strafrecht Allgemeiner Teil, Bd. I, 5. Aufl. 2020, § 7 Rn. 51.

[17] *Volkmann*, JZ 2020, 965, 972 ff. mit zahlreichen Entscheidungen des BVerfG; anschaulich *Braun*, JZ 2020, 353, 354: „Nirgendwo ist die Kunst, auf Glatzen Locken zu drehen, weiter entwickelt als in der Grundrechtsdogmatik."

5 Die deutsche Rechtsdogmatik wäre zweitens zu sehr auf das geltende deutsche Recht fixiert und würde sich gegenüber *ausländischen Strömungen abschotten.*[18] Schon im europäischen Recht gäbe es eine solche Rechtsdogmatik kaum[19], weil auf europäischer Ebene entweder nur punktuell Rechtsfragen geklärt würden oder aber eine Normenflut rein technische Fragstellungen zu beantworten versucht.[20] Das US-amerikanische Recht kenne keine Rechtsdogmatik und lebe gut mit seinem fallbezogenen Ansatz.[21]

6 Schließlich bestünde drittens die Gefahr einer *systematischen Selbstgenügsamkeit*, indem etwa die Privatrechtswissenschaft von elementaren Grundwerten abgekoppelt sei.[22] Noch schwerer wiegt, dass Begriffe erfunden würden, ohne diese inhaltlich ausreichend zu präzisieren.[23] Im Vordergrund steht der Vorwurf, dass Gerichte Begriffe entwickelten, die dann bei der Subsumtion des Einzelfalls als feinsystematische Zwischenschicht geprüft würden, ohne dass auf allgemeine Grundregeln zurückgegriffen würde. Dieser „Gebrauchsdogmatik"[24] fehle die Rückbindung an das Gesetz.[25] Alle Rechtsinstitute wie Störung der Geschäftsgrundlage, das subjektiv öffentliche Recht oder der Verwaltungsakt, wurden von der Lehre (§ 14 Rn. 48) entwickelt und dann von der Rechtsprechung bzw. Gesetzgebung später übernommen. Allen Rechtsinstituten und Rechtsbegriffen wäre gemein, dass sie unabhängig von einer Rechtsnorm entwickelt wurden.[26] Mit diesem Einwand steht der Vorwurf des *Dezisionismus* im Raum, das Entscheiden des Richters kraft seiner Autorität, ohne ausreichendenden Rückgriff auf das Gesetz (§ 1 Rn. 6). Und in der Tat prüft man etwa die Grundrechte in einer vierstufigen Prüfungsfolge, ohne dass sich diese Prüfungsfolge in einer Norm des GG wiederfindet. Die bisherige Methodenlehre könne solche Formen der Rechtsdogmatik nicht erklären, müsse dies aber erreichen.[27]

c) Scheinbegründungen wie die „Natur der Sache"

6a Grundsätzlich wird davor gewarnt, dass gerade im Bereich der Konkretisierung Begriffe erfunden werden, ohne diese zu definieren oder rechtsdogmatisch abzusichern.[28] Der Begriff der „Natur der Sache" wurde von *Dernburg* begründet. Er schrieb: „Die Lebensverhältnisse tragen, wenn auch mehr oder weniger entwickelt, ihr Maß und ihre Ordnung in sich. Die den Dingen innewohnende Ordnung nennt man Natur der Sache. Auf sie muß der denkende Jurist zurückgehen, wenn es an einer *positiven Norm fehlt* oder wenn diese unvollständig oder unklar ist."[29] Von der Rechtsliteratur[30] und Rechtspre-

---

[18] *Voßkuhle*, in: G. Kirchhof/Magen/K. Schneider, Was weiß Dogmatik?, 2012, S. 111, 113; *Jestaedt*, JZ 2014, 1, 3; so auch der Wissenschaftsrat, Perspektiven der Rechtswissenschaft in Deutschland, 2012, S. 70; s. hierzu die Diskussion bei *Grundmann*, JZ 2013, 693–714.

[19] Hierzu *Stürner*, AcP 214 (2014), 7, 22 f. und unten § 9 Rn. 63 ff.

[20] *Möllers*, ZEuP 2016, 325, 330 ff.; *ders.*, ZEuP 2008, 480, 483 ff.

[21] *Fikentscher*, Methoden des Rechts, Bd. II, 1975, S. 462 ff.; *Somek*, JZ 2016, 481, 482 ff. sowie unten § 13 Rn. 99. Zum *legal realism* s. oben § 5 Rn. 91.

[22] *Stürner*, AcP 214 (2014), 7, 18.

[23] So *Lindner*, Rechtswissenschaft als Metaphysik, 2017 für die Begriffe „Verfassungspluralismus" (S. 65 f., 109), „governance" (S. 96) oder „Daseinsvorsorge" (S. 113 f.). S. auch unten § 10 Rn. 18.

[24] So der Begriff von *Stürner*, JZ 2012, 10, 11 f.; *ders.*, AcP 214 (2014), 7, 13.

[25] Zu dieser Kritik *Jestaedt*, JZ 2014, 1, 11; *Dreier*, in: ders., Rechtswissenschaft als Beruf, 2018, S. 54 ff.

[26] So an den Beispielen des subjektiv öffentlichen Rechts und der Grundrechtsprüfung *Lennartz*, Dogmatik als Methode, 2017, S. 137 ff., 157 ff.

[27] *Lennartz*, Dogmatik als Methode, 2017, S. 2: Methodenlehre muss auch Theorie der Dogmatik sein.

[28] *Lindner*, Rechtswissenschaft als Metaphysik, 2017, spricht von „Selbstermächtigungs-" (S. 66) oder „Wünsch-Dir-Was-Begriffen" (S. 109).

[29] *Dernburg*, Pandekten, Bd. 1, 7. Aufl. 1902, S. 84; *ders.*, System des römischen Rechts, Bd. 1, 8. Aufl. 1911, S. 64; *von Thur*, Allgemeiner Teil des Bürgerlichen Rechts, Bd. 1, 1910, S. 42.

[30] Ausführlich *Kaufmann*, Analogie und „Natur der Sache", 2. Aufl. 1982; *F. Müller*, Normstruktur und Normativität, 1966, S. 94 ff.; *Larenz*, Methodenlehre der Rechtswissenschaft, 6. Aufl. 1991, S. 417 ff. m.w.Nachw.; *Canaris*, Die Feststellung von Lücken im Gesetz, 2. Aufl. 1983, S. 100.

chung ist die Natur der Sache gelegentlich aufgenommen worden. Mit dieser soll vor allem die Rechtsfortbildung legitimiert werden. Sie wird als *objektiv*-teleologisches Auslegungskriterium bezeichnet.[31] Die fehlende Norm soll damit entweder aus dem Lebenssachverhalt oder den sachlogischen Strukturen erschlossen werden. So soll aus der Natur der Sache gar eine Regelungsbefugnis des Bundes bestehen, die verfassungsgesetzlich zwar nicht ausdrücklich geregelt ist, aber zwingend ausschließlich dem Bund zusteht.[32] Das BVerfG verneinte dies regelmäßig.[33]

Der Anwendungsbereich der „Natur der Sache" ist damit oft viel enger als behauptet. **6b**
Häufig wird er als reine Prämisse ohne weitergehende Argumente verwendet. Schon Bekker warnte: „Das schlimmste bei dem Ausdruck ist, daß er nicht zum scharfen Denken zwingt, und darum schon recht häufig als Gedankenssurrogat vernutzt ist."[34] Wenn die Begründung fehlt, ist der Begriff der Natur der Sache als Leerformel folglich abzulehnen.[35]

2. Rechtsdogmatik und Juristische Methodenlehre

a) Verbindung von Rechtsdogmatik und Methodenlehre

Eine Verbindung von Rechtsdogmatik und Juristischer Methodenlehre wurde bisher 7
nur selten versucht.[36] Zum Teil wird behauptet, die Juristische Methodenlehre beschränke sich auf die Auslegung, Anwendung und ggf. Fortbildung des Rechts; zur rechtsdogmatischen Begriffsbildung käme sie nur am Rande.[37] Und umgekehrt kritisierte *Esser* schon vor Jahrzehnten das Auseinanderfallen von Theorie und Praxis und betont, „daß unsere akademische Methodenlehre dem Richter weder Hilfe noch Kontrolle bedeutet."[38] Dieser Ansatz erscheint jedoch zu eng. Die Juristische Methodenlehre sucht im Rahmen der systematischen Auslegung die innere Systematik, d.h. den Bedeutungszusammenhang des Gesetzes (§ 4 Rn. 109 ff.). Bei der Konkretisierung von Generalklauseln arbeitet das Bewegliche System nach systematischen Zurechnungskriterien auf der Mikro- und Makroebene (§ 8 Rn. 37). Die Juristische Methodenlehre stellt damit Argumentationsfiguren zur Verfügung, nach denen dogmatische Grundsätze rational entwickelt und legitimiert werden können.[39] Die Juristische Methodenlehre **bedient sich der Rechtsdogmatik,** wenn sie auf allgemeine Rechtsprinzipien zurückgreift (§ 9 Rn. 23 ff.). Darüber hinaus werden Rechtsprinzipien, wie die Grundrechte und Grundfreiheiten, durch eine Abwägungslehre mit zahlreichen Zwischen- und Prüfungsschritten konkretisiert und konstruiert (§ 10 Rn. 4 ff.).

---

[31] Larenz/*Canaris*, Methodenlehre der Rechtswissenschaft, 3. Aufl. 1995, S. 238.

[32] *Uhle*, in: Maunz/Dürig, GG, 92. EL August 2020, Art. 70 Rn. 75.

[33] BVerfG, Urt. v. 20.2.1952, 1 BvF 2/51, BVerfGE 1, 117, 131; BVerfG, Urt. v. 28.2.1961, 2 BvG 1/60 u.a., BVerfGE 12, 205, 251.

[34] *Bekker*, Ernst und Scherz über unsere Wissenschaft, 1892, S. 147.

[35] Ebenso *R. Dreier*, Zum Begriff der „Natur der Sache", 1965, S. 127 f.; *Röhl/Röhl*, Allgemeine Rechtslehre, 3. Aufl. 2008, S. 74: „Es zeigt sich, dass die Rede vom Wesen, ebenso wie die von der Natur der Sache, an keiner Stelle ein neues Argument hinzufügt."; *Raisch*, Juristische Methoden, 1995, S. 178; *Rüthers/Fischer/Birk*, Rechtstheorie, 11. Aufl. 2020, Rn. 926: „Vielzweckwaffe zur unbegrenzten richterlichen Normsetzung".

[36] Überlegungen dazu fehlen bei *Stürner*, AcP 214 (2014), 7 ff.

[37] *Bumke*, JZ 2014, 641, 642; noch enger *Jestaedt*, JZ 2014, 1, 5 Fn. 37: Juristische Methodenlehre umfasse nur die Auslegung.

[38] *Esser*, Vorverständnis und Methodenwahl, 1970, S. 7.

[39] *Grigoleit*, in: FS Canaris, 2017, S. 241, 261 spricht in diesem Zusammenhang von Methodenlehre als Metaebene.

b) Konkretisierung und Konstruktion als Argumentationsfiguren zur Einbindung der Rechtsdogmatik in die Methodenlehre

7a Damit ist auf die Begriffe Konkretisierung und Konstruktion einzugehen. Dass bei Generalklauseln und unbestimmten Rechtsbegriffen der Wortlaut des Gesetzes oft versagt, hatten wir schon gesehen. Das Gesetz war insoweit zu *konkretisieren*, etwa mit der Vergleichsfallmethode oder über die Bildung von Fallgruppen (§§ 7 f.). Darüber hinaus ist **Konstruktion** ein Instrument der Juristischen Methodenlehre und bezeichnet den Prozess der Herstellung von Rechtsbegriffen, die *keinen unmittelbaren Bezug zu einer Rechtsquelle* aufweisen.[40] Dabei muss man sich vergegenwärtigen, dass die juristische Konstruktion nicht unreflektierte, mechanische Falllösungen erlauben, sondern rationale Diskurse über schwierige Wertungsfragen ermöglichen soll.[41] Die Methodenlehre übernimmt hierbei zwei Aufgaben: Wenn Juristische Methode die Dogmatik erklären will, muss sie vor allem die sich aus der Dogmatik ergebenden Figuren auf Rechtsquellen zurückführen. Die Dogmatik ist (nur) Rechtserkenntnisquelle.[42] Die Methodenlehre formuliert rechtsgebietsübergreifend Techniken zur **Herleitung und Begründung rechtsdogmatischer Begriffe** und zur **Rückanbindung an die Rechtsquelle**. Hiermit lassen sich *deduktiv* und *induktiv* von der Rechtsprechung neu entwickelte Rechtsinstitute, wie etwa die Störung der Geschäftsgrundlage, methodisch herleiten (§ 9 Rn. 55 ff.). Das *Abwägungsmodell* der Grundrechte kann nicht nur das Verhältnismäßigkeitsprinzip erklären, sondern auch Dimensionen, Stufen und Leitbilder entwickeln und einzelne Begriffe schärfen, etwa die Abstufung des Persönlichkeitsrechts in Sozial-, Privat- und Intimsphäre (§ 10 Rn 17 f.).

7b Der Begriff der Konstruktion verdeutlicht damit, dass der Rechtsanwender nicht nur einen Begriff auslegt oder konkretisiert, sondern darüber hinaus zusätzliche Kriterien schafft, die etwa über die Vergleichsfallmethode hinausgehen. Das gilt besonders dann, wenn neue Rechtsinstitute (§ 9 Rn. 14) geschaffen werden. Allerdings kann der Begriff nicht immer trennscharf von der Konkretisierung abgegrenzt werden, da auch im Bereich von Generalklauseln Fallgruppen mit tatbestandsähnlichen Voraussetzungen geschaffen werden (§ 8 Rn. 26 f.). Der Terminus „Konstruktion" soll aber dem Rechtssuchenden verdeutlichen, dass er sich im Bereich schöpferischer Rechtsfortbildung befindet und deshalb im besonderen Maße begründen muss, warum die Konstruktion zulässig ist und nicht gegen die Grenze zulässiger Rechtsfortbildung verstößt (§ 13). Je stärker das konstruierende Element im Rahmen der Normanwendung ausgeprägt ist, desto höher ist der Begründungsaufwand. Die Konstruktion ist damit das methodische Handwerkszeug, um die Rechtsdogmatik mit der Juristischen Methodenlehre zu verbinden.[43] Für das BVerfG finden diese Formen der Konkretisierung und Konstruktion im Maßstäbeteil ihre Begründung (§ 14 Rn. 31).

7c Die Dogmatik bedient sich des klassischen Auslegungskanons.[44] Das „Erarbeiten" ist dabei die Methodenseite der Rechtsdogmatik.[45] Im Ergebnis ist Methode auch die Herstellung und Verwendung von Dogmatik. Bei der Juristischen Methodenlehre geht es um die Suche nach abstrakten und allgemeinen Verfahren, wie die Lehre von der Topik als Argumentationsfundus (§ 14 Rn. 50 ff.), demnach um den richtigen Weg zum geltenden

---

[40] *Lennartz* (ebd.), S. 171 f., 176 sowie zu den historischen Vorläufern etwa *von Jhering*, Geist des römischen Rechts, Bd. II/2, 8. Aufl. 1954, S. 357 ff.; *Laband*, Staatsrecht des Deutschen Reiches, Bd, 1, 2. Aufl. 1888, Vorwort S. XI: „Die wissenschaftliche Aufgabe der Dogmatik eines bestimmten positiven Rechts liegt aber in der Construction der Rechtsinstitute, in der Zurückführung der einzelnen Rechtsätze auf allgemeinere Begriffe und anderseits in der Herleitung der sich aus diesen Begriffen ergebenden Folgerungen."

[41] *Jansen*, JZ 2020, 213, 221. Beispiele s. sogleich § 9 Rn. 33 ff. und § 10 Rn. 82 ff.

[42] *R. Schmidt*, in: FS Canaris, 2017, S. 131. 133.

[43] Dazu ausführlich *Lennartz* (ebd.), S. 174 ff.; hierzu *Möllers*, JZ 2019, 86 f.

[44] *Volkmann*, JZ 2005, 261, 262. Deutlich auch *Waldhoff*, in: G. Kirchhof/Magen/K. Schneider, Was weiß Dogmatik?, 2012, S. 17, 31: „Nur die dogmatisch arbeitende Rechtswissenschaft […] nähert sich dem Recht mit einer spezifisch juristischen Methode."

[45] *Kaiser*, DVBl. 2014, 1102, 1103 sowie bereits zu *Esser*, JZ 1955, 555 (§ 1 Rn. 8).

Recht,[46] während die Rechtsdogmatik auch das Ergebnis dieser Arbeit, nämlich Begriffe und Prinzipien, selbst umfasst. Nach *von Jhering* ist Rechtsdogmatik der Inhalt des Rechts und nicht seine Form.[47] Rechtsdogmatik und Juristische Methodenlehre bilden damit zwei sich überschneidende Kreise.[48]

c) Die Vorteile der Verbindung von Methodenlehre und Rechtsdogmatik

aa) Bei der Rechtsgewinnung bedarf es eines **rationalen Erarbeitungsprozesses** aus dem Recht als Gesamtheit heraus. Wenn der Richter Begriffe oder ganze Rechtsinstitute erfindet, muss er dies mit dem umfangreichen Arsenal an Argumentationsfiguren, die ihm zur Verfügung stehen, so begründen, dass die Begründung nachvollziehbar ist. Dieser Erarbeitungsprozess muss sich auch aus der Urteilsbegründung ergeben, wobei erhöhte Anforderungen an die Argumentation bei einer Rechtsfortbildung zu beachten sind. Daran zeigt sich außerdem: Je größer der schöpferische Anteil des Richters an der Rechtsfindung ist, desto bedeutsamer wird die Überprüfung der dogmatischen Stimmigkeit und Einpassung des Rechtsfindungsergebnisses in Bezug auf das System (§ 14 Rn. 75). Durch die damit verbundene Integration in die Struktur der Rechtsordnung und die Rückanknüpfung an das Gesetz befreien sich die Konkretisierung, aber auch die Konstruktion als Rechtsfortbildung *vom Vorwurf der Beliebigkeit* im Sinne einer bloßen Billigkeitsentscheidung. **7d**

bb) Die Ausdifferenzierung darf aber gleichzeitig nicht so weit gehen, dass jeglicher rote Faden verloren geht und das System nur noch einer Sammlung von im Einzelfall gerechten Entscheidungen gleichkommt. Übertreibungen und zu feinsinnige Verästelungen sind zu reduzieren.[49] Aufgrund der Rückbindung an die Wertungen des geltenden Rechts *verlangt gute Rechtsdogmatik auch gute Gesetze.* Sie diszipliniert dadurch nicht nur den Rechtsanwender, sondern auch den Gesetzgeber. Bessere Gesetze zu erlassen, bleibt insoweit eine Daueraufgabe des nationalen und europäischen Gesetzgebers.[50] Die Rechtsdogmatik sichert insoweit den Gesetzesvorbehalt (§ 13 Rn. 83) ab, indem sie für den Umgang mit dem Bewertungsspielraum der Norm Regeln aufstellt, die für jede Anwendung der Norm – unabhängig vom konkreten Fall – gelten.[51] **7e**

Rechtsdogmatik wäre falsch verstanden, würde man ihr einen Absolutheitsanspruch dahingehend auferlegen, sämtliche Rechtsbereiche vollumfänglich und dogmatisch einwandfrei zu erfassen. Technische oder gesellschaftliche Veränderungen sollten Anstoß sein, die Dogmatik zu hinterfragen und sie im Sinne einer Ausdifferenzierung weiterzuentwickeln[52] sowie auch offen gegenüber ausländischen Lösungen zu sein.[53] **7f**

---

[46] *Vesting*, Rechtstheorie, 2. Aufl. 2015, Rn. 23.

[47] *von Jhering*, Geist des römischen Rechts, Bd. I, 4. Aufl. 1878, S. 19 in Abgrenzung zu *von Savigny*; hierzu *Fikentscher*, Methoden des Rechts, Bd. III, 1976, S. 165 f.

[48] Anschaulich *Bankowksi/MacCormick/Summers/Wróblewski*, in: MacCormick/Summers, Interpreting Statutes, 1991, S. 9, 21: „a rational reconstruction of public authoritative practices of legal reasoning (or 'argumentation') in the operative interpretation of statutes". *G. Kirchhof/Magen*, in: G. Kirchhof/Magen/K. Schneider, Was weiß Dogmatik?, 2012, S. 151, 156; *Braun*, Deduktion und Invention, 2016, S. 18: aufs engste verzahnt; *Lobinger*, AcP 216 (2016), 28, 33: Methode als integrierender Bestandteil der Rechtsdogmatik.

[49] Insoweit ist dem Petitum von Lindner zuzustimmen, vgl. § 10 Rn. 18a.

[50] Kritisch zum gegenwärtigen europäischen Kapitalmarktrecht *Möllers*, ZEuP 2016, 325 ff.

[51] *Hassemer/Kargl*, in: Kindhäuser/Neumann/Paeffgen, StGB, 5. Aufl. 2017, § 1 Rn. 103.

[52] So bereits *von Jhering*, Geist des römischen Rechts, Bd. I, 4. Aufl. 1878, S. 14: „Durch das römische Recht, aber über dasselbe hinaus"; hierzu *Fikentscher*, Methoden des Rechts, Bd. III, 1976, S. 165. Zur notwendigen Flexibilität s. *Brohm*, VVDStRL 30 (1972), 245, 249; *Volkmann*, JZ 2005, 261, 262 f.; *Gusy*, JZ 1991, 213, 214.

[53] Zu rechtsdogmatischen Ansätzen in anderen Rechtsordnungen *Wahl*, in: Stürner, Die Bedeutung der Rechtsdogmatik für die Rechtsentwicklung, 2010, S. 121, 132 ff.; *Lepsius*, in: Jestaedt/Lepsius, Rechtswissenschaftstheorie, 2008, S. 1, 13 zur Anschlussfähigkeit der „constitutional theory". Zur rechtsvergleichenden Methode s. § 3 Rn. 76 ff. und § 7 Rn. 78 ff.

8 cc) Durch die Ordnung und Systematisierung des vorhandenen Rechtsstoffs schafft die Rechtsdogmatik erst die Möglichkeit zur Differenzierung, die dann von der Rechtsprechung genutzt werden kann, um neue und zugleich systemgerechte Lösungen für bislang nicht gelöste Probleme zu finden.[54] Dies hat sogleich zwei wesentliche Vorteile: Mit ihrer *Vermutungswirkung* (§ 14 Rn. 84) entlastet sie einerseits den Rechtsanwender, wenn er im konkreten Fall auf Prinzipien und die damit verbundene Konkretisierung oder Konstruktion in Begriffe oder tatbestandsähnliche Voraussetzungen zurückgreifen kann.[55] Mit ihrer nachhaltigen Komplexitätsreduktion lassen sich Rechtsfälle so deutlich schneller lösen also ohne die entsprechend Dogmatik.[56] Dies ist somit auch eine Frage der *Effizienz*.

8a Die Rechtsdogmatik dient andererseits der Gerechtigkeit, weil sie das Problem in Beziehung zu bisherigen Entscheidungen setzt und mit diesem erweiterten Blickwinkel eine gerechte Lösung sucht. Der Beitrag der Dogmatik zur Schaffung von Gerechtigkeit besteht darin, dass Gleichheit, Ungleichheit und Ähnlichkeit sowie deren jeweils entsprechende Behandlung transparent werden sollen.[57] Mit ihrem Rationalitätsanspruch dient sie der *Rechtsanwendungsgleichheit* (§ 1 Rn. 42).[58] Es ist insoweit bedauerlich, dass in den USA die Juristische Methodenlehre und die Rechtsdogmatik wenig entwickelt sind.[59] Das mag am Fall-Denken liegen, sodass der US-amerikanische Jurist weniger in der Arbeit an der Kodifikation als abstraktem System geschult ist, gemäß dem Motto „We will cross the bridge when we come to it".[60] Stattdessen steht das interdisziplinäre Arbeiten, etwa mit der ökonomischen Analyse des Rechts, hoch im Kurs (§ 5 Rn. 122 ff.). Nicht von ungefähr verdient die deutsche Rechtsdogmatik in vielen Rechtskulturen Bewunderung und wird rezipiert.[61] Rechtsdogmatik hat damit eine Stabilisierungs-, Rationalisierungs- und Entlastungsfunktion.[62] Nicht von ungefähr wird sie als Kern- oder Herzstück[63] des Rechts angesehen so wie die Grammatik das Herzstück der Sprache ist.

3. Zur Differenzierung zwischen Rechtsidee, Rechtsprinzip und Rechtsinstitut

9 Zunächst soll zwischen Rechtsideen, Rechtsprinzipien und Rechtsinstituten unterschieden werden. Im Anschluss wird erörtert, wie man Prinzipien begründet und weiter zu Rechtssätzen konkretisiert (II.).

---

[54] *Rüthers/Fischer/Birk*, Rechtstheorie, 11. Aufl. 2020, Rn. 326.

[55] *Esser*, Vorverständnis und Methodenwahl, 1970, S. 88 f.; *Brohm*, VVDStRL 30 (1972), 245, 247; *Vesting*, Rechtstheorie, 2. Aufl. 2015, Rn. 21.

[56] *Kramer*, Juristische Methodenlehre, 6. Aufl. 2019, S. 193. Oft spricht man davon, dass eine Rechtslösung in den USA viermal so viel Zeit benötigt als in Europa, s. bereits *Llewellyn*, 5 Law and Contemporary Problems, 104, 118 (1938).

[57] *Stürner*, JZ 2012, 10, 11.

[58] Deutlich *Stürner*, AcP 214 (2014), 7, 11: „So besehen ist Rechtsdogmatik gültiger Ausdruck jeder rationalen Befassung mit menschlicher Gerechtigkeit unabhängig von rechtskulturellen Vorgaben." Vorher schon *Alexy*, Theorie der juristischen Argumentation, 2. Aufl. 1991, S. 332; *Wieacker*, in: FS Gadamer, Bd. 2, 1970, S. 311, 335.

[59] Auch in der juristischen Ausbildung spricht man von *skills*, Fertigkeiten, um „Legal Research und Legal Writing" zu erlernen, s. *Somek*, JZ 2016, 481, 482 f.

[60] Zweigert/*Kötz*, Einführung in die Rechtsvergleichung, 3. Aufl. 1996, S. 69. Zum „reasoning from case to case" s. oben § 7 Rn. 44 ff.

[61] Etwa in vielen Staaten aus dem deutschen, dem französischen und asiatischen Rechtskreis. S. *Bu*, JZ 2016, 382 ff.; *Möllers/Li (eds.)*, The General Principles of Chinese Civil Law, 2018.

[62] *Brohm*, VVDStRL 30 (1972), 245, 247 ff.; *Alexy*, Theorie der juristischen Argumentation, 1983, S. 326 ff.

[63] *R. Dreier*, Rechtstheorie 2 (1971), 37, 41: Kernstück; *Schoch*, in: Schulze-Fielitz, Staatsrechtslehre als Wissenschaft, 2007, S. 177, 209; zustimmend *Bumke*, JZ 2014, 641, 649 f.: starke Dominanz.

a) Rechtsideen als Werte

In der Einführung wurden schon Rechtsideen wie Gerechtigkeit, Zweckmäßigkeit und Rechtsfrieden vorgestellt (§ 1 Rn. 107 ff.).[64] Bestimmte Formen der Gerechtigkeit bei *Aristoteles* wurden auch schon als Naturrecht bezeichnet. Sie sind Endzwecke des Rechts.[65] Oder anders formuliert: Sie liefern Gründe für Normen, die Gebote oder Verbote formulieren.[66] Im Ergebnis sind Rechtsideen allerdings höher anzusiedeln als Rechtsprinzipien. Solche Rechtsideen, die zum Teil auch als Werte[67] bezeichnet werden, sind von hoher Abstraktion und deshalb regelmäßig zu allgemein, um für die Falllösung unmittelbar eingesetzt werden zu können. Daher müssen auch Rechtideen wie etwa „Gerechtigkeit" weiter konkretisiert werden, um nachvollziehbar überzeugende Gedankengänge und Begründungen zu ermöglichen. Ansonsten besteht die Gefahr, dass der Begriff nur als Leerformel verwendet wird. Das gilt in besonderem Maße für den Begriff der „*Natur der Sache*" (§ 9 Rn. 6a f.). 10

b) Rechtsprinzipien

Die Begriffe „Rechtsprinzip" oder gleichbedeutend „allgemeiner Rechtsgrundsatz" sind wenig geklärt. Larenz versucht eine inhaltiche Umschreibung und bezeichnet Prinzipien als richtungsgebende Maßstäbe rechtlicher Normierung, die aufgrund ihrer eigenen Überzeugungskraft Entscheidungen zu rechtfertigen vermögen.[68] Nach Bydlinski sind sie „Leitgedanken und Rechtfertigungsgründe einer rechtlichen Regelung, nicht aber die positive Regelung selbst."[69] Diese Formulierungen sind allerdings recht blass und erlauben keine Abgrenzung zu Rechtsidee oder dem Rechtsinstitut. 11

Dworkin versucht eine formale Umschreibung und bezeichnet Prinzipien als Maßstäbe, die – ohne Regeln zu sein – als Argumente für individuelle Rechte dienen können.[70] Aufbauend auf Dworkin und Esser[71] entwickelte *Alexy* eine Theorie der Grundrechte.[72] Er unterscheidet streng zwischen Prinzipien und Regeln.[73] **Regeln**, d.h. Normen, sind entweder erfüllt oder nicht erfüllt und verlangen damit eine Entscheidung.[74] **Prinzipien** können eine Entscheidung dagegen nicht zwingend festlegen, weil sie gegenüber anderen Prinzipien abzuwägen sind.[75] Prinzipien sind insoweit (nur) *Optimierungsgebote*, die in unterschiedlichem Grade erfüllt sein können und in die Entscheidung miteinfließen.[76] Prinzipien sind konkretisierungsbedürftig, weil sie als solche noch nicht subsumtionsfähig sind.[77] Als Optimierungsgebote erlauben sie noch keine Entscheidungslösung, son- 12

[64] S. bereits *Radbruch*, Grundzüge der Rechtsphilosophie, 8. Aufl. 1973, § 9, S. 164 ff.; *Larenz*, Richtiges Recht, 1979, S. 31 ff.; *Kaufmann*, Rechtsphilosophie, 2. Aufl. 1997, S. 191 ff.

[65] So die Formulierung von *Larenz*, Richtiges Recht, 1979, S. 33.

[66] *Mahlmann*, Rechtsphilosophie und Rechtstheorie, 6. Aufl. 2021, § 29 Rn. 14. **A.A.** *Wank*, Juristische Methodenlehre, 2020, § 5 Rn. 444: für die Anwendung des Naturrechts kein Raum.

[67] *Fikentscher*, Methoden des Rechts, Bd. IV, 1977, S. 394 ff.

[68] *Larenz*, Methodenlehre der Rechtswissenschaft, 6. Aufl. 1991, S. 421.

[69] *Bydlinski*, Juristische Methodenlehre und Rechtsbegriff, 2. Aufl. 1991, S. 132.

[70] *Dworkin*, Taking Rights Seriously, 1977, S. 90.

[71] *Esser*, Grundsatz und Norm, 1956, S. 39 ff., 87 ff.

[72] Während *Dworkin* noch der „One-right-answer-thesis" folgte (§ 1 Rn. 64 ff.), lehnt *Alexy*, ARSP Beiheft 25 (1985), 13, 28 eine solche ab.

[73] Sog. Trennungsthese, s. *Alexy*, ARSP Beiheft 25 (1985), 13, 15 ff.

[74] *Dworkin*, Taking Rights Seriously, 1977, S. 24 f. (deutsch: Bürgerrechte ernst genommen, 1984); *Alexy*, Theorie der Grundrechte, 1986, S. 76; (engl.: Theory of Constitutional Rights, 2002); *ders.*, ARSP Beiheft 25 (1985), 13, 20.

[75] *Dworkin*, Taking Rights Seriously, 1977, S. 26.

[76] *Alexy*, ARSP Beiheft 25 (1985), 13, 19; *ders.*, Theorie der Grundrechte, 1986, S. 75 ff.; *ders.*, Rechtstheorie 18 (1987), 405, 407, zustimmend *Larenz*, Methodenlehre der Rechtswissenschaft, 6. Aufl. 1991, S. 475; *Jansen*, Die Struktur der Gerechtigkeit, 1998, S. 106 ff., *Röthel*, Normkonkretisierung im Privatrecht, 2004, S. 146 ff., 225 ff.

[77] *Kramer*, Juristische Methodenlehre, 6. Aufl. 2019, S. 295 f.

dern sind nur eine Entscheidungshilfe.[78] Ganz ähnlich formuliert Canaris: „Prinzipien [...] entfalten ihren eigentlichen Sinngehalt erst in einem Zusammenspiel wechselseitiger Ergänzung und Beschränkung".[79] Große Teile der Literatur stehen dem Absolutheitsanspruch dieser Theorie, Regeln von Prinzipien abzugrenzen, jedoch kritisch gegenüber.[80] Schon dem Grundgesetz ist die Unterscheidung von Prinzipien und Regeln so nicht zu entnehmen.[81] Oft ist die Unterscheidung zwischen Prinzipien und Regeln nur ein gradueller.[82] Damit ist unklar, wann eine Norm ein Prinzip und wann eine Regel ist.[83]

13 Eine Definition des Rechtsprinzips muss drei Bestandteile umfassen. Rechtsprinzipien oder (oft synonym verwendet) Rechtsgrundsätze sind erstens nur teilweise normiert, wie etwa der Grundsatz von Treu und Glauben in § 242 BGB, oft aber überhaupt nicht gesetzlich geregelt. Sie werden aus der Rechtsordnung als Gesamtheit der geschriebenen und ungeschriebenen Rechtsnormen gewonnen und sind konkreter als Rechtsideen. Sie erlauben zweitens eine gewisse Verallgemeinerung.[84] Prinzipien bilden „Tiefenstrukturen des Rechts".[85] Sie beanspruchen grundsätzlich normative Geltung und führen zu einer *Vermutungswirkung*.[86] Rechtsprinzipien sind drittens regelmäßig aber noch nicht subsumtionsfähig. Zusammengefasst: Das Rechtsprinzip ist ein aus dem Recht gewonnener und deshalb verbindlicher, richtungsgebender Maßstab, der noch weiter konkretisiert werden muss, um subsumtionsfähig zu sein. Diese Konkretisierung erfolgt durch Deduktion oder Abwägung (§ 9 Rn. 24 ff.).

c) Rechtsinstitute als Rechtssätze

14 Rechtsprinzipien bedürfen weiterer Konkretisierung, um für den konkreten Fall anwendbar zu sein. Ein Rechtssatz kann in einem durch die Rechtsprechung entwickelten Rechtsinstitut, wie etwa dem Kontrahierungszwang, bestehen. Ein Rechtsinstitut in seiner Anwendung ist dann letztlich schon eine Regel im Sinne von *Alexy* oder eine positive Regelung im Sinne von *Bydlinski*. Es ist zwischenzeitlich soweit konkretisiert und hat durch die Ausarbeitung von fassbaren, unmittelbar subsumierbaren Merkmalen auch verbindlichen Charakter erlangt. So wird beispielsweise die Rechtsscheinhaftung als Rechtsprinzip aus den §§ 171, 172 BGB und § 405 BGB begründet. Dieses Prinzip wird dann in die Rechtsinstitute der Duldungs-[87] und Anscheinsvollmacht[88] weiterentwickelt.

---

[78] Prägnant *D. Merten*, HdB GR, Bd. III, 2009, § 68 Rn. 25; vorher schon *Alexy*, Rechtstheorie, Beiheft 25, 1985, 13, 15 f.; *Larenz*, Methodenlehre der Rechtswissenschaft, 6. Aufl. 1991, S. 474.

[79] *Canaris*, Systemdenken und Systembegriff in der Jurisprudenz, 2. Aufl. 1983, S. 52 f.

[80] *Di Fabio*, Das Recht offener Staaten, 1998, S. 69; *Lindner*, Theorie der Grundrechtsdogmatik, 2005, S. 54: hat sich der normtheoretische Ansatz nicht durchgesetzt; *Klement*, JZ 2008, 756 ff.; *ders.*, JZ 2009, 560 ff. sowie die Autoren in den folgenden Fußnoten.

[81] *Lindner*, Theorie der Grundrechtsdogmatik, 2005, S. 54.

[82] *Auer*, Materialisierung, Flexibilisierung, Richterfreiheit, 2005, S. 48, 135.

[83] *Sachs*, in: Stern, Das Staatsrecht der Bundesrepublik Deutschland, Bd. III/1, 1988, S. 502; *Jestaedt*, Grundrechtsentfaltung im Gesetz, 1999, S. 214; *ders.*, in: FS Isensee, 2007, S. 253, 261; *Klement*, JZ 2008, 756, 760.

[84] *Basedow*, AcP 200 (2000), 446, 453. Ausführlich auch *Canaris*, Die Feststellung von Lücken im Gesetz, 2. Aufl. 1983, S. 47 ff.

[85] *Röhl/Röhl*, Allgemeine Rechtslehre, 3. Aufl. 2008, S. 283.

[86] *Röhl/Röhl* (ebd.), S. 284. Ausführlich unten § 14 Rn. 85.

[87] BGH, Urt. v. 15.10.1987, III ZR 235/86, BGHZ 102, 60, 64; ohne dogmatische Herleitung dann: BGH, Urt. v. 11.5.2011, VIII ZR 289/09, BGHZ 189, 346 Rn. 15 – Nutzung eines fremden eBay-Mitgliedskontos.

[88] BGH, Urt. v. 20.1.1983, VII ZR 32/82, BGHZ 86, 273, 274 ff. – Anscheinsvollmacht.

II. Die Arbeit mit Rechtsprinzipien in der Fallbearbeitung: Begründung und Konstruktion des Rechtsprinzips

Die Herleitung und Entwicklung eines Rechtsprinzips gehören zum schwierigsten Teil der Arbeit mit Rechtsprinzipien. Oft dauert es Jahrzehnte, bis sich neue Rechtsprinzipien und Rechtsinstitute durchsetzen.[89] Vergleichsweise einfach sind diejenigen Fälle, in denen das Rechtsprinzip aus einer oder mehreren Normen abgeleitet werden kann. Das ist aber nur selten der Fall. Auch in den übrigen Fällen, in denen sich ein Prinzip nicht direkt aus einer Norm ableiten lässt, ist ein Arbeiten am Gesetz und seinen Wertungen für die Entwicklung eines neuen Rechtsprinzips erforderlich.[90] Methodisch verlangt die Arbeit mit allgemeinen Rechtsprinzipien zwei Arbeitsschritte. In einem ersten Schritt ist das Rechtsprinzip aus dem Recht erst einmal zu *begründen* (1.). In einem zweiten Schritt ist es dann aber auch erforderlich, das allgemeine Rechtsprinzip zu *konkretisieren* (2.). 15

1. Die Begründung des Rechtsprinzips als erster Schritt: Rückgriff auf Gesetz oder Induktion

a) Die historische Ableitung von Rechtsprinzipien

Wie man Rechtsprinzipien ableitet oder begründet, wird kontrovers diskutiert. In der Rechtsliteratur will man Rechtsprinzipien zum Teil historisch ableiten.[91] Sicherlich haben zahlreiche Rechtsprinzipien eine jahrhunderte-, zum Teil sogar jahrtausendelange Tradition.[92] Allerdings würde die notwendige Flexibilität durch die Bildung neuer Prinzipien nicht erreicht, wenn man diese ausschließlich aus der Vergangenheit ableitet.[93] Bei genauerer Betrachtung wird man feststellen, dass sich viele Rechtsprinzipien über die Jahrhunderte hinweg weiterentwickelt haben und deshalb nicht oder nur modifiziert zur Anwendung kommen. So gelten Rechtsfiguren, wie das Verbot der *laesio enormis* oder *clausula rebus sic stantibus*, heutzutage nicht oder nur in eingeschränktem Maße. Sie können nur erste Ansätze liefern, um die heutigen Rechtsgrundsätze und Rechtsregeln zu begründen (s. sogleich § 9 Rn. 37 f.). 16

b) Einzel- oder Gesamtanalogie

Nach *Canaris* wird ein Rechtsprinzip aus mehreren gesetzlichen Vorschriften hergeleitet.[94] Zum Teil wird behauptet, Prinzipien würden aus einer Einzelanalogie[95] oder einer Gesamtanalogie[96] gewonnen. Der **Vertrauensschutz** als Prinzip wird beispielsweise aus 17

---

[89] Zur Frage, ob sie sich dann zu Gewohnheitsrecht verdichten, s. oben § 3 Rn. 23 ff.

[90] Zur Wertungsjurisprudenz s. oben § 5 Rn. 22 ff.

[91] S. die Beispiele bei *Esser*, Grundsatz und Norm, 1956, S. 317 ff.; *Rückert*, in: HKK-BGB, 2003, vor § 1 Rn. 80 ff. sowie *Zimmermann*, The Law of Obligations, 1992; *ders.*, JZ 1992, 8 ff.; *ders.*, AcP 193 (1993), 121 ff., der ein europäisches *ius commune* fordert.

[92] Neben den Autoren in § 9 Fn. 91 sowie Beispiele in § 1 Rn. 105 (Gerechtigkeit); § 1 Rn. 36 (Gesetzlichkeitsprinzip); § 9 Rn. 31 (*pacta sunt servanda*); § 9 Rn. 35 (*laesio enormis*); § 9 Rn. 37 (*clausula rebus sic stantibus*); § 10 Rn. 87 (*alterum non laedere*).

[93] Kritisch gegen *Zimmermann* (§ 9 Fn. 91) äußert sich *Simon*, Rechtshist. J. 11 (1992), 574, 577 ff.; *Wiegand*, Rechtshist. J. 12 (1993), 277 ff.; *Kübler*, Rechtshist. J. 12 (1993), 307, 310 ff.

[94] *Canaris*, Die Feststellung von Lücken im Gesetz, 2. Aufl. 1983, S. 97 f: „Dabei wird aus mehreren gesetzlichen Vorschriften ein gemeinsamer Rechtsgedanke gewonnen und diesem wird dann der Charakter eines allgemeinen Rechtsprinzips zugesprochen"; ebenso *MacCormick*, Legal Reasoning and Legal Theory, 2nd ed. 1994, S. 153 f., 232 f.

[95] Für § 254 BGB Palandt/*Grüneberg*, BGB, 80. Aufl. 2021, § 254 Rn. 3.

[96] *Kramer*, in: FS Bydlinski, 2002, S. 197, 208; *Metzger*, Extra legem, intra ius: Allgemeine Rechtsgrundsätze im Europäischen Privatrecht, 2009, S. 20, 161 ff.

Vorschriften öffentlicher Register abgeleitet, etwa dem Grundbuch (§§ 891 ff. BGB), dem Rechtsschein des Besitzes (§§ 932 ff., 1006 BGB), dem Güterrechtsregister (§ 1412 BGB), dem Erbschein (§§ 2366 f. BGB) oder dem Handelsregister (§ 15 HGB).[97] Die Herleitung eines Rechtsprinzips durch Einzel- oder Gesamtanalogie ist aber nicht überzeugend. Die Einzelanalogie als Argumentationsfigur passt nicht, weil sie regelmäßig vom Besonderen auf das Besondere schließt. Sie füllt ein fehlendes Tatbestandsmerkmal, indem sie den zu entscheidenden, nicht geregelten Fall dem gesetzlich geregelten gegenüberstellt und so das Fehlende mit dem Vorhandenen vergleicht (ausführlich § 6 Rn. 112 ff.).

18 Das allgemeine Rechtsprinzip wird durch einen Schluss vom Besonderen auf das Allgemeine im Wege der **Induktion** gezogen,[98] es ähnelt dem tertium comparationis im Rahmen der (Gesamt-)Analogie (§ 6 Rn. 140). Das allgemeine Rechtsprinzip ist damit üblicherweise weiter als die Norm(en), von welcher es hergeleitet wird. Allerdings ist bei der Gesamtanalogie die ratio legis nur Mittel zum Zweck der methodischen Operation, während bei der Ableitung eines Rechtsprinzips die Herausarbeitung des allgemeinen Rechtsgedankens bereits den Zweck selbst darstellt.[99] Während sich die Gesamtanalogie ausschließlich aus dem Gleichheitssatz ableitet, können allgemeine Rechtsprinzipien auch mit anderen Geltungskriterien gestützt werden.[100] Das Prinzip wird damit nicht auf einen konkreten Fall bezogen herausgebildet, sondern abstrakt im Hinblick auf die Rechtsordnung.

c) Verschiedene Wege zur Begründung eines Rechtsprinzips

19 Die systematische Herleitung eines allgemeinen Rechtsprinzips kann auf mindestens drei Wegen geschehen: Am einfachsten ist es, wenn das Prinzip schon aus einer einzigen Vorschrift gewonnen wird.[101] Das gilt etwa für den Grundsatz von Treu und Glauben gem. § 242 BGB.[102] Grundrechte werden als Rechtsprinzipien bezeichnet und ergeben sich ebenfalls aus einer einzigen Rechtsvorschrift (§ 9 Rn. 12).

20 Davon zu unterscheiden, ist der Fall, dass das Prinzip nur unzureichend in der Norm wiedergegeben wird, weil die Vorschrift zu eng gefasst ist. Es kann dann über den eigentlichen Anwendungsfall der Norm hinaus auf andere Fälle angewendet werden. Anerkanntermaßen wird die Vorschrift des § 254 BGB zum Mitverschulden im Schadensrecht als Rechtsprinzip angesehen und der Begriff des Mitverschuldens untechnisch verstanden. Derjenige, der bei der Entstehung eines Schadens an einem seiner Rechtsgüter neben dem eigentlichen Schädiger die erforderliche Sorgfalt außer Acht lässt, verletzt eine Obliegenheit. Vorzuwerfen ist ihm dann ein „Verschulden gegen sich selbst", sodass es treuwidrig wäre, den vollen Schadensersatz zu fordern.[103] Die Vorschrift kommt auch bei der Gefährdungshaftung zur Anwendung,[104] obwohl diese überhaupt kein Verschulden erfordert. Darüber hinaus wird sogar außerhalb des Schadensrechts, z. B. beim nachbarrechtlichen Ausgleichsanspruch des § 906 Abs. 2 S. 2 BGB[105] oder beim Beseitigungsanspruch des § 1004 BGB, auf den Gedanken des § 254 BGB zurückgegriffen.[106] Der Grundsatz gilt ferner auch im Öffentlichen Recht.[107]

---

[97] *Neuner*, Allgemeiner Teil des Bürgerlichen Rechts, 12. Aufl. 2020, § 10 Rn. 82.

[98] Deutlich *Canaris* (ebd.), S. 98.

[99] *Canaris* (ebd.), S. 98.

[100] *Canaris* (ebd.), S. 98 ff.

[101] S. *Meyer-Hayoz*, BK-ZGB, Einleitung zu Art. 1–10 ZGB, 1962, Art. 1 Rn. 406: „Als allgemeinen Rechtsgrundsatz bezeichnet man oft eine Gesetzesnorm von größerer Tragweite."

[102] *Neuner*, Allgemeiner Teil des Bürgerlichen Rechts, 12. Aufl. 2020, § 4 Rn. 49.

[103] BGH, Urt. v. 18.4.1997, V ZR 28/96, BGHZ 135, 235, 240 – Wurzeln im Tennisplatz.

[104] BGH, Urt. v. 23.6.1952, III 297/51, BGHZ 6, 319, 320 – Ausgleichspflicht zwischen Kraftfahrern; BGH, Urt. v. 13.4.1956, VI 347/54, BGHZ 20, 259, 263 ff. – Betriebsgefahr.

[105] BGH, Urt. v. 18.9.1987, V ZR 219/85, NJW-RR 1988, 136, 138.

[106] BGH, Urt. v. 18.4.1997, V ZR 28/96, BGHZ 135, 235, 239 ff. – Wurzeln im Tennisplatz.

[107] BGH, Urt. v. 29.3.1971, III ZR 98/69, BGHZ 56, 57, 63: „der in § 254 BGB enthaltene Rechtsgedanke."

Im Gegensatz zu anderen Kodifikationen der Neuzeit verzichtet das BGB aber meistens auf die Nennung von Prinzipien und Lehrsätzen, sondern setzt diese einfach voraus. Dann handelt es sich um Rechtsprinzipien, die nicht ausdrücklich kodifiziert sind: Prinzipien wie Vertragsfreiheit, Vertragsbindung (pacta sunt servanda), das Abstraktionsprinzip oder die Befugnis des Richters zur Rechtsfortbildung hat der deutsche Gesetzgeber nicht in das BGB oder GG aufgenommen, sondern diese als selbstverständlich gültig vorausgesetzt.[108] Als eines der wenigen Prinzipien ist der Begriff des Eigentums, als Recht mit der Sache nach Belieben verfahren zu können, in § 903 S. 1 BGB aufgenommen worden.[109] Damit ist drittens im Wege der **Induktion** der *Schluss vom Besonderen auf das Allgemeine* möglich, um Rechtsprinzipien zu begründen[110] (§ 9 Rn. 17 f.). So finden sich Prinzipien, die sich nur indirekt aus dem Gesetz erschließen lassen. Diese Ableitung gehört zu den schwierigsten Fällen der Rechtsfindung. Deshalb sind Prinzipien wie pacta sunt servanda näher zu begründen (s. sogleich). 21

Weiter unten wird dann noch die *Juristische Kreativität* thematisiert (§ 14 Rn. 46 ff.), 22 die ebenfalls eine Rolle bei der Herleitung von Prinzipien spielen kann. Von Jhering entdeckte die culpa in contrahendo, die inzwischen sogar gesetzlich geregelt ist.

2. Konkretisierung von Rechtsprinzipien als notwendiger zweiter Schritt

Bevor Prinzipien subsumiert werden können, müssen sie weiter konkretisiert werden. 23 Zu Recht wird ein Primat der Regel- vor der Prinzipienebene betont.[111] Dieser zutreffende Rechtsgedanke bedarf weiterer Vertiefung. Weil Rechtsideen abstrakt sind, sind diese ohne weitere Präzisierung Scheinbegründungen, Leerformeln, und taugen deshalb kaum für die unmittelbare Subsumtion. Vergleichbar lässt sich formulieren, dass auch Rechtsprinzipien nicht unmittelbar zur Begründung herangezogen werden können, weil sie aufgrund ihrer zu großen Unbestimmtheit noch nicht subsumtionsfähig sind (§ 9 Rn. 12).[112] Es bedarf damit weiterer Zwischenschritte, bevor das Rechtsprinzip zur Falllösung herangezogen werden kann. Ziel muss es sein, eine Regel zu finden, die unmittelbar subsumierbar ist. Dazu bieten sich die Verfahren der Deduktion (a) und der Abwägung (b) an.

a) Die Konkretisierung von Rechtsprinzipien zum Rechtssatz oder Rechtsinstitut

In einem zweiten Schritt ist es erforderlich, das allgemeine Rechtsprinzip zu präzisie- 24 ren. Diese **Deduktion**, d.h. der Schluss vom Allgemeinen auf das Besondere, kann zu einem neuen Rechtssatz führen. Im Idealfall entwickelt sich ein eigenes Rechtsinstitut mit tatbestandsähnlichen Voraussetzungen. Ein solches, neues *Rechtsinstitut* kann im Wege der Rechtsfortbildung aus dem Rechtsprinzip entwickelt werden. Hier erfolgt die Konkretisierung vertikal, von der Ebene des Rechtsprinzips auf die Ebene des Rechtsinstituts. Während der Rechtssatz nur einen Anspruch darstellt,[113] geht das Rechtsinstitut darüber

---

[108] S. für die Befugnis zur Rechtsfortbildung § 1 Rn. 49 sowie zur Vertragsbindung § 9 Rn. 31.

[109] Ein Antrag, diesen Lehrsatz zu streichen, wurde abgelehnt, s. Kommissionsbericht, S. 4, in: Mugdan, Bd. III, S. 997. Immerhin fand sich die Definition des Eigentums schon im Codex Maximilianeus Bavaricus Civilis, 1759, 2. Kap. 2. Teil § 1. Zum Eigentumsbegriff ausführlich *Auer*, Der privatrechtliche Diskurs der Moderne, 2014.

[110] Ausführlich hierzu s. *Aristoteles*, Aristoteles' Erste Analytiken oder: Lehre vom Schluss, 23. Kap. S. 142 (Ausgabe Kirchmann, 1877); *Bacon*, Novum Organum, 1620, Book I, Aphorismus CIV, S. 82. S. auch *Canaris*, Die Feststellung von Lücken im Gesetz, 2. Aufl. 1983, S. 97.

[111] *Neuner*, Allgemeiner Teil des Bürgerlichen Rechts, 12. Aufl. 2020, § 4 Rn. 51.

[112] *Jestaedt*, Das mag in der Theorie richtig sein …, 2006, S. 59 f. fordert eine strikte Trennung von Rechtserkenntnis und Rechtserzeugung; *Kramer*, Juristische Methodenlehre, 6. Aufl. 2019, S. 296 fordert Methodenehrlichkeit bei der Herleitung von allgemeinen Rechtsprinzipien.

[113] Zu Rechtssätzen als Imperativen s. oben § 2 Rn. 7 ff.

hinaus, weil es oft mehrere Gedanken verbindet.[114] Dies wird sogleich anhand der Beispiele Kontrahierungszwang, Preiskontrolle und Störung der Geschäftsgrundlage verdeutlicht. Die so neu entwickelten Rechtsinstitute hat die Rechtsprechung durch Fallgruppen und tatbestandsähnliche Voraussetzungen präzisiert. Sie sind mehr als Richterrecht und können daher von der Rechtsprechung nicht abgeschafft werden.

b) Die Konkretisierung durch Abwägung

25 Die erforderliche Präzisierung von Prinzipien kann auch durch Abwägung erfolgen. Beispielsweise entwickelte die Rechtsprechung zahlreiche Zwischenschritte, um die Prüfung von Grundrechten zu konkretisieren. Grundrechte sind Prinzipien.[115] Die Rechtsprechung entwickelte nun zahlreiche **Zwischenschritte**, um die Prüfung der Grundrechte zu präzisieren (§ 10 Rn. 4 ff.). Oft geht es um die praktische Konkordanz gegenläufiger Grundrechte und damit widerstreitender Prinzipien. In diesem Fall erfolgt die Konkretisierung *horizontal*, weil Prinzipien auf gleicher Ebene gegeneinander abgewogen werden. Auf die Abwägung wird in § 10 ausführlich eingegangen.

26 Die *Deduktion*, d.h. der Schluss vom Allgemeinen auf das Besondere ist dann durch die Bildung von Fallgruppen, von tatbestandsähnlichen Voraussetzungen etc. vorzunehmen. Das Verhältnis von Rechtsidee, Rechtsprinzip und Rechtsinstitut verdeutlicht folgende Grafik:

27 **Grafik: Zum Verhältnis von Rechtsidee, Rechtsprinzip und Rechtsinstitut**

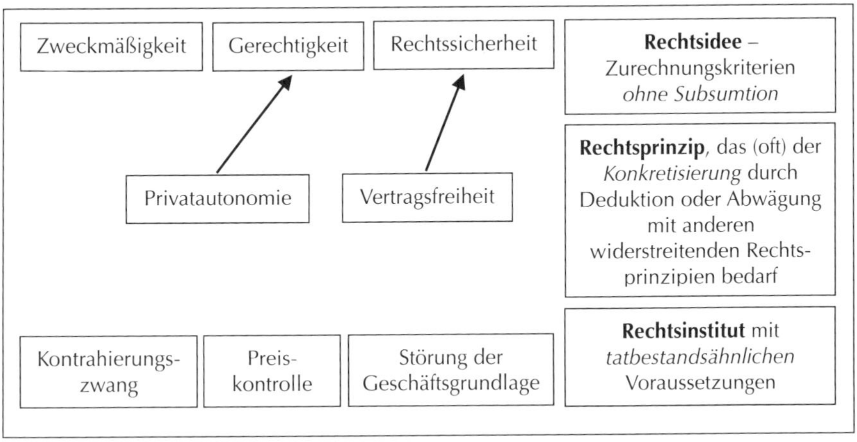

III. Rechtsprinzipien im Zivilrecht: Herleitung und Konkretisierung der Privatautonomie

28 Im Zivilrecht sind die Gesetzestexte regelmäßig konkreter als im Verfassungsrecht, der Bedarf des Rückgriffs auf Rechtsprinzipien weniger dringend. Aber auch hier gibt es Prinzipien, die weiter konkretisiert werden müssen. Man spricht von dem Rechtsprinzip, das durch Unterprinzipien und Einzelwertungen konkretisiert werden muss.[116] Im Öf-

[114] So umfasst die Privatautonomie die Selbstbestimmung, Selbstverantwortung und den Vertrauensschutz, s. *Canaris*, Systemdenken und Systembegriff in der Jurisprudenz, 2. Aufl. 1983, S. 50 f.

[115] *Alexy*, Theorie der Grundrechte, 1986, S. 104.

[116] *Canaris*, Systemdenken und Systembegriff in der Jurisprudenz, 2. Aufl. 1983, S. 57 f.

fentlichen Recht werden dann die Prinzipien in Zwischenstufen, Prüfungsschritten, Leitbildern konkretisiert (§ 10 Rn. 17 ff.). Die Privatautonomie wird als unverzichtbarer Grundwert einer freiheitlichen Rechts- und Verfassungsordnung bezeichnet.[117] Als Rechtsprinzipien werden für das Vertragsrecht ein subtiles Zusammenspiel[118] von Willensprinzip, Vertrauensprinzip und Vertragsgerechtigkeit als Äquivalenz von Leistung und Gegenleistung[119] sowie der Grundsatz der Vertragsbindung (*pacta sunt servanda*) genannt. Erscheinungsform der Privatautonomie ist die Vertragsfreiheit. Vieles ist noch wenig präzise.

1. Induktive Herleitung von pacta sunt servanda

a) Vertragsfreiheit als Ausfluss der Willensfreiheit

Zur **Privatautonomie** gehören die Vertragsfreiheit, aber auch die Eigentumsfreiheit 29 (§ 903 BGB), die Eheschließungsfreiheit (§ 1297 BGB) und die Testierfreiheit, also das Recht, frei über sein Vermögen für den Fall des Todes zu verfügen (§ 1937 BGB).[120] Zur **Vertragsfreiheit** zählen wiederum die Abschlussfreiheit, die Partnerfreiheit, die Inhaltsfreiheit und grundsätzlich die Formfreiheit, aber auch die Änderungs- und Aufhebungsfreiheit.[121] Der Begriff der Vertragsfreiheit wurde erst Mitte des 19. Jahrhunderts eingeführt.[122] Die Vertragsfreiheit fußt auf dem Willen der Parteien.[123] Die Parteien können ihre Rechtsbeziehungen nach ihrem Ermessen unter sich bestimmen, soweit nicht Gesetzesvorschriften entgegenstehen.

Grundsätzlich sind die Parteien dafür verantwortlich, die *essentialia negotii*, die we- 30 sentlichen Vertragsbestandteile, wie z. B. die Kaufsache und den Kaufpreis, zu vereinbaren. Eine Kontrolle des Preises findet nicht statt. Die Parteien dürfen auch **unvernünftige Verträge** abschließen.[124] Das entspricht dem liberalen Ansatz von *Adam Smith*, der den Markt als „unsichtbare Hand" beschrieb, auf welchem sich Angebot und Nachfrage selbst regeln.[125] Dem liegt die Vorstellung zugrunde, dass der Interessensgegensatz der Parteien durch den Vertrag zu einem richtigen Ergebnis führt; man spricht von der „Richtigkeitsgewähr" des Aushandelns.[126] Schon *Hobbes* betonte treffend, dass es die Parteien sind, die den Wert der Sache am besten bestimmen können.[127] Dieser Gedanke wurde im BGB aufgegriffen. So verlangt z. B. der Wuchertatbestand des § 138 Abs. 2 BGB neben dem auffäl-

---

[117] Palandt/*Ellenberger*, BGB, 80. Aufl. 2021, Überbl. vor § 104 Rn. 1.

[118] So die Formulierung bei *Kramer*, Juristische Methodenlehre, 6. Aufl. 2019, S. 112.

[119] Zur ausgleichenden Gerechtigkeit von *Aristoteles* s. oben § 1 Rn. 107.

[120] Mot. II, S. 2.

[121] *Bork*, Allgemeiner Teil des Bürgerlichen Gesetzbuchs, 4. Aufl. 2016, Rn. 661; *Neuner*, Allgemeiner Teil des Bürgerlichen Rechts, 12. Aufl. 2020, § 10 Rn. 33 ff.; *Möllers*, JuS 1999, 1191, 1192.

[122] *von Savigny*, Das Obligationenrecht als Theil des römischen Rechts, Bd. 2, 1853, §§ 72–78; *Windscheid*, Lehrbuch des Pandektenrechts, Bd. II, 8. Aufl. 1900, § 312 Fn. 5 m. w. Nachw.; s. *Scherrer*, Die geschichtliche Entwicklung des Prinzips der Vertragsfreiheit, 1948, S. 33 ff.; *Rückert*, in: Klippel, Naturrecht im 19. Jahrhundert: Kontinuität, Inhalt, Funktion, Wirkung, 1997, S. 135, 145 ff.

[123] Mot. I, S. 126: „Rechtsgeschäft im Sinne des Entwurfs ist eine Privatwillenserklärung, gerichtet auf die Hervorhebung eines rechtlichen Erfolges, der nach der Rechtsordnung deswegen eintritt, *weil er gewollt ist*."

[124] OLG Köln, Urt. v. 8.12.2006, 19 U 109/06, MMR 2007, 446, 448: Kauf eines Rübenroders im Wert von 60.000 EUR bei einer ebay-Auktion für 51 EUR; zustimmend *Weller*, Die Vertragstreue, 2009, S. 170.

[125] *Smith*, Wealth of Nations, 9th ed. 1799, Bd. III, Book IV, Chap. II, Of Restraints upon the Importation from foreign Countries of such Goods as can be produced at Home, S. 181 (s. § 5 Rn. 122).

[126] *Schmidt-Rimpler*, AcP 147 (1941), 130, 149 ff.; *ders.*, in: FS Raiser, 1974, S. 3, 5 f.; *Lieb*, AcP 178 (1978), 196, 206.

[127] Deutlich schon *Hobbes*, Leviathan, 1651, Part I, Chap. 15, S. 75: „The value of all things contracted for, is measured by the appetite of the contractors: and therefore the just value is that which they be contented to give." Abrufbar unter https://archive.org/details/leviathan00hobba/page/74/mode/2up.

ligen Missverhältnis von Leistung und Gegenleistung als zusätzliche Voraussetzung die Beeinträchtigung der Entscheidungsfreiheit, wie etwa bei der Ausbeutung einer Zwangslage. Dies entspricht der Rechtslage in zahlreichen anderen Rechtsordnungen.[128] Sicherzustellen war damit nur eine ***prozedurale Gerechtigkeit***, eine Verfahrensgewährleistung, durch Schutz vor Irrtum oder Täuschung (§§ 119, 123 f., 142 f. BGB).[129]

b) Die Begründung der Vertragsbindung (pacta sunt servanda)

31 Das Pendant zur Vertragsfreiheit ist die **Vertragsbindung** bzw. Vertragstreue (*pacta sunt servanda*). Der Grundsatz der Vertragsbindung ist nicht römischen Ursprungs,[130] sondern wurde erst durch das kanonische Recht, die Spätscholastik und das Naturrecht[131] sowie deutsche Rechtsquellen[132] für alle Vertragstypen entwickelt. Man findet den Grundsatz zwar ausdrücklich noch in den Motiven,[133] nicht aber im BGB, weil die Regelung, dass die Willensübereinstimmung vertraglich bindet, von der zweiten Kommission als bekannt vorausgesetzt und deshalb gestrichen wurde.[134]

32 Weil das Prinzip der Vertragsbindung sich nicht unmittelbar dem Gesetz entnehmen lässt, muss man es aus dem Gesetz mittelbar, im Wege der Induktion, ableiten: So ist derjenige, der einem anderen die Schließung eines Vertrags anträgt „an den Antrag gebunden", § 145 BGB. Aus der willentlichen Äußerung, einen Antrag anzunehmen, folgen der Vertrag und seine Vertragsbindung. Der Irrtum, das Auseinanderfallen von Willen und Erklärung, ist für die Bindungswirkung zunächst unerheblich. Der Vertrag ist trotz Irrtums wirksam und erlaubt nur eine Anfechtung gem. §§ 119, 142 BGB.[135] Die Vertragsbindung lässt sich auch aus den synallagmatischen Erfüllungspflichten der einzelnen Vertragstypen[136] oder den allgemeinen Erfüllungspflichten zur Leistungszeit (§ 271 BGB), dem Zurückbehaltungsrecht (§ 273 BGB) und der Unmöglichkeit (§ 275 BGB) herauslesen. Zudem lässt sich auch Treu und Glaube (§ 242 BGB) zur Begründung der Verpflichtung zur Vertragstreue heranziehen.[137] Nach der Schuldrechtsreform 2001 können Vertragsfreiheit und Vertragsbindung darüber hinaus noch mit den §§ 241, 311 Abs. 1 BGB begründet werden.[138] Aus den genannten Vorschriften lässt sich die Vertragsbindung im Wege der Induktion ableiten.

---

[128] Art. 21 OR Schweiz; Art. 282 port. cc (portugiesischer código civil); Art. 388 poln. ZGB v. 23.4.1964 (polnisches Zivilgesetzbuch).

[129] Zu dieser prozeduralen Gerechtigkeitsvorstellung s. Zweigert/*Kötz*, Einführung in die Rechtsvergleichung, 3. Aufl. 1996, S. 320 ff.

[130] Das römische Recht kannte noch keine allgemeine Möglichkeit, vertragliche Verpflichtungen einzuklagen. S. ausführlich *Kegel*, Vertrag und Delikt, 2002, S. 3 ff.

[131] S. *Wolff*, Grundsätze des Natur- und Völkerrechts, 1754, § 438: „Wenn zwey oder mehrere zusammen in ein Versprechen oder mehrere einwilligen, heißt es ein Vertrag (pactum oder pactio)." S. *Nanz*, Die Entstehung des allgemeinen Vertragsbegriffs im 16.–18. Jahrhundert, 1985, S. 149 ff.; *Coing*, Europäisches Privatrecht, Bd. 1, 1985, S. 397 ff.; ausführlich *Kegel*, Vertrag und Delikt, 2002, S. 3 ff.

[132] Sachsenspiegel, Leipziger Ausgabe 1595, 1. Buch, 7. Art.: „Was ein Mann zusaget, das sol er halten"; *Glück*, Ausführliche Erläuterungen der Pandekten, nach Hellfeld – ein Kommentar für meine Zuhörer, Bd. IV, 1786, S. 279 ff. unter Berufung auf die teutsche Rechtsregel: „Ein Wort, ein Wort, ein Mann, ein Mann." S. auch *von Savigny*, System des heutigen Römischen Rechts, 1840, Bd. III, S. 309.

[133] § 77 Entwurf eines Bürgerliches Gesetzbuches für das Deutsche Reich, 1888.

[134] Mugdan, Bd. I, S. 688. Anders die eindeutigen Regen in Art. 19 schweiz. OR, Art. 353 poln. ZGB, Art. 1134 S. 1 cc.

[135] *Hofer*, in: HKK-BGB, 2003, vor § 145 Rn. 10. Dies ergibt sich auch aus § 116 S. 1 BGB.

[136] Etwa aus Kauf- (§ 433), Miet- (§ 535), Werk- (§ 631) oder Dienstvertrag (§ 611 BGB).

[137] BGH, Urt. v. 17.12.1982, V ZR 306/81, BGHZ 86, 167, 171 – Erhöhung eines Erbbauzinses bei Fehlen vertraglicher Anpassungsklausel.

[138] *Thier*, in: HKK-BGB, 2007, § 311 I Rn. 1; *Weller*, Die Vertragstreue, 2009, S. 170.

2. Vertragsfreiheit und vermeintlich widersprechende Rechtsprinzipien

a) Die umstrittene rechtsdogmatische Begründung des Kontrahierungszwangs

aa) Die Vertragsfreiheit bedeutet als *Abschlussfreiheit* grundsätzlich auch, dass sich jeder seinen Vertragspartner selbst aussuchen darf. Trotzdem ist anerkannt, dass es Fälle geben muss, in denen ein Vertrag gegen den Willen eines Vertragsteils abgeschlossen werden muss. Was ist, wenn der einzige Apotheker weit und breit einem Patienten ein lebenswichtiges Medikament nicht verkaufen will?[139] Oder muss dem Theaterkritiker der Besuch des Theaters gestattet werden, auch wenn zu befürchten ist, dass er negativ über die Vorstellung berichtet?[140] Einige Fälle hat der Gesetzgeber spezialgesetzlich geregelt, etwa gegenüber Trägern einer Monopolstellung.[141] Weitere Regeln ergeben sich im Kartellrecht für den Marktmissbrauch und das kartellrechtliche Diskriminierungsverbot.[142] Darüber hinaus wurden die Voraussetzungen für einen solchen Anspruch auf Vertragsabschluss diskutiert. Ein solcher Kontrahierungszwang ist zu bejahen, wenn keine zumutbaren Ausweichmöglichkeiten bestehen, der Kunde auf die Leistung angewiesen ist oder die Ablehnung sachlich nicht begründet ist. 33

bb) Rechtsdogmatisch und rechtsmethodisch liegt hier vieles im Streit. Die Rechtsprechung hatte den Kontrahierungszwang ursprünglich mit § 826 BGB begründet, weil es in manchen Fällen sittenwidrig sei, einen Vertragsabschluss zu verweigern.[143] Das überzeugt nicht, weil ein Anspruch auf Vertragsabschluss auch ohne den Nachweis von Vorsatz und Sittenwidrigkeit zu bejahen ist.[144] Alternativ wird eine Gesamtanalogie zu den Artt. 1 Abs. 1 und 20 Abs. 1 GG hergeleitet.[145] Eine dritte Ansicht möchte eine Gesamtanalogie zu den Vorschriften des gesetzlich explizit angeordneten Kontrahierungszwangs ziehen und diese mit dem Sozialstaatsprinzip des Art. 20 Abs. 1 GG verbinden.[146] Eine solche Gesamtanalogie erscheint wenig überzeugend, weil der Monopolmissbrauch oder die öffentliche Einrichtung nicht immer der allein entscheidende Zurechnungsgrund für die Begründung des Kontrahierungszwangs sind.[147] Die neuere Ansicht begründet den Kontrahierungszwang aus einem verschuldensunabhängigen quasi-negatorischen Beseitigungsanspruch gem. § 1004 BGB analog.[148] Das Unterlassen bezieht sich auf ein Unterlassen des Vertragsabschlusses.[149] Aber auch für diese Ansicht fehlt eine rechtsdogmatische Begründung des Kontrahierungszwangs. Rechtsideen wie Gerechtigkeit oder Rechtssi- 34

---

[139] *Bork*, Allgemeiner Teil des Bürgerlichen Gesetzbuchs, 4. Aufl. 2016, Rn. 666.

[140] Den Kontrahierungszwang verneinte das RG, Urt. v. 7.11.1931, V 106/31, RGZ 133, 388, 392 – Theaterkritiker.

[141] §§ 48 ff. Bundesrechtsanwaltsordnung (BRAO) v. 1.8.1959, BGBl. I, S. 565, §§ 1, 5 Abs. 2 PflVG, § 21 Abs. 2 LuftVG, § 22 Personenbeförderungsgesetz (PBefG) v. 8.8.1990, BGBl. I, S. 1690; § 4 Abs. 1 S. 1 Erneuerbare-Energien-Gesetz (EEG) v. 21.7.2014, BGBl. I, S. 1066, § 6 Abs. 1 S. Energiewirtschaftsgesetz (EnWG) v. 7.7.2005, BGBl. I, S. 1970; s. Erman/*Armbrüster*, BGB, 16. Aufl. 2020, Vor § 145 Rn. 28.

[142] S. § 20 Ads. 6 GWB sowie §§ 33 i.V.m. § 20 Abs. 1, 2 GWB.

[143] Neben dem RG (§ 9 Fn. 140) auch BGH, Urt. v. 2.12.1974, II ZR 78/72, BGHZ 63, 282, 285 – Aufnahmezwang eines Monopolverbandes; zustimmend Fikentscher/*Heinemann*, Schuldrecht, 11. Aufl. 2017, Rn. 113; hierzu tendiert auch *Bydlinski*, AcP 180 (1980), 1, 42 f.

[144] *Busche*, in: MünchKomm-BGB, 8. Aufl. 2018, vor § 145 Rn. 21; Erman/*Armbrüster*, BGB, 16. Aufl. 2020, Vor § 145 Rn. 29.

[145] *Neuner*, Allgemeiner Teil des Bürgerlichen Rechts, 12. Aufl. 2020, § 48 Rn. 13, § 10 Rn. 45.

[146] Palandt/*Ellenberger*, BGB, 80. Aufl. 2021, Einf. vor § 145 Rn. 10.

[147] *Bork*, Allgemeiner Teil des Bürgerlichen Gesetzbuchs, 4. Aufl. 2016, Rn. 671.

[148] Ebenso bereits BGH, Urt. v. 25.2.1959, K ZR 2/58, BGHZ 29, 344, 351 f. – Anspruch auf Aufnahme in einen Wirtschaftsverband; OLG Karlsruhe, Urt. v. 12.3.1980, 6 U 223/77, WRP 1980, 348, 353; *K. Schmidt*, DRiZ 1977, 97, 98; *Bork*, in: Staudinger, BGB, Neubearb. 2020, Vor §§ 145–156 Rn. 20, 27; *Busche*, in: MünchKomm-BGB, 8. Aufl. 2018, vor § 145 Rn. 21; Erman/*Armbrüster*, BGB, 16. Aufl. 2020, Vor § 145 Rn. 29. Zu diesem Anspruch s. § 6 Rn. 145 ff.

[149] **A.A.** *Neuner*, Privatrecht und Sozialstaat, 1999, S. 287: „Kunstgriff einer doppelten Negation".

cherheit sind zu allgemein, um aus ihnen den Kontrahierungszwang abzuleiten.[150] Darauf wird zurückzukommen sein (§ 9 Rn. 39 ff.).

b) Zur umstrittenen Preiskontrolle von Verträgen – die laesio enormis

35 aa) Die Angemessenheit von Leistung und Gegenleistung findet sich schon als iustitia commutativa bei *Aristoteles* (§ 1 Rn. 107) und in Ansätzen auch im römischen Recht.[151] Im Mittelalter entwickelte sich dann das Äquivalenzprinzip, das formuliert, dass Leistung und Gegenleistung in einem angemessenen Verhältnis zueinander stehen müssen.[152] Das Verbot der erheblichen Schädigung (*laesio enormis*) berechtigte eine Seite zur Aufhebung des Vertrages, wenn der vereinbarte Preis weniger als die Hälfte des wahren Wertes (iustum pretium) ausmachte.[153] Das Verbot der laesio enormis ist paternalistisch, weil es den Willen der Vertragsparteien ignoriert. Konsequenterweise haben die modernen Kodifikationen das *Verbot der laesio enormis nicht übernommen.*[154] Das BGB kennt keine allgemeine Preiskontrolle, sondern verlangt als zusätzliche Voraussetzung für den Wuchertatbestand des § 138 Abs. 2 BGB die Beeinträchtigung der Entscheidungsfreiheit.

36 bb) Gleichwohl geht der BGH bei einem auffälligen bzw. besonders groben Missverhältnis zwischen Leistung und Gegenleistung von einer Inhaltssittenwidrigkeit aus (§ 8 Rn. 41). Er bejahte eine Inhaltssittenwidrigkeit im Sinne von § 138 Abs. 1 BGB, als der Verkäufer einen Spielautomat im Wert von 30.000 DM für 80.000 DM verkaufte.[155] In einer anderen Entscheidung hatte der BGH ein Pauschalhonorar eines Anwaltes für sittenwidrig erklärt, weil es das 5-fache der gesetzlichen Gebühren überstieg.[156] Zum Teil wird deshalb von einer „Renaissance der laesio enormis“[157] gesprochen und einer Vertragsgerechtigkeit im Sinne einer Äquivalenz von Leistung und Gegenleistung geredet.[158] Wie stehen nun diese Überlegungen zur gerade formulierten Vertragsbindung und dem Grundsatz der Privatautonomie? (§ 9 Rn. 52).

c) Störung der Geschäftsgrundlage und clausula rebus sic stantibus

37 aa) Und es gibt noch ein drittes Rechtsinstitut, welches die Vertragsbindung, den Grundsatz von pacta sunt servanda aufweicht: Die Lehre von der *clausula rebus sic stan-*

---

[150] *Busche*, Privatautonomie und Kontrahierungszwang, 1999, S. 126. **A.A.** aber *Raiser*, ZHR 111 (1948), 75, 93 f.: „materielles Gerechtigkeitsprinzip“.

[151] C. 4.44.2; hierzu *Becker*, Die Lehre von der laesio enormis in der Sicht der heutigen Wucherproblematik, 1993, S. 10 ff.; *Zimmermann*, The Law of Obligations, 1990, S. 259 ff.

[152] *Decretales Gregorii P. IX.*, Lib. III, Tit. XVII, Chap. III.; *Azo*, In ius civile summa, 1564, Tit. de rescindenda venditione Nr. 4, S. 114: *Venditor vel emptor quando censeatur deceptus ultra dimidiam iusti pretij* – Der Verkäufer oder Käufer, wann er um über die Hälfte des gerechten Preises betrogen betrachtet werden soll; *Glück*, Ausführliche Erläuterungen der Pandekten, Vol. 17, 1815, S. 35 ff.

[153] Sie findet sich noch in älteren Kodifikationen wie dem Codex Maximilianeus bavaricus civilis, dem ALR, dem ABGB und dem Code Civil, IV. Teil, 3.Kap. §§ 19 ff. CMBC; I. Teil: §§ 59, 69 ALR; § 934 ABGB und Art. 1674 ff. cc: beschränkt auf 3/7 bei Grundstücksverträgen; hierzu Zweigert/*Kötz*, Einführung in die Rechtsvergleichung, 3. Aufl. 1996, S. 320.

[154] So ausdrücklich Mot. II, S. 321: „Das Recht des Rücktritts vom Kaufvertrag aus dem Grund der sog. laesio enormis hat der Entwurf [...] beseitigt“; Art. 1168 cc.

[155] BGH, Urt. v. 26.11.1997, VIII ZR 322/96, BB 1998, 393 – Spielautomat.

[156] BGH, Urt. v. 10.11.2016, IX ZR 119/14, ZIP 2017, 2479 Rn. 19 ff. – Sittenwidrigkeit einer Honorarvereinbarung, m. Anm. *Römermann*, EWiR 2017, 45 f., der kritisiert, warum gerade das 5-fache die Sittenwidrigkeit begründen soll.

[157] S. die Analysen von *Mayer-Maly*, in: FS Larenz, 1983, S. 395, 398 ff.; *Finkenauer*, in: FS Westermann, 2008, S. 183 ff.

[158] *Säcker*, in: MünchKomm-BGB, 8. Aufl. 2018, Einl. BGB Rn. 39: „Diese Rspr. lässt ich mE dahin verallgemeinern, dass Vereinbarungen dann gemäß § 138 Abs. 1 unwirksam sind, wenn sie im relevanten Markt den konkreten marktüblichen Preis für ein Produkt oder eine Dienstleistung um 100% oder mehr übersteigen.“ S. unten § 9 Rn. 39.

tibus besagt, dass jeder Vertrag nur so lange bindend sein soll, wie die Verhältnisse, die für seinen Abschluss bestimmend waren, sich nicht von Grund auf geändert haben.[159] Sie erlebte ihre Blüte in der Neuzeit.[160] Der Gesetzgeber hatte die *Lehre* von der *clausula rebus sic stantibus* wegen ihrer Unbestimmtheit bewusst *nicht in das BGB aufgenommen.*[161] Wegen der massiven Geldentwertung nach dem 1. Weltkrieg nahm die Rechtsprechung dann aber Vertragskorrekturen vor. Während sich die Rechtsprechung ursprünglich noch auf Unmöglichkeit[162] bzw. wirtschaftliche Unmöglichkeit[163] berief, erkannte sie später die Lehre von *Oertmann* vom Wegfall der Geschäftsgrundlage[164] ausdrücklich an[165] und berief sich auf Treu und Glauben.[166] Ähnlich reagierte die englische Rechtsprechung mit der „doctrine of frustration of the contract"[167] während in Italien, den Niederlanden und Griechenland der Gesetzgeber helfen musste.[168]

bb) Im Laufe der Zeit haben Literatur und Rechtsprechung *Fallgruppen* wie Äquivalenzstörung, Störung des Verwendungszweckes, gemeinschaftlichen Motivirrtum und *tatbestandsähnliche Voraussetzungen* innerhalb einer eigenständigen Fallgruppe des § 242 BGB entwickelt: Erstens muss sich die Geschäftsgrundlage wesentlich geändert haben, zweitens darf das Risiko nicht einseitig von einer Partei getragen werden.[169] Damit sind die **Risikosphären der Parteien** voneinander abzugrenzen. Und drittens darf die Änderung der betroffenen Partei nicht zugemutet werden können.[170] Diese Merkmale konnten dann so zu Tatbestandsmerkmalen verdichtet werden, dass das Rechtsinstitut 2002 als **38**

---

[159] Er findet sich schon im Codex Maximilianeus bavaricus civilis und im ALR und auch in anderen Gesetzbüchern, Vierter Teil, 15. Kap. § 12 CMBC: „und da [...] alle Verbindungen die Clausulam Rebus sic Stantibus stillschweigend in sich halten"; Erster Teil, Fünfter Titel, §§ 377–380 ALR; Art. 24 Abs. 1 Ziff. 4 und 373 OR und Art. 357 des poln. ZGB.

[160] *Leyser*, Meditationes ad Pandectas, 3. Aufl. 1741, Vol. 1, specimen 40 IV., S. 411: „Omne pactum, omnis promissio, rebus sic stantibus, intelligenda est"; *Windscheid*, Die Lehre des römischen Rechts von der Voraussetzung, 1850; *Zimmermann*, The Law of Obligations, 1990, S. 579 ff.

[161] Mot. I, S. 249: „zur Zeit nicht diejenige Durchbildung und Anerkennung erfahren".

[162] RG, Urt. v. 6.7.1898, I 174/98, RGZ 42, 114, 116 f.

[163] RG, Urt. v. 23.2.1904, II 398/03, RGZ 57, 116, 118 ff.

[164] *Oertmann*, Die Geschäftsgrundlage, 1921; vorher schon *ders.*, AcP 117 (1919), 275 ff.

[165] RG, Urt. v. 3.2.1922, II 640/21, RGZ 103, 328, 332 – Vigognespinnerei; RG, Urt. v. 6.8.1923, II 215/23, RGZ 106, 422, 424 f.; hierzu *Luig*, in: Zimmermann, Rechtsgeschichte und Privatrechtsdogmatik, 1999, S. 171, 185 f.; *Meyer-Pritzl*, in: HKK-BGB, 2007, §§ 313–314 Rn. 18 ff.

[166] Auch heute noch s. BGH, Urt. v. 25.2.1993, VII 24/92, BGHZ 121, 378, 391; Begr. AbgeordnetenE, BT-Drs. 14/6040, S. 174. Krit. aber *Flume*, Allgemeiner Teil des Bürgerlichen Rechts, Bd. II, 4. Aufl. 1992, S. 500: „In Wirklichkeit ist jedoch mit dem Hinweis auf „Treu und Glauben" nichts gewonnen."

[167] *Taylor v. Caldwell* (1863) 3 B. & S. 826, 122 E.R. 309, 312 [833] sowie den berühmten Krönungszugfall *Krell v. Henry* (1903) L.Rep. 2 K.B. 740, 754. Inzwischen hat der Gesetzgeber mit dem Frustrated Contracts Act 1943 für England und § 2–615 (a) UCC für die USA reagiert. Vorsichtiger *Markesinis/Unberath/Johnston*, The German Law of Contract, 2nd ed. 2006, S. 333: „the German doctrine of ‚frustration' is closer to the English equitable doctrine to order rectification in the case of contract entered into by mistake than to the English law of frustration."

[168] Art. 1467 ff. ital. cc v. 4.4.1942 (italienischer codice civile), in Frankreich gab es nur Spezialvorschriften für bestimmte Problemstellungen, s. Ferid/*Sonnenberger*, Das Französische Zivilrecht, Bd. 1, 2. Aufl. 1994, Rn. 1 F 770, S. 568 f. Inzwischen finden sich auch Regelungen im Art. 388 griech. ZGB, Buch 6 Art. 258 niederl. Nieuw Burgerlijk Wetboek; Art. 1195 cc. S. auch Art. III-1:110 DCFR: change of circumstances.

[169] Grundlegend *Fikentscher*, Die Geschäftsgrundlage als Frage des Vertragsrisikos, 1971, S. 31 ff., 107 ff.; vorher schon *Rabel*, Das Recht des Warenkaufs, Bd. 1, 1936, S. 357; *Flume*, in: FS 100 Jahre DJT, Bd. I, 1960, S. 135, 208. S. BGH, Urt. v. 25.2.1993, VII 24/92, BGHZ 121, 378, 392; ausführlich *Meyer-Pritzl*, in: HKK-BGB, 2007, §§ 313–314 Rn. 61 ff.

[170] *Larenz*, Geschäftsgrundlage und Vertragserfüllung, die Bedeutung „veränderter Umstände" im Zivilrecht, 3. Aufl. 1963; *Finkenauer*, in: MünchKomm-BGB, 8. Aufl. 2019, § 313 Rn. 56; *Köhler*, in: FG BGH, Bd. 1, 2000, S. 295, 297 ff. **A.A.** noch *Flume*, Allgemeiner Teil des Bürgerlichen Rechts, Bd. II, 4. Aufl. 1992, S. 520, der in den Fällen der Äquivalenzstörung ein Eingreifen des Gesetzgebers fordert.

§ 313 in das BGB inkorporiert werden konnte.[171] Nur wie lässt sich die Störung der Geschäftsgrundlage rechtsdogmatisch rechtfertigen? Sie steht im klaren Gegensatz zum Grundsatz pacta sunt servanda.[172]

IV. Das Selbstbestimmungsrecht als Rechtfertigungsgrund verschiedener Rechtsinstitute

1. Ansätze in der Literatur

a) Privatautonomie und Vertragsgerechtigkeit

39 *Schmidt-Rimpler* vertrat die Ansicht, dass das Aushandeln der wesentlichen Vertragsbestandteile durch beide Parteien zu einer „Richtigkeitsgewähr" des Vertrags führe.[173] Diese Ansicht ist allerdings in dieser Allgemeinheit nur bedingt überzeugend, weil es bei einem Machtungleichgewicht an der Selbstbestimmung beider Seiten fehlt.[174] Folglich hatten schon bei Erlass des BGB zahlreiche Stimmen den fehlenden Schutz der Schwachen kritisiert.[175] Als Folge davon wird zum Teil verlangt, der Verbraucher sei als schwächere Partei grundsätzlich zu schützen.[176] *Vertragsgerechtigkeit* sei das materielle Funktionsprinzip des Vertragsrechts.[177] Entwicklungen dazu finden sich in der Rechtsprechung, wenn eine Preiskontrolle stattfindet und von der Höhe des Preises auf die Angemessenheit des Vertrages geschlossen wird (§ 9 Rn. 36). Auch der Bürgschaftsentscheidung des BVerfG[178] wurde vorgeworfen, Begriffe wie „gestörte Vertragsparität" oder „Ungleichgewichtslage" würden nicht verdeutlichen, in welchem Umfang eine Vertragskontrolle zulässig ist.[179] Eine Vertragsgerechtigkeit ist abzulehnen, weil das BGB keine pauschale Inhaltskontrolle von Verträgen vorsieht (§ 9 Rn. 35).[180] Ungleichgewichtslagen reichen für sich genommen aber noch nicht aus, um eine Preiskontrolle zu rechtfertigen.

b) Das Prinzip des Sozialen und die Privatautonomie als Optimierungsgebot

40 Zum Teil wird behauptet, die Privatautonomie wäre ein Optimierungsgebot, das wie andere Rechtsprinzipien eine Einschränkung durch andere Rechtsprinzipien erfährt.[181] Ein Prinzip des Sozialen soll die Vertragsfreiheit einschränken und neben dem Kontrahierungszwang auch Informationspflichten (wie die Widerrufsbelehrung gem. § 355

---

[171] Gesetz zur Modernisierung des Schuldrechts v. 26.11.2001, BGBl. I, S. 3138.

[172] Fikentscher/*Heinemann*, Schuldrecht, 11. Aufl. 2017, Rn. 224.

[173] *Schmidt-Rimpler*, AcP 147 (1941), 130, 132 ff., 152 ff.; *ders.*, in: FS Raiser, 1974, S. 3, 6 ff.; *Lieb*, AcP 178 (1978), 196, 206.

[174] Gegen Schmidt-Rimpler bereits *Flume*, in: FS 100 Jahre DJT, Bd. 1, 1960, S. 135, 142 f. *Canaris*, Die Bedeutung der iustitia distributiva im deutschen Vertragsrecht, 1997, S. 49: „nur Richtigkeitschance"; *Fastrich*, Richterliche Inhaltskontrolle im Privatrecht, 1992, S. 52 ff.

[175] *Gierke*, Die soziale Aufgabe des Privatrechts, 1889, S. 13: in unser Privatrecht müsse „ein Tropfen sozialistischen Oeles durchsickern"; *ders.*, Der Entwurf des Bürgerlichen Gesetzbuchs und das deutsche Recht, 1889, S. 192; *Wagner*, Grundlegung der politischen Ökonomie, 2. Teil, 3. Aufl. 1894, S. 99 ff.; *Menger*, Das bürgerliche Recht und die besitzlosen Volksklassen, 1886, S. 26, 153 f.

[176] *Atiyah*, 35 U.Toronto L.J. 1, 14 ff. (1981); *Smith*, Atiyah's Introduction to the Law of Contract, 6th ed. 2005, S. 297 sowie *Säcker*, in: MünchKomm-BGB, 8. Aufl. 2018, Einl. BGB Rn. 39.

[177] Zweigert/*Kötz*, Einführung in die Rechtsvergleichung, Bd. II, 2. Aufl. 1984, S. 7 ff.

[178] BVerfG, Beschl. v. 19.10.1993, 1 BvR 567/89 u.a., BVerfGE 89, 214, 231 ff. – Bürgschaftsverträge.

[179] Krit. *Zöllner*, AcP 196 (1996), 1, 26 ff., 30; *Coester-Waltjen*, AcP 190 (1990), 1, 23 (§ 11 Rn. 58 ff.).

[180] *Drexl*, Die wirtschaftliche Selbstbestimmung des Verbrauchers, 1998, S. 208; *Ritgen*, JZ 2002, 114, 119; *Hofer*, Vertragsfreiheit am Scheideweg, 2006, S. 23.

[181] *Neuner*, Allgemeiner Teil des Bürgerlichen Rechts, 12. Aufl. 2020, § 10 Rn. 30.

Abs. 2 BGB) oder den Schutz vor Perspektivlosigkeit umfassen.[182] Für diese Überlegungen lässt sich vorbringen, dass der Gesetzgeber und die Rechtsprechung in den letzten Jahrzehnten die Marktwirtschaft zu einer sozialen[183] oder umweltsozialen Marktwirtschaft[184] weiterentwickelten; man denke nur an die umfangreiche Gesetzgebung im Bereich des Arbeits-, Miet- und Verbraucherschutzrechtes.

Zwei Überlegungen sprechen aber gegen dieses Konzept: Es geht nicht um eine Opti- **41**
mierung der Vertragsfreiheit mit dem Prinzip des Sozialen, sondern um die Erhaltung eines Mindestmaßes an Vertragsfreiheit der Parteien. Das Optimierungskonzept suggeriert, dass die Vertragsfreiheit wie im Öffentlichen Recht die Grundrechte mit anderen Rechten abgewogen und in eine verhältnismäßige praktische Konkordanz gebracht werden müssten. Ein solches Abwägungskonzept findet im Zivilrecht grundsätzlich nur in engen Grenzen statt (§ 10 Rn. 23 ff.). Generell ist eine Zurückhaltung des Staates geboten. Dies entspricht dem liberalen Grundgedanken des BGB. Solange sich der Vertrag in einem gewissen ertragbaren Rahmen befindet, darf der Staat nicht lenkend eingreifen. Erst wenn das Maß an Ungerechtigkeit diese Grenzen sprengt, geht die Bestimmungsgewalt der Parteien auf den Staat über. Zudem wirken Grundrechte grundsätzlich nur mittelbar zwischen Privaten, z.B. für den Theaterkritiker das Recht auf Meinungs- und Pressefreiheit.[185] Nur bei einer rassistisch veranlassten Diskriminierung wird man die Menschenwürde unmittelbar aus dem GG heranziehen können (§ 11 Rn. 16), nicht aber für die abgelehnte Fahrt zum Flughafen.[186] Das Grundgesetz ist zur Herleitung von Ansprüchen regelmäßig zu unbestimmt.[187] Man schießt mit Kanonen auf Spatzen, würde man ohne eine gesetzliche Grundlage die Fahrt zum Flughafen oder den Wunsch, ein Girokonto zu eröffnen, mit der Menschenwürde oder dem Sozialstaatsprinzip begründen.[188] Das Prinzip des Sozialen verspricht zu viel, kann es doch nicht darum gehen, Gerechtigkeit sicherzustellen, sondern nur grobe Ungerechtigkeiten zu verhindern (§ 9 Fn. 205). Deshalb sollte man vorrangig versuchen, die Rechtsinstitute unmittelbar mit Rechtsprinzipien des Zivilrechts und nicht mit der Verfassung zu begründen.[189]

c) Weitere Ansätze zur Begründung der Privatautonomie

In der Literatur wird die Privatautonomie in Selbstbestimmung, Selbstverantwortung **42**
und den Vertrauensschutz unterteilt.[190] Als Zurechnungskriterien mag das für ein Bewegliches System ausreichen. Damit wird das bestimmende Element der Privatautonomie noch nicht erklärt. Rückert nennt das Prinzip gleicher rechtlicher Freiheit.[191] Sicherlich war es eine der großen Errungenschaften, die Ständegesellschaft des 19. Jahrhunderts zu überwinden. Allerdings erscheint das Prinzip in seiner Allgemeinheit vielleicht doch mehr Rechtsidee als Rechtsprinzip. Wenn in der Rechtsliteratur darüber hinaus zum Teil

---

[182] *Raiser*, JZ 1958, 1, 6, 8; *Neuner* (ebd.), § 10 Rn. 42 ff.

[183] *Möllers*, JuS 1999, 1191, 1192 f.

[184] So die Schrift von *Fikentscher*, Die umweltsoziale Marktwirtschaft, 1991.

[185] S. unten § 11 Rn. 11 ff.; *Bork*, in: Staudinger, BGB, Neubearb. 2020, Vor §§ 145–156 Rn. 23. **A.A.** aber RG, Urt. v. 7.11.1931, V 106/31, RGZ 133, 388, 392 – Theaterkritiker (§ 9 Fn. 140).

[186] Nicht jede Unsachlichkeit ist schon diskriminierend, ebenso *Bork*, Allgemeiner Teil des Bürgerlichen Gesetzbuchs, 4. Aufl. 2016, Rn. 671.

[187] Kritisch gegen den Ansatz von *Neuner* etwa *Rückert*, in: HKK-BGB, 2003, vor § 1 Rn. 107 Fn. 375: „untauglicher Versuch, frei und sozial als prinzipiell gegenläufig zu formulieren"; ebenso gegen die Rückführung auf das Prinzip der sozialen Marktwirtschaft bereits *Bartholomeyczik*, AcP 166 (1966), 30, 49.

[188] So aber *Neuner*, Allgemeiner Teil des Bürgerlichen Rechts, 12. Aufl. 2020, § 48 Rn. 15, § 10 Rn. 45; Palandt/*Ellenberger*, BGB, 80. Aufl. 2021, Einf. vor § 145 Rn. 10.

[189] Für die Bürgschaftsentscheidung s. die Überlegungen in § 11 Rn. 62.

[190] *Canaris*, Systemdenken und Systembegriff in der Jurisprudenz, 2. Aufl. 1983, S. 50 f.

[191] *Rückert*, in: HKK-BGB, 2003, vor § 1 Rn. 39 ff., 47, 86 ff.

Privatautonomie und Vertragsfreiheit gleichgesetzt werden,[192] ist dies für die genannten Fallkonstellationen wenig überzeugend.

2. Privatautonomie als Selbstbestimmung beider Parteien

a) Selbstbestimmung des Einzelnen und beiderseitige Selbstbestimmung

43 aa) Bei der obigen Darstellung der Rechtinstitute wurde noch zu sehr die Vertragsfreiheit in den Blick genommen, die Selbstbestimmung dagegen außer Acht gelassen. Die Selbstbestimmung ist Voraussetzung der Vertragsfreiheit. Schon in den Motiven zum BGB findet sich die Formulierung: „Die Rechtsordnung kann nicht gestatten, daß die *freie Selbstbestimmung* auf rechtsgeschäftlichem Gebiete in widerrechtlicher Weise beeinträchtigt wird."[193] Und der erste Satz in dem Werk „Rechtsgeschäft" von *Flume* lautet: „Privatautonomie nennt man das Prinzip der Selbstgestaltung der Rechtsverhältnisse durch den einzelnen nach seinem Willen."[194] Wörtlich schreibt er weiter: „Soweit die Selbstbestimmung reicht, gibt es keine Fremdbestimmung. Die willentliche Entscheidung gilt, weil sie gewollt ist und der Wille des einzelnen als solcher respektiert wird. Die privatautonome Gestaltung bedarf, soweit sie vom Recht anerkannt wird, keiner anderen Rechtfertigung, als daß der einzelne sie will."[195]

44 bb) Oft wird die Selbstbestimmung lediglich auf eine Partei bezogen.[196] Naheliegenderweise gilt das Selbstbestimmungsprinzip allerdings für beide Seiten. **Selbstbestimmung beider Seiten** heißt dann auch **Schutz vor Fremdbestimmung**.[197] *Flume* hebt zu Recht hervor, dass der Vertrag einer beiderseitigen Selbstbestimmung bedarf und dass eine ungleiche Machtlage oder faktische Monopolstellung zu einseitiger Fremdbestimmung führt. Die Idee, beiderseitiger Selbstbestimmung als Teil der Privatautonomie, findet Zustimmung.[198] Flume hatte schon 1960 formuliert:

45 „Soweit nach unserer Rechtsordnung den einzelnen die Regelung der Rechtsverhältnisse in *beiderseitiger Selbstbestimmung*, d.h. durch Vertrag, überlassen ist, liegt dem die Voraussetzung zugrunde, daß die einzelnen sich mit der Macht zur Selbstbestimmung gegenüberstehen und nicht durch die Macht des einen statt der *beiderseitigen Selbstbestimmung* eine einseitige Fremdbestimmung eintritt. Zwang und Privatautonomie sind miteinander unvereinbar. Es ist aber das ewige Dilemma der Privatautonomie, daß sie immer wieder durch ungleiche Machtverteilung in Frage gestellt ist."[199]

b) Die Herleitung des Selbstbestimmungsprinzips aus dem BGB und der Verfassung

46 Man kann dieses Prinzip nun aus einer mittelbaren Drittwirkung der Grundrechte herauslesen. In der Entscheidung zur Bürgschaft vermögensloser Angehöriger betonte das

---

[192] S. *Flume*, Allgemeiner Teil des Bürgerlichen Rechts, Bd. II, 4. Aufl. 1992, S. 12; *Lorenz*, Der Schutz vor dem unerwünschten Vertrag, 1997, S. 17; *Busche*, Privatautonomie und Kontrahierungszwang, 1999, S. 13.

[193] Mot. I, S. 204.

[194] *Flume*, Allgemeiner Teil des Bürgerlichen Rechts, Bd. II, 4. Aufl. 1992, S. 1; vorher schon *ders.*, in: FS 100 Jahre DJT, Bd. 1, 1960, S. 135, 136 ff., 143; zustimmend *Canaris*, AcP 200 (2000), 273, 277; *Bork*, Allgemeiner Teil des Bürgerlichen Gesetzbuchs, 4. Aufl. 2016, Rn. 99; *Rückert*, in: HKK-BGB, 2003, vor § 1 Rn. 108 spricht von „Paukenschlag." S. auch BVerfG, Beschl. v. 13.5.1986, 1 BvR 1542/84, BVerfGE 72, 155, 170.

[195] *Flume*, in: FS 100 Jahre DJT, Bd. 1, 1960, S. 135, 141.

[196] *Busche*, in: MünchKomm-BGB, 8. Aufl. 2018, vor § 145 Rn. 6; *Neuner*, Allgemeiner Teil des Bürgerlichen Rechts, 12. Aufl. 2020, § 10 Rn. 30.

[197] *Reich*, JZ 1997, 609.

[198] *Säcker*, in: MünchKomm-BGB, 8. Aufl. 2018, Einl. BGB Rn. 38.

[199] *Flume*, in: FS 100 Jahre DJT, Bd. 1, 1960, S. 135, 143; ebenso *Larenz*, Lehrbuch des Schuldrechts, Allgemeiner Teil, Bd. 1, 14. Aufl. 1987, S. 41: „freie Selbstbestimmung jedes der beiden Kontrahenten".

BVerfG, dass Art. 2 Abs. 1 GG als Teil der Privatautonomie die „Selbstbestimmung des Einzelnen im Rechtsleben“[200] gewährleistet, und verlangte in mehreren Entscheidungen ein derartiges Verständnis der Privatautonomie, wenn eine „strukturell ungleiche Verhandlungsstärke“ oder eine „gestörte Vertragsparität“ vorläge.[201] Im Sinne einer *verfassungsorientierten (verstärkenden) Auslegung* steht dem nichts entgegen (§ 11 Rn. 38 ff.).

Überzeugender ist es aber, das Prinzip der Selbstbestimmung bereits als Teil der Privatautonomie beider Parteien und damit als zivilrechtliches Rechtsprinzip zu interpretieren. 47
Im BGB findet sich dieser Grundsatz in der Willenstheorie des 19. Jahrhunderts (§ 4 Rn. 99), normiert dann in § 133 BGB („wirkliche Wille zu erforschen“) und den Irrtumsregeln (§ 119 ff. BGB). Auch im Familien- und Erbrecht wird die Selbstbestimmung sichergestellt.[202] Historisch gesehen wollte das BGB nicht nur die Freiheit, sondern auch eine *gleiche rechtliche Freiheit*[203] ohne Unterscheidung der Person einführen. Durch europäisches Recht kam noch der Widerruf (§ 312 BGB) dazu, der die Selbstbestimmung des Verbrauchers stärkte (§ 9 Rn. 58). Gleiche rechtliche Freiheit bedeutet damit gleicher Freiheitsgebrauch für alle.

c) Freiheitsbeschränkende Einschränkung der Selbstbestimmung als konkretisierender Maßstab für eine Korrektur des Vertrages

aa) Grundsätzlich bleibt es in einem ersten Schritt bei der Vertragsfreiheit mit ihren 48
Varianten (§ 9 Rn. 29 ff.). Gesteht man die Selbstbestimmung beiden Seiten zu, kann es in bestimmten Fällen dazu kommen, dass eine Fremdbestimmung zu korrigieren ist. Das rechtfertigt zuerst einmal die ***prozedurale Waffengleichheit***, d.h. in Bezug auf den Prozess der Willensbildung.[204] Selbstbestimmung verlangt deshalb den Schutz vor prozeduralen Mängeln, die u.a. durch Täuschung oder Drohung entstehen (§ 9 Rn. 30).

bb) Das Selbstbestimmungsrecht ist damit nicht nur ein Prinzip, um die Vertragsbin- 49
dung zu rechtfertigen, sondern kann die *Vertragsbindung im Zweifel auch korrigieren*. Haben sich die Parteien erst einmal selbstbestimmt vertraglich gebunden, sind die Hürden für eine Vertragskorrektur umso höher. Es findet also gerade keine (nachträgliche) Angemessenheitskontrolle im Sinne gerechter Ergebnisse statt (s. sogleich). Leitschnur muss der Grundsatz sein, dass nicht die Gerechtigkeit, sondern nur die **Ungerechtigkeit der Maßstab für ein rechtliches Eingreifen** sein kann.[205] Das erinnert an die Kontrolle von Recht und Gesetzen durch die Radbruch'sche Formel (§ 2 Rn. 133 ff.). Erforderlich ist in den Worten des BVerfG, dass die Folgen für die unterlegene Partei „ungewöhnlich belastend“[206] und damit evident einseitig[207] sind. Diese Theorie der *Materialisierung* der Vertragsfreiheit, die sich auf die Selbstbestimmung des Einzelnen im Sinne von Flume und des BVerfG besinnt, ist keine Bedrohung der Privatrechtsgesellschaft, sondern eine schlüssige Fortentwicklung und Vervollkommung.[208]

---

200 BVerfG, Beschl. v. 19.10.1993, 1 BvR 567/89 u.a., BVerfGE 89, 214, 231 – Bürgschaftsverträge, das sich auf Erichsen beruft, s. *Erichsen*, in: HStR VI, 1989, § 152 Rn. 58 ff., der sich in Fn. 195, 197, wieder auf *Flume* (ebd.) bezieht.

201 Zudem hat es sich auf das Sozialstaatsprinzip (Art. 20 Abs. 1, 28 Abs. 1 S. 1 GG) berufen, s. BVerfG (ebd.), 231 ff. – Bürgschaftsverträge (§ 11 Rn. 58 ff.).

202 §§ 1821, 1822 i.V.m. 1643 BGB; § 1901 Abs. 1 S. 2 BGB; § 2064 BGB.

203 *Rückert*, in: HKK-BGB, 2003, vor § 1 Rn. 43 ff., der von einem Prinzip gleicher rechtlicher Freiheit spricht; zustimmend *Hofer*, Vertragsfreiheit am Scheideweg, 2006, S. 11.

204 In der Bürgschaftsentscheidung BVerfGE 89, 214, 232 (§ 9 Fn. 200) findet sich dies bereits im Leitsatz in dem Begriff der „ungleichen Verhandlungsstärke“.

205 *Canaris*, in: FS Lerche, 1993, S. 873, 883 f.; *Neuner*, Allgemeiner Teil des Bürgerlichen Rechts, 12. Aufl. 2020, § 10 Rn. 30.

206 BVerfG, Beschl. v. 19.10.1993, 1 BvR 567/89 u.a., BVerfGE 89, 214, 232 – Bürgschaftsverträge (§ 11 Rn. 58 ff.).

207 *Ritgen*, JZ 2002, 114, 119; *Hofer*, Vertragsfreiheit am Scheideweg, 2006, S. 23.

208 *Drexl*, Die wirtschaftliche Selbstbestimmung des Verbrauchers, 1998, S. 208, 296; zu Flume (§ 9 Fn. 199), zum BVerfG (§ 9 Fn. 178). **A.A.** ausdrücklich *Zöllner*, AcP 196 (1996), 1, 24 ff.

50 cc) Maßgeblich muss es sein, dass die Selbstbestimmung *freiheitsbeschränkend* wirkt, also eine gewisse Gewichtigkeit erlangt. Das lässt sich nun für die drei diskutierten Rechtsinstitute weiter konkretisieren.

3. Die rechtsdogmatische Begründung der verschiedenen Rechtsinstitute mit dem fehlenden Selbstbestimmungsrecht

a) Kontrahierungszwang und fehlende Selbstbestimmung

51 Der Kontrahierungszwang lässt sich aus der Privatautonomie selbst begründen: Auf den ersten Blick steht der Kontrahierungszwang der Vertragsfreiheit entgegen, weil eine Seite die oben erwähnte Abschlussfreiheit (§ 9 Rn. 29 f.) verliert.[209] Das ist allerdings nur dann zutreffend, wenn man nur einseitig die Vertragsgegenseite, den sich weigernden Annehmenden, betrachtet. Die Vertragsfreiheit ist aber eine konditionierte Freiheit, die auf die Verwirklichung beiderseitiger Interessen angelegt ist. Gehört zur Vertragsfreiheit die *selbstbestimmte Entscheidung beider Seiten* (§ 9 Rn. 44 f.), dann erlaubt die Privatautonomie auch, die Vertragsbegründungsfreiheit und damit das Recht unter bestimmten Voraussetzungen den Vertragsabschluss zu erzwingen. Die Vertragsfreiheit ist beeinträchtigt, wenn keine Wahlmöglichkeit besteht.[210] Das Angewiesen-Sein auf die Leistung verdeutlicht beim Kontrahierungszwang[211] die fehlende Selbstbestimmung. Die Selbstbestimmung des Kontrahierungswilligen ist mangels Alternativen derart stark eingeschränkt, dass die Selbstbestimmung der Gegenseite ausnahmsweise eingeschränkt wird. Der Abschlusszwang begründet insoweit ein gesetzliches Schuldverhältnis, das die Verpflichtung zur Abgabe einer auf Vertragsabschluss gerichteten Willenserklärung beinhaltet.[212] Verstärkend lässt sich auch eine (un-) mittelbare Drittwirkung von Grundrechten ins Spiel bringen (§ 11 Rn. 11 ff.).

b) Preiskontrolle gem. § 138 Abs. 1 BGB bei Verträgen, die stark freiheitsbeschränkend in die selbstbestimmte Lebensführung eingreifen

52 aa) Formal sind die oben genannten Urteile zur Preiskontrolle von Verträgen (§ 9 Fn. 155) schon wenig überzeugend, weil die Vermutung einer verwerflichen Gesinnung bei einem Missverhältnis von Leistung und Gegenleistung nur eine Scheinbegründung[213] und Fiktion[214] darstellt. Inhaltlich sind solche Urteile abzulehnen, weil sie dem BGB widersprechen. Vom *Wortlaut* her verlangt § 138 Abs. 2 BGB neben dem Erfordernis eines auffälligen Missverhältnisses noch zusätzlich die Ausbeutung einer Zwangslage und sieht damit gerade keine allgemeine Preiskontrolle vor. Damit bleibt es grundsätzlich den Vertragsparteien überlassen, den Inhalt und Umfang der wesentlichen Vertragsbestandteile (essentialia negotii) zu bestimmen und so den Preis festzulegen (§ 9 Rn. 30). *Systematisch* ungereimt wäre es zudem, wenn eine widerrechtliche Drohung oder eine arglistige Täuschung „nur" zu einem Anfechtungsrecht führen würde, ein besonders großes Leistungs-

---

[209] *Flume*, Allgemeiner Teil des Bürgerlichen Rechts, Bd. II, 4. Aufl. 1992, S. 611; *Neuner*, Privatrecht und Sozialstaat, 1999, S. 287: „da es sich hierbei um das Gegenteil von selbstbestimmten Rechtsfolgen handelt".

[210] So bereits *Kohler*, Lehrbuch der Rechtsphilosophie, 1909, S. 96. *Busche* (Privatautonomie und Kontrahierungszwang, 1999, S. 125 ff.) nennt neben den rechtlich geschützten Interessen die Abhängigkeit vom Anbieter.

[211] Von „existentieller Abhängigkeit" spricht *Fastrich*, Richterliche Inhaltskontrolle im Privatrecht, 1992, S. 232 ff. Zur Abhängigkeit s. *Schmidt-Rimpler*, AcP 147 (1941), 130, 157 Fn. 34.

[212] Erman/*Armbrüster*, BGB, 16. Aufl. 2020, Vor § 145 Rn. 31.

[213] *Koziol*, AcP 188 (1988), 183, 207.

[214] *Mayer-Maly*, Das Bewußtsein der Sittenwidrigkeit, 1971, S. 12; *ders.*, in: FS Larenz, 1983, S. 395, 400, 404, *Finkenauer*, in: FS Westermann, 2008, S. 183, 193.

missverhältnis aber ipso iure zur Nichtigkeit gem. § 138 BGB.[215] Kontraproduktiv wäre es zudem, wenn sich jedermann auf eine richterliche Preiskontrolle verlassen dürfte: Die Folge wäre eine Vielzahl unüberlegter Vertragsschlüsse.[216]

bb) *Einfache Kauf- oder Dienstverträge* unterliegen nach der hier vertretenen Ansicht **53** *nicht* der Sittenwidrigkeits- und Preiskontrolle des § 138 BGB.[217] Statt eine Sittenwidrigkeitsprüfung über den relevanten Markt anzustellen, kann in einem solchen Fall aber die Verletzung einer Aufklärungspflicht[218] oder ein Verschulden bei Vertragsschluss (culpa in contrahendo) eingreifen.[219] Zutreffend hat der BGH die Sittenwidrigkeit folglich verneint, als ein Käufer Sammlermünzen zu einem Preis von 20.000 DM erworben hatte und sie dann nur zu einem Metallwert von 2.250 DM weiterverkauften konnte.[220] Der Markt und nicht der Richter entscheidet damit grundsätzlich über die Angemessenheit des Preises.

cc) Ungleichgewichtslagen können nur dann relevant werden, wenn die Folgen un- **54** gewöhnlich belastend sind und daher die Selbstbestimmung massiv beeinträchtigen.[221] Verträge schränken die **selbstbestimmte Lebensführung** ein, wenn sie **stark freiheitsbeschränkend** wirken. Nicht die Gerechtigkeit, sondern die Ungerechtigkeit ist der Maßstab für ein rechtliches Eingreifen (§ 9 Rn. 49). Das Ausnutzen einer Machtposition oder die Freiheitsbeschränkung ist als Zurechnungsgrund auch im Rahmen der Generalklauseln des § 138 BGB anerkannt (§ 10 Rn. 96 f.). Man kann nach Vertragsschluss Fälle der Perspektivlosigkeit[222] oder die Freiheitsbeschränkung existentieller Lebensbereiche darunter fassen.[223] Die Rechtsprechung entwickelte hier bereits Fallgruppen. Bei *Geschäften von existentieller Bedeutung* findet ausnahmsweise eine Preiskontrolle statt. Relevant ist dies bei Miete, dem Kauf von Immobilien oder dem Arbeitslohn (§ 8 Rn. 41). Die Selbstbestimmung bezieht sich damit nicht nur auf die Ausübung einer Willenserklärung, sondern auch auf die *selbstbestimmte Lebensführung*, die sicherstellen soll, dass der Arbeitslohn zum Leben grundsätzlich ausreicht, das Mietrecht dem Mieter sein soziales Umfeld wahrt und der Kauf eines sittenwidrig überteuerten Grundstückes den Käufer nicht in den modernen Schuldturm treibt (§ 11 Rn. 59).

Zahlreiche Sonderregelungen gehen dem § 138 BGB vor.[224] So gibt es für Arbeitslöhne **54a** einen Mindestlohn, für Mieten dagegen Höchstpreise. Zudem gibt es Bereiche, in welchen eine Preisregulierung vorliegt und damit grundsätzlich die Vereinbarung eines Entgeltes untersagt ist; man denke etwa an entsprechende Verordnungen der freien Berufe von Rechtsanwälten, Ärzten, Architekten oder Ingenieure. Preisregulierung gibt es schließlich aus wirtschafts- und sozialpolitischen Gründen, etwa bei Arzneimitteln.

c) Freiheitsbeschränkende fehlende Äquivalenz als Störung der Geschäftsgrundlage

Induktiv wurden die Voraussetzungen und Fallgruppen der Störung der Geschäfts- **55** grundlage innerhalb von 80 Jahren entwickelt. Dabei sind zwei Eckpunkte entscheidend:

---

[215] *Maaß*, NJW 2001, 3467, 3468; *Finkenauer*, in: FS Westermann, 2008, S. 183, 205.

[216] *Bartholomeyczik*, AcP 166 (1966), 30, 62.

[217] Ablehnend auch *Mayer-Maly*, in: FS Larenz, 1983, S. 395, 398 ff., *Finkenauer*, in: FS Westermann, 2008, S. 183 ff., *Rückert*, in: HKK-BGB, 2003, vor § 1 Rn. 112.

[218] So *Singer*, JZ 2001, 195, 197 gegen die Ansicht des BGH Sammlermünze (§ 9 Fn. 219).

[219] BGH, Urt. v. 22.12.1999, VIII ZR 111/99, NJW 2000, 1254, 1255 – Sammlermünze.

[220] BGH (ebd.), NJW 2000, 1254, 1255 – Sammlermünze. Auch der Mietkauf eines Pool-Billard-Geräts zu 250% des Wertes war nicht sittenwidrig, BGH, Urt. v. 24.1.1979, VIII ZR 16/78, WM 1979, 491, 492. S. auch oben § 8 Rn. 41.

[221] BVerfG, Beschl. v. 19.10.1993, 1 BvR 567/89 u.a., BVerfGE 89, 214, 232 – Bürgschaftsverträge (§ 11 Rn. 58 ff.).

[222] **A. A.** aber *Neuner*, Allgemeiner Teil des Bürgerlichen Rechts, 12. Aufl. 2020, § 10 Rn. 55 ff., der diesen Fall von einem ideellen Schutzrecht des Sozialprinzips umfasst sieht.

[223] *Enderlein*, Rechtspaternalismus und Vertragsrecht, 1996, S. 293 ff.

[224] Zum Folgenden *Moes*, Vertragsgestaltung, 2020, Rn. 223 ff.

Hintergrund ist einerseits wiederum die Überlegung, dass Gerichte bei der Störung der Geschäftsgrundlage keine Äquivalenzkontrolle durchführen sollen und können (§ 9 Rn. 38). Damit kann andererseits nur in Extremfällen, also Situationen, die für die Vertragsparteien bei Vertragsschluss nicht erkennbar sind und das Vertragsgleichgewicht massiv stören, eine Vertragsanpassung vorzunehmen sein.[225] Damit wird die Gerechtigkeit als Rechtsidee durch das *Selbstbestimmungsprinzip* präzisiert. Dieses präzisiert die Voraussetzungen der Störungen der Geschäftsgrundlage. So schreibt *Flume*:

56 „Geht man davon aus, daß der Vertrag das Mittel der privaten Gestaltung der Rechtsverhältnisse *in Selbstbestimmung* und Selbstverantwortung ist, so ist man für die Regelung der behandelten Fälle der ‚Geschäftsgrundlage' auf die Anknüpfung an den Vertrag verwiesen. Es ist immer zu fragen: 'what in fact, was the true meaning of the contract'?"[226]

57 Die Störung darf nicht in den Risikobereich einer Vertragsseite fallen (§ 9 Rn. 38). Sie verlangt bei einer Äquivalenzstörung, dass die **Freiheitssphäre existentiell beeinträchtigt** ist. Es handelt sich um Fälle, die mit Recht und Gerechtigkeit schlechterdings unvereinbar sind.[227] Die Äquivalenzstörungen müssen deshalb deutlich mehr als 50% vom Marktpreis betragen[228] und wieder stark freiheitseinschränkend wirken.

58 **Vertiefung** – *Widerrufsrecht:* Durch die Schuldrechtsreform[229] wurden die auf europäische Verbraucherschutzrichtlinien zurückgehenden Verbraucherschutzvorschriften wie die §§ 305 ff. BGB, die bis dato in Einzelgesetzen geregelt waren, in das BGB integriert. Neu aufgenommen wurde auch das dem BGB bis dato unbekannte Gestaltungsrecht des Widerrufs.[230] Dieses gibt dem Verbraucher ein zeitlich begrenztes Recht, den Vertrag ohne Angabe von Gründen zu widerrufen, d. h. den an sich wirksamen Vertrag nachträglich einseitig wieder aufzulösen. Lässt sich das Widerrufsrecht in die Systematik des BGB integrieren?[231]

4. Die Konkretisierung und Begründung von Rechtsinstituten durch das Prinzip der Selbstbestimmung

59 Rechtsdogmatisch konnten damit die gerade genannten Rechtsinstitute durch das Prinzip der Selbstbestimmung erklärt werden. Das Prinzip der Selbstbestimmung kann damit die von der Rechtsprechung entwickelten Rechtsinstitute rechtfertigen, obwohl sie doch erst einmal gegen die Grundsätze der Vertragsfreiheit und Vertragsbindung sprechen.

60 In einem ersten Schritt ließ sich das Rechtsprinzip *induktiv* herleiten. In einem zweiten Schritt hilft das Prinzip der Selbstbestimmung aber auch *deduktiv* (§ 9 Rn. 24), die Rechtsinstitute zu präzisieren.[232] Es zeigt zum Beispiel auch Grenzen für die Preiskont-

---

[225] Begr. AbgeordnetenE, BT-Drs. 14/6040, S. 176: „grobem Missverhältnis zu dem Leistungsinteresse des Gläubigers", *Canaris*, JZ 2001, 499, 502. S. BGH, Urt. v. 25.2.1993, VII 24/92, BGHZ 121, 378, 393: „wenn es sich um eine derart einschneidende Änderung handelt, daß ein Festhalten an der ursprünglichen Regelung zu einem untragbaren mit Recht und Gerechtigkeit schlechthin nicht mehr zu vereinbarenden Ergebnis führen würde und das Festhalten an der ursprünglichen vertraglichen Regelung für die betroffene Partei deshalb unzumutbar wäre". Ebenso *Weller*, Die Vertragstreue, 2009, S. 298 f.

[226] *Flume*, in: FS 100 Jahre DJT, Bd. I, 1960, S. 135, 215.

[227] So die Formulierung von *Eidenmüller*, Jura 2001, 824, 829. S. gerade § 9 Fn. 205.

[228] Entwertung um mehr als 60%, s. BGH, Urt. v. 18.9.1992, V 116/91, BGHZ 119, 220, 222 – Erhöhung des Erbbauzinses; zu dieser Fallgruppe s. *Kötz*, Vertragsrecht, 2. Aufl. 2012, Rn. 1014 ff.

[229] Gesetz zur Modernisierung des Schuldrechts v. 26.11.2001, BGBl. I, S. 3138.

[230] Gem. § 361a BGB a. F., s. nun §§ 355 ff., 312g, 495, 510 BGB.

[231] Zur Lösung s. unten § 15 Rn. 32 f.

[232] Oft ist die Rechtsfindung allerdings nicht so einfach. So können die Rechtsinstitute noch Hilfestellung geben, um das Rechtsprinzip zu konkretisieren. Im Ergebnis tritt eine Wechselwirkung zwischen Rechtsprinzip und Rechtsinstitut ein. Dann ist das Bild des gegenseitigen Hin- und Herwanderns von *Engisch* (§ 4 Rn. 10) überzeugender, jetzt allerdings im Verhältnis von Rechtsinstitut und Rechtsprinzip.

rolle und die Störung der Geschäftsgrundlage auf. Letztlich hilft auch die Rechtsidee Gerechtigkeit, um die Voraussetzungen des Rechtsinstituts zu präzisieren.

Grafisch lässt sich dieses Prinzip der Selbstbestimmung verdeutlichen:

Grafik: Das Prinzip der Selbstbestimmung mit Rechtsinstituten **60a**

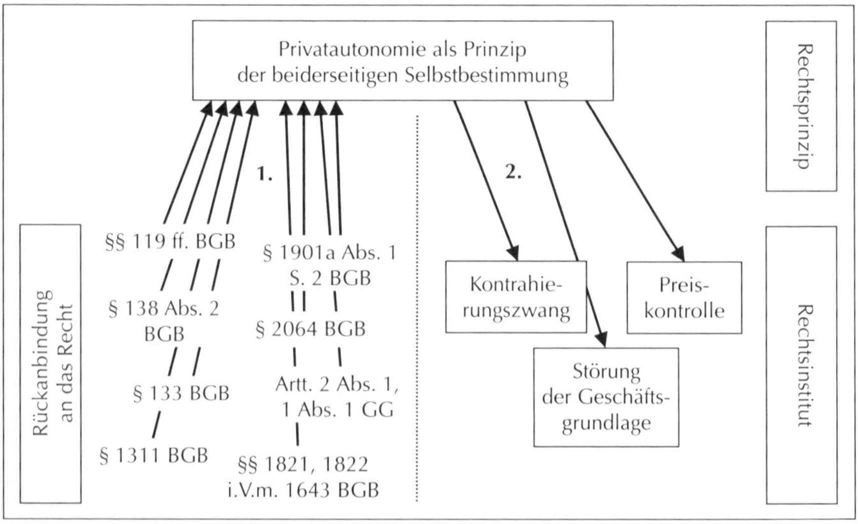

V. Rechtsprinzipien auf europäischer Ebene

Literatur: *Basedow, Jürgen*, The Court System and Private Law: Vacillations, General Principles and the Architecture of the European Judiciary, 18 Eur.Rev.Priv.L. 443–474 (2010); *Grundmann, Stefan*, Systembildung und Systemlücken in Kerngebieten des europäischen Privatrechts, 2000; *ders.*, in: Riesenhuber, Karl, Europäische Methodenlehre, 4. Aufl. 2021, S. 243–284; *Riesenhuber, Karl*, System und Prinzipien des Europäischen Vertragsrechts, 2003, § 18; *Metzger, Axel*, Extra legem, intra ius: Allgemeine Rechtsgrundsätze im Europäischen Privatrecht, 2009; *Möllers, Thomas M.J.*, Die Rolle des Rechts im Rahmen der Europäischen Integration, 1999; *Reich, Norbert*, General Principles of EU Civil Law, 2014; *Schulze, Reiner/Ajani, Gianmaria (Hrsg.)*, Gemeinsame Prinzipien des Europäischen Privatrechts, 2003; *Stürner, Michael*, Europäisches Vertragsrecht, 2021; *Vogenauer, Stefan/Weatherill, Stephen (eds.)*, General Principles of Law. European and Comparative Perspectives, 2017.

1. Herausforderungen bei der Ableitung von Prinzipien auf europäischer Ebene

a) Schwierigkeiten auf europäischer Ebene

Versucht man, aus dem europäischen Primär- und Sekundärrecht allgemeine Rechtsprinzipien zu gewinnen, fallen verschiedene Nachteile des europäischen Rechts auf. Zum ersten sind zahlreiche Prinzipien überhaupt nicht normiert, zum zweiten sind ganze Rechtsgebiete auf europäischer Ebene nur punktuell geregelt[233] und zum dritten steht die Gefahr im Raum, dass die Europäische Union bei der Gewinnung eines Prinzips ihre Kompetenz überschreitet, also gegen das Prinzip der begrenzten Einzelermächtigung **61**

[233] *Ritter*, JZ 1995, 849, 851: „Inseln im Meer des nationalen Rechts"; vorher schon *Kötz*, RabelsZ 50 (1996) 1, 5 „pointillistischer Charakter"; *Möllers*, JZ 2004, 1067 f.

verstößt, Art. 5 Abs. 2 EUV (§ 2 Rn. 56 f.).[234] Schließlich muss man der Gefahr entgehen, das eigene (nationale) Vorverständnis zu exportieren anstatt das europäische Recht autonom auszulegen (§ 2 Rn. 70 ff.). Damit einhergehend sind die Ziele auf europäischer Ebene nicht zwingend identisch mit den Zielen im eigenen Mitgliedstaat (s. sogleich).

b) Differenzierung zwischen Primär- und Sekundärrecht

62 Wenn man nach Prinzipien auf europäischer Ebene sucht, sollte man unterscheiden zwischen den allgemeinen Grundsätzen des Primärrechts, die Vorrang gegenüber den nationalen Rechtsprinzipien genießen (§ 12 Rn. 21 ff.), und den Grundsätzen europäischen Zivilrechts als Teil des Sekundärrechts, die keinerlei Vorrangwirkung haben, und (nur) im Rahmen teleologischer Überlegungen herangezogen werden können.[235]

2. Allgemeine Rechtsprinzipien im europäischen Recht

a) Vereinzelte Kodifizierung europäischer Rechtsprinzipien

63 Der europäische Gesetzgeber hat inzwischen einzelne Grundrechte in der Amsterdamer Fassung des EU-Vertrages erwähnt und dort auch die Europäische Menschenrechtsdeklaration von 1950 einbezogen. Inzwischen gilt die europäische Grundrechtecharta (§ 10 Rn. 57 ff.). Ansonsten sind Rechtsprinzipien (*General Principles of Law*), ähnlich wie im BGB, auch in den europäischen Verträgen nur spärlich normiert. Das liegt daran, dass die meisten Prinzipien erst vom EuGH entwickelt wurden, bevor sie dann Eingang in das Gesetz fanden. Im EUV finden sich u.a. das Prinzip der begrenzten Einzelermächtigung nach Art. 5 Abs. 2 EUV, das Prinzip der Subsidiarität, Art. 5 Abs. 3 EUV (§ 2 Rn. 58) und das Demokratieprinzip (Art. 2 EUV). Der EuGH arbeitet gerne mit allgemeinen Rechtsgrundsätzen.[236] So wird die Rechtsfortbildung oft mit dem Loyalitätsgrundsatz des Art. 4 Abs. 3 EUV[237] und dem *effet-utile*-Prinzip (§ 5 Rn. 108 ff.) begründet.

b) Rückgriff auf die allgemeinen Rechtsgrundsätze oder Verfassungstraditionen der Mitgliedstaaten

64 aa) Das europäische Recht verweist gelegentlich auf das Recht der Mitgliedstaaten, nämlich „die allgemeinen Rechtsgrundsätze, die den Rechtsordnungen der Mitgliedstaaten gemeinsam sind". Eine solche Regelung findet sich beispielsweise bei der Haftung der Union, Art. 340 Abs. 2 AEUV. Mit dem Bezug auf Vorschriften der nationalen Mitgliedstaaten kann der EuGH aus verschiedenen Vorschriften im Wege der Induktion eine allgemeine Regel bilden (§ 9 Rn. 18 ff.).[238] Der EuGH entwickelte mit dem Hinweis auf die „gemeinsamen Verfassungsüberlieferungen der Mitgliedstaaten" die Grundrechte auf europäischer Ebene,[239] die jetzt in Art. 6 Abs. 3 EUV (§ 10 Rn. 57 ff.) normiert sind.[240] In ähnlicher Weise begründete er den unionsrechtlichen Staatshaftungsanspruch gegen die Mitgliedstaaten (§ 12 Rn. 123 ff.). Die rechtsfortbildende Aufgabe, welche die allgemeinen Rechtsgrundsätze zu erfüllen haben, betont auch der EuGH:

---

[234] Krit. *Schmidt-Kessel*, in: Riesenhuber, Europäische Methodenlehre, 3. Aufl. 2015, § 17 Rn. 43.

[235] *Heiderhoff*, Europäisches Privatrecht, 5. Aufl. 2020, Rn. 234.

[236] *Möllers*, Die Rolle des Rechts im Rahmen der europäischen Integration, 1999, S. 29 ff.; *Vogenauer*, Die Auslegung von Gesetzen in England und auf dem Kontinent, 2001, S. 387.

[237] S. nur *Schill/Krenn*, in: Grabitz/Hilf/Nettesheim, Das Recht der Europäischen Union, 71. EL August 2020, Art. 4 EUV Rn. 65, 59 ff. m.w.Nachw.

[238] Für das europäische Recht *Metzger*, Extra legem, intra ius: Allgemeine Rechtsgrundsätze im europäischen Privatrecht, 2009, S. 25 f.; *Basedow*, in: FS Hopt, 2010, S. 27, 35.

[239] EuGH, Urt. v. 14.5.1974, C-4/73, EU:C:1974:51, Rn. 13 – Nold (s. § 2 Rn. 95).

[240] Die Grundrechte werden inzwischen aber aus der GRCh und der EMRK abgeleitet, s. § 10 Rn. 57.

> „Soweit der Vertrag keine Vorschriften enthält, die die Folgen von Verstößen der Mitgliedstaaten gegen das Gemeinschaftsrecht ausdrücklich und genau regeln, hat der Gerichtshof in Erfüllung der ihm durch Artikel 164 des Vertrages [heute: Art. 19 Abs. 1 S. 2 EUV] übertragenen Aufgabe, die Wahrung des Rechts bei der Auslegung und Anwendung des Vertrages zu sichern, über eine solche Frage nach den allgemein anerkannten Auslegungsmethoden zu entscheiden, insbesondere indem er auf die *Grundprinzipien der Gemeinschaftsrechtsordnung und gegebenenfalls auf allgemeine Grundsätze, die den Rechtsordnungen der Mitgliedstaaten gemeinsam* sind, zurückgreift. [...] 65
>
> Dieser in Artikel 215 des Vertrages ausdrücklich aufgestellte Grundsatz der außervertraglichen Haftung der Gemeinschaft ist nur eine Ausprägung des in den Rechtsordnungen der Mitgliedstaaten geltenden allgemeinen Grundsatzes, daß eine rechtswidrige Handlung oder Unterlassung die Verpflichtung zum Ersatz des verursachten Schadens nach sich zieht."[241]

bb) Diese Pflicht zur rechtsvergleichenden Arbeit wurde bei den Rechtsquellen schon 66 vorgestellt (§ 3 Rn. 76 ff.). Beachtenswert ist, dass der EuGH die Lücke nicht durch den kleinsten gemeinsamen Nenner der mitgliedstaatlichen Rechtsordnung schloss, sondern im Sinne einer *wertenden Rechtsvergleichung* die „beste Lösung" ermittelte, die im nationalen Recht auffindbar war.[242] Inzwischen erkannte der EuGH auf europäischer Ebene die Meinungsfreiheit, das Eigentumsrecht[243] oder das Recht auf Unverletzlichkeit der Wohnung an.[244] Daneben bildete der EuGH allgemeine Rechtsgrundsätze,[245] wie Rechtssicherheit[246] und Vertrauensschutz,[247] wirkungsvollen Rechtsschutz,[248] effet utile (§ 5 Rn. 108 ff.) und den Verhältnismäßigkeitsgrundsatz heraus (s. § 10 Rn. 70 f.).

cc) Der EuGH baute die gerade beschriebenen europäischen Grundrechte und allge- 67 meinen Rechtsgrundsätze in den letzten Jahren immer weiter aus. Sie geben dem Bürger zum Teil einen *stärkeren Rechtsschutz* als die Grundrechte einzelner Mitgliedstaaten. Beispielsweise stärkte der EuGH die Gleichberechtigung und die Rechte der Frau und geht dabei über die Rechtsprechung deutscher Gerichte hinaus. Dies geschah im Hinblick auf die Höhe des Lohnanspruches und auf den Zugang und den Erhalt des Arbeitsplatzes.[249] – Das Prinzip des effektiven Rechtsschutzes verlangt im Prozess, dass der Mitgliedstaat

---

[241] EuGH, Urt. v. 5.3.1996, C-46/93 u.a., EU:C:1996:79, Rn. 29 – Brasserie du Pêcheur; hierzu *Schroeder*, JuS 2004, 180, 183 f.

[242] Zum Folgenden s. *Möllers*, Die Rolle des Rechts im Rahmen der europäischen Integration, 1999, S. 22 ff.; zum Rosinenpicken s. schon oben (§ 7 Rn. 85).

[243] EuGH, Urt. v. 14.5.1974, 4/73, EU:C:1974:51, Rn. 13 f. – Nold; EuGH, Urt. v. 13.12.1979, C-44/79, EU:C:1979:290, Rn. 17 ff. – Hauer.

[244] Zu diesen Entscheidungen s. *Lenz*, EuGRZ 1993, 585 ff.; *Weber*, JZ 1989, 965 ff.; *Pernice*, NJW 1990, 2409 ff.; *Iglesias*, 1 Colum. J. Eur. L. 169 ff. (1995); *Möllers*, EuR 1998, 20, 31 m.w.Nachw.

[245] Allgemein zur Integration allgemeiner Rechtsprinzipien in die europäische Rechtsprechung: *Häberle*, EuGRZ 1991, 261, 269 ff.; *Müller-Graff/Riedel (Hrsg.)*, Gemeinsames Verfassungsrecht in der Europäischen Union, 1998.

[246] EuGH, Urt. v. 21.09.1983, C-205/85 u.a., EU:C:1983:233, Rn. 30 – Milchkontor; EuGH, Urt. v. 13.02.1996, C-143/93, EU:C:1996:45, Rn. 27 – Van Es Douane Agenten; EuGH, Urt. v. 21.2.2006, C-255/02, EU:C:2006:121, Rn. 72 – Halifax. Die Rechtssicherheit verlangt u.a., dass Rechtsvorschriften unzweideutig erkennen lassen, welche Rechte und Pflichten dem Bürger entstehen, s. § 12 Rn. 104 ff.

[247] EuGH, Urt. v. 5.7.1973, 1/73, EU:C:1973:78, Rn. 6 – Westzucker; EuGH, Urt. v. 10.9.2009, C-201/08, EU:C:2009:539, Rn. 46 – Plantanol.

[248] EuGH, Urt. v. 15.5.1986, 222/84, EU:C:1986:206, Rn. 18 – Johnston; als inhärenter Grundsatz bestätigt in EuGH, Urt. v. 13.3.2007, C-432/05, EU:C:2007:163, Rn. 37 ff. – Unibet.

[249] EuGH, Urt. v. 14.12.1995, C-317/93, EU:C:1995:438, Rn. 28 – Nolte; EuGH, Urt. v. 11.11.1997, C-409/95, EU:C:1997:533, Rn. 31 – Marschall, m. zustimmender Anm. *Lenz*, NJW 1998, 1619; *Prechal*, 20 L.I.E.E.I., 81 ff. (1993). Zum Einfluss des EuGH auf das BAG bzgl. der unzulässigen Frage nach einer Schwangerschaft s. EuGH, Urt. v. 8.11.1990, C-177/88, EU:C:1990:383, Rn. 24 f. – Dekker s. BAG, Urt. v. 15.10.1992, 2 AZR 227/92, BAGE 71, 252, 255.

einen effektiven Zugang zu den nationalen Gerichten sicherstellen muss.[250] Auch der EGMR hat an das Gebot rechtzeitigen Rechtsschutzes höhere Anforderungen gestellt als etwa deutsche Gerichte und deshalb langjährige Verfahrensdauern für rechtswidrig erklärt.[251]

c) Weitere Rechtsprinzipien des europäischen Zivilrechts

68 Auch ohne den Rückgriff auf das Recht der Mitgliedstaaten wird in der Rechtsliteratur der Versuch unternommen, allgemeine Rechtsprinzipien zu entwickeln,[252] etwa die *Vertragsfreiheit* oder *die Vertragstreue* (pacta sunt servanda) aus dem europäischen Recht herauszulesen.[253] Das ist schon deshalb nicht einfach, weil weder die Verträge noch die GRCh die Vertragsfreiheit unmittelbar normieren. Die in Art. 16 GRCh normierte unternehmerische Freiheit umfasst auch die Wahl des Geschäftspartners und damit die Vertragsfreiheit.[254] Das Prinzip der Vertragsfreiheit lässt sich auf europäischer Ebene auch mittelbar begründen: So bekennt sich die EU zu dem „Grundsatz einer offenen Marktwirtschaft mit freiem Wettbewerb", Artt. 119 Abs. 1, 120 Abs. 1 S. 2 AEUV; das setzt die Vertragsfreiheit zwingend voraus.[255] Die Grundfreiheiten und die Vorschriften zum Wettbewerbsrecht zielen auf eine Stärkung des Binnenmarktes durch den Abbau von unterschiedlichen Rechtsregeln; Wettbewerbsregeln ohne Vertragsfreiheit sind nicht denkbar, sodass diese Vorschriften die Vertragsfreiheit funktional garantieren.[256] Darüber hinaus wird auch für das europäische Recht ein Prinzip von Fairness diskutiert, welches die Vertragsfreiheit beschränken soll.[257]

69 Zu Recht wird die Entwicklung weiterer Prinzipien gefordert, um den EuGH bei der Interpretation europäischen Rechts zu unterstützen.[258] Zu nennen sind zudem Bemühungen, ein europäisches Zivilgesetzbuch zu entwickeln, z. B. der Gemeinsame Referenzrahmen verschiedener Forschungsgruppen (*Draft Common Frame of Reference – DCFR*)[259] oder der (zurückgezogene) Vorschlag der Kommission für ein Gemeinsames Europäisches Kaufrecht (*Common European Sales Law – CESL*).[260] Einige Prinzipien und Regeln,

---

[250] EuGH, Urt. v. 15.10.1987, C-222/86, EU:C:1987:442, Rn. 14 – Heylens; EuGH, Urt. v. 13.12.1991, C-18/88, EU:C:1991:474, Rn. 34 – GB-Inno-BM.

[251] Frowein/Peukert/*Frowein*, EMRK, 3. Aufl. 2009, Art. 6 Rn. 248 ff. m.w.Nachw. Zum Gebot des effektiven Rechtsschutzes als gemeinsame Verfassungstradition, s. EuGH, Urt. v. 13.3.2007, C-432/05, EU:C:2007:163, Rn. 37 ff. – Unibet. S. unten § 12 Rn. 131.

[252] *Grundmann, in:* ders., Systembildung und Systemlücken in Kerngebieten des europäischen Privatrechts, 2000, S. 1 ff.; *Riesenhuber,* System und Prinzipien des Europäischen Vertragsrechts, 2003, § 18; generell: *Jansen,* ZEuP 2005, 750 ff.; *Metzger,* Extra legem, intra ius: Allgemeine Rechtsgrundsätze im Europäischen Privatrecht, 2009; *Reich*, General Principles of EU Civil Law, 2014.

[253] S. *Riesenhuber,* in: GS Wolf, 2011, S. 123, 130 m.w.Nachw.; *Heiderhoff,* Europäisches Privatrecht, 5. Aufl. 2020, Rn. 234 ff.

[254] EuGH, Urt. v. 22.1.2013, C-283/11, EU:C:2013:28, Rn. 42 ff. - Sky Österreich/ORF m.w.Nachw.

[255] *Schmidt-Leithoff,* in: FS Rittner, 1991, S. 597, 604; *Mülbert*, ZHR 159 (1995), 2, 8; s. auch Art. II.1:101–II.1:103 DCFR.

[256] *Basedow,* Von der deutschen zur europäischen Wirtschaftsverfassung, 1992, S. 52; *Canaris*, in: FS Lerche, 1993, S. 873, 890.

[257] EuGH, Urt. v. 15.4.2010, C-215/08, EU:C:2010:186, Rn. 48 – Friz: vernünftiger Ausgleich und gerechte Risikoverteilung; vertiefend *Caruso*, in: Vogenauer/Weatherill, General Principles of Law, 2017, S. 329 ff.; *Reich*, General Principles of EU Civil Law, 2014, S. 1 ff.

[258] *Basedow,* 18 Eur.Rev.Priv.L. 443, 451 ff. (2010).

[259] *von Bar/Clive/Schulte-Nölke, Principles*, Definition and Model Rule of European Private Law (Draft Common Frame of Reference – DCFR), hierzu *Schmidt-Kessel*, in: Riesenhuber, Europäische Methodenlehre, 3. Aufl. 2015, § 17 Rn. 47 ff.; *Eidenmüller/Faust/Grigoleit/Jansen/Wagner/Zimmermann*, JZ 2008, 530 ff.; *Ernst*, AcP 208 (2008), 248 ff.; *Grundmann*, 4 ERCL 225 ff. (2008).

[260] Vorschlag für eine Verordnung des Europäischen Parlaments und des Rates über ein Gemeinsames Europäisches Kaufrecht vom 11.10.2011, KOM(2011) 635 endg.; hierzu die Beiträge der Sondertagung der Zivilrechtslehrer, veröffentlicht in: AcP 212 (2012), 467–852.

die oben thematisiert wurden, sind in diesen Entwürfen für das Europäische Recht aufgenommen.[261] Sie sind allerdings alle noch rechtlich unverbindlich.

d) Der Einfluss eines europäischen Rechtsprinzips auf das nationale Recht

Das nationale Recht kann das europäische Recht beeinflussen. Dogmatisch kann aber **70** auch das europäische Recht auf das nationale Recht abfärben; das gilt v.a. für das Prinzip des effet utile. Um die volle Wirksamkeit des Kartellrechts zu gewährleisten (effet utile), entschied der EuGH in der Courage Ltd./Crehan-Entscheidung, dass jedermann Ersatz desjenigen Schadens verlangen können müsse, den er infolge einer Wettbewerbsbeschränkung erlitten hat.[262] In zahlreichen Novellen führte der deutsche Gesetzgeber Schadensersatzansprüche Privater aufgrund der europäischen Vorgaben in das GWB ein.[263] Im Rahmen der 7. GWB-Novelle wurde etwa die Position des Geschädigten gestärkt, weil das Schutzgesetzerfordernis in § 33 Abs. 1 GWB durch den deutschen Gesetzgeber gestrichen wurde.[264]

Zusammenfassung zu § 9

I. *Rechtsdogmatik* ist die Gesamtheit der von Rechtsprechung und Rechtsliteratur zur **71** Konkretisierung des Rechts entwickelten Regeln, die für die konkrete Rechtslösung herangezogen wird. Weil diese Regeln oft keinen unmittelbaren Bezug mehr zum Wortlaut des Gesetzes haben, bedarf es einer Rückanbindung an das Recht mit Hilfe der juristischen Argumente der Methodenlehre.

Rechtsprinzipien sind von der Rechtsidee und dem Rechtssatz zu unterscheiden. *Rechtsideen* wie Gerechtigkeit, Zweckmäßigkeit und Rechtssicherheit sind auf einem so hohen Abstraktionsniveau, dass sie bei der Fallbearbeitung nur (unbrauchbare) Leerformeln darstellen.

Rechtsprinzipien oder oft als Synonym verwendet Rechtsgrundsätze, sind nur teilweise normiert. Sie beanspruchen grundsätzlich normative Geltung und führen zu einer Vermutungswirkung. Das Rechtsprinzip ist ein aus dem Recht gewonnener und deshalb verbindlicher, richtungsgebender Maßstab, der noch weiter konkretisiert werden muss, um subsumtionsfähig zu sein. Diese Konkretisierung erfolgt durch Deduktion oder Abwägung.

Rechtsinstitute sind Regeln mit tatbestandsähnlichen Voraussetzungen.

II. In einem ersten Schritt sind Rechtsprinzipien aus dem geltenden Recht zu begründen. In einem zweiten Schritt sind sie zu Regeln zu konkretisieren. Das verlangt oft ein induktives und deduktives Arbeiten.

III. Ein wichtiges Rechtsprinzip bildet im Zivilrecht die *Vertragsfreiheit*, die sich mittelbar aus verschiedenen Vorschriften des BGB ableiten lässt. Einzelne Rechtsinstitute, wie der Kontrahierungszwang, die Preiskontrolle oder die Störung der Geschäftsgrundlage, scheinen diesem Prinzip zu widersprechen.

IV. Weder eine Richtigkeitskontrolle noch ein Prinzip des Sozialen oder der Einfluss der Verfassung können den Kontrahierungszwang, die Preiskontrolle oder die Störung der Geschäftsgrundlage erklären. Diese Rechtsinstitute lassen sich vielmehr durch das *Prinzip des Selbstbestimmungsrechts* begründen, das Teil der Privatautonomie ist.

---

[261] S. § 9 Fn. 168.

[262] EuGH, Urt. v. 20.9.2001, C-453/99, EU:C:2001:465, Rn. 25 f. – Courage Ltd./Crehan (§ 5 Rn. 117 f.).

[263] §§ 33 ff. GWB, weiterführend *Janssen*, Präventive Gewinnabschöpfung, 2017.

[264] Beschlussempfehlung und Bericht des Ausschusses für Wirtschaft und Arbeit, BT-Drs. 15/5049, S. 49 mit Verweis auf die Courage Ltd./Crehan-Entscheidung des EuGH.

V. Der EuGH entwickelte aus den Verträgen in einem ersten Schritt oft rechtsvergleichend Prinzipien. Diese sind dann in einem zweiten Schritt autonom auszulegen. Dazu gehören europäische Grundrechte, der Staatshaftungsanspruch oder der Grundsatz des effet utile. Auch die Rechtsliteratur fasst Rechtsprinzipien auf europäischer Ebene zusammen (DCFR, CESL).

§ 10 Abwägung als Konstruktion

Übersicht

	Rn.
I. Abwägung im Öffentlichen Recht	2
1. Abwägung als Konstruktion	3
2. Die Struktur der Abwägung	8
3. Rechtsdogmatische Schlussfolgerungen aus der Abwägung	17
4. Die Prüfung von Grundrechten als gelungene Konstruktion von Recht	24
II. Abwägung von Grundrechten	26
1. Sachlicher Schutzbereich des Grundrechts	27
2. Eingriff und Beeinträchtigungen	33
3. Rechtfertigung des Eingriffs (Schranke)	37
4. Grenzen der Einschränkbarkeit (Schranken-Schranke), insbesondere Verhältnismäßigkeit	41
III. Abwägung europäischer Grundrechte und Grundfreiheiten	55
1. Vergleich der Konkretisierung von Grundrechten und Grundfreiheiten	55
2. Europäische Grundrechte	57
3. Europäische Grundfreiheiten – Unterschiede zum deutschen Recht	62
IV. Abwägung kollidierender Rechtsprinzipen im Zivilrecht	76
1. Widerstreitende Prinzipien im Zivilrecht	76
2. Die Abwägung von Rechtsprinzipien am Beispiel des Vertrags mit Schutzwirkung zugunsten Dritter als Rechtsinstitut widerstreitender Rechtsprinzipien	82
3. Der Verhältnismäßigkeitsgrundsatz im Zivilrecht	93

1 „Abwägung ist operationalisierte Gerechtigkeit, Gerechtigkeit in Aktion."[1] Abwägung dient damit dem Ausgleich von gegenläufigen Interessen und Belangen. Prozessual findet sich die Abwägung im Grundsatz des *audiatur et altera pars* und der Verpflichtung des Richters, die vorgebrachten Argumente gegeneinander und untereinander gerecht abzuwägen (§ 1 Rn. 39). Der lateinische Grundsatz *„argumenta non sunt numeranda, sed ponderanda"*[2] findet sich im Bild der Justitia mit einer Waage mit zwei Waagschalen vor den verbundenen Augen wieder. Diese Abwägung von Argumenten wird am Ende des Werkes erläutert (§ 14 Rn. 77 ff.). Im Folgenden geht es aber um Abwägung, wenn das Recht ausdrücklich oder stillschweigend einen *Abwägungsauftrag* an den Rechtsanwender erkennen lässt. Im vorherigen § 9 wurden die (induktive) Herleitung von allgemeinen Rechtsprinzipien und die deduktive Konkretisierung der einzelnen Rechtsprinzipien zu Regeln wie Rechtsinstitute vorgestellt. An dieser Stelle soll gezeigt werden, dass Recht auch durch einen Prozess der Abwägung konkretisiert werden kann. Dieser Vorgang ist im Öffentlichen Recht wohlbekannt, existiert aber auch im Zivilrecht.

[1] *Reimer*, Juristische Methodenlehre, 2. Aufl. 2020, Rn. 484; zustimmend *Gröschner*, JZ 2018, 737, 745.

[2] Argumente sind nicht zu zählen, sondern zu wägen, s. *Liebs*, Lateinische Rechtsregeln und Rechtssprichwörter, 7. Aufl. 2007, S. 37.

I. Abwägung im Öffentlichen Recht

Literatur: *Alexy, Robert,* Rechtsregeln und Rechtsprinzipien, ARSP Beiheft 25 (1985), 13–29; *ders.*, Verfassungsrecht und einfaches Recht – Verfassungsgerichtsbarkeit und Fachgerichtsbarkeit, VVDStRL 61 (2002), 7–33; *Böckenförde, Ernst-Wolfgang,* Die Methoden der Verfassungsinterpretation – Bestandsaufnahme und Kritik, NJW 1976, 2089–2099; *Braun, Johanna,* Leitbilder im Recht, 2015; *Brugger, Winfried,* Konkretisierung und Auslegung der Gesetze, AöR 119 (1995), 1–34; *Hoffmann, Ekkehard,* Abwägung im Recht, 2007; *Engel, Christoph/Schön, Wolfgang,* Das Proprium der Rechtswissenschaft, 2007; *Jestaedt, Matthias,* Die Abwägungsregel – ihre Stärken und Schwächen, in: FS Isensee, 2007, S. 253–275; *Kriele, Martin,* Theorie der Rechtsgewinnung, 2. Aufl. 1976, S. 114–156; *Lerche, Peter,* Facetten der „Konkretisierung" von Verfassungsrecht, in: Koller, Ingo u. a., Einheit und Folgerichtigkeit im Juristischen Denken, 1998, S. 7–26; *ders.*, Stil und Methode der verfassungsrechtlichen Entscheidungspraxis, in: FS 50 Jahre BVerfG, Bd. I, 2001, S. 333–361; *Petersen, Niels,* Verhältnismäßigkeit als Rationalitätskontrolle, 2015; *Schlink, Bernhard,* Abwägung im Verfassungsrecht, 1976; *Viehweg, Theodor,* Topik und Jurisprudenz, 5. Aufl. 1974; *Volkmann, Uwe,* Leitbildorientierte Verfassungsanwendung, AöR 134 (2009), 158–196; *ders.*, Rechtsgewinnung aus Bildern, in: Krüper, Julian/Merten, Heike/Morlok, Martin, An den Grenzen der Rechtsdogmatik, 2010, S. 77–91.

2 Neben der deduktiven Ableitung können Prinzipien auch durch Abwägung konkretisiert werden. Dazu gibt es im Öffentlichen Recht bekannte Strukturen (I.). Auch Grundrechte lassen sich als gesetzlich formulierte Prinzipien verstehen (§ 9 Rn. 12). Die Grundrechtsdogmatik ist in Deutschland besonders ausgefeilt. Hier haben sich eigene Prüfungsschritte entwickelt, die es erlauben, verschiedene Grundrechte und Verfassungswerte abzuwägen und dadurch zu konkretisieren. Ihre exakte Reichweite in einer Fallprüfung zu konkretisieren, ist von hoher Relevanz für die Juristischen Staatsexamina (II.). Ähnliches gilt für die europäischen Grundrechte und Grundfreiheiten (III.). Das Zivilrecht bietet von Haus aus weniger Raum für eine Abwägung. Entsprechend gering verbreitet ist daher die Kenntnis, dass Abwägung und Verhältnismäßigkeit auch im Privatrecht vorkommen können (IV.).

1. Abwägung als Konstruktion

3 Abwägungsvorgänge wurden bereits bei der interessenorientierten[3] (§ 5 Rn. 19 ff.) und folgenorientierten Auslegung (§ 5 Rn. 56 ff.) vorgestellt. Abwägung gibt es im Öffentlichen Recht, Zivilrecht, aber auch im Strafrecht.[4] So sieht das Gesetz ausdrückliche Abwägungsgebote vor, z. B. die Güterabwägung bei den Notstandsregelungen in §§ 228, 904 BGB, 34 StGB oder die Abwägung unterschiedlicher Belange bei der Aufstellung von Bauleitplänen gem. §§ 1 Abs. 6 und 7, 2 Abs. 3 BauGB.[5]

a) Konstruktion von „offenen" Verfassungsnormen

4 Im Verfassungsrecht geht die herrschende Ansicht zwar davon aus, dass der Auslegungskanon von *Savigny* gilt.[6] Verfassungsnormen sind häufig bewusst derart weit formuliert, dass sie eine dynamische Auslegung und damit einen Verfassungswandel zulassen (§ 6 Rn. 72). Die Verfassung mit „offenen" Verfassungsnormen wird als Rahmenordnung[7]

---

[3] Zur Verbindung von Interessentheorie und Abwägung, s. *Rückert*, JZ 2011, 913, 919 ff.; *Röhl/Röhl*, Allgemeine Rechtslehre, 3. Aufl. 2008, S. 653.

[4] Hier auf der Stufe der Rechtswidrigkeit bei der Prüfung von Notstandregeln wie § 34 StGB, s. aber unten § 10 Rn. 10.

[5] Hierzu BVerwG, Urt. v. 12.12.1969, IV C 105/66, BVerwGE 34, 301, 304 ff.

[6] Zum BVerfG s. oben § 4 Fn. 44; zudem *Brugger*, AöR 119 (1994), 1, 21 ff.; *Herdegen*, JZ 2004, 873, 875; *Starck*, in: HStR XII, 3. Aufl. 2014, § 271 Rn. 19, 25, 45; Sachs/*Sachs*, GG, 9. Aufl. 2021, Einf. Rn. 38; *Morlok*, in: Gabriel/Gröschner, Subsumtion, 2012, S. 179, 204 ff.

[7] *Isensee*, in: HStR XII, 3. Aufl. 2014, § 268 Rn. 55 ff., 62 ff.

begriffen. Nicht selten versagt aber der klassische Vierer-Kanon; das Grundgesetz schweigt z. B. zu den Fragen, ob Nebeneinkünfte von Bundestagsabgeordneten offenzulegen sind oder ob Wahlcomputer zulässig sind.[8] Aufgrund der typischerweise sehr allgemein bzw. programmatisch gehaltenen Formulierungen des Grundgesetzes bedarf es darüber hinaus noch einer zusätzlichen Konkretisierung. Konkretisierung wurde eingangs beschrieben als ein Vorgang, der über die Auslegung hinausgeht und eine zusätzliche Spezifizierungsleistung verlangt. Diese „Konkretisierungsjurisprudenz"[9] erfordert kreative Spezifizierung und Argumentation statt klassischer Auslegung (§ 14 Rn. 46 ff.). So schreibt auch das BVerfG zur Vertrauensfrage in Art. 68 GG:

„Damit ist jedoch nur gesagt, daß Art. 68 Abs. 1 Satz 1 GG von seinem Wortlaut her sich zunächst als eine *offene Vorschrift* darstellt. Ihr *Sinn* erschließt sich erst durch die in ihr selbst angelegte *Systematik* und den Sinnbezug, der sich aus ihrer Stellung und ihrem Stellenwert im gesamten Verfassungsgefüge ergibt; dieser Sinnbezug wird nicht zuletzt auch durch den *verfassungsgeschichtlichen Hintergrund,* vor dem die Regelung geschaffen wurde, wie auch durch ihre bisherige Handhabung durch oberste Verfassungsorgane seit Inkrafttreten des Grundgesetzes erhellt. 5

Die Berücksichtigung der Handhabung einer Verfassungsnorm durch oberste Verfassungsorgane bei ihrer Sinnbestimmung bedeutet nicht schon, den Rechtswert, der sich im Verfassungsrecht ausdrückt, den jeweiligen Machtverhältnissen auszuliefern. Sie anerkennt vielmehr den Umstand, daß Verfassungsnormen wegen der Eigenart der von ihnen geregelten Sachverhalte oftmals einen *sehr hohen Grad an Allgemeinheit* aufweisen, der der *Konkretisierung* bedarf, noch ehe die Norm auf Einzelfälle anwendungsfähig wird, ein Befund, wie er auch in anderen Sachbereichen der Rechtsordnung nicht selten anzutreffen ist. [...] Es versteht sich von selbst, daß bei dieser Konkretisierung die *bereits vorgegebenen Wertungen, Grundentscheidungen, Grundsätze und Normen der Verfassung* zu wahren sind."[10]

b) Abwägung als Prozess zur Konkretisierung kollidierender Rechtsprinzipien

aa) Mit der erforderlichen Konkretisierung geht regelmäßig auch eine Abwägung widerstreitender Interessen oder Prinzipien einher. Widerstreitende Grundrechte oder Verfassungsprinzipien bedürfen einer kollisionslösenden Verfassungskonkretisierung.[11] Dieser Prozess ist aber nicht unumstritten. Die Abwägung sei, wie der Syllogismus,[12] ein formales Instrument ohne eigenen Begründungswert.[13] Das BVerfG verweigere durch den weiten Schutz- und Eingriffsbereich die erforderliche Konkretisierung und Subsumtion, ja es handele sich beim weiten Eingriffsbegriff um eine Art von „Definitionsverweigerung",[14] weil eine Konkretisierung erst auf der dritten und vierten Stufe stattfindet. Ein Abwägungsmodell sei schon deshalb zum Scheitern verurteilt, weil einzelne Güter, Werte, Prinzipien und Rechte nicht auf einer einheitlichen Skala messbar und vergleichbar seien, z. B. wenn das allgemeine Persönlichkeitsrecht mit der Meinungs- und Pressefreiheit ab- 6

[8] Instruktiv *Volkmann*, in: Krüper/Merten/Morlok, An den Grenzen der Rechtsdogmatik, 2010, S. 77, 79.

[9] So die Formulierung bei *Jestaedt*, in: Engel/Schön, Das Proprium der Rechtswissenschaft, 2007, S. 241, 254 f.

[10] BVerfG, Urt. v. 16.2.1983, 2 BvE 1/83 u.a., BVerfGE 62, 1, 38 f. – Bundestagsauflösung I.

[11] *Lerche*, in: Koller/Hager/Junker/Singer/Neuner, Einheit und Folgerichtigkeit im Juristischen Denken, 1998, S. 7, 20.

[12] Der Syllogismus wendet das Gesetz auf den konkreten Fall an, indem er durch Subsumtion Teile des Sachverhalts unter die einzelnen Tatbestandsmerkmale unterordnet (§ 4 Rn. 2 ff.).

[13] *Martens*, Methodenlehre des Unionsrechts, 2013, S. 317.

[14] *Lennartz*, Dogmatik als Methode, 2017, S. 167.

zuwägen ist (§ 10 Rn. 48 ff.). Man spricht von *Inkommensurablen*.[15] Der Verhältnismäßigkeitsgrundsatz im Verfassungsrecht wird als „großer Gleich- und Weichmacher der Verfassungsmaßstäbe“ kritisiert.[16] Zudem sei das BVerfG von einem einzelfallorientierten Abwägungsdenken geleitet.[17] Im Gegensatz zum Gesetzgeber komme dem Richter auch kein Abwägungsermessen zu, sondern er müsse darlegen, dass seine Entscheidung sich am besten in das jeweilige Rechtssystem einfüge.[18] Die Gewichtung verschiedener Prinzipien wäre deshalb ein Akt notwendiger Willkür.[19] Damit käme nur die „Subjektivität des Prüfenden“ zur Geltung.[20] Die Abwägungsentscheidung sei nicht ohne ein Moment der *Dezision* und damit politischer Art.[21]

7 bb) Die Kritik an dem einzelfallorientierten Entscheiden des BVerfG ist teilweise berechtigt. Das betrifft u.a. den Vorwurf der Superrevisionsinstanz (§ 13 Rn. 110 f.). Zum Teil schießt die Kritik aber über ihr Ziel hinaus. So gibt es durchaus Bereiche, in denen das BVerfG Begriffe definiert oder Verletzungen als sozialadäquate „Belästigungen“ aus dem Schutzbereich ausnimmt (§ 10 Rn. 19, 34). Abwägung kommt dann zur Anwendung, wenn akzeptanzfähige Subsumtion schwierig ist, weil auch dem unterlegenen Belang eine gewisse Wertigkeit zukommt.[22] Die Einbeziehung einzelner Belange in den Schutzbereich eines Grundrechts erhöht auch die Akzeptanz (§ 5 Rn. 101). Sicherlich kommen einzelne Abwägungsschritte nicht ohne Wertungen aus. Das gilt vor allem auch für die Frage der Eingriffsintensität.[23] Der Abwägungsauftrag ist insoweit eine Vertrauenserklärung an den Rechtsanwender in einem gegenüber der Subsumtion freieren Verfahren zu entscheiden.[24] Insoweit ist man angehalten, Prüfungsschritte zu entwickeln, die dazu dienen, die Argumente zu **strukturieren und damit den Überzeugungsgrad** zu erhöhen.[25] Andere, gleich wirkungsvolle Lösungen zur Entscheidung von Prinzipienkollisionen haben sich bisher nicht aufgetan. Die Verhältnismäßigkeitsprüfung der Grundrechte führt regelmäßig zu überzeugenden Ergebnissen (§ 10 Rn. 42 ff.). Nicht umsonst ist die Abwägung daher aus der Rechtsprechung des BVerfG nicht mehr wegzudenken.[26]

---

[15] Abgeleitet von dem lat. Begriff *mensura* für das Maß, übersetzt etwa „ohne gemeinsames Maß“. Wie der Vergleich von Äpfeln mit Birnen. *Leisner*, Der Abwägungsstaat, 1997, S. 72 ff. Prägnant auch der Richter *Scalia*, in: Bendix Autolite Corp. v. Midwesco Enterprises, Inc., 486 U.S. 888, 897 (1988): „whether a particular line is longer than a particular rock is heavy“; krit. auch *Webber*, 23 Can. J.L.&Juris 179, 195 f. (2010).

[16] *Ossenbühl*, VVDStRL 39 (1981), 147, 189.

[17] *Ladeur*, Rechtstheorie 31 (2000), 67, 88 ff.; s. auch *Jestaedt*, Grundrechtsentfaltung im Gesetz, 1999, S. 241 ff.

[18] *Martens*, Methodenlehre des Unionsrechts, 2013, S. 316.

[19] *Martens* (ebd.), S. 315.

[20] *Schlink*, EuGRZ 1984, 457, 462; *ders.*, in: FS 50 Jahre BVerfG, Bd. II, 2001, S. 445, 460 ff.; *Kingreen/Poscher*, Grundrechte Staatsrecht II, 36. Aufl. 2020, Rn. 344, 350; ähnlich *Ladeur*, Rechtstheorie 31 (2000), 67, 97: „Geschmacksurteile der Richter“; *Böckenförde*, Der Staat 42 (2003), 165, 190: „Angemessenheitsverhältnismäßigkeit, die letztlich ein Topos für maßstabslose Abwägung ist“; *Raue*, AöR 131 (2006), 79, 85: „Rechtsgefühl“.

[21] *Camilo de Oliveira*, Zur Kritik der Abwägung in der Grundrechtsdogmatik, 2013, S. 216; *Hillgruber*, in: HStR IX, 3. Aufl. 2011, § 201 Rn. 80; zur Dezision s. unten § 14 Rn. 41.

[22] *Lennartz*, Dogmatik als Methode, 2017, S. 165.

[23] Krit. etwa *Hillgruber*, in: HStR IX, 3. Aufl. 2011, § 201, Rn. 80 mit Hinweis auf BVerfG, Urt. v. 2.3.2010, 1 BvR 256/08 u.a., BVerfGE 125, 260, 320 f. – Vorratsdatenspeicherung und die gegenteiligen Äußerungen im Sondervotum *Schluckebier* (BVerfGE 125, 260, 364 ff.).

[24] *Reimer*, Juristische Methodenlehre, 2. Aufl. 2020, Rn. 488.

[25] *da Silva*, in: Klatt, Prinzipientheorie und Theorie der Abwägung, 2013, S. 236, 254 ff. (engl.: 31 O.J.L.S. 273 ff. (2001)).

[26] S. der statistische Nachweis des Abwägens bei Entscheidungen des BVerfG durch *Rückert*, JZ 2011, 913, 915; *Petersen*, Verhältnismäßigkeit als Rationalitätskontrolle, 2015, S. 136 ff.

2. Die Struktur der Abwägung

a) Abwägungsauftrag und Auswahl der abwägungsrelevanten Gesichtspunkte

In der Literatur finden sich zahlreiche unterschiedliche Abwägungsmodelle.[27] Vorab 8
bedarf es eines **Abwägungsauftrages**. Das kann ein *ausdrücklicher* Auftrag in einer Norm sein, wie etwa bei der Strafzumessung die Umstände abzuwägen, die zu Gunsten oder zu Lasten des Täters angeführt werden können, § 46 Abs. 2 S. 1 StGB. Oder im Baurecht, werden ausdrücklich die Belange aufgezählt, die zu berücksichtigen sind. *Mittelbar* ergibt sich ein Abwägungsauftrag aber auch in der Verwendung von Generalklauseln und unbestimmten Rechtsbegriffen (§ 7 Rn. 5 ff.), die eine Aufforderung an den Rechtsanwender zur Konkretisierung, zur Arbeit mit Prinzipien, etwa der Grundrechte oder aber zur Abwägung von Prinzipien enthält, soweit keine Vorrangigkeit besteht.[28]

Subsidiär greift die Willkürgrenze. Im Sinne einer **Abwägungsvollständigkeit**[29] sind 8a
alle einschlägigen Prinzipien zu sammeln, die für die Beteiligten erheblich und nach dem Schutzzweck abwägungsrelevant sind. Die Auswahl der abwägungsrelevanten Gesichtspunkte darf damit nicht willkürlich, sachfremd oder diskriminierend sein.[30] Neben Prinzipien lassen sich auch Werte,[31] Interessen und Belange als Abwägungsparameter nennen. Die Abwägung im Verfassungsrecht zeichnet aus, dass neben den Interessen der Parteien auch Gemeinschaftsgüter von Verfassungsrang zu berücksichtigen sind.[32]

Auszuschließen sind nicht schutzwürdige Belange, z.B. das Interesse des Zuhälters ein 9
Bordell zu betreiben.[33] Zudem sind Abwägungsverbote zu beachten. So gilt der Schutz der Menschenwürde nach herrschender Ansicht absolut und ist einer Abwägung mit anderen Grundrechten nicht zugänglich.[34] Jeder Eingriff ist damit unweigerlich ein Verfassungsverstoß.[35] Faktisch wird damit die Abwägung von der Ebene der Rechtfertigung auf die Ebene des Schutzbereichs verlagert.

Rettungsfolter (Jakob von Metzler): Höchst umstritten ist die Frage, ob der Frankfurter 10
Vize-Polizeipräsident Daschner dem Täter einer Entführung die Folter androhen durfte, damit dieser das Versteck des entführten elfjährigen Jakob von Metzler preisgibt. Mit der Androhung wollte er den Tod des Kindes verhindern. Zu Recht wird betont, dass sich hier die Würde des Täters, vom Staat nicht gefoltert zu werden,[36] und die Würde des Opfers, durch den Staat geschützt zu werden, gegenüberstehen.[37] Abwehranspruch und Schutzpflicht (§ 11 Rn. 3 ff.) stehen sich wegen ihres Absolutheitsanspruchs unentrinnbar gegenüber. Die nach Art. 1 Abs. 1 GG geschützte Menschenwürde verbietet aber jegliche Art von

---

[27] *Alexy*, ARSP Beiheft 25 (1985), 13, 24 ff.; *ders.*, VVDStRL 61 (2002), 7, 19 f; *Martens* (ebd.), S. 314; *Reimer* (ebd.), Rn. 489; *Riehm*, Abwägungsentscheidungen in der praktischen Rechtsanwendung, 2006, S. 57 ff.; *Röhl/Röhl*, Allgemeine Rechtslehre, 3. Aufl. 2008, S. 654; Roxin/*Greco*, Strafrecht Allgemeiner Teil, Bd. I, 5. Aufl. 2020, § 16 Rn. 26 ff. für den rechtfertigenden Notstand gem. § 34 StGB; *Vogel*, Juristische Methodik, 1998, S. 152 ff.

[28] *Röthel*, Normkonkretisierung im Privatrecht, 2004, S. 146 f.

[29] *Vogel*, Juristische Methodik, 1998, S. 153.

[30] *Riehm*, Abwägungsentscheidungen in der praktischen Rechtsanwendung, 2006, S. 57, 59.

[31] Nach *Alexy*, ARSP Beiheft 25 (1985), 13, 24; *ders.*, Rechtstheorie 18 (1987), 405, 409 zielt die Lösung einer Prinzipienkollision auf das „Sollen", die Lösung einer Wertekollision nur auf ein „besser".

[32] *Röhl/Röhl*, Allgemeine Rechtslehre, 3. Aufl. 2008, S. 654; s. unten § 10 Rn. 38.

[33] *Vogel*, Juristische Methodik, 1998, S. 154 spricht aber zu eng nur vom Schutzzweck der Norm, da zu den Prinzipien auch nichtkodifizierte Werte zählen.

[34] H.M., BVerfG, Beschl. v. 3.6.1987, 1 BvR 313/85, BVerfGE 75, 369, 380: „absolut ohne die Möglichkeit eines Güterausgleichs"; BVerfG, Beschl. v. 10.10.1995, 1 BvR 1476/91 u.a., BVerfGE 93, 266, 293: „die Menschenwürde als Wurzel aller Grundrechte ist mit keinem Einzelgrundrecht abwägungsfähig"; Sachs/*Höfling*, GG, 9. Aufl. 2021, Art. 1 Rn. 11; *von Bernstorff*, JZ 2013, 905 ff.; **a. A.** *Baldus*, AöR 136 (2011), 529 ff.

[35] H.M., *Dreier*, in: Dreier, GG, 3. Aufl. 2013, Art. 1 I Rn. 46 m.w.Nachw.

[36] Das Folterverbot ergibt sich aus Art. 104 Abs. 1 S. 2 GG; Art. 3 EMRK; Art 4 GRCh.

[37] *Erb*, Jura 2005, 24, 27.

Folter.[38] Das Recht stößt an seine Grenzen;[39] verfassungsrechtlich besteht ein „rechtswertungsfreier Raum".[40] Im Ergebnis erhielt der Täter für die angedrohte Folter eine Entschädigung in Höhe von 3.000 EUR.[41]

b) Abstrakte Gewichtung der Abwägungsgesichtspunkte

11 In einem ersten Schritt sind die sich auf Eingriffs- und Rechtfertigungsseite gegenüberstehenden Werte abstrakt zu gewichten. Das wird zum Teil bestritten, weil alle Grundrechte, Gemeingüter und Staatsziele gleichwertig seien und man letztlich eine Einzelfallentscheidung vornehmen müsse.[42] Sicherlich ist die abstrakte Gewichtung nur ein Kriterium von mehreren, aber eine abstrakte Gewichtung kann ein erster Schritt der Abwägungsentscheidung sein. So räumt auch *Stern* ein, dass Rechtsgüter mit Verfassungsrang höher zu gewichten sind als Rechtsgüter, die nur Gesetzesrang besitzen.[43] Höchstpersönliche Rechtsgüter sind höher zu werten als Sachgüter, wie schon die systematische Reihenfolge der Rechtsgüter im Grundgesetz verdeutlicht (§ 4 Rn. 120). Der Schutz von Leib und Leben ist höher einzuordnen als der anderer persönlicher oder überindividueller Rechtsgüter.[44] Der Schutz des Lebens verpflichtet den Staat, dieses zu schützen. Im Strafrecht beispielsweise kann der Bruch der ärztlichen Schweigepflicht zur Warnung vor einer Syphilis-Ansteckung[45] oder einer HIV-Infizierung[46] gerechtfertigt sein, um schwere Gesundheitsschädigungen zu vermeiden.

c) Konkrete Gewichtung im Einzelfall

12 In einem zweiten Schritt prüft man dann die Intensität des Eingriffs im konkreten Fall. Damit ist zugleich die **Schutzwürdigkeit im konkreten Einzelfall** zu prüfen, d.h. das Ausmaß des jeweiligen Eingriffs, ob beispielsweise jemand das Risiko vertraglich übernommen hat oder die Gefahren selbst verursachte bzw. selbst provozierte.[47] Dies kann die abstrakte Gewichtung korrigieren. Gegebenenfalls ist das berechtigte Vertrauen entscheidend. Für diese situationsbezogene konkrete Gewichtung hat zudem eine Folgenbewertung stattzufinden. Zum Schutz von Leben haben während der Corona-Pandemie Gesetzgeber und Verwaltung die Grundrechte der Bürger umfangreich eingeschränkt. Allerdings gilt der Schutz des Lebens als Rechtsgut nicht absolut und ist kein „Supergrundrecht"[48], sondern muss jeweils in der konkreten Risiko- oder Gefährdungslage gegenüber anderen Grundrechten abgewogen werden. Man denke an die allgemeine Handlungs-, Religions-, Versammlungs- und Berufsfreiheit sowie die Eigentumsgarantie. Erfolgreich

[38] Deutlich auch Art. 3 EMRK und Art. 4 GRCh.

[39] S. zu dieser unentrinnbaren Tragik, *Dreier*, in: Dreier, GG, 3. Aufl. 2013, Art. 1 I Rn. 133; *Isensee*, in: HStR IX, 3. Aufl. 2011, § 191 Rn. 314; einschränkend aber Roxin/*Greco*, Strafrecht Allgemeiner Teil, Bd. I, 5. Aufl. 2020, § 16 Rn. 99, wonach die Schutzpflicht nur in den rechtlichen Grenzen gilt.

[40] *Lindner*, DÖV 2006, 577, 587 f.

[41] OLG Frankfurt a.M., Urt. v. 10.12.2012, 1 U 201/11, NJW 2003, 75 – Entschädigung wegen Verletzung der Menschenwürde durch Androhung „erheblicher Schmerzen".

[42] *Stern*, in: ders., Das Staatsrecht der Bundesrepublik Deutschland, Bd. III/2, 1994, S. 828 f.: „Gleichrangigkeit aller Grundrechte".

[43] *Stern*, in: ders. (ebd.), S. 828; ausführlich BVerfG, Beschl. v. 26.5.1970, 1 BvR 83/69 u.a., BVerfGE 28, 243, 261.

[44] Roxin/*Greco*, Strafrecht Allgemeiner Teil, Bd. I, 5. Aufl. 2020, § 16 Rn. 29.

[45] RG, Urt. v. 16.5.1905, 370/05, RGSt 38, 62, 65 f.

[46] OLG Frankfurt, Urt. v. 5.10.1999, 8 U 67/99, NStZ 2001, 149, 150.

[47] S. als Beispiel die Lebach-Entscheidung, § 10 Rn. 48 ff.

[48] *Heinig/Kingreen/Lepsius/Ch. Möllers/Volkmann/Wißmann*, JZ 2020, 861, 864: „Weil die Schutzpflichten für das menschliche Leben dem Staat weite Handlungsspielräume belässt, entstand in der Krise anscheinend der Fehlschluss, der große Handlungsspielraum sei mit großen materiellen Freiräumen zur Beeinträchtigung anderer Rechte gleichzusetzen"; *Katzenmeier*, MedR 2020, 461 ff. Zu BVerfGE 46, 160 – Schleyer s. § 11 Rn. 8a.

waren u.a. Eilanträge zum BVerfG, welche sich auf die Versammlungs-[49] oder die Religionsfreiheit[50] stützten. Im Zivilrecht ist oft die Risikoverteilung das entscheidende Kriterium, beispielsweise bei der Prüfung des Instituts der Störung der Geschäftsgrundlage (§ 9 Rn. 37).

d) Abwägungsvorgang im Einzelfall

Der eigentliche Abwägungsvorgang findet in einem dritten Schritt statt, in welchem die Abwägungsgesichtspunkte gegenüberzustellen sind.[51] Man fragt nach der **konkreten Wichtigkeit der rechtfertigenden Gründe**.[52] Bei der Grundrechtsprüfung sind daher Eingriff und Rechtfertigung ins Verhältnis zu setzen, d.h. eine Relation festzustellen „zwischen der Schwere des Eingriffs und dem Gewicht der ihn rechtfertigenden Gründe".[53] Dabei müssen die verfolgten Ziele des einen Prinzips umso wichtiger sein, je schwerer die nachteiligen Folgen für den Betroffenen wiegen. Hier wird man also zum einen die nachteiligen Folgen des Betroffenen betrachten, zum anderen aber auch den konkreten Gemeinwohlgewinn oder Nutzeffekt.[54] 13

Ein Beispiel hierfür findet sich in § 48 Abs. 2 VwVfG, der die Rücknahme eines Verwaltungsakts regelt. Dabei ist nach § 48 Abs. 2 S. 1 VwVfG das Vertrauen des Begünstigten in den Bestand des Verwaltungsakts mit dem öffentlichen Interesse an der Rücknahme des Verwaltungsakts, also dem Gemeinwohlgewinn,[55] abzuwägen. In § 48 Abs. 2 S. 2, 3 VwVfG hat der Gesetzgeber für einige Fallkonstellationen die Abwägung noch um eine Vermutungswirkung ergänzt und festgelegt, in welchen Fällen sich der Begünstigte nicht auf sein Vertrauen berufen kann. 14

Treffen mehr als zwei Belange zusammen, müssen die Belange in ihrer Gesamtheit erfasst und gewichtet werden. Die Rechtsprechung spricht hier von einer *bilanzierenden Betrachtungsweise*,[56] obwohl es nicht um eine vergangenheitsbezogene, sondern zukunftsbezogene Bewertung geht.[57] 15

Ein klassisches Beispiel, das den gesamten Abwägungsprozess im Öffentlichen Recht zeigt, findet sich im Baurecht bei der Aufstellung von Bebauungsplänen. Hier fordert das Gesetz gem. § 1 Abs. 7 BauGB eine umfangreiche Abwägung sämtlicher öffentlicher und privater Belange, wofür die oben aufgezeigten Schritte anzuwenden sind. Es sind hierfür gem. § 2 Abs. 3 BauGB zunächst sämtliche in Betracht kommenden Belange und Interessen möglicher Betroffener zu *sammeln*. Dafür werden die Öffentlichkeit und andere Behörden angehört, deren Aufgabenbereiche durch die Planung berührt sein könnten, §§ 3, 4 BauGB. Auf diese Weise werden öffentliche Belange aus verschiedensten Bereichen, wie dem Tier-, Natur-, und Umweltschutz ebenso wie privatrechtliche Belange der Nachbarn, wie Lärm- oder Immissionsschutz, in die Abwägungsmasse eingebracht. Zudem werden die städtebauliche Grundkonzeption und Entwicklungspläne sowie sicherheitsrechtliche Aspekte erfasst. In einem zweiten Schritt sind diese *Belange zu gewichten*, §§ 1 Abs. 7, 2 Abs. 3 BauGB. Da- 16

[49] BVerfG, KBeschl. v. 15.4.2020, 1 BvR 828/20, NJW 2020, 1426 Rn. 13 ff. – Versammlung während Corona-Pandemie.

[50] BVerfG, KBeschl. v. 29.4.2020, 1 BvQ 44/20, NVwZ 2020, 783 Rn. 14 ff. – Religionsausübung während Corona-Pandemie. Zur Entscheidung bei Ungewissheit s. unten § 14 Rn. 21a f.

[51] *Alexy*, VVDStRL 61 (2002), 7, 19 f.; *Voßkuhle*, JuS 2007, 429, 430.

[52] *Alexy*, VVDStRL 61 (2002), 7, 20.

[53] BVerfG, Beschl. v. 15.12.1999, 1 BvR 1904/95 u.a., BVerfGE 101, 331, 350 – Berufsbetreuer.

[54] Sachs/*Sachs*, GG, 9. Aufl. 2021, Art. 20 Rn. 157; ihm folgend *Kluckert*, JuS 2015, 116, 119 f.

[55] Bei Rücknahme eines Verwaltungsakts ist der begünstigte Bürger gem. § 49a VwVfG verpflichtet, bereits erhaltene Leistungen zurückzuerstatten, die aus öffentlichen Mitteln geflossen sind.

[56] BVerwG, Urt. v. 27.10.2000, 4 A 18/99, BVerwGE 112, 140, 164; BVerwG, Urt. v. 12.6.2019, 9 A 2/18, BeckRS 2019, 20641 Rn. 88 – Westumfahrung Halle.

[57] *Hofmann*, Abwägung im Recht, 2007, S. 268 Fn. 702.

bei beanspruchen weder private noch öffentliche Belange einen automatischen Vorrang.[58] Schließlich ist eine *Gesamtabwägung vorzunehmen*. Dabei werden alle gesammelten Belange für den konkreten Einzelfall in eine gerechte Abwägung[59] eingestellt und in Ausgleich gebracht.[60] Ein gerechter Ausgleich der Belange ist daran erkennbar, dass beispielsweise ein Gewerbegebiet durch ein Mischgebiet von einem reinen Wohngebiet getrennt wird (vgl. § 50 BImSchG) oder Ausgleichsflächen für Industriegebiete geschaffen werden, § 1a Abs. 3 BauGB.

16a Besonders schwierig stellt sich der Abwägungsvorgang im Bereich großflächiger Planung oder bei der Umsetzung von Großprojekten dar. Denn hier müssen eine große Zahl verschiedenster und oft gegenläufiger Interessen zum Ausgleich gebracht werden. Im Ausgangspunkt gelten auch in derartigen Konstellationen die gerade vorgestellten Regeln zur Abwägung. Die planerische Gestaltungsfreiheit der Verwaltung wird durch Gesetze und die Rechtsprechung aber weiter strukturiert und begrenzt.[61]

16b *Großprojekte:* Das Bundesverwaltungsgericht entwickelte für planfeststellungsbedürftige Vorhaben vier Rechtmäßigkeitsanforderungen, an welchen sich die Planung messen lassen muss.[62] Erstens besteht eine Bindung an vorgelagerte Planungsstufen. Der Bau eines Abschnitts einer Bundesfernstraße muss etwa mit der Linienbestimmung gem. § 16 FStrG im Einklang stehen.[63] Außerdem sind die Ziele der Raumordnung zwingend zu beachten.[64] Zweitens bedarf es einer Planrechtfertigung. Diese ergibt sich meist aus dem öffentlichen Bedarf für das Vorhaben.[65] Bei der Fernstraßenplanung erfolgt die Feststellung des Bedarfs beispielsweise durch formelles Gesetz durch die Aufnahme in den Bedarfsplan[66]. Drittens sind „zwingende materiellrechtliche Rechtssätze" zu befolgen.[67] Dabei handelt es sich in der Regel um spezielle fachgesetzliche Anforderungen, die der Abwägung nicht zugänglich sind.[68] So sind etwa auch beim Fernstraßenbau erhebliche Eingriffe in den europäischen Biotopenverbund Natura-2000 verboten[69] und vermeidbare Eingriffe in Natur und Landschaft sind zwingend zu unterlassen[70].

16c Erst in einem vierten Schritt kommt es zur Abwägung im eigentlichen Sinne, die sich nach den oben dargestellten Maßstäben vollzieht. Dabei ist zunächst von einer abstrakten Gleichwertigkeit aller Belange auszugehen.[71] Darüber hinaus hat die Rechtsprechung in Ausnahme hierzu jedoch sog. Abwägungsdirektiven entwickelt, denen ein erhöhtes Gewicht zukommt.[72] Soll zu Lasten einer solchen Direktive entschieden werden, bedarf es an-

---

[58] BVerwG, Urt. v. 1.11.1974, IV C 38/71, BVerwGE 47, 144, 148.

[59] BVerwG, Urt. v. 12.12.1969, IV C 105/66, BVerwGE 34, 301, 309.

[60] S. dazu *Jarass/Kment*, BauGB, 2. Aufl. 2017, § 1 Rn. 39 ff.; Battis/Krautzberger/Löhr/*Battis*, BauGB, 14. Aufl. 2019, § 1 Rn. 102 ff.

[61] *Kloepfer*, Umweltrecht, 4. Aufl. 2016, § 11 Rn. 421.

[62] BVerwG, Urt. v. 14.2.1975, IV C 21.74, BVerwGE 48, 59 ff. – Neubau B42; *Sanden*, in: Koch/Hofmann/Reese (Hrsg.), HdB Umweltrecht, 5. Aufl. 2018, § 13 Rn. 157.

[63] *Sanden* (ebd.), § 13 Rn. 158.

[64] §§ 3 Abs. 1 Nr. 2, 4 Abs. 1 S. 1 ROG. *Sanden* (ebd.), § 13 Rn. 159; bei Planungen des Bundes besteht ggf. eine abgeschwächte Bindung gem. § 5 ROG.

[65] BVerwG, Urt. v. 14.2.1975, IV C 21.74, BVerwGE 48, 56, 60 f. – Neubau B42; *Sanden* (ebd.), § 13 Rn. 161.

[66] § 1 Abs. 1, 2 FStrAbG, BVerwG, Beschl. v. 21.12.1995, 11 VR 6/95, NVwZ 1996, 896, 898.

[67] *Kloepfer*, Umweltrecht, 4. Aufl. 2016, § 11 Rn. 421; früher als sog. „Planungsleitsätze" bezeichnet, *Kloepfer* (ebd.), § 11 Rn. 396; BVerwG, Urt. v. 14.2.1975, IV C 21.74, BVerwGE 48, 56, 59, 61 – Neubau B42.

[68] *Sanden*, in: Koch/Hofmann/Reese (Hrsg.), HdB Umweltrecht, 5. Aufl. 2018, § 13 Rn. 160.

[69] § 34 Abs. 2 BNatSchG. S. *Kloepfer*, Umweltrecht, 4. Aufl. 2016, § 11 Rn. 406; eine Ausnahme ist nur unter den äußerst strengen Voraussetzungen des § 34 Abs. 3 BNatSchG möglich.

[70] § 15 Abs. 1 S. 1 BNatSchG. *Kloepfer* (ebd.), § 11 Rn. 409.

[71] *Sanden*, in: Koch/Hofmann/Reese (Hrsg.), HdB Umweltrecht, 5. Aufl. 2018, § 13 Rn. 164.

[72] BVerwG, Urt. v. 22.3.1985, 4 C 73/82, BVerwGE 71, 163, 165 – Neubau B16; früher als sog. „Optimierungsgebote" bezeichnet, *Kloepfer*, Umweltrecht, 4. Aufl. 2016, § 11 Rn. 264 f.

derer Belange von hohem Gewicht zur Rechtfertigung;[73] es ergibt sich somit eine gesteigerte Argumentations- und Begründungspflicht.[74] Ein bekanntes Beispiel für eine Abwägungsdirektive ist das in § 50 BImSchG normierte Trennungsgebot. Weiter präzisiert wird die Abwägung auch dadurch, dass etwa zur Bewertung naturschutzrechtlicher Belange detaillierte technische Eingriffs- und Kompensationsbilanzen gebildet werden.[75]

3. Rechtsdogmatische Schlussfolgerungen aus der Abwägung

a) Zwischenschichten, Stufen, Leitbilder etc.

Lerche betont, dass das BVerfG in zahlreichen Entscheidungen die Grundrechte durch **Zwischenschichten** und Hilfsbegriffe konkretisierte.[76] Das ist Teil der Rechtsdogmatik (§ 9 Rn. 2 ff.). Oben wurden einige rechtsdogmatische Aussagen zur Verfassung und die damit verbundenen methodischen Rechtsfiguren vorgestellt. In der Verfassung ist nicht expressis verbis normiert, dass die Grundrechte eine „Wertordnung" darstellen, die Grundrechte eine „mittelbare Drittwirkung zwischen Privaten" und „Schutzpflichten" erzeugen können (§ 11 Rn. 5 ff.). Es handelt sich um Grundrechtsinnovationen.[77] Für die Prüfung von Grundrechten hat sich inzwischen eine *feste Prüfungsfolge* mit Schutzbereich, Eingriff, Rechtfertigung des Eingriffs und Schranken-Schranken herausgebildet. Sie hilft, die einzelnen Argumente an der richtigen Stelle zu prüfen (§ 10 Rn. 26 ff.). 17

Die Abwägung erlaubt dann eine weitere Präzisierung der Grundrechte, indem unter anderem der Schutzbereich des Grundrechts weiter konkretisiert wird: Grundrechte lassen sich weiter strukturieren, etwa die Kunstfreiheit in einen Werk- und Wirkbereich[78] oder die Berufsfreiheit in Berufswahl und Berufsausübung.[79] Die Grundrechte als Rechtsprinzipien können mit Leitbildern präzisiert werden. **Leitbilder** wollen den Blick hinter die Rechtsnormen lenken.[80] Sie geben Prinzipien Farbe und Kontur.[81] Leitbilder sind bildliche Zielvorstellungen, die gesellschaftliche Gerechtigkeitsvorstellungen transportieren; sie sind entscheidungsdirigierende Instrumente zur Konkretisierung und Flexibilisierung.[82] Es wird vom Leitbild des „Abgeordneten"[83], der „streitbaren Demokratie"[84] gesprochen oder dem „Ausgleich gestörter Vertragsparität"[85], um die Privatautonomie des Art. 2 Abs. 1 GG sicherzustellen.[86] 18

---

[73] BVerwG, Urt. v. 16.3.2006, 4 A 1075/04, BVerwGE 125, 116 Rn. 164; *Kloepfer* (ebd.), § 11 Rn. 264.

[74] *Kloepfer* (ebd.), § 11 Rn. 265.

[75] Beispielhaft: BVerwG, Urt. v. 9.2.2017, 7 A 2/15 u.a., BVerwGE 158, 1 Rn. 233 ff. – Elbvertiefung; Flächenbilanz: BVerwG, Urt. v. 9.6.2004, 9 A 11.03, BVerwGE 121, 72 Rn. 133 ff.; Stickstoffbilanz: BVerwG, Urt. v. 6.11.2012, 9 A 17/11, BVerwGE 145, 40 Rn. 62 ff.

[76] *Lerche*, in: Koller/Hager/Junker/Singer/Neuner, Einheit und Folgerichtigkeit im Juristischen Denken, 1998, S. 7, 15; *ders.* in: 50 Jahre FS BVerfG, Bd. I, 2001, S. 333, 343.

[77] *Hornung*, Grundrechtsinnovationen, 2015, S. 220 ff. spricht hier von Basisinnovationen; s. § 14 Rn. 47.

[78] *Müller*, Die Freiheit der Kunst als Problem der Grundrechtsdogmatik, 1969, S. 97 ff., 103 ff.; BVerfG, Beschl. v. 24.2.1971, 1 BvR 435/68, BVerfGE 30, 173, 189.

[79] BVerfG, Urt. v. 11.6.1958, 1 BvR 596/56, BVerfGE 7, 377, 400 ff. – Apotheken-Urteil; **a. A.** als zu stark ablehnend aber *Lindner*, Rechtswissenschaft als Metaphysik, 2017, S. 112.

[80] *Franzius*, in: Hoffmann-Riem/Schmidt-Aßmann/Voßkuhle, Grundlagen des Verwaltungsrechts, Bd. 1, 2. Aufl. 2012, § 4 Rn. 25.

[81] *Volkmann*, in: Krüper/Merten/Morlok, An den Grenzen der Rechtsdogmatik, 2010, S. 77, 85.

[82] Zu den verschiedenen Begriffselementen s. *Braun*, Leitbilder im Recht, 2015, S. 209, 211, 213.

[83] BVerfG, Urt. v. 4.7.2007, 2 BvE 1/06 u.a., BVerfGE 118, 277, 327 ff.

[84] BVerfG, Urt. v. 17.8.1956, 1 BvB 2/51, BVerfGE 5, 85, 139 – KPD-Verbot. Vorher schon *Verfassungsausschuss*, 1948, S. 22: „Es bedarf keiner Darlegung, daß jede Demokratie, die in diesem Punkt achtlos ist, in Gefahr steht, selbstmörderisch zu werden."

[85] BVerfG, KBeschl. v. 29.3.2001, 1 BvR 1766/92, NJW 2001, 2248 – Inhaltskontrolle von Eheverträgen; s. auch unten § 11 Rn. 57.

[86] *Volkmann*, in: Krüper/Merten/Morlok (ebd.), S. 77, 81; kritisch zum Begriff der „Verfassungsidentität" *Polzin*, Der Staat 53 (2014), 61, 91.

18a Naheliegend besteht die Gefahr bei der Konkretisierung, Scheinbegriffe zu verwenden. *Lindner* möchte deshalb komplett auf dogmatische Figuren mittlerer Abstraktionshöhe verzichten.[87] Damit schüttet er aber das Kinde mit dem Bade aus. Zwischenschritte sind erforderlich, um das Recht weiter zu konkretisieren. Um dem von Lindner befürchteten dogmatischen Zirkel zu entgehen, „ist große Mühe und Sorgsamkeit darauf zu verwenden, neue Begriffe stets in das bisherige juristisch-dogmatische System einzufügen und sie nicht der Gefahr eines Eigenlebens auszusetzen."[88] Zudem sind die Rechtsfiguren und Rechtsinstitute weiter zu entwickeln und flexibel zu handhaben.[89]

b) Zwingende Vorrangregel

19 Die Abwägung versucht aus Prinzipien Regeln abzuleiten, um sicherzustellen, dass eine rationale Begründung gelingt. Das verlangt einerseits überzeugende Prüfungsschritte, andererseits eine nachvollziehbare Wertung. Beim allgemeinen Persönlichkeitsrecht spricht man von einem „Rahmenrecht"[90] und differenziert anhand der Schutzbedürftigkeit zwischen Sozial-, Privat- und Intimsphäre. Die innerste Sphäre ist die Intimsphäre, die Privatsphäre definiert den nichtöffentlichen Bereich, die Sozialsphäre findet im öffentlichen Leben statt.[91] Diese sog. Sphärentheorie führt dazu, dass die Intimsphäre zum unantastbaren Kernbereich gehört und Eingriffe nicht zulässig sind. Hier liegt eine zwingende Vorrangregel vor (§ 1 Rn. 97). Damit kann ein Eingriff nur dann gerechtfertigt werden, wenn er nicht in den Kernbereich eingreift. So formuliert das BVerfG bei privaten Aufzeichnungen über Straftaten:

20 „Das Bundesverfassungsgericht erkennt jedoch einen letzten unantastbaren Bereich privater Lebensgestaltung an, der der öffentlichen Gewalt schlechthin entzogen ist (vgl. BVerfGE 6, 32 [41]; 389 [435]; 54, 143 [146]; st. Rspr.). Selbst schwerwiegende Interessen der Allgemeinheit können Eingriffe in diesen Bereich *nicht rechtfertigen; eine Abwägung nach Maßgabe des Verhältnismäßigkeitsgrundsatzes findet nicht statt* (BVerfGE 34, 238 [245]). Dies folgt einerseits aus der Garantie des Wesensgehalts der Grundrechte (Art. 19 Abs. 2 GG), zum anderen leitet es sich daraus ab, daß der Kern der Persönlichkeit durch die unantastbare Würde des Menschen geschützt wird. [...]

Enthalten solche Aufzeichnungen etwa Angaben über die *Planung* bevorstehender oder Berichte über begangene *Straftaten*, stehen sie also in einem unmittelbaren Bezug zu konkreten strafbaren Handlungen, so gehören sie dem *unantastbaren Bereich privater Lebensgestaltung nicht an*. Daraus folgt auch, daß im Rahmen der Strafverfolgung nicht von vornherein ein verfassungsrechtliches Hindernis besteht, solche Schriftstücke daraufhin durchzusehen, ob sie der prozessualen Verwertung zugängliche Informationen enthalten. Hierbei ist allerdings die größtmögliche Zurückhaltung zu wahren; dies ist durch geeignete Maßnahmen sicherzustellen. Dabei ist zu bedenken, daß der Richtervorbehalt, der in § 110 Abs. 1 StPO a.F. für die Durchsicht persönlicher Papiere enthalten war, im Jahre 1974 entfallen ist.

---

[87] *Lindner*, Rechtswissenschaft als Metaphysik, 2017, S. 178.

[88] *Braun*, Leitbilder im Recht, 2015, S. 166 ff.; *Lindner* (ebd.), S. 112.

[89] Ähnlich *Lindner* (ebd.), S. 143 und *Braun*, Deduktion und Invention, 2016, S. 184: Das Ziel der Rechtsdogmatik ist es, ein System zu haben, das „dem Rechtsanwender einen Rückhalt bietet, auf den er sich verlassen kann; und zugleich keines zu haben, das uns unentrinnbar einschnürt und jeden Gedanken verbietet, der nicht bereits vorgedacht wurde, so daß wir frei bleiben, die Weichen anders zu stellen, wenn es dafür überzeugende Gründe gibt."

[90] Herrschende Ansicht u.a. Fikentscher/*Heinemann*, Schuldrecht, 11. Aufl. 2017, Rn. 1571, 1584 ff. Zur Entwicklung s. *Hufen*, in: FS 50 Jahre Verfassungsgericht, Bd. 2, 2001, S. 105 ff.

[91] BGH, Urt. v. 20.1.1981, VI ZR 163/79, NJW 1981, 1366; *Bumke/Voßkuhle*, Casebook Verfassungsrecht, 8. Aufl. 2020, Rn. 379; Palandt/*Sprau*, BGB, 80. Aufl. 2021, § 823 Rn. 87; **a.A.** *Canaris*, JuS 1989, 161, 167 ff., der grundsätzlich von einem rechtswidrigen Eingriff spricht, ohne aber zwischen den verschiedenen Sphären zu differenzieren.

> Gehören private Aufzeichnungen nicht zum absolut geschützten Kernbereich, so bedarf ihre Verwertung im Strafverfahren der Rechtfertigung durch ein *überwiegendes Interesse* der Allgemeinheit."[92]

c) Vermutungs- und Argumentationslastregel

Daneben lässt sich eine **Vermutungsregel** für die verschiedenen Grundrechte (§ 1 Rn. 98) im Sinne eines Regel-Ausnahme-Verhältnisses entwickeln.[93] Rechtfertigungsbedürftig ist grundsätzlich nicht der Gebrauch der grundrechtlichen Freiheit, sondern der Versuch ihrer Beschränkung.[94] So ist ein Boykottaufruf mitnichten per se rechtswidrig: Wenn es sich um einen Beitrag zum geistigen Meinungskampf in einer die Öffentlichkeit wesentlich berührenden Frage handelt, gelte als Ausdruck der Meinungsfreiheit des Art. 5 Abs. 1 GG die Vermutung für die Zulässigkeit der freien Rede.[95] So formulierte das BVerfG im Lebach-Urteil eine *prima-facie*-Vermutungsregel, wonach bei einem Strafverfahren „der Berichterstattung im Allgemeinen der Vorrang" vor dem Recht des Strafgefangenen auf Nichtveröffentlichung zusteht (§ 10 Rn. 48 ff.).[96] 21

Im Unterschied dazu gibt es eine **Argumentationslastregel**, wonach derjenige, der den Eingriff rechtfertigen will, Argumente hierfür vorbringen muss, um die Vermutung zu widerlegen (§ 1 Rn. 100).[97] Persönliche Aufzeichnungen können nur von der Staatsanwaltschaft beschlagnahmt werden, wenn ein überwiegendes Interesse der Allgemeinheit vorliegt.[98] Mögliche Folgen der Abwägung sind **auch komparative Vorrangregeln.** Der schwerwiegende Eingriffsgrund rechtfertigt den leichten Eingriff.[99] Diese Regel existiert im Öffentlichen Recht. Bei der Pflicht, Warnhinweise auf Tabakerzeugnisse anzubringen, ist der Schutz vor Gesundheitsgefahren ein schwerwiegender Eingriffsgrund gegenüber der Warnpflicht als leichter Eingriff in die Berufsfreiheit.[100] Gleiches gilt auch im Strafrecht: Die Regeln zum Schwangerschaftsabbruch greifen zwar in das Persönlichkeitsrecht der Mutter ein, schützen aber das ungeborene Leben vor seiner Vernichtung.[101] Nicht rechtswidrig ist auch eine kurze Freiheitsberaubung, um einen hohen Sachschaden zu verhindern.[102] 22

d) Abwägungsregel und Verhältnismäßigkeitsgrundsatz

Gibt es keine Vermutung für ein bestimmtes Grundrecht, bleibt es bei der Verhältnismäßigkeitsprüfung als Optimierungsgebot. Wenn keines der in Betracht kommenden Grundrechte einen grundsätzlichen Vorrang hat, müssen die Grundrechte in praktische Konkordanz (§ 10 Rn. 47) gebracht werden. *Alexy* formuliert als Abwägungsgesetz: Je hö- 23

---

[92] BVerfG, Beschl. v. 14.9.1989, 2 BvR 1062/87, BVerfGE 80, 367, 373 ff. – Tagebuch.

[93] *Alexy*, ARSP Beiheft 25 (1985), 13, 25 f. spricht stattdessen von relativen Vorrangregeln.

[94] *Volkmann*, JZ 2005, 261, 263; s. unten § 14 Rn. 21a f.

[95] BVerfG, Urt. v. 15.1.1958, 1 BvR 400/51, BVerfGE 7, 198, 216 ff. – Lüth; BGH, Urt. v. 21.6.1966, VI ZR 261/64, BGHZ 45, 296, 308 – Höllenfeuer.

[96] BVerfG, Urt. v. 5.6.1973, 1 BvR 536/72, BVerfGE 35, 202, 231 – Lebach; hierzu *Alexy*, ARSP Beiheft 25 (1985), 13, 26.

[97] *Podlech*, Gehalt und Funktionen des allgemeinen verfassungsrechtlichen Gleichheitssatzes, 1971, S. 85 f.; *Schlink*, Abwägung im Verfassungsrecht, 1976, S. 196 ff.; *Riehm*, Abwägungsentscheidungen in der praktischen Rechtsanwendung, 2006, S. 122 ff., 155 ff.

[98] BVerfG, Beschl. v. 14.9.1989, 2 BvR 1062/87, BVerfGE 80, 367, 373 ff. – Tagebuch.

[99] *Alexy*, VVDStRL 61 (2002), 7, 20.

[100] Von „offensichtlich" spricht das BVerfG, Beschl. v. 22.1.1997, 2 BvR 1915/91, BVerfGE 95, 173, 187; *Alexy*, VVDStRL 61 (2002), 7, 20.

[101] BVerfG, Urt. v. 25.2.1975, 1 BvF 1/74 u.a., BVerfGE 39, 1, 43 – Schwangerschaftsabbruch I; *Vogel*, Juristische Methodik, 1998, S. 155; hierzu bereits auch § 7 Rn. 68 ff.

[102] Roxin/*Greco*, Strafrecht Allgemeiner Teil, Bd. I, 5. Aufl. 2020, § 16 Rn. 32.

her die Beeinträchtigung des einen Prinzips, desto größer muss die Wichtigkeit der Erfüllung des anderen sein.[103] Maßgeblich ist damit die Schutzwürdigkeit der jeweiligen Rechte im konkreten Fall.[104] Es liegt dann eine Abwägungsregel vor (§ 1 Rn. 99).

4. Die Prüfung von Grundrechten als gelungene Konstruktion von Recht

24 Im Rahmen des Vorrangs der Verfassung gegenüber dem einfachen Recht werden in § 11 die Grundrechte vorgestellt: Sie bilden eine objektive Wertordnung und sind in erster Linie Abwehrrechte des Einzelnen gegenüber dem Staat. Daneben enthalten sie Schutzpflichten des Staates, der hierdurch bei seinen Entscheidungen stets sowohl das Über- als auch das Untermaßverbot beachten muss (§ 11 Rn. 9 f.). Dem BVerfG wird vorgeworfen, dass seine Verhältnismäßigkeitsprüfung ein „Jonglieren" sei, ohne dass dabei nach einem rationalen und verbindlichen Maßstab entschieden würde.[105] Die vierstufige Prüfung der Verhältnismäßigkeit des Eingriffs im Rahmen der Untersuchung einer möglichen Grundrechtsverletzung ergäbe sich nicht aus einer konkreten Norm; die Methodenlehre könne diese Form rechtsdogmatischer Erfindung nicht erklären.[106]

25 Dieser Vorwurf geht aber zu weit. Die Prüfung der Grundrechte zeigt vielmehr, wie Wissenschaft und Praxis **rechtsdogmatisch Zwischenschritte und Prüfungsstufen** entwickelt haben, um die Grundrechte als Blankettnormen so zu konkretisieren und Prüfungsschritte so zu konstruieren, dass damit ein hohes Maß an Rationalität einhergeht. Letztlich wird damit auch zumindest in gewissem Umfang eine Vereinheitlichung der Rechtsanwendung erreicht und der Ungleichbehandlung gegenüber dem Bürger vorgebeugt (§ 1 Rn. 42). Zudem lässt sich die *Verhältnismäßigkeit*, selbst wenn sie im GG nicht ausdrücklich erwähnt wird, auch auf Rechtsquellen, nämlich die Grundrechte selbst zurückführen und damit rechtfertigen. Das BVerfG formuliert in ständiger Rechtsprechung:

25a „In der Bundesrepublik Deutschland hat der Grundsatz der Verhältnismäßigkeit verfassungsrechtlichen Rang. Er ergibt sich aus dem *Rechtsstaatsprinzip*, im Grunde bereits *aus dem Wesen der Grundrechte selbst*, die als Ausdruck des allgemeinen Freiheitsanspruchs des Bürgers gegenüber dem Staat von der öffentlichen Gewalt jeweils nur soweit beschränkt werden dürfen, als es zum Schutz öffentlicher Interessen unerläßlich ist. Für das Grundrecht der persönlichen Freiheit folgt dies auch aus der besonderen Bedeutung, die gerade diesem Grundrecht als der Basis der allgemeinen Rechtsstellung und Entfaltungsmöglichkeit des Bürgers zukommt und die das Grundgesetz dadurch anerkennt, daß es in Art. 2 Abs. 2 die Freiheit der Person als ‚unverletzlich' bezeichnet."[107]

25b Im Folgenden kann keine vollständige Prüfung der Grundrechte vorgestellt werden; es soll vielmehr nur auf einige Besonderheiten eingegangen werden, welche für die Methodenlehre von Interesse sind. Die inzwischen ausgefeilte Rechtsdogmatik unterscheidet bei der Prüfung von Grundrechten zwischen Schutzbereich (II. 1.), Eingriff (2.), Rechtfertigung (3.) und Schranken-Schranken (4.), auch wenn Einzelheiten umstritten bleiben.[108] Auf jeder Ebene wurden inzwischen für Eingriffe in Freiheitsrechte, die Schutzpflichtverletzung durch Unterlassen und das Gleichheitsgrundrecht eigene Konkretisierungen vorgenommen. Es geht vor allem um **Vermutungs- und Argumentationslastregeln**, also um die Verteilung von Rechtfertigungslasten (§ 10 Rn. 21 ff.).

---

[103] *Alexy*, Theorie der Grundrechte, 8. Aufl. 2018, S. 146; *ders.*, VVDStRL 61 (2002), 7, 19.

[104] Roxin/*Greco*, Strafrecht Allgemeiner Teil, Bd. I, 5. Aufl. 2020, § 16 Rn. 62; *Vogel* (ebd.), S. 155.

[105] *Kingreen/Poscher*, Grundrechte Staatsrecht II, 36. Aufl. 2020, Rn. 344 und gerade § 10 Rn. 6.

[106] *Lennartz*, Dogmatik als Methode, 2017, S. 2, 157 ff. und oben § 9 Rn. 5.

[107] BVerfG, Beschl. v. 15.12.1965, 1 BvR 513/65, BVerfGE 19, 342, 348 f. – Untersuchungshaft; fortführend BVerfG, Beschl. v. 12.5.1987, 2 BvR 1226/83 u.a., BVerfGE 76, 1, 50 f. – Familiennachzug.

[108] S. *Böckenförde*, Der Staat 42 (2003), 167, 174 ff. und sogleich die Diskussion in § 10 Rn. 29 f.

II. Abwägung von Grundrechten

Literatur: *Barak, Aharon,* Proportionality. Constitutional Rights and their Limitations, 2012; *Bumke, Christian/Voßkuhle, Andreas,* Casebook Verfassungsrecht, 8. Aufl. 2020; *Kluckert, Sebastian,* Die Gewichtung von öffentlichen Interessen im Rahmen der Verhältnismäßigkeitsprüfung, JuS 2015, 116–121; *Lepsius, Oliver,* Die Chancen und Grenzen des Grundsatzes der Verhältnismäßigkeit, in: Jestaedt, Matthias/Lepsius, Oliver, Verhältnismäßigkeit, 2015, S. 1–41; *Lerche, Peter,* Übermaß und Verfassungsrecht, 1961; *Reimer, Philipp,* Verhältnismäßigkeit im Verfassungsrecht, ein heterogenes Konzept, in: Jestaedt, Matthias/Lepsius, Oliver, Verhältnismäßigkeit, 2015, S. 60–76; *Schlink, Bernhard,* Der Grundsatz der Verhältnismäßigkeit, in: FS 50 Jahre BVerfG, Bd. II, 2001, S. 445–465; *Sweet, Alec Stone/Mathews, Jud,* Proportionality Balancing and Global Constitutionalism, 47 Colum. J. Transnat'l L. 73–164 (2008); *Volkmann, Uwe,* Veränderungen der Grundrechtsdogmatik, JZ 2005, 261–271 sowie die Literatur bei I.

Im Unterschied zur Abwägung im Öffentlichen Recht im Allgemeinen (I.) gelten bei der Abwägung von Grundrechten spezielle Regeln, die von der Rechtsprechung über Jahre hinweg rechtsdogmatisch entwickelt wurden (§ 10 Rn. 24 f.). Diese allgemein anerkannte Prüfungsstruktur von Grundrechten soll im Folgenden erläutert werden. **26**

1. Sachlicher Schutzbereich des Grundrechts

a) Der Schutzbereich oder Grundrechtstatbestand eines Freiheitsrechts besteht grundsätzlich aus dem Schutz- oder Gewährleistungsgehalt, wie freie Entfaltung der Persönlichkeit, Eigentum, Pressefreiheit etc. Ausnahmsweise geht es um Gleichheitsgrundrechte und/oder Einrichtungsgarantien, wie die freie Presse, *Rechtsinstitute* oder Rechtsprinzipien, z.B. Ehe und Familie oder die Vertragsfreiheit. Schließlich bestehen Grundrechte als Prozessgrundrechte aus einer Kombination von Handlungsweisen und institutionellen Elementen, wie der Zugang zu Gerichten (Art. 19 Abs. 4 GG) oder das Gesetzlichkeitsprinzip, Art. 103 Abs. 2 GG (§ 4 Rn. 65 ff.).[109] **27**

Der Schutzbereich bezieht sich auf die Lebenswirklichkeit und umfasst Abwehr- und ggf. auch Leistungsrechte (§ 11 Rn. 3 ff.). Das Grundrecht kann vom Wortlaut her schon einzelne einschränkende Voraussetzungen enthalten; die Versammlungsfreiheit gilt beispielsweise nur für „friedliche" Versammlungen, Art. 8 Abs. 1 GG. Grundrechte können eine **positive**, aber auch eine negative Seite haben.[110] Die positive Seite eines Grundrechts umfasst dabei die Freiheit „zu" etwas, die **negative** Seite die Freiheit „von" etwas. So steht das Recht, seine Meinung zu äußern, spiegelbildlich dem Recht gegenüber, von Meinungsäußerungen Dritter verschont zu bleiben.[111] **28**

b) In der öffentlich-rechtlichen Literatur wird nun heftig diskutiert, ob der Schutzbereich eines Grundrechts eher weiter oder enger im Sinne eines Gewährleistungsgehaltes zu umschreiben ist. Im Ergebnis müsse die Weite eines Grundrechts mit den normalen juristischen Auslegungsmitteln bestimmt werden.[112] Die Behauptung, das BVerfG definiere die Grundrechte überwiegend weit, wie etwa das Eigentumsrecht, und schütze alle vermögenswerten Rechtspositionen[113] oder der Begriff der „Wohnung" umfasse auch Geschäftsräume,[114] sei viel zu pauschal. Wenn man den Schutzbereich *bereits enger* durch ei- **29**

---

[109] *Stern,* in: FS 50 Jahre BVerfG, Bd. II, 2001, S. 1, 5 f.

[110] *Dreier,* in: Dreier, GG, 3. Aufl. 2013, Vorb. vor Art. 1 Rn. 87.

[111] Zu einem solchen Recht auf Ruhe s. *Fikentscher/Möllers,* NJW 1996, 1337, 1340 ff.; zustimmend *Dörr,* HdB GR, Bd. IV, 2011, § 103 Rn. 63 ff.; *Wittreck,* in: Dreier, GG, 3. Aufl. 2013, Art. 5 III (Kunst) Rn. 48.

[112] *Hoffmann-Riem,* Der Staat 43 (2004), 203, 229; *Kingreen/Poscher,* Grundrechte Staatsrecht II, 36. Aufl. 2020, Rn. 284.

[113] BVerfG, Urt. v. 7.8.1962, 1 BvL 16/60, BVerfGE 14, 263, 276 f.

[114] BVerfG, Beschl. v. 13.10.1971, 1 BvR 280/66, BVerfGE 32, 54, 68 ff.

nen *Gewährleistungsgehalt* umschreibt und begrenzt,[115] hat dies den Vorteil, die Abwägung auf der Rechtfertigungsstufe zu entlasten und die erforderliche Rationalität bereits auf der Schutzbereichsebene durchzuführen.[116] In mehreren Entscheidungen hatte das BVerfG einen solchen *engen Ansatz* vertreten:

30 Für die *Love-Parade* in Berlin hatte das BVerfG den Schutzbereich der Versammlungsfreiheit des Art. 8 Abs. 1 GG verneint, weil dieser eine „Teilhabe an der Meinungsbildung" erfordere, was bei bloßer Unterhaltung von Musik- und Tanzereignissen nicht der Fall sei.[117] – Im *Glykol-Fall* hatte das Bundesministerium für Gesundheit eine Liste von Weinen von Weinkellereien veröffentlicht, in denen Diethylenglykol festgestellt worden war. Das BVerfG verneinte den Schutzbereich der Berufsfreiheit, weil der „grundrechtliche Gewährleistungsbereich" nicht berührt ist, wenn Publikumsinformationen, deren Verbreitung eine staatliche Aufgabe ist, richtig und sachlich sind und die Zuständigkeitsordnung eingehalten wurde.[118] – Im *Sprayer-von-Zürich-Fall* hatte das BVerfG das Recht des Sprayers, sich auf die Kunstfreiheit zu berufen, verneint, weil die Entfaltung künstlerischer Aktivitäten es nicht gestatte, sich über Eigentumsrechte Dritter hinwegzusetzen.[119]

31 c) Die liberale Gegenansicht lehnt einen engen Schutzbereich ab und propagiert einen weiteren Anwendungsbereich des Grundrechts. Die durch die Grundrechte bezweckte Freiheitsgewähr liefe leer, wenn der Staat nicht auf der Rechtfertigungsebene die Beschränkung der Kunstfreiheit begründen müsse.[120] Man könne ansonsten die Frage, ob ein Verhalten grundsätzlich verfassungsrechtlich schutzwürdig ist, von den Wertungen der einfachen Rechtsordnung abhängig machen. Dies widerspräche jedoch der Normenhierarchie: Ein Gesetz, das ein Verhalten als rechtswidrig einstuft, kann vielmehr selbst verfassungswidrig sein.[121] Ein Verzicht auf Rechtfertigung und Abwägung bedeutet auch einen Verlust an „Rationalität, Disziplinierung und Transparenz juristischen Argumentierens".[122] Im Sprayer-von-Zürich-Fall sei das Ergebnis zwar zutreffend. Der Schutzbereich sei aber zu bejahen und eine Abwägung habe auf der *Rechtfertigungsebene* stattzufinden, um Abwägungs- und Wertungsfragen nicht mit leichter Hand und dem methodischen Fallbeil zu beantworten.[123]

32 d) Überzeugend erscheint eine *vermittelnde Ansicht*: Wenn man von vornherein bestimmte Verhaltensweisen aus dem Schutzbereich eines Grundrechts ausklammert, besteht die Gefahr, dass man sich vorschnell einer Abwägung mit anderen Grundrechten und Interessen entzieht.[124] Will man die Handlung aus dem Schutzbereich eines Grundrechts ausnehmen, müsste dies noch stringenter als bislang mit dem bisher entwickelten Auslegungskanon begründet werden. So ist ein auf die öffentliche Meinungsbildung beschränkter Versammlungsbegriff (§ 10 Fn. 117) abzulehnen, weil eine solche teleologische Reduktion weder durch Wortlaut, Systematik oder Entstehungsgeschichte zu recht-

---

[115] *Sachs*, in: Stern, Das Staatsrecht der Bundesrepublik Deutschland, Bd. III/2, 1994, S. 10 ff., 31 ff.; *Hoffmann-Riem*, Der Staat 43 (2004), 203, 226 f.; *Böckenförde*, Der Staat 42 (2003), 165, 178 ff., 186 ff.

[116] *Volkmann*, JZ 2005, 261, 267.

[117] BVerfG, KBeschl. v. 12.7.2001, 1 BvQ 28/01 u.a., NJW 2001, 2459, 2460 f. – Love Parade; ebenso BVerfG, Beschl. v. 24.10.2001, 1 BvR 1190/90 u.a., BVerfGE 104, 92, 104 f. – Sitzblockade III.

[118] BVerfG, Beschl. v. 26.6.2002, 1 BvR 558/91 u.a., BVerfGE 105, 252, 268 – Glykol.

[119] BVerfG, KBeschl. v. 19.3.1984, 2 BvR 1/84, NJW 1984, 1293, 1294 f. – Sprayer von Zürich.

[120] *Dreier*, in: Dreier, GG, 3. Aufl. 2013, Vorb. vor Art. 1 Rn. 122; deutlich auch BVerfG, Beschl. v. 25.3.1992, 1 BvR 1430/88, BVerfGE 85, 386, 397: „Eingriffsorientierte Gesichtspunkte haben aber bei der Definition des Schutzbereiches keinen Platz."

[121] *Bumke/Voßkuhle*, Casebook Verfassungsrecht, 8. Aufl. 2020, Rn. 60.

[122] *Kahl*, Der Staat 43 (2004), 167, 194 ff., 199 ff.; *ders.*, AöR 131 (2006), 579, 606 f.

[123] *von Arnauld*, in: HStR VII, 3. Aufl. 2009, § 167 Rn. 43 ff.; *Wittreck*, in: Dreier, GG, 3. Aufl. 2013, Art. 5 III (Kunst) Rn. 49.

[124] *Kahl*, Der Staat 43 (2004), 167, 190 ff.

fertigen ist.[125] Konsequenterweise bejahte das BVerfG in einer neueren Entscheidung auch eine Verletzung des Schutzbereichs und nahm erst auf der Rechtfertigungsstufe eine Abwägung zwischen der Kunstfreiheit und dem allgemeinen Persönlichkeitsrecht vor.[126]

2. Eingriff und Beeinträchtigungen

a) Freiheitsrechte sind grundsätzlich **Abwehrrechte** gegenüber dem Staat (§ 11 Rn. 3). Ein Eingriff in den Schutzbereich eines Grundrechts liegt immer dann vor, wenn ein vom Schutzbereich erfasstes Tun oder Unterlassen behindert oder unmöglich gemacht wird, entweder als individueller Eingriff durch Verwaltungsakt, durch Gerichtsurteil oder als genereller Eingriff durch Gesetz. Das kann der *klassische Eingriff* sein, also der unmittelbare, zielgerichtete Eingriff, der als Rechtsakt mit Befehl oder Zwang durchgesetzt wird.[127] Inzwischen wurde der Eingriffsbegriff weiter *modernisiert*. Grundrechte stellen aber auch eine objektive Wertordnung dar, daher wird der Eingriff als Beeinträchtigung noch weiter definiert und umfasst auch mittelbare und faktische Beeinträchtigungen, soweit sie dem Staat zurechenbar sind.[128] Bei Warnungen und Empfehlungen von staatlicher Seite wird auf die Finalität oder die vorhersehbaren Folgen abgestellt.[129] 33

Davon abzugrenzen sind reine Belästigungen, die noch nicht zu einem Eingriff führen, wie z.B. die Polizeikontrolle, die einen Stau verursacht (§ 5 Rn. 83). Zum Teil sollen geringfügige Luft- oder Lärmbelästigungen keine Eingriffe darstellen.[130] Dies ist aber abzulehnen, weil ansonsten wiederum die für die Rechtfertigung erforderliche *Darlegungslast* entfiele.[131] 34

b) Neben dem klassischen Eingriff kann der Vorwurf auch darin bestehen, dass der Staat es unterlässt etwas zu tun, obwohl **Schutzpflichten** ihn zum Handeln verpflichten (§ 11 Rn. 5 ff.). Typischerweise handelt es sich um Verletzungen oder Gefährdungen, die durch private Dritte und nicht durch den Staat geschehen. Es kann sich beispielsweise um Gesundheitsbeeinträchtigungen durch Immission,[132] Beeinträchtigungen des allgemeinen Persönlichkeitsrechts durch Meinungsäußerungen oder Kunst[133] oder durch übermäßige vertragliche Bindungen handeln (§ 11 Rn. 58 ff.). Nachdem in einem ersten Schritt die Schutzpflicht begründet wurde, kann dem Staat ein **Unterlassen** im Sinne des Untermaßverbotes vorgeworfen werden. Weil dem Staat im Rahmen der Erfüllung seiner Schutzpflichten ein weites Ermessen zukommt, muss der Bürger dartun, dass die öffentliche Gewalt keine oder gänzlich ungeeignete Maßnahmen getroffen hat.[134] 35

---

[125] *Sachs*, in: Stern, Das Staatsrecht der Bundesrepublik Deutschland, Bd. IV/1, 2006, S. 1201 ff. unter Hinweis auf Art. 123 WRV; *Schulze-Fielitz*, in: Dreier, GG, 3. Aufl. 2013, Art. 8 Rn. 28; Sachs/*Höfling*, GG, 9. Aufl. 2021, Art. 8 Rn. 18; *Michael/Morlok*, Grundrechte, 7. Aufl. 2020, Rn. 266, 272; *Kingreen/Poscher*, Grundrechte Staatsrecht II, 36. Aufl. 2020, Rn. 811 f.

[126] BVerfG, Urt. v. 13.6.2007, 1 BvR 1783/05, BVerfGE 119, 1, 23, 27 – Esra.

[127] BVerfG, Beschl. v. 26.6.2002, 1 BvR 670/91, BVerfGE 105, 279, 300.

[128] *Kingreen/Poscher*, Grundrechte Staatsrecht II, 36. Aufl. 2020, Rn. 293 f.

[129] S. *P. Huber*, JZ 2003, 290, 293; *Dreier*, in: Dreier, GG, 3. Aufl. 2013, Vorb. vor Art. 1 Rn. 127 f. gegen die unpräzise Prüfung durch BVerfG, Beschl. v. 26.6.2002, 1 BvR 558/91 u.a., BVerfGE 105, 252, 268 – Glykol.

[130] BVerwG, Beschl. v. 25.7.1972, I WB 127/72, BVerwGE 46, 1, 7 – Haartracht; BVerwG, Urt. v. 29.7.1977, IV C 51/75, BVerwGE 54, 211, 223.

[131] *Möllers*, Rechtsgüterschutz im Umwelt- und Haftungsrecht, 1996, S. 43 ff.; Sachs/*Rixen*, GG, 9. Aufl. 2021, Art. 2 Rn. 163.

[132] BVerfG, Beschl. v. 14.1.1981, 1 BvR 612/72, BVerfGE 56, 54, 78 ff. – Fluglärm.

[133] BVerfG, Beschl. v. 13.6.2007, 1 BvR 1783/05, BVerfGE 119, 1, 27 ff. – Esra; BVerfG, Beschl v. 26.2.2008, 1 BvR 1602/07 u.a., BVerfGE 120, 180, 211 ff. – Caroline von Hannover III.

[134] BVerfG, Beschl. v. 29.10.1987, 2 BvR 624/83 u.a., BVerfGE 77, 170, 215 – Lagerung chemischer Waffen.

36 c) Von den Freiheitsrechten unterscheiden sich die **Gleichheitsrechte**, weil sie eine Relation zu Dritten verlangen.[135] Alle Menschen sind vor dem Gesetz gleich (Art. 3 Abs. 1 GG); dieser Grundsatz ist nicht nur deskriptiv, sondern normativ zu verstehen. Konkretisierend gilt er im Verhältnis der Geschlechter (Art. 3 Abs. 2 GG), aber auch für bestimmte Diskriminierungsmerkmale, wie Abstammung, Rasse und Sprache (Art. 3 Abs. 3 GG).[136] Es verlangt keine schematische Gleichbehandlung, sondern nur, dass „Gleiches gleich, Ungleiches seiner Eigenart entsprechend verschieden"[137] zu behandeln ist. Die rechtserhebliche Ungleichbehandlung verlangt zwei Personengruppen, die über ein *gemeinsames Merkmal, das „tertium comparationis*" verfügen.[138] Eine solche Vergleichssuche fällt oft schwerer als gedacht, lassen sich auf der Welt doch keine zwei Sachverhalte denken, die nicht in irgendeiner Beziehung gleich oder zwei ähnliche Sachverhalte, die nicht in irgendeiner Form ungleich wären.[139] So sind Arbeiter und Angestellte einerseits ungleich,[140] andererseits aber auch beides Arbeitnehmer und somit gleich.[141] Es bietet sich deshalb an, auf dieser Stufe nur absurde Vergleichspaare auszuscheiden und ansonsten die Prüfung auf die Rechtfertigung zu konzentrieren (§ 10 Rn. 39 f.).[142]

3. Rechtfertigung des Eingriffs (Schranke)

37 a) Naheliegenderweise können Grundrechte nicht grenzenlos gelten. Dies würde zu unlösbaren Konflikten führen. Prägnant lautet die Formulierung: „My right to swing my fist ends just where the other man's nose begins."[143] Damit müssen Grundrechte verschiedener Berechtigter ausgeglichen, aber auch Gemeinwohlbelange berücksichtigt werden. Historisch gesehen wollen Grundrechte staatliche Macht und Willkür begrenzen. Daher verlangte schon die französische Menschenrechtsdeklaration, Beschränkungen nur durch Gesetze anzuordnen, die ihrerseits nur durch die Volksvertreter beschlossen werden dürfen.[144] Im Grundgesetz finden sich zahlreiche Eingriffsermächtigungen, also ausdrückliche **Gesetzesvorbehalte**, welche das Grundrecht einschränken können.[145] Art. 2 Abs. 1 GG erlaubt jedem das Recht auf freie Entfaltung der Persönlichkeit, soweit er nicht „die Rechte anderer verletzt" oder „gegen die verfassungsmäßige Ordnung oder das Sittengesetz" verstößt.

38 b) Es gibt jedoch auch Grundrechte, die keinen Gesetzesvorbehalt vorsehen, wie z.B. die Kunst- oder Forschungsfreiheit gem. Art. 5 Abs. 3 S. 1 GG. Das BVerfG lässt lediglich

---

[135] *Heun*, in: Dreier, GG, 3. Aufl. 2013, Art. 3 Rn. 19; *Schwabe*, Probleme der Grundrechtsdogmatik, 1977, S. 23 ff. Den Begriff „relationales Grundrecht" verwendet *Volkmann*, Staatsrecht II Grundrechte, 3. Aufl. 2020, § 19 Rn. 26.

[136] Auch die Inländerdiskriminierung, die europarechtlich nicht relevant ist, ist an Art. 3 Abs. 1 GG zu messen (s. § 2 Rn. 91).

[137] BVerfG, Urt. v. 17.12.1953, 1 BvR 147/52, BVerfGE 3, 58, 135 f.; *H.H. Rupp*, in: FG BVerfG, Bd. II, 1976, S. 364 ff.

[138] Sachs/*Nußberger*, GG, 9. Aufl. 2021, Art. 3 Rn. 1, 80 ff. Der Bezug auf einen verallgemeinernden Gedanken wurde schon im Rahmen der Einzel- bzw. Gesamtanalogie (§ 6 Rn. 112, 140) sowie von der Vergleichsfallmethode (§ 7 Rn. 46) thematisiert.

[139] *Volkmann*, Staatsrecht II Grundrechte, 3. Aufl. 2020, § 19 Rn. 38.

[140] Angestellte sind Arbeitnehmer, die beispielsweise Bürotätigkeiten ausüben, kaufmännische Dienste oder andere höhere nicht kaufmännische Tätigkeiten ausführen, Arbeiter dagegen Arbeitnehmer, die oft körperliche Tätigkeit ausüben.

[141] Das BVerfG, Beschl. v. 30.5.1990, 1 BvL 2/83 u.a., BVerfGE 82, 126, 149 ff. bejahte einen Gleichheitsverstoß wegen unterschiedlich langer Kündigungsfristen zwischen Arbeitern und Angestellten.

[142] *Volkmann*, Staatsrecht II Grundrechte, 2. Aufl. 2011, § 19 Rn. 35.

[143] *Chafee*, 32 Harv. L. Rev. 932, 957 (1919); s. auch Art. 4 Déclaration des droits de l'homme et du citoyen: „Die Freiheit besteht darin, alles tun zu dürfen, was einem anderen nicht schadet."

[144] Art. 5 Déclaration des droits de l'homme et du citoyen (§ 1 Fn. 261): „Nur das Gesetz hat das Recht, Handlungen, die der Gesellschaft schädlich sind, zu verbieten."

[145] Vgl. Artt. 2 Abs. 1, Abs. 2 S. 3; 5 Abs. 2; 10 Abs. 2; 13 Abs. 3; 14 Abs. 1 S. 2 GG.

„**kollidierende Grundrechte** oder ungeschriebene mit Verfassungsrang ausgestattete Rechtswerte" als Schranken zu.[146] In vielen Entscheidungen konkretisierte die Rechtsprechung die mit Verfassungsrang ausgestatteten Rechtswerte.[147] An dieser Rechtsprechung wird kritisiert, dass sich solche Rechtswerte nicht im Wortlaut der Verfassung wiederfänden und die Verfassung die Funktionsfähigkeit des Staates voraussetze, sie aber nicht garantieren müsse.[148] Vor allem würden Grundrechte relativiert, etwa wenn dem Grundrecht auf Kriegsdienstverweigerung (Art. 4 Abs. 3 GG) die verfassungsrechtliche Grundentscheidung für eine wirksame Landesverteidigung gegenübergestellt würde.[149] Weil die Verfassung Eingriffe in vorbehaltlos gewährleistete Grundrechte nicht explizit vorsieht, sollten diese nur ausnahmsweise stattfinden.[150] Das bedeutet einen *prima-facie*-Vorrang der individuellen Rechte gegenüber den kollektiven Gütern.[151]

c) Ein Verstoß gegen das **Grundrecht auf Gleichbehandlung** wird üblicherweise in zwei Schritten geprüft: Die Ungleichbehandlung ist zuerst festzustellen, bevor ein Verstoß dann möglicherweise gerechtfertigt sein kann.[152] Differenzierungsgebote finden sich zum Teil schon in der Verfassung.[153] **39**

Früher führte das BVerfG nur eine Willkürprüfung durch, wonach „wesentlich Gleiches weder willkürlich ungleich, noch wesentlich Ungleiches willkürlich gleich behandelt werden" durfte.[154] Nach der neuen Formel ist das Gleichheitsgebot verletzt, „wenn eine Gruppe von Normadressaten im Vergleich zu anderen Normadressaten anders behandelt wird, obwohl zwischen beiden Gruppen keine Unterschiede von solcher Art und solchem Gewicht bestehen, dass sie die ungleiche Behandlung rechtfertigen können."[155] Das BVerfG verbindet nun beide Ansätze miteinander.[156] Als Faustformel wird man formulieren können, dass die Rechtfertigung umso umfangreicher ausfallen muss, je stärker sich die zu prüfende Maßnahme über die vorhandene Gleichheit hinwegsetzt.[157] Im Rahmen der Verhältnismäßigkeit werden auch die Kriterien der *Systemgerechtigkeit*, *Folgerichtigkeit* und *Sachgerechtigkeit* geprüft.[158] Dies hat v.a. im Steuerrecht einen großen Einfluss.[159] Im Ergebnis wird das Vorgehen als leistungsfähiges Prüfprogramm gelobt.[160] **40**

---

[146] BVerfG, Beschl. v. 26.5.1970, 1 BvR 83/69 u.a., BVerfGE 28, 243, 261 – Dienstpflichtverweigerung.

[147] Dazu gehören die Sicherung der Existenz und Funktionsfähigkeit des Staates sowie Gemeinwohlbelange wie die Landesverteidigung, die Rechtspflege, Kranken- und Energieversorgung, die Volkgesundheit, aber auch die natürlichen Lebensgrundlagen (Art. 20a GG), Überblick bei *Stern*, in: FS 50 Jahre BVerfG, Bd. II, 2001, S. 1, 15 f.

[148] *Maus*, Rechtstheorie 20 (1989), 191, 196.

[149] Sondervotum *Böckenförde* und *Mahrenholz*, in: BVerfG, Urt. v. 24.4.1985, 2 BvF 2/83 u.a., BVerfGE 69, 1, 57, 63 – Dienstpflichtverweigerung.

[150] *Kingreen/Poscher*, Grundrechte Staatsrecht II, 36. Aufl. 2020, Rn. 387.

[151] So *Dworkin*, Taking Rights Seriously, 1977, S. 92 ff., der Grundrechte als „principles" und Gemeinwohlbelange nur als „policies" einstuft. Zustimmend *Alexy*, Recht, Vernunft, Diskurs, 1995, S. 225 ff.; *ders.*, Theorie der Grundrechte, 8. Aufl. 2018, S. 517; *Röhl/Röhl*, Allgemeine Rechtslehre, 3. Aufl. 2008, S. 665.

[152] *Heun*, in: Dreier, GG, 3. Aufl. 2013, Art. 3 Rn. 26; *Dreier* (ebd.), Vorb. vor Art. 1 Rn. 151.

[153] Wie dem Schutz von Ehe und Familie (Art. 6 Abs. 1 GG), der Mutter (Art. 6 Abs. 4 GG), der Glaubensfreiheit (Art. 4 Abs. 1 GG) oder der besonderen Rolle des Berufsbeamtentums (Art. 33 Abs. 5 GG).

[154] S. BVerfG, Urt. v. 16.3.1955, 2 BvK 1/54, BVerfGE 4, 144, 155 – Abgeordneten-Entschädigung; zurückgehend auf *Leibholz*, Die Gleichheit vor dem Gesetz, 2. Aufl. 1959, S. 72 ff.

[155] BVerfG, Beschl. v. 7.10.1980, 1 BvL 50/79 u.a., BVerfGE 55, 72, 88; BVerfG, Beschl. v. 21.6.2011, 1 BvR 2035/07, BVerfGE 129, 49, 69.

[156] BVerfG, Beschl. v. 26.1.1993, 1 BvL 38/92 u.a., BVerfGE 88, 87, 96 f.; zustimmend *Volkmann*, Staatsrecht II Grundrechte, 3. Aufl. 2020, § 19 Rn. 44; Sachs/*Nußberger*, GG, 9. Aufl. 2021, Art. 3 Rn. 30.

[157] *Volkmann*, Staatsrecht II Grundrechte, 3. Aufl. 2020, § 19 Rn. 33.

[158] Sachs/*Nußberger*, GG, 9. Aufl. 2021, Art. 3 Rn. 18, 98 ff.

[159] Sachs/*Nußberger*, GG, 9. Aufl. 2021, Art. 3 Rn. 142 ff.

[160] *Volkmann*, Staatsrecht II Grundrechte, 3. Aufl. 2020, § 19 Rn. 33.

4. Grenzen der Einschränkbarkeit (Schranken-Schranke), insbesondere Verhältnismäßigkeit

41 a) Wenn die Verfassung es erlaubt, Grundrechte zu beschränken, müssen diese Schranken ihrerseits Schranken unterliegen. Der Begriff Schranken-Schranke bezeichnet die allgemeinen Anforderungen, die für Grundrechtseinschränkungen zu beachten sind.[161] So bestimmt Art. 104 Abs. 1 S. 2 GG, dass festgehaltene Personen weder seelisch noch körperlich misshandelt werden dürfen. Der Gesetzesvorbehalt des Art. 2 Abs. 2 S. 3 GG, der besagt, dass in das Recht auf Leben, körperliche Unversehrtheit und die Freiheit der Person aufgrund eines Gesetzes eingegriffen werden darf, wird also seinerseits eingeschränkt. Schranken-Schranken bilden insoweit die Grundrechte selbst, der Parlamentsvorbehalt, der Verhältnismäßigkeitsgrundsatz, die Wesensgehaltsgarantie, das Verbot des einschränkenden Einzelfallgesetzes, das Zitiergebot, das Bestimmtheitsgebot und das Rückwirkungsverbot.[162]

42 b) Die bedeutsamste Schranken-Schranke ist der **Verhältnismäßigkeitsgrundsatz**. Das Verhältnismäßigkeitsprinzip wird auch als *Übermaßverbot*[163] bezeichnet, weil es verbietet, mehr als nötig in das Grundrecht einzugreifen. Dem liegt die Überlegung zugrunde, dass staatliches Handeln nur soweit in Grundrechte eingreifen darf, wie dies unerlässlich ist, weil der Eingriff als Ausnahme gegenüber der garantierten Freiheit immer der Rechtfertigung bedarf.[164] Ohne Prüfung des Verhältnismäßigkeitsgrundsatzes müsste der Schutzbereich deutlich stärker ausdifferenziert werden durch eine unübersichtliche Kasuistik fallgruppenspezifischer Abgrenzungen von grundrechtlich geschütztem und nicht geschütztem Verhalten.[165] Methodisch lässt er sich auch im Recht nachweisen. Er fand sich schon im preußischen Polizeirecht[166] und findet sich dort auch heute noch, Art. 4 BayPAG. Die ausdrückliche, einfachgesetzliche Klarstellung in Art. 4 BayPAG dürfte dem besonders eingriffsintensiven Charakter des BayPAG und der besonderen Schutzwürdigkeit der typischerweise betroffenen Grundrechte geschuldet sein. Er ergibt sich heute entweder als allgemeiner Rechtsgedanke aus dem überpositiven Recht[167] oder der Verfassung, wie dem Rechtsstaatsprinzip oder den Grundrechten selbst.[168] Im europäischen Recht findet er sich ausdrücklich in Art. 52 GRCh (§ 10 Rn. 57).

42a Der Verhältnismäßigkeitsgrundsatz dient der Rationalitätskontrolle.[169] Für die Grundrechtsprüfung ist er von überragender Bedeutung, da es kaum eine Entscheidung gibt, in der er keine Rolle spielt.[170] Er gehört zu den Exportschlagern des deutschen Rechts;[171] so

---

[161] Der Begriff geht wohl auf *Bettermann*, Grenzen der Grundrechte, 1968, S. 5 zurück; s. *Stern*, in: ders., Das Staatsrecht der Bundesrepublik Deutschland, Bd. III/2, 1994, S. 693; Sachs/*Sachs* (ebd.), Vor Art. 1 Rn. 134.

[162] *Kingreen/Poscher*, Grundrechte Staatsrecht II, 36. Aufl. 2020, Rn. 326 ff.

[163] *Lerche*, Übermaß und Verfassungsrecht, 1961.

[164] *Alexy*, Theorie der Grundrechte, 8. Aufl. 2018, S. 100 ff.; *von Arnauld*, JZ 2000, 276, 279; *Schlink*, in: FS 50 Jahre BVerfG, Bd. II, 2001, S. 445, 448. **A.A.** *Medicus*, AcP 192 (1992), 35, 53 f: nur Mittel zur Auslegung der Verfassung.

[165] *Lepsius*, in: Jestaedt/Lepsisus, Verhältnismäßigkeit, 2015, S. 1, 4.

[166] So bereits *Svarez*, in: Conrad/Kleinheyer, Vorträge über Recht und Staat, 1960, 485, 486 f.: „Da es nun der erste Grundsatz des öffentlichen Staatsrechts ist, daß der Staat die Freiheit der einzelnen nur so weit einzuschränken berechtigt sei, als es notwendig ist, damit die Freiheit und Sicherheit aller bestehen könne"; vgl. PrOVG, Urt. v. 13.2.1884, C 190/83, PrOVGE 10, 322, 326; PrOVG, Urt. v. 18.9.1896, B 40/96, PrOVGE 31, 409, 410; vertiefend hierzu *Schoch*, Der Staat 2004, 347 ff.

[167] *Köhler*, GRUR 1996, 82.

[168] Ähnlich BVerfG, Beschl. v. 15.12.1965, 1 BvR 513/65, BVerfGE 19, 342, 349 – Untersuchungshaft: „aus dem Rechtsstaatsprinzip, im Grund bereits aus dem Wesen der Grundrechte selbst."

[169] *Petersen*, Verhältnismäßigkeit als Rationalitätskontrolle, 2015, S. 161 ff.

[170] *Dreier*, in: Dreier, GG, 3. Aufl. 2013, Vorb. vor Art. 1 Rn. 145.

[171] *Sweet/Mathews*, 47 Colum. J. Transnat'l L. 73, 74, 97 ff., 113 ff. (2008); *Barak*, Proportionality. Constitutional Rights and their Limitations, 2012, S. 181 ff.; *Saurer*, Der Staat 51 (2012), 3, 4 ff.

ist er etwa auch im europäischen Recht bei der Prüfung der Grundfreiheiten anerkannt (§ 10 Rn. 70 ff.). Trotz gelegentlicher Ausreißer (§ 10 Rn. 52b) kommen die Entscheidungen des BVerfG regelmäßig zu sachgerechten Ergebnissen. Die Verhältnismäßigkeit verlangt einen (aa) legitimen Zweck sowie (bb) die Geeignetheit, (cc) Erforderlichkeit und (dd) Angemessenheit der Maßnahme.

(aa) Mit dem Eingriff muss ein **legitimer Zweck** verfolgt werden. Denn nur unter Bezugnahme auf den Zweck lässt sich die Verhältnismäßigkeit überprüfen.[172] Allerdings wird das Ziel des Gesetzgebers regelmäßig legitim sein. Es würde nur dann fehlen, wenn der Gesetzgeber mit seiner Maßnahme ein vom Grundgesetz überhaupt nicht geschütztes Rechtsgut fördern will. 43

(bb) **Geeignetheit** bedeutet, dass das vom Staat gewählte Mittel zur Erreichung des Zwecks überhaupt tauglich ist. Dabei reicht die Möglichkeit aus, dass der Zweck erreicht oder zumindest gefördert[173] wird. Dem Gesetzgeber steht hier ein Prognosespielraum zu.[174] Als ungeeignet wurde es beispielsweise angesehen, wenn für den Falknerjagdschein waffentechnische und waffenrechtliche Kenntnisse verlangt werden, obwohl bei der Jagd gar keine Waffen eingesetzt werden.[175] 44

(cc) Eine Maßnahme muss **erforderlich** sein; das ist sie nicht, wenn es ein gleichermaßen geeignetes, aber milderes Mittel gibt und damit einen weniger einschneidenden Grundrechtseingriff. Es geht dabei um einen Vergleich verschiedener geeigneter Mittel. Dies ist die Idee der Pareto-Optimalität (§ 5 Rn. 124): Eine Position kann verbessert werden, ohne dass die andere verschlechtert wird.[176] Damit ist zu prüfen, ob der Eingriff weniger intensiv ausfallen kann, ohne dass Abstriche beim Schutz kollidierender Grundrechte oder Gemeinschaftsgüter hingenommen werden müssen.[177] Auch hierfür wird dem Gesetzgeber ein Beurteilungs- und Prognosespielraum eingeräumt. Wenn Osterhasen aus Puffreis mit Hasen aus Schokolade verwechselt werden können, reicht es zum Schutz der Kunden aus, die Osterhasen als „Puffreis massiv in Kakaocreme gebunden" zu kennzeichnen, weil eine Kennzeichnungspflicht ein weniger einschneidendes Mittel ist als ein Verkaufsverbot.[178] 45

(dd) Die **Angemessenheit** wird auch Proportionalität, Zumutbarkeit oder Verhältnismäßigkeit im engeren Sinne genannt.[179] Das Mittel der Maßnahme muss zumutbar sein, d.h. es darf nicht außer Proportion zu dem erwünschten Erfolg oder Zweck stehen.[180] Es verlangt eine Gesamtabwägung zwischen den Auswirkungen für den Betroffenen einerseits und den entgegenstehenden öffentlichen Interessen oder Grundrechten Dritter andererseits. Dabei kann auf die Überlegungen zur Abwägung aufgebaut werden, die eingangs entwickelt wurden (§ 10 Rn. 11 ff.). 46

Wenn es bei der abstrakten Abwägung zugunsten eines Grundrechts keinen Vorrang oder eine Vermutungswirkung gibt (§ 10 Rn. 23), verlangt die *praktische Konkordanz,* widerstreitende Grundrechte im konkreten Fall zu einer optimalen Anwendung und zu ei- 47

---

[172] *Dreier,* in: Dreier, GG, 3. Aufl. 2013, Vorb. vor Art. 1 Rn. 146.

[173] *Grzeszick,* in: Maunz/Dürig, GG, 92. EL August 2020, Art. 20 VII. Rn. 112.

[174] Differenzierend BVerfG, Urt. v. 1.3.1979, 1 BvR 532/77 u.a., BVerfGE 50, 290, 332 f. – Mitbestimmung.

[175] BVerfG, Beschl. v. 5.11.1980, 1 BvR 290/78, BVerfGE 55, 159, 166 – Falknerjagdschein.

[176] *Alexy,* 16 Ratio Juris 131, 135 (2003): „One position can be improved without detriment to another."

[177] *Sieckmann,* Regelmodelle und Prinzipienmodelle des Rechtssystems, 1990, S. 224 f.; *van Aaken,* „Rational Choice" in der Rechtswissenschaft, 2003, S. 329; Zu einem ähnlichen Fall im Rahmen der ökomischen Analyse des Rechts, s. § 15 Rn. 13 ff.

[178] BVerfG, Beschl. v. 16.1.1980, 1 BvR 249/79, BVerfGE 53, 135, 145 f. – Schokoladenosterhase; für europäische Grundfreiheiten s. § 10 Rn. 72.

[179] *Stern,* in: FS 50 Jahre BVerfG, Bd. II, 2001, S. 1, 33 f.

[180] *Röhl/Röhl,* Allgemeine Rechtslehre, 3. Aufl. 2008, S. 656: „Man darf nicht mit Kanonen auf Spatzen schießen."

nem schonenden Ausgleich zu bringen.[181] Die Wechselwirkungslehre ist ein spezieller Fall der verfassungskonformen Auslegung im Rahmen der Meinungsfreiheit des Art. 5 Abs. 1 GG. Der Lebach-Fall verdeutlicht diese praktische Konkordanz verschiedener Grundrechte. Hier konstruierte das BVerfG zwei *gegenläufige Vermutungsregeln* und versah diese zudem mit je einer Ausnahme:

48 *Lebach:* Lebach hatte mehrere Soldaten getötet und war zu sechs Jahren Gefängnis verurteilt worden. Zwei Jahre nach der Tat wollte das ZDF einen Dokumentarfilm über Lebach ausstrahlen, in dem der Mörder mit Namen und Bild vorgestellt wurde. Das BVerfG hob das zivilrechtliche Urteil auf, in welchem die Ausstrahlung nicht untersagt wurde.

49 Das BVerfG thematisiert die Relevanz der Grundrechte erst abstrakt. Dann wendet es die Grundrechte auf den konkreten Fall an und bejaht als *erste Vermutungsregel* ein Informationsinteresse der Öffentlichkeit und insoweit ein Recht der Presse gem. Art. 5 Abs. 1 GG, diese Informationen zu veröffentlichen, das dem Recht des Strafgefangenen auf Nichtveröffentlichung grundsätzlich vorgehe.[182] Dieser wird eine gegenläufige *zweite Vermutungsregel* gegenübergestellt: Die Veröffentlichung stellt einen starken Eingriff in das Persönlichkeitsrecht des Betroffenen gem. Art. 2 Abs. 1 GG dar. Deshalb kann ab einem bestimmten Punkt das Interesse der Öffentlichkeit an Information gegenüber dem Interesse des Täters auf Vertraulichkeit *zurücktreten*, nämlich wenn sein Recht auf Resozialisierung beeinträchtigt würde.

50 Von diesen beiden Vermutungsregeln gibt es *jeweils wieder eine Ausnahmeklausel*: Die Berichterstattung wird durch die Verhältnismäßigkeitsprüfung weiter eingeschränkt und kann die Identifikation des Täters ausschließen. Die Vermutung auf Resozialisierung nach einer angemessenen Zeitspanne kann u.U. bei einem besonderen historischen Interesse nicht gelten.[183] So formuliert das BVerfG:

51 „Wägt man das umschriebene Informationsinteresse an einer entsprechenden Berichterstattung im Fernsehen generell gegen den damit zwangsläufig verbundenen Einbruch in den Persönlichkeitsbereich des Täters ab, so *verdient für die aktuelle Berichterstattung über Straftaten das Informationsinteresse im allgemeinen den Vorrang*. [...] Freilich gilt dieser Vorrang des Informationsinteresses *nicht schrankenlos*. Die zentrale verfassungsrechtliche Bedeutung des Persönlichkeitsrechts verlangt neben der Rücksicht auf den unantastbaren innersten Lebensbereich (vgl. BVerfGE 32, 373 [379] mit weiteren Nachweisen) die strikte Beachtung des Grundsatzes der Verhältnismäßigkeit: Der Einbruch in die persönliche Sphäre darf nicht weiter gehen, als eine angemessene Befriedigung des Informationsinteresses dies erfordert, und die für den Täter *entstehenden Nachteile* müssen im rechten Verhältnis zur Schwere der Tat oder ihrer sonstigen Bedeutung für die Öffentlichkeit stehen. Danach ist eine Namensnennung, Abbildung oder sonstige Identifikation der Täter keineswegs immer zulässig.[...]

Insgesamt ist somit eine wiederholte, nicht mehr durch das aktuelle Informationsinteresse gedeckte Fernsehberichterstattung über eine schwere Straftat jedenfalls dann unzulässig, wenn sie die Resozialisierung des Täters gefährdet. Die für die soziale Existenz des Täters lebenswichtige Chance, sich in die freie Gesellschaft wieder einzugliedern, und das Interesse der Gemeinschaft an seiner *Resozialisierung gehen grundsätzlich dem Interesse an einer weiteren Erörterung der Tat vor.* Ob und wieweit hier *Ausnahmen denk-*

---

[181] *Lerche*, Übermaß und Verfassungsrecht, 1961, S. 152 f.; *Hesse*, Grundzüge des Verfassungsrechts der Bundesrepublik Deutschland, 20. Aufl. 1999, Rn. 72, 318; BVerfG, Beschl. v. 27.1.1998, 1 BvL 15/87, BVerfGE 97, 169, 176 – Kleinbetriebsklausel I: „Die kollidierenden Grundrechtspositionen sind in ihrer Wechselwirkung zu erfassen und so zu begrenzen, daß sie für alle Beteiligten möglichst weitgehend wirksam werden."

[182] Zu dieser Vorrangregel bereits oben § 10 Fn. 96.

[183] Hierzu *Alexy*, Theorie der Grundrechte, 8. Aufl. 2018, S. 84 ff., 139 f., 150 f.; *ders.*, ARSP Beiheft 25 (1985), 13, 25 ff.; *Bumke/Voßkuhle*, Casebook Verfassungsrecht, 8. Aufl. 2020, Rn. 147 ff.

bar sind, etwa bei einem überragenden historischen Interesse, bei wissenschaftlichen oder anderen Sendungen, die sich nur an einen begrenzten Zuschauerkreis wenden, bedarf keiner Prüfung, weil diese Voraussetzungen hier fehlen."[184]

Dem Staat steht hinsichtlich der Art und Weise, wie er seinen **Schutzpflichten** nachkommt, ein Ermessen zu. Es besteht damit nur eine Pflicht zur Gewährleistung eines gewissen Schutzniveaus („ob"), nicht aber bezogen auf das „wie" der Umsetzung.[185] Bei der Prüfung der Angemessenheit eines staatlichen Unterlassens nahm das BVerfG ursprünglich nur eine Evidenzkontrolle vor, indem es fragte, ob die Einschätzung des Gesetzgebers „offensichtlich fehlsam" war.[186] Inzwischen entwickelte auch hier das BVerfG seine Rechtsdogmatik weiter und nimmt eine *Vertretbarkeitskontrolle* vor, indem es prüft, ob der Gesetzgeber die einschlägigen Erkenntnisquellen berücksichtigt und ausgeschöpft hat.[187] **52**

In der Kruzifix-Entscheidung zogen Eltern vor Gericht, weil in bayerischen Schulzimmern Kruzifixe angebracht sind und verlangten, dass diese aus den Klassenzimmern entfernt werden. Das Bundesverfassungsgericht gab den Klägern Recht, weil die positive Religionsfreiheit des Art. 4 Abs. 1 GG und der staatliche Erziehungsauftrag des Art. 7 Abs. 1 GG gegenüber der negativen Religionsfreiheit zurücktreten müsse. Das Kreuz würde die Empfindungen Andersdenkender völlig zurückdrängen und zum Christentum gehöre auch der Gedanke der Toleranz.[188] **52a**

Die Entscheidung ist auf massiven Protest in der Öffentlichkeit gestoßen (§ 5 Rn. 104), weil sie übersieht, dass religiöse Symbole auch gleichzeitig kulturelle Symbole sein können und dieses kulturelle Selbstverständnis der Gemeinschaft in die Abwägung mit einbezogen hätte werden müssen.[189] Zudem wäre zu fragen, ob die (fehlende) Toleranz der Minderheit so weit gehen darf, dass sie das Abhängen des Kreuzes erzwingen kann.[190] Im Ergebnis bewertet das Gericht wenig überzeugend politische Ziele[191]; die Entscheidungen ist zu Recht als Ausreißer qualifiziert worden.[192] **52b**

Vertiefung – *Abschuss einer Passagiermaschine:* § 14 Abs. 3 Luftsicherheitsgesetz ermächtigte dazu, ein von Geiselnehmern entführtes Passagierflugzeug abzuschießen, um das Leben Dritter zu retten. Ist das Gesetz verfassungskonform?[193] **53**

[184] BVerfG, Urt. v. 5.6.1973, 1 BvR 536/72, BVerfGE 35, 202, 237 f. – Lebach.

[185] *Hesse*, Grundzüge des Verfassungsrechts der Bundesrepublik Deutschland, 20. Aufl. 1999, Rn. 72, 350. BVerfG, Beschl. v. 24.3.2021, 1 BvR 2656/18 u.a., BeckRS 2021, 8946 Rn. 182 ff., 192 – KSG. S. unten § 11 Rn. 9 f.

[186] BVerfG, KBeschl. v. 26.5.1998, 1 BvR 180/88, NJW 1998, 3264, 3266 – Waldsterben. Vorher eine Rechtsfortbildung bereits ablehnend BGH, Urt. v. 10.12.1987, III ZR 220/86, BGHZ 102, 350, 365 – Waldsterben.

[187] BVerfG, Urt. v. 1.3.1979, 1 BvR 532/77 u.a., BVerfGE, 50, 290, 332 f. – Mitbestimmung.

[188] BVerfG, Beschl. v. 16.5.1995, 1 BvR 1087/91, BVerfGE 93, 1, 23 f. – Kruzifix.

[189] *Heckel*, DVBl. 1996, 453, 482; *Höffe*, Der Staat 38 (1999), 171, 191. Zum Gebot der Abwägungsvollständigkeit s. oben § 10 Rn. 8a.

[190] S. das abweichende Sondervotum *Seidl, Söllner, Haas* in: BVerfG, Beschl. v. 16.5.1995, 1 BvR 1087/91, BVerfGE 93, 1, 25, 28 – Kruzifix: „Er [Der Gesetzgeber] konnte ferner davon ausgehen, daß die Anbringung eines Kreuzes im Klassenzimmer wegen dessen Symbolcharakters für die überkonfessionellen christlich-abendländischen Werte und ethischen Normen auch von einem Großteil der einer Kirche fernstehenden Personen begrüßt oder wenigstens respektiert würde."

[191] Dementsprechend lehnte der EGMR, Urt. v. 18.3.2011, 30814/06, CE:ECHR:2011:0318JUD003081406, Rn. 77 – Lautsi u.a. v. Italy anders als das BVerfG einen Verstoß gegen die Religionsfreiheit ab.

[192] *Petersen*, Verhältnismäßigkeit als Rationalitätskontrolle, 2015, S. 159 f.

[193] S. unten § 15 Rn. 34 f.

54 **Grafik: Prüfung von Grundrechten**[194]

I. Schutzbereich
1. Sachlich: Schutzbereich oder Gewährleistungsgehalt, str.
2. Persönlich: Berechtigter (natürliche und juristische Person)

II. Eingriff in den Schutzbereich
1. Klassischer oder faktischer Eingriff des Staates
2. Unterlassen = Verletzung einer Schutzpflicht, Drittwirkung von Grundrechten (§ 11 Rn. 5 f.)

III. Rechtfertigung des Eingriffs (Schranke)
1. Gesetzesvorbehalt
2. Verfassungsimmanente Schranken: kollidierende Grundrechte oder mit Verfassungsrang ausgestattete Rechtswerte

IV. Schranken-Schranke, insbesondere Verhältnismäßigkeit
1. Legitimes Ziel
2. Geeignetheit: brauchbares Mittel, um Ziel zu erreichen
3. Erforderlichkeit: kein milderes, gleich effektives Mittel
4. Angemessenheit von Beeinträchtigung und Ziel

III. Abwägung europäischer Grundrechte und Grundfreiheiten

1. Vergleich der Konkretisierung von Grundrechten und Grundfreiheiten

55 Auch die europäischen Grundrechte und Grundfreiheiten müssen konkretisiert werden, weil der Wortlaut wiederum sehr knapp formuliert ist. Daher haben sich verschiedene Prüfungsschritte herausgebildet, die sich weitgehend an der Prüfung unserer deutschen Grundrechte orientieren. Wie bei den deutschen Grundrechten gibt es auch bei den europäischen Grundrechten ein Prüfschema, das aber zwischen Anwendbarkeit, Schutzbereich, Beeinträchtigung und Rechtfertigung differenziert.[195] Damit ist für die rechtsvergleichende Arbeit (§ 7 Rn. 78 ff.) viel gewonnen.

56 Zudem bestehen weitere Unterschiede: Bei den europäischen Grundrechten wird die Angemessenheit nicht als eigener Punkt i. R. d. Verhältnismäßigkeit geprüft (§ 10 Rn. 73). Gewichtiger ist vielleicht noch der Umstand, dass in Deutschland die Prüfungsintensität des BVerfG besonders stark in das Recht des Parlaments einschneidet, Gesetze zu erlassen. Das „judicial self-restraint" vermisst man bei diesem „judicial activism" (§ 13 Rn. 100).[196] Dagegen gestehen der EuGH (§ 10 Rn. 57b) und der EGMR (§ 13 Rn. 120) den Mitgliedstaaten gelegentlich das Ermessen zu, selbst zu beurteilen, ob ein bestimmtes Verhalten rechtswidrig ist. Hier ist zwischen der Auslegung und der Anwendung europäischen Rechts zu differenzieren (§ 12 Rn. 118).

[194] Prüfungsschemata finden sich bei *Kingreen/Poscher*, Grundrechte Staatsrecht II, 36. Aufl. 2020, Rn. 401 ff., 597; *Volkmann*, Staatsrecht II Grundrechte, 3. Aufl. 2020, §§ 4, 20; *Gallwas*, Grundrechte, 2. Aufl. 1995, Anh., S. 168 ff.; *Borowski*, Grundrechte als Rechtsprinzipien, 3. Aufl. 2018, S. 366 f., 415 ff., 531 f.

[195] *Ehlers*, in: ders., Europäische Grundrechte und Grundfreiheiten, 4. Aufl. 2014, § 14 Rn. 87 ff.; Calliess/Ruffert/*Kingreen*, EUV/AEUV, 5. Aufl. 2016, Art. 52 GRCh Rn. 45 ff.

[196] S. die Entscheidungen BVerfG, Urt. v. 26.2.2014, 2 BvE 2/13 u. a., BVerfGE 135, 259 – Drei-Prozent-Sperrklausel EuWG; BVerfG, Beschl. v. 7.7.2009, 1 BvR 1164/07, BVerfGE 124, 199 – Hinterbliebenenrente für Lebenspartner (§ 11 Rn. 63); BVerfG, Urt v. 2.3.2010, 1 BvR 256/08 u. a., BVerfGE 125, 260, 320 ff. – Vorratsdatenspeicherung; im Unterschied zu den Ausführungen des EuGH, s. unten § 10 Rn. 61.

2. Europäische Grundrechte

a) Die Quellen europäischer Grundrechte

aa) Die europäische Union versteht sich als Wertegemeinschaft.[197] Neben der Friedens- und Wirtschaftsidee ist sie auch Rechtsunion[198] und politische Union.[199] Die Grundrechte waren ursprünglich im EWGV nicht angelegt, sondern wurden durch das BVerfG auf europäischer Ebene eingefordert (§ 2 Rn. 95). Historisch bedingt sind Rechtsquellen heute die gemeinsamen Verfassungsüberlieferungen der Mitgliedstaaten, die EMRK und die europäische Grundrechtecharta, Art. 6 Abs. 1, 3 EUV. Die Grundrechte der Charta, die der EuGH prüft, gelten nur für die EU-Institutionen oder Mitgliedstaaten, wenn sie europäisches Recht durchführen bzw. anwenden, Art. 51 Abs. 1 GRCh. Anders als die deutschen Grundrechte enthalten die Grundrechte in der GRCh selbst keine ausdrücklichen Einschränkungen. Da Grundrechte aber nicht schrankenlos gelten, findet sich ein Hinweis auf mögliche Schranken und die Verhältnismäßigkeit ausdrücklich in Art. 52 Abs. 1 GRCh. Dies unterscheidet das europäische Recht vom US-amerikanischen Recht, das den Verhältnismäßigkeitsgrundsatz in dieser Form nicht kennt.[200] In Art. 52 Abs. 3 S. 1 GRCh wird zwar der Grundsatz aufgestellt, dass sich die Grundrechte der Charta und der EMRK entsprechen. Diese Kohärenz wird aber in S. 2 ausdrücklich wieder aufgehoben, so dass die Grundrechte der Charta unionsautonom weiter definiert werden können als die der EMRK.[201] 57

Der EuGH interpretiert aber nicht nur die GRCh, sondern greift daneben auf die *Werteklausel des Art. 2 EUV* zurück, die schon als unionsrechtliche Ewigkeitsklausel bezeichnet wird.[202] Generalanwalt Tanchev benennt zudem besonders wichtige Metaprinzipien des europäischen Rechts, wie das Sanktionsverfahren (Art. 7 EUV), die Antidiskriminierungsklausel (Art. 10 AEUV), die Wahrung nationaler Identität und Vielfalt (Art. 22 GRCh) und vor allem die Rechtsweggarantie des Art. 47 GRCh.[203] Diese setzt die Kommission mit dem Vertragsverletzungsverfahren gegenüber Migliedststaaten durch, etwa gegenüber Polen bei dem Versuch, das Ruhestandsalter von Richtern herabzusetzen.[204] Im Gutachten 1/17 zum Handels- und Investionsabkommen zwischen der EU und Kanada (CETA) umschreibt der EuGH den Kernbestand der europäischen Werte recht weit: 57a

„Die Autonomie der Unionsrechtsordnung besteht somit darin, dass die Union über einen eigenen verfassungsrechtlichen Rahmen verfügt. Hierzu gehören die in *Art. 2 EUV genannten ‚Werte, auf die sich die Union gründet'*, nämlich ‚die Achtung der Menschenwürde, Freiheit, Demokratie, Gleichheit, Rechtsstaatlichkeit und die Wahrung der Men- 57b

---

[197] *Möllers*, Die Rolle des Rechts im Rahmen der europäischen Integration, 1999, S. 4 ff.; *Calliess*, JZ 2004, 1033 ff.; s. Art. 2, 7, 49 EUV.

[198] Zur Idee der „Rechtsgemeinschaft" *Hallstein*, in: Oppermann, Europäische Reden, 1979, S. 341 ff.; deutlich Oppermann/*Classen*/*Nettesheim*, Europarecht, 7. Aufl. 2016, § 3 Rn. 26: „Die Rule of Law des Unionsrechts ist für die Verwirklichung der europäischen Idee unentbehrlich."; zustimmend *Voßkuhle*, JZ 2016, 161, 168.

[199] ErwG. 13 der Präambel des EUV: „der Schaffung einer immer engeren Union der Völker Europas."

[200] Zur Möglichkeit der punitive damages s. oben § 5 Rn. 145 und § 7 Rn. 86.

[201] Dies hat der EuGH auch schon getan, s. EuGH, Urt. v. 21.12.2016, C-203/15 u.a., EU:C:2016:970, Rn. 126 ff. – Tele2 Sverige; Streinz/*Streinz/Michl*, EUV/AEUV, 3. Aufl. 2018, Art. 52 GRCh Rn. 30 f. sprechen von „Anhebung" der Grundrechte.

[202] *Schorkopf*, JZ 2020, 477, 482.

[203] SchlA v. 9.11.2017, GA *Tanchev*, C-416/16, EU:C:2017:851, Rn. 93 – Egenberger.

[204] EuGH, Urt. v. 11.7.2019, C-619, EU:C:2019:531, Rn. 47, 96 – Kommission/Polen. S. auch EuGH, Urt. v. 18.6.2020, C-78/18, EU:C:2020:476, Rn. 143 – Kommission/Ungarn. Umfangreich *Ch. Möllers/Schneider*, Demokratiesicherung in der Europäischen Union, 2018, S. 40 ff.

> schenrechte', die allgemeinen Grundsätze des Unionsrechts, die Vorschriften der *Charta* und die Vorschriften des EU- und des AEU-Vertrags, zu denen insbesondere die Vorschriften über die Übertragung und Aufteilung von Zuständigkeiten, die Vorschriften über die Arbeitsweise der Unionsorgane und des Gerichtssystems der Union und die Grundregeln in speziellen Bereichen gehören, die so gestaltet sind, dass sie zur *Verwirklichung des Integrationsprozesses im Sinne von Art. 1 Abs. 2 EUV* beitragen (vgl. in diesem Sinne Gutachten 2/13 [Beitritt der Union zur EMRK] vom 18.12.2014, EU:C:2014: 2454, Rn. 158)."[205]

57c Umgekehrt hat der EuGH aber gelegentlich auch anerkannt, dass bestimmte Grundrechte in verschiedenen Mitgliedstaaten unterschiedlich ausgelegt werden können. Insoweit konnte in Deutschland ein Tötungsspiel verboten werden, auch wenn andere Mitgliedstaaten den Anwendungsbereich der Menschenwürde enger definieren.[206] Ein solcher Wertepluralismus ähnelt dem Gestaltungsspielraum bei der Anwendung von nationalen Grundrechten (§ 2 Rn. 102 ff.).

57d Im Einzelnen ist zudem umstritten, ob nationale und europäische Grundrechte getrennt werden können,[207] es zu einer Doppelgeltung von nationalen und europäischen Grundrechten kommen kann[208] und ob man mit der zunehmenden Bedeutung von EMRK und GRCh eine Verbundlösung von nationalen und europäischen Grundrechten entwickeln sollte.[209] Heftig umstritten ist auch die unmittelbare Drittwirkung von Unionsgrundrechten zwischen Privaten (§ 12 Rn. 10 ff.). Zwar gesteht der EuGH den nationalen Gerichten bei der Anwendung europäischen Rechts einen Gestaltungsspielraum zu; dies schließt aber nicht aus, dass er auch Unionsgrundrechte im Gestaltungsbereich der Mitgliedstaaten prüft. Umgekehrt hat der erste Senat des BVerfG in den beiden bahnbrechenden Entscheidungen Recht auf Vergessen I und II betont, nun europäische Grundrechte zu prüfen (§ 2 Rn. 95 ff.). Im Bereich, in welchem der Mitgliedstaat einen Gestaltungsspielraum besitzt, wird *vermutet*, dass deutsche Grundrechte die europäischen Grundrechte mitumfassen, so dass die nationalen Grundrechte im Zweifel **chartakonform auszulegen**[210] sind:

57e

> „Die primäre Anwendung der Grundrechte des Grundgesetzes bedeutet nicht, dass insoweit die Grundrechte-Charta ohne Berücksichtigung bleibt. Der Einbettung des Grundgesetzes wie auch der Charta in gemeinsame europäische Grundrechtsüberlieferungen entspricht es vielmehr, dass auch die *Grundrechte des Grundgesetzes im Lichte der Charta auszulegen sind.*"[211]

58 bb) Der *EGMR* prüft ausschließlich die EMRK. Auch der EGMR kennt den Grundsatz der Verhältnismäßigkeit.[212] Die EMRK kennt dagegen keine Abgrenzung zum nationalen Recht. Damit gilt die EMRK auch bei Maßnahmen von Institutionen des jeweiligen Mit-

[205] EuGH, Gutachten 1/17 v. 30.4.2019, EU:C:2019:341, Rn. 110. Zur Idee der dynamischen Integration des 13. ErwG. der Präambel des EUV, s. § 13 Rn. 119.

[206] EuGH, Urt. v. 14.10.2004, C-36/02, EU:C:2004:614, Rn. 37 – Omega.

[207] Für eine solche Forderung treten vor allem die Richter des BVerfG ein, BVerfG, Urt. v. 24.4.2013, 1 BvR 1215/07, BVerfGE 133, 277 Rn. 91; *Masing*, JZ 2015, 477, 481 ff.; *Voßkuhle*, JZ 2016, 161, 164.

[208] EuGH, Urt. v. 26.2.2013, C-617/10, EU:C:2013:105, Rn. 28 – Åkerberg Fransson; *Britz*, EUGRZ 2015, 275 ff.

[209] *Thym*, JZ 2015, 53, 57 ff.; allgemein bereits *Häberle*, Europäische Rechtskultur, 1997, S. 9 ff.

[210] Hilfreich für die Arbeit: *Dörr/Grote/Marauhn (Hrsg.)*, EMRK/GG, 2. Bde, 3. Aufl. 2021.

[211] BVerfG, Beschl. v. 6.11.2019, 1 BvR 16/13, BVerfGE 152, 152 Rn. 56, 60 – Recht auf Vergessen II.

[212] *Sweet/Mathews*, 47 Colum. J. Transnat'l L. 73, 145 ff. (2008) und oben § 10 Rn. 42a.

gliedstaates. Insoweit kann es zu einer Doppelprüfung kommen.[213] Hierbei gilt der Grundsatz der völkerrechtsfreundlichen Auslegung (§ 12 Rn. 130 ff.).

b) Rechtfertigung des Eingriffs (Schranken) und Verhältnismäßigkeit

59 Wie auch im deutschen Recht ist bei der Prüfung der Unionsgrundrechte die Verhältnismäßigkeitsprüfung als Teil der Rechtfertigung das Herzstück der Prüfung.[214] Wiederum muss die Maßnahme geeignet, erforderlich und angemessen sein.[215] In immer stärkerem Maße orientiert sich der EuGH an der Rechtsprechung des EGMR. Der Open-Door-Fall ist ein wichtiges Grundsatzurteil zur Abwägung zwischen der Meinungsfreiheit und den moralischen Vorstellungen des Staates:

60 *Open-Door:* In Irland war die Abtreibung in der Verfassung verboten; Schwangere konnten aber legal im Ausland einen Schwangerschaftsabbruch vornehmen lassen. Die irische Behörde verbot einer Studentenvereinigung, über die Möglichkeit eines legalen Schwangerschaftsabbruchs in einer niederländischen Klinik zu informieren. Die Studentenvereinigung berief sich vor dem EGMR auf die Meinungsfreiheit nach Art. 10 Abs. 1 EMRK. Die irische Regierung rechtfertigte den Eingriff mit dem Hinweis auf die moralischen Vorstellungen der Gesellschaft und den Gesundheitsschutz, Art. 10 Abs. 2 EMRK. Der EGMR prüfte intensiv die *Verhältnismäßigkeit* („proportionality test“) des Verbots:[216] Das Verbot sei *nicht erforderlich* („necessity“), weil die Meinungsfreiheit auch unerwünschte, schockierende Meinungen schütze, irische Frauen legal im Ausland eine Abtreibung vornehmen könnten und das Verbot absolut, also unabhängig vom Alter oder dem Gesundheitszustand der Schwangeren gelte. Zudem hätte die Studentenvereinigung nur informiert, ohne selbst Werbung für die Abtreibung zu machen. Und schließlich wären Informationen über ausländische Abtreibungskliniken auch ansonsten in Irland unschwer verfügbar. Das Verbot wäre schließlich auch *nicht geeignet* („ineffective“), weil es irische Frauen nicht davon abhielte, für einen Schwangerschaftsabbruch ins Ausland zu reisen. Das wäre nur der Fall gewesen, wenn Schwangeren verboten worden wäre, die Abtreibung im Ausland durchführen zu lassen.

61 **Vertiefung** – *Vorratsdatenspeicherung:*[217] Die Vorratsdatenspeicherung-RL 2006/24/EG[218] gestattete die anlasslose Vorratsspeicherung von Daten zur Strafverfolgung und Terrorbekämpfung. Ist dies zulässig?

3. Europäische Grundfreiheiten – Unterschiede zum deutschen Recht

a) Die Idee der Grundfreiheiten

62 Während bei der Prüfung deutscher und europäischer Grundrechte in der Regel das Spannungsverhältnis zwischen Bürger und Staat im Vordergrund steht, geht es bei der Prüfung der Grundfreiheiten um das Verhältnis des europäischen Binnenmarkts mit seinen offenen Grenzen gegenüber Beschränkungen einzelner Mitgliedstaaten. Solche Be-

---

[213] S. zum französischen Burka-Fall EGMR – S.A.S. v. France unten § 14 Rn. 28 ff.

[214] Calliess/Ruffert/*Kingreen*, EUV/AEUV, 5. Aufl. 2016, Art. 52 GRCh Rn. 27; *Craig/de Búrca*, EU Law, 7th ed. 2020, S. 583 ff.

[215] S. Calliess/Ruffert/*Kingreen*, EUV/AEUV, 5. Aufl. 2016, Art. 52 GRCh Rn. 65 ff.; Streinz/*Streinz/Michl*, EUV/AEUV, 3. Aufl. 2018, Art. 52 GRCh Rn. 16 ff.

[216] EGMR, Urt. v. 29.10.1992, 14234/88 u.a., CE:ECHR:1992:1029JUD001423488, Rn. 70–77 – Open Door Counselling Ltd and Dublin Well Woman Centre v. Ireland.

[217] EuGH, Urt. v. 8.4.2014, C-293/12 und C-594/12, EU:C:2014:238, Rn. 32 ff. – Vorratsdatenspeicherung; zur Lösung s. unten § 15 Rn. 37.

[218] Richtlinie 2006/24/EG des Europäischen Parlaments und des Rates über die Vorratsspeicherung von Daten, die bei der Bereitstellung öffentlich zugänglicher elektronischer Kommunikationsdienste oder öffentlicher Kommunikationsnetze erzeugt oder verarbeitet werden v. 15.3.2006, ABl. Nr. L 105, S. 54.

schränkungen müssen durch besondere Gründe gerechtfertigt werden. Auch die Grundfreiheiten müssen konkretisiert werden. Der Wortlaut der einzelnen Grundfreiheiten ist wie die Grundrechte der GRCh und des GG recht knapp und hilft bei der Rechtsanwendung nur wenig weiter. Daher haben sich verschiedene Prüfungsschritte herausgebildet, die sich weitgehend an der Prüfung unserer deutschen Grundrechte orientieren. Die Grundfreiheiten unterliegen inzwischen einer einheitlichen Prüfungsstruktur durch die Rechtsprechung des EuGH.[219] Neben dem Anwendungsbereich sind die Beschränkung und seine Rechtfertigung zu kontrollieren. Abschließend findet die eigentliche Verhältnismäßigkeitsprüfung statt.[220]

b) Beschränkung der Grundfreiheiten und deren Rechtfertigung

63 Die Prüfung der deutschen Grundrechte und der europäischen Grundfreiheiten unterscheidet sich in einigen Punkten, z. B. beim Eingriff, d. h. in der europarechtlichen Terminologie gesprochen, in der Beschränkung. Bei den deutschen Grundrechten gibt es den modernen Eingriffsbegriff, der neben den klassischen tritt (§ 10 Rn. 33 ff.). Bei den Grundfreiheiten muss im Rahmen der Beschränkung dagegen anhand eines Dreischritts differenziert werden. Zudem ergeben sich Rechtfertigungsgründe auch aus den Besonderheiten der Mitgliedstaaten (§ 10 Rn. 69).

64 aa) Art. 18 Abs. 1 AEUV verbietet die Diskriminierung wegen Staatsangehörigkeit. Dieses Prinzip gilt für alle Grundfreiheiten.[221] Die Grundfreiheiten untersagen in erster Linie **unmittelbare (offene bzw. direkte) Diskriminierungen**[222] aufgrund der Staatsangehörigkeit.[223] Eine solche Diskriminierung lässt sich nur mit dem Ordre-public-Vorbehalt rechtfertigen. Bei der Arbeitnehmerfreizügigkeit findet sich dieser in Art. 45 Abs. 3 AEUV.[224] Danach ist eine Beschränkung aus Gründen der öffentlichen Ordnung, Sicherheit und Gesundheit ausnahmsweise gerechtfertigt.

65 bb) Die Grundfreiheiten untersagen auf zweiter Stufe auch **mittelbare (versteckte bzw. indirekte) Diskriminierungen**, wie etwa die Forderung eines Wohnsitzes im Inland als Voraussetzung für bestimmte Rechte.[225] Damit ist sichergestellt, dass die Regelungen an dem Ort, an dem die Grundfreiheit wahrgenommen wird, unterschiedslos für In- und Ausländer gilt. Man spricht vom *Bestimmungslandprinzip*.[226]

66 Eine mittelbare Diskriminierung kann ebenfalls mit dem Ordre-public-Vorbehalt gerechtfertigt werden. Der AEUV nennt damit einige geschriebene Rechtfertigungsgründe, die vom EuGH allerdings sehr restriktiv ausgelegt werden. Daher musste der EuGH weitere Schranken für die Grundfreiheiten entwickeln.[227] So treten die vom EuGH entwickelten ungeschriebenen Rechtfertigungsgründe der sog. *zwingenden Allgemeinwohlinteres-*

---

[219] *Leible/T. Streinz*, in: Grabitz/Hilf/Nettesheim, Das Recht der Europäischen Union, 71. EL August 2020, Art. 34 AEUV Rn. 15; *Haratsch/Koenig/Pechstein*, Europarecht, 12. Aufl. 2020, Rn. 866: „gewisse Konvergenz".

[220] Dreistufiges Prüfungsschema bei *Ehlers*, in: ders., Europäische Grundrechte und Grundfreiheiten, 4. Aufl. 2014, § 7 Rn. 67 ff., 136. Andere Schemata sind zum Teil zweistufig (*Streinz*, Europarecht, 11. Aufl. 2019, Rn. 937, 968, 982) oder vierstufig (*Haratsch/Koenig/Pechstein*, Europarecht, 12. Aufl. 2020, Rn. 892; *Schütz*, Jura 1998, 631, 641).

[221] Der Wortlaut der Artt. 37 Abs. 1, 45 Abs. 2 AEUV spricht folglich auch ausdrücklich vom Verbot von Diskriminierungen.

[222] Die Begrifflichkeiten gehen hier teils auseinander, meinen aber dasselbe und können synonym verwendet werden.

[223] EuGH, Urt. v. 4.6.2002, C-367/98, EU:C:2002:326, Rn. 40 ff. – Goldene Aktie Portugal.

[224] Er gilt ebenso bei den anderen Grundfreiheiten: So bei der Warenverkehrsfreiheit (Art. 36 AEUV), bei der Niederlassungsfreiheit (Art. 52 Abs. 1 AEUV) und bei der Dienstleistungsfreiheit (Art. 62 AEUV i. V. m. Art. 52 Abs. 1 AEUV).

[225] EuGH, Urt. v. 8.7.1998, C-203/98, EU:C:1999:380, Rn. 13, 15.

[226] Engl.: „principle of destination".

[227] *Streinz*, Europarecht, 11. Aufl. 2019, Rn. 870.

sen („mandatory requirements"), bei der Warenverkehrsfreiheit der sog. Cassis-Formel[228] (§ 10 Rn. 68) auf.[229] Dient die mitgliedstaatliche Maßnahme einem solchen zwingenden Allgemeinwohlinteresse und ist sie zudem verhältnismäßig, kann die Beschränkung einer Grundfreiheit gerechtfertigt sein. Als weitere Rechtfertigungsgründe dienen auch die Grundrechte der GRCh sowie die EMRK, die nach Artt. 6 Abs. 2, 3 EUV Bestandteil des Unionsrechts ist (§ 2 Rn. 63 ff.).[230]

cc) Der EuGH definierte in der Dassonville-Entscheidung den Begriff „Maßnahmen gleicher Wirkung" der Warenverkehrsfreiheit des Art. 34 AEUV sehr weit und entwickelte rechtsfortbildend auf dritter Stufe **die allgemein beschränkende Maßnahme**. Darunter fällt „jede Handelsregelung der Mitgliedstaaten, die geeignet ist, den gemeinschaftlichen Handelsverkehr mittelbar oder unmittelbar, tatsächlich oder potentiell zu behindern".[231] Das können beispielsweise strengere nationale Vorschriften des Landes sein, in welches die Ware exportiert werden soll. Damit sind nicht nur Diskriminierungen, sondern auch *Beschränkungen* verboten.[232] Mit diesem Ansatz setzte sich nunmehr der *Standard des Herkunftslandes* durch;[233] es kommt zu einer Rechtsangleichung durch die Hintertür, weil das Bestimmungsland den rechtlichen Standard des Herkunftsstaates zu akzeptieren hat.[234] Eine allgemeine Beschränkung muss wieder gerechtfertigt sein. Die weite Dassonville-Formel hatte der EuGH in der berühmten Cassis de Dijon-Entscheidung zu prüfen: 67

Cassis-de-Dijon-Entscheidung: Die deutsche Rewe Unternehmensgruppe wollte den französischen Likör Cassis de Dijon nach Deutschland einführen. Der Likör mit einem Alkoholgehalt von max. 20% ist in Frankreich frei verkäuflich. Die Bundesmonopolverwaltung wies darauf hin, dass der französische Likör in Deutschland nicht verkauft werden könne, weil das deutsche Branntweinmonopolgesetz für Likör einen Alkoholgehalt von 32% verlange. 68

Der EuGH hatte nun zu prüfen, ob dieses Verbot einen Eingriff in den Schutzbereich der Warenverkehrsfreiheit darstellt. Die Bundesregierung brachte vor, dass hier nicht das französische Recht entscheidend sein könne, weil sich ansonsten der niedrigste Standard in der EU durchsetzen würde.[235] Der EuGH lehnte diese Überlegungen mit der Begründung ab, dass der höhere Alkoholgehalt des deutschen Branntweingesetzes ein Handelshemmnis für den Verkauf in Deutschland darstelle und der Likör in Frankreich rechtmäßig in den Verkehr gebracht wurde.[236] Er ließ dann aber zu, dass Deutschland Rechtfertigungsgründe für dieses Handelshemmnis vortrug.[237] 69

c) Verhältnismäßigkeit

Der Grundsatz der Verhältnismäßigkeit hat seine Wurzeln im Common Law[238] und ist vor allem in Deutschland (§ 10 Rn. 42a), aber auch in den Mitgliedstaaten der EU aner- 70

---

[228] EuGH, Urt. v. 20.2.1979, 120/78, EU:C:1979:42, Rn. 8, 14 – Cassis de Dijon.

[229] Die „zwingenden Gründe des Allgemeinwohls" hat der EuGH auch auf die anderen Grundfreiheiten übertragen, bspw. für die Dienstleistungs- und Niederlassungsfreiheit, EuGH, Urt. v. 31.03.1993, C-19/92, EU:C:1993:125, Rn. 32 – Kraus.

[230] EuGH, Urt. v. 12.6.2003, C-112/00, EU:C:2003:333, Rn. 77 ff. – Brennerblockade.

[231] EuGH, Urt. v. 11.7.1974, 8/74, EU:1974:82, Rn. 5 – Dassonville.

[232] Die Artt. 34 f., 49 Abs. 1, 56 Abs. 1 und 63 Abs. 1 AEUV verwenden den Begriff der „Beschränkung".

[233] Engl.: „principle of origin", s. *Haratsch/Koenig/Pechstein*, Europarecht, 12. Aufl. 2020, Rn. 881.

[234] Zu dem Grundsatz des „mutual recognition", s. *Gormley*, 19 E.L.Rev. 644, 652 f. (1994); *Mortelmans*, in: Kapteyn/van Themaat, The Law of the European Union and the European Communities, 4th ed. 2008, S. 581 f.

[235] EuGH, Urt. v. 20.2.1979, 120/78, EU:C:1979:42, 650, 657 – Cassis de Dijon.

[236] EuGH (ebb.), Rn. 14 – Cassis de Dijon.

[237] EuGH (ebd.), Rn. 9 – Cassis de Dijon.

[238] *Blackstone*, Commentaries on the Law of England, 2nd ed. 1766, S. 124 ff.

kannt.[239] Er gehört zu den festen Grundsätzen des europäischen Rechts und ist kodifiziert in den Art. 5 Abs. 1 S. 2 und Abs. 4 EUV.[240] Die Verhältnismäßigkeitsprüfung ist regelmäßig das eigentliche Herz der Prüfung, in welchem umfangreich die Pro- und Contra-Argumente für die Grundfreiheit bzw. die Beschränkung abzuwägen sind. Die Rechtfertigungsgründe des Mitgliedstaates müssen geeignet und erforderlich sein. Der EuGH favorisiert eine solche zweistufige Prüfung.[241] Die Prüfung weicht damit etwas vom deutschen Recht ab.[242]

71 aa) Die nationale Maßnahme ist dann *geeignet* („suitability test"), wenn sie ein brauchbares Mittel ist, um das angestrebte Ziel tatsächlich zu erreichen. Daran fehlt es, wenn die Maßnahme widersprüchlich ist oder aber keine Auswirkungen auf das Ziel hat.[243]

72 bb) Im Mittelpunkt der Verhältnismäßigkeitsprüfung steht oft die *Erforderlichkeit* („necessity test") der Maßnahme, also die Frage, ob das Ziel des Mitgliedstaates nicht durch einen weniger starken Eingriff in die Grundfreiheit gleichermaßen erreicht werden kann. Eine Maßnahme, z.B. eine gesundheitspolizeiliche Kontrolle, ist in dem Bestimmungsland grundsätzlich schon dann nicht erforderlich, wenn eine entsprechende Kontrolle in dem Herkunftsland stattfand. Insoweit gibt es ein Verbot der Doppelkontrolle.[244]

73 Der Grundsatz der *Angemessenheit* verlangt, dass die nationale Regelung in einem angemessenen Verhältnis zum verfolgten Ziel steht.[245] Der EuGH kennt zwar dieses Kriterium. Während das BVerfG bei den nationalen Grundrechten die Angemessenheit als eigenständiges Kriterium prüft (§ 10 Rn. 46), berücksichtigt der EuGH die Angemessenheit aber nur im Rahmen der Erforderlichkeit.[246] Dazu nimmt der EuGH eine *Güterabwägung* vor. Relevant sind u.a. die abstrakte Gewichtung des betroffenen Schutzgutes oder die Intensität der konkreten Bedrohung.

74 *Reinheitsgebot* (§ 2 Rn. 91): Nach dem damals geltenden § 10 Biersteuergesetz durfte die Bezeichnung „Bier" im Verkehr nur verwendet werden, wenn das Brauprodukt nach dem Reinheitsgebot hergestellt wurde. Die Bundesregierung hatte zudem mit dem *Gesundheitsrisiko* argumentiert, weil die langfristigen Wirkungen von Zusatzstoffen mit Alkohol nicht geklärt seien. Zudem sei die *Erwartung des Verbrauchers* verletzt, der davon ausgehen dürfe, dass Bier in Deutschland nach dem Reinheitsgebot gebraut würde.[247]

---

[239] Etwa in Österreich, Frankreich, Italien, Polen, Ungarn oder dem Vereinigten Königreich, weiterführend *Nußberger*, NVwZ-Beilage 2013, 36 ff.; *Saurer*, Der Staat 2012, 3 ff.; *Klatt/Meister*, Der Staat 2012, 159, 160 f.; *Tridimas*, in: Schütze/ders., Oxford Principles of Europeon Union Law, 2018, S. 243.

[240] EuGH, Urt. v. 16.7.1956, 8/55, EU:C:1956:11, 302, 311 – Fédération Charbonnière; *Craig/de Búrca*, EU Law, 7th ed. 2020, S. 583 ff.; *Kischel*, EuR 2000, 380 ff.; *Koch*, Der Grundsatz der Verhältnismäßigkeit in der Rechtsprechung des Gerichtshofs der Europäischen Gemeinschaften, 2003; *Frowein*, in: FS Maihofer, 1988, 149, 151; *Kokott/Sobotta*, in: Vogenauer/Weatherill, General Principles of Law, 2017, S. 167 ff. Der kompetenzrechtliche Verhältnismäßigkeitsgrundsatz findet sich in Art. 5 Abs. 4 EUV.

[241] EuGH, Urt. v. 30.11.1995, C-55/94, EU:C:1995:411, Rn. 37 – Gebhard: „sie müssen *geeignet* sein, die Verwirklichung des mit ihnen verfolgten Zieles zu gewährleisten, und sie dürfen nicht über das hinausgehen, was zur Erreichung dieses Zieles *erforderlich* ist"; ebenso *Costa/Peers*, Steiner&Woods EU Law, 14th ed. 2020, S. 405: „suitability test and necessity test"; EUGH, Urt. v. 10.5.1995, C-384/93, EU:C:1995:126, Rn. 45 – Alpine; **a.A.** dreistufig: Schwarze/*Becker*, EU-Kommentar, 4. Aufl. 2019, Art. 36 AEUV Rn. 64 ff. oder vierstufig ergänzt um das legitime Ziel s. Calliess/Ruffert/*Kingreen*, EUV/AEUV, 5. Aufl. 2016, Art. 34–Art. 36 AEUV Rn. 89 ff.

[242] Zur Prüfung des Verhältnismäßigkeitsprinzips durch das BVerfG im PSPP-Urteil s. unten § 13 Rn. 114 ff.

[243] EuGH, Urt. v. 20.2.1979, C-120/78, EU:C:1979:42, Rn. 10 f. – Cassis de Dijon.

[244] EuGH, Urt. v. 18.11.1979, C-251/78, EU:C:1979:252, Rn. 22 ff. – Denkavit Futtermittel.

[245] EuGH, Urt. v. 12.3.1987, C-178/84, EU:C:1987:126, Rn. 28 – Reinheitsgebot für Bier; EuGH, Urt. v. 20.9.1988, C-302/86, EU:C:1988:421, Rn. 6 – Dänische Pfandflaschen.

[246] Streinz/*W. Schroeder*, EUV/AEUV, 3. Aufl. 2018, Art. 36 AEUV Rn. 56.

[247] Zum Folgenden: EuGH, Urt. v. 12.3.1987, C-178/84, EU:C:1987:126, Rn. 26 ff. – Reinheitsgebot für Bier.

Der EuGH lehnte im Ergebnis aber beide Rechtfertigungsgründe auf der Verhältnismäßigkeitsstufe ab: Der Hinweis auf potentielle Risiken von Zusatzstoffen für die *Gesundheit* ist schon deshalb *ungeeignet*, weil die Bundesregierung Zusatzstoffe für andere Getränke zulässt. Nach dem Herkunftslandprinzip müssten Zusatzstoffe, die in einem anderen Land auf dem Markt sind, auch in dem Bestimmungsland in einem leicht zugänglichen, im Zweifel gerichtsfesten Verfahren zugelassen werden. Zudem würden die Ergebnisse der Weltgesundheitsorganisation für die Risikohaftigkeit von Zusatzstoffen berücksichtigt. Die *Verbrauchererwartung* war als solche als Rechtfertigungsgrund zwar überzeugender. In einem europäischen Markt müsste der Verbraucher aber bereit sein zu lernen, weil ansonsten die Verbrauchererwartung die einzelnen Märkte „zementieren" würde. Der EuGH geht damit von einem vernünftigen, lernfähigen Verbraucher aus.[248] Eine Kennzeichnung ist gegenüber einem Verbot das mildere Mittel. 75

IV. Abwägung kollidierender Rechtsprinzipien im Zivilrecht

Literatur: *Bieder, Marcus*, Das ungeschriebene Verhältnismäßigkeitsprinzip als Schranke privater Rechtsausübung, 2007; *Canaris, Claus-Wilhelm*, Grundrechtswirkungen und Verhältnismäßigkeitsprinzip in der richterlichen Anwendung und Fortbildung des Privatrechts, JuS 1989, 161–172; *Kähler, Ludwig*, Raum für Maßlosigkeit. Zu den Grenzen des Verhältnismäßigkeitsgrundsatzes im Privatrecht, in: Jestaedt, Matthias/Lepsius, Oliver, Verhältnismäßigkeit, 2015, S. 210–233; *Medicus, Dieter*, Der Grundsatz der Verhältnismäßigkeit im Privatrecht, AcP 192 (1992), 35–70; *Preis, Ulrich*, Prinzipien des Kündigungsrechts bei Arbeitsverhältnissen, 1987; *ders.*, Verhältnismäßigkeit und Privatrechtsordnung, in: FS Dieterich, 1999, S. 429–462; *Riehm, Thomas*, Abwägungsentscheidungen in der praktischen Rechtsanwendung, 2006; *Rückert, Joachim*, Abwägung – die juristische Karriere eines unjuristischen Begriffs, JZ 2011, 913–923; *Schneider, Egon*, Rechtspraxis und Rechtswissenschaft. Gedanken zur Methodenlehre, MDR 1967, 6–12.

1. Widerstreitende Prinzipien im Zivilrecht

Die Abwägung ist im Zivilrecht weit weniger bekannt als im öffentlichen Recht. Sie verlangt ein strukturiertes Vorgehen, das sich am Gesetz zu orientieren hat (§ 10 Rn. 7). Im Folgenden werden der Vorrang eines Prinzips, die Entwicklung tatbestandsähnlicher Voraussetzungen bei kollidierenden Prinzipien und der Verhältnismäßigkeitsgrundsatz vorgestellt. 76

a) Vorrang eines Prinzips gegenüber dem anderen

Wenn verschiedene Prinzipien in Kollision zueinander stehen, ist der Fall einfach zu lösen, soweit die Kollision durch den Vorrang eines Prinzips gegenüber dem anderen aufgelöst werden kann.[249] Bei der Lex-specialis-Regel wird eine allgemeinere Vorschrift durch eine speziellere verdrängt (§ 4 Rn. 134 f.). Während bei der Lex-specialis-Regel aber nur der Konflikt von zwei Rechtsnormen zu entscheiden ist, geht es bei der Kollision von Rechtsprinzipien oft noch um mehr, weil ein Rechtsgrundsatz in mehreren Rechtsnormen enthalten sein kann oder sogar ohne gesetzliche Vorschriften auskommt. Der Gesetzgeber löste schon öfters Kollisionen auf: Anders als das österreichische oder schweizerische Recht erlaubt das deutsche BGB relativ großzügig, den Vertrag wegen Irrtums anzufechten, etwa beim Erklärungs- oder Inhaltsirrtum.[250] In diesem Fall räumte der Gesetzgeber dem Willensprinzip Vorrang gegenüber dem Vertrauensprinzip ein. Als 76a

[248] EuGH, Urt. v. 16.7.1998, C-210/96, EU:C:1998:369, Rn. 31, 37 – Gut Springenheide; Köhler/Bornkamm/Feddersen/*Köhler*, UWG, 39. Aufl. 2021, § 1 Rn. 22.

[249] *Alexy*, Rechtstheorie Beiheft 1 (1979), 75 ff.; *Koch/Rüßmann*, Juristische Begründungslehre, 1982, S. 97 ff.

[250] Zweigert/*Kötz*, Einführung in die Rechtsvergleichung, 3. Aufl. 1996, S. 411.

Ersatz für das verletzte Vertrauen erhält der Vertragspartner das negative Interesse gem. § 122 BGB. Das oben kennengelernte Vertrauensschutzprinzip (§ 9 Rn. 17) gilt nicht bei positiver Kenntnis der wahren Rechtslage, weil der Vertrauende dann nicht schutzwürdig ist.[251]

77 Aber auch der Rechtsanwender kann Kollisionen verschiedener Prinzipien auflösen, indem er einem Rechtsprinzip den Vorrang einräumt. Die Rechtsprechung hatte beispielsweise einen Konflikt von Rechtsprinzipien des Gesellschafts- und des Erbrechts aufzulösen.

78 Konkret geht es dabei um die Frage, ob das erbrechtliche Prinzip der Universalsukzession des § 1922 BGB zugunsten des Prinzips der Handlungsfähigkeit einer Gesellschaft zurücktreten kann.

(1) In der Praxis werden häufig sog. *qualifizierte Nachfolgeklauseln*[252] verwendet, um im Falle des Todes eines Gesellschafters zu ermöglichen, dass eine Person seiner Wahl in seine Fußstapfen treten kann und der Gesellschafteranteil nicht den übrigen Gesellschaftern anwächst, § 738 Abs. 1 BGB i.V.m. § 105 Abs. 3 HGB. Wenn nun der Gesellschaftsvertrag in einer qualifizierten Nachfolgeklausel vorsieht, dass nur einer oder ausgewählte Erben eines Gesellschafters in die Gesellschaft nachfolgen sollen, kann das Gesellschaftsrecht mit dem Erbrecht kollidieren:

79 (2) Nach der erbrechtlichen Lösung des BGH vollzieht sich auch die Nachfolge bei Gesellschaftsanteilen nach dem Erbrecht.[253] Sofern der ausgewählte Erbe, der die Nachfolge in der Gesellschaft antreten soll, nicht Alleinerbe ist, würde der Gesellschaftsanteil zunächst in das Gesamthandsvermögen der Erbengemeinschaft fallen, § 2032 BGB. Dies hätte zur Konsequenz, dass zunächst die Erbengemeinschaft bis zur Auseinandersetzung des Nachlasses in die Rolle des nachfolgenden Gesellschafters tritt und für Gesellschafterbeschlüsse eine einheitliche Willensbildung der Erben erforderlich wäre, §§ 2038 ff. BGB.[254] Insoweit sind die erbrechtlichen Vorgaben zwingend und es zeigt sich der *Konflikt zum Gesellschaftsrecht*: Die wirtschaftliche Tätigkeit der Gesellschaft hängt von schnellen Entscheidungen ab (*Prinzip der Handlungsfähigkeit einer Gesellschaft*). Die pluralistische Interessenlage innerhalb einer Erbengemeinschaft ist wesensverschieden zum Interesse der Zweckverfolgung innerhalb einer Personenhandelsgesellschaft. Das strikte Vetorecht bei Verfügungen über den Nachlass würde die Handlungsfähigkeit der Gesellschaft gefährden.[255]

80 (3) Diesen Konflikt löst der BGH zugunsten des Gesellschaftsrechts: Allein der oder die im Gesellschaftsvertrag genannten Erben treten im Rahmen einer Sondererbfolge (*Singularsukzession*) mit einem eigenen Anteil anstelle des Erblassers in die Gesellschaft ein.[256] Sofern nur ein Erbe durch die qualifizierte Nachfolgeklausel begünstigt wird, kann der Gesell-

---

[251] Streng genommen greift das Vertrauen überhaupt nicht ein, § 892 Abs. 1 S. 1 BGB, 15 Abs. 1 HGB. Teilweise zerstört schon fahrlässiges Handeln das Vertrauen, §§ 122 Abs. 2, 932 BGB. S. *Neuner*, Allgemeiner Teil des Bürgerlichen Rechts, 12. Aufl. 2020, § 10 Rn. 82.

[252] Die gesetzliche Folge des Todes eines Gesellschafters ist, dass sein Anteil den übrigen Gesellschaftern anwächst und seine Erben einen Ausgleichsanspruch haben (§ 738 Abs. 1 BGB i.V.m. § 105 Abs. 3 HGB). Davon kann im Gesellschaftsvertrag durch Nachfolgeklauseln abgewichen werden. Durch eine einfache Nachfolgeklausel treten alle Erben entsprechend ihrer Erbquote in die Gesellschaft ein. Im Unterschied dazu wird durch eine qualifizierte Nachfolgeklausel nur ein bestimmter Erbe als Nachfolger bestimmt und tritt in die Gesellschafterstellung ein. S. *Koch*, Gesellschaftsrecht, 10. Aufl. 2017, § 19 Rn. 2 ff.

[253] St. Rspr. seit BGH, Urt. v. 22.11.1956, II ZR 222/55, BGHZ 22, 186, 191; BGH, Urt. v. 10.2.1977, II ZR 120/75, BGHZ 68, 225, 229; **a.A.** „gesellschaftsrechtliche Lösung", nach der sich die Nachfolge ausschließlich nach dem privatrechtlichen Gesellschaftsvertrag vollzieht *Flume*, Die Personengesellschaft, 1977, S. 387 f.

[254] Mit dem unter Juristen bekannten Spruch „Versteht ihr euch noch oder habt ihr schon geerbt" im Hinterkopf ist klar, dass eine einheitliche Willensbildung der (oft zerstrittenen) Erben schwierig und langwierig sein kann.

[255] *Gergen*, in: MünchKomm-BGB, 8. Aufl. 2020, § 2040 Rn. 1, der auf das strikte Vetorecht bei Verfügungen über den Nachlass verweist.

[256] St. Rspr., s. BGH, Urt. v. 22.11.1956, II ZR 222/55, BGHZ 22, 186, 192 ff.; BGH, Urt. v. 10.2.1977, II ZR 120/75, BGHZ 68, 225, 237; Baumbach/Hopt/*Roth*, HGB, 40. Aufl. 2021, § 139 Rn. 14.

schaftsanteil auch ungeteilt nur auf diesen übergehen (Prinzip der Vollnachfolge).[257] Damit bleiben die Interessen der Personengesellschaft gewahrt. Den Interessen der übrigen Erben wird dadurch Rechnung getragen, dass ihnen gegenüber dem ausgewählten, in die Gesellschaft eintretenden Erben ein Ausgleichsanspruch zusteht, sofern der Wert des Gesellschaftsanteils die Erbquote des Begünstigten übersteigt.[258] Im Ergebnis zeigt sich, dass die Prinzipienkollision hier durch einen Vorrang des Prinzips der Handlungsfähigkeit der Gesellschaft gegenüber dem erbrechtlichen Prinzip der Universalsukzession gelöst wurde.[259]

b) Abwägung kollidierender Rechtsgüter im Zivilrecht

Geht ein Prinzip nicht vor, müssen die kollidierenden Prinzipien zu einem Ausgleich gebracht werden.[260] Dies ist weiter zu konkretisieren. Im Öffentlichen Recht spricht man von Zwischenschritten (§ 9 Rn. 23 ff.). Im Zivilrecht helfen Fallgruppen, Unterprinzipien und tatbestandsähnliche Voraussetzungen. Das Verfahren ähnelt damit der Makroebene des Beweglichen Systems, wie es bei § 138 BGB oder § 826 BGB auftritt. Dort wurde schon die Abwägung von Zurechnungselementen vorgestellt (§ 8 Rn. 9 ff.). Das Rechtsinstitut „Vertrag mit Schutzwirkung zugunsten Dritter" lässt tatbestandsähnliche Voraussetzungen erkennen, die sich aus der Vertragsfreiheit einerseits und dem Nichtstörungsgebot andererseits erklären lassen. 81

2. Die Abwägung von Rechtsprinzipien am Beispiel des Vertrags mit Schutzwirkung zugunsten Dritter als Rechtsinstitut widerstreitender Rechtsprinzipien

a) Tatbestandsähnliche Voraussetzungen der Rechtsprechung

Auch den durch Rechtsfortbildung entwickelten Rechtsinstituten können verschiedene, widerstreitende Rechtsprinzipien zugrunde liegen, die zum Ausgleich gebracht werden. Die rechtsdogmatische Begründung des Vertrags mit Schutzwirkung zugunsten Dritter ist wenig geklärt. 82

Das RG hatte 1930 über einen Fall zu entscheiden, in welchem ein Monteur bei der Verlegung einer Gasuhr die Schraube nicht ordnungsgemäß angezogen hatte und das Gas explodierte, als die Dienstmagd die undichte Stelle mit einem angezündeten Streichholz überprüfte. Das RG billigte der Dienstmagd einen vertraglichen Anspruch gegenüber dem Monteur zu, obwohl der Werkvertrag nur zwischen dem Monteur und der Mieterin abgeschlossen worden war.[261] – Ein Kind begleitet seine Mutter beim Einkaufen und wird durch einen aufgerollten Linoleumteppich verletzt[262] oder rutscht auf einem Salatblatt aus.[263] 83

In ständiger Rechtsprechung entwickelte der BGH, Larenz folgend, das Rechtsinstitut des Vertrags mit Schutzwirkung zugunsten Dritter und sodann verschiedene *Fallgruppen*. Unter anderem werden Rechtsgüter Dritter, aber auch reine Vermögensschäden einbezo- 84

[257] BGH, Urt. v. 10.2.1977, II ZR 120/75, BGHZ 68, 225, 237; Baumbach/Hopt/*Roth*, HGB, 40. Aufl. 2021, § 139 Rn. 17.

[258] BGH, Urt. v. 22.11.1956, II ZR 222/55, BGHZ 22, 186, 197; BGH, Urt. v. 10.2.1977, II ZR 120/75, BGHZ 68, 225, 238.

[259] Zum Konflikt von Prinzipien im Gesellschafts- und Kapitalmarktrecht s. *Möllers*, in: FS Baums, 2017, S. 805, 817 ff.

[260] *Canaris*, Systemdenken und Systembegriff in der Jurisprudenz, 2. Aufl. 1983, S. 115.

[261] RG, Urt. v. 10.2.1930, VI 270/29, RGZ 127, 218, 221 – Gasuhr; instruktiv *Kötz*, Europäisches Vertragsrecht, 2. Aufl. 2015, S. 478.

[262] RG, Urt. v. 7.11.1911, VI 240/11, RGZ 78, 239, 240 f. – Linoleumteppich. Hierzu *Thiessen*, in: FS Canaris, 2017, S. 51 ff.

[263] BGH, Urt. v. 28.1.1976, VIII ZR 246/74, BGHZ 66, 51, 56 ff. – Gemüseblatt.

gen.[264] Die Rechtsprechung entwickelte nun *tatbestandsähnliche Voraussetzungen*, wie (1.) die Leistungsnähe, (2.) das Einbeziehungsinteresse, (3.) die Erkennbarkeit für den Schuldner und (4.) die Schutzbedürftigkeit des Dritten.[265] Zum Teil wird die Unschärfe der Voraussetzungen kritisiert.[266] Während das Einbeziehungsinteresse früher dahingehend umschrieben wurde, dass der Gläubiger für das „Wohl und Wehe" des Dritten mitverantwortlich ist,[267] bejahte der BGH dieses Kriterium dann auch für andere Fälle, in welchen der Dritte ausdrücklich oder stillschweigend in den Schutzbereich des Vertrages einbezogen wurde.[268]

b) Rechtsdogmatische Begründungsversuche

85 Die rechtsdogmatische Begründung ist heftig umstritten:[269] Ein Vertrag zugunsten Dritter gem. § 328 BGB[270] kommt nicht in Betracht, weil der Schuldner dem Dritten keine Hauptleistungspflichten schuldet.[271] Einen hypothetischen Willen[272] der Vertragsparteien anzunehmen, ist wenig überzeugend, wenn der Schuldner dem Dritten gegenüber gerade nicht haften will.[273] Statt des hypothetischen Vertragswillens werden objektive Kriterien in den Vertrag interpretiert.[274] Der Hinweis auf Treu und Glauben gem. § 242 BGB[275] ist abzulehnen, weil gegenüber dem Gläubiger kein unbilliges Verhalten vorliegt.[276] Das Vertrauensschutzprinzip[277] überzeugt nicht, weil der Dritte beim Einkauf oder in der Wohnung nicht rechtsgeschäftlich agiert,[278] also von einem Vertrag überhaupt nichts wissen muss.[279] Dem Gewohnheitsrecht[280] steht entgegen, dass die Voraussetzungen umstritten sind (§ 3 Rn. 23 f.). Schließlich werden als Begründung das Sozialstaatsprinzip und das Prinzip des Sozialen genannt.[281] Anhaltspunkte für einen Vertrag mit Schutzwirkung zugunsten Dritter bilden seit der Schuldrechtsreform die §§ 241, 311 BGB, ohne dass sich aus diesen Normen der Vertrag mit Schutzwirkung zugunsten Dritter als Rechtsinstitut schlüssig ableiten ließe.

---

[264] *Kötz*, Vertragsrecht, 2. Aufl. 2012, Rn. 517, 520; alphabetische Aufstellung von Fallgruppen s. *Gottwald*, in: MünchKomm-BGB, 8. Aufl. 2019, § 328 Rn. 210–254.

[265] Palandt/*Grüneberg*, BGB, 80. Aufl. 2021, § 328 Rn. 17 ff.

[266] *Vogenauer*, in: HKK-BGB, 2007, §§ 328–335 Rn. 124.

[267] BGH, Urt. v. 26.11.1968, VI ZR 212/66, BGHZ 51, 91, 96 – Hühnerpest; BGH, Urt. v. 28.1.1976, VIII ZR 246/74, BGHZ 66, 51, 57 – Gemüseblatt.

[268] BGH, Urt. v. 14.6.2012, IX ZR 145/11, BGHZ 193, 297 Rn. 15 ff. – Vertrag zwischen GmbH und Steuerberater; BGH, Urt. v. 24.4.2014, III ZR 156/13, NJW 2014, 2345 Rn. 12 ff. – Fehlerhaftes Testat eines Wirtschaftsprüfers.

[269] *Zenner*, NJW 2009, 1030 ff.; *Klumpp*, in: Staudinger, Neubearb. 2020, § 328 Rn. 96 ff.

[270] RG, Urt. v. 10.2.1930, VI 270/29, RGZ 127, 218, 221 – Gasuhr.

[271] *Larenz*, NJW 1956, 1193; *ders.*, NJW 1960, 78, 79.

[272] So die Rechtsprechung, BGH, Urt. v. 15.6.1971, VI ZR 262/69, BGHZ 56, 269, 273; BGH, Urt. v. 24.4.2014, III ZR 156/13, NJW 2014, 2345 Rn. 13 – Fehlerhaftes Testat eines Wirtschaftsprüfers; zustimmend Palandt/*Grüneberg*, BGB, 80. Aufl. 2021, § 328 Rn. 14.

[273] *Gernhuber*, in: FS Nikisch, 1958, S. 249, 261; *Honsell*, JZ 1985, 952, 953; *Vogenauer*, in: HKK-BGB, 2007, §§ 328–335 Rn. 123.

[274] Fikentscher/*Heinemann*, Schuldrecht, 11. Aufl. 2017, Rn. 158, 305.

[275] BGH, Urt. v. 28.1.1976, VIII ZR 246/74, BGHZ 66, 51, 57 – Gemüseblatt; *Zenner*, NJW 2009, 1030, 1034; Fikentscher/*Heinemann*, Schuldrecht, 11. Aufl. 2017, Rn. 305.

[276] *Neuner*, JZ 1999, 126, 128.

[277] *Canaris*, JZ 1965, 475, 478; *ders.*, in: GK-HGB, Bankvertragsrecht, 4. Aufl. 2005, Rn. 21 ff.

[278] *Neuner*, JZ 1999, 126, 128.

[279] *Klumpp*, in: Staudinger, Neubearb. 2020, § 328 Rn. 104.

[280] So *Gernhuber*, in: FS Nikisch, 1958, S. 249, 269 ff.; **a. A.** aber *Hadding*, in: Soergel, BGB, 13. Aufl. 2010, Anh. § 328 Rn. 8; für die Vermögensschäden ablehnend *Klumpp*, in: Staudinger, Neubearb. 2020, § 328 Rn. 97.

[281] *Neuner*, JZ 1999, 126, 128; s. unten § 9 Rn. 40.

c) Der Ausgleich zwischen Nichtstörungsgebot und Vertragsfreiheit

Das Prinzip der Vertragsfreiheit steht zwar zunächst der Einführung eines Vertrags mit Schutzwirkung zugunsten Dritter entgegen. Es ist jedoch der Abwägung mit anderen Prinzipien, wie dem Nichtstörungsgebot, zugänglich. Dies ermöglicht im Ergebnis das Rechtsinstitut Vertrag mit Schutzwirkung zugunsten Dritter zu begründen, wobei sich in den Tatbestandsmerkmalen der Ausgleich der gegenläufigen Interessen zeigt. Zwei Gesichtspunkte lassen sich heranziehen, die eine vertragliche Zurechnung ermöglichen: das aus der Selbstverantwortung abzuleitende Nichtstörungsgebot einerseits (aa) und die Abschlussfreiheit als Teil der Vertragsfreiheit andererseits (bb). **86**

aa) Aus der menschlichen Verletzlichkeit wurde schon im römischen Recht ein **allgemeines Schädigungsverbot**, das „*alterum non laedere*“[282] abgeleitet. Die Fallgruppe, Rechtsgüter Dritter zu schützen, ergibt sich aus dem Prinzip der *Selbstverantwortung*, dass derjenige, der schuldhaft Rechtsgüter Dritter verletzt, dafür einzustehen hat.[283] Man spricht von Erfolgsverantwortlichkeit,[284] Unrechtshaftung[285] oder dem Prinzip personaler Verantwortung.[286] **87**

Diese **Selbstverantwortung** des Einzelnen gegenüber Jedermann kann durch die Einschaltung eines Verrichtungsgehilfen nicht umgangen werden. Die zwei von der Rechtsprechung entwickelten Tatbestandsmerkmale (2.) *Einbeziehungsinteresse* und (4.) *Schutzbedürftigkeit des Dritten* verdeutlichen diese Verantwortlichkeit des Schädigers. Hintergrund ist die Überlegung, dass das deutsche Deliktsrecht *Lücken* hat, weil es eine Exkulpation des Geschäftsherrn gem. § 831 Abs. 1 S. 2 BGB erlaubt, für Vermögensschäden grundsätzlich nicht eingreift und anders als im Vertragsrecht auch keine Beweislasterleichterung vorsieht.[287] Eine solche Verpflichtung läuft parallel zu dem folgenorientierten Argument, dass eine unbillige Härte zu vermeiden ist (§ 5 Rn. 73 ff.).[288] Das Rechtsinstitut Vertrag mit Schutzwirkung zugunsten Dritter ist insoweit gesetzesübersteigende Rechtsfortbildung (s. sogleich). In anderen Rechtsordnungen gibt es diese Lücke im Deliktsrecht nicht.[289] Das Prinzip des „*respondeat superior*“ ist auf europäischer Ebene folglich anerkannt.[290] **88**

bb) Umgekehrt steht der Einbeziehung eines Dritten in ein Vertragsverhältnis die Vertragsfreiheit in der Form der **Abschlussfreiheit** entgegen (§ 9 Rn. 29). Einschränkende Voraussetzungen sind insoweit die (1.) *Leistungsnähe* und die (3.) *Erkennbarkeit der Verpflichtung für den Schuldner*. Grundsätzlich kann keiner Partei eine andere aufgezwungen werden: Ausnahmen bilden der Kontrahierungszwang oder gesetzlich geregelte Fälle der Vertragsübernahme, wie § 613a, § 566 oder § 563 BGB. **89**

---

[282] Zum allgemeinen Schädigungsverbot s. Ulp. D. 1,1,10,1.: *Juris praecepta sunt haec: honeste vivere, alterum non laedere, suum cuique tribuere* – Die Grundsätze des Rechts sind folgende: Anständig zu leben, andere nicht verletzen, Jedem das Seine zukommen lassen. *Schiemann*, JuS 1989, 345 ff.; *Picker*, JZ 1987, 1041, 1048 ff.; *Zimmermann*, The Law of Obligations, 1990, S. 1085 ff.; zum Rechtsgüterschutz als Rechtsprinzip s. *Möllers*, Rechtsgüterschutz im Umwelt- und Haftungsrecht, 1996, § 5.

[283] *Mayer-Maly*, Jahrbuch für Rechtssoziologie und Rechtstheorie 14 (1989), 268, 278 ff.; *Canaris*, Die Vertrauenshaftung im deutschen Privatrecht, 1971, S. 422.

[284] *Honoré*, Responsibility and Lack, 104 L.Q.Rev. 530 ff. (1988); *Jansen*, Die Struktur des Haftungsrechts, 2003, S. 119 ff.

[285] *Larenz*, Allgemeiner Teil des deutschen Bürgerlichen Rechts, 5. Aufl. 1980, S. 33 ff.; *Deutsch*, Haftungsrecht, 1976, S. 3.

[286] Larenz/*Canaris*, Lehrbuch des Schuldrechts, Besonderer Teil, Bd. II/2, 13. Aufl. 1994, S. 608. **A.A.** *Hager*, Strukturen des Privatrechts in Europa, 2012, S. 9, welche das Prinzip der Reziprozität als beherrschendes Prinzip des Deliktsrechts bezeichnen. Beide Ansichten schließen sich jedoch nicht aus.

[287] *Gottwald*, in: MünchKomm-BGB, 8. Aufl. 2019, § 328 Rn. 166.

[288] Die Berücksichtigung „sozialer“ Interessen sowie Billigkeit betont auch *Gottwald*, in: MünchKomm-BGB, 8. Aufl. 2019, § 328 Rn. 171 f.

[289] S. *Kötz*, Europäisches Vertragsrecht, 2. Aufl. 2015, S. 480 Fn. 23 mit Hinweis auf Art. 58 OR, Art. 2051 Codice civile, Art. 1384 cc.

[290] Lat.: es soll der Vorgesetzte antworten. S. Kötz/*Wagner*, Deliktsrecht, 14. Aufl. 2021, 6. Kap. Rn. 49; *ders.*, in: MünchKomm-BGB, 8. Aufl. 2020, § 831 Rn. 6 unter Hinweis auf Art. VI-3:201 DCFR.

90 cc) Für eine Haftung auch für Verrichtungsgehilfen wäre es sicherlich konsequent, die Exkulpation des § 831 Abs. 1 S. 2 BGB teleologisch zu reduzieren und damit nicht den Ausweg über den Vertrag mit Schutzwirkung zugunsten Dritter suchen zu müssen. Dieser Lösungsweg erlaubt neben der Beweislastumkehr des § 280 Abs. 1 S. 2 BGB auch eine Zurechnung ohne Exkulpationsmöglichkeit nach § 278 S. 1 BGB. Sarkastisch formulieren Kötz/Wagner: „Jeder, der noch nicht gänzlich betriebsblind geworden ist, wird sich ein gewisses Staunen darüber nicht versagen können, wie verwegen die Brücken konstruiert werden, um die deliktsrechtliche Fallabwicklung zu vermeiden und das gelobte Land des Vertragsrechts zu erreichen.“[291] Der Wille des Gesetzgebers von damals,[292] aber auch von heute steht *de lege lata* einer teleologischen Reduktion aber entgegen, denn Vorschläge, § 831 Abs. 1 S. 2 BGB zu streichen, wurden vom Gesetzgeber nicht aufgenommen.[293] Wenn man eine teleologische Reduktion ablehnt, weil das deliktsrechtliche System insoweit geschlossen ist (§ 13 Rn. 29 ff.), lässt sich eine deliktsrechtliche Änderung des § 831 BGB nur *de lege ferenda* begründen, um eine Einstandspflicht des Geschäftsherrn zu begründen.[294]

91 Das RG und dann der BGH konnten damit nicht direkt § 831 Abs. 1 S. 2 BGB korrigieren, sondern mussten den Weg über das Vertragsrecht wählen: Das hatte den Vorteil, nicht eine gesetzesübersteigende Rechtsfortbildung gegen den Wortlaut des § 831 BGB begründen zu müssen; zudem konnte die Gefahr einer deliktsrechtlichen Haftungsausuferung vermieden werden, weil das Vertragsrecht grundsätzlich auf das Zweipersonenverhältnis angelegt ist (§ 4 Rn. 110). Während die Vertragsfreiheit sich mit der Rechtsidee der *Rechtssicherheit* begründen lässt, beruht das Schädigungsverbot auf der Rechtsidee *Gerechtigkeit.*

92 **Grafik: Widerstreitende Rechtsprinzipien und Konkretisierung der Voraussetzungen des Vertrages mit Schutzwirkung zugunsten Dritter**

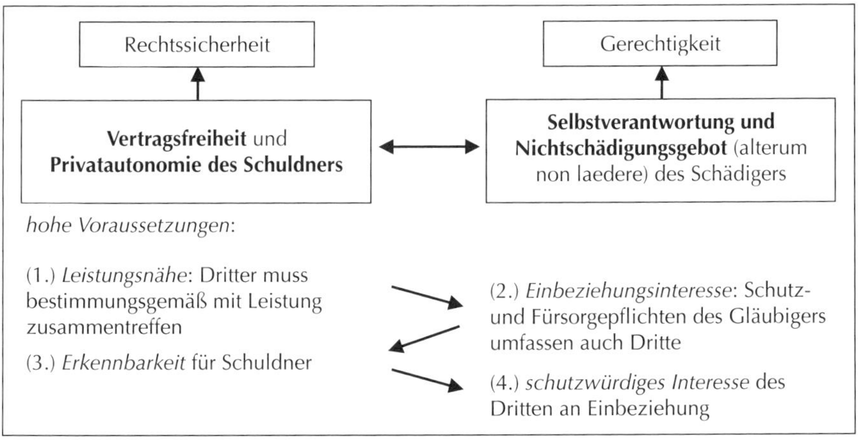

[291] Kötz/*Wagner*, Deliktsrecht, 14. Aufl. 2021, 6. Kap. Rn. 48.

[292] Prot. II, S. 603: „Die Anträge enthalten allerdings insoweit ein berechtigtes Element, als sie auf dem Gedanken beruhen, daß derjenige, der die Vortheile eines Unternehmens genieße, auch für die Schäden aufzukommen habe, die für Dritte daraus entstehen. Aber im Rahmen des B.G.B. lasse sich dieser Gedanke nicht ausgestalten, das können nur auf dem Wege der Spezialgesetzgebung gesehen […]“.

[293] RefE eines Gesetzes zur Änderung und Ergänzung schadensatzrechtlicher Vorschriften, Bd. 2, 1967, S. 77 ff., 94 ff.; *von Bar*, in: BMJ, Gutachten und Vorschläge zur Überarbeitung des Schuldrechts, Bd. 2, 1981, S. 1681, 1758 f., 1762, 1776 f.

[294] Für eine Streichung von § 831 Abs. 1 S. 2 BGB de lege ferenda Kötz/*Wagner*, Deliktsrecht, 14. Aufl. 2021, 6. Kap. Rn. 49; *ders.*, in: MünchKomm-BGB, 8. Aufl. 2020, § 831 Rn. 3 ff.

3. Der Verhältnismäßigkeitsgrundsatz im Zivilrecht

a) Die bejahende Rechtsansicht

Abwägungsvorgänge gibt es gelegentlich für die Prüfung des Einzelfalls.[295] Davon zu trennen ist die Frage, ob der Verhältnismäßigkeitsgrundsatz im Zivilrecht gilt. Dies hat das BVerfG in einigen Entscheidungen bejaht, z.B. im Bereich der Vertrags-, Meinungs- und Berufsfreiheit. Weitergehend bezeichnet der BGH den Verhältnismäßigkeitsgrundsatz als „das ganze Zivilrecht beherrschend"[296] und das BAG spricht sogar von einem „übergeordneten Rechtsprinzip des Privatrechts".[297] Auch von einem Teil der Rechtsliteratur wird angenommen, der Verhältnismäßigkeitsgrundsatz würde für das Zivilrecht umfassend gelten.[298] Weil die Legislative auch im Zivilrecht an die verfassungsgemäße Ordnung gem. Art. 1 Abs. 3 GG gebunden sei, gelte auch für sie der Verhältnismäßigkeitsgrundsatz.[299] Dies gelte auch für die Rechtsprechung im Zivilrecht.[300] Zudem finden sich im BGB Normen, die eine Seite zur verhältnismäßigen Wahrnehmung ihres Rechts verpflichten: Das Notwehrrecht des § 227 Abs. 1 BGB ist gemäß Abs. 2 auf das „erforderliche" Maß begrenzt.[301] Der Inhaber einer Grunddienstbarkeit hat die Interessen des Eigentümers „tunlichst zu schonen", § 1020 S. 1 BGB.[302] Methodisch wird zum Teil versucht, den Verhältnismäßigkeitsgrundsatz aus § 242 BGB herzuleiten.[303] Nach *Canaris* soll ein junger Mensch, der in einem Museum ein bedeutendes Kunstwerk zerstört, schon nach geltendem Recht nicht den exorbitant hohen Schadensersatz leisten müssen, weil ein solcher Anspruch gegen die allgemeine Handlungsfreiheit und auch gegen das im Zivilrecht geltende Übermaßverbot verstieße.[304] 93

b) Die grundsätzlich ablehnende Rechtsansicht

Die Gegenansicht steht einer pauschalen Anwendung des Verhältnismäßigkeitsgrundsatzes aber kritisch gegenüber.[305] Sie betont die Eigenständigkeit des Zivilrechts: Erstens hätte der Gesetzgeber regelmäßig die Interessen schon perfekt abgewogen.[306] Zweitens wäre der Verhältnismäßigkeitsgrundsatz nur tauglich, um öffentliche Eingriffe abzuwehren, nicht aber zwischen Privaten, weil sich beide Parteien auf Grundrechte berufen könnten.[307] Und drittens würde sich das BVerfG viel zu oft als Superrevisionsinstanz der 94

---

[295] Etwa die Feststellung des groben Missverhältnisses bei § 275 Abs. 2 BGB, s. *Riehm*, RW 2013, 1 ff.

[296] BGH, Urt. v. 11.2.1987, IVa ZR 194/85, BGHZ 100, 60, 64 – § 71 VVG; s. auch BGH, Urt. v. 6.12.1989, IVa ZR 249/88, BGHZ 109, 306, 312 – schwere Pietätsverletzung.

[297] BAG, Urt. v. 10.6.1980, 1 AZR 822/79, BAGE 33, 140, 176 – Arbeitskampfrecht.

[298] *Hanau*, Der Grundsatz der Verhältnismäßigkeit als Schranke privater Geltungsmacht, 2004, S. 121 f.; *M. Stürner*, Der Grundsatz der Verhältnismäßigkeit im Schuldvertragsrecht, 2010, S. 442; *Neuner*, NJW 2000, 1822, 1824 für den nichtrechtsgeschäftlichen Bereich; *Schulze-Fielitz*, in: Dreier, GG, 3. Aufl. 2015, Art. 20 (Rechtsstaat) Rn. 197 aus Sicht des Öffentlichen Rechts.

[299] *Neuner*, Allgemeiner Teil des Bürgerlichen Rechts, 12. Aufl. 2020, § 2 Rn. 2.

[300] *Canaris*, JuS 1989, 161, 162.

[301] S. auch § 228 S. 1: „erforderlich", § 230 Abs. 1: „erforderlich" und § 904 S. 1 BGB: „notwendig", „unverhältnismäßig".

[302] Weitere Normen sind § 281 Abs. 1 S. 3: „unerheblich", § 320 Abs. 2: „verhältnismäßiger Geringfügigkeit", § 343 Abs. 1 S. 1: „unverhältnismäßig hoch", § 655 S. 1: „unverhältnismäßig hoher", § 948 Abs. 2: „unverhältnismäßigen Kosten", § 950 Abs. 1 S. 1 BGB: „erheblich geringer".

[303] *Köhler*, GRUR 1996, 82; *Looschelders/Olzen*, in: Staudinger, BGB, Neubearb. 2019, § 242 Rn. 277 ff.

[304] *Canaris*, JZ 1987, 993, 1001 f.; *ders.*, JZ 1988, 494, 497.

[305] *Medicus*, AcP 192 (1992), 35, 69 f.; *Merten*, in: FS Schambeck, 1994, S. 349, 364 f.; Palandt/*Grüneberg*, BGB, 80. Aufl. 2021, § 242 Rn. 54; *Bieder*, Das ungeschriebene Verhältnismäßigkeitsprinzip als Schranke privater Rechtsausübung, 2007, S. 27 ff.; *Kähler*, in: Jestaedt/Lepsius, Verhältnismäßigkeit, 2015, S. 210, 212 ff.; für das Öffentliche Recht: *D. Merten*, HdB GR, Bd. III, 2009, § 68 Rn. 22.

[306] *Medicus*, AcP 192 (1992), 35, 37; *Preis*, in: FS Dieterich, 1999, S. 429, 433 sowie oben § 10 Rn. 1.

[307] *Medicus*, AcP 192 (1992), 35, 59; *Preis*, in: FS Dieterich, 1999, S. 429, 435, 438.

Fachgerichte gerieren (§ 13 Rn. 110 ff.).[308] Deshalb gelte der Verhältnismäßigkeitsgrundsatz nicht oder nur höchst eingeschränkt: Als Ausdruck der Selbstbestimmung können die Parteien die Verträge grundsätzlich frei gestalten. Das objektive Äquivalenzprinzip gilt gerade nicht. Das BGB hat sich bewusst gegen eine Preiskontrolle entschieden, die „laesio enormis" gilt nur ausnahmsweise (ausführlich § 9 Rn. 52 ff.).[309] Im Sachenrecht kann der Eigentümer gem. § 903 BGB mit seinem Eigentum nach Belieben verfahren.[310] Der Eigentümer darf seine Sachen zerstören, ohne dass er daran gehindert werden könnte.[311] Aufgrund der Testierfreiheit kann man den Ehegatten oder Verwandte von der Erbschaft ausschließen; es besteht lediglich ein Schutz über den Pflichtteilsanspruch gem. § 2303 BGB.

c) Vermittelnde Ansicht: begrenzte Anwendung des Verhältnismäßigkeitsgrundsatzes im BGB

95 aa) Der ersten Ansicht ist zwar zuzustimmen, dass im Zivilrecht Grundrechte mittelbar wirken (§ 11 Rn. 11 ff.) und auch der Gesetzgeber im Zivilrecht an die Grundrechte und damit das Übermaßverbot gebunden ist. Daraus folgt aber grundsätzlich keine unmittelbare Anwendung der Grundrechte im Zivilrecht. Zudem sind die gerade genannten Vorschriften nicht verallgemeinerungsfähig,[312] betreffen sie doch nur die Verteidigung von Rechten oder den Umfang der Rechtsdurchsetzung. Auch auf § 242 BGB abzustellen, überzeugt nicht, zielt diese Norm in der Tradition der römisch-rechtlichen *bonas fides*[313] nur auf bestimmte Pflichten innerhalb einer Gläubiger-Schuldner Beziehung, ohne aber eine Abwägung aller betroffenen Interessen zu erzwingen.[314] Ein beliebiges Korrigieren gesetzlicher Vorschriften über den Verhältnismäßigkeitsgrundsatz übersteigt die Grenzen zulässiger Rechtsfortbildung: Der „Kunstterrorist", der vorsätzlich ein besonders wertvolles Gemälde zerstört, haftet für den gesamten Schaden, denn die Eigentumsposition des Verletzten ist eindeutig.[315] Der Täter wird ausreichend durch das Insolvenzrecht geschützt.[316]

96 Die Herstellung des Interessenausgleichs obliegt folglich grundsätzlich dem Gesetzgeber.[317] Er kann einen deutlich besseren Ausgleich der Interessen treffen als eine Verhältnismäßigkeitsprüfung durch die Gerichte.[318] Die Verhältnismäßigkeitsprüfung mit seinen Kriterien von Geeignetheit, Erforderlichkeit und Verhältnismäßigkeit im engeren Sinne (§ 10 Rn. 42 ff.) würde die Privatautonomie systemwidrig einschränken.[319] Synallagmatischen Verträgen, wie dem Kauf-, Dienst- oder Werkvertrag ist der Interessengegensatz

[308] *Medicus*, AcP 192 (1992), 35, 69; *Diederichsen*, AcP 198 (1998), 171, 209 ff.

[309] Ebenso *Raiser*, in: FS DJT, Bd. 1, 1960, S. 101, 129 ff.; *Wieacker*, Zur rechtstheoretischen Präzisierung des § 242 BGB, 1956, S. 38; *D. Merten*, HdB GR, Bd. III, 2009, § 68 Rn. 22; *Kähler*, in: Jestaedt/Lepsius (ebd.), S. 210, 225. Anders dagegen § 56 Abs. 1 S. 2 VwVfG: „Die Gegenleistung muss den gesamten Umständen nach angemessen sein und im sachlichen Zusammenhang mit der vertraglichen Leistung der Behörde stehen."

[310] Dieser Grundsatz hat eine jahrhundertelange Tradition, s. oben § 9 Fn. 109.

[311] *Kähler*, in: Jestaedt/Lepsius, Verhältnismäßigkeit, 2015, S. 210, 227.

[312] *D. Merten*, HdB GR, Bd. III, 2009, § 68 Rn. 22; *Kähler*, in: Jestaedt/Lepsius, Verhältnismäßigkeit, 2015, S. 210, 217 ff.

[313] *Schermaier*, in: Zimmermann/Whittacker, Good Faith in European Contract Law, 2000, S. 63, 66.

[314] *Kähler*, in: Jestaedt/Lepsius, Verhältnismäßigkeit, 2015, S. 210, 221.

[315] Zur unzulässigen Rechtsfortbildung beim Eingriff in Grundrechte Dritter s. unten § 13 Rn. 70 f.

[316] Ablehnend gegen *Canaris* (§ 10 Fn. 304): *Ramm*, JZ 1988, 489, 491 f.; *Medicus*, AcP 192 (1992), 35, 66 f.; *Preis*, in: FS Dieterich, 1999, S. 429, 460; *Looschelders/Olzen*, in: Staudinger, BGB, Neubearb. 2019, § 242 Rn. 280; *Kähler*, in: Jestaedt/Lepsius (ebd.), S. 210, 215.

[317] *Stern*, in: ders., Das Staatsrecht der Bundesrepublik Deutschland, Bd. III/1, 1988, S. 1578; *Hesse*, Grundzüge des Verfassungsrechts der Bundesrepublik Deutschland, 20. Aufl. 1999, Rn. 355.

[318] *Preis*, in: FS Dieterich, 1999, S. 429, 448.

[319] *Bieder*, Das ungeschriebene Verhältnismäßigkeitsprinzip als Schranke privater Rechtsausübung, 2007, S. 39 ff.

immanent: Was die eine Seite günstig erwerben will, will die andere Seite teuer veräußern. Ob die Flasche Coca-Cola für 50 Cent oder für 5 EUR verkauft wird, entscheidet grundsätzlich der Markt[320] und interessiert den Richter nicht. Damit muss der Einzelne gegenüber dem Vertragspartner grundsätzlich nicht fiduziarisch, nicht im bestmöglichen Interesse der Gegenpartei, handeln, sondern darf nur seine eigenen Interessen verfolgen. Damit erlaubt das Zivilrecht in den Grenzen des § 138 und § 242 BGB ein Recht auf Maßlosigkeit und nimmt gerade keine Inhaltskontrolle vor (§ 9 Rn. 30). Im Sinne einer *Vermutungsregel* gilt insoweit eine widerlegbare Vermutung für die Gültigkeit privatautonomer Vereinbarungen.[321]

bb) Allerdings ist auch die Rechtsansicht zu weit, die den Verhältnismäßigkeitsgrundsatz für das Zivilrecht explizit ablehnt.[322] Über die oben genannten Einzelfälle hinaus, hat der Gesetzgeber eine Verhältnismäßigkeitsprüfung eingeführt, wenn allgemeine Geschäftsbestimmungen durch einseitige Gestaltungsmacht die Selbstbestimmung der Gegenseite beeinträchtigen: So sind Klauseln gem. § 307 Abs. 1 BGB bei einer „unangemessenen Benachteiligung" der anderen Seite unwirksam.[323] Auch Gestaltungsrechte, wie die Kündigung, müssen verhältnismäßig ausgeübt werden.[324] Hier greift das Verbot missbräuchlicher Rechtsausübung des § 242 BGB. Um Scheinbegründungen zu vermeiden, muss die **Abwägung strukturiert** (§ 10 Rn. 76) und damit rationalisiert werden. Dazu sind drei Überlegungen zu berücksichtigen: Erstens muss man gesetzliche Wertungen beachten und darf diese nicht durch eigene ersetzen. Zweitens muss man versuchen, unbestimmte Rechtsbegriffe mit Zurechnungskriterien (§ 8 Rn. 4) oder Leitbildern (§ 10 Rn. 17 f.) weiter zu konkretisieren. Und drittens sollte versucht werden, solche konkretisierenden Kriterien in eine tatbestandsähnliche Prüfungsreihenfolge zu bringen, um damit komparative Sätze zu vermeiden.[325] **97**

cc) Das Verfassungsrecht und damit auch eine Verhältnismäßigkeitskontrolle sind insbesondere immer dann zu beachten, wenn das **Verfassungsrecht mittelbar in das Zivilrecht einwirkt.** Bereits der Lüth-Fall (§ 11 Rn. 12 f.) und der gerade aufgeführte Lebach-Fall (§ 10 Rn. 48 f.) verdeutlichen, dass zivilrechtliche Unterlassungs- oder Schadensersatzansprüche unter bestimmten Voraussetzungen einzuschränken sind. So ist das allgemeine Persönlichkeitsrecht durch die Schutzpflicht des Staates auch im Zivilrecht zu schützen (§ 11 Rn. 71 ff.). Allerdings kann die Meinungsfreiheit dem entgegenstehen. Deshalb hat eine umfassende Abwägung stattzufinden.[326] Umgekehrt kann sich der obige Kunstterrorist aber nicht darauf berufen, die Schadensersatzpflicht würde ihn langfristig in seiner Lebensplanung einschränken, wenn er diesen Schaden selbstbestimmt verursacht hat (§ 10 Rn. 95). Es wäre absurd, wenn der vorsätzlich handelnde Schädiger nicht haftet, nur weil er einen besonders hohen Schaden hervorgerufen hat.[327] Der Verhältnismäßigkeitsgrundsatz ist dann „ultima ratio" im Sinne einer *subsidiären Konfliktlösungsregel.*[328] **98**

---

[320] Zur unsichtbaren Hand von Adam Smith s. oben § 5 Rn. 122. Zu Ausnahmen s. aber § 9 Rn. 54a.

[321] *Preis*, in: FS Dieterich, 1999, S. 429, 440.

[322] So explizit *Kähler*, in: Jestaedt/Lepsius, Verhältnismäßigkeit, 2015, S. 210, 212 ff.

[323] *Preis*, in: FS Dieterich, 1999, S. 429, 440.

[324] BGH, Urt. v. 17.2.1955, II ZR 316/53, BGHZ 16, 317, 322 ff. zu § 140 HGB; vgl. auch § 133 Abs. 2 HGB. Kritisch zum Kündigungsschutzrecht des BAG, s. *Preis*, Prinzipien des Kündigungsrechts bei Arbeitsverhältnissen, 1987, S. 261. Ascheid/Preis/Schmidt/*Preis*, Kündigungsschutzrecht, 5. Aufl. 2017, Grundlagen H. Rn. 21; *Stückmann/Kohlepp*, RdA 2000, 331, 332.

[325] Zu den Nachteilen des Beweglichen Systems s. oben § 8 Rn. 8.

[326] BGH, Urt. v. 26.10.1951, I ZR 8/51, BGHZ 3, 270, 280 ff. – Constanze I; BGH, Urt. v. 21.6.1966, VI ZR 261/64, BGHZ 45, 296, 307 ff. – Höllenfeuer; *Schiemann*, in: HKK-BGB, 2013, §§ 823, 830, 840, 842–853 Rn. 122; Palandt/*Sprau*, BGB, 80. Aufl. 2021, § 823 Rn. 95 ff.

[327] **A.A.** aber *Canaris* (§ 10 Fn. 304).

[328] *Preis*, in: FS Dieterich, 1999, S. 429, 447; vorher bereits *Metzner*, Das Verbot der Unverhältnismäßigkeit im Privatrecht, 1970, S. 40 ff., 74, 109 f.

Zusammenfassung zu § 10

99 I. Die Kollision von Prinzipien kann auch zur Konkretisierung der Prinzipien herangezogen werden. Dabei hilft die *Abwägung,* die inzwischen verschiedene Verfahrensschritte unterscheidet. So führt die Abwägung zu einzelnen Zwischenschritten, Vorrang-, Vermutungs- und Abwägungslastregeln, ggf. auch zu neuen Prinzipien oder Rechtsinstituten.

II. Die inzwischen ausgefeilte Rechtsdogmatik unterscheidet bei der Prüfung von Grundrechten zwischen Schutzbereich, Eingriff, Rechtfertigung und Schranken-Schranken, auch wenn Einzelheiten umstritten bleiben. Es geht um die Verteilung von *Argumentations- und Rechtfertigungslasten*: Rechtfertigungsbedürftig ist grundsätzlich nicht der Gebrauch der grundrechtlichen Freiheit, sondern der Versuch ihrer Beschränkung.

III. Im europäischen Recht existieren Grundrechte und Grundfreiheiten, deren Prüfung stark mit der der deutschen Grundrechte vergleichbar ist. Dabei prüft der EuGH auch Grundrechte im nicht harmonisierten Bereich und das BVerfG europäische Grundrechte.

IV. Auch im *Zivilrecht* können sich Rechtsprinzipien widersprechen. Diese können durch Vorrangregeln oder auch durch Abwägung gelöst werden. Die Abwägung erlaubt wieder konkretisierende Zwischenschritte. Der Verhältnismäßigkeitsgrundsatz gilt im Zivilrecht nur eingeschränkt.

4. Teil. Vorrang durch Verfassungs- und Europarecht

§ 11 Verfassung als höherrangiges Recht

Literatur: *Alexy, Robert*, Theorie der Grundrechte, 1985; *Auer, Marietta*, Die primärrechtskonforme Auslegung, in: Neuner, Jörg, Grundrechte und Privatrecht, 2007, S. 27–54; *Canaris, Claus-Wilhelm*, Die verfassungskonforme Auslegung und Rechtsfortbildung im System der juristischen Methodenlehre, in: FS Kramer, 2004, S. 141–159; *ders.*, Grundrechte und Privatrecht, AcP 184 (1984), 201–246; *Dreier, Horst*, in: Dreier, Horst, GG, 3. Aufl. 2013, Vorbem. Rn. 63–104; *Hellgardt, Alexander*, Wer hat Angst vor der unmittelbaren Drittwirkung?, JZ 2018, 901–910; *Hermes, Georg*, Verfassungsrecht und einfaches Recht – Verfassungsgerichtsbarkeit und Fachgerichtsbarkeit, VVDStRL 61 (2002), 119–150; *Hillgruber, Christian*, Richterliche Rechtsfortbildung als Verfassungsproblem, JZ 1996, 118–125; *Isensee, Josef*, Das Grundrecht als Abwehrrecht und staatliche Schutzpflicht, in: HStR IX, 3. Aufl. 2011, § 191; *Möllers, Thomas M.J.*, Ein Vierstufen-System zur Rationalisierung der Grenze zulässiger Rechtsfortbildung, in: FS G. Roth, 2011, S. 473–496; *ders.*, Die Trias von verfassungsorientierter und verfassungskonformer Auslegung sowie der verfassungskonformen Rechtsfortbildung – Ein Beitrag zu mehr Methodenehrlichkeit beim Streit zwischen den beiden Senaten des BVerfG, in: FS Vedder, 2017, S. 721–749; *Poscher, Ralf*, Grundrechte als Abwehrrechte, 2003; *Ruffert, Matthias*, Vorrang der Verfassung und Eigenständigkeit des Privatrechts, 2001; *Schmidt, Reiner*, Der verfassungsrechtliche Hintergrund der Privatrechtsdogmatik, in: FS Canaris, 2017, S. 131–146; *Ulber, Daniel*, Die Rechtsprechung des Bundesverfassungsgerichts zur Zulässigkeit und Grenzen richterlicher Rechtsfortbildung im Zivilrecht, EuGRZ 2012, 365–377; *Volkmann, Uwe*, Grundzüge einer Verfassungslehre der Bundesrepublik Deutschland, 2013; *Wendt, Rudolf*, Verfassungsorientierte Gesetzesauslegung, in: FS Würtenberger, 2013, S. 123–135; *Zippelius, Reinhold*, Verfassungskonforme Auslegung von Gesetzen, in: FG 25 Jahre BVerfG, Bd. II, 1976, S. 108–124.

Übersicht

	Rn.
I. Die verschiedenen Funktionen der Verfassung	2
1. Grundrechte und Grundgesetz als objektive Wertordnung	3
2. Wirkung der Grundrechte gegenüber Privaten	11
3. Der Einfluss der Verfassung auf die Rechtsprechung	21
II. Verfassungswidrigkeit und Argumentationsfiguren des Verfassungsrechts	30
1. Nichtigkeit eines verfassungswidrigen Gesetzes	30
2. Ausnahmen von der Nichtigkeit	32
3. Umstrittene Argumentationsfiguren des Verfassungsrechts	36
III. Die verfassungsorientierte Auslegung	38
1. Die verfassungsorientierte Auslegung als Auslegungsfigur	38
2. Die verfassungsorientierte Auslegung als einfache Abwägungsregel im Zivilrecht	43
IV. Verfassungskonforme Auslegung	47
1. Grundsatzfragen zur verfassungskonformen Auslegung	47
2. Verfassungskonforme Auslegung im Öffentlichen Recht	52
3. Verfassungskonforme Auslegung im Zivilrecht	55
V. Verfassungskonforme Rechtsfortbildung	64
1. Die widersprüchliche Rechtsprechung des Bundesverfassungsgerichts	64
2. Die verfassungskonforme Rechtsfortbildung als Rechtsfigur	65
3. Fallgruppen zulässiger verfassungskonformer Rechtsfortbildung	68
4. Grenzen der verfassungskonformen Rechtsfortbildung bei Grundrechtsbeeinträchtigungen Dritter – der Streit der Verfassungssenate	79

1 Am Anfang des Buches wurde beim Mutter-Kind-Fall schon mit dem Gleichheitsgrundrecht des Art. 3 Abs. 1 GG argumentiert (§ 1 Rn. 73) und festgestellt, dass die Verfassung und das Europarecht höherrangiger als das einfache Recht sind (§ 2 Rn. 82 ff.). In vielen Staaten der Welt gibt es eine Verfassung. In diesem Kapitel wird gezeigt, wie die Grundrechte das Zivil-, Straf- und Öffentliche Recht im deutschen Recht beeinflussen können und in welcher Form man bei der Anwendung des geltenden Rechts in einer Klausur oder Hausarbeit auf das Verfassungsrecht zurückgreifen muss. Dazu gehört nicht nur die Frage, in welchem Umfang Grundrechte zwischen Privaten wirken, sondern auch die Problematik, in welchem Umfang die Verfassung zu berücksichtigen ist (I.). Die verfassungsrechtlichen Vorgaben können unterschiedlich intensiv zu berücksichtigen sein: als Verfassungswidrigkeit, die zur Rechtswidrigkeit und ggf. Nichtigkeit der Norm führt (II.), nur als Abwägungsmaßstab im Rahmen der sog. verfassungsorientierten Auslegung (III.), als dem einfachen Recht vorgehende verfassungskonforme Auslegung (IV.) oder ggf. über den Wortlaut des einfachen Gesetzes hinaus als verfassungskonforme Rechtsfortbildung (V.).

I. Die verschiedenen Funktionen der Verfassung

2 Grundrechte sind subjektive Rechte und können in Abwehrrechte, Leistungsrechte, Schutzrechte und Teilhaberechte unterschieden werden.[1] Sie haben darüber hinaus einen objektiv-rechtlichen Gehalt,[2] der die Rechts- und Gesellschaftsordnung prägt, wie z. B. die Rechtsinstitute Eigentum oder Ehe.

1. Grundrechte und Grundgesetz als objektive Wertordnung

a) Abwehrrechte gegenüber dem Staat

3 Historisch gesehen sind die Grundrechte seit 200 Jahren klassische Abwehrrechte des Bürgers gegenüber dem Staat.[3] So formulierte schon *Jellinek* vor gut 100 Jahren: „Das Dasein besonders drückend empfundener Beschränkungen des Individuums hat geschichtlich die Forderung der Anerkennung bestimmter Freiheitsrechte hervorgerufen. Religionszwang und Zensur haben die Vorstellung der Religions- und Preßfreiheit entstehen lassen, durch polizeiliche Eingriffe und Verbote sind Hausrecht, Briefgeheimnis, Vereins- und Versammlungsrecht usw. als Freiheitsrecht gefordert worden."[4] Das Verständnis der Grundrechte als Abwehrrechte galt gerade auch vor dem Hintergrund der Gewaltherrschaft des Nationalsozialismus.[5] Als Abwehrrechte lesen sich insoweit unmittelbar die Religionsfreiheit, das Recht auf Briefgeheimnis und die Unverletzlichkeit der Wohnung, Artt. 4, 10 Abs. 1, 13 Abs. 1 GG. Aber auch andere Grundrechte sind als Abwehrrechte

[1] Zum *status negativus* und *status positivus* s. bereits *Jellinek*, System der subjektiven öffentlichen Rechte, 1892, S. 82 f.

[2] BVerfG, Urt. v. 1.3.1979, 1 BvR 532/77 u.a., BVerfGE 50, 290, 337 – Mitbestimmung.

[3] Zur Geschichte der Grundrechte s. die Nachweise bei *Zippelius*, Allgemeine Staatslehre, 17. Aufl. 2017, S. 269 ff.; rechtsvergleichend *Goldsworthy (Ed.)*, Interpreting Constitutions, 2006.

[4] *Jellinek*, Allgemeine Staatslehre, 3. Aufl. 1914, S. 419.

[5] *von Mangoldt*, Entwurf des Grundgesetzes, Anlage zum stenographischen Bericht der 9. Sitzung des Parlamentarischen Rates v. 6.5.1949, S. 5: „In den Grundrechten sollte also das Verhältnis des Einzelnen zum Staate geregelt werden, der Allmacht des Staates Schranken gesetzt werden, damit der Mensch in seiner Würde wieder anerkannt werde."

gegenüber staatlicher Gewalt zu sehen.[6] Dies entspricht auch dem klassischen Verständnis der Grundrechte in den USA.[7]

b) Das Grundgesetz als Wertordnung

Die Menschenrechte sind Teil des Naturrechts und damit übergesetzlicher Wertemaßstab (zum Streitstand s. oben § 2 Rn. 128 ff.). Im Lüth-Urteil hat das Bundesverfassungsgericht erstmals die Grundrechte nicht mehr nur als Abwehrrechte, sondern als „*objektive Wertordnung*" bezeichnet. Die materielle Grundordnung umfasst den Schutz der Menschenwürde, den Schutz der Freiheit und den Schutz sozialer Interessen. Als Prinzipien bedürfen sie der weiteren Konkretisierung.[8] Diese Neuerfindung der Verfassung hat weite Auswirkungen. In concreto formulierte das BVerfG in der Lüth-Entscheidung: 4

„Ohne Zweifel sind die Grundrechte in erster Linie dazu bestimmt, die Freiheitssphäre des einzelnen vor Eingriffen der öffentlichen Gewalt zu sichern; sie sind *Abwehrrechte* des Bürgers gegen den Staat. Das ergibt sich aus der geistesgeschichtlichen Entwicklung der Grundrechtsidee wie aus den geschichtlichen Vorgängen, die zur Aufnahme von Grundrechten in die Verfassungen der einzelnen Staaten geführt haben. Diesen Sinn haben auch die Grundrechte des Grundgesetzes, das mit der Voranstellung des Grundrechtsabschnitts den Vorrang des Menschen und seiner Würde gegenüber der Macht des Staates betonen wollte. Dem entspricht es, daß der Gesetzgeber den besonderen Rechtsbehelf zur Wahrung dieser Rechte, die Verfassungsbeschwerde, nur gegen Akte der öffentlichen Gewalt gewährt hat. 4a

Ebenso richtig ist aber, daß das Grundgesetz, das keine wertneutrale Ordnung sein will (BVerfGE 2, 1 [12]; 5, 85 [134 ff., 197 ff.]; 6, 32 [40 f.]), in seinem Grundrechtsabschnitt auch eine *objektive Wertordnung* aufgerichtet hat und daß gerade hierin eine prinzipielle *Verstärkung der Geltungskraft* der Grundrechte zum Ausdruck kommt (Klein-v. Mangoldt, Das Bonner Grundgesetz, Vorbem. B III 4 vor Art. 1 S. 93). Dieses Wertsystem, das seinen Mittelpunkt in der innerhalb der sozialen Gemeinschaft sich frei entfaltenden menschlichen Persönlichkeit und ihrer Würde findet, *muß als verfassungsrechtliche Grundentscheidung für alle Bereiche des Rechts gelten; Gesetzgebung, Verwaltung und Rechtsprechung empfangen von ihm Richtlinien und Impulse*. So beeinflußt es selbstverständlich auch das bürgerliche Recht; keine bürgerlich-rechtliche Vorschrift darf in Widerspruch zu ihm stehen, jede muß in seinem Geiste ausgelegt werden."[9]

Die Bezeichnung der Verfassung als Wertordnung lässt sich als dezidierte Abgrenzung gegenüber dem Werterelativismus von Weimar verstehen.[10] Die Wertordnung führt zu einer Rechtsfortbildung der Verfassung (§ 13 Rn. 94 ff.). Der Wert ist keine Kategorie von Recht, sondern der „Moral, und damit nicht des Sollens, sondern des Gutens".[11] Das ist naheliegend, wenn bei Entscheidungen mit der Menschenwürde argumentiert wird.[12] Die Verfassung gibt dem BVerfG so die Möglichkeit, „Gerechtigkeitsvorstellungen der Gesell- 4b

[6] So etwa zur Kunstfreiheit des Art. 5 Abs. 3 Var. 1 GG, s. BVerfG, Beschl. v. 13.6.2007, 1 BvR 1783/05, BVerfGE 119, 1, 20 ff. – Esra; zur Wissenschaftsfreiheit des Art. 5 Abs. 3 Var. 2 GG, s. BVerfG, Beschl. v. 1.3.1978, 1 BvR 333/75 u.a., BVerfGE 47, 327, 367 – Hessisches Universitätsgesetz (§ 11 Rn. 53).

[7] Z.B. 1st Amendment U.S.Const. (§ 1 Fn. 158): „Congress shall make no law (…)". Zur Diskussion s. etwa Richter *Posner* in der Entscheidung *Jackson v. City of Joliet*, 715 F.2d 1200, 1203 (7th Cir. 1983): „the Constitution is a charter of negative rather than positive liberties."

[8] *Hesse*, Grundzüge des Verfassungsrechts der Bundesrepublik Deutschland, 20. Aufl. 1999, Rn. 60 ff. S. oben § 7 Rn. 2 und § 10 Rn. 4.

[9] BVerfG, Urt. v. 15.1.1958, 1 BvR 400/51, BVerfGE 7, 198, 204 f. – Lüth.

[10] BVerfG, Urt. v. 17.8.1956, 1 BvB 2/51, BVerfGE 5, 85, 138 f. – KPD.

[11] So *Alexy*, Theorie der Grundrechte, 1986, S. 125 ff.; *Volkmann*, Grundzüge einer Verfassungslehre der Bundesrepublik Deutschland, 2013, S. 134 f.; *ders.*, JZ 2020, 965, 967.

[12] S. bereits oben § 1 Rn. 112 ff. und § 10 Rn. 8 ff.

schaft zu verhandeln".[13] Konsequent spricht Böckenförde von der wirklichkeitswissenschaftlich orientierten Verfassungsinterpretation.[14] Die dynamische Auslegung der Verfassung (§ 6 Rn. 72) erlaubt es, die jeweiligen moralischen Wertvorstellungen der Gesellschaft zu berücksichtigen. Das verdeutlicht die Entscheidung zur geschäftsmäßigen Sterbehilfe (sogleich § 11 Rn. 8b). Jeweils ist genau zu prüfen, welches Thema vom Gesetzgeber selbst und welches durch die Gerichte zu entscheiden ist (§ 13 Rn. 97 f.).[15]

c) Grundrechte als Schutzpflichten des Staates gegenüber dem Bürger

5 Darüber hinaus lassen sich Grundrechte auch als Schutzpflichten verstehen, die der Staat gegenüber dem Bürger zu erfüllen hat. Den Schutzcharakter von Grundrechten betont der Gesetzgeber ausdrücklich bei der Menschenwürde in Art. 1 Abs. 1 S. 2 GG.[16] Schutzpflichten werden zudem bei dem Anspruch der Mutter auf Schutz und Fürsorge gem. Art. 6 Abs. 4 GG oder dem Rechtsschutz durch gerichtliches Verfahren und gerichtliche Entscheidung gem. Art. 19 Abs. 4 GG angedeutet. Es gehört zu den klassischen Aufgaben des Staates, die Bürger durch den Einsatz von Polizei und Armee vor Übergriffen Dritter zu schützen. Dem Staat obliegt gegenüber dem Bürger eine Schutzpflicht, die körperliche Unversehrtheit des Bürgers zu sichern. Sie ruht in der objektiven Wertung der Grundrechte[17] und auf der Staatsaufgabe, die Sicherheit des Bürgers zu gewährleisten.[18] Der Staat sichert damit das allgemeine Schädigungsverbot, das *alterum non laedere* (§ 1 Rn. 110).

6 Die Schutzpflicht des Staates lebt auf, wenn der Bürger bedroht wird, beispielsweise bei Naturkatastrophen, aber auch, wenn Dritte den Bürger bedrohen.[19] Damit hat der Staat nicht nur Freiheitsräume zu achten, sondern auch zu schützen; Grundrechte führen damit zu aktiven Handlungsgeboten des Staates.[20] Er hat die notwendigen Gesetze zum Schutz der Grundrechte zu erlassen und – damit verbunden – ihre Durchsetzung sicherzustellen.[21] In diesem Zusammenhang werden auch das Strafrecht und das weniger einschneidende Zivilrecht zum Schutz von Leben und Gesundheit eingesetzt.[22] Im Zivilrecht haben die Schutzpflichten an verschiedenen Stellen Eingang gefunden. Die nach Art. 2 Abs. 2 GG zu gewährleistende körperliche Unversehrtheit wird nicht nur durch die §§ 211 ff. StGB geschützt, sondern auch durch die §§ 823 ff. BGB. Diese Normen schuf der Gesetzgeber, um seine Verpflichtung gegenüber dem Bürger zu erfüllen.[23] Das US-amerikanische Verständnis von Grundrechten ist dagegen deutlich enger; aus der Verfas-

---

[13] So die Formulierung von *Volkmann* (ebd.), S. 167 ff., 177 ff.

[14] *Böckenförde*, Staat, Verfassung, Demokratie, 1991, S. 53, 70 ff. Ähnlich *Forsthoff*, Der Staat als Industriegesellschaft, 1971, S. 137: geisteswissenschaftliche Methode.

[15] Kritisch zur Entwicklung von Grundrechten als objektive Wertordnung *Böckenförde* (ebd.), S. 159, 191 ff.

[16] „Die Würde des Menschen ist unantastbar. Sie zu achten und zu schützen ist Verpflichtung aller staatlichen Gewalt." Hierzu *Dürig*, AöR 81 (1956), 117 ff.

[17] BVerfG, Urt. v. 25.2.1975, 1 BvF 1/74 u.a., BVerfGE 39, 1, 41 – Schwangerschaftsabbruch I.

[18] *Isensee*, Das Grundrecht auf Sicherheit, 1983, S. 3 ff.; *Hermes*, Das Grundrecht auf Schutz von Leben und Gesundheit, 1987, S. 148 ff.; *Dietlein*, Die Lehre von den grundrechtlichen Schutzpflichten, 1992, S. 21 ff.; *Möllers*, Rechtsgüterschutz im Umwelt- und Haftungsrecht, 1996, S. 148 f.; vorher schon *Hobbes*, Leviathan, 1651, Part 2, Chap. 17, S. 87 f.: „Peace and Common Defence".

[19] *Isensee*, in: HStR IX, 3. Aufl. 2011, § 191 Rn. 1.

[20] *Neuner*, Allgemeiner Teil des Bürgerlichen Rechts, 12. Aufl. 2020, § 5 Rn. 15 spricht von „Eingriffsverboten".

[21] Deutlich *Canaris*, AcP 184 (1984), 201, 213, 227.

[22] *Müller-Terpitz*, in: HStR VII, 3. Aufl. 2009, § 147 Rn. 95; *Starck*, in: von Mangoldt/Klein/Starck, GG, 7. Aufl. 2018, Art. 2 Abs. 2 Rn. 236; *Canaris*, AcP 184 (1984), 201, 227; *Möllers*, Rechtsgüterschutz im Umwelt- und Haftungsrecht, 1996, S. 148 ff.

[23] *Canaris*, AcP 184 (1984), 201, 229 ff. S. sogleich § 11 Rn. 17 ff.

sung lassen sich grundsätzlich keine eigenen Schutzpflichten zugunsten des Bürgers begründen.[24]

Die Schutzpflichtenlehre ist Verfassungsfortbildung[25] und wurde vom BVerfG in der Schwangerschaftsabbruch-I-Entscheidung entwickelt. In dieser Entscheidung ging es um die Frage, ob die sogenannte Fristenregelung des Fünften Strafrechtsreformgesetzes, wonach der Schwangerschaftsabbruch in den ersten zwölf Wochen seit der Empfängnis unter bestimmten Voraussetzungen straffrei bleibt, mit dem Grundgesetz vereinbar ist. Das BVerfG schützte das ungeborene Leben gegen eine Fristenlösung des Staates (und auch gegenüber dem Recht der Mutter). Hierzu führte das BVerfG aus: 7

„Die *Schutzpflicht des Staates ist umfassend.* Sie verbietet nicht nur – selbstverständlich – unmittelbare staatliche Eingriffe in das sich entwickelnde Leben, sondern gebietet dem Staat auch, sich schützend und fördernd vor dieses Leben zu stellen, das heißt vor allem, es auch vor rechtswidrigen Eingriffen von seiten anderer zu bewahren. An diesem Gebot haben sich die einzelnen Bereiche der Rechtsordnung, je nach ihrer besonderen Aufgabenstellung, auszurichten. Die Schutzverpflichtung des Staates muß umso ernster genommen werden, je höher der Rang des in Frage stehenden Rechtsgutes innerhalb der Wertordnung des Grundgesetzes anzusetzen ist. Das menschliche Leben stellt, wie nicht näher begründet werden muß, innerhalb der grundgesetzlichen Ordnung einen Höchstwert dar; es ist die vitale Basis der Menschenwürde und die Voraussetzung aller anderen Grundrechte. 8

Die Verpflichtung des Staates, das sich entwickelnde Leben in Schutz zu nehmen, besteht *grundsätzlich auch gegenüber der Mutter.*"[26]

In welchem Umfang die Schutzpflicht gerichtlich eingefordert werden kann, ist weiterhin wenig geklärt: Einerseits gesteht das BVerfG dem Gesetzgeber im Rahmen der Corona-Pandemie einen weiten Einschätzungs-, Wertungs- und Gestaltungsspielraum zu und sieht diesen nur verletzt, wenn die getroffenenen Regelungen und Maßnahmen offensichtlich ungeeignet sind oder erheblich hinter dem Schutzziel zurückbleiben.[27] Oft hat das BVerfG aber zusätzliche Maßnahmen des Gesetzgebers oder der Exekutive zum Schutze des Bürgers abgelehnt, so bereits im Fall des entführten Arbeitgeberpräsidenten Schleyer durch die RAF[28] oder bei der Frage ausreichender Waffengesetze[29] oder auch Maßnahmen während der Corona-Pandemie.[30] Andererseits nimmt es inzwischen nicht nur eine Evidenz-, sondern eine Vertretbarkeitskontrolle vor (§ 10 Rn. 52). 8a

Geschäftsmäßige Sterbehilfe: Der zweite Senat hat jüngst das strafrechtliche Verbot geschäftsmäßiger Sterbehilfe des § 217 StGB für nichtig erachtet, weil die Menschenwürde über Art. 1 S. 1 i.V.m. Art. 2 Abs. 1 GG das Recht auf selbstbestimmtes Sterben und damit die Selbsttötung umfasse. Dies wiederum verlange auch, die Hilfe Dritter in Anspruch nehmen zu können. Die Schutzpflicht des Grundgesetzes schütze gegen Be- 8b

[24] *DeShaney v. Winnebago County Department of Social Services,* 489 U.S. 189, 190 (1989) und oben § 11 Fn. 7 sowie bereits *Roe v. Wade* (§ 1 Rn. 71).

[25] *Starck*, in: HStR XII, 3. Aufl. 2014, § 271 Rn. 65. S. unten § 14 Rn. 46 f.

[26] BVerfG, Urt. v. 25.2.1975, 1 BvF 1/74 u.a., BVerfGE 39, 1, 42 – Schwangerschaftsabbruch I und BVerfG, Urt. v. 28.5.1993, 2 BvF 2/90 u.a., BVerfGE 88, 203, 254 – Schwangerschaftsabbruch II; **a.A.** Sondervotum *Rupp-von Brüneck, Simon*, in: BVerfG, Urt. v. 25.2.1975, 1 BvF 1/74 u.a., BVerfGE 39, 1, 68, 73: „Dies verkehrt die Funktion der Grundrechte in ihr Gegenteil" sowie das US-amerikanische Recht (*Roe v. Wade*), s. oben § 1 Rn. 71.

[27] BVerfG, Beschl. v. 14.1.1981, 1 BvR 612/71, BVerfGE 56, 54, 80 f. – Flugverbot und die folgenden Fußnoten. Zum Gebot der richterlichen Selbstbeschränkung s. § 13 Rn. 92 ff.

[28] BVerfG, Urt. v. 16.10.1977, 1 BvQ 5/77, BVerfGE 46, 160, 164 f. – Schleyer (§ 15 Fn. 96).

[29] BVerfG, KBeschl. v. 23.1.2013, 2 BvR 1645/10, BayVBl. 2013, 334 Rn. 5 – Waffengesetze.

[30] BVerfG, KBeschl. v. 12.5.2020, 1 BvR 1027/20, NvWZ 2020, 1823 Rn. 7 – Corona-Pandemie. Zur Abwägung verschiedener Grundrechte s. oben § 10 Rn. 12.

schränkungen wie dem Verbot aus § 217 StGB.[31] In concreto sieht auch das BVerfG das Spannungverhältnis des Gesetzgebers, die Selbstbestimmung Suizidwilliger zu achten und gleichzeitig das hohe Rechtsgut Leben zu schützen.[32] Dies verlange aber im Einzelfall, dass ein Zugang zu freiwillig bereitgestellter Sterbehilfe real eröffnet bleibt.[33] Das BVerfG begründet dies anschaulich mit der tatsächlichen Möglichkeit, in diesem Spannungsverhältnis die Grundrechte zumindest im Einzelfall *auch tatsächlich* ausüben zu können.

> „Schließt der Gesetzgeber bestimmte Formen der Freiheitsausübung unter Verweis auf fortbestehende Alternativen aus, so müssen die verbleibenden Handlungsoptionen zur Grundrechtsverwirklichung auch tatsächlich geeignet sein. Diese Bedingung realer Wirkkraft gilt im Besonderen für das Recht auf Selbsttötung."[34]

d) Übermaß- und Untermaßverbot

9 Das Verständnis der Grundrechte als Abwehrrechte gegenüber dem Staat und als Schutzpflichten des Staates zugunsten des Bürgers führt zu zwei Konsequenzen: Das Abwehrrecht verlangt, dass der Staat bei staatlichen Eingriffen in Grundrechte das Übermaßverbot zu beachten hat, die Maßnahme mithin verhältnismäßig sein muss. Der Staat darf nur begründet und verhältnismäßig den Freiheitsraum des Bürgers beeinträchtigen (§ 10 Rn. 42 ff.). Für die Bestimmung der Schutzpflicht gilt das Untermaßverbot und damit die Pflicht, einen Mindestschutzstandard sicherzustellen.[35] Der Staat muss sich schützend vor den Freiheitsraum des Bürgers stellen (§ 11 Rn. 5 ff.). Das Grundrecht als Abwehrrecht verbietet also ein bestimmtes staatliches Verhalten, während die Schutzpflicht grundsätzlich unbestimmt ist.[36]

10 Betrachtet man den gesetzlichen Regelungsspielraum im Zivilrecht unter verfassungsrechtlichem Blickwinkel, so lassen sich drei Schichten unterscheiden, die als Schutzgebots-, Gestaltungs- und Abwehrschicht bezeichnet werden können.[37] In einem engen Bereich der *Schutzgebotsschicht* sind Gesetzgeber und Gerichte verpflichtet, die Grundrechte des Bürgers aktiv zu schützen (§ 11 Rn. 5 f.). Dringt ein Dritter in diesen Bereich ein, muss der Staat schützend eingreifen und den Angriff abwehren. Für den Gesetzgeber besteht innerhalb dieser Schicht Gestaltungsfreiheit nur im Hinblick auf das „wie", nicht jedoch im Hinblick auf das „ob" einer Regelung. Das andere Extrem des Spektrums markiert die *Abwehrschicht*, in welcher der Bürger Eingriffe des Staates abwehren kann (§ 11 Rn. 3), die durch den Grundrechtsschutz anderer entstehen.[38] Dies ist der Bereich, in den der Staat nicht eindringen darf. In der mittleren Schicht, der *Gestaltungsschicht*, ist der Gesetzgeber im Rahmen legitimer Zwecksetzungen dagegen frei, private Rechtsverhältnisse zulasten der einen oder anderen Seite auszugestalten oder es aber nicht zu tun, und damit diesen Bereich vollständig privatautonomer Regelung zu überlassen. Aus dem Demokratieprinzip folgt freilich, dass diese Gestaltungsfreiheit grundsätzlich dem Gesetz-

[31] BVerfG, Urt. v. 26.2.2020, 2 BvR 2347/15, BVerfGE 153, 182 Rn. 210 ff., 213 – Geschäftsmäßige Sterbehilfe.

[32] BVerfG (ebd.), Rn. 223 f. – Geschäftsmäßige Sterbehilfe.

[33] BVerfG (ebd.), Rn. 284 – Geschäftsmäßige Sterbehilfe.

[34] BVerfG (ebd.), Rn. 283 – Geschäftsmäßige Sterbehilfe.

[35] Den Begriff verwendet erstmals BFH, Urt. v. 15.1.1969, VII R 13/67, BFHE 95, 67, 83; *Schuppert*, Funktionell-rechtliche Grenzen der Verfassungsinterpretation, 1980, S. 15; *Canaris*, AcP 184 (1984), 201, 228; BVerfG, Urt. v. 28.5.1993, 2 BvF 2/90 u.a., BVerfGE 88, 203, 254 – Schwangerschaftsabbruch II.

[36] BVerfG, Beschl. v. 24.3.2021, 1 BvR 2656/18 u.a., BeckRS 2021, 8946 Rn. 12 – KSG.

[37] Hierzu bereits *Möllers*, in: Bottke/Möllers/R. Schmidt, Recht in Europa, FG 30 Jahre Juristische Fakultät, 2003, S. 189, 200 f.

[38] So sind etwa auch die Grundrechte des Stadionbetreibers (§ 11 Rn. 16a) und des Vermieters (§ 6 Rn. 74 f.) zu berücksichtigen.

geber, nicht aber den Gerichten zukommt. Die Ausgestaltung dieser Schichten entspricht der wechselseitigen Bedingung von persönlicher Freiheit und Sicherheit.

2. Wirkung der Grundrechte gegenüber Privaten

a) Lehre von der mittelbaren Drittwirkung

Dürig[39] entwickelte die Lehre von der mittelbaren Drittwirkung der Grundrechte, die dann vom Bundesverfassungsgericht übernommen wurde. Danach strahlen die Grundrechte als objektive Wertordnung (§ 11 Rn. 4) auf die gesamte Rechtsordnung aus und wirken mittelbar auch im Zivilrecht. Einfallstore bilden vorrangig die zivilrechtlichen Generalklauseln (§§ 138, 242, 823, 826 BGB) sowie die zivilrechtlichen Rechtsprinzipien. 11

Lüth-Entscheidung: Der im dritten Reich mit Filmen wie Jud Süß belastete Regisseur *Harlan* hatte nach dem Krieg einen Film gedreht. *Lüth*, Leiter einer staatlichen Pressestelle, rief die Filmbesitzer und Filmverleiher zum Boykott auf. Das Landgericht betrachte den Boykottaufruf als rechtswidrige, sittenwidrige Schädigung nach § 826 BGB. Dagegen ging Lüth mit einer Verfassungsbeschwerde vor und berief sich auf die Meinungsfreiheit, die auch zwischen Privaten zu schützen sei. 12

Das Bundesverfassungsgericht folgte zu Gunsten von Lüth der mittelbaren Drittwirkung der Grundrechte zwischen Privaten und führte aus: 13

> „Deshalb sind mit Recht die *Generalklauseln als die ‚Einbruchstellen' der Grundrechte* in das bürgerliche Recht bezeichnet worden (Dürig in Neumann-Nipperdey-Scheuner, Die Grundrechte, Band II S. 525).
>
> Der Richter hat kraft Verfassungsgebots zu prüfen, ob die von ihm anzuwendenden materiellen zivilrechtlichen Vorschriften in der beschriebenen Weise grundrechtlich beeinflußt sind; trifft das zu, dann hat er bei Auslegung und Anwendung dieser Vorschriften die sich hieraus ergebende Modifikation des Privatrechts zu beachten. Dies ist der Sinn der Bindung auch des Zivilrichters an die Grundrechte (Art. 1 Abs. 3 GG). Verfehlt er diese Maßstäbe und beruht sein Urteil auf der Außerachtlassung dieses verfassungsrechtlichen Einflusses auf die zivilrechtlichen Normen, so verstößt er nicht nur gegen objektives Verfassungsrecht, indem er den Gehalt der Grundrechtsnorm (als objektiver Norm) verkennt, er verletzt vielmehr als Träger öffentlicher Gewalt durch sein Urteil das Grundrecht, auf dessen Beachtung auch durch die rechtsprechende Gewalt der Bürger einen verfassungsrechtlichen Anspruch hat. […] das Verfassungsgericht hat lediglich die bezeichnete *‚Ausstrahlungswirkung'* der Grundrechte auf das bürgerliche Recht zu beurteilen und den Wertgehalt des Verfassungsrechtssatzes auch hier zur Geltung zu bringen."[40]

Die Lehre von der mittelbaren Drittwirkung der Grundrechte ist methodisch angreifbar. So überzeugt schon nicht, warum die Grundrechte nur bei Generalklauseln und unbestimmten Rechtsbegriffen wirken sollen. Tatsächlich hat die Rechtsprechung bei der Frage, ob Schmerzensgeld auch bei Persönlichkeitsverletzungen zu zahlen ist, die Norm 14

---

[39] *Dürig*, in: FS Nawiasky, 1956, S. 157, 176 ff.; vorher schon *Hueck*, Die Bedeutung des Art. 3 des Bonner Grundgesetzes für die Lohn- und Arbeitsbedingungen der Frauen, 1951, S. 27.

[40] BVerfG, Urt. v. 15.1.1958, 1 BvR 400/51, BVerfGE 7, 198, 206 f. – Lüth. Deutlich auch BVerfG, Beschl. v. 11.6.1991, 1 BvR 239/90, BVerfGE 84, 192, 195 – Offenbarung der Entmündigung: „Der Richter hat kraft Verfassungsgebots zu prüfen, ob von der Anwendung zivilrechtlicher Vorschriften im Einzelfall Grundrechte berührt werden. Trifft das zu, dann hat er diese Vorschriften im Lichte der Grundrechte auszulegen und anzuwenden." S. auch BVerfG, Beschl. v. 19.10.1993, 1 BvR 567/89 u.a., BVerfGE 89, 214, 229 f. – Bürgschaftsverträge (§ 11 Rn. 58).

über den konkreten Wortlaut hinaus rechtsfortbildend weiterentwickelt. Das gilt bei § 253 BGB heute ebenso wie bei § 853 BGB a.F. (§ 11 Rn. 72 f.). Zudem bleibt diffus, in welchem Umfang die Grundrechte zwischen Privaten zu berücksichtigen sind, also „ausstrahlen“.[41]

b) Lehre von der unmittelbaren Drittwirkung

15 aa) Konsequenter wäre es insoweit die Grundrechte auch gegenüber Dritten wirken zu lassen. Grundrechte binden aber zunächst nur den Staat, wirken also vertikal als Abwehrrechte und Schutzpflichten. Sie können nach der sog. Lehre von der unmittelbaren Drittwirkung der Grundrechte aber auch horizontale Wirkung entfalten, indem sie zwischen den Bürgern gelten. In welchem Umfang Private die Grundrechte zu beachten haben, ist jedoch umstritten. Das Bundesarbeitsgericht hat in den ersten Jahren der Bundesrepublik Deutschland die Auffassung vertreten, dass die Grundrechte unmittelbar auch zwischen Privaten wirken und dies mit dem Bedeutungswandel der Grundrechte begründet.[42] Für eine solche Position ließe sich vortragen, dass nach dem *Willen des damaligen Gesetzgebers* die Menschenwürde des Art. 1 Abs. 1 GG neben der Staatsgewalt alle Privatrechtsakteure binden sollte.[43] Eine unmittelbare Wirkung ist auch für arbeitsrechtliche Vereinigungen (Art. 9 Abs. 3 S. 2 GG), das Widerstandsrecht (Art. 20 Abs. 4 GG) und das Wahlrecht (Art. 38 Abs. 1 S. 1 i.V.m. Art. 48 Abs. 2 GG) anerkannt.

16 bb) Sicherlich erscheint es überzeugend, dass die *Menschenwürde* als Grundrecht gem. Art. 1 Abs. 1 GG unmittelbar gegenüber jedermann gilt. So hatte das BVerfG ein Verbot der Werbung „HIV-positiv“ des Unternehmens Benetton nach § 1 UWG a.F. für zulässig erachtet, weil die Menschenwürde vorrangig zu berücksichtigen ist.[44] Über die gerade genannten Normen hinaus wird aber von der bisher ganz herrschenden Ansicht eine solche unmittelbare Wirkung der Grundrechte zwischen Privaten abgelehnt. Schon vom *Wortlaut* und der *Systematik* des Art. 1 Abs. 3 GG binden die Grundrechte nur die „Gesetzgebung, vollziehende Gewalt und Rechtsprechung als unmittelbar geltendes Recht“. Private werden gerade nicht genannt.[45] *Historisch* gesehen verstand man die Grundrechte als klassische Abwehrrechte gegenüber dem Staat, als man das Grundgesetz schuf (§ 11 Rn. 3). *Teleologisch* betrachtet würde eine permanente Grundrechtsprüfung zwischen Privaten die Freiheitsrechte, wie den Grundsatz der Vertragsfreiheit, viel zu stark einengen.[46] Im Zivilrecht prüfen Gerichte Verträge nicht auf die „materielle Richtigkeit“, sondern nur, ob die Grenzen der Sittenwidrigkeit gem. § 138 Abs. 1 GG eingehalten wurden.[47]

16a Diese Überlegungen werden allerdings durch eine Reihe von Entscheidungen des BVerfG immer stärker eingeschränkt. So wurde das Hausrecht des Flughafenbetreibers

---

[41] *Lerche*, in: FS Odersky, 1996, S. 215, 216 f., 223, 225 f.; *Canaris*, Grundrechte und Privatrecht, 1999, S. 16, 30 spricht von „mysteriös“ und einer „Verlegenheitslösung“. Noch deutlicher: *Friedrich*, in: Umbach/Clemens/Dollinger, BVerfGG – Mitarbeiterkommentar, 2. Aufl. 2005, S. 93, 104 Fn. 55: „Scheinwerfertheorie“; *Wagner*, in: Blaurock/Hager, Obligationenrecht im 21. Jahrhundert, 2010, S. 13, 65 f.

[42] Lehre von der unmittelbaren Drittwirkung, begründet von *Nipperdey*, RdA 1950, 121, 125; *ders.*, Allgemeiner Teil des Bürgerlichen Rechts, Bd. 1, 15. Aufl. 1959, S. 93 ff.; ihm folgend BAG, Urt. v. 3.12.1954, 1 AzR 150/54, BAGE 1, Rn. 25; eine unmittelbare Drittwirkung von Artt. 1 und 2 GG für das allgemeine Persönlichkeitsrecht wurde dann aber abgelehnt vom BAG, Beschl. v. 27.2.1985, GS 1/84, BAGE 48, 122, Rn. 45 – Weiterbeschäftigungsanspruch.

[43] Hierzu *Verfassungsausschuss*, 1948, S. 21: „Art. 1 soll auch Privatpersonen verpflichten.“

[44] BVerfG, Urt. 12.12.2000, 1 BvR 1762/95 u.a., BVerfGE 102, 347, 366 f. – Schockwerbung I, Benetton mit Anm. *Möllers*, WuB V B § 1 UWG 3.01; BGH, Urt. v. 6.12.2001, I ZR 284/00, BGHZ 149, 247, 258 – „HIV Positive“ II.

[45] Zu diesem Umkehrschluss s. *Canaris*, AcP 184 (1984), 201, 203 f.; *Neuner*, Privatrecht und Sozialstaat, 1999, S. 157.

[46] *Kingreen/Poscher*, Grundrechte Staatsrecht II, 36. Aufl. 2020, Rn. 238.

[47] *Neuner*, Allgemeiner Teil des Bürgerlichen Rechts, 12. Aufl. 2020, § 5 Rn. 12. S. ausführlich § 9 Rn. 51 ff. und § 10 Rn. 93 ff.

Fraport gegenüber Demonstranten eingeschränkt.[48] Wer im Namen sämtlicher Fußballvereine ein bundesweites Stadionverbot ausspricht, muss dies sachlich rechtfertigen, um dem Gleichheitsgrundsatz des Art. 3 Abs. 1 GG Rechnung zu tragen. Danach soll in „spezifischen Situationen" ein Privater öffentlichen Einrichtungen gleichgestellt werden. Kriterien bilden die „Unausweichlichkeit von Situationen, das Ungleichgewicht zwischen den gegenüberstehenden Parteien, die gesellschaftliche Bedeutung der Leistung oder die soziale Mächtigkeit einer Seite".[49] Eine Selbstbindung tritt demnach auch ein, wenn die Leistung einem großen Publikum ohne Ansehen der Person geöffnet wird und dies im „erheblichen Umfang über die Teilnahme am gesellschaftlichen Leben" entscheidet.[50]

Nach der Bürgschafts-Entscheidung (§ 11 Rn. 58) ist auch jetzt die Stadionverbots-Entscheidung auf deutliche Kritik gestoßen. Unklar bliebe, wann eine solche „situativ staatsgleiche Grundrechtsbindung Privater" eingreife.[51] Zu befürchten sei, dass bald andere Anbieter mit ökonomischem Marktgefälle einer Grundrechtskontrolle unterfallen.[52] Im Ergebnis würden Gerichte Entscheidungen treffen, die dem Gesetzgeber vorbehalten bleiben sollten.[53] **16b**

Der Kritik ist zuzustimmen, dass die Methodentransparenz (§ 14 Rn. 125) leidet, wenn statt von unmittelbarer nur von mittelbarer Drittwirkung gesprochen wird, wenn die Grundrechte *unmittelbar* zulasten Privater wirken.[54] Gerade im Bereich der Rechtsfortbildung bedarf es einer sorgfältigen Begründung, warum Gerichte zuständig sind und nicht der Gesetzgeber (§ 13 Rn. 91 ff.). Dabei ist in der Sache durchaus nachvollziehbar, dass die Vertragsfreiheit tangiert wird, wenn die Selbstbestimmung einer Partei beeinträchtigt und diese auf die Leistung der anderen Seite angewiesen ist (§ 9 Rn. 51). **16c**

c) Grundrechte als Schutzpflichten

aa) Die oben genannten Schutzpflichten des Staates gegenüber dem Bürger (§ 11 Rn. 5 f.) wurden vom BVerfG auch auf das Zivilrecht übertragen. So müsse das Ergebnis einer strukturell ungleichen Verhandlungsstärke korrigiert werden. Das gilt für den Handelsvertreter,[55] für Bürgschaften von Angehörigen,[56] aber auch bei Ehe-[57] oder Versicherungsverträgen.[58] Auch der Schutz vor Geschlechterdiskriminierung gem. Art. 3 Abs. 2 GG **17**

[48] BVerfG, Urt. v. 22.2.2011, 1 BvR 699/06, BVerfGE 128, 226, 248 Rn. 56 – Fraport; s. auch BGH, KBeschl. v. 18.7.2015, 1 BvQ 25/15, NJW 2015, 2485 Rn. 6 – Bierdosen-Flashmob.

[49] BVerfG, Beschl. v. 11.4.2018, 1 BvR 3080/09, BVerfGE 148, 267 Rn. 33 – Stadionverbot; Berichterstatter war *Masing*. Klausurbeispiel bei *Herresthal/Weiß*, Fälle zur Methodenlehre, 2020, Fall 6.

[50] BVerfG, Beschl. v. 11.4.2018, 1 BvR 3080/09, BVerfGE 148, 267 Rn. 41 – Stadionverbot.

[51] *Michl*, JZ 2018, 910, 918.

[52] BVerfG, Urt. v. 22.2.2011, 1 BvR 699/06, BVerfGE 128, 226, 252 Rn. 68 – Fraport: Einkaufszentren, Gaststätten etc.; BVerfG, KBeschl. v. 22.5.2019, 1 BvQ 42/19, NJW 2019, 1935 Rn. 19 – Facebook; *Jobst*, NJW 2020, 11, 13 ff.: Schufa, Plattformbetreiber; *Raue*, JZ 2018, 961, 965 f.: Facebook, Twitter, Instagram.

[53] *Michl*, JZ 2018, 910, 918 mit dem Hinweis, dass der Gesetzgeber einen Kontrahierungszwang für das Girokonto eingeführt hat.

[54] *Hellgardt*, JZ 2018, 901, 904; *Michl*, JZ 2018, 910, 911; *Jobst*, NJW 2020, 11, 12 ff.; *Neuner*, NJW 2020, 1851, 1853 ff. vertiefend *Kulick*, Horizontalwirkung im Vergleich, 2020. Vgl. BVerfG, Urt. v. 22.2.2011, 1 BvR 699/06, BVerfGE 128, 226, 248 – Fraport: „Private […] genauso weit durch die Grundrechte in die Pflicht genommen werden, insbesondere wenn sie in tatsächlicher Hinsicht in eine vergleichbare Pflichten- oder Garantenstellen hineinwachsen wie traditionell der Staat." Ebenso Sondervotum *Schluckebier*, BVerfG (ebd.), BVerfGE 128, 226, 275 – Fraport: „den privaten Eigentümer […] so in die Pflicht nehmen, als gelte Art. 8 GG ihm gegenüber unmittelbar."

[55] BVerfG, Beschl. v. 7.2.1990, 1 BvR 26/84, BVerfGE 81, 242, 254 – Handelsvertreter.

[56] BVerfG, Beschl. v. 19.10.1993, 1 BvR 567/89 u.a., BVerfGE 89, 214, 231 ff. – Bürgschaftsverträge (§ 11 Rn. 58).

[57] BVerfG, Urt. v. 6.2.2001, 1 BvR 12/92, BVerfGE 103, 89, 100 ff. – Unterhaltsverzichtsvertrag.

[58] BVerfG, Urt. v. 26.7.2005, 1 BvR 782/94 u.a., BVerfGE 114, 1, 33.

soll eine Schutzpflicht begründen.[59] Das Allgemeine Gleichbehandlungsgesetz (AGG) konkretisiert inzwischen eine solche Schutzpflicht, indem es Schadensersatzansprüche für Fälle normiert, in denen eine Person wegen eines durch das AGG geschützten Merkmals diskriminiert wird.[60] Im Einzelnen formulierte das BVerfG:

18 „Im Privatrechtsverkehr entfalten die Grundrechte ihre Wirkkraft als verfassungsrechtliche Wertentscheidungen durch das Medium der Vorschriften, die das jeweilige Rechtsgebiet unmittelbar beherrschen, damit vor allem auch durch die zivilrechtlichen Generalklauseln (vgl. BVerfGE 7, 198 [205 f.]; 42, 143 [148]). Der Staat hat auch insoweit die Grundrechte des *Einzelnen zu schützen* und vor Verletzung durch andere zu bewahren."[61]

19 bb) So überzeugend im Einzelfall die Herleitung von Schutzpflichten des Staates ist, so zweifelhaft ist es, diese für den Regelfall heranzuziehen. Erstens wird bei der Verletzung von Schutzpflichten dem Staat ein Unterlassen vorgeworfen. Anders als bei der Abwehr von Eingriffen, muss dem Staat bei einem Unterlassen aber grundsätzlich ein gesetzgeberischer Gestaltungsspielraum zukommen.[62] Zweitens gehen Grundrechte nicht immer anderen Rechtspositionen von Verfassungsrang vor; oft sind sie reiner Abwägungsmaßstab (§ 11 Rn. 39 ff.).[63] Oder noch drastischer: beide Seiten können sich auf Schutzpflichten berufen, etwa wenn der Anspruch des nichtehelichen Kindes auf Kenntnis seines leiblichen Vaters dem Recht der Mutter, selbst darüber zu entscheiden, ob und wem gegenüber sie ihre persönlichen Lebensumstände offenbart, gegenübersteht (§ 13 Rn. 72).

19a Die rechtsdogmatische Einordnung der Drittwirkung und Schutzpflichten ist immer noch umstritten. Tatsächlich lassen sich Drittwirkungsfragen als reine Bürger-Staat-Beziehung rein abwehrrechtlich oder schutzrechtlich konstruieren,[64] weil der Richter auch in zivilrechtlichen Streitigkeiten bei der Entscheidungsfindung über Art. 1 Abs. 3 GG an die Grundrechte gebunden ist.[65] Die Differenzierung zwischen staatlichem Eingriff und einer privatautonomen Selbst- oder Fremdbestimmung besteht aber und führt zu einer unterschiedlichen Bindung an die Grundrechte[66]. Deshalb ist das Dreiecksverhältnis als Ausgangspunkt für die unterschiedliche Relevanz der Grundrechte hilfreich. Grafisch lassen sich die verschiedenen Ansichten wie folgt visualisieren:

[59] BVerfG, Beschl. v. 16.11.1993, 1 BvR 258/86, BVerfGE 89, 276, 286 – § 611a BGB a.F. Krit. aber *Dreier*, in: Dreier, GG, 3. Aufl. 2013, Vorb. Rn. 104.

[60] Zu § 15 AGG, s. § 12 Rn. 84.

[61] BVerfG, Urt. v. 6.2.2001, 1 BvR 12/92, BVerfGE 103, 89, 100 – Unterhaltsverzichtsvertrag.

[62] So auch das BVerfG, Urt. 15.2.2006, 1 BvR 357/05, BVerfGE 115, 118, 159 f. – Luftsicherheitsgesetz I.

[63] Klar *Hermes*, VVDStRL 61 (2002), 119, 134: in dreipoligen Verhältnissen steht dem grundrechtlichen Eingriffsabwehranspruch des Einen der grundrechtliche Schutzanspruch des Anderen gegenüber.

[64] *Koch*, Der Grundrechtsschutz der Drittbetroffenen, 2000, S. 304 ff.; *Poscher*, Grundrechte als Abwehrrechte, 2003, S. 315 ff.; *Ruffert*, Vorrang der Verfassung und Eigenständigkeit des Privatrechts, 2001, S. 141 ff.

[65] *Schwabe*, Die sogenannte Drittwirkung von Grundrechten, 1971.

[66] *Dreier*, in: Dreier, GG, 3. Aufl. 2013, Vorb. Rn. 98, 100. S. auch *Alexy*, Theorie der Grundrechte, 1986, S. 416 ff.

Grafik: Drittwirkung und Schutzpflichtenlehre 20

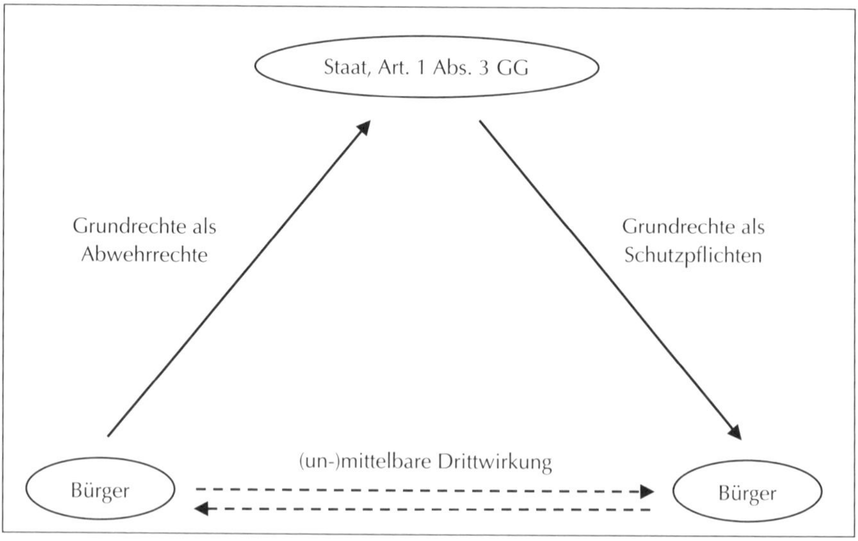

3. Der Einfluss der Verfassung auf die Rechtsprechung

a) Das Fachgericht als Verfassungsgericht

Wegen der Ausstrahlungswirkung der Grundrechte (§ 11 Rn. 13) sind alle Fachgerichte aufgerufen, neben ihrem einschlägigen Fachgebiet gleichzeitig auch das Grundgesetz zu beachten, um verfassungswidrige Entscheidungen zu verhindern. Sie sind insoweit auch Verfassungsgericht, sodass es in Deutschland tausende „Verfassungsgerichte" gibt.[67] Die unscharfe Verwendung des Begriffs der verfassungskonformen Auslegung durch das BVerfG macht es für die Fachgerichte nicht leicht, mit der Verfassung zu arbeiten. Einerseits grenzt die verfassungskonforme Auslegung an die verfassungsorientierte Auslegung, die keinen Vorrang hat, sondern nur einen Abwägungsmaßstab darstellt (§ 11 Rn. 39).[68] Andererseits ist wenig geklärt, wann eine verfassungskonforme Auslegung unzulässig ist und in welchem Umfang die verfassungskonforme Rechtsfortbildung noch möglich ist.[69] Damit besteht die Gefahr, dass die Fachgerichte mit dieser Aufgabe überfordert sind.[70] 21

Delisting I: Der BGH hatte zu prüfen, welche Rechte Aktionäre haben, wenn sich ein Unternehmen von der Börse zurückzieht. In der *Macrotron-Entscheidung* sah der BGH durch den Rückzug von der Börse die Verkehrsfähigkeit der Aktie und damit das Aktieneigentum i.S.v. Art. 14 Abs. 1 GG verletzt.[71] Zum Schutz der Minderheitsaktionäre entwickelte er rechtsfortbildend die Voraussetzung, dass die Gesellschaft einen Beschluss der 22

---

[67] Schlaich/*Korioth*, Das Bundesverfassungsgericht, 11. Aufl. 2018, Rn. 441: „die verfassungskonforme Auslegung einem jeden Richter obliegt."

[68] Von fließenden Grenzen spricht *Kuhlen*, Die verfassungskonforme Auslegung von Strafgesetzen, 2006, S. 3; s. auch Zippelius/*Würtenberger*, Juristische Methodenlehre, 12. Aufl. 2020, S. 33 f.

[69] *Schulze-Fielitz*, in: Dreier, GG, 3. Aufl. 2015, Art. 20 (Rechtsstaat) Rn. 87.

[70] Schlaich/*Korioth*, Das Bundesverfassungsgericht, 11. Aufl. 2018, Rn. 145; *Wieland*, in: Dreier, GG, 3. Aufl. 2018, Art. 100 Rn. 24; *Ruffert*, JZ 2009, 389, 397 f. zur Beurteilung der Rechtsprechung des BAG.

[71] BGH, Urt. v. 25.11.2002, II ZR 133/01, BGHZ 153, 47, 55 – Macrotron.

Hauptversammlung sowie ein Pflichtangebot der Aktiengesellschaft oder des Großaktionärs über den Kauf der Aktien der Minderheitsaktionäre herbeiführen müsse. Das BVerfG bejahte zwar grundsätzlich das Recht des BGH, das Recht fortzubilden.[72] Es verneinte aber die Verletzung der Eigentumsfreiheit gem. Art. 14 Abs. 1 GG, da die Substanz des Aktieneigentums durch die Verkehrsfähigkeit der Aktie als bloßer Vermögenswert nicht beeinträchtigt würde.[73] In einer 180-Grad-Kehrtwende verwarf der BGH in der FRoSTA-Entscheidung seine frühere Rechtsfortbildung.[74] Der Gesetzgeber sah sich deshalb zum Handeln gezwungen und präzisierte die Voraussetzungen des Delistings in § 39 Abs. 2 BörsG.[75]

b) Kontrolle der Rechtsprechung

23 aa) Über die Auslegung der Reichweite der Grundrechte wacht das Bundesverfassungsgericht. Die subjektiven Abwehrrechte dienen der Kontrolle von Verwaltung und Gerichten. Die Prüfung des Verhältnismäßigkeitsgrundsatzes hat damit eine einzelfallgerichtete Dimension. Mit einer Verfassungsbeschwerde kann jeder Bürger vor dem Bundesverfassungsgericht Verstöße gegen seine Grundrechte geltend machen, wenn der anderweitige Rechtsweg erschöpft ist. Gerichte sind gem. Art. 20 Abs. 3 GG an Recht und Gesetz und die Rechtsanwendungsgleichheit gebunden (§ 1 Rn. 46), weshalb grundsätzlich jedes fehlerhafte Urteil erfolgreich vor dem BVerfG geprüft werden kann.

24 Das BVerfG überprüft lediglich, ob *spezifisches Verfassungsrecht* verletzt wurde.[76] Es versteht sich ausdrücklich nicht als letztinstanzliches Gericht, das andere höchste Gerichte korrigiert und damit **nicht als „Superrevisionsinstanz“**. Allerdings wird dem BVerfG vorgeworfen, dass es sich oft nicht an seine eigenen Vorgaben hält und es mit der Verfassungsbeschwerde doch einfaches Recht prüft und damit eine „Banalisierung der Grundrechte“ zulässt. Darauf wird bei den Grenzen zulässiger Rechtsfortbildung zurückzukommen sein (§ 13 Rn. 110 f.).

25 bb) Vier Bereiche lassen sich unterscheiden, in welchen sich das BVerfG eine eigene Entscheidung und damit eine verfassungsrechtliche Prüfung der fachgerichtlichen Entscheidung vorbehält:[77] Das BVerfG untersucht (1.), ob die Auslegung, die das Gericht seiner Entscheidung zugrunde legte, der Bedeutung der Grundrechte gerecht wird (sog. *Heck*'sche Formel). Je gewichtiger die Grundrechtsbeeinträchtigung ist, desto intensiver ist die Prüfung fachgerichtlicher Entscheidungen.[78] Auch kann (2.) die Verletzung von Justizgrundrechten wie der Anspruch auf den gesetzlichen Richter oder der „ne bis in idem“ Grundsatz sowie (3.) Willkür[79] gerügt werden. Schließlich liegt eine Verletzung spezifischen Verfassungsrechts vor, wenn (4.) das Fachgericht ein formell oder materiell verfassungswidriges Gesetz anwendete.

c) Kontrolle des Gesetzgebers gem. Art. 100 Abs. 1 GG

26 aa) Gerichte haben im Rahmen des konkreten Normenkontrollverfahrens gem. Art. 100 Abs. 1 GG dem Bundesverfassungsgericht vorzulegen, soweit sie eine, für ihre konkrete Entscheidung relevante, nachkonstitutionelle Norm für verfassungswidrig hal-

---

[72] BVerfG, Urt. v. 11.7.2012, 1 BvR 3142/07 u.a., BVerfGE 132, 99 Rn. 77 ff. – MVS/Lindner.

[73] BVerfG (ebd.), BVerfGE 132, 99 Rn. 56 ff. – MVS/Lindner.

[74] BGH, Beschl. v. 8.10.2013, II ZB 26/12, NJW 2014, 146, 147 – FRoSTA.

[75] Zur Kritik an der FRoSTA-Entscheidung s. unten § 14 Rn. 16a.

[76] BVerfG, Beschl. v. 10.6.1964, 1 BvR 37/63, BVerfGE 18, 85, 92; BVerfG, Beschl. v. 19.10.1993, 1 BvR 567/89 u.a., BVerfGE 89, 214, 230 – Bürgschaftsverträge; s. auch BVerfG (ebd.), BVerfGE 132, 99 Rn. 76 – MVS/Lindner.

[77] Instruktiv *Röhl/Röhl,* Allgemeine Rechtslehre, 3. Aufl. 2008, S. 668 ff.; weitergehend *Neuner,* Privatrecht und Sozialstaat, 1999, S. 49 ff.: auch Gesetzmäßigkeit.

[78] BVerfG, Beschl. v. 27.11.1990, 1 BvR 402/87, BVerfGE 89, 130, 145 m.w.Nachw.; *Schulze-Fielitz,* AöR 122 (1997), 1, 13.

[79] BVerfG, Beschl. v. 1.7.1954, 1 BvR 361/52, BVerfGE 4, 1, 7: Willkür als Verstoß gegen Art. 3 Abs. 1 GG.

ten. Daneben kann auch mit einem abstrakten Normenkontrollantrag gem. Art. 93 Abs. 1 Nr. 2 GG bzw. einer Verfassungsbeschwerde gem. Art. 93 Abs. 1 Nr. 4 lit. a) GG die Verfassungswidrigkeit eines Gesetzes durch das BVerfG geprüft werden. Mit der objektiven Dimension der Grundrechte, der Drittwirkungs- und Schutzpflichtenlehre unterwirft das BVerfG letztlich die gesamte Gesetzgebung der Kontrolle des Bundesverfassungsgerichts.[80] Das Gericht greift insoweit in politische Zusammenhänge ein und erhebt sich in diesem Rahmen über die erste Gewalt.[81] Im Sinne einer richterlichen Selbstbeschränkung (judicial self-restraint) sollte das BVerfG aber eine breite Gestaltungsebene zugunsten des Parlaments anerkennen[82] (§ 13 Rn. 91 ff.).

Bei den Voraussetzungen der konkreten Normenkontrolle gem. Art. 100 GG stellt das BVerfG deshalb hohe Anforderungen. Das Gericht muss von der Verfassungswidrigkeit überzeugt sein, nachdem es vorrangig die Möglichkeit einer verfassungskonformen Auslegung in Betracht gezogen hat.[83] Die Möglichkeit einer verfassungskonformen Auslegung schließt damit die Nichtigkeit einer Norm aus (§ 11 Rn. 47). 27

bb) Eine Gegenansicht lehnt dieses Vorgehen ab: Sollten Gerichte eine Norm für verfassungswidrig halten, dürften sie diese Norm nicht verfassungskonform auslegen, sondern müssten unmittelbar das BVerfG im Rahmen einer konkreten Normenkontrolle anrufen. Die Rechtsfortbildung sei nicht nur bei Eingriffen in Grundrechte Dritter und aufgrund des Gesetzesvorbehaltes, sondern auch im Bereich der Leistungsverwaltung abzulehnen, da hier dem Gesetzgeber ein weiter Ermessensspielraum zustünde.[84] So ließe sich die Erstzuständigkeit des Gesetzgebers sicherstellen.[85] Sollte es an den erforderlichen Gesetzen fehlen, könne der Gesetzgeber mit einer Untätigkeitsklage zum Erlass des Gesetzes verpflichtet werden.[86] 28

Wenn das BVerfG bei jedem zweifelhaften Gesetz entscheiden würde, ob dieses verfassungsgemäß ist oder nicht, hätte dies sicherlich den Vorteil klarerer Gesetze. Allerdings entspricht dies nicht der Realität. Die Rechtsprechung praktiziert seit vielen Jahren die verfassungskonforme Rechtsfortbildung über den Wortlaut hinaus (§ 11 Rn. 64 ff.). Auch die Untätigkeitsklage wird kaum praktikabel sein, um den Gesetzgeber zum Handeln zu veranlassen. 29

II. Verfassungswidrigkeit und Argumentationsfiguren des Verfassungsrechts

1. Nichtigkeit eines verfassungswidrigen Gesetzes

Ein Gesetz kann verfassungswidrig sein, wenn es formell mit der Verfassung nicht vereinbar ist, z.B. weil das Gesetzgebungsverfahren evident fehlerhaft war[87] oder Kompetenzvorschriften verletzt wurden.[88] Daneben kann ein Gesetz materiell gegen die Verfassung verstoßen. Im Steuerrecht wird beispielsweise oft ein Verstoß gegen den Grundsatz der Besteuerungsgleichheit gerügt, der aus dem Gleichheitsgrundsatz des Art. 3 Abs. 1 GG hergeleitet wird.[89] Grundsätzlich ist ein solches verfassungswidriges Gesetz vom Bun- 30

[80] *Rüfner*, in: HStR IX, 3. Aufl. 2011, § 197 Rn. 119.

[81] Krit. *Lepsius*, in: Jestaedt/Lepsius, Verhältnismäßigkeit, 2015, S. 1, 11.

[82] Sehr skeptisch aber *Oeter*, AöR 119 (1994), 529, 557.

[83] BVerfG, Beschl. v. 21.4.1993, 1 BvL 1/90, BVerfGE 88, 187, 194 – § 1696 Abs. 2 BGB.

[84] *Hillgruber*, JZ 1996, 118, 124.

[85] Zu diesem Argument s. BVerfG, Urt. v. 11.11.1999, 2 BvF 2/98 u.a., BVerfGE 101, 158, 217 f.

[86] *Hillgruber*, JZ 1996, 118, 124.

[87] BVerfG, Beschl. v. 8.12.2009, 2 BvR 758/07, BVerfGE 125, 104, 132 – Vermittlungsausschuss III.

[88] BVerfG, Urt. v. 15.2.2006, 1 BvR 357/05, BVerfGE 115, 118, 165 – Luftsicherheitsgesetz I.

[89] BVerfG, Beschl. v. 7.11.2006, 1 BvL 10/02, BVerfGE 117, 1 = BGBl. I 2007 I, S. 194 – Erbschaftsteuer I; BVerfG, Urt. v. 17.12.2014, 1 BvL 21/12, BVerfGE 138, 136 – Erbschaftsteuer II.

desverfassungsgericht für nichtig zu erklären, §§ 78 S. 1, 95 Abs. 3 S. 1 BVerfGG. Die Entscheidung hat allgemeine Bindungswirkung – in den meisten Fällen sogar Gesetzeskraft – und ist im Bundesgesetzblatt zu veröffentlichen, § 31 BVerfGG.

31 *Namensrecht:* § 1355 BGB in der Fassung von 1896 bestimmte, dass die Frau bei der Eheschließung den Namen des Mannes erhielt. Diese Vorschrift wurde durch das Gleichberechtigungsgesetz vom 18.6.1957[90] dahin geändert, dass die Frau das Recht erhielt, ihren Mädchennamen dem gemeinsamen Familiennamen anzufügen. Das BVerfG sah darin zu Recht einen Verstoß gegen den Gleichheitsgrundsatz gem. Art. 3 Abs. 2 S. 1 GG, weil aufgrund § 1355 BGB a.F. noch immer der Name des Mannes bevorzugt wurde. Die Möglichkeit, dass beide Ehegatten den Mädchennamen der Frau annehmen, bestand nicht.[91]

2. Ausnahmen von der Nichtigkeit

a) Unvereinbarkeitserklärung und Anordnung der befristeten Fortgeltung der verfassungswidrigen Regelung

32 Das BVerfG kann Gesetze nicht nur für nichtig erklären, sondern auch für lediglich unvereinbar mit dem Grundgesetz.[92] Umstritten ist, ob mit einer solchen Unvereinbarkeitserklärung das verfassungswidrige Gesetz von Anfang an nichtig ist.[93] Eine Unvereinbarkeitserklärung wird regelmäßig mit der Anordnung befristeter Fortgeltung der verfassungswidrigen Regelung verbunden. Sie kommt in Betracht, wenn die sofortige Ungültigkeit der zu beanstandenden Norm überragende Güter des Gemeinwohls verletzen könnte und eine Abwägung mit den betroffenen Grundrechten ergibt, dass die Fortdauer der verfassungswidrigen Vorschrift für eine Übergangszeit hinzunehmen ist.[94] Solche überragenden Güter des Gemeinwohls können die Rechtsgüter der Bürger, aber auch die verlässliche Finanz- und Haushaltsplanung des Staates[95] sein. Zudem kann aus Gründen der Rechtssicherheit und Rechtsklarheit der Ausspruch einer bloßen Unvereinbarkeitserklärung mit befristeter Fortgeltung vorzugswürdig sein.[96] Das BVerfG kann auch eine vom Gesetz ausgehende *eigene Übergangsregelung* treffen, nach deren Maßgabe das verfassungswidrige Gesetz bis zu einer Neuregelung durch den Gesetzgeber anzuwenden ist.[97]

33 *Bayerisches Straftäterunterbringungsgesetz:* Das BVerfG stellte nur die Unvereinbarkeit und befristete Fortgeltung der verfassungswidrigen Regelung des Bayerischen Straftäterunterbringungsgesetz fest, um so zu verhindern, dass alle auf der Grundlage dieser Normen inhaftierten Straftäter freigelassen hätten werden müssen.[98]

---

[90] BGBl. I, S. 609.

[91] BVerfG, Beschl. v. 31.5.1978, 1 BvR 683/77, BVerfGE 48, 327, 331 – Ehenamen I.

[92] §§ 31 Abs. 2 S. 2 Alt. 2, S. 3, 79 Abs. 1 BVerfGG.

[93] Bejahend etwa BVerfG, Beschl. v. 21.5.1974, 1 BvL 22/71 u.a., BVerfGE 37, 217, 262: „Ob das Gericht eine Norm für nichtig erklärt oder nur ihre Unvereinbarkeit mit der Verfassung feststellt, hat ebenso wie für die Zukunft auch für die Vergangenheit die gleiche Wirkung."; *Meyer,* JZ 2012, 434, 439. **A.A.** wohl die h.M., die von der Weitergeltung der verfassungswidrigen Norm ausgeht, s. etwa *Schulze-Fielitz,* in: Dreier, GG, 3. Aufl. 2015, Art. 20 (Rechtsstaat) Rn. 89; BVerfG, Beschl. v. 12.10.2010, 2 BvF 1/07, BVerfGE 127, 293, 334 – Legehennenhaltung: „Der Verfassungsverstoß führt nicht zur in § 78 Satz 1 BVerfGG als Regelfolge vorgesehenen Nichtigerklärung der betroffenen Vorschriften. Vielmehr ist deren Unvereinbarkeit mit dem Grundgesetz festzustellen mit der Maßgabe, dass sie bis zum 31. März 2012 weiter anwendbar sind."

[94] BVerfG, Urt. v. 10.2.2004, 2 BvR 834/02 u.a., BVerfGE 109, 190, 235 – Sicherungsverwahrung III.

[95] BVerfG, Beschl. v. 8.12.2009, 2 BvR 758/07, BVerfGE 125, 104, 136 – Vermittlungsausschuss III.

[96] BVerfG, Beschl. v. 12.10.2010, 2 BvF 1/07, BVerfGE 127, 293, 334 – Legehennenhaltung.

[97] BVerfG, Beschl. v. 21.7.2010, 1 BvR 420/09, BVerfGE 127, 132, 164 – Sorgerecht nichtehelicher Väter.

[98] BVerfG, Urt. v. 10.2.2004, 2 BvR 834/02 u.a., BVerfGE 109, 190, 239 – Sicherungsverwahrung III.

Erbschaftsteuer: Zum wiederholten Male hat das BVerfG das ErbStG[99] für verfassungswidrig erachtet. In diesen Fällen hat das BVerfG die Fortgeltung des Gesetzes für eine bestimmte Übergangszeit angeordnet, um so Steuerausfälle zu vermeiden.[100] 34

b) Pflicht zur verfassungskonformen Auslegung

Die Verfassungswidrigkeit und Nichtigkeit einer Norm ist *ultima ratio*, also letztes Mittel. Die verfassungskonforme Auslegung ist der Nichtigkeit vorzuziehen.[101] Mit anderen Worten: Sie führt nicht zur förmlichen Normverwerfung, sondern zur *Normerhaltung*.[102] Sie verdoppelt die Auslegungslast, weil neben dem einfachen Recht die Verfassung zu prüfen ist.[103] Lässt eine Norm mehrere Auslegungsergebnisse zu, die teils zu einem verfassungswidrigen, teils zu einem verfassungsgemäßen Ergebnis führen, so ist die Norm verfassungsgemäß und muss verfassungskonform ausgelegt werden.[104] Die Norm ist entsprechend umzudeuten,[105] die verfassungswidrigen Ergebnisse auszusondern.[106] Ähnlich besteht auch im anglo-amerikanischen Recht die Pflicht, die Norm so auszulegen, dass sie nicht gegen die Verfassung verstößt.[107] Allerdings gibt es Grenzen, die eine verfassungskonforme Auslegung oder Rechtsfortbildung unzulässig werden lassen (§ 11 Rn. 64 ff., 79 ff.). 35

Die Pflicht zur verfassungskonformen Auslegung lässt sich mit verschiedenen Überlegungen begründen. Die These, es bestünde eine grundsätzliche Vermutung, dass ein Gesetz verfassungsmäßig sei,[108] ist wenig überzeugend, handelt es sich dabei doch um eine klassische petitio principii (§ 5 Rn. 36 ff.): Der Rechtsanwender hat gerade zu prüfen, ob das Gesetz gegen das Grundgesetz verstößt und mit einer verfassungskonformen Auslegung gerettet werden kann.[109] Vorgetragen wird der Gedanke der Einheit der Rechtsordnung, der dazu verpflichtet, auch die Verfassung zu beachten.[110] Sie ist nach dem Stufenbau des Rechts höherrangig gegenüber dem einfachen Recht, so dass die Lex-superior-Regel eingreift (§ 4 Rn. 131).[111] Zudem verlangen der Gedanke der Rechtskontinuität und die Vermeidung eines Rechtsvakuums, die Norm aufrecht zu erhalten. Letztlich gebietet es damit der Respekt vor der gesetzgebenden Gewalt, ein Gesetz nicht für nichtig zu er- 35a

---

[99] ErbStG v. 27.2.1997, BGBl. I, S. 378.

[100] BVerfG, Beschl. v. 7.11.2006, 1 BvL 10/02, BVerfGE 117, 1, 70 – Erbschaftsteuer I; BVerfG, Urt. v. 17.12.2014, 1 BvL 21/12, BVerfGE 138, 136 Rn. 288 ff. – Erbschaftsteuer II.

[101] St. Rspr., s. BVerfG, Urt. v. 4.5.2011, 2 BvR 2365/09 u.a., BVerfGE 128, 326, 400 – Sicherungsverwahrung IV. S. vorher bereits BVerfG, Beschl. v. 7.5.1953, 1 BvL 104/52, BVerfGE 2, 266, 282; BVerfG, Beschl. v. 3.6.1992, 2 BvR 1041/88 u.a., BVerfGE 86, 288, 320 – Strafaussetzung bei lebenslanger Freiheitsstrafe.

[102] *Dreier*, in: Dreier, GG, 3. Aufl. 2013, Art. 1 III Rn. 85.

[103] *Reimer*, Juristische Methodenlehre, 2. Aufl. 2020, Rn. 641.

[104] BVerfG, Beschl. v. 15.6.1983, 1 BvR 1025/79, BVerfGE 64, 229, 242.

[105] *Hesse*, Grundzüge des Verfassungsrechts der Bundesrepublik Deutschland, 20. Aufl. 1999, Rn. 80: Umdeutung des Gesetzesinhalts; *Reimer*, Juristische Methodenlehre, 2. Aufl. 2020, Rn. 633.

[106] *Canaris*, in: FS Kramer, 2004, S. 141, 145 f.

[107] *Crowell v. Benson*, 285 U.S. 22, 62 (1932) – verfassungskonforme Auslegung: „When the validity of an act of the Congress is drawn in question, and even if a serious doubt of constitutionality is raised, it is a cardinal principle that this Court will first ascertain whether a construction of the statute is fairly possible by which the question may be avoided"; *Commodity Futures Trading Comm'n v. Schor,* 478 U.S. 833, 841 (1986); *Posner*, Statutory Interpretation, 50 U.Chi. L. Rev. 800, 815 (1983); *Summers*, in: MacCormick/ders., Interpreting Statutes, 1991, S. 407, 443, 451.

[108] BVerfG, Beschl. v. 7.5.1953, 1 BvL 104/52, BVerfGE 2, 266, 282 – Notaufnahme.

[109] Kritisch gegen eine solche Fiktion folglich *Göldner*, Verfassungsprinzip und Privatrechtsnorm in der verfassungskonformen Auslegung und Rechtsfortbildung, 1969, S. 45; *Bettermann*, Die verfassungskonforme Auslegung, 1986, S. 24 f.; *Auer*, in: Neuner, Grundrechte und Privatrecht aus rechtsvergleichender Sicht, 2007, S. 27, 32 f.

[110] *Hesse* (ebd.), Rn. 80.

[111] *Kelsen*, Reine Rechtslehre, 2. Aufl. 1960, S. 228 ff.; *Rüthers/Fischer/Birk*, Rechtstheorie, 11. Aufl. 2020, Rn. 272 ff.; *Bydlinski*, Juristische Methodenlehre und Rechtsbegriff, 2. Aufl. 1991, S. 201; *Kramer*, Juristische Methodenlehre, 6. Aufl. 2019, S. 103.

klären, sondern zu erhalten, indem man es verfassungskonform auslegt.[112] Es besteht somit ein **Gebot zur Erhaltung der Norm *(favor legis)***.[113]

3. Umstrittene Argumentationsfiguren des Verfassungsrechts

a) Die unpräzise Verwendung der verfassungskonformen Auslegung durch das Bundesverfassungsgericht

36 Die Pflicht zur verfassungskonformen Auslegung ist zwar seit vielen Jahren anerkannt, ansonsten wird dieser Begriff aber für verschiedene Sachverhalte verwendet, die streng genommen nicht unter diesen Begriff gefasst werden können: So betreibt das BVerfG in zahlreichen Entscheidungen verfassungskonforme Rechtsfortbildung, *ohne* diesen Begriff zu verwenden.[114] Stattdessen wird zum Teil von verfassungskonformer Interpretation gesprochen.[115] Außerdem verwendet das BVerfG auch *nicht* den Begriff der verfassungsorientierten Auslegung, obwohl dieser seit langem in der Rechtsliteratur eingeführt ist.[116] Schließlich wird nur sehr unpräzise von der Ausstrahlungswirkung der Grundrechte gesprochen (§ 11 Rn. 13 f.).

b) Die Dreiteilung von verfassungsorientierter, verfassungskonformer Auslegung und verfassungskonformer Rechtsfortbildung

37 Nach der hier vertretenen Ansicht sollen drei methodische Figuren unterschieden werden, die in immer stärkerem Umfang das einfache Recht beeinflussen: die wenig geklärte verfassungsorientierte Auslegung (III.), die bekannte Figur der verfassungskonformen Auslegung (IV.) und davon abzugrenzen die verfassungskonforme Rechtsfortbildung (V.). Die Verfassung ist einerseits Auslegungsmaßstab für das einfache Recht, besteht aber andererseits selbst aus auslegungsfähigen und auslegungsbedürftigen Normen.[117] Abgesehen von solchen paradoxen Erkenntnissen soll deutlich werden, dass die Verfassung ein abstraktes Fundament ist, das Spielraum bei der Auslegung der einfachen Gesetze lässt und erstens eine *begrenzende* Funktion hat (verfassungskonforme Auslegung), zweitens als ultima ratio ein *Gestaltungsauftrag* an die Rechtsprechung ist (verfassungskonforme Rechtsfortbildung) und drittens eine *abwägende Rolle* ohne Vorrang hat (verfassungsorientierte Auslegung). In der Klausur oder in der Seminararbeit ist es sicherlich überdurchschnittlich, wenn der Bearbeiter die verschiedenen Rechtsfiguren kennt.

III. Die verfassungsorientierte Auslegung

1. Die verfassungsorientierte Auslegung als Auslegungsfigur

a) Der Meinungsstreit

38 Die verfassungsorientierte Auslegung gehört zu den am wenigsten geklärten Rechtsfiguren. Vom BVerfG wird die Rechtsfigur bis heute nicht verwendet; stattdessen wird von Ausstrahlungswirkung bzw. den Grundrechten als Wertordnung gesprochen. Nach einer

---

[112] St. Rspr. (§ 11 Fn. 100); *Dederer*, in: Maunz/Dürig, GG, 92. EL August 2020, Art. 100 Rn. 16, 22 f.

[113] *Bogs*, Die verfassungskonforme Auslegung von Gesetzen, 1966, S. 21 f.; Schlaich/*Korioth*, Das Bundesverfassungsgericht, 11. Aufl. 2018, Rn. 442 f.; *Canaris*, in: FS Kramer, 2004, S. 141, 149; *Dannecker/Schuhr*, in: LK-StGB, 13. Aufl. 2020, § 1 Rn. 326.

[114] S. dazu § 11 Rn. 64 ff.

[115] BVerfG, Urt. v. 4.5.2011, 2 BvR 2365/09 u.a., BVerfGE 128, 326, 400 – Sicherungsverwahrung IV.

[116] S. etwa *Dreier*, Die Verwaltung 36 (2003), 105, 111 Fn. 43.

[117] *Zippelius*, in: FG 25 Jahre BVerfG, Bd. II, 1976, S. 108, 112.

Literaturansicht sei die Abgrenzung zwischen verfassungsorientierter und verfassungskonformer Auslegung unscharf.[118] Manche gehen sogar so weit, dass verfassungsorientierte und verfassungskonforme Auslegung im Ergebnis eins seien.[119] Die Figur der verfassungsorientierten Auslegung sei insoweit überflüssig.[120] Nach einer zweiten Ansicht dürfe die verfassungsorientierte Auslegung von Jedermann, die verfassungskonforme Auslegung aber nur vom BVerfG durchgeführt werden.[121] Dem ist entgegenzuhalten, dass eine Unterscheidung nach dem Adressaten verfassungsrechtlich nicht begründet werden kann.[122] Nach einer dritten Ansicht dient die verfassungskonforme Auslegung in einem ersten Schritt dem Ausschluss solcher im Wege grammatischer, historischer, teleologischer Auslegung gefundener Ergebnisse, die mit der Verfassung nicht vereinbar sind. Die verfassungsorientierte Auslegung diene in einem zweiten Schritt dazu, aus den verfassungskonformen Ergebnissen dasjenige auszuwählen, das der Verfassung bzw. dem verfassungsrechtlichen Schutzauftrag am nächsten kommt.[123] Damit bestünde eine Parallelität zum europarechtlichen „effet utile" (§ 5 Rn. 108 ff.).[124] An dieser Ansicht gefällt, dass die verfassungsorientierte Auslegung die Grundrechte zur Abwägung heranzieht und insoweit wie Prinzipien (§ 9 Rn. 11 ff.) verwendet. Allerdings ist sie zu eng, da sie erst in einem zweiten Schritt nach der verfassungskonformen Auslegung zur Anwendung kommen will. Die verfassungsorientierte Auslegung hat aber auch einen Anwendungsbereich, wenn die Verfassung gar nicht zu einem Vorrang zwingt, es also gar keine verfassungswidrigen Ergebnisse gibt. Zudem kann das Optimierungsgebot schon Teil der verfassungskonformen Auslegung sein.[125] Damit ist die verfassungskonforme Auslegung der verfassungsorientierten Auslegung nachrangig.[126]

b) Die verfassungsorientierte Auslegung als reine Argumentationsfigur

Nach der hier vertretenen Ansicht liegt eine verfassungsorientierte Auslegung vor, wenn die Grundrechte nur eine einfache Argumentationsfigur darstellen, *welche gegenüber den bisherigen Auslegungsfiguren (nur) gleichrangig* ist. Der Einfluss der Verfassung auf das einfache Recht ist damit so schwach, dass er gerade keinen Vorrang der Verfassung verlangt, sondern sich gegebenenfalls gegenüber den anderen Figuren nicht durchsetzt. Im Folgenden soll nur die Ausstrahlungswirkung der Grundrechte im Zivilrecht und im Strafrecht aufgezeigt werden. Die Konkretisierung der Grundrechte und die Abwägung verschiedener Grundrechte wurde bereits in § 10 beschrieben. **39**

Damit ist eine Abgrenzung zwischen verfassungsorientierter und verfassungskonformer Auslegung in dreierlei Hinsicht möglich: **40**

Erstens verlangt die verfassungsorientierte Auslegung nur, die Verfassung zu berücksichtigen und in die *Abwägung* einzubeziehen.[127] Die verfassungskonforme Auslegung ist dagegen stärker: Sie zwingt den Rechtsanwender bei verschiedenen möglichen Ausle-

[118] *Dannecker/Schuhr*, in: LK-StGB, 13. Aufl. 2020, § 1 Rn. 333; *Kuhlen*, Die verfassungskonforme Auslegung von Strafgesetzen, 2006, S. 2: „Grenzen fließend".

[119] *Lembke*, Einheit aus Erkenntnis?, 2009, S. 247; *Reimer*, Juristische Methodenlehre, 2. Aufl. 2020, Rn. 400 f.

[120] Etwa *Canaris*, in: FS Kramer, 2004, S. 141, 154.

[121] *Simon*, EuGRZ 1974, 85, 87; *Stern*, Das Staatsrecht der Bundesrepublik Deutschland, Bd. I, 2. Aufl. 1984, S. 136.

[122] *Wendt*, in: FS Würtenberger, 2013, S. 123, 126.

[123] *Wendt*, in: FS Würtenberger, 2013, S. 123, 130.

[124] *Armbrüster*, NJW 2007, 1494, 1496.

[125] *Reimer*, Juristische Methodenlehre, 2. Aufl. 2020, Rn. 400. **A.A.** *Wendt* (ebd.), S. 123, 130.

[126] *Höpfner*, Die systemkonforme Auslegung, 2008, S. 180.

[127] *Burmeister*, Verfassungsorientierung, 1966, S. 14 ff.; *Simon*, EuGRZ 1974, 85, 86 f.; *Stern*, Das Staatsrecht der Bundesrepublik Deutschland, Bd. I, 2. Aufl. 1984, S. 136; Schlaich/*Korioth*, Das Bundesverfassungsgericht, 11. Aufl. 2018, Rn. 448; *Kudlich*, JZ 2003, 127, 130.

gungsergebnissen dazu, das verfassungskonforme Ergebnis den anderen vorzuziehen (§ 11 Rn. 47 f.).

41 Folglich ist zweitens die verfassungsorientierte Auslegung nur ein Kriterium unter mehreren Interpretationsfiguren. Sie ist insoweit nur eine gleichberechtigte Auslegungsfigur, ohne einen Vorrang zu fordern,[128] während umgekehrt die verfassungskonforme Auslegung diesen Vorrang gerade erzwingt, indem sie verfassungswidrige Ergebnisse aussondert. Sie ist damit nur eine **Abwägungsregel** *ohne* irgendeine Vermutungswirkung. *Kudlich* beschreibt hierzu sehr bildlich einen Wendepunkt zwischen verfassungsorientierter und verfassungskonformer Auslegung: „[...] in dem Moment, in dem die Interpretation dann verfassungswidrig wird, schlägt die Argumentation in eine verfassungskonforme Auslegung um, die zumindest ein bestimmtes Ergebnis zwingend verbietet."[129] Während die verfassungskonforme Auslegung als Regel bezeichnet werden kann, ist die verfassungsorientierte Auslegung insoweit nur ein *Prinzip*,[130] welches bei der Abwägung zu berücksichtigen ist.[131] So können Grundrechtspositionen zur Verteidigung des einfachen Rechts in die Argumentation einbezogen werden, ohne dass sie sich letztlich durchsetzen. Andererseits können sie auf beiden Seiten betroffen sein und in die Abwägung einbezogen werden. Es geht typischerweise um die Ausstrahlungswirkung (§ 11 Rn. 13), also die Grundrechtsentfaltung und Grundrechtsdurchsetzung. Typische Anwendungsfälle sind die Meinungs-, Koalitions- und Berufsfreiheit, die im Arbeitsrecht zu berücksichtigen sind.

42 Drittens zielt die verfassungskonforme Auslegung auf Normerhaltung,[132] während die verfassungsorientierte Auslegung nur eine **Normoptimierung**[133] bezweckt, ohne dass aber ansonsten die Verfassungswidrigkeit der Norm droht. Normoptimierung ist demnach so zu verstehen, dass neben den üblichen Auslegungskriterien noch weitere – verfassungsrechtliche – Aspekte in die Waagschale geworfen werden, welche im Ergebnis aber nicht zwingend überwiegen müssen.

2. Die verfassungsorientierte Auslegung als einfache Abwägungsregel im Zivilrecht

a) Eigentumsfreiheit des Vermieters versus Rechte des Mieters

43 Nach früherem Recht konnte beim Tod des Mieters nur der Ehegatte oder Familienangehörige in den Mietvertrag eintreten, § 569a BGB a.F. (jetzt: § 563 BGB). Das BVerfG billigte die Rechtsfortbildung des BGH, § 569a BGB analog auf die nichteheliche Lebensgemeinschaft anzuwenden[134], unter anderem auch deshalb, weil der Gesetzgeber und die Rechtsprechung die nichteheliche Lebensgemeinschaft schon vorher in verschiedenen Gesetzen anerkannt hatten (vgl. § 13 Rn. 46). Dies ist von der Rechtsliteratur u.a. massiv kritisiert worden, weil die über die allgemeine Handlungsfreiheit nach Art. 2 Abs. 1 GG geschützte Vertragsfreiheit und das Eigentumsrecht des Art. 14 GG in unzulässiger Weise verletzt würden.[135]

---

[128] *Höpfner*, Die systemkonforme Auslegung, 2008, S. 180; in Ansätzen bereits *Skouris*, Teilnichtigkeit von Gesetzen, 1973, S. 115.

[129] *Kudlich*, JZ 2003, 127, 130 Fn. 33.

[130] Zu den Begriffen Regel und Prinzip s. oben § 9 Rn. 11 f.

[131] *Dannecker/Schuhr*, in: LK-StGB, 13. Aufl. 2020, § 1 Rn. 332; *Kuhlen*, Die verfassungskonforme Auslegung von Strafgesetzen, 2006, S. 2.

[132] *Dreier*, in: Dreier, GG, 3. Aufl. 2013, Art. 1 III Rn. 85 ff. S. oben § 11 Rn. 35.

[133] *Reimer*, Juristische Methodenlehre, 2. Aufl. 2020, Rn. 398.

[134] BVerfG, Beschl. v. 3.4.1990, 1 BvR 1186/8, BVerfGE 82, 6, 15 f. – Tod des Mieters und nichteheliche Lebensgemeinschaft.

[135] *Roellecke*, JZ 1990, 813; *Hillgruber*, JZ 1996, 118, 119, 122; *Diederichsen*, Jura 1997, 57, 62 ff.; *Rüthers/Fischer/Birk*, Rechtstheorie, 11. Aufl. 2020, Rn. 875.

Dem ist entgegenzuhalten, dass der Gesetzgeber die Vertragsfreiheit und das Eigentumsrecht des Vermieters in den letzten Jahrzehnten bereits umfangreich eingeschränkt hat.[136] Hintergrund ist die Überlegung, dass der Mieter in seinem sozialen Umfeld einen besonderen Schutz erfahren soll.[137] Insoweit ist es in sich schlüssig, mit einem Ähnlichkeitsvergleich die nichteheliche Lebensgemeinschaft daran teilhaben zu lassen. Im Ergebnis führen die Grundrechte also *nicht zu einem Vorrang.* Die Rechte des Vermieters aus Art. 14 GG wurden zwar in die Waagschale gelegt, sie setzen sich aber gerade nicht durch und sind damit nur eine Abwägungsposition. Das ist der typische Fall der verfassungsorientierten Auslegung. **44**

b) Eingriff in Unternehmen versus Meinungsfreiheit

aa) Im *Lüth*-Urteil entwickelte das BVerfG den Einfluss der Verfassung auf das Zivilrecht (das „ob"). Ein Boykottaufruf wurde bisher als sittenwidrige Schädigung nach § 826 BGB bzw. als Eingriff in den eingerichteten und ausgeübten Gewerbebetrieb gem. § 823 Abs. 1 BGB durch die Zivilgerichte eingestuft (§ 11 Rn. 12). Allerdings kann der Boykottaufruf in den Schutzbereich der Meinungsfreiheit gem. Art. 5 Abs. 1 GG fallen. § 826 BGB darf somit nicht nur nach den Wertungen des BGB ausgelegt werden (sodass jeder Boykottaufruf rechtswidrig wäre), sondern muss auch das Grundgesetz als Wertordnung und die Ausstrahlungswirkung der Grundrechte, hier der Meinungsfreiheit, berücksichtigen. Die *verfassungskonforme Auslegung* zwingt dazu, die Rechtswidrigkeit des Boykottaufrufs zu verneinen und diesen im Lichte der Verfassung auszulegen. Hier scheint das Bild von der mittelbaren Drittwirkung überzeugend. Das BVerfG nahm nicht sofort eine Güterabwägung vor, sondern konkretisierte die Kollision zwischen Meinungsfreiheit (Art. 5 GG) einerseits sowie der Berufs- (Art. 12 GG) und Eigentumsfreiheit (Art. 14 GG) andererseits weiter: Maßgeblich sind Motive, Ziel und Zweck der Meinungsäußerung: Wenn es sich um einen *Beitrag zum geistigen Meinungskampf* in einer die Öffentlichkeit wesentlich berührenden Frage handelt, gelte die *Vermutung* für die Zulässigkeit der freien Rede.[138] Dann schlägt die verfassungsorientierte in eine *verfassungskonforme Auslegung* um, weil sich das eine Grundrecht durchsetzt und das einfachgesetzliche Ergebnis korrigiert.[139] **45**

bb) Ein Grundrecht kann aber auch nur eine einfache **Abwägungsregel** sein, ohne das Ergebnis bereits zu präjudizieren. Dient die Boykottaufforderung beispielsweise dazu, über eine bestimmte Meinungsäußerung hinaus in den individuellen Bereich des *wirtschaftlichen Wettbewerbs bestimmter Marktkonkurrenten* einzugreifen, indem wirtschaftliche Nachteile bei der Nichtbefolgung angedroht werden,[140] so wird das Recht auf freie Meinungsäußerung und das Informationsinteresse der Allgemeinheit lediglich als Mittel zum Zweck der Förderung *privater Wettbewerbsinteressen* eingesetzt. In diesem Fall wird ein prinzipieller *Vorrang* der Interessen des Boykottierten angenommen.[141] Die Meinungsfreiheit desjenigen, der zum Boykott aufruft, ist nur ein Argument unter mehreren; es setzt *sich nicht durch und ist insoweit auch nicht vorrangig.* Die verfassungskonforme Auslegung greift nicht ein;[142] es bleibt bei der verfassungsorientierten Auslegung. **46**

---

[136] S. § 13 Rn. 45 f.

[137] BVerfG, Beschl. v. 3.4.1990, 1 BvR 1186/8, BVerfGE 82, 6, 16 f.

[138] BVerfG, Urt. v. 15.1.1958, 1 BvR 400/51, BVerfGE 7, 198, 216 ff. – Lüth; BGH, Urt. v. 21.6.1966, VI ZR 261/64, BGHZ 45, 296, 308 – Höllenfeuer.

[139] Im Sinne der Verhältnismäßigkeit wird man zudem fordern müssen, dass der Boykottaufrufer vor einem Boykottaufruf den Dialog mit dem Boykottierten suchen muss, *Möllers*, NJW 1996, 1374, 1376 f.

[140] BVerfG, Urt. v. 26.2.1969, 1 BvR 619/63, BVerfGE 25, 256, 264 f. – Blinkfüer.

[141] BGH, Urt. v. 2.2.1984, I ZR 4/82, NJW 1985, 60, 62 – Röster Uhren.

[142] **A.A.** *Wendt*, in: FS Würtenberger, 2013, S. 123, 130, wonach die verfassungsorientierte Auslegung der verfassungskonformen Auslegung nachfolge.

IV. Verfassungskonforme Auslegung

1. Grundsatzfragen zur verfassungskonformen Auslegung

a) Die Begrifflichkeit nach den Vorgaben des Bundesverfassungsgerichts

47 Eine Norm ist verfassungsgemäß auszulegen, wenn von mehreren Auslegungsmöglichkeiten nur eine verfassungsgemäß ist. In den meisten Fällen dürfte es aber mehrere verfassungsmäßige Auslegungen geben. Umgekehrt ist es damit verboten, ein verfassungswidriges Auslegungsergebnis zu wählen.[143] Die verfassungskonforme Auslegung übernimmt folglich eine Filterfunktion. Die Verfassung ist insoweit nicht nur Erkenntnis-, sondern zugleich auch Kontrollnorm.[144] Bleibt nach der verfassungskonformen Auslegung kein verfassungskonformes Auslegungsergebnis übrig, ist die Vorschrift grundsätzlich als verfassungswidrig zu verwerfen, es sei denn, es bleibt Raum für eine verfassungskonforme Rechtsfortbildung. Nach Ansicht des BVerfG soll die Grenze der zulässigen verfassungskonformen Auslegung erreicht sein, wenn einer Auslegung der Gesetzeswortlaut und der Zweck, den der Gesetzgeber mit der Norm eindeutig verfolgen wollte, entgegenstehen. Im Einzelnen formuliert das BVerfG:

48 „Das Gebot verfassungskonformer Gesetzesauslegung verlangt, von **mehreren möglichen Normdeutungen**, die teils zu einem verfassungswidrigen, teils zu einem verfassungsmäßigen Ergebnis führen, diejenige vorzuziehen, die mit dem Grundgesetz in Einklang steht (vgl. BVerfGE 32, 373 [383 f.]; st. Rspr). Eine Norm ist daher nur dann für verfassungswidrig zu erklären, wenn keine nach anerkannten Auslegungsgrundsätzen zulässige und mit der Verfassung zu vereinbarende Auslegung möglich ist. Lassen der Wortlaut, die Entstehungsgeschichte, der Gesamtzusammenhang der einschlägigen Regelungen und deren Sinn und Zweck mehrere Deutungen zu, von denen eine zu einem verfassungsmäßigen Ergebnis führt, **so ist diese geboten** (BVerfGE 88, 145 [166]).

Auch im Wege der **verfassungskonformen Interpretation** darf aber der normative Gehalt einer Regelung nicht neu bestimmt werden (vgl. BVerfGE 8, 71 [78 f.]). Die zur Vermeidung eines Nichtigkeitsausspruchs gefundene Interpretation muss daher eine nach anerkannten Auslegungsgrundsätzen zulässige Auslegung sein (BVerfGE 69, 1 [55]). **Die Grenzen verfassungskonformer Auslegung ergeben sich damit grundsätzlich aus dem ordnungsgemäßen Gebrauch der anerkannten Auslegungsmethoden.** Der Respekt vor der gesetzgebenden Gewalt (Art. 20 II GG) gebietet es dabei, in den Grenzen der Verfassung das Maximum dessen aufrechtzuerhalten, *was der Gesetzgeber gewollt hat*. Er fordert mithin eine verfassungskonforme Auslegung der Norm, die durch den Wortlaut des Gesetzes gedeckt ist und die prinzipielle Zielsetzung des Gesetzgebers wahrt (BVerfGE 86, 288 [320]). Die Deutung darf nicht dazu führen, dass das gesetzgeberische Ziel in einem wesentlichen Punkt verfehlt oder verfälscht wird (vgl. BVerfGE 8, 28 [34]; 54, 277 [299 f.] m.w.Nachw.)."[145]

49 Die verfassungskonforme Auslegung bewegt sich innerhalb der Wortlautgrenzen und tritt typischerweise bei Generalklauseln oder unbestimmten Rechtsbegriffen auf.

---

143 *Bogs*, Die verfassungskonforme Auslegung von Gesetzen, 1966, S. 94 f.; *Zippelius*, in: FG 25 Jahre BVerfG, Bd. II, 1976, S. 108, 111.

144 *Wank*, Grenzen richterlicher Rechtsfortbildung, 1978, S. 97 ff.; *Voßkuhle*, AöR 125 (2000), 177, 181.

145 BVerfG, Beschl. v. 19.9.2007, 2 BvF 3/02, BVerfGE 119, 247, 274 – Obligatorische Teilzeitbeschäftigung von Beamten.

b) Vorrang der Verfassung als eigenständige Auslegungsfigur

50 Die verfassungskonforme Auslegung wird überwiegend zur systematischen Auslegung gezählt,[146] andere sprechen von einer Variante der systematisch-teleologischen Interpretation.[147] Das ist insoweit richtig, als man den Stufenbau des Rechts als Teil des äußeren Systems verstehen kann (§ 2 Rn. 36 ff.). Während die teleologische Auslegung in der Regel den Zweck einer Norm innerhalb der Kodifikation oder zumindest innerhalb des Rechtsgebietes, wie z. B. dem Zivilrecht, verortet, erweitert die verfassungskonforme Auslegung eben diesen Blick, indem sie auch die Stellung der Vorschrift im Gesamtgefüge der Normenhierarchie und die übergeordnete Stellung der Verfassung in die Auslegung einfließen lässt.

51 Allerdings stellt die Verfassung eine eigene Wertordnung dar, die über den Prinzipien des BGB und StGB steht und Auslegungsergebnisse, die lediglich auf Grundlage des einfachen Rechts gefunden wurden, korrigieren kann. Diese Ansicht berücksichtigt zu wenig, dass die Verfassung zwar einerseits Abwägungsmaßstab sein kann (§ 11 Rn. 39 ff.), andererseits aber dem einfachen Recht auch zwingend vorgehen kann, weil bei mehreren Auslegungsergebnissen die verfassungskonforme Auslegung vorzugehen hat (§ 11 Fn. 100). Insoweit liegt eine *Vorrangregel* vor.[148] Die verfassungskonforme Auslegung ist eine eigene Auslegungsfigur.[149] Einen Rechtsfall sollte man deshalb zweistufig prüfen: Nach dem Ergebnis des einfachen Rechts ist die verfassungsrechtliche Komponente in einem zweiten Schritt zu berücksichtigen.

2. Verfassungskonforme Auslegung im Öffentlichen Recht

52 Im Öffentlichen Recht hat das BVerfG zahlreiche Entscheidungen getroffen, die eine verfassungskonforme Auslegung von Rechtsnormen verlangen, um auf diese Weise die Grundrechte der Adressaten angemessen zu berücksichtigen. Wiederum spielte der Verhältnismäßigkeitsgrundsatz eine bedeutende Rolle.

53 *Forschungsfreiheit:* § 6 HessUnivG[150] in der Neufassung von 1974 verlangte, dass Wissenschaftler an Universitäten, gesellschaftliche Folgen mitbedenken und über gefährliche Forschungsergebnisse informieren müssten. Unter Berücksichtigung der Forschungsfreiheit des Art. 5 Abs. 3 GG *beschränkte* das BVerfG „die Pflicht zum Mitbedenken auf schwerwiegende Folgen für verfassungsrechtlich geschützte Gemeinschaftsgüter, deren Beeinträchtigung bei der im Einzelfall gebotenen Abwägung nach der Wertordnung des Grundgesetzes schwerer wiegt als die dem Wissenschaftler auferlegte Verpflichtung. Damit scheiden allgemeine gesellschaftspolitische oder parteipolitische Gesichtspunkte und Interessen [...] von vornherein aus."[151]

54 *Versammlungsfreiheit:* Wer beabsichtigt, eine öffentliche Versammlung unter freiem Himmel zu veranstalten, muss dies anmelden, § 14 Abs. 1 VersammlG.[152] Eine Versammlung kann gem. § 15 Abs. 1 VersammlG verboten werden, wenn die öffentliche Sicherheit

---

[146] *F. Müller/Christensen*, Juristische Methodik, Bd. I, 11. Aufl. 2013, Rn. 100; *Röhl/Röhl*, Allgemeine Rechtslehre, 3. Aufl. 2008, S. 623; *Raisch*, Juristische Methoden, 1995, S. 180; *Rüthers/Fischer/Birk*, Rechtstheorie, 11. Aufl. 2020, Rn. 759, anders dann aber in Rn. 762a: systemkonforme Auslegung; Palandt/*Grüneberg*, BGB, 80. Aufl. 2021, Einl. Rn. 42.

[147] *Bydlinski*, Juristische Methodenlehre und Rechtsbegriff, 2. Aufl. 1991, S. 455.

[148] *Canaris*, in: FS Kramer, 2004, S. 141, 143 ff.; *Höpfner*, Die systemkonforme Auslegung, 2008, S. 183; *Reimer*, Juristische Methodenlehre, 2. Aufl. 2020, Rn. 632: „Vorzugsregel". Zur Vorrangregel s. § 1 Rn. 97.

[149] *Auer*, in: Neuner, Grundrechte und Privatrecht aus rechtsvergleichender Sicht, 2007, S. 27, 31; *Reimer*, Juristische Methodenlehre, 2. Aufl. 2020, Rn. 630.

[150] Gesetz über die Universitäten des Landes Hessen v. 6.12.1974, GVBl. I, S. 603.

[151] BVerfG, Beschl. v. 1.3.1978, 1 BvR 333/75 u.a., BVerfGE 47, 327, 380 – Hessisches Universitätsgesetz.

[152] Gesetz über Versammlungen und Aufzüge in der Fassung der Bekanntmachung v. 15.11.1978, BGBl. I, S. 1789, zuletzt geändert durch Gesetz v. 8.12.2008, BGBl. I, S. 2366.

oder Ordnung gefährdet ist. Das BVerfG hat mehrere verfassungskonforme Auslegungen vorgenommen und insoweit den Wortlaut wiederum einschränkend ausgelegt, um der Versammlungsfreiheit des Art. 8 Abs. 1 GG Rechnung zu tragen. Ein Verbot ist nur zum Schutz elementarer Rechtsgüter zulässig, während eine bloße Gefährdung der öffentlichen Ordnung im Allgemeinen nicht genügen wird.[153] Damit ist ein Verbot letztes Mittel (ultima ratio). Vorab sind Auflagen zu erteilen; verkehrstechnische Gründe rechtfertigen grundsätzlich kein Verbot.[154] Zudem muss auch eine Spontanversammlung *ohne* Anmeldung möglich sein.[155] Auch hier handelt es sich noch um eine einschränkende Auslegung, weil eine Anmeldepflicht nur existieren kann, wenn man „beabsichtigt", die Veranstaltung durchzuführen.[156]

3. Verfassungskonforme Auslegung im Zivilrecht

55 Exemplarisch sollen zwei Teilbereiche des Zivilrechts angeführt werden, in denen die verfassungskonforme Auslegung von der Rechtsprechung als Instrument herangezogen wurde. Einerseits handelt es sich dabei um die Begründung von Schutzpflichten, insbesondere zum Schutz der Gesundheit und des allgemeinen Persönlichkeitsrechts (a), andererseits wird die Selbstbestimmtheit durch eingeschränkte Zulässigkeit vertraglich auferlegter Beschränkung geschützt (b).

a) Schutz von Rechtsgütern

56 Eine ausdrückliche gesetzliche Grundlage für die Selbstbestimmungsaufklärung des Patienten bei Heileingriffen fehlte bisher. Der BGH erachtete einen Heileingriff immer für rechtswidrig, solange der Patient nicht aufgeklärt wurde und wirksam eingewilligt hatte.[157] Mit dieser verfassungskonformen Auslegung des Tatbestandsmerkmals „Rechtswidrigkeit" bei § 823 Abs. 1 BGB konnte er somit eine Aufklärung des Arztes erzwingen. Das Erfordernis der informierten Einwilligung zu diagnostischen, vorbeugenden und heilenden Eingriffen folgt aus dem im Grundgesetz verankerten Recht auf körperliche Unversehrtheit (Art. 2 Abs. 2 GG) und aus der Freiheit und Würde der menschlichen Persönlichkeit (Artt. 1 und 2 Abs. 1 GG).[158] Inzwischen hat der Gesetzgeber diese Rechtsprechung in § 630d und § 630e BGB normiert.

b) Abwehr von übermäßigen Freiheitsbeschränkungen

57 In diesen Fällen geht es weniger um die verfassungskonforme Auslegung einer Norm als um die Begrenzung vertraglicher Vereinbarungen. Die Rechtsprechung schränkt Vertragsabreden ein, wenn ein Vertragspartner übermäßig in seiner Freiheit beeinträchtigt wird. Unzulässig, d.h. sittenwidrig gem. § 138 BGB, sind etwa die vertraglich vereinbarte Festlegung des Wohnsitzes[159] oder die Pflicht zur Einnahme empfängnisverhütender Mittel.[160] Unzulässig ist auch die Ausnutzung von Unterlegenheit, sodass eine Seite *nicht*

---

[153] BVerfG, Beschl. v. 14.5.1985, 1 BvR 233/81 u.a., BVerfGE 69, 315, 353 – Brokdorf.

[154] Ebd.

[155] BVerfG, Beschl. v. 14.5.1985, 1 BvR 233/81 u.a., BVerfGE 69, 315, 350 f. – Brokdorf.

[156] *Canaris*, in: FS Kramer, 2004, S. 141, 150.

[157] RG, Urt. v. 31.5.1894, 1406/94, RGSt 25, 375, 377 ff.; RG, Urt. v. 27.5.1908, VI 484/07, RGZ 68, 432, 434; BGH, Urt. v. 9.12.1958, VI ZR 203/57, BGHZ 29, 46, 49, 54 f. – Elektroschock II; BGH, Urt. v. 14.2.1989, VI ZR 65/88, BGHZ 106, 291, 397 f. – Arzthaftung für nicht aufklärungsbedürftiges Eingriffsrisiko; BGH, Urt. v. 28.11.1957, 4 StR 525/57, BGHSt 11, 111, 114 – Myom.

[158] S. das Sondervotum *Hirsch*, *Niebler* und *Steinberger*, in: BVerfG, Beschl. v. 25.7.1979, 2 BvR 878/74, BVerfGE 52, 131, 173 – Arzthaftungsprozess; **a.A.** das Mehrheitsvotum in BVerfGE 52, 131, 168 f.

[159] BGH, Urt v. 26.4.1972, IV ZR 18/71, NJW 1972, 1414, 1415 als Verstoß gegen das Grundrecht auf Freizügigkeit gem. Art. 11 Abs. 1 GG.

[160] BGH, Urt v. 17.4.1986, IX ZR 200/85, BGHZ 97, 372, 379 – Abrede über Gebrauch empfängnisverhütender Mittel.

selbstbestimmt handeln kann.[161] Bei einem Ehevertrag ist dies zu bejahen, wenn eine unverheiratete schwangere Frau sich vor die Alternative gestellt sieht, in Zukunft entweder für das noch ungeborene Kind alleine sorgen zu müssen oder einen Ehevertrag abzuschließen, der für den Fall der Scheidung Unterhaltsansprüche vertraglich ausschließt.[162] Eine *übermäßige Freiheitsbeschränkung* liegt aber auch dann vor, wenn eine Seite finanziell stark überfordert wird.

Bürgschaft vermögensloser Angehöriger: Eine 21-jährige Tochter, die keine Berufsausbildung hatte, überwiegend arbeitslos war und zur Zeit der Bürgschaftserklärung in einer Fischfabrik 1.150 DM netto pro Monat verdiente, bürgte für ihren Vater für einen Kredit in Höhe von 100.000 DM. Bis in die neunziger Jahre des letzten Jahrhunderts hatte die Rechtsprechung die Auffassung vertreten, dass junge Familienangehörige, die volljährig sind, sich jederzeit unbegrenzt verbürgen können, denn grundsätzlich könne ein Volljähriger das Risiko abschätzen. Die Bürgschaft sei nun einmal ein riskantes Geschäft und ausdrücklich vom BGB zugelassen. Die Bindung an Recht und Gesetz nach Art. 20 Abs. 3 GG verbiete es, riskante Geschäfte, deren Erwartungen und Hoffnungen sich im Nachhinein für den Schuldner nicht erfüllen, als unklug aufzufassen, mit der Folge, dass eine Freistellung von dieser Verpflichtung erfolge. Auch werde der Bürge ausreichend durch die Pfändungsfreigrenzen der §§ 859 f. ZPO geschützt.[163] 58

Gegen diese Rechtsprechung ist massive Kritik erhoben worden, weil eine lebenslange Verschuldung das Streben nach Glück als unveräußerliches Menschenrecht verletzen würde.[164] *Honsell* sprach vom „eisigen Wind der Privatautonomie des ausgehenden 19. Jahrhunderts", welche die Rechtsprechung des BGH begründen würde.[165] Während Schuldner im Mittelalter in den Schuldturm geworfen wurden,[166] führe die jetzige lebenslange Belastungen durch die Bürgschaft zu einem „modernen Schuldturm".[167] Das BVerfG gab der Literatur Recht und stellte fest, dass der BGH grundlegende Grundrechte missachtete. Zwar lasse die Privatautonomie, wie sie in Art. 2 Abs. 1 GG garantiert ist, auch riskante Geschäfte zu, doch erfordere sie eine Selbstbestimmung, die bei einer „gestörten Vertragsparität" – so der Terminus des BVerfG – nicht vorläge. Eine Korrektur sei immer dort erforderlich, wo wegen des Übergewichts einer Partei eine *eigenverantwortliche Entscheidung* nicht mehr vorhanden ist. Im Einzelnen formulierte das BVerfG: 59

„Nach der ständigen Rechtsprechung des Bundesverfassungsgerichts ist die Gestaltung der Rechtsverhältnisse durch den Einzelnen nach seinem Willen ein Teil der allgemeinen Handlungsfreiheit (vgl. BVerfGE 8, 274 [328]; 72, 155 [170]). *Art. 2 Abs. 1 GG gewährleistet die Privatautonomie als ‚Selbstbestimmung des Einzelnen im Rechtsleben'.* [...] 60

Für die Zivilgerichte folgt daraus die Pflicht, bei der Auslegung und Anwendung der Generalklauseln darauf zu achten, daß Verträge nicht als Mittel der Fremdbestimmung die-

[161] Zum Selbstbestimmungsprinzip s. ausführlich oben § 9 Rn. 43 ff.

[162] BVerfG, Urt. v. 6.2.2001, 1 BvR 12/92, BVerfGE 103, 89, 100 ff. – Unterhaltsverzichtsvertrag: Verstoß gegen Art. 2 Abs. 1 in Verbindung mit Art. 6 Abs. 4 GG und Art. 6 Abs. 2 GG.

[163] Zu früherer Rechtsprechung s. etwa BGH, Urt. v. 9.1.1989, IX ZR 124/88, BGHZ 106, 269, 272; BGH, Urt. v. 24.11.1992, XI ZR 98/92, BGHZ 120, 272 ff.; Larenz/*Canaris*, Lehrbuch des Schuldrechts, Besonderer Teil, Bd. II/2, 13. Aufl. 1994, S. 9 f.

[164] OLG Stuttgart, Urt. v. 12.1.1988, 6 U 86/87, NJW 1988, 833, 835.

[165] *Honsell*, JZ 1989, 495 zu BGHZ 106, 269 (§ 11 Fn. 162); krit. auch *Reinicke/Tiedtke*, ZIP 1989, 613, 615.

[166] Ein Schuldturm war bis in das spätere Mittelalter ein Privatgefängnis und dann ein öffentliches Gefängnis für Personen, die ihren Zahlungsverpflichtungen nicht nachgekommen waren, *Breßler*, Schuldknechtschaft und Schuldturm, 2004, S. 88, 115 f.

[167] Dieser Begriff wird auch für übermäßige Zinsbelastungen durch Kredite verwendet. Eine Ausflucht aus dieser Misere ist die Verbraucherinsolvenz, s. *Vallender*, VuR 1997, 155 ff.

> nen. Haben die Vertragspartner eine an sich zulässige Regelung vereinbart, so wird sich regelmäßig eine weitergehende Inhaltskontrolle erübrigen. Ist aber der Inhalt des Vertrages für eine Seite *ungewöhnlich belastend und als Interessenausgleich offensichtlich unangemessen,* so dürfen sich die Gerichte nicht mit der Feststellung begnügen: ,Vertrag ist Vertrag'. Sie müssen vielmehr klären, ob die Regelung eine Folge *strukturell ungleicher Verhandlungsstärke* ist, und gegebenenfalls im Rahmen der Generalklauseln des geltenden Zivilrechts korrigierend eingreifen. Wie sie dabei zu verfahren haben und zu welchem Ergebnis sie gelangen müssen, ist in erster Linie eine Frage des einfachen Rechts, dem die Verfassung einen weiten Spielraum läßt. Ein Verstoß gegen die grundrechtliche Gewährleistung der Privatautonomie kommt aber dann in Betracht, wenn das *Problem gestörter Vertragsparität* gar nicht gesehen oder seine Lösung mit untauglichen Mitteln versucht wird."[168]

61 Die heutige Rechtsprechung des BGH und die Vorgaben des BVerfG führen nicht dazu, dass jeder Vertrag einer Angemessenheitskontrolle unterzogen werden muss. Vielmehr sind die Vorgaben systemkonform durch eine strenge Anwendung des § 138 Abs. 1 BGB durchzuführen. Wie so oft bei § 138 BGB hat eine Gesamtwürdigung aller Umstände des Einzelfalls stattzufinden.[169] Diese Rechtsprechung ist auch Grundlage für das Prinzip der Selbstbestimmung (§ 9 Rn. 43 ff.).

62 *Bürgschaft vermögensloser Angehöriger:* Die Unwirksamkeit der Bürgschaft von Angehörigen lässt sich auch nur mit dem Zivilrecht begründen, ohne auf die Grundrechte abstellen zu müssen. So prüft *Honsell* etwa die partielle Geschäftsunfähigkeit und die Sittenwidrigkeit gem. § 138 Abs. 1 BGB. Zutreffend vergleicht er diesen Fall mit den Bierlieferungsverträgen, die wegen der übermäßigen Knebelung und damit verbundenen Lähmung der wirtschaftlichen Bewegungsfreiheit als sittenwidrig einzustufen sind.[170] Oder man legt die Tatbestandsmerkmale der „Unerfahrenheit" oder „Ausbeutung der Zwangslage" in § 138 Abs. 2 BGB weit aus.[171]

63 **Vertiefung** – *Hinterbliebenenrente für Lebenspartner:* Im Bereich der betrieblichen Altersvorsorge gibt es keine Hinterbliebenenrente für eingetragene Lebenspartner. Wird damit gegen den Gleichheitsgrundsatz verstoßen?[172]

V. Verfassungskonforme Rechtsfortbildung

1. Die widersprüchliche Rechtsprechung des Bundesverfassungsgerichts

64 Zum Teil wird die Rechtsfigur der verfassungskonformen Rechtsfortbildung abgelehnt. Eine Rechtsfortbildung soll unzulässig sein, wenn sie gegen den eindeutigen Wortlaut[173] oder den subjektiven Willen des Gesetzgebers[174] verstößt. Ähnlich formuliert auch das BVerfG, dass die verfassungskonforme Auslegung am „klar erkennbar geäußerten Willen des Gesetzgebers" ihre Grenze findet, weil sich das BVerfG ansonsten an die Stelle

---

[168] BVerfG, Beschl. v. 19.10.1993, 1 BvR 567/89 u.a., BVerfGE 89, 214, 231 ff. – Bürgschaftsverträge.

[169] Palandt/*Ellenberger*, BGB, 80. Aufl. 2021, § 138 Rn. 37 ff.

[170] *Honsell*, JZ 1989, 495, 496; krit. auch *Neuner*, JöR 59 (2011), 29, 57. Zum Fallgruppenvergleich im Rahmen der Sittenwidrigkeit gem. § 138 Abs. 1 BGB s. § 8 Rn. 36 ff.

[171] S. *Reinicke/Tiedtke*, ZIP 1989, 613, 615.

[172] BVerfG, Beschl. v. 7.7.2009, 1 BvR 1164/07, BVerfGE 124, 199 – Hinterbliebenenrente für Lebenspartner. Zur Lösung s. § 15 Rn. 39.

[173] *Zippelius*, in: FG 25 Jahre BVerfG, Bd. II, 1976, S. 108, 115 f.

[174] *Stern*, NJW 1958, 1435; *Neuner*, Privatrecht und Sozialstaat, 1999, S. 47 f.; *Voßkuhle*, AöR 125 (2000), 177, 197 f.

des demokratisch gewählten Gesetzgebers setzen würde.[175] Andere Urteile des BVerfG ziehen die Grenzen zulässiger Rechtsfortbildung weiter und erlauben ausdrücklich auch ein Abweichen vom Wortlaut.[176]

2. Die verfassungskonforme Rechtsfortbildung als Rechtsfigur

Auch wenn das BVerfG nur den Begriff der „verfassungskonformen Interpretation“ verwendet (§ 11 Fn. 114) und formal eine verfassungskonforme Rechtsfortbildung ablehnt, erkannte es in zahlreichen Entscheidungen eine verfassungskonforme Rechtsfortbildung über die Wortlautgrenzen hinaus an. Zum Teil entschied es sich ausdrücklich gegen den damaligen Willen des Gesetzgebers und berief sich mit der objektiven Theorie auf das heutige Verständnis der Norm.[177] Die Rechtsprechung des BVerfG ist somit widersprüchlich. Konsequenterweise wird diese Rechtsfigur in der neueren Rechtsliteratur anerkannt.[178] Allerdings sind die Vorgaben, wann eine solche Rechtsfortbildung unzulässig ist, zwischen den Senaten heftig umstritten (§ 11 Rn. 79 ff.). 65

Grundsätzlich ist der Wille des Gesetzgebers zu beachten, gebietet dies doch der Respekt vor der gesetzgebenden Gewalt (§ 11 Fn. 100). Das BVerfG darf sich nicht zum Ersatzgesetzgeber aufschwingen.[179] Die Kompetenz zur verfassungskonformen Rechtsfortbildung fällt damit auch dem jeweiligen Fachgericht zu. Art. 100 GG zentralisiert allein die Verwerfungskompetenz beim Bundesverfassungsgericht (§ 11 Rn. 26). Sollten Gerichte ein formelles nachkonstitutionelles Bundesgesetz nach vorheriger, erfolgloser verfassungskonformer Auslegung für verfassungswidrig halten, müssen sie das BVerfG im Rahmen einer konkreten Normenkontrolle gem. Art. 100 Abs. 1 GG anrufen. Für Bürger besteht die Möglichkeit einer Verfassungsbeschwerde.[180] Das BVerfG kann die Norm für verfassungswidrig und damit für nichtig erklären. Würde man in weitem Umfang eine verfassungskonforme Rechtsfortbildung gegen den Wortlaut des Gesetzes zulassen, würde die geltende, lückenhafte Gesetzeslage zementiert und eine Lückenschließung durch förmliches Gesetz obsolet.[181] So führte die Anerkennung des Persönlichkeitsrechts durch das BVerfG dazu, dass der Gesetzgeber sich bis heute nicht genötigt sah, eine gesetzliche Grundlage für dieses in der Praxis so wichtige Rechtsinstitut zu schaffen (§ 11 Rn. 72 f.). 66

Eine zulässige Rechtsfortbildung muss sich deshalb innerhalb der gerade genannten Grenzen bewegen. In den folgenden Fallgruppen ist eine Rechtsfortbildung gegen den Wortlaut, die Systematik, den historischen Willen und das Telos der Norm (ausnahmsweise) zulässig, wenn eine eindeutige und klare Verletzung von Grundrechten vorliegt (§ 11 Rn. 71 ff.). Umgekehrt ist eine verfassungskonforme Rechtsfortbildung nicht mehr zulässig und damit contra legem, wenn sie massiv in Grundrechte Dritter eingreift (§ 11 Rn. 86 ff.). Weitere Grenzen einer unzulässigen Rechtsfortbildung werden am Ende des Werkes in § 13 diskutiert. 67

---

[175] BVerfG, Beschl. v. 14.10.2008, 1 BvR 2310/06, BVerfGE 122, 39, 60 f. – Beratungshilfegesetz: „Ein Normverständnis, das in Widerspruch zu dem klar erkennbar geäußerten Willen des Gesetzgebers steht, kann auch im Wege der verfassungskonformen Auslegung nicht begründet werden“ unter Hinweis auf „BVerfGE 54, 277 [299 f.]; 71, 81 [105]; 90, 263 [275]; 95, 64 [93]; 98, 17 [45]; 99, 341 [358]; 101, 54 [86, 88] sowie 312 [329]; 112, 164 [183]“; s. auch § 11 Fn. 100.

[176] BVerfG, Beschl. v. 19.6.1973, 1 BvL 39/69 u.a.; BVerfGE 35, 263, 278 f.: „Am Wortlaut einer Norm braucht der Richter aber nicht haltzumachen.“; BVerfG Beschl. v. 27.1.1998, 1 BvL 22/93, BVerfGE 97, 186, 196: „Eine Auslegung gegen den Wortlaut einer Norm ist aber nicht von vornherein ausgeschlossen […].“

[177] BVerfG, Beschl. v. 14.2.1973, 1 BvR 112/65, BVerfGE 34, 269, 288 – Soraya (§ 6 Rn. 70 ff.).

[178] Etwa *Canaris*, in: FS Kramer, 2004, S. 141, 155 ff.; *Auer*, in: Neuner, Grundrechte und Privatrecht aus rechtsvergleichender Sicht, 2007, S. 27, 30 ff.; *Lembke*, Einheit aus Erkenntnis?, 2009, S. 250 ff.

[179] *Voßkuhle*, AöR 125 (2000), 177, 198; ausführlich unten § 13 Rn. 91 ff.

[180] *Hillgruber*, JZ 1996, 118, 122.

[181] *Hermes*, VVDStRL 61 (2002), 119, 140.

3. Fallgruppen zulässiger verfassungskonformer Rechtsfortbildung

a) Teleologische Reduktion

68 Im Strafrecht und im Öffentlichen Recht lässt sich die verfassungskonforme Rechtsfortbildung regelmäßig als Ausdruck der Abwehrrechte-Dimension der Grundrechte beschreiben, weil hier der Staat in Grundrechtspositionen des betroffenen Bürgers eingreift. Am einfachsten lässt sich eine Rechtsfortbildung über den Wortlaut der Norm rechtfertigen, wenn sie eine teleologische Reduktion darstellt. Denn dann wird aus Gerechtigkeitsgründen Ungleiches ungleich behandelt, um dem Regelungszweck der Norm gerecht zu werden (§ 6 Rn. 93 f.).[182] Verfassungsrechtliche Rechtsfortbildung im Sinne einer teleologischen Reduktion ist hier zugunsten des betroffenen Bürgers möglich und fest etabliert. Maßgeblich sind unter anderem das Recht auf freie Entfaltung der Persönlichkeit gem. Art. 2 Abs. 1 GG und die Justizgrundrechte gem. Artt. 101, 103 GG. Vor allem ist der Verhältnismäßigkeitsgrundsatz (§ 10 Rn. 41 ff.) zu beachten.[183]

69 *Einschränkung der lebenslangen Freiheitsstrafe bei Mord:* Das BVerfG hat gegen den klaren Wortlaut und den Willen[184] des Gesetzgebers die lebenslange Freiheitsstrafe bei Mord gem. § 211 StGB zugunsten des Täters teleologisch reduziert (§ 6 Rn. 92 ff.). Die Menschenwürde verlangt, dass der zu lebenslanger Freiheitsstrafe verurteilte Mörder die Chance haben muss, nach Verbüßung einer gewissen Strafzeit wieder in Freiheit zu gelangen.[185] – *Heimtücke*: Zugunsten des Täters wird das Mordmerkmal einschränkend ausgelegt, weil über den Wortlaut des § 211 StGB hinaus verlangt wird, dass der Täter bei Heimtücke in feindlicher Willensrichtung handelte.[186]

70 Als weiteres Beispiel kann das Versammlungsrecht genannt werden. Dort wurden die Voraussetzungen eines Versammlungsverbotes für Eilveranstaltungen über den Wortlaut des § 14 VersammlG hinaus teleologisch reduziert, um der Versammlungsfreiheit Rechnung zu tragen.[187] Die Eilversammlung ist zwar vom Veranstalter im Gegensatz zur Spontanversammlung beabsichtigt, kann aber nicht mehr rechtzeitig angemeldet werden. Gegen den Wortlaut des § 14 VersammlG kann dann auf die Einhaltung der 48-Stunden-Frist verzichtet werden. Die Anmeldung soll so zeitig wie möglich erfolgen, i. d. R. mit Beschluss der Veranstaltung, spätestens mit Bekanntgabe.[188] Diese Form der verfassungskonformen Rechtsfortbildung will damit den Regelungszweck gerade sicherstellen und ist in diesem Umfang zulässig;[189] sie dient damit der Aufrechterhaltung der Norm (*favor legis* – § 11 Rn. 35a).[190]

b) Schutz vor offensichtlichen Grundrechtsverletzungen des Betroffenen

71 aa) Deutlich komplizierter wird die Fragestellung allerdings, wenn man sich mit der verfassungskonformen Rechtsfortbildung über den damaligen (subjektiven) Willen des

---

[182] *Kramer*, Juristische Methodenlehre, 6. Aufl. 2019, S. 251 f.

[183] Für einen guten Überblick s. *Kuhlen*, Die verfassungskonforme Auslegung von Strafgesetzen, 2006; *Dannecker/Schuhr*, in LK-StGB, 13. Aufl. 2020, § 1 Rn. 326 ff., 336 ff.

[184] S. hierzu die ausdrücklich für die lebenslange Freiheitsstrafe plädierenden Stimmen, wiedergegeben in BVerfG, Urt. v. 21.6.1977, 1 BvL 14/76, BVerfGE 45, 187, 194 ff. – Lebenslange Freiheitsstrafe.

[185] BVerfG (ebd.), BVerfGE 45, 187, 258 – Lebenslange Freiheitsstrafe. Der Gesetzgeber hat mit den §§ 57a, 57b StGB reagiert.

[186] BGH, Beschl. v. 22.9.1956, GSSt 1/56, BGHSt 9, 385, 390 – Heimtücke.

[187] *Canaris*, in: FS Kramer, 2004, S. 141, 150.

[188] BVerfG, Beschl. v. 23.10.1991, 1 BvR 850/88, BVerfGE 85, 69, 75 f. – Eilversammlungen. Das Urteil verwendet dreimal den Begriff der „verfassungskonformen Interpretation".

[189] *Geis*, NVwZ 1992, 1025, 1029; *Koch/Rüßmann*, Juristische Begründungslehre, 1982, S. 267, 270; *Larenz*, Methodenlehre der Rechtswissenschaft, 6. Aufl. 1991, S. 341.

[190] *Herresthal*, JuS 2014, 289, 297. Ebenso auch nur in den Grenzen der Zwecksetzung des Gesetzgebers *Koch/Rüßmann* (ebd.), S. 267, 270.

Gesetzgebers hinwegsetzen will. Die obige Formulierung des BVerfG[191] scheint gegen eine solche Zulässigkeit zu sprechen. Das ist in dieser Absolutheit aber unrichtig, wie die Entscheidungen zeigen, in welchen sich das BVerfG selbst gegen den gesetzgeberischen Willen wendete. Am deutlichsten wird die verfassungskonforme Rechtsfortbildung heute immer noch mit der Entscheidung des BGH über den Schmerzensgeldanspruch bei Persönlichkeitsverletzung, in welcher der BGH gegen Wortlaut und Willen des Gesetzgebers einen Schmerzensgeldanspruch bei einer Persönlichkeitsverletzung entwickelte. In der Literatur wurde diese Rechtsprechung als unzulässige Rechtsfortbildung *contra legem* kritisiert und gefordert, dass stattdessen das BVerfG die jeweils zu prüfende Norm hätte verwerfen müssen.[192] Tatsächlich geht es um den Streit zwischen objektiver und subjektiver Auslegung (§ 6 Rn. 60 ff.); in der *Soraya*-Entscheidung hatte sich das BVerfG ausdrücklich zu einem Wertewandel und dem geänderten Verständnis der Normen bekannt.[193]

Schmerzensgeldanspruch bei Persönlichkeitsverletzung: Im Herrenreiter-Fall war ohne dessen Zustimmung mit dem Bild des Olympiasiegers Neckermann für ein Potenzmittel geworben worden; im Fernsehansagerin-Urteil wurde eine Fernsehansagerin u.a. als „ausgemolkene Ziege" bezeichnet; im Soraya-Beschluss wurde ein Interview mit der damaligen Prinzessin Soraya erfunden. Jeweils klagten die Betroffenen wegen einer Persönlichkeitsverletzung auf Schmerzensgeld. 72

Obwohl der Gesetzgeber bei der Schaffung des BGB ein absolutes Persönlichkeitsrecht nicht nach § 823 Abs. 1 BGB schützen wollte,[194] erkannte der BGH nach dem Zweiten Weltkrieg ein solches in einem ersten Schritt an.[195] Und obwohl der Schmerzensgeldanspruch auf die gesetzlich geregelten Fälle begrenzt war (§ 847 BGB a.F.), entschied der BGH in einem zweiten Schritt, dass eine Verletzung dieses Rechts einen zivilrechtlichen Schmerzensgeldanspruch auslösen kann und begründete dies mit dem Persönlichkeitsrecht der Artt. 2 Abs. 1, 1 GG.[196] Das BVerfG billigte diese „verfassungskonforme Auslegung".[197] Es handelt sich aber um einen klaren Fall der verfassungskonformen *Rechtsfortbildung*, weil gegen Wortlaut, Willen, Systematik und Telos des BGB entschieden wurde. 73

Interessanterweise wird eine solche Begründung auch heute noch herangezogen:[198] Obwohl der Gesetzgeber 2001 den § 847 BGB a.F. strich, wurde auch in dem neu gefassten § 253 BGB das allgemeine Persönlichkeitsrecht nicht in den Tatbestand aufgenommen. In den Bundestagsprotokollen beließ es der Gesetzgeber bei dem Hinweis, dass die 74

[191] S. oben § 11 Fn. 100; zudem BVerfG, Beschl. v. 11.6.1980, 1 PBvU 1/79, BVerfGE 54, 277, 299: „Nach der Rechtsprechung des Bundesverfassungsgerichts darf im Wege der Auslegung einem nach Wortlaut und Sinn eindeutigen Gesetz nicht ein entgegengesetzter Sinn verliehen, der normative Gehalt der auszulegenden Norm nicht grundlegend neu bestimmt, das gesetzgeberische Ziel nicht in einem wesentlichen Punkt verfehlt werden."

[192] Konsequent kritisch zu dieser verfassungskonformen Rechtsfortbildung *Larenz* (ebd.), S. 426 ff.; *Canaris*, Die Feststellung von Lücken im Gesetz, 2. Aufl. 1983, S. 187 f.; *Hillgruber*, JZ 1996, 118, 119 ff.; *Hermes*, VVDStRL 61 (2002), 119, 131 f.; *Neuner*, Die Rechtsfindung contra legem, 2. Aufl. 2005, S. 130 f.; *Diederichsen*, Jura 1997, 57, 59 ff.

[193] BVerfG, Beschl. v. 14.2.1973, 1 BvR 112/65, BVerfGE 34, 269, 288 – Soraya (§ 6 Rn. 70 ff.).

[194] Prot. II, S. 573 f., 640 f.; im Unterschied zum § 704 Abs. 2 des 1. Entwurfs eines BGB. RG, Urt. v. 7.11.1908, I 638/07, RGZ 69, 401, 403 – Nietzsche-Briefe: „Ein allgemeines subjektives Persönlichkeitsrecht ist dem geltenden bürgerlichen Rechte fremd"; s. instruktiv Kötz/*Wagner*, Deliktsrecht, 14. Aufl. 2021, 7. Kap. Rn. 5 ff.

[195] BGH, Urt. v. 25.5.1954, I ZR 211/53, BGHZ 13, 334, 338 – Schachtbrief.

[196] BGH, Urt. v. 14.2.1958, I ZR 151/56, BGHZ 26, 349, 354 – Herrenreiter; BGH, Urt. v. 5.3.1963, VI ZR 55/62, BGHZ 39, 124, 130 ff. – Fernsehansagerin. Im Ergebnis zustimmend etwa Larenz/*Canaris*, Lehrbuch des Schuldrechts, Besonderer Teil, Bd. II/2, 13. Aufl. 1994, S. 494.

[197] BVerfG, Beschl. v. 14.2.1973, 1 BvR 112/65, BVerfGE 34, 269, 289 ff. – Soraya.

[198] BGH, Urt. v. 17.12.2013, VI ZR 211/12, BGHZ 199, 237 Rn. 40: „Schutzauftrag aus Art. 1 und 2 Abs. 1 GG" – Geldentschädigung wegen Internetveröffentlichung; Palandt/*Grüneberg*, BGB, 80. Aufl. 2021, § 253 Rn. 10.

Rechtsprechung das allgemeine Persönlichkeitsrecht anerkannt habe und man zum jetzigen Zeitpunkt nicht in der Lage sei, das Persönlichkeitsrecht umfassend gesetzlich zu regeln.[199]

75 bb) Ein *Wandel der Wertvorstellungen*[200] allein kann für sich genommen nicht ausreichen, weil damit dem subjektiven Vorverständnis des jeweiligen Rechtsanwenders (§ 1 Rn. 70) Tür und Tor geöffnet wäre. Eine Rechtsfortbildung gegen den Willen des damaligen Gesetzgebers wird man nur begründen können, wenn die **Grundrechtsverletzung des Rechtssuchenden besonders offensichtlich** ist und sich deshalb eine **Rechtsschutzlücke besonders aufdrängt**. Ein solcher Schutz ist v.a. bei *personalen Rechten* mit starkem Bezug zur Menschenwürde gegeben,[201] sodass Rechtsschutzlücken im geschriebenen Recht durch Rechtsfortbildung geschlossen werden können. Solche Schutzlücken hatte das BVerfG folglich bei der Persönlichkeitsrechtsverletzung,[202] im Volkszählungs-Urteil[203] und in der Entscheidung zur Online-Durchsuchung[204] formuliert.[205] Ein solcher Schutz muss aber auch für andere Rechtsgüter wie Leben, Körper und Gesundheit gelten.[206] In diesen Extremfällen erscheint es auch überzeugend, von einer Schutzpflicht des Staates[207] oder vielleicht sogar von einer unmittelbaren Drittwirkung der Grundrechte zu sprechen, um den Betroffenen vor der Rechtsverletzung zu schützen oder ihm zumindest eine Kompensation zu gewähren. Die Rechtsprechung kommt mit der Rechtsfortbildung ihrer verfassungsrechtlichen Pflicht gegenüber dem Bürger nach.

76 Die Anerkennung des Persönlichkeitsrechts kann ebenfalls unschwer mit dem erforderlichen Grundrechtsschutz nach Artt. 2 Abs. 1, 1 GG gerechtfertigt werden. So bestätigt das BVerfG den BGH mit folgenden Worten:

77 „Das Bundesverfassungsgericht hat keinen Anlaß, dieser Rechtsprechung des Bundesgerichtshofs von Verfassungs wegen entgegenzutreten. Das Wertsystem der Grundrechte findet seinen Mittelpunkt in der innerhalb der sozialen Gemeinschaft sich frei entfaltenden menschlichen Persönlichkeit und ihrer Würde (BVerfGE 6, 32 [41]; 7, 198 [205]). Ihr gebührt Achtung und Schutz von seiten aller staatlichen Gewalt (Art. 1 und 2 Abs. 1 GG). Solchen Schutz darf vor allem die private Sphäre des Menschen beanspruchen, der Bereich, in dem er allein zu bleiben, seine Entscheidungen in eigener Verantwortung zu treffen und von Eingriffen jeder Art nicht behelligt zu werden wünscht (BVerfGE 27, 1 [6]). Diesem Schutzzweck dient im Bereich des Privatrechts auch die *Rechtsfigur des allgemeinen Persönlichkeitsrechts;* sie füllt Lücken im Persönlichkeitsschutz aus, die hier trotz Anerkennung einzelner Persönlichkeitsrechte verblieben und im Laufe der Zeit aus

---

[199] Begr. RegE, BT-Drs. 14/7752, S. 25; zum historischen Willen des Gesetzgebers s. oben § 4 Rn. 146 ff.

[200] BVerfG, Beschl. v. 14.2.1973, 1 BvR 112/65, BVerfGE 34, 269, 288 – Soraya (§ 6 Rn. 70 ff.).

[201] *Neuner*, JöR 59 (2011), 29, 38.

[202] BVerfG, Beschl. v. 14.2.1973, 1 BvR 112/65, BVerfGE 34, 269, 281 – Soraya: „die Rechtsfigur des allgemeinen Persönlichkeitsrechts [...] füllt Lücken im Persönlichkeitsschutz aus, die hier trotz Anerkennung einzelner Persönlichkeitsrechte verblieben und im Laufe der Zeit aus verschiedenen Gründen immer fühlbarer geworden waren.".

[203] BVerfG, Urt. v. 15.12.1983, 1 BvR 209/83 u.a., BVerfGE 65, 1, 42 f. – Volkszählung: „Damit haben sich in einer bisher unbekannten Weise die Möglichkeiten einer Einsicht- und Einflußnahme erweitert, welche auf das Verhalten des Einzelnen schon durch den psychischen Druck öffentlicher Anteilnahme einzuwirken vermögen."

[204] BVerfG, Urt. v. 27.2.2008, 1 BvR 370/07 u.a., BVerfGE 120, 274, 303 ff. – Online-Durchsuchung: „Einer solchen lückenschließenden Gewährleistung [durch das allgemeine Persönlichkeitsrecht] bedarf es insbesondere, um neuartigen Gefährdungen zu begegnen, zu denen es im Zuge des wissenschaftlich-technischen Fortschritts und gewandelter Lebensverhältnisse kommen kann (vgl. BVerfGE 54, 148 [153]; 65, 1 [41]; 118, 168 [183])."

[205] Zu dieser Analyse, s. *Hornung*, Grundrechtsinnovationen, 2015, S. 355 ff.

[206] S. unten § 13 Rn. 67 ff.

[207] § 11 Fn. 197.

> verschiedenen Gründen immer fühlbarer geworden waren. Das Bundesverfassungsgericht hat deshalb die Anerkennung eines allgemeinen Persönlichkeitsrechts in der Rechtsprechung der Zivilgerichte nie beanstandet […]."[208]

c) Schutz anderer Grundrechte

Auch außerhalb der personalen Grundrechte und Rechtsgüter haben höchste Gerichte verfassungskonforme Rechtsfortbildung betrieben. So erkannte der BGH die Klagefähigkeit von Gewerkschaften entgegen des eindeutigen Wortlauts und des damaligen Willens des Gesetzgebers zu § 50 ZPO a.F.[209] an und begründete dies mit Art. 9 Abs. 1 GG. Das unterschied diesen Fall von dem des abgelehnten Klagerechts eines nichteingetragenen Vereins, der sich nicht auf Art. 9 Abs. 1 GG berufen konnte (§ 13 Rn. 57). **78**

4. Grenzen der verfassungskonformen Rechtsfortbildung bei Grundrechtsbeeinträchtigungen Dritter – der Streit der Verfassungssenate

Die allgemeinen Grenzen der Rechtsfortbildung, die sich aus den Auslegungsfiguren wie Wortlaut oder gesetzgeberischer Wille und aus der verfassungsrechtlichen Gewaltenteilung ergeben (Art. 20 Abs. 3 GG), werden in § 13 erörtert. Hier soll es nur um die Frage gehen, ob Grundrechte Dritter einer Rechtsfortbildung entgegenstehen. Schmerzensgeldansprüche bei falschen Interviews schützen das Persönlichkeitsrecht, beeinträchtigen aber die Pressefreiheit. Der Schutz des Grundrechts einer Seite beeinträchtigt das Grundrecht der anderen Seite.[210] Zwischen den beiden Senaten des BVerfG ist nun umstritten, inwieweit eine Rechtsfortbildung unzulässig ist, wenn Rechtspositionen bzw. Grundrechte Dritter betroffen sind. Drei Ansichten lassen sich vertreten: **79**

a) Zweiter Senat: Rechtsfortbildung unabhängig von Grundrechtspositionen Dritter

In der Entscheidung zur Rügeverkümmerung[211] hatte der zweite Senat des BVerfG mit seiner Mehrheit formuliert, dass die Grenzen der Rechtsfortbildung unabhängig davon zu ziehen sind, ob die jeweilige Auslegung sich zugunsten oder zulasten betroffener Einzelner auswirkt.[212] Die Ansicht der Mehrheit des zweiten Senats, dass Grundrechte *überhaupt keine* Rolle für die Grenzen zulässiger Rechtsfortbildung spielen, *ist zu eng*. Wenn sich der zu Schützende auf Grundrechte berufen kann, um die klassischen Auslegungsfiguren zu überspielen, dann muss dieses Recht auch der anderen Seite zustehen. Mit anderen Worten: die *eindeutige und klare Verletzung von Grundrechten muss eine Rechtsfortbil-* **80**

---

[208] BVerfG, Beschl. v. 14.2.1973, 1 BvR 112/65, BVerfGE 34, 269, 281 f. – Soraya. **A.A.** *Bruns*, JZ 2014, 162, 165, der das BVerfG so versteht, als habe es die Rechtsfortbildung nur toleriert, ohne dass aber ein Grundrechtsschutz erforderlich gewesen sei.

[209] BGH, Urt. v. 6.10.1964, VI ZR 176/63, BGHZ 42, 210, 216 ff. – aktive Parteifähigkeit von Gewerkschaften; BGH, Urt. v. 11.7.1968, VII ZR 63/66, BGHZ 50, 325, 334; zustimmend *Scholz*, DB 1972, 1771, 1779.

[210] BVerfG, Beschl. v. 24.2.2015, 1 BvR 472/14, BVerfGE 138, 377 Rn. 42 – Aufklärungsanspruch des Scheinvaters.

[211] Von einer Rügeverkümmerung spricht man dann, wenn im Rahmen einer Revision formelle Fehler des Verfahrens gerügt werden, die zwar im Protokoll enthalten sind, aber aufgrund nachträglicher Berichtigung des Protokolls wieder weggefallen sind und damit zur Unbegründetheit der Revision führen (s. § 13 Rn. 74 f.).

[212] BVerfG, Beschl. v. 15.1.2009, 2 BvR 2044/07, BVerfGE 122, 248, 286 – Rügeverkümmerung: „Die Grenzen, die sich aus Art. 20 Abs. 2 Satz 2 und Abs. 3 GG für die richterliche Auslegung des einfachen Rechts ergeben, können daher nicht prinzipiell enger oder weiter gesteckt sein je nachdem, ob die jeweilige Auslegung sich zugunsten oder zu Lasten betroffener Einzelner auswirkt."

dung begründen und damit den Wortlaut des einfachen Rechts überspielen können, sodass etwa die verfassungskonforme Rechtsfortbildung zulässig ist. Und spiegelbildlich dazu ist eine *verfassungskonforme Rechtsfortbildung dann unzulässig, wenn sie massiv in Grundrechte Dritter eingreift.*

81 Damit war eine rechtsfortbildende Einschränkung der deliktischen Haftung des Sachverständigen auf grobe Fahrlässigkeit unzulässig, weil das fehlerhafte Gutachten dazu führte, dass der Strafgefangene aus der psychiatrischen Anstalt nicht entlassen wurde und eine solche Freiheitsberaubung massiv in Grundrechte eingreift. Im Unterschied zur Soraya-Entscheidung (§ 11 Rn. 72 ff.) wurde durch die Rechtsfortbildung die Position der betroffenen Gegenseite (Strafgefangener) nicht verbessert, sondern *deutlich verschlechtert.*[213] Der Gesetzgeber reagierte mit der Einführung des § 839a BGB[214] und erweiterte die Haftung auf Vermögensschäden, beschränkte diese aber auf grobe Fahrlässigkeit und Vorsatz. Zutreffend formulierte das BVerfG:

82 „Für die hier entscheidungserhebliche Frage, wo die Grenzen der Befugnis zur richterlichen Rechtsfortbildung verlaufen, ist wesentlich, daß das geltende Deliktsrecht einen gesetzlichen Anspruch gegen jedermann gewährt, der rechtswidrig und schuldhaft die persönliche Freiheit eines anderen verletzt. Sind die gesetzlich geregelten Voraussetzungen dieses Anspruchs gegeben, darf der Richter diese Regelung nicht in der Weise korrigieren, daß er die in BGB § 823 Abs 1 statuierte Jedermann-Haftung zugunsten bestimmter Personen auf nur vorsätzliches Handeln einschränkt. Mögen auch die Gründe für eine solche im Gesetz nicht vorgesehene Haftungsbeschränkung bedenkenswert sein, so ist es doch nicht Sache des an Gesetz und Recht gebundenen Richters, im Wege der Rechtsfortbildung *Haftungsansprüche zu verkürzen, die das Gesetz in Einklang mit der in GG Art 2 Abs 2 verkörperten Grundentscheidung gewährt.* Der Richter ist dazu um so weniger berufen, als die dadurch entstehende Haftungslücke nur vom Gesetzgeber – etwa im Wege der Erweiterung der Staatshaftung – geschlossen werden könnte."[215]

b) Erster Senat: hohe Anforderungen an Rechtsfortbildung bei Beeinträchtigung von Grundrechtspositionen Dritter

83 aa) Im Gegensatz dazu hatten drei Richter in einem abweichenden Sondervotum gerade umgekehrt formuliert: Die *Grenzen der richterlichen Rechtsfortbildung* verlangen gerade dort besondere Beachtung, wo sich die *rechtliche Situation des Bürgers verschlechtert*, ohne dass verfassungsrechtliche Gründe dafür ins Feld geführt werden können.[216] Allgemein sollen die Grenzen bei Unterstützung von verfassungsmäßigen Rechten weiter und bei Verkürzung von Rechtspositionen enger anzusiedeln sein.[217] Der *erste Senat* nahm die Überlegungen des Sondervotums nun auf und präzisierte diese weiter. Er stellte abstrakt folgende Regel auf:

[213] Die Rechtsfortbildung würde zwar die Rechtsposition des Sachverständigen, der sich auf Art. 12 Abs. 1 GG berufen kann, verbessern. Diese Überlegung hat allerdings zurückzutreten (s. auch oben § 5 Rn. 59).

[214] Begr. RegE, BT-Drs. 13/10435, S. 18; Begr. RegE, BT-Drs. 14/7752, S. 28.

[215] BVerfG, Beschl. v. 11.10.1978, 1 BvR 84/74, BVerfGE 49, 304, 320 – Sachverständigenhaftung. **A.A.** noch BGH, Urt. v. 8.5.1956, VI ZR 113/71, BGHZ 62, 54, 56 – Sachverständigenhaftung (s. oben § 5 Rn. 59).

[216] Sondervotum *Voßkuhle, Osterloh, Di Fabio*: BVerfG, Beschl. v. 15.1.2009, 2 BvR 2044/07, BVerfGE 122, 248, 282, 301 – Rügeverkümmerung.

[217] Sondervotum *Voßkuhle, Osterloh, Di Fabio*: BVerfG (ebd.), BVerfGE 122, 248, 282, 286 – Rügeverkümmerung; zustimmend BVerfG, Beschl. v. 24.2.2015, 1 BvR 472/14, BVerfGE 138, 377 Rn. 41 – Aufklärungsanspruch des Scheinvaters.

„Belastet ein Zivilgericht eine Person etwa mit einer im Wege der Rechtsfortbildung begründeten Pflicht, so erfolgt dies zumeist, um die Rechtsposition einer anderen Person zu stärken. Je schwerer der verfassungsrechtliche Gehalt der gestärkten Position wiegt, umso klarer ist eine entsprechende Lösung dem Gericht wie dem Gesetzgeber durch die Verfassung vorgezeichnet und umso weiter kann die Befugnis der Gerichte reichen, diese Position im Wege der Rechtsfortbildung – auch unter Belastung einer gegenläufigen, aber schwächeren Rechtsposition – durchzusetzen (so etwa BVerfGE 96, 56 [62 ff.]). Umgekehrt gilt jedoch genauso: *Je schwerer die Belastung verfassungsrechtlich wiegt und je schwächer der verfassungsrechtliche Gehalt der damit durchzusetzenden Gegenposition ist, umso enger sind die Grenzen für die Rechtsfortbildung gesteckt, umso strikter muss sich also die zivilgerichtliche Rechtsfindung innerhalb der Grenzen des gesetzten Rechts halten.* Die Grenzen richterlicher Rechtsfindung verlangen gerade dort besondere Beachtung, wo sich die rechtliche Situation des Bürgers *verschlechtert, ohne* dass verfassungsrechtliche Gründe dafür ins Feld geführt werden können (BVerfGE 122, 248 [301] – abw. M.). Auf eine privatrechtliche Generalklausel lässt sich eine verfassungsrechtlich schwerwiegende Belastung eines Beteiligten dann umso weniger stützen, je weniger sich im einfachgesetzlichen Umfeld Anknüpfungspunkte dafür finden lassen (vgl. Röthel, Normkonkretisierung im Privatrecht, 2004, S. 120 f.).“[218] **84**

bb) Die Ansicht des ersten Senats und das Sondervotum des zweiten Senats, *die immer eine Grundrechtsabwägung zwischen beiden Parteien vornehmen* (§ 11 Fn. 215 ff.), geht *viel zu weit*. Das BVerfG geriete zur Superrevisionsinstanz, weil jeder Streit um zivilrechtliche Interessen nun problemlos grundrechtlich „aufgeladen“ werden kann. Bekanntlich haben die Fachgerichte aber grundsätzlich die bessere Expertise, die Sachprobleme zu entscheiden (§ 13 Rn. 110 f.). Formal fällt auf, dass der erste Senat komparative Sätze im Sinne von „Je (…) desto“ formuliert. Solche Sätze sind, wie beim Beweglichen System, wenig eindeutig und beeinträchtigen die Rechtssicherheit.[219] Inhaltlich erinnert die Prüfung der Grundrechte an die verfassungsorientierte Auslegung, die aber nicht dazu in der Lage ist, ein eindeutiges Ergebnis zu bestimmen, sondern nur ein Argument einer Abwägung darstellt. Zudem fällt auf, dass das Grundgesetz keine Grenze kennt, wonach Grundrechtsbeeinträchtigungen Dritter eine Grenze zulässiger Rechtsfortbildung begründen. Es lässt sich auch kaum eine verlässliche Grenze ausmachen, weil beiden Seiten Grundrechte zustehen.[220] **85**

c) Eigene Ansicht: unzulässige Rechtsfortbildung contra legem nur bei schwerer Grundrechtsbeeinträchtigung des Dritten

Die Problematik wurde vom ersten Senat des BVerfG an dem Auskunftsanspruch des Scheinvaters gegenüber der Mutter thematisiert. **86**

Auskunftsanspruch des Scheinvaters: Die Zivilgerichte haben einen Auskunftsanspruch des Scheinvaters gegenüber der Mutter aus § 242 BGB bejaht, um zu verhindern, dass er und nicht der wirkliche Vater über Jahre hinweg den Kindesunterhalt zahlen muss.[221] **87**

Dagegen erklärte der erste Senat des BVerfG eine solche Rechtsfortbildung für rechtlich unzulässig: Ein Auskunftsanspruch würde das Persönlichkeitsrecht der Mutter und des leiblichen Vaters verletzen, weil sie dann Auskunft über ihre sexuellen Kontakte geben **88**

---

[218] BVerfG, Beschl. v. 24.2.2015, 1 BvR 472/14, BVerfGE 138, 377 Rn. 42 ff. – Aufklärungsanspruch des Scheinvaters.

[219] Ähnlich auch *Neuner*, JZ 2016, 435, 439: „äußerst subtile und höchst schwierige verfassungsrechtliche Erwägungen seitens der Zivilgerichte.“

[220] *Neuner*, JZ 2016, 435, 439.

[221] BGH, Urt. v. 9.11.2011, XII ZR 136/09, BGHZ 191, 259 – Auskunftsanspruch des Scheinvaters; BGH, Urt. v. 20.2.2013, XII ZB 412/11, BGHZ 196, 207 – Auskunftsanspruch des Scheinvaters.

müssten.[222] Das BVerfG sieht die Interessen der Mutter generell höherrangig gegenüber dem rein „einfachgesetzlichen Regressanspruch" des Scheinvaters an.[223]

89 Die Entscheidung des ersten Senats des BVerfG wurde massiv kritisiert. Bereits die abstrakte Höhergewichtung der Interessen der Mutter gegenüber denen des Scheinvaters ist höchst angreifbar. Für die Interessen des Scheinvaters spricht schon der durch Art. 6 Abs. 1 GG vorgegebene Schutz der Ehe, den das BVerfG vollständig ausblendet.[224] Der Regressanspruch des Scheinvaters gegenüber dem leiblichen Vater liefe faktisch leer, wenn man einen Auskunftsanspruch ablehnt; der Scheinvater würde rechtsschutzlos gestellt.[225] Wenn aber das Kind unstreitig gegen seinen leiblichen Vater einen verfassungsrechtlich abgesicherten Auskunftsanspruch besitzt,[226] sollte man einen solchen Auskunftsanspruch auch für den Scheinvater bejahen und damit beide Fälle gleich behandeln.[227] Wenn man einen solchen Anspruch aber ablehnt, würde das Kind in die Auseinandersetzung miteinbezogen, da der Scheinvater das Kind nun drängen wird, Auskunft über den leiblichen Vater zu erteilen.[228] Eine solche Folge zulasten des Kindeswohls ist aber zu vermeiden.

90 Zudem ist zweifelhaft ob das *Vertrauen* der Mutter, die Identität des leiblichen Vaters verheimlichen zu können, *schützenswert* ist und sie sich hierbei auf das allgemeine Persönlichkeitsrecht berufen kann. Darf die Mutter mithin dem Scheinvater die Identität des leiblichen Vaters verheimlichen und ihn damit dauerhaft mit Unterhaltszahlungen belasten, die der leibliche Vater zu zahlen hat? Dagegen spricht schon, dass sie die Vermögensbelastung verursacht, weil sie das Kind mit einem Dritten zeugt und nun den Unterhaltsanspruch des Scheinvaters auslöst.[229] Ihr eigenes treuwidriges Verhalten löst die Unterhaltszahlungen aus; sie könnte den Scheinvater über die Vaterschaft des Dritten aufklären, bevor Unterhaltsansprüche relevant werden.[230] Der Scheinvater ist gegenüber der Mutter in einer Situation struktureller Benachteiligung,[231] weil die Problematik der Scheinmutter biologisch nicht möglich ist und nur sie den leiblichen Vater kennt. Das BVerfG verweigert sich einer interessengerechten Lösung, indem der treuwidrigen Mutter ermöglicht wird, den leiblichen Vater dadurch zu schützen, dass der Gehörnte Alimente für das Kind zu zahlen hat.[232] M.E. wird damit eine Rechtsschutzlücke perpetuiert.

91 Im Gegensatz zur Ansicht des ersten Senats kann somit nicht schon jede Grundrechtsbeeinträchtigung eines Dritten eine Rechtsfortbildung blockieren. Vielmehr sollte eine verfassungsrechtliche Kontrolle durch das BVerfG erst eingreifen, wenn ein **Grundrecht des Dritten eindeutig und schwer verletzt** ist.

92 Optisch lässt sich die Dreiteilung von verfassungskonformer Auslegung, verfassungskonformer Rechtsfortbildung und verfassungsorientierter Auslegung wie folgt darstellen:

---

[222] *Rauscher*, JZ 2015, 624, 625.

[223] BVerfG, Beschl. v. 24.2.2015, 1 BvR 472/14, BVerfGE 138, 377 Rn. 46 – Auskunftsanspruch des Scheinvaters.

[224] Krit. folglich *Forschner*, FuR 2015, 451, 453.

[225] *Preuß*, NJW 2015, 1509, 1510; *Muckel*, JA 2015, 953, 954.

[226] BVerfG, Beschl. v. 6.5.1997, 1 BvR 409/90, BVerfGE 96, 56, 61 f. – Vaterschaftsauskunft: „Mit der Herleitung eines Auskunftsanspruchs gegen die Mutter aus § 1618a BGB hat das Landgericht nicht die Grenzen unzulässiger Rechtsfortbildung überschritten."

[227] *Neuner*, JZ 2016, 435, 438.

[228] *Löhnig*, NZFam 2015, 359.

[229] *Sachs*, JuS 2015, 860, 861.

[230] *Rauscher*, JZ 2015, 624, 626.

[231] *Rauscher* (ebd.).

[232] Deutlich *Löhnig*, NZFam 2015, 359: „es komme darauf an, ob die Mutter den biologischen Vater ‚in die Pfanne hauen' oder schützen wolle." Krit. auch *Wagner*, in: Dreier, Rechtswissenschaft als Beruf, 2018, S. 67, 127 ff.

Grafik: Die Dreiteilung von verfassungsorientierter und verfassungskonformer Auslegung sowie verfassungskonformer Rechtsfortbildung

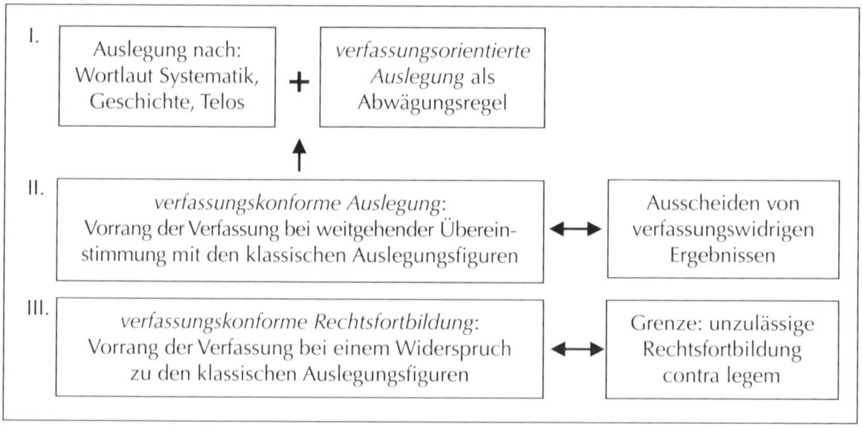

Zusammenfassung zu § 11

I. Die Verfassung ist eine Wertordnung. Grundrechte sind Abwehrrechte des Bürgers, **93**
verpflichten aber auch den Staat, diesen zu schützen. Sie gelten mittelbar auch zwischen Privaten.

II. Ein verfassungswidriges Gesetz ist nichtig oder nur ausnahmsweise für unvereinbar mit der Verfassung zu erklären. Die verfassungskonforme Auslegung und Rechtsfortbildung gehen der Nichtigkeit eines Gesetzes vor.

III. Neben dem klassischen Viererkanon der Auslegungsmethoden ist die Verfassung in Form der *verfassungsorientierten Auslegung* ein zusätzlicher und gleichberechtigter *Abwägungsmaßstab*. Die Ausstrahlungswirkung der Verfassung kommt somit schon als Erkenntnisquelle beim Normverständnis zum Tragen und garantiert eine Optimierung im Sinne der Verfassung.

IV. Über die *verfassungskonforme Auslegung* werden solche Auslegungsergebnisse zwingend ausgeschieden, die nicht mit der Verfassung vereinbar sind. Insoweit kommt der Vorrang der Verfassung gegenüber dem einfachen Recht zur Geltung.

V. Wenn nach diesen beiden Schritten kein verfassungskonformes Ergebnis vorliegt, ist die Norm vom BVerfG grundsätzlich als verfassungswidrig zu verwerfen. Ausnahmsweise kann sich das BVerfG im Wege einer *verfassungskonformen Rechtsfortbildung* über den Wortlaut, Willen des historischen Gesetzgebers, Systematik und Zweck hinwegsetzen, wenn nur so schwerwiegende Grundrechtsverletzungen des Betroffenen verhindert werden können. Dieses Auslegungsziel hat aber Grenzen: Die Grenze zulässiger Rechtsfortbildung ist erreicht, wenn die Grundrechte Dritter massiv beeinträchtigt würden.

§ 12 Der Vorrang von Europarecht und Völkerrecht

Literatur: *Baldauf, Nicole*, Richtlinienverstoß und Verschiebung der Contra-legem-Grenze im Privatrechtsverhältnis, 2013; *Canaris, Claus Wilhelm*, Die richtlinienkonforme Auslegung und Rechtsfortbildung im System der juristischen Methodenlehre, in: FS Bydlinski, 2002, S. 47–103; *Colneric, Ninon*, Auslegung des Gemeinschaftsrechts und gemeinschaftsrechtskonforme Auslegung, ZEuP 2005, 225–233; *Grundmann, Stefan*, Richtlinienkonforme Auslegung im Bereich des Privatrechts- insbesondere: der Kanon der nationalen Auslegungsgesetze als Grenze?, ZEuP 1996, 399–424; *Herresthal, Carsten*, Rechtsfortbildung im europarechtlichen Bezugsrahmen, 2006; *Höpfner, Clemens/Rüthers, Bernd*, Grundlagen einer europäischen Methodenlehre, AcP 209 (2009), 1–36; *Jarass, Hans D./Beljin, Saša*, Unmittelbare Anwendung des EG-Rechts und EG-rechtskonforme Auslegung, JZ 2003, 768–777; *Langenbucher, Katja (Hrsg.)*, Europäisches Privat- und Wirtschaftsrecht, 4. Aufl. 2017; *Lutter, Marcus*, Die Auslegung angeglichenen Rechts, JZ 1992, 593–607; *Martens, Sebastian A. E.*, Methodenlehre des Unionsrechts, 2013; *Möllers, Thomas M.J.*, Doppelte Rechtsfortbildung contra legem?, EuR 1998, 20–46; *ders.*, Die Rolle des Rechts im Rahmen der Europäischen Integration, 1999; *ders./Möhring, Alexandra*, Recht und Pflicht zur richtlinienkonformen Rechtsfortbildung bei generellem Umsetzungswillen des Gesetzgebers, JZ 2008, 919–924; *ders.*, Richtlinienkonforme Rechtsfortbildung als Teil einer modernen Methodenlehre, in: FS Siekmann, 2019, S. 167–197; *Perner, Stefan*, EU-Richtlinien und Privatrecht, 2012; *Riesenhuber, Karl (Hrsg.)*, Europäische Methodenlehre, 4. Aufl. 2021; *Schnorbus, York*, Die richtlinienkonforme Rechtsfortbildung, AcP 201 (2001), 860–901; *Vogenauer, Stefan*, Eine gemeineuropäische Methodenlehre des Rechts – Plädoyer und Programm, ZEuP 2005, 234–263; *Wank, Rolf*, Die unmittelbare Wirkung von Unionsrecht unter Privaten im Arbeitsrecht, RdA 2020, 1–12; *Wietfeld, Anne Christin*, Die richtlinienkonforme Auslegung – Auslegungsmethode oder Zielvorgabe?, JZ 2020, 485–494.

Übersicht

Rn.

I. Unmittelbare Anwendbarkeit als Voraussetzung des Anwendungsvorrangs 1
1. Zum Verhältnis von unmittelbarer Anwendbarkeit, Anwendungsvorrang und unionskonformer Auslegung 3
2. Unmittelbare Anwendbarkeit bzw. unmittelbare Wirkung europäischen Rechts (direct effect) 4
3. Drittwirkung des Primärrechts zwischen Privaten 10

II. Anwendungsvorrang und Pflicht zur unionskonformen Auslegung 16
1. Europäische Terminologie 17
2. Die zweistufige primärrechtskonforme Auslegung 20
3. Verhältnis von Anwendungsvorrang und unionskonformer Auslegung 24

III. Sekundärrecht: Verordnungen, Richtlinien, Empfehlungen 33
1. Vorrangwirkung von Verordnungen und verordnungskonforme Auslegung 33
2. Vorrangwirkung von Richtlinien und richtlinienkonforme Auslegung i. w. S. 35
3. Die horizontale richtlinienkonforme Auslegung i. e. S. 46
4. Die richtlinienkonforme Rechtsfortbildung 54
5. Weitere Umsetzungsfragen von Richtlinien 86
6. Befassungs- und subsidiäre Befolgungspflicht von Empfehlungen 97
7. Zusammenfassung 100

IV. Weitere Mittel zur Durchsetzung des Europäischen Rechts 103
1. Die Verpflichtung zur eindeutigen Umsetzung von Europäischem Recht 104
2. Vorabentscheidungsverfahren und Vorlageverpflichtung gem. Art. 267 AEUV 115
3. Vertragsverletzungsverfahren gem. Art. 258 f. AEUV 120
4. Der unionsrechtliche Staatshaftungsanspruch 123

V. Völkerrecht ... 130
1. Grundsatz der völkerrechtsfreundlichen Auslegung ... 130
2. Gemeinsamkeiten und Unterschiede ... 131
3. Bewertung ... 135

I. Unmittelbare Anwendbarkeit als Voraussetzung des Anwendungsvorrangs

1 Weite Teile des nationalen Rechts sind inzwischen vom Europarecht und Völkerrecht beeinflusst. Auch das BGB ist mittlerweile in großem Maße europäisiert.[1] Daher berücksichtigen immer mehr Klausuren im Juristischen Staatsexamen Fragen des Europarechts. In § 2 wurde bereits der Stufenbau des Rechts vorgestellt. In § 11 wurden gewisse Vorrangwirkungen der Verfassung gegenüber dem einfachen Recht thematisiert – diese reichen von der Abwägung über die verfassungskonforme Auslegung und Rechtsfortbildung bis hin zur Verwerfung einer Norm als verfassungswidrig. Die Wirkungen des Europarechts auf das nationale Recht sind ähnlich, aber nicht identisch.

2 Zunächst bedarf es einiger Begriffsbestimmungen, um das Verständnis der folgenden Ausführungen zu erleichtern: So sind die Begriffe der unmittelbaren Anwendbarkeit bzw. Wirkung und der Drittwirkung des Primärrechts zwischen Privaten zu klären (I.). Bevor das nationale Recht unangewendet bleibt, kann es vielleicht mit Hilfe der **unionsrechtskonformen Auslegung** zur Anwendung kommen. Diese lässt sich unterscheiden in primärrechtskonforme (II.) und sekundärrechtskonforme (III.) Auslegung. Während sich das Primärrecht und die europäische Verordnung gegenüber nationalem Recht durch den Anwendungsvorrang durchsetzt, ist die Wirkung von Richtlinien schwächer, weil hier die nationale Norm die für den Bürger maßgebliche Rechtsquelle darstellt. Hier ist neben dem Problem der sog. Drittwirkung auch auf die Frage der richtlinienkonformen Auslegung und Rechtsfortbildung einzugehen. Zur Durchsetzung europäischen Rechts gibt es neben unmittelbarer Anwendbarkeit und Drittwirkung konkrete Umsetzungspflichten, das Vorabentscheidungsverfahren und ggf. eine Staatshaftung (IV.). Schließlich sind die Grundsätze des Völkerrechts knapp aufzuzeigen (V.).

1. Zum Verhältnis von unmittelbarer Anwendbarkeit, Anwendungsvorrang und unionskonformer Auslegung

3 Das EU-Primärrecht und das Sekundärrecht sind gegenüber dem Recht der Mitgliedstaaten **höherrangig** (*supremacy*).[2] Diese Höherrangigkeit hat verschiedene Folgen: So **gilt** das europäische Recht in den Mitgliedstaaten **unmittelbar** (*direct applicability*). Das gilt auch für die Richtlinie, die eine Vorwirkung erzeugen kann, obwohl die Umsetzungsfrist noch gar nicht abgelaufen ist (§ 12 Rn. 86). Der Jurist muss vier Begriffe auseinanderhalten: Neben der unmittelbaren Geltung existiert der **Anwendungsvorrang** (*primacy*),[3] d.h. widersprechendes nationales Recht darf nicht angewendet werden (§ 2 Rn. 85 ff.). Der Anwendungsvorrang einer europäischen Norm setzt sich aber zugunsten des Bürgers nur durch, wenn die Norm **unmittelbar wirkt** (*direct effect*). Zudem kann die nationale Bestimmung, die gegen das europäische Recht verstößt, ggf. **unionsrechtskonform** ausgelegt (*indirect effect*) werden. Ist dies möglich, bedarf es keines Anwendungsvorrangs. Dies wird im Folgenden ausführlich thematisiert.

[1] *Möllers*, JZ 2002, 121 ff.

[2] Zum „principle of supremacy" s. ausführlich *Costa/Peers*, Steiner&Woods EU Law, 14th ed. 2020, S. 90 ff., die allerdings – anders als hier – die Begriffe „supremacy" und „primacy" synonym verwenden.

[3] EuGH, Urt. v. 15.7.1964, 6/64, EU:C:1964:66, 1259, 1269 ff. – Costa/E.N.E.L.; EuGH, Urt. v. 9.3.1978, C-106/77, EU:C:1978:49, Rn. 14–18 – Simmenthal II; *Tuori*, European Constitutionalism, 2015, S. 70 f.

2. Unmittelbare Anwendbarkeit bzw. unmittelbare Wirkung europäischen Rechts (direct effect)

a) Voraussetzungen der unmittelbaren Wirkung (direct effect)

Europäische Normen gelten im Verhältnis gegenüber den Mitgliedstaaten. Diese unmittelbare Geltung ist zu unterscheiden von der unmittelbaren Wirkung einer europäischen Norm, wobei die Begriffe *unmittelbare Wirkung* (*direct effect*) und *unmittelbare Anwendbarkeit* (*direct applicability*) synonym verwendet werden.[4] Diese sprachlich feine Unterscheidung hat ihren Ursprung im Denken in subjektiven Rechten. Begründet hatte der EuGH die unmittelbare Anwendbarkeit unter anderem damit, dass die Verträge auch dem Einzelnen Rechte verleihen und er insoweit Wächter des Europarechts ist. So formulierte er schon früh in der Van-Gend-Entscheidung: 4

> „Der Wortlaut von Artikel 12 [jetzt: Art. 30 AEUV] enthält ein *klares und uneingeschränktes Verbot,* eine Verpflichtung, nicht zu einem Tun, sondern zu einem Unterlassen. Diese Verpflichtung ist im Übrigen auch durch *keinen Vorbehalt der Staaten eingeschränkt,* der ihre Erfüllung von einem internen Rechtsetzungsakt abhängig machen würde. Das Verbot des Artikels 12 eignet sich seinem Wesen nach vorzüglich dazu, unmittelbare Wirkungen in den Rechtsbeziehungen zwischen den Mitgliedstaaten und den ihrem Recht unterworfenen Einzelnen zu erzeugen."[5] 5

Treffend formuliert auch *von Jhering*[6]: „Wer *sein* Recht behauptet, verteidigt [...] *das* Recht". Wer seine individuellen Rechte schützt, trägt dazu bei, dass auch das Recht insgesamt verbessert wird. Und wenn europäisches Recht zugunsten des Einzelnen unmittelbar anwendbar ist bzw. unmittelbar wirkt, kann es von ihm auch besser verteidigt werden. Dies sorgt für eine Disziplinierung der Mitgliedstaaten bei der Einhaltung europäischen Rechts. Der Einzelne schützt, wie von Jhering schreibt, nicht nur *sein* Recht, sondern auch *das* Recht – das Europarecht. 6

Eine Norm ist dann *unmittelbar anwendbar bzw. unmittelbar wirksam (direct effect)*,[7] wenn folgende zwei Voraussetzungen erfüllt sind:[8] 7

(1.) **Inhaltlich unbedingt** ist die Norm, wenn sie von keiner Bedingung oder von konstitutiven Rechtsakten des Mitgliedstaates abhängig ist.

(2.) **Hinreichend bestimmt** ist sie, wenn sie klare und eindeutige Vorgaben trifft, etwa dem Mitgliedstaat eine Handlungs- oder Unterlassungspflicht auferlegt. Die unmittelbare Anwendbarkeit setzt dagegen nicht voraus, dass die europäische Norm dem Bürger ein subjektives Recht verleiht.[9]

---

[4] So *Jarass/Beljin*, JZ 2003, 768 f.; *Streinz*, Europarecht, 11. Aufl. 2019, Rn. 495; *Wiedmann*, in: Gebauer/Wiedmann, Zivilrecht unter europäischem Einfluss, 2. Aufl. 2010, Kap. 2 Rn. 11 ff.; Calliess/Ruffert/*Ruffert*, EUV/AEUV, 5. Aufl. 2016, Art. 1 AEUV Rn. 25 f.; für eine Trennung aber Streinz/*Schröder*, EUV/AEUV, 3. Aufl. 2018, Art. 288 AEUV Rn. 89; *Costa/Peers*, Steiner&Woods EU Law, 14th ed. 2020, S. 117 f.

[5] EuGH, Urt. v. 5.2.1963, 26/62, EU:C:1963:1, 7, 25 f. – van Gend zum Verbot von Zöllen nach Art. 12 EWG.

[6] *von Jhering*, Der Kampf um's Recht, 8. Auflage 1886, S. 49.

[7] *Craig/de Búrca*, EU Law, 7th ed. 2020, S. 218 f.; ausführlich *Costa/Peers*, Steiner&Woods EU Law, 14th ed. 2020, S. 117 ff.

[8] *Jarass/Beljin*, JZ 2003, 768, 770; *Kruis*, Der Anwendungsvorrang des EU-Rechts in Theorie und Praxis, 2013, S. 109 ff.

[9] *Jarass/Beljin*, JZ 2003, 768, 771; speziell für Richtlinien ebenso Streinz/*W. Schroeder*, EUV/AEUV, 3. Aufl. 2018, Art. 288 AEUV Rn. 95.

8 Ob diese Voraussetzungen vorliegen, ist durch Auslegung in erster Linie aus dem Wortlaut der Vorschrift sowie aus ihrem Sinn und Zweck zu ermitteln.[10] Eine Vermutung, dass eine solche unmittelbare Wirkung besteht, existiert nicht.[11] Normen, die unmittelbare Wirkung erzeugen, sind beispielsweise die europäischen Grundrechte und die Grundfreiheiten, nicht aber die Normen des Zuständigkeitskatalogs gem. Artt. 2 ff. AEUV. Dies gilt für das Primärrecht sowie für Verordnungen als Sekundärrecht. Für Richtlinien sind die Einzelheiten komplizierter. (3.) Speziell bei Richtlinien muss etwa die Umsetzungsfrist abgelaufen sein, ohne dass die Richtlinie ordnungsgemäß umgesetzt wurde (§ 12 Rn. 38).

b) Der Anwendungsvorrang als Folge der unmittelbaren Wirkung

9 Ist das EU-Recht nach den oben aufgeführten Voraussetzungen unmittelbar anwendbar bzw. unmittelbar wirksam, besteht ein Anwendungsvorrang. Dies führt dazu, dass nationales Recht, das EU-Recht widerspricht, nicht mehr angewendet werden darf. Der Anwendungsvorrang ist von allen nationalen staatlichen Stellen zu beachten. Verstoßen die Behörden gegen diesen Anwendungsvorrang, kann dies einen Staatshaftungsanspruch auslösen bzw. auch gegen den Grundsatz des gesetzlichen Richters verstoßen (§ 12 Rn. 117). Dies führt zu einer *zwingenden Vorrangregel*. Bevor von diesem Anwendungsvorrang mit seinen Konsequenzen Gebrauch gemacht wird, ist stets zu prüfen, ob die nationalen Bestimmungen *unionsrechtskonform* ausgelegt werden können, um so eine Kollision bereits zu verhindern. Das ist sogleich zu prüfen (§ 12 Rn. 24 ff.).

3. Drittwirkung des Primärrechts zwischen Privaten

a) Beispiele der unmittelbaren Drittwirkung gegenüber Privaten

10 Europäische Normen können unmittelbar gelten und unmittelbar anwendbar sein und damit auch Privaten unmittelbar Rechte gegenüber dem Mitgliedstaat verleihen. Wie im nationalen Verfassungsrecht (§ 11 Rn. 11 ff.) stellt sich auch im Europarecht die weitere Frage, ob das Primärrecht Rechte und Ansprüche des Bürgers gegenüber anderen Privaten geben kann. Hier spricht man von *Drittwirkung* oder Horizontalwirkung[12], weil etwa die Grundfreiheiten grundsätzlich die Mitgliedstaaten und nicht „Dritte", die Privaten, verpflichten. Diese Drittwirkung wird sowohl für das Primärrecht, als auch für das Sekundärrecht diskutiert, etwa bei der Wirkung von Richtlinien (§ 12 Rn. 36 ff.). „**Unmittelbar**" bedeutet dabei, dass das Primärrecht direkt zwischen Privaten Anwendung finden soll.[13]

11 Unstrittig richten sich die wettbewerbsrechtlichen Normen der Artt. 101 f. AEUV an Private. Schon der Wortlaut verbietet „Vereinbarungen zwischen Unternehmen". Ansprüche richteten sich immer schon gegen den Schädiger; erst in jüngerer Zeit hat der EuGH aber auch Schadensersatzansprüche Privater bejaht.[14] Unproblematisch gilt auch das Gleichbehandlungsgebot von Mann und Frau bezogen auf das Entgelt unmittelbar zwischen Privaten, Art. 157 AEUV;[15] ebenso das Diskriminierungsverbot aufgrund der Staatsangehörigkeit gem. Art. 18 AEUV.[16]

---

[10] EuGH, Urt. v. 4.12.1974, C-41/74, EU:C:1974:133, Rn. 12 – van Duyn.

[11] Streinz/*W. Schroeder*, EUV/AEUV, 3. Aufl. 2018, Art. 288 AEUV Rn. 91.

[12] *Köndgen/Mörsdorf*, in: Riesenhuber, Europäische Methodenlehre, 4. Aufl. 2021, § 6 Rn. 35, 48.

[13] *Ganten*, Die Drittwirkung der Grundfreiheiten, 2000, S. 27; *Langenbucher*, in: dies., Europäisches Privat- und Wirtschaftsrecht, 4. Aufl. 2017, § 1 Rn. 33.

[14] EuGH, Urt. v. 20.9.2001, C-453/99, EU:C:2001:465, Rn. 29 – Courage Ltd./Crehan.

[15] EuGH, Urt. v. 8.4.1976, C-43/75, EU:C:1976:56, Rn. 40 – Defrenne II; EuGH, Urt. v. 4.2.1988, C-157/86, EU:C:1988:62, Rn. 11 – Morphy/Telecom.

[16] *von Bogdandy*, in: Grabitz/Hilf/Nettesheim, Das Recht der Europäischen Union, 71. EL August 2020, Art. 18 AEUV Rn. 25 ff.

b) Unmittelbare und mittelbare Drittwirkung sowie Schutzpflichten

Ansonsten war aber bisher heftig umstritten, ob die übrigen Grundfreiheiten unmittelbar oder nur mittelbar Private verpflichten können. Eine „**mittelbare**" Wirkung würde Rechtsverhältnisse zwischen Privaten lediglich beeinflussen, allerdings nicht zu einer direkten Bindung Privater führen.[17] 12

Bosman: In der Bosman-Entscheidung ging es um zwei Regelungen des europäischen Fußballverbandes UEFA.[18] Danach durften maximal drei Ausländer in einer Fußballmannschaft der ersten Liga gleichzeitig spielen; zudem musste der Spieler eine Ablösesumme zahlen, um den Verein verlassen zu können. Der EuGH sah in der Ausländerregel eine unmittelbare Diskriminierung der Arbeitnehmerfreizügigkeit des Art. 39 EGV (jetzt: Art. 45 AEUV) und in der Klausel zur Ablösesumme eine nicht gerechtfertigte Beschränkung.[19] 13

Der EuGH hatte im Sinne einer zweiten Ansicht in den Rechtssachen Bosman und Viking eine unmittelbare Drittwirkung der Grundfreiheiten im Privatrecht für den Fall bejaht, dass dem Privaten eine *faktische Machtstellung* zukommt und die Gegenseite diskriminiert wird.[20] In mehreren Urteilen hat der EuGH inzwischen eine *unmittelbare Drittwirkung der Unionsgrundrechte* zwischen Privaten weiter ausgedehnt. So wurde das Verbot der Altersdiskriminierung als allgemeiner Rechtsgrundsatz aus den Unionsgrundrechten entdeckt[21] oder ein Lohnanspruch bei einem christlichen Feiertag aus dem allgemeinen Diskriminierungsverbot des Art. 21 Abs. 2 GRCh abgeleitet.[22] Die Debatte ähnelt der Diskussion im nationalen Verfassungsrecht. Zum Teil wird eine unmittelbare Wirkung der Grundfreiheiten zwischen Privaten bejaht,[23] indem man den Vergleich mit dem Verfassungsrecht zurückweist: Im europäischen Primärrecht und bei den Grundfreiheiten geht es nicht um Abwehrrechte gegenüber dem Staat, sondern Marktfreiheiten, die vorrangig durch Verträge ausgeübt werden.[24] Wer die unmittelbare Drittwirkung fordert, müsse umfangreiche Rechtfertigungsgründe zulassen. Gegen die unmittelbare Drittwirkung der Grundfreiheiten wird vorgetragen, dass jedes private Vertragsverhältnis dann einer intensiven Verhältnismäßigkeitsprüfung unterzogen werden müsste.[25] Auch wird die Theorie einer *unmittelbaren Drittwirkung* von Grundrechten im Verfassungsrecht weitgehend abgelehnt.[26] Zudem würde der EuGH seine Kompetenzen überschreiten, wenn er Grundrechte erfindet (§ 2 Rn. 117 ff.) oder die detaillierten Vorgaben der Richtlinien durch die Anwendung von Unionsgrundrechten überspielt.[27] Eine dritte Ansicht geht nur von einer mittelbaren Drittwirkung der Grundfreiheiten aus, bejaht aber *Schutzpflichten* des Staates.[28] Der EuGH hat solche Schutzpflichten der Mitgliedstaaten schon mehrmals bejaht, etwa als die französische Polizei nicht verhinderte, dass französi- 14

---

[17] *Streinz/Leible*, EuZW 2000, 459, 465.

[18] Die UEFA (Union of European Football Associations) ist ein gemeinnütziger Verein i.S.d. Schweizerischen Zivilgesetzbuches, also Subjekt des Privatrechts.

[19] EuGH, Urt. v. 15.12.1995, C-415/93, EU:C:1995:463, Rn. 92 ff. – Bosman.

[20] Neben Bosman auch EuGH, Urt. v. 11.12.2007, C- 438/05, EU:C:2007:772, Rn. 33 ff. – Viking.

[21] EuGH, Urt. v. 22.12.2005, C-144/04, EU:C:20052005:709, Rn. 75 ff. – Mangold.

[22] EuGH, Urt. v. 22.1.2019, C-193/17, EU:C:2019:43, Rn. 78 ff. – Creso.

[23] *Köndgen/Mörsdorf*, in: Riesenhuber, Europäische Methodenlehre, 4. Aufl. 2021, § 6 Rn. 35 ff.

[24] Ebd.

[25] *Mülbert*, ZHR 159 (1995), 2, 10 f.

[26] S. § 11 Rn. 16; ausführlich *Langenbucher*, in: dies., Europäisches Privat- und Wirtschaftsrecht, 4. Aufl. 2017, § 1 Rn. 38.

[27] *Wank*, RdA 2020, 1, 8 ff. m.w. Nachw.

[28] So *Canaris*, in: Bauer/Czybulka/Kahl/Voßkuhle, Umwelt, Wirtschaft und Recht, 2002, S. 29, 49 f.; *Langenbucher*, in: dies., Europäisches Privat- und Wirtschaftsrecht, 4. Aufl. 2017, § 1 Rn. 42 ff.; *Herresthal*, in: ebd., § 2 Rn. 81 ff.

sche Bauern Erdbeeren der spanischen Bauern zerstörten[29] oder die österreichische Polizei eine Blockade der Brennerautobahn durch Lkw nicht stoppte.[30]

c) Kombinationstheorie

15 Wie beim Streit über den Umfang der Drittwirkung im Verfassungsrecht gegenüber Privaten erscheint es sachgerecht, die verschiedenen Ansichten zu kombinieren: In einem *engen Bereich* gelten europäische Grundrechte unmittelbar. Auch die *Schutzpflichten* können einen solchen Bereich definieren, hier etwa die Verpflichtung der französischen Polizei, EU-Bürger vor der Zerstörung ihres Eigentums durch französische Staatsbürger zu schützen. Ansonsten werden, wie im Verfassungsrecht auch, verstärkende Elemente hinzukommen, um die Anwendung der Grundfreiheiten zwischen Privaten zu begründen, etwa die *Machtstellung*, die es verhindert, die eigene Position gestalten zu können. So sind die Mitglieder von Sportverbänden wie etwa der UEFA an die Statuten des Verbandes gebunden, sodass die Ausübung der Grundfreiheiten (z. B. grenzüberschreitende Transfers) durch den Verband behindert werden können. Der Verband hat demnach eine ähnliche Machtstellung wie ein Hoheitsträger, da er die Grundfreiheiten seiner Mitglieder zu beschränken vermag.[31] Diese Überlegungen decken sich mit den Ansichten zur unmittelbaren Drittwirkung im Verfassungsrecht (§ 11 Rn. 15 ff.).

II. Anwendungsvorrang und Pflicht zur unionskonformen Auslegung

16 Vor einem Anwendungsvorrang der europarechtlichen Norm und einer damit verbundenen Unanwendbarkeit der nationalen Norm wegen eines Verstoßes gegen Europarecht muss versucht werden, den nationalen Normtext durch Auslegung mit den Vorgaben des Primär- und Sekundärrechts in Einklang zu bringen. Dabei ist zu klären, wie das Europarecht auf das nationale Recht einwirkt. Der Normenhierarchie folgend ist mit der wichtigsten Rechtsquelle, dem europäischen Primärrecht, zu beginnen. Sodann werden Verordnungen als Teil des sekundären Unionsrechts näher erläutert.

1. Europäische Terminologie

17 Die Terminologie geht bei den Begriffen im Europarecht zum Teil auseinander.[32] Der EuGH benutzt den Begriff Auslegung weit – er unterscheidet dabei nicht streng zwischen Auslegung und Rechtsfortbildung,[33] sodass beispielsweise die richtlinienkonforme Auslegung i. w. S. nach deutscher Dogmatik die Auslegung i. e. S. und die Rechtsfortbildung umfasst.[34] Er spricht von „Interprétation" (§ 6 Rn. 172). Um Missverständnisse mit der Auslegung im engeren Sinne zu vermeiden, könnte man deshalb von *Interpretation* oder *Auslegung im weiteren Sinne* sprechen.

18 Ganz allgemein wird dabei von gemeinschaftskonformer Auslegung gesprochen. Nachdem es keine Europäische Gemeinschaft mehr gibt, sondern die Europäische Union,

[29] Der französische Staat verstieß insoweit gegen seine Loyalitätspflicht gem. Art. 3 UAbs. 2 i. V. m. Art. 28 AEUV, EuGH, Urt. v. 9.12.1997, C-265/95, EU:C:1997:595, Rn. 65 – Erdbeerkrieg.

[30] Wegen der hohen Bedeutung der Demonstrationsfreiheit lehnte der EuGH allerdings eine Staatshaftung ab, EuGH, Urt. v. 12.6.2003, C-112/00, EU:C:2003:333, Rn. 65 ff. – Schmidberger.

[31] *Pießkalla*, NZA 2007, 1144, 1146; ebenso *Heiderhoff*, Europäisches Privatrecht, 5. Aufl. 2020, Rn. 79.

[32] *W.R. Roth*, EWS 2005, 385, 386; *Walter*, Rechtsfortbildung durch den EuGH, 2009, S. 55 ff.

[33] *Babusiaux*, Die richtlinienkonforme Auslegung im deutschen und französischen Zivilrecht, 2007, S. 137 f.; *Heiderhoff*, Europäisches Privatrecht, 5. Aufl. 2020, Rn. 108; *Möllers*, EuR 1998, 20, 44; *Canaris*, in: FS Bydlinski, 2002, S. 47, 81; s. auch BGH, Urt. v. 26.11.2008, VIII ZR 200/05, BGHZ 179, 27, Rn. 21 – Quelle.

[34] *Möllers*, JZ 2009, 405.

sollte man besser den Oberbegriff *europakonformer* oder *unionskonformer* Auslegung verwenden. Genauer sollte man zudem zwischen *primärrechtskonformer* und *sekundärrechtskonformer* Auslegung unterscheiden.[35] Die primärrechtliche Auslegung lässt sich nochmals nach dem Inhalt des Primärrechts unterscheiden in *grundfreiheitenkonforme* und *grundrechtskonforme* Auslegung (§ 2 Rn. 79).[36] Die sekundärrechtskonforme Auslegung ließe sich nochmals in *verordnungskonforme* und *richtlinienkonforme* Auslegung unterteilen.

Grafik: Unionskonforme Auslegung (Terminologie)[37] 19

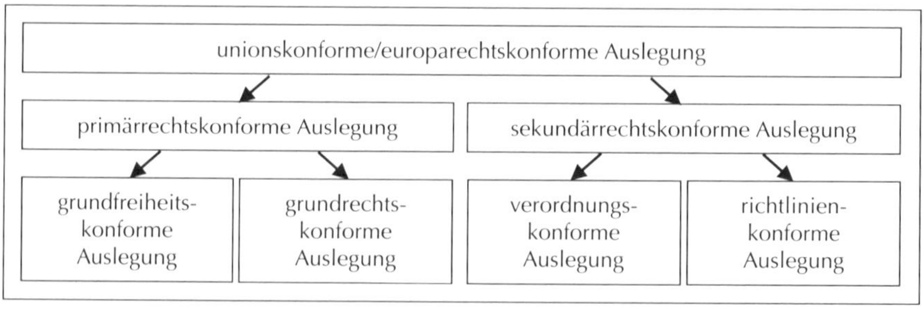

2. Die zweistufige primärrechtskonforme Auslegung

a) Primärrechtskonforme Auslegung des abgeleiteten Unionsrechts

Die primärrechtskonforme Auslegung gilt sowohl für das europäische Recht wie auch 20 für das nationale Recht. Aufgrund des Stufenbaus des Rechts ist das gesamte Unionsrecht davon erfasst (§ 2 Rn. 76). Für die Auslegung und Rechtsfortbildung ist ausschließlich der EuGH zuständig (vgl. Art. 267 Abs. 1 lit. a AEUV).

b) Primärrechtskonforme Auslegung des nationalen Rechts

Von primärrechtskonformer Rechtsfortbildung wird dann gesprochen, wenn der nati- 21 onale Richter nationales Recht unter Zugrundelegung des europäischen Primärrechts, insbesondere des AEUV, in Überschreitung der Wortlautgrenze fortbildet. Zur primärrechtskonformen Auslegung im weiteren Sinne schreibt der EuGH:

> „Es ist Sache des nationalen Gerichts, das innerstaatliche Gesetz unter voller Ausschöp- 22 fung des Beurteilungsspielraums, den ihm das nationale Recht einräumt, in Übereinstimmung mit den Anforderungen des Gemeinschaftsrechts auszulegen und anzuwenden; soweit eine solche *gemeinschaftsrechtskonforme Auslegung* [*heute: unionskonforme* Auslegung im weiteren Sinne] nicht möglich ist, darf es entgegenstehende innerstaatliche Vorschriften nicht anwenden."[38]

[35] Zum Primär- und Sekundärrecht s. oben § 2 Rn. 74 ff.
[36] *Leible/Domröse*, in: Riesenhuber, Europäische Methodenlehre, 4. Aufl. 2021, § 8 Rn. 9 ff.
[37] Die Grafik erhebt keinen Anspruch auf Vollständigkeit. So ist etwa bei der primärrechtskonformen Auslegung zusätzlich die Querschnittsklausel nach Art. 11 AEUV (Erfordernisse des Umweltschutzes) zu berücksichtigen.
[38] EuGH, Urt. v. 4.2.1988, C-157/86, EU:C:1988:62, Rn. 11 – Murphy/Telecom.

23 Der Begriff der primärrechtskonformen Interpretation umfasst die Auslegung i.e.S. und die Rechtsfortbildung. Im Zuge der primärrechtskonformen Auslegung sind anderslautende Vorgaben des Wortlauts, Gesetzeszweckes oder historischen Willens des nationalen Gesetzes irrelevant. Zur Begründung der Pflicht zur primärrechtskonformen Auslegung kann man sich zwar nicht auf den Anwendungswillen des nationalen Gesetzgebers berufen. Eine Grundlage für die primärrechtskonforme Auslegung findet sich aber im *Anwendungsvorrang*.[39] Erst wenn die primärrechtskonforme Interpretation scheitert, darf die nationale Norm wegen des Anwendungsvorrangs nicht mehr angewendet werden.[40]

3. Verhältnis von Anwendungsvorrang und unionskonformer Auslegung

a) Die ungeklärten Grenzen der primärrechtskonformen Rechtsfortbildung

24 Ungeklärt sind noch die Grenzen der primärrechtskonformen Auslegung. Unbefriedigend ist einerseits, dass nicht das BVerfG oder der EuGH über die Voraussetzungen dieser Rechtsfortbildung zu entscheiden haben, sondern jeder Rechtsanwender selbst zu prüfen hat, ob die nationale Rechtsnorm unanwendbar ist oder der Wortlaut primärrechtskonform ausgelegt werden kann.[41] Das führt ohne Zweifel zur Rechtsunsicherheit.

25 Unklar bleibt zum anderen, in welchem Verhältnis Auslegung und Anwendungsvorrang zueinander stehen.[42] Und unklar sind drittens die Grenzen zulässiger primärrechtskonformer Rechtsfortbildung. Eine Literaturansicht behauptet, die primärrechtskonforme Auslegung fände ihre Grenzen am nationalen Auslegungskanon.[43] Diese Formulierung ist aber irreführend: Auf die Frage, ob Spielraum für eine primärrechtskonforme Auslegung des nationalen Rechts besteht, kommt es aufgrund der Vorrangwirkung des europäischen Rechts von vornherein nicht an.[44] Wegen des zwingenden Anwendungsvorrangs wird man die Zulässigkeit der Rechtsfortbildung wohl weiter ziehen als bei der richtlinienkonformen Rechtsfortbildung (§ 12 Rn. 76 ff.). Müssen die Grenzen der nationalen Methodenlehre weiter gezogen werden? Erlaubt sie auch gesetzgeberisches Contra-legem-Judizieren?[45] Lehnt man dies ab, wird man unmittelbar auf die europäische Norm abstellen müssen. Entwickelt man die nationale Methodenlehre weiter, würde dies zur Folge haben, dass etwa systematische Bedenken oder der Wille des nationalen Gesetzgebers außer Betracht bleiben, weil nur das europäische Recht maßgeblich ist. Die eindeutige Vorrangregel erlaubt keinerlei Abwägung gegenüber anderen Argumentationsfiguren.[46] Für eine Weiterentwicklung der nationalen Methodik spricht auch das **Prinzip der Normerhaltung *(favor legis)***.[47] Im Ergebnis würden dann bestimmte Tatbestandsmerkmale derogiert und „aufgegeben", wenn sie europäischem Recht entgegenstehen.

---

[39] *Ehricke*, RabelsZ 59 (1995), 598, 630; *Franzen*, Privatrechtsangleichung durch die Europäische Gemeinschaft, 1999, S. 300.

[40] So auch *Kruis*, Der Anwendungsvorrang des EU-Rechts in Theorie und Praxis, 2013, S. 94 f.

[41] Kritsch deshalb *Kruis* (ebd.), S. 467 ff.

[42] So auch *Jarass/Beljin*, JZ 2003, 768, 776: „Ist sowohl die Auslegung als auch die unmittelbare Anwendung möglich, gibt das EG-Recht offenbar keiner der beiden Möglichkeiten den Vorrang."

[43] *Metzger*, Extra legem, intra ius: Allgemeine Rechtsgrundsätze im europäischen Privatrecht, 2009, S. 456; zur Wortlautgrenze im Strafrecht s. *Safferling*, Internationales Strafrecht, 2011, § 11 Rn. 17; zur Wortlautgrenze im Rahmen der richtlinienkonformen Auslegung s. § 12 Rn. 67.

[44] *Höpfner*, Die systemkonforme Auslegung, 2008, S. 240; *Metallinos*, Die europarechtskonforme Auslegung, 1994, S. 174.

[45] Fragend *Auer*, in: Neuner, Grundrechte und Privatrecht aus rechtsvergleichender Sicht, 2007, S. 27, 51 f.; bejahend *Leible/Domröse*, in: Riesenhuber, Europäische Methodenlehre, 4. Aufl. 2021, § 8 Rn. 59.

[46] *Leible/Domröse*, in: Riesenhuber, Europäische Methodenlehre, 4. Aufl. 2021, § 8 Rn. 27.

[47] *Leible/Domröse*, in: Riesenhuber (ebd.), § 8 Rn. 50. Für das Verfassungsrecht s. oben § 11 Rn. 35a.

b) Die nationale Rechtsprechung zur primärrechtskonformen Rechtsfortbildung

aa) Die nationale Rechtsprechung zur primärrechtskonformen Rechtsfortbildung soll anhand von drei Fällen aufgezeigt werden. § 239 BGB fordert seinem Wortlaut nach für einen tauglichen Bürgen einen Gerichtsstand im Inland. § 917 Abs. 2 ZPO a. F. stellte für den Arrestgrund mittelbar auf das Inland ab.[48] Sind diese Normen europarechtswidrig? Die Vorschriften der §§ 239 BGB, 108 ZPO, 116 S. 1 Nr. 2 ZPO a. F. und § 917 Abs. 2 ZPO a. F. verstoßen gegen das Diskriminierungsverbot des Art. 18 AEUV, sodass die nationalen Normen nach ihrem ursprünglichen Wortlaut nicht anwendbar sind. Wenn § 239 BGB als tauglichen Bürgen nur eine Person ansieht, die ihren allgemeinen Gerichtsstand im Inland hat, ist im Wege der primärrechtskonformen Rechtsfortbildung der Begriff des Inlandes insoweit teleologisch zu reduzieren, dass neben Deutschland auch Bürgen aus allen anderen Mitgliedstaaten der EU erfasst sind.[49] Inzwischen gibt es eine vergleichbare Diskussion, inwieweit Grundrechte, die sich nur auf „Deutsche" beziehen, auch für EU-Mitbürger gelten. Das sind etwa die Versammlungs-, Vereinigungs-, Freizügigkeits- und Berufsfreiheit, Artt. 8, 9, 11, 12 GG. Während eine Ansicht diese sog. Deutschen-Grundrechte auch für EU-Mitbürger anwenden möchte,[50] will die Gegenansicht wegen des eindeutigen Wortlauts einen vergleichbaren und gleichwertigen Schutz nur über die allgemeine Handlungsfreiheit des Art. 2 Abs. 1 GG eröffnen.[51] 26

bb) Ein weiteres bedeutendes Beispiel für die Durchsetzung Europäischen Rechts bildet die sog. Alcan-Entscheidung des EuGH aus dem Jahre 1997. 27

Alcan: Der Alcan Deutschland GmbH wurde seitens des Landes Rheinland-Pfalz im Jahre 1983 eine Beihilfe in Höhe von 8 Mio. DM gewährt, um eine Schließung von deren Aluminiumhütte in Ludwigshafen zu verhindern. Nach Ansicht der Kommission[52] war diese Beihilfe unionsrechtswidrig, da sie gegen Art. 93 Abs. 3 des EGV (jetzt: Art. 108 AEUV) verstieß. Das Land nahm die Bewilligungsbescheide im Jahre 1989 zurück und ordnete die Rückzahlung der Beihilfe an. Alcan erhob hiergegen Anfechtungsklage. 28

In dieser Entscheidung ging es um das Verhältnis des europäischen Rechts zum nationalen Recht. Da die Beihilfe von einer nationalen Behörde erteilt wurde, gelten die Vorschriften des Verwaltungsverfahrensgesetzes. Die Rücknahme richtet sich damit nach § 48 VwVfG. Nach Vorlage des BVerwG zum EuGH entschied dieser: 29

„Mit der ersten Frage möchte das vorlegende Gericht im wesentlichen wissen, ob die zuständige Behörde verpflichtet ist, den Bewilligungsbescheid für eine rechtswidrig gewährte Beihilfe gemäß einer bestandskräftigen Entscheidung der Kommission, in der die Beihilfe für mit dem Gemeinsamen Markt unvereinbar erklärt und ihre Rückforderung verlangt wird, selbst dann noch zurückzunehmen, wenn sie die nach nationalem 30

[48] § 917 ZPO a. F. lautete: „(1) Der dingliche Arrest findet statt, wenn zu besorgen ist, dass ohne dessen Verhängung die Vollstreckung des Urteils vereitelt oder wesentlich erschwert werden würde. (2) Als ein zureichender Arrestgrund ist es anzusehen, wenn das Urteil im Ausland vollstreckt werden müsste." Der EuGH bejahte eine versteckte Diskriminierung, s. EuGH, Urt. v. 10.2.1994, C-398/92, EU:C:1994:52, Rn. 15 ff. – Mund & Fester.

[49] Ausführlich hierzu *Ehricke*, EWS 1994, 259 ff.; OLG Koblenz, Beschl. v. 29.3.1995, 2 W 105/95, RIW 1995, 775 – Österreich; OLG Hamburg, Beschl. v. 4.5.1995, 5 U 118/93, NJW 1995, 2859, 2860 – Schweden; *Leible/Domröse*, in: Riesenhuber, Europäische Methodenlehre, 4. Aufl. 2021, § 8 Rn. 58 m. w. Nachw.

[50] OVG Nordrhein-Westfalen, Beschl. v. 23.8.1994, 13 C 129/94, NWVBl. 1995, 18; *Ehlers*, JZ 1996, 776, 781; BeckOK-GG/*Ruffert*, 45. Ed. 15.8.2020, Art. 12 Rn. 37; *Breuer*, in: HStR VIII, 3. Aufl. 2010, § 170 Rn. 43.

[51] *Bauer/Kahl*, JZ 1995, 1077, 1085; *Scholz*, in: Maunz/Dürig, GG, 92. EL August 2020, Art. 12 Rn. 104; *Dreier*, in: Dreier, GG, 3. Aufl. 2013, Vorb. vor Art. 1 Rn. 116; ausdrücklich offen gelassen von BVerfG, KBeschl. v. 4.11.2015, 2 BvR 282/13 u. a., NJW 2016, 1436 Rn. 8 ff. – Preisregulierung bei Arzneimitteln aus dem Ausland.

[52] Art. 1 der Entscheidung 86/60/EWG der Kommission v. 14.12.1985 über die Beihilfe des Bundeslandes Rheinland-Pfalz an einen Primäraluminiumhersteller in Ludwigshafen, ABl. Nr. L 72, S. 30, 33.

> Recht im Interesse der Rechtssicherheit dafür bestehende *Ausschlußfrist hat verstreichen lassen.* […]
>
> Da die nationale Behörde *kein Ermessen besitzt,* ist der Empfänger einer rechtswidrig gewährten Beihilfe nicht mehr im ungewissen, sobald die Kommission eine Entscheidung erlassen hat, in der die Beihilfe für mit dem Gemeinsamen Markt unvereinbar erklärt und ihre Rückforderung verlangt wird.
>
> Der Grundsatz der Rechtssicherheit kann *daher nicht deshalb der Rückforderung der Beihilfe entgegenstehen,* weil die nationalen Behörden der Entscheidung, in der die Rückforderung angeordnet wird, verspätet nachgekommen sind. Andernfalls würde die Rückforderung der zu Unrecht gezahlten Beträge *praktisch unmöglich gemacht* und den Gemeinschaftsvorschriften über die staatlichen Beihilfen jede praktische Wirksamkeit genommen."[53]

31 Die Entscheidung des EuGH zeigt erneut auf, wie stark das Unionsrecht in das nationale Recht hineinwirkt. Eine unionsrechtswidrige Beihilfe muss zurückgefordert werden können, wobei die Jahresfrist des § 48 Abs. 4 S. 1 VwVfG wegen der Wahrung des Effizienzgebotes nicht angewendet werden darf.[54] Mit dem Grundsatz des effet utile ist es dem Europarecht möglich, die Tatbestandsmerkmale von nationalen Normen zu übergehen. Die Vorschrift des § 48 VwVfG wird nicht nur hinsichtlich der Ausschlussfrist nach Absatz 4 modifiziert. Auch die Einwände, die Beihilfe sei bereits verbraucht (§ 48 Abs. 2 S. 1 und S. 2 VwVfG) bzw. der Empfänger sei entreichert (§ 49a Abs. 2 VwVfG) werden vom Grundsatz des effet utile überlagert.

32 cc) Ein drittes Beispiel bildet schließlich der europarechtliche Staatshaftungsanspruch, der weiter unten erörtert wird (§ 12 Rn. 123 ff.). Hier geht es nur um die Anwendung dieses Anspruchs: Nach der herrschenden Ansicht ist der Anspruch als eigener, unionsrechtlicher Anspruch sui generis einzuordnen.[55] Die Gegenansicht sieht den Anspruch zwar durch das Unionsrecht begründet, Einzelheiten ergeben sich aber aus dem nationalen Recht.[56] Denn der Grundsatz der Unionstreue verlangt unter anderem, im Rahmen der Rechtsfortbildung möglichst schonend in die mitgliedstaatlichen Rechtssysteme einzugreifen.[57] Folglich bedürfe es einer *unionsrechtskonformen Anwendung des § 839 BGB,* die vom Grundsatz des effet utile nach Art. 4 Abs. 3 EUV überlagert wird.[58] Folgt man dieser Ansicht, müssten eine Reihe von Tatbestandsmerkmalen des § 839 Abs. 1 BGB unionskonform teleologisch reduziert werden; technisch werden also bestimmte Tatbestandsmerkmale ignoriert. So ist die einem *Dritten gegenüber geschuldete Amtspflicht* des § 839 Abs. 1 BGB ebenso nicht anzuwenden, wie das *Verschulden* am „qualifizierten Verstoß" der europäischen Vorgaben auszurichten ist; einzuschränken sind außerdem die *Subsidiaritätsklausel* des § 839 Abs. 1 S. 2 BGB und das *Richterprivileg* des § 839 Abs. 2 S. 1 BGB.[59] Damit wird nicht nur ein Tatbestandsmerkmal reduziert, sondern die Vorschrift derart „deformiert", dass ein ganz neuer Tatbestand entsteht.

---

[53] EuGH, Urt. v. 20.3.1997, C-24/95, EU:C:1997:163, Rn. 27, 36 f. – Alcan.

[54] BVerwG, Urt. v. 17.2.1993, 11 C 47/92, BVerwGE 92, 81, 85 f. – Rückforderung von rechtswidrigen Beihilfen; BVerwG, Urt. v. 23.4.1998, 3 C 15/97, BVerwGE 106, 328, 333; BVerfG, Beschl. v. 17.2.2000, 2 BvR 1210/98, NJW 2000, 2015, 2016 – Alcan.

[55] BGH, Urt. v. 24.10.1996, III ZR 127/91, BGHZ 134, 30, 37 – Brasserie du Pêcheur; BGH, Urt. v. 14.12.2000, III ZR 151/99, BGHZ 146, 153, 158 f. – Fleischuntersuchungsgebühren; *Wöstmann*, in: Staudinger, BGB, Neubearb. 2020, § 839 Rn. 524.

[56] EuGH, Urt. v. 19.11.1991, C-6/90 u.a., EU:C:1991:428, Rn. 43 – Francovich; EuGH, Urt. v. 5.3.1996, C-46/93 u.a., EU:C:1996:79, Rn. 67 – Brasserie du Pêcheur.

[57] *van Gerven*, in: Liber Amicorum Slynn, 2000, S. 433, 438 f.; *Martens*, Methodenlehre des Unionsrechts, 2013, S. 494.

[58] *Ehlers*, JZ 1996, 776, 777 f.; *Papier/Shirvani*, in: MünchKomm-BGB, 8. Aufl. 2020, § 839 Rn. 150, 159; Palandt/*Sprau*, BGB, 80. Aufl. 2021, § 839 Rn. 5 ff.

[59] EuGH, Urt. v. 13.6.2006, C-173/03, EU:C:2006:391, Rn. 46 – Traghetti.

III. Sekundärrecht: Verordnungen, Richtlinien, Empfehlungen

1. Vorrangwirkung von Verordnungen und verordnungskonforme Auslegung

Der Anwendungsvorrang gilt auch für Verordnungen. Hier lässt sich von verordnungskonformer Auslegung[60] sprechen. Sie ist vorrangig vor dem Grundsatz, dass der Verordnung entgegenstehendes nationales Recht nicht angewendet werden darf. 33

Nach Art. 3 Abs. 2 VO Nr. 2560/2001 über grenzüberschreitende Zahlungen dürfen ausländische Überweisungen nicht teurer sein als inländische Überweisungen. Sollte eine Bank höhere Gebühren verlangen, muss der Kunde diese nicht bezahlen und kann sich direkt auf Art. 3 Abs. 2 VO berufen.[61] 34

2. Vorrangwirkung von Richtlinien und richtlinienkonforme Auslegung i. w. S.

Während teilweise das Primärrecht, aber auch Verordnungen und Entscheidungen unmittelbare Anwendung finden, müssen Richtlinien grundsätzlich gem. Art. 288 Abs. 3 AEUV durch den Mitgliedstaat umgesetzt werden (§ 2 Rn. 63).[62] Nur wenn das bestehende nationale Recht bereits die Ziele der Richtlinie vollständig verfolgt, kann eine Umsetzung unterbleiben. 35

a) Vertikale Wirkung von Richtlinien

aa) Nachdem der EuGH die unmittelbare Wirkung und Drittwirkung (§ 12 Rn. 3 ff.) von EU-Primärrecht und Verordnungen entwickelt hatte, war noch ungeklärt, ob auch Richtlinien ohne Umsetzung in das nationale Recht unmittelbar in den Mitgliedstaaten anwendbar sind. Es war zu klären, inwiefern sich der Bürger auf Rechte aus der Richtlinie gegen den Staat (vertikale Wirkung) oder gegen einen anderen Bürger (horizontale Drittwirkung) berufen kann. Europäische Normen *gelten im Verhältnis* gegenüber den Mitgliedstaaten *unmittelbar.*[63] 36

Gegen eine vertikale Wirkung könnte sprechen, dass die Mitgliedstaaten die Richtlinie erst durch ein Transformationsgesetz in innerstaatliches Recht umsetzen müssen. Allerdings ist die Richtlinie nach dem Wortlaut „für jeden Mitgliedstaat [...] verbindlich". Zudem wäre es treuwidrig[64], wenn sich der Mitgliedstaat, der die Richtlinie nicht umsetzt, auf seine Säumnis berufen könnte, um sich so seinen Pflichten zu entziehen.[65] Ferner soll Europarecht nach dem Grundsatz des effet utile (§ 5 Rn. 108 ff.) wirkungsvoll sein.[66] Der EuGH bejahte deshalb eine vertikale Wirkung von Richtlinien zugunsten des Bürgers und gegenüber dem Staat rechtsfortbildend. 37

---

[60] BGH, Urt. v. 13.11.2001, X ZR 134/00, BGHZ 149, 165, 173; EuGH, Urt. v. 5.10.2004, C-397/01 u.a., EU:C:2004:584, Rn. 114 – Deutsches Rotes Kreuz; EuGH, Urt. v. 13.3.2008, C-383/06 u.a., EU:C:2008:165, Rn. 29 Nr. 7.

[61] *Langenbucher,* in: dies., Europäisches Privat- und Wirtschaftsrecht, 4. Aufl. 2017, § 1 Rn. 56.

[62] EuGH, Urt. v. 18.1.2001, C-162/99, EU:C:2001:35, Rn. 22 – Kommission/Italien; neben den zitierten Entscheidungen vorher bereits auch EuGH, Urt. v. 23.5.1985, C-29/84, EU:C:1985:229, Rn. 22 f. – Kommission/Deutschland; Calliess/Ruffert/*Ruffert,* EUV/AEUV, 5. Aufl. 2016, Art. 288 AEUV Rn. 20, 23.

[63] Art. 288 Abs. 2 AEUV lautet: „Die Verordnung hat allgemeine Geltung. Sie ist in allen ihren Teilen verbindlich und *gilt unmittelbar* in jedem Mitgliedstaat" (§ 2 Rn. 62).

[64] Das anglo-amerikanische Recht kennt hier die Rechtsfigur „estoppel".

[65] EuGH, Urt. v. 19.1.1982, C-8/81, EU:C:1982:7, Rn. 23 f. – Becker; EuGH, Urt. v. 26.2.1986, C-152/84, EU:C:1986:84, Rn. 49 – Marshall I; EuGH, Urt. v. 14.7.1994, C-91/92, EU:C:1994:292, Rn. 22 f. – Faccini Dori.

[66] EuGH, Urt. v. 4.12.1974, C-41/74, EU:C:1974:133, Rn. 12 – van Duyn; EuGH, Urt. v. 5.4.1979, C-148/78, EU:C:1979:110, Rn. 21 – Ratti.

38 Die Richtlinie gilt danach auch ohne Umsetzung in den Mitgliedstaaten (unmittelbare Geltung). Sie ist aber nur unter besonderen Voraussetzungen unmittelbar anwendbar und kann zugunsten von Privaten auch unmittelbare Wirkung zeigen. Dazu muss

(1.) die *Frist zur Umsetzung der Richtlinie abgelaufen sein* bzw. die *Richtlinie nicht korrekt umgesetzt* worden sein,
(2.) die in Rede stehende Richtlinienvorschrift – ebenso wie bei der unmittelbaren Wirkung von Primärrecht – inhaltlich unbedingt (§ 12 Rn. 7) und
(3.) hinreichend bestimmt sein (§ 12 Rn. 7).
(4.) Umstritten ist, ob derjenige, der sich auf die Richtlinie beruft, *begünstigt* werden muss. Eine derartige Begünstigung kann sich aus einem individuellen Recht ergeben.[67] Bei Vorliegen dieser Voraussetzungen hat der Mitgliedstaat die Richtlinie auch ohne Umsetzung von Amts wegen zu beachten.[68]

39 bb) Da der EuGH den Begriff „Staat" weit auslegt, können auch privatrechtliche Verträge des Staates von der vertikalen Drittwirkung erfasst werden.[69] Belastende Reflexwirkungen Dritter sind hinzunehmen.[70] Die richtlinienkonforme Auslegung kann auch der Verfassung vorgehen, wenn sie unmittelbare Wirkung entfaltet.[71]

40 *Urlaubsanspruch:* Im Gegensatz zur früheren Rechtsprechung des BAG (sog. „Surrogatsrechtsprechung") kann der Arbeitnehmer seinen Urlaubsanspruch gegenüber seinem öffentlichen Arbeitgeber innerhalb eines längeren Zeitraums als § 7 Abs. 3 S. 3 BUrlG vorsieht, geltend machen, sofern ihm dies infolge durchgehender Erkrankung nicht anders, d.h. im laufenden Jahr, möglich war. Dies ergibt sich aus unmittelbarer vertikaler Drittwirkung der Arbeitszeitgestaltungs-RL 2003/88/EG.[72]

41 *Tanja Kreil:* Europäische Richtlinien können dem GG vorgehen, wenn etwa Tanja Kreil freiwillig an der Waffe den Wehrdienst ableisten möchte und dies nach Art. 12a Abs. 4 S. 2 GG a.F. verboten war. Der EuGH bejahte einen Verstoß gegen den Gleichbehandlungsgrundsatz der Gleichbehandlungs-RL.[73] Der deutsche Gesetzgeber änderte das GG umgehend,[74] sodass nun der freiwillige Waffendienst zulässig ist.

b) Fehlende horizontale Drittwirkung von Richtlinien

42 Nachdem der EuGH rechtsfortbildend die unmittelbare Wirkung des Primärrechts, der Verordnung und auch die vertikale Wirkung der Richtlinie gegenüber dem Staat anerkannt hatte, schien es nur folgerichtig, aus Gründen der Effektivität auch die horizontale Wirkung der Richtlinie zwischen Privaten zu fordern, soweit der Mitgliedstaat die Richtlinie nicht rechtzeitig oder nicht korrekt umgesetzt hatte. Dies wurde in der Literatur zwar gefordert.[75] Der EuGH lehnte diesen vermeintlich letzten Baustein im Gerüst einer effektiven Rechtsdurchsetzung allerdings ab:

---

[67] Zum Ganzen *Nettesheim*, in: Grabitz/Hilf/Nettesheim, Das Recht der Europäischen Union, 71. EL August 2020, Art. 288 AEUV Rn. 142 ff.; Streinz/*W. Schroeder*, EUV/AEUV, 3. Aufl. 2018, Art. 288 AEUV Rn. 91 ff.

[68] EuGH, Urt. v. 11.7.1991, C-87/90 u.a., EU:C:1991:314, Rn. 15 – Verholen.

[69] EuGH, Urt. v. 26.2.1986, C-152/84, EU:C:1986:84, Rn. 48 ff. – Marshall I; EuGH, Urt. v. 12.7.1990, C-188/89, EU:C:1990:313, Rn. 20 – Foster.

[70] EuGH, Urt. v. 26.9.2000, C-443/98, EU:C:2000:496, Rn. 50 f. – Unilever.

[71] *Lutter*, JZ 1992, 593, 605 f.; *Brechmann*, Die richtlinienkonforme Auslegung, 1994, S. 263; *Canaris*, in: FS Bydlinski, 2002, S. 47, 80.

[72] Zu Art. 7 der Richtlinie 2003/88/EG über bestimmte Aspekte der Arbeitszeitgestaltung v. 4.11.2003, ABl. Nr. L 299, S. 9, s. EuGH, Urt. v. 20.1.2009, C-350/06 u.a., EU:C:2009:18, Rn. 49 – Schultz-Hoff; hierzu *Bauer/Arnold*, NJW 2009, 631, 633.

[73] EuGH, Urt. v. 11.1.2000, C-285/98, EU:C:2000:2, Rn. 15 ff. – Tanja Kreil.

[74] Gesetz zur Änderung des GG v. 19.12.2000, BGBl. I, S. 1755.

[75] So etwa *Bach*, JZ 1990, 1108, 1115; *Langenfeld*, DÖV 1992, 955, 959 ff.; umfassend SchlA v. 9.2.1994, GA *Lenz*, C-91/92, EU:C:1994:45, Rn. 51 ff. – Faccini Dori.

Faccini Dori: In diesem Fall ging es um die Frage, ob die Verbraucherin Faccini Dori 43
beim Abschluss eines Vertrages über einen Fernlehrgang das Rücktrittsrecht von Art. 5 der Haustürwiderrufs-RL a. F.[76] gegenüber einem privaten Unternehmen ausüben konnte, obwohl Italien die Richtlinie nicht umgesetzt hatte.[77]

Gegen eine solche Rechtsfortbildung zugunsten der Anerkennung einer horizontalen 44
Drittwirkung sprach schon der Wortlaut des Art. 288 Abs. 3 AEUV (§ 2 Rn. 62), da nur der „Mitgliedstaat", nicht aber der Bürger zur Umsetzung der Richtlinie verpflichtet ist. Systematisch würde der Unterschied zur Verordnung in Art. 288 Abs. 2 AEUV verwischt, der im Gegensatz zur Richtlinie die allgemeine Geltung anordnet. Teleologisch kann das *Estoppel*-Argument,[78] dass der Mitgliedstaat keinen Nutzen aus der Nichtumsetzung ziehen darf und deshalb das Verhalten treuwidrig wäre, nicht auf Privatpersonen übertragen werden. Schließlich fordere, wie der EuGH betont, das Gesetzlichkeitsprinzip eine gesetzliche Grundlage für Eingriffe in die Rechte Einzelner.[79] Diese vermeintliche Lücke einer fehlenden horizontalen Drittwirkung wird aber eingeschränkt, weil der EuGH die vertikale Drittwirkung durch einen weiten Begriff des „Staates" ausdehnt (§ 12 Fn. 69), der die nationalen Gerichte zur richtlinienkonformen Auslegung und Rechtsfortbildung verpflichtet (s. sogleich) und ggf. dem nicht (korrekt) umsetzenden Staat eine unionsrechtliche Staatshaftung (§ 12 Rn. 123 ff.) androht. Grafisch lässt sich dies wie folgt darstellen:

Grafik: Vertikale und horizontale Drittwirkung von Richtlinien bei fehlender Umsetzung 45

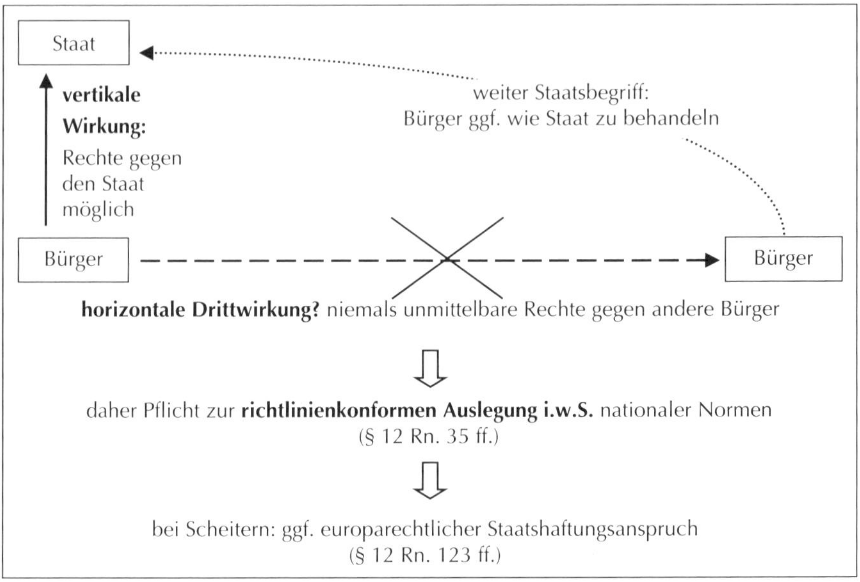

[76] Richtlinie 85/577/EWG betreffend den Verbraucherschutz im Falle von außerhalb von Geschäftsräumen geschlossenen Verträgen v. 20.12.1985, ABl. Nr. L 372, S. 31.

[77] EuGH, Urt. v. 14.7.1994, C-91/92, EU:C:1994:292, Rn. 22 ff. – Faccini Dori; s. auch EuGH, Urt. v. 5.10.2004, C-397/01 u. a., EU:C:2004:584, Rn. 108 – Pfeiffer. Inzwischen hat die Verbraucherrechte-RL die Haustürwiderrufs-RL abgelöst.

[78] EuGH, Urt. v. 14.7.1994, C-91/92, EU:C:1994:292, Rn. 24 – Faccini Dori; ausführlich zum *Estoppel*-Argument *Wade*, Administrative Law, 1982, S. 231 ff.

[79] Gute Zusammenfassung bei Streinz/*W. Schroeder*, EUV/AEUV, 3. Aufl. 2018, Art. 288 AEUV Rn. 101.

3. Die horizontale richtlinienkonforme Auslegung i.e.S.

a) Richtlinienkonforme Auslegung als Auslegungsziel und Vermutungsregel

46 aa) Nachdem der EuGH eine horizontale Drittwirkung der Richtlinien abgelehnt hatte, entwickelte er daneben eine sog. Pflicht zur richtlinienkonformen Auslegung *(principle of indirect effect)* des nationalen Rechts nach den Vorgaben der europäischen Richtlinie. Im Englischen spricht man neben dem *principle of indirect effect* auch vom *principle of harmonious interpretation*.[80] Die richtlinienkonforme Auslegung verpflichtet dazu, das nationale Recht soweit wie möglich so auszulegen, dass es die Ziele der Richtlinie verwirklicht. Diese Pflicht umfasst das *gesamte nationale Recht*, also nicht nur die Rechtsnorm, durch die die Richtlinie umgesetzt wurde.[81] Die richtlinienkonforme Auslegung ist damit nicht eine eigenständige Auslegungsfigur oder eine Auslegungsfigur als Teil der systematischen Auslegung. Dafür sprechen schon der eigenständige Geltungsgrund, das eigenständige Ziel und die eigenständige Wirkungsweise.[82] Sie ist, wie die teleologische Auslegung (§ 5 Rn. 8), ein **Auslegungsziel**, dem sich die anderen Auslegungsfiguren unterordnen müssen.[83] Und wie bei der verfassungskonformen Rechtsfortbildung ist zu fragen, ob die einfachen Auslegungsfiguren dieses Ziel tragen; im Zweifel müssen sie unberücksichtigt bleiben (§ 11 Rn. 69, 73). Der EuGH formuliert in der *Adeneler*-Entscheidung:

47 „Die *Verpflichtung des nationalen Richters, bei der Auslegung der einschlägigen Vorschriften des innerstaatlichen Rechts* den Inhalt einer Richtlinie heranzuziehen, wird zwar durch die allgemeinen Rechtsgrundsätze und insbesondere durch den Grundsatz der Rechtssicherheit und das Rückwirkungsverbot begrenzt; auch darf sie nicht als *Grundlage für eine Auslegung contra legem* des nationalen Rechts dienen (vgl. im Wege der Analogie Urt. v. 16. Juni 2005 in der Rechtssache C-105/03, Pupino, Slg. 2005, I-5285, Randnrn. 44 und 47).

Der *Grundsatz* der gemeinschaftsrechtskonformen Auslegung [besser: *richtlinienkonformen Interpretation*] verlangt jedoch, dass die nationalen Gerichte unter Berücksichtigung des *gesamten nationalen Rechts und unter Anwendung ihrer Auslegungsmethoden* alles tun, was in ihrer Zuständigkeit liegt, um die volle Wirksamkeit der fraglichen Richtlinie zu gewährleisten und *zu einem Ergebnis zu gelangen, das mit dem von der Richtlinie verfolgten Ziel übereinstimmt* (vgl. Urt. Pfeiffer u.a., Randnrn. 115, 116, 118 und 119).“[84]

48 bb) Weil der EuGH eine horizontale Drittwirkung von Richtlinien ablehnt, entfaltet eine richtlinienkonforme Auslegung von Vorschriften, die zwischen Privaten gelten, zwar nicht den strengen Anwendungsvorrang, den das Primärrecht oder die Verordnungen entfalten können (§ 12 Rn. 24 ff.).[85] Die Pflicht zur richtlinienkonformen Auslegung ist ein objektiv-rechtliches Gebot, gerichtet an die staatliche Gewalt des Mitgliedstaates. Primäres Ziel der Auslegung ist es, die Vereinbarkeit von nationalem Recht mit höherrangi-

---

[80] *Craig/de Búrca*, EU Law, 7th ed. 2020, S. 244 ff.; *Costa/Peers*, Steiner&Woods EU Law, 14th ed. 2020, S. 136 ff. sprechen auch vom *principle of consistent interpretation*.

[81] EuGH, Urt. v. 13.11.1990, C-106/89, EU:C:1990:395, Rn. 8 – Marleasing; s. auch EuGH, Urt. v. 14.7.1994, C-91/92, EU:C:1994:292, Rn. 26 – Faccini Dori.

[82] *Lutter*, JZ 1992, 593, 604 Fn. 133; *Canaris*, in: FS Bydlinski, 2002, S. 47, 79; **a.A.** *Hommelhoff*, in: FG 50 Jahre BGH, Bd. 2, 2000, S. 889, 891; *Ehricke*, RabelsZ 59 (1995), 598, 622 f.; *Franzen*, Privatrechtsangleichung durch die Europäische Gemeinschaft, 1999, S. 347.

[83] So bereits *Möllers*, Juristische Methodenlehre, 2017, § 8 Rn. 65; *Wietfeld*, JZ 2020, 485, 491 mit allerdings unzutreffendem Zitat in Fn. 74.

[84] EuGH, Urt. v. 4.7.2006, C-212/04, EU:C:2006:443, Rn. 110 f. – Adeneler.

[85] *W.H. Roth*, EWS 2005, 385, 386.

gem Recht herzustellen. Es geht also nicht darum, einen Begriff ergebnisoffen zu ermitteln, sondern das Ziel der Auslegung zu prüfen, ob der betroffene Begriff so verstanden werden kann, dass er mit den Vorgaben der Richtlinie übereinstimmt.[86]

Im Rahmen des nationalen Auslegungskanons kommt ihr damit **eine *Prima-facie*-Vermutung** (§ 1 Rn. 98) zu. Deshalb hat der Rechtsanwender den Vorzug der richtlinienkonformen Auslegung zu entkräften, wenn er eine andere Auslegung bevorzugen möchte.[87] Ähnlich formuliert auch das BVerfG im Hinblick auf die EMRK: „Solange im Rahmen geltender methodischer Standards Auslegungs- und Abwägungsspielräume eröffnet sind, trifft deutsche Gerichte die Pflicht, der konventionsgemäßen Auslegung den Vorrang zu geben."[88] 49

cc) Im Einzelnen hat die richtlinienkonforme Auslegung drei Wirkungen[89]: Der Begriff oder die Norm ist erstens so auszulegen, wie es dem Ziel der Richtlinie entspricht. Dazu sind auch andere Normen des nationalen Rechts heranzuziehen **(Korrekturwirkung)**. Auslegungsergebnisse, die zwar nach nationalem Recht möglich sind, aber der Richtlinie widersprechen, sind zweitens abzulehnen **(Sperrwirkung)**. Sie hat Ähnlichkeit mit der verfassungskonformen Auslegung, die verfassungswidrige Auslegungsergebnisse verhindert (§ 11 Rn. 35). Drittens kann die Richtlinie eine **Vorwirkung** entfalten (§ 12 Rn. 86). Wie bei der vertikalen Drittwirkung sind auch bei der horizontalen richtlinienkonformen Auslegung Belastungen Privater denkbar, im Marleasing-Fall etwa dadurch, dass Private nicht auf die Nichtigkeit der Gesellschaft nach spanischem Recht vertrauen durften. Zugunsten Dritter greifen gegebenenfalls die *Grundsätze der Rechtssicherheit und des Vertrauensschutzes* ein (§ 12 Rn. 47). 50

Informationszugang: Unproblematisch wird die richtlinienkonforme Auslegung anerkannt, soweit sie sich innerhalb des Wortlauts der Norm bewegt, also bei unbestimmten Rechtsbegriffen und Generalklauseln. Nach § 3 Abs. 1 UIG[90] hat jeder Bürger Anspruch auf freien Zugang zu Informationen über die Umwelt, die bei einer Behörde vorhanden sind. Auf einen entsprechenden Antrag kann die Behörde Auskunft erteilen, Akteneinsicht gewähren oder Informationsträger in sonstiger Weise zur Verfügung stellen. Das Bundesverwaltungsgericht betonte, dass das Auswahlermessen der Behörde am Zweck der Umweltinformations-RL 90/313/EWG (jetzt: Umweltinformations-RL 2003/4/EG)[91] auszurichten und damit einzuschränken ist.[92] 51

b) Wandel des Sprachgebrauchs

Zur richtlinienkonformen Auslegung i.e.S. wird man auch diejenigen Fälle zählen, in denen man den auszulegenden Begriff nicht mehr mit der bisher vorherrschenden Begrifflichkeit des nationalen Rechts auslegen kann, sondern ihn im Lichte der europäischen Richtlinie neu auslegen muss. Der Zweck der Auslegung relativiert den Rechtsbegriff: Die Rechtsfigur der Relativität der Rechtsbegriffe kann die einheitliche Anwendung des Begriffs korrigieren (§ 6 Rn. 17 ff.). Die autonomen Vorgaben des europäischen Be- 52

---

[86] *Wietfeld*, JZ 2020, 485, 490.

[87] *Ehricke*, RabelsZ 59 (1995), 598, 616; *W.H. Roth/Jopen*, in: Riesenhuber, Europäische Methodenlehre, 4. Aufl. 2021, § 13 Rn. 46 ff.; *Langenbucher*, in: dies., Europäisches Privat- und Wirtschaftsrecht, 4. Aufl. 2017, § 1 Rn. 91 ff.; **a.A.** *Canaris*, in: FS Bydlinski, 2002, S. 47, 69 ff. der von interpretatorischer „Vorrangregel" spricht. Der Begriff Vorzugsregel scheint aber vorzugswürdig, um die Abgrenzung zum derogativen Vorrang des Primärrechts besser zum Ausdruck zu bringen.

[88] BVerfG, Urt. v. 14.10.2004, 2 BvR 1481/04, BVerfGE 111, 307, 329 – Görgülü.

[89] Unter Verwendung anderer Terminologien, *E. Klein*, in: FS Everling, Bd. 1, 1995, S. 641, 643 ff.; *Langenbucher*, in: dies., Europäisches Privat- und Wirtschaftsrecht, 4. Aufl. 2017, § 1 Rn. 82 ff.

[90] Umweltinformationsgesetz (UIG) v. 27.10.2014, BGBl. I, S. 1643.

[91] Richtlinie 2003/4/EG über den Zugang der Öffentlichkeit zu Umweltinformationen v. 28.1.2003, ABl. Nr. L 41, S. 26.

[92] BVerwG, Urt. v. 6.12.1996, 7 C 64/95, BVerwGE 102, 282, 287 f. – Ermessensgebundener Umweltinformationsanspruch zu § 4 UIG a.F.

griffs können das Begriffsverständnis des nationalen Begriffs ebenso verändern. Dieser geht insoweit der Figur der Einheit der Rechtsordnung vor.

53 *Gebrechlichkeit:* Der Ausgleichsanspruch des Handelsvertreters besteht nach § 89b Abs. 2 Nr. 1 HGB, wenn diesem wegen Alter oder Krankheit die Tätigkeit nicht mehr zugemutet werden kann. Unter „Krankheit" ist nicht nur die Störung des Gesundheitszustandes, sondern auch „Gebrechlichkeit" im Sinne des Art. 18 lit. b) der Handelsvertreter-RL zu subsumieren, also etwa die unfallbedingte Berufsbehinderung.[93]

4. Die richtlinienkonforme Rechtsfortbildung

a) Die Vorgaben des EuGH zur richtlinienkonformen Rechtsfortbildung

54 Eigentlich darf der EuGH nur europäisches Recht, nicht aber nationales Recht auslegen und gestalten, Art. 19 Abs. 1 S. 2 EUV. Dies hat ihn aber nicht abgehalten, in vielen Urteilen die Verpflichtung zur richtlinienkonformen Auslegung zu betonen und Ausführungen zum Gesetzgebungswillen, zur Systematik und zum Telos zu machen. Im Ergebnis herrscht große Unsicherheit, wann und wo die contra-legem-Grenze erreicht ist.[94] Es ist nicht von der Hand zu weisen, dass eine extensive Interpretation der richtlinienkonformen Auslegung faktisch die Auswirkungen einer horizontalen Drittwirkung zwischen privaten Parteien haben kann.

55 Noch wenig geklärt ist die Frage, in welchem Umfang eine richtlinienkonforme Rechtsfortbildung gegebenenfalls sogar gegen den Wortlaut des Gesetzes oder den Willen des nationalen Gesetzgebers zulässig ist. Wenn der Wortlaut einer Norm überschritten wird, liegt nach deutschem Verständnis Rechtsfortbildung vor und Gerichte sind in besonderem Maße verpflichtet, zu begründen, dass sie zur Rechtsfortbildung berechtigt sind und nicht contra legem urteilen (§ 13 Rn. 20 ff.). Im Einzelnen neigen immer mehr deutsche und österreichische Gerichte dazu, die richtlinienkonforme Auslegung (sehr) weit zu interpretieren und auch gegen den (eindeutigen) Wortlaut eine richtlinienkonforme Rechtsfortbildung zu bejahen. Im Folgenden ist zu zeigen, dass die deutsche Rechtsprechung und Rechtsliteratur die contra legem Grenze verschiebt (§ 12 Rn. 62 ff.). Die Diskussion ist auch reizvoll, weil es parallele Rechtsentwicklungen in Deutschland, Österreich und dem Vereinigten Königreich gibt. In der berühmten Grundsatz-Entscheidung *von Colson und Kamann* betont der EuGH, dass die Mitgliedstaaten im Rahmen ihres nationalen Beurteilungsspielraumes die nationale Norm „im Lichte der Richtlinie" auszulegen hätten. Hierzu formuliert er:

56 „Allerdings ist klarzustellen, daß die sich aus einer Richtlinie ergebende Verpflichtung der Mitgliedstaaten, das in dieser vorgesehene Ziel zu erreichen, sowie die Pflicht der Mitgliedstaaten gemäß Artikel 5 EWG-Vertrag [jetzt: Art. 4 Abs. 3 UAbs. 2 EUV], *alle zur Erfüllung dieser Verpflichtung geeigneten Maßnahmen allgemeiner oder besonderer Art zu treffen,* allen Trägern öffentlicher Gewalt in den Mitgliedstaaten obliegen, und zwar im Rahmen ihrer Zuständigkeiten auch den Gerichten. Daraus folgt, dass das nationale Gericht bei der Anwendung des nationalen Rechts, insbesondere auch der Vorschriften eines speziell zur Durchführung der Richtlinie 76/207 erlassenen Gesetzes, *dieses nationale Recht im Lichte des Wortlauts und des Zwecks der Richtlinie auszulegen hat, um das in* Artikel 189 Absatz 3 [jetzt: *Art. 288 Abs. 3 AEUV] genannte Ziel zu erreichen."*[95]

[93] Baumbach/Hopt/*Hopt*, HGB, 40. Aufl. 2021, § 89b Rn. 62.

[94] *Craig/de Búrca*, EU Law, 7th ed. 2020, S. 250: „It is difficult to predict the outcome of litigation, since the duty of harmonious interpretation demands that national courts consider all national law in deciding wheter compatibility with the provisions of the directive can be attained."

[95] EuGH, Urt. v. 10.4.1984, C-14/83, EU:C:1984:153, Rn. 26 – von Colson und Kamann.

Zudem geht der EuGH davon aus, dass der Mitgliedstaat bei der Umsetzung von Richtlinien „die Absicht hatte, den sich aus der Richtlinie ergebenden Verpflichtungen in vollem Umfang nachzukommen".[96] Und drittens spricht der EuGH erstmals von der „gemeinschaftsrechtskonformen" (unionsrechtskonformen) Auslegung. Allerdings hat der EuGH diese Vorgaben deutlich eingeschränkt, weil die Mitgliedstaaten *nur den Beurteilungsspielraum des nationalen Rechts* voll auszuschöpfen haben.[97] Dazu müsse das nationale Gericht entscheiden, ob es die in Rede stehende nationale Vorschrift unangewendet lassen möchte.[98] Zudem stellte er in der Adeneler-Entscheidung fest, dass der nationale Richter nicht zur Auslegung contra legem verpflichtet ist (§ 12 Rn. 48). 57

Quelle-Entscheidung:[99] Im August 2002 lieferte das Unternehmen Quelle Frau Brüning einen Backofen für ihren privaten Gebrauch. Anfang 2004 stellte Frau Brüning fest, dass das Gerät mangelhaft war. Da eine Reparatur nicht möglich war, gab sie das Gerät an Quelle zurück, welches es durch ein neues Gerät ersetzte. Quelle verlangte von Frau Brüning die Zahlung von 69,97 Euro als Wertersatz für die Vorteile, die sie aus der Nutzung des ursprünglich gelieferten Geräts gezogen hatte. Muss Frau Brüning Wertersatz gem. § 346 Abs. 1 und 2 Nr. 1 i.V.m. § 439 Abs. 4 BGB a.F. [jetzt § 439 Abs. 6 BGB-E] leisten? 58

In dieser Entscheidung ging es um die Frage, ob der Käufer nach dem Scheitern der Nachbesserungsansprüche ohne weitere Kosten vom Vertrag zurücktreten darf oder aber gem. § 346 Abs. 1, Abs. 2 Nr. 1 i.V.m. § 439 Abs. 6 BGB-E Nutzungsersatz für die bereits genutzte, aber fehlerhafte Sache leisten muss. Diese für die Praxis höchst relevante Frage entschied der EuGH zugunsten des Verbrauchers und verneinte damit einen Anspruch des Verkäufers auf Nutzungsersatz gegenüber dem Verbraucher, weil die Mängelgewährleistungsansprüche gem. Art. 3 der Verbrauchsgüterkauf-RL unentgeltlich sind.[100] Damit war darüber zu entscheiden, ob bei einem Rücktritt wegen einer mangelhaften Sache der Verweis des § 439 Abs. 6 BGB-E teleologisch reduziert werden darf, um den Nutzungsersatzanspruch des Rücktrittsrechts auszuschließen. 59

b) Der Meinungsstreit zur richtlinienkonformen Rechtsfortbildung

Im Detail sind zahlreiche Einzelheiten in Bezug auf den historischen Willen umstritten. In der Quelle-Entscheidung hielt der BGH den *subjektiven Willen des Gesetzgebers* zur richtigen Umsetzung der Richtlinie für beachtlich und bejahte eine Lücke, die zur Rechtsfortbildung berechtige.[101] Zwar ist generell von einem Willen des Mitgliedstaates auszugehen, die Richtlinie korrekt umzusetzen.[102] Ein konkreter Umsetzungswille lässt sich in der Regel schon nicht feststellen.[103] Auch irrt der Gesetzgeber nicht selten bei der Umsetzung der Richtlinie, sodass die rechtliche Relevanz des Irrtums schwer einzuordnen ist. Zu Recht wird deshalb kritisiert, dass der BGH[104] die Rechtsfortbildung ausschließlich mit dem Willen des Gesetzgebers begründet, die Richtlinien richtlinienkonform umzusetzen.[105] 60

---

[96] EuGH, Urt. v. 16.12.1993, C-334/92, EU:C:1993:945, Rn. 20 – Wagner Miret; in ähnlicher Formulierung EuGH, Urt. v. 5.10.2004, C-397/01 u.a., EU:C:2004:584, Rn. 112 – Pfeiffer.

[97] EuGH, Urt. v. 10.4.1984, C-14/83, EU:C:1984:153, Rn. 28 – von Colson und Kamann.

[98] EuGH, Urt. v. 19.4.2016, C-441/14, EU:C:2016:278, Rn. 37 – Dansk Industri.

[99] EuGH, Urt. v. 17.4.2008, C-404/06, EU:C:2008:231 – Quelle; BGH, Urt. v. 26.11.2008, VIII ZR 200/05, BGHZ 179, 27 – Quelle.

[100] EuGH, Urt. v. 17.4.2008, C-404/06, EU:C:2008:231, Rn. 31 ff. – Quelle.

[101] BGH, Urt. v. 26.11.2008, VIII ZR 200/05, BGHZ 179, 27, 38 f. – Quelle. Vorher schon *Grundmann*, ZEuP 1996, 399, 420; ähnlich *Herresthal*, WM 2007, 1354, 1356 f.; *Dänzer-Vanotti*, StVj 1991,1, 5 ff.

[102] Vgl. § 12 Fn. 96; *Beyer/Möllers*, JZ 1991, 24, 29 f.; *Grundmann*, ZEuP 1996, 399, 420; *Möllers*, EuR 1998, 20, 45.

[103] Krit. auch *Gsell*, JZ 2009, 522, 523: „Es fehlt dem Kriterium aber die sachliche Überzeugungskraft".

[104] S. BGH, Urt. v. 26.11.2008, VIII ZR 200/05, BGHZ 179, 27, 38 f. – Quelle.

[105] So die Kritik von *Herresthal*, JuS 2014, 289, 295.

61 Eine zweite Ansicht betrachtet die deutsche Norm im Kontext der Gesamtrechtsordnung, die sich aus nationalem Recht und Richtlinie zusammensetzt.[106] Daran ist kritisiert worden, die Richtlinie sei ein eigenes Regelungsgebäude, ohne aber unmittelbar in Deutschland für jedermann zur Anwendung zu kommen (§ 12 Rn. 3). Würde man diesen *systematischen* Überlegungen folgen, würde der innerstaatliche Normbefehl zu einer dynamischen Verweisung auf die Richtlinie in ihrer jeweils vom EuGH propagierten Fassung degradiert.[107] Zudem widerspräche eine solche Auslegung den Grundsätzen des Vertrauensschutzes, insbesondere den Anforderungen an Normenklarheit und Normenbestimmtheit.[108]

62 Eine dritte Ansicht zieht die Grenzen zulässiger *richtlinienkonformer Rechtsfortbildung sehr eng*. Die Ausführungen des EuGH seien nur reine „fakultative" Hilfestellungen.[109] Maßgeblich sei *ausschließlich der Wertungsplan des nationalen Rechts*.[110] Der Richter sei zur richtlinienkonformen Rechtsfortbildung nur dann berechtigt, wenn sich aus dem nationalen Recht ein Beurteilungsspielraum ergebe.[111] In der Quelle-Entscheidung sprächen sämtliche Auslegungskriterien des deutschen Rechts einschließlich des ausdrücklichen Willens des deutschen Gesetzgebers für eine entsprechende Verpflichtung des Verbrauchers und damit gegen eine richtlinienkonforme Rechtsfortbildung.[112] Die Richtlinie sei nicht unmittelbar anwendbar, der Richter würde in das Gestaltungsrecht des nationalen Gesetzgebers eingreifen, wenn er das Recht gegen den Wortlaut fortbilden würde. Der generelle Wille des nationalen Gesetzgebers, die Richtlinie korrekt umzusetzen, könne nicht dahin umgedeutet werden, Irrtümer zu korrigieren und Auslegungsergebnisse des EuGH im Nachgang zu rechtfertigen; ein solcher Hinweis auf den hypothetischen Willen des nationalen Gesetzgebers sei reine Fiktion.[113] Eine richtlinienkonforme Rechtsfortbildung dürfe das Gesetz nicht derogieren[114] oder „verbiegen"[115]; konsequenterweise sei auch eine teleologische Reduktion auf Null eine unzulässige Rechtsfortbildung contra legem.[116] Und schließlich: Die richterliche Rechtsfortbildung käme einer unzulässigen horizontalen Drittwirkung gleich.[117]

62a Eine Reihe von Argumenten sprechen für eine solche **traditionell eng verstandene Contra-legem-Grenze**: Die Beibehaltung des gerade genannten Argumentationskanons erscheint auf den ersten Blick methodisch stimmig, weil Art. 288 Abs. 3 AEUV nun einmal die Umsetzung der Richtlinie in nationales Recht erlaubt und deshalb auch die Sinnerschließung durch die juristischen Methoden sich ausschließlich national erschließt.[118] Vor allem kann der Richter mit der nationalen Perspektive das überraschende „ausbre-

[106] *Auer*, NJW 2007, 1106, 1108; *Pfeiffer*, NJW 2009, 412 f.; *Herrler/Tomasic*, BB 2008, 1245, 1248; *Mörsdorf*, ZIP 2008, 1409, 1415.

[107] *Herdegen*, WM 2005, 1921, 1928 f.; *Schürnbrand*, JZ 2007, 910, 913; *Lorenz*, in: MünchKomm-BGB, 8. Aufl. 2019, Vor § 474 Rn. 5; *Schulze*, GPR 2008, 128, 131.

[108] *Herdegen*, WM 2005, 1921, 1929; *Schürnbrand*, JZ 2007, 910, 916; *Franzen*, JZ 2003, 321, 327.

[109] So die Formulierung von *Hayden*, ZfRV 2016, 244, 249.

[110] *Baldus/Becker*, ZEuP, 1997, 874, 882; *Höpfner*, JbJZ 2009, S. 73, 85; *Rüthers/Fischer/Birk*, Rechtstheorie, 11. Aufl. 2020, Rn. 912e: „Die Zulässigkeit einer ‚richtlinienkonformen Auslegung' bemißt sich allein am Wertungsplan der nationalen Gesetzgebung"; in diese Richtung auch *Gsell*, JZ 2009, 522, 525.

[111] *Höpfner*, JbJZ 2009, S. 73, 85 f.

[112] *Lorenz*, in: MünchKomm-BGB, 8. Aufl. 2019, Vor § 474 Rn. 3.

[113] *Franzen*, JZ 2003, 321, 324, 328; *Schürnbrand*, JZ 2007, 910, 916 f.; *Höpfner*, JZ 2009, 403, 404 f.; *Herdegen*, Europarecht, 22. Aufl. 2020, § 8 Rn. 58; *Kamanabrou*, Richtlinienkonforme Auslegung im Rechtsvergleich, 2021, S. 139 f.

[114] *Canaris*, in: FS Bydlinski, 2002, S. 47, 94.

[115] *Heß*, JZ 1995, 150, 151; *Canaris*, in: FS Bydlinski, 2002, S. 47, 97.

[116] Etwa OLG München, Urt. v. 20.6.2013, 14 U 103/13, VersR 2013, 1025, 1028 – Widerruf von Lebensversicherung; BGH, Urt. v. 18.11.2020, VIII ZR 78/20, NJW 2021, 1008 Rn. 37 – Verjährungsverkürzung; für das österreichische Recht *Klamert*, JBl. 2011, 738, 741.

[117] *Zöckler*, JbJZ, 1992, S. 141, 157.

[118] *Baldus/Becker*, ZEuP 1997, 874, 882.

chende Auslegungsergebnis“[119] des EuGH zurückweisen und muss sich keine Gedanken machen, wie er ein solches rechtsfortbildend noch in das nationale Recht hineinlesen kann. Schließlich kann die konkrete Sachentscheidung des nationalen Gesetzgebers Vorrang vor dem vermeintlich allgemeinen Umsetzungswillen des nationalen Gesetzgebers haben, richtlinienkonform zu handeln (§ 12 Rn. 78 ff.).

c) Eigene weitere Ansicht – die richtlinienkonforme Rechtsfortbildung als Teil der nationalen Methodenlehre

aa) Gewaltenteilung im europäischen Mehrebenensystem. Eingangs wurde die Juristische Methodenlehre als Legitimationslehre zur Begrenzung der Macht des Richters gegenüber dem Parlament und dem Bürger beschrieben (§ 1 Rn. 45 ff.). Der Richter hat nicht zu prüfen, ob eine gesetzliche Lösung die zweckmäßigste, vernünftigste oder gerechteste ist (§ 13 Rn. 95). Es ist allerdings fraglich, ob diese Frage der zulässigen Rechtsfortbildung als Legitimationsfrage des Richters gegenüber dem Parlament oder dem Bürger hier wirklich passt. Denn es geht mitnichten darum, dass sich der nationale Richter Kompetenzen anmaßt, die dem Parlament zustehen und er sich zum gesetzgebenden Richter aufschwingt. Er sieht sich im Verhältnis von Mitgliedstaat zur Europäischen Union, dem Mehrebenensystem, gleich mehreren Institutionen gegenüber: Erstens *erlassen* auf *europäischer Ebene Kommission, Rat und Parlament* die Richtlinie, die einen Geltungsanspruch erhebt und damit auf nationaler Ebene gilt (§ 2 Rn. 82). Zweitens hat der *nationale Gesetzgeber* die europäische Richtlinie umzusetzen. Der nationale Richter ist an die Umsetzungsvorgaben gebunden. Und drittens *konkretisiert der EuGH*, dem der nationale Richter typischerweise in einem Vorabentscheidungsverfahren eine Auslegungsfrage zur europäischen Richtlinie vorlegt, das zugrunde liegende europäische Recht.[120] Zeitlich darauffolgend muss der nationale Richter viertens entscheiden, wie er dieses *mehrpolige Spannungsverhältnis* auflöst, ob er richtlinienkonform den Vorgaben des EuGH folgen kann oder aber dies verneinen und den Umsetzungsauftrag an das nationale Parlament weitergeben muss. Es geht hier nicht um Rechtsgestaltung des Richters zulasten der Legislative, sondern der nationale Richter versucht, um im Bild zu bleiben, bestmöglich, allen drei Herren gerecht zu werden.[121] 62b

bb) Wille des nationalen Gesetzgebers. Eine richtlinienkonforme Rechtsfortbildung entspricht zunächst dem *Willen des nationalen Parlaments.* Wenn das nationale Parlament bei der Umsetzung der Richtlinie irrt, kann die Rechtsprechung den Fehler heilen. Bejaht man die **Kompetenz zur richtlinienkonformen Rechtsfortbildung in einem weiteren Umfang**, reduziert dies das Risiko für den Mitgliedstaat, wegen fehlerhafter Umsetzung der Richtlinie nach dem unionsrechtlichen Staatshaftungsanspruch zu haften (§ 12 Rn. 123 ff.). Denn die richtlinienkonforme Rechtsfortbildung erlaubt die Korrektur durch den nationalen Richter. Das nationale Parlament kann seinen Ermessensspielraum ausreizen, die Richtlinie so umzusetzen, dass möglichst wenig an bisheriger nationaler Dogmatik aufgegeben werden muss.[122] Das zeigen die Fälle zur Verbrauchsgüterkauf-RL aufs Beste. Würde man umgekehrt dem nationalen Richter dieses Instrument nehmen, dem nationalen Parlament damit die Staatshaftung androhen, müsste das nationale Parlament künftig auf jedes Ermessen verzichten, wie es das europäische Recht in das nationale Recht umsetzt. Damit hätte es sich jeden Gestaltungsspielraum genommen; die Idee der Richtlinie als im Verhältnis zur Verordnung weniger starker Eingriff in das nationale Recht, der „innerstaatlichen Stellen die Wahl der Form und Mittel“ gem. Art. 288 Abs. 3 62c

[119] So die Formulierung des OGH, Urt. v. 25.3.2014, 9Ob64/13x, Rn. 4.10.

[120] Hier drei Herren, denen er „dienen“ muss. Zum Bild des Richters als Pianisten oder Diener des Gesetzgebers *Hirsch*, ZRP 2006, 161; *Heck*, AcP 112 (1914), 1, 19 ff. und den Streitstand oben § 6 Rn. 60 ff.

[121] Vertiefend *Möllers*, in: FS Siekmann, 2019, S. 167, 178 ff.

[122] Hierzu bereits *Möllers*, Die Rolle des Rechts im Rahmen der europäischen Integration, 1999, S. 72.

AEUV überlässt, wäre hinfällig. Außerdem greift das Gericht nur vorübergehend in die Zuständigkeit des Gesetzgebers ein, weil das vom EuGH entwickelte Transparenzgebot mittelfristig verlangt, dass unrichtige nationale Gesetze entsprechend nachgebessert werden müssen (§ 12 Rn. 104 ff.). Auch steht es dem Gesetzgeber jederzeit frei, die Lösung des Gerichts zu korrigieren bzw. Abhilfe zu schaffen. Das ist dann Gewaltenteilung par excellence.[123]

62d cc) **Folgenorientierte Überlegungen.** Die Vorgaben im Rahmen der Entscheidungen des EuGH binden die Parteien und die Ausgangsgerichte (§ 3 Rn. 51). Wenn das nationale Gericht eine richtlinienkonforme Rechtsfortbildung ablehnt, gewinnt der Kläger den Eindruck, es würde die Vorgaben des EuGH ignorieren. Die richtlinienkonforme Rechtsfortbildung ermöglicht es, schneller als der nationale Gesetzgeber auf die Vorgaben des EuGH zu reagieren, ohne dass eine Staatshaftung droht. Durch die Rechtsfortbildung entwickelt das nationale Gericht das Recht fort, indem es die Sache positiv entscheidet. Damit schafft es Rechtsicherheit.[124] Letztendlich wird auch die Position des Beklagten berücksichtigt, weil das Rückwirkungsverbot und der Vertrauensschutz ausdrücklich als Schranke der Rechtsfortbildung anerkannt werden (§ 12 Rn. 77).

63 dd) **Prüfungsfolge.** Dogmatisch ist die Übereinstimmung von Richtlinie und nationaler Norm als Auslegungsziel und damit bereits auf der Ebene der Inhaltsbestimmung der nationalen Norm zu berücksichtigen. Damit ist zu prüfen, ob die traditionellen Argumentationsfiguren die richtlinienkonforme Rechtsfortbildung als **Auslegungsziel** stützen (§ 12 Rn. 48). Somit sind historische, systematische und teleologische Argumente im nationalen und europäischen Kontext zu verbinden. Die hier vertretene Ansicht erlaubt, ja erfordert eine Weiterentwicklung der nationalen Rechtsfiguren.[125]

64 (1) Dogmatisch ist der *Wille* des nationalen Gesetzgebers kein ausschließliches Auslegungsmittel (wie die erste Ansicht, § 12 Rn. 60), sondern nur eines von vielen.

(2) *Systematisch* wird die Rechtsfortbildung nicht mit einem Vorrang des europäischen Rechts zu begründen sein (wie die zweite Ansicht, § 12 Rn. 61), aber auch nicht mit einer eng verstandenen Contra-legem-Grenze zu bestimmen sein (wie die dritte Ansicht, § 12 Rn. 62). Die Pflicht zur richtlinienkonformen Auslegung i. e. S. folgt *bereits aus der unmittelbaren Geltung* der Richtlinie (§ 2 Rn. 82 ff.), denn nach Art. 288 Abs. 3 AEUV ist die Richtlinie für jeden Mitgliedstaat „verbindlich".[126]

(3) *Teleologisch* ist vielmehr entscheidend, ob *das nationale Recht im Lichte des europäischen Rechts* ausgelegt werden kann. Die richtlinienkonforme Rechtsfortbildung verharrt somit nicht ausschließlich im Wertungsplan des nationalen Rechts und damit verbunden einer engen Contra-legem-Grenze (wie die dritte Ansicht) und erzwingt nicht das Auslegungsergebnis der Richtlinie (wie die zweite Ansicht). Es ist also zu fragen, ob sich die Wertentscheidung der Richtlinie in unvollkommener Form auch im nationalen Recht wiederfindet.[127] Dazu lässt sich das Bild vom „Hin- und Herwandern des Blickes" nutzen (§ 4 Rn. 10).

65 Die richtlinienkonforme Rechtsfortbildung ist *rechtsdogmatisch* stimmig: Sie passt einerseits zur verfassungskonformen Rechtsfortbildung[128] und andererseits in die europäische Trias zwischen richtlinienorientierter Auslegung und primärrechtskonformer

[123] S. hierzu das Beispiel bei § 15 Rn. 40 ff.

[124] Zu diesem Topos s. unten § 13 Rn. 63.

[125] Ausführlich *Möllers*, in: FS Siekmann, 2019, S. 167, 192 ff.; s. auch unten § 14 Rn. 137 f.

[126] *W.H. Roth/Jopen*, in: Riesenhuber, Europäische Methodenlehre, 4. Aufl. 2021, § 13 Rn. 43.

[127] So bereits *Möllers*, EuR 1998, 20, 45; *ders.*, Die Rolle des Rechts im Rahmen der europäischen Integration, 1999, S. 72; *ders./Möhring*, JZ 2008, 919, 921 ff.; zustimmend *Schnorbus*, AcP 201 (2001), 860, 896; *W.H. Roth/Jopen*, in: Riesenhuber (ebd.), § 13 Rn. 63 f.; ähnlich *Herresthal*, EuZW 2007, 396, 400; *ders.*, JuS 2014, 289, 292.

[128] BVerfG, Beschl. v. 14.2.1973, 1 BvR 112/65, BVerfGE 34, 269, 287 – Soraya (§ 11 Rn. 72 ff.).

Rechtsfortbildung.[129] Gleichzeitig ist sie mehr als die richtlinienorientierte Auslegung, weil der Anwendungsbereich der Richtlinien zwingend vom Mitgliedstaat umgesetzt werden muss, während dies im überschießenden Bereich außerhalb des Anwendungsbereich gerade nicht gilt (§ 12 Rn. 90 ff.). Die richtlinienkonforme Interpretation ist auf der anderen Seite methodisch weniger stark als der Anwendungsvorrang und die primärrechtskonforme Interpretation, weil dieser zur Folge hat, dass das europäische Recht unmittelbar angewendet werden muss (§ 12 Rn. 24 ff.). Eine richtlinienkonforme Rechtsfortbildung ist dagegen nicht mehr möglich, wenn sie dem Willen oder dem System des nationalen Rechts diametral entgegenstehen würde (s. sogleich). Die hier vertretene Ansicht setzt auch nicht die Wirkung einer Richtlinie mit der Wirkung einer Verordnung gleich.[130]

Zu prüfen sind damit die bekannten Auslegungsfiguren wie Wortlaut, Systematik, Geschichte und Telos, die als komparative Sätze eines Beweglichen Systems (§ 8 Rn. 2 ff.) gegeneinander abzuwägen sind. **66**

(1) Der Begründungsaufwand für das richtlinienkonforme Ergebnis ist bei der *Überschreitung des Wortlauts* höher als im Rahmen einer Generalklausel. Rechtsdogmatisch ist die Wortlautgrenze zwar ein wichtiger Fingerzeig zum erforderlichen Begründungsaufwand. Dem methodischen Verständnis des EuGH[131] folgend kann aber nicht allein auf die Wortlautgrenze abgestellt werden[132] – es bleibt vielmehr bei einer Abwägung zwischen europäischen und nationalen Auslegungsfiguren. **67**

(2) Abzustellen ist auf den *geäußerten Willen* des Gesetzgebers, mit einer konkreten Vorschrift die europäische Richtlinie korrekt umzusetzen. Fehlt ein solcher konkret formulierter Wille, erhält der ***generelle Umsetzungswille*** des Gesetzgebers den **Vorrang gegenüber** der **konkreten Regelungsabsicht**, soweit der Gesetzgeber **unbewusst** von der Richtlinie abweicht, weil er einem Fehlverständnis der Richtlinie unterliegt.[133] Dies entspricht der neueren Rechtsprechung (s. sogleich § 12 Rn. 75). **68**

Quelle: Man kann die Fehlinterpretation der Verbrauchsgüterkauf-RL durch den deutschen Gesetzgeber mit einem Redaktionsversehen vergleichen, in dem ebenfalls Wortlaut und gesetzgeberischer Wille auseinanderfallen. Oder aber man betont den Widerspruch zwischen konkretem und allgemeinem Umsetzungswillen.[134] Oder man kann mit dem BGH aufzeigen, dass ein Widerspruch bereits im konkreten Umsetzungswillen selbst liegt:[135] Dieser zielte einerseits auf die Anerkennung des Nutzungsersatzes, andererseits auf die konkrete Umsetzung der Richtlinie ab.[136] **69**

(3) Weil der gesetzgeberische Wille oft nur schwer zu bestimmen ist, können vor allem *systematische* und *teleologische* Überlegungen die Rechtsfortbildung stützen. Da die Richtlinie *gilt*, ist ihr Inhalt zu berücksichtigen, ohne aber zwingend eine Vorrangwirkung zu entfalten (§ 12 Rn. 3). Entscheidend ist wiederum die Prämisse, dass die europä- **70**

---

[129] EuGH, Urt. v. 10.4.1984, C-14/83, EU:C:1984:153, Rn. 26 – von Colson und Kamann (§ 12 Rn. 56).

[130] So aber *Gsell*, AcP 214 (2014), 99, 138.

[131] S. oben EuGH, Urt. v. 10.4.1984, C-14/83, EU:C:1984:153, Rn. 26 – von Colson und Kamann (§ 12 Rn. 56).

[132] **A. A.** *Canaris*, in: FS Bydlinski, 2002, S. 47, 70 ff.; seine Vorrangregeln erzeugen aber eine Scheinsicherheit und durch den weiten Lückenbegriff auch eine Komplexität, welche den Vorgaben der Methodenehrlichkeit widerspricht.

[133] *Grundmann*, ZEuP 1996, 399, 421 f.; *Möllers/Möhring*, JZ 2008, 919, 922; *Roth/Jopen*, in: Riesenhuber, Europäische Methodenlehre, 4. Aufl. 2021, § 13 Rn. 64; *Faust*, JuS 2012, 456, 459; Preis/Sagan/*Sagan*, Europäisches Arbeitsrecht, 2. Aufl. 2019, § 1 Rn. 1.154; *Schnorbus*, AcP 201 (2001), 860, 881, 899. **A. A.** die Autoren in § 12 Fn. 113 ff. Zu den Ausnahmen s. unten § 12 Rn. 78 ff.

[134] *Schmidt*, ZGS 2006, 408, 410; *Möllers/Möhring*, JZ 2008, 919, 922.

[135] BGH, Urt. v. 26.11.2008, VIII ZR 200/05, BGHZ 179, 27, 36 – Quelle; **a. A.** unzulässige Rechtsfortbildung contra legem etwa *Lorenz*, in: MünchKomm-BGB, 8. Aufl. 2019, Vor § 474 Rn. 5.

[136] Begr. AbgeordnetenE, BT-Drs. 14/6040, S. 233: „Mit der Verbrauchsgüterkaufrichtlinie ist eine derartige Verpflichtung des Verbrauchers (Käufers) vereinbar".

ischen Richtlinienvorgaben mit dem Telos und dem System des nationalen Rechts kompatibel sind.

71 Vor der Schuldrechtsreform war der Nutzungsentschädigungsanspruch zugunsten des Verkäufers unstrittig.[137] Durch die Umsetzung der Verbrauchsgüterkauf-RL in das BGB änderte sich die Perspektive gegenüber dem früheren Recht: Es ist deshalb zu fragen, ob das jetzige System, das den Perspektivenwechsel einschließt, die Lückenschließung durch die Rechtsfortbildung erlaubt. Im Fall *Quelle* war entscheidend, dass die Mängelansprüche nach Wortlaut und Gesetzeszweck der Richtlinie „unentgeltlich" geltend gemacht werden können, da der Verbraucher ansonsten von der Geltendmachung dieser Ansprüche abgeschreckt wird. Ein solcher Regelungszweck ist mit dem deutschen Schuldrecht durchaus vereinbar. Der EuGH gab hier schon das entscheidende Argument vor: Weil der Käufer die Sache nie mangelfrei erworben hatte, war er auch nicht bereichert und schuldete deshalb kein Nutzungsentgelt.[138]

d) Die Anerkennung der richtlinienkonformen Rechtsfortbildung durch die Rechtsprechung

72 Die richtlinienkonforme Rechtsfortbildung, die früher nur vereinzelt vertreten wurde,[139] ist inzwischen auch von der Rechtsprechung anerkannt. Verschiedene höchste Gerichte haben inzwischen rechtsfortbildend über den Wortlaut des Gesetzes hinaus richtlinienkonform entschieden.

73 *Harz:* In der Harz-Entscheidung hatte das BAG die Diskriminierung eines Bewerbers aufgrund des Geschlechts als Persönlichkeitsverletzung gewertet.[140] Der Schmerzensgeldanspruch wegen Persönlichkeitsverletzung ist seit Jahrzehnten durch die Rechtsprechung anerkannt.[141] Zwar ist das Persönlichkeitsrecht ein Rahmenrecht, sodass für die Rechtsgutsverletzung grundsätzlich eine Güter- und Interessenabwägung im Einzelfall stattzufinden hat.[142] Ein Vergleich mit den Ehrverletzungsdelikten, etwa negativen Äußerungen über Rasse, Religion oder parteiliche Zugehörigkeit, führt aber *ohne Weiteres* zur Rechtswidrigkeit einer Diskriminierung.[143] Es passt damit auch in das deutsche System, einen Schadensersatzanspruch zu bejahen. Im Ergebnis war damit die Rechtsfortbildung durch das BAG zulässig.[144]

74 In der Quelle-Entscheidung nahm der BGH eine **teleologische Reduktion** des § 439 Abs. 4 BGB a.F. [jetzt § 439 Abs. 6 BGB-E] vor, um den Nutzungsersatzanspruch auszuschließen. Er formulierte:

> „Die bis zu einer gesetzlichen Neuregelung bestehende **verdeckte Regelungslücke** ist durch eine einschränkende Anwendung des § 439 Abs. 4 BGB für Fälle des Verbrauchsgüterkaufs (§ 474 Abs. 1 Satz 1 BGB) zu schließen. Die Vorschrift ist in solchen Fällen **einschränkend dahingehend anzuwenden**, dass die in Bezug genommenen Vorschriften

---

[137] §§ 480 Abs. 1 S. 2, 467 S. 1, 346 BGB a.F.

[138] EuGH, Urt. v. 17.4.2008, C-404/06, EU:C:2008:231, Rn. 40 f. – Quelle. Zum selben Ergebnis kommt *Gsell*, JZ 2009, 522, 525, die diesen Anspruch allerdings rein „binnennational" ableitet.

[139] *Beyer/Möllers*, JZ 1991, 24, 29 f.; *Grundmann*, ZEuP 1996, 399, 420; *Möllers*, EuR 1998, 20, 45.

[140] BAG, Urt. v. 14.3.1989, 8 AZR 447/87, BAGE 61, 209, 212 ff. – Harz.

[141] BVerfG, Beschl. v. 14.2.1973, 1 BvR 112/65, BVerfGE 34, 269, 281 ff. – Soraya (§ 11 Rn. 72 ff.).

[142] Fikentscher/*Heinemann*, Schuldrecht, 11. Aufl. 2017, Rn. 1584 ff.

[143] *Beyer/Möllers*, JZ 1991, 24, 28; **a.A.** Larenz/*Canaris*, Lehrbuch des Schuldrechts, Besonderer Teil, Bd. II/2, 13. Aufl. 1994, S. 502, der darin nur eine Benachteiligung i.e.S., aber noch keine „Entwürdigung" sehen möchte.

[144] *Beyer/Möllers*, JZ 1991, 24, 28 ff.; *Brechmann*, Die richtlinienkonforme Auslegung, 1994, S. 270; wohl auch *Langenbucher*, in: dies., Europäisches Privat- und Wirtschaftsrecht, 4. Aufl. 2017, § 1 Rn. 99; **a.A.** noch *Wiese*, JuS 1990, 357, 362; *Canaris*, in: FS Bydlinski, 2002, S. 47, 97 f.; *Franzen*, Privatrechtsangleichung durch die europäische Gemeinschaft, 1999, S. 409 ff., 441 f.; *Heß*, JZ 1995, 150, 151 f.

über den Rücktritt nur für die Rückgewähr der mangelhaften Sache selbst eingreifen, hingegen nicht zu einem Anspruch des Verkäufers auf Herausgabe der gezogenen Nutzungen oder auf Wertersatz für die Nutzung der mangelhaften Sache führen [...]."[145]

Inzwischen wurde ein neuer § 475 Abs. 3 BGB geschaffen und der Nutzungsersatzanspruch ausdrücklich für den Verbrauchsgüterkauf ausgeschlossen (§ 12 Rn. 110).

Erfreulicherweise übernehmen inzwischen verschiedene höchste Gerichte – wenn auch noch tastend und vorsichtig – die Perspektive, die der Autor bereits vor 20 Jahren vorgetragen hat.[146] Das BVerfG[147], der österreichische OGH[148] und der Supreme Court des Vereinigten Königreichs[149] erkennen ausdrücklich die richtlinienkonforme Rechtsfortbildung an.[150] Höchste Gerichte wie etwa das BVerwG und der BGH formulieren: „Eine planwidrige Regelungslücke ist nicht nur dann gegeben, wenn Wertungswidersprüche zwischen zwei innerstaatlichen Normen bestehen".[151] Und noch deutlicher: „Die Richtlinie dient damit zugleich als Maßstab der Lückenfeststellung sowie der Lückenschließung."[152] Und schließlich: „Strebt der Gesetzgeber eine richtlinienkonforme Umsetzung an, ist diesem – wenn auch möglichweise unvollkommen verwirklichten – Zweck Vorrang vor der mit der Einzelnorm verfolgten Zielrichtung zu geben."[153] Damit wird man fragen müssen, in welche Umfang das nationale Recht durch die Wertungen der Richtlinie „um-" oder „neuinterpretiert" werden kann. Die Lücke ergibt sich danach aus der unzureichenden Umsetzung des europäischen Rechts durch den nationalen Gesetzgeber.[154] 75

e) Die Contra-legem-Grenze als Grenze der richtlinienkonformen Rechtsfortbildung

Die Grenzen zulässiger richtlinienkonformer Rechtsfortbildung sind noch wenig geklärt. Zum Teil wird behauptet, eine richtlinienkonforme Rechtsfortbildung dürfe das Gesetz nicht derogieren[155] oder „verbiegen"[156]; zweifelhaft ist auch, in welchem Umfang Tatbestandsmerkmale neu begründet werden können.[157] Eine solch weitreichende Be- 76

[145] BGH, Urt. v. 26.11.2008, VIII ZR 200/05, BGHZ 179, 27, Rn. 26 – Quelle.

[146] S. gerade § 12 Fn. 144.

[147] BVerfG, KBeschl. v. 26.9.2011, 2 BvR 2216/06 u.a., NJW 2012, 669 Rn. 49 ff. – § 5 HWiG; BVerfG, KBeschl. v. 17.1.2013, 1 BvR 121/11 u.a., ZIP 2013, 924 Rn. 33 – § 264 Abs. 3 HGB.

[148] Etwa OGH, Urt. v. 19.3.2013, 4Ob15/13d unter 1.5. – Ausverkauf.

[149] *Parkwood Leisure Ltd v. Alemo-Herron and others* [2011] UKSC 26, [2011] 4 All ER 800 Rn. 20 per Lord Hope; s. auch *Hervey/Sheldon*, in: Neergaard/Nielsen/Roseberry (eds.), European Legal Method – Paradoxes and Revitalisation, 2011, S. 327, 369. Zur Relevanz s. § 7 Rn. 84.

[150] S. die rechtsvergleichenden Ausführungen bei *Möllers*, in: Torggler, Richterliche Rechtsfortbildung und ihre Grenzen, 2019, S. 77, 82 ff.

[151] BGH, Urt. v. 7.5.2014, IV ZR 76/11, BGHZ 201, 101 Rn. 23 – Widerruf von Lebensversicherungen.

[152] BGH (ebd.); zustimmend BVerwG, Urt. v. 31.1.2017, 6 C 2/16, BVerwGE 157, 249 Rn. 26 – Preisanpassung TKG.

[153] BGH, Urt. v. 7.5.2014, IV ZR 76/11, BGHZ 201, 101 Rn. 26 – Widerruf von Lebensversicherungen; vorher schon BGH, Urt. v. 21.12.2011, VIII ZR 70/08, BGHZ 192, 148 Rn. 34 – Weber (Fliesen); BAG, Urt. v. 24.3.2009, 9 AZR 983/07, BAGE 130, 119 Rn. 67: „Aus der Gesetzesgeschichte des Bundesurlaubsgesetzes geht daher kein Anhaltspunkt für eine den Richtlinienzielen widersprechende Zielsetzung des deutschen Gesetzgebers hervor."

[154] *Herresthal*, Rechtsfortbildung im europarechtlichen Bezugsrahmen, 2006, S. 225; *Drexler*, Die richtlinienkonforme Interpretation in Deutschland und Frankreich, 2012, S. 181 ff.

[155] *Canaris*, in: FS Bydlinski, 2002, S. 47, 94.

[156] *Heß*, JZ 1995, 150, 151; *Canaris*, in: FS Bydlinski, 2002, S. 47, 97.

[157] Angesprochen bei *Staudinger*, ZJS 2008, 309, 310, indem er zwischen der positiven Begründung eines Anspruchs und dem Ausschluss von nationalem Recht durch eine Richtlinie unterscheidet.

schränkung der Rechtsfortbildung ist in dieser Pauschalität zu weitgehend.[158] Vielmehr ist zu differenzieren: Eine unzulässige Rechtsfortbildung contra legem liegt vor bei einem Verstoß gegen das Rückwirkungsverbot oder den Vertrauensschutz, den eindeutigen Willen des Gesetzgebers oder wenn es zu einem Systembruch oder einem Verstoß gegen eindeutige Wertungen des nationalen Rechts kommt.

77 aa) In der Adeneler-Entscheidung hatte der EuGH als Grenze zulässiger Rechtsfortbildung noch das Rückwirkungsverbot und den Vertrauensschutz angesprochen (§ 12 Rn. 47). Im Strafrecht ist das Analogieverbot zu beachten, sodass nicht auf die Richtlinie, sondern immer nur auf den nationalen Normtext abzustellen ist.[159] In einer Entscheidung zum irischen Recht hatte der EuGH akzeptiert, dass eine Rückwirkung zulasten des Bürgers nicht möglich sei.[160] Der **Vertrauensschutz** kann dazu führen, dass die Gerichte Änderungen ihrer Rechtsprechung erst ankündigen oder aber nur für die Zukunft (ex nunc) aussprechen (§ 3 Rn. 39 f.).

78 bb) Zum Teil lässt sich an den Meinungsstreit von oben anknüpfen (§ 12 Rn. 68 f.). Nach der hier vertretenen Ansicht kann ein Irrtum des Gesetzgebers dazu führen, dass die Rechtsfortbildung zulässig ist. Wenn sich der nationale Gesetzgeber aber bewusst über das europäische Recht hinwegsetzt, ist eine richtlinienkonforme Rechtsfortbildung nicht möglich, weil dann der konkrete Umsetzungswille vorgeht.[161] Selbst wenn ein solcher **entgegenstehender Wille des nationalen Gesetzgebers** eher selten ist, lässt er sich doch finden.

79 *Nachfristsetzung:* Im deutschen Recht verlangen Rücktritt und Minderung bisher eine nicht fristgerechte Nacherfüllung, §§ 323 Abs. 1 BGB ggf. i.V.m. § 441 Abs. 1 BGB. Art. 3 Abs. 5 Sp. 2 Verbrauchsgüterkauf-RL sieht dagegen ein Recht auf Minderung und Vertragsauflösung vor, wenn der Verkäufer nicht ohne erhebliche Unannehmlichkeiten für den Käufer Abhilfe geschaffen hat. Es besteht ein systemwidriges Regelungsdefizit, die Rechtslage ist richtlinienwidrig.[162] In diesem Fall handelte es sich nicht nur um einen Irrtum oder ein Redaktionsversehen. Vielmehr ist der deutsche Gesetzgeber bewusst vom Richtlinientext abgewichen.[163]

80 In solchen Fällen ist dann auch die Bejahung des unionsrechtlichen Staatshaftungsanspruchs sachgerecht, weil sich der nationale Gesetzgeber gegen die Vorgaben des demokratisch legitimierten Unionsgesetzgebers stellt und bei einem vorsätzlichen Handeln auch ein hinreichend schwerer Verstoß gegen die Umsetzungspflicht vorliegt.[164] In einem jüngst entschiedenen Fall hatte der EuGH festgestellt, dass das deutsche Preisänderungsrecht der Gasversorger gegen die Transparenzanforderungen der Richtlinie verstößt.[165]

---

[158] *Möllers*, Die Rolle des Rechts im Rahmen der Europäischen Integration, 1999, S. 72 ff.; *Grundmann* ZEuP 1996, 399, 422; s. auch *W.H. Roth/Jopen*, in: Riesenhuber, Europäische Methodenlehre, 4. Aufl. 2021, § 13 Rn. 66; *Herresthal* (ebd.), S. 321 ff.

[159] Deutlich EuGH, Urt. v. 7.1.2004, C-60/02, EU:C:2004:10, Rn. 61; *Hecker*, JuS 2014, 385, 389.

[160] EuGH, Urt. v. 5.4.2008, C-268/06, EU:2008:223, Rn. 102 f. – Impact. Zu einer umfangreichen Diskussion des Vertrauensschutzes s. BAG, Urt. v. 24.3.2009, 9 AZR 983/07, BAGE 130, 119 Rn. 71 ff. – Urlaubsentgelt.

[161] BAG, Urt. v. 23.3.2006, 2 AZR 343/05, BAGE 117, 281, 289 – Junk; *Canaris*, in: FS Bydlinski, 2002, S. 47, 85; *Möllers/Möhring*, JZ 2008, 919, 923; *W.H. Roth/Jopen*, in: Riesenhuber, Europäische Methodenlehre, 3. Aufl. 2015, § 13 Rn. 66.

[162] *Pfeiffer*, ZGS 2002, 390 ff.; *Schulte-Nölke*, in: Schulze/Janssen/Kadelbach, Europarecht, 4. Aufl. 2020, § 24 Rn. 167; *Herresthal*, WM 2007, 1354, 1357 ff.; *ders.*, in: Langenbucher, Europäisches Privat- und Wirtschaftsrecht, 4. Aufl. 2017, § 2 Rn. 176; *Ernst*, in: MünchKomm-BGB, 8. Aufl. 2019, § 323 Rn. 51.

[163] Begr. AbgeordnetenE, BT-Drs. 14/6040, S. 223: „Das kann nicht richtig sein und ist auch von der Richtlinie nicht gewollt"; *Weiss*, NJW 2014, 1212, 1213. Nach Umsetzung der Warenkauf-RL hat sich das Problem insoweit gelöst, als dass bei Verbrauchsgüterkäufen die Fristsetzung gem. § 475d BGB-E entbehrlich ist, wenn der Mangel trotz Fristablaufs nicht behoben wird (§ 2 Rn. 81).

[164] *Herresthal*, in: Langenbucher (ebd.), § 2 Fn. 577; *Möllers/Möhring*, JZ 2008, 919, 923.

[165] EuGH, Urt. v. 23.10.2014, C-359/11 u.a., EU:C:2014:2317, Rn. 53 – Schulz/Technische Werke Schussental GmbH.

Der 8. Senat erwog, eine Rechtsfortbildung zu verneinen, weil der Gesetzgeber die Transparenzregelungen nicht selber regeln, sondern die Regelung dem Verordnungsgeber überlassen wollte.[166] Oder bisher hat der deutsche Gesetzgeber bewusst die Unterscheidung von Haftungsdauer und Verjährungsfrist nicht eingeführt – eine richtlinienkonforme Rechtsfortbildung ist damit nicht möglich.[167]

cc) Eine richtlinienkonforme Rechtsfortbildung ist nicht möglich, wenn sich der **81** Wille, europäisches Recht umzusetzen, *nicht als Wertentscheidung im nationalen Gesetz wiederfindet* und eine richtlinienkonforme Rechtsfortbildung zu einem **Systembruch im nationalen Recht** führen würde.

Nachdem das BAG einen Schmerzensgeldanspruch wegen Persönlichkeitsverletzung **82** gem. § 823 Abs. 1 BGB anerkannt hatte,[168] stellte sich die Frage, ob auch auf das Verschuldensmerkmal in § 823 Abs. 1 BGB verzichtet werden könnte. Dies lehnte das BAG mit deutlichen Worten ab.[169] Das war auch sachgerecht und hätte eine unzulässige Rechtsfortbildung contra legem bedeutet, weil dem BGB ein allgemeiner Gefährdungstatbestand als Generalklausel fremd ist.[170] Eine Streichung des Verschuldensmerkmals wäre systemfremd gewesen und hätte das Haftungsregime des BGB gesprengt.

Daneben war höchst umstritten, ob die richtlinienkonforme Rechtsfortbildung die tele- **83** ologische Reduktion des Tatbestandsmerkmals „Verschulden" im § 611a Abs. 1 BGB a. F. erlaubte. Dafür sprach, dass der Gesetzgeber seinen generellen Umsetzungswillen deutlich zum Ausdruck brachte.[171]

Draehmpaehl und AGG: Nach dem Draehmpaehl-Urteil des EuGH hatte der deutsche **84** Gesetzgeber in § 611a BGB a. F. einen verschuldensunabhängigen Schadensersatzanspruch eingeführt.[172] Durch das AGG wurde § 611a BGB a. F. allerdings gestrichen. § 15 AGG[173] verlangt für einen materiellen Schadensersatzanspruch nach Abs. 1 Verschulden. Der immaterielle Schadensersatzanspruch des Abs. 2 ist dagegen verschuldensunabhängig. Das Verschuldenserfordernis des Abs. 1 widerspricht sowohl den Vorgaben des EuGH, als auch den Vorgaben der einschlägigen Richtlinien.[174] Konsequenterweise hat die Kommission auch zwei Vertragsverletzungsverfahren eingeleitet. Ob nun auf das Tatbestandsmerkmal verzichtet werden kann, mithin eine teleologische Reduktion des Tatbestandsmerkmals möglich ist, ist heftig umstritten: Zum Teil wird dies verneint, weil der deutsche Gesetzgeber eindeutig und gewollt hinter den Vorgaben der Gleichbehandlungsrichtlinie 76/207/

[166] Im Ergebnis kam er aber durch eine ergänzende Vertragsauslegung zum selben Ergebnis, BGH, Urt. v. 28.10.2015, VIII ZR 158/11, BGHZ 207, 209 Rn. 44 – Kostensteigerung des Energieversorgers; zustimmend BVerfG, KBeschl. v. 17.11.2017, 2 BvR 1131/16, NJW-RR 2018, 305 Rn. 38 – Preisanpassung TKG.

[167] BGH, Urt. v. 18.11.2020, VIII ZR 78/20, NJW 2021, 1008 Rn. 32 ff. – Unionswidrige Verjährungsfrist für Gewährleistungsansprüche.

[168] BAG, Urt. v. 14.3.1989, 8 AZR 447/87, BAGE 61, 209, 212 ff. – Harz (§ 12 Rn. 73).

[169] BAG, Urt. v. 5.3.1996, 1 AZR 590/92, BAGE 82, 211, 230 – Kalanke (Bremer Frauenquote): „Eine gemeinschaftsrechtskonforme Auslegung der §§ 823, 847 BGB [jetzt: §§ 823, 253 Abs. 1 BGB], wonach in Fällen der Diskriminierung auf ein Verschulden zu verzichten wäre, ist nicht möglich."

[170] RG, Urt. v. 11.1.1912, VI 86/11, RGZ 78, 171, 172 – Luftschiffer; BGH, Urt. v. 29.4.1960, VI ZR 113/59, NJW 1960, 1345, 1346 – Schlepplift (Analogie zum HaftPflG verneinend); Larenz/*Canaris*, Lehrbuch des Schuldrechts, Besonderer Teil, Bd. II/2, 13. Aufl. 1994, S. 602; *Wagner*, in: MünchKomm-BGB, 8. Aufl. 2020, vor § 823 Rn. 25 f.

[171] Für eine Reduktion s. *Möllers*, EuR 1998, 20, 45 f.; **a. A.** *Hergenröder* in: FS Zöllner, 1998, S. 1139, 1145 ff.; *Canaris*, in: FS Bydlinski, 2002, S. 47, 102 f.

[172] § 611a Abs. 2 BGB a. F. lautete: „Verstößt der Arbeitgeber gegen das in Absatz 1 geregelte Benachteiligungsverbot bei der Begründung eines Arbeitsverhältnisses, so kann der hierdurch benachteiligte Bewerber eine angemessene Entschädigung in Geld verlangen; ein Anspruch auf Begründung eines Arbeitsverhältnisses besteht nicht", BGBl. 2002 I, S. 42, 156.

[173] Allgemeines Gleichbehandlungsgesetz (AGG) v. 14.8.2006, BGBl. I, S. 1897.

[174] EuGH, Urt. v. 8.11.1990, C-177/88, EU:C:1990:383, Rn. 22 – Dekker; EuGH, Urt. v. 22.4.1997, C-180/95, EU:C:1997:208, Rn. 16 ff. – Draehmpaehl. S. *Wagner/Potsch*, JZ 2006, 1085, 1091; *Thüsing*, in: MünchKomm-BGB, 8. Aufl. 2018, § 15 AGG Rn. 33; **a. A.** *Bauer/Krieger/Günther*, AGG und EntgTranspG, 5. Aufl. 2018, § 15 AGG Rn. 15.

EWG zurückblieb.[175] Andere bejahen einen verschuldensunabhängigen Anspruch.[176] Dieser ließe sich mit der früheren Rechtslage begründen; zudem ziele das AGG auf Prävention ab.[177] Auch liege wohl wiederum ein klassischer Irrtum des Gesetzgebers vor, weil dieser glaubte, den verschuldensabhängigen materiellen Schadensersatzanspruch durch einen verschuldensunabhängigen immateriellen Schadensersatzanspruch kompensieren zu können.[178]

85 Wie lassen sich zusammenfassend nun die Fälle zulässiger und unzulässiger Rechtsfortbildung vergleichen? Zulässig ist die Rechtsfortbildung, die mit dem generellen Umsetzungswillen des nationalen Gesetzgebers und den Prinzipien des nationalen Rechts weiterentwickelt wurde. Unzulässig ist eine Rechtsfortbildung, die grundlegenden Wertungen des nationalen Gesetzgebers, wie der deliktsrechtlichen Verschuldenshaftung, widerspricht.

5. Weitere Umsetzungsfragen von Richtlinien

a) Vorwirkung

86 aa) Die Vorwirkung von Richtlinien hat eine europäische und eine nationale Komponente. Richtlinien müssen in nationales Recht umgesetzt werden. Dafür wird den Mitgliedstaaten regelmäßig eine Frist von ein bis zwei Jahren eingeräumt.[179] Vor Ablauf der Umsetzungsfrist sind grundsätzlich weder der nationale Gesetzgeber zur Umsetzung noch die nationalen Gerichte zur richtlinienkonformen Auslegung verpflichtet.[180] Aus der Loyalitätspflicht des Art. 4 Abs. 3 EUV sowie der Bindungswirkung der in Kraft getretenen Richtlinie folgt aber auch negativ, dass ein Mitgliedstaat die Ziele der Richtlinie nicht vor Ablauf der Umsetzungsfrist in Frage stellen darf. *Damit dürfen keine Gesetze erlassen werden, die dem Inhalt der noch umzusetzenden Richtlinien widersprechen.*[181]

87 bb) Auf nationaler Ebene hat der Mitgliedstaat damit folgende *Optionen*: Der Gesetzgeber kann vor Ablauf der Umsetzungsfrist die Richtlinie durch Gesetz oder Rechtsverordnung umsetzen. Auch schon vor Ablauf der Umsetzungsfrist sind dann die Normen, welche die Richtlinie umsetzen, richtlinienkonform auszulegen. Daneben können auch Gerichte die Wirkung der Richtlinie herbeiführen, soweit dies mit der nationalen Dogmatik in Einklang steht.[182] Das bietet sich insbesondere bei Generalklauseln an.[183]

---

[175] *Wagner/Potsch*, JZ 2006, 1085, 1091; *Stoffels*, RdA 2009, 204, 210; *Drexler*, Die richtlinienkonforme Interpretation in Deutschland und Frankreich, 2012, S. 213.

[176] *Meinel*, in: Meinel/Heyn/Herms, AGG Kommentar, 2. Aufl. 2010, § 15 Rn. 35; *Oetker*, in: Münchener HdB zum Arbeitsrecht, 5. Aufl. 2021, § 17 Rn. 60; *Treber*, in: KR-Gemeinschaftskommentar zum Kündigungsschutzgesetz und zu sonstigen kündigungsschutzrechtlichen Vorschriften, 12. Aufl. 2019, § 15 AGG Rn. 11.

[177] Begr. RegE, BT-Drs. 16/1780, S. 2; *Meinel*, in: Meinel/Heyn/Herms (ebd.), § 1 Rn. 5; Däubler/Bertzbach/*Däubler*, AGG, 4. Aufl. 2018, § 1 Rn. 1 f.

[178] Begr. RegE, BT-Drs. 16/1780, S. 38 zu § 15 Abs. 2 AGG: „Der Anspruch auf Entschädigung erfüllt die Forderungen der Richtlinien sowie der Rechtsprechung des Europäischen Gerichtshofes nach einer wirksamen und verschuldensunabhängig ausgestalteten Sanktion bei Verletzung des Benachteiligungsverbotes durch den Arbeitgeber."

[179] Am Ende der Richtlinie findet sich regelmäßig ein Artikel, der die Umsetzungsfrist genau bestimmt.

[180] EuGH, Urt. v. 4.7.2006, C-212/04, EU:C:2006:443, Rn. 115 – Adeneler; BGH, Urt. v. 5.2.1998, I ZR 211/95, BGHZ 138, 55, 61 – Vergleichende Werbung.

[181] EuGH, Urt. v. 18.12.1997, C-129/96, EU:C:1997:628, Rn. 48 – Inter-Environnement; EuGH (ebd.), Rn. 121 – Adeneler; hierzu Streinz/*W. Schroeder*, EUV/AEUV, 3. Aufl. 2018, Art. 288 AEUV Rn. 68 f.

[182] *Lutter*, JZ 1992, 593, 605; *W.H. Roth*, ZIP 1992, 1054, 1056 f.; *Sack*, WRP 1998, 241, 242 ff.; *Leible/Sosnitza*, NJW 1998, 2507.

[183] BGH, Urt. v. 5.2.1998, I ZR 211/95, BGHZ 138, 55, 61 ff. – Vergleichende Werbung.

Vergleichende Werbung: Berühmt ist die Entscheidung des Wettbewerbssenats des BGH vom 5.2.1998 zur vergleichenden Werbung. Danach ist vergleichende Werbung jede Werbung, die unmittelbar oder mittelbar (zumindest) den Mitbewerber oder dessen Erzeugnisse oder Dienstleistungen erkennbar macht. Der BGH hat die vergleichende Werbung in Abkehr zur bisherigen Rechtsprechung grundsätzlich für zulässig erachtet und dies auch mit der erlassenen, aber noch nicht umgesetzten Richtlinie zur vergleichenden Werbung begründet.[184] **88**

Ungeachtet dessen, dass Gerichte den Inhalt einer Richtlinie schon vor Ablauf der Umsetzungspflicht berücksichtigen, bleibt die Verpflichtung zur Umsetzung durch den Gesetzgeber grundsätzlich bestehen (§ 12 Rn. 104 ff.). Bei nicht rechtzeitiger Umsetzung droht eine Staatshaftung (§ 12 Rn. 123 ff.). **89**

b) Überschießende Umsetzung: richtlinienorientierte Auslegung versus gespaltene Auslegung

aa) In der Vergangenheit hatte der deutsche Gesetzgeber oft davon Gebrauch gemacht, bei der Umsetzung von Richtlinien das nationale Gesetz auch auf Sachverhalte zu erstrecken, die vom Anwendungsbereich der Richtlinien nicht erfasst sind. Oft hat er den persönlichen oder sachlichen Anwendungsbereich der Richtlinie nicht nur 1:1, sondern „*überschießend*“ umgesetzt. So gilt etwa nach den Artt. 1 und 2 die Zahlungsverzugs-RL nur für Kaufleute, der deutsche Gesetzgeber hat sie aber dennoch in das BGB aufgenommen. Sie gilt damit für jedermann, also auch zwischen Nicht-Kaufleuten und sogar Verbrauchern. Überschießend sind damit die Vorschriften über den Verzugseintritt ohne Mahnung nach § 286 Abs. 2 Nr. 1–3 BGB. Die Verbrauchsgüterkauf-RL gilt nur im Verhältnis Unternehmer zu Verbraucher (B2C). Der Gesetzgeber hat einzelne Bestimmungen der Richtlinie aber in das allgemeine Kaufrecht und Leistungsstörungsrecht des BGB aufgenommen. Art. 2 der Richtlinie war etwa bestimmend für den Begriff des Sachmangels in § 434 BGB, Art. 3 für die daraus resultierenden Rechtsbehelfe gemäß §§ 437 Nr. 1 und 2, 439 BGB und Art. 5 für die Regelung der Verjährungsfrist des § 438 BGB für mängelbedingte Ansprüche.[185] Diese Vorschriften gelten dann auch unter Verbrauchern (C2C) oder unter Unternehmern (B2B). **90**

bb) Damit ist das Problem eröffnet, in welchem Umfang der Richtlinientext auf nationales Recht wirkt, das vom nationalen Gesetzgeber überschießend normiert wurde. Der *EuGH* erachtet prozessual das Vorabentscheidungsverfahren gem. Art. 267 AEUV auch für diejenigen Fälle als zulässig, die außerhalb des unmittelbaren Anwendungsbereichs der Richtlinie liegen, wenn das nationale Gericht der Ansicht ist, dass im konkreten Fall die Beantwortung der europäischen Auslegungsfrage erforderlich ist.[186] Gleichzeitig betonte der EuGH aber auch, dass das Unionsrecht nicht dazu zwingt, außerhalb des Anwendungsbereichs nationales Recht richtlinienkonform auszulegen.[187] **91**

cc) Davon zu trennen ist materiell-rechtlich die Frage, ob sich aus dem nationalen Recht eine *Verpflichtung zur überschießenden oder gespaltenen Auslegung* ergibt. Bei der überschießenden Auslegung kann das Recht, das nicht unmittelbar auf europäischem Recht beruht, gleichwohl richtlinienorientiert ausgelegt werden. Umgekehrt wird bei der gespaltenen Auslegung das Recht nur national, also gerade nicht im Lichte der Richtlinie ausgelegt. **92**

Zum Teil wird eine Ausstrahlungswirkung der Richtlinie auf das überschießende nationale Recht dann bejaht, wenn der nationale Gesetzgeber eine solche gewollt **93**

---

[184] BGH (ebd.), BGHZ 138, 55, 60 ff. – Vergleichende Werbung. S. zum heutigen Recht § 6 UWG.

[185] *Büdenbender*, ZEuP 2004, 36, 37.

[186] EuGH, Urt. v. 18.10.1990, C-297/88 u.a., EU:C:1990:360, Rn. 36 ff. – Dzodzi; krit. *Habersack/Mayer*, JZ 1999, 913, 919 f.

[187] EuGH, Urt. v. 17.7.1997, C-28/95, EU:C:1997:369, Rn. 33 – Leur-Bloem; deutlich SchlA v. 3.7.1990, GA *Darmon*, C-297/88 u.a., EU:C:1990:274, Rn. 11 – Dzodzi: „Es gibt kein Gemeinschaftsrecht außerhalb des Anwendungsbereichs des Gemeinschaftsrechts.“

hatte.[188] Dieser gesetzgeberische Wille kann dann zu einer **richtlinienorientierten Auslegung** führen.[189] Die Richtlinie wirkt insoweit über die „Brücke" des nationalen Gesetzgeberwillens.[190] Allerdings wird sich ein solcher Wille nicht immer explizit feststellen lassen. Daher kommt eine Orientierung an der Richtlinie umso eher in Betracht, je stärker sich der überschießende Teil am Normtext der Richtlinie orientiert.[191] Die Literatur spricht sich in diesen Fällen für eine Vermutungswirkung[192] zugunsten einer richtlinienorientierten und damit einheitlichen Auslegung aus.

94 So soll der Mangelbegriff in § 434 BGB einheitlich für Verbrauchsgüterkäufe und andere Käufe gelten.[193] – Die Rechtzeitigkeit von Geldzahlungen gegenüber Verbrauchern soll sich auch nach der Zahlungsverzugs-RL 2011/7/EU richten.[194] – Auch in der Heininger-Entscheidung hatte der BGH eine solche richtlinienorientierte Auslegung bejaht.[195]

95 Umgekehrt kann der historische Wille allein nicht entscheidend sein.[196] So tritt die richtlinienorientierte Auslegung dann in den Hintergrund, wenn historischer Wille, Systematik und Telos für eine **gespaltene Auslegung** sprechen. Eine gespaltene Auslegung kommt vor allem dann in Betracht, wenn im erweiterten Anwendungsbereich andere Wertungen und Interessenlagen bestehen als im Anwendungsbereich der Richtlinie.[197]

96 So gilt die Pflicht zum Ersatz von Aus- und Einbaukosten im Rahmen des Nacherfüllungsanspruchs des § 439 Abs. 1 BGB grundsätzlich zwischen Unternehmern und Verbrauchern (B2C), nicht aber für das Verhältnis zwischen Unternehmern untereinander (B2B) oder Verbrauchern untereinander (C2C), weil der BGH die weitreichenden Ein- und Ausbaupflichten auf die B2C-Fälle begrenzen möchte.[198] Auf diese Rechtsprechung hat der Gesetzgeber mittlerweile reagiert und eine Änderung des § 439 Abs. 3 BGB auf den Weg gebracht (§ 15 Rn. 44).

6. Befassungs- und subsidiäre Befolgungspflicht von Empfehlungen

97 Im Gesellschaftsrecht wählt der europäische Gesetzgeber immer dann die Empfehlung, wenn er Verordnungen oder Richtlinien auf europäischer Ebene politisch nicht durchsetzen kann.[199]

---

[188] *W.H. Roth*, in: Grundmann/Medicus/Rolland, Europäisches Kaufgewährleistungsrecht, 2000, S. 113, 128 f.; *Grundmann*, ZGR 1999 (Sonderheft 15), Rn. 156.

[189] *Jäger*, Überschießende EG-Richtlinienumsetzung im Privatrecht, 2006, S. 107; ihm folgend *Riehm*, in: Langenbucher, Europäisches Privat- und Wirtschaftsrecht, 4. Aufl. 2017, § 4 Rn. 49; *Gsell*, GPR 2008, 165.

[190] *Riehm*, in: Langenbucher (ebd.), § 4 Rn. 49; ähnlich *Langenbucher*, in: Langenbucher (ebd.), § 1 Rn. 118.

[191] Von systemgerechter Anwendung spricht *Riehm*, in: Langenbucher (ebd.), § 4 Rn. 49.

[192] *Remien*, in: Schulze/Janssen/Kadelbach, Europarecht, 4. Aufl. 2020, § 14 Rn. 35; *Habersack/Mayer*, in: Riesenhuber, Europäische Methodenlehre, 4. Aufl. 2021, § 14 Rn. 41; *Koch*, JZ 2006, 277, 284.

[193] Palandt/*Grüneberg*, BGB, 80. Aufl. 2021, Einl. Rn. 44; *Lorenz*, in: MünchKomm-BGB, 8. Aufl. 2019, vor § 474 Rn. 4; **a. A.** *Hommelhoff*, in: FG 50 Jahre BGH, Bd. 2, 2000, S. 889, 914.

[194] *Gsell*, GPR 2008, 165, 169 ff.; Palandt/*Grüneberg*, BGB, 80. Aufl. 2021, Einl. Rn. 44.

[195] BGH, Urt. v. 9.4.2002, XI ZR 91/99, BGHZ 150, 248, 261 f. – Heininger; ebenso BGH, Urt. v. 18.10.2004, II ZR 352/02, NJW-RR 2005, 180, 182 – Beitritt zu Anlagegesellschaften in Haustürsituationen, m. Anm. *Möllers*, LMK 2005, 34 f.

[196] *Herresthal*, JuS 2014, 289, 295.

[197] Palandt/*Grüneberg*, BGB, 80. Aufl. 2021, Einl. Rn. 44; *Habersack/Mayer*, in: Riesenhuber (ebd.), § 14 Rn. 45 ff.

[198] BGH, Urt. v. 17.10.2012, VIII ZR 226/11, BGHZ 195, 135, 139 ff. – Aus- und Einbaukosten bei Kaufverträgen zwischen Unternehmern.

[199] S. etwa Empfehlung 2008/362/EG zur externen Qualitätssicherung bei Abschlussprüfern und Prüfungsgesellschaften v. 6.5.2008, ABl. Nr. L 120, S. 20; Empfehlung 2008/473/EG zur Beschränkung der zivilrechtlichen Haftung von Abschlussprüfern und Prüfungsgesellschaften v. 5.6.2008, ABl. Nr. L 162, S. 139.

Eine europäische Empfehlung sieht etwa vor, dass Vorstandsvorsitzende, bevor sie in den Aufsichtsrat wechseln können, dem Unternehmen fünf Jahre nicht angehören sollen.[200] Der deutsche Gesetzgeber verkürzte diese *Cooling-off*-Periode auf zwei Jahre, ohne sich mit der europäischen Empfehlung auseinanderzusetzen. Damit hat der Gesetzgeber gegen die Vorgaben des EuGH verstoßen.[201] 98

Nach dem Wortlaut von Art. 288 Abs. 5 AEUV sind Empfehlungen von Unionsorganen „nicht verbindlich" (§ 2 Rn. 62).[202] Gleichwohl verlangt der EuGH von den Mitgliedstaaten, die Empfehlungen der Kommission bei der Auslegung innerstaatlichen Rechts, bei der Umsetzung von Rechtsvorschriften oder zur Ergänzung verbindlicher gemeinschaftlicher Vorschriften zu berücksichtigen. Eine solche Befassungs- und subsidiäre Befolgungspflicht entspricht den Pflichten im Rahmen der sekundären Rechtsquellen (ausführlich § 3 Rn. 71 ff.). 99

7. Zusammenfassung

Recht kann komplex sein, weil man auf vertikaler Ebene verschiedene Normen berücksichtigen muss. Das wurde bereits für das Verhältnis des Verfassungsrechts zum einfachen Recht thematisiert (§ 11). Ist für die Falllösung Europarecht zu berücksichtigen, kann die Rechtsfindung entlang von *vier vertikalen Stufen* zu prüfen sein. Die ersten zwei Schritte betreffen das europäische Recht: Die autonomen und rechtsvergleichenden Auslegungsfiguren des europäischen Rechts wurden bereits vorgestellt.[203] Auch die Normenhierarchie im europäischen Recht wurde schon thematisiert.[204] Auf nationaler Ebene ist zu fragen, ob ein Anwendungsvorrang besteht oder ob das nationale Recht unionskonform, d.h. primärrechts-, verordnungs- oder richtlinienkonform interpretiert werden muss. Schließlich ist zu fragen, was für sog. überschießendes Recht gilt. 100

Verbrauchsgüterkauf: In einem ersten Schritt (1.) hatte der EuGH die Verbrauchsgüterkauf-RL auszulegen (§ 12 Rn. 59). Gegebenenfalls ist dann zweitens (2.) das Sekundärrecht im Lichte des Primärrechts auszulegen (§ 2 Rn. 76 ff.). Dann ist (3.) das nationale Recht, also die deutschen Normen, zu prüfen. Besteht nach den aus den ersten beiden Schritten gewonnenen Erkenntnissen eine Kollision zwischen nationalem und europäischem Recht und damit ein Anwendungsvorrang? Kann das nationale Recht gegen den Wortlaut richtlinienkonform interpretiert werden? Und schließlich (4.): Was gilt im Verhältnis von Privaten oder Unternehmern untereinander, wenn man sich überschießend außerhalb des Anwendungsbereichs der Richtlinie bewegt? Optisch lässt sich dies wie folgt veranschaulichen: 101

---

[200] Empfehlung 2005/162/EG zu den Aufgaben von nicht geschäftsführenden Direktoren/Aufsichtsratsmitgliedern börsennotierten Gesellschaften sowie zu den Ausschüssen des Verwaltungs-/Aufsichtsrats v. 15.2.2005, ABl. Nr. L 52, S. 51, Anhang II Ziffer 1. a).

[201] Krit. deshalb *Möllers/Christ*, ZIP 2009, 2278, 2279 ff.

[202] Vielmehr sollen sie lediglich zur „weichen", influenzierenden Steuerung eingesetzt werden, *Ruffert*, in: Hoffmann-Riem/Schmidt-Aßmann/Voßkuhle, Grundlagen des Verwaltungsrechts, Bd. 1, 2. Aufl. 2012, § 17 Rn. 37; weiter werden sie auch als „autonomieschonende Handlungsform" für eine „sanfte Harmonisierung" bezeichnet, *Fleischer*, ZGR 2012, 160, 177.

[203] § 2 Rn. 70 ff. sowie § 3 Rn. 76 ff.

[204] Der EuGH berücksichtigt die verschiedenen Sprachfassungen, arbeitet zum Teil rechtsvergleichend und verwendet den Auslegungskanon von *Savigny*, s. im Einzelnen § 7 Rn. 87 f.

102 **Grafik: Vier vertikale Stufen der Rechtsfindung**[205]

	(0.) Auffinden der nationalen Norm – für den Sachverhalt einschlägige nationale Norm auffinden – Erkennen des Europarechtsbezugs
Auslegung des europäischen Rechts	**(1.) Auslegung der europäischen Rechtsnorm** – *autonome Auslegung* (§ 2 Rn. 70 ff.) – ggf. *rechtsvergleichende Auslegung* (§ 3 Rn. 76 ff.) **(2.) Hierarchie der europäischen Rechtsquellen** Primärrecht/Sekundärrecht/Tertiärrecht (§ 2 Rn. 59, 74 ff.) insbesondere *primärechtskonforme Auslegung* des Unionsrechts (§ 2 Rn. 73 ff.)
Auslegung des nationalen Rechts	**(3.) Auswirkungen auf das nationale Recht** a) *primärrechtskonforme* (§ 12 Rn 20 ff.) oder *verordnungskonforme* Auslegung (§ 12 Rn. 33) b) ggf. Nichtanwendbarkeit der nationalen Norm und *Anwendungsvorrang* des europäischen Rechts (§ 12 Rn. 23 ff.) c) *richtlinienkonforme* Auslegung i.w.S. (§ 12 Rn. 35 ff.) **(4.) bei Richtlinien ggf. Auslegung des überschießenden Rechts** *überschießende* v. *nationale* bzw. *gespaltene* Auslegung (§ 2 Rn. 110 ff., § 12 Rn. 90 ff.)

IV. Weitere Mittel zur Durchsetzung des Europäischen Rechts

103 Das Europarecht kennt den Anwendungsvorrang des Primärrechts und die vertikale Wirkung von Richtlinien. Zudem gilt der Grundsatz des *effet utile*. Damit eine Rechtsharmonisierung in den Mitgliedstaaten tatsächlich stattfindet, müssen Richtlinien eindeutig (1.) und wirksam umgesetzt werden (2.). Bei Auslegungsfragen ist das Vorabentscheidungsverfahren einzuhalten (3.). Ggf. droht ein Staatshaftungsanspruch (4.).

1. Die Verpflichtung zur eindeutigen Umsetzung von Europäischem Recht

a) Transparenzgebot: Die Verpflichtung zur eindeutigen Umsetzung von Richtlinien

104 aa) Im Unterschied zu Primärrecht und Verordnungen müssen Richtlinien in nationales Recht umgesetzt werden. Der EuGH hat in ständiger Rechtsprechung eine Pflicht zur eindeutigen Umsetzung von europäischen Richtlinien postuliert:

105 „[…] müssen die Mitgliedstaaten, um die volle Anwendung des Gemeinschaftsrechts zu gewährleisten, nicht nur ihr Recht mit dem Gemeinschaftsrecht in Einklang bringen, sondern darüber hinaus *eine so bestimmte, klare und transparente Lage schaffen, dass der Einzelne seine Rechte in vollem Umfang erkennen und sich vor den nationalen Gerichten auf sie berufen kann* […].“[206]

---

[205] Zu einer einfacheren Prüfungsfolge s. *Kühling*, JuS 2014, 481, 486.

[206] EuGH, Urt. v. 18.1.2001, C-162/99, EU:C:2001:35, Rn. 22 – Kommission/Italien; neben der zitierten Entscheidung vorher bereits auch EuGH, Urt. v. 23.5.1985, C-29/84, EU:C:1985:229, Rn. 23 – Kommission/Deutschland.

Zur Umsetzung von Richtlinien kann ein **Parlamentsgesetz** erlassen werden. Verweisungen sind nicht ausreichend, wenn sie dem Betroffenen die Kenntnisnahme seiner Rechte nicht gewährleisten.[207] Eine Umsetzung ist auch in einer nationalen Verordnung möglich. Allerdings sind dann die Voraussetzungen des Art. 80 Abs. 1 S. 2 GG zu beachten (§ 2 Rn. 33 f.). 106

bb) Aus Gründen der Transparenz und der Rechtssicherheit reicht es dagegen *nicht* aus, dass der Richtlinieninhalt durch eine Verwaltungspraxis[208] oder eine interne Verwaltungsvorschrift[209] umgesetzt wird. Grundsätzlich können Richtlinien auch nicht durch Richterrecht umgesetzt werden: Entscheidungen der Rechtsprechung sind nur ausreichend, um unbestimmte Rechtsbegriffe zu konkretisieren.[210] Ungenügend ist folglich eine durch die Rechtsprechung vorgenommene richtlinienkonforme Rechtsfortbildung, um nationale Normen zu korrigieren, die vom Wortlaut her der Richtlinie widersprechen.[211] Das ist schon deshalb überzeugend, weil die Rechtsfortbildung den Wortlaut überschreitet und der Bürger seine Rechte damit gerade nicht erkennen kann. 107

Transparenzgebot für Hauptleistungspflichten: Wie im deutschen Recht findet nach niederländischem Zivilrecht grundsätzlich eine Inhaltskontrolle von Allgemeinen Geschäftsbedingungen nur statt, wenn diese von gesetzlichen Regelungen abweichen. Die Kontrolle von Leistung und Preis ist damit nicht Gegenstand einer AGB-Kontrolle. Dies gilt nach Art. 4 Abs. 2 der AGB-RL allerdings nicht, wenn die Klauseln nicht transparent sind: Dieses Transparenzgebot, das auch die *essentialia negotii* wie Preis und Leistung überprüft, hatte die Niederlande nicht umgesetzt. Dies wurde vom EuGH gerügt.[212] Deutschland hatte dieses Transparenzgebot ebenso viel zu spät, nämlich erst mit der Schuldrechtsreform zum 1.1.2002, und sprachlich nur schwer verständlich[213] durch § 307 Abs. 1 S. 2 BGB umgesetzt. 108

b) Anpassungspflicht von nationalen Gesetzen, die gegen Europarecht verstoßen

Nationales Recht, das gegen europäische Vorgaben verstößt, ist anzupassen. Das führt dazu, dass aufgrund europäischer Urteile gegebenenfalls der nationale Gesetzestext angepasst werden muss. 109

Quelle: Die Quelle-Entscheidung des BGH nahm der Gesetzgeber zum Anlass, um bei einem Verbrauchsgüterkauf Nutzungsansprüche des Verkäufers auszuschließen.[214] Der daraufhin neu gefasste § 475 Abs. 3 S. 1 BGB lautet: § 439 Abs. 6 BGB-E ist mit der Maßgabe anzuwenden, dass Nutzungen nicht herauszugeben oder durch ihren Wert zu ersetzen sind.[215] 110

Die Vorrangwirkung des Primärrechts verlangt nur, dass nationales Recht, das in den Anwendungsbereich des Primärrechts fällt,[216] unangewendet bleiben muss. Ist das natio- 111

[207] EuGH, Urt. v. 20.3.1997, C-96/95, EU:C: 1997:165, Rn. 36 – Kommission/Deutschland.

[208] EuGH, Urt. v. 6.5.1980, C-102/79, EU:C:1980:120, Rn. 11 – Kommission/Belgien.

[209] EuGH, Urt. v. 30.5.1991, C-361/88, EU:C:1991:224, Rn. 15 ff. – TA-Luft.

[210] EuGH, Urt. v. 29.5.1997, C-300/95, EU:C:1997:255, Rn. 37 f. – Befreiung von der Haftung für fehlerhafte Produkte.

[211] So ausdrücklich SchlA v. 23.1.2001, GA *Tizzano*, C-144/99, EU:C:2001:50, Rn. 35 f. – Transparenzgebot in AGB-RL; EuGH, Urt. v. 19.12.2013, C-281/11, EU:C:2013:855, Rn. 105 – genetisch veränderte Mikroorganismen.

[212] EuGH, Urt. v. 10.5.2001, C-144/99, EU:C:2001:257, Rn. 21 – Transparenzgebot in AGB-RL; hierzu *Micklitz*, EWS 2001, 486, 487; zur deutschen Rechtslage, *Leible*, EuZW 2001, 438 f.

[213] Krit. deshalb *Möllers*, Juristische Arbeitstechnik und wissenschaftliches Arbeiten, 10. Aufl. 2021, § 10 Rn. 15.

[214] Begr. RegE, BT-Drs. 18/8486; vorher schon Beschlussempfehlung und Bericht des Rechtsausschusses (6. Ausschuss), BT-Drs. 16/10607, S. 5 f.

[215] Eine Anpassung des nationalen Rechts ist auch im Fliesen-Fall erfolgt (§ 15 Rn. 44).

[216] EuGH, Urt. v. 16.7.1998, C-264/96, EU:C:1998:370, Rn. 34 f. – ICI.

nale Recht mit dem europäischen Recht nicht konform, muss es aus Gründen der Rechtsklarheit, Rechtseinheit und Folgerichtigkeit angepasst werden.[217] Diese Umsetzungspflicht hat der EuGH für Richtlinien entwickelt (§ 12 Rn. 104). In welchem Umfang dies auch für Primärrechtsverstöße gilt, ist ungeklärt.

112 Kurz nachdem der EuGH festgestellt hatte, dass das nationale Recht gegen Europarecht verstößt, änderte der deutsche Gesetzgeber beispielsweise § 917 Abs. 2 ZPO a. F.[218] und Art. 12a Abs. 4 S. 2 GG a. F.[219], um mit der Neufassung nicht mehr gegen europäisches Recht zu verstoßen. – Allerdings gibt es auch Gegenbeispiele: § 239, § 839 BGB oder § 48 VwVfG verstoßen immer noch gegen das Europarecht und wurden bisher vom deutschen Gesetzgeber nicht europarechtskonform novelliert.

113 **Vertiefung** – *Fliesen:* Herr Wittmer und die Gebrüder Weber schlossen einen Kaufvertrag über polierte Bodenfliesen zum Preis von 1.382 EUR. Nachdem Herr Wittmer rund zwei Drittel der Fliesen in seinem Haus hatte verlegen lassen, stellte er auf der Oberfläche Schattierungen fest, die mit bloßem Auge zu erkennen waren. Weil die Mängel nicht beseitigt werden konnten, forderte Herr Wittmer Lieferung mangelfreier Fliesen und Zahlung der Ausbaukosten der alten und Einbaukosten der neuen Fliesen i.H.v. 5.830 EUR. Müssen die Gebrüder Weber die Ein- und Ausbaukosten der Fliesen tragen, wenn man die im Jahre 2005 geltende Fassung des § 439 BGB zur Beurteilung heranzieht?[220] Welche Aufgabe an den Gesetzgeber ergibt sich aus der Lösung dieses Falls?[221]

c) Pflicht zur effektiven Umsetzung von Richtlinien

114 Bei der Umsetzung von Richtlinien haben die Mitgliedstaaten zwar ein Ermessen, weil ihnen gem. Art. 288 Abs. 3 AEUV die Wahl der Form und Mittel obliegt. Das Ermessen wird aber insoweit eingeschränkt, als dass die Mitgliedstaaten Sanktionen für Verstöße gegen die durch die Richtlinie vorgegebenen Pflichten vorsehen müssen. Die Sanktionen müssen nach ständiger Rechtsprechung „wirksam, abschreckend und verhältnismäßig", kurzum effektiv, sein und mindestens denjenigen Sanktionen entsprechen, die für nach Art und Schwere gleichartige Verstöße gegen nationales Recht gelten (§ 5 Rn. 108 ff.).

2. Vorabentscheidungsverfahren und Vorlageverpflichtung gem. Art. 267 AEUV

a) Vorlagepflicht und Acte-clair-Doktrin

115 Ist dem Gericht unklar, ob die Norm gegen europäisches Recht verstößt, kann es ein Vorabentscheidungsverfahren gem. Art. 267 Abs. 2 AEUV einleiten, sodass der EuGH über die Auslegung europäischen Rechts zu entscheiden hat. Die Vorlage ist zwingend, wenn gegen die nationale Entscheidung keine Rechtsmittel mehr zulässig sind, es sich

---

[217] *Herresthal*, Rechtsfortbildung im europarechtlichen Bezugsrahmen, 2006, S. 243.

[218] S. oben § 12 Rn. 26 und Art. 2 c) des Dritten Gesetzes zur Änderung des Rechtspflegergesetzes und anderer Gesetze v. 6.8.1998, BGBl. I, S. 2033.

[219] S. oben § 12 Fn. 74.

[220] Die zu dieser Zeit maßgebliche Gesetzesfassung des § 439 BGB lautete auszugsweise:

„(1) Der Käufer kann als Nacherfüllung nach seiner Wahl die Beseitigung des Mangels oder die Lieferung einer mangelfreien Sache verlangen. […].

(3) Der Verkäufer kann die vom Käufer gewählte Art der Nacherfüllung unbeschadet des § 275 Abs. 2 und 3 verweigern, wenn sie nur mit unverhältnismäßigen Kosten möglich ist. Dabei sind insbesondere der Wert der Sache in mangelfreiem Zustand, die Bedeutung des Mangels und die Frage zu berücksichtigen, ob auf die andere Art der Nacherfüllung ohne erhebliche Nachteile für den Käufer zurückgegriffen werden könnte. Der Anspruch des Käufers beschränkt sich in diesem Fall auf die andere Art der Nacherfüllung; das Recht des Verkäufers, auch diese unter den Voraussetzungen des Satzes 1 zu verweigern, bleibt unberührt."

[221] Lösung s. § 15 Rn. 41 ff.

also um ein höchstes Gericht des jeweiligen Mitgliedstaates handelt, Art. 267 Abs. 3 AEUV.[222] Hierbei kommt es auf den nach nationalem Rechtsmittelrecht vorgegebenen Instanzenzug im konkreten Fall an.[223] Vorlagepflichtig sind daher nicht nur Bundesgerichte, wie BGH, BFH oder BAG, sondern unter Umständen auch ein Amtsgericht, wenn eine Berufung nach § 511 Abs. 2 Nr. 1 ZPO unzulässig ist und auch andere Zulassungsgründe nicht in Betracht kommen. Zur Sicherung einer einheitlichen Rechtsprechung[224] in der EU fordert der EuGH eine Vorlage, wenn europäisches Recht tangiert sein könnte. Nationalen Gerichten kommt insoweit kein Ermessen bei der Vorlagepflicht zu. In der Vergangenheit kam es vor, dass ein nationales Gericht, das mit der Entscheidung des EuGH nicht zufrieden war, die Rechtsfrage dem EuGH ein zweites Mal vorgelegt hatte.[225] In der C.I.L.F.I.T.-Entscheidung formulierte der EuGH die *Acte-clair*-Doktrin sehr eindeutig. Die Frage, wann ausnahmsweise von einem Vorabentscheidungsverfahren abgesehen werden kann, weil der Fall offenkundig zu entscheiden ist, wurde von ihm sehr eng definiert. Das liegt etwa vor, wenn es schon eine gesicherte Rechtsprechung des EuGH gibt.[226] Im Übrigen gilt:

116 „Schließlich kann die richtige Anwendung des Gemeinschaftsrechts *derart offenkundig* sein, *dass keinerlei Raum für einen vernünftigen Zweifel an der Entscheidung der gestellten Frage bleibt*. Das innerstaatliche Gericht darf jedoch nur dann davon ausgehen, dass ein solcher Fall vorliegt, wenn es überzeugt ist, dass auch für die Gerichte der übrigen Mitgliedstaaten und den Gerichtshof gleiche Gewissheit bestünde. Nur wenn diese Voraussetzungen erfüllt sind, darf das innerstaatliche Gericht davon absehen, diese Frage dem Gerichtshof vorzulegen, und sie stattdessen in eigener Verantwortung lösen."[227]

b) Rechtsfolgen bei Nichtbeachtung der Vorlageverpflichtung

117 Bei einer Nichtbeachtung der Vorlageverpflichtung kann die Kommission ein Vertragsverletzungsverfahren gem. Artt. 258 f. AEUV anstrengen, weil dadurch die Pflicht zur Unionstreue des Art. 4 Abs. 3 EUV verletzt wird (§ 12 Rn. 122). Zudem kann eine *Staatshaftung* wegen judikativen Unrechts in Betracht kommen. Dies verlangt allerdings eine offenkundige Fehlentscheidung (s. sogleich).[228] Nach deutschem Recht kann ein Verstoß gegen die Vorlagepflicht zudem das grundrechtsgleiche *Recht auf den gesetzlichen Richter* gem. Art. 101 Abs. 1 S. 2 GG verletzen. Damit kann der Einzelne mit einer Verfassungsbeschwerde gegen das Urteil des letztinstanzlichen nationalen Gerichts vorgehen, welches eine entsprechende Vorlage beim EuGH unterlässt. Das BVerfG bejahte früher eine willkürliche Nichtvorlage an den EuGH, wenn das nationale Gericht das europäische Recht verkennt oder ignoriert.[229] Inzwischen ist eine Nichtvorlage selbst dann nicht vertretbar, wenn das nationale Gericht eine eigene Lösung entwickelt, die nicht auf die bestehende Rechtsprechung des EuGH zurückgeführt werden kann und auch nicht der ein-

---

[222] Zu Form und Inhalt des Vorlageersuchens s. die Empfehlungen an die nationalen Gerichte bezüglich der Vorlage von Vorabentscheidungsersuchen (2012/C 338/01) v. 6.11.2012, ABl. Nr. C 338, S. 1; hierzu *Gsell*, AcP 214 (2014), 99, 133.

[223] EuGH, Urt. v. 15.9.2005, C-495/03, EU:C:2005:552, Rn. 30 – Intermodal Transports; *Karpenstein*, in: Grabitz/Hilf/Nettesheim, Das Recht der Europäischen Union, 71. EL August 2020, Art. 267 AEUV Rn. 51 f.; Streinz/*Ehricke*, EUV/AEUV, 3. Aufl. 2018, Art. 267 AEUV Rn. 41.

[224] EuGH, Urt. v. 22.10.1987, C-314/85, EU:C:1987:452, Rn. 15 – Foto-Frost.

[225] Z.B. Verfassungsgericht von Italien (ICC), Beschl. v. 5.12.2017, No. 24/2017 – Taricco II sowie § 13 Fn. 251.

[226] EuGH, Urt. v. 6.10.1982, C-283/81, EU:C:1982:335, Rn. 14 – C.I.L.F.I.T.

[227] EuGH (ebd.), Rn. 16 – C.I.L.F.I.T.

[228] Dies ist umstritten, s. etwa Streinz/*Ehricke*, EUV/AEUV, 3. Aufl. 2018, Art. 267 AEUV Rn. 50.

[229] BVerfG, Beschl. v. 31.5.1990, 2 BvL 12/88 u.a., BVerfGE 82, 159, 194 ff.

deutigen Rechtslage entspricht.[230] Schließlich kann das *Recht auf ein faires Verfahren* gem. Art. 6 Abs. 1 EMRK verletzt sein, wenn die Nichtvorlage willkürlich ist, sodass gegen ein ohne Vorlage ergangenes Urteil der Weg zum EGMR offen stehen kann.[231] Und schließlich kann der Betroffene ein Vertragsverletzungsverfahren bei der Kommission anregen.

118 In der Recht auf Vergessen II-Entscheidung hat jüngst der erste Senat des BVerfG die Unterscheidung zwischen *Auslegung* und *Anwendung* europäischen Rechts betont (§ 2 Rn. 106 f.) und auf das Kooperationsverhältnis zwischen BVerfG und EuGH hingewiesen. Für die Anwendung der europäischen Grundrechte führt der erste Senat aus, dass Zweifelsfragen dem EuGH aufgrund der Vorlageverpflichtung vorzulegen sind und prognostiziert, dass dies künftig häufiger der Fall sein wird. Er formuliert:

119 „Soweit das Bundesverfassungsgericht die Grundrechte der Grundrechtecharta als Prüfungsmaßstab anlegt, übt es seine Kontrolle *in enger Kooperation mit dem Europäischen Gerichtshof* aus.

a) Nach Art. 19 Abs. 1 UAbs. 1 Satz 2 EUV, Art. 267 AEUV liegt die Zuständigkeit für die letztverbindliche Auslegung des Unionsrechts beim Europäischen Gerichtshof. Hierzu gehören auch die *Auslegung* der Grundrechte der Charta und die Entwicklung der aus ihnen abzuleitenden Grundsätze für deren Anwendung. Demgegenüber betrifft die Prüfungskompetenz des Bundesverfassungsgerichts die richtige *Anwendung* der Unionsgrundrechte. Es ist insoweit innerstaatlich letztentscheidende Instanz im Sinne des Art. 267 Abs. 3 AEUV und demnach gegebenenfalls *vorlageverpflichtet* (vgl. EuGH, Urt. v. 6.10.1982, Cilfit, C-283/81, EU:C:1982:335, Rn. 21).

Eine *Anwendung* der Unionsgrundrechte kommt deshalb *nur in Betracht*, wenn der Europäische Gerichtshof deren Auslegung bereits geklärt hat oder die anzuwendenden Auslegungsgrundsätze aus sich heraus *offenkundig* sind – etwa auf der Grundlage einer Rechtsprechung des Europäischen Gerichtshofs für Menschenrechte, die im Einzelfall auch den Inhalt der Charta bestimmt (vgl. Art. 52 Abs. 3, 4 GRCh). Andernfalls sind die Fragen dem Europäischen Gerichtshof *vorzulegen*. Da hier die Auslegungsfragen grundsätzlich unmittelbar entscheidungserheblich sind, werden Vorlagen *in wesentlich größerem Umfang in Betracht zu ziehen sein* als in Fällen, in denen neben dem Grundgesetz zwar auch die Charta anwendbar ist (vgl. BVerfG, Beschluss des Ersten Senats vom selben Tag – 1 BvR 16/13 –,1 Rn. 43 f.), das Bundesverfassungsgericht aber – wie bisher – seine Kontrolle am Maßstab der deutschen Grundrechte ausübt (vgl. a.a.O., Rn. 45 ff., 154)."[232]

119a In den konkreten Verfahren hatte der erste Senat aber auf eine solche Vorlage verzichtet, obwohl die Frage bisher vom EuGH noch nicht geklärt war und er sich zum Teil gegen die Rechtsprechung des EuGH wandte (§ 2 Rn. 108). Im Ergebnis klingt die Bereitschaft zur intensiven Vorlage an den EuGH nach einem Lippenbekenntnis.[233] Die Überlappungsthese mit einer Prüfung der Unionsgrundrechte durch das BVerfG wird aber nur dann zu einem harmonischen Kooperationsverhältnis zwischen BVerfG und EuGH führen, wenn das BVerfG auch wirklich bereit ist, offene Auslegungs- und Anwendungsfragen dem EuGH vorzulegen.[234]

---

[230] BVerfG, KBeschl. v. 25.2.2010, 1 BvR 230/09, NJW 2010, 1268 Rn. 21; *Michael*, JZ 2012, 870, 874 f.; *Calliess*, NJW 2013, 1905, 1909 f.; hierzu Calliess/Ruffert/*Ruffert*, EUV/AEUV, 5. Aufl. 2016, Art. 267 AEUV Rn. 36.

[231] EGMR, Urt. v. 8.12.2009, 54193/07, CE:ECHR:2009:1208DEC005419307, Rn. 2 – Herma/Deutschland; *Schilling*, EuGRZ 2012, 133, 136 ff.; Oppermann/*Classen/Nettesheim*, Europarecht, 9. Aufl. 2021, § 13 Rn. 86.

[232] BVerfG, Beschl. v. 6.11.2019, 1-BVR 276/17, BVerfGE 152, 216 Rn. 68 ff. – Recht auf Vergessen II.

[233] *Wendel*, JZ 2020, 157, 166; *Kühling*, NJW 2020, 275, 278; *Thym*, JZ 2020, 1017, 1020: verletzt die Vorlagepflicht.

[234] *Thym* (ebd.); *Kühling* (ebd.); *Kämmerer/Kotzur*, NVwZ 2020, 177, 183 und unten § 13 Rn. 124 ff.

3. Vertragsverletzungsverfahren gem. Art. 258 f. AEUV

Die Europäische Union ist darauf angewiesen, dass ihr Recht angewendet wird. Als **120** Rechtsgemeinschaft oder Rechtsunion (§ 10 Rn. 57, § 13 Rn. 122) darf ihr Recht nicht „law in the books" bleiben. Vorabentscheidungsverfahren und Vertragsverletzungsverfahren bilden zwei Möglichkeiten die einheitliche Anwendung des europäischen Rechts sicherzustellen. Daneben hat der EuGH ungeschriebene Rechtsgrundsätze rechtsfortbildend entwickelt, um das europäische Recht durchzusetzen wie den Anwendungsvorrang europäischen Rechts (§ 2 Rn. 85 ff.), den Grundsatz effet utile (§ 5 Rn. 108 ff.) und den unionsrechtlichen Staatshaftungsanspruch (§ 12 Rn. 123 ff.). Ein Vertragsverletzungsverfahren wird üblicherweise von der Kommission als *Hüterin der Verträge,* Art. 17 EUV durchgeführt. Das Verfahren kann aber auch von anderen Mitgliedstaaten eröffnet werden und von jedem Unionsbürger angeregt werden.[235] Es endet mit der Feststellung, dass der Mitgliedstaat gegen europäisches Recht verstoßen hat. Ohne weitere Sanktion hatte dieser Tenor den ein oder anderen Mitgliedstaat in der Vergangenheit wenig beeindruckt. Dies war ein Grund, warum der EuGH den unionsrechtlichen Staatshaftungsanspruch entwickelt hat (§ 12 Rn. 123 ff.). Wenn der Mitgliedstaat den Rechtsverstoß nicht abstellt, kann außerdem ein zweites Vertragsverletzungsverfahren eingeleitet werden. Durch die Vertragsänderung des Maastricht-Vertrages kann nun die Zahlung eines Pauschalbetrages oder Tageszwangsgeldes angeordnet werden, Art. 260 Abs. 3 UAbs. 2 AEUV. Die Abschreckungswirkung ist somit inzwischen beeindruckend.

Das Verfahren ist ein Kooperationsverfahren. Es dient auch dazu, unterschiedliche **121** Ansichten zu klären: Bevor es zur eigentlichen Klage vor dem EuGH kommt, findet ein Vorverfahren mit einem Mahnschreiben der Kommission, der Gegendarstellung des Mitgliedstaates und der begründeten Stellungnahme der Kommission, Art. 258 Abs. 1, 2 AEUV statt. Das Vorverfahren bezweckt damit nicht nur einen Austausch von Argumenten, sondern im Idealfall auch, dass der Mitgliedstaat den Rechtsverstoß abstellt, so dass die eigentliche Klage von der Kommission gar nicht angestrengt werden muss. Weil eine entsprechende Frist im Gesetz fehlt, wird der Kommission auch ein Ermessen zugestanden, ob sie die Klage überhaupt erhebt.

Anders als das Vorabentscheidungsverfahren, das von dem nationalen Gericht initiiert **122** wird, handelt beim Vertragsverletzungsverfahren die Kommission bzw. ein anderer Mitgliedstaat und verbindet dies mit dem Vorwurf rechtswidrigen Verhaltens. Damit ist die politische Relevanz offensichtlich. Die ganz überwiegende Masse der Verfahren sind eindeutige Fälle, wie die Nichtumsetzung oder fehlerhafte Umsetzung von Richtlinien.[236] Ansonsten besteht aber kein Anspruch auf Einschreiten der Kommission. Vielmehr steht der Kommission ein Ermessen zu, wie der Wortlaut verdeutlicht („hat nach Auffassung der Kommission").[237] Ob bei Verletzung europäischen Rechts durch Gerichte wegen ihrer Unabhängigkeit Zurückhaltung zu üben ist, ist umstritten.[238] In der Vergangenheit, hat die Kommission gezögert, ein Vertragsverletzungsverfahren wegen Verletzung der Vorlagepflicht einzuleiten. Ob das auch gilt, wenn nationale Gerichte EuGH-Entscheidungen als Ultra-vires-Akt für unverbindlich erklären (§ 13 Rn. 114 ff.), bleibt abzuwarten.

---

[235] Streinz/*Ehricke*, EUV/AEUV, 3. Aufl. 2018, Art. 258 AEUV Rn. 2.

[236] Zu der Vergleichbarkeit mit den Fällen des Staatshaftunganspruchs s. sogleich § 12 Rn. 128.

[237] Ohne, dass dem Bürger ein Anspruch auf Einschreiten der Kommission zusteht, s. EuGH, Urt. 6.12.1989, C-329/88, EU:C:1989:618, Ls. 2 – Kommission/Griechenland: nur pflichtgemäßes Ermessen.

[238] EuGH, Urt. v. 9.12.2003, C-129/00, EU:C:2003:656, Rn. 29 – Kommission/Italien; zur Diskussion Streinz/*Ehricke*, EUV/AEUV, 3. Aufl. 2018, Art. 258 AEUV Rn. 9.

4. Der unionsrechtliche Staatshaftungsanspruch

a) Herleitung und Anwendbarkeit

123 Eine unmittelbare Anwendbarkeit der einschlägigen Richtlinie war in der *Francovich*-Entscheidung nicht möglich, weil die Richtlinie nicht hinreichend bestimmt war und dem Mitgliedstaat ein Ermessen bei der Umsetzung der Richtlinie zustand.[239] Um dem Bürger zu helfen, entwickelte der EuGH in dieser Entscheidung aus dem Jahr 1991 erstmals eine Haftung des Mitgliedstaates wegen Nichtumsetzung einer Richtlinie. Während in den ersten Jahren dieser unionsrechtliche Staatshaftungsanspruch zum Teil noch als unzulässige Rechtsfortbildung *contra legem* bezeichnet wurde, wird ein solcher Anspruch heute anerkannt.[240] Der EuGH entwickelte den Staatshaftungsanspruch aus dem EGV (jetzt: AEUV), um sicherzustellen, dass die Rechte der Bürger effektiv geschützt werden. Daneben zog er die Verpflichtung der Mitgliedstaaten zur Unionstreue gem. Art. 4 Abs. 3 EUV heran.[241] Und schließlich hob er den in Art. 340 Abs. 2 AEUV zum Ausdruck kommenden Grundsatz der Haftung öffentlicher Stellen für in Ausübung ihrer Amtstätigkeit verursachte Schäden hervor.[242] Art. 340 AEUV kann aber nicht direkt herangezogen werden, da es hier nur um die Haftung der Union selbst geht und nicht um eine Haftung der einzelnen Mitgliedstaaten. Die Norm verdeutlicht aber, dass es eine Amtshaftung auch im europäischen Recht gibt und dass dieser Gedanke auf eine Haftung der Mitgliedstaaten übertragen werden kann.

124 Wenige Jahre später hatte der EuGH die Frage zu beantworten, ob der Mitgliedstaat auch haftet, wenn er das Primärrecht fehlerhaft anwendet.[243] Und schließlich war zu prüfen, ob auch nationale Gerichte sich haftbar machen können, wenn sie gegen Unionsrecht verstoßen. Auch dies bejahte der EuGH im Grundsatz[244] und verneinte damit das Richterprivileg. Im Ergebnis begründet der EuGH einen unionsrechtlichen Staatshaftungsanspruch des Bürgers, wenn ein Mitgliedstaat durch seine Gesetzgebung, Verwaltung oder durch seine Gerichte gegen europäisches Recht verstößt.

b) Voraussetzungen und Rechtsfolgen

125 Der unionsrechtliche Staatshaftungsanspruch hat drei Voraussetzungen: Erstens muss eine *Schutznorm des Unionsrechts verletzt* sein. Diese muss bezwecken, dem Einzelnen Rechte zu verleihen, deren Inhalt hinreichend genau bestimmt und unbedingt ist. Zweitens muss das mitgliedstaatliche Organ *hinreichend qualifiziert* gegen die *europäische Norm verstoßen* haben. Drittens muss der Verstoß zu einem *Schaden* geführt haben und der Schaden muss *kausal* durch den Verstoß entstanden sein.[245]

126 Von entscheidender Bedeutung ist regelmäßig, wann der Mitgliedstaat hinreichend qualifiziert gegen das Unionsrecht verstößt. Bei eindeutiger Missachtung der Vorgaben des EuGH ist ein solch hinreichend qualifizierter Verstoß zu bejahen. Der EuGH hat eine Reihe von Kriterien entwickelt, um den hinreichend qualifizierten Verstoß zu konkreti-

---

[239] EuGH, Urt. v. 19.11.1991, C-6/90 u.a., EU:C:1991:428, Rn. 11, 16 ff. – Francovich.

[240] Calliess/Ruffert/*Ruffert*, EUV/AEUV, 5. Aufl. 2016, Art. 340 AEUV Rn. 36 ff.; ausführlich zur Frage der Rechtsfortbildung durch den EuGH anhand des unionsrechtlichen Staatshaftungsanspruchs, *Möllers*, EuR 1998, 20 ff.

[241] EuGH, Urt. v. 19.11.1991, C-6/90 u.a., EU:C:1991:428, Rn. 32 ff. – Francovich.

[242] EuGH, Urt. v. 5.3.1996, C-46/93 u.a., EU:C:1996:79, Rn. 28 f. – Brasserie du Pêcheur.

[243] Geklagt hatte die französische Bierbrauerei Brasserie du Pêcheur, weil das französische Bier gegen das deutsche Reinheitsgebot verstieß und damit nicht in Deutschland verkauft werden durfte. Das Reinheitsgebot verstieß gegen die Warenverkehrsfreiheit, EuGH, Urt. v. 12.3.1987, C-178/84, EU:C:1987:126 – Reinheitsgebot für Bier (§ 2 Rn. 91).

[244] EuGH, Urt. v. 30.9.2003, C-224/01, EU:C:2003:513, Rn. 33 f. – Köbler; EuGH, Urt. v. 13.6.2006, C-173/03, EU:C:2006:391, Rn. 31 ff. – Traghetti.

[245] EuGH, Urt. v. 5.3.1996, C-46/93 u.a., EU:C:1996:79, Rn. 51 – Brasserie du Pêcheur.

sieren. Sie können als Bewegliches System (§ 8 Rn. 2) herangezogen werden. Der EuGH formuliert in der Brasserie-du-Pêcheur-Entscheidung:

> „Bei der zweiten Voraussetzung besteht sowohl für die Haftung der Gemeinschaft nach Artikel 215 [jetzt: Art. 340 AEUV] als auch für die der Mitgliedstaaten wegen Verstoßes gegen das Gemeinschaftsrecht das entscheidende Kriterium für die Beurteilung der Frage, ob ein Verstoß gegen das Gemeinschaftsrecht als *hinreichend qualifiziert* anzusehen ist, darin, daß ein Mitgliedstaat oder ein Gemeinschaftsorgan die Grenzen, die seinem Ermessen gesetzt sind, offenkundig und erheblich überschritten hat. **127**
>
> Insoweit gehören zu den Gesichtspunkten, die das zuständige Gericht gegebenenfalls zu berücksichtigen hat, das *Maß an Klarheit und Genauigkeit der verletzten Vorschrift, der Umfang des Ermessensspielraums, den die verletzte Vorschrift den nationalen oder Gemeinschaftsbehörden belässt, die Frage, ob der Verstoß vorsätzlich oder nicht vorsätzlich begangen oder der Schaden vorsätzlich oder nicht vorsätzlich zugefügt wurde, die Entschuldbarkeit oder Unentschuldbarkeit eines etwaigen Rechtsirrtums und der Umstand, daß die Verhaltensweisen eines Gemeinschaftsorgans möglicherweise dazu beigetragen haben, daß nationale Maßnahmen oder Praktiken in gemeinschaftsrechtswidriger Weise unterlassen, eingeführt oder aufrechterhalten wurden.*"[246]

Ein hinreichender Verstoß ist auch dann zu bejahen, wenn ein Mitgliedstaat eine **128** Richtlinie trotz eindeutiger Umsetzungsfrist nicht in nationales Recht umsetzt.[247] Umgekehrt ist das Verhalten eines Mitgliedstaates entschuldbar, wenn er sich auf einen vermeintlich eingreifenden Rechtfertigungsgrund beruft, etwa in der Brasserie-du-Pêcheur-Entscheidung auf die Verbrauchererwartung des deutschen Bürgers, dass Bier nach dem deutschen Reinheitsgebot gebraut werden muss (§ 10 Rn. 75).[248] Ähnliches gilt für das nationale Gericht: Dessen Entscheidung ist dann eher entschuldbar, wenn eindeutige Vorgaben durch europäische Gesetze oder den EuGH fehlen.[249]

Der unionsrechtliche Schadensersatzanspruch ist so zu gestalten, dass er dem erlitte- **129** nen Schaden angemessen ist und einen effektiven Schutz der Rechte des Geschädigten gewährleistet.[250] Der BGH hat bisher allerdings in etlichen Urteilen einen Schadensersatzanspruch mangels hinreichend schweren Verstoßes oder mangels Kausalität verneint.[251] Nach der herrschenden Ansicht ist der Anspruch als eigener unionsrechtlicher Anspruch sui generis einzuordnen, während die Gegenansicht den Anspruch aus nationalem Recht begründet. Dies wurde oben ausführlich diskutiert (§ 12 Rn. 32).

V. Völkerrecht

1. Grundsatz der völkerrechtsfreundlichen Auslegung

Völkerrechtliche Verträge werden vom Bundespräsidenten mit anderen Staaten ge- **130** schlossen. Sie führen aber zunächst zu einer bloßen Verpflichtung und gelten damit erst, wenn sie durch das Parlament mit einem sog. Transformationsgesetz bestätigt werden, Art. 59 Abs. 2 GG. Dies erinnert an die europäischen Richtlinien. Zudem gibt es Situati-

---

[246] EuGH (ebd.), Rn. 55 f. – Brasserie du Pêcheur.
[247] EuGH (ebd.), Rn. 56 – Brasserie du Pêcheur.
[248] EuGH (ebd.), Rn. 59 – Brasserie du Pêcheur.
[249] EuGH, Urt. v. 30.9.2003, C-224/01, EU:C:2003:513, Rn. 122 f. – Köbler.
[250] Zum Schaden gehört auch der entgangene Gewinn, EuGH (ebd.), Rn. 82, 86 f. – Brasserie du Pêcheur.
[251] S. § 12 Fn. 55 und BGH, Urt. v. 20.1.2005, III ZR 48/01, BGHZ 162, 49, 52 – Einlagensicherung; BGH, Beschl. v. 24.11.2005, III ZR 4/05, NJW 2006, 690, 691 – Offenlegung von Jahresabschlüssen; BGH, Beschl. v. 18.10.2012, III ZR 197/11, NJW 2013, 168 – Glücksspiel.

onen, in welchen Deutschland gegen Völkerrecht verstößt. Die deutschen Gerichte folgen dem **Grundsatz der völkerrechtsfreundlichen Auslegung**: das deutsche Recht muss in einer Weise ausgelegt werden, dass es so weit wie möglich im Einklang mit dem Völkerrecht steht.[252] Sind aber deutsche Grundrechte im Lichte der Europäischen Menschenrechtskonvention auszulegen, müsste man konsequenterweise auch der EMRK Verfassungsrang einräumen,[253] wie dies etwa in anderen Ländern heute schon der Fall ist (§ 2 Rn. 125).

2. Gemeinsamkeiten und Unterschiede

131 a) Auf den ersten Blick fallen die Gemeinsamkeiten auf, die bei der Anwendung von Völkerrecht und Europarecht gelten. So wie es die unionsrechtskonforme Auslegung gibt, hat das BVerfG im Völkerrecht das Gebot der völkerrechtsfreundlichen Auslegung entwickelt. In der Presse stark diskutiert wurden in den letzten Jahren Verstöße gegen die EMRK. Das europäische Fairnessgebot aus Art. 6 EMRK führt beispielsweise dazu, dass überlange Verfahren konventionswidrig sind.[254] Daraus folgt ein Recht auf ein Verfahren innerhalb einer angemessenen Frist, wogegen Deutschland bereits mehrfach verstieß.[255] Der Gesetzgeber hat mit einem eigenen Gesetz auf die Kritik reagiert. Danach besteht nunmehr ein Entschädigungsanspruch bei unangemessener Verfahrensdauer.[256] Auch die Auslegung des allgemeinen Persönlichkeitsrechts des GG durch das BVerfG verstieß gegen die EMRK, weil der EGMR den Schutzstandard von Art. 8 EMRK umfangreicher interpretierte als das BVerfG das Persönlichkeitsrecht nach Artt. 1, 2 GG.[257] Die Rechtsprechung des EGMR geht damit zum Teil über die Rechtsprechung nationaler Verfassungsgerichte hinaus.[258]

132 b) Ansonsten dominieren aber die **Unterschiede**. Zwar gilt der Grundsatz der völkerrechtsfreundlichen Auslegung. Die Grundrechte der EMRK schreiben die Art und Weise des innerstaatlichen Grundrechtsschutzes aber nicht vor; den Mitgliedstaaten bleibt es freigestellt, wie sie die völkervertragliche Verpflichtung erfüllen.[259] Man spricht insoweit von einer „weichen" normativen Wirkung.[260] Nach Ansicht des BVerfG genießt die EMRK im Unterschied zum Europarecht keinen Vorrang gegenüber dem nationalen Recht. In der Normenhierarchie steht sie mit einfachem Bundesrecht auf einer Stufe, Art. 59 Abs. 2 GG (§ 2 Rn. 125 f.).[261] Nationale Gerichte haben den Vorgaben des EGMR nicht einfach

---

252 *Meyer-Ladewig/Nettesheim/von Raumer*, Europäische Menschenrechtskonvention, 4. Aufl. 2017, Einl. Rn. 19.

253 S. *Bleckmann*, EuGRZ 1994, 149; *Hoffmeister*, Der Staat 40 (2001), 349, 364 ff.

254 Hierzu Sachs/*Degenhart*, GG, 9. Aufl. 2021, Art. 103 Rn. 52.

255 EGMR, Urt. v. 8.6.2006, 75529/01, CE:ECHR:2006:0608JUD007552901 – Sürmeli/Deutschland; EGMR, Urt. v. 2.9.2010, 46344/06, CE:ECHR:2010:0902JUD004634406 – Rumpf/Deutschland. Außerdem ergibt sich ein Anspruch auf Entscheidung innerhalb einer angemessenen Frist aus Art. 2 Abs. 1 i.V.m. Art. 20 Abs. 3 GG: BVerfG, Beschl. v. 20.4.1982, 2 BvL 26/81, BVerfGE 60, 253, 269; BVerfG, Beschl. v. 2.3.1993, 1 BvR 249/92, BVerfGE 88, 118, 124; BVerfG, KBeschl. v. 20.7.2000, 1 BvR 352/00, NJW 2001, 214, 215; vgl. auch *Möllers/Weichert*, NJW 2005, 2737.

256 §§ 198 ff. GVB, eingeführt durch das Gesetz über den Rechtsschutz bei überlangen Gerichtsverfahren und strafrechtlichen Ermittlungsverfahren v. 24.11.2011, BGBl. I, S. 2302. Hierzu BGH, Urt. v. 26.11.2020, III ZR 61/20, NJW 2021, 859 – Entschädigungsanspruch für überlange Verfahrensdauer.

257 In concreto durfte *Caroline von Hannover* Paparazzi abwehren, was ihr das BVerfG noch verweigert hatte, EGMR, Urt. v. 24.6.2004, 59320/00, CE:ECHR:2004:0624JUD005932000, Rn. 54 ff. – Caroline von Hannover/Deutschland; BVerfG, Urt. v. 15.12.1999, 1 BvR 653/96, BVerfGE 101, 361, 391 ff. – Caroline von Hannover II.

258 *Nußberger*, in: HStR X, 3. Aufl. 2012, § 209 Rn. 38; für das Persönlichkeitsrecht s. *Marauhn/Thorn*, in: Dörr/Grote/Marauhn, EMRK/GG Konkordanzkommentar, 2. Aufl. 2013, Kap. 18 Rn. 111.

259 *Ruffert*, EuGRZ 2007, 245, 246.

260 *Ruffert*, EuGRZ 2007, 245, 247; *Grabenwarter*, in: HdB GR, Bd. VI/2, 2009, § 169 Rn. 53 f.

261 BVerfG, Beschl. v. 14.10.2004, 2 BvR 1481/04, BVerfGE 111, 307, 317 m.w.Nachw. – Görgülü.

zu folgen, sondern sie haben sich nur mit den Aussagen zu Grundwertungen der Konvention zu identifizieren und sich mit diesen auseinanderzusetzen. Der Grundsatz der völkerrechtsfreundlichen Auslegung findet seine Grenze in entgegenstehendem einfachem Bundesrecht.[262] Die Grenzen zulässiger Rechtsfortbildung werden damit deutlich schneller erreicht als bei der unionsrechtskonformen (§ 12 Rn. 24 ff.) und richtlinienkonformen (§ 12 Rn. 76 ff.) Rechtsfortbildung. In dem Urteil zum beamtenrechtlichen Streikverbot wird dies vom BVerfG nochmals ausdrücklich betont:

„[…] Hierbei ist zunächst zu sehen, dass *im Gegensatz zum Recht der Europäischen Union* (vgl. BVerfGE 75, 223 [244 f.]) die Europäische Menschenrechtskonvention in Ermangelung eines entsprechenden innerstaatlichen Rechtsanwendungsbefehls *keinen Anwendungsvorrang* gegenüber nationalem Gesetzesrecht beanspruchen kann. Kommt den Konventionsrechten damit kein Vorrang vor der deutschen Verfassungsrechtsordnung, sondern vielmehr eine Bedeutung als Auslegungsmaxime für das Grundgesetz zu, geht es bei der Berücksichtigung der Rechtsprechung des Europäischen Gerichtshofs für Menschenrechte jenseits ihrer inter-partes-Wirkung maßgeblich darum, *Aussagen zu Grundwertungen der Konvention zu identifizieren und sich hiermit auseinanderzusetzen* (vgl. Kaiser, AöR 142 (2017), S. 417 [432]). Ein Konflikt mit Grundwertungen der Konvention ist dabei nach Möglichkeit zu vermeiden. Die Anerkennung einer Orientierungs- und Leitfunktion setzt damit ein Moment der Vergleichbarkeit voraus. Bei der Berücksichtigung der Rechtsprechung des EGMR sind der konkrete Sachverhalt des entschiedenen Falles und sein (rechtskultureller) Hintegrund ebenso mit einzustellen wie mögliche spezifische Besonderheiten der deutschen Rechtsordnung, die einer undifferenzierten Übertragung im Sinn einer bloßen ‚Begriffsparallelisierung' entgegenstehen. […] **133**

Soweit im Rahmen geltender methodischer Standards Auslegungs- und Abwägungsspielräume eröffnet sind, trifft deutsche Gerichte die Pflicht, der konventionsgemäßen Auslegung den Vorrang zu geben. Etwas anderes gilt nur dann, wenn die Beachtung der Entscheidung des Europäischen Gerichtshofs für Menschenrechte etwa wegen einer geänderten Tatsachenbasis *gegen eindeutig entgegenstehendes Gesetzesrecht* oder deutsche Verfassungsbestimmungen, namentlich auch gegen Grundrechte Dritter verstößt (vgl. BVerfGE 111, 307 [329]). Es widerspricht daher nicht dem Ziel der Völkerrechtsfreundlichkeit, wenn der Gesetzgeber ausnahmsweise Völkervertragsrecht *nicht beachtet*, sofern nur auf diese Weise ein Verstoß gegen tragende *Grundsätze der Verfassung* abzuwenden ist (vgl. BVerfGE 111, 307 [319])."[263]

Mangels Anwendungsvorrang ist auch die Durchsetzung der EMRK in Deutschland **134** schwieriger als der einfache Vorrang europäischen Rechts. Wenn der EGMR einen Verstoß gegen die EMRK festgestellt hat, ist dies ein Wiederaufnahmegrund[264] i.S.v. § 359 Nr. 6 StPO und § 578 Abs. 1 ZPO. Es fehlt aber eine allgemeine Verpflichtung zur Wiederaufnahme innerstaatlicher Verfahren. Damit hat ein Urteil des BVerfG, welches gegen die EMRK verstößt, weiterhin rechtskräftig Bestand.[265] Wenn nationale Organe die Urteile des EGMR ignorieren, kann dies gegen das Rechtsstaatsprinzip verstoßen und die Betroffenen können sich mit einer Verfassungsbeschwerde dagegen wehren.[266]

---

[262] BVerfG (ebd.), BVerfGE 111, 307, 323, 329 – Görgülü.

[263] BVerfG, Urt. v. 12.6.2018, 2 BvR 1738/12 u.a., BVerGE 148, 296 Rn. 132 f. – Beamtenrechtliches Streikverbot.

[264] Ein Verfahren wird wiederaufgenommen, wenn bereits ein rechtskräftiges Urteil besteht, aber Gründe vorliegen, die ein erneutes Aufrollen des Prozesses trotz bereits eingetretener Rechtskraft rechtfertigen.

[265] Eine Regelung im BVerfGG deshalb anmahnend *von Hein*, GPR 2004, 252, 256.

[266] BVerfG, Beschl. v. 14.10.2004, 2 BvR 1481/04, BVerfGE 111, 307, 330 ff. – Görgülü.

3. Bewertung

135 Die Rechtsprechung des BVerfG ist nicht ohne Brüche. Wenn einfaches nationales Recht schon einer Umsetzung und Anwendung der Grundrechte der EMRK entgegenstehen kann, bleibt von der Umsetzungspflicht des Art. 1 EMRK nicht mehr viel bestehen.[267] Auch im Verhältnis zum Europarecht existieren systematische Brüche. Denn auch der EuGH wendet die EMRK an (§ 10 Rn. 59 f.). Europäisches Recht bindet aber die nationalen Gerichte und geht ihnen vor. Damit existiert für die EMRK ein Anwendungsvorrang, wenn der EuGH die EMRK anwendet, nicht dagegen, wenn der EGMR eine Verletzung der EMRK gegenüber Deutschland bejaht.[268] Das ist wenig überzeugend.

136 Im Idealfall gilt es, das Verhältnis der nationalen Verfassungsgerichte gegenüber dem EGMR weiter zu entwickeln. Ein Kooperationsverhältnis wie es auch zwischen dem BVerfG und dem EuGH besteht (§ 2 Rn. 100), könnte etwa darin bestehen, dass der EGMR den Mitgliedstaaten ebenso einen gewissen Beurteilungsspielraum bei der Prüfung der nationalen Besonderheiten der Grundrechte zuerkennt.[269]

Zusammenfassung zu § 12

137 I. Der Anwendungsvorrang europäischen Rechts verlangt, dass die Norm unmittelbar gilt bzw. anwendbar ist. Dazu muss sie inhaltlich unbedingt und hinreichend bestimmt sein.

II. Vor einem Anwendungsvorrang einer europäischen Norm muss die nationale Norm primärrechtskonform ausgelegt werden. Die Grenzen zulässiger primärrechtskonformer Rechtsfortbildung sind ungeklärt.

III. Richtlinien haben vertikale, nicht dagegen horizontale Drittwirkung. Ihr Inhalt ist Auslegungsziel für die Interpretation der nationalen Norm.

Eine nationale Vorschrift, die im Widerspruch zu einer Richtlinie steht, ist richtlinienkonform auszulegen und ggf. auch gegen den Wortlaut richtlinienkonform rechtlich fortzubilden. Die Contra-legem-Grenze ist zu beachten.

Wenn der nationale Gesetzgeber den Anwendungsbereich bei der Umsetzung der Richtlinie ausdehnt, ist zu prüfen, ob der überschießende Teil richtlinienkonform oder nur nach nationalem Recht auszulegen ist.

IV. Empfehlungen führen zu einer Befassungs- und ggf. zu einer subsidiären Befolgungspflicht.

V. Weitere Mittel zur Rechtsdurchsetzung sind die Verpflichtung des nationalen Gesetzgebers, europäisches Recht eindeutig umzusetzen, die Vorlageverpflichtung zum EuGH, das Vertragsverletzungsverfahren und der europäische Staatshaftungsanspruch.

VI. Verstoßen nationale Vorschriften gegen das Völkerrecht, sind diese völkerrechtsfreundlich auszulegen. Wenig überzeugend ist die Ansicht des BVerfG, die der EMRK Anwendungsvorrang eingesteht, wenn der EuGH sie anwendet, nicht dagegen, wenn der EGMR selbst entscheidet.

---

[267] Zutreffend die Kritik von *Ruffert*, EuGRZ 2007, 245, 248.

[268] Zu den rechtsdogmatischen Problemen, s. *Oeter*, VVDStRL 66 (2007), 361 ff.; *Masing*, JZ 2015, 477 ff.

[269] Hierzu *Jacobs/Payandeh*, JZ 2019, 19, 24; *Bogdandy/Hering*, JZ 2020, 53, 61 ff. Zum französischen Burkaverbot s. auch unten § 14 Rn. 28.

Einen „oligarchischen Richterstaat" nenne ich den Anspruch und die Praxis der letzten Gerichtsinstanzen, auch dort „Richterrecht" zu schaffen, wo verbindliche Gesetzesnormen vorhanden sind. Dadurch wird die Demokratie (Mehrheitsherrschaft) durch eine juristische Aristokratie von Wenigen, durch ein „richterliches Adelsregime" ersetzt.

Rüthers, JZ 2008, 446, 448.

5. Teil. Rechtsfrieden und Rechtssicherheit als Ziele der Juristischen Methodenlehre

§ 13 Grenzen der Rechtsfortbildung

Literatur: *Brohm, Winfried*, Die Funktion des BVerfG – Oligarchie in der Demokratie?, NJW 2001, 1–10; *Bruns, Alexander*, Zivilrechtliche Rechtsschöpfung und Gewaltenteilung, JZ 2014, 162–171; *von Dücker, Hans-Gerd*, Der Richter als Ersatzgesetzgeber, in: FS Maurer, 2001, S. 49–66; *Foerste, Ulrich*, Verdeckte Rechtsfortbildung in der Zivilgerichtsbarkeit, JZ 2007, 122–135; *Heun, Werner*, Original Intent und Wille des historischen Verfassungsgebers, AöR 116 (1991), 185–208; *Hillgruber, Christian*, Richterliche Rechtsfortbildung als Verfassungsproblem, JZ 1996, 118–125; *Jestaedt, Matthias/Lepsius, Oliver/Möllers, Christoph/Schönberger, Christoph*, Das entgrenzte Gericht – Eine kritische Bilanz nach sechzig Jahren Bundesverfassungsgericht, 2011; *Meier-Hayoz, Arthur*, Strategische und taktische Aspekte der Fortbildung des Rechts, JZ 1981, 417–423; *Morlok, Martin*, Die vier Auslegungsarten – was sonst?, in: Gabriel, Gottfried/Gröschner, Rolf, Subsumtion, 2012, S. 189–214; *Möllers, Christoph*, Nachvollzug ohne Maßstabbildung: richterliche Rechtsfortbildung in der Rechtsprechung des Bundesverfassungsgerichts, JZ 2009, 668–673; *Möllers, Thomas M.J.*, Ein Vierstufen-System zur Rationalisierung der Grenze zulässiger Rechtsfortbildung, in: FS G. Roth, 2011, S. 473–496; *ders.*, Die Rolle des Rechts im Rahmen der Währungsunion und Schuldenkrise, in: Möllers, Thomas M.J./Zeitler, Franz-Christoph, Europa als Rechtsgemeinschaft – Währungsunion und Schuldenkrise, 2013, S. 1–18; *ders./Redcay, Katharina*, Das Bundesverfassungsgericht als europäischer Gesetzgeber oder als Motor der Union?, EuR 2013, 409–431; *Pieroth, Bodo/Aubel, Tobias*, Die Rechtsprechung des Bundesverfassungsgerichts zu den Grenzen richterlicher Rechtsfindung, JZ 2003, 504–510; *Risse, Horst*, Rechtsprechung und Parlamentsfreiheit – Versuch einer Vermessung der geschützten parlamentarischen Gestaltungs- und Entscheidungsspielräume, JZ 2018, 71–79; *Rüthers, Bernd*, Fortgesetzter Blindflug oder Methodendämmerung der Justiz? Zur Auslegungspraxis der obersten Bundesgerichte, JZ 2008, 446–451; *Rüthers, Bernd/Höpfner, Clemens*, Analogieverbot und subjektive Auslegungsmethode, JZ 2005, 21–25; *Scholz, Rupert*, Der gesetzgebende Richter, ZG 2012, 105–120; *Söllner, Alfred*, Der Richter als Ersatzgesetzgeber, ZG 1995, 1–16; *Torggler, Ulrich (Hrsg.)*, Richterliche Rechtsfortbildung und ihre Grenzen, 2019.

Übersicht

Rn.

I. Die unsicheren Grenzen zulässiger Rechtsfortbildung 4
1. Die Grenzen zulässiger Rechtsfortbildung als Dauerstreit der Juristischen Methodenlehre 4
2. Folgen zulässiger oder unzulässiger Rechtsfortbildung 8
3. Methodischer Blindflug 9

4. Begriffsbestimmungen zur Grenze zulässiger Rechtsfortbildung 13
5. Argumentationsfiguren zur Vermeidung einer unzulässigen Rechtsfortbildung 24
II. Erster Schritt: Klassische Argumentationsfiguren 27
1. Eindeutigkeit und Offenheit des Wortlauts 28
2. Arbeiten am System – Lücke und geschlossenes System 29
3. Wille des Gesetzgebers und der sich im Gesetz wiederfindende Wandel der Lebensverhältnisse (objektive Auslegung) 37
4. Der Zweck als Rechtfertigungsgrund einer Rechtsfortbildung 43
III. Zweiter Schritt: Der Blick auf die Rechtsfolgen 47
1. Folgenorientierte Überlegungen bei der Rechtsfortbildung 47
2. Unbillige Härte bei offensichtlicher Rechtsschutzlücke und Untätigkeit des Gesetzgebers 48
3. Konsens, rechtsvergleichende Bestätigung und Erhöhung der Rechtssicherheit 58
IV. Dritter Schritt: Die Verfassung als höherrangiges Recht 66
1. Grundrechtsschutz des Verletzten und Grundrechtsbeeinträchtigung des Dritten 67
2. Grundrechtsbeeinträchtigungen und schützenswertes Vertrauen 70
3. Vertrauensschutz bei Rechtsprechungsänderung 76
4. Gesetzlichkeitsprinzip als Ausdruck des berechtigten Vertrauens des Bürgers 77
V. Vierter Schritt: Höherrangiges Europarecht und internationales Recht 79
1. Die primärrechts- und verordnungskonforme Rechtsfortbildung 79
2. Richtlinienkonforme Rechtsfortbildung des nationalen Rechts und ihre Grenzen 80
3. Das Vertrauen des Einzelnen als Grenze zulässiger Rechtsfortbildung 81
VI. Fünfter Schritt: Kompetenzgrenzen 82
1. Gesetzesvorbehalt und die Kompetenz des Parlaments 83
2. Gewaltenteilung und die Grenzen der Gerichte 91
3. Konkretisierung und Rechtsfortbildung 101
4. Kompetenzstreitigkeit zwischen den Gerichten 109
VII. Abwägung und Gewichtung verschiedener Argumentationsfiguren im Rahmen der Rechtsfortbildung 127
1. Vorrang-, Vermutungs- und Argumentationslastregel 127
2. Abwägungsregel 128
3. Zum Verhältnis des Fünf-Stufen-Systems zu den Abwägungsregeln 129

1 Die Auslegung (3. Teil) und Konkretisierung (4. Teil) wurden in eigenen Teilen vorgestellt. Im letzten Abschnitt (5. Teil) soll aufgezeigt werden, dass die Juristische Methodenlehre in hohem Maße zum Rechtsfrieden und zur Rechtssicherheit beitragen kann. Dazu ist in § 13 zu erörtern, wann die Grenzen zulässiger Rechtsfortbildung überschritten werden. In § 14 ist dann darauf einzugehen, dass trotz postmoderner Skepsis die Juristische Methodenlehre auf viele Quellen zurückgreifen kann, um Rechtslösungen zu rationalisieren.

2 Der Streit um die Grenzen zulässiger Rechtsfortbildung ist fast so alt wie die Methodenlehre selbst. Vieles ist unklar, sodass durch Begriffsbestimmungen eine erste Einordnung erfolgen kann. Zudem sollen fünf Prüfungsschritte Rechtssicherheit und Rationalität erzeugen, um die Grenzen der Rechtsfortbildung aufzuzeigen (I.). Dabei ist zwischen dem klassischen Auslegungskanon (II.), der Folgenorientierung (III.) und dem höherrangigen Recht, wie Verfassungs- (IV.) und Europarecht (V.), zu trennen. Abschließend sind die Kompetenzgrenzen im Verhältnis zwischen Judikative, Exekutive und Legislative, aber auch zwischen den Gerichten zu thematisieren. Dabei wird auch der Bereich der Konkretisierung angesprochen (VI.).

Neben dieser Prüfungsfolge müssen dann als qualitatives Element die Argumente noch gewichtet werden in Vorrang-, Vermutungs-, Argumentationslast- und Abwägungsregeln (VII.). Diese Strukturierung von Prüfungsschritten und Etablierung einer Hierarchie von Argumentationsfiguren werden dann bei § 14 im Rahmen einer Gesamtprüfung wieder aufgenommen. 3

I. Die unsicheren Grenzen zulässiger Rechtsfortbildung

1. Die Grenzen zulässiger Rechtsfortbildung als Dauerstreit der Juristischen Methodenlehre

Wie weit darf sich der Richter über den Wortlaut und den Sinn des Gesetzes hinwegsetzen? Ab wann wird er sozialpolitisch wie ein Gesetzgeber tätig? *Rüthers* kritisiert, dass eine solche Methodenpraxis gegen die Verfassungsgrundsätze der parlamentarischen Demokratie und der rechtsstaatlichen Gewaltentrennung verstößt und warnt nachdrücklich vor einem „oligarchischen Richterstaat."[1] Wann sind die Grenzen juristischer Rechtsfindung erreicht? Wann verstößt der Richter gegen das Recht und begeht bei der Rechtsfindung eine sogenannte unzulässige Rechtsfortbildung contra legem? Wo die Grenze der rechtlich noch zulässigen Rechtsfortbildung verläuft, ist bereits seit 150 Jahren heftig umstritten[2] und doch ist die Diskussion hierüber aktueller denn je. Besonders heftig ist der *Streit* zwischen *objektiver* und *subjektiver Theorie*, also die Frage, ob das Gesetz schlauer sein darf als sein ursprünglicher Gesetzgeber. Ist der Richter „Diener" oder darf er „Pianist" sein? (§ 6 Rn. 60 ff.). Wann wird er zum „gesetzgebenden Richter" in einem „oligarchischen Richterstaat"? 4

Bisher wurde die Rechtsfortbildung mehrmals erwähnt. Die grundsätzliche Berechtigung des Richters, Lücken im Gesetz durch Rechtsfortbildung zu schließen, wurde eingangs bereits betont (§ 1 Rn. 48 ff.). Im dritten Kapitel wurde die Wortlautgrenze im Strafrecht (§ 4 Rn. 65 ff.) als absolute Grenze zulässiger Rechtsfortbildung erörtert und einfache Formen der Rechtsfortbildung wie Analogie und teleologische Reduktion vorgestellt. Im vierten Teil zum höherrangigen Recht wurden schon Grenzen der Rechtsfortbildung erörtert, u.a. bei der verfassungskonformen Rechtsfortbildung (§ 11 Rn. 79 ff.) oder der primärrechtskonformen (§ 12 Rn. 24 ff.) und richtlinienkonformen (§ 12 Rn. 54 ff.) Rechtsfortbildung im Europarecht. Auch Prinzipien müssen nachvollziehbar konkretisiert und für die Praxis greifbar gemacht werden und dürfen nicht einfach mit dem eigenen Vorverständnis erfunden werden (§ 9 Rn. 15 ff.). 5

Was zeichnet nun die Diskussion zu den Grenzen juristischer Rechtsfortbildung aus, die in anderen Bereichen juristischer Methodik in dieser Schärfe nicht geführt wird? Oft wird die eigene Ansicht zur Grenze zulässiger Rechtsfortbildung mit einem Wahrheitsanspruch verbunden; die Ansicht der Gegenseite wird als abwegig und falsch eingestuft.[3] Zudem ist diese Grenzziehung immer auch politisch motiviert, geht es doch nicht nur um Methoden- und Verfassungsfragen, sondern vor allem um Macht.[4] Es wird mit harten Bandagen gekämpft – mit „Schwert statt Florett".[5] Im Rahmen der Gewaltenteilung stellt 6

[1] S. das Eingangszitat sowie *Rüthers*, JZ 2006, 53, 60; vorher *Brohm*, NJW 2001, 1 ff. und die Autoren in § 13 Rn. 95 ff.

[2] Hierzu bereits *Möllers*, in: FS G. Roth, 2011, S. 473 ff.; *Foerste*, JZ 2007, 122 ff.; *Fischer*, Topoi verdeckter Rechtsfortbildungen im Zivilrecht, 2007, S. 74 ff.; *Kramer*, Juristische Methodenlehre, 6. Aufl. 2019, S. 148 ff.

[3] Dieser Absolutheitsanspruch erinnert an die *One-right-answer-thesis* von *Dworkin*, Taking Rights Seriously, 1977, S. 279; s. oben § 1 Rn. 64 f.

[4] Plastisch *Rüthers*, JZ 2003, 995, 996: „Methodenfragen sind Machtfragen und Verfassungsfragen"; *ders.*, JZ 2008, 446, 447.

[5] *Hassemer*, Rechtstheorie 39 (2008), 1, 13 betont, dass sich beide Lager nicht ernst nehmen.

sich ganz offensichtlich die Problematik, in welchem Umfang der Richter anstelle des Parlaments Recht setzen darf.[6] Im Mehrebenensystem spielt die Kompetenz zwischen höherer und niedrigerer Ebene eine große Rolle, wie im Konkurrenzverhältnis zwischen dem Bund und der Europäischen Union.

7 Auch beim BVerfG herrscht Streit zwischen den Senaten. Beispielsweise erklärte der zweite Senat des BVerfG die Rechtsfortbildung des Großen Senats für Strafsachen zu einer Frage des Strafprozessrechts für verfassungsgemäß,[7] während dagegen ein Sondervotum die Entscheidung der Senatsmehrheit als unzulässige Rechtsfortbildung contra legem brandmarkte.[8] Nicht ohne Grund wurde dieser Beschluss als wichtigste Entscheidung zur Juristischen Methodenlehre seit Soraya bezeichnet.[9] Darauf wird zurückzukommen sein (§ 13 Rn. 58 ff.).

2. Folgen zulässiger oder unzulässiger Rechtsfortbildung

8 Der Richter muss entscheiden. Dazu verpflichtet ihn das Rechtsverweigerungsverbot (§ 1 Rn. 52). Die Folgen, die der Richter zu bedenken hat, sind gewichtig; oft steht er zwischen Skylla und Charybdis,[10] zwei ausweglosen Übeln: Bejaht er eine Rechtsfortbildung, muss er sich den Vorwurf gefallen lassen, er überschreite seine Grenzen, wenn er z.B. die Wortlautgrenze im Strafrecht und damit das vom Grundgesetz abgesicherte Gesetzlichkeitsprinzip (*nulla poena sine lege*) verletzt oder sich die Gesetzgebungskompetenz des Parlaments anmaßt (§ 13 Rn. 91 ff.). Aber auch die gegenteilige Entscheidung kann in hohem Maße unbefriedigend sein: Die Untätigkeit des Gesetzgebers kann zu einer offensichtlichen Lücke führen, die für den Betroffenen höchst unbillig sein kann. Lehnt der Richter die Rechtsfortbildung ab, nimmt er in Kauf, dass der Kläger für entstandene Schäden nicht kompensiert wird und damit die Unbilligkeit zu tragen hat (§ 13 Rn. 48 ff.).

3. Methodischer Blindflug

a) Wider der verdeckten Rechtsfortbildung

9 Bis 2019 hieß es im *Palandt*, dass der vor neue Fragen gestellte Richter häufig nicht weiß und auch nicht zu wissen braucht, ob das Problem durch Auslegung oder durch Rechtsfortbildung zu lösen ist. Weiter hieß es dann: „Der Richter darf das Gesetz im Rahmen der ratio legis und der Wertentscheidung des GG *auch ohne konkreten Nachweis einer Lücke* ausdifferenzieren und ergänzen.“[11] So müsse der Jurist z.B. weder für den Ver-

---

[6] In den USA z.B. *Vincent v. Pabst Brewing Co.*, 177 N.W.2d 513, 517 (Wis. 1970): „Without passing judgment upon the merits of pure comparative negligence as opposed to comparative negligence as it is presently applied in this jurisdiction, we think that the legislature is the body best equipped to adopt the change advocated by the appellant."; ebenso die englischen Richter, in: *Western Bank Ltd. v. Schindler*, [1977] Ch. 1: „Judicial legislation is not an option open to an English judge".

[7] BVerfG, Beschl. v. 15.1.2009, 2 BvR 2044/07, BVerfGE 122, 248 Rn. 60 ff. – Rügeverkümmerung (§ 11 Rn. 80).

[8] Sondervotum *Voßkuhle, Osterloh, Di Fabio,* in: BVerfG, Beschl. v. 15.1.2009, 2 BvR 2044/07, BVerfGE 122, 248, 282 ff. – Rügeverkümmerung (§ 11 Rn. 83 f.).

[9] *Ch. Möllers*, JZ 2009, 668.

[10] Bei *Skylla* und *Charybdis* handelt es sich nach der griechischen Mythologie um Ungeheuer: Während *Charybdis* in einer Meerenge dreimal am Tag Meerwasser aufsaugte und einen Strudel erzeugte, griff *Skylla* mit seinen Fangarmen nach den Seeleuten, s. *Homer*, Odyssee, 12, 101 ff., 235 ff.

[11] Im Original lautet das Zitat in der Abkürzungssprache des Kurzkommentars Palandt: „Der vor neue Fragen gestellte Richter *weiß häuf nicht u braucht auch nicht zu wissen*, ob das Problem dch Auslegg od dch RFortbildg zu lösen ist. […] Der Richter darf das Gesetz iR der ratio legis u der WertEntsch des GG auch ohne konkreten Nachw einer Lücke ausdifferenzieren u ergänzen", s. Palandt/*Grüneberg*, BGB, 78. Aufl. 2019, Einl. Rn. 56 f.

trag mit Schutzwirkung zugunsten Dritter noch für die Einschränkung der Nichtigkeit bei Arbeits- und Gesellschaftsverträgen eine Lücke begründen.[12]

10 Es ist erfreulich, dass *Grüneberg* nach Korrespondenz mit dem Autor einige dieser höchst angreifbaren Passagen gestrichen hat. Leider belässt es *Grüneberg* aber weiter bei der Aussage, dass in Ausnahmefällen „offenbleiben [kann], ob das Problem durch Auslegung oder durch Rechtsfortbildung zu lösen ist (verdeckte Rechtsfortbildung)“[13]. Eine solche verdeckte Rechtsfortbildung[14] ist aber weiterhin abzulehnen. Wenn seit 50 Jahren Kritik an dem Vorverständnis einer objektiven Auslegung geübt wird, die mit *Leerformeln* ein Ergebnis ausschließlich rechtfertigt, oder wenn in Urteilen ausschließlich auf Rechtsideen wie Gerechtigkeit oder Rechtssicherheit oder auf die Natur der Sache (§ 9 Rn. 6a) abgestellt wird, so ist die Kritik der Rechtsliteratur[15] an einer verdeckten Rechtsfortbildung einleuchtend. Eingangs wurde ausführlich die Pflicht des Richters zur Begründung seiner Entscheidung dargestellt. Das muss erst Recht für die Rechtsfortbildung gelten, v.a. wenn sich der Richter vom Wortlaut des Gesetzes entfernt. In der Schweiz forderte schon vor mehr als 60 Jahren *Meier-Hayoz* einen **„Begründungszwang“** bei der richterlichen Rechtsfortbildung.[16] Inzwischen verlangt auch das BVerfG präzisere Ausführungen, um eine Rechtsfortbildung methodisch zu begründen (§ 11 Rn. 80 ff. und § 13 Rn. 103 ff.). Eine verdeckte Rechtsfortbildung ist schon aus rechtsstaatlichen Überlegungen nicht hinzunehmen (§ 1 Rn. 39 ff.). Im Zweifel ist eine Fülle von Argumentationsfiguren zu prüfen, die für oder gegen eine Rechtsfortbildung sprechen (s. sogleich). Die Kritik an den Ausführungen von Grüneberg ist damit noch gültig.[17]

11 Eine Abgrenzung verschiedener Formen der Rechtsfortbildung ist hilfreich, weil sie den unterschiedlich hohen Begründungsaufwand verdeutlicht (§ 6 Rn. 97 ff.). Der Jurist wird sensibilisiert, nicht mit Leerformeln zu arbeiten, sondern in besonderem Maße die Grenzen zulässiger Rechtsfortbildung zu achten, also nicht contra legem zu handeln. Die Grenzen zulässiger Rechtsfortbildung bilden damit zwei gewichtige Prinzipien ab, die *Gewaltenteilung* und das *berechtigte Vertrauen des Bürgers.*

b) Unklare Einzelfragen

12 Nach *Neuner* ist eine Rechtsfortbildung unzulässig, wenn die Regelungsabsicht des historischen Gesetzgebers missachtet wird.[18] Allerdings soll es seiner Ansicht nach auch zahlreiche Ausnahmen geben (§ 13 Rn. 18). Der Ansatz, die subjektive Auslegung für maßgeblich zu erklären, ist aber zu eng (s. oben § 6 Rn. 66 ff.). *Wiedemann* nennt als Vorbedingung einer Rechtsfortbildung ein Regelungsbedürfnis aufgrund höherrangigen Rechts oder eine nötige Gesetzeskorrektur, die vom Wandel der Lebensverhältnisse bestimmt ist.[19] Gleichzeitig betont er, dass die Aufzählung nicht abschließend sei und das europäische Recht ausgespart bliebe.[20] Die Ansichten ziehen nur punktuell juristische Ar-

---

[12] Palandt/*Grüneberg*, BGB, 78. Aufl. 2019, Einl. Rn. 57.

[13] Palandt/*Grüneberg*, BGB, 80. Aufl. 2021, Einl. Rn. 56.

[14] So der Titel von *Foerste*, Verdeckte Rechtsfortbildung in der Zivilgerichtsbarkeit, JZ 2007, 122 ff.; *Fischer*, Topoi verdeckter Rechtsfortbildung im Zivilrecht, 2007; vorher schon *Esser*, Vorverständnis und Methodenwahl, 1970, S. 7, 177; *Hillgruber*, JZ 1996, 118 ff.; ausführlich auch unten § 14 Rn. 125 f.

[15] *Rüthers/Fischer/Birk*, Rechtstheorie, 11. Aufl. 2020, Rn. 826 ff.

[16] *Meier-Hayoz*, in: BK-ZGB, 1962, Art. 1 N 155.

[17] Im Jahre 1993 verdiente sich der Palandt die „Euro-Zitrone“ als Scherzpreis für diejenige Publikation, welche die Bedeutung des europäischen Rechts am stärksten ignorierte, s. *Basedow*, ZEuP 1993, 656. Die in der ersten Auflage 2017 verliehene „*Methoden-Zitrone*“ bleibt insoweit noch bestehen.

[18] *Neuner*, Die Rechtsfindung contra legem, 2. Aufl. 2005, S. 139 ff., 187 ff.

[19] *Wiedemann*, NJW 2014, 2407, 2412 unter Hinweis auf *Hager*, Rechtsmethoden in Europa, 2009, S. 195 ff.; *Larenz*, Methodenlehre der Rechtswissenschaft, 6. Aufl. 1991, S. 413 ff.; *Kramer*, Juristische Methodenlehre, 6. Aufl. 2019, S. 267 ff. (mit Beispielen aus dem schweizerischen Recht).

[20] *Wiedemann*, NJW 2014, 2407, 2412.

gumente heran, um die Grenze zulässiger Rechtsfortbildung zu begründen. Damit sind sie angreifbar, weil so noch offene Gegenargumente nicht entkräftet werden.

4. Begriffsbestimmungen zur Grenze zulässiger Rechtsfortbildung

a) Bisherige Begrifflichkeiten: Gesetzesimmanente, gesetzesübersteigende Rechtsfortbildung und Rechtsfortbildung contra legem

13 Zunächst gilt es, die verschiedenen Begrifflichkeiten der Rechtsfortbildung zu klären. Dabei kann auf die Vorarbeiten von Larenz aufgebaut werden, der nach dem methodischen Vorgehen bei der Rechtsfortbildung differenziert (a). Daneben lässt sich nach dem Ergebnis der Rechtsfortbildung unterscheiden (b). Es ist aber zu zeigen, dass der Begriff der Rechtsfortbildung weiterentwickelt werden muss (c).

14 aa) Nach *Larenz* liegt eine *gesetzesimmanente* Rechtsfortbildung *intra legem* dann vor, wenn das Recht im Rahmen des ursprünglichen Plans der gesetzlichen Regelung und der daraus folgenden eigenen Teleologie weitergebildet wird.[21] Bei dieser Rechtsfortbildung befindet man sich noch innerhalb der Kodifikation. Die gesetzesimmanente Rechtsfortbildung ist damit regelmäßig im Hinblick auf das gesamte Regelungswerk gesetzesergänzend. Typische Anwendungsfälle sind die Analogie und die teleologische Reduktion. Weil die Wertung für den gesetzlich geregelten und den gesetzlich nicht geregelten Sachverhalt übereinstimmt, verpflichtet der verfassungsrechtliche Gleichheitsgrundsatz[22] zur Gleichbehandlung (§ 6 Rn. 94, 114).[23]

15 bb) Von einer *gesetzesübersteigenden* Rechtsfortbildung *praeter legem*[24] spricht *Larenz*, wenn der Jurist die Lücke über den Ideengehalt des entsprechenden Gesetzes hinaus, gerade durch Wertungen außerhalb dessen eigener Teleologie, füllt, also neue Rechtsgedanken ausbildet. Der Begriff ist hilfreich, weil er verdeutlicht, dass man den Wortlaut der Kodifikation verlässt und zusätzlich gefordert ist, Wertungen aus dem gesamten Recht zu suchen. Das können die Verfassung oder das Europarecht, aber auch einfachgesetzliche Regelungen des nationalen Rechts sein.[25] Darunter fallen nach Ansicht von *Larenz* die Bedürfnisse des Rechtsverkehrs, die Natur der Sache, der Gleichheitsgrundsatz, rechtsethische Prinzipien und juristische Entdeckungen.[26] Zudem kann auf Rechtsprinzipien zurückgegriffen werden.[27] Denn nach der objektiven Auslegungstheorie bildet der subjektive Wille des Gesetzgebers keine unüberwindbare Hürde für die Rechtsfortbildung (§ 6 Rn. 66 ff.). Ähnlich verlangt das BVerfG für die Rechtsfortbildung im Verfassungsrecht, die unvollkommenen Wertvorstellungen im Recht ans Licht zu bringen. Es schreibt:

16 „Richterliche Tätigkeit besteht nicht nur im Erkennen und Aussprechen von Entscheidungen des Gesetzgebers. Die Aufgabe der Rechtsprechung kann es insbesondere erfordern, *Wertvorstellungen, die der verfassungsmäßigen Rechtsordnung immanent, aber in den Texten der geschriebenen Gesetze nicht oder nur unvollkommen zum Ausdruck ge-*

---

[21] *Larenz*, Methodenlehre der Rechtswissenschaft, 6. Aufl. 1991, S. 366, 426.

[22] Zur Rechtsanwendungsgleichheit s. oben § 1 Rn. 42.

[23] Nach *Buchwald*, ARSP 79 (1993), 16, 46 ist dies im Grunde kein Fall der Rechtsfortbildung.

[24] Die lateinische Formulierung verwendet *Kramer*, Juristische Methodenlehre, 6. Aufl. 2019, S. 205.

[25] *Larenz* (ebd.), S. 366, 413 f.; auf die Werteordnung der Verfassung verweist in den USA *Breyer*, in: McDonald v. City of Chicago, 561 U.S. 742, 916 (2010) (abweichende Meinung). Zum Teil spricht man auch von *gesetzesübersteigender Rechtsfortbildung extra legem sed intra ius*, *Kramer* (ebd.), S. 206 ff.; **a. A.** *Meier/Jocham*, JuS 2016, 392, 394: künstliche Abgrenzung.

[26] *Larenz* (ebd.), S. 366, 426.

[27] *Bruns*, JZ 2014, 162, 163; ausführlich § 9 und § 10.

langt sind, in einem Akt des bewertenden Erkennens, dem auch willenhafte Elemente nicht fehlen, ans Licht zu bringen und in Entscheidungen zu realisieren. Der Richter muß sich dabei von Willkür freihalten; seine Entscheidung muß auf rationaler Argumentation beruhen. Es muß einsichtig gemacht werden können, daß das geschriebene Gesetz seine Funktion, ein Rechtsproblem gerecht zu lösen, nicht erfüllt. Die richterliche Entscheidung schließt dann diese Lücke nach den Maßstäben der praktischen Vernunft und den ‚fundierten allgemeinen Gerechtigkeitsvorstellungen der Gemeinschaft' (BVerfGE 9, 338 [349]).

Diese Aufgabe und Befugnis zu *‚schöpferischer Rechtsfindung'* ist dem Richter – jedenfalls unter der Geltung des Grundgesetzes – im Grundsatz nie bestritten worden."[28]

Die gesetzesübersteigende Rechtsfortbildung kann auch gesetzesersetzend sein. Das Recht wächst also über das Gesetz und seine ursprüngliche Grenze hinaus. Kritisch ist allerdings zu beurteilen, dass *Larenz* auch die Natur der Sache für eine gesetzesübersteigende Rechtsfortbildung zur Rechtfertigung heranziehen möchte (§ 9 Rn. 6a). **17**

cc) Eine *Rechtsfortbildung contra legem* liegt nach *Larenz* erst dann vor, wenn eine gesetzesübersteigende Rechtsfortbildung nicht mehr mit spezifisch rechtlichen Erwägungen begründet werden kann.[29] Allerdings können nach seiner Ansicht selbst dann sehr schwerwiegende (rechtliche) Gründe eine solche Rechtsfortbildung rechtfertigen.[30] *Neuner* weitet den Bereich zulässiger Rechtsfortbildung contra legem weiter aus; sie soll überdies zulässig sein bei Rechtsnotstand[31] oder Verstößen gegen das Willkürverbot, Änderungen der Normsituation, Wandlungen im Wertungsgefüge der Rechtsordnung oder krassen Beeinträchtigungen der Einzelfallgerechtigkeit.[32] **18**

b) Lückenfüllendes, gesetzeskonkretisierendes, gesetzesvertretendes und gesetzeskorrigierendes Richterrecht

In der Literatur wird das Richterrecht weiter differenziert: Demnach lässt sich nach dem Ergebnis der Rechtsfortbildung unterscheiden. Das *lückenfüllende* Richterrecht ist ebenso zulässig wie das **gesetzeskonkretisierende**, das bei Generalklauseln und unbestimmten Rechtsbegriffen eingreift.[33] Das **gesetzesvertretende** Richterrecht soll bei Untätigkeit des Gesetzgebers zulässig sein.[34] **Gesetzeskorrigierendes** Richterrecht ***(contra verba legis)*** liegt vor, wenn der Richter z.B. aufgrund technischer oder sozialer Entwicklung das Gesetz korrigiert.[35] **19**

[28] BVerfG, Beschl. v. 14.2.1973, 1 BvR 112/65, BVerfGE 34, 269, 287 – Soraya (§ 1 Rn. 51); BGH, Urt. v. 19.9.1989, VI ZR 349/88, BGHZ 108, 309 – Haftung für gefahrgeneigte Arbeit gegenüber Dritten.

[29] *Larenz*, Methodenlehre der Rechtswissenschaft, 6. Aufl. 1991, S. 427; s. auch Larenz/*Canaris*, Methodenlehre der Rechtswissenschaft, 3. Aufl. 1995, S. 251.

[30] *Larenz* (ebd.), S. 367, 427 f.; *Neuner*, Die Rechtsfindung contra legem, 2. Aufl. 2005, S. 139 ff., 187 ff. Fn. 31; vorsichtiger Larenz/*Canaris* (ebd.), S. 188 f. Ein zulässiges Judizieren contra legem solle allenfalls dann möglich sein, wenn wegen Versagens des Gesetzgebers ein Rechtsnotstand droht.

[31] Larenz/*Canaris* (ebd.), S. 251.

[32] *Neuner*, Die Rechtsfindung contra legem, 2. Aufl. 2005, S. 148 ff.

[33] *Ossenbühl*, in: HStR V, 3. Aufl. 2007, § 100 Rn. 52. Zudem wird noch das gesetzeskonkurrierende Richterrecht genannt, s. *Stern*, in: ders., Das Staatsrecht der Bundesrepublik Deutschland, Bd. III/2, 1994, S. 1670.

[34] *Ipsen*, in: Achterberg, Rechtsprechungslehre, 1986, S. 435, 437 ff.; *Ossenbühl*, in: HStR V, 3. Aufl. 2007, § 100 Rn. 53.

[35] *Ipsen*, in: Achterberg (ebd.), S. 435, 440; *Ossenbühl*, in: HStR V, 3. Aufl. 2007, § 100 Rn. 54.

c) Zur Neubestimmung der Begriffe: Rechtsfortbildung und Rechtsfortbildung contra legem

20 Wenn der EuGH von „*interprétation*" spricht, meint er damit zum einen die Auslegung und zum anderen die Rechtsfortbildung, ohne sauber zu differenzieren (§ 6 Rn. 172). Teilweise verwendet er aber auch den Begriff der Rechtsfortbildung (§ 12 Rn. 47). In der deutschen Rechtswissenschaft wird grundsätzlich zwischen den Begriffen Auslegung und Rechtsfortbildung unterschieden. An dieser Differenzierung ist festzuhalten, um dem Rechtsanwender zu verdeutlichen, dass bei der Rechtsfortbildung der erforderliche Begründungsaufwand steigt.

21 Der Begriff der Rechtsfortbildung ist nicht nur an der Wortlautgrenze festzumachen. Im Folgenden sollen drei Bereiche darunterfallen:

aa) Erstens wird mit **Rechtsfortbildung** grundsätzlich ein Überschreiten der Wortlautgrenze verbunden. Bei der Auslegung arbeitet man innerhalb der Grenze des Wortlauts, während bei der Rechtsfortbildung das Ergebnis **nicht mehr vom Wortlaut der Norm** gedeckt ist. Diese Grenze ist vor allem im Strafrecht von hoher praktischer Relevanz (§ 4 Rn. 65 ff.).

22 bb) Streng genommen ist jedes neu ergangene Urteil, welches das bisherige Recht weiterentwickelt, rechtsfortbildend.[36] Das geht aber zu weit, weil ansonsten jede Auslegung auch Rechtsfortbildung wäre und damit eine Abgrenzung von Auslegung zur Rechtsfortbildung überflüssig würde.[37] Daher soll für die Bereiche der Konkretisierung der Begriff der Rechtsfortbildung grundsätzlich nicht verwendet werden, weil sich der Jurist noch innerhalb des Wortlauts bewegt. Konkretisierung von Recht findet im Rahmen des Wortlauts statt, wenn dieser selbst noch zu unbestimmt ist (§ 7 Rn. 2).

22a Im Rahmen der Konkretisierung ist der Begriff Rechtsfortbildung aber *ausnahmsweise* zu benutzen, wenn der Jurist kreativ (§ 14 Rn. 46 ff.) wird und *neue* Fallgruppen (§ 8 Rn. 42) entwickelt. Rechtsfortbildung kann damit auch innerhalb der Wortlautgrenze stattfinden. Vor allem im Bereich der **Konstruktion** (§ 9 Rn. 7a) ist die Arbeit mit Zwischenschritten oder Rechtsprinzipien üblich (§ 9 Rn. 24 ff., § 10 Rn. 17 ff.).[38]

22b cc) Die **Rechtsprechungsänderung** ist ein weiteres plastisches Beispiel für die Rechtsfortbildung. Auch hier steigt der Begründungsaufwand, wenn die Parteien auf die bisherige Rechtsprechung vertrauen durften (§ 3 Rn. 31 ff.).

23 dd) Schließlich ist der Begriff der **Rechtsfortbildung contra legem** neu zu bestimmen. Eine Rechtsfortbildung als contra legem zu bezeichnen, sie dann aber doch für ausnahmsweise zulässig zu erklären, *ist irreführend*. Denklogisch stört schon, eine contra-legem-Grenze zu postulieren, dann aber so viele Ausnahmen zuzulassen, dass von der Regel kaum noch etwas übrig bleibt: Die erstrebte Verbesserung der Methodenklarheit und Methodenehrlichkeit gelingt so schwerlich.[39] In Abgrenzung zu *Larenz* und *Neuner* soll der Begriff der **Rechtsfortbildung contra legem** deshalb nur verwendet werden, wenn die **Rechtsfortbildung ausnahmslos unzulässig** ist.[40]

---

[36] So wohl *Koch/Rüßmann*, Juristische Begründungslehre, 1982, S. 247 ff.: Jede Entscheidung, die nicht vom Gesagten geboten ist, sondern entweder freigestellt oder verboten ist. Ebenso *Lindner*, Rechtswissenschaft als Metaphysik, 2017, S. 87: „Da *jede* Auslegung des Rechts in der Sache eine Rechtsfortbildung ist […]"; s. auch § 4 Rn. 67.

[37] **A. A.** *Martens*, ZEuP 2018, 724, 725.

[38] Andere Autoren sprechen von Rechtsgewinnung (*Jestaedt*, Grundrechtsentfaltung im Gesetz, 1999, S. 287 ff.) oder judikativer Rechtserzeugung (*Payandeh*, Judikative Rechtserzeugung, 2017, S. 25 ff.).

[39] So die Kritik von *Bydlinski*, in: Koller u.a., Einheit und Folgerichtigkeit im juristischen Denken, 1998, S. 27, 32 mit zahlreichen weiteren Argumenten.

[40] So etwa die Definition von *Bydlinski*, in: Koller u.a., Einheit und Folgerichtigkeit im Juristischen Denken, 1998, S. 27, 28; *Möllers*, EuR 1998, 20, 42 ff.; *ders.*, in: FS G. Roth, 2011, S. 473, 478; *Schwacke*, Juristische Methodik, 5. Aufl. 2011, S. 123; *Meier/Jocham*, JuS 2016, 392, 394; so wohl auch der EuGH, Urt. v. 4.7.2006, C-212/04, EU:C:2006:443, Rn. 110 f. – Adeneler (§ 12 Rn. 46 f.); zustimmend *Wank*, Juristische Methodenlehre, 2020, § 15 Rn. 48.

5. Argumentationsfiguren zur Vermeidung einer unzulässigen Rechtsfortbildung

Im Unterschied zu den gerade genannten Auffassungen sollen die Grenzen zulässiger Rechtsfortbildung strukturiert werden. Das geschieht gedanklich in zwei Teilen. In der Literatur wird zu Recht betont, dass das Überschreiten der Wortlautgrenze die Argumentationslast des Gerichts erhöht.[41] Das lässt sich aber noch präzisieren: Je umfangreicher und je mehr Argumente gegen die Zulässigkeit der Rechtsfortbildung sprechen, desto höher ist der Argumentationsaufwand, um die Rechtsfortbildung zu rechtfertigen und die Gegenposition zu entkräften.[42] 24

Im Folgenden wird ein Fünf-Stufen-System vorgestellt, das die einschlägigen Argumentationsfiguren *in einem ersten Teil* systematisch zusammenstellt und in einer Reihenfolge anordnet. Diese fünf Stufen sind nicht mit der oft zwingenden Prüfungsfolge eines gesetzlichen Tatbestands zu vergleichen. Vielmehr sollen sie dazu dienen, die einschlägigen Argumente für die Rechtslösung zu durchdenken und soweit einschlägig, für die Rechtslösung vorzutragen und abzuwägen.[43] Anders formuliert: Unzulässig ist es, sich aufdrängende Argumente zu unterschlagen und damit das erforderliche Begründungsniveau zu unterschreiten. Im Einzelnen wird zwischen Auslegung, Rechtsfolgenorientierung, der Verfassung und dem Europarecht als höherrangigem Recht und den Kompetenzgrenzen zu unterscheiden sein (s. sogleich unter II. – VI.). Die fünf Stufen führen zu einem Rationalitätsgewinn, um zu begründen, wann eine Rechtsfortbildung noch zulässig ist. 25

Sodann sind die gesammelten Argumente *in einem zweiten Teil* zu **gewichten**. Es wird sich zeigen, dass einzelne Auslegungsfiguren deutlich stärker sind als andere und damit das Ergebnis vorgeben (VII.). Dies zeigt die Grafik am Ende des Kapitels (§ 13 Rn. 132). 26

II. Erster Schritt: Klassische Argumentationsfiguren

Der Richter wird zunächst versuchen, seine Rechtslösung über das Instrument der Auslegung zu entwickeln. Er prüft dafür alle einschlägigen Auslegungsmethoden, insbesondere den Auslegungskanon von *Savigny.* Stellt er fest, dass ein interessengerechtes Ergebnis durch Auslegung nicht zu erreichen ist, hat er zu prüfen, in welchem Umfang er eine Rechtsfortbildung begründen kann. Auch hier beginnt er mit den klassischen Auslegungsfiguren von Savigny. Ein Hauptaugenmerk wird bei der Einzelanalogie darauf zu verwenden sein, ob der Gesetzeszweck eine entsprechende Anwendung der Vorschrift rechtfertigt.[44] Dann folgen die sechs hier vorzustellenden Schritte. 27

1. Eindeutigkeit und Offenheit des Wortlauts

Das Überschreiten des Wortlauts führt zur Rechtsfortbildung. Im Strafrecht verbietet das Gesetzlichkeitsprinzip ein Überschreiten der Wortlautgrenze und damit eine Rechtsfortbildung zulasten des Täters zwingend und ohne Ausnahme. Auch hier sind zunächst alle einschlägigen Auslegungsfiguren heranzuziehen, um festzustellen, ob sich das Auslegungsergebnis noch im Rahmen des Wortlauts befindet (ausführlich oben § 4 Rn. 65 ff.). 28

---

[41] *Neuner,* Allgemeiner Teil des Bürgerlichen Rechts, 12. Aufl. 2020, § 4 Rn. 74.

[42] Hierzu bereits § 1 Rn. 87.

[43] Zu derselben Pflicht bei einer allgemeinen Prüfungsfolge zur Erarbeitung einer Rechtslösung s. unten § 14 Rn. 69 ff.

[44] Eine methodisch vorbildliche Entscheidung ist BGH, Urt. v. 4.5.1988, VIII ZR 196/87, NJW 1988, 2109, 2110 – Ankauf durch einen Angestellten (§ 4 Rn. 153 f., § 6 Rn. 130 f.).

Für den Wortlaut gilt: Je konkreter ein Gesetz durch den Wortlaut festgelegt ist, desto höher ist zunächst die Hürde für eine Rechtsfortbildung. Das bedeutet, der Begründungsaufwand steigt (ausführlich hierzu § 13 Rn. 10). Allerdings liegt ein eindeutiger Wortlaut selten vor und die Eindeutigkeitsregel ist abzulehnen. Deshalb gilt auch der umgekehrte Satz: Je unbestimmter und offener der Wortlaut ist, desto eher ist eine Rechtsfortbildung möglich. Bei unbestimmten Rechtsbegriffen oder Generalklauseln hat der Gesetzgeber die Konkretisierungskompetenz an die Gerichte delegiert (§ 7 Rn. 9 ff.). Allerdings gibt es auch dort Grenzen der Rechtsfortbildung.

2. Arbeiten am System – Lücke und geschlossenes System

a) Geschlossenes System und unzulässige Änderung der Grundkonzeption des Gesetzgebers

29 Eine Rechtsfortbildung wird mit dem systematischen Argument verneint, dass eine Einzelanalogie nicht möglich ist, weil keine Lücke vorliegt oder diese zumindest nicht planwidrig wäre. Ein sog. *geschlossenes System* stünde einer Rechtsfortbildung entgegen. Im Gegensatz zum kasuistisch gebildetem Richterrecht wird das System des deutschen Rechts seiner Grundstruktur nach als geschlossen angesehen.[45] Erforderlich ist, dass der Jurist aufzeigt, ob das Recht für eine Rechtsfortbildung offen ist oder das geschlossene System einer solchen Rechtsfortbildung entgegensteht. So reicht regelmäßig das Sozialstaatsprinzip des Art. 20 Abs. 1 GG nicht aus, um Entscheidungen des Gesetzgebers umzustoßen. Beispielsweise war die Reihenfolge der Gläubiger im Konkurs durch § 61 KO abschließend geregelt und konnte nicht durch Rechtsfortbildung zugunsten der Arbeitnehmer verändert werden.[46] Weitere Fälle finden sich im Delikts- und Vertragsrecht.

30 aa) Ein schönes Beispiel bildet die sog. *Zweispurigkeit von Verschuldens- und Gefährdungshaftung* im deutschen Recht. Der Gesetzgeber legt die verschuldensunabhängige Gefährdungshaftung im BGB als Ausnahme zum Verschuldensprinzip des Deliktsrechts fest und regelt diese in erster Linie in speziellen Gesetzen (§ 6 Rn. 156 f.). Diese Systematik darf die Rechtsprechung nicht umgehen. Folglich lehnt auch der BGH es ab, einen allgemeinen Tatbestand einer Gefährdungshaftung durch eine Gesamtanalogie zu begründen. Wörtlich formuliert der BGH:

31 „Die Gefährdungshaftung, wie sie in unserer Rechtsordnung geregelt ist, hat sich als *Ausnahme von der Verschuldenshaftung* entwickelt und tritt, wie oben bereits gesagt, nur bei im Gesetz besonders geregelten und im einzelnen abgegrenzten Tatbeständen ein. Im Blick auf dieses *Enumerationsprinzip*, das der Gefährdungshaftung heute noch zugrunde liegt, kann daher von einer vom Richter zu schließenden Lücke nicht gesprochen werden, wenn für Tatbestände der hier interessierenden Art eine Gefährdungshaftung – noch – nicht eingeführt ist, sie vielmehr noch dem das Schadensersatzrecht grundsätzlich beherrschenden Verschuldensprinzip unterworfen bleiben. Jedenfalls aber ist es dem an das Gesetz gebundenen *Richter versagt, von sich aus völlig neue, mit einer erweiternden Abgrenzung der im Gesetz bereits festgelegten nicht mehr zu erfassende Tatbestände für eine Gefährdungshaftung einzuführen.* Der Richter würde damit

[45] *Canaris*, Systemdenken und Systembegriff in der Jurisprudenz, 2. Aufl. 1983, S. 61.

[46] BVerfG, Beschl. v. 19.10.1983, 2 BvR 485/80 u. a., BVerfGE 65, 182, 191 ff. – Sozialplan: „Eine gesetzliche Regelungslücke, die es dem Richter erlaubte, für bestimmte Forderungen eine Privilegierung außerhalb dieses *geschlossenen Systems* vor der Rangstelle des § 61 Abs. 1 Nr. 1 KO zu begründen, besteht nicht.“, unter Aufhebung von BAG, Urt. v. 19.12.1979, 5 AZR 743/75, BAGE 29, 188 und BAG, Urt. v. 19.12.1979, 5 AZR 96/76, ZIP 1980, 378.

über die ihm verfassungsmäßig gesteckten Grenzen hinausgreifen und Aufgaben an sich ziehen, die nach der Verfassung dem Gesetzgeber vorbehalten sind und in dessen alleiniger Zuständigkeit und Verantwortung stehen."[47]

bb) Hintergrund ist die Überlegung, dass der Gesetzgeber Vorschläge, einen allgemeinen Gefährdungstatbestand einzuführen,[48] trotz verschiedener Novellen zum Schadensersatzrecht[49] bisher nicht berücksichtigte.[50] Weil die Rechtsprechung in diesem Bereich konsequent die Rechtsfortbildung ablehnt, sah sich der Gesetzgeber gezwungen, zahlreiche gesetzliche Einzeltatbestände einer Gefährdungshaftung einzuführen.[51] Interessanterweise deckt sich diese „Flucht in die Spezialklausel"[52] auch mit der Vorgehensweise englischer Richter[53] und Überlegungen auf europäischer Ebene.[54] 32

Vertiefung – *Schutzgesetze im Kapitalmarktrecht:* Ähnliche Überlegungen finden sich im Kapitalmarktrecht, um die Schutzgesetzeigenschaft einzelner Normen und damit für den Kläger einen Schadensersatzanspruch gem. § 823 Abs. 2 BGB abzulehnen: Eine Norm ist nach der Rechtsprechung nur dann als Schutzgesetz anzusehen, wenn die Schaffung eines individuellen Schadensersatzanspruchs sinnvoll und *im Lichte des haftungsrechtlichen Gesamtsystems tragbar* erscheint.[55] Vor diesem Hintergrund sind systematische Überlegungen zu beachten. So darf die gesetzgeberische Entscheidung, dass nur unter den einschränkenden Voraussetzungen des § 826 BGB Vermögensschutz gewährt wird, nicht ausgehöhlt werden.[56] Insoweit ist problematisch, dass die Kurspreismanipulation des Art. 15 MAR (§ 20a Abs. 1 S. 1 Nr. 1 WpHG a. F.) keine subjektiven Tatbestandsmerkmale aufweist, während § 826 BGB sogar den Schädigungsvorsatz verlangt. Zudem hat der Gesetzgeber in den letzten Jahren nur bei einer Verletzung der Ad-hoc-Publizität eine spezialgesetzliche Haftung gem. §§ 97 f. WpHG (§§ 37b, 37c WpHG a. F.) eingeführt.[57] 32a

cc) Aus demselben Grund stieß die Rechtsprechung auch im Vertragsrecht an die Grenzen unzulässiger Rechtsfortbildung, z. B. bei der Rechtsfigur des sozialtypischen Verhaltens. Im Anschluss an *Haupt* und *Larenz* hatte die Rechtsprechung das Zustandekommen eines Vertrags auch ohne eine Willenserklärung bejaht, weil ein sozialtypisches Verhalten vorliegt, wenn ein Autofahrer einen Parkplatz benutzte, sich aber weigerte, die 33

[47] BGH, Urt. v. 25.1.1971, III ZR 208/68, BGHZ 55, 229, 234 – Wasserrohrbruch; s. bereits oben § 6 Rn. 156 f.

[48] *Kötz*, AcP 170 (1970), 1 ff.; *ders.*, in: BMJ, Gutachten und Vorschläge zur Überarbeitung des Schuldrechts, 1981, S. 1779 ff.; *von Caemmerer*, Reform der Gefährdungshaftung, 1971.

[49] S. auch § 11 Fn. 198.

[50] Zum historischen Willen s. § 6 Rn. 156 und sogleich § 13 Rn. 40.

[51] Z. B. § 7 StVG, § 1 HaftPlG, § 1 AtG, § 84 AMG, § 1 ProdHaftG, § 1 UmweltHG, § 32 GenTG, s. dazu § 6 Rn. 156.

[52] So die Formulierung von Kötz/*Wagner*, Deliktsrecht, 14. Aufl. 2021, 8. Kap. Rn. 23.

[53] *Lord Goff of Chieveley*, in: Cambridge Water Co. v. Eastern Countries Leather Plc. (1994) A.C. 264, 484: „I incline to the opinion that, as a general rule, it is more appropriate for strict liability in respect of operations of high risk to be imposed by Parliament, than by the courts. If such liability is imposed by statute, the relevant activities can be identified, and those concerned can know where they stand. Furthermore, statute can where appropriate lay down precise criteria establishing the incidence and scope of such liability."

[54] S. Art. VI.-3:202 ff. DCFR.

[55] BGH, Urt. v. 22.6.2010, VI ZR 212/09, BHGZ 186, 58, 68 f. Rn. 29 – Phoenix (zu § 34a WpHG a. F.); BGH, Urt. v. 19.2.2008, XI ZR 170/07, BGHZ 175, 276, 281 Rn. 18 zu § 32 WpHG a. F.; BGH, Urt. v. 13.12.2011, XI ZR 51/10, BHGZ 192, 90, 98 f. Rn. 21 – IKB (zu § 20a WpHG a. F.).

[56] BGH, Urt. v. 19.2.2008, XI ZR 170/07, BGHZ 175, 276, 281 f. Rn. 20; BGH, Urt. v. 13.12.2011, XI ZR 51/10, BGHZ 192, 90, 101 Rn. 26 – IKB.

[57] KK-WpHG/*Möllers/Leisch*, 2. Aufl. 2014, §§ 37b, c Rn. 501 ff. Zu Art. 15 MAR s. auch oben § 5 Rn. 119.

Gebühr zu bezahlen.[58] Reines sozialtypisches Verhalten ohne einen Rechtsbindungswillen kann noch nicht zu einem Vertrag führen, da im BGB für das Zustandekommen des Vertrages ausdrücklich Angebot und Annahme notwendig sind. Die ganz h.M. lehnt in solchen Fällen die Lehre vom *faktischen Vertrag* als Folge der Lehre vom sozialtypischen Verhalten ab, weil sie gegen elementare Grundsätze der Privatautonomie verstößt.[59] Willenserklärungen nur durch sozialtypisches Verhalten zu erklären, widerspricht dem Selbstbestimmungsrecht des Einzelnen (§ 9 Rn. 43 ff.). Der auf einer Willenserklärung beruhende Vertragsschluss wird nicht erweitert.[60] Die Lehre vom sozialtypischen Verhalten ist zudem überflüssig und damit liegt gerade keine Lücke für eine Rechtsfortbildung vor, weil nach h.M. in vielen Situationen ein Vertragsschluss schon nach den allgemeinen Regeln des BGB zu Stande kommt. Es liegen konkludente Willenserklärungen vor.[61]

b) Zulässige Erweiterungen in einem offenen System

34 aa) Allerdings kann das geschlossene System vorsichtig korrigiert werden. Die Rechtsordnung als *offenes System* zeichnet sich dadurch aus, dass sie entwicklungsfähig ist.[62] Dazu muss allerdings nachgewiesen werden, dass das Recht auch entwicklungsfähig sein darf. Damit müssen die geänderten Lebensverhältnisse sich im Recht wiederfinden lassen, um nicht blind nach dem Vorverständnis des Rechtsanwenders zu entscheiden.[63] Die rechtliche Relevanz der nichtehelichen Lebensgemeinschaft zeigt diese Problematik deutlich (§ 6 Rn. 74 f.). Zudem kann man sich u.a. auf Rechtsprinzipien berufen, um Lücken im Recht zu füllen. Weitere Ansätze werden bei der Juristischen Kreativität und der Topik-Lehre genannt (§ 14 Rn. 49 ff.).

35 Es gibt inzwischen nicht mehr einen ausschließlichen Gegensatz von Verschuldens- und Gefährdungshaftung. Vielmehr wurden zahlreiche Beweiserleichterungen entwickelt, die dem Geschädigten helfen sollen, seine Ansprüche durchzusetzen. Das aus der Selbstverantwortung des Schädigers abgeleitete Nichtstörungsgebot kann eine Reihe von Entscheidungen der Rechtsprechung begründen, in welchen die vermeintliche Zweispurigkeit von Verschuldens- und Gefährdungshaftung (§ 13 Rn. 30) schon ausgehöhlt wurde. Insoweit wird von einer *Mehrspurigkeit* des Haftungsrechts gesprochen.[64] So nahm der BGH in der Hühnerpest-Entscheidung Beweiserleichterungen bzgl. des Verschuldens vor (§ 5 Rn. 141). Überdies führte die Rechtsprechung beispielsweise im Arzthaftungsrecht zahlreiche Beweiserleichterungen ein, die inzwischen in § 630h BGB kodifiziert wurden.[65]

36 bb) Damit hat die Rechtsfigur eines geschlossenen Systems eine begrenzte Überzeugungskraft. Zudem muss der Jurist nicht nur die Kodifikation für sich betrachten, sondern das gesamte Recht bei der Rechtssuche miteinbeziehen. Dazu gehört neben dem Richterrecht vor allem das höherrangige Recht, wie beispielsweise die Verfassung oder

---

[58] *Haupt*, Über faktische Vertragsverhältnisse, 1943, S. 11; *Larenz*, Lehrbuch des Schuldrechts, Bd. I, 1953, S. 41 f.; BGH, Urt. v. 14.7.1956, V ZR 223/54, BGHZ 21, 319, 334 f. – Parkplatz.

[59] Statt aller Palandt/*Ellenberger*, BGB, 80. Aufl. 2021, Einf. vor § 145 Rn. 25 ff. Der BGH (§ 13 Fn. 58) und *Larenz*, Allgemeiner Teil des deutschen Bürgerlichen Rechts, 5. Aufl. 1980, S. 493 f. haben diese Lehre inzwischen wieder aufgegeben.

[60] Zur fahrlässigen Willenserklärung s. § 4 Rn. 96 ff., § 5 Rn. 28 ff.

[61] *Armbrüster*, in: MünchKomm-BGB, 8. Aufl. 2018, vor § 116, Rn. 10; *Busche*, in: MünchKomm-BGB, 8. Aufl. 2018, vor § 145 Rn. 44; Palandt/*Ellenberger*, BGB, 80. Aufl. 2021, Einf. vor § 145 Rn. 25 f.

[62] Zum offenen System s. bereits *Flume*, Allgemeiner Teil des Bürgerlichen Rechts, Bd. II, 4. Aufl. 1992, S. 295 ff.; *Kriele*, Theorie der Rechtsgewinnung, 2. Aufl. 1976, S. 122, 145, 150; *Canaris*, Systemdenken und Systembegriff in der Jurisprudenz, 2. Aufl. 1983, § 3.

[63] Zur objektiven Theorie s. § 6 Rn. 69 ff.

[64] Zur Mehrspurigkeit des Haftungsrechts s. *Möllers*, Rechtsgüterschutz im Umwelt- und Haftungsrecht, 1996, S. 159 ff.

[65] S. Patientenrechtegesetz v. 20.02.2013, BGBl. I, S. 278 f.

das Europarecht, das im Zweifel vorgeht (§ 13 Rn. 66 ff.). Damit wird die Kodifikation, etwa das BGB, um die Wertungen der Verfassung und des Europarechts erweitert. Das BGB für sich genommen ist insoweit offen, als es das höherrangige Recht mitberücksichtigen muss. Mit Blick auf das verfassungsrechtlich geschützte Persönlichkeitsrecht konnte damit ein Schmerzensgeldanspruch gegen den Willen des Gesetzgebers und die Systematik des BGB gerechtfertigt werden (§ 11 Rn. 72 ff.).

3. Wille des Gesetzgebers und der sich im Gesetz wiederfindende Wandel der Lebensverhältnisse (objektive Auslegung)

a) Relevanz des subjektiven Willens

Der subjektive Wille des Gesetzgebers bei dem Erlass von Normen ist dann besonders stark, wenn er eindeutig ist und auch heute noch gilt. Wenn das Gesetz erst vor kurzem erlassen wurde, spricht die Vermutung dafür, dass der Wille noch gilt. Umgekehrt ist das Argument schwach, wenn sich der Wille des Gesetzgebers aus den Gesetzesmaterialien nicht (eindeutig) ergibt und damit unklar bleibt (§ 6 Rn. 42 ff.). In § 6 wurden schon ausführlich die subjektive und objektive Auslegung thematisiert und festgehalten, dass beide Verfahren zu kombinieren sind, also mit der subjektiven Auslegung zu beginnen ist, um dann Gründe für eine objektive Auslegung aufzuzeigen. Diese können dann den Willen des Gesetzgebers korrigieren (§ 6 Rn. 69 ff.). Voraussetzung ist, dass sich die geänderten Verhältnisse auch in den Wertungen des Rechts widerspiegeln (§ 13 Rn. 44). 37

b) Die Reaktion des Gesetzgebers auf die Rechtsprechung

aa) Einfach ist es, wenn der Gesetzgeber auf die bisherige Rechtsprechung reagiert: Bildet die Rechtsprechung durch eine Rechtsprechungskette das Recht fort, kann der Gesetzgeber diese positiv gutheißen, z.B. wenn er diese Rechtsprechung in Gesetzesform gießt, wie dies zahlreiche Beispiele der Schuldrechtsreform von 2002 zeigen.[66] Wird die bisherige Rechtsprechung haargenau übernommen, muss die bisherige Rechtsfortbildung nicht fortgeführt werden. Die gewünschte Rechtslösung ergibt sich nun direkt aus dem Gesetz. Umgekehrt kann der Gesetzgeber die Wirkung von Urteilen aufheben, indem er ausdrücklich eine andere gesetzliche Regelung trifft.[67] Damit setzt er eine Grenze für die Zukunft, da die Rechtsprechung nicht zu ihrer „alten" Rechtsfortbildung zurückkehren kann. 38

c) Interpretationsmöglichkeiten auf ein Schweigen des Gesetzgebers

aa) Zum Teil wird vertreten, dass sich aus dem Schweigen des Gesetzgebers kein Argument für oder gegen die Zulässigkeit der Rechtsfortbildung gewinnen lässt.[68] So formulieren verschiedene Richter des zweiten Senats des BVerfG in einem Sondervotum: „Soweit der Gesetzgeber nach Erlass der Norm untätig geblieben ist, lässt sich aus diesem Umstand weder ohne Weiteres darauf schließen, er akzeptiere eine bestimmte beziehungsweise die gerade aktuelle Normanwendungspraxis […], noch kann gar daraus ge- 39

[66] Zum Verschulden bei Vertragsschluss, s. § 6 Rn. 151; zur Störung der Geschäftsgrundlage s. etwa § 9 Rn. 37 ff. Weitere Beispiele bilden die Anerkennung der nichtehelichen Lebensgemeinschaft im Mietrecht in § 563 Abs. 2 S. 4 BGB (§ 13 Rn. 46) oder die Anerkennung der aktiven Parteifähigkeit des nicht rechtsfähigen Vereins in § 50 Abs. 2 ZPO (§ 13 Rn. 57).

[67] *Herzog*, in: FS Simon, 1987, S. 103, 111; *Hergenröder*, Zivilprozessuale Grundlagen richterlicher Rechtsfortbildung, 1995, S. 198; s. auch zum KAAG (§ 2 Rn. 49 f.).

[68] Sondervotum *Voßkuhle, Osterloh, Di Fabio*, in: BVerfG, Beschl. v. 15.1.2009, 2 BvR 2044/07, BVerfGE 122, 248, 282, 284 – Rügeverkümmerung; vorher schon BVerfG, Beschl. v. 9.2.1988, 1 BvL 23/86, BVerfGE 78, 20, 25.

folgert werden, er habe unter Verzicht auf sein Gestaltungsprimat […] eine Lösung des Sachproblems der Rechtsprechung überantwortet.“[69]

40 bb) Dass das Schweigen des Gesetzgebers als **„nullum“** zu bewerten ist, lässt sich allerdings bezweifeln. Vielmehr soll ein solches Schweigen nach den jeweiligen Umständen ausgelegt werden. Ihm können drei verschiedene Bedeutungen zugemessen werden: Wenn der Gesetzgeber konkrete Gesetzgebungsvorschläge bewusst nicht aufgenommen hat, kann das Schweigen des Gesetzgebers erstens **gegen eine Lücke** sprechen (§ 13 Rn. 46). Man spricht hier vom *beredten Schweigen.* Ein solches Schweigen spricht dann gegen eine Rechtsfortbildung.[70]

41 Wenn der Gesetzgeber über mehrere Jahre zu einer bestimmten, ständigen Rechtsprechung schweigt, ist zweitens davon auszugehen, dass er die **Rechtsfortbildung der Gerichte toleriert und damit billigt**. Dies sind dann klassische Fälle des *gesetzesvertretenden Richterrechts* (§ 13 Rn. 19). So hat der Gesetzgeber ausdrücklich die Rechtsprechung zum Persönlichkeitsrecht[71], Arbeitskampfrecht[72] oder Gesellschaftsrecht[73] gebilligt. Für eine solche Auslegung spricht der Vertrauenstatbestand in eine bestimmte Rechtsprechung. Eine Änderung der Rechtsprechung ist dann nicht mehr ohne Weiteres möglich (§ 3 Rn. 33 ff.). Zudem hat es der Gesetzgeber unschwer in der Hand, diese Rechtsprechung durch ein anderslautendes Gesetz aufzuheben.

42 Nur wenn keine Umstände erkennbar sind, wird man für einen Restbereich das Schweigen für die Rechtsfindung nicht weiter nutzen können, sodass hierfür der Begriff des Schweigens als „*nullum*“ passend ist.

4. Der Zweck als Rechtfertigungsgrund einer Rechtsfortbildung

a) Der Zweck der Norm als Begründung der Rechtsfortbildung

43 In § 6 wurde gezeigt, dass man zahlreichen Argumentationsfiguren sog. Gegenfiguren gegenüberstellen kann, sodass Argumente mit Gegenargumenten bzw. mit gegenläufigen Argumentationsfiguren entkräftet werden können. So kann die Behauptung eines eindeutigen Wortlauts zum Zirkelschluss führen oder die teleologische Reduktion nach Sinn und Zweck die Einschränkung des Wortlauts der Norm erfordern. Bei der Einzelanalogie passt der Wortlaut der Norm nicht für den Sachverhalt, dafür trifft aber der **Zweck der Norm** den Sachverhalt. In diesen Fällen muss der Wortlaut der Norm korrigiert werden, um der ratio der Norm Rechnung zu tragen (§ 6 Rn. 112).

b) Die Relevanz gewandelter Lebensverhältnisse für die Rechtsanwendung

44 Wenn der Richter vom subjektiven Willen des Gesetzgebers abweichen will und dafür „gewandelte Lebensverhältnisse“ anführt, besteht die Gefahr, die vermeintlich objektive Auslegung zu missbrauchen und die eigenen Anschauungen für die Rechtslösung einzusetzen. Beruft man sich auf gewandelte Lebensverhältnisse, muss man nachweisen, dass diese *auch im Gesetz oder in der bisherigen Rechtsprechung einen Niederschlag gefunden* haben. Gelingt dem Juristen dieser Nachweis, ist das System offen und er ist grundsätzlich zur Rechtsfortbildung befugt. Das BVerfG bejaht in größerem Umfang die Zulässigkeit einer objektiven Auslegung aufgrund eines Verfassungswandels (§ 6 Rn. 72).

---

[69] Sondervotum *Voßkuhle, Osterloh, Di Fabio*, in: BVerfG (ebd.), BVerfGE 122, 248, 282, 284 – Rügeverkümmerung.

[70] Zu Fällen s. oben § 6 Rn. 65 und zum Siedlerverein s. § 13 Rn. 57.

[71] S. dazu Begr. RegE, BT-Drs. 14/7752, S. 25 (§ 11 Rn. 72 ff.).

[72] S. § 13 Rn. 53, 89. Weitere Beispiele bilden der Kontrahierungszwang (§ 9 Rn. 33 ff.), der Vertrag mit Schutzwirkung zugunsten Dritter (§ 10 Rn. 82 ff.). Im europäischen Recht haben die Mitgliedstaaten den europäischen Staatshaftungsanspruch akzeptiert (§ 12 Rn. 123 ff.).

[73] Zu Macrotron und Delisting s. § 11 Rn. 22.

In der Entscheidung zur nichtehelichen Lebensgemeinschaft bei der Mietnachfolge hatte der BGH umfangreich dargestellt, in welchen Kodifikationen die nichteheliche Lebensgemeinschaft schon Eingang gefunden hatte und daher inzwischen anerkannt ist. Das war ein starkes Argument, um die Einzelanalogie zu begründen. Auf gleiche Weise stellte dann das BVerfG die gleichgeschlechtliche Partnerschaft der Ehe gleich. So führte der BGH aus: 45

„Ihr hat die Rechtsprechung bereits verschiedentlich Rechnung getragen. So ist der Inhaber eines dinglichen Wohnungsrechts befugt, die Partnerin (den Partner) einer *nichtehelichen Lebensgemeinschaft* in analoger Anwendung des § 1093 Abs. 2 BGB in die Wohnung aufzunehmen, wenn beide unverheiratet sind und das Verhältnis auf Dauer angelegt ist (BGHZ 84, 36). Im Mietrecht hat der Vermieter unter den Voraussetzungen des § 549 BGB [a.F.; heute geregelt in §§ 540, 553 BGB] den ständigen Aufenthalt eines nichtehelichen Partners in der Mietwohnung zu dulden (BGHZ 92, 213). Auch außerhalb des Miet- und Wohnungsrechts haben Rechtsprechung (zur Ersatzzustellung gemäß § 181 ZPO vgl. BGHZ 111, 1) und Gesetzgeber die nichteheliche Lebensgemeinschaft als Form des Zusammenlebens von Mann und Frau zur Kenntnis genommen und rechtliche Folgen an ihre Existenz geknüpft (vgl. etwa § 122 BSHG [heute geregelt in § 20 SGB XII]; § 137 Abs. 2a AFG [AFG heute geregelt in SGB III]).“[74] 46

III. Zweiter Schritt: Der Blick auf die Rechtsfolgen

1. Folgenorientierte Überlegungen bei der Rechtsfortbildung

Schon bei der klassischen Auslegung konnten rechtsfolgenorientierte Überlegungen ein Ergebnis absichern (§ 5 Rn. 56 ff.). Im Bereich der Rechtsfortbildung sind solche Überlegungen nicht nur sinnvoll, sondern geradezu unabdingbar. Da der Jurist bei der Fortbildung des Rechts „*Neuland*“ betritt, hat er, ähnlich wie der Gesetzgeber bei der Schaffung von Gesetzen, die rechtlichen und faktischen Folgen seines Tuns zu berücksichtigen.[75] Dabei sind zwei Überlegungen zu trennen: Wenn der Wortlaut des Gesetzes zu einer unangemessenen Rechtsfolge, nämlich einer unbilligen Härte, führen würde, sind die Gerichte zur Rechtfortbildung bereit (2.). Daran anschließend wird man die Rechtsfolgen einer Rechtsfortbildung zu berücksichtigen haben (3.), d.h. der Jurist vergleicht die Rechtsfolgen, die sich mit und ohne Rechtsfortbildung ergeben.[76] 47

2. Unbillige Härte bei offensichtlicher Rechtsschutzlücke und Untätigkeit des Gesetzgebers

a) Unbillige Härte bei offensichtlicher Rechtsschutzlücke

aa) Auslöser einer Rechtsfortbildung ist oft die Frage, ob ein bestehender Missstand durch die Rechtsfortbildung abgestellt werden kann. Schon *von Jhering* schrieb 1862 zur Frage, ob der Irrende dem anderen Teil nicht zum Ersatz des Schadens verpflichtet sei, 48

[74] BGH, Urt. v. 13.1.1993, 8 ARZ 6/92, BGHZ 121, 116, 121 ff. – § 569a BGB a.F. analog (§ 6 Rn. 74 f.).

[75] Sehr deutlich Art. 1 Abs. 2 schweizerisches ZGB: „Kann dem Gesetze keine Vorschrift entnommen werden, so soll der Richter nach Gewohnheitsrecht und, wo auch ein solches fehlt, nach der Regel entscheiden, die er als Gesetzgeber aufstellen würde.“

[76] *G. Roth*, JuS 1975, 617, 619; *Schubert*, in: MünchKomm-BGB, 8. Aufl. 2019, § 242 Rn. 33 ff.; *Hemke*, Methodik der Analogiebildung im öffentlichen Recht, 2006, S. 371: „So würde niemand auf die Idee kommen, eine Vorschrift analog anzuwenden, deren Rechtsfolge er nicht im ungeregelten Fall für angemessen und passend hält.“

was nach damaligen römischen Recht zu verneinen war: „die Unbilligkeit und praktische Trostlosigkeit eines solchen Resultats liegt auf der Hand." Das war für ihn Anlass, das Rechtsinstitut der culpa in contrahendo, des Verschuldens bei Vertragsverhandlungen zu entwickeln.[77] Dies erinnert an die Radbruch'sche Formel des „unerträglichen Unrechts" (§ 2 Rn. 131 ff.). Offensichtliche Härten gilt es zu vermeiden (§ 5 Rn. 71 ff.). In den Bereich „Behebung eines Missstandes" lässt sich auch die Rechtsprechung des EuGH zum effet utile (§ 5 Rn. 108 ff.) einordnen.

49 Billigkeitserwägungen standen beispielsweise bei der Rechtsprechung hinsichtlich der *beschränkten Arbeitnehmerhaftung* (innerbetrieblicher Schadensausgleich) deutlich im Vordergrund. So formulierte das BAG:

> „Es wäre eine *unbillige Härte*, den Arbeitnehmer in solchen Fällen nach den normalen Regeln haften zu lassen, da häufig auch die Gefahr besteht, daß der durch ein solches Versehen verursachte Schaden *außer Verhältnis zu dem Arbeitseinkommen des Arbeitnehmers* steht. Ob und gegebenenfalls in welcher Höhe der Arbeitnehmer an der Wiedergutmachung des Schadens zu beteiligen ist, richtet sich nach der *Größe der in seiner Arbeit liegenden Gefahr*, nach dem vom Arbeitgeber einkalkulierten oder durch *Versicherung deckbaren Risiko*, nach der Stellung des Arbeitnehmers im Betrieb, nach der Höhe des Arbeitsentgelts, in dem möglicherweise eine Risikoprämie für den Arbeitnehmer enthalten sein kann, nach der Höhe des Schadens, weiter besonders nach dem Grad seines Verschuldens und überhaupt nach den persönlichen Umständen des Arbeitnehmers, wie der Dauer der Betriebszugehörigkeit in der vorausgegangenen Zeit, seinem Lebensalter, den Familienverhältnissen, seinem bisherigen Verhalten u.ä. [...]
>
> Diese Beschränkung der Haftpflicht des Arbeitnehmers ergibt sich aus den das Arbeitsverhältnis beherrschenden *Treue- und Fürsorgepflichtgedanken*, mit denen es sich nicht vertrüge, daß der Arbeitgeber den Arbeitnehmer mit Schäden und Ersatzansprüchen belasten würde, die sich aus der besonderen Gefahr und Eigenart der ihm übertragenen Arbeit ergeben und als solche zum typischen vom Arbeitgeber zu tragenden Betriebsrisiko gehören, auch wenn sie im Einzelfall vom Arbeitnehmer fahrlässig herbeigeführt worden sind."[78]

50 Später erweiterte der Große Senat des BAG diese ursprünglich nur auf Fälle gefahrgeneigter Arbeit beschränkten Grundsätze auf sämtliche *betrieblich veranlasste Tätigkeiten*. Hierbei argumentierte das BAG neben der Billigkeit mit der Lücke im Bereich der Arbeitnehmerhaftung, der Akzeptanz und den Grundrechten. Seitens des Arbeitgebers sei vor allem das Betriebsrisiko als Schadenszurechnungsgrund auch ohne Verschulden in entsprechender Anwendung des § 254 BGB zu berücksichtigen.[79] Die Gefahrgeneigtheit ist mittlerweile somit nur noch im Rahmen der Abwägung der Verschuldensbeiträge im Rahmen des § 254 BGB als eines von mehreren Kriterien zu berücksichtigen.[80]

51 Zu dieser Problematik finden sich zahlreiche weitere Beispiele: Die offensichtliche Rechtsschutzlosigkeit bei *schweren Persönlichkeitsverletzungen* war überdeutlich.[81] Deshalb konnte der BGH einen Schmerzensgeldanspruch entwickeln und auch präventive Elemente berücksichtigen. Überlegungen, dass das Deliktsrecht nicht generalpräventiv wirke, müssen insoweit zurücktreten. – Auch im Rahmen der *Störung der Geschäftsgrundlage* war die Rechtsschutzlosigkeit des Klägers nach der Geldentwertung im An-

[77] *von Jhering*, Culpa in contrahendo, in: Jb. f. Dogmatik 4 (1861), 1, 2 (s. unten § 14 Rn. 48).

[78] BAG, Beschl. v. 25.9.1957, GS 4/56 u.a., BAGE 5, 1, 7 f. – gefahrgeneigte Arbeit.

[79] BAG, Beschl. v. 27.9.1994, GS 1/89 (A), BAGE 78, 56, 63 ff. – Haftung des Arbeitnehmers für Arbeitsschäden.

[80] BAG (ebd.), BAGE 78, 56, 67 – Haftung des Arbeitnehmers für Arbeitsschäden.

[81] BVerfG, Beschl. v. 14.2.1973, 1 BvR 112/65, BVerfGE 34, 269, 289 ff. – Soraya; s. § 11 Rn. 72 ff.

schluss an den 1. Weltkrieg offensichtlich.[82] – Das gleiche gilt für die *Bürgschaftsfälle*, wenn sich der Bürge ein Leben lang verschuldet.[83] – Den Gedanken der Rechtsschutzlosigkeit erklären auch *Beweiserleichterungen im Rahmen des § 823 Abs. 1 BGB* (§ 11 Rn. 56). – Ganz offensichtlich muss die Lücke in § 904 S. 2 BGB geschlossen werden, die den Anspruchsgegner nicht nennt; die Klage des betroffenen Eigentümers aus diesem Grund abzulehnen, wäre grob ungerecht (§ 6 Rn. 165 ff.). – Auch die Rechtsfigur des Vertrags mit Schutzwirkung zugunsten Dritter beruht auf Billigkeitsüberlegungen (§ 10 Rn. 82 ff.). Obwohl hier die gesetzgeberische Entscheidung der Exkulpationsmöglichkeit des § 831 S. 2 BGB umgangen wird, spricht man von „geglückter richterlicher Rechtsfortbildung".[84]

bb) Haben sich die Wertungen verändert, müssen diese berücksichtigt werden, wenn sich die *Wertungen im Gesetz wiederfinden*.[85] Diese Voraussetzungen lagen bei der Soraya-Entscheidung (§ 11 Rn. 72 ff.) vor, weil das allgemeine Persönlichkeitsrecht durch die Verfassung geschützt ist. Zusätzlich ist es hilfreich, wenn die Ansicht von der herrschenden Meinung befürwortet wird und die Rechtsfortbildung die Rechtssicherheit erhöht (§ 13 Rn. 58 ff.). 52

b) Die Untätigkeit des Gesetzgebers

Nicht selten ist der Gesetzgeber überfordert oder einfach nicht Willens, einschlägige Probleme durch den Erlass von Rechtsnormen in einem parlamentarischen Gesetzgebungsverfahren zu lösen. Normen zum Arbeitsrecht sind bisher im BGB nur rudimentär entwickelt. Zwar gab es bisher zahlreiche Initiativen, ein Arbeitsgesetzbuch zu schaffen. Diese sind aber alle gescheitert, sodass bis heute ein Arbeitsgesetzbuch fehlt und damit auch das Arbeitskampfrecht bisher nicht gesetzlich geregelt ist (§ 13 Rn. 89 f.).[86] Es fehlt ganz offensichtlich die politische Kraft, einen normierten Ausgleich der gegensätzlichen Arbeitnehmer- und Arbeitgeberinteressen durch das Parlament zu bringen. 53

Der deutsche Gesetzgeber regelte bis heute weder das Persönlichkeitsrecht noch einen entsprechenden Schmerzensgeldanspruch im BGB (§ 11 Rn. 72 ff.). Schon bei der Fassung des BGB kannte der Gesetzgeber die Probleme um die culpa in contrahendo, den innerbetrieblichen Schadensausgleich im Arbeitsverhältnis (§ 13 Rn. 49 f.) oder um die Störung der Geschäftsgrundlage (§ 9 Rn. 37 ff.), ohne hierfür eine gesetzliche Regelung vorgeschlagen zu haben. Erst 2002 wurden diese Rechtsfiguren (teilweise) mit der Schuldrechtsreform kodifiziert (§ 6 Rn. 151). – Vergleichbares galt für die Absprachen im Strafprozess: Die Praxis forderte das Rechtsinstitut und die Rechtsprechung reagierte. Erst im Jahr 2009 wurde ein neuer § 257c in die StPO aufgenommen (§ 13 Rn. 73). 54

Wenn der Gesetzgeber untätig bleibt, sind die Gerichte ausnahmsweise zur Rechtsfortbildung berechtigt. In diesen Fällen ist ein *gesetzesvertretendes* oder sogar *gesetzeskorrigierendes* Richterrecht (§ 13 Rn. 19) zulässig, um unbillige Härten zu vermeiden (§ 13 Rn. 48 ff.) und Grundrechte zu schützen (§ 13 Rn. 67 f.). Zudem tritt der subjektive Wille des Gesetzgebers zurück. Hier kommt das oben genannte Rechtsverweigerungsverbot ins Spiel (§ 1 Rn. 52). Aufgrund der fehlenden gesetzesgleichen Bindungswirkung haben Gerichtsurteile den Vorteil, die einzelnen Streitfragen nach und nach abarbeiten und lösen zu können, bis sich im Laufe der Jahre die Urteile zu Regeln mit tatbestandsähnlichen Voraussetzungen anhand einer Entscheidungskette verdichten (§ 7 Rn. 52 ff.). 55

---

[82] Ebenso Larenz/*Canaris*, Methodenlehre der Rechtswissenschaft, 3. Aufl. 1995, S. 252, der dies allerdings nach seiner Dogmatik als ausnahmsweise zulässigen Fall der Rechtsfortbildung contra legem bezeichnet, gleichzeitig ihn aber aufgrund des Äquivalenzprinzips auch als gesetzesübersteigende Rechtsfortbildung einordnet.

[83] *Honsell*, JZ 1989, 495 f.; „eisiger Wind der Privatautonomie des 19. Jahrhunderts" (vgl. § 11 Rn. 59).

[84] *Kötz*, Vertragsrecht, 2. Aufl. 2012, Rn. 514.

[85] Zur Wertungsjurisprudenz s. oben § 5 Rn. 22 ff.

[86] Hierzu *Söllner*, ZG 1995, 1, 4 ff.

c) Kein anderweitiger Rechtsschutz möglich

56 Umgekehrt drängen sich die Begründung einer Lücke und die Rechtsfortbildung *nicht* auf, wenn dem Kläger angemessener Rechtsschutz anderweitig ermöglicht wird. Dann erscheint ein Kompetenzzuwachs der Gerichtsbarkeit zur Rechtsfortbildung aufgrund fehlenden Rechtsschutzes nicht mehr gerechtfertigt.

57 Die Frage, ob beim Ankauf von Waren durch eine im Laden angestellte Person eine Handlungsvollmacht nach § 56 HGB analog besteht, kann verneint werden, weil der Kunde auch über die Grundsätze der Anscheins- und Duldungsvollmacht geschützt ist, die der BGH schon vorher durch Rechtsfortbildung entwickelte hatte (§ 6 Rn. 130 f.). – Die aktive Parteifähigkeit des nicht rechtsfähigen Vereins konnte auch deshalb abgelehnt werden, weil alle Mitglieder als Gesamthand klagen können.[87] Allerdings ist bei größeren Vereinen eine andere Entscheidung denkbar, weil dann der Rechtsschutz nur deutlich schwieriger realisierbar ist.[88] Inzwischen erkannte der Gesetzgeber die Parteifähigkeit des nicht rechtsfähigen Vereins gesetzlich in § 50 Abs. 2 ZPO an (§ 11 Rn. 78).

3. Konsens, rechtsvergleichende Bestätigung und Erhöhung der Rechtssicherheit

a) Konsens und die allgemeine Rechtsüberzeugung

58 Schließlich lassen sich auch folgenorientierte Überlegungen heranziehen, die für oder gegen eine Rechtsfortbildung sprechen. In der Rechtsliteratur wird nur vereinzelt gefordert, den überwiegenden Konsens einer Rechtsansicht als Kriterium zur Rechtsfortbildung heranzuziehen.[89] Danach wäre zu fragen, ob das Ergebnis unter dem Gesichtspunkt der „Akzeptierbarkeit in einer gegebenen Sozialordnung" passen würde.[90] Schon in der Soraya-Entscheidung hatte das Bundesverfassungsgericht als Argumentationsfigur die herrschende Meinung in Literatur und Rechtsprechung herangezogen, die für die Rechtsfortbildung sprechen könne, wenn sich eine solche herrschende Meinung schon herausgebildet habe.[91] So wurde mehrmals der Deutsche Juristentag, der sich für eine bestimmte Rechtsansicht ausgesprochen hatte, angeführt. Fehlt dagegen eine sog. allgemeine Rechtsüberzeugung, spricht dies gegen eine Rechtsfortbildung. So formulierte der BGH:

59 „Angesichts des Fehlens anderweitiger geeigneter Anknüpfungsgesichtspunkte käme eine Rechtsfortbildung in dem von der Revision verfolgten Sinne allenfalls in Betracht, wenn sich in Ausweitung der Rechtsprechung zur gefahrgeneigten Arbeit und unter Lösung von ihrer arbeitsvertraglichen Begründung eine *gefestigte Rechtsüberzeugung dahin entwickelt hätte,* daß der Arbeitnehmer allgemein oder doch im Bereich der gefahr-

---

[87] BGH, Urt. v. 6.10.1989, V ZR 152/88, BGHZ 109, 15, 18 – Parteifähigkeit einer Siedlergemeinschaft: „Den Mitgliedern der Klägerin würde der Rechtsschutz weder versagt noch in unzumutbarer Weise erschwert. Sie haben die Möglichkeit, in ihrer Gesamtheit Klage zu erheben. Aufgrund der verhältnismäßig geringen Mitgliederzahl der Klägerin bestehen auch keine großen Schwierigkeiten zur Individualisierung der Mitglieder im Rechtsstreit."

[88] BGH, Urt. v. 6.10.1989, V ZR 152/88, BGHZ 109, 15, 18 – Parteifähigkeit einer Siedlergemeinschaft.

[89] *Heusinger,* Rechtsfindung und Rechtsfortbildung im Spiegel richterlicher Erfahrung, 1975, S. 89 f.; *Müller,* JuS 1980, 627, 635; *Kramer,* Juristische Methodenlehre, 6. Aufl. 2019, S. 337 f.; *Wank,* Grenzen richterlicher Rechtsfortbildung, 1978, S. 42 f.

[90] *Esser,* Vorverständnis und Methodenwahl, 1970, S. 123.

[91] BVerfG, Beschl. v. 14.2.1973, 1 BvR 112/65, BVerfGE 34, 269, 272 ff. – Soraya; vgl. § 5 Rn. 101 ff.; BGH, Urt. v. 13.1.1993, VIII ARZ 6/92, BGHZ 121, 116, 122 – § 569a BGB a.F. analog; s. auch § 6 Rn. 74 f.

geneigten Arbeit nicht oder nur eingeschränkt, etwa nur bei Vorsatz oder grober Fahrlässigkeit, hafte. *Eine allgemeine Rechtsüberzeugung dieser Art besteht jedoch offensichtlich nicht.*"[92]

Allerdings kann dies letztlich nicht ausschlaggebend sein. Im Zweifel sind Gerichte gefordert, auch unpopuläre Entscheidungen zu treffen, beispielsweise, wenn Grundrechte zum Schutz von Minderheiten betroffen sind (§ 5 Rn. 103). 60

b) Bestätigung durch ausländische Entscheidungen

Ausländische Entscheidungen haben zwar keine Bindungswirkung (§ 3 Rn. 94). Sie können aber als Rechtserkenntnisquellen rechtsvergleichend herangezogen werden, wenn die Vergleichbarkeit der Ergebnisse entsprechend begründet werden kann. Dies gilt besonders im Falle der Rechtsfortbildung, wenn nach deutscher Dogmatik eine Lücke vorliegt, welche mittels Lösungsansätzen aus anderen Rechtsordnungen geschlossen werden soll, oder aber wenn Gerichte von ihrer bisherigen Rechtsprechung abweichen wollen.[93] Gerade wenn es um Rechtsfortbildung geht, argumentieren höchste Gerichte gerne mit ausländischen Entscheidungen, wie in der Soraya-Entscheidung zum Schmerzensgeldanspruch bei Persönlichkeitsrechtsverletzungen, der in anderen Rechtsordnungen schon jahrelang anerkannt war.[94] Ein weiteres berühmtes Beispiel ist die Wrongful- Life-Entscheidung des BGH. 61

Wrongful-Life: Der Ersatzanspruch eines Kindes gegen den Arzt, dessen schuldhafter Behandlungsfehler in der Frühschwangerschaft zu einer schweren Schädigung des Kindes und zur Nichtdurchführung einer gerechtfertigten Abtreibung führte, wurde in Anlehnung an die anglo-amerikanische Rechtsprechung zum „Wrongful Life" abgelehnt. Nach Ansicht des BGH ist das menschliche Leben, das auch den Nasciturus, die Leibesfrucht, umfasst, ein Rechtsgut von höchstem Rang und absolut erhaltungswürdig – ein Mensch hat keinen Anspruch auf seine Verhütung oder Vernichtung durch andere. Ein solcher Behandlungsfehler führt allenfalls zu einem Schadensersatzanspruch der Eltern hinsichtlich der Mehraufwendungen.[95] 62

c) Praktikabilität und Rechtssicherheit

Die Rechtsfortbildung weicht vom Wortlaut einer Norm ab oder schafft im Rahmen von Generalklauseln etwas Neues. Das reduziert zunächst einmal die Rechtssicherheit. Letztlich müssen die Gerichte bei der Frage, ob sie eine Regelung durch richterliche Rechtsfortbildung entwickeln, vorab abwägen, ob sie um der Verwirklichung materieller Gerechtigkeit willen die Rechtssicherheit in gewissem Umfang und für gewisse Zeit[96] einschränken oder die Schaffung einer entsprechenden Regelung dem Gesetzgeber überlassen.[97] Gerichte sind besonders bemüht, bei der Rechtsfortbildung sicherzustellen, dass der Zustand der Rechtsunsicherheit eingeschränkt wird. Typischerweise erfinden sie deshalb nicht nur Rechtsinstitute, sondern versuchen diese durch tatbestandsähnliche Voraussetzungen zu präzisieren. Diese Vorgehensweise vom Rechtsprinzip zum Rechtsinsti- 63

[92] BGH, Urt. v. 19.9.1989, VI ZR 349/88, BGHZ 108, 305, 311 – Haftung des Arbeitnehmers gegenüber Dritten bei gefahrgeneigter Arbeit; s. auch BVerfG, Beschl. v. 11.10.1978, 1 BvR 84/74, BVerfGE 49, 304, 322 – Sachverständigenhaftung.

[93] Das „Ob" (§ 3 Rn. 76 ff.) und „Wie" (§ 7 Rn. 78 ff.) rechtsvergleichender Argumentation wurde ausführlich vorgestellt.

[94] BVerfG, Beschl. v. 14.2.1973, 1 BvR 112/65, BVerfGE 34, 269, 289 f. – Soraya.

[95] BGH, Urt. v. 18.1.1983, VI ZR 114/8, BGHZ 86, 240, 250 ff. – Wrongful Life; s. auch § 7 Rn. 69.

[96] BVerfG, Urt. v. 18.12.1953, 1 BvL 106/53, BVerfGE 3, 225, 238.

[97] So *Wank*, Grenzen richterlicher Rechtsfortbildung, 1978, S. 204.

tut wurde ausführlich diskutiert (§ 9 Rn. 23 ff.).[98] Üblicherweise versuchen Gerichte dann mit Präjudizienketten die erforderlichen Voraussetzungen Schritt für Schritt zu schärfen. Dies wurde bei der Arbeit mit Generalklauseln veranschaulicht, beispielsweise als im Rahmen von § 826 BGB eine neue Fallgruppe wegen fehlerhafter Kapitalmarktinformation entwickelt wurde (§ 8 Rn. 43 ff.) oder beim europäischen Staatshaftungsanspruch (§ 12 Rn. 123 ff.). Je konkreter und präziser die Voraussetzungen sind, desto mehr Rechtssicherheit wird geschaffen.

64 Damit ist auch zu fragen, ob die entwickelte Lösung praktikabel ist oder aber genau das Gegenteil dessen darstellt, weil sie zu unklaren Ergebnissen führt. Es wäre absurd, wenn Eltern bei Weihnachtsgeschenken an ihre fünfjährigen Kinder einen Vormund oder das Vormundschaftsgericht bestellen müssten. Deshalb ist § 181 BGB teleologisch zu reduzieren (§ 6 Rn. 104 ff.). – Bei der Frage, ob nicht nur der Verkauf von Waren, sondern auch der Ankauf von Waren nach § 56 HGB analog zu regeln ist, ist zu berücksichtigen, dass es regelmäßig nicht selbstverständlich ist, welche Waren der Kaufmann ankaufen möchte. Deshalb würde solch eine Rechtsfortbildung nicht die Praktikabilität erhöhen, was im Ergebnis gegen die Analogie (§ 6 Rn. 130 f.) sprach. – Wer den Schutz der nichtehelichen Lebenspartner will, muss sicherstellen, dass der Kreis potentieller Anspruchsberechtigter nicht ausufert. In der Entscheidung zur nichtehelichen Lebensgemeinschaft versuchte der BGH gleichwohl sicherzustellen, dass der Kreis der Berechtigten nicht unüberschaubar groß wird. Der BGH berief sich dabei ausdrücklich auf die bindenden Vorgaben des BVerfG:

65 „Der analogen Anwendung stehen auch *keine durchgreifenden Bedenken wegen denkbarer Unsicherheiten bei der erforderlichen Abgrenzung* gegenüber sonstigen außerehelichen Partnerschaften entgegen. […] Der Kreis der analog § 569 a Abs. 2 Satz 1 BGB Eintrittsberechtigten ist bei der sachlich gebotenen Beschränkung auf Partner einer eheähnlichen Gemeinschaft zugleich hinlänglich konkret umschrieben. Der Begriff der eheähnlichen Gemeinschaft wird vom Gesetzgeber ohne nähere Umschreibung verwandt (§ 122 BSHG, § 137 a Abs. 2 AFG), mithin als bekannt oder zumindest bestimmbar vorausgesetzt. Die Auslegung unbestimmter Rechtsbegriffe ist – wie auch sonst – Aufgabe der Fachgerichte. Zudem ist der Begriff durch den Beschluß des Bundesverfassungsgerichts vom 17. November 1992 (aaO) nunmehr in einer Weise eingegrenzt worden, daß er für die Rechtspraxis in einer die gebotene Rechtssicherheit gewährleistenden Weise handhabbar ist. Danach setzt eine *eheähnliche Gemeinschaft* eine Lebensgemeinschaft zwischen Mann und Frau voraus, die auf Dauer angelegt ist, daneben keine weitere Lebensgemeinschaft gleicher Art zuläßt und sich *durch innere Bindungen* auszeichnet, die ein gegenseitiges *Einstehen der Partner füreinander* begründen, also über die Beziehungen in einer reinen Haushalts- und Wirtschaftsgemeinschaft hinausgeht. Gleichgeschlechtliche und ihrer Art nach nur vorübergehend angelegte Partnerschaften scheiden damit von vornherein aus.

Ob diese auch für das Eintrittsrecht gem. § 569 a Abs. 2 BGB erforderlichen Voraussetzungen im Einzelfall erfüllt sind, kann anhand von – nicht erschöpfend aufzählbaren – *Indizien* festgestellt werden, wobei vor allem die *lange Dauer des Zusammenlebens, die Versorgung von Kindern und Angehörigen im gemeinsamen Haushalt* und die Befugnis, über Einkommen und *Vermögensgegenstände des Partners* zu verfügen, von Bedeutung sind (BVerfG aaO). Unerträgliche Nachforschungen, die die Intimsphäre berühren würden (BGHZ aaO), sind dabei nicht veranlaßt. Im übrigen erscheint es nicht unzumutbar, wenn derjenige, der sich auf ein Eintrittsrecht beruft und den deshalb die Darlegungs- und Beweislast für dessen Voraussetzungen trifft, die zur Feststellung einer eheähnlichen Gemeinschaft erforderlichen Informationen erteilen muß."[99]

---

[98] Zum Vertrag mit Schutzwirkung zugunsten Dritter, s. § 10 Rn. 82 ff.

[99] BGH, Urt. v. 13.1.1993, 8 ARZ 6/92, BGHZ 121, 116, 124 – § 569a BGB a.F. analog für nichtehelichen Lebenspartner, jetzt geregelt in § 563 Abs. 2 S. 3 BGB (§ 6 Rn. 74 f.); s. vorher BVerfG, Urt. v. 17.11.1992, 1 BVL 8/87, BVerfGE 87, 234, 264 – Einkommensanrechnung.

IV. Dritter Schritt: Die Verfassung als höherrangiges Recht

Das Verfassungsrecht und das Europarecht sind gegenüber dem einfachen Recht höherrangig (§ 2 Rn. 116 ff.). Allerdings ist im Einzelfall zu prüfen, wie stark der Einfluss der Verfassung ist, ob eine verfassungsorientierte, verfassungskonforme Auslegung oder sogar eine verfassungskonforme Rechtsfortbildung zu bejahen ist (§ 11 Rn. 65 ff.). Je nachdem, welche Auslegungsfigur man heranzieht, kann sie eine starke Vorrangwirkung haben und ggf. die Rechtsfortbildung erzwingen oder umgekehrt, sie ausschließen. 66

1. Grundrechtsschutz des Verletzten und Grundrechtsbeeinträchtigung des Dritten

a) Das BVerfG hat mit dem Verständnis der Grundrechte als objektive Wertordnung, der Schutzpflichtenlehre und der Drittwirkung der Grundrechte die Grundrechte umfangreich ausgebaut. Es versteht die Verfassungsinterpretation insoweit dynamisch (§ 6 Rn. 72). Eine verfassungskonforme Rechtsfortbildung über die Vorgaben des Zivilrechts wird man vor allem dann begründen können, wenn eine Grundrechtsverletzung des Rechtssuchenden besonders offensichtlich ist. Zahlreiche Fälle wurden oben schon ausführlich dargestellt (§ 11 Rn. 56 ff.). Die Rechtsschutzlücke ist in diesen Fällen besonders eindeutig. 67

Vertiefung – *Tod des nichtehelichen Partners – § 844 Abs. 2 BGB analog?*: Alfred ist mit Berta seit zehn Jahren in nichtehelicher Lebensgemeinschaft liiert. Sie haben zusammen vier Kinder. Claus verursacht schuldhaft einen Skiunfall, bei dem Berta stirbt. Kann A von C Unterhaltskosten verlangen?[100] 68

b) Allerdings können sich in zivilrechtlichen Streitigkeiten *regelmäßig beide Parteien auf Grundrechte berufen*. Grundrechtsbeeinträchtigungen Dritter können einer Rechtsfortbildung entgegenstehen. Der Streit der Senate des BVerfG wurde oben ausführlich erörtert (§ 11 Rn. 79 ff.). Im Gegensatz zur Ansicht des ersten Senats kann nicht jede Grundrechtsbeeinträchtigung eines Dritten eine Rechtsfortbildung blockieren. Vielmehr sollte eine verfassungsrechtliche Kontrolle von Entscheidungen anderer Gerichte erst eingreifen, wenn ein *Grundrecht des Dritten eindeutig und schwer verletzt* ist (§ 11 Rn. 86 ff.). 69

2. Grundrechtsbeeinträchtigungen und schützenswertes Vertrauen

a) Neben der Schwere der Grundrechtsverletzung ist zudem noch eine weitere Kontrollüberlegung wichtig: Die gerade genannte Abwägung der beiden Grundrechtspositionen lässt sich schließlich unter der Perspektive diskutieren, ob der in seiner Grundrechtsposition Beeinträchtigte schützenswert ist oder nicht. Es mögen vielleicht formal Grundrechte berührt sein: Diese können aber nachrangig oder der Betroffene nicht schützenswert sein. Damit ist zu fragen, ob das *Vertrauen* schützenswert ist. Das Deliktsrecht will vor Schäden schützen oder zumindest eingetretene Schäden kompensieren. Hierauf darf man vertrauen. 70

Der Sachverständige haftet, wenn er fahrlässig eine Freiheitsberaubung herbeiführt. Folglich erklärte das BVerfG die durch den BGH auf Vorsatz beschränkte deliktische Haftung des Sachverständigen für unzulässig, wenn damit der Schadensersatzanspruch des Verletzten scheitert, der zwangsweise in eine psychiatrische Anstalt untergebracht und damit seiner Freiheit beraubt wurde. Wer seiner Freiheit beraubt wird, darf *darauf vertrauen*, 71

[100] Zur Lösung s. unten § 15 Rn. 45 ff.

deliktsrechtliche Schadensersatzansprüche gegen den Schädiger geltend machen zu können.[101] – Die Beschränkung der Haftung des Arbeitnehmers durch die Grundsätze des innerbetrieblichen Schadensausgleichs (§ 13 Rn. 49) gilt nicht gegenüber Dritten, wenn dadurch ihre Rechtsgüter verletzt werden würden. Wiederum dürfen Dritte darauf *vertrauen*, dass die Grundsätze des innerbetrieblichen Schadensausgleiches (§ 13 Rn. 49 f.) nur im Verhältnis zum Arbeitgeber bestehen, nicht aber gegenüber Dritten, sodass diese Schadensersatzansprüche gegen den Arbeitnehmer geltend machen können.[102]

72 b) Umgekehrt gibt es aber Fälle, in denen das Vertrauen des Dritten nicht schützenswert ist. Dies verdeutlicht recht anschaulich der Auskunftsanspruch des Scheinvaters gegenüber der Mutter. Die Mutter hat kein schützenswertes Interesse, den Vater des Kindes nicht zu nennen, um damit die Regressansprüche des Scheinvaters zu unterlaufen (§ 11 Rn. 90).

73 c) Schließlich gibt es höchst strittige Fälle. Problematisch ist die Rechtsprechung zu Absprachen im Strafprozess.[103] Sie wurde in der Literatur als unzulässige Rechtsfortbildung contra legem gebrandmarkt, weil sie mit schwersten Grundrechtseingriffen verbunden ist.[104] Höchst umstritten war die Frage, in welchem Umfang der Angeklagte darauf vertrauen darf, dass seine strafprozessualen Rechte nicht verändert werden. Der *Nulla-poena-sine-lege*-Grundsatz gilt hier prinzipiell nicht.[105] Allerdings sollen die Rechte den Angeklagten im Prozess schützen.

74 *Rügeverkümmerung:* Der Begriff der Rügeverkümmerung steht für ein Phänomen im strafrechtlichen Revisionsrecht. § 274 StPO regelt die Beweiskraft des Protokolls. Durch nachträgliche Berichtigung des Hauptverhandlungsprotokolls wird eine bereits erhobene und begründete Verfahrensrüge, die sich zum Nachweis des Verfahrensfehlers gerade auf den zu berichtigenden Teil des Protokolls stützt, nachträglich unzulässig (sie „verkümmert"). Die Revision wird dadurch erfolglos, da die Beweiskraft des Protokolls (§ 274 StPO) sich auf den neu eingefügten Teil erstreckt.[106] In einer Entscheidung des Großen Senats änderte der BGH seine fast 100 Jahre andauernde Rechtsprechung.[107] Die Berichtigung des Protokolls ist nun auch nach Einlegung der Revision noch zulässig. Die Mehrheitsentscheidung des zweiten Senats des BVerfG billigte diese Entscheidung (§ 11 Rn. 80 ff.).[108]

75 Hier lässt sich zwar vortragen, der Angeklagte wäre in seinen Verteidigungsrechten beschränkt.[109] Zudem seien Überlegungen des Beschleunigungsgrundsatzes und der Effektivi-

---

[101] BVerfG, Beschl. v. 11.10.1978, 1 BvR 84/74, BVerfGE 49, 304, 321 – Sachverständigenhaftung gegen BGH, Urt. v. 8.5.1956, VI ZR 113/71, BGHZ 62, 54, 56 – Sachverständigenhaftung. Der Gesetzgeber hat mit der Einführung des § 839a BGB reagiert und die Haftung auf Vermögensschäden erweitert, aber auf grobe Fahrlässigkeit und Vorsatz beschränkt.

[102] BGH, Urt. v. 19.9.1989, VI ZR 349/88, BGHZ 108, 305, 309 ff. – keine Haftungsbeschränkung bei Arbeitnehmern gegenüber Dritten; bestätigt durch BGH, Urt. v. 21.12.1993, VI ZR 103/93, NJW 1994, 852, 855.

[103] BGH, Urt. v. 28.8.1997, 4 StR 240/97, BGHSt 43, 195 – Verständigung im Strafverfahren; BGH, Beschl. v. 3.3.2005, GSSt 1/04, BGHSt 50, 40 – Urteilsabsprache und Rechtsmittelverzicht.

[104] Zusammenfassend nennt Roxin/*Schünemann*, Strafverfahrensrecht, 29. Aufl. 2017, § 17 Rn. 7, 10 ff. den Ermittlungs-, Öffentlichkeits-, Unmittelbarkeits- und den Schuldgrundsatz sowie den Nemo-Tenetur-Grundsatz, das Recht auf rechtliches Gehör und den Grundsatz des fairen Verfahrens. Der Gesetzgeber reagierte mit der Einführung von § 257c StPO.

[105] *Fischer*, StGB, 68. Aufl. 2021, § 1 Rn. 30; Roxin/*Greco*, Strafrecht Allgemeiner Teil, Bd. I, 5. Aufl. 2020, § 5 Rn. 43; *Schmitz*, in: MünchKomm-StGB, 4. Aufl. 2020, § 1 Rn. 22.

[106] *Valerius*, in: MünchKomm-StPO, 2016, § 274 Rn. 42 ff.

[107] *Dehne-Niemann*, ZStW 121 (2009), 321, 322 ff.

[108] BGH, Beschl. v. 23.4.2007, GSSt 1/06, BGHSt 51, 298 – Rügeverkümmerung; BVerfG, Beschl. v. 15.1.2009, 2 BvR 2044/07, BVerfGE 122, 248 – Rügeverkümmerung.

[109] Sondervotum *Voßkuhle, Osterloh, Di Fabio*, in: BVerfG (ebd.), BVerfGE 122, 248, 282, 301 – Rügeverkümmerung; ähnlich auch *Beulke/Swoboda*, Strafprozessrecht, 14. Aufl. 2018, Rn. 564 unter Betonung des Vertrauensschutzes des Beschwerdeführers.

tät des Verfahrens weniger gewichtig.[110] Auch wird eingewendet, prozessuale und materielle Wahrheit könnten auseinanderlaufen.[111] Der Anwalt wird im Zweifel jede Möglichkeit nutzen, um Revision einzulegen und einen Freispruch zu erreichen: Er würde, so wurde vorgetragen, die Verfahrensrüge erheben, wenn er von der Unschuld des Mandanten überzeugt ist, selbst wenn er sicher weiß, dass die Verfahrensrüge unwahr ist.[112] Allerdings wird man fragen müssen, ob das *Vertrauen* des Angeklagten wirklich schützenswert ist, wenn es sich um eine wahrheitswidrige Verfahrensrüge handelt.[113]

3. Vertrauensschutz bei Rechtsprechungsänderung

Grundsätzlich können Gerichte ihre *Rechtsprechung ändern*. Ausnahmen können sich jedoch ergeben, wenn die von der Rückwirkung betroffene Partei auf die Weitergeltung der Rechtsprechung *vertrauen* konnte und die Anwendung der neuen Ansicht auf ihren Fall für sie eine unzumutbare Härte bedeuten würde. Allerdings sind wiederum auch die Interessen Dritter zu berücksichtigen (§ 3 Rn. 33 ff.). 76

4. Gesetzlichkeitsprinzip als Ausdruck des berechtigten Vertrauens des Bürgers

Das Gesetzlichkeitsprinzip will sicherstellen, dass keine Strafe ohne gesetzliche Grundlage erfolgt. Das Gesetzlichkeitsprinzip versteht sich als Konkretisierung des allgemeinen Rechtsstaatsprinzips (Art. 20 Abs. 3 GG), welches speziell im Bereich des Strafrechts besondere Anforderungen an den Gesetzesvorbehalt, dessen Reichweite, die Bestimmtheit und die Rückwirkung stellt. Zu Recht betont das BVerfG, dass der Bürger vorhersehen können muss, welches Verhalten verboten und mit Strafe bedroht ist. Auch bei einer abstrakt formulierten Norm muss er das Risiko einer Bestrafung erkennen können (§ 4 Rn. 77 ff.). Es geht also um das Vertrauen, dass eine Bestrafung nicht ohne gesetzliche Grundlage erfolgen darf. Ist aber das Vertrauen das entscheidende Momentum, kann zwar eine Verletzung des Gesetzlichkeitsprinzips möglich sein, eine solche Verletzung letztlich aber nicht durchschlagen, wenn das Vertrauen des Betroffenen nicht schützenswert ist. Das BVerfG bestätigte die Mauerschützen-Entscheidung des BGH (§ 2 Rn. 137) und betonte, dass die besondere Vertrauensgrundlage im Bereich schwersten kriminellen Unrechts entfiele. Wörtlich formulierte es: 77

> „Das strikte Rückwirkungsverbot des Art. 103 Abs. 2 GG findet – wie dargelegt – seine rechtsstaatliche Rechtfertigung in der besonderen *Vertrauensgrundlage*, welche die Strafgesetze tragen, wenn sie von einem an die Grundrechte gebundenen demokratischen Gesetzgeber erlassen werden. Diese besondere *Vertrauensgrundlage entfällt*, wenn der andere Staat für den Bereich schwersten kriminellen Unrechts zwar Straftatbestände normiert, aber die Strafbarkeit gleichwohl durch Rechtfertigungsgründe für Teilbereiche ausgeschlossen hatte, indem er über die geschriebenen Normen hinaus zu solchem Unrecht aufforderte, es begünstigte und so die in der Völkerrechtsgemeinschaft allgemein anerkannten Menschenrechte in schwerwiegender Weise mißachtete. […] Der strikte *Schutz von Vertrauen* durch Art. 103 Abs. 2 GG muß dann zurücktreten."[114] 78

[110] S. *Kudlich/Christensen*, JZ 2009, 943, 948; ablehnend auch Roxin/*Schünemann*, Strafverfahrensrecht, 29. Aufl. 2017, § 51 Rn. 11; *Dehne-Niemann*, ZStW 121 (2009), 321, 337 f.; *E. Müller*, NJW 2009, 3745.

[111] *Schumann*, JZ 2007, 927, 933; *Bertheau*, NJW 2010, 973, 975.

[112] Zum Topos der „Änderung des anwaltlichen Ethos" einerseits BGH, Beschl. v. 23.4.2007, GSSt 1/06, BGHSt 51, 298, Rn. 48 ff. – Rügeverkümmerung; andererseits *Schumann*, JZ 2007, 927, 934; *Bertheau*, NJW 2010, 973, 976.

[113] BVerfG, Beschl. v. 15.1.2009, 2 BvR 2044/07, BVerfGE 122, 248, 273 ff. – Rügeverkümmerung.

[114] BVerfG, Urt. v. 24.10.1996, 2 BvR 1851/94 u.a., BVerfGE 95, 96, 133 – Mauerschützen.

V. Vierter Schritt: Höherrangiges Europarecht und internationales Recht

1. Die primärrechts- und verordnungskonforme Rechtsfortbildung

79 Europäisches Recht ist gegenüber dem deutschen Recht höherrangig und kann die Grenzen zulässiger Rechtsfortbildung verschieben. Der nationale Jurist hat europäisches Recht zu beachten – der nationale Richter wird zum europäischen Richter (§ 1 Rn. 28 ff.). Primärrecht und Verordnungen gelten unmittelbar und führen zu einem Anwendungsvorrang gegenüber nationalem Recht (§ 2 Rn. 85 ff.). Entscheidend ist an dieser Stelle, dass die Grenzen nationaler Rechtsfortbildung deutlich weiter gezogen werden. Wegen des klaren Vorrangs des europäischen Rechts sind letztlich die Vorgaben der europäischen Rechtsnorm entscheidend und nicht mehr die Vorgaben des nationalen Systems. Beispiele bilden der beihilferechtliche Rückforderungsanspruch, der das Vertrauen des Berechtigten und die Jahresfrist nicht berücksichtigt oder der Staatshaftungsanspruch, der verschuldensunabhängig zur Anwendung kommt. Umstritten ist, ob man dieses Ergebnis direkt der nationalen Norm entnimmt und dabei verschiedene Tatbestandsmerkmale (rechtsfortbildend) teleologisch derogiert oder aber das Ergebnis unmittelbar aus dem europäischen Recht ableitet (§ 12 Rn. 26 ff.).

2. Richtlinienkonforme Rechtsfortbildung des nationalen Rechts und ihre Grenzen

80 Die nationale Rechtsfortbildung wird auch durch das europäische Sekundärrecht – insbesondere Richtlinien – beeinflusst. Wurde eine Richtlinie noch nicht in nationales Recht umgesetzt, sind die Gerichte dazu gezwungen, alle methodischen Möglichkeiten auszuschöpfen, um dem Willen des europäischen Gesetzgebers gerecht zu werden. Die richtlinienkonforme Auslegung wurde dabei bereits vorgestellt (§ 12 Rn. 46 ff.). Reicht diese nicht aus, um ein richtlinienkonformes Ergebnis herbeizuführen, ist der nationale Richter zur richtlinienkonformen Rechtsfortbildung aufgerufen. Diese Pflicht ergibt sich wie schon bei der richtlinienkonformen Auslegung aus dem Grundsatz des effet utile. Ein anschauliches Beispiel liefert die Quelle-Entscheidung.[115] Der eindeutige nationale Gesetzgeberwille oder das geschlossene System bilden aber auch hier eine unverrückbare Grenze. Die Rechtsfortbildung contra legem bleibt *unzulässig* (ausführlich § 12 Rn. 76 ff.).

3. Das Vertrauen des Einzelnen als Grenze zulässiger Rechtsfortbildung

81 Der EuGH betonte in der Adeneler-Entscheidung, dass das Rückwirkungsverbot oder der Vertrauensschutz einer Rechtsfortbildung entgegenstehen können.[116] Ein solcher Vertrauensschutz stand etwa der Rechtsfortbildung einer horizontalen Drittwirkung von Richtlinien entgegen[117] und ist auch im Rahmen der richtlinienkonformen Rechtsfortbildung zu berücksichtigen. Ein Vertrauen des Bürgers kann aber auch *nicht schützenswert* sein, wie die Alcan-Entscheidung verdeutlicht. Wenn die nationale Behörde eine rechtswidrige Beihilfe nicht binnen Jahresfrist widerruft, muss der Begünstigte die rechtswidrig erlangte Beihilfe dennoch nach dieser Zeit zurückzahlen.[118]

---

[115] BGH, Urt. v. 26.11.2008, VIII ZR 200/05, BGHZ 179, 27, 36 – Quelle (§ 12 Rn. 58 f.).
[116] EuGH, Urt. v. 4.7.2006, C-212/04, EU:C:2006:443, Rn. 110 f. – Adeneler (§ 12 Rn. 47).
[117] EuGH, Urt. v. 8.10.1987, 80/86, EU:C:1987:431, Rn. 10 – Kolpinghuis; s. auch § 12 Rn. 42 ff.
[118] EuGH, Urt. v. 20.3.1997, C-24/95, EU:C:1997:163, Rn. 37 f., 48 f. – Alcan; BVerfG, KBeschl. v. 17.2.2000, 2 BVR 1210/98, NJW 2000, 2015, 2016; s. oben § 12 Rn. 27 ff. m.w.Nachw.

VI. Fünfter Schritt: Kompetenzgrenzen

Gerichte entscheiden und setzen damit Recht. So kann das Recht des Parlaments, Gesetze zu erlassen, verletzt werden. Dazu ist der Grundsatz des Gesetzesvorbehaltes und der Wesentlichkeitstheorie zu beachten (1.). In weitem Umfang können Gerichte unzulässig in den Bereich des Parlaments eingreifen (2.). Deshalb sind vor allem prozessuale Grenzen aufzuzeigen, um eine Rechtsprechung contra legem zu verhindern (3.). Auch im Verhältnis untereinander können die Gerichte Kompetenzgrenzen verletzen (4.) und damit unzulässige Rechtsfortbildung contra legem betreiben. **82**

1. Gesetzesvorbehalt und die Kompetenz des Parlaments

a) Allgemeiner Gesetzesvorbehalt und Wesentlichkeitstheorie zugunsten des Gesetzgebers

aa) Das *Prinzip der Gewaltenteilung* wurde in der Neuzeit von *Locke*, *Montesquieu* und anderen Staatstheoretikern entwickelt (§ 1 Rn. 34) und findet sich heute in Art. 20 Abs. 2 S. 2 GG. Die Organe der Legislative, Exekutive und Judikative haben sich gegenseitig zu kontrollieren und zu begrenzen.[119] Dabei darf die eine Gewalt nicht in den Kernbereich der anderen eingreifen.[120] Der auf dem Rechtsstaatsprinzip beruhende,[121] in Art. 20 Abs. 3 GG aber nicht ausdrücklich genannte Grundsatz vom Gesetzesvorbehalt *verlangt,* dass jedes staatliche Handeln vor allem – aber nicht nur – gegenüber dem Bürger auf eine rechtliche Grundlage, d.h. ein förmliches oder materielles Gesetz, gestützt sein muss. Parlamentsvorbehalt und Wesentlichkeitstheorie erhöhen die Anforderungen an die Qualität bzw. den Bestimmtheitsgrad der Rechtsgrundlage. Der Parlamentsvorbehalt verlangt, dass eine wesentliche Entscheidung vom *Parlament selbst zu treffen ist;*[122] Verwaltungsmaßnahmen ohne die erforderliche Grundlage sind rechtswidrig.[123] Spezialgesetzliche Ausformungen dieses Grundsatzes finden sich in Artt. 28 Abs. 2 S. 1, 59 Abs. 2 S. 1, 80 Abs. 1 S. 2 GG. Auch das Demokratieprinzip des Art. 20 Abs. 2 GG lässt sich zur Begründung dieses Grundsatzes heranziehen: Danach sind wichtige Entscheidungen in öffentlicher Debatte zu klären.[124] **83**

bb) Nach Art. 80 Abs. 1 S. 2 GG müssen Inhalt, Zweck und Ausmaß (sog. Bestimmtheitstrias) durch das förmliche Gesetz selbst bestimmt werden. Das Parlament darf sich nicht über eine Blankovollmacht an die Exekutive seiner Verantwortung für die Gesetzgebung entledigen und damit selbst entmachten.[125] Die Vorschrift trifft aber keine Aussage, wann ein Regelungsgegenstand wesentlich ist.[126] Die **Wesentlichkeitstheorie** verlangt nun, dass der Gesetzgeber die für die Grundrechtsverwirklichung maßgeblichen Regelungen im Wesentlichen selbst treffen muss. Das BVerfG entwickelte diese Lehre im Rahmen der sog. besonderen Gewaltverhältnisse wie sie etwa im Strafvollzug[127] oder im **84**

[119] *Schmidt-Aßmann*, in: HStR II, 3. Aufl. 2004, § 26 Rn. 49.

[120] BVerfG, Urt. v. 27.4.1959, 2 BvF 2/58, BVerfGE 9, 268, 279 f. – Bremer Personalvertretung; *Schulze-Fielitz*, in: Dreier, GG, 3. Aufl. 2015, Art. 20 (Rechtsstaat), Rn. 71 m.w.Nachw.

[121] BVerfG, Beschl. v. 10.5.1988, 1 BvR 482/84 u.a., BVerfGE 78, 179, 197 – Heilpraktikergesetz.

[122] BVerfG, Urt. v. 14.7.1998, 1 BvR 1640/97, BVerfGE 98, 218, 251 – Rechtschreibreform.

[123] BVerfG, Beschl. v. 27.1.1976, 1 BvR 2325/73, BVerfGE 41, 251, 265 f. – Speyer-Kolleg; BVerfG, Beschl. v. 13.6.1979, 1 BvR 699/77, BVerfGE 51, 268, 287 – Vorläufiger Rechtsschutz bei Schulorganisationsakten.

[124] BVerfG, Beschl. v. 25.3.1992, 1 BvR 1430/88, BVerfGE 85, 386, 403 f. – Fangschaltungen; BVerfG, Urt. v. 8.4.1997, 1 BvR 48/94, BVerfGE 95, 267, 307 f. – Altschulden der LPG.

[125] So deutlich BVerfG, Urt. v. 19.9.2018, 2 BvF 1/15 u.a., BVerfGE 150, 1 Rn. 199 – Volkszählung II.

[126] *Schulze-Fielitz*, in: Dreier, GG, 3. Aufl. 2015, Art. 20 (Rechtsstaat) Rn. 120.

[127] BVerfG, Beschl. v. 14.3.1972, 2 BvR 41/71, BVerfGE 33, 1, 15 ff. – Strafgefangene.

Schulbereich[128] angenommen werden. Dabei gelten nicht nur Grundrechtsbeeinträchtigungen als wesentlich, sondern auch gleichwertige grundrechtsrelevante Handlungen und sonstige Fragen mit hoher Bedeutung für das Volk. Die Exekutive darf in weiten Bereichen nur tätig werden, wenn sie durch ein vom Parlament erlassenes Gesetz dazu ermächtigt ist. Bei Eingriffen in die grundrechtliche Freiheitssphäre, wie z. B. im Steuerrecht, unterliegt der Staat dem Vorbehalt des Gesetzes. In Anlehnung an das strafrechtliche Analogieverbot heißt es dort *nullum tributum sine lege.*[129] Die Wesentlichkeitstheorie bestimmt aber auch die Regelungsdichte. Sie beantwortet damit die Frage, ob und in welchem Umfang eine gesetzliche Regelung erforderlich ist.[130] Je intensiver die Grundrechte betroffen sind, desto genauer und differenzierter muss das Gesetz sein.[131]

85 In der Kalkar-Entscheidung verlangte das BVerfG, dass die Entscheidung über die friedliche Nutzung der Kernenergie wie auch die Genehmigungsmodalitäten durch Gesetz zu regeln sind.[132] In einem zweiten Schritt war zu prüfen, ob die Normen hinreichend bestimmt waren, also das Wesentliche selbst festgelegt haben. Das hatte das BVerfG für das Atomgesetz bejaht.[133] – Bewaffnete Einsätze der Bundeswehr im Ausland bedürfen einer parlamentarischen Zustimmung.[134] – Der Grundsatz der Tatbestandsmäßigkeit der Besteuerung verbietet Steuerbegünstigungsvorschriften in verfassungswidriger Weise eng auszulegen.[135] – Heftig umstritten ist, ob § 5 Abs. 2 S. 1 Nr. 3 IfSG a. F. in unzulässiger Weise der Exekutive eine Blankovollmacht ausstellte. Die Norm erlaubte der Exekutive, von jeder Bestimmung des IfSG abzuweichen, „um die Abläufe im Gesundheitswesen und die Versorgung der Bevölkerung aufrecht zu erhalten". Inzwischen wurde die Nr. 3 ersatzlos gestrichen.[136]

86 Allerdings gibt es keinen Totalvorbehalt für alle politischen Entscheidungen.[137] Die Rechtschreibreform war insoweit noch keine solche wesentliche Materie.[138] Zudem bleibt die Wesentlichkeitstheorie unscharf und ist ein Argumentationstopos, um der Judikative statt dem parlamentarischen Gesetzgeber die Letztentscheidung einzuräumen.[139]

b) Kein Gesetzesvorbehalt zulasten der Gerichte

87 aa) In der Literatur wird zum Teil vertreten, der Gesetzesvorbehalt würde nicht nur im Verhältnis des Gesetzgebers zur Exekutive, sondern auch im Verhältnis zwischen den Bürgern gelten. Demnach soll dem klagenden Bürger vom Gericht nur dann ein Anspruch zugesprochen werden, wenn und soweit dieser in einem formellen oder materiel-

[128] BVerfG, Urt. v. 14.3.1972, 2 BvR 41/71, BVerfGE 33, 303 Ls. 4 – Numerus clausus I; BVerfG, Beschl. v. 27.1.1976, 1 BvR 2325/73, BVerfGE 41, 251, 259; BVerfG, Beschl. v. 21.12.1977, 1 BvL 1/75 u. a., BVerfGE 47, 46, 78 ff. – Sexualkundeunterricht.

[129] Keine Zahlungspflicht ohne Gesetz, s. *Vogenauer*, Die Auslegung von Gesetzen in England und auf dem Kontinent, 2001, S. 191. Die herrschende Ansicht lehnt aber ein striktes Analogieverbot ab, s. *Musil*, in: FS 100 Jahre BFH, 2018, S. 151, 166 f. m. w. Nachw.

[130] BVerfG, Beschl. v. 27.11.1990, 1 BvR 402/87, BVerfGE 83, 130, 152 – Josephine Mutzenbacher.

[131] BVerfG, Beschl. v. 24.11.1981, 2 BvL 4/80, BVerfGE 59, 104, 114; *Maurer*, Staatsrecht I, 6. Aufl. 2010, § 8 Rn. 21 f.

[132] BVerfG, Beschl. v. 8.8.1978, 2 BvL 8/77, BVerfGE 49, 89, 128 f. – Kalkar I.

[133] BVerfG (ebd.), BVerfGE 49, 89, 129 f. – Kalkar I.

[134] BVerfG, Urt. v. 12.7.1994, 2 BvE 3/92 u. a., BVerfGE 90, 286, 381, 387 – Out-of-area-Einsätze.

[135] BVerfG, KBeschl. v. 31.10.2016, 1 BvR 871/13 u. a., NVwZ 2017, 617, 618.

[136] Einen Verstoß gegen Art. 80 Abs. 1 S. 2 GG bejahend *Rixen*, NJW 2020, 1097, 1102 f.; krit. auch *Meinel/Ch. Möllers*, FAZ v. 20.3.2020, S. 9; *Gärditz/Meinel*, FAZ v. 26.3.2020, S. 6; *Heinig/Kingreen/Lepsius/Ch. Möllers/Volkmann/Wißmann*, JZ 2020, 861, 868; *Katzenmeier*, MedR 2020, 461, 462. **A. A.** aber *Hase*, JZ 2020, 697, 700.

[137] BVerfG, Urt. v. 18.12.1984, 2 BvE 13/83, BVerfGE 68, 1, 108 f. – Atomwaffenstationierung.

[138] BVerfG, Urt. v. 14.7.1998, 1 BvR 1640/97, BVerfGE 98, 218, 251 – Rechtschreibreform; **a. A.** aber etwa *Kopke*, JZ 1995, 875 ff.

[139] Krit. hierzu *Lerche*, in: HdB GR, Bd. III, 2009, § 62 Rn. 69 f.

len Gesetz niedergeschrieben ist. Grenzen, die für die Verwaltung gelten, müssten *gleichermaßen für die Gerichte gelten*. Denn die Schutzpflicht, die den Staat gegenüber dem Bürger treffe, würde gleichermaßen auch die Gerichte als Teil des Staates binden.[140] *Bruns* möchte bei den Grenzen der Rechtsfortbildung zwischen zweiseitigem und mehrseitigem Rechtsverhältnis unterscheiden: Bei zweiseitigen Rechtsverhältnissen sei eine Rechtsschöpfung „tendenziell eher zulässig", bei mehrseitigen Rechtsverhältnissen bestehe eine „Vermutung" gegen die Zulässigkeit der Rechtsfortbildung.[141] Auch diese Ansicht denkt in die richtige Richtung, weil sie Grundrechte Dritter berücksichtigt. Allerdings muss sie viele Ausnahmen machen: im zweiseitigen Verhältnis können Grundrechte gegen die Rechtsfortbildung sprechen, wie bei der Haftung von Sachverständigen; umgekehrt können mehrseitige Rechtsverhältnisse eine Rechtsfortbildung erfordern, wie z. B. der Vertrag mit Schutzwirkung zugunsten Dritter oder das Delisting verdeutlichen.[142]

bb) Der Ansatz, einen Vorbehalt des Gesetzes auch für das Zivilrecht begründen zu **88**
wollen, ist aber abzulehnen.[143] Würde man einen solchen Gesetzesvorbehalt fordern, hätte man keinen Rechtsschutz bei groben Verletzungen der Grundrechte.[144] Bei Rechtsschutzlücken wäre der Angreifer privilegiert, weil sich der Verletzte ohne gesetzliche Grundlage und eine richterliche Rechtsfortbildung nicht verteidigen könnte; der quasi-negatorische Unterlassungsanspruch verdeutlicht dies sehr klar.[145] Schon die Wesentlichkeitstheorie im Öffentlichen Recht gilt nicht generell, sondern nur bei gravierenden Grundrechtseingriffen (§ 13 Rn. 84). Das geht einher mit der Überlegung, dass dann auch nur schwere Grundrechtseingriffe in Rechte Dritter eine Rechtsfortbildung beschränken können (§ 13 Rn. 69). Damit wird man im Privatrecht die Grenzen zulässiger Rechtsfortbildung weiter ziehen können als im Öffentlichen Recht oder im Strafprozessrecht.[146]

Folglich hat die Rechtsprechung auch ohne gesetzliche Grundlage Schutzlücken ge- **89**
schlossen, welche sie mit Rechtsinstituten wie der culpa in contrahendo und dem Wegfall der Geschäftsgrundlage füllte. In mehreren grundlegenden Entscheidungen zum Arbeitskampfrecht hat das BVerfG den Gerichten auch das Recht auf Rechtsfortbildung zugestanden, obwohl es hier um Grundrechte Dritter zwischen Privaten ging. Es führte aus:

> „Soweit es um das Verhältnis der Kampfparteien als *gleichgeordnete Grundrechtsträger* **90**
> geht, muß diese Ausformung *nicht zwingend durch gesetzliche* Regelungen erfolgen. So ist das Arbeitskampfrecht gesetzlich weitgehend ungeregelt geblieben. Insoweit sind die Arbeitsgerichte berufen, Streitigkeiten zwischen den Tarifvertragsparteien über die Rechtmäßigkeit von Arbeitskampfmaßnahmen zu entscheiden. Sie müssen bei unzureichenden gesetzlichen Vorgaben das materielle Recht mit den anerkannten Methoden der Rechtsfindung aus den allgemeinen, zwischen Bürgern oder auch zwischen privaten Verbänden geltenden Rechtsgrundlagen ableiten, die für das betreffende Rechts-

[140] *Ossenbühl*, in: HStR V, 3. Aufl. 2007, § 101 Rn. 60 ff.; *Hillgruber*, JZ 1996, 118, 123; *Hermes*, VVDStRL 61 (2002), 119, 137 ff.; *Pieroth/Aubel*, JZ 2003, 504, 509; *Ruffert*, Vorrang der Verfassung und Eigenständigkeit des Privatrechts, 2001, S. 132; differenzierend *Classen*, JZ 2003, 693, 699; *Mayer/Ch. Möllers*, Die Verwaltung 30 (1997), 61 ff.

[141] *Bruns*, JZ 2014, 162, 169 f.

[142] In der Literatur wurde eine Rechtsfortbildung bejaht, die der BGH selbst aber ablehnte, BGH, Beschl. v. 8.10.2013, II ZB 26/12, NJW 2014, 146 Rn. 5 ff. – FRoSTA, s. genauer unten § 14 Rn. 16a.

[143] So bereits *Herzog*, in: FS Simon, 1987, S. 103, 109; *Söllner*, ZG 1995, 1, 3.

[144] Bis heute hat der deutsche Gesetzgeber im BGB das Persönlichkeitsrecht als geschütztes Rechtsgut und einen entsprechenden Schmerzensgeldanspruch nicht geregelt, s. oben § 11 Rn. 72 ff. **A. A.** etwa *Hillgruber*, JZ 1996, 118, 123; *Röthel*, Normkonkretisierung im Privatrecht, 2004, S. 68 Fn. 138, welche den Schmerzensgeldanspruch bei Persönlichkeitsverletzung auch heute noch für unzulässig erachten.

[145] *Schwarze*, JuS 1994, 653, 659; *Neuner*, Allgemeiner Teil des Bürgerlichen Rechts, 12. Aufl. 2020, § 2 Rn. 12.

[146] *Ch. Möllers*, JZ 2009, 668, 672.

verhältnis maßgeblich sind. Das gilt auch dort, *wo eine gesetzliche Regelung, etwa wegen einer verfassungsrechtlichen Schutzpflicht, notwendig wäre* (BVerfGE 84, 212 [226 f.])."[147]

2. Gewaltenteilung und die Grenzen der Gerichte

a) Gewaltenteilung, Gesetzesvorrang und richterliche Selbstbeschränkung (judicial self-restraint)

91 aa) Der Richter ist an das Gesetz gebunden, Artt. 20 Abs. 3, 97 Abs. 1 GG. Für ihn und die Verwaltung gilt der *Gesetzesvorrang.*[148] In diesem Rahmen wurde auch der Topos der „**Erstzuständigkeit des Gesetzgebers**" geboren. Das solle auch für die Verfassungsauslegung gelten.[149] Eine richterliche Zurückhaltung gilt im Verhältnis der Gerichte zur Legislative. Der Vorrang des Gesetzgebers lässt sich auch gut begründen: Bei Risikoentscheidungen mit ungewisser Perspektive sind Verwaltung und Gesetzgeber den Gerichten oft überlegen. Den Gerichten fehlt häufig das notwendige Instrumentarium, wie Expertenkommissionen, und der umfassende Überblick, um außerrechtliche Überlegungen anzustellen und einzubeziehen;[150] sie können gerade keine abstrakt-generellen Regeln aufstellen, sondern müssen konkret auf den Fall bezogen entscheiden.[151]

92 bb) Um die Politik aus dem Gerichtssaal zurückzudrängen, gibt es mehrere Argumentationsfiguren: Aus dem US-amerikanischen Recht[152] stammt der Gedanke des ***judicial self-restraint***. Er bedeutet, dass sich die Gerichte im Sinne **richterlicher Selbstbeschränkung** bei ihren Entscheidungen zurückhalten und damit dem demokratisch legitimierten Gesetzgeber letztlich in wichtigen politischen Fragestellungen ein Ermessen einräumen, sodass die Klage im Zweifel abzuweisen ist.[153] Der Gesetzgeber hat Ermessen sowohl bzgl. der Auswahl seiner Regelungsziele, als auch bzgl. der Umsetzung zur Erreichung derselben. Daher sind Einmischungen der Rechtsprechung in Ziel- und Zweckmäßigkeitsüberlegungen grundsätzlich nicht zulässig.[154] Zudem existiert im US-amerikanischen Recht die „**political question doctrine**", wonach bestimmte Entscheidungen dem Parlament vorbehalten sind.[155] Den Einschätzungsspielraum des Gesetzgebers betont auch das BVerfG, indem es formuliert, „der Gesetzgeber [verfüge] namentlich mit Blick auf die Frage der Eintrittsrisiken und die zu erwartenden Folgen für die Handlungsfreiheit des

---

[147] BVerfG, Beschl. v. 2.3.1993, 1 BvR 1213/85, BVerfGE 88, 103, 115 f. – Streikeinsatz von Beamten; vorher bereits BVerfG, Beschl. v. 26.6.1991, 1 BvR 779/85, BVerfGE 84, 212, 225 f. – Aussperrung; zustimmend *Söllner*, ZG 1995, 1, 7 ff.; krit. *Scholz*, in: Maunz/Dürig, GG, 92. EL August 2020, Art. 9 Rn. 312; *Jestaedt*, Grundrechtsentfaltung im Gesetz, 1999, S. 152.

[148] *Schulze-Fielitz*, in: Dreier, GG, 3. Aufl. 2015, Art. 20 (Rechtsstaat), Rn. 101 m.w.Nachw.

[149] BVerfG, Urt. v. 11.11.1999, 2 BvF 2/98 u.a., BVerfGE 101, 158, 217 f.; *Hermes*, VVDStR 61 (2002), 119, 129.

[150] In der Formulierung von *F. Baur*, JZ 1957, 195, 196: „Der Richter wird an die Stelle des Gesetzgebers gerückt, ohne dass ihm dessen Hilfsmittel zur Verfügung stünden oder sein Urteil einem ähnlichen Gestaltungsprozeß unterläge wie das Gesetz." S. *Picker*, JZ 1988, 62, 72; *Kramer*, Juristische Methodenlehre, 6. Aufl. 2019, S. 336.

[151] S. etwa *Meier-Hayoz*, JZ 1981, 417, 422; *Kramer*, Juristische Methodenlehre, 6. Aufl. 2019, S. 336 f.

[152] *U.S.v. Butler*, 297 U.S. 1, 79 (1936); sehr anschaulich *Cox*, 47 Md. L. Rev. 118 ff. (1987); *Posner*, 100 Calif. L. Rev. 519 (2012); *Ribble*, 26 Va. L. Rev. 981, 984 (1940).

[153] BVerfG, Urt. v. 31.7.1973, 2 BvF 1/73, BVerfGE 36, 1, 14 f. und Ls. 2 – Grundlagenvertrag; *Rau*, Selbst entwickelte Grenzen in der Rechtsprechung des United States Supreme Court und des Bundesverfassungsgerichts, 1996, S. 125 ff.; *Rupp*, 21 Ohio St.L.J. 503 (1960); *Schuppert*, DVBl. 1988, 1191 ff.

[154] *Zippelius*, in: FG 25 Jahre BVerfG, Bd. II, 1976, S. 108, 117 ff.

[155] *Baker v. Carr*, 369 U.S. 186, 210 ff. (1962).

Haushaltsgesetzgebers über einen weiten Einschätzungsspielraum, den das Bundesverfassungsgericht grundsätzlich zu respektieren hat.“[156]

Ein Beispiel solcher Selbstbeschränkung ist etwa die Rechtsprechung, die es ablehnt im Deliktsrecht einen allgemeinen Gefährdungstatbestand rechtsfortbildend zu entwickeln (§ 13 Rn. 30 ff.). Oder: Im Kapitalmarktrecht hat die Rechtsprechung es abgelehnt, bestimmten Normen Schutzgesetzcharakter und damit dem Kläger einen Anspruch aus § 823 Abs. 2 BGB zuzugestehen, um nicht die Voraussetzungen des § 826 BGB auszuhöhlen (§ 13 Rn. 32a). **93**

Die Zulässigkeit der Rechtsfortbildung wird schwierig, wenn verschiedene Argumentationsfiguren gegenläufig sind (§ 13 Rn. 132). Dies verdeutlicht recht schön die Frage, ob eine gleichgeschlechtliche Partnerschaft als Ehe im Sinne der Verfassung anzuerkennen ist. Der gesellschaftliche Wandel (§ 13 Rn. 44) spricht dafür, das Recht anzupassen. Das gilt vor allem dann, wenn sich Rechtsschutzlücken auftun (§ 13 Rn. 67). Wenn gesellschaftliche Probleme umstritten sind, sollte der **Meinungskampf im Parlament und nicht vor Gericht** ausgetragen werden. Dies gebietet die Gewaltenteilung (§ 13 Rn. 91 ff.) und das gerade genannte Gebot, politische Fragen im politischen Prozess zu entscheiden. In Deutschland wurde die Frage, ob die gleichgeschlechtliche Partnerschaft als Ehe anzuerkennen ist, durch den Gesetzgeber gelöst (§ 4 Rn. 49). In Österreich[157] und den USA haben dagegen höchste Gerichte die gleichgeschlechtliche Ehe anerkannt, der US-amerikanische Supreme Court mit einer knappen 5:4-Entscheidung.[158] Das mag auch daran liegen, dass die US-amerikanische Verfassung im Gegensatz zur deutschen Verfassung nur schwer geändert werden kann. Im Ergebnis führen Entscheidungen des demokratisch legitimierten Parlamentes aber eher zur Akzeptanz der Mehrheitsentscheidung als die höchstrichterliche Entscheidung eines Gerichts.[159] **94**

cc) Grundsätzlich ist es **Aufgabe des Parlaments, über das Sachziel eines Gesetzes** oder einer Norm zu entscheiden.[160] Der Richter hat nicht zu prüfen, ob eine gesetzliche Lösung die zweckmäßigste, vernünftigste oder gerechteste ist.[161] Damit überschreitet er die Grenze zulässiger Rechtsfortbildung, wenn er sich **anmaßt, positive Sozialgestaltung** zu betreiben.[162] Er wird zum gesetzgebenden Richter. Die Grenze zulässiger Rechtsfortbildung ist dort erreicht, wo der Richter die *klare Grundkonzeption des Gesetzgebers ignoriert und beseitigen würde.*[163] Zutreffend formulierten die Richter im Sondervotum zur Rügeverkümmerung, dass eine Rechtsprechungsentwicklung insoweit rechtfertigungsbedürftig sei, als sie sich über diese Grundentscheidung, die der Gesetzgeber mit der entsprechenden Regelung getroffen hat, hinwegsetze und an ihre Stelle die unvermittelte Orientierung an allgemeinen Wertentscheidungen materieller Gerechtigkeit setze.[164] Gerade die verfassungskonforme Auslegung bzw. Rechtsfortbildung darf nicht zur „un- **95**

[156] S. etwa BVerfG, Urt. v. 12.9.2012, 2 BvE 6/12 u.a., BVerfGE 132, 195 Rn. 113 – ESM- und Fiskalvertrag e.A.

[157] VfGH, Urt. v. 4.12.2017, G 258–259/2017–9, Rn. 5.2 ff. – Gleichgeschlechtliche Partnerschaft als Ehe.

[158] *Obergefell v. Hodges,* 135 S.Ct. 2584 (2015) – Gleichgeschlechtliche Partnerschaft als Ehe (§ 5 Rn. 104).

[159] Nur zu oft wird aber auch in Deutschland politische Fragen dem BVerfG zur Entscheidung vorlegt, s. krit. *Brugger,* Demokratie, Freiheit, Gleichheit – Studien zum Verfassungsrecht der USA, 2002, S. 153.

[160] *Flume,* 46. DJT, 1967, K 18.

[161] St. Rspr., s. BVerfG, Urt. v. 17.12.1953, 1 BvR 323/51 u.a., BVerfGE 3, 162, 182; BVerfG, Beschl. v. 26.3.1980, 1 BvR 121/76 u.a., BVerfGE 54, 11, 26.

[162] S. das Zitat von *Rüthers,* JZ 2008, 446, 448; *Picker,* JZ 1988, 62, 71: „Sozialgestaltung zu betreiben“.

[163] *Scholz,* ZG 2012, 105 ff.

[164] BVerfG, Beschl v. 15.1.2009, 2 BvR 2044/07, BVerfGE 122, 248, 300 – Rügeverkümmerung.

begrenzten Auslegung“ werden.[165] Hier betreibe der Richter rechtlich unzulässige Rechtsgestaltung, die dem Parlament vorbehalten ist, sog. *social engineering* oder *judicial activism*. In den Worten eines früheren Sondervotums des BVerfG:

96 „Das Gebot *richterlicher Selbstbeschränkung (judicial self-restraint)*, das als das „Lebenselexier“ der Rechtsprechung des Bundesverfassungsgerichts bezeichnet worden ist, gilt vor allem, *wenn es sich nicht um die Abwehr von Übergriffen der staatlichen Gewalt handelt*, sondern wenn dem vom Volk unmittelbar legitimierten Gesetzgeber im Wege der verfassungsgerichtlichen Kontrolle Vorschriften für die *positive Gestaltung der Sozialordnung* gemacht werden sollen. Hier darf das Bundesverfassungsgericht nicht der Versuchung erliegen, selbst die Funktion des zu kontrollierenden Organs zu übernehmen, soll nicht auf lange Sicht die Stellung der Verfassungsgerichtsbarkeit gefährdet werden.“[166]

b) Der Richter als Ersatzgesetzgeber und das BVerfG als politisches Gericht

97 Am Amtsgericht oder Landgericht behilft sich der Richter mit den einfachen Formen der gesetzesimmanenten Rechtfortbildung, wie Einzelanalogie oder teleologischer Reduktion. Die gesetzesübersteigende Rechtsfortbildung gehört damit üblicherweise nicht zum täglichen Brot des Richters am AG oder am LG, sondern ist eher die Ausnahme.[167] Allerdings ist er zur Rechtsfortbildung bereits dann verpflichtet, wenn dies die Verfassung (§ 11 Rn. 68 ff.) oder das Europarecht (§ 1 Rn. 28 ff.) fordern. Faktisch finden die *gesetzesergänzende und gesetzeskorrigierende* Rechtsfortbildung oft nur durch die höchsten Gerichte statt. Das ist nicht verwunderlich, weil der deutsche Gesetzgeber den großen Senaten der Bundesgerichte ausdrücklich die Rechtsfortbildungskompetenz auferlegte (§ 1 Fn. 119). Der Richter wird zum „**Ersatzgesetzgeber**“.[168] Bedenkt man, dass Rechtsfortbildung regelmäßig durch die höchsten Gerichte stattfindet, also den BGH (oft als Großer Senat), das BVerfG und den EuGH, so ist einleuchtend, dass auf dieser Ebene auch **politisch** entschieden wird.[169] Das BVerfG bejaht zudem in größerem Umfang die objektive Auslegung wegen eines Verfassungswandels (§ 6 Rn. 72). Damit ist auch nicht das Dilemma von der Hand zu weisen, dass das BVerfG und der EuGH interpretatorisch über ihre Anwendung entscheiden, ohne ihrerseits einer weiteren Kontrolle unterworfen zu sein.[170] Anschaulich formulierte der Supreme Court-Richter *Hughes*: „We are under a Constitution, but the Constitution is what the judges say it is.”[171] Damit gilt auch hier die normative Kraft des Faktischen (§ 5 Rn. 95 ff.) oder das klassische Principal-Agent-Problem (§ 5 Rn. 150).

---

165 *Dederer*, in: Maunz/Dürig, GG, 92. EL August 2020, Art. 100 Rn. 134; *Hillgruber/Goos*, Verfassungsprozessrecht, 5. Aufl. 2020, Rn. 785; *Zierlein*, in: FS Benda, 1995, S. 457, 474; zur Vorlagepflicht als Schutz der gesetzgeberischen Entscheidung s. *Wieland*, in: Dreier, GG, 3. Aufl. 2018, Art. 100 Rn. 11.

166 Sondervotum *Rupp-von Brünneck, Simon*, in: BVerfG, Urt. v. 25.2.1975, 1 BvF 1–6/74, BVerfGE 39, 1, 68 ff. – Schwangerschaftsabbruch I.

167 *Adomeit*, JZ 2008, 299, 300; weiter *Fischer*, Topoi verdeckter Rechtsfortbildung im Zivilrecht, 2007, S. 560.

168 So der Titel des Beitrages von *Steiner*, NJW 2001, 2919; drastischer *Rupert*, ZG 2012, 105: gesetzgebende Richter.

169 *Adomeit*, JZ 2008, 299, 300; *Vesting*, Rechtstheorie, 2. Aufl. 2015, Rn. 223.

170 *Heun*, AöR 116 (1991), 185, 207; *Hegenbarth*, Juristische Hermeneutik und linguistische Pragmatik, 1982, S. 197.

171 *Hughes/Schurman*, Addresses and Papers of Charles Evans Hughes. Governor of New York 1906–1908, 1908, S. 139; anschaulich auch bereits im Jahre 1717 der Bischof *Hoadly* gegenüber dem englischen König: „Whoever hath an absolute authority to interpret any written or spoken laws, it is he who is truly the lawgiver, to all intents and purposes, and not the person who first wrote or spoke to them“, s. *Thayer*, 7 Harv. L. Rev. 129, 152 (1893).

Im US-amerikanischen Wahlsystem wird der Kandidat mit den meisten Stimmen in den Kongress bzw. den Senat gewählt. Das Mehrheitsprinzip führt zu einem Zwei-Parteiensystem der Parteien von Demokraten und Republikanern. Diese Polarisierung spiegelt sich auch im Supreme Court wieder: Der Kandidat wird mit dem Stimmen der jeweiligen Mehrheit im Senat auf Lebenszeit gewählt; damit wird zum Teil *Politik durch den jeweiligen Richter* betrieben. Die Republikaner definieren traditionell nicht selten die Rolle der Rechtsfortbildung eng, berufen sich auf den damaligen Sprachgebrauch oder ursprünglichen Willen des Gesetzgebers (*textualism, purposivism,* § 6 Rn. 89). Damit soll der Gesetzgeber und nicht die Gerichte das gesellschaftliche Problem lösen.[172] Umgekehrt verstehen sich die Demokraten eher progressiv und sehen es als Aufgabe des höchsten Gerichts an, für aktuelle Probleme Lösungen zu entwickeln, etwa die Rechte zum Schutze von Minderheiten zu stärken (*Living originalism,* § 6 Rn. 90). Entscheidend ist damit, welche der Parteien jeweils die Mehrheit der Richter im neunköpfigen Supreme Court hinter sich hat.[173] In Deutschland ist die politische Landschaft noch weniger entzweit. Das liegt zum einem am Wahlrecht: Das Verhältniswahlrecht, das für die Hälfte der Stimmen zur Anwendung kommt, führt zu einem Mehrparteiensystem, weil auch Parteien ohne die Mehrheit in einzelnen Wahlkreisen im Bundestag vertreten sind. Auch die Auswahl der auf 12 Jahre berufenen insgesamt 16 Richter am Bundesverfassungsgericht ist aufgrund eines turnusmäßig wechselnden Vorschlagsrechts der Fraktionen deutlich weniger stark politisiert als in den USA.[174] 98

Bewegt sich der Richter im Bereich des Richterrechts (*Common law*), fehlen Gesetze und damit ein Wille des Gesetzgebers, an den er gebunden sein könnte. Er kann damit deutlich freier nach praktischen, politischen und ethischen Gesichtspunkten entscheiden[175], wobei er allerdings an Präjudizien gebunden ist (§ 7 Rn. 44 ff.). Hierzu passt das Zitat des Richters *Holmes Jr.*: „The life of the law has not been logic: it has been experience."[176] Dies zeigt auch die *dynamische Interpretation* der Verfassung durch das BVerfG: Das Gericht dehnte die Relevanz der Grundrechte für den Bürger im Alltag aus, indem es Grundrechte zu einer objektiven Wertordnung entwickelte. Zudem wurde den Grundrechten eine Drittwirkung zugesprochen und dem Staat Schutzpflichten zur Sicherung der Grundrechte auferlegt (§ 10 Rn. 4 ff.).[177] Volkmann beschreibt anschaulich das BVerfG als Akteur, der in die politischen und sozialen Kontroversen der Gegenwart involviert ist (§ 11 Rn. 4b).[178] Dazu dienen auch die Sondervoten, die gesellschaftliche Kontroversen offenlegen.[179] Gesetzgebung und Rechtsprechung schränken das liberale Menschenbild des 20. Jahrhunderts in immer stärkerem Maße durch paternalistische Züge ein.[180] Das Ideal, dass der Gesetzgeber gesellschaftspolitische Herausforderungen im Par- 99

[172] Beispielhaft stehen hier Urteile zum Waffenrecht (§ 6 Rn. 89) oder zur Zulässigkeit der Todesstrafe (§ 1 Fn. 256).

[173] Zum Streitstand s. *Carter/Burke*, Reason in Law, 9th ed. 2016, S. 139 ff. Eine neuere Studie relativiert allerdings diesen Gegensatz, s. *Gluck/Posner*, 131 Harv. L. Rev 1298 ff. (2018).

[174] S. *Pieper*, Verfassungsrichterwahlen, 1998, S. 22 ff.

[175] S. etwa *Radbruch*, Geist des englischen Rechts, 2. Aufl. 1947, S. 11; *Coing*, Juristische Methodenlehre, 1972, S. 24; *Fikentscher*, Methoden des Rechts, Bd. II, 1975, S. 258, der das offene Rechtsdenken in den USA betont. S. oben § 7 Rn. 44 ff. und *Mac Pherson v. Buick Motor Company* – Gefährdungshaftung für Kfz-Hersteller (§ 7 Rn. 62 ff.).

[176] *Holmes Jr.*, The Common Law, 1881, S. 1.

[177] Krit. *Böckenförde*, Staat, Verfassung, Demokratie, 1991, S. 159, 189 f., mit den USA vergleichend *Brugger*, Demokratie, Freiheit, Gleichheit – Studien zum Verfassungsrecht der USA, 2002, S. 153; *Kulick*, JZ 2016, 67, 70 ff.

[178] *Volkmann*, Grundzüge einer Verfassungslehre der Bundesrepublik Deutschland, 2013, S. 177 ff.: BVerfG als gerichtsförmig institutionalisierter Teil des politischen Prozesses.

[179] *Häberle*, JZ 1975, 297, 302 ff.; *Schulze-Fielitz*, AöR 122 (1997), 1, 15. Zum Sondervotum § 1 Rn. 54.

[180] Ausführlich *Hellgardt*, Regulierung und Privatrecht, 2016; zum Einfluss des Verbraucherschutzrechts auf das BGB, s. *Möllers*, JZ 2002, 121 ff.; *ders.*, JuS 1999, 1191 ff.

lament diskutiert und in Gesetzesform gießt, wird hierbei nur allzu oft ignoriert, auch weil der Hilferuf nach dem Verfassungsgericht als bequemerer Weg erscheint.

c) Unzulässige Rechtsgestaltung (judicial activism) gegenüber dem Gesetzgeber

100 In der Literatur wird folglich zum Teil kritisiert, dass das BVerfG zu oft die Gesetzesprärogative des Gesetzgebers missachtet, also seine Verpflichtung zum *judicial self-restraint* (§ 13 Rn. 91 ff.) verletzt. Inzwischen urteilte das BVerfG mehrere Male über das Erbschaftsteuerrecht und machte jeweils detaillierte Vorgaben, warum das Erbschaftsteuerrecht gegen die Verfassung verstößt.[181] Dazu gibt es zahlreiche Beispiele, wie etwa Entscheidungen des BVerfG über die Quadratmetergröße von Gefängniszellen oder die Rundfunkgebührenerhöhung um 88 Cent.[182] Bei einer Entscheidung zum europäischen Wahlrecht sah eine Mehrheit von 5:3 Richtern in der 3%-Sperrklausel einen schwerwiegenden Eingriff in die Grundsätze der Wahlrechtsgleichheit und Chancengleichheit der politischen Parteien.[183] Markant formulierte *P. Müller* in einem Sondervotum: „Es ist aber nicht Sache des Bundesverfassungsgerichts, *die vertretbare Entscheidung des Gesetzgebers durch eine eigene vertretbare Entscheidung* zu ersetzen."[184] Mit P. Müller bliebe es bei der richterlichen Selbstbeschränkung und die Klage wäre abzuweisen.

3. Konkretisierung und Rechtsfortbildung

a) Rechtsmethodik und Rechtsdogmatik als Mittel der Konkretisierung von Recht

101 Die Arbeit mit Rechtsprinzipien oder das Zusammenspiel verschiedener Normen gehört zu den anspruchsvolleren Tätigkeiten des Juristen. Weil unbestimmte Rechtsbegriffe oder Rechtsprinzipien die eigentliche Konkretisierungsarbeit auf den Richter delegieren, ist diese Arbeit auch eine *kreative*.[185] Zum Teil wird von Dezisionismus gesprochen, einem „Erfinden" von Recht. Darauf wird zurückzukommen sein (§ 14 Rn. 41). An dieser Stelle mögen drei Überlegungen genügen:

102 Erstens gelten die oben genannten fünf Prüfungsschritte gleichermaßen auch für den Bereich der Konkretisierung, d.h. auch in diesem Bereich wird man prüfen, welche der oben vorgestellten Argumentationsfiguren zur Anwendung kommen. Zweitens kommen zusätzliche Argumentationsfiguren dazu. Die Juristische Methodenlehre, aber auch die Rechtsdogmatik, helfen dabei, die erforderliche Kreativität in Bahnen zu lenken, sowie mit Zwischenschritten, die Rechtsfindung rational und damit operabel zu machen. Diese Konkretisierung wurde im 4. Teil vorgestellt, etwa mit Hilfe der Vergleichsfallmethode, des Beweglichen Systems, des Fallgruppenvergleichs, der Arbeit mit Rechtsprinzipien, die durch Induktion oder Abwägung gewonnen wurden. Dabei ist drittens auch im Bereich der *gesetzeskonkretisierenden* Rechtsfortbildung formal eine Rechtsfortbildung unzuläs-

---

[181] Etwa BVerfG, Beschl. v. 22.6.1995, 2 BvR 552/91, BVerfGE 93, 165, 172 ff.; BVerfG, Beschl v. 7.11.2006, 1 BvL 10/02, BVerfGE 117, 1, 30 ff.; BVerfG, Urt v. 17.12.2014, 1 BvL 21/12, BVerfGE 138, 136, 179 ff. Rn. 118 ff.

[182] BVerfG, KBeschl. v. 27.2.2002, 2 BvR 553/01, NJW 2002, 2699 – Menschenunwürdige Unterbringung von Strafgefangenen; BVerfG, Urt. v. 11.9.2007, 1 BvR 2270/05 u.a., BVerfGE 119, 181, 229 ff. – Rundfunkfinanzierungsstaatsvertrag. Weitere Beispiele sogleich § 13 Rn. 110 f. Krit. folglich *Brohm*, NJW 2001, 1, 9 ff.; *Schulze-Fielitz*, in: Dreier, Macht und Ohnmacht des Grundgesetzes, 2009, S. 9, 22 ff. sowie die Autoren in den § 13 Rn. 95 ff.

[183] BVerfG, Urt. v. 26.2.2014, 2 BvE 2/13 u.a., BVerfGE 135, 259 Rn. 61 – Drei-Prozent-Sperrklausel EuWG. Zur umstrittenen Kruzifix-Entscheidung (BVerfGE 93,1) s. oben § 10 Rn. 52a f.

[184] Sondervotum *P. Müller*, in: BVerfG, Urt. v. 26.2.2014, 2 BvE 2/13 u.a., BVerfGE 135, 259, 299 Rn. 9 – Drei-Prozent-Sperrklausel EuWG. Weitere Verstöße gegen die parlamentarischen Gestaltungsfreiheit beschreibt *Risse*, JZ 2018, 71 ff.

[185] Statt vieler etwa *Ossenbühl*, in: HStR V, 3. Aufl. 2007, § 100 Rn. 50: „schöpferische Komponente".

sig, die nur mit Leerformeln arbeitet (§ 6 Rn. 72) oder auf die erforderlichen Zwischenschritte verzichtet (§ 10 Rn. 17 ff.).

b) Das Gebot der Rückverweisung an den Gesetzgeber

Der Gefahr, dass das BVerfG zum Ersatzgesetzgeber gerät, kann mit einer Argumentationsfigur entgegengetreten werden: In der Literatur wurde das Gebot der Rückverweisung an das Parlament vorgeschlagen. Eine solche Vorrangregel würde die konkrete Lösung im politischen Prozess erzwingen und paternalistische Tendenzen des Gerichts einschränken.[186] Inhaltlich kann auch die gesetzeskonkretisierende Rechtsfortbildung contra legem sein, wenn sie gegen obige Regeln verstößt. Bei der Frage, in welchem Umfang dem Einzelnen Anspruch auf das zur Wahrung der Menschenwürde notwendige Existenzminimum aus Art. 1 Abs. 1 i.V.m. Art. 20 Abs. 1 GG zusteht, schreibt das BVerfG: 103

„Zur Konkretisierung des Anspruchs hat der Gesetzgeber alle existenznotwendigen Aufwendungen folgerichtig in einem *transparenten und sachgerechten Verfahren* nach dem tatsächlichen Bedarf, also realitätsgerecht, zu bemessen (vgl. BVerfGE 66, 214 [223]; 68, 143 [153]; 82, 60 [88]; 99, 246 [260]; 112, 268 [280]; 120, 125 [155]). Hierzu hat er zunächst die *Bedarfsarten* sowie die dafür aufzuwendenden Kosten zu ermitteln und auf dieser Basis die Höhe des Gesamtbedarfs zu bestimmen. Das Grundgesetz schreibt ihm dafür keine bestimmte Methode vor (ebenso bei grundrechtlichen Schutzpflichten vgl. BVerfGE 46, 160 [164]; 96, 56 [64]; 115, 118 [160]); er darf sie vielmehr im Rahmen der Tauglichkeit und Sachgerechtigkeit selbst auswählen. Abweichungen von der gewählten Methode bedürfen allerdings der *sachlichen Rechtfertigung*. 104

Das dergestalt gefundene Ergebnis ist zudem fortwährend zu überprüfen und weiter zu entwickeln, weil der elementare Lebensbedarf eines Menschen grundsätzlich nur in dem Augenblick befriedigt werden kann, in dem er besteht (vgl. BVerfGK 5, 237 [241]). Der Gesetzgeber hat daher Vorkehrungen zu treffen, auf Änderungen der wirtschaftlichen Rahmenbedingungen, wie zum Beispiel Preissteigerungen oder Erhöhungen von Verbrauchsteuern, zeitnah zu reagieren, um zu jeder Zeit die Erfüllung des aktuellen Bedarfs sicherzustellen, insbesondere wenn er wie in § 20 Abs. 2 SGB II einen Festbetrag vorsieht.

2. a) Dem Gestaltungsspielraum des Gesetzgebers bei der Bemessung des Existenzminimums entspricht eine zurückhaltende Kontrolle der einfachgesetzlichen Regelung durch das Bundesverfassungsgericht. Da das Grundgesetz selbst keine exakte Bezifferung des Anspruchs erlaubt, beschränkt sich – bezogen auf das Ergebnis – die materielle Kontrolle darauf, ob die Leistungen evident unzureichend sind (vgl. BVerfGE 82, 60 [91 f.]).

b) Innerhalb der materiellen Bandbreite, welche diese Evidenzkontrolle belässt, kann das Grundrecht auf Gewährleistung eines menschenwürdigen Existenzminimums keine quantifizierbaren Vorgaben liefern. Es erfordert aber eine Kontrolle der Grundlagen und der Methode der Leistungsbemessung daraufhin, ob sie dem Ziel des Grundrechts gerecht werden. Der Grundrechtsschutz erstreckt sich auch deshalb auf das Verfahren zur Ermittlung des Existenzminimums, weil eine Ergebniskontrolle am Maßstab dieses Grundrechts nur begrenzt möglich ist.“[187]

Das BVerfG schlussfolgert, dass die Regelleistung von 345 EUR nach § 20 Abs. 2 Hs. 1 SGB II a.F. nicht in verfassungsgemäßer Weise ermittelt worden sei, weil von den Strukturprinzipien des Statistikmodells, das der Gesetzgeber selbst gewählt und zur Grundlage 105

---

[186] *Volkmann*, AöR 134 (2009), 157, 193; *ders.*, Grundzüge einer Verfassungslehre der Bundesrepublik Deutschland, 2013, S. 199 f.; *Schulze-Fielitz*, in: Dreier, Macht und Ohnmacht des Grundgesetzes, 2009, S. 9, 23.

[187] BVerfG, Urt. v. 9.2.2010, 1 BvR 1/09 u.a., BVerfGE 125, 175, 225 f. – Hartz IV.

seiner Bemessung des zur Wahrung der Menschenwürde notwendigen Existenzminimums gemacht hat, *ohne sachliche Rechtfertigung* abgewichen worden sei.[188] „Woher zieht das Gericht diesen Schluss?", fragt *Christoph Möllers.*[189] Dem BVerfG wird vorgeworfen, es sei nicht rechtsprechende, sondern maßstabsetzende Gewalt.[190] Die *Einengung des Beurteilungs- und Prognosespielraums* führe zu einer „stillosen Degradierung der ersten Gewalt",[191] weil das BVerfG den Gesetzgeber wie eine Behörde behandeln würde.[192]

106 Verfolgt man die Rechtsprechung des BVerfG zur Verfassungsmäßigkeit steuerrechtlicher und sozialpolitischer Gesetze, fällt auf, dass das BVerfG nicht selten ganz präzise Vorgaben gibt, wie das künftige Gesetz auszusehen hat. Die Figur der Erstzuständigkeit des Gesetzgebers (§ 13 Rn. 91) verblasst vor diesem Hintergrund. Allerdings geht der Vorwurf, das Parlament würde in die Rolle des ausführenden Sekretärs gedrängt, doch zu weit. Grundsätzlich steht dem Gesetzgeber, wie das BVerfG betont, ein weiter Gestaltungsspielraum zu. Um verfassungsrechtlich gewährte Leistungsansprüche aber nicht leerlaufen zu lassen, ist es überzeugend, wenn das BVerfG eine *Evidenzkontrolle* vornimmt und insbesondere ein **rationales, d.h. nachprüfbares Verfahren** fordert. Vergleichbares gilt etwa auch für das Alimentationsprinzip im Beamtenrecht (§ 10 Rn. 52).[193] Das BVerfG übernimmt eine Rationalitätskontrolle in vier Bereichen: „Zuordnung finanzieller Lasten", was oft in einem föderalen Staat von Belang ist, „Passgenauigkeit zwischen Maßnahme und Ziel", „Konsistenzprüfung in der Abwägung" und „Korrektur von Härtefällen".[194] Die Erfüllung der Begründungspflicht, die für juristische Entscheidungen gefordert wird (§ 1 Rn. 39), fordert das BVerfG nun vom Gesetzgeber ein; dogmatisch werden hier Grundrechte konkretisiert.[195] Diese Form der *Konstruktion* entwickelt die Grundrechte durch einzelne Zwischenschritte weiter. Der Entscheidung ist schließlich auch deshalb zuzustimmen, weil sie die Entscheidung an das Parlament zurückgibt und damit dem gerade genannten Gebot der Rückverweisung an den Gesetzgeber Rechnung trägt.[196]

c) Zur Zulässigkeit von gesetzesergänzender oder gesetzeskorrigierender Rechtsfortbildung

107 Im Sondervotum zur Rügeverkümmerung (§ 11 Rn. 83 f.) formulierten *Voßkuhle, Osterloh* und *Di Fabio* die Grenze zulässiger Rechtsfortbildung mit den Worten: *„In keinem Fall* darf richterliche Rechtsfindung das gesetzgeberische Ziel der Norm in einem wesentlichen Punkt verfehlen oder verfälschen oder an die Stelle der Regelungskonzeption des Gesetzgebers gar eine eigene treten lassen."[197] Diese Formulierung ist jedoch zu eng: Ausnahmen für eine *gesetzesergänzende* oder *gesetzeskorrigierende* Rechtsfortbildung können sich ergeben, wenn der Gesetzgeber untätig bleibt und eine Rechtsschutzlücke droht. Das gilt auch dann, wenn eigentlich der Gesetzgeber wegen seiner Schutzpflicht zu einer gesetzlichen Regelung verpflichtet wäre (§ 13 Rn. 84).

---

[188] BVerfG, Urt. v. 9.2.2010, 1 BvR 1/09 u.a., BVerfGE 125, 175, 238 – Hartz IV.

[189] So wörtlich *Ch. Möllers,* in: Jestaedt/Lepsius/Ch. Möllers/Schönberger, Das entgrenzte Gericht, 2011, S. 281, 384.

[190] *Lepsius,* in: Jestaedt/Lepsius/Ch. Möllers/Schönberger (ebd.), S. 159, 167 f.

[191] *Lepsius,* in: Jestaedt/Lepsius, Verhältnismäßigkeit, 2015, S. 1, 11.

[192] *Ch. Möllers,* in: Jestaedt/Lepsius/Ch. Möllers/Schönberger (ebd.), S. 281, 385: „demokratietheoretisch problematisch".

[193] BVerfG, Urt. v. 14.2.2012, 2 BVL 4/10, BVerfGE 103, 263, 301 f. – W-Besoldung.

[194] So die Einteilung bei *Petersen,* Verhältnismäßigkeit als Rationalitätskontrolle, 2015, S. 148 ff.

[195] Krit. *Risse,* JZ 2019, 71, 74; *Schwartz/Bravior,* JZ 2011, 653, 658 f.

[196] Vorher schon BVerfG, Beschl. v. 11.12.2001, 1 BvF 1/96 u.a., BVerfGE 104, 305, 307 ff. – LER-Schlichtungsvorschlag; BVerfG, Urt. v. 11.11.1999, 2 BvF 2/98 u.a., BVerfGE 101, 158, 238 ff. – Finanzausgleich III. Positive Bewertung auch bei *Hassemer,* Erscheinungsformen des modernen Rechts, 2007, S. 169 ff.; *Volkmann,* AöR 134 (2009), 157, 193.

[197] Sondervotum *Voßkuhle, Osterloh, Di Fabio,* in: BVerfG, Beschl. v. 15.1.2009, 2 BvR 2044/07, BVerfGE 122, 248, 282 f. – Rügeverkümmerung.

Auch das Entwickeln neuer Rechtsinstitute, wie Fortfall der Geschäftsgrundlage oder der Kontrahierungszwang (§ 9 Rn. 33 ff.) ist die *Konstruktion* von Recht. Solange die Rechtsfortbildung aber dazu dient, Beeinträchtigungen des Grundrechtsschutzes abzuwehren (§ 11 Rn. 56 ff., § 13 Rn. 67 ff.), wird dies ein wichtiges Kriterium für die Zulässigkeit einer Rechtsfortbildung sein. Konsequenterweise hat das BVerfG bei schweren Grundrechtseingriffen auch Verfahrensregeln zum Schutz des Betroffenen gefordert, etwa einen **ungeschriebenen Richtervorbehalt**[198] bzw. eine Kontrolle durch eine unabhängiges und an keine Weisung gebundenes staatliches Organ[199]. 108

4. Kompetenzstreitigkeit zwischen den Gerichten

Von unzulässiger Rechtsfortbildung contra legem wird man auch sprechen müssen, wenn sich ein Gericht eine Kompetenz anmaßt, die ihr im Verhältnis zu einem anderen Gericht nicht zusteht. Dann ist zwar nicht die Gewaltenteilung zwischen Legislative und Judikative tangiert, aber zwischen den Gerichten untereinander. 109

a) Das BVerfG als Superrevisionsinstanz gegenüber Fachgerichten

Diese Problematik existiert zwischen Fachgerichten und dem BVerfG und wird anschaulich mit dem Begriff des BVerfG als Superrevisionsinstanz beschrieben. Das Gebot richterlicher Zurückhaltung gilt auch im Verhältnis des Verfassungsgerichts zu den einfachen Gerichten. Eine Korrektur durch das BVerfG ist nur dort möglich und nötig, wo es um die Verletzung „spezifischen Verfassungsrechts" geht (§ 11 Rn. 24 f.). Allerdings bestimmt das BVerfG selbst die Kontrolldichte, die es durch diesen Begriff absteckt. Damit sind Fälle problematisch, in denen das BVerfG sich als Superrevisionsinstanz gegenüber Fachgerichten geriert und damit versucht, Probleme des konkreten Fachgebiets mit den Mitteln des Verfassungsrechts zu lösen, ohne dass ein solcher Verfassungsverstoß vorliegt. Dem BVerfG wird vorgeworfen, dass es sich oft nicht an seine eigenen Vorgaben hält, sondern im Rahmen einer Verfassungsbeschwerde doch einfaches Recht prüft und damit eine „Banalisierung der Grundrechte"[200] zulässt. So wird die Eigenbedarfskündigung im Mietrecht weitgehend von der Rechtsprechung des BVerfG bestimmt.[201] 110

Eine gewisse Zurückhaltung ist schon deshalb sinnvoll, weil das einfache Recht oft die deutlich präziseren Normen besitzt, um die Interessen der Parteien zu einem Ausgleich zu bringen,[202] während die Grundrechte als Prinzipien der weiteren Konkretisierung (§ 9 Rn. 25) und oft einer umfangreichen Abwägung bedürfen. Zudem verfügen Fachgerichte in dem jeweiligen Fachgebiet naturgemäß über eine größere Sachnähe, den streitigen Sachverhalt zu entscheiden, als das Bundesverfassungsgericht.[203] Schließlich wird die Verfassung überanstrengt: Würden alle Probleme auf die Verfassung abgeladen, geht das Gefühl verloren, welche Probleme wirklich wichtig sind und des Schutzes der Verfassung bedürfen.[204] „Das Verfassungsrecht enthält nicht in nuce die gesamte Rechtsordnung".[205] 111

[198] BVerfG, Urt. v. 2.3.2010, 1 BvR 256/08 u.a., BVerfGE 125, 260, 337 f. – Vorratsdatenspeicherung.

[199] BVerfG, Urt. v. 14.7.1999, 1 BvR 2226/94 u.a., BVerfGE 100, 313, 361 – Handyüberwachung.

[200] So das instruktive Sondervotum *Grimm*, in: BVerfG, Beschl. v. 6.6.1989, 1 BvR 921/85, BVerfGE 80, 137, 164 ff. – Reiten im Walde; *Schönberger*, VVDStR 71 (2012) 296, 327.

[201] Krit. Palandt/*Weidenkaff*, BGB, 80. Aufl. 2021, § 573 Rn. 23. Etwa als es das Besitzrecht des Mieters unter den Eigentumsschutz des Art. 14 Abs. 1 GG stellte, s. BVerfG, Beschl. v. 26.5.1993, 1 BvR 208/93, BVerfGE 89, 1, 6 ff.; s. auch *Ruffert*, JZ 2009, 389, 394 f.; polemisch *Sendler*, NJW 1994, 1518, 1519: „oberstes Amtsgericht insbesondere für Eigenbedarfsklagen von Vermietern".

[202] Anschaulich *Rüfner*, in: HStR IX, 3. Aufl. 2011, § 197 Rn. 112: „Die allgemein gefaßten Grundrechtsnormen vermögen die Feinarbeit des Zivilrechts und dessen Interpretation nicht zu ersetzen oder zu verdrängen."; s. auch *Lerche*, in: FS Odersky, 1996, S. 215, 232.

[203] *Neuner*, in: Diederichsen/Sellert, Das BGB im Wandel der Epochen, 2002, S. 131, 150.

[204] Deutlich *Röhl/Röhl*, Allgemeine Rechtslehre, 3. Aufl. 2008, S. 673.

[205] Pointiert *Wahl*, NVwZ 1984, 401, 409.

Deshalb sollte man mit dem Verfassungsrecht zurückhaltend verfahren, um Auslegungsergebnisse des einfachen Rechts zu korrigieren.

b) Die Rolle des BVerfG im „Dialog der Gerichte"

112 In einem weiteren Bereich wird gegen das Gebot richterlicher Zurückhaltung verstoßen, wenn sich das BVerfG zum Fachgericht für europäische Rechtsfragen erhebt. Auch hier werden zum Teil die Grenzen zulässiger Rechtsfortbildung erreicht bzw. überschritten. Die Entscheidungen von Solange I bis Maastricht wurden bereits thematisiert (§ 2 Rn. 95).[206] In der Lissabon-Entscheidung zeigte der zweite Senat des BVerfG auf, welche Kompetenzen nicht auf die europäische Ebene verlagert werden dürfen. Dazu zählt es relativ pauschal das Strafrecht, den Haushalt, das Budgetrecht des Parlaments,[207] die Familie sowie das Schul- und Bildungssystem.[208] Wenn für die dauerhafte Kompetenzübertragung an die EU eine Volksabstimmung[209] vom BVerfG gefordert würde, fehlt es an der erforderlichen rechtsdogmatischen Absicherung einer solchen Prämisse. Denn damit würde auf einmal das deutsche Volk als Souverän über das Grundgesetz entscheiden, obwohl es bisher noch nie über die Verfassung abstimmen durfte.[210] Formal prüft das BVerfG nicht das europäische Recht, sondern Art. 23 Abs. 1 i. V. m. Art. 79 Abs. 3 GG.

113 In der Literatur sind solche Ausführungen als klare Zuständigkeitsüberschreitung kritisiert worden.[211] Zum einen stellt sich – auch schon auf nationaler Ebene – die Frage, inwieweit ein demokratisch nicht legitimiertes Organ wie das Bundesverfassungsgericht quasi-gesetzgeberische Entscheidungen treffen darf, vor allem wenn dies im Anschluss an eine Mehrheitsentscheidung im Parlament und nicht immer unter Beachtung des – wenngleich vielzitierten[212] – Ermessensspielraums des Gesetzgebers geschieht. So ist schon höchst zweifelhaft, ob jedem Bürger aus dem Wahlrecht des Art. 38 GG das Recht auf Verfassungsbeschwerde gegen Rechtsakte der EU zusteht, wenn der Gesetzgeber solche Direktklagen nicht vorgesehen hat und sich die Betroffenen in den Verfahren überhaupt nicht wehren können, weil sie gar nicht beteiligt sind.[213] Zum anderen gewinnt diese Frage im europäischen Zusammenhang zusätzlich an Brisanz: Darf das Gericht eines Mitgliedstaats in derartig großem Maße die Politik und das Recht der Union und damit auch das Recht aller anderen Mitgliedstaaten bestimmen? Dies kritisierten die Richter *Gerhard* und *Lübbe-Wolff* in ihren Sondervoten zum OMT-Urteil als unzulässige Kompetenzüberschreitung. Es sei Sache der Bundesregierung und nicht des BVerfG juristische Maßnahmen zu ergreifen, wenn europäische Institutionen ihrerseits ihre Kompetenzen verletzen.[214] In concreto ging es um die Frage, in welchem Umfang die EZB zum Ankauf von Staatsanleihen berechtigt ist. Das BVerfG sah darin eine unzulässige Kompetenzüberschreitung, legte diese Frage aber zum ersten Mal in seiner Geschichte in einem

---

[206] Hierzu *Möllers/Redcay*, EuR 2013, 409 ff.

[207] BVerfG, Urt. v. 12.9.2012, 2 BvE 6/12 u. a., BVerfGE 132, 195, 240 Rn. 109 – ESM- und Fiskalvertrag e.A.

[208] BVerfG, Urt. v. 30.6.2009, 2 BvE 2/08 u. a., BVerfGE 123, 267, 359 – Lissabon.

[209] BVerfG (ebd.), BVerfGE 123, 267, 348 – Lissabon.

[210] Krit. *Ukrow*, ZEuS 2009, 717, 725; *Calliess*, ZEuS 2009, 559, 574 f.; *Härtel*, in: ders., Handbuch Föderalismus, Bd. I, 2012, § 16 Rn. 139. Zu Ausnahmen einer Gebietsveränderung s. Art. 29 GG.

[211] *von Münch*, NJW 1998, 2571 ff.; *Scholz*, ZG 2012, 105, 114; *Schroeder*, in: FS G. Roth, 2011, S. 735, 745; *Götz/Schneider*, DVGl. 2012, 145 ff.; *Möllers/Redcay*, EuR 2013, 409, 419 ff.

[212] BVerfG, Urt. v. 12.9.2012, 2 BvE 6/12 u. a., BVerfGE 132, 195 Rn. 113 – ESM- und Fiskalvertrag e.A.

[213] S. bereits die Sondervoten von *Lübbe-Wolff* und *Gerhard*, in: BVerfGE, Beschl. v. 14.1.2014, 2 BvE 13/13 u. a., BVerfGE 134, 366 Rn. 105 ff. und Rn. 133 ff. – OMT; *Pernice*, EuZW 2020, 508, 509 ff.; *Kottmann/Sangi*, Verfassungsblog v. 6.5.2020 (abrufbar unter www.verfassungsblog.de); *Barley*, EuZW 2020, 489: „Herleitung der Beschwerdebefugnis hanebüchen"; *Schnichels* u. a., EuZW 2020, 525, 526: „schwer begründbar".

[214] Sondervoten von *Lübbe-Wolff* und *Gerhard*, in: BVerfG (ebd.) – OMT-Beschluss.

Vorabentscheidungsverfahren dem EuGH vor.[215] Der EuGH erachtete den Beschluss der EZB für rechtmäßig, machte nur wenige Auflagen für die Zukunft und setzte sich mit der Argumentation des BVerfG nicht weiter auseinander.[216] In der abschließenden Entscheidung des BVerfG verpflichtete es die Bundesregierung und den Deutschen Bundestag, aufgrund der ihnen obliegenden *Integrationsverantwortung* des Art. 23 Abs. 1a GG qualifizierten Kompetenzüberschreitungen europäischer Institutionen entgegenzutreten.[217] In dem abschließenden OMT-Urteil rudert das BVerfG bei der Rechtskontrolle zurück. Das Urteil des EuGH sei zwar fehlerhaft, stelle aber keinen qualifizierten Verstoß im Sinne eines *Ultra-vires-Aktes* dar.[218] Erforderlich sei vielmehr eine hinreichend qualifizierte Kompetenzüberschreitung, die eine Vertragsänderung nach Art. 48 EUV erfordert.[219] Bisher führten diese sehr hohen Voraussetzungen dazu, dass ein solcher Ultra-vires-Akt theoretischer Natur blieb.

Einem Paukenschlag kam es gleich, als der zweite Senat des BVerfG mit seinem PSPP- **114**
Urteil erstmals einen Ultra-vires-Verstoß bejahte und ein Urteil des EuGH und Beschlüsse der EZB für rechtlich unverbindlich erachtete.

PSPP-Urteil des BVerfG: In concreto ging es um Beschlüsse der EZB im Rahmen des Public Sector Purchase Programme (PSPP). In diesem Rahmen war die EZB zum Ankauf von Wertpapieren des öffentlichen Sektors am Sekundärmarkt ermächtigt, um die Inflation auf ein Niveau von 2% anzunähern. Von dieser Kompetenz hatte sie in Höhe von 2 Billionen Euro Gebrauch gemacht. Nach Verfassungsbeschwerden legte das BVerfG diese Frage dem EuGH vor,[220] der die Beschlüsse der EZB für verhältnismäßig und rechtmäßig erklärte.[221] Das BVerfG prüfte, ob das Handeln des EuGH, der EZB und der deutschen Institutionen rechtmäßig war.

(1) Der *EuGH* habe in seinem PSPP-Urteil auf eine Verhältnismäßigkeitsprüfung verzichtet, weil er der EZB ein weites Ermessen eingeräumt hatte. Mit einer solchen Begrenzung richterlicher Kontrolldichte würde aber das Prinzip der begrenzten Einzelermächtigung leerlaufen. Dies sei objektiv nicht mehr nachvollziehbar und deshalb als Ultra-vires-Akt zu qualifizieren.[222]

(2) Weil nach Ansicht des zweiten Senats das EuGH-Urteil einen solchen Ultra-vires-Verstoß darstellt, prüfte er die EZB-Beschlüsse selbst. Da die *EZB* in ihren Beschlüssen nicht ausreichend begründet habe, ob die wirtschaftspolitischen Auswirkungen der Ankaufprogramme verhältnismäßig sind, liege ein Abwägungsausfall seitens der EZB vor, sodass die Beschlüsse unverhältnismäßig seien und einen Ultra-vires-Verstoß darstellten.[223] Der EZB-Rat müsse die Begründung jetzt innerhalb von drei Monaten nachliefern. Wenn dies unterbliebe, dürfe die Bundesbank nicht mehr an der Umsetzung der Beschlüsse mitwirken.

(3) Erst nach einer solchen Begründung könne man feststellen, ob die *Bundesregierung* und der *Bundestag* es unterlassen haben, in ausreichendem Maße gegen die rechtwidrigen Maßnahmen europäischer Institutionen vorzugehen.[224] Hinsichtlich des Verbo-

---

[215] BVerfG, Beschl. v. 14.1.2014, 2 BvE 13/13 u.a., BVerfGE 134, 366 Rn. 69 – OMT-Beschluss.

[216] EuGH, Urt. v. 16.6.2015, C-62/14, EU:C:2015:400, Rn. 68, 106, 117 ff. – Gauweiler/OMT; hierzu krit. *Klement*, JZ 2015, 754 ff.; *Kronberger Kreis*, Das entgrenzte Mandat der EZB, 2016, S. 18 ff.

[217] BVerfG, Urt. v. 21.6.2016, 2 BvR 2728/13 u.a., BVerfGE 142, 123 Rn. 142, 163 ff. – OMT-Urteil mit umfangreichen rechtsvergleichenden Hinweisen.

[218] BVerfG (ebd.), BVerfGE 142, 123 Rn. 181 ff. – OMT-Urteil. Zu Ultra-vires-Kontrolle s. oben 2 Rn. 96 ff.

[219] BVerfG, Beschl. v. 18.7.2017, 2 BvR 859/15, BVerfGE 146, 216 Rn. 62 ff. – PSPP-Beschluss; *Heide*, JZ 2019, 305, 309. S. oben § 2 Rn. 101.

[220] EZB, s. BVerfG, Beschl. v. 18.7.2017, 2 BvR 859/15, BVerfGE 146, 216 Rn. 100 ff. – PSPP-Beschluss.

[221] EuGH, Urt. v. 11.12.2018, C-493/17, EU:C:2018:1000 Rn. 53– Weiss/PSPP; *Herde*, JZ 2019, 305.

[222] BVerfG, Urt. v. 5.5.2020, 2 BvR 859/15, BVerfGE 154, 17, 109 Rn. 139 f. – PSPP-Urteil.

[223] BVerfG (ebd.), BVerfGE 154, 17, 126 Rn. 177 f. – PSPP-Urteil.

[224] BVerfG (ebd.), BVerfGE 154, 17, 127 Rn. 179 ff. – PSPP-Urteil.

tes der monetären Haushaltsfinanzierung des Art. 123 AEUV fand das BVerfG die Auffassung des EuGH äußerst zweifelhaft, aber noch vertretbar.[225] Dem EuGH folgend stellt das BVerfG daher keinen Verstoß gegen Art. 123 AEUV durch die EZB fest.[226] Wörtlich formuliert der zweite Senat des BVerfG:

115 „Der Rückgriff auf den Grundsatz der Verhältnismäßigkeit zur Abgrenzung zwischen Währungs- und Wirtschaftspolitik (Art. 5 I 2 und IV EUV) impliziert, dass ein Programm wegen seiner Wirkungen unverhältnismäßig sein kann. (...) Dass das ESZB auch mit geldpolitischen Instrumenten keine Wirtschafts- und Sozialpolitik betreiben darf, schließt es nicht aus, unter dem Gesichtspunkt des Art. 5 I 2 und IV EUV die *Auswirkungen zu erfassen*, die das PSPP etwa für die Staatsverschuldung, Sparguthaben, Altersvorsorge, Immobilienpreise und das Überleben wirtschaftlich nicht überlebensfähiger Unternehmen hat, und sie – im Rahmen *einer wertenden Gesamtbetrachtung – zu dem angestrebten und erreichbaren währungspolitischen Ziel in Beziehung zu setzen*. [...]

Indem der *Gerichtshof* trotz der Überschneidungen von Wirtschafts- und Währungspolitik die gegen eine Zuordnung zur Währungspolitik sprechenden Indikatoren für unerheblich erklärt und auch eine *wertende Gesamtbetrachtung* für deren Abgrenzung (vgl. BVerfGE 134, 366 [416 f.] Rn. 99 f.; BVerfGE 142, 123 [218 f.] Rn. 183) von vornherein *ausschließt, verzichtet er auf eine effektive Kompetenzkontrolle der EZB*. Zwar trifft es zu, dass der EZB bei der Einschätzung und Bewertung dieser Folgen und ihrer Gewichtung im Verhältnis zu den mit dem Anleihekaufprogramm verfolgten Zielen ein Beurteilungsspielraum zukommt. Dass der Gerichtshof den Wirkungen eines Ankaufprogramms von Anleihen dagegen sowohl bei der Bestimmung der Zielsetzung des ESZB als auch im Rahmen der Prüfung der *Verhältnismäßigkeit jede rechtliche Bedeutung abspricht, ist methodisch nicht mehr vertretbar.*"[227]

116 Das PSPP-Urteil des zweiten Senats ist damit ein weiterer Baustein im nicht immer einfachen Kooperationsverhältnis zwischen dem BVerfG und dem EuGH (§ 2 Rn. 94 ff.). Inhaltlich wird das Urteil in mehreren Punkten kritisiert: Gem. Art. 127 AEUV ist die Preisstabilität vorrangiges Ziel der EZB. Diese Vorrangstellung würde aber beeinträchtigt, wenn die EZB eine umfassende Abwägung mit wirtschaftspolitischen Zielsetzungen vornehmen müsste. Mit anderen Worten: die Vorgaben des zweiten Senats zwängen die EZB zu einer unzulässigen Kompetenzausweitung. Die Zurückhaltung des EuGH sei deshalb rechtlich zutreffend gewesen.[228] Die der EZB in Art. 130 AEUV zugestandene Unabhängigkeit würde durch eine umfangreiche Begründungs- und Abwägungspflicht beeinträchtigt.[229] Wenn letztlich die Beschlüsse der EZB rechtmäßig wären und nur die Begründungstiefe bemängelt würde, würde mit Kanonen auf Spatzen geschossen.[230] Den Gegnern der Europäischen Union und den Populisten würde man in die Hände spielen, wenn die Entscheidung des EuGH als „nicht mehr nachvollziehbar" und „objektiv willkürlich" (§ 1 Rn. 88 f., § 13 Rn. 115) bezeichnet wird.[231] Vor einer Stellungnahme ist auf die Rolle des EuGH einzugehen.

---

[225] BVerfG (ebd.), BVerfGE 154, 17, 128 Rn. 184–197 – PSPP-Urteil.

[226] BVerfG (ebd.), BVerfGE 154, 17, 143 Rn. 213 ff. – PSPP-Urteil.

[227] BVerfG (ebd.), BVerfGE 154, 17, 109 f. Rn. 139, 141 – PSPP-Urteil. Ls. 2 spricht von „objektiv willkürlich".

[228] *M. Müller*, Föderalist v. 7.5.2020 (abrufbar unter www.foederalist.eu); *Schmiding*, FAZ v. 14.5.2020, S. 16.

[229] *Pernice*, EuZW 2020, 508, 510; vorher bereits der Bundestagsabgeordnete *Hirte* am 7.5.2020 in seiner Rede zur Aktuellen Stunde zum Verfassungsgerichtsurteil zu EZB-Anleihekäufen, BT-Plenarprotokoll 19/158 v. 7.5.2020, S. 19615 f.; *Bofinger/Hellwig/Schnitzer/Wolff*, FAZ v. 29.5.2020, S. 18.

[230] *Barley*, EuZW 2020, 489; *M. Müller*, Föderalist v. 7.5.2020.

[231] *Schuller*, FAZ v. 10.5.2020, S. 8: „maßlose Polemik und Sprache der Populisten"; *M. Müller*, Föderalist v. 7.5.2020.

c) Das Prinzip des institutionellen Gleichgewichts als Kompetenzgrenze des EuGH bei der Rechtsfortbildung

117 Der EuGH sieht sich der Gefahr einer *doppelt unzulässigen* Rechtsfortbildung ausgesetzt: Einerseits darf er nicht die Kompetenzen gegenüber dem europäischen Gesetzgeber, also Rat und Parlament überschreiten. Das **Prinzip des institutionellen Gleichgewichts** verlangt, dass die verschiedenen Organe der EU innerhalb ihrer Aufgaben handeln müssen. Es wurde vom EuGH entwickelt, findet sich jetzt in Art. 13 Abs. 2 EUV und ähnelt dem Gewaltenteilungsprinzip (§ 1 Rn. 34).[232] Andererseits unterliegt auch er dem Grundsatz der begrenzten Einzelermächtigung des Art. 5 Abs. 1 EUV, er darf also nicht die Kompetenzen der Union gegenüber den Mitgliedstaaten überschreiten (§ 2 Rn. 56).

118 Zum Teil wird die ganze Rechtsprechung des EuGH als unzulässig erachtet, da er nicht, wie sonst im Völkerrecht, den Willen der Herren, also der Mitgliedstaaten als Gesetzgeber bei der Schaffung der europäischen Verträge, berücksichtige, sondern sich darüber hinwegsetze.[233] Der EuGH habe mit den Urteilen Costa v. ENEL (§ 2 Rn. 82 ff.) und van Gend & Loos (§ 12 Rn. 4) die Vertragsinterpretation an sich gerissen. Damit habe in den letzten 60 Jahren die Integration nicht mehr durch den Europäischen Rat und eine Änderung der Verträge stattgefunden, sondern durch die Rechtsprechung des EuGH. Dieser Weg war aber unpolitisch und habe zu einem schleichenden Legitimationsentzug der Europäischen Union geführt.[234] Der EuGH versteht sich als *Motor der Integration*, als integrationsförderndes Organ der EU (§ 6 Rn. 87). Diese grundsätzliche Diskussion wäre ein eigenes Buch wert.[235] Immer wieder wird dem EuGH vorgeworfen, er überschreite seine Rechtsprechungskompetenz, z.B. im Arbeitsrecht, wenn er die Rechte der Arbeitnehmer sehr weit ausdehnt[236] oder neue Rechtsinstitute wie das Verbot der Altersdiskriminierung (§ 12 Rn. 14),[237] Ansprüche privater Kläger im Kartellrecht (§ 5 Rn. 116/117 ff.) oder einen unionsrechtlichen Staatshaftungsanspruch (§ 12 Rn. 123 ff.) erfindet.

119 Tatsächlich gehört es zur juristischen Kreativität, wenn der EuGH neue Rechtsinstitute wie den Anwendungsvorrang (§ 2 Rn. 85 ff.), den Staatshaftungsanspruch oder die zivilrechtliche Durchsetzung von Ansprüchen im Kartellrecht konstruiert und dies mit dem Effet-utile-Grundsatz begründet (§ 5 Rn. 116/117). Praktisch stellt sich – ebenso wie beim BVerfG – das Problem, dass über der Verfassung nur der blaue Himmel existiert, also grundsätzlich keinerlei weitere Kontrolle stattfindet (§ 13 Fn. 171, 175). Für diese Form der *dynamischen Interpretation* lässt sich Art. 1 Abs. 2 EUV anführen, der von einer „immer engeren Union" spricht und insoweit die Dynamik im europäischen Recht selbst angelegt ist (§ 6 Rn. 87 f.).

---

232 EuGH, Urt. v. 6.5.2008, C-133/06, EU:C:2008:257, Rn. 56 f. – Parlament/Rat; EuGH, Urt. v. 22.5.1990, C-70/88, EU:C:1990:217, Rn. 21 ff. – Parlament/Rat: Klagebefugnis des Parlaments (§ 6 Fn. 335); Calliess/Ruffert/*Callies*, EUV/AEUV, 5. Aufl. 2016, Art. 4 EUV Rn. 34 ff.; Calliess/Ruffert/*Calliess*, EUV/AEUV, 5. Aufl. 2016, Art. 13 EUV Rn. 10 ff.; Streinz/*Streinz*, EUV/AEUV, 3. Aufl. 2018, Art. 13 EUV Rn. 23 f.; *Conway*, The Limits of Legal Reasoning and the European Court of Justice, 2012, S. 194 ff.

233 Sehr kritisch der frühere Bundesverfassungsrichter *Grimm*, Europa ja – aber welches?, 3. Aufl. 2016, S. 35 f.; *von Arnim*, Das Europa-Komplott. Wie EU-Funktionäre unsere Demokratie verscherbeln, 2006, S. 212 f.

234 *Grimm*, Europa ja – aber welches?, 3. Aufl. 2016, S. 12 ff.; *ders.*, ZSE 2017, 3, 8 f.

235 Zur Forderung eines Subsidiaritätsgerichts auf europäischer Ebene s. *Sinn*, Der schwarze Juni, 2016, S. 339.

236 Etwa *Junker*, NJW 1994, 2527 f.

237 S. etwa EuGH, Urt. v. 22.11.2005, C-144/04, EU:C:2005:709, Rn. 75 – Mangold; krit. u.a. *Jans*, 34 L.I.E.E.I. 53, 65 (2007); *Basedow*, in: FS Hopt, 2010, S. 27, 34; *ders.*, JZ 2016, 269, 275 f.; weiterführend *von Danwitz*, in: Grabenwarter, Enzyklopädie Europarecht, Bd. 2, Europäischer Grundrechtsschutz, 2014, 6. Kap. Rn. 61 ff.

120 Urteile des BVerfG waren Auslöser, dass der EuGH Grundrechte auf europäischer Ebene entwickelte (§ 2 Rn. 95) und der europäische Gesetzgeber das Subsidiaritätsprinzip konkretisierte (§ 7 Rn. 34).[238] Zudem versucht der EuGH dem Vorwurf der unzulässigen Rechtsfortbildung entgegenzutreten, indem er bei der Schaffung neuer Rechtsinstitute auf die Prinzipien des europäischen Rechts oder die Traditionen der Mitgliedstaaten auf *rechtsvergleichender Basis* hinweist (§ 7 Rn. 64 ff.). Ähnlich arbeitet der EGMR (§ 7 Rn. 90). In Bereichen der Rechtsfortbildung, wie zum Beispiel in den Fällen der unionsrechtlichen Staatshaftung oder der Klagemöglichkeit Privater im Kartellrecht, hat der EuGH betont, dass die Voraussetzungen solcher Ansprüche im nationalen Recht zu suchen sind (§ 5 Rn. 114). Schließlich entscheidet er nicht alle Fälle in der Sache, sondern *weist* gelegentlich auch an die Gerichte der Mitgliedstaaten *zurück* und erkennt in diesem Rahmen ausdrücklich die sachnähere Kompetenz des nationalen Gerichts an. Dies gilt u.a. bei der Konkretisierung von Generalklauseln (§ 7 Rn. 15). Der EGMR verneint gelegentlich eine Grundrechtsverletzung, wenn er den Mitgliedstaaten einen Ermessensspielraum belässt.[239] Schließlich gibt es Fälle, in denen der EuGH ausdrücklich die Kompetenz europäischer Institutionen zum Erlass von Rechtsakten verneint hat.[240]

d) Kooperationsverhältnis, Ultra-vires-Kontrolle und Wege aus der Sackgasse

121 Unmittelbar nach dem PSPP-Urteil des zweiten Senats hatten die Präsidentin der EZB Lagarde und die Präsidentin der EU-Kommission von der Leyen betont, dass nur der EuGH die EZB kontrollieren könne und die Kommission kündigte an, möglicherweise ein Vertragsverletzungsverfahren einzuleiten.[241] Dagegen hatte der polnische Präsident Morawiecki das Urteil ausdrücklich begrüßt.[242] Der Bundestagspräsident Schäuble bezeichnete das Urteil als „unausweichlich, aber gefährlich“[243]. Welche Szenarien sind denkbar? Wie könnten beide Parteien rechtlich und damit auch politisch weise agieren?

122 Vielleicht hilft es, sich auf die identitätsstiftenden Ideen der Europäischen Union zurückzubesinnen: Sie ist nicht nur Friedens- und Wirtschaftsunion, sondern auch Politische Union und Rechtsunion. Als **Rechtsunion** ist sie darauf angewiesen, dass die Mitgliedstaten europäisches Recht anerkennen, also befolgen (§ 10 Rn. 57). Wer europäisches Recht *nicht anerkennt*, untergräbt diesen Anspruch, beschleunigt die Erosion der Rechtsunion und forciert die Tendenzen zur Schwächung der Europäischen Union[244]. Als Imperativ fordert das Recht ein bestimmtes Tun oder Unterlassen (§ 2 Rn. 7). Aber, und das wird nur zu gerne vergessen, auch umgekehrt gilt: Wenn die Union Rechtsunion ist, muss Recht von den Institutionen der EU und den Mitgliedstaaten ernst genommen werden. Recht darf sich *nicht dem Primat der Politik unterordnen*.[245] Die Währungsunion leidet auch daran, dass die Regelwerke nicht ernst genommen werden. Der Stabilitätspakt hat für den Euroraum Referenzwerte geschaffen, welche die Verschuldung der Mitgliedstaa-

---

[238] Ausführlich von *Möllers/Redcay*, EuR 2013, 409 ff.

[239] So die Urteile des EGMR zum italienischen Kruzifix in Schulen (EGMR, Urt. v. 18.3.2011, 30814/06, CE:ECHR:2011:0318JUD003081406, Rn. 70 ff. – Lautsi u.a. v. Italy) und zum französischen Burkaverbot (§ 14 Rn. 27 ff.). S. auch § 12 Rn. 132 ff.

[240] EuGH, Urt. v. 13.6.1958, 9/56 u.a., EU:C:1958:8, Rn. 11, 53 – Meroni; EuGH, Urt. v. 5.10.2000, C-376/98, EU:C:2000:544, Rn. 115 – Tabakrichtlinie; EuGH, Urt. v. 22.1.2014, C-270/12, EU:C:2014:18, Rn. 41 ff. – ESMA. Hierzu *Ruffert*, in: FS Scheuing, S. 2011, 399, 404 ff.

[241] *Siedenbiedel u.a.*, FAZ v. 7.5.2020, S. 7; *Mussler u.a.*, FAZ v. 8.5.2020, S. 15.

[242] FAS v. 10.5.2020, S. 1: „eines der wichtigsten Urteile in der Geschichte der EU“.

[243] FAZ v. 8.5.2020, S. 4.

[244] Ebenso *Mayer*, JZ 2020, 725, 734.

[245] *Möllers*, in: Möllers/Zeitler, Europa als Rechtsgemeinschaft – Währungsunion und Schuldenkrise, 2013, S. 1, 8 ff. Im konkreten Fall die Rechtsgemeinschaft betonend *Pernice*, EuZW 2020, 508 ff.

ten beschränken sollte.[246] Dagegen wird seit Jahren verstoßen. Ernsthafte, rechtliche Konsequenzen hat dies bisher nicht nach sich gezogen.[247]

Das oben genannte Kooperationsverhältnis (§ 2 Rn. 94 ff.) gilt es positiv weiterzuentwickeln, denn für alle Beteiligten gilt die Loyalitätspflicht des Art. 4 Abs. 3 UAbs. 1 EUV (§ 1 Rn. 28 ff.). Vier kooperative Wege aus der Sackgasse könnten die wechselseitige Rücksichtnahme mit Leben füllen:[248] Auf *europäischer Ebene* konnte die EZB erstens die von dem BVerfG geforderte Begründung nachliefern, welche auf die wirtschaftspolitischen Auswirkungen der Ankaufprogramme eingeht. Bei Handlungen der Exekutive hat das EuG betont, dass die Begründung so klar und eindeutig sein muss, dass das zuständige Gericht seine Kontrollaufgabe wahrnehmen kann (§ 1 Rn. 43 f.). Weil die EZB wegen ihrer Unabhängigkeit einer unmittelbaren Kontrolle durch demokratisch legitimierte Repräsentanten entzogen ist, verlangen das Demokratieprinzip und der Grundsatz der Volkssouveränität der Art. 20 Abs. 1, 2 GG eine strengere gerichtliche Kontrolle.[249] Die Begründung der EZB wurde inzwischen auch vom Bundestag akzeptiert.[250] Zweitens sind auch die Mitgliedstaaten, vor allem aber das *Bundesverfassungsgericht* gefordert. In einem kooperativen Rechtsprechungsverbund mit wechselseitiger Rücksichtnahme (§ 2 Rn. 100) sollte man auf Polemik verzichten – sie fällt auf einen selbst zurück (§ 1 Rn. 88). Das BVerfG sollte den Ultra-vires-Verstoß daher eng definieren, also auf ein enges Verständnis der Ewigkeitsgarantie der Artt. 23 Abs. 1 S. 3 i.V.m. 79 Abs. 3 GG begrenzen. Wenn der zweite Senat des BVerfG den Verhältnismäßigkeitsgrundsatz als Teil der Komptenzabgrenzung zwischen den Mitgliedstaaten und der EU betont (§ 13 Rn. 115), verlangt dieser als milderes Mittel auch, dass das BVerfG vor der Bejahung eines Ultra-vires-Verstoßes den EuGH in derselben Rechtssache ein zweites Mal in einem Vorabentscheidungsverfahren anruft.[251] Drittens sind die *Mitgliedstaaten* die Herren der Verträge. Das Prinzip der begrenzten Einzelermächtigung und der Kompetenzkatalog wollen verhindern, dass sich die Kompetenzen der Mitgliedstaaten schleichend verringern (§ 2 Rn. 56 ff.). Die Mitgliedstaaten des Euroraumes könnten aber einstimmig weitere Kompetenzen im Vertragsänderungsverfahren abtreten, um die Währungsunion mit einer Wirtschaftsunion zu vervollständigen.[252] Der Europäische Rat ist die richtige Institution, um über die Zukunft der Europäischen Union und letztlich der Kompetenzverteilung zwischen EU und den Mitgliedstaaten zu entscheiden. **123**

Der vierte Weg wurde vom ersten Senat aufgezeigt: Zwischen den beiden Senaten gibt es deutliche Unterschiede, was das Verhältnis zum EuGH betrifft: Während der zweite **124**

[246] Vgl. Art. 126 Abs. 2 AEUV i.V.m. Protokoll (Nr. 12) über das Verfahren bei einem übermäßigen Defizit v. 7.2.1992, ABl Nr. C 191, S. 84: jährliche Defizitquote von 3% Defizit und 60% Schuldenquote des Bruttoinlandsprodukts (BIP). Hierzu *Waigel,* in: Möllers/Zeitler, Europa als Rechtsgemeinschaft – Währungsunion und Schuldenkrise, 2013, S. 71, 74 ff.

[247] Ausführlich *Möllers/Zeitler* (ebd.).

[248] Zum Folgenden s. *Möllers,* EuZW 2020, 503 ff.; s. auch *Gärditz,* EuZW 2020, 505, 507 f.

[249] BVerfG, Urt. v. 21.6.2016, 2 BvR 2728/13 u.a., BVerfGE 142, 123 Rn. 188 f. – OMT-Urteil; vorher schon *Hinarejos,* 11 EuConst 563, 571 ff. (2015).

[250] Antrag der Fraktionen CDU/CSU, SPD, FDP und BÜNDNIS 90/DIE GRÜNEN, BT-Drs. 19/20621. Zum Ongoing Strategy Review als Begründung mit seinen verschiedenen Bestandteilen s. *Siekmann/Wieland,* The Ruling of the Federal Constitutional Court concerning the Public Sector Purchase Program: A Practical Way Forward, IMFS Working Paper 2020, Nr. 140, S. 1, 10 ff.

[251] Dies wäre im PSPP-Verfahren möglich gewesen: *Siekmann,* EuZW 2020, 491, 498; *Callies,* EuZW 2020, 508, 511; *Meier-Beck,* EuZW 2020, 519, 523; *Schichels* u.a., EuZW 2020, 525, 529; *Mayer,* JZ 2020, 725, 731: hätte eine erneute Vorlage erfolgen müssen. Inzwischen hat der zweite Senat die Begründungen der Betroffenen zur Verhältnismäßigkeit nach dem PSPP-Urteil für ausreichend erachtet und ist insoweit zurückgerudert, BVerfG, Beschl. v. 29.4.2021, 2 BvR 1651/15 u.a., Rn. 95 ff. – Vollstreckungsbeschluss PSPP, abrufbar unter www.bundesverfassungsgericht.de.

[252] *Nettesheim,* NJW 2020, 1631, 1632; *Schorkopf,* JZ 2020, 734, 739. Zu Art. 48 EUV s. oben § 2 Rn. 56. Zu diversen Vorschlägen s. bereits *Möllers,* in: Möllers/Zeitler, Europa als Rechtsgemeinschaft – Währungsunion und Schuldenkrise, 2013, S. 1, 10 ff. m.w.Nachw.

Senat mit dem PSPP-Urteil ganz offensichtlich die Konfrontation gesucht hat, versucht der erste Senat dies mit den beiden Recht auf Vergessen-Beschlüssen zu vermeiden. Beide Senate zielen auf Machterhaltung: Indem der zweite Senat den Identitätsvorbehalt betont (§ 2 Rn. 96 ff.) und der erste Senat mit der *Überlappungsthese* europäische Grundrechte mitprüft (§ 2 Rn. 106 ff.), wird sichergestellt, dass das BVerfG nicht an Bedeutung verliert. Zugleich kann jeder Bürger über die Verfassungsbeschwerde diese Kompetenzen einfordern. Der auf Kooperation angelegte Weg des ersten Senats kann sich als "kluges Konzept der Arbeitsteilung"[253] erweisen. Die beiden Recht auf Vergessen-Beschlüsse haben das Potential den gordischen Knoten im verworrenen Zusammenspiel zwischen EGMR, EuGH, BVerfG und der Fachgerichte zu zerschlagen.[254]

125 Allerdings birgt auch der Weg des ersten Senats nicht unerhebliche Risiken:[255] Im Ergebnis führt er über die Hintertür eine nationale Verfasssungsbeschwerde für die Prüfung europäischer Grundrechte ein, die das europäische Recht selbst nicht kennt.[256] Es besteht die Gefahr, dass das BVerfG Zweifelsfragen dann doch nicht im Vorabentscheidungsverfahren dem EuGH vorlegt.[257] Auch die Verfassungsgerichte anderer Mitgliedstaaten müssten zu solchen Vorlagen in umfangreichem Maße bereit sein.[258] Ansonsten würden die europäischen Grundrechte marginalisiert.[259]

126 Zusammenfassend bleibt die *Spannung zwischen Einheit und Vielfalt*, die seit dem Maastricht-Vertrag in den europäischen Verträgen angelegt ist: die Verwirklichung einer immer engeren Union des Art. 1 Abs. 2 EUV, aber auch die Achtung der Vielfalt der Kulturen des Art. 22 GRCh.[260] Der frühere Präsident des EuGH *Lenaerts* betont das Verhältnis zwischen EuGH und nationalen Verfassungsgerichten als angemessene Verantwortungsteilung in einem komplexen Mehrebenenverbund: Es müsse die Verfassungsidentität der Mitgliedstaaten berücksichtigen, aber auch den Umstand im Blick behalten, dass der EuGH nicht nur mit einem Verfassungsgericht und einer Verfassungsidentität konfrontiert ist, sondern gleich mit 27.[261] Darüber hinaus geht es aber inhaltlich um die Frage, in welchem Umfang der EuGH als Verfassungsgericht die europäischen Grundrechte konkretisiert, d.h. weiterentwickelt. In einem klugen Balanceakt muss der EuGH einerseits auf einen rechtsstaatlichen Mindeststandard achten und diesen, wenn er gefährdet ist, auch gegenüber Mitgliedstaaten durchsetzen. Denn dieser gehört, wie Art. 7 EUV zeigt, zum Kernbestand der Identität der EU (§ 10 Rn. 57a). Anderseits wird er, wie der EGMR,[262] im Sinne eines *europäischen Wertepluralismus* nationale Besonderheiten zulassen müssen, damit Grundrechte auch die gesellschaftlichen Entwicklungen in einem Mitgliedstaat abbilden können (§ 10 Rn. 57 ff.)[263] – getreu dem Motto der EU: „In Vielfalt geeint."

[253] *Kühling*, NJW 2020, 275, 277, 280.

[254] *Kühling* (ebd.); ähnlich *Thym*, JZ 2020, 1017, 1019, 1027: erfolgreicher sein dürfte als die Ultra-vires Drohungen des Zweiten Senats.

[255] *Kämmerer/Kotzur*, NVwZ 2020, 177, 184: gefährliche Strategie mit ungewissem Ausgang.

[256] *Muckel*, JZ 2020, 237, 239.

[257] S. gerade § 2 Rn. 108 und § 12 Rn. 119.

[258] Zu den Verfassungsgerichten von Belgien, Dänemark, Frankreich, Italien, Österreich und Polen, s. § 2 Fn. 182 und § 3 Rn. 93a. *Spieker*, EuZW 2020, 854, 858: gefährlicher Präzidenzfall.

[259] *Wendel*, JZ 2020, 157, 165 und § 10 Rn. 57 ff.

[260] Zur begrenzten Einzelermächtigung und Subsidiarität als Prinzipien s. oben § 2 Rn. 56 ff.

[261] *Lenaerts*, EuR 2015, 3, 25 unter Berufung auf Voßkuhle.

[262] Zum französischen Burka-Fall EGMR – S.A.S. v. France s. § 14 Rn. 28 ff.

[263] *Ch. Möllers/Schneider*, Demokratiesicherung in der Europäischen Union, 2018, S. 105 f., 126; *Schorkopf*, JZ 2020, 477, 484 f.

VII. Abwägung und Gewichtung verschiedener Argumentationsfiguren im Rahmen der Rechtsfortbildung

1. Vorrang-, Vermutungs- und Argumentationslastregel

Die Argumentationsfiguren sind in einem ersten Schritt anhand des Fünf-Stufen-Systems zu sammeln. Damit wird sichergestellt, dass alle relevanten Überlegungen in die Fallprüfung mit eingebaut werden. In einem zweiten Schritt sind sie dann zu *gewichten*. Die Prüfung wird erleichtert, wenn man sich verdeutlicht, dass es unterschiedlich starke Argumente gibt. Ihnen kommt dabei unterschiedliches Gewicht zu, je nachdem ob sie Vorrang-, Vermutungs- oder Argumentationslastregeln darstellen. Die *Argumentationslast* (§ 1 Rn. 100) trägt zunächst derjenige, der sich auf die Rechtsfortbildung beruft. Allerdings setzen sich *Vorrangregeln* (§ 1 Rn. 97) immer durch und verhindern eine Abwägung. Solche Vorrangargumente sind die verfassungskonforme Rechtsfortbildung (§ 11 Rn. 68 ff.) und für das Europarecht die primärrechtskonforme Rechtsfortbildung bzw. der Anwendungsvorrang (§ 12 Rn. 26 ff.). Umgekehrt verbietet im Strafrecht das Gesetzlichkeitsprinzip die Rechtsfortbildung zu Lasten des Täters (§ 4 Rn. 65 ff.). Zudem bestehen *Vermutungsregeln*, die für eine bestimmte Rechtslösung sprechen (§ 1 Rn. 98). Kann sich der Jurist auf solche Regeln berufen, ist die Rechtsfortbildung leichter zu begründen oder abzulehnen. Insoweit führt die Gewichtung zu einem *qualitativen* Element. 127

2. Abwägungsregel

Viele Formalargumente stehen sich gleichberechtigt gegenüber und haben keinerlei Vorrang untereinander. Das Bewegliche System zeichnet sich dadurch aus, dass die Elemente gleichberechtigt gesammelt und abgewogen werden. Rein *quantitativ* ähnelt der Katalog von Argumenten dem Beweglichen System. Bei dem hier vorzustellenden Fünf-Stufen-System gilt für die Formalargumente auch der komparative Grundsatz des „Je mehr … desto" (§ 8 Rn. 5 ff.). Insoweit passt der Begriff der Abwägungsregel (§ 1 Rn. 99). Bei der Gewichtung der Argumentationsfiguren wird darauf zurückzukommen sein (§ 14 Rn. 77 ff.). 128

3. Zum Verhältnis des Fünf-Stufen-Systems zu den Abwägungsregeln

Nun ließe sich überlegen, ob der Jurist wirklich immer das ganze Prüfungsschema durchlaufen muss. Das wäre ineffizient, wenn ein klares Vorrangargument vorläge. Dann könne man die Prüfung doch abbrechen. Diese Überlegung mag in sehr eindeutigen Fällen *ausnahmsweise* richtig sein. Ist im Strafrecht die Wortlautgrenze überschritten, ist die Prüfung damit beendet; weitere Argumente heranzuziehen, ist nicht sinnvoll, weil das Überschreiten der Wortlautgrenze nicht durch andere Argumentationsfiguren geheilt werden kann. 129

Im Ergebnis gibt es aber nur wenige starke Vorrangargumente. Oft ist auch *noch nicht von vornherein ersichtlich*, ob ein Vorrangargument vorliegt. Wenn nur eine verfassungsorientierte Auslegung vorliegt, mag sich die Verfassung gerade nicht gegenüber anderen Argumenten durchsetzen (§ 11 Rn. 39 ff.). In diesen Fällen erscheint es für den Juristen sinnvoll, an den fünf Stufen festzuhalten, um sicherzustellen, dass er keines der Argumente vergisst und sich so nicht gegenüber dem Gegner angreifbar macht. Deshalb gilt weiterhin die Regel, die Argumente zu sammeln und zu gewichten. In den nicht ganz einfachen Fällen der gesetzesübersteigenden oder gesetzeskorrigierenden Rechtsfortbildung muss der Jurist deshalb schon einen ganzen Köcher von Argumenten bereithalten, um die Rechtsfortbildung überzeugend zu begründen. Die Rechtsfortbildung verlangt damit in der Regel eine hohe Anzahl an Argumenten. 130

131 **Grafik: Fünf Stufen-System zur Vermeidung einer Entscheidung contra legem**

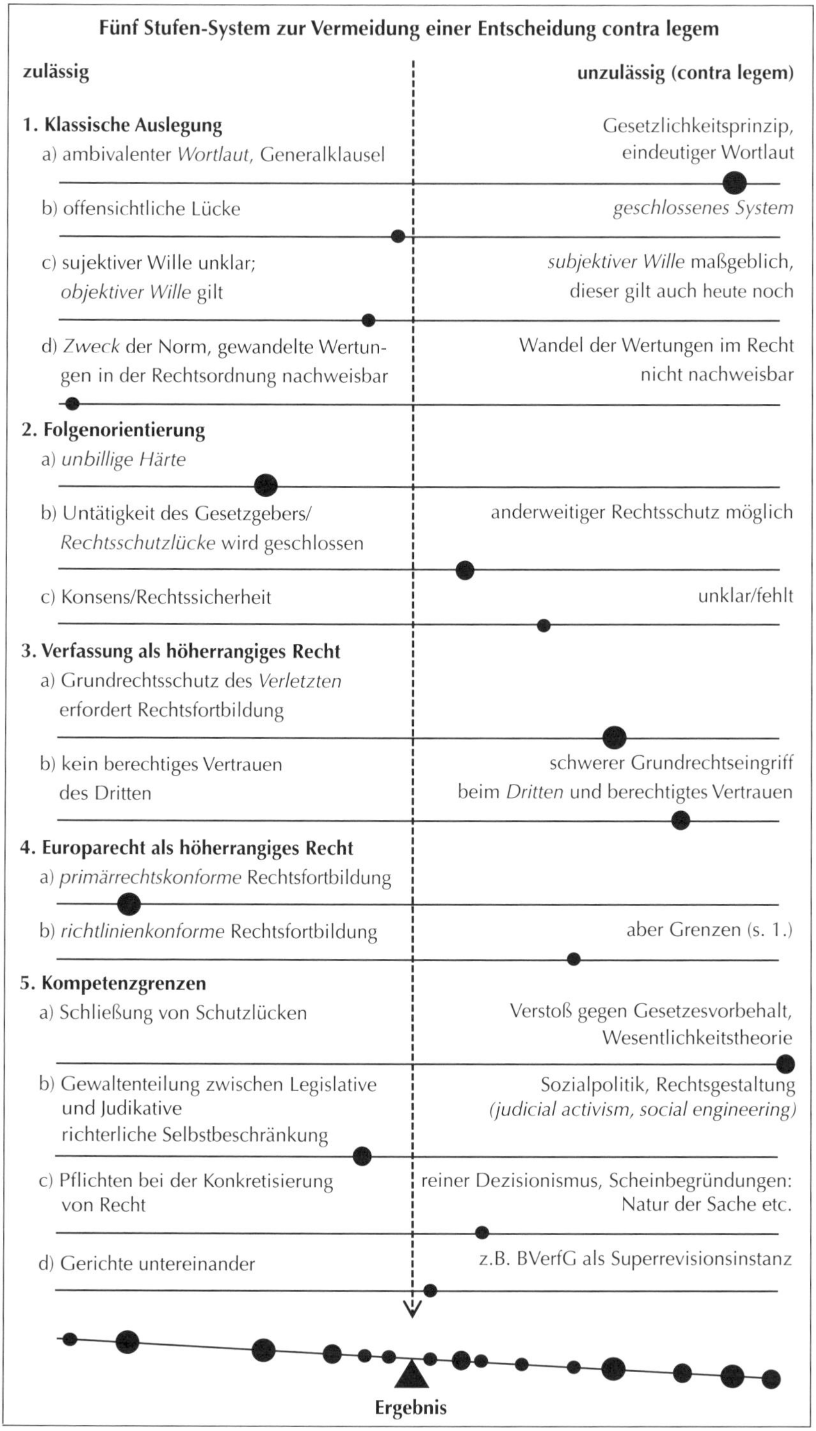

Die Grenzen zulässiger Rechtsfortbildung lassen sich optisch in einer Grafik veranschaulichen. Das Zusammenspiel der Argumentationsfiguren verdeutlicht am besten das Bild einer *Waage mit Kugeln*, auf der die Kriterien im Sinne eines „je mehr ... desto" von links nach rechts geschoben werden können. Auf der Pro- und Contra-Seite werden die verschiedenen relevanten Auslegungsfiguren für jeden Einzelfall aufgelistet und nach dem Savigny'schen Auslegungskanon, folgenorientierter Auslegung, Verfassung und Europarecht geordnet. Das unterschiedliche Gewicht der Argumentationsfiguren (Vorrang-, Vermutungs- und Argumentationslastregeln) kommt durch die *Größe der Kugel* zum Ausdruck. **132**

Zusammenfassung zu § 13

I. Die Grenzen zulässiger Rechtsfortbildung gehören zu den umstrittensten Fragen der Juristischen Methodenlehre, weil der Richter die originäre Gesetzkompetenz des Parlaments verletzt, aber auch das Vertrauen des Bürgers in das Recht oder den Wortlaut des Gesetzes beeinträchtigt. Während bisher oft nur einzelne Argumente für oder gegen die Zulässigkeit richterlicher Rechtsfortbildung vorgetragen wurden, wird hier ein Fünf Stufen-System vorgestellt, das versucht, die einschlägigen Argumente für und gegen eine Rechtsfortbildung abzudecken und so eine Rechtsfortbildung contra legem zu vermeiden. Zu unterscheiden ist zwischen Abwägungs-, Vermutungs-, Argumentationslast- und Vorrangregel. **133**

II. Die Prüfung beginnt mit dem Auslegungskanon von *Savigny*. Grenzen zulässiger Rechtsfortbildung können erreicht sein, wo der gesetzgeberische Wille und Regelungsplan durch die Gerichte verdrängt werden.

III. Folgenorientierte Überlegungen können die Rechtsfortbildung rechtfertigen, wie etwa die unbillige Härte der Lücke oder die Untätigkeit des Gesetzgebers. Konsens, rechtsvergleichende Bestätigung und eine erhöhte Rechtssicherheit bilden weitere Argumente.

IV. Maßgeblich für die Beurteilung der contra legem-Grenze ist oft höherrangiges Recht. Grundrechte des Verletzten können eine *verfassungskonforme Rechtsfortbildung* gegen den Wortlaut und Willen des Gesetzgebers erfordern. Umgekehrt kann das berechtigte Vertrauen des Betroffenen einer Rechtsfortbildung entgegenstehen. Das schützenswerte Vertrauen findet sich auch beim Gesetzlichkeitsprinzip und der Rückwirkung von Urteilen.

Im Europarecht gibt es eine Vorrangregel für die *primärrechtskonforme* Auslegung bzw. Rechtsfortbildung, die eine Rechtsfortbildung oder den Anwendungsvorrang erzwingt.

V. Der *Gesetzesvorbehalt* und die Wesentlichkeitstheorie garantieren den Kompetenzbereich des Gesetzgebers gegenüber der Exekutive. Das *Gewaltenteilungsprinzip* verlangt, dass die positive Gestaltung der Sozialordnung in den Händen des Parlaments verbleibt und sich der Richter nicht zum gesetzgebenden Richter aufschwingt. Dazu dienen die Figuren der richterlichen Selbstbeschränkung („judicial self-restraint") und der „political question doctrine", die dem Parlament ein Ermessen im Rahmen seiner Gesetzgebung einräumen. Rechtsmethodik und Rechtsdogmatik können die Konkretisierung und Konstruktion von Recht rationalisieren. Das BVerfG darf Rationalität von Gesetzen einfordern; im Zweifel ist an den Gesetzgeber zurückzuverweisen.

Kompetenzgrenzen sind auch zwischen den Gerichten untereinander zu beachten: Das BVerfG darf sich nicht als Superrevisionsinstanz aufschwingen oder als letztinstanzliches Europagericht. Vorzugswürdig ist ein europäisches Kooperationverhältnis zwischen den Gerichten. Während der zweite Senat mit dem PSPP-Urteil ganz offensichtlich die Konfrontation gesucht hat, versucht der erste Senat dies mit den beiden Recht auf Vergessen-Beschlüssen zu vermeiden. Der auf Kooperation angelegte Weg des ersten Senats kann sich als kluges Konzept der Arbeitsteilung erweisen, wenn das BVerfG bereit ist, Zweifelsfragen dem EuGH vorzulegen. Auch der EuGH muss einen Balanceakt klug wahren, indem er einerseits auf einen rechtsstaatlichen Mindeststandard achtet, aber andererseits auch nationale Besonderheiten zulässt, damit Grundrechte die gesellschaftlichen Entwicklungen in einem Mitgliedstaat abbilden können.

Im Auslegen seid frisch und munter; legt ihr's nicht aus, so legt was unter.

J.W. von Goethe, Zahme Xenien, II, 1821.

§ 14 Eine Moderne Juristische Methodenlehre

Literatur: *Albers, Marion*, Höchstrichterliche Rechtsprechung und Auslegung gerichtlicher Entscheidungen, VVDstRL 71 (2012), 257–295; *Becker, Christian*, Was bleibt? Recht und Postmoderne, 2014; *Dölle, Hans*, Juristische Entdeckungen, 42. DJT, B1–22; *Fischer-Lescano, Andreas/Christensen, Ralph*, Auctoritatis interpositio, Der Staat 44 (2005), 213–241; *Hofmann, Hasso*, Die Konstitutionalisierung der juristischen Hermeneutik, in: FS Wahl, 2011, S. 99–110; *Krawietz, Werner/Morlok, Martin (Hrsg.)*, Vom Scheitern und der Wiederbelebung juristischer Methodik im Rechtsalltag – ein Bruch zwischen Theorie und Praxis, Sonderheft Rechtstheorie 32 (2003), 135–371; *Lepsius, Oliver*, Zur Bindungswirkung von Bundesverfassungsgerichtsentscheidungen, in: Scholz, Rupert u.a., Realitätsprägung durch Verfassungsrecht, 2008, S. 103–117; *ders.*, Die maßstabsetzende Gewalt, in: Jestaedt, Matthias/Lepsius, Oliver/Möllers, Christoph/Schönberger, Christoph, Das entgrenzte Gericht, 2011, S. 159–280; *Lindner, Josef*, Rechtswissenschaft als Metaphysik, 2017; *Rückert, Joachim/Seinecke, Ralf (Hrsg.)*, Methodik des Zivilrechts – von Savigny bis Teubner, 3. Aufl. 2017; *Röhl, Klaus F./Röhl, Christian*, Allgemeine Rechtslehre, 3. Aufl. 2008, 10. Kap.; *Vesting, Thomas*, Rechtstheorie, 2. Aufl. 2015, § 6.

Übersicht

Rn.

I. Auf dem Weg zu einer Modernen Methodenlehre ... 1
1. Klassische versus postmoderne Methodenlehre ... 1
2. Eine Moderne Methodenlehre ... 3

II. Die Fallhermeneutik als Teil der Juristischen Methodenlehre ... 5
1. Zur Wechselwirkung von Sachverhalt und Rechtsnorm ... 6
2. Sachverhaltshermeneutik zur Ermittlung des Fallbereichs ... 11
3. Der Normbereich ... 25

III. Richterliche Dezision und Juristische Kreativität ... 40
1. Richterliche Dezision ... 40
2. Juristische Kreativität durch juristische Innovationen ... 44
3. Die Lehre von der Topik und Juristische Kreativität ... 49

IV. Prüfungsfolge und Gewichtung als Bausteine einer Metamethodik ... 64
1. Methodenpluralismus ... 64
2. Prüfungsfolge zur Begründung der Rechtslösung ... 69
3. Gewichtung von Argumentationsfiguren ... 77

V. Quellen der Juristischen Methodenlehre ... 97
1. Die Grundlagenfächer als Nachbardisziplinen ... 98
2. Staatstheorie, Rechtsdogmatik und Rechtsphilosophie ... 111

VI. Eine Moderne Methodenlehre als Schule Juristischen Denkens ... 117
1. Zum Legitimations- und Rationalitätsanspruch – Methodenlehre als Garant Juristischen Denkens ... 117
2. Denkstrukturen einer modernen Juristischen Methodenlehre ... 121
3. Elemente rationalen Begründens ... 124
4. Unzulässige Begründungsdefizite ... 130
5. Auf dem Weg zu einer europäischen Juristischen Methodenlehre ... 136

I. Auf dem Weg zu einer Modernen Methodenlehre

1. Klassische versus postmoderne Methodenlehre

1 Der Gehalt der Juristischen Methodenlehre ist höchst umstritten. Die *klassische Methodenlehre* des letzten Jahrhunderts hatte zwar die Auslegungsfiguren von Savigny präzisiert. Sie wird zum Teil aber als überholt erachtet. Die Auslegungsfiguren seien wenig relevant (§ 4 Rn. 30 ff.), Telos (§ 5 Rn. 6 ff.) und Lücke (§ 6 Rn. 107) reine Behauptungen und die objektive Auslegung jeweils subjektive Ansicht des Rechtsanwenders (§ 6 Rn. 73 ff.).

2 Die sog. *postmoderne Methodenlehre* hat starke Kritik parat.[1] Sie wirft der klassischen Methodenlehre vor, die Idee der Subsumtion, der Rechtsfindung durch Deduktion (§ 4 Rn. 2 ff.), diene nur der Aufrechterhaltung eines schönen Scheins;[2] die logische Ableitung eines Rechtssatzes vom Allgemeinen zum Konkreten[3] sei Fiktion. Das Anwendungs- und Subsumtionsmodell sei schon wegen der Unbestimmtheit der Normen überholt.[4] Zahlreiche weitere Angriffe folgen: Der Rechtsquellenbegriff sei überholt (§ 3 Rn. 9), die *Idee der Rechtsfindung* sei obsolet, wie das Eingangszitat von Goethe verdeutlicht: Wo nichts ist, könne man auch nichts finden. Stattdessen solle man den schöpferischen Willensakt des entscheidenden Richters anerkennen und von **Rechtsschöpfung** sprechen. Der Richter entscheide kraft Amtes oder nach seinem Vorverständnis. Die Methodenlehre könne die Rechtsdogmatik nicht erklären (§ 9 Rn. 6). Es herrsche ein „pragmatischer Methodenpluralismus", d.h. der Richter nutze die Argumentationsfiguren, die ihm gerade gefielen (§ 14 Rn. 64). Wenn der Richter aber Recht frei erfände, so fragt Simon, ob die Juristische Methodenlehre in ihrer bisherigen Form für die Praxis, aber auch in der Ausbildung *nicht eigentlich bedeutungslos sei*.[5]

2. Eine Moderne Methodenlehre

3 Wie entwickelt man eine gute Rechtslösung, wenn das Recht nicht eindeutig ist oder es komplett schweigt? Ist es ein Zu-Ende-Denken der Interessen- und Wertungsgrundlagen der einschlägigen Gesetze[6] oder aber ein Widerstreit von Rechtsprinzipien der Rechtsordnung?[7] Verlangt die Rechtslösung eine argumentative Rationalität oder entscheidet der Richter rechtsschöpferisch kraft seiner Autorität? Sowohl die klassische als auch die postmoderne Methodenlehre haben Stärken und Schwächen. Die *klassische Methodenlehre* versagt bei der Konkretisierung und Konstruktion; hier gibt es große Teile schöpfe-

---

[1] Ausführlich *Röhl/Röhl*, Allgemeine Rechtslehre, 3. Aufl. 2008, S. 327 ff.; *Vesting*, Rechtstheorie, 2. Aufl. 2015, Rn. 228 ff.

[2] *Hegenbarth*, Juristische Hermeneutik und linguistische Pragmatik, 1982, S. 195 und 199: „Ausgangspunkt einer erneuerten Methodologie muß die Erkenntnis sein, daß die Begründung der richterlichen Entscheidung durch textwissenschaftliche Interpretationsmethoden erheblich seltener möglich ist, als gemeinhin geglaubt wird." Ebenso *Neumann*, Rechtstheorie 32 (2001), 239, 242.

[3] S. hierzu bei der Gesamtanalogie § 6 Rn. 140; bei der Entwicklung von Rechtsprinzipien § 9 Rn. 17 ff.

[4] *Vesting*, Rechtstheorie, 2. Aufl. 2015, Rn. 195, 201 f.; deutlich *Laudenklos/Rohls/Wolf*, in: Rückert/Seinecke, Methodik des Zivilrechts – von Savigny bis Teubner, 3. Aufl. 2017, S. 609, 611: „Das Dogma eines lückenlosen Rechts-‚Systems' wurde damit brüchig."

[5] *Simon*, Zur Wertlosigkeit juristischer Methodenlehre, S. 1, 9, Vortrag vor der Juristischen Fakultät Potsdam v. 23.6.2016, abrufbar unter https://mediaup.uni-potsdam.de/Player/5256; Manuskript: http://docplayer.org/28590820-Herr-dekan-liebe-kolleginnen-und-kollegen-meine-damen-und-herren.html; vorher die Autoren in *Krawietz/Morlok (Hrsg.)*, Sonderheft Rechtstheorie 32 (2003), 135–371. Nicht von ungefähr orientierte er sich an dem Titel von *Kirchmann*, Die Wertlosigkeit der Jurisprudenz als Wissenschaft, 1848 (s. auch § 6 Fn. 153).

[6] Zur Interessen- und Wertungsjurisprudenz, s. oben § 5 Rn. 19 ff.

[7] Zur Abwägung von Prinzipien s. oben § 10.

rischer Tätigkeit des Richters, die sie nur unzureichend erklären kann. Umgekehrt gibt es zahlreiche Fälle, bei denen der Savigny'sche Kanon weiterhilft, auch im Öffentlichen Recht (§ 10 Rn. 4). Umgekehrt schießt die *postmoderne Methodenlehre* in vielen Bereichen über ihr Ziel hinaus, wenn sie für Beliebigkeit und freie Gestaltung eintritt. Zielführend erscheint eine **Verbindung beider Ansätze**, um die jeweiligen Vorteile zu nutzen: Eine *moderne Juristische Methodenlehre* baut auf der klassischen Methodenlehre auf, ergänzt sie um moderne Auslegungsfiguren, spart den wichtigen (und schwierigen) Bereich der Konkretisierung und Konstruktion nicht aus und berücksichtigt höherrangiges Recht. Genau das ist die Struktur dieses Buchs. Daher wurden in diesem Werk zahlreiche Argumentationsfiguren zusammengetragen, welche der Jurist für die Lösung eines Rechtsproblems verwenden kann.[8]

Ziel dieses Buches ist es, Rechtslösungen mittels der Juristischen Methodenlehre und der Rechtsdogmatik zu rationalisieren. Der Vorwurf, die Juristische Methodenlehre sei überflüssig oder beliebig, soll im Folgenden weiter widerlegt werden. Es wird abschließend noch an vier Bereichen gezeigt, wie die Begründung einer Entscheidung rationalisiert werden kann und damit die Arbeitsweise des Juristen diszipliniert. Zuerst wird vertieft, wie sich Sachverhalt und Recht gegenseitig bedingen. Nur wenn alle Facetten des Sachverhalts zusammengetragen sind, kann eine Rechtslösung erarbeitet werden. Diese sog. Fallhermeneutik, die Teil der täglichen Arbeit des Praktikers ist, ist dem Studenten hingegen wenig vertraut. Sie umfasst die Erarbeitung von Sachverhalt und Normbereich (II.). Sodann wird der Vorwurf der vom Gesetz weitgehend unabhängigen Rechtsschöpfung durch Gerichte, der richterlichen Dezision, thematisiert. Das führt zur Rolle juristischer Innovationen mit weiteren Argumentationsfiguren wie der Lehre von der Topik (III.). Auch ist dem Vorwurf entgegenzutreten, der Richter würde und dürfe die einzelnen Argumentationsfiguren nach Belieben verwenden. Der Streit zum sog. Methodenpluralismus gehört zum Dauerproblem der Juristischen Methodenlehre. Auch diesem Einwand kann mit Bausteinen einer Metamethodik entgegnet werden (IV.). Damit lässt sich zeigen, dass zahlreiche Argumentationsfiguren anderer Grundlagenfächer als Nachbardisziplinen herangezogen werden können und so zusätzliches Gewicht für die Fallbearbeitung erlangen (V.). Abschließend lässt sich der Vorwurf richterlicher Dezision widerlegen, wenn der Richter sein Juristisches Denken mit den Mitteln der Methodenlehre und der Rechtsdogmatik eingrenzt (VI.). **4**

II. Die Fallhermeneutik als Teil der Juristischen Methodenlehre

Literatur: *Bender, Rolf/Häcker, Robert/Schwarz, Volker,* Tatsachenfeststellung vor Gericht, 5. Aufl. 2021; *Bryde, Brun-Otto,* Tatsachenfeststellungen und soziale Wirklichkeit in der Rechtsprechung des Bundesverfassungsgerichts, in: FS 50 Jahre BVerfG, Bd. 1, 2001, S. 533–561; *Fikentscher, Wolfgang,* Eine Theorie der Fallnorm als Grundlage von Kodex- und Fallrecht (code law und case law), ZfRV 1980, 161–174; *Hoffmann-Riem, Wolfgang,* Methoden einer anwendungsorientierten Verwaltungsrechtswissenschaft, in: Schmidt-Aßmann, Eberhard/ders., Methoden der Verwaltungsrechtswissenschaft, 2004, S. 9–72; *Kirchhof, Gregor,* Grundrechte und Wirklichkeit, 2007; *Laudenklos, Frank,* „Juristische Methodik" bei F. Müller (geb. 1938), in: Rückert, Joachim/Seinecke, Ralf, Methodik des Zivilrechts – von Savigny bis Teubner, 3. Aufl. 2017, S. 424–446; *Lerche, Peter,* Stil und Methode der verfassungsrechtlichen Entscheidungspraxis, in: FS 50 Jahre BVerfG, Bd. 1, 2001, S. 333–361; *Möllers, Christoph,* in: Hoffmann-Riem, Wolfgang/Schmidt-Aßmann, Eberhard/Voßkuhle, Andreas, Grundlagen des Verwaltungsrechts, Bd. 1, 2. Aufl. 2012, § 3; *Müller, Friedrich/Christensen, Ralph,* Juristische Methodik, Bd. 1, 11. Aufl. 2013, Rn. 230–238; *Reimer, Franz,* Juristische Methodenlehre, 2. Aufl. 2020, Rn. 67–156; *Strauch, Hans-Joachim,* Methodenlehre des gerichtlichen Erkenntnisverfahrens, 2017, Teil C; *Upmeier, Arne,* Fakten im Recht, 2010; *Voßkuhle, Andreas,* Methode und Pragmatik im Öffentlichen Recht, in: Bauer, Hartmut, u. a., Umwelt, Wirtschaft und Recht, 2002, S. 171–195.

---

[8] S. dazu den Anhang.

5 Die Juristische Methodenlehre kann auf die Kritik der Rechtstheorie reagieren, indem sie die Wechselwirkung von Sachverhalt und Recht als zwingenden Schritt darstellt, um die Lösung des Falls sicherzustellen (1.). Besonders anschaulich tritt dies in der Arbeitsweise der Rechtspraxis zu Tage; eine umfangreiche Sachverhaltsermittlung ist auch für eine Entscheidungsfindung in Rechtsfragen unabdingbar, wie der Burka-Fall verdeutlicht (2.).

1. Zur Wechselwirkung von Sachverhalt und Rechtsnorm

a) Bisherige Ansichten (Engisch, Fikentscher)

6 Das juristische Wechselspiel von Sachverhalt und Rechtslösung ist eine notwendige Bedingung, um eine Entscheidung rational begründen zu können. Eingangs wurde schon das Hin- und Herwandern des Blickes von *Engisch* thematisiert (§ 4 Rn. 10). Die Kenntnis des jeweiligen Sachverhalts präzisiert und erweitert auch die Rechtsausführungen. Insoweit erfuhr dieser methodische Ansatz viel Zustimmung (§ 4 Rn. 10). Zudem wurde die Fallnormtheorie von *Fikentscher* beschrieben. Daran ist überzeugend, dass die Rechtsnorm regelmäßig konkretisiert werden muss, bevor sie angewendet werden kann. Demnach stellen Gesetzesrecht und Richterrecht die Rechtsquellen dar, aus welchen das objektive Recht (die Fallnormen) erst hergestellt wird (§ 4 Rn. 11).[9] Allerdings bildet immer nur die Norm und nicht der Fall die entscheidende Rechtsquelle.[10] Der feststehende Sachverhalt ist ein Unikum der juristischen Ausbildung; die spätere Praxis ist eine andere.

b) Die Normbereichslehre von F. Müller

7 Im Öffentlichen Recht gibt es Versuche, die Sachverhaltshermeneutik stärker zu strukturieren: Man unterscheidet zwischen dem Problemlösungsbereich, dem Normprogrammbereich und dem Entscheidungsbereich.[11] Auch nach *F. Müller* ist die Norm nicht ohne Weiteres auf den Sachverhalt anwendbar: Textaussage und Sachverhalt seien zu einer Rechtsnorm zu verdichten und dann auf den Sachverhalt anzuwenden. Er formuliert:

> 8 „Der Jurist, der den Fall zu entscheiden hat, wählt vom Sachverhalt her die ihm nach seinem Vorwissen ‚einschlägig' erscheinenden Normtexte aus. Über diese fließen Sachgesichtspunkte der damit als passend unterstellten Rechtsnormen in die Arbeit ein *(‚Sachbereich')*, die normalerweise aus Gründen der Arbeitsökonomie gemäß der Individualität des Sachverhalts zum *‚Fallbereich'* eingegrenzt werden. Die Interpretation sämtlicher Sprachdaten, also die Textauslegung mit allen methodisch anerkannten Mitteln, ergibt das *‚Normprogramm'*. Mit dessen Hilfe wählt der entscheidende Jurist aus dem Sach- bzw. dem Fallbereich die Teilmenge der für das Fallergebnis mit-normativen Tatsachen aus, den *‚Normbereich'*; dieser umschreibt also die Menge derjenigen Realdaten, die zu Recht mit zur Grundlage der Entscheidung gemacht werden.
>
> 9 Normprogramm und Normbereich setzen die abstrakt-generell (im Sinne von Leitsätzen) zu formulierende *‚Rechtsnorm'* zusammen (‚In einem Fall wie diesem gilt …'). Im letzten Abschnitt seiner Arbeit individualisiert der Jurist diese zur *‚Entscheidungsnorm'* (Entscheidungsformel, Urteilstenor); dieser letzte Schritt vollzieht sich dann als metho-

[9] *Fikentscher*, Methoden des Rechts, Bd. IV, 1977, S. 323.

[10] S. die Autoren in § 4 Fn. 19; *Metzger*, Extra legem, intra ius: Allgemeine Rechtsgrundsätze im Europäischen Privatrecht, 2009, S. 81.

[11] Daneben gibt es noch den Folgenbewirkungs-, Kontroll- und Lernbereich, s. *Hoffmann-Riem*, in: Schmidt-Aßmann/ders., Methoden der Verwaltungsrechtswissenschaft, 2004, S. 11, 31 ff.; *Voßkuhle*, in: Bauer/Czybulka/Kahl/Voßkuhle, Umwelt, Wirtschaft und Recht, 2002, S. 171, 188 ff. nennt ein Sieben-Stufen-Modell, das zwischen den Motiven, dem Sachverhalt, dem Bestand, den Alternativen und dem Rahmen differenziert, bevor dann die Begründung mit einer Folgenanalyse durchzuführen ist.

disch simple Schlussfolgerung, insoweit – aber nur insoweit! – in der Tat als Subsumtion unter die vorher produzierte Rechtsnorm (‚Da ein solcher Fall vorliegt, ist die Klage abzuweisen', usw.)."[12]

Man prüft also, wie viel des Sachbereichs bzw. des Fallbereichs von dem Normprogramm erfasst ist. Übrig bleibt der *Normbereich*, der die Menge der Realdaten umfasst, die tatsächlich zur Grundlage der Entscheidung gemacht werden können. Damit kommt es also zu dem hier beschriebenen Wechselspiel, weil nicht nur ausgelegt, sondern die soziale Wirklichkeit herangezogen wird. Hieran wird gemessen, was nun tatsächlich unter die Norm fällt. Auch dieser Theorie wird vorgeworfen, sie sei zu unbestimmt[13] und schließe vom Sein auf das Sollen[14] oder käme ohne inhaltliche Wertungen aus. Empirische Daten könnten Wertungen nicht ersetzen.[15] Zudem gelten dieselben Vorwürfe, die gegenüber der objektiven Theorie vorgetragen werden (§ 6 Rn. 73 ff.), nämlich, dass man sich zu weit vom Gesetz entferne. Im Folgenden wird dieser methodische Ansatz eingeübt und zwischen Fallbereich (2.) und Normbereich (3.) unterschieden. **10**

2. Sachverhaltshermeneutik zur Ermittlung des Fallbereichs

a) Zur Notwendigkeit einer eigenen Sachverhaltshermeneutik

aa) In der juristischen Ausbildung bis hin zum Ersten Staatsexamen geht es ausschließlich darum, die Fallfragen zu beantworten und möglichst keinen Teil des fest vorgegebenen Sachverhalts zu übersehen.[16] Dabei muss stets beachtet werden, dass in der Klausur der Sachverhalt – so banal es klingen mag – niemals verändert werden darf. Vielen Studenten wird eine sog. „Sachverhaltsquetsche" vorgeworfen, weil sie versuchen, den Sachverhalt so „hinzubiegen", dass sie die entsprechende Norm anwenden können. Ein solches Vorgehen ist ein schwerwiegender juristischer Kunstfehler.[17] Im Zweiten Juristischen Staatsexamen hingegen wird zum Teil auch eine Beweiswürdigung verlangt, um den Sachverhalt zu ermitteln. Auch die Juristische Methodenlehre ist regelmäßig auf die Rechtsanwendung beschränkt; sie konzentriert sich auf Recht und Gesetz und ist damit Rechtsanwendungslehre. Damit geht der Vorwurf einher, die bisherige klassische Methodenlehre sei reine Texthermeneutik, also die Kunst, den Gesetzestext oder das Richterrecht zu verstehen.[18] **11**

bb) Die juristische Praxis geht darüber hinaus. Rechtsanwälte, Richter oder Verwaltungsbeamte bis hin zu den Richtern des BVerfG müssen sich in einem ersten Schritt den Sachverhalt erarbeiten. In der Praxis ist damit die **Ermittlung des Sachverhalts** der entscheidende Schritt der Rechtsfindung. Dabei darf der Rechtsanwender den Sachverhalt nicht verbiegen.[19] Der Anwalt muss nicht nur das Recht kennen (§ 3 Rn. 6). Er darf sich **12**

[12] *F. Müller/Christensen,* Juristische Methodik, Bd. I, 11. Aufl. 2013, Rn. 16; zustimmend *Hesse*, Grundzüge des Verfassungsrechts der Bundesrepublik Deutschland, 20. Aufl. 1999, Rn. 60 ff.; *Hoffmann-Riem*, in: Schmidt-Aßmann/ders., Methoden der Verwaltungsrechtswissenschaft, 2004, S. 11, 26 ff., 53 f.; *G. Kirchhof*, Grundrechte und Wirklichkeit, 2007, S. 11, 15; *Laudenklos*, in: Rückert/Seinecke, Methodik des Zivilrechts – von Savigny bis Teubner, 3. Aufl. 2017, S. 424, 435.

[13] *Koch/Rüßmann*, Juristische Begründungslehre, 1982, S. 172.

[14] *Röhl/Röhl*, Allgemeine Rechtslehre, 3. Aufl. 2008, S. 608 f.

[15] Kritisch gegenüber der Normbereichslehre F. Müllers deswegen auch *von Arnim/Brink*, Methodik der Rechtsbildung unter dem Grundgesetz, 2001, S. 253 ff.

[16] Sehr kritisch zur einseitigen Ausbildung etwa *J. Wolf*, in: FS Schnapp, 2008, S. 873 ff.

[17] *Möllers*, Juristische Arbeitstechnik und wissenschaftliches Arbeiten, 10. Aufl. 2021, § 2 Rn. 8.

[18] Zur Hermeneutik § 1 Fn. 163. *Schapp*, Hauptprobleme der juristischen Methodenlehre, 1983, S. 21: „Die große Bedeutung des Falles schlägt sich nun in der juristischen Methodenlehre selbst nicht nieder."

[19] „You can't change the facts. Therefore you always have to adopt the law on the facts.", Zitat von *Peter Wendel* aus seiner Vorlesung: Law & Economics.

auch hinsichtlich der Fakten nicht mit den Angaben des Mandanten zufriedengeben. Hierzu schreibt der BGH:

13 „Es ist Aufgabe des Rechtsanwalts, der einen Anspruch seines Mandanten klageweise geltend machen soll, die zugunsten seiner Partei *sprechenden tatsächlichen und rechtlichen Gesichtspunkte so umfassend wie möglich darzustellen,* damit sie das Gericht bei seiner Entscheidung berücksichtigen kann […]. Er darf sich nicht ohne weiteres mit dem begnügen, was sein Auftraggeber ihm an Informationen liefert, sondern muss um *zusätzliche Aufklärung bemüht sein,* wenn den Umständen nach für eine zutreffende rechtliche Einordnung die Kenntnis weiterer Tatsachen erforderlich und deren Bedeutung für den Mandanten nicht ohne weiteres ersichtlich ist.“[20]

14 Darüber hinaus gibt es Ermittlungspflichten unter anderem für den Staatsanwalt (§ 152 Abs. 2 StPO), im Öffentlichen Recht (§ 86 Abs. 1 VwGO) und im Steuerrecht (§ 88 Abs. 1 AO).

15 Damit muss die Rechtswissenschaft die Realfolgen berücksichtigen und ist insofern Realwissenschaft.[21] Dies verlangt ein stärkeres intra- und interdisziplinäres Arbeiten.[22] Vor allem ist eine Methode der Tatsachenfeststellung, eine Fallhermeneutik, zu entwickeln,[23] damit der Jurist auch Situationen, Geschehnisse und Äußerungen deuten kann.[24] Die Rechtsfindung anhand von Gesetzen und Gerichtsurteilen ist erst der zweite Schritt, um eine Lösung des Falls zu entwickeln. Dabei erleichtert ein guter Sachverhalt stets die Rechtsanwendung.[25]

b) Vom Rohsachverhalt zum Sachverhalt: Recherchepflichten und Interviewing

16 aa) Wie erstellt man nun den eigentlichen Sachverhalt, der erst die Subsumtion ermöglicht? Vor der eigentlichen Subsumtion sind zahlreiche Arbeitsschritte erforderlich, die oft (weit mehr als) 50% der tatsächlichen Arbeit ausmachen: Die Aufbereitung des Sachverhalts ist die entscheidende Arbeit.[26] Am Anfang steht oft ein Bericht, eine Erzählung aus der Laiensphäre, die als „*Rohsachverhalt*“ bezeichnet wird.[27] Naheliegenderweise ist dieser Sachverhalt unvollständig. Der Jurist hat den Mandanten zu interviewen, fehlende Informationen zu ergänzen und zu prüfen, was überzeugend und gegebenenfalls im Prozess beweisbar ist bzw. welche Informationen unglaubwürdig sind. Folglich ist man nicht selten zu einer umfangreichen *Recherche* verpflichtet.[28] Auch der Wissenschaftler[29] oder der

[20] BGH, Urt. v. 13.6.2013, IX ZR 155/11, NJW 2013, 2965 Rn. 8 – Rechtsanwaltspflichten s. auch § 137 Abs. 2 Hs. 2 ZPO; hierzu BGH, Urt. v. 10.12.2015, IX ZR 272/14, NJW 2016, 957 Rn. 6 ff.

[21] *Eidenmüller*, JZ 1999, 53, 55 ff.

[22] *Ch. Möllers*, in: Hoffmann-Riem/Schmidt-Aßmann/Voßkuhle, Grundlagen des Verwaltungsrechts, Bd. 1, 2. Aufl. 2012, § 3 Rn. 42 ff.; *Voßkuhle*, in: Bauer/Czybulka/Kahl/Voßkuhle, Umwelt, Wirtschaft und Recht, 2002, S. 171, 194. Zum Wissenschaftsrat s. oben § 9 Fn. 18.

[23] So die Forderung für das Verwaltungsrecht von *Ch. Möllers*, in: Hoffmann-Riem/Schmidt-Aßmann/Voßkuhle (ebd.), § 3 Rn. 34.

[24] So *Reimer*, Juristische Methodenlehre, 2. Aufl. 2020, Rn. 67 ff.

[25] Zu Vorschlägen, die juristische Ausbildung in dieser Hinsicht zu verbessern, s. *Möllers*, ZfPW 2019, 94 ff.

[26] Nach einem geflügelten Wort kommt auf einen Zentner (= 50 kg) Tatsachenfragen ein Lot (= 16 g) an Rechtsfragen, s. *Jauernig/Hess*, Zivilprozessrecht, 30. Aufl. 2011, § 23.I. Rn. 5.

[27] *Larenz*, Methodenlehre der Rechtswissenschaft, 6. Aufl. 1991, S. 279 ff.; zustimmend *Bydlinski*, Juristische Methodenlehre und Rechtsbegriff, 2. Aufl. 1991, S. 421 ff.; *Upmeier*, Fakten im Recht, 2010, S. 28.

[28] Zum Teil spricht man vom Grundsatz der Ausschöpfung verfügbarer Primärquellen, dem Grundsatz der Kontextermittlung, s. etwa *Reimer*, Juristische Methodenlehre, 2. Aufl. 2020, Rn. 94 f.

[29] Beispiele aus dem Wirtschaftsrecht: *Möllers*, NZG 2014, 361 ff.: Porsche-VW-Übernahme; *ders.*, NZG 2018, 649 ff.: Short-Sell-Attacken; *ders.*, in: FS 50 Jahre Juristische Fakultät, 2021 (im Erscheinen): Wirecard.

Richter muss den oft komplexen Lebenssachverhalt erfassen, bevor er eine juristische Wertung vornehmen kann. Der Anwalt arbeitet in dieser Phase gutachterlich, indem er wie der Student nach dem ersten Eindruck des Sachverhalts bestimmte Rechtsnormen assoziiert und auf deren Tatbestandsmerkmale ausgerichtet beim Mandanten nachfragen wird. Der Jurist grenzt die Erforschung und spätere Präsentation des Sachverhalts gegenüber dem Gericht bereits im Hinblick auf in Frage kommende Rechtsnormen (i. d. R. Anspruchsgrundlagen) ein. Auch die Auswertung empirischer Daten (§ 5 Rn. 91 ff.) kann in Frage kommen. Werden diese falsch gewichtet, kann die Entscheidung angreifbar sein.

Vertiefung – *FRoSTA – Delisting II:* Der BGH hatte beim Rückzug eines Unternehmens von der Börse in der Macrotron-Entscheidung ursprünglich eine Reihe von Schutzmaßnahmen zugunsten der Investoren rechtsfortbildend entwickelt. In einer 180-Grad-Kehrtwende hatte der BGH in der *FRoSTA-Entscheidung* seine frühere Rechtsfortbildung dann aber aufgegeben (§ 11 Rn. 22). Er lehnte u.a. eine Gesamtanalogie mit der Überlegung ab, es ließe sich empirisch nicht feststellen, dass bereits die Ankündigung sich von der Börse zurückzuziehen, zu einem Kursverlust bei den Anlegern führe.[30] Sind diese Überlegungen überzeugend?[31] **16a**

bb) Wenn zusätzliche Momente zum Sachverhalt hinzukommen, kann sich die rechtliche Beurteilung schnell ändern. Zudem sind häufig Sachverständige hinzuzuziehen, beispielsweise auch bei Baumängeln oder Behandlungsfehlern eines Arztes.[32] Maßgeblich ist oft die Frage, ob eine Rechtsschutzversicherung das Prozessrisiko und die damit verbundenen Kosten übernimmt. Ziel muss es sein, zu erkennen, welche Teile des Sachverhalts unstreitig und welche streitig, d.h. bestritten sind.[33] Der Hundebiss-Fall verdeutlicht, dass kleine Details im Sachverhalt die rechtliche Beurteilung, ob ein Schadensersatzanspruch besteht oder nicht, verändern können. **17**

Hundebiss: Eine Frau wird gebissen, als sie den Hund des Nachbarn streicheln will.[34] Jetzt gilt es den Sachverhalt zu ergänzen: Hatte die Frau einen Verdienstausfall? Welche Schmerzen hatte sie konkret? Umgekehrt könnten Ansprüche mangels Schadens der Frau leerlaufen, weil die Krankenkasse die Heilungskosten zahlt, sodass diese dann Regressansprüche geltend machen müsste. Zudem kann sich das Ergebnis schnell ändern: Es macht einen großen Unterschied, ob die Frau vielleicht wusste, dass der Hund bissig ist, weil ihr dann ein Mitverschulden (§ 254 BGB) vorzuwerfen wäre. Es kann sich um einen Blindenhund, also ein Nutztier handeln, sodass der Halter nicht haftet, sondern gem. § 833 S. 2 BGB exkulpiert ist. Handelt es sich dagegen um einen Kampfhund, würden öffentlichrechtliche Vorschriften, wie eine kommunale Kampfhundeverordnung, eingreifen; der Nachbar bräuchte gegebenenfalls eine Erlaubnis, den Hund als Kampfhund zu halten. Dann hätte er ggf. angeleint werden oder sogar einen Maulkorb tragen müssen. **18**

cc) In der juristischen Ausbildung fragt man im Anspruchsaufbau auch nach dem Anspruchsgegner.[35] Der Anspruch ist wirtschaftlich wertlos, wenn der Anspruchsgegner insolvent ist. Das Insolvenzrisiko lässt sich reduzieren, indem man mehrere Parteien verklagt.[36] **19**

---

[30] BGH, Beschl. v. 8.10.2013, II ZB 26/12, NJW 2014, 146 Rn. 13 f. – FRoSTA unter Hinweis auf die Studie von *Heldt/Royé*, AG 2012, 660, 667 f.

[31] Zur Lösung s. unten § 15 Rn. 56 ff.

[32] Weiterführend *Bender/Häcker/Schwarz*, Tatsachenfeststellung vor Gericht, 5. Aufl. 2021.

[33] *Baußmann/Wettner,* in: Reimer, Juristische Methodenlehre aus dem Geist der Praxis?, 2016, S. 143, 147.

[34] *Larenz*, Methodenlehre der Rechtswissenschaft, 6. Aufl. 1991, S. 279 ff.; aufgenommen auch von *Reimer* (ebd.), Rn. 93 ff. Der Sachverhalt von *Larenz* ist hier noch weiter ergänzt.

[35] „Wer will was von wem woraus", s. *Möllers*, Juristische Arbeitstechnik und wissenschaftliches Arbeiten, 10. Aufl. 2021, § 2 Rn. 13.

[36] Zum Verhältnis von Zustand- und Handlungsstörer im Überschwemmungsfall bei § 904 S. 2 BGB (§ 6 Rn. 165 ff.).

Oft ist ein Unternehmen liquider als eine Privatperson.[37] Umgekehrt kann es vorteilhaft sein, auch einen Anspruch gegen den Handelnden[38] zu verfolgen.

20 *Erin Brockovich:* In dem Spielfilm „Erin Brockovich" spielt Julia Roberts eine Rechtsanwaltsgehilfin. Nach umfangreichen Ermittlungen findet sie heraus, dass das Unternehmen Pacific Gas and Electric (PG&E) in dem kalifornischen Ort Hinkley den Bewohnern benachbarter Grundstücke Arztrechnungen nur deshalb bezahlt, weil es mit gesundheitsschädlichem Chrom VI jahrelang das Grundwasser verseuchte und die Anwohner dadurch schwere Gesundheitsschäden erlitten.[39] Die Höhe des Schadensersatzes orientierte sich am Umsatz des Unternehmens. Es war deshalb von entscheidender Bedeutung, ob die klagende Kanzlei nachweisen kann, dass neben dem Unternehmen in Hinkley auch das deutlich finanzstärkere Mutterunternehmen in San Francisco die Trinkwasserverseuchung gekannt hatte.

21 dd) Die Recherche der einschlägigen Fakten wird aber nicht damit enden, nur belastendes Material zu finden. Ein guter Jurist wird sich im Sinne des „audiatur et altera pars"[40] auch in die Position der Gegenseite hineinversetzen und überlegen, welche *entlastenden Momente* vorliegen. Als Anwalt wird er den Mandanten nur dann gut beraten (und zu einem Prozess zu- oder abraten) können, wenn er anspruchsentstehende, aber auch anspruchserlöschende bzw. -hindernde Umstände kennt. Zudem sollte man Interessen Dritter berücksichtigen. Im Baurecht können z.B. archäologische Interessen, der Denkmal-, Tier- oder Naturschutz berührt sein. Im Mutter-Kind-Fall ging es nicht nur um die Bedürfnisse anderer Mütter, sondern auch um das Ruhebedürfnis der sonstigen Mitreisenden (§ 1 Rn. 73).

21a ee) Die Corona-Pandemie verlangt von der Exekutive ein Entscheiden unter den Parametern von Unsicherheiten. Darf dies zu einem Freifahrtschein für die Exekutive führen, indem man ihr einen weiten Beurteilungs- und Ermessenspielraum zugesteht? Dafür spricht, dass der Staat in Situationen auf Leben und Tod sofort reagieren muss.[41] Zudem wird vertreten, eine Abwägung der Grundrechte sei gar nicht möglich, weil das für die Abwägung erforderliche Wissen fehle.[42] Dem ist zu widersprechen. Wenn zentrale Entscheidungsparameter unklar sind, darf einzelnen Grundrechten kein absoluter Vorrang eingeräumt werden. Eine Abwägung von Grundrechten bleibt auch in Zeiten von Ungewissheit unabdingbar (§ 10 Rn. 12).[43] Dies verdeutlicht jüngst eine Entscheidung des VGH Mannheim zur Beschränkung von Heimbewohnern:

21b *Betreutes Wohnen im Mühlehof* – Nachdem nahezu alle Heimbewohner eines Altenheims geimpft waren, wollte der Leiter des Heimes die Kantine für das geimpfte Personal und die geimpften Heimbewohner wieder öffnen. Weil das Risiko besteht, dass Geimpfte das Virus an Dritte weitergeben können ohne selbst zu erkranken, lehnte das zuständige Landratsamt eine Öffnung der Kantine ab, was der VGH Mannheim bestätigte.[44] Hier hat das Gericht das theoretische Restrisiko, dass sich unbeteiligte Dritte infizieren könnten, verabsolutiert und

---

[37] Zum Vertrag mit Schutzwirkung zugunsten Dritter als Ausgleich zu den Schwächen des Deliktsrechts, s. § 10 Rn. 82 ff.

[38] Im Kapitalmarktrecht richtet sich § 826 BGB gegen den Handelnden und die §§ 97, 98 WpHG gegen das Unternehmen, s. § 8 Rn. 44 ff.

[39] Der Film von *Steven Soderbergh* zeigt fast lehrbuchartig viele Besonderheiten des US-amerikanischen Gerichtswesens und beruht auf Tatsachen: Das Verfahren gegen PG&E wurde 1996 mit der Zahlung der Rekordsumme von 333 Mio. US-Dollar beigelegt. *Julia Roberts* erhielt im Jahre 2001 für ihre Rolle den Oscar.

[40] Zum Grundsatz „Man höre die andere Seite", s. oben § 1 Rn. 38 ff., § 6 Rn. 79.

[41] *Hase*, JZ 2020, 1107.

[42] *Hase*, JZ 2020, 697, 699; *ders.*, JZ 2020, 1107, 1108.

[43] *Heinig/Kingreen/Lepsius/Ch. Möllers/Volkmann/Wißmann*, JZ 2020, 861, 866.

[44] VGH Mannheim, Beschl. v. 18.3.2021, 1 S 774/21, BeckRS 2021, 5184 – Betreutes Wohnen im Mühlehof.

versäumt, dieses gegenüber den massiven Beinträchtigungen der Grundrechte der Heimbewohner abzuwägen: Die monatelange Isolation der betagten Heimbewohner führt nach Aussage des Heimleiters zu physischen und psychischen Beeinträchtigungen und steigert die Suizidgefahr.[45] Nach Abschluss des Verfahrens hatte das Robert-Koch-Institut allerdings die Gefahr einer Ansteckung durch geimpfte Personen mit dem Coronavirus relativiert.[46]

c) Beibringungs- und Untersuchungsgrundsatz

aa) Die Beweisaufnahme nimmt eine zentrale Stellung im Prozess ein – diese Verfahrensphase wird von der Juristischen Methodenlehre regelmäßig ignoriert.[47] Das beginnt bei der Auswahl der Sachverständigen und geht bis zur Überzeugungskraft bestimmter Beweismittel. Damit wird der Sachverhalt auch davon bestimmt, was im Prozess bewiesen werden kann. Im Zivilprozess gilt grundsätzlich der **Verhandlungs- oder Beibringungsgrundsatz** (insbesondere § 282 ZPO).[48] Danach steht es den Parteien frei, welche Tatsachen sie in den Prozess einführen, bestreiten oder zugestehen wollen. Grundsätzlich muss jede Partei die ihr günstigen Voraussetzungen des Anspruchs beweisen. Dieser alte aus dem römischen Recht bekannte Grundsatz[49] wird im deutschen Recht allerdings durch die richterliche Fürsorgepflicht des § 139 Abs. 4 ZPO deutlich eingeschränkt. Danach muss das Gericht „Hinweise auf seiner Ansicht nach entscheidungserhebliche Umstände, die die betroffene Partei erkennbar für unerheblich gehalten hat, grundsätzlich so frühzeitig vor der mündlichen Verhandlung erteilen, dass die Partei die Gelegenheit hat, ihre Prozessführung darauf einzurichten."[50] 22

Im Gegensatz zum US-amerikanischen Recht hat der Kläger damit grundsätzlich keinen Anspruch, auf Informationen der Gegenseite zuzugreifen.[51] Nur ausnahmsweise helfen gesetzliche Regelungen oder die Rechtsprechung mit Beweiserleichterungen oder Auskunftsansprüchen.[52] Da die Parteien wegen des Beibringungsgrundsatzes alle für sie günstigen Anspruchsvoraussetzungen zu beweisen haben, ist der Sachverhalt in zivilrechtlichen Urteilen oft knapp gehalten und auf den wesentlichen Inhalt beschränkt; im Übrigen kann auf die Schriftsätze und Protokolle verwiesen werden, § 313 Abs. 2 ZPO. 23

bb) Den Gegensatz zum Beibringungsgrundsatz bildet der **Untersuchungsgrundsatz**: Danach hat das Gericht von Amts wegen Tatsachen, die von den Parteien nicht vorgebracht wurden, zu berücksichtigen und Beweise zu erheben. So hat der Staat im Strafprozess, Verwaltungsprozess sowie in Kindschaftssachen etc. ein öffentliches Interesse daran, den Sachverhalt aufzuklären. 24

---

[45] Konkret sprach er von physischer und psychischer Verwahrlosung der Heimbewohner, s. *van Lijnden*, FAS v. 27.3.2021, S. 8.

[46] Die Parteien haben daraufhin nachträglich einem Vergleich zugestimmt, der die Öffnung der Kantine zulässt, s. VGH Mannheim, Beschl. v. 13.4.2021, 1 S 1008/21, https://verwaltungsgerichtshof-baden-wuerttemberg.justiz-bw.de/pb/,Lde/9137864.

[47] *W. Wolf*, in: Reimer, Juristische Methodenlehre aus dem Geist der Praxis?, 2016, S. 75, 81.

[48] Hierzu ausführlich etwa Rosenberg/Schwab/*Gottwald*, Zivilprozessrecht, 18. Aufl. 2018, § 77 Rn. 8 ff.

[49] *Da mihi facta, dabo tibi jus* – Gib mir die Tatsachen, ich werde dir das Recht geben, Dekretalen, 2,1,6.

[50] BGH, Urt. v. 15.10.2009, VII ZR 2/09, ZfBR 2010, 130 f.

[51] Das US-amerikanische *pre-trial-discovery-Verfahren* wird von der Rechtsprechung abgelehnt. Es wird von unzulässiger Ausforschung gesprochen. Ausführlich *Stürner*, Die Aufklärungspflicht der Parteien des Zivilprozesses, 1976; *Chudoba*, Der ausforschende Beweisantrag, 1993.

[52] *Möllers*, Rechtsgüterschutz im Umwelt- und Haftungsrecht, 1996, S. 363 f.; ausführlich *R. Koch*, Mitwirkungsverantwortung im Zivilprozess, 2013; krit. *Stürner*, in: FS Vollkommer, 2006, S. 201, 210, der dem deutschen Recht vorwirft, internationalen Entwicklungen hinterherzuhinken. S. die Vorschläge von *Gottwald*, Gutachten A zum 66. DJT, 1996, S. 16 ff.; zu den grenzüberschreitenden Konflikten, die aus den unterschiedlichen Ansätzen folgen, s. *Brand*, NJW 2012, 1116 ff. S. aber § 11 Rn. 87 ff.

3. Der Normbereich

a) Untersuchungsgrundsatz und Normbereich

25 Der Untersuchungsgrundsatz ist auch für das BVerfG maßgeblich, welches den Sachverhalt höchst umfangreich darstellt.[53] Es gibt den Parteien, aber auch gesellschaftlichen Verbänden und Gruppen, Gelegenheit zur Stellungnahme. Daneben wertet es die Fachliteratur und zugängliche Statistiken aus.[54] Eine solch ausführliche Darstellung dient der Waffengleichheit, trägt dem Anspruch auf rechtliches Gehör Rechnung und schafft somit Akzeptanz. Das BVerfG verweist grundsätzlich nicht auf Schriftsätze und Beweisunterlagen.[55] Es werden die einschlägigen Rechtsnormen (unter A.I.), die Prozessgeschichte (A.II.), die Rechtsausführungen der Beteiligten (A.III.) und ggf. auch die Ergebnisse der Beweisaufnahme und anderer Äußerungsberechtigter (A.IV.) genannt.[56] Im Kopftuchfall referiert das BVerfG die Stellungnahmen der Alevitischen Gemeinde Deutschland, der Türkisch-Islamischen Union der Anstalt für Religion und des Zentralrates der Juden zur Frage des Kopftuches.[57] Im Kruzifix-Urteil ging es um die Frage, welchen Erklärungswert das Kruzifix hat.[58] Das führt oft zu langen Darstellungen des Sachverhalts.[59] Je „politischer" der Fall ist, desto umfangreicher dürfte der Sachverhalt sein.

26 Eine ähnliche Motivation für einen ausführlichen Sachverhalt dürften auch der EuGH[60] und der EGMR[61] haben. Bei Verfahren vor den europäischen Gerichten ergibt sich das Problem, dass die nationalen Normen des beteiligten Mitgliedstaats den Rechtsanwendern anderer Mitgliedstaaten nicht bekannt sind. Daher ist es sinnvoll, die relevanten Normen wörtlich im Sachverhalt wiederzugeben, um das Verständnis für die Entscheidung über die Landesgrenzen hinaus zu verbessern. Zudem wird nicht nur die Rechtsansicht des beteiligten Mitgliedstaates wiedergegeben, sondern auch die Stellungnahmen von Mitgliedstaaten, die nicht unmittelbar von dem Verfahren betroffen sind.[62] Die Entscheidungen des EGMR sind überaus umfangreich, insbesondere weil er europäische Grundrechte auslegt, die ggf. anders und weiter ausgelegt werden als die nationalen Grundrechte der Mitgliedstaaten. Die Sachverhaltsdarstellung ist oft sehr lang, weil er sicherstellen will, dass alle relevanten Argumente vorgetragen und gehört wurden.[63]

b) Die Fallhermeneutik am Beispiel eines potentiellen Burkaverbotes

27 Die Diskussion über ein generelles Burkaverbot in der Öffentlichkeit zeigt deutlich auf, wie aufwendig es ist, einen Normbereich zu bilden. Wegen der Unbestimmtheit der Grundrechte wird man umfangreich den *Normbereich* für ein generelles Burkaverbot entwickeln müssen. Hierfür sind zuerst die einschlägigen Grundrechtspositionen zu erfas-

---

[53] § 26 Abs. 1 BVerfGG.

[54] *Bryde*, in: FS 50 Jahre BVerfG, 2001, Bd. 1, S. 533, 536 f.

[55] *Klein/Bethge*, in: Maunz, u.a., Bundesverfassungsgerichtsgesetz, 60. EL Juli 2020, § 30 Rn. 18.

[56] Benda/*Klein, E.*, Verfassungsprozessrecht, 4. Aufl. 2020, Rn. 380; beispielhaft etwa BVerfG, Beschl. v. 27.1.2015, 1 BvR 471/10 u.a., BVerfGE 138, 296 – Kopftuch II.

[57] BVerfG (ebd.), Rn. 68, 74 f. – Kopftuch II.

[58] BVerfG, Beschl. v. 16.5.1995, 1 BvR 1087/91, BVerfGE, 93, 1, 18 ff. – Kruzifix. Hierzu ausführlich *Heckel*, DVBl. 1996, 453 ff.

[59] BVerfG, Beschl. v. 10.10.1995, 1 BvR 1476/91 u.a., BVerfGE 93, 266 – „Soldaten sind Mörder": 20 Seiten; Urteil Kopftuch II: 25 Seiten (§ 14 Fn. 56).

[60] Art. 25 der Satzung des EuGH, s. Protokoll über die Satzung des EuGH v. 26.2.2001, ABl. Nr. C 80, S. 53.

[61] Rule 19 Abs. 2 der Rules of the Court v. 1.1.2020, abrufbar unter www.echr.coe.int/Documents/Rules_Court_ENG.pdf.

[62] Zu der Möglichkeit der Streithilfe s. Art. 129 ff. VerfO Gerichtshof. S. etwa EuGH, Urt. v. 5.3.1996, C-46/93 u.a., EU:C:1996:79, Rn. 18 – Brasserie du Pêcheur.

[63] S. etwa 40 Seiten in der Entscheidung zum Burkaverbot (§ 14 Fn. 69).

sen. Dann wird man *rechtstatsächlich* prüfen, was die Religion in concreto zu den Bekleidungsregeln sagt und welche alternativen Bekleidungsformen existieren. Erst dann sind *rechtsdogmatische* Überlegungen zum Umfang der positiven, aber auch negativen Religions- und Meinungsfreiheit anzustellen.

Burkaverbot: Könnte das Tragen der Burka in der Öffentlichkeit verboten werden? **28**

I. Die Religionsfreiheit des Art. 4 Abs. 1 GG
In Deutschland wird diskutiert, ob Frauen in der Öffentlichkeit eine Burka tragen dürfen oder der Staat dies verbieten sollte. Das Grundgesetz nennt zwar in Art. 4 Abs. 1 GG die Religionsfreiheit. Aus dem Wortlaut alleine wird man aber kaum die Lösung begründen können, weil sich gerade der Schutzbereich und Umfang der Religion erst aus deren Selbstverständnis und damit aus den Erkenntnisquellen bzw. Heiligen Schriften der jeweiligen Glaubensgemeinschaft ergibt.

II. Die Ergänzung des Rohsachverhalts zu einem Sachverhalt durch die Einbeziehung des rechtssoziologischen Umfelds **29**
1. Bevor der Umfang der Religionsfreiheit rechtlich geprüft wird, ist der Sachverhalt zu ergänzen. Es gibt verschiedene Schleier, welche das Gesicht erkennen lassen, wie Hidschab, Al-Amira, Chimar, Tschador bis hin zu vollständig auch das Gesicht verdeckende Ganzkörperschleiern, die nur die Augen frei lassen (Nikab) oder auch hier noch ein Gitter vorsehen (Burka). Empirisch wird man vielleicht noch feststellen, wie viele Burka-Trägerinnen in den einzelnen Bundesländern in Deutschland leben und wie es um die öffentliche Meinung zu einem Burkaverbot steht. Was sagt der Koran zur Verschleierung? Eindeutig verpflichtet der Koran Frauen nicht dazu, eine Burka zu tragen, denn der Koran spricht nur von „chimâr"[64] und es ist umstritten, ob dies überhaupt Schleier bedeutet.[65] Auch in christlichen Klöstern tragen Mönche und Nonnen eine Ordenskleidung, die zum Teil die Haare verdeckt.
2. Zudem sind sekundäre Rechtsquellen und Rechtserkenntnisquellen einzubeziehen. Dabei wird man nach *Präjudizien*, früheren Entscheidungen zu ähnlichen Fällen (z.B. zu Kruzifix und Kopftuch in der Schule oder im Gericht),[66] suchen, um dann mit der Vergleichsfallmethode zu argumentieren. *Rechtsvergleichend* wird man feststellen, dass in Frankreich bereits seit 2010 eine Vollverschleierung durch die Burka in der Öffentlichkeit generell verboten ist und der *EGMR* über die Rechtmäßigkeit des Gesetzes zu befinden hatte (s. sogleich).

III. Die eigentliche Grundrechtsprüfung **30**
1. Erst jetzt kann man mit den rechtlichen Ausführungen beginnen, welche aus der oben genannten Prüfung der Grundrechte besteht: Die Trägerin könnte sich auf die Religionsfreiheit des Art. 4 Abs. 1 GG sowie daneben auf die Meinungsfreiheit gem. Art. 5 Abs. 1 GG und die Achtung des Privat- und Familienlebens gem. Artt. 2 Abs. 1 und 6 Abs. 1 GG berufen, die verletzt sein könnten, wenn es ihr verboten wird, die Burka zu tragen. Weil der Koran das Tragen der Burka nicht ausdrücklich fordert, könnte damit auch der Schutzbereich nicht berührt sein. Historisch und kulturell wird auch die Judenverfolgung im Dritten Reich in Deutschland das heutige Verständnis der Religionsfreiheit beeinflussen, sodass im Zweifel der Schutzbereich der Religionsfreiheit weit zu fassen ist. Ein Eingriff ist daher zu bejahen, wenn man die Religionsfreiheit weit definiert.

---

[64] Der dritte Vers 24:31 des Koran lautet: „Und sprich zu den gläubigen Frauen, dass sie ihre Blicke niederschlagen und ihre Scham (furûg) hüten und dass sie nicht ihre Reize (zinat) zur Schau tragen, es sei denn, was außen ist, und dass sie ihren ‚chimâr' über ihren Busen schlagen und ihre Reize nur ihren Ehegatten zeigen […]."

[65] So wird betont, dass in dem Vers weder die Kopfhaare explizit genannt werden und zudem die Frau selbst entscheiden darf, was erforderlich ist, s. zu dieser Diskussion etwa s. auch https://www.tagesschau.de/ausland/burka-interview-101.html.

[66] S. § 14 Fn. 57 f. und Fn. 80.

2. Eine *Rechtfertigung* für den Eingriff in eines dieser Grundrechte muss sich deshalb aufgrund der Verfassung, also aus Grundrechten Dritter sowie Gemeinschaftswerten von Verfassungsrang, ergeben. Hier kommen (a) die *Pflicht des Staates zur weltanschaulichen Neutralität*[67] und (b) das Recht auf *negative Glaubensfreiheit* in Betracht, also das Recht, nicht mit Kulten und Symbolen eines nicht geteilten Glaubens konfrontiert zu werden.[68] Darüber hinaus wird man nach weiteren Interpretationszielen fragen, welche die Religionsfreiheit einschränken können: (c) die *Sicherheit des Staates*, welche die Identitätsfeststellung ermöglichen muss. Nach Ansicht des EGMR kann die *Beeinträchtigung der öffentlichen Sicherheit* als Schranke nur dann herangezogen werden, wenn weitere Umstände hierfür vorgetragen werden.[69] Der EuGH hat ein Kopftuchverbot für Angestellte mit Kundenkontakt für gerechtfertigt gehalten, wenn gegenüber dem Kunden politische, philosophische oder religiöse Neutralität gewahrt werden sollte (d).[70] Schließlich könnte man ein Verbot der Gesichtsverschleierung als (e) sog. *Mindestanforderung für ein gedeihliches Zusammenleben* als Ausdruck des Demokratieprinzips oder der öffentlichen Ordnung formulieren. So hat der EGMR den „Respekt vor den Mindestanforderungen in einer Gesellschaft" als berechtigtes Ziel eines Verbots der Gesichtsverdeckung angesehen, weil man nur dann am sozialen Austausch teilnehmen könne, wenn man das Gesicht des Anderen sehe.[71]

In einem Sondervotum der Entscheidung des EGMR lehnten zwei Richter diese Begründung ab, weil das Recht auf Privatsphäre zwingend das Recht einschließe, in der Öffentlichkeit nicht kommunizieren zu müssen.[72] Auch sei für die Kommunikation nicht zwingend erforderlich, das Gesicht zu sehen, wie das Motorradfahren, das Skifahren oder die Kostümierung beim Karneval verdeutlichen.[73] Ein Hinweis auf die „Mindestanforderung für ein gedeihliches Zusammenleben" sei als Rechtfertigungsgrund eine im luftleeren Raum entwickelte abstrakte Formel, die viel zu konturenlos sei.[74] Maßgeblich können damit nicht irgendwelche subjektiven Anschauungen von bestimmten Personengruppen sein; vielmehr verpflichten die Grundrechte zu Toleranz der Mehrheit gegenüber der Anschauung der Minderheit[75] (§ 5 Rn. 103) und erlauben damit auch die Ausübung von Grundrechten, die im Einzelfall provozieren oder schockieren.[76] Damit muss man die Grundrechte auf ihren Gehalt hin zurückführen, ohne empirische Daten entscheiden zu lassen. Wenn man folgenorientierte Überlegungen heranziehen möchte, ließe sich darauf hinweisen, dass ein Verbot schwer durchzusetzen ist und zu einer Stigmatisierung mit entsprechender Solidarisie-

[67] Gem. Artt. 4 Abs. 1, 3 Abs. 3, 33 Abs. 3 GG sowie Art. 136 Abs. 1 und 4, 137 WRV i.V.m. Art. 140 GG.

[68] BVerfG, Beschl. v. 16.5.1995, 1 BvR 1087/91, BVerfGE 93, 1, 7 – Kruzifix.

[69] EGMR, Urt. v. 1.7.2014, 43835/11, CE:ECHR:2014:0701JUD00438 3111, Rn. 118 – S.A.S. v. France.

[70] EuGH, Urt. v. 14.3.2017, C-157/15, EU:C:2017:203, Rn. 35 ff. – G4S Secure Solutions.

[71] EGMR (ebd.), Rn. 121 f. – S.A.S. v. France: „*respect for the minimum requirements of life in society* [...] can be linked to the legitimate aim of the protection of the rights and freedoms of others. [...] The Court takes into account the respondent State's point *that the face plays an important role in social interaction*. It can understand the view that individuals who are present in places open to all may not wish to see practices or attitudes developing there which would fundamentally call into question the possibility of open interpersonal relationships, which, by virtue of an established consensus, forms an indispensable element of community life within the society in question."

[72] Sondervotum *Nußberger, Jäderblom*, in: EGMR (ebd.), Rn. 8 – S.A.S. v. France.

[73] Sondervotum *Nußberger, Jäderblom*, in: EGMR (ebd.), Rn. 9 – S.A.S. v. France. Zur Vergleichsfallmethode s. oben § 7 Rn. 44 ff.

[74] Kritisch daher auch *Grabenwerter/Struth*, EuGRZ 2015, 1, 3; *Edenharter*, JZ 2018, 971, 973.

[75] Konkrete Zahlen zur Anzahl der Burka-Trägerinnen in Deutschland sind weder vom Bundesinnenministerium, noch vom Statistischen Bundesamt erfasst. In der Presse wird die Anzahl häufig auf 300 Frauen geschätzt. Zur Entstehung dieser Schätzung s. auch *Löffelholz*, Die Zeit v. 15.9.2016, S. 8.

[76] Sondervotum *Nußberger, Jäderblom*, in: EGMR (ebd.), Rn. 7 – S.A.S. v. France: „But even assuming that such interpretations of the full-face veil are correct, it has to be stressed that there is no right not to be shocked or provoked by different models of cultural or religious identity, even those that are very distant from the traditional French and European life-style." Ebenso für die Meinungsfreiheit auch BVerfG, Urt. v. 12.12.2000, 1 BvR 1762/95 u.a., BVerfGE 102, 347, 363 f. – Schockwerbung I.

rung führen könnte.[77] Folgt man dieser Ansicht, wäre ein Burkaverbot nur an Orten zulässig, an denen Kommunikation zwingend erforderlich ist, wie vor Gericht, in der Schule oder der Universität, wenn hier eine nachweisbare Identität und offene Kommunikation erforderlich sind.[78]

3. Schließlich müsste die Einschränkung *verhältnismäßig* sein. Das Tragen der Burka unterscheidet sich von einem Kopftuch, weil die Identität des Trägers nicht sichtbar ist. Der EGMR hat auch die Verhältnismäßigkeit bejaht, weil das Tragen der Burka nur mit einer Geldstrafe in Höhe von 150 EUR bestraft wird.[79] Auch hier ist das Sondervotum anderer Ansicht, weil das Verbot ungeeignet wäre, die Frauen zu befreien und eine Strafe unverhältnismäßig wäre. Die Verhältnismäßigkeit im engeren Sinne wäre wohl bei einer hinreichend konkreten Gefährdung[80] oder einer hinreichend abstrakten Gefährdungslage zu bejahen,[81] wie an Bahnhöfen oder Flughäfen oder bei Gerichten und in der Schule, wo die Kommunikation dies erfordert.[82]

c) Maßstabbildung in den Entscheidungen des BVerfG

Bevor der Fall subsumiert werden kann, muss die Norm zunächst konkretisiert wer- **31**
den. Vereinzelt finden sich Entscheidungen des BVerfG, die vor der eigentlichen Subsumtion einen Normbereich entwickeln und sodann Maßstäbe definieren. In diesen Fällen unterscheidet das BVerfG in der rechtlichen Würdigung zwischen der Zulässigkeit (B.) und Begründetheit der Klage (C.), und weiter zwischen einem *Maßstäbeteil* (oft C.I.) und einem *Subsumtionsteil* (C.II.). Der Maßstäbeteil[83] behandelt die Ermittlung des materiellen Inhalts der Verfassungsnorm in abstrakter Weise und enthält noch keinen konkreten Fallbezug.[84] Lehrbuchartig wird die Rechtsdogmatik der einzelnen Grundrechtsnorm anhand der bisherigen Rechtsprechung aufbereitet.[85] Zum Normprogramm gehören damit weitere Rechtsnormen sowie bisherige Rechtsfiguren, welche die Rechtsdogmatik entwickelte, wie beispielsweise Rechtsprinzipien (§ 9 Rn. 15 ff.) oder Leitbilder (§ 10 Rn. 17 f.). Daneben sind sekundäre Rechtsquellen und Rechtserkenntnisquellen einzubeziehen, wie bisherige Entscheidungen deutscher Gerichte, ausländische Entscheidungen und die Stimmen der Rechtsliteratur. Die Rechtsprechung leistet mit dieser *Maßstabbildung* damit den erforderlichen rechtsdogmatischen und methodischen Begründungsaufwand, der oben mit den methodischen begriffen der Konkretisierung und Konstruktion verbunden wurde (§ 9 Rn. 7a ff.). Eine solche Maßstabbildung schützt auch vor Willkür.[86]

---

[77] *Steinberg*, FAZ v. 18.9.2016, S. 10 weist darauf hin, dass sich die Zahl der Burkaträgerinnen durch das Burkaverbot in Frankreich erhöhte.

[78] *Steinberg*, FAZ v. 18.9.2016, S. 10.

[79] EGMR (ebd.), Rn. 152 – S.A.S. v. France.

[80] BVerfG, Beschl. v. 27.1.2015, 1 BvR 471/10 u.a., BVerfGE 138, 296 – Kopftuch II; EGMR (ebd.), Rn. 116 – S.A.S. v. France; **a.A.** Sondervotum *Schluckebier* und *Hermanns*, in: BVerfG (ebd.), BVerfGE 138, 296, 359 – Kopftuch II: abstrakte Gefahr ausreichend. BVerfG, Beschl. v. 14.1.2020, 2 BvR 1333/17, BVerfGE 153, 1 Rn. 87 ff. und 91 ff. – Kopftuchverbot für Rechtsreferendare: Pflichten zur weltanschaulichen Neutralität und Funktionsfähigkeit des Staates als Rechtfertigungsgründe.

[81] EGMR (ebd.), Rn. 139 – S.A.S. v. France.

[82] Das Bundesland Schleswig-Holstein plant ein Verschleierungsverbot an Schulen. Auch in muslimischen Staaten wie etwa Malaysia geht die schulische Erziehung vor, so dass in Schulen kein Schleier getragen werden darf, s. hierzu *Lindsey/Steiner*, Islam, Law and the State in Southeast Asia, Vol. II: Singapore, 2012, S. 251 ff.

[83] Die Begriffe variieren: Es wird ohne inhaltliche Unterschiede von Maßstabteil, Maßstabsteil und Maßstäbeteil gesprochen.

[84] S. etwa BVerfG, Urt v. 15.2.2006, 1 BvR 357/05, BVerfGE 115, 118, 139 f. – Luftsicherheitsgesetz I; BVerfG, Beschl. v. 7.11.2006, 1 BvL 10/02, BVerfGE 117, 1, 30 ff. – Erbschaftsteuer I; *Lepsius,* in: Scholz u.a., Realitätsprägung durch Verfassungsrecht, 2008, S. 103, 111 f.

[85] *Jaestadt*, in: Jaestadt/Lepsius/Ch. Möllers/Schönberger, Das entgrenzte Gericht, 2011, S. 77, 110 ff., 135 ff.

[86] *Lübbe-Wolff*, in: Schürmann/von Plato, Rechtsästhetik in rechtsphilosophischer Absicht, 2020, S. 17, 39.

32 Das BVerfG stellt in einem ersten Schritt fest, dass das Normprogramm nicht abschließend ist, um in einem zweiten Schritt dann die Realität zu umschreiben, die es zu schützen gilt. Das wird dadurch erreicht, dass *Normprogramm* und *Normbereich* zusammengesetzt werden. So war das Tatbestandsmerkmal „Rundfunk" gem. Art. 5 Abs. 1 S. 2 GG zu präzisieren. Das BVerfG betonte die Notwendigkeit, das Verständnis des Rundfunkbegriffs zu verändern, weil die Umwelt einem raschen technologischen Wandel unterworfen ist. Es formulierte:

33 „Der in Art. 5 Abs. 1 Satz 2 GG verwendete Begriff ‚Rundfunk' läßt sich nicht in einer ein für allemal gültigen Definition erfassen. Inhalt und Tragweite verfassungsrechtlicher Begriffe und Bestimmungen hängen (auch) von ihrem **Normbereich** ab; ihre Bedeutung kann sich bei Veränderungen in diesem Bereich *wandeln* (vgl. BVerfGE 73, 118 [154]). Das gilt auch für den Rundfunkbegriff. Soll die Rundfunkfreiheit in einer sich wandelnden Zukunft ihre normierende Wirkung bewahren, dann kann es nicht angehen, nur an eine ältere Technik anzuknüpfen, den Schutz des Grundrechts auf diejenigen Sachverhalte zu beschränken, auf welche diese Technik bezogen ist, und auf diese Weise die Gewährleistung in Bereichen obsolet zu machen, in denen sie ihre Funktion auch angesichts der neuen technischen Möglichkeiten durchaus erfüllen könnte."[87]

d) Stellungnahme

34 aa) Der Kritik gegenüber Fikentscher, F. Müller und dem BVerfG ist dahingehend Recht zu geben, dass empirische Daten außerhalb der Norm keine Rechtsqualität begründen können. Vielmehr gilt es weiterhin zwischen bindender Rechtsnorm und anderen empirischen, präjudiziellen, dogmatischen und anderen Argumenten zu unterscheiden.[88] Die Sozialwissenschaften ähneln der ökonomischen Analyse des Rechts. Sie können eine Rechtslösung verstärken, aber das Recht nicht ersetzen. **Empirische Daten und Sozialwissenschaften** können die Lebenswirklichkeit vielleicht gut erklären und Wertungsprobleme aufdecken, **nicht aber eine Lösung von Rechtsfragen** bieten.[89] Klar ist zwischen primären und sekundären Rechtsquellen sowie Rechtserkenntnisquellen zu trennen (ausführlich oben § 3). Ansonsten gerät man schnell in den Bereich unzulässiger Rechtspolitik (§ 13 Rn. 97 f.).

35 *Brown v. Board of Education:* In Brown v. Board of Education entschied der Supreme Court 1954, ob die Rassentrennung in staatlichen Schulen einen Verstoß gegen den Gleichheitssatz des 14. Zusatzartikels der US-Verfassung darstellte. Bei der Beurteilung stellte der Supreme Court darauf ab, ob durch die Rassentrennung schwarze Schüler faktisch diskriminiert wurden. Entscheidend für eine solche Feststellung war, dass speziell die Rassentrennung in Schulen erwiesenermaßen zu geringeren Berufschancen und psychischen Beeinträchtigungen der Kinder führte, da diese sich minderwertig fühlten. Mit diesem *sozialwissenschaftlichen Ansatz* begründete der Supreme Court nun die Unzulässigkeit der Rassentrennung in Schulen.[90] Daran wurde kritisiert, dass der Supreme Court unmittelbar mit der Verfassung hätte argumentieren müssen. Dies war möglich, da der gesetzgeberische Wille unmittelbar nach Verabschiedung des 14. Zusatzartikels implizierte, dass die Rassen-

---

[87] BVerfG, Beschl. v. 24.3.1987, 1 BvR 147, 478/86, BVerfGE 74, 297, 350 f. – 5. Rundfunkentscheidung; *Vesting*, Rechtstheorie, 2. Aufl. 2015, Rn. 222; *F. Müller/Christensen*, Juristische Methodik, Bd. 1, 11. Aufl. 2013, Rn. 237; s. auch BVerfG, Urt. v. 27.2.2008, 1 BvR 370/07 u.a., BVerfGE 120, 274, 306 – Online-Durchsuchung.

[88] *Alexy*, Theorie der Grundrechte, 1986, S. 68.

[89] *Lepsius*, JZ 2005, 1, 12; ebenso *Hofmann*, JZ 2009, 1, 10.

[90] *Brown v. Board of Education*, 347 U.S. 483, 493 ff. (1954) – Gleichberechtigung der Rassen, s. dazu oben § 7 Rn. 65.

trennung in öffentlichen Schulen einen Verfassungsverstoß darstellt.[91] Dieses historische Argument hätte anstatt der empirischen Daten herangezogen werden sollen.[92] M.E. lassen sich beide Argumente unschwer verbinden.

Mit anderen Worten: **aus dem Gesetz selbst müssen sich Anhaltspunkte** ergeben, dass der Rechtsanwender **unmittelbar auf die Sozialwissenschaften zurückgreifen** darf, ansonsten kann der Bezug zur Realität oder Akzeptanz nur verstärkend wirken. Im Einzelnen ist deshalb genau zu begründen, wann außerrechtliche Quellen zu einer Rechtslösung herangezogen werden dürfen. Das ist rechtlich ohne Weiteres zulässig, wenn das Gesetz unmittelbar die Auswertung von Fakten erzwingt, z.B. bei der Frage, wann im Asylverfahren ein „sichere[s] Herkunftsland" vorliegt und wann insoweit eine Abschiebung rechtlich zulässig ist.[93] Rechtsfragen müssen vor der Wirklichkeit bestehen. Der Sachverhalt verlangt eine kulturwissenschaftliche Analyse des Rechts.[94] 36

Anerkannt ist allerdings, dass Normen in vielen Fällen offen sind und damit auch ohne klare Vorgaben Antworten auf die gesellschaftlichen Fragen geben müssen.[95] Ohne den Anspruch auf Rechtsverbindlichkeit beschreiben die Fallnormtheorie von Fikentscher und die Normbereichslehre von F. Müller aber anschaulich die tatsächliche Herangehensweise des Rechtsanwenders. Sie gehen über das Hin- und Herwandern des Blickes von Engisch hinaus, weil sie nicht nur die Norm als solche, sondern auch **andere zur Problemlösung geeignete Normen und den darauf bezogenen Sachverhalt im Blick haben**.[96] Der Jurist ist insoweit auch *„Rechtserzeuger"*.[97] 37

Oben wurde die strikte Trennung (Dichotomie) von Sein und Sollen aufgezeigt (§ 3 Rn. 20). Diese wird hier zum Teil durchbrochen.[98] Zudem wird, ohne zwingende Bindungswirkung, rechtlich Relevantes wahrgenommen und zur Konkretisierung herangezogen. Die Lebenswirklichkeit wird nicht ausgeblendet, aber auch nicht zur verbindlichen Rechtsnorm erklärt, denn Ausgangspunkt ist immer noch die Norm, die es zu konkretisieren gilt (s. sogleich). 38

bb) Auch für das Zivilrecht wird gefordert, die Normbereichslehre von *F. Müller* nutzbar zu machen.[99] 39

So lässt sich mit der Normbereichslehre der Fleet-Fall des BGH lösen. In diesem Fall ging es um die Frage, ob ein Schifffahrtsunternehmen Schadensersatz wegen Eigentumsverletzung verlangen kann, wenn sein Schiff in einem Fleet[100] durch eine herabstürzende Böschung eingeschlossen wird.[101] Der Jurist hat sich hier den Normbereich zu erarbeiten: Er

---

[91] *McConnel*, 81 Va. L. Rev. 947, 1092 ff. (1995); *Yudof*, 42 L. & Contemp. Probs. 57, 70 (1978); *Bickel*, 69 Harv. L. Rev. 1, 64 f. (1955); *Lepsius*, JZ 2005, 1, 9.

[92] *McConnel*, 81 Va. L. Rev. 947, 1093 (1995); *Yudof*, 42 L. & Contemp. Probs. 57, 70 (1978).

[93] S. etwa BVerfG, Urt. v. 14.5.1996, 2 BvR 1507/93, BVerfGE 94, 115 – Sichere Herkunftsstaaten.

[94] Zur Relevanz der Sozialwissenschaften für das Rechts s. etwa *Lepsius*, JZ 2005, 1 ff.; s. auch ausführlich *Krüper*, in: ders., Grundlagen des Rechts, 4. Aufl. 2021, § 15.

[95] *Volkmann*, VVDStRL 67 (2008), 57, 82 ff., 88 spricht insoweit von einer „Beweglichkeit" und dem „Suchbild Verfassung".

[96] *Hoffmann-Riem*, in: Schmidt-Aßmann/ders., Methoden der Verwaltungsrechtswissenschaft, 2004, S. 11, 34.

[97] *F. Müller/Christensen*, Juristische Methodik, Bd. I, 11. Aufl. 2013, Rn. 232; ähnlich *Fikentscher*, Methoden des Rechts, Bd. IV, 1977, S. 313: „Rechtsneubildung".

[98] *F. Müller/Christensen*, Juristische Methodik, Bd. I, 11. Aufl. 2013, Rn. 84; *Grimm*, in Hassemer/Hoffmann-Riem/Christensen, Grundrechte und soziale Wirklichkeit, 1982, S. 39, 43 f.: „nur festgestellt, daß sich ein Sollen nur angesichts eines Seins formulieren läßt und insoweit Seinselemente in sich aufnehmen muß"; *G. Kirchhof*, Grundrechte und Wirklichkeit, 2007, S. 10; diese Durchbrechung ablehnend aber *Röhl/Röhl*, Allgemeine Rechtslehre, 3. Aufl. 2008, S. 608 f.

[99] *Laudenklos/Rohls/Wolf*, in: Rückert/Seinecke, Methodik des Zivilrechts – von Savigny bis Teubner, 3. Aufl. 2017, S. 609, 617.

[100] Ein Fleet ist ein natürlicher Wasserlauf in Norddeutschland.

[101] So das Beispiel bei *Laudenklos*, in: Rückert/Seinecke (ebd.), S. 424, 432 ff.

prüft nicht nur die Sachverletzung als Eigentumsverletzung des § 823 Abs. 1 BGB, sondern erweitert die Fragestellung, indem er § 903 BGB einbezieht. Das Eigentum des § 903 BGB könnte verletzt sein, wenn die Gebrauchsfähigkeit des Schiffs eingeschränkt ist. Hier ist entscheidend, dass es sich nicht nur um einen Ausflugsdampfer, sondern ein *Transportschiff* handelt. Damit wählt man aus den „Realdaten“ die Fakten, die im Entscheidungsfall relevant sind. Der Normbereich enthält mithin die Realdaten, die das Normprogramm verbindlich regeln. Die Rechtsnormen werden damit dynamisch konkretisiert.[102] Danach erfolgt die Subsumtion der Rechtsnorm zur Entscheidungsnorm.

III. Richterliche Dezision und Juristische Kreativität

1. Richterliche Dezision

a) Dezisionismus und die Paradoxie des Entscheidens

40 Schon Nipperdey und Larenz betonten, dass nach Ausschöpfung aller Auslegungsmöglichkeiten Zweifel über die gesetzgeberische Wertung offenbleiben,[103] die nur durch *schöpferische* Betätigung des Richters behoben werden können. Recht ist deshalb zu einem großen Teil auch rechtsschöpferisch. Ein Urteil beruhe auf *richterlicher Dezision*, wenn keine die Entscheidung materiell determinierenden normativen Bewertungen existieren.[104] Und nach Grüneberg sei in diesen Fällen der Entscheidungsprozess nicht mehr Wissenschaft, sondern nur was recht und billig ist, „ars aequi et boni“.[105]

41 *Carl Schmitt* hatte 1931 den Begriff des **Dezisionismus**[106] entwickelt: In jeder gerichtlichen Entscheidung liegt ein „Element reiner Entscheidung, das nicht aus dem Inhalt der Norm abgeleitet werden kann. […] Der Sinn [einer Entscheidung] ist nicht überwältigende Argumentation, sondern eben Entscheidung durch autoritäre Beseitigung des Zweifels.“[107] Wäre die Entscheidung durch Interpretation begründbar, die überzeugendere Antwort die einzig richtige, wäre der Richter nur Subsumtionsapparat.[108] Dem sei aber nicht so, denn nur die Fragen, die nicht ohne Weiteres zu entscheiden sind, können von uns entschieden werden.[109] Damit entscheidet der Richter aus dem Nichts.[110] Das sind die Fälle, in denen das Grundgesetz schweigt und der Richter Recht schöpferisch entwickelt.[111] Zudem sei der Abwägungsprozess mit seiner Berufung auf Werte eine Verhüllungsformel für richterlichen Dezionismus.[112] Daraus wurde eine *Paradoxie des Entscheidens* formuliert: Jede Entscheidung sei dezisionistisch, nämlich einzig vom Gericht

---

[102] *F. Müller*, Normstruktur und Normativität, 1966, S. 168 ff.; rezipierend *Christensen*, in: F. Müller, Untersuchungen zur Rechtslinguistik, 1989, S. 47, 87.

[103] Enneccerus/*Nipperdey*, Allgemeiner Teil des Bürgerlichen Rechts, 15. Aufl. 1959, S. 337; *Larenz*, Methodenlehre der Rechtswissenschaft, 1960, S. 6: „ein gewisser Spielraum des ‚Urteilsermessens‘ offen bleibt, innerhalb dessen dann nur sein persönliches Werteempfinden den Ausschlag geben kann.“

[104] *Säcker*, in: MünchKomm-BGB, 8. Aufl. 2018, Einl. BGB Rn. 106.

[105] Palandt/*Grüneberg*, BGB, 80. Aufl. 2021, Einl. Rn. 46: „Der hier fragl EntschProz ist aber in Wahrh nicht mehr Wissensch, sond *ars aequi et boni*“. Zu dem lateinischen Zitat von *Celsus* s. oben § 1 Rn. 105.

[106] Lat. *decidere*: wörtlich übersetzt abschneiden, sinngemäß übersetzt Entscheidung.

[107] *Schmitt*, Der Hüter der Verfassung, 1931, S. 45 f.; zustimmend etwa *Fischer-Lescano/Christensen*, Der Staat 44 (2005), 213 ff.

[108] *Vesting*, Rechtstheorie, 2. Aufl. 2015, Rn. 226.

[109] „Only those questions that are in principle undecidable, we can decide“, s. *von Foerster*, 1 Cybernetics & Human Knowing 9, 14 (1992).

[110] *Creatio ex nihilo* – eine Schöpfung aus dem Nichts, s. *Fischer-Lescano/Christensen*, Der Staat 44 (2005), 213, 222 ff.

[111] Die Fälle sind zahllos, etwa der Burka-Fall (§ 14 Rn. 27 ff.) und die Frage nach dem Existenzminium (§ 13 Rn. 103 ff.). S. auch § 13 Rn. 88 ff.

[112] *Böckenförde*, Staat, Verfassung, Demokratie, 1991, S. 115, 133. S. auch die Autoren in § 10 Fn. 20.

abhängig, und darf es doch nicht sein, weil eine freie, nicht dem Gesetz unterworfene Entscheidung verfassungswidrig wäre.[113]

b) Process of discovery and process of justification

Der Mathematiker und Philosoph *Reichenbach* hat das Denken beschrieben und die Unterscheidung zwischem dem Vorgang der **Entdeckung** (context of discovery) und der nachträglichen **Rechtfertigung** (context of justification) eingeführt.[114] Schon Radbruch warf den Juristen vor, dass sie im Zweifel mit der Methodenlehre ein gefundes Ergebnis nur nachträglich begründen.[115] Juristen haben die Unterscheidung vom process of discovery und process of justification für die juristische Entscheidung übernommen.[116] Gesteht man ein, dass der Gesetzgeber im Normtext nicht alle denkbaren Fallgestaltungen aufnehmen kann, so sei, wie Vesting anschaulich formuliert, die Rolle des Richters als „Initiator von Systemverbesserungen und Motor laufender Rechtsaktualisierung" zu akzeptieren.[117] Entscheidungen der Gerichte seien daher oft der Rechtspolitik zuzuordnen.[118] 42

Tatsächlich sind große Bereiche der Rechtsfortbildung kreativ, zum Teil innovativ (2.). Dafür gibt es methodische Herangehensweisen wie die Lehre von der Topik und die Typen-Lehre (3.). Von vielen wird hauptsächlich der Vorgang der Rechtfertigung der Entscheidung, und weniger die Herleitung juristischer Entscheidungen in den Vordergrund gestellt.[119] Damit hat das Entdecken Berührungspunkte zur Lehre vom Vorverständnis (§ 1 Rn. 70 ff.). Auch die Herleitung muss im Recht verwurzelt sein. Damit lässt sich der Ansatz richterlicher Dezision, also die Berechtigung freier, vom Gesetz unabhängiger Entscheidungen zu einem großen Teil widerlegen. Dazu dienen die folgenden Ausführungen. 43

2. Juristische Kreativität durch juristische Innovationen

a) Grenzen der systematisch-deduktiven Entscheidungsbegründung und der Abwägung

Im Rahmen der Konkretisierung, aber auch bei den Grenzen der Rechtsfortbildung, wurde gezeigt, dass oft das Gesetz nicht oder nur bedingt weiterhilft, um einen konkreten Fall zu lösen. Die Methode der **systematisch-deduktiven** Entscheidungsbegründung versagt (§ 4 Rn. 2 ff., 30 ff.). Der Begriff der Rechtsfindung oder der Rechtserkenntnis, so lautet der Einwand, sei unzutreffend, denn das würde voraussetzen, dass etwas da wäre, was man „finden" oder „erkennen" kann.[120] Der Richter hätte aber einen hohen Anteil an 44

---

[113] *Ladeur/Augsberg*, Rechtstheorie 36 (2005), 143, 157. Im Ergebnis wohne somit jeder Entscheidung ein mysteriöses, göttliches (?) Element inne, s. *Luhmann*, VerwArch 84 (1993), 287, 288; ähnlich vorher schon *Benjamin*, Archiv für Sozialwissenschaft und Sozialpolitik 47 (1921), 809, 832.

[114] *Reichenbach*, Experience and Prediction, 1938, S. 6 f.

[115] *Radbruch*, Einführung in die Rechtswissenschaft, 4. Aufl. 1919, S. 105 „die sogenannten Auslegungsmittel dienen in Wahrheit nur dazu, nachträglich aus dem Text zu begründen, was in schöpferischer Ergänzung des Textes bereits gefunden war."

[116] *Wasserstrom*, The Judicial Decision, 1961, S. 26 ff.; *Hoffmann-Riem*, in: Schmidt-Aßmann/ders., Methoden der Verwaltungsrechtswissenschaft, 2004, S. 9, 20 ff.; *Hassemer*, in: G. Kirchhof/Magen/Schneider, Was weiß Dogmatik?, 2012, S. 3, 6; *Bumke*, Der Grundrechtsvorbehalt, 1998, S. 26; *Reimer*, Juristische Methodenlehre, 2. Aufl. 2020, Rn. 12. Vorher hatte schon *Isay* die Entscheidung mit seinem Rechtsgefühl begründet (§ 1 Fn. 161).

[117] *Vesting*, Rechtstheorie, 2. Aufl. 2015, Rn. 223; vorher schon *Esser*, Vorverständnis und Methodenwahl, 1970, S. 177.

[118] *Säcker*, in: MünchKomm-BGB, 8. Aufl. 2018, Einl. BGB Rn. 104.

[119] Ausführlich *Braun*, Deduktion und Invention, 2016, S. 114 ff. Für die Entscheidungsfindung des BVerfG *Schulze-Fielitz*, in: FS Wahl, 2011, S. 405, 413.

[120] Zu dieser Diskussion („Suchet, so werdet ihr finden") bei der Frage der Lücke, s. schon oben § 6 Rn. 107 ff.

Rechtserzeugung und Rechtsschöpfung.[121] Im Verfassungsrecht sind Gesetzeslücken nicht die Ausnahme, sondern die Regel,[122] der Lückenbegriff ist folglich unzulänglich (§ 6 Rn. 107 ff.). Konkretisierung und Konstruktion sind die Regel. Deshalb sind zahlreiche Zwischenschritte erforderlich, um zu begründen, ob beispielsweise ein Ehevertrag gegen Art. 2 Abs. 1 GG verstößt, Nebeneinkünfte von Bundestagsabgeordneten offenzulegen oder Wahlcomputer zulässig sind (§ 10 Rn. 4) und wie hoch das menschenwürdige Existenzminimum zu sein hat (§ 13 Rn. 103 ff.). Auch wenn das Telos einer Norm mehrdeutig ist (§ 6 Rn. 170 f.), gelingt eine Deduktion mit den klassischen Auslegungsregeln nicht.

45 Aber auch das für die Konkretisierung nutzbar gemachte **Abwägungsmodell** wurde stark kritisiert. Es sei schon deshalb zum Scheitern verurteilt, weil einzelne Güter, Werte, Prinzipien und Rechte nicht auf einer einheitlichen Skala messbar und vergleichbar seien, etwa wenn das allgemeine Persönlichkeitsrecht mit der Meinungs- und Pressefreiheit abzuwägen ist. Man spricht von *Inkommensurablen.* Die Gewichtung verschiedener Prinzipien wäre deshalb ein Akt notwendiger Willkür (§ 10 Rn. 6).

b) Innovationen und juristische Entdeckungen

46 Dürfen Juristen kreativ sein?[123] Dem Literaten mag eine unerwartete, überraschende Lesart Lob und Anerkennung bringen; ein überraschendes Ergebnis wäre für den Juristen ambivalent.[124] Der Jurist, vor allem der Richter, versteckt lieber seine Kreativität, obwohl sie doch zum Alltag des BVerfG und EuGH gehört. Der rechtsschöpferische Akt lässt sich unschwer nachweisen, wenn man schon das Überschreiten des Wortlauts, die Konkretisierung mit neuen rechtsdogmatischen Zwischenschichten oder die Rechtsprechungsänderung zur Rechtsfortbildung zählt.[125] Das BVerfG nimmt für sich in Anspruch durch rechtsschöpferische „Konkretisierung" die einzelnen „offenen" Verfassungsnormen und die Verfassung insgesamt als „*living constitution*" dynamisch fortzuentwickeln (§ 6 Rn. 72, § 10 Rn. 4, § 13 Rn. 99). Eindrucksvoll war das Lüth-Urteil, in welchem das BVerfG die Grundrechte als Abwehrrechte als Teil einer objektiven Wertordnung sah, die der gesamten Rechtsordnung Maß und Richtung geben. Daraus folgen die Ausstrahlungswirkung mit der Drittwirkung und der Schutzpflichtcharakter der Grundrechte (§ 11 Rn. 5 ff., 13 ff.). Auch *Zwischenschichten* und die Schritte zur Konkretisierung im Rahmen der Abwägung (§ 10 Rn. 17 f.) oder die Kontrolle der europäischen Integration durch das BVerfG (§ 13 Rn. 112 ff.) sind Grundrechtsinnovationen.[126]

47 Das BVerfG ist auch ein politisches Gericht und hat über gesellschaftsrelevante Entwicklungen zu entscheiden (§ 13 Rn. 97 ff.). Man spricht von Grundrechtsinnovationen, wenn das BVerfG durch Rechtsfortbildung *neue Grundrechte* erfindet,[127] wie den „Anspruch auf Gewährleistung eines menschenwürdigen Existenzminimums"[128], „das Recht auf informationelle Selbstbestimmung"[129] oder „das Recht auf Gewährleistung der Ver-

---

[121] *Böckenförde*, Staat, Verfassung, Demokratie, 1991, S. 159, 186; *Gärditz*, Der Staat 47 (2008), 381, 392; *Albers*, VVDStRL 71 (2012), 257, 262; bereits *Kelsen*, Reine Rechtslehre, 2. Aufl. 1960, S. 244.

[122] *Kriele*, ZRP 2008, 51, 53.

[123] Zur Diskussion s. etwa *Vultejus*, ZRP 1999, 509 ff.; *Schwöbbermeyer*, ZRP 2001, 571 ff.; *Börsch*, ZRP 2002, 276; *Abel*, ZRP 2002, 419 ff.

[124] *Morlok*, in: Gabriel/Gröscher, Subsumtion, 2012, S. 207.

[125] Zum Begriff der Rechtsfortbildung s. § 13 Rn. 13 ff.

[126] Zu den beiden Recht auf Vergessen-Entscheidungen des BVerfG, s. *Karpenstein/Kottmann*, EuZW 2020, 185, 188: fundamentale Neuausrichtung; *Wendel*, JZ 2020, 157: neue Ära.

[127] *Hornung*, Grundrechtsinnovationen, 2015, S. 253 ff.; *Volkmann*, JZ 2018, 265, 269. Zum Erfinden s. bereits *Voßkuhle*, JZ 2009, 917, 920.

[128] BVerfG, Urt. v. 9.2.2010, 1 BvL 1/09 u.a., BVerfGE 125, 175, 224 – Hartz IV (§ 13 Rn. 103 ff.); *Volkmann*, JZ 2018, 265, 269.

[129] BVerfG, Urt. v. 15.12.1983, 1 BvR 209/83 u.a., BVerfGE 65, 1, 41 ff. – Volkszählung. Vorher *Podlech*, in: Perels, Grundrechte als Fundament der Demokratie, 1979, S. 50 ff., 55.

traulichkeit und Integrität informationstechnischer Systeme"[130]. Tatsächlich handelt es wohl um Neuschöpfungen und damit um Konstruktion, wenn man aus Art. 2 Abs. 1 GG nicht nur die freie Entfaltung der Persönlichkeit als geschriebenes Grundrecht, sondern auch einen umfassenden Schutz des allgemeinen Persönlichkeitsrechts[131] als unbenanntes[132] Grundrecht entwickelt. Das GG enthält heute viel mehr Grundrechte als sich aus seinem Text ablesen lassen[133].

Ebenso bedeutsam wie die Lösung eines neuen Falls ist die Entwicklung von *Rechtsprinzipien* und *Rechtsinstituten*. Im Zivilrecht denkt man an die positive Vertragsverletzung von Staub,[134] die culpa in contrahendo von Jhering (§ 6 Rn. 151),[135] die Störung der Geschäftsgrundlage von Oertmann[136] oder die Anerkennung des Persönlichkeitsrechts.[137] Sie alle sind *juristische Entdeckungen*.[138] Zudem wurden Kontrahierungszwang, Preiskontrolle und Störung der Geschäftsgrundlage als innovative Rechtsinstitute vorgestellt (§ 9 Rn. 51 ff.). Konsequent formuliert auch das BVerfG: Die „Befugnis zu ‚*schöpferischer Rechtsfindung*' ist dem Richter – jedenfalls unter der Geltung des Grundgesetzes – im Grundsatz nie bestritten worden".[139] Schon vor 100 Jahren formulierte der US-amerikanische Richter *Cardozo*: „I have grown to see that the [legal] process in its highest reaches is not discovery, but creation […]."[140] Es bleibt festzuhalten, dass juristische Innovationen ein Faktum sind, das man nicht totschweigen oder mit Leerformeln verheimlichen sollte. 48

3. Die Lehre von der Topik und Juristische Kreativität

Das Denken jenseits der Deduktion und jenseits des Systems hat durchaus Tradition und ist deshalb nicht ungewöhnlich. Juristische Kreativität lässt sich auch mit der Lehre von der Topik und der Typenlehre schulen. 49

a) Die Lehre von der Topik als Ausgangspunkt der Problemlösung

aa) Topik ist ein Verfahren zur „**Beschaffung sinnvoller Hypothesen**".[141] Topoi[142] sind – als Unterpunkte der Topik – **rhetorische Ausgangspunkte** des Argumentierens.[143] Es sind Geistesblitze, die der Jurist in einem Brainstorming sammelt, bevor er sie dann in 50

[130] BVerfG, Urt. v. 27.2.2008, 1 BvR 370/07, 595/07, BVerfGE 120, 274, 313 f. – Online-Durchsuchung.

[131] Erstmals BGH, Urt. v. 25.5.1954. I ZR 211/53, BGHZ 13, 334, 337 – Schachtbrief; BGH, Urt. v. 8.10.1964, VI ZR 201/63, NJW 1965, 685 – Soraya; dem BGH folgend BVerfG, Beschl. v. 16.7.1969, 1 BvL 19/63, BVerfGE 27, 1, 6 f. – Mikrozensus. Zur Sphärentheorie s. oben § 10 Rn. 19.

[132] BVerfG, Beschl. v. 3.6.1980, 1 BvR 185/77, BVerfGE 54, 148, 153 – Eppler: „Dieses ergänzt als ‚unbenanntes' Freiheitsrecht die speziellen (‚benannten') Freiheitsrechte, die, wie etwa die Gewissens- oder die Meinungsfreiheit, ebenfalls konstituierende Elemente der Persönlichkeit schützen."

[133] *Volkmann*, JZ 2018, 265, 269.

[134] *Staub*, Die positiven Vertragsverletzungen und ihre Rechtsfolgen, in: FS 26. DJT 1902, S. 29 ff. (§ 6 Rn. 151).

[135] *von Jhering*, Culpa in contrahendo, in: Jb. f. Dogmatik 4 (1861), 1 ff.

[136] *Oertmann*, Die Geschäftsgrundlage, 1921; vorher schon *ders.*, AcP 117 (1919), 275 ff. (§ 9 Rn. 37).

[137] Der BGH (Urt. v. 25.5.1954, I ZR 211/53, BGHZ 13, 334, 338 – Schachtbrief) bezieht sich auf Enneccerus/*Nipperdey*, Allgemeiner Teil des Bürgerlichen Rechts, 14. Aufl. 1952, § 78 I 2; Enneccerus/*Lehmann*, Recht der Schuldverhältnisse, 14. Aufl. 1954, § 233.2.c); *Coing*, SJZ 1947, 641, 642 (§ 11 Rn. 73, 76 f.).

[138] Hierzu ausführlich *Dölle*, 42. DJT, 1957, B1 ff.; für die culpa in contrahendo etwa *Wieacker*, ZRG RA 86 (1969), 1, 19 f.; *Fikentscher*, Methoden des Rechts, Bd. III, 1976, S. 170: Neuentdeckung.

[139] BVerfG, Beschl. v. 14.2.1973, 1 BvR 112/65, BVerfGE 34, 269, 287 – Soraya (§ 1 Rn. 51).

[140] *Cardozo*, The Nature of the Judicial Process, 1921, S. 166 f. und das Zitat geht weiter: „and that the doubts and misgivings, the hopes and fears, are part of the travail of mind, the pangs of death and the pangs of birth, in which principles that have served their day expire, and new principle are born."

[141] *Kriele*, Theorie der Rechtsgewinnung, 1967, S. 148.

[142] Topik (griech. τόπος, tópos = Ort) bedeutet wörtlich „Ortskunde".

[143] So bereits *Viehweg*, Topik und Jurisprudenz, 5. Aufl. 1974, S. 111: zeitgenössische rhetorische Argumentationstheorie; *Esser*, Grundsatz und Norm, 1956, S. 44 ff.

seine Argumentation einbaut. Recht findet oft im Diskurs statt, beispielsweise in der mündlichen Verhandlung bei Gericht, der Auseinandersetzung von Pro und Contra.[144] Topoi-Kataloge dienen damit in einem ersten Schritt dazu, **entscheidungserhebliche Argumente** zusammenzutragen.[145]

51 Die Topik stellt daher zunächst einmal das Gegenteil zur systematischen Denkweise dar, bei der versucht wird, mittels eines deduktiven Systems Begriffe und Sätze in einen einheitlichen Definitions- und Begründungszusammenhang zu stellen (§ 4 Rn. 2 ff.). Sie bietet ein hohes Maß an **Juristischer Kreativität** für Fallgestaltungen, die nicht durch Systemkonsequenz abzuleiten sind.[146] Sie erlaubt auch eine *induktiv-heuristische*[147] Abwägung von rechtlichen und außerrechtlichen Gesichtspunkten, insbesondere der Folgen der Entscheidung und die Interessen aller Betroffenen.[148]

52 Topisches Denken hat eine jahrtausendealte Tradition: Das Verfahren der *Topik* ist eine „Techne des Problemdenkens"[149] und Problemlösens, die von Aristoteles[150] und Cicero[151] entwickelt wurde. In der frühen Neuzeit entstanden zahlreiche Topoi-Kataloge, die *loci argumentorum* (die Orte, wo die Beweise ihren Sitz haben).[152] Ziel war es, alle entscheidungserheblichen Argumente zusammenzutragen. Im letzten Jahrhundert machte *Viehweg* diese Lehre wieder populär[153] und fand dabei viel Zustimmung.[154]

b) Topoi und Juristische Kreativität

53 Die Lehre von der Topik wurde zum Teil scharf angegriffen: Topoi-Kataloge seien ein unstrukturiertes Durcheinander.[155] Es bliebe unklar, welche Topoi relevant seien und wie diese untereinander zu gewichten wären.[156] Es bestünde die Gefahr, dass außergesetzliche Topoi durch das Vorverständnis einbezogen würden.[157] Schon wegen des Ana-

---

[144] *E. Schneider*, MDR 1963, 653; *ders.*, MDR 1967, 6, 8 ff.; *Kramer*, Juristische Methodenlehre, 6. Aufl. 2019, S. 318 f. „induktiv-heuristische Abwägung von Lösungsgesichtspunkten rechtlicher und außerrechtlicher Provenienz"; *Rüthers/Fischer/Birk*, Rechtstheorie, 11. Aufl. 2020, Rn. 613; **a.A.** aber *Canaris*, Systemdenken und Systembegriff in der Jurisprudenz, 2. Aufl. 1983, S. 143.

[145] *Kriele*, Theorie der Rechtsgewinnung, 1976, S. 147.

[146] *Kramer*, Juristische Methodenlehre, 6. Aufl. 2019, S. 320: „erfinderische Kommunikation"; *Bengoetxea*, The Legal Reasoning of the European Court of Justice, S. 114 ff.: „context of discovery"; **a.A.** *Zippelius*, Recht und Gerechtigkeit in der offenen Gesellschaft, 2. Aufl. 1996, S. 407: „kein freies Entwerfen und Erfinden."

[147] Heuristik (griech. ευρίσκειν, heurískein = auffinden) bezeichnet die Kunst, mit begrenztem Wissen dennoch zu wahrscheinlichen Aussagen oder praktikablen Lösungen zu kommen. Bekannt ist trial and error (Versuch und Irrtum).

[148] *Kramer*, Juristische Methodenlehre, 6. Aufl. 2019, S. 319 f.

[149] *Viehweg*, Topik und Jurisprudenz, 5. Aufl. 1974, S. 31; griech. τέχνη, téchne = Kunstfertigkeit, Fähigkeit.

[150] *Aristoteles*, Topik, I. Kap. 1, Abs. 5 S. 3 verband hiermit jedoch dialektische Schlüsse sowie rhetorische Elemente, s. *Kriele*, Theorie der Rechtsgewinnung, 1967, S. 133 ff.

[151] *Cicero*, Topica, 2.7. Weitere Hinweise zum topischen Denken in der Neuzeit finden sich bei *Schröder*, Recht als Wissenschaft, Bd. 1, 3. Aufl. 2020, S. 25 ff.

[152] Historisch zu den Topoi-Katalogen des 16. und 17. Jahrhunderts, etwa von *Everardus a Middelburg*, Loci argumentorum legales, 1579; s. ausführlich *Schröder* (ebd.), S. 25 ff.; s. auch *Gast*, Juristische Rhetorik, 5. Aufl. 2015, Rn. 300.

[153] *Viehweg*, Topik und Jurisprudenz, 5. Aufl. 1974; s. auch *Kriele*, Theorie der Rechtsgewinnung, 1976, S. 114 ff.; *Canaris*, Systemdenken und Systembegriff in der Jurisprudenz, 2. Aufl. 1983, S. 135 ff.; *Pawlowski*, Einführung in die juristische Methodenlehre, 2. Aufl. 2000, Rn. 132 ff.

[154] Etwa *Coing*, ARSP 431 (1954/55), 436, 442 ff.; *Esser*, Grundsatz und Norm, 1956, S. 44 ff., 218 ff.; *E. Schneider*, MDR 1967, 6 ff.; *Horn*, NJW 1967, 601 ff.; *Wieacker*, Privatrechtsgeschichte der Neuzeit, 2. Aufl. 1967, S. 596 f.; *Struck*, Topische Jurisprudenz, 1971, S. 20 ff.; *Grasnik*, ZRph 2005, 19, 24 ff.; *Launhardt*, Topik und Rhetorische Rechtstheorie, 2005.

[155] *Martens*, Methodenlehre des Unionsrechts, 2013, S. 17.

[156] *Alexy*, Theorie der juristischen Argumentation, 2. Aufl. 1991, S. 42.

[157] *Böckenförde*, NJW 1976, 2089, 2093; *Hwang*, Rechtstheorie 40 (2009), 43, 67.

logieverbots im Strafrecht könne topisches Denken die Bindung an die Rechtsquellen nicht ersetzen.[158]

Das unstrukturierte Durcheinander muss kein Nachteil sein. Durch das ungefilterte Sammeln von Gedankenblitzen in einer Art Brainstorming kann sichergestellt werden, dass kein Gedanke, kein Argument verloren geht. Das lässt sich an dem obigen Wirtshausfall verdeutlichen. Das oben vorgestellte Bewegliche System (§ 8 Rn. 2 ff.) ist ein hervorragendes Beispiel für ein solches topisches, induktives Denken. 54

Ob der Gastwirt haftet (§ 15 Rn. 27 f.), wenn der Gast die Steintreppe der unverschlossenen Kellertür herabfällt, sollte unabhängig von rein subjektiven Billigkeitserwägungen entschieden werden. Der Amtsrichter kann nun in die alphabetische Übersicht der Verkehrspflichten schauen, wie er sie in zahlreichen Kommentaren finden kann, und hoffen, dass ein ähnlicher Fall schon entschieden wurde. Topisches Denken würde ihn vielleicht aber auch veranlassen, *Zurechnungskriterien* schöpferisch zu entwickeln, die für oder gegen eine Haftung sprechen. Zu denken ist an die Gefahrverursachung durch das Ausschenken des Bieres, die zumutbare Gefahrvermeidung der Gefahrenquelle, indem man die Kellertür abschließt, oder das Vertrauen des Gastes, mit solchen Gefahren nicht rechnen zu müssen (§ 15 Rn. 28). 55

Zur Topik werden juristische *Standardargumente* gezählt,[159] wie der „locus a simili" (Ort des Ähnlichen) und der Ähnlichkeitsschluss: Ähnliches ist ähnlich zu behandeln (§ 6 Rn. 97 ff.). Topoi können zudem als pragmatische Gesichtspunkte materieller Gerechtigkeit (auch als „common sense" bezeichnet) bzw. als rechtspolitische Zielsetzung bezeichnet werden.[160] Topoi sind dabei Gesichtspunkte, die zu beachten sind, wie die Drittwirkung der Grundrechte, der Vertrauensgedanke oder die Sozialstaatlichkeit.[161] Die Prinzipien „Einheit der Verfassung" (§ 4 Rn. 128)[162] und „in dubio pro libertate" (§ 5 Rn. 17) werden ebenfalls als Topoi bezeichnet.[163] Auch *Leitbilder* (§ 10 Rn. 18) lassen sich als Topoi umschreiben. Das BVerfG entwickelte aus einer Reihe von Verfassungsnormen als Topos das *Menschenbild* als eine innerhalb der sozialen Gemeinschaft sich entfaltenden, auf Kommunikation angewiesenen Persönlichkeit.[164] Im europäischen Recht spricht man vom Topos des Binnenmarktes[165] oder des Verbraucherleitbilds (§ 6 Rn. 40). 56

c) Topoi, Rechtsdogmatik und Methodenlehre

Abzulehnen ist ein topisches Argumentieren ohne jegliche normative Bindung.[166] Denn dann befindet man sich auf einer Stufe mit Worthülsen, wie Natur der Sache,[167] oder dem Vorverständnis des Rechtsanwenders. Erforderlich ist vielmehr ein **normativ gebundenes topisches Vorgehen**.[168] Im Bereich der Konkretisierung ist ohnehin soweit 57

[158] Roxin/*Greco*, Strafrecht Allgemeiner Teil, Bd. I, 5. Aufl. 2020, § 7 Rn. 56.

[159] *Struck*, Topische Jurisprudenz, 1971, S. 20.

[160] *Esser*, Grundsatz und Norm, 1956, S. 44 ff.

[161] *Kriele*, Theorie der Rechtsgewinnung, 1967, S. 147.

[162] *Hesse*, Grundzüge des Verfassungsrechts der Bundesrepublik Deutschland, 20. Aufl. 1999, Rn. 71.

[163] *Ossenbühl*, DÖV 1965, 649, 654 ff.

[164] BVerfG, Urt. v. 20.7.1954, 1 BvR 459/52, BVerfGE 4, 7, 15 f. – Investitionshilfe; BVerfG, Urt. v. 15.12.1983, 1 BvR 209/83 u.a., BVerfGE 65, 1, 44 – Volkszählung; krit. aber *Lerche*, Werbung und Verfassung, 1967, S. 139.

[165] Streinz/*Schröder*, EUV/AEUV, 3. Aufl. 2018, Art. 26 AEUV Rn. 17.

[166] So aber *Viehweg*, Topik und Jurisprudenz, 5. Aufl. 1974, S. 41; zustimmend *Kramer*, Juristische Methodenlehre, 6. Aufl. 2019, S. 320: „Eine normative Bindung an solche Topoikataloge kann grundsätzlich nicht begründet werden."

[167] Krit. folglich *Fischer*, Topoi verdeckter Rechtsfortbildung im Zivilrecht, 2007, S. 298 f.

[168] So *Hesse*, Grundzüge des Verfassungsrechts der Bundesrepublik Deutschland, 20. Aufl. 1999, Rn. 67 ff.; ähnlich *Lindner*, Theorie der Grundrechtsdogmatik, 2005, S. 165 f.: methodologisch einwandfreies Vorgehen in Abgrenzung zu *Viehweg*.

wie möglich mit den Wertungen des Gesetzes[169] und der Gesamtrechtsordnung[170] zu arbeiten.[171]

58 Die Topik wählt aus, die Rechtsdogmatik schafft dann Prüfungsschritte für die praktische Anwendung. In einem *ersten Schritt* lassen sich Begriffe wie „Einheit der Verfassung" oder „in dubio pro libertate" als Topoi erfassen. Es ist aber noch unklar, wie stark sie als Argumentationsfiguren überzeugen und an welcher Stelle der Argumentation sie genutzt werden können. Die **Rechtsdogmatik** entwickelt die Topoi dann in einem *zweiten Schritt* weiter, etwa zu einem Prüfungssystem für die jeweilige Norm oder einem neuen Rechtsbegriff oder einem neu entwickelten Rechtsinstitut (§ 9 Rn. 28 ff.).

59 Das ist für die Lehre von der mittelbaren Drittwirkung gelungen (§ 11 Rn. 11 ff.). Rechtsinstitute wie Störung der Geschäftsgrundlage (§ 9 Rn. 37 ff.) oder Vertrag mit Schutzwirkung zugunsten Dritter (§ 10 Rn. 82 ff.) waren in einem ersten Schritt gelungene Geistesblitze. Die Entdeckung der culpa in contrahendo zeigt sehr deutlich, dass eine deduktive Ableitung nur sehr begrenzt möglich war, weil im römischen Recht nur zwei enge Anwendungsfälle existierten. Das erkannte bereits damals von Jhering.[172] In einem zweiten Schritt mussten sie aber in das bisherige Rechtssystem integriert werden. Diese Rechtfertigung ist auch gelungen, weil sie das bisherige Leistungsstörungsrecht ergänzen.[173] System und Topoi schließen sich demnach nicht aus. Topoi und offenes System **lassen sich miteinander verbinden**.[174]

d) Die Typenlehre

60 Die Lehre von den Typen stellt einen Unterfall des problemgebundenen, topischen Denkens dar. Der Begriff „Typus" wurde von Jellinek und Max Weber geprägt. Jellinek geht davon aus, dass es neben Begriffen auch Typen geben muss, welche *sich auf reale Phänomene beziehen* und die sich unter bestimmten Wertungsgesichtspunkten herausheben.[175] Canaris formuliert: „Die Zuordnung eines Lebensvorgangs zu einem Typus oder zum Sinnbereich eines ausfüllungsbedürftigen Maßstabes ist keine Subsumtion, sondern wertende Zuordnung."[176] Der Typus erfolgt mittels abstrahierenden Denkens und kann gleichsam als eine Weiterentwicklung der Fallgruppenmethode angesehen werden. Ähnlich wie beim Beweglichen System (§ 8 Rn. 2 ff.) können die Elemente einmal mehr, einmal weniger hervortreten.[177]

61 Es gibt Fälle, die keinem geregelten Vertragstyp zugeordnet werden können. Daher muss das Tatsächliche betrachtet werden und die Einzelteile – soweit möglich – den Nor-

---

[169] Zur Wertungsjurisprudenz s. oben § 5 Rn. 22 ff.

[170] Zum inneren System s. oben § 4 Rn. 109 ff.

[171] *Canaris*, Systemdenken und Systembegriff in der Jurisprudenz, 2. Aufl. 1983, S. 152: „möglichst bald die unsicheren topoi durch klare Wertungen zu ersetzen, die Lösung also systematisch zu verfestigen."

[172] *von Jhering*, Jb. f. Dogmatik 4 (1861), 1, 52: „Wer freilich den Beruf der Jurisprudenz in nichts anderen findet, als mit Hülfe der hermeneutischen Leuchte dunkle Gesetzesstellen zu erklären, möge immerhin meine ganze Theorie mit dem einfachen Einwande abtun, daß der Ausdruck culpa in contrahendo im ganzen corpus juris nicht vorkomme."; *Fikentscher*, Methoden des Rechts, Bd. III, 1976, S. 171.

[173] Die culpa in contrahendo wurde von Stoll weiter präzisiert, *Stoll*, Leipziger Zeitschrift für deutsches Recht 1923, 532 ff.; hierzu *Larenz*, Methodenlehre der Rechtswissenschaft, 6. Aufl. 1991, S. 422 f.

[174] *Wieacker*, Privatrechtsgeschichte der Neuzeit, 2. Aufl. 1967, S. 597 Fn. 48; *Neumann*, in: Hassemer/Neumann/Saliger, Einführung in die Rechtsphilosophie und Rechtstheorie der Gegenwart, 9. Aufl. 2016, S. 282; *Canaris*, Die Feststellung von Lücken im Gesetz, 2. Aufl. 1983, S. 107 Fn. 172; *Braun*, Deduktion und Invention, 2016, S. 179.

[175] *Jellinek*, Allgemeine Staatslehre, 3. Aufl. 1914, S. 30–42.

[176] *Larenz*, Methodenlehre der Rechtswissenschaft, 6. Aufl. 1991, S. 275.

[177] *M. Weber*, Die „Objektivität" sozialwissenschaftlicher und sozialpolitischer Erkenntnis, 1904, S. 29; *Larenz*, Methodenlehre der Rechtswissenschaft, 6. Aufl. 1991, S. 464: „bewegliche Maßstäbe"; *Strache*, Das Denken in Standards, 1968, S. 22; allgemein zur Typenlehre *Engisch*, Die Idee der Konkretisierung in Recht und Rechtswissenschaft unserer Zeit, 2. Aufl. 1968, S. 237 ff.; *Leenen*, Typus und Rechtsfindung, 1971; *Hassemer*, Tatbestand und Typus, 1968.

men zugeordnet werden (wie beim Bewirtungsvertrag: das Essen, die Getränke, der Service, der Sitzplatz einzeln dem Kauf-, dem Dienst- oder dem Mietvertrag zugeordnet werden können). Das Ergebnis ist dann ein gemischter Vertrag. Es wird aus den tatsächlichen Pflichten der Rückschluss darauf gezogen, welche geregelten Vertragstypen betroffen sind. Damit werden verschiedene Lebenssachverhalte zusammengefasst und hierfür eine neue Rechtsfigur geschaffen.

Der „Theaterbesuchsvertrag" lässt sich nur unzulänglich mittels Einzelanalogie zum Kauf-, Dienst-, Miet- und Werkvertrag lösen.[178] Das Telos von Dienst- und Werkvertrag reicht nicht aus, weil mit dem Anspruch auf einen Sitz im Theater auch mietrechtliche Elemente berücksichtigt werden müssen. Man hat also quer durch die Vertragsverhältnisse diejenigen Regeln zusammenzusuchen, die der Funktion des Typus „*Theaterbesuchsvertrag*" entsprechen. **62**

Tatsächlich verbinden sich Sachverhalt und Rechtssatz zu neuen Rechtstypen. Während die Fallgruppenmethode (§ 8 Rn. 26 ff.) die Vielfalt der zusammengefassten Fälle in den Vordergrund rückt, geht die Typenlehre noch ein Stück weiter und betont die Einheitlichkeit des zugrundeliegenden Rechtsgedankens.[179] Insoweit wird die Unterscheidung von Sein und Sollen relativiert.[180] **63**

IV. Prüfungsfolge und Gewichtung als Bausteine einer Metamethodik

Literatur: *von Arnim, Hans Herbert/Brink, Stefan,* Methodik der Rechtsbildung unter dem Grundgesetz, 2001, S. 262–273; *Braun, Johann,* Deduktion und Invention, 2016; *Bydlinski, Franz,* Juristische Methodenlehre und Rechtsbegriff, 2. Aufl. 1991, S. 553–571; *Canaris, Claus-Wilhelm,* Das Rangverhältnis der „klassischen" Auslegungskriterien, demonstriert an Standardproblemen aus dem Zivilrecht, in: FS Medicus, 1999, S. 25–61; *ders.,* Die verfassungskonforme Auslegung und Rechtsfortbildung im System der juristischen Methodenlehre, in: FS Kramer, 2004, S. 141–159; *Esser, Josef,* Vorverständnis und Methodenwahl, 1972; *ders.,* Möglichkeiten und Grenzen des dogmatischen Denkens im modernen Zivilrecht, AcP 172 (1972), 97–130; *Herdegen, Matthias,* Verfassungsinterpretation als methodische Disziplin, JZ 2004, 873–879; *Kriele, Martin,* Theorie der Rechtsgewinnung, 2. Aufl. 1976, S. 85–113; *Morlok, Martin,* Die vier Auslegungsfiguren – was sonst?, in: Gabriel, Gottfried/Gröschner, Rolf, Subsumtion, 2012, S. 179–214; *Rückert, Joachim/Seinecke, Ralf,* Zwölf Methodenregeln für den Ernstfall, in: dies., Methodik des Zivilrechts – von Savigny bis Teubner, 3. Aufl. 2017, S. 39–51. S. auch die Literatur vor I.

1. Methodenpluralismus

a) Pragmatischer Methodenpluralismus und Methodenchaos

aa) Abschließend ist noch auf den Vorwurf einzugehen, dem Jurist stünde es zu, beliebig die ihm passende Argumentationsfigur zur Begründung seines Ergebnisses herauszupicken. Der Streit über die *Gewichtung der Argumentationsfiguren* besteht seit Jahrzehnten und gehört zu den Klassikern der Juristischen Methodenlehre.[181] Eine immer noch prominent vertretene Ansicht geht davon aus, dass es *kein Rangverhältnis, keine Metathe-* **64**

---

[178] Zum Folgenden anschaulich *Schröder,* Recht als Wissenschaft, Bd. 1, 3. Aufl. 2020, S. 415.

[179] *Haubelt,* Die Konkretisierung von Generalklauseln, 1978, S. 104; *R. Weber,* AcP 192 (1992), 516, 533.

[180] Ablehnend deshalb *Rüthers/Fischer/Birk,* Rechtstheorie, 11. Aufl. 2020, Rn. 932 f.

[181] S. *Alexy/R. Dreier,* in: MacCormick/Summers, Interpreting Statutes, 1991, S. 73, 92 ff.; *Bydlinski,* Juristische Methodenlehre und Rechtsbegriff, 2. Aufl. 1991, S. 553 ff.; *Larenz,* Methodenlehre der Rechtswissenschaft, 6. Aufl. 1991, S. 343 ff.; *Fikentscher,* Methoden des Rechts, Bd. III, 1976, S. 684; *Kramer,* Juristische Methodenlehre, 6. Aufl. 2019, S. 201 ff.; *Martens,* Methodenlehre des Unionsrechts, 2013, S. 499 ff. *Canaris,* in: FS Medicus, 1999, S. 25, 32 spricht von den am wenigsten geklärten Problemkreisen der Juristischen Methodenlehre.

orie der Auslegungsmethoden gibt, sondern dass die Auslegungsmethoden in einem Verhältnis der Konkurrenz zueinander stehen.[182] Die Vertreter berufen sich dabei auch auf von Savigny, der die Auslegungsfiguren als „verschiedene Thätigkeiten" darstellt, von denen „bald die eine bald die andere wichtiger sein und sichtbarer hervortreten" wird.[183] So lehnt *Larenz* ein „festes Rangverhältnis" ab: das jeweilige Gewicht der verschiedenen Kriterien hänge „nicht zuletzt davon ab, was sie im Einzelfall hergeben".[184] *Brugger* spricht von einem „flexiblen Argumentationsgerüst" und möchte Rechtsziele, Auslegungsziele und Auslegungsmethoden kombinieren.[185] Ein solcher Methodenpluralismus findet sich auch in Entscheidungen des BVerfG mit der Formulierung, dass bei der Auslegung „alle herkömmlichen Auslegungsmethoden in abgestimmter Berechtigung [helfen]. Unter ihnen hat keine einen unbedingten Vorrang vor einer anderen."[186] Das schweizerische Bundesgericht spricht deutlich von einem **„pragmatischen Methodenpluralismus"**.[187] Herrscht vielleicht sogar ein Methodenchaos[188] oder Methodenwirrwarr[189]?

65 *Gadamer* und *Esser* führten später den hermeneutischen Zirkel ein: Der Jurist löse den Fall aufgrund seines **Vorverständnisses**. *Esser* wirft dem Rechtsanwender vor, „vom Ergebnis bestimmt, historische oder grammatische, systematische oder zweckreflektierende Interpretationsmerkmale selektiv" zu benutzen,[190] „um die nach ihrem Rechts- und Sachverständnis angemessenste Entscheidung lege artis zu begründen" (§ 1 Rn. 70).[191]

66 bb) Die Gegenansichten favorisieren einmal die eine, manchmal die andere Interpretationsfigur. Folglich sind sie oft recht einseitig: So werden zum Teil die Fallhermeneutik betont und in diesem Rahmen mehrere Prüfungsschritte entwickelt.[192] Andere behaupten einen Vorrang von Wortlaut und Systematik, weil damit demokratische Mitbestimmung, Gleichheit und Rechtssicherheit am besten verwirklicht würden.[193] Einerseits wird die subjektive, andererseits die objektive Theorie favorisiert (zum Streit s. § 6 Rn. 60 ff.). Zum Teil wird der Versuch unternommen, Argumentationsfiguren rein als Abwägungsgebote[194] oder deskriptiv jeweils mit einem Prima-facie-Vorrang zu beschreiben.[195]

---

[182] Ausführlich *Kriele*, Theorie der Rechtsgewinnung, 2. Aufl. 1976, S. 85 ff.; Engisch/*Würtenberger/Otto*, Einführung in das juristische Denken, 12. Aufl. 2018, S. 121 ff.; *Bydlinski*, Juristische Methodenlehre und Rechtsbegriff, 2. Aufl. 1991, S. 553 ff.; Zippelius/*Würtenberger*, Juristische Methodenlehre, 12. Aufl. 2020, S. 51; *Fikentscher*, Methoden des Rechts, Bd. III, 1976, S. 684; *Vogel*, Juristische Methodik, 1998, S. 120; Sachs/*Sachs*, GG, 9. Aufl. 2021, Einf. Rn. 39; *Esser*, Vorverständnis und Methodenwahl, 1970, S. 123; *Hassemer*, Rechtstheorie 39 (2008), 1, 8 f., 12 f.

[183] *von Savigny*, System des heutigen Römischen Rechts, Bd. 1, 1840, S. 215.

[184] *Larenz* (ebd.), S. 345; ebenso *Kriele*, Theorie der Rechtsgewinnung, 1967, S. 93; *Looschelders/W. Roth*, Juristische Methodik in der Rechtsanwendung, 1996, S. 196; *Martens*, Methodenlehre des Unionsrechts, 2013, S. 500 f.; im Ergebnis ebenso *Zimmermann*, RabelsZ 83 (2019), 242, 266.

[185] *Brugger*, AöR 116 (1994), 1, 30 f.; Noch stärker *Hassemer*, in: Hassemer/Neumann/Saliger, Einführung in die Rechtsphilosophie und Rechtstheorie der Gegenwart, 9. Aufl. 2016, S. 237: „Methodisch ist [der Richter] in der Wahl der Interpretationsregeln frei."

[186] BVerfG, Urt. v. 20.3.2002, 2 BvR 794/95, BVerfGE 105, 135, 157 – Vermögensstrafe.

[187] Ausdrücklich etwa schweiz. Bundesgericht: BGer, Urt. v. 7.9.2012, BGE 138 II 440, 453.

[188] *Ehmke*, VVDStRL 20 (1963), 53, 59.

[189] *Forsthoff*, Der Staat 8 (1969), 523.

[190] *Esser*, Vorverständnis und Methodenwahl, 1970, S. 123.

[191] *Esser* (ebd.), 1970, S. 7.

[192] *Voßkuhle*, in: Bauer/Czybulka/Kahl/Voßkuhle, Umwelt, Wirtschaft und Recht, 2002, S. 171, 188 ff.: sieben Prüfungsschritte; *Hoffmann-Riem*, in: Schmidt-Aßmann/ders., Methoden der Verwaltungsrechtswissenschaft, 2004, S. 11, 54 ff.: drei Prüfungsschritte.

[193] *von Arnim/Brink*, Methodik der Rechtsbildung unter dem Grundgesetz, 2001, S. 262 ff., 272.

[194] *Canaris*, in: FS Medicus, 1999, S. 25, 58 f.

[195] *Vogenauer*, Die Auslegung von Gesetzen in England und auf dem Kontinent, 2001, S. 1282.

b) Die Metamethodik als Antwort auf den Rationalitätsanspruch Juristischen Denkens

Der Methodenpluralismus lässt sich mit den Wurzeln der römischen Rhetorik erklären, die Argumentationsfiguren als gegenläufige Argumente betrachtete (§ 6 Rn. 2). Bei diesem Stand darf die Methodenlehre als Argumentations- und Begründungslehre aber nicht stehen bleiben. Bliebe es aber dabei, dass mal die eine, mal die andere Argumentationsregel vorrangig wäre und alles vom konkreten Einzelproblem abhinge, wäre der Prozess der Auslegung *zirkulär*, weil die Auslegungsmethode allein vom Einzelproblem gesteuert würde.[196] Im Ergebnis führt ein solches Vorgehen zu dem Vorwurf, nach reiner Dezision oder dem *Vorverständnis* zu entscheiden, um ein billig empfundenes Ergebnis nachträglich zu legitimieren; eine objektive Steuerungsfunktion würde die Auslegungstätigkeit damit nicht mehr übernehmen.[197] Will die Juristische Methodenlehre Mittel an die Hand geben, um die *Rationalität* von Entscheidungen zu erhöhen, ist damit ein unkontrollierter Methodenpluralismus abzulehnen. Im Ergebnis wird eine Methodik der Methodenanwendung, eine **Metamethodik**, schmerzlich vermisst.[198] In der Literatur finden sich nur wenige, hilfreiche Prüfungsfolgen.[199] 67

Im Folgenden werden daher erste Bausteine einer Metamethodik entwickelt. Damit lassen sich die einzelnen Argumentationsfiguren so strukturieren, dass insgesamt die Begründungstiefe und Rationalität der juristischen Argumentation steigt. Die Metamethodik ist Bestandteil des Juristischen Denkens (§ 14 Rn. 127 ff.). Sie unterscheidet sich von einem unkontrollierten Methodenpluralismus in zweierlei Hinsicht: Argumentationsfiguren sind nicht beliebig, sondern haben wie Grundrechte schon abstrakt eine unterschiedliche Gewichtung. Zudem sollte bei der Entwicklung einer Rechtslösung eine Prüfungsfolge eingehalten werden, um sicherzustellen, dass man die wichtigsten Argumentationsfiguren berücksichtigt. Wer einen Fall zu lösen hat und sich fragt, wie er die Argumentationsfiguren einsetzen soll, sollte die einschlägigen Argumentationsfiguren in eine Prüfungsfolge bringen (2.) und sie dann für den konkreten Fall gewichten (3.). 68

2. Prüfungsfolge zur Begründung der Rechtslösung

a) Erster Schritt: Sachverhaltshermeneutik

Sechs **Prüfungsschritte** sind vorzustellen, die gedanklich bei jeder Rechtslösung durchzudenken und grundsätzlich auch durchzuprüfen sind. Die Sachverhaltshermeneutik muss am Anfang der Prüfung stehen, denn nur wenn der Sachverhalt vollständig ist, kann die Rechtslösung entwickelt werden. Sie verlangt ein *Hin- und Herwandern des Blickes* zwischen Sachverhalt und Norm. Dazu gehört die *Normbereichslehre* und die Einbeziehung weiterer Umstände (§ 14 Rn. 7 ff.).[200] 69

---

[196] *Schünemann*, in: FS Klug, 1993, S. 169, 172; zustimmend *Kramer*, Juristische Methodenlehre, 6. Aufl. 2019, S. 144 Fn. 335; *Pichonnaz/Vogenauer*, AJP/PJA 1999, 417, 424.

[197] So die Kritik von *Kramer*, Juristische Methodenlehre, 6. Aufl. 2019, S. 144.

[198] *Rüthers/Fischer/Birk*, Rechtstheorie, 11. Aufl. 2020, Rn. 704 ff.; *Lindner*, NJW 2019, 279, 282.

[199] *Rückert/Seinecke*, in: dies., Methodik des Zivilrechts – von Savigny bis Teubner, 3. Aufl. 2017, S. 39 ff.; *Kramer* (ebd.), S. 201 ff.; *Reimer*, Juristische Methodenlehre, 2. Aufl. 2020, Rn. 415; *Röhl/Röhl*, Allgemeine Rechtslehre, 3. Aufl. 2008, S. 631 f.; s. auch *Looschelders/W. Roth*, Juristische Methodik in der Rechtsanwendung, 1996, S. 193: „subsidäre Stufenfolge".

[200] Prüfungsschemata, welche die Sachverhaltshermeneutik berücksichtigen finden sich bei *Voßkuhle*, in: Bauer/Czybulka/Kahl/Voßkuhle, Umwelt, Wirtschaft und Recht, 2002, S. 171, 188 ff.: sieben Schritte; *Hoffmann-Riem*, in: Schmidt-Aßmann/ders., Methoden der Verwaltungsrechtswissenschaft, 2004, S. 11, 54 ff.: drei Schritte.

b) Zweiter Schritt: Deduktion – Der Savigny'sche Auslegungskanon und die folgenorientierte Auslegung

70 Klassischerweise beginnt man die Rechtsfindung mit dem Auslegungskanon von Savigny, wenn der Wortlaut zumindest bestimmbar ist.[201] Das gilt auch für das Öffentliche Recht (§ 10 Rn. 4). Der Wortlaut der Norm ist der Beginn der Auslegung (§ 4 Rn. 39). Auch ein vermeintlich eindeutiger Wortlaut führt nicht dazu, dass das Ergebnis bereits feststeht, sondern es folgen die weiteren Argumentationsfiguren.[202] Das durch die Wortlautauslegung gefundene Ergebnis kann evtl. durch die Systematik bestätigt werden. Der subjektive Wille kann Klärung über den Inhalt der Norm geben. Der Zweck der Vorschrift muss aus den ersten drei Auslegungsfiguren gefunden werden, nicht aber außerhalb des Gesetzes. „Dem Zweck, den objektivierten Willen des Gesetzgebers zu erfassen, dienen der Wortlaut der Norm, aus ihrem Sinnzusammenhang sowie aus den Gesetzesmaterialien und der Entstehungsgeschichte."[203] Umfangreich wurde auch die folgenorientierte Auslegung erörtert (§§ 4–6).

c) Dritter Schritt: Konkretisierung und Konstruktion

71 Nicht immer kann der Savigny'sche Auslegungskanon weiterhelfen, z.B. bei Generalklauseln, wie den „guten Sitten" in den § 138 oder § 826 BGB. Gerade wenn die vier klassischen Auslegungsfiguren zu keinem klaren Ergebnis führen, gilt es, verschiedene Ziel- und Wertströmungen aufzudecken, zu entwirren, zu selektieren und zu gewichten.[204] Hier hilft in besonderem Maße die bisherige Rechtsprechung mit ihren *Präjudizien* und die Vergleichsfallmethode. Zudem helfen die Rechtsdogmatik und die Juristische Methodenlehre, Gerechtigkeitsfragen operabel zu machen.[205] Dazu bedarf es *Zwischenschritten* zur Konkretisierung „offener" Normen (§ 9 Rn. 23). Vorgestellt wurden das *Bewegliche System,* die Arbeit mit Fallgruppen und allgemeinen Rechtsprinzipien, Leitbildern sowie Rechtsbegriffen. Auch die Abwägung gehört dazu. Dies wurde ausführlich in den §§ 7–10 erläutert.

d) Vierter Schritt: Prüfung von höherrangigem Recht

72 Der Stufenbau hat gelehrt, dass höherrangiges Recht in die Prüfung einzubeziehen ist und gegebenenfalls auch vorgehen kann. Dieses kann die bereits vorgefundenen Ergebnisse bestätigten, aber auch korrigieren. Man denke an den zwingenden Anwendungsvorrang und den Alcan-Fall (§ 12 Rn. 27 ff.). Das Verfassungs- und Europarecht wurde in den §§ 11–12 vorgestellt. Hier wurden dann unterschiedlich starke Vermutungs- und Vorrangregeln entwickelt, die bei der Gewichtung von Argumentationsfiguren nochmals thematisiert werden (§ 14 Rn. 77 f.).

e) Fünfter Schritt: Rechtsfortbildung und ihre Grenzen

73 Damit sind auch die Grenzen der Rechtsfortbildung zu thematisieren. Die Rechtslösung will eine unzulässige Rechtsfortbildung contra legem verhindern; dieses Interpretationsziel muss deshalb naturgemäß am Ende der Prüfung stehen. Eine Rechtsfortbildung contra legem ist ausnahmslos unzulässig; diese Grenze ist eine absolute.[206] Der Wortlaut

---

[201] Zur Relevanz und Bedeutung s. oben § 4 Rn. 39 ff.
[202] So aber die Eindeutigkeitsregel, s. § 4 Rn. 64.
[203] BGH, Urt. v. 8.11.1967, I ZR 135/65, BGHZ 49, 221, 223 – Haftung des Güternahverkehrsunternehmers sowie die Nachw. in § 4 Fn. 44.
[204] *Gern*, VerwArch 80 (1989), 415, 419.
[205] Auf die Dogmatik bezogen *Esser*, AcP 172 (1972), 97, 113 (s. § 1 Rn. 113).
[206] Auch *Schünemann*, in: FS Klug, 1983, S. 169, 185 geht von einer vierten Stufe der Rechtsgewinnung contra legem aus, ohne diese allerdings näher auszuführen.

und der historische Wille können durch eine zulässige Rechtsfortbildung überspielt werden. Wird der Wortlaut oder der gesetzliche Wille ignoriert, steigt der Begründungsaufwand, weil sich der Rechtsanwender nicht zum Gesetzgeber aufschwingen darf. Lücken dürfen nicht nur behauptet, sondern müssen sorgfältig begründet werden. Die objektive Theorie kann den subjektiven Willen überspielen, wenn sich die Verhältnisse gewandelt haben und das Schweigen des Gesetzgebers nicht den Schluss zulässt, dass er keine Änderungen wünscht (§ 13 Rn. 39 f.). Keinesfalls darf der Rechtsanwender den Willen des Gesetzgebers durch seinen eigenen ersetzen. In diesem Rahmen kommt den Wertungen des Gesetzes, aber auch folgenorientierten Überlegungen ein bestimmtes Gewicht zu. Vertrauensschutzaspekte können die Rechtsfortbildung begründen, aber auch begrenzen. Mit einer Grafik wurden die einschlägigen Prüfungsstufen visualisiert (§ 13 Rn. 132).

f) Sechster Schritt: Billigkeitskontrolle und Richtigkeitsgewähr

Billigkeit und Gerechtigkeit können und dürfen die eigentliche Argumentation nicht 74
ersetzen; sie geraten ansonsten zu Leerformeln (§ 9 Rn. 10). Wenn die obigen Argumentationsfiguren aber kumulativ durchgeprüft worden sind, können und dürfen am Ende der Prüfung auch Billig- und Gerechtigkeitsüberlegungen herangezogen werden. Das geht einher mit der Erkenntnis, dass juristische Entscheidungen nicht immer restlos abgesichert, sondern nur „flankierend methodisch eingerahmt" werden können.[207] Das ist zu akzeptieren, wenn folgende Parameter gesichert sind: Formal bedarf die Entscheidung der *Begründung*.[208] In der Literatur werden Mindeststandards einer rationalen Begründung verlangt, eine völlige Offenlegung der Deduktion bis hin zur Letztbegründung, die Plausibilität der Schlussfolgerung und die Vereinbarkeit mit normativ abgesicherten Präferenzen.[209] Zudem sind die Grenzen der Rechtsfortbildung aufzuzeigen und eine Prüfungsfolge und Gewichtung der Argumentationsfiguren zu entwickeln (§ 14 Rn. 69 ff.). Das gilt erst recht in den unscharfen Bereichen der Konstruktion und Innovation, die durch Juristische Kreativität geschaffen werden (§ 14 Rn. 46 ff.).

Je unbestimmter oder unklarer die Norm für die Lösung des konkreten Falls ist, desto 75
aufwendiger muss die Begründung sein (§ 1 Rn. 87). Inhaltlich werden grob unbillige Entscheidungen, die das Vertrauen des Betroffenen verletzen, verhindert. Am Ende der Prüfung steht eine Richtigkeitskontrolle.[210] Gerade wegen der Missbrauchsmöglichkeit juristischer Methoden, wie sie das Unrechtsregime des Dritten Reichs deutlich vor Augen geführt hat (§ 14 Rn. 100 ff.), ist es erforderlich, dass die Methodenlehre auf Richtigkeit und Gerechtigkeit abzielt (§ 1 Rn. 105 ff.).[211] In den Worten von *Habermas*: „‚Richtigkeit' bedeutet rationale, durch gute Gründe gestützte Akzeptabilität."[212] An dieser Stelle kommt auch das Rechtsgefühl, das geschulte Judiz,[213] zum Einsatz. Gerechtigkeitsfragen

[207] Zu der überzeugenden, aber nicht einzig möglichen Entscheidung, s. § 1 Rn. 64 ff. sowie *Laudenklos/Rohls/Wolf*, in: Rückert/Seinecke, Methodik des Zivilrechts – von Savigny bis Teubner, 3. Aufl. 2017, S. 609, 627.

[208] *Fischer-Lescano/Christensen*, Der Staat 44 (2005), 213, 224; ausführlich § 1 Rn. 39 ff.

[209] *Herdegen*, JZ 2004, 873, 877.

[210] *Esser*, Vorverständnis und Methodenwahl, 1970, S. 142 ff., 145; *Rückert/Seinecke*, in: dies., Methodik des Zivilrechts – von Savigny bis Teubner, 3. Aufl. 2017, S. 39, 50 f. Rn. 73. Ähnlich *Morlok*, in: Gabriel/Gröschner, Subsumtion, 2012, S. 189, 207 f.: Die Entscheidung des Richters steht unter einer „normativen Richtigkeitserwartung."

[211] *Gadamer*, Wahrheit und Methode, 6. Aufl. 1990, S. 312; Zippelius/*Würtenberger*, Juristische Methodenlehre, 12. Aufl. 2020, S. 48, 51 fordert bei der Wahl der Auslegungsargumente eine möglichst gerechte Problemlösung. Weniger scharf verlangt *Bydlinski*, Juristische Methodenlehre und Rechtsbegriff, 2. Aufl. 1991, S. 565 eine Begleitkontrolle nach den Kriterien der Rechtsidee. **A.A.** *Rüthers/Fischer/Birk*, Rechtstheorie, 11. Aufl. 2020, Rn. 992 f.: Methodenlehre verfügt selbst nicht über Kriterien, gerechte und ungerechte Rechtsvorschriften zu unterscheiden. (s. § 1 Rn. 105 und § 1 Rn. 112 ff.).

[212] *Habermas*, Faktizität und Geltung, 1992, S. 277.

[213] Hierzu *Di Fabio*, Das Recht offener Staaten, 1998, S. 150 und oben § 1 Rn. 72.

müssen mit der Juristischen Methodenlehre rational abgesichert und damit *„juristisch operational“* gemacht werden.[214] Damit bleibt ein *Grenzbereich*: Wertungsjurisprudenz und andere methodische Ansätze müssen letztlich anerkennen, dass ganz am Ende der Prüfung in einem **Restbereich auch auf außergesetzliche Wertmaßstäbe zurückgegriffen** werden muss.[215] Ziel muss es sein, ungerechte Ergebnisse zu vermeiden (s. sogleich § 14 Rn. 114 ff.).

76 Nach der hier vertretenen Ansicht ist diese Prüfungsfolge folgerichtig. Sie entspricht weitgehend dem Aufbau des Buches. Sie hat den Vorteil, eine feste Struktur zu schaffen und nicht schon vorab in einer gewissen Beliebigkeit die eine Auslegungsfigur gegenüber der anderen Figur auszuspielen. Soweit die Rechtsfrage dogmatisch einfach und eine Subsumtion leicht möglich ist (§ 1 Rn. 65 ff.), wäre es allerdings ökonomisch wenig effizient, in einem Urteil alle einschlägigen Argumente aufzuzählen.[216] Zum Teil wird deshalb eine Art „Stoppregel“ gefordert, nach der bei einem eindeutigen Wortlaut (§ 4 Rn. 64) oder dem Feststellen des Telos die Prüfung abzubrechen ist.[217] Dem ist zu widersprechen, weil ansonsten die Gefahr des Zirkelschlusses besteht. Alle Prüfungsschritte sind zumindest **gedanklich durchzuprüfen** (ohne sie aber zwingend zu Papier bringen zu müssen), weil nur eine solche Gesamtbetrachtung der einschlägigen Argumente, der gerade beschriebene *kumulative Methodeneinssatz,* zu einem richtigen Normverständnis führt (§ 14 Rn. 124 ff.).

3. Gewichtung von Argumentationsfiguren

77 Für die herrschende Ansicht ist immer noch wenig geklärt, in welchem Verhältnis die Argumentationsfiguren zueinander stehen und wie sie gewichtet werden können (§ 14 Rn. 64). Zutreffend ist, dass es immer auf die Gewichtung im Einzelfall ankommt. Allerdings schließt dies nicht aus, zwischen der abstrakten Hierarchie und der konkreten Gewichtung im Einzelfall zu trennen. Diese Differenzierung ist etwa auch im Bereich der Rechtsgüter und Grundrechte bekannt: Das Leben ist als Rechtsgut gewichtiger als etwa die Berufs-, Religions- oder Versammlungsfreiheit (§ 10 Rn. 11). Deshalb erscheint es auch hilfreich, die Auslegungsfiguren bereits abstrakt zu strukturieren und zu gewichten. Dass Argumentationsfiguren ein unterschiedliches Gewicht haben können und in Vorrang-, Vermutungs-, Abwägungs- und Argumentationslastregeln unterschieden werden können, hat die vorliegende Methodenlehre an zahlreichen Stellen bereits gezeigt. Der Rechtsanwender hat immer zwingende Vorrangregeln zu berücksichtigen (a). Er wird feststellen, dass bestimmte Argumente gewichtiger sind als andere, sodass eine Vermutung gilt (b). Nur subsidiär kann der Rechtsanwender Argumentationsfiguren im Sinne einer Abwägung sammeln, ggf. gegenüberstellen und vielleicht auch addieren (c).[218] Schließlich können bestimmte Argumentationsfiguren wie die Rechtsfortbildung die Begründung bedingen; sie sind als Argumentationslastregel zu umschreiben (d). Diese Ranghierarchie von Argumenten prägt die Prüfung. Im Zweifel sind die stärksten Argumentationsfiguren vorrangig und intensiv zu prüfen.

---

[214] So *Esser,* AcP 172 (1972), 97, 113 zur Rechtsdogmatik (s. § 1 Rn. 113).

[215] *Laudenklos/Rohls/Wolf,* in: Rückert/Seinecke, Methodik des Zivilrechts – von Savigny bis Teubner, 3. Aufl. 2017, S. 609, 618, 625.

[216] Zu Recht betont *Bydlinski,* Juristische Methodenlehre und Rechtsbegriff, 2. Aufl. 1991, S. 557 Zweckmäßigkeitserwägungen, die in der Praxis dazu führen, dass auf den Willen des Gesetzgebers oft nicht zurückgegriffen werden muss.

[217] So aber *Bydlinski* (ebd.), S. 560 ff.; *Reimer,* Juristische Methodenlehre, 2. Aufl. 2020, Rn. 415; *Looschelders/Roth,* Juristische Methodik im Prozeß der Rechtsanwendung, 1996, S. 193.

[218] *Canaris,* in: FS Medicus, 1999, S. 25, 59 unterscheidet nur zwischen Abwägung und Vorrang, ohne die wichtige dritte Gruppe der Argumentationslastregeln zu thematisieren.

a) Strikte Vorrangregeln

Die Vorrangregel wurde eingangs für Argumentationsfiguren definiert, die sich in allen Konfliktfällen durchsetzt. In dem hier verstandenen Sinne führt ein Vorrangargument zu einer eindeutigen Rechtsfolge und bedingt ein bestimmtes Ergebnis. Es gilt dann ausnahmsweise die „one right answer thesis": nur eine Antwort ist richtig – eine Gegenauffassung wäre falsch und nicht vertretbar (§ 1 Rn. 64 ff.). Eine solche Vorrangregel tritt bei der Frage der Rechtsfortbildung auf. Sie kann einer zulässigen Rechtsfortbildung zwingend entgegenstehen (aa) oder auch umgekehrt die Rechtsfortbildung zwingend erfordern (bb). 78

Vertiefung – *Wurzelüberwuchs*: Der Eigentümer kann im Wege der Selbstvornahme die vom Nachbargrundstück überwuchernden Wurzeln *selbst beseitigen*, § 910 BGB. Kann der Eigentümer darüber hinaus *von dem Nachbar die Beseitigung* der überwuchernden Wurzeln verlangen?[219] 79

aa) Maßgeblicher Hintergrund von Vorrangregeln, die einer **Rechtsfortbildung widersprechen**, ist jeweils der Vertrauensschutz des Betroffenen. Ein typisches Beispiel einer zwingenden unzulässigen Rechtsfortbildung contra legem bildet das *Gesetzlichkeitsprinzip*, also die *Wortlautgrenze im Strafrecht* aufgrund des Rechtssatzes „nullum crimen sine lege scripta".[220] Ausführlich wurde dargelegt, dass dieser Grundsatz in zahlreichen Rechtsordnungen ausnahmslos gilt (§ 1 Rn. 36). 80

Eine unzulässige Rechtsfortbildung contra legem liegt auch vor, wenn die Rechtsfortbildung zu einer *schweren Grundrechtsbeeinträchtigung* des Betroffenen führen würde. In der Sachverständigen-Entscheidung hatte der BGH mittels Rechtsfortbildung Schadensersatzansprüche gegen den Sachverständigen ausgeschlossen, obwohl die Pflichtverletzung zu einer Freiheitsberaubung geführt hatte. Dem ist das BVerfG entgegengetreten, weil nur der Gesetzgeber und nicht der Richter Grundrechtspositionen so massiv einschränken darf.[221] 81

Das berechtigte Vertrauen des Bürgers ist Grundlage des Gesetzlichkeitsprinzips und kann eine *Rechtsprechungsänderung* einschränken (§ 13 Rn. 76).[222] 82

bb) Umgekehrt kann eine Vorrangregel die **Rechtsfortbildung auch erzwingen.** Dies ist der Fall bei der *primärrechtskonformen Rechtsfortbildung durch das Europarecht.* Sie führt entweder zu einer Derogierung, also Missachtung einzelner Tatbestandsmerkmale oder zu einem unmittelbaren *Anwendungsvorrang* für das europäische Primärrecht, welches das nationale Recht insoweit verdrängt (§ 12 Rn. 3, 9).[223] Ähnlich wirkt die *verfassungskonforme Auslegung*: Sie zwingt dazu, dass verfassungswidrige Auslegungsergebnisse ausgeschlossen und nur verfassungsgemäße Ergebnisse bei der weiteren Rechtsfindung betrachtet werden, insoweit hat sie Vorrangwirkung (§ 11 Rn. 50 f.).[224] Nach der hier vertretenen Ansicht erlaubt die Juristische Methodenlehre auch eine *verfassungskonforme Rechtsfortbildung*, die in zulässiger Weise den Wortlaut korrigiert. Inhaltlich handelt es sich um Fälle, in welchen der Grundrechtsschutz des Betroffenen eine Rechtsfortbildung erfordert (§ 11 Rn. 68 ff.). 83

---

[219] S. Lösung § 15 Rn. 60 f.

[220] Als zwingender Vorrang bezeichnet bei *Alexy/R. Dreier*, in: Statutory Interpretation, 1991, S. 73, 95; *Möllers*, in: FS Roth, 2011, S. 473, 487.

[221] BVerfG, Beschl. v. 11.10.1978, 1 BvR 84/74, BVerfGE 49, 304, 320 – Sachverständigenhaftung. S. bereits oben § 11 Rn. 81 f. und § 13 Rn. 71.

[222] BVerfG, Urt. v. 24.10.1996, 2 BvR 1851/94 u.a., BVerfGE 95, 96, 133 – Mauerschützen.

[223] **A.A.** aber *Martens*, Methodenlehre des Unionsrechts, 2013, S. 500.

[224] *Canaris*, in: FS Medicus, 1999, S. 25, 52; *ders.*, in: FS Bydlinski, 2002, S. 47, 66 ff.

b) Vermutungsregel

84 Die Vermutungsregel spricht dem ersten Anschein nach (prima facie) für eine bestimmte Rechtslösung. Will der Rechtsanwender von der Gewichtung abweichen, muss er dies begründen. Er trägt die Argumentations- oder Begründungslast (§ 1 Rn. 98). Grundsätzlich wird vermutet, dass der *Wortlaut der Norm* auch den Willen des Gesetzgebers wiedergibt. Dies verlangt allerdings, dass der Wortlaut eindeutig und klar ist, was nur selten der Fall ist (§ 6 Rn. 3 ff.). Eine Vermutungswirkung haben schließlich die *richtlinienkonforme Auslegung* und *die richtlinienkonforme Rechtsfortbildung*. Sie führen gerade nicht zu einem zwingenden Vorrang, weil die Figuren durch Grenzen der nationalen Rechtsfortbildung beschränkt werden (ausführlich § 12 Rn. 76 ff.).[225] Die *Rechtsdogmatik* hat durch Rechtsprinzipien, Leitbilder etc. das Recht konkretisiert. Ein entsprechender rechtsdogmatischer Satz darf ohne erneute Begründung verwendet werden. Er führt zu einer Vermutungsregel,[226] die widerlegt werden muss (§ 9 Rn. 8).

85 Nicht zu unterschätzen ist die bisherige Rechtsprechung, d.h. *Präjudizien*, die zu einer Vermutungswirkung führen. Die eingangs begründete subsidiäre Befolgungspflicht ist Teil der sekundären Rechtsquellen (§ 3 Rn. 15). Hintergrund ist die Überlegung der Rechtsanwendungsgleichheit des Art. 3 Abs. 1 GG (§ 1 Rn. 42). Ein unwidersprochenes Präjudiz ist „starting point" bei der Rechtsfindung.[227] Prägnant formuliert *Kriele*: „Zugleich ermöglicht die Orientierung an Präjudizien Rechtssicherheit, Gleichbehandlung, damit Unparteilichkeit und Absicherung gegen parteiliche Einflüsse von Fall zu Fall und auf diese Weise Fortschritte in der Annäherung des Rechts an die Gerechtigkeit – und dies alles, ohne dass damit die Gesetzestreue in Frage gestellt würde."[228]

86 Zudem soll der *historische Wille des Gesetzgebers* im Zweifel vorgehen.[229] Schließlich soll dem *Zusammenspiel* von Wortlaut, der Systematik und dem Willen des Gesetzgebers eine besondere Bedeutung zukommen. Diese Interpretationsmittel lassen sich nämlich unmittelbar auf den Normsetzer zurückführen, während andere Rechtsfiguren, wie rechtsvergleichende oder empirische Argumente, nicht ohne Weiteres aus dem Blickwinkel des Normsetzers herrühren.[230] Starke Indizwirkung haben auch *folgenorientierte Überlegungen*, wie beispielsweise unangemessene Rechtsfolgen zu vermeiden, oder das argumentum ad absurdum. Wer vom Konsensus oder der herrschenden Ansicht (§ 5 Rn. 101 ff.) abweichen will, trägt hierfür die Darlegungslast.[231]

c) Abwägungsregel eines Beweglichen Systems

87 Liegen keine Vermutungs-, Argumentationslast- oder Vorrangregeln vor, sind die Argumentationsfiguren reine Abwägungsgebote. Die vier Auslegungselemente von Savigny haben ihre Berechtigung und finden weltweit Beachtung (§ 4 Rn. 24). Zahlreiche Argumentationsfiguren wurden vorgestellt, welche Wortlaut, Systematik und Geschichte präzisieren (§ 4). Zu nennen sind insbesondere Eindeutigkeitsregel, Einheit der Rechtsord-

---

[225] **A.A.** aber *Canaris*, in: FS Kramer, 2004, S. 141, 145; *ders.*, in: FS Bydlinski, 2002, S. 47, 66 ff.; zustimmend *Langenbucher*, in: dies., Europäisches Privat- und Wirtschaftsrecht, 4. Aufl. 2017, § 1 Rn. 93 ff.

[226] *Brohm*, VVDStRL 30 (1972), 245, 248; *Alexy*, Theorie der Juristischen Argumentation, 1983, S. 327; *Koch/Rüßmann*, Juristische Begründungslehre, 1982, S. 185; *Reimer*, Juristische Methodenlehre, 2. Aufl. 2020, Rn. 701; *Rüthers/Fischer/Birk*, Rechtstheorie, 11. Aufl. 2020, Rn. 324; *Dreier*, in: ders., Rechtswissenschaft als Beruf, 2018, S. 1, 30.

[227] *Braun*, Deduktion und Invention, 2016, S. 263 spricht vom „‚starting point' für eine sich nach anderen Regeln als die der Gesetzesauslegung vollziehende Rechtsfindung".

[228] *Kriele*, Grundprobleme der Rechtsphilosophie, 2. Aufl. 2004, S. 52.

[229] S. *Alexy*, Theorie der Grundrechte, 1978, S. 305; *Koch/Rüßmann*, Juristische Begründungslehre, 1982, S. 176 ff.; *Würdinger*, JuS 2016, 1, 6; **a.A.** *Heun*, AöR 116 (1991), 185, 206. Zur subjektiven Theorie s. oben § 6 Rn. 79.

[230] *Lindner*, Theorie der Grundrechtsdogmatik, 2005, S. 158.

[231] *Gast*, Juristische Rhetorik, 5. Aufl. 2015, Rn. 439 ff.; *Alexy/R. Dreier*, in: MacCormick/Summers, Statutory Interpretation, 1991, S. 73, 97.

nung, das Gebot, Ausnahmen eng auszulegen, Kollisionsregeln, „droit constant" sowie subjektiver Wille. Neben diesen Standardargumenten existieren allerdings zumindest gleichgewichtige Gegenargumente. Das hat zur Folge, dass der Überzeugungsgrad dieser Argumente relativ gering ist. Solche *Formalargumente*[232] als Abwägungregeln lassen sich durch teleologische Argumente widerlegen (§ 6 Rn. 17 ff.). Selbst vermeintlich logische Argumente können schließlich jeglicher Überzeugungskraft beraubt werden, wenn ihre Bezugsgröße nicht stimmt.[233]

d) Argumentationslastregel

Die Argumentationslast besteht für denjenigen, der eine bestimmte Argumentationsfigur für sich in Anspruch nehmen möchte (§ 1 Rn. 98). So führen etwa *ausländische Urteile* zu einer solchen Argumentationslastregel. Sie sind grundsätzlich nur eine (bloße) Rechtserkenntnisquelle, weil sie in Deutschland keine Rechtskraft entfalten. Wer sich trotzdem auf die Argumentation eines ausländischen Urteils berufen will, muss vortragen, warum diese Überlegungen auf das deutsche Recht übertragbar sind und im Zweifel diese Lösung besser ist als andere (§ 7 Rn. 85 f.).[234] **88**

Wenn sich eine Seite auf eine Vermutungsregel berufen kann, trifft die andere Seite die Argumentationslast, die Vermutung zu widerlegen. Wer sich für ein Abweichen von einem eindeutigen Wortlaut und damit für die *Rechtsfortbildung* ausspricht, trägt die Argumentationslast.[235] Er muss ausführen, dass eine Lücke vorliegt. Die Schließung der Lücke muss den Wertungen des Gesetzes entsprechen. Der subjektive Wille muss entkräftet werden, etwa durch eine Änderung der Verhältnisse oder Untätigkeit des Gesetzgebers (§ 6 Rn. 69 ff.).[236] Wer sich auf Billigkeit und Gerechtigkeit beruft, hat dies zu konkretisieren und trägt wiederum die Darlegungslast, z. B. um auf das *Untätigsein* des Gesetzgebers zu reagieren (§ 13 Rn. 53 ff.) oder *unbillige Härten* zu vermeiden (§ 13 Rn. 48 ff.). Offensichtlich ist die Argumentationslast im Bereich des gesetzesvertretenden und gesetzeskorrigierenden Richterrechts. **89**

Auch im Bereich der *Konkretisierung* kann es eine Argumentationslastregel geben. Das zeigt insbesondere die Fallgruppenbildung im Bereich von § 138 und § 826 BGB. Den rechtsfortbildenden Charakter verdeutlichten exemplarisch die Bürgschafts- (§ 11 Rn. 58, 62) oder die Infomatec-Entscheidung (§ 8 Rn. 43 ff.). In diesen Fällen ist der Jurist Rechtsschöpfer und trägt insoweit die Argumentationslast. **90**

Die *teleologische Auslegung* ist mehr als ein eigener Auslegungsschritt. Sie ist Auslegungsziel und insoweit grundsätzlich der übergeordnete Schritt der Rechtsfindung. Sie ist gewichtig, weil sie bisherige Auslegungsfiguren entkräftet, wenn sich mit dem Sinn und Zweck der Norm ein anderes Ergebnis überzeugender begründen lässt. Die teleologische Auslegung ist zweistufig, weil zuerst die Zweckbehauptung mit Argumenten verteidigt werden muss, um dann die Konsequenzen für die Interpretation zu entwickeln (§ 5 Rn. 8).[237] Für die Herleitung des Telos besteht dabei für den Rechtsanwender die Darlegungslast. **91**

---

[232] *Säcker*, in: MünchKomm-BGB, 8. Aufl. 2018, Einl. BGB Rn. 115: „Formalargumente"; ähnlich *MacCormick*, 6 Ratio Juris, 16, 22 (1993): „formalistic" or „legalistic" (§ 6 Fn. 2).

[233] Entscheidend ist, welcher Regelungszweck der Norm zugrunde liegt. Der Mutter-Kind-Fall verdeutlichte dies beispielsweise für die Argumentationsfiguren des Erst-Recht-Schlusses und des Umkehrschlusses (§ 1 Rn. 73).

[234] *Voßkuhle*, in: Bauer/Czybulka/Kahl/Voßkuhle, Umwelt, Wirtschaft und Recht, 2002, S. 171, 193.

[235] *Neuner*, Allgemeiner Teil des Bürgerlichen Rechts, 12. Aufl. 2020, § 4 Rn. 74; *Braun*, Deduktion und Invention, 2016, S. 169.

[236] *Röhl/Röhl*, Allgemeine Rechtslehre, 3. Aufl. 2008, S. 632.

[237] *Morlok*, in: Gabriel/Gröschner, Subsumtion, 2012, S. 179, 204. Eine Folgerung ist etwa die Rechtsfortbildung durch Analogie oder teleologische Reduktion, um den Normzweck zu verwirklichen.

e) Die differenzierte Gewichtung juristischer Argumente

92 aa) Zusammenfassend lässt sich festhalten: Teilweise sind die Argumentationsfiguren sehr stark, wenn sie anderen Auslegungsregeln zwingend *vorgehen*. Einen Mehrwert gibt auch die Ausgangsfrage, ob eine Argumentationsfigur eine *Vermutung* begründet oder aber eine *Argumentationslast*. So ist schon viel geholfen, wenn der Rechtsanwender erkennt, dass er das Telos einer Norm begründen muss, soweit sich der Sinn und Zweck nicht ohne weiteres ergibt (§ 5 Rn. 7 ff.). Gleiches gilt, wenn man die Begründungslast für die Rechtsfortbildung anerkennt und insoweit eine verdeckte Rechtsfortbildung vermeidet (§ 13 Rn. 10).

93 bb) Gelingt der Nachweis des Regelungszwecks in einem ersten Schritt, können die teleologischen Argumente in einem zweiten Schritt dann zahlreiche Argumente widerlegen (s. sogleich). Ist die Beweisführung durchgeführt, drehen sich die Argumentationslast- und Vermutungsregel. Wie beim Pokerspiel gewinnt die höhere Karte und die andere Seite muss reagieren.

94 Solche Argumentationsfiguren aus dem Bereich der teleologischen Auslegung sind die Ablehnung der Eindeutigkeitsregel, Relativität der Rechtsbegriffe, gespaltene Auslegung, Ausnahmen dürfen weit ausgelegt werden, die Relativierung der Lex-specialis-, Lex-posterior- oder Lex-superior-Regel, die Perplexität des historischen Willens oder das Redaktionsversehen. Einzelanalogie und teleologische Reduktion sind letztlich Beispiele, dass sich das Telos gegenüber dem Wortlaut durchsetzt. Diese Struktur wurde intensiv in §§ 4–6 vorgestellt.[238]

95 cc) Im Ergebnis lässt sich zwischen der **abstrakten Gewichtung einer Argumentationsfigur** und ihrer **konkreten Gewichtung im Einzelfall** unterscheiden. Entscheidend ist die Gewichtung im konkreten Fall.[239] So kann einmal das Wortlautargument und das andere Mal das teleologische Argument überzeugender sein und umgekehrt (§ 1 Rn. 99). Das Wortlautargument ist stark, wenn die Formulierung klar ist, also der Sachverhalt zum Begriffskern des Tatbestandsmerkmals zählt, dann wird es eine Vermutung begründen (§ 4 Rn. 45). Man denke an die Frage, ob man als 23-jähriger zum Bundespräsidenten gewählt werden kann (§ 1 Rn. 66). Dagegen ist das Wortlautargument schwach, wenn die Norm, wie bei Generalklauseln, unbestimmt und vage formuliert ist (§ 7 Rn. 5 ff.).[240] Auch Verfassung und Europarecht können sich nicht immer durchsetzen. Statt des Vorrangs gibt es etwa nur verfassungsorientierte oder richtlinienorientierte Auslegung.

f) Gewichtung juristischer Argumente und Auslegungsziel

95a Wie stehen nun die Argumentationskriterien, d.h. Argumentationsfiguren, und das Auslegungsziel zueinander? Häufig wird vertreten, subjektive und objektive Auslegung wären Auslegungsziele, die es zu ermitteln gilt.[241] Dem steht aber entgegen, dass beide nur Mittel sind, um das *Telos* der Norm zu stützen und ggf. Rechtsfortbildung zu betreiben (§ 6 Rn. 69 ff.)[242]. Die teleologische Auslegung ist damit selten eindeutig vorgegeben, vielmehr ist sie als Prämisse in der Regel erst mit Hilfe der Auslegungsfiguren festzustellen. Hierfür trägt der Rechtsanwender die Darlegungslast (§ 14 Rn. 92). Stärker sind dagegen die verfassungskonforme Auslegung und Rechtsfortbildung. Wie bei der teleologischen

---

[238] S. die Grafik: Argumentationsfiguren und Gegenfiguren in § 6 Rn. 59.

[239] Vgl. bereits *Looschelders/Roth*, Juristische Methodik im Prozeß der Rechtsanwendung, 1996, S. 194; die Zweistufigkeit deutlicher betonend *Christensen/Kudlich*, Theorie richterlichen Begründens, 2001, S. 378.

[240] Anschaulich auch *Vogenauer*, Die Auslegung von Gesetzen in England und auf dem Kontinent, 2001, der mehrmals zwischen dem eindeutigen und dem mehrdeutigen Wortlaut differenziert.

[241] Etwa *Larenz*, Methodenlehre des Rechts, 6. Aufl. 1991, S. 316 ff.; *Reimer*, Juristische Methodenlehre, 2. Aufl. 2020, Rn. 246 ff.; *Wank*, Juristische Methodenlehre, 2020, § 6 Rn. 152 ff.

[242] Ebenso *Wischmeyer*, Zwecke im Recht des Verfassungsstaates, 2015, S. 348 ff.

Auslegung verlangen diese wiederum, die Prämisse zu begründen. Ist dies aber erfolgt, zwingen *verfassungskonforme Auslegung* und *Rechtsfortbildung* als Auslegungsziel dazu, verfassungswidrige Auslegungsmöglichkeiten auszuscheiden und das Ziel einer verfassungskonformen Auslegung zu erreichen, etwa die lebenslange Freiheitsstrafe bei Mord im Zweifel teleologisch zu reduzieren (§ 11 Rn. 35, 69). Und auch die *richtlinienkonforme Auslegung* bzw. *Rechtsfortbildung* gibt das Ziel vor, nämlich die nationale Norm so weit wie möglich mit dem Regelungszweck der europäischen Richtlinie in Einklang zu bringen (§ 12 Rn. 48 ff., 64 ff.). In den gerade genannten Kategorien von Vorrang, Vermutung und Argumentationslast muss das Auslegungsziel als Prämisse erst begründet werden: mit dem einfachen Recht, der Verfassung oder dem europäischen Recht. Ist dies aber gelungen, führen verfassungskonforme und richtlinienkonforme Rechtsfortbildung zu einer starken Vermutung, die nur noch ausnahmsweise entkräftet werden kann.[243]

Grafik: Sechsstufige Prüfungsfolge der Rechtslösung und die Gewichtung der Argumentationsfiguren zur Rechtsfindung 96

I. Sechsstufige Prüfungsfolge der Rechtslösung

1. **Schritt: Sachverhaltshermeneutik:** Norm und Lebenswirklichkeit: Erweiterung des Subsumtionsmodells um Konkretisierungsschritte – Normbereichslehre (§ 14 Rn. 7 ff.)
2. **Schritt: Savigny'scher Auslegungskanon und Folgenorientierung:** Wortlaut; Systematik; subjektiver Wille; Zweck der Norm; Folgenorientierung (§§ 4–6)
3. **Schritt: Präjudizien und Konkretisierung von Generalklauseln:** Vergleichsfallmethode; Bewegliches System; Fallgruppen; Rechtsprinzipien; Abwägung (§§ 7–10)
4. **Schritt: Höherrangiges Recht:** insb. Verfassung; Europarecht; Völkerrecht (§§ 11–12)
5. **Schritt: Rechtsfortbildung und ihre Grenzen:** Korrektur des Wortlauts, Willens, Systems, gesetzesersetzend oder gesetzeskorrigierend etc. (§ 13)
6. **Schritt: Billigkeitskontrolle** und „Richtigkeitsgewähr" (§ 14 Rn. 74 ff.)

II. Gewichtung der Interpretationsfiguren

1. zwingende **Vorrangregel** (§ 14 Rn. 78 ff.)
   a) unzulässige **Rechtsfortbildung contra legem**
   schützenswertes Vertrauen, Gesetzlichkeitsprinzip, unzulässiger Grundrechtseingriff beim Verletzten oder bei einem Dritten
   b) zwingende **Rechtsfortbildung intra legem extra ius**
   primärrechtskonforme Rechtsfortbildung oder Anwendungsvorrang des Primärrechts; Grundrechtsschutz des Verletzten erfordert verfassungskonforme Auslegung und Rechtsfortbildung
2. **Vermutungsregel** (§ 14 Rn. 84 ff.)
   a) **zugunsten einer Rechtslösung:**
   – höherrangiges *Recht*: richtlinienkonforme Rechtsfortbildung
   – Präjudizien; *Rechtsdogmatik*; *Rechtsprinzipien* etc.
   – subjektiver Wille; normsystematisch abgesichertes Telos; folgenorientierte Überlegungen
   b) **gegen** eine Rechtsfortbildung: z.B. geschlossenes System, reine Zweckmäßigkeitserwägungen
3. **Argumentationslastregel** (§ 14 Rn. 88 f.)
   z.B. Topoi; Juristische Kreativität; gesetzesersetzende oder gesetzeskorrigierende Rechtsfortbildung; objektiver Wille; gewandelte Wertungen
4. **Abwägungsregel** (§ 14 Rn. 87)
   Abwägungs- und Kombinationstheorie; verfassungs- oder richtlinienorientierte Auslegung

[243] Gegen die verfassungskonforme Auslegung etwa Grundrechte Dritter (§ 11 Rn. 83 ff.) oder gegen die richtlinienkonforme Rechtsfortbildung ein anderslautender Umsetzungswille (§ 12 Rn. 76 ff.).

V. Quellen der Juristischen Methodenlehre

Literatur: *Gernhuber, Joachim,* Das Völkische Recht, in: FS Kern, 1968, S. 167–220; *Haferkamp, Hans-Peter,* Zur Methodengeschichte unter dem BGB in fünf Systemen, AcP 214 (2014), 60–92; *Larenz, Karl,* Rechtsperson und subjektives Recht, 1935, S. 1–40; *Rückert, Joachim/Seinecke, Ralf (Hrsg.),* Methodik des Zivilrechts – von Savigny bis Teubner, 3. Aufl. 2017; *Rückert, Joachim,* Interessenjurisprudenz, Verfassungswandel, Methodenwandel, Juristenjurisprudenz?, JZ 2017, 965–974; *Rüthers, Bernd,* Die unbegrenzte Auslegung, 8. Aufl. 2017; *Schlosser, Hans,* Europäische Rechtsgeschichte, 4. Aufl. 2021; *Schröder, Jan,* Recht als Wissenschaft, 2 Bde., 3. Aufl. 2020; *ders.,* Rechtswissenschaft in Diktaturen, 2016; *Wagner, Heinz,* Kontinuitäten in der juristischen Methodenlehre am Beispiel von Karl Larenz, DuR 1980, 243–261.

97 Es lohnt sich, am Ende des Werkes noch einmal die Vogelperspektive einzunehmen. Zum Teil wurde versucht, die Juristische Methodenlehre eng zu definieren, sie von der Rechtsdogmatik (§ 9 Rn. 3a) oder der Rechtstheorie abzugrenzen. An verschiedenen Stellen wurden Abgrenzungen zu den anderen Grundlagenfächern vorgenommen. Nur haben die bisherigen Überlegungen auch gezeigt, dass sich die vorgestellten Argumentationsfiguren aus verschiedenen Geistesströmungen und Grundlagenfächern entwickelt haben. Die Juristische Methodenlehre hat damit nicht einen engen, sondern einen weiten Anwendungsbereich.

1. Die Grundlagenfächer als Nachbardisziplinen

a) Rechtsgeschichte und der Wandel juristischer Methoden

98 aa) "Dogmatik und die sie flankierende Methode sind nicht nur abstrakte Problemlösungstechniken, sondern immer auch ein Speicher unserer vergangenen Rechtskultur."[244] Die Wurzeln unseres heutigen Rechts lassen sich bis in die Antike zurückverfolgen. Griechische und römische Gelehrte erdachten eine Vielzahl von Rechtsfiguren und -klassifikationen.[245] Dabei schulte die griechische und römische Rhetorik die Juristen im Argumentieren von Pro- und Contra-Argumenten (§ 6 Rn. 2). Erfreulicherweise haben nicht wenige Argumentationsfiguren ebenfalls historische Wurzeln im römischen Recht oder in der Aufklärung.

99 Zu nennen sind Argumentationsfiguren, wie das Gewohnheitsrecht,[246] die Eindeutigkeitsregel,[247] die systematische Auslegung,[248] der Lex-posterior-Satz,[249] der Zweck,[250] die Einzelanalogie,[251] die unerhebliche Beeinträchtigung[252] oder die Billigkeit.[253] Von Savigny haben wir seinen Auslegungskanon adaptiert (§ 4 Rn. 19 f.). In Deutschland dominant war dann die Entwicklung von Begriffs-, Interessen- und Wertungsjurisprudenz (§ 5 Rn. 19 ff.).

100 bb) Ein historischer Rückblick ist schon deshalb sinnvoll, weil das BGB in fünf Herrschaftsformen zur Anwendung kam.[254] Unter dem Nationalsozialismus und in der frühe-

---

[244] So anschaulich *Haferkamp,* AcP 214 (2014), 60, 91 f.

[245] Historische Ausführungen zur Juristischen Methodenlehre finden sich bei *Harke,* in: Riesenhuber, Europäische Methodenlehre, 4. Aufl. 2021, § 2; *Baldus,* in: Riesenhuber (ebd.), § 3. S. auch oben § 1 Rn. 63 und § 6 Rn. 2.

[246] Paul. D. 1,3,37; s. § 3 Fn. 67.

[247] Paul. D. 32,25,1; s. § 4 Fn. 124.

[248] Cels. D. 1,3,24; s. § 4 Fn. 213.

[249] D. 1,4,4; s. § 4 Fn. 286.

[250] Cels. D. 1,3,17; s. § 5 Fn. 6.

[251] Iul. D. 1,3,12; s. § 6 Fn. 235; s. § 4 Fn. 26.

[252] Ulp. D. 4,3,9–10; s. § 5 Fn. 201.

[253] Cels. D. 1,1,1; s. § 1 Fn. 237.

[254] Von der deutschen Kaiserzeit, der Weimarer Republik, dem Dritten Reich, der sozialistischen DDR bis zur Bundesrepublik Deutschland in der heutigen Form, eindringlich *Rüthers,* NJW 1996, 1249, 1253; *ders.,* JZ 2006, 53, 56.

ren DDR[255] waren Juristen in der Lage, mit Hilfe der juristischen Dogmatik „Unrechtsurteile" zu begründen. Für Gesetze wie beispielsweise das Gesetz zur Wiederherstellung des Berufsbeamtentums[256] oder die Nürnberger Rassengesetze[257] wurde später der Begriff „Unrechtsgesetze" geprägt.[258] Weil aber in kurzer Zeit nicht alle Gesetze durch nationalsozialistische Gesetze ersetzt werden konnten, kam der Umdeutung des Rechts im Sinne der nationalsozialistischen Ideologie eine gewichtige Bedeutung zu.[259] Das Recht war nach dem Willen des „Führers" zu interpretieren. Gewünschte Ergebnisse konnten mit Hilfe der „völkischen Rechtsauffassung", „völkischen Rechtsidee" und „völkischen Gesamtordnung" begründet werden.[260] Man zerstörte so die Strukturen des BGB wie subjektives Recht, Rechtsfähigkeit, Vertrag und Eigentum, die dem völkischen Gemeinschaftsvorrang unterworfen wurden.[261]

> *Larenz* unterstützte nicht nur das Führersystem, sondern auch die Rassenideologie der Nationalsozialisten. Juden sprach er schlicht die Rechtsfähigkeit ab, indem er formulierte: „Rechtsgenosse ist nur, wer Volksgenosse ist; Volksgenosse ist, wer deutschen Blutes ist. […] Wer außerhalb der Volksgemeinschaft steht, steht auch nicht im Recht, ist nicht Rechtsgenosse."[262] **101**

Zudem erlaubten vor allem Generalklauseln eine Auslegung nach nationalsozialistischen Vorgaben, weil diese sich einer logischen Deduktion entzogen und damit weder den „Führer" noch den Gesetzgeber banden.[263] So wurde die Generalklausel des § 242 BGB (Treu und Glauben) auf das Interesse des „Volksganzen", die Sittenwidrigkeit in § 138 BGB auf das Anstandsgefühl aller billig und gerecht denkenden „Volksgenossen" bezogen. Auf das „Volksempfinden" wurde auch im Strafrecht zurückgegriffen.[264] **102**

Mit solchen Auffangtatbeständen konnten das Analogieverbot (§ 4 Rn. 67) umgangen und vor allem durch Sondergerichte unverhältnismäßig hohe Strafen ausgesprochen werden. Im Ergebnis wurde die pervertierte Unrechtsordnung des NS-Staates nicht nur durch einen auf Gesetzespositivismus beruhenden blinden Gesetzesgehorsam des Juristen ermöglicht, sondern auch durch ein mit unbestimmten Rechtsbegriffen arbeitendes rassistisch-nationalistisches Recht, das unter allen Umständen die nationalsozialistische Weltordnung vorantreiben wollte.[265] **103**

---

[255] Hierzu ausführlich *Meder*, Rechtsgeschichte, 7. Aufl. 2021, S. 436 ff.; *Schröder*, Recht als Wissenschaft, Bd. 2, 3. Aufl., 2020, 5. Teil.

[256] Gesetz zur Wiederherstellung des Berufsbeamtentums v. 7.4.1933, RGBl. 1933 I, S. 175.

[257] Gesetz zum Schutz des deutschen Blutes und der deutschen Ehre v. 15.9.1935, RGBl. 1935 I, S. 1146.

[258] *Raisch*, Juristische Methoden, 1995, S. 120; s. auch § 2 Rn. 131.

[259] Deutlich *Carl Schmitt*, Über die drei Arten des rechtswissenschaftlichen Denkens, 1934, S. 59: „Sobald Begriffe wie ‚Treu und Glauben' […] nicht auf die individualistische bürgerliche Verkehrsgesellschaft, sondern auf das Interesse des Volksganzen bezogen werden, ändert sich in der Tat das gesamte Recht, ohne daß ein einziges ‚positives' Gesetz geändert zu werden bräuchte."

[260] So *Larenz*, Über Gegenstand und Methode des völkischen Rechtsdenkens, 1938, S. 17 f., 25; hierzu *Rüthers*, Die unbegrenzte Auslegung, 8. Aufl. 2017, S. 276 f.; *R. Dreier*, JZ 1993, 454 ff.

[261] Ausführlich hierzu *Rüthers* (ebd.), S. 322 ff.; *Haferkamp*, AcP 214 (2014), 60, 73.

[262] *Larenz*, Rechtsperson und subjektives Recht, 1935, S. 1, 21 = *ders.*, in: Dahm u.a., Grundfragen der Rechtswissenschaft, 1935, S. 221, 240; hierzu *Wagner*, DuR 1980, 243, 250 ff. Zu dieser Textstellung und der Bedeutung von *Larenz* im Dritten Reich s. die unterschiedliche Bewertung einerseits von *Canaris*, in: Grundmann/Riesenhuber, Deutschsprachige Zivilrechtswissenschaftler des 20. Jahrhunderts in Berichten ihrer Schüler, Bd. 2, 2010, S. 263 ff.; *ders.*, JZ 2011, 879 ff. und andererseits *Rüthers*, JZ 2011, 593 ff.; *ders.*, JZ 2011, 1149 ff.

[263] *Gernhuber*, in: FS Kern, 1968, S. 167, 189 ff.

[264] Zu § 2 StGB a.F. s. § 4 Rn. 67. § 4 der Volksschädlingsverordnung (v. 5.9.1939, RGBl. 1939 I, S. 1679) lautete: „Wer vorsätzlich unter Ausnutzung der durch den Kriegszustand verursachten *außergewöhnlichen Verhältnisse* eine *sonstige Straftat* begeht, wird unter Überschreitung des regelmäßigen Strafrahmens mit Zuchthaus bis zu 15 Jahren oder mit dem Tode bestraft, wenn dies das *gesunde Volksempfinden* wegen der besonderen Verwerflichkeit der Straftat erfordert."

[265] *Sommermann*, Jura 1999, 337, 341 spricht von „als Naturrecht reklamierte[n] Prinzipien", auf denen der nationalsozialistische Absolutheitsanspruch gegründet war.

104 Die Juristische Methodik wurde in der Vergangenheit also auch missbraucht, um Unrecht zu begründen, wie *Rüthers* in seiner Habilitationsschrift[266] deutlich herausarbeitete. Heute gilt es sicherzustellen, dass sich so etwas nicht wiederholen kann (§ 1 Rn. 105 ff.). Dies muss man im Hinterkopf behalten, wenn man sich mit der Frage der Existenz von Naturrecht, der Radbruch'schen Formel (§ 2 Rn. 131 ff.) oder dem „übergesetzlichen Unrecht" befasst. Schon aus diesem Grunde ist es ratsam, sich mit der Rechtsgeschichte zu beschäftigen.[267]

105 cc) Das BGB von 1900 sah noch von jeglichen Vorgaben einer Methodenlehre ab.[268] Nach der Zeit des Nationalsozialismus fand dann nach dem zweiten Weltkrieg ein erneuter Einfluss auf das BGB statt, diesmal durch die Verfassung mit der mittelbaren Drittwirkung der Grundrechte (§ 11 Rn. 11 ff.). Während der deutsche Gesetzgeber auf Vorgaben zu einer Methodenlehre verzichtete, setzte nun erstmals in der Methodengeschichte ein Gericht, nämlich das BVerfG, verbindlich die methodischen Anforderungen fest.[269]

b) Rechtsvergleichung

106 Die Rechtsvergleichung zeigt auf, dass zahlreiche Argumentationsfiguren in vielen Rechtskreisen bekannt sind, wie der Savigny'sche Kanon, die Einzelanalogie und viele mehr. Eine rechtsvergleichende Analyse belegt deutlich, dass etliche Interpretationsregeln aus dem Ausland importiert wurden.

107 Das gilt für die *One-right-answer-thesis* oder die *Vergleichsfallmethode* aus dem angloamerikanischen Rechtskreis, dem „case law", für das *Bewegliche System* von Wilburg aus Österreich, oder die Figuren des *Anwendungsvorrangs* und des *effet utile* des EuGH. Schließlich bildete die Rechtsvergleichung eine eigene Methode, um ein konkretes materielles Rechtsproblem zu lösen (§ 7 Rn. 78 ff.).

c) Rechtstheorie

108 Die Rechtstheorie[270] will Recht beobachten und theoretisch reflektieren, ohne, wie die Rechtsdogmatik, den Rechtsstoff zu sichten, zu bearbeiten und zu ordnen (§ 9 Rn. 2 f.).[271] Im engeren Sinne beschäftigt sie sich analytisch mit der logischen Struktur von Normen, im weiteren Sinne mit der Normentheorie, der Wissenschaftstheorie, der Theorie der Sprache und der Argumentationstheorie.[272] Im Unterschied zur Juristischen Methodenlehre konzentriert sich Rechtstheorie nicht auf eine bestimmte geltende Rechtsordnung.[273]

---

[266] *Rüthers,* Die unbegrenzte Auslegung, 1968 (8. Aufl. 2017).

[267] In einer scharfen Rezension hatte *Rüthers*, NJW 1996, 1249 ff. dem Lehrbuch von Larenz/*Canaris* vorgeworfen, ohne einen historischen Abriss wäre eine Dogmatik keine, sondern vielmehr eine Anleitung zum „fortgesetzten methodischen Blindflug". Zur Methodenlehre von Larenz kritisch auch *Hirsch*, JZ 1962, 329 ff.; *Frassek*, in: Rückert/Seinecke, Methodik des Zivilrechts – von Savigny bis Teubner, 3. Aufl. 2017, S. 241, 248, der Larenz vorhält, mit den Ausführungen zur Methodenlehre in den 1960er Jahren unmittelbar an seine Methodenlehre „Über Gegenstand und Methode des völkischen Denkens, 1938" anzuknüpfen.

[268] Zum deutschen Recht und den gegenteiligen Vorgaben in der Schweiz, Österreich oder Spanien, s. oben § 1 Rn. 49 und § 4 Rn. 24 f.

[269] *Haferkamp*, AcP 214 (2014), 60, 85 und oben § 11 Rn. 4–26. Zur Entwicklung der Juristischen Methodenlehre nach dem 2. Weltkrieg bis 1990, s. *Schröder*, Recht als Wissenschaft, Bd. 2, 3. Aufl. 2020, S. 183 ff.

[270] Auch Allgemeine Rechtslehre genannt.

[271] *Vesting*, Rechtstheorie, 2. Aufl. 2015, Rn. 18. S. auch *Auer*, Zum Erkenntnisziel der Rechtstheorie, 2018.

[272] *Funke*, in: Krüper, Grundlagen des Rechts, 4. Aufl. 2021, § 2 Rn. 2 f. S. auch *Jestaedt/Lepsius (Hrsg.)*, Rechtswissenschaftstheorie, 2008; *Kuntz*, AcP 219 (2019), 254 ff.

[273] *Kaufmann*, in: Hassemer/Neumann/Saliger, Einführung in die Rechtsphilosophie und Rechtstheorie der Gegenwart, 9. Aufl. 2016, S. 8; *Sauer*, in: Krüper (ebd.) § 10 Rn. 5. Deshalb scheint es nicht überzeugend, wenn Rechtsphilosophie und Juristische Methodenlehre jeweils als eine Teilmenge der Rechtstheorie verstanden wird, so aber *Rüthers/Fischer/Birk*, Rechtstheorie, 11. Aufl. 2020, S. VII.

Sie bemüht sich insbesondere um den Rechtsquellenbegriff. Die Rechtswissenschaft habe es mit Normen, also mit einem Sollen, nicht mit einem faktischen Geschehen (dem Sein) zu tun. Daraus folge eine logische Trennung von Sollen und Sein (§ 3 Rn. 20).[274] Folglich gelte eine Norm, wenn sie nur ordnungsgemäß gesetzt wurde.[275] Allerdings wird in diesem Werk ein enger Rechtsquellenbegriff abgelehnt (§ 3 Rn. 3 ff.) und auch die scharfe Trennung von Sein und Sollen gelegentlich aufgelöst (§ 14 Rn. 7 ff.). Die *sprachphilosophischen Erkenntnisse* von Wittgenstein[276] bedingen einen bewussteren Umgang mit den einschlägigen Rechtsfiguren, sodass der Rechtstext in dem jeweiligen Zusammenhang und in seinem zeitlichen Kontext zu verstehen ist (§ 6 Rn. 11). Wichtige Impulse gaben die rechtstheoretischen Arbeiten von Esser zum *Vorverständnis*.[277] Ein solches subjektives Vorverständnis ist dann unproblematisch, wenn es durch Juristische Methodenlehre ergänzt oder korrigiert wird (§ 1 Rn. 72).

d) Rechtssoziologie

Im krassen Gegensatz zu einem strikten Gesetzespositivismus begründete *Eugen Ehrlich* die Rechtssoziologie, welche die soziale Wirklichkeit erforscht und daraus Folgerungen für das Recht zieht (§ 5 Rn. 91 ff.). Stärkeren Einfluss hatte die in den USA von *Roscoe Pound* entwickelte soziologische Rechtsschule (*sociological jurisprudence*).[278] Gegen die Rechtssoziologie wurde vorgetragen, dass nicht von dem Sein auf das Sollen geschlossen werden kann. Der Geltungsanspruch des Rechts würde damit missachtet:[279] Nur weil zu schnelles Fahren, Steuerhinterziehung oder Schwarzfahren populär sind, sind diese Verhaltensweisen noch nicht rechtmäßig. 109

Allerdings lassen sich durchaus Wechselwirkungen zwischen dem Recht und der Lebenswirklichkeit feststellen. Das gilt einerseits für die Sachverhaltshermeneutik und ihre Grenzen (§ 14 Rn. 7 ff.), den Rückgriff auf Handelsbräuche oder die allgemeine Lebenserfahrung, aber auch für Interpretationsregeln, wie die *normative Kraft des Faktischen* oder die *Akzeptanz* der Entscheidung. Die in der Wissenschaft erarbeiteten Gedanken treffen dann auf breite Anerkennung, wenn sie *von der Rechtsprechung aufgenommen wurden*, um Lücken zu füllen. Umgekehrt finden Urteile wiederum mehr Anerkennung, wenn sie Rechtsinstitute nicht frei erfinden, sondern sich auf bisher bestehende Rechtsansichten berufen können (§ 5 Rn. 101 ff.). 110

2. Staatstheorie, Rechtsdogmatik und Rechtsphilosophie

a) Methodenlehre als Argumentations- und Legitimationslehre

Die Juristische Methodenlehre hat zudem Berührungspunkte zur Staatstheorie, der Rechtsdogmatik und der Rechtsphilosophie. Das vorliegende Werk versteht die Juristische Methodenlehre nicht nur als reine Argumentationslehre, sondern zugleich als Legitimationslehre. Sie beinhaltet zudem einen staatstheoretischen Teil, in dem zahlreiche Fragen des Verfassungsrechts thematisiert werden, insbesondere die Frage nach der Be- 111

---

[274] Die Reinheit des Rechts liege darin, dass es von allen Einflüssen der Politik, Soziologie, Psychologie, Ethik oder Religion befreit werde, *Kelsen*, Reine Rechtslehre, 2. Aufl. 1960, S. 1.

[275] Im Ergebnis kann laut *Kelsen*, Reine Rechtslehre, 2. Aufl. 1960, S. 201 „jeder beliebige Inhalt Recht sein."

[276] *Wittgenstein*, Philosophische Untersuchungen, 1953 (postum), Nr. 43.

[277] *Esser*, Vorverständnis und Methodenwahl, 1970.

[278] *Cardozo* und *Llewellyn* verstanden Recht als Mittel zur Ordnung sozialer Interessen. Cardozo konnte diesen Ansatz bei seiner Entscheidungsfindung als Richter am Supreme Court umsetzen. S. *Cardozo*, The Process of Judicial Decision, 1912, S. 98 ff.

[279] *Larenz*, Methodenlehre der Rechtswissenschaft, 6. Aufl. 1991, S. 65.

grenzung der richterlichen Gewalt. Das gilt für das Gesetzlichkeitsprinzip (§ 1 Rn. 36 f.), aber auch den Gesetzesvorbehalt, die Wesentlichkeitstheorie sowie das Prinzip der Gewaltenteilung (§ 13 Rn. 83 f.). Politische Gerichtsentscheidungen, die ohne Not den Willen des Gesetzgebers korrigieren, sind unzulässig. Nicht von ungefähr wird der Streit zwischen subjektiver und objektiver Theorie (§ 6 Rn. 60 ff.) sowie hinsichtlich der Grenzen zulässiger Rechtsfortbildung so intensiv geführt (ausführlich § 13). Juristische Methodenlehre strukturiert nach Esser „einen Teil jener argumentative[r] Figuren […], in denen wir *Plausibilität von Begründungszusammenhängen zumindest für Juristenkreise konsensfähig machen.*“[280]

b) Rechtsdogmatik und die Berührung zur Juristischen Methodenlehre

112 Rechtsdogmatik und Juristische Methodenlehre wollen beide den Prozess von Rechtserkenntnis, Rechtsfindung und Rechtsschöpfung rationalisieren (§ 9 Rn. 2 ff.). Im Bereich der Konkretisierung und Rechtsfortbildung bedarf es sorgfältiger Einbettung der Rechtslösung in das bisherige Recht. *Esser* formuliert: „*Dogmatik stellt ferner im Rahmen eines Systems jene Kontrollinstanz dar, welche die Verträglichkeit von Lösungen mit anderweitig vorgegebenen Regelungen sichert.*“[281]

113 Gerade im Bereich Juristischer Kreativität darf man sich nicht mit der Rechtsdogmatik begnügen. Die Methodenlehre muss erklären, wie diese juristischen Begriffe hergeleitet, erfunden und konstruiert werden, sowie rechtfertigen, dass sie sich in das geltende Recht einbetten und damit mit den einschlägigen Rechtsquellen in Einklang bringen lassen (§ 9 Rn. 7 ff.). Unterstützung gibt die Rechtsdogmatik bei der Entwicklung und Konkretisierung allgemeiner Rechtsprinzipien, dem Entwickeln neuer Rechtsinstitute, Leitbildern etc. (§ 9 Rn. 28 ff.). Techniken für die Herleitung bilden neben der Induktion und Deduktion (§ 7 Rn. 52 ff.) und der Abwägung (§ 10) auch die Innovation (§ 14 Rn. 46). Juristische Methodenlehre und Rechtsdogmatik strukturieren und begrenzen die Möglichkeiten juristischer Rechtsschöpfung (§ 14 Rn. 46 ff.).

c) Rechtsphilosophie: Auf der Suche nach der gerechten Entscheidung

114 In § 1 wurde die Abgrenzung zur Rechtsphilosophie mit der zentralen Frage „Was ist Recht?“ formuliert. Die Juristische Methodenlehre folgt mit der Frage „Wie wird Recht richtig angewendet?“ Beides lässt sich miteinander verbinden. Das angestrebte Ziel der Rechtsfindung besteht unstreitig darin, Ergebnisse zu begründen, die auch **gerecht** sind. **Die Methodenlehre ist damit nicht wertfrei,** wie eingangs schon gezeigt wurde (§ 1 Rn. 105 ff.).[282] Gadamer verlangt, dass das Urteil des Richters nicht einer unvorhersehbaren Willkür entspringt, sondern der gerechten Abwägung des Ganzen.[283] Noch deutlicher formuliert Kriele: „Wir können an die Lösung eines Rechtsproblems nicht anders herangehen, als indem wir gerechtigkeitsorientierte Normhypothesen bilden.“[284] Das lässt sich mit drei Überlegungen weiter präzisieren:

115 Vorab kann der pauschale Hinweis auf die „Billigkeit“ oder die „Gerechtigkeit“ noch nicht eine Entscheidung begründen. Der Hinweis auf die Rechtsidee ist zu abstrakt und

---

[280] Und weiter *Esser*, JZ 1975, 555: „Mit der Erkenntnis der Bedingtheit durch Vorverständnisse entfällt nicht die Möglichkeit, ausreichende Argumentationsleistung und abruptes Zurechtbiegen zu unterscheiden.“

[281] *Esser*, AcP 172 (1972), 97, 104.

[282] *Schapp*, Hauptproblem der juristischen Methodenlehre, 1983, S. 1, 3, 43 ff. Deutlich Zippelius/*Würtenberger*, Juristische Methodenlehre, 12. Aufl. 2020, S. 11 f.: „Dass all diese begrifflichen Erwägungen vor allem auf das Ziel ihres *gerechten Ergebnisses* ausgerichtet sein sollen, darüber kann aber verständigerweise kein Streit bestehen.“ **A.A.** *Rüthers* (§ 1 Rn. 105).

[283] Hierzu bereits § 14 Fn. 211.

[284] *Kriele*, Grundprobleme der Rechtsphilosophie, 2. Aufl. 2004, S. 49.

zu allgemein, um damit ein juristisches Ergebnis abzuleiten; sie gerät zur *Leerformel* (§ 2 Rn. 139 f.). Ansonsten würde im Sinne eines Zirkelschlusses vorausgesetzt, was es zu beweisen gilt[285] und dem eigenen subjektiven Vorverständnis gehuldigt. Es handelt sich nicht mehr um Wissenschaft, wenn man nur auf die „billige“ Entscheidung abstellt.[286] Zudem zielt die Juristische Methodenlehre darauf ein gerechtes Ergebnis zu erreichen. Sie kann dies aber nicht garantieren: Das ergibt sich aus der Überlegung, dass sie regelmäßig nicht richtige, sondern nur vertretbare und überzeugende Ergebnisse erzielen möchte (§ 1 Rn. 86 ff.).

Der Anspruch der Methodenlehre an Gerechtigkeit und Billigkeit erinnert an die Relevanz des Naturrechts für das positive Recht: Im Zweifel gelingt nicht die positive, sondern nur die negative Beweisführung: Die Methodenlehre kann zwar „das“ gerechte Ergebnis nicht garantieren, aber nahezu immer **ungerechte Ergebnisse vermeiden**. Plastisch formuliert Isensee: „Der Rechtsstaat richtet sich aus auf die Gerechtigkeit als Leitidee: aber er weiß, daß er sie niemals erreichen kann und daß selbst optimale Lösungen bestreitbar bleiben werden.“[287] **115a**

Der Gerechtigkeitsanspruch als Ideal und Ziel wird durch zahlreiche Argumentationsfiguren unterstützt: z.B. die *Radbruch'sche Formel*, die aufzeigt, wann grob ungerechte Ergebnisse zu vermeiden sind (§ 2 Rn. 131 ff.). Man denke an die Kontrollüberlegung, *unbillige Ergebnisse* zu vermeiden (§ 5 Rn. 71 ff.), die auch Auslöser für eine *Rechtsfortbildung* sein kann.[288] Diese Billigkeitskontrolle ist schließlich auch ein eigener Prüfungsschritt (§ 14 Rn. 74 ff.). Dazu dient letztlich das Juristische Denken als Teil der Juristischen Methodenlehre (§ 14 Rn. 127 ff.) Gerade im Rahmen der Juristischen Kreativität gilt es, das „Irrationale an der Entscheidung aufzudecken, also nicht, die Gerechtigkeitsfrage zu suspendieren, sondern die Anforderungen an Gerechtigkeit zu intensivieren.“[289] Das verlangt vor allem, die Anforderungen an den Begründungsaufwand zu erhöhen (s. sogleich). **115b**

Die Quellen der Juristischen Methodenlehre, welche Argumentationsfiguren hervorbringt, lassen sich grafisch veranschaulichen.[290] **116**

[285] So der Vorwurf des Zirkelschlusses von *Roellecke*, in: FS Müller, 1970, S. 323, 326 gegenüber *Gadamer*.

[286] So aber wohl Palandt/*Grüneberg*, BGB, 80. Aufl. 2021, Einl. Rn. 46 (oben § 14 Fn. 105).

[287] *Isensee*, in: HStR IX, 3. Aufl. 1997, § 202 Rn. 23; zustimmend *Reimer*, in: Reimer, Gerechtigkeit als Methodenfrage, 2020, S. 40: „Der Rechtsstaat muss nicht Gerechtigkeit gewährleisten, sondern Ungerechtigkeiten vermeiden und verhindern“. Dies zeigt an zahlreichen Beispielen etwa *Honsell*, Was ist Gerechtigkeit?, 2019.

[288] Zur telelogischen Reduktion (§ 6 Rn. 100), Einzelanalogie (§ 6 Rn. 121, 128) und allgemein (§ 13 Rn. 48 ff.).

[289] S. sogleich § 14 Rn. 134.

[290] Zu einer anderen Einteilung s. *Fikentscher*, Methoden des Rechts, Bd. IV, 1977, S. 669.

Grafik: Quellen der Juristischen Methodenlehre

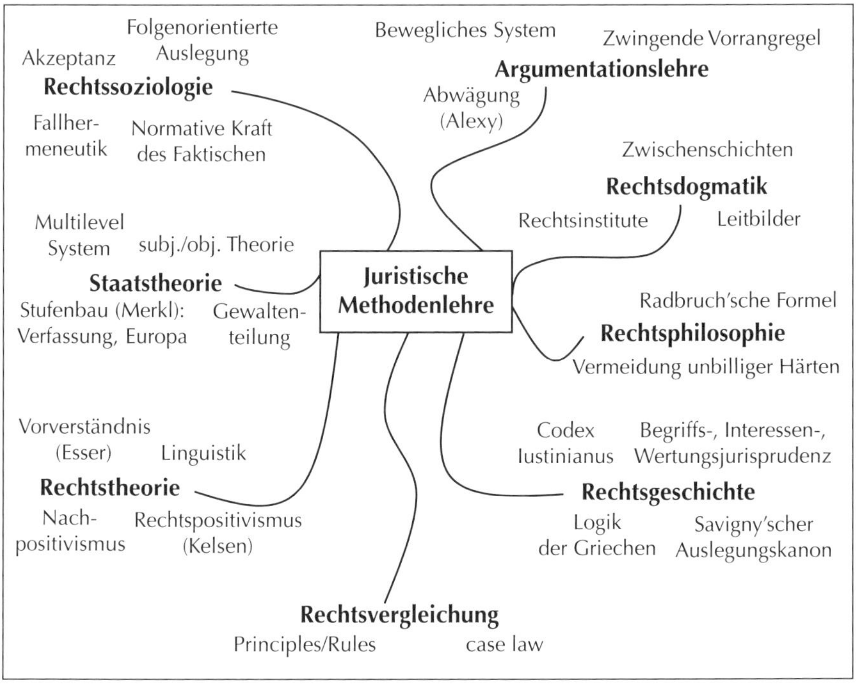

VI. Eine Moderne Methodenlehre als Schule Juristischen Denkens

Literatur: *Engisch, Karl (Verf.)/Würtenberger, Thomas/Otto, Dirk (Hrsg.)*, Einführung in das Juristische Denken, 12. Aufl. 2018; *Feser, Andreas*, Das Recht im juristischen Denken, 2016; *Mastronardi, Philippe*, Juristisches Denken, 2. Aufl. 2003; *Muthorst, Olaf*, Grundlagen der Rechtswissenschaft, 2. Aufl. 2019, §§ 4, 9; *Puppe, Ingeborg*, Kleine Schule des juristischen Denkens, 4. Aufl. 2019; *Schnapp, Jan*, Logik für Juristen, 7. Aufl. 2018, §§ 9 ff.; *Wurzel, Karl Georg*, Das juristische Denken, 1904; *Zippelius, Reinhold*, Rechtsphilosophie, 6. Aufl. 2011, §§ 38 ff.

1. Zum Legitimations- und Rationalitätsanspruch – Methodenlehre als Garant Juristischen Denkens

117 Wie lassen sich die wichtigsten Gedanken des Lehrbuchs knapp zusammenfassen? Das BVerfG folgt einem Kompromiss zwischen richterlicher Erkenntnis und „*Wertvorstellungen*, die der verfassungsmäßigen Rechtsordnung immanent, aber in den Texten der geschriebenen Gesetze nicht oder nur unvollkommen zum Ausdruck gelangt sind, in einem Akt des bewertenden Erkennens, dem auch willenhafte Elemente nicht fehlen, ans Licht zu bringen und in Entscheidungen zu realisieren" (Soraya – § 13 Rn. 16). Allerdings ist dieser Kompromiss zwischen Erkenntnis und Wille alles andere als klar.[291]

118 Gibt es nun einen vermeintlich gesetzesfreien Raum, in dem der Richter frei dezisionistisch entscheiden kann (§ 14 Rn. 40 ff.) und somit zur verdeckten Rechtsfortbildung

[291] *Fischer-Lescano/Christensen*, Der Staat 44 (2005), 213, 217.

(§ 13 Rn. 9 f.) ermächtigt ist? Einem solchen Recht des Richters ist entgegenzutreten: Der Bereich zulässiger richterlicher Dezision ist auf ein Mindestmaß zu begrenzen.

Am Anfang des Werkes wurde das Ziel der Juristischen Methodenlehre entwickelt. Der Jurist muss dartun, ob der Anspruch besteht oder nicht, ob die Handlung rechtmäßig oder rechtswidrig ist. Als Argumentations- und Begründungslehre will die Juristische Methodenlehre Entscheidungen **rational nachvollziehbar**, somit überprüfbar machen und damit die juristische Entscheidung legitimieren (§ 1 Rn. 8). Juristische Methoden zielen erstens auf Rechtssicherheit ab, weil sie der Vorhersehbarkeit der Rechtsfindung dienen.[292] Zweitens nötigt die Begründungspflicht die Entscheidungsinstanzen zu einer Selbstkontrolle, verbreitert drittens die Konsensfähigkeit der Entscheidung und erleichtert es schließlich viertens dem Betroffenen, diese zu akzeptieren.[293] Die Juristische Methodenlehre will die Rechtsgewinnung systematisieren, objektivieren und letztlich auch kontrollieren (§ 1 Rn. 115 ff.). Juristische Methoden *rationalisieren* den Prozess von Rechtserkenntnis, Rechtsfindung und Rechtsschöpfung. Dies dient der Rechtsanwendungsgleichheit und beugt damit der Ungleichbehandlung der Bürger vor (§ 1 Rn. 42). 119

Die Juristische Methodenlehre und die Rechtsdogmatik strukturieren und setzen der Juristischen Kreativität Grenzen. Ziel ist es, die einzelnen Zwischenschritte einer **Plausibilitäts- und Evidenzkontrolle**[294] zu unterziehen. Summa summarum muss der Jurist substantiell und kohärent argumentieren.[295] Dazu zeigt er auf, warum die vorgeschlagene Lösung anderen Lösungsansätzen überlegen ist (§ 1 Rn. 64 ff.). Juristisches Denken wird von der Juristischen Methodenlehre geprägt. Die Juristische Methodenlehre hilft Rechtsdogmatik zu erklären (§ 14 Rn. 112 ff.). Sie lenkt das Juristische Denken in bestimmte Denkrichtungen (2.), verbindet sie mit der erforderlichen Begründungstiefe (3.) und schließt damit bestimmte Argumentationsstrukturen aus (4.). Abschließend soll noch ein Blick auf eine europäische Methodenlehre gewagt werden (5). 120

2. Denkstrukturen einer Modernen Methodenlehre

In dem Werk wurde zwischen Auslegung, Konkretisierung, Konstruktion und Rechtsfortbildung unterschieden. Die klassische Methodenlehre ist nicht in Bausch und Bogen zu verdammen, weil es große Bereiche gibt, mit denen die Erkenntnis des Rechts gelingt (§§ 4–6). Die **Deduktion** als formallogisches Schlussfolgern vom Allgemeinem auf das Besondere (§ 9 Rn. 24) ist das klassische Handwerkszeug im Rahmen der *Subsumtion*, wenn der Jurist die Tatbestandsmerkmale des Gesetzes auf den Sachverhalt anwendet (§ 4–6). Die Kombination von Deduktion und Induktion gilt im Bereich der Lückenfüllung im Rahmen der *Einzelanalogie* (§ 6 Rn. 132). 121

Die Deduktion wird schwierig oder versagt im Bereich von Blankettnormen, sei es Generalklauseln oder Rechtsprinzipien. Hier ist die **Abwägung** entscheidend. Abwägung zwischen verschiedenen Grundrechten oder Interessen ist eine eigene Technik, um Rechtslösungen zu entwickeln. Sie gilt nicht nur im Öffentlichen Recht, sondern auch im Zivilrecht. Sie erlaubt es, Begriffe zu präzisieren und *Zwischenschritte* oder *Leitbilder* zu entwickeln (§ 10 Rn. 17 f.). Die Verhältnismäßigkeitsprüfung zielt etwa im Rahmen der praktischen Konkordanz von Grundrechten auf einen interessensgerechten Ausgleich im 122

[292] *Rüthers/Fischer/Birk*, Rechtstheorie, 11. Aufl. 2020, Rn. 651; *Vogenauer*, ZEuP 2005, 234, 235; *Alexy*, Theorie der juristischen Argumentation, 7. Aufl. 2012, S. 326 f. spricht im Hinblick auf die Dogmatik von einer „stabilisierenden Funktion".

[293] BVerfG, Beschl. v. 14.2.1973, 1 BvR 112/65, BVerfGE 34, 269, 287 – Soraya: „(…) seine Entscheidung muß auf rationaler Argumentation beruhen." (§ 13 Rn. 16).

[294] Von Plausibiliät spricht *Gast*, Juristische Rhetorik, 5. Aufl. 2000, Rn. 455. S. etwa Kruzifix-Entscheidung einerseits (§ 10 Rn. 52a ff.) und Existenzminimum-Entscheidung andererseits (§ 13 Rn. 103 ff.).

[295] So der anschauliche Begriff bei *Ch. Becker*, Was bleibt? Recht und Postmoderne, 2014, S. 133.

Einzelfall (§ 10 Rn. 42 ff.). Hier können Parameter für ein *transparentes und sachgerechtes Verfahren* erarbeitet werden.[296]

123 Das Recht kann nicht alle Lebensbereiche abschließend regeln; es wird deshalb immer unvollständig sein. Rechtslösungen müssen oft auch mit *Juristischer Kreativität* entwickelt werden: Dazu bedarf es juristischer **Innovation** (§ 14 Rn. 46 ff.). Die **Topik** erfindet induktiv Hypothesen, etwa Zurechnungskriterien eines Beweglichen Systems (§ 8 Rn. 2 ff.), die in einem zweiten Schritt deduktiv zur Anwendung kommen. Auch sie erlaubt eine Abwägung von rechtlichen und außerrechtlichen Gesichtspunkten, wie der Folgen der Entscheidung und der Interessen aller Betroffenen. Sie verlangt eine Anbindung an das Recht (§ 14 Rn. 60). Darüber hinaus gestaltet der Richter in weiten Bereichen auch Recht, etwa im Bereich von Generalklauseln und der Arbeit mit Rechtsprinzipien.[297] Eine einfache Subsumtion des Sachverhalts unter eine Rechtsnorm ist hier nicht mehr möglich, es bedarf der *Konkretisierung* und *Konstruktion*. Wenn Rechtsinstitute neu entwickelt werden, handelt es sich um besondere Formen juristischer Kreativität. Auch hier können Deduktion und Induktion weiterhelfen, wenn etwa mit der Vergleichsfallmethode das tertium comparationis und damit der allgemeine Rechtssatz argumentativ begründet wird (§ 7 Rn. 46). Selbst bei neuen Rechtsinstituten können Rechtsprinzipien deduktiv zueinander in Verhältnis gesetzt werden (§ 9 Rn. 39 ff.).

3. Elemente rationalen Begründens

a) Kumulativer Methodeneinsatz

124 Die Juristische Methodenlehre schult das Juristische Denken: Juristisches Denken erfordert die Fähigkeit, sich bisher unbekannten Problemen zu nähern, das Problem zu erkennen, Lösungen zu entwickeln und hierfür das gesamte Portfolio der **einschlägigen juristischen Argumentationsfiguren zu nutzen**. Bereits von Savigny forderte, alle einschlägigen Argumente zu prüfen.[298] Zu Recht wird deshalb im Sinne einer Kombinationstheorie eine Gesamtabwägung verschiedener Argumente gefordert.[299] Wie Nipperdey formuliert: „Die wahre Kunst der Auslegung beruht auf einer richtigen Abwägung aller Auslegungsgesichtspunkte."[300] Durch einen solchen **kumulativen Methodeneinsatz**,[301] der die einschlägigen Argumentationsfiguren im Blick hat[302], kann sichergestellt werden, dass nicht eine Regel verabsolutiert wird. Oft geht die eine oder andere Argumentationsfigur nicht vor, sondern sie kann durch eine entsprechende *Gegenfigur* widerlegt werden. Zudem sollten verschiedene Argumentationsfiguren oder Auslegungsziele kumulativ geprüft werden. Die Billigkeit ist nur eine von mehreren Argumentationsfiguren.[303] So ist

---

[296] Zu Entscheidungen der Rechtsprechung s. oben § 10 Rn. 52 ff. und § 13 Rn. 106.

[297] So auch *Vesting*, Rechtstheorie, 2. Aufl. 2015, Rn. 229; *Ladeur/Augsberg*, Rechtstheorie 36 (2005), 143, 151: „Juristische Methodenlehre und Dogmatik müssen daher als Versuche der Entparadoxierung verstanden werden."

[298] „Es sind also nicht vier Arten der Auslegung, unter denen man nach Geschmack und Belieben wählen könnte, sondern es sind verschiedene Thätigkeiten, die vereinigt wirken müssen, wenn die Auslegung gelingen soll", *von Savigny*, System des heutigen Römischen Rechts, Bd. 1, 1840, S. 215.

[299] So die h.M., u.a. BGH, Urt. v. 30.6.1966, K ZR 5/65, BGHZ 46, 74, 79 – Preisbindung von Schallplatten; *Larenz*, Methodenlehre der Rechtswissenschaft, 6. Aufl. 1991, S. 343 ff.; *Stern*, Das Staatsrecht der Bundesrepublik Deutschland, Bd. I, 2. Aufl. 1984, S. 126; *Wank*, Juristische Methodenlehre, 2020, § 6 Rn. 213.

[300] Enneccerus/*Nipperdey*, Allgemeiner Teil des Bürgerlichen Rechts, 15. Aufl. 1959, S. 335; zustimmend *Looschelders/Roth*, Juristische Methodik im Prozeß der Rechtsgewinnung, 1996, S. 196.

[301] Ausdrücklich *Brugger*, AöR 119 (1994), 1, 30; *Gern*, VerwArch 80 (1989), 415, 434 spricht von einer „Pflicht zum kumulativen Methodeneinsatz".

[302] S. hierzu die verschiedenen Grafiken sowie den Anhang der wichtigsten Argumentationsfiguren am Ende des Werkes.

[303] **A.A.** Palandt/*Grüneberg*, BGB, 80. Aufl. 2021, Einl. Rn. 46 (§ 13 Fn. 11).

inzwischen bei der Auslegung des gesetzgeberischen Willens die Kombination von subjektiver und objektiver Theorie herrschend (§ 6 Rn. 77 ff.).

b) Methodentransparenz

Zur Methodentransparenz gehört die Abwägung widerstreitender Argumentationsfiguren, also naheliegende Gegenargumente aufzugreifen und zu entkräften. Die Juristische Methodenlehre kann Entscheidungen **falsifizieren**, also nicht vertretbare Ansichten widerlegen. Oft sind das Fälle, die außerhalb der Wortlautgrenze liegen und in denen die Rechtsfortbildung nicht zulässig ist. Das gilt für das Gesetzlichkeitsprinzip im Strafrecht, aber auch in bestimmten Bereichen des Öffentlichen Rechts. Ein anderslautendes Ergebnis wäre falsch (§ 1 Rn. 68 ff.). **125**

Im weiten Bereich der Rechtsfortbildung (§ 13 Rn. 20 ff.) ist der Richter besonders gefordert, seine Entscheidung nachvollziehbar zu begründen und darzutun, dass die *Grenzen der Rechtsfortbildung* nicht überschritten sind. Dies ist die eingangs geforderte **Methodentransparenz** (§ 1 Rn. 47). Damit sind Prämissen von Argumenten zu unterscheiden (§ 1 Rn. 93 ff.); das Telos (§ 5 Rn. 7 ff.) oder die Lücke (§ 6 Rn. 108 f.) als Prämisse aufzudecken. Die Rechtsfortbildung ist als solche zu erkennen und es ist zu begründen, warum eine solche zulässig und notwendig ist. Prägnant formuliert Torggler: „Es ist unbedingt geboten, die methodischen Schritte offenzulegen. Denn das fördert die eigene Denkdisziplin, stellt die Selbstkontrolle sicher, hält rechtsferne Eigenwertungen hintan und ermöglicht überhaupt erst die inter-subjektive Nachprüfbarkeit."[304] **126**

c) Metamethodik: Gewichtung und Prüfungsfolge der Argumentationsfiguren

Zum Juristischen Denken gehört die gerade vorgestellte Metamethodik: Oft sind mehrere Ergebnisse denkbar: Dazu müssen die Argumente im konkreten Fall gewichtet werden (§ 14 Rn. 77 ff.). Argumentationsfiguren, die eine Vermutungs-, Argumentationslast- oder Vorrangregel auslösen, gehen der Abwägung vor. Abwägende Argumentationsfiguren können aber zudem vorgetragen werden, wenn man sich bewusst ist, dass sie gerade ein geringeres Gewicht haben als Vermutungs- und Vorrangregeln. Gerade die Verfassung und das Europarecht zeigen, dass sie Vorrang-, Vermutungs- und einfache Abwägungsregeln vorhalten (§ 14 Rn. 85 ff.). **127**

Gedanklich bietet es sich an, nicht einzelne Figuren nach eigener Beliebigkeit herauszupicken und einem Methodenpluralismus zu huldigen, sondern vielmehr die rechtliche Lösung einer gedanklichen **Prüfungsfolge** der Juristischen Methodenlehre zu unterziehen (s. gerade § 14 Rn. 69 ff.). **128**

In der Literatur ist der Versuch unternommen worden, die Auslegungsregel als reine Verwerfungsregel zu definieren. Die Prüfung dient dann im Sinne eines Falsifizierens nur zur Kontrolle, ob die Prämisse den vier klassischen Auslegungsfiguren widerspricht.[305] Ein reines Widerlegen von unzulässigen Lösungen ist aber nicht ausreichend, weil damit das Risiko einhergeht, dezionistisch eine Prämisse zu behaupten und auf das eigentliche juristische Begründen zu verzichten (§ 14 Rn. 44). Ziel ist es, nicht nur eine von mehreren vertretbaren Lösungen zu finden. Vielmehr ist schlüssig vorzutragen, welche der verschiedenen **Lösungen die rechtlich überzeugendste** ist (§ 1 Rn. 76 f.). Diese Rechtfertigung verlangt, dass die neuen Prinzipien, Leitbilder, Prüfungsschritte sich in das geltende Recht einpassen, das sich aus Gesetz, Rechtsprechung und Lösungsvorschlägen der Wissenschaft zusammensetzt. Das ist die Aufgabe der Rechtsdogmatik. Gleichzeitig sind die Argumentationsfiguren der Juristischen Methodenlehre zu nutzen, die für die Rechtsfortbildung entwickelt wurden (§ 13 Rn. 132). Methodenlehre und Rechtsdogmatik hel- **129**

[304] *Torggler*, in: ders., Richterliche Rechtsfortbildung und ihre Grenzen, 2019, S. 47, 55.
[305] *Braun*, Deduktion und Invention, 2016, S. 114 ff.

fen dabei, Wertungen des Gesetzes, aber auch die Interessen der Parteien zu erforschen.[306] Damit lassen sich erforderliche Prinzipien und Zwischenschritte entwickeln. Die neue Lösung muss sich in die bisherige Rechtsdogmatik einfügen.

4. Unzulässige Begründungsdefizite

a) Richterliche Dezision und Vorverständnis

130 Abzulehnen ist das Vorgehen nach dem process of justification, das ein nachträgliches Begründen einer vorher getroffenen Entscheidung impliziert (§ 14 Rn. 42). Ein solches Verfahren nach einem Vorverständnis wurde bereits oben zurückgewiesen (§ 1 Rn. 72). Es verhindert, dass man die einschlägigen Argumente prüft und nach der überzeugendsten Lösung sucht.

b) Begründungsverzicht, Scheinbegründungen und Methodenpluralismus

131 Mit dem geltenden Recht ist eine Reihe von Begründungsversuchen als unzulässig abzulehnen, weil sie auf ein methodisches Transparenzverbot hinauslaufen. So ist schon ein Recht auf unkontrolliertes Entscheiden, ein **Begründungsverzicht** abzulehnen. Legendär ist der berühmte Spruch von *Ernst Rabel*: „Der gute Jurist spricht nicht über die Methode, er hat Methode."[307] Eine solche Ansicht ist überholt, weil sie die gerade geforderte Methodentransparenz vermissen lässt. Dazu gehört etwa die schon oben kritisierte *verdeckte Rechtsfortbildung*.[308] Wie gezeigt, müssen Gerichte ihre Entscheidungen umfangreich mit geltendem Recht begründen, dürfen also gerade nicht aus dem Nichts entscheiden. Nur so können Begründungsmängel verhindert werden.[309] *Torggler* betont zu recht, dass die Ansicht Schaden angerichtet hat und als Hochmutsargument *(argumentum ad superbiam)* zu qualfizieren ist.[310] Abzulehnen sind aber auch Stopp-Regeln, die zu früh ein Ergebnis als zwingend zutreffend erachten (§ 14 Rn. 76).[311]

132 Unzulässig sind Scheinbegründungen. Darunter fallen Prämissen, die nicht begründet werden, der Hinweis auf die Natur der Sache (§ 9 Rn. 6a) oder die Billigkeit (§ 14 Rn. 115 ff.) aber auch schwache Formalargumente, wie der vermeintlich eindeutige Wortlaut (§ 6 Rn. 2 ff.).

133 Abzulehnen ist schließlich der Methodenpluralismus, der es dem Rechtsanwender erlaubt, die ihm genehmen Argumente herauszupicken (§ 14 Rn. 64 f.). Auch hier wird auf einen seriösen Umgang mit den einschlägigen Argumenten verzichtet, so dass die Gefahr besteht die Diskussion vorschnell abzubrechen und damit auf mögliche Lösungsalternativen zu verzichten. Methodenlehre und Rechtsdogmatik sind Garanten, um die überzeugendste Rechtslösung zu entwickeln. Wenn diese Argumentationsmuster nachvollziehbar sind, können sie dem Dezisionismusvorwurf (weitgehend) entgehen.

c) Jenseits des Systems und der einfachen Deduktion

134 Weite Bereiche des Rechts müssen heute konkretisiert werden. Hier helfen Präjudizien und die Rechtsdogmatik, aber auch die Juristische Methodenlehre, Zwischenschichten ins Recht einzuziehen und damit die Rechtssicherheit zu erhöhen (§ 9 Rn. 2 f.). Gleich-

[306] Hierzu bereits *Heck*, AcP 112 (1914), 1, 230 f.

[307] *Fikentscher*, Methoden des Rechts, Bd. I, 1975, S. 10, der allerdings einschränkt, dass es sich um eine Behauptung handele („soll gesagt haben …"); zitiert auch von *Bydlinski*, in: Schilcher u.a., Regeln, Prinzipien und Elemente im System des Rechts, 2000, S. 9, 23.

[308] *Torggler*, in: ders., Richterliche Rechtsfortbildung und ihre Grenzen, 2019, S. 47, 57. **A.A.** Palandt/*Grüneberg*, BGB, 80. Aufl. 2021, Einl. Rn. 46 (§ 13 Fn. 11).

[309] Zu unzulässigen Rechtsfortbildungen s. § 13 Rn. 82 ff.

[310] *Torggler*, in: ders., Richterliche Rechtsfortbildung und ihre Grenzen, 2019, S. 47, 55.

[311] *Looschelders/Roth*, Juristische Methodik im Prozeß der Rechtsanwendung, 1996, S. 196 f.

wohl ist vor der Hoffnung zu warnen, dass das hier vorgestellte Prüfungssystem die richtige Entscheidung immer garantieren kann. Vielmehr gibt es Bereiche zulässiger und unzulässiger Juristischer Innovationen. Freie richterliche Dezision ist grundsätzlich unzulässig. Die Juristische Methodenlehre und Rechtsdogmatik strukturieren das Juristische Denken und das Juristische Begründen (§ 14 Rn. 64 ff.). Wenn Gerichten unzulässige Rechtsfortbildung contra legem vorgeworfen wurde,[312] mangelte es mitunter an dem erforderlichen Begründungsaufwand. Je offener die gesetzlichen Grundlagen sind oder je weiter sich der Jurist von den gesetzlichen Vorgaben weg entwickelt, desto höher ist seine Argumentationslast und damit sein Begründungsaufwand. Das Irrationale an der Entscheidung aufzudecken (§ 14 Rn. 115b), erlaubt nicht, die Gerechtigkeitsfrage zu suspendieren. Vielmehr sind die „**Anforderungen an Gerechtigkeit [...] zu intensivieren**".[313]

Grafisch lässt sich das Juristische Denken wie folgt veranschaulichen. 135

Grafik: Eine Moderne Methodenlehre als Schule Juristischen Denkens

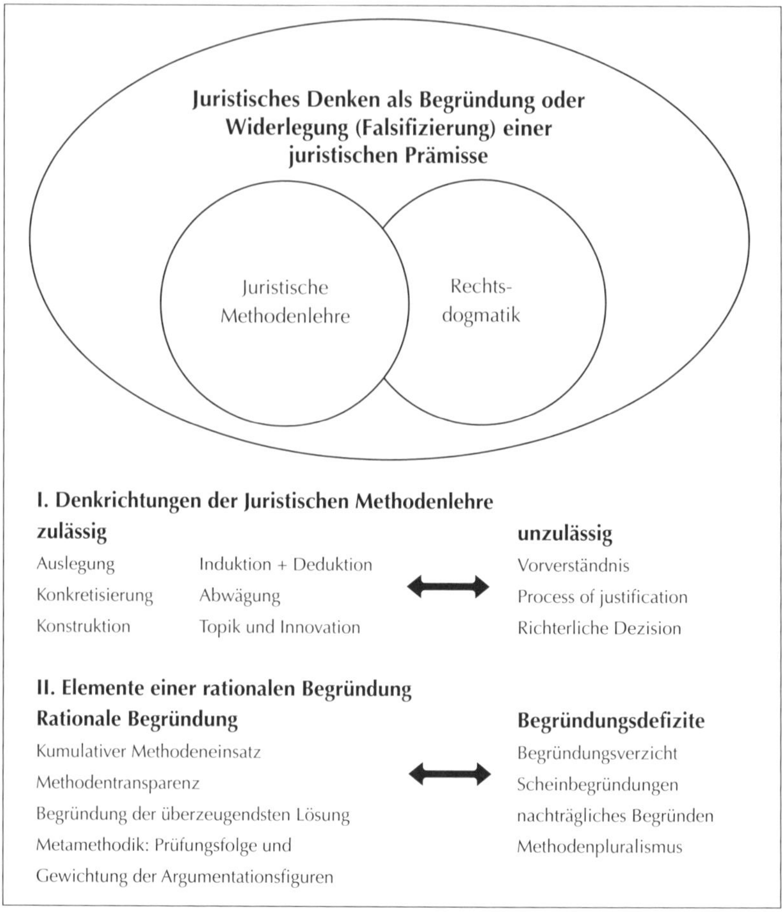

[312] Zu diesem Vorwurf s. oben § 13 Rn. 100, 103 ff., 110 ff.

[313] *Teubner*, in: Koschorke/Vismann, Widerstände der Systemtheorie, 1999, S. 199, 200; zustimmend *Fischer-Lescano/Christensen*, Der Staat 44 (2005), 213, 223. Im Ergebnis wohl auch *Vesting*, Rechtstheorie, 2. Aufl. 2015, Rn. 227 ff. Letzte Zweifel bleiben (s. der Beispielfall zu § 844 Abs. 2 BGB analog in § 15 Rn. 45 ff.).

5. Auf dem Weg zu einer europäischen Juristischen Methodenlehre

a) Eine Juristische Methodenlehre für alle juristischen Teildisziplinen

136 Das Werk hat versucht, die wichtigsten Argumentationsfiguren vorzustellen, die in vielen Rechtsordnungen und zum Teil seit über 2000 Jahren existieren. Dabei hat sich gezeigt, dass es zwar einen Kanon von Methoden für den Umgang mit dem europäischen Recht gibt (§ 12). Denn der EuGH kennt viele der hier vorgestellten Auslegungsfiguren, die jeweils an den einschlägigen Stellen erörtert wurden. Ansonsten bleibt es aber dabei: Viele Interpretationsregeln sind abhängig vom *Sachverhalt* (§ 14 Rn. 7 ff.), abhängig vom jeweiligen Rechtsgebiet (§ 13 Rn. 28, 83 ff.) und letztlich auch abhängig von der jeweiligen nationalen Rechtsordnung. In der Literatur wird deshalb von *bereichspezifischen juristischen Methoden*[314] gesprochen. Ein anschauliches Beispiel ist das Gesetzlichkeitsprinzip, das vor allem im Strafrecht gilt. Konsequenterweise gibt es deshalb Abhandlungen, die sich nur auf ein Rechtsgebiet beziehen.[315] Das schließt aber nicht aus, das **Gemeinsame** zu suchen. Deshalb wurde der Versuch unternommen, eine Juristische Methodenlehre zu entwickeln, die trotz verschiedener Modifikationen mehrheitlich für die verschiedenen juristischen Teildisziplinen Relevanz besitzt. Dies entspricht der ganz überwiegenden Zahl der Abhandlungen zur Juristischen Methodenlehre.[316] Auch die Ansicht, zwischen einer Juristischen Methodenlehre der Wissenschaft und einer Gebrauchsmethodik zu differenzieren, wurde zurückgewiesen (§ 1 Rn. 120).

b) Eckpunkte einer europäischen Methodenlehre

137 Kann man noch einen Schritt weiter gehen und heute schon von einer europäischen Methodenlehre sprechen? Tatsächlich gibt es Werke zur Juristischen Methodenlehre, die über einen Staat hinaus wirken,[317] rechtsvergleichend aufgebaut sind[318] oder die juristische Methodik innerhalb der Europäischen Union[319] darstellen. Bisher gibt es nur Argumentationsfiguren zum europäischen Recht und im Verhältnis vom nationalen zum europäischen Recht. Kramer bedauert, dass die Grenzen zulässiger richtlinienkonformer Rechtsfortbildung sich ausschließlich nach dem nationalen Methodenkanon bestimmen (§ 12 Rn. 62 f.). Weil dies die europäische Rechtseinheit in Frage stelle, fordert er gemeinsame „Principles of European Interpretation".[320] Riesenhuber widerspricht mit der Überlegung, man könne eine solche theoretische Methodendivergenz ertragen, weil kaum anzunehmen sei, dass es in der Praxis zu einem methodischen Dissens zwischen den Mitgliedstaaten käme.[321] Wenn Riesenhuber meint, unterschiedliche Methoden in den verschiedenen Mitgliedstaaten seien hinzunehmen, fordert er zu wenig: die Frage nach den Grenzen zulässiger richtlinienkonformer Rechtsfortbildung stellt sich in allen 27 Mitgliedstaaten, so dass es schön wäre, wenn in den verschiedenen Mitgliedstaaten ein

---

[314] So *Morlok*, in: Gabriel/Gröschner, Subsumtion, 2012, S. 179, 205 ff.; ähnlich *Rüthers/Fischer/Birk*, Rechtstheorie, 11. Aufl. 2020, Rn. 675: „real konkurrierende Methoden der Rechtspraxis".

[315] S. die Abhandlungen im Literaturverzeichnis von *Schapp*: Zivilrecht; *Potacs*: Öffentliches Recht; *F. Müller/Christensen*: Öffentliches Recht.

[316] S. in alphabetischer Reihenfolge die Werke im Literaturverzeichnis von *Bydlinski, Engisch, Fikentscher, G. Hager, Kramer, Koch/Rüßmann, Larenz, Looschelders/W. Roth, Puppe, Raisch, Reimer, Rüthers, Vogel, Vogenauer, Wank, Zippelius.*

[317] Das gilt für den deutschsprachigen Rechtskreis für die Juristischen Methodenlehren von *Bydlinski* (Österreich), *Kramer* (Schweiz), *Larenz* (Deutschland), aber auch für *Vogenauer* (England).

[318] S. die breit angelegten Werke von *Fikentscher, Vogenauer, G. Hager* und *Henninger.*

[319] Etwa die Werke von *Bobek, Riesenhuber* und *Martens.*

[320] *Kramer*, GPR 2015, 262 sowie *ders.*, GPR 2016, 210. Noch weitergehend *Henninger*, Europäisches Privatrecht und Methode, 2009, S. 445 ff. mit einer Methodennorm. Zur Konvergenzthese s. oben § 1 Rn. 54.

[321] *Riesenhuber*, GPR 2016, 158, 159; s. auch *Hatje/Mankowski*, EuR 2014, 155, 166 ff.

Dialog hierüber entstünde.[322] Die Methodendivergenz widerspricht dem Binnenmarkt und dem Gedanken der Rechtsharmonisierung, wenn eine EuGH-Entscheidung in den verschiedenen Mitgliedstaaten zu unterschiedlichen Entscheidungen führt, weil sie etwa davon abhängt, wie weit die Grenzen des nationalen Recht zur richtlinienkonformen Rechtsfortbildung gezogen werden (§ 12 Rn. 54 ff., 76 ff.). Kramer überfordert mit einer europäischen Methodenlehre zur Zeit noch die Mitgliedstaaten, gehört doch zum nationalen Recht auch die verfassungsrechtliche Fragestellung, wo die Grenze der Gewaltenteilung zwischen Judikative und Legislative liegt.

Vorzugswürdig erscheint ein vermittelnder Weg: In zahlreichen Entscheidungen hat der EuGH gewichtige Eckpunkte zu einer europäischen Methodenlehre rechtsfortbildend entwickelt, beim Anwendungsvorrang und der vertikalen Drittwirkung von Richtlinien oder dem horizontalen Verhältnis zu den Bürgern. Selbst wenn man noch davon ausgeht, dass die Grenzen dieser richtlinienkonformen Interpretation rein national zu bestimmen sind, ist der nationale Richter zugleich europäischer Richter (§ 1 Rn. 29). Als solcher muss er europäisches Recht autonom, d.h. unabhängig von seinem nationalen Normverständnis auslegen (§ 2 Rn. 72). Gegebenenfalls hat der Richter rechtsvergleichend zu arbeiten (§ 3 Rn. 84 f.). Zudem ist das nationale Recht unionsrechtskonform und richtlinienkonform auszulegen. Dass methodische Rechtsfiguren vor einem europäischen Hintergrund weiterzuentwickeln sind, zeigt etwa Großbritannien. Im Gegensatz zu früher betrachtet man inzwischen die Gesetzgebungsgeschichte[323] und stellt auf den „purpose", das Telos der Norm ab.[324] Die nationale Methodenlehre schließt es nicht aus, dass sich juristische Methoden in einzelnen Mitgliedstaaten *annähern und weiterentwickeln.* Höchste Gerichte sind in verschiedenen Mitgliedstaaten zu diesem modernen, europäischen Ansatz bereit, etwa wenn sie das Kooperationsverhältnis untereinander betonen (§ 2 Rn. 94 ff., § 13 Rn. 121 ff.) oder die nationale Methodik etwa bei der richtlinienkonformen Rechtsfortbildung weiterentwickeln (§ 12 Rn. 72 ff.). Im Idealfall wächst Europa auch in seinen juristischen Methoden zusammen.[325] 138

Zusammenfassung zu § 14

I. Einzelne Anhänger der postmodernen Juristischen Methodenlehre sehen die klassische Methodenlehre als gescheitert an. Der Sachverhalt würde bei der Rechtslösung nur unzureichend berücksichtigt. Die subjektive Rechtsschöpfung stände oft im Vordergrund. Der Methodenpluralismus würde am Ende ein gefundenes Ergebnis rechtfertigen. Diese Vorwürfe lassen sich entkräften. Die klassische und die postmoderne Methodenlehre lassen sich verbinden und zu einer modernen Juristischen Methodenlehre weiterentwickeln (II.–V.). 139

II. Die Entscheidungsfindung hängt mit der Ermittlung des relevanten Sachverhalts untrennbar zusammen. Die Juristische Methodenlehre ist um eine *Fallhermeneutik* zu ergänzen, die den Fallbereich und Normbereich umfasst. Nur die detailreiche Kenntnis verschiedener Facetten aus dem Sachverhalt ermöglicht es, eine überzeugende Rechtslösung

[322] S. *Möllers*, in: Torggler, Richterliche Rechtsfortbildung und ihre Grenzen, 2019, S. 277 ff. und oben § 3 Rn. 83 ff.

[323] So etwa in *Pepper (Inspector of Taxes) v. Hart* [1993] A.C. 593, 634 f.; s. § 4 Fn. 325.

[324] Zur früheren *mischief rule*, die ausschließlich einem Missstand einer Regelung abhelfen sollte, *Maunsell v. Olins* [1975] A.C. 373 at 393 per Lord Simon, s. § 5 Fn. 14.

[325] S. *von Bar*, ZfRV 35 (1994), 221, 231 (§ 3 Rn. 85); *Möllers*, Die Rolle des Rechts im Rahmen der europäischen Integration, 1999, S. 87 f.; positiv *Vogenauer*, Die Auslegung von Gesetzen in England und auf dem Kontinent, 2001, S. 1300: „Tatsächlich lässt sich eine fundamentale Einheit der europäischen Auslegungspraxis feststellen"; *Fleischer*, RabelsZ 75 (2011), 700 ff.

zu entwickeln. Das Bild vom Hin- und Herwandern des Blickes zwischen Sachverhalt und Norm lässt sich weiter um die Lehre vom Normbereich ergänzen.

III. Juristische Entscheidungsfindung kann gerade auch kreativ und innovativ in den Bereichen sein, in denen eine einfache Deduktion oder Abwägung scheitert. Der Richter entscheidet aber nicht kraft seiner Autorität oder nach seinem Vorverständnis. Argumentationsfiguren sind die Lehre von der Topik und die Typenlehre.

IV. Der Vorwurf, dass nach dem Vorverständnis entschieden würde und ein unkontrollierter Methodenpluralismus herrsche, lässt sich mit zwei Überlegungen entkräften, die *Bausteine einer Metamethodik* darstellen. Juristische Argumente lassen sich *gewichten*. Der Rechtsanwender hat immer zwingende Vorrangregeln zu berücksichtigen. Er wird feststellen, dass bestimmte Argumente gewichtiger sind und zu einer Vermutungswirkung führen. Umgekehrt gibt es andere, die eine Argumentationslast auslösen. Abschließend kann er Argumentationsfiguren im Sinne einer Abwägung sammeln, ggf. gegenüberstellen und kumulieren. Die Prüfung juristischer Fälle lässt sich mit einer *Prüfungsfolge* rationalisieren. Diese beginnt mit der Sachverhaltshermeneutik, darauf folgen die Auslegung, die Konkretisierung und die Prüfung von höherrangigem Recht, bevor schließlich auf die Grenzen der Rechtsfortbildung einzugehen und eine Billigkeitskontrolle vorzunehmen ist.

V. Dem Rationalitätsanspruch der Juristischen Methodenlehre kommt zugute, dass sie zahlreiche Interpretationsfiguren nutzen kann, die sich aus *verschiedenen Geistesströmungen* und den Grundlagenfächern als Nachbardisziplinen entwickelt haben. Sie erhalten damit ein zusätzliches Gewicht. Die Juristische Methodenlehre hat Berührungspunkte zur Rechtsgeschichte, Rechtssoziologie, Rechtstheorie, Staatstheorie und Rechtsdogmatik. Schließlich zielt die Juristische Methodenlehre darauf, ein ungerechtes Ergebnis zu vermeiden, das Ziel der Rechtsphilosophie.

VI. Die Juristische Methodenlehre schult das *Juristische Denken* im Bereich von Auslegung, Konkretisierung und Konstruktion, indem sie eine rational nachvollziehbare Begründung erfordert. Zu den Denkrichtungen gehören neben der Deduktion und Induktion auch die Abwägung und die Innovation der Topik. Eine rational nachvollziehbare juristische Begründung verlangt Methodentransparenz, den kumulativen Methodeneinsatz, die Gewichtung der Argumente und eine Prüfungsfolge.

Umgekehrt ist freie richterliche Dezision abzulehnen. Diese umfasst, auf das Vorverständnis abzustellen, auf eine Begründung zu verzichten, Scheinbegründungen abzugeben oder Argumentationsfiguren beliebig zu wählen und damit ggf. Gegenargumente zu unterschlagen.

Im Idealfall vereinheitlichen sich die Argumentationsfiguren in einem zusammenwachsenden Europa und es bilden sich neue, eigenständige und originär europäische Methoden heraus.

Statt eines Schlusswortes – Zum Wert der Juristischen Methoden

Un missionnaire du moyen âge raconte qu'il avait trouvé le point où le ciel et la Terre se touchent...

Flammarion[326]

140 Für was ist die Juristische Methodenlehre gut? Schon vor rund 400 Jahren nannte *Thomasius* als Ziele der Juristischen Methodenlehre, wohlbegründete Handgriffe zu erlernen, in seinem Kopfe aufzuräumen, die Wahrheit zu erforschen und Irrtümer zu widerlegen.[327] Die hier vorgestellten juristischen Argumentationsfiguren können zwar nur selten das einzig richtige Ergebnis begründen, was vielleicht auf den ersten Blick frustrierend erscheint (§ 1 Rn. 74).[328] Gerichte schaffen aber **Vertrauen**,[329] indem sie ihre Au-

[326] *Flammarion*, L'atmosphère. Météorologie populaire, 3. éd. 1888, S. 163: Ein Missionar des Mittelalters erzählt, dass er die Stelle gefunden hat, wo sich Himmel und Erde treffen …

[327] Im Original in der altertümlichen Sprache der frühen Neuzeit: „Kurze, deutliche und wohlgegründete Handgriffe, wie man in seinem Kopffe aufräume und sich zu Erforschung der Wahrheit geschicken machen; die erkandte Warheit andern beybringen; andere verstehen und auslegen; von anderer ihren Meinungen urtheilen, und die Irthümer geschicklich widerlegen solle." *Thomasius*, Ausübung der Vernunftlehre, 1691, S. 1.

[328] Frei nach *Cicero*, Academici libri 1.45: „Ich weiß, dass ich nichts weiß". *Cicero* bezieht sich hier auf eine ungenaue Übersetzung von *Platon* (Apologie, 21d). Danach sagt *Sokrates*: ἀλλ' οὗτος μὲν οἴεταί τι εἰδέναι οὐκ εἰδώς, ἐγὼ δέ, ὥσπερ οὖν οὐκ οἶδα, οὐδὲ οἴομαι – Er aber bildet sich ein, etwas zu wissen, obwohl er nichts weiß, während ich, der ich nichts weiß, mir auch nichts zu wissen einbilde.

[329] *Reimer*, Juristische Methodenlehre, 2. Aufl. 2020, Rn. 708 ff.

torität im Verhältnis zum Parlament und zur Verwaltung begründen und begrenzen. Sie schaffen vor allem Vertrauen gegenüber Rechtssuchenden und anderen Juristen, indem sie sich mit den einschlägigen Argumenten auseinandersetzen, um letztlich die Parteien zu befrieden. Mit ihren Argumentationsfiguren kann die Juristische Methodenlehre die **Überzeugungskraft juristischer Begründungen** deutlich erhöhen, indem sie schlechter begründete Lösungsansätze ausscheidet. Das ist nicht wenig.

Im Alltag gehört zur anspruchsvollen juristischen Arbeit auch, auf unbekannte Fragen des zwischenmenschlichen Lebens Antworten zu geben, die sich u.a. in Politik und Wirtschaft stellen. Dabei sind Argumente und Interessen abzuwägen, Streitstände zu erörtern. Und damit schließt sich der Kreis oder genauer formuliert: erkennt man die Spirale.[330] Die Juristische Methodenlehre ist mehr als juristische Arbeits- oder Falltechnik; sie dringt – wie das Werk von *Flammarion* bildhaft anhand des Missionars zeigt[331] – **in immer tiefere Schichten** vor, wenn das Gesetz keine (einfachen) Antworten bereit hält. Wenn man der Juristischen Methodenlehre vertraut, lässt sich bei der **Lösung unbekannter Fälle** doch eine relative Sicherheit gewinnen.[332]

Solange der Mensch und nicht die Maschine juristische Entscheidungen fällt, sind die hier vorgestellten Argumentationsfiguren die beste Möglichkeit, umstrittene Fragestellungen mit den Mitteln des Rechts zu lösen – im Idealfall abgewogen, wohlbegründet, überzeugend und für alle Betroffenen zufriedenstellend. Mit ihrem **Rationalitätsanspruch**[333] schafft die Juristische Methodenlehre Vertrauen und dient damit den drei Rechtsideen: Zweckmäßigkeit, Rechtssicherheit und Gerechtigkeit (§ 1 Rn. 109 ff.).[334] Dieses Werk wollte hierbei helfen.

---

[330] Für die hermeneutische Spirale, s. oben § 1 Rn. 70; für die Sachverhaltshermeneutik, s. oben § 14 Rn. 11 ff.; für die vier Auslegungsmethoden, s. *Morlok*, in: Gabriel/Gröschner, Subsumtion, 2012, S. 189, 208; und s. die Grafik von *Flammarion*.

[331] Zu Thesis, Antithesis und Synthesis bereits oben § 1 Rn. 88 f. Der Holzstich von *Flammarion* wird heute beispielhaft auch dafür verwendet, um zu zeigen, welche Vorstellung im 19. Jahrhundert über das 16. Jahrhundert herrschte.

[332] *Röhl/Röhl*, Allgemeine Rechtslehre, 3. Aufl. 2008, S. 609; ähnlich *Kötz*, RabelsZ 54 (1990), 203, 215: „wo es doch eigentlich in der Juristenausbildung darum gehen müßte, daß es die jungen Leute lernen, sich unter Bedingungen juristischer Unsicherheit wohlzufühlen" S. § 1 Fn. 13. Zu hard cases s. oben § 1 Rn. 25.

[333] S. das Zitat von *Habermas* (§ 14 Fn. 212). Zur Objektivierungs-, Systematisierungs- und Kontrollfunktion der Juristischen Methodenlehre s. § 1 Rn. 116 ff.

[334] Oder in den Worten von *Simon*: Mit der Kenntnis der Methodenlehre wird vielleicht Recht „schwerer werden, aber auch schöner, weil *ehrlicher* und – wenn es denn in ferner Zukunft weitgehend auf dem zwanglosen Zwang der besseren Argumente ruht – überzeugender und deshalb gerechter," *Simon*, Recht als Rhetorik – Rhetorik als Recht, in: Grimm/Kemmerer/Ch. Möllers, Gerüchte vom Recht, 2015, S. 201, 225.

§ 15 Vertiefungsfälle

Übersicht

Rn.

§ 1 Juristische Methodenlehre als Begründungs- und Legitimationslehre 1
Präsident der USA 1

§ 2 Rechtsquellen 3
Zehn Gebote 3

§ 3 Sekundäre Rechtsquellen und Rechtserkenntnisquellen 5
Skifahrer – BGH VI ZR 187/70 5

§ 4 Wortlaut, Systematik und Geschichte als klassische Auslegungsmethoden 7
Viren – BGH VI ZR 309/88 7
§ 253 BGB im System des BGB 9

§ 5 Telos, Logik und folgenorientierte Auslegung 11
Verkehrsunfall – BGH VI ZR 1/92 11
Hühnerpest – BGH VI ZR 212/66 13

§ 6 Teleologische Gegenfiguren und einfache Formen der Rechtsfortbildung 18
Hund als Sachbeschädigung gem. § 303 StGB 18
Unzulässiges Reurecht beim Inhaltsirrtum 20
Tonbandaufnahme – BGH VI ZR 104/57 22

§ 7 Konkretisierung von Recht durch Gesetzgeber, Verwaltung und Gerichte 24
Beschuhter Fuß – BGH 4 StR 689/81 24

§ 8 Bewegliches System, Fallgruppen und Fallgruppenvergleich als Methoden der Konkretisierung 27
Gastwirt – BGH VI ZR 48/87 27
Klage gegen Kartelle – EuGH C-453/99 29

§ 9 Rechtsdogmatik und allgemeine Rechtsprinzipien 31
Widerrufsrecht 31

§ 10 Konkretisierung durch Abwägung 34
Abschuss einer Passagiermaschine – BVerfG 1 BvR 357/05 34
Vorratsdatenspeicherung – EuGH C-293/12 36

§ 11 Verfassung als höherrangiges Recht 38
Hinterbliebenenrente für Lebenspartner – BVerfG 1 BvR 1164/07 38

§ 12 Der Vorrang von Europarecht und Völkerrecht 40
Fliesen – BGH VIII ZR 70/08 40

§ 13 Grenzen der Rechtsfortbildung 45
Tod des nichtehelichen Partners – § 844 Abs. 2 BGB analog? 45

§ 14 Eine moderne Juristische Methodenlehre 56
FRoSTA/Delisting II – BGH II ZB 26/12 56
Wurzelüberwuchs – BGH V ZR 99/03 60

Der neugierige Leser darf jetzt weiterlesen und sein Denken ein wenig schulen, indem er versucht, die Fälle selbstständig zu lösen.

§ 1 Juristische Methodenlehre als Begründungs- und Legitimationslehre

1 **Präsident der USA** (§ 1 Rn. 67): In den USA wurde in der politischen Diskussion vorgeschlagen, den in Österreich geborenen früheren Gouverneur von Kalifornien, *Arnold Schwarzenegger*, als Präsidentschaftskandidat aufzustellen. Die US-amerikanische Verfassung verlangt allerdings, in den USA geboren worden zu sein, um Präsident der USA werden zu können.[1] Könnte man durch Auslegung oder Rechtsfortbildung ein anderes Ergebnis begründen?

2 *Antwort:* Durch Auslegung oder Rechtsfortbildung lässt sich die rechtliche Zulässigkeit einer Präsidentschaft von Schwarzenegger nicht begründen, da der Wortlaut eindeutig ist. Deshalb müsste die Verfassung der Vereinigten Staaten geändert werden, um es einem Ausländer zu ermöglichen, Präsident der USA zu werden.

§ 2 Rechtsquellen

3 **Zehn Gebote** (§ 2 Rn. 24): Sind die zehn Gebote der Bibel[2] Regeln der Moral oder des Rechts?

4 *Antwort:* Maßgeblich für die Unterscheidung ist die Frage, ob die Sollensnorm rechtlich verbindlich ist und notfalls mit staatlichen Zwangsmitteln durchgesetzt werden kann. Nimmt man die zehn Gebote des Alten Testaments[3], so ist das Gebot „Du sollst nicht töten" auch ein Straftatbestand und wird in besonders schweren Fällen mit bis zu lebenslanger Freiheitsstrafe bestraft (§ 212 Abs. 2 StGB). Andere christliche Gebote wie „Du sollst nicht begehren deines Nächsten Weib" oder „Du sollst nicht ehebrechen" könnten dagegen nicht mit der Rechtsordnung durchgesetzt werden; ein Verstoß hiergegen kann lediglich zu sozialer Missbilligung führen. Die zehn Gebote basieren daher überwiegend auf moralischer Grundlage, während einige Gebote auch Rechtsverbote darstellen.

§ 3 Sekundäre Rechtsquellen und Rechtserkenntnisquellen

5 **Skifahrer – BGH VI ZR 187/70** (§ 3 Rn. 68): Die Skifahrer A und B stoßen in einem Winkel von 45 Grad an einem Hang zusammen. A erleidet einen Oberschenkeldrehbruch und behauptet, der Beklagte B habe das Gelände nicht genügend beobachtet. B hingegen trägt vor, der Kläger A sei wesentlich schneller als er gefahren und habe ihn unvermutet von hinten angefahren. A klagt auf Schadensersatz. Zu Recht?

6 *Antwort:* Der Anspruch auf Schadensersatz besteht, weil B die im Verkehr erforderliche Sorgfalt verletzt hat. Zur Konkretisierung der erforderlichen Sorgfaltspflichten werden die FIS-Regeln des Internationalen Skiverbandes herangezogen. Eine Ansicht qualifiziert diese als Gewohnheitsrecht.[4] Dagegen spricht jedoch, dass sie nicht von der Rechtsprechung, sondern einem privaten Verband entwickelt wurden. Zudem werden sie regelmäßig ergänzt und verändert, was wiederum gegen die langandauernde Übung als Voraussetzung für Gewohnheitsrecht (§ 3 Rn. 23 ff.) spricht.[5] Der BGH hat eine solche

---

[1] Art. 2 Sec. 1 Cl. 6 U.S. Const.

[2] Ex. 20, 2–17.

[3] Die Zehn Gebote finden sich auch in der Tora, sind also auch im Judentum bekannt.

[4] Ohne Begründung z.B. OLG Brandenburg, Urt. v. 10.1.2006, 6 U 64/05, NZV 2006, 662; OLG Koblenz, Beschl. v. 2.3.2011, 5 U 1273/10, VersR 2012, 189.

[5] Ablehnend auch *Herrmann/Götze*, NJW 2003, 3253; ohne Begründung *Wagner*, in: MünchKomm-BGB, 8. Aufl. 2020, § 823 Rn. 802 Fn. 3392.

Qualifikation bisher nicht vorgenommen, sondern nur den Sorgfaltsmaßstab der Verkehrspflicht im Rahmen des § 823 Abs. 1 BGB präzisiert. Hier verstieß jeder der Skifahrer gegen die Pflicht, sich so zu verhalten, dass er keinen anderen gefährdet oder schädigt (FIS-Regel Nr. 1; »Eigenregeln des Skilaufens« Nr. 1) und hielt damit die Verpflichtung, die Geschwindigkeit seinem Können, den Schwierigkeiten des Geländes, der Schneebeschaffenheit und dem Vorhandensein anderer Personen anzupassen (vgl. FIS-Regel Nr. 2, »Eigenregel« Nr. 2) nicht ein. Damit wurde der Schadensersatzanspruch aus § 823 Abs. 1 BGB des A gegen den B zum einen begründet (aufgrund der Sorgfaltspflichtverletzung des B), zugleich aber auch wegen Mitverschuldens des A (aufgrund seiner eigenen Sorgfaltspflichtverletzung) gem. § 254 Abs. 1 BGB reduziert.[6] Während die Sorgfaltspflichtverletzung des Anspruchsgegners B haftungsbegründend ist, wird die Sorgfaltspflichtverletzung des Anspruchsstellers A erst auf Rechtsfolgenseite im Rahmen der Haftungsausfüllung relevant. Prozessual würde B in der Regel eine eigene Widerklage erheben, um seine eigenen Schäden geltend zu machen; innerhalb dieses Anspruchs ist die jeweilige Verortung der beiden Sorgfaltspflichtverstöße umgekehrt.

§ 4 Wortlaut, Systematik und Geschichte als klassische Auslegungsmethoden

Viren – BGH VI ZR 309/88 (§ 4 Rn. 63): In der tierärztlichen Hochschule wurde mit Viren des Typs leptospira bratislava experimentiert. Eine Studentin infizierte sich mit dem Virus und erkrankte schwer. Sie möchte Schadensersatz nach § 833 S. 1 BGB. Zu Recht? 7

Antwort: Neben der Verschuldenshaftung nach § 823 Abs. 1 BGB[7] kann eine Gefährdungshaftung gem. § 833 S. 1 BGB in Betracht kommen, wenn Viren Tiere i.S.v. § 833 S. 1 BGB sind. Dies wird zum Teil bejaht.[8] Dagegen spricht zwar der Gebrauch des *Begriffs* in der Biologie, der Viren neben Pflanzen und Tiere als dritte Kategorie einordnet.[9] Ein solcher Fachgebrauch ist aber gegenüber dem Normgebrauch nachrangig. Auch der Wille des *historischen* Gesetzgebers, wonach eher traditionelle Tiere darunter fallen sollten,[10] ist nicht entscheidend, weil sich die Verhältnisse wandeln können (§ 6 Rn. 70 ff.).[11] Systematisch gewichtiger ist, dass der Gesetzgeber eine Spezialhaftung in § 32 GenTG[12] für gentechnisch veränderte Mikroorganismen eingeführt hat, auf eine Gefährdungshaftung im Infektionsschutzgesetz dagegen verzichtete.[13] Entscheidend dürfte das unterschiedliche Haftungspotential und damit der *Normzweck* sein: Während bei der bisherigen Tierhalterhaftung das unkontrollierte Verhalten des Tieres im Vordergrund steht, könnte die unkontrollierte Vermehrung und Übertragung von Viren zu Massenschäden und damit zu einer neuartigen Gefährdungshaftung führen. Gefährdungshaftungstatbestände muss aber der Gesetzgeber selbst einführen (§ 13 Rn. 30 ff.). § 833 S. 1 BGB ist damit weder unmittelbar noch analog anwendbar.[14] 8

---

[6] BGH, Urt. v. 11.1.1972, VI ZR 187/70, BGHZ 58, 40, 44 ff. – Zusammenstoß von Skiläufern.

[7] BGH, Urt. v. 4.7.1989, VI ZR 309/88, NJW 1989, 2947, 2948.

[8] Erman/*Wilhelmi*, BGB, 16. Aufl. 2020, § 833 Rn. 2; BeckOK-BGB/*Spindler*, 56. Ed. 1.11.2020, § 833 Rn. 5; *Deutsch*, NJW 1990, 751 f.

[9] Lexikon der Biologie in 15 Bänden, 9. Band, 2002, S. 240 f., Stichwort: Mikroorganismen.

[10] Der Gesetzgeber nennt „Hausthiere" und „Bienen", s. Prot. II, S. 646 f.

[11] *Wagner*, in: MünchKomm-BGB, 8. Aufl. 2020, § 833 Rn. 10.

[12] Gentechnikgesetz (GenTG) v. 16.12.1993, BGBl. I, S. 2066.

[13] *Krause*, in: Soergel, BGB, 13. Aufl. 2005, § 833 Rn. 3; zur Vorgängerrechtslage unter dem Bundesseuchenschutzgesetz, das ebenfalls keine Gefährdungshaftung vorsah s. Larenz/*Canaris*, Lehrbuch des Schuldrechts, Besonderer Teil, Bd. II/2, 13. Aufl. 1994, S. 614.

[14] *Krause*, in: Soergel, BGB, 13. Aufl. 2005, § 833 Rn. 3; *Eberl-Borges*, in: Staudinger BGB, Neubearb. 2018, § 833 Rn. 11 ff.

9 **§ 253 BGB im System des BGB** (§ 4 Rn. 111): Welche Auswirkungen hat es, dass der Gesetzgeber im Rahmen der Schuldrechtsreform 2001 den Schadensumfang auf Schmerzensgeld in § 847 BGB strich und stattdessen den Umfang des Schadens auf Schmerzensgeld zu den Schadensvorschriften der §§ 249 ff. BGB verschob und den neuen § 253 BGB schuf?

10 *Antwort:* Zwar beschränkt § 253 Abs. 1 BGB den Schmerzensgeldanspruch auf gesetzlich geregelte Fälle. § 253 Abs. 2 BGB begründet bei den Rechtsgutsverletzungen Körper, Gesundheit, Freiheit und sexuelle Selbstbestimmung aber immer einen Schmerzensgeldanspruch. Aufgrund der *systematischen Stellung im Allgemeinen Teil* des Schuldrechts ist damit seit 2001 ein Schmerzensgeldanspruch nicht nur bei deliktsrechtlichen Ansprüchen aus §§ 823 ff. BGB, sondern auch bei vertraglichen Ansprüchen, culpa in contrahendo, Geschäftsführung ohne Auftrag und Gefährdungshaftung möglich. Der Anwendungsbereich für Schmerzensgeldansprüche wurde durch diese Änderung deutlich ausgeweitet.[15]

§ 5 Telos, Logik und folgenorientierte Auslegung

11 **Verkehrsunfall – BGH VI ZR 1/92** (§ 5 Rn. 78): Zwei in Deutschland lebende Türken verursachten im Jahr 1990 einen schweren Verkehrsunfall in der Türkei. Die Versicherung wollte nach türkischem Recht nur 1.000,– DM zahlen; der Kläger verlangte jedoch 25.000,– DM nebst 100.000,– DM Schmerzensgeld nach deutschem Recht. Welches Recht ist anwendbar?

12 *Antwort:* Auf diesen Fall ist das Internationale Privatrecht anwendbar. Nach dem zum Zeitpunkt des Unfalls geltenden Tatortgrundsatz wäre eine Anwendung des deutschen Rechts nicht in Betracht gekommen. Der Grundsatz greift allerdings nicht, wenn der Anknüpfungspunkt am Tatort eher *zufällig* und *unangemessen* erscheint und eine andere Rechtsordnung aufgrund rechtlicher Beziehungen der Beteiligten zu dieser Rechtsordnung sachgerechter ist.[16] Ein Abweichen vom Tatortgrundsatz wurde in der bisherigen Rechtsprechung aber verneint, wenn die Staatsangehörigkeit der Kläger und der Tatort zusammenfallen.[17] In seiner Grundsatzentscheidung stellte der BGH fest, dass die Staatsangehörigkeit kein taugliches Anknüpfungskriterium sei und sprach sich zugunsten einer alleinigen Orientierung am gewöhnlichen Aufenthalt aus, um die nach türkischem Recht unzureichenden Schadensersatzansprüche zu vermeiden.[18] Durch die IPR-Reform im Jahr 1999 hat der Gesetzgeber sich der Argumentation des BGH angeschlossen und durch Art. 40 Abs. 2 EGBGB den Vorrang des gewöhnlichen Aufenthalts vor dem Tatort gesetzlich verankert.

13 **Hühnerpest – BGH (VI ZR 212/66)** (§ 5 Rn. 141): Der BGH hatte in der Hühnerpest-Entscheidung die Anspruchsdurchsetzung aus § 823 Abs. 1 BGB für den Kläger erleichtert, indem er das Verschulden vermutet und damit die Beweislast dem Beklagten auferlegt. Im vorliegenden Fall waren 4.000 Hühner der Klägerin verendet, obwohl die Tiere mit dem Impfstoff der Beklagten geimpft wurden. Ist dieses Urteil pareto-optimal?

14 *Antwort:* Die Gefährdungshaftung des § 1 ProdHaftG zwingt den Hersteller zur Schadensvorbeugung, weil er auch ohne Verschulden für Schäden haftet, nicht aber den potentiell Geschädigten. Bei der Verschuldenshaftung des § 823 Abs. 1 BGB kann sich der Schädiger im Zweifel auf das fehlende Verschulden berufen, sodass er keine Schadensvorbeugung betreibt. Allerdings sollte der potentiell Geschädigte ein eigenes Interesse haben, dass der Schaden nicht eintritt und deshalb Schadensvorbeugung betreiben. Beide Prin-

---

[15] Auch wenn das Persönlichkeitsrecht nicht ausdrücklich in § 823 Abs. 1 aufgenommen wurde, s. § 11 Rn. 71 ff.

[16] BGH, Urt. v. 8.3.1983, VI ZR 116/81, BGHZ 87, 95, 98; BGH, Urt. v. 13.3.1984, VI ZR 23/82, BGHZ 90, 294, 298.

[17] BGH, Urt. v. 5.10.1976, VI ZR 253/75, NJW 1977, 496.

[18] BGH, Urt. v. 7.7.1992, VI ZR 1/92, BGHZ 119, 137; hierzu *Zimmer*, JZ 1993, 396, 399.

zipien sind nicht *pareto-optimal*, weil die jeweils andere Seite schadensvermeidende Maßnahmen unterlässt (§ 5 Rn. 124).

Optimal wäre eine Gefährdungshaftung mit Verschuldenselementen oder eine Verschuldenshaftung mit Gefährdungselementen. Eine solche Alternative findet sich bereits de lege lata vor allem im Einwand des Mitverschuldens nach § 254 BGB (bzw. i.V.m. § 6 Abs. 1 ProdHaftG oder § 9 StVG) und der Schadensminderungsobliegenheit. In beiden Fällen wird durch diese Einwände auf das Verhalten des Geschädigten dergestalt eingewirkt, dass er bestenfalls schon eine Schadensentstehung nicht (mit-)verursacht bzw. bei einem bereits entstandenen Schaden dafür Sorge trägt, diesen nicht noch weiter zu intensivieren. Eine Verschuldenshaftung mit Gefährdungselementen hingegen hatte der BGH schon 1969 in der Hühnerpest-Entscheidung im Wege der Rechtsfortbildung für Produzenten eingeführt. Der Kläger kann oft nicht beweisen, ob die Pflichtverletzung verschuldet war; sie kommt aus der Sphäre des Schädigers. Deshalb wird wie bei § 836 Abs. 1 S. 1 BGB für den Gebäudehalter auch für den Produzenten bei § 823 Abs. 1 BGB die Beweislast umgekehrt und *vermutet*, dass der Sorgfaltspflichtverstoß des Produzenten von diesem *verschuldet* war.[19] Damit muss der Schädiger sorgfältig handeln, um einer Haftung zu entgehen. Der Schädiger kann sich aber exkulpieren, weshalb auch der potentiell Geschädigte Sorgfaltsmaßnahmen ergreifen muss.[20] 15

Interessanterweise finden sich auch im ProdHaftG Verschuldenselemente, obwohl die Haftung als Gefährdungshaftung konzipiert ist. So werden der Fehlerbegriff und damit verhaltensbezogene Sorgfaltspflichten in § 823 BGB und § 1 ProdHaftG einheitlich definiert. Zudem schließt § 1 Abs. 2 Nr. 5 ProdHaftG die Haftung aus, wenn der Fehler nach dem Stand der Wissenschaft und Technik in dem Zeitpunkt, in dem der Hersteller das Produkt in den Verkehr brachte, nicht erkannt werden konnte. Die Regelung ist effizient, weil insoweit beide Seiten schadensvermeidende Handlungen vornehmen müssen, um nicht zu haften.[21] 16

Grafik: Beweislasterleichterung im Rahmen der Produzentenhaftung 17

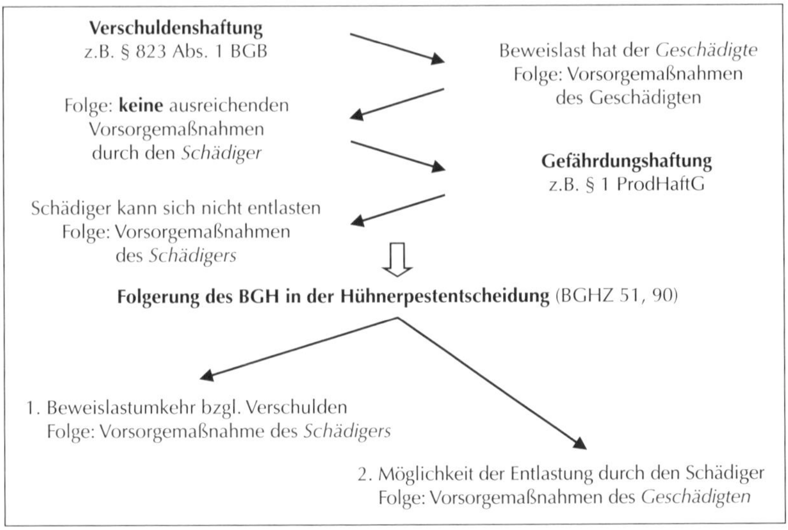

[19] BGH, Urt. v. 26.11.1968, VI ZR 212/66, BGHZ 51, 91, 105 ff. – Hühnerpest.

[20] *Adams*, Ökonomische Analyse der Gefährdungs- und Verschuldenshaftung, 1985, S. 51, 114 ff., 266. *Brown*, 2 J. Leg. Stud. 323, 343 (1973): für Mitverschuldensklausel; s. auch *Schäfer/Ott*, Lehrbuch der ökonomischen Analyse des Zivilrechts, 6. Aufl. 2020, S. 216 ff.

[21] *Möllers*, Rechtsgüterschutz im Umwelt- und Haftungsrecht, 1996, S. 116; Kötz/*Wagner*, Deliktsrecht, 14. Aufl. 2021, 9. Kap. Rn. 11.

§ 6 Teleologische Gegenfiguren und einfache Formen der Rechtsfortbildung

18 **Hund als Sachbeschädigung gem. § 303 StGB** (§ 6 Rn. 24): A tritt oder vergiftet den Hund des Nachbarn. Steht § 90a BGB einer Strafbarkeit nach § 303 StGB entgegen?

19 *Antwort:* Die Strafbarkeit des A hängt maßgeblich davon ab, ob der Hund als „Sache" i.S.d. § 303 StGB qualifiziert werden kann. Nach § 90a S. 1 BGB sind Tiere „keine Sachen". Gleichwohl schreibt § 90a S. 3 BGB vor: „Auf sie sind die für die Sachen geltenden Vorschriften entsprechend anzuwenden, soweit nicht etwas anderes bestimmt ist." Nach einer Ansicht steht das strafrechtliche Analogieverbot (§ 4 Rn. 65 ff.) einer Bestrafung nach § 303 StGB entgegen.[22] Hunde sind hiernach keine Sachen i.S.d. § 303 StGB. Nach den gegenläufigen Ansichten hat sich A jedoch strafbar gemacht: hier wird eine teleologische Reduktion des § 90a S. 1 BGB favorisiert. Demzufolge sind Tiere keine leblosen Sachen, sondern „Sachen sui generis".[23] Die dritte, wohl herrschende, Ansicht möchte den Sachbegriff des Strafrechts unabhängig vom Sachbegriff des BGB auslegen.[24] Für diese Relativität der Rechtsbegriffe spricht, dass der strafrechtliche Schutz im Zweifel weiter reichen soll als der zivilrechtliche Rechtsschutz.

20 **Unzulässiges Reurecht beim Inhaltsirrtum** (§ 6 Rn. 102): Konrektorin K bestellt bei Großhändler G 25 Gros Toilettenpapier in der irrigen Annahme, es handele sich bei dem Wort „Gros" um eine Markenbezeichnung und nicht um die Mengenbezeichnung „12 x 12". Welche Rechte haben die Parteien?[25]

21 *Antwort:* K kann den Vertrag aufgrund ihres Inhaltsirrtums nach § 119 Abs. 1 Alt. 1 BGB über § 142 Abs. 1 BGB erfolgreich anfechten, mit der Folge, dass grundsätzlich der gesamte Vertrag ex tunc nichtig wäre. Der Hersteller könnte an und für sich nur Ansprüche aus § 122 BGB und ggf. aus c.i.c. jeweils beschränkt auf das negative Interesse geltend machen. Nach dem Telos der Anfechtungsregeln soll jedoch nur der Willensmangel des Erklärenden kompensiert werden, d.h. er soll so gestellt werden, wie wenn ihm der Irrtum nicht unterlaufen wäre. Eine Besserstellung des Erklärenden über die Anfechtung ist vom Gesetzgeber ersichtlich nicht gewollt. Ein sog. Reurecht soll ihm nicht zustehen. Der Anfechtende muss sich insoweit an seinem tatsächlichen Willen im Zeitpunkt der Erklärung festhalten lassen. Daher billigt die Rechtsprechung dem Anfechtungsgegner in derartigen Fällen der Preis- und Mengenirrtümer ein – wahlweise aus § 242 BGB[26] oder aus teleologischer Reduktion[27] des § 142 Abs. 1 BGB abgeleitetes – Wahlrecht zu; der Hersteller G kann folglich alternativ zur Gesamtnichtigkeit des Vertrags die Erklärung der K so gelten lassen, wie die Erklärende sie tatsächlich gemeint hat, mit der Folge, dass zumindest ein Vertrag über 25 Rollen Toilettenpapier zustande kommt.

22 **Tonbandaufnahme – BGH VI ZR 104/57** (§ 6 Rn. 149): A nimmt heimlich ein Gespräch mit B mit einem Tonbandgerät auf. Kann B die Löschung der Tonbandaufnahmen verlangen? Was ist, wenn eine entsprechende Aufzeichnung droht?[28]

---

[22] In diese Richtung tendierend *Braun*, JuS 1992, 758, 761.

[23] Jauernig/*Mansel*, BGB, 18. Aufl. 2021, § 90a BGB Rn. 1.

[24] *Küper*, JZ 1993, 435, 441; *Graul*, JuS 2000, 215, 218 f.; deutlich auch *Fischer*, StGB, 68. Aufl. 2021, § 242 Rn. 3: Der strafrechtliche Begriff der Sache ist ein vom Zivilrecht unabhängiger öffentlich-rechtlicher Begriff. Er hat mit § 90 BGB die Körperlichkeit des Gegenstands zur Voraussetzung, weicht aber z.B. von § 90a BGB und § 265 ZPO ab.

[25] LG Hanau, Urt. v. 30.6.1978, 1 O 175/78, NJW 1979, 721 – 25 Gros Rollen.

[26] Z.B. *Flume*, Allgemeiner Teil des Bürgerlichen Rechts, Bd. II, 4. Aufl. 1992, S. 421 f.; *Armbrüster*, in: MünchKomm-BGB, 8. Aufl. 2018, § 119 Rn. 152.

[27] *Neuner*, Allgemeiner Teil des Bürgerlichen Rechts, 12. Aufl. 2020, § 41 Rn. 154.

[28] BGH, Urt. v. 20.5.1958, VI ZR 104/57, BGHZ 27, 284, 289 – Heimliche Tonbandaufnahme.

Antwort: In Betracht kommt ein Unterlassungsanspruch nach § 1004 BGB. Zwar liegt keine Eigentumsbeeinträchtigung vor, allerdings ist auch das hier betroffene Persönlichkeitsrecht des B von § 823 Abs. 1 BGB geschützt. Daher kann aus §§ 12, 862, 1004 BGB im Wege der Gesamtanalogie ein quasi-negatorischer Unterlassungsanspruch begründet werden. Für den Fall, dass die Aufzeichnung erstmals droht, ist noch eine weitere Analogie heranzuziehen: Weil § 1004 BGB nur von bereits eingetretenen („weitere") Beeinträchtigungen spricht, muss eine Analogie auch für drohende Beeinträchtigungen von Rechtsgütern begründet werden.[29] 23

§ 7 Konkretisierung von Recht durch Gesetzgeber, Verwaltung und Gerichte

Beschuhter Fuß – BGH (4 StR 689/81) (§ 7 Rn. 57): Liegt eine gefährliche Körperverletzung vor, wenn der Täter das Opfer mit einem Schuh an den Kopf tritt? 24

Antwort: Ob ein Gegenstand als gefährliches Werkzeug i.S.v. § 224 Abs. 1 Nr. 2 Alt. 2 StGB zu qualifizieren ist, kann durch einen Vergleich mit den Waffen bzw. herkömmlichen gefährlichen Werkzeugen argumentativ abgesichert werden. So wurde u.a. die Eisenstange[30] als gefährliches Werkzeug bejaht. An ihre Grenzen kommt die *Vergleichsfallmethode* jedoch, wenn ein Vergleich allein aufgrund der Beschaffenheit des Gegenstands nicht ohne Weiteres möglich ist, aber ein weiteres gefährliches Moment hinzutritt, welches eine Subsumtion unter ein gefährliches Werkzeug dennoch als gerechtfertigt erscheinen lässt. Nach zahlreichen Urteilen argumentierte der BGH somit nicht nur mit vergleichbaren Fällen, sondern entwickelte seine Rechtsprechung fort. Er formulierte einen *verallgemeinerungsfähigen Rechtssatz,* wonach ein gefährliches Werkzeug vorliegt, wenn ein Gegenstand nach seiner objektiven Beschaffenheit und nach der Art seiner Benutzung im Einzelfall geeignet ist, erhebliche Körperverletzungen zuzufügen.[31] Eine pauschale Deklaration einer Sache als ein gefährliches Werkzeug allein aufgrund ihrer Beschaffenheit ist demnach nicht möglich. Der gebildete Rechtssatz verlangt vielmehr, dass aus dem Zusammenspiel von objektiver Beschaffenheit und Art der Benutzung des Gegenstands Verletzungen drohen.[32] 25

Im konkreten Fall ergibt sich die gegenüber der einfachen Körperverletzung erhöhte Gefährlichkeit aus dem Gewicht bzw. der Wuchtigkeit des Schuhs als Trittwerkzeug und der Trefferregion, weil die Wucht des Tritts durch den Schuh verstärkt und kanalisiert wird. Während bei Tritten gegen den Körper nur schweres Schuhwerk (z.B. Stiefel) zur Bejahung der Qualifikation führt, wird ein gefährliches Werkzeug bei Tritten gegen den Kopf oder andere empfindliche Körperregionen von der Rechtsprechung schon bei festeren (Turn-)Schuhen angenommen.[33] Tritte mit leichten Schuhen (z.B. Segelschuhe) können hingegen niemals zur Erfüllung von § 224 Abs. 1 Nr. 2 Alt. 2 StGB führen, weil sie auch bei Tritten gegen den Kopf im Vergleich zu einem unbeschuhten Tritt keine schwereren Verletzungen hervorrufen können.[34] 26

[29] Von einem Redaktionsversehen spricht Larenz/*Canaris*, Lehrbuch des Schuldrechts, Besonderer Teil, Bd. II/2, 13. Aufl. 1994, S. 672.

[30] BGH, Urt. v. 23.7.2008, 5 StR 46/08, NStZ 2008, 626.

[31] BGH, Urt. v. 6.6.1952, 1 StR 708/51, BGHSt 3, 109; BGH, Urt. v. 11.2.1982, 4 StR 689/81, BGHSt 30, 375, 376 – Beschuhter Fuß.

[32] *Fischer*, StGB, 68. Aufl. 2021, § 224 Rn. 14; *Hardtung*, in: MünchKomm-StGB, 3. Aufl. 2017, § 224 Rn. 25.

[33] BGH, Urt. v. 11.2.1982, 4 StR 689/81, BGHSt 30, 375, 376 – Beschuhter Fuß; BGH, Urt. v. 23.6.1999, 3 StR 94/99, NStZ 1999, 616, 617.

[34] BGH, Urt. v. 19.1.1984, 4 StR 742/83, NStZ 1984, 328, 329.

§ 8 Bewegliches System, Fallgruppen und Fallgruppenvergleich als Methoden der Konkretisierung

27 **Gastwirt – BGH VI ZR 48/87** (§ 8 Rn. 15): Muss der Wirt die neben der Toilettentür befindliche Kellertür sichern, wenn sich hinter der Kellertür eine steil abfallende Treppe befindet? Kann der Gast Schadensersatz verlangen, wenn er die Treppe hinunterstürzt?

28 *Antwort:* Im Sinne eines Beweglichen Systems sprechen mehrere Kriterien dafür, eine Pflichtverletzung zu bejahen. Indem der Wirt Alkohol an die Gäste ausschenkt, schafft er eine *Gefahrenquelle.* Aus dem Ausschank von Alkohol zieht der Wirt einen *Vorteil* in Form von Einnahmen. Die Gefahr, dass die Gäste die Kellertreppe hinunterstürzen ist für den Wirt insofern *erkennbar,* als er infolge des Alkoholkonsums mit einer verminderten Aufmerksamkeit aber auch der Neugier der Gäste rechnen muss. Für den Wirt ist es unschwer möglich, die *Gefahr zu beherrschen,* indem er die Kellertür verriegelt. Fraglich ist, inwiefern das Element des Vertrauensschutzes erfüllt ist. Immerhin ist jeder selbst für sein Wohlergehen verantwortlich. Dennoch dürfen Gäste vor allem in Gaststätten, in denen Alkohol ausgeschenkt wird, *darauf vertrauen,* dass sich in den für sie öffentlich zugänglichen Räumen keine unerwarteten Gefahren verbergen. Damit trifft den Wirt eine Verkehrssicherungspflicht, sodass er schadensersatzpflichtig ist.[35]

29 **Klage gegen Kartelle – EuGH C-453/99** (§ 8 Rn. 52): Können Private bei einer Verletzung des europäischen Kartellrechts klagen?

30 *Antwort:* Das Prinzip des effet utile (§ 5 Rn. 108 ff.) hat der EuGH durch zahlreiche Urteile ausgebaut. Neben der Staatshaftung (§ 12 Rn. 123 ff.) ist nun eine Fallgruppe hinzugekommen: der Anspruch auf Schadensersatz privater Parteien bei Kartellverstößen. Der EuGH hat in mehreren Urteilen die Fragen geklärt, wer klagen darf,[36] welche Schadenspositionen möglich sind,[37] welche Kausalität[38] erforderlich ist und ob der Zugang zu Daten eines Kronzeugenprogramms verweigert werden kann.[39] Inzwischen gibt die Kartellschadenersatz-RL die einzelnen Voraussetzungen für einen Haftungsanspruch vor (§ 5 Rn. 119). Die Richtlinie ist nun gegenüber der Rechtsprechung des EuGH als lex specialis zu werten.[40]

§ 9 Rechtsdogmatik und allgemeine Rechtsprinzipien

31 **Widerrufsrecht** (§ 9 Rn. 58): Durch die Schuldrechtsreform[41] wurden die auf europäische Verbraucherschutzrichtlinien zurückgehenden Verbraucherschutzvorschriften wie die §§ 305 ff. BGB, die bis dato in Einzelgesetzen geregelt waren, in das BGB integriert. Neu aufgenommen wurde auch das dem BGB bis dato unbekannte Gestaltungsrecht des Widerrufs.[42] Dieses gibt dem Verbraucher ein zeitlich begrenztes Recht, den Vertrag ohne Angabe von Gründen zu widerrufen, d.h. den an sich wirksamen Vertrag nachträglich einseitig wieder aufzulösen. Lässt sich das Widerrufsrecht in die Systematik des BGB integrieren?

---

[35] Nach BGH, Urt. v. 9.2.1988, VI ZR 48/87, NJW 1988, 1588 f.

[36] EuGH, Urt. v. 20.9.2001, C-453/99, EU:C:2001:465, Rn. 24 – Courage Ltd./Crehan; EuGH, Urt. v. 13.7.2006, C-295/04 u.a., EU:C:2006:461, Rn. 61 – Manfredi: „jedermann".

[37] EuGH v. 13.7.2006, C-295/04 u.a., EU:C:2006:461, Rn. 91 ff. – Manfredi.

[38] EuGH v. 13.7.2006, C-295/04 u.a., EU:C:2006:461, Rn. 63 – Manfredi.

[39] EuGH v. 14.6.2011, C-360/09, EU:C:2011:389, Rn. 30 – Pfleiderer; s. zur schwierigen Arbeit mit Rechtsprinzipien § 9 Rn. 61 ff.

[40] Zum Richtlinienentwurf s. *Möllers,* 3 Europa e diritto privato 822 ff. (2014).

[41] Gesetz zur Modernisierung des Schuldrechts v. 26.11.2001, BGBl. I, S. 3138.

[42] Gem. § 361a BGB a.F., s. nun §§ 355 ff., 312g, 495, 510 BGB.

Antwort: Das BGB von 1900 sah nur bei prozeduralen Mängeln, etwa durch Arglist, Drohung oder Irrtum vor, dass man sich auf die Anfechtbarkeit des Vertrages berufen konnte.[43] Zum Teil wird behauptet, dem Käufer würde ein sachlich nicht gerechtfertigtes Recht eingeräumt, weil es ihm die Möglichkeit gibt, vom Vertrag ohne Grund nach eigenem Gutdünken zurückzutreten.[44] Ein solches Widerrufsrecht wäre ein unzulässiges Reurecht[45] auf Vertragsaufhebung, weil es dem Gedanken von Vertragsfreiheit und Vertragstreue widerspräche.[46] 32

Ein Widerrufsrecht lässt sich jedoch durchaus mit dem Grundsatz *pacta sunt servanda* vereinbaren und somit in die Dogmatik und Systematik des BGB integrieren.[47] Nach Sinn und Zweck schützt es vor einer zu frühen Vertragsbindung in besonderen Situationen, etwa einem übereilten Vertragsschluss als Folge von Überrumpelung beim sog. Außer-Geschäftsraum-Vertrag (§ 312b BGB) (früher: Haustürgeschäft[48]) oder einem übereilten Vertragsschluss eines nicht in seinen Folgen überdachten[49] komplexen Verbraucherkredit- oder Teilzeitwohnrechtevertrages. Sinnvoll erscheint in solchen Fällen die *Verlängerung der Überlegungsfrist* und damit eine „cooling-off-period", um die *wirtschaftliche Selbstbestimmung des Verbrauchers* sicherzustellen.[50] Wie beim Reise- oder Teilzeitwohnrechtevertrag kann der Verbraucher beim Fernabsatzgeschäft die Sache nicht vorher prüfen. Deshalb ist auch hier ein Widerrufsrecht angemessen, da es dem Verbraucher die Überlegungsfrist einräumt, sich entsprechend zu informieren, um sich für oder gegen das Produkt zu entscheiden.[51] Missbrauchsmöglichkeiten auf Seiten des Käufers werden auch dadurch abgemildert, dass dieser grundsätzlich die Kosten für den Rücktransport der Kaufsache zu tragen hat, § 357 Abs. 6 BGB.[52] Der Grundsatz der Vertragsbindung (*pacta sunt servanda*) wird also nicht durchbrochen, sondern ihm wird materiell erst zur Geltung verholfen, indem die wirtschaftliche Selbstbestimmung des Verbrauchers umgesetzt wird. 33

§ 10 Konkretisierung durch Abwägung

Abschuss einer Passagiermaschine – BVerfG 1 BvR 357/05 (§ 10 Rn. 53): § 14 Abs. 3 Luftsicherheitsgesetz ermächtigte dazu, ein von Geiselnehmern entführtes Passagierflugzeug abzuschießen, um das Leben Dritter zu retten. Ist das Gesetz verfassungskonform? 34

---

[43] Schon der Motivirrtum oder der verdeckte Kalkulationsirrtum berechtigen nicht mehr zur Anfechtung der Willenserklärung.

[44] Krit. *Schäfer*, in: Grundmann, Systembildung und Systemlücken in Kerngebieten des Europäischen Privatrechts, 2000, S. 559, 567; für den Widerruf nach der Richtlinie 1997/7/EG über den Verbraucherschutz bei Vertragsabschlüssen im Fernabsatz v. 20.5.1997, ABl. Nr. L 144, S. 19.

[45] Zum Reurecht s. § 15 Rn. 21 f.

[46] So etwa noch *Larenz*, Allgemeiner Teil des deutschen Bürgerlichen Rechts, 5. Aufl. 1980, S. 52, zum Widerrufsrecht des Abzahlungskaufs: Das verträgt sich nur schwer mit dem sonst gern beschworenen Leitbild des „mündigen Bürgers". Ebenso *Dauner-Lieb*, Verbraucherschutz durch Ausbildung eines Sonderprivatrechts für Verbraucher, 1983, S. 119: mit den Prämissen eines marktwirtschaftlich liberalen Sozialmodells nicht ohne Weiteres zu vereinbaren.

[47] Zum Folgenden s. *Möllers*, JZ 2002, 121, 130 f.

[48] Kritisch gegen den Überrumpelungsgedanken bei Haustürgeschäften aber *Eidenmüller*, AcP 211 (2011), 67, 85 f. noch zur alten Form des Haustürgeschäfts nach § 312 Abs. 1 BGB a. F. Der Überrumpelungsgedanke wohnt aber auch dem heutigen § 312b BGB inne, s. BR-Drs. 817/12, S. 79; so bereits ErwG. 21 Verbraucherrechte-RL 2011/83/EU.

[49] Auf die Verlockungsgefahr abstellend bereits *Heck*, 21. DJT, 1891, Bd. 2, S. 148 für den Abzahlungskauf; zustimmend *Canaris*, AcP 200 (2000), 273, 349 f.

[50] *Drexl*, Die wirtschaftliche Selbstbestimmung des Verbrauchers, 1998, S. 451, 466 ff.; *Canaris*, AcP 200 (2000), 273, 344 ff.; *W.H. Roth*, JZ 2001, 475, 480 f.; *Möllers*, JZ 2002, 121, 130 f.

[51] *W.H. Roth*, JZ 2001, 475, 481.

[52] Zu ökonomischen Überlegungen s. *Eidenmüller*, AcP 211 (2011), 67, 78 ff.

35 *Antwort:* Das BVerfG erachtete das Gesetz für verfassungswidrig.[53] Auch die Literatur geht davon aus, dass Leben nicht miteinander abgewogen werden können, kritisiert aber, dass das BVerfG nicht die Schutzpflicht, Dritte zu retten, thematisiert.[54] Problematisch war nicht die Tötung der Geiselnehmer,[55] sondern die der Passagiere im Flugzeug. Allerdings bejaht die Literatur die strafrechtliche Möglichkeit des „übergesetzlichen Verantwortungsausschlusses“[56] bzw. den öffentlich-rechtlichen „rechtswertungsfreien Raum“, der weder verfassungsgemäß noch verfassungswidrig ist.[57]

36 **Vorratsdatenspeicherung – EuGH C-293/12** (§ 10 Rn. 61): Die Vorratsdatenspeicherung-RL 2006/24/EG gestattete die anlasslose Vorratsspeicherung von Telekommunikationsverbindungsdaten zur Strafverfolgung und Terrorbekämpfung. Ist dies zulässig?

37 *Antwort:* Der EuGH[58] sah darin einen *Eingriff* in das Recht auf Privatleben und den Schutz personenbezogener Daten, Artt. 7, 8 GRCh. Er erkannte dann aber das Erfordernis einer effektiven Strafverfolgung als ein dem Gemeinwohl dienendes Ziel als *Rechtfertigungsgrund* an. Auch sei der Wesensgehalt nicht verletzt, weil die Daten besonders geschützt würden. Wegen der Schwere des Eingriffs schränkte der EuGH bei der *Verhältnismäßigkeitsprüfung* den Entscheidungsspielraum des Gesetzgebers jedoch ein: Die Vorratsspeicherung sei zwar geeignet, nicht aber erforderlich. Eingriffe in das Privatleben müssten auf das absolut Notwendige beschränkt bleiben. Dies wäre nicht der Fall, weil die Regelungen viel zu unbestimmt seien und keinerlei Ausnahmen zuließen.

§ 11 Verfassung als höherrangiges Recht

38 **Hinterbliebenenrente für Lebenspartner – BVerfG 1 BvR 1164/07** (§ 11 Rn. 63): Im Bereich der betrieblichen Altersvorsorge gibt es keine Hinterbliebenenrente für eingetragene Lebenspartner. Wird damit gegen den Gleichheitsgrundsatz verstoßen?

39 *Antwort:* Das BVerfG sah darin einen Verstoß gegen Art. 3 Abs. 1 GG. Es argumentierte zum einen mit dem *Willen* des Gesetzgebers, die eingetragene Lebenspartnerschaft der Ehe gleichzustellen.[59] *Systematisch* betrachtet wäre die eingetragene Lebenspartnerschaft im Sozialversicherungsrecht geregelt. Regelungen über die Hinterbliebenenrente von eingetragenen Lebenspartnern fehlen aber. Dies wäre nicht konsistent.[60] *Teleologisch* würde sich aus der in Art. 6 Abs. 1 GG normierten Befugnis, in Erfüllung und Ausgestaltung des verfassungsrechtlichen Förderauftrags die Ehe gegenüber anderen Lebensformen zu privilegieren, kein enthaltenes Gebot herleiten lassen, andere Lebensformen gegenüber der Ehe zu benachteiligen.[61] Und schließlich wäre auch *europarechtlich* die Diskriminierung wegen der sexuellen Orientierung untersagt.[62] *Hillgruber* widerspricht dem und wirft dem BVerfG unzulässigen „judicial activism“ vor.[63]

---

[53] BVerfG, Urt. v. 15.2.2006, 1 BvR 357/05, BVerfGE 115, 118, 160 – Luftsicherheitsgesetz I.

[54] Kritisch gegen das BVerfG insoweit etwa *Isensee*, in: HStR IX, 3. Aufl. 2011, § 191 Rn. 296, 298, 311; *Merkel*, JZ 2007, 373 ff.; *Dreier*, in: Dreier, GG, 3. Aufl. 2013, Art. 1 I Rn. 135.

[55] Zur Zulässigkeit des finalen Rettungsschusses, s. etwa Art. 83 Abs. 2 S. 2 BayPAG. BVerfG, Urt. v. 15.2.2006, 1 BvR 357/05, BVerfGE 115, 118, 161 – Luftsicherheitsgesetz I; zum rechtfertigenden Notstand gem. § 34 StGB s. Roxin/*Greco*, Strafrecht Allgemeiner Teil, Bd. I, 5. Aufl. 2020, § 16 Rn. 113.

[56] Roxin/*Greco*, Strafrecht Allgemeiner Teil, Bd. I, 5. Aufl. 2020, § 22 Rn. 149.

[57] *Lindner*, DÖV 2006, 577, 587 f.

[58] EuGH, Urt. v. 8.4.2014, C-293/12 u.a., EU:C:2014:238, Rn. 32 ff. – Vorratsdatenspeicherung.

[59] BVerfG, Beschl. v. 7.7.2009, 1 BvR 1164/07, BVerfGE 124, 199, 221 – Hinterbliebenenrente für Lebenspartner.

[60] BVerfG (ebd.), BVerfGE 124, 199, 222 f. – Hinterbliebenenrente für Lebenspartner.

[61] BVerfG (ebd.), BVerfGE 124, 199, 226 – Hinterbliebenenrente für Lebenspartner.

[62] BVerfG (ebd.), BVerfGE 124, 199, 220 – Hinterbliebenenrente für Lebenspartner.

[63] *Hillgruber*, JZ 2010, 41, 43 f.; hierzu auch § 13 Rn. 100.

§ 12 Der Vorrang von Europarecht und Völkerrecht

Weber (Fliesen) – BGH VIII ZR 70/08 (§ 12 Rn. 113): Herr Wittmer und die Gebrüder Weber schlossen einen Kaufvertrag über polierte Bodenfliesen zum Preis von 1.382 EUR. Nachdem Herr Wittmer rund zwei Drittel der Fliesen in seinem Haus hatte verlegen lassen, stellte er auf der Oberfläche Schattierungen fest, die mit bloßem Auge zu erkennen waren. Weil die Mängel nicht beseitigt werden konnten, forderte Herr Wittmer Lieferung mangelfreier Fliesen und Zahlung der Ausbaukosten der alten und Einbaukosten der neuen Fliesen i.H.v. 5.830 EUR. Müssen die Gebrüder Weber die Aus- und Einbaukosten der Fliesen tragen, wenn man die im Jahre 2005 geltende Fassung des § 439 BGB zur Beurteilung heranzieht? Welche Aufgabe an den Gesetzgeber ergibt sich aus der Lösung dieses Falls? **40**

Antwort: (1.) In einem ersten Schritt hatte der EuGH festgestellt, dass die Verbrauchsgüterkauf-RL auch den Ausbau einer fehlerhaften Sache und den Einbau der mangelfreien Sache umfasst, die Kosten aber auf einen angemessenen Betrag beschränkt werden können.[64] Daraufhin urteilte der BGH, dass § 439 Abs. 1 Alt. 2 BGB a.F. richtlinienkonform dahingehend auszulegen ist, dass die dort genannte Nacherfüllungsvariante „Lieferung einer mangelfreien Sache“ auch den Ausbau und Abtransport der mangelhaften Kaufsache sowie den Einbau der nachgebesserten Sache erfasst. Hier ging der BGH von einer Änderung des Sprachgebrauchs aus.[65] **41**

(a) Neben der richtlinienkonformen Auslegung von § 439 Abs. 1 Alt. 2 BGB a.F. war zu prüfen, ob der Verkäufer gem. § 439 Abs. 3 S. 3 BGB a.F. die Nachlieferung *verweigern* kann, wenn dies nur mit unverhältnismäßigen Kosten möglich ist. Weil eine solche Weigerung gegen Art. 3 der Verbrauchsgüterkauf-RL verstößt, begründete der BGH in einem zweiten Schritt eine *teleologische Reduktion des § 439 Abs. 3 BGB a.F.* für Fälle des Verbrauchsgüterkaufs, sodass der Verkäufer keine Möglichkeit mehr hatte, sich auf die absolute Unverhältnismäßigkeit zu berufen. Die Kosten wurden allerdings auf einen angemessenen Betrag begrenzt.[66] Außerhalb von Verbraucherverträgen galt die Rechtsprechung allerdings nicht.[67] **42**

(b) Die Fliesen-Entscheidung ist als eine unzulässige Rechtsfortbildung *contra legem* kritisiert worden, weil das absolute Leistungsverweigerungsrecht des § 439 Abs. 3 BGB a.F. das Ergebnis einer Abwägung der widerstreitenden Parteiinteressen darstelle.[68] An diese Wertungen seien die Gerichte gem. Artt. 20 Abs. 3, 97 Abs. 1 GG gebunden.[69] Die Wertung, die der deutsche Gesetzgeber vorgenommen hat, mag zutreffen. Im Ergebnis haben EuGH und dann auch der BGH aber eine andere Interessenabwägung vorgenommen. Erstattungsfähig sind demnach *angemessene Aus- und Einbaukosten.* Dadurch wurde der Ersatzanspruch des Käufers der Höhe nach, in concreto auf 600 EUR, beschränkt. Der Käufer bekam damit statt 5.830 nur 600 EUR zurück.[70] Bezieht man in der Fliesen-Entscheidung wiederum die Wertungen der Verbrauchsgüterkauf-RL mit ein, nämlich eine unentgeltliche Nachbesserung zu erreichen (§ 12 Rn. 59), würde dieses Ziel unterlaufen werden, wenn man den Einwand zuließe, eine Nachbesserung wäre unverhältnismäßig. Der BGH diskutierte nun verschiedene Lösungsansätze, welche in der Rechtsliteratur **43**

[64] EuGH, Urt. v. 16.6.2011, C-65/09 u.a., EU:C:2011:396 – Weber/Putz.

[65] BGH, Urt. v. 21.12.2011, VIII ZR 70/08, BGHZ 192, 148 Rn. 26 – Weber (Fliesen). **A.A.** *Meier/Jocham*, JuS 2016, 392, 394: telelogische Extension.

[66] BGH (ebd.), BGHZ 192, 148 Rn. 28 ff., Rn. 54 – Weber (Fliesen).

[67] BGH, Urt. v. 17.10.2012, VIII ZR 226/11, BGHZ 195, 135 Rn. 17 ff. – Aus- und Einbaukosten bei Kaufverträgen zwischen Unternehmern.

[68] So bereits angelegt in Begr. AbgeordnetenE, BT-Drs. 14/6040, S. 232.

[69] *Höpfner*, JZ 2012, 473, 475.

[70] BGH (ebd.), BGHZ 192, 148 Rn. 54 ff. – Weber (Fliesen).

entwickelt wurden und entschied sich für eine Lösung „in möglichst enger Anlehnung an das geltende Recht".[71]

44 (2.) Ursprünglich war argumentiert worden, ein Umsetzungsbedarf bestünde nicht, weil die Rechtsprechung die Vorgaben des EuGH umgesetzt hätte.[72] Diese Argumentation widerspricht dem Transparenzgebot, also der Verpflichtung zur eindeutigen Umsetzung von Richtlinien (§ 12 Rn. 104 ff.). Ab 1. Januar 2018 wurde die Fliesen-Entscheidung schließlich in einem neuen § 439 Abs. 3 BGB umgesetzt.[73] Danach hat der Verkäufer dem Käufer die erforderlichen Aufwendungen für das Entfernen einer mangelhaften Sache und für den Einbau der mangelfreien Sache zu ersetzen, sofern die mangelhafte Sache gemäß ihrer Art und ihrem Verwendungszweck in eine andere Sache eingebaut oder an eine andere Sache angebracht wurde. Ausweislich der Gesetzesbegründung gilt dies nicht nur für B2C-Geschäfte, sondern auch für B2B-Geschäfte. Die frühere gegenteilige Rechtsprechung wurde damit durch den Gesetzgeber aufgehoben.[74] Nach neuer Gesetzeslage bedarf es beim Fliesenfall damit keiner richtlinienkonformen Auslegung mehr, da die Richtlinie in nationales Recht umgesetzt wurde.[75]

§ 13 Grenzen der Rechtsfortbildung

45 **Tod des nichtehelichen Partners – § 844 Abs. 2 BGB analog?** (§ 13 Rn. 68): Alfred ist mit Berta seit zehn Jahren in nichtehelicher Lebensgemeinschaft liiert. Sie haben zusammen vier Kinder. Claus verursacht schuldhaft einen Skiunfall, bei welchem Berta stirbt. Kann A von C Unterhaltskosten verlangen?

46 *Antwort*:

(1.) Ein unmittelbarer Anspruch des A als nichtehelicher Lebenspartner der B gegen C aus § 844 Abs. 2 BGB besteht nicht, da nur die Ehegatten untereinander unterhaltspflichtig sind, § 1360 BGB. Eine direkte Anwendung scheidet aus, weil gegenüber dem nichtehelichen Lebenspartner keine gesetzliche Unterhaltspflicht besteht.[76] Es kommt jedoch eine analoge Anwendung des § 844 Abs. 2 BGB in Betracht. Voraussetzung dafür ist eine planwidrige Regelungslücke bei vergleichbarer Interessenlage.

(2.) Die **Lücke** ist im Gesetz offensichtlich, weil kraft Gesetzes nur Ehegatten gem. § 1360 S. 1 BGB zum Unterhalt verpflichtet sind, nicht aber nichteheliche Lebenspartner, Verlobte, Stiefväter oder Stiefmütter.

47 (3.) Eheliche und nichteheliche Lebensgemeinschaft müssten **vergleichbar** sein. Vom **Normzweck** her will es § 844 Abs. 2 BGB dem Hinterbliebenen Unterhaltsberechtigten ermöglichen, sein Leben in wirtschaftlicher Hinsicht so zu führen, als leiste der Getötete weiterhin Unterhalt.[77] Geht man bei A und B von einer dauerhaften Lebensgemeinschaft aus, so war B dem A zwar nicht unterhaltspflichtig nach § 1360 BGB. Faktisch gesehen haben beide, die seit 10 Jahren zusammenleben, jedoch genauso wie Ehepaare wirtschaftlich füreinander eingestanden. Eine vergleichbare Interessenlage liegt damit vor.

48 Dieser *faktische Umstand* wird in der Literatur aber zum Teil rechtlich für irrelevant erklärt: *Logisch* gesehen könne ein Unterhaltsanspruch, der nie bestanden habe, auch nicht

[71] BGH (ebd.), BGHZ 192, 148 Rn. 37 – Weber (Fliesen).

[72] Begr. RegE, BT-Drs. 17/12637, S. 99.

[73] Gesetz […] zur Änderung der kaufrechtlichen Mängelhaftung […] v. 28.4.2017, BGBl. I, S. 969 f.

[74] So ausdrücklich Begr. RegE, BT-Drs. 18/8486, S. 27. Zum früheren Recht BGH, Urt. v. 17.10.2012, VIII ZR 226/11, BGHZ 195, 135 Rn. 17 ff.; s. § 12 Rn. 96.

[75] Zu weiteren Fragestellungen s. *Faust*, ZfPW 2017, 250, 255.

[76] Die Kinder der B haben einen Anspruch aus § 844 Abs. 2 BGB gegen den C, weil sie gegenüber B als Verwandte in gerader Linie unterhaltsberechtigt sind, §§ 1601, 1589 Abs. 1 S. 1 BGB.

[77] RG, Urt. v. 30.11.1938, VI 122/38, RGZ 159, 21, 24; BGH, Urt. v. 3.12.1951, III ZR 68/51, VersR 1952, 97, 98; *Röthel*, in: Staudinger, BGB, Neubearb. 2015, § 844 Rn. 72.

entzogen werden; insoweit könne das Schadensrecht nicht weitergehen als das Innenverhältnis der Partner.[78] Dem steht entgegen, dass die nichteheliche Lebensgemeinschaft in einer Reihe von Sozialgesetzen auf die tatsächliche Abhängigkeit und Unterstützungen in nichtehelichen und Stieflebensgemeinschaften abgestellt wird.[79] Dies müsse auch für § 844 BGB gelten.[80] Schließlich wurde die nichteheliche Lebensgemeinschaft auch im Mietrecht anerkannt.[81]

(4.) (a) Die Lücke ist möglicherweise aber nicht **planwidrig.** Weniger überzeugend ist die Behauptung, der „insoweit eindeutige" *Wortlaut* würde eine Analogie ausschließen,[82] denn dies ist ein reines Formalargument und lässt die petitio principii erahnen (§ 6 Rn. 93). Auch soll § 844 Abs. 2 BGB *systematisch* die Ausnahme zur Regel sein, dass die Ersatzpflicht nur gegenüber dem unmittelbar Geschädigten besteht, der mittelbar Geschädigte aber nur ausnahmsweise einen Anspruch gegen den Schädiger besitzt.[83] Aus einem anderen Blickwinkel heraus sind die §§ 844 f. BGB jedoch keine Ausnahme, sondern systematisch stimmig, weil es ohne diese Vorschriften bei der Tötung an einem Anspruchsinhaber für die in § 823 Abs. 1 BGB angeordnete Ersatzpflicht fehlen würde.[84] Das unterscheidet den Fall von den Schockschäden (§ 7 Rn. 61), bei denen ein zusätzlicher Anspruchsinhaber hinzutritt. Gewichtiger ist aber das *historische* Argument: Der *historische Wille von damals*[85] lässt sich vielleicht mit der objektiven Auslegung entkräften, weil sich die Verhältnisse geändert haben,[86] die nichteheliche Lebensgemeinschaft vom damaligen Gesetzgeber noch gar nicht berücksichtigt werden konnte. Allerdings nahm der Gesetzgeber mehrere Vorschläge zur Änderung des § 844 Abs. 2 BGB nicht an.[87] Inzwischen hat er einen eigenen Schmerzensgeldanspruch für Angehörige eingeführt, die mit dem Getöteten in einem Näheverhältnis standen, ohne die Unterhaltsfrage anzutasten (§ 5 Rn. 144). Damit muss man von einem *beredten Schweigen* (§ 6 Rn. 64 ff.) des Gesetzgebers ausgehen. Die Lücke wäre damit nicht planwidrig. Die *herrschende Ansicht* lehnt folglich eine Lückenfüllung durch Einzelanalogie de lege lata ab.[88] 49

---

[78] *Lieb*, Gutachten A zum 57. DJT, 1988, S. 90; *Röthel*, in: Staudinger, BGB, Neubearb. 2015, § 844 Rn. 32.

[79] Zur Bedarfsgemeinschaft gehört auch „eine Person, die mit der erwerbsfähigen leistungsberechtigten Person in einem gemeinsamen Haushalt so zusammenlebt, dass nach verständiger Würdigung der wechselseitige Wille anzunehmen ist, Verantwortung füreinander zu tragen und füreinander einzustehen", § 7 Abs. 3 Nr. 3 lit. c) SGB II; hierzu BSG, Urt. v. 23.8.2012, B 4 AS 34/12 R, BSGE 111, 250 Rn. 14 ff.; *Spellbrink*, JZ 2007, 28, 33.

[80] *Schramm*, Haftung für Tötung, 2009, S. 374 f.

[81] BGH, Urt. v. 13.1.1993, 8 ARZ 6/92, BGHZ 121, 116, 121 ff. – § 569a BGB a. F. analog, zustimmend BVerfG, Beschl. v. 3.4.1990, 1 BvR 1186/89, BVerfGE 82, 6 (§ 6 Rn. 74 ff.).

[82] *Röthel*, in: Staudinger, BGB, Neubearb. 2015, § 844 Rn. 31.

[83] BGH, Urt. v. 19.6.1952, III ZR 295/51, BGHZ 7, 30, 34 – Weiterzahlung des Gehalts nach Unfall.

[84] *Kilian*, AcP 169 (1969), 443, 447; *Röckrath*, VersR 2001, 1197, 1203.

[85] Motive zu dem Entwurfe eines Bürgerlichen Gesetzbuches, Bd. 2, 1896, S. 779. Der Gesetzgeber von damals wendete sich auch gegen die Einbeziehung nichtehelicher Kinder.

[86] In Deutschland leben mehr als 5 Mio. Bürger in einer nichtehelichen Lebensgemeinschaft, s. *Röthel*, in: Staudinger, BGB, Neubearb. 2015, § 844 Rn. 34.

[87] *von Bar*, in: BMJ, Gutachten und Vorschläge zur Überarbeitung des Schuldrechts, Bd. II, 1981, S. 1681, 1762, 1778: Erweiterung um „oder versorgte der Getötete den Dritten dauerhaft aufgrund einer sittlichen Verpflichtung." Forderungen nach einer Haftungsausdehnung wurden aber weder im Rahmen des 2. Regierungsentwurfs zum Gleichberechtigungsgesetz, der Schuldrechtsreform 2001 oder des 2. Schadensänderungsgesetz aufgenommen.

[88] RG, Urt. v. 9.3.1931, 396/30 VI, JW 1931, 1804, 1805; BGH, Urt. v. 17.10.1955, III ZR 84/54, BGHZ 18, 226, 289 f. – Ursächlichkeit einer Impfung für Tod; BGH, Urt. v. 24.6.1969, VI ZR 66/67, NJW 1969, 2007 – Tötung eines Flugreisenden; *Diederichsen*, NJW 1983, 1017, 1025; Gernhuber/*Coester-Waltjen*, Familienrecht, 7. Aufl. 2020, § 42 Rn. 11; *Wagner*, in: MünchKomm-BGB, 8. Aufl. 2020, § 844 Rn. 27; *Röthel*, in: Staudinger, BGB, Neubearb. 2015, § 844 Rn. 32 f.; *Dethloff*, Familienrecht, 32. Aufl. 2018, § 8 Rn. 35; *Kampen*, NJW 2016, 1046.

50 (b) Dieses Ergebnis lässt sich aber anzweifeln: Ein Untätigbleiben des Gesetzgebers kann ausnahmsweise eine Rechtsfortbildung erfordern, wenn eine **massive Rechtsschutzlücke** besteht (§ 13 Rn. 48 ff.). Diese ist zu bejahen, weil die stärkste Form der Rechtsgutsverletzung, die Tötung eines Menschen, sanktionslos bleibt.[89] Auf die Präventivwirkung des Strafrechts zu verweisen,[90] hilft dem Opfer nicht, wenn ein Unterhaltsanspruch abgelehnt wird. Die jetzige Rechtslage privilegiert den Täter und erlaubt ihm, so sarkastisch es klingt, die „Tötung zum haftungsrechtlichen Nulltarif".[91] Unstimmig ist diese Lücke auch deshalb, weil *vergleichbare Fälle* zum Schutz der Angehörigen gelöst wurden: Die Rechtsprechung bejahte Unterhaltsansprüche der Angehörigen durch eine Analogie für einen Aufopferungsanspruch der Angehörigen bei einer fehlerhaften Impfung[92] oder bei einer durch eine Lebensrettung tödlich Verletzten.[93] So schreibt der BGH:

51 „Es kann als rechtliches Ergebnis nicht hingenommen werden, daß zwar dann, wenn ein hoheitlicher Eingriff in die körperliche Integrität eine Körperverletzung zur Folge gehabt hat, Entschädigung gewährt werden müßte, daß aber dann, wenn als Folge des Eingriffs nicht lediglich eine Körperverletzung, sondern der Tod eingetreten ist, der Betroffene mithin ein weitaus größeres ‚Opfer' erbracht hat, die durch dieses Opfer, wenn auch nur mittelbar, *aber doch in besonders fühlbarer Weise getroffenen unterhaltsberechtigten Angehörigen leer ausgehen müßten.*"[94]

52 (c) Während die herrschende Meinung auch eine Änderung de lege ferenda fordert,[95] lässt sich diese schon de lege lata begründen. Methodisch erlaubt **höherrangiges Recht** auch die *verfassungskonforme Rechtsfortbildung* gegen den eindeutigen Wortlaut, wie die Anerkennung des Persönlichkeitsrechts gegen den Wortlaut von § 823 Abs. 1 und § 253 BGB zeigt (§ 11 Rn. 72 ff.). Durch den Tod wird das Grundrecht auf Leben als höchstes Rechtsgut verletzt. Diese *Schutzpflicht für das Leben*, das gem. Art. 2 Abs. 2 GG geschützt ist, ist, so das BVerfG, umfassend und verpflichtet den Staat, sich schützend vor Eingriffe Dritter zu stellen.[96] Dieser Schutz darf nicht leerlaufen.

---

[89] S. gerade § 15 Fn. 87 f.

[90] *Wagner*, in: MünchKomm-BGB, 8. Aufl. 2020, § 844 Rn. 6; zustimmend *Röthel*, in: Staudinger, BGB, Neubearb. 2015, § 844 Rn. 2.

[91] Anschaulich *Adams*, Ökonomische Analyse der Gefährdungs- und Verschuldenshaftung, 1985, S. 174; *Wagner*, JZ 2004, 319, 325.

[92] BGH, Urt. v. 17.10.1955, III ZR 84/54, BGHZ 18, 226, 290 f. – Ursächlichkeit einer Impfung für Tod.

[93] Als Aufwendung gem. §§ 683, 670 BGB, RG, Urt. v. 7.5.1941, VI 72/40, RGZ 167, 85, 89.

[94] Deshalb hat der BGH Lücken über §§ 680, 683 BGB oder über einen Aufopferungsanspruch geschlossen, BGH, Urt. v. 17.10.1955, III ZR 84/54, BGHZ 18, 226, 290 f. – Ursächlichkeit einer Impfung für Tod; vorher schon RG, Urt. v. 7.5.1941, VI 72/40, RGZ 167, 85, 89: „Es ist undenkbar, daß darum, weil er das größere Opfer seines Lebens gebracht hat, die Beklagten von jeder Entschädigungspflicht frei sein sollten." Auch bei § 831 BGB wurde von der Rechtsprechung rechtsfortbildend mit dem Vertrag mit Schutzwirkung zugunsten Dritter korrigierend eingegriffen, um grobe Unbilligkeiten zu verhindern (§ 10 Rn. 82 ff.).

[95] S. *Röthel*, in: Staudinger, BGB, Neubearb. 2015, § 844 Rn. 34 m.w.Nachw.; s. die Diskussion bei *Wagner*, in: MünchKomm-BGB, 8. Aufl. 2020, § 844 Rn. 27; *Schekahn*, FamRZ 2012, 1187, 1191 f.; **a.A.** aber *Frank*, in: FS Stoll, 2001, S. 143, 145 f.; LG Zweibrücken, Urt. v. 15.6.1993, 3 S 94/93, FamRZ 1994, 955 aus § 843 Abs. 1 BGB.

[96] BVerfG, Urt. v. 16.10.1977, 1 BvQ 5/77, BVerfGE 46, 160, 164 – Schleyer: „Art. 2 Abs. 2 Satz 1 in Verbindung mit Art. 1 Abs. 1 Satz 2 GG verpflichtet den Staat, jedes menschliche Leben zu schützen. Diese Schutzpflicht ist umfassend. Sie gebietet dem Staat, sich schützend und fördernd vor dieses Leben zu stellen; das heißt vor allem, es auch vor rechtswidrigen Eingriffen von seiten anderer zu bewahren (BVerfGE 39, 1 [42]). An diesem Gebot haben sich alle staatlichen Organe, je nach ihren besonderen Aufgaben, auszurichten. Da das menschliche Leben einen Höchstwert darstellt, muß diese Schutzverpflichtung besonders ernst genommen werden." Zustimmend *Schulze-Fielitz*, in: Dreier, GG, 3. Aufl. 2013, Art. 2 II Rn. 76; Sachs/*Rixen*, GG, 9. Aufl. 2021, Art. 2 Rn. 188; *Adams*, Ökonomische Analyse der Gefährdungs- und Verschuldenshaftung, 1985, S. 178.

Zudem lässt sich auf *Art. 6 Abs. 1 GG* abstellen, der den Staat zum **Schutz der „Familie“** verpflichtet. Zur Familie gehört auch die nichteheliche Lebensgemeinschaft mit Kindern.[97] Schon bei Erlass des BGB wurde vor mehr als 100 Jahren moniert: „Wenn der Haftung des Ersatzpflichtigen eine Grenze gezogen werden müsse, so dürfe dies nicht mitten durch die bestehende Familie hindurchgelegt werden.“[98] Aus dem GG lässt sich kein Gebot herleiten, andere Lebensformen gegenüber der Ehe zu benachteiligen.[99] Das wirtschaftliche Selbstbestimmungsrecht der Angehörigen aus *Art. 2 Abs. 1 GG* wird massiv tangiert, wenn der Stiefvater, der Verlobte oder der nichtehelichen Lebenspartner getötet werden, ohne dass der Täter den Unterhalt den Bedürftigen leisten müsste. Letztlich wird auch das *Sozialstaatsprinzip des Art. 20 Abs. 1 GG* als Rechtsgrund für § 844 BGB genannt.[100] Weniger überzeugend ist es aber, eine Analogie auf den Gleichheitsgrundsatz des Art. 3 Abs. 1 GG zu stützen,[101] denn dem Gesetzgeber steht es erst einmal frei, die Ehe und die nichteheliche Gemeinschaft unterschiedlich zu regeln.[102] 53

(d) Andere Länder kennen Ersatzansprüche bei rein faktischem Unterhalt[103] schon seit Jahren. Der Forderung nach *Rechtssicherheit* kann man Rechnung tragen, indem man diese Erfahrungen nutzt oder die Rechtsprechung zum Sozialhilferecht[104] oder Mietrecht[105] heranzieht. Wenn de lege ferenda gefordert wird, dass der Unterhalt *über einen längeren Zeitraum* gewährt wurde, bevor ein entsprechender Anspruch besteht,[106] lässt sich dies auch für die Einzelanalogie de lege lata umsetzen. 54

(5.) Im Ergebnis ist eine Einzelanalogie rechtsfortbildend von der Verfassung gefordert, um grobe Rechtsschutzlücken zu schließen. Es handelt sich insoweit um *gesetzesvertretendes Recht*, weil der Gesetzgeber diese Lücke bisher nicht geschlossen hat (§ 13 Rn. 55). 55

§ 14 Eine moderne Juristische Methodenlehre

FRoSTA/Delisting II – BGH II ZB 26/12 (§ 14 Rn. 16a): Der BGH hatte beim Rückzug eines Unternehmens von der Börse in der Macrotron-Entscheidung ursprünglich eine Reihe von Schutzmaßnahmen zugunsten der Investoren rechtsfortbildend entwickelt. In einer 180-Grad-Kehrtwende gab der BGH in der FRoSTA-Entscheidung seine frühere Rechtsfortbildung dann aber auf (§ 11 Rn. 22). Er lehnte u.a. eine Gesamtanalogie mit der Überlegung ab, es ließe sich empirisch nicht feststellen, dass bereits die An- 56

[97] Deutlich zur Entkoppelung von Ehe und Familie *Brosius-Gersdorf*, in: Dreier, GG, 3. Aufl. 2013, Art. 6 Rn. 44; Sachs/*von Coelln*, GG, 9. Aufl. 2021, Art. 6 Rn. 15. Zu den verschiedenen Formen der Lebens- und Erziehungsgemeinschaft s. BVerfG, Beschl. v. 18.4.1989, 2 BvR 1169/84, BVerfGE 80, 81, 90 f. – Volljährigenadoption I.

[98] Prot. II, S. 623.

[99] BVerfG, Beschl. v. 7.7.2009, 1 BvR 1164/07, BVerfGE 124, 199, 226 – Hinterbliebenenrente für Lebenspartner (s. oben § 15 Fn. 59) sowie die gleichgeschlechtliche Ehe (§ 2 Rn. 26).

[100] *Röckrath*, VersR 2001, 1197, 1203.

[101] AG Säckingen, Urt. v. 26.4.1996, 1 C 167/95, FamRZ 1997, 293, 294.

[102] BVerfG, Urt. v. 17.7.2002, 1 BvF 1/01 u.a., BVerfGE 105, 313, 345: Ehe als „Vereinigung eines Mannes mit einer Frau zu einer auf Dauer angelegten Lebensgemeinschaft ist, begründet auf freiem Entschluss *unter Mitwirkung des Staates* […], in der Mann und Frau in gleichberechtigter Partnerschaft zueinander stehen […] und über die Ausgestaltung ihres Zusammenlebens frei entscheiden können.“ S. aber oben § 4 Rn. 49.

[103] Etwa in der Schweiz. Art. 45 Abs. 3 OR; weitere Staaten s. *Ferrari*, ZEuP 1997, 1123 ff.; *Coester-Waltjen*, NJW 1988, 2085, 2087; *Frank*, in: FS Stoll, 2001, S. 143, 147 ff.

[104] S. § 15 Fn. 79.

[105] S. § 15 Fn. 81.

[106] *Wagner*, in: MünchKomm-BGB, 8. Aufl. 2020, § 844 Rn. 29.

kündigung, sich von der Börse zurückzuziehen, zu einem Kursverlust bei den Anlegern führe.[107] Sind diese Überlegungen überzeugend?

57 *Antwort*:

(1) Der BGH begründete die 180-Grad-Kehrtwende vornehmlich mit drei Argumenten: *Empirisch* gesehen bezog er sich auf die Studie des Deutschen Aktieninstituts von Heldt/Royé. Gegen die entsprechende Anwendung des gerichtlichen Spruchverfahrens zur Überprüfung des angemessenen Abfindungspreises spreche der historische Wille des Gesetzgebers, der das Delisting ausdrücklich nicht geregelt habe.[108] Und schließlich sei eine Gesamtanalogie zu den §§ 305, 320b, 327b AktG und §§ 29, 207 UmwG mangels Vergleichbarkeit abzulehnen, weil der Widerruf der Börsenzulassung den gesetzlich geregelten Strukturmaßnahmen gerade *nicht ähnele*.[109]

58 (2) Der FRoSTA-Entscheidung ist in der Rechtsliteratur heftig widersprochen worden: Der Hinweis auf den *historischen Willen* sei wenig überzeugend, weil der Gesetzgeber erkannt habe, dass die Diskussion um die Voraussetzungen eines Delisting andauere und er deshalb keine vorschnelle Antwort geben wollte.[110] Vor allem sei die Prämisse des BGH falsch, die Investoren wären nicht schutzbedürftig, weil ein Kursverlust bei Ankündigung des Delisting gar nicht feststellbar sei. Der BGH habe, so der Vorwurf von Bayer, die *empirische Studie* nicht korrekt ausgewertet, weil sie sich auf einen Zeitraum bezog, in welchem die Schutzmechanismen der Macrotron-Rechtsprechung bereits angewendet wurden; die Studie sei damit für die Begründung der Kehrtwende unbrauchbar.[111] Wenn aber ein Kursverlust der Investoren durch das Delisting eintritt, müsse das rückzugswillige Unternehmen dem Aktionär ein Barangebot unterbreiten und dieses gerichtlich kontrollierbar sein. Die *Gesamtanalogie* wurde nicht nur von Teilen der Literatur gutgeheißen,[112] sondern ausdrücklich vom BVerfG als mit der *Verfassung vereinbar* bezeichnet.[113]

59 (3) Tatsächlich kam es nach der Kehrtwende durch die FRoSTA-Entscheidung des BGH zu einer massiven Delistingwelle mit spürbaren Kursverlusten für die Anleger.[114] Wenn aber ein solcher Kursverlust für die Minderheitsaktionäre typischerweise durch das Delisting eintritt, kann eine solche *Rechtsschutzlücke* schon nach einfachem Recht eine Rechtsfortbildung rechtfertigen (§ 13 Rn. 48 ff.). Der Gesetzgeber reagierte deshalb erfreulich schnell durch eine Neufassung des § 39 BörsG. Jetzt werden die Aktionäre geschützt, weil das börsennotierte Unternehmen für seine Aktien ein Erwerbsangebot unterbreiten muss und hierfür grundsätzlich der Börsenkurs der letzten sechs Monate maßgeblich ist.[115] Allerdings bleiben Rechtsschutzlücken, weil grundsätzlich der Großaktionär den Börsenkurs vor dem Rückzug drückt und der Anleger dann die Voraussetzungen einer Marktmanipulation beweisen muss, § 39 Abs. 3 Nr. 2 BörsG. Eine gerichtliche Überprüfung durch das Spruchverfahren findet nicht mehr statt. Wegen der verbleibenden Rechtsschutzlücke kann die 180-Grad-Kehrtwende des BGH nicht wirklich überzeugen.

---

[107] BGH, Beschl. v. 8.10.2013, II ZB 26/12, NJW 2014, 146 Rn. 13 f. – FRoSTA unter Hinweis auf die Studie von *Heldt/Royé*, AG 2012, 660, 667 f.

[108] BGH (ebd.), NJW 2014, 146 Rn. 9 – FRoSTA unter Hinweis auf BT-Drs. 16/2919, S. 28.

[109] BGH (ebd.), NJW 2014, 146 Rn. 11 ff. – FRoSTA.

[110] *Habersack*, JZ 2014, 147, 148.

[111] *Bayer/Hoffmann*, AG 2013, R371 m.w.Nachw. und allgemein zur Rechtstatsachenforschung *Bayer*, in: FS Canaris, 2017, S. 319, 329.

[112] *Lutter*, JZ 2003, 684: „mutig wie richtig" und für §§ 29, 125 UmwG analog etwa *Habersack*, ZHR 176 (2012), 463, 466 f.; *Klöhn*, NZG 2012, 1041, 1045.

[113] BVerfGE 132, 99 Rn. 77 ff. – MVS/Lindner (§ 11 Fn. 71). Von „Carte blance" des BVerfG spricht *Habersack*, JZ 2014, 147, 148.

[114] *Weber*, NJW 2015, 2307.

[115] Art. 2 Nr. 1 Gesetz zur Umsetzung der Transparenz-RL-Änderungs-RL v. 20.11.2015, BGBl. I, S. 2029; ausführlich *Kastl*, Der Rückzug kapitalmarktfähiger Unternehmen von der Börse, 2016.

Wurzelüberwuchs – BGH V ZR 99/03 (§ 14 Rn. 79): Der Eigentümer kann im Wege der Selbstvornahme die vom Nachbargrundstück überwuchernden Wurzeln selbst beseitigen, § 910 BGB. Kann der Eigentümer darüber hinaus *von dem Nachbar die Beseitigung* der überwuchernden Wurzeln verlangen? **60**

Lösung: Weil § 910 BGB das Recht auf Selbstvornahme vorsieht, will *Canaris* die Norm für abschließend erachten und damit einen Beseitigungsanspruch aus § 1004 BGB ablehnen.[116] Im Sinne einer strengen Vorrangregel wäre dieses Ergebnis eindeutig. *Systematisch* würde dies auch der Wortlaut des § 907 Abs. 2 BGB zum Ausdruck bringen, der einen Beseitigungs- und Unterlassungsanspruch für Bäume und Sträucher ausschließe. Im Sinne einer zwingenden Vorrangregel sei nach Canaris dieses Ergebnis für den Rechtsanwender bindend.[117] **61**

Dagegen bejaht der BGH in ständiger Rechtsprechung einen Beseitigungsanspruch gem. § 1004 BGB. So hätte der *historische* Wille der Kommission, einen Beseitigungsanspruch auszuschließen, gerade keinen Niederschlag im Wortlaut des § 910 BGB gefunden. Entscheidend ist hier *systematisch* und *teleologisch* der Grundgedanke des § 903 BGB, wonach der Eigentümer andere von jeder Einwirkung ausschließen kann, soweit nicht das Gesetz oder Rechte Dritter entgegenstehen. Hinzu kommt, dass die Beseitigung der Eigentumsstörung mehr umfasst, als nur das Abschneiden der eingedrungenen Baumwurzeln. Es sei nicht ersichtlich, dass dieses Recht durch § 910 BGB eingeschränkt werden sollte.[118] Schließlich führt die Ansicht von Canaris auch zu einem *unbilligen Ergebnis.* Die vermeintlich zwingende Vorrangregel von Canaris lässt sich also mit Überlegungen entkräften, die auf das Eigentumsrecht als Rechtsprinzip abstellen. **62**

---

[116] *Canaris*, in: FS Medicus, 1999, S. 25, 54.

[117] So dezidiert *Canaris*, in: FS Medicus, 1999, S. 25, 55.

[118] BGH, Urt. v. 23.2.1973, V ZR 109/71, BGHZ 60, 235, 242; BGH, Urt. v. 28.11.1993, V ZR 99/03, NJW 2004, 603, 604.

Anhang: Die wichtigsten Argumentationsfiguren

Abwägung (§ 9 Rn. 25)
Abwägung kollidierender zivilrechtlicher Prinzipien (§ 10 Rn. 76 ff.)
Abwägung von Grundrechten (§ 10 Rn. 26 ff.)
Abwägungsregel (§ 1 Rn. 99, § 14 Rn. 87)
Abweichen von einem Präjudiz/distinguishing s. *Bindungswirkung von Entscheidungen*
Acte-clair-Doctrin/Eindeutigkeitsregel des Wortlauts/literal rule (§ 4 Rn. 64, § 6 Rn. 3 ff.)
Ähnlichkeitsargument/argumentum a simile (§ 6 Rn. 112 ff.)
Akzeptanz der Entscheidung (§ 5 Rn. 101 ff.)
allgemeine Lebenserfahrung (§ 5 Rn. 91 ff.)
allgemeine Überzeugung der Rechtsverbindlichkeit/Opinio necessitatis s. *Gewohnheitsrecht*
allgemeiner Rechtsgrundsatz/allgemeines Rechtsprinzip s. *Rechtsprinzip*
Altern der Kodifikation/Gesetz kann klüger sein als der Gesetzgeber s. *objektive Auslegung*
Analogie s. *Einzelanalogie*; s. *Gesamtanalogie*
Änderung der Rechtsprechung/Rechtsprechungsänderung (§ 3 Rn. 31 ff.)
Änderung von Gesetzen s. *Rückwirkung von Gesetzen*
Anwendung europäischen Rechts (§ 2 Rn. 82 ff., § 7 Rn. 15, § 10 Rn. 56 f.)
Anwendungsbereich einer Norm darf nicht leerlaufen (§ 5 Rn. 53)
Anwendungsbereich europäischen Sekundärrechts (§ 2 Rn. 110 ff.)
Anwendungsvorrang von europäischem Recht (§ 2 Rn. 82 ff., § 12 Rn. 1 ff., 24 ff.)
Argument (§ 1 Rn. 93)
Argumentationslastregel (§ 1 Rn. 100, § 14 Rn. 88 ff.)
argumentum a fortiori s. *Erst-Recht-Schluss*
argumentum a maiori ad minus s. *Erst-Recht-Schluss*
argumentum a minori ad maius s. *Erst-Recht-Schluss*
argumentum a simile/Ähnlichkeitsargument (§ 6 Rn. 112 ff.)
argumentum ad absurdum/Untragbarkeitsargument (§ 5 Rn. 62 ff., 107 ff., § 6 Rn. 103 ff.)
argumentum e contrario/Umkehrschluss (§ 6 Rn. 93 ff.)
argumentum ex silentio (§ 5 Rn. 45)
Auslegung europäischen Rechts (§ 2 Rn. 105 f., § 7 Rn. 15, § 10 Rn. 56 f.)
Auslegung von Willenserklärungen (§ 6 Rn. 182 ff.)
Ausnahmen dürfen weit ausgelegt werden (§ 6 Rn. 32 ff.)
Ausnahmen sind eng auszulegen/singularia non sunt extendenda (§ 4 Rn. 123, 140 ff.)
autonome Auslegung des Völkerrechts (§ 2 Rn. 118 ff.)
autonome Auslegung durch den EuGH (§ 2 Rn. 70 ff.)

Begriffsjurisprudenz (§ 4 Rn. 102)
Begründungspflicht (§ 1 Rn. 39 ff., 47)
Bewegliches System (§ 8 Rn. 2 ff., 36 f., 53, § 14 Rn. 54, 87)
Billigkeit s. *Vermeidung unbilliger Ergebnisse*
Bindungswirkung von Entscheidungen (§ 3 Rn. 44 ff., § 7 Rn. 58 ff.)

cheapest-cost-avoider (§ 5 Rn. 124 ff., 136 ff.)

das besondere Gesetz geht dem allgemeineren vor/lex specialis derogat legi generali (§ 4 Rn. 134 f.)
das höhere Gesetz geht dem rangniedrigeren vor/lex superior derogat legi inferiori (§ 4 Rn. 131)
das Recht kümmert sich nicht um Kleinigkeiten/de minimis non curat lex (§ 5 Rn. 79 ff.)
das spätere Gesetz geht dem früheren vor/lex posterior derogat legi priori (§ 4 Rn. 132)

de minimis non curat lex/das Recht kümmert sich nicht um Kleinigkeiten (§ 5 Rn. 79 ff.)
Deduktion (§ 9 Rn. 24 ff.)
Denkgesetze: Verstoß gegen ~ (§ 5 Rn. 31 ff.)
direct applicability/unmittelbare Geltung von europäischem Recht (§ 2 Rn. 82 ff.)
direct effect/unmittelbare Anwendbarkeit von europäischem Recht/unmittelbare Wirkung von europäischem Recht (§ 12 Rn. 4 ff., 24)
distinguishing/Abweichen von einem Präjudiz s. *Bindungswirkung von Entscheidungen*
Drittwirkung von Grundrechten zwischen Privaten (§ 9 Rn. 46, 51)
droit constant/Kontinuitätsargument (§ 4 Rn. 152, 170)
dynamische Auslegung/evolutive Auslegung (§ 6 Rn. 87 f.)

effet utile (§ 5 Rn. 108 ff.)
Eindeutigkeitsregel des Wortlauts/Acte-clair-Doctrin/literal rule (§ 4 Rn. 64, § 6 Rn. 3 ff., 185)
Einheit der Rechtsordnung/in pari materia-rule (§ 4 Rn. 125 ff., § 6 Rn. 17)
Einzelanalogie/Gesetzesanalogie (§ 6 Rn. 112 ff.)
einzig richtige Entscheidung/One-right-answer-thesis (§ 1 Rn. 64 ff.)
ergänzende Vertragsauslegung (§ 6 Rn. 195 ff.)
Erst-Recht-Schluss (§ 6 Rn. 123 ff.)
Erwägungsgründe europäischen Sekundärrechts (§ 5 Rn. 16 ff.)
europarechtskonforme Auslegung/unionskonforme ~/Interprétation (§ 6 Rn. 172 f., § 12 Rn. 2 ff., 16 ff.)
Europarechtswidrigkeit s. *Anwendungsvorrang von europäischem Recht*

Fallbereich (§ 14 Rn. 8, 11 ff.)
Fallgruppen (§ 8 Rn. 26 ff., 53)
Fallvergleichung s. *Vergleichsfallmethode*
falsa demonstratio non nocet (§ 6 Rn. 186)
folgenorientierte Auslegung (§ 5 Rn. 56 ff., § 13 Rn. 47)
Gebrauchsdogmatik (§ 9 Rn. 4 ff.)

Generalklauseln und unbestimmte Rechtsbegriffe (§ 7 Rn. 5 ff.)
genetische Auslegung/Wille des Gesetzgebers im Gesetzgebungsverfahren s. *historische Auslegung*
Gerechtigkeit (§ 1 Rn. 95, 112 ff., § 2 Rn. 132 ff., § 3 Rn. 31 ff., 58 ff.)
Gesamtanalogie/Rechtsanalogie (§ 6 Rn. 140 ff.)
Gesetz ist klüger als der Gesetzgeber/Altern der Kodifikation s. *objektive Auslegung* (§ 6 Rn. 70)
Gesetzesanalogie/Einzelanalogie (§ 6 Rn. 112 ff.)
Gesetzesumgehung, Vermeidung einer ~ (§ 5 Rn. 48 ff.)
Gesetzesvorbehalt s. *Wesentlichkeitstheorie*
Gesetzesvorrang (§ 13 Rn. 91 f.)
Gesetzlichkeitsprinzip s. *nullum crimen, nulla poena sine lege*
gespaltene Auslegung/Normspaltung (§ 6 Rn. 27 f., § 12 90 ff.)
Gewaltenteilung (§ 1 Rn. 34 f., § 13 Rn. 91) s. *Gesetzesvorrang, s. Superrevisionsinstanz*
Gewichtung von Argumentationsfiguren (§ 14 Rn. 77 ff.)
Gewohnheitsrecht (§ 3 Rn. 23 ff., § 7 Rn. 73)
grammatische Auslegung (§ 4 Rn. 39 ff.)
Grenzen zulässiger Rechtsfortbildung (§ 10 Rn. 95, § 12 Rn. 76 ff., § 13 Rn. 4 ff., 79, 123)

herrschende Ansicht/herrschende Meinung s. *Akzeptanz der Entscheidung; s. Konsens*
herrschende Meinung/herrschende Ansicht s. *Akzeptanz der Entscheidung; s. Konsens*
historische Auslegung/Vorläufervorschriften der Norm (§ 4 Rn. 146 ff., § 6 Rn. 41 ff.)

in dubio pro consumente (§ 5 Rn. 18, § 6 Rn. 40)
in dubio pro libertate (§ 5 Rn. 17, § 6 Rn. 40)

in pari materia-rule/Einheit der Rechtsordnung (§ 4 Rn. 125 ff., § 6 Rn. 17 ff.)
Induktion (§ 9 Rn. 16, 21)
Inneres System des Gesetzes, Stimmigkeit mit dem ~ (§ 6 Rn. 150 ff.)
Interessenjurisprudenz (§ 5 Rn. 19 ff.)
interpretation in conformity with the directive/richtlinienkonforme Auslegung (§ 12 Rn. 46 ff., 90 ff.)
Interprétation/europarechtskonforme Auslegung/unionskonforme ~ (§ 6 Rn. 172, § 12 Rn. 19 ff.)
iura novit curia (§ 7 Rn. 81)

judicial self-restraint/richterliche Selbstbeschränkung s. *Superrevisionsinstanz*
Juristische Kreativität (§ 14 Rn. 40 ff.)

Kollisionsregeln s. *lex posterior derogat legi priori, s. lex specialis derogat legi generali, s. lex superior derogat legi inferiori*
Kompetenzgrenzen s. *Gewaltenteilung*
Konkretisierung (§ 7 Rn. 2 ff.)
Konkretisierungsspielraum bei europäischem Recht (§ 2 Rn. 102, § 7 Rn. 15, § 10 Rn. 55 ff.)
Konsens (§ 13 Rn. 58 ff.)
Konstruktion (§ 9 Rn. 7a ff., § 10 Rn. 3 ff.)
Kontinuitätsargument/droit constant (§ 4 Rn. 152, 170, 173 f.)

lang dauernde tatsächliche Übung/longa inveterata consuetudo (§ 3 Rn. 23, § 7 Rn. 73) s. *Gewohnheitsrecht*
Lebensverhältnisse, rechtliche Relevanz der gewandelten ~ (§ 13 Rn. 44 ff.)
Leerformel (§ 6 Rn. 72, 76, § 14 Rn. 115)
Legaldefinition (§ 4 Rn. 49 f., § 6 Rn. 22 f.)
lex posterior derogat legi priori/Das spätere Gesetz geht dem früheren vor (§ 4 Rn. 132)
lex specialis derogat legi generali/Das besondere Gesetz geht dem allgemeineren vor (§ 4 Rn. 134 f.)
lex superior derogat legi inferiori/Das höhere Gesetz geht dem rangniedrigeren vor (§ 4 Rn. 131)
literal rule/Acte-clair-Doctrin/Eindeutigkeitsregel des Wortlauts (§ 4 Rn. 64, 85, § 6 Rn. 3 ff.)
longa inveterata consuetudo/lang dauernde tatsächliche Übung (§ 3 Rn 23, § 7 Rn. 73) s. *Gewohnheitsrecht*
Lücke (§ 6 Rn. 107 ff.)
Lücke im Vertrag (§ 6 Rn. 191)
Lücke, planwidrige ~ (§ 6 Rn. 108 ff., § 13 Rn. 29 ff.)
Lücke, unechte ~/Schweigen, beredtes (§ 6 Rn. 64 f., 125)

Methodenpluralismus, Lehre vom pragmatischen ~ (§ 14 Rn. 64 ff.)
mittelbare Drittwirkung von Grundrechten s. *Drittwirkung von Grundrechten zwischen Privaten*

Natur der Sache (§ 6 Rn. 148)
natürliche Auslegung einer Willenserklärung (§ 6 Rn. 184 ff.)
Naturrecht (§ 2 Rn. 128 ff.)
normative Kraft des Faktischen (§ 5 Rn. 95 ff.)
Normen dürfen nicht umgangen werden/Umgehungsargument (§ 6 Rn. 135 ff.)
Normenhierarchie s. *Stufenbau des Rechts* (§ 2 Rn. 52 ff., 74, 116 ff.)
Normspaltung/gespaltene Auslegung (§ 6 Rn. 27 f., § 12 Rn. 90 ff.)
nullum crimen, nulla poena sine lege (§ 1 Rn. 36 f., § 4 Rn. 67 ff.)

obiter dictum/sonstige Erwägungen einer Entscheidung s. *Bindungswirkung von Entscheidungen*

objektive Theorie/objektive Auslegung (§ 6 Rn. 60, 69 ff.)
objektive normative Auslegung einer Willenserklärung (§ 6 Rn. 187 ff.)
ökonomische Analyse des Rechts (§ 5 Rn. 122 ff.)
one right answer thesis/einzig richtige Entscheidung (§ 1 Rn. 64 ff.)
Opinio necessitatis/allgemeine Überzeugung der Rechtsverbindlichkeit s. *Gewohnheitsrecht*
Overruling s. *Bindungswirkung von Entscheidungen*

Parteiwille, hypothetischer ~ (§ 6 Rn. 195 f.)
Perplexität des historischen Willens s. *historische Auslegung*
persuasive authority (§ 3 Rn. 16, 45, 85, 94 f.)
petitio principii/Zirkelschluss (§ 5 Rn. 35 ff.)
Präjudiz s. *Bindungswirkung von Entscheidungen*
Praktikabilität (§ 5 Rn. 87 ff., § 13 Rn. 63 ff.)
Prämisse s. *Telos als Prämisse*
Prinzip s. *Rechtsprinzip*
Prinzip des institutionellen Gleichgewichts (§ 13 Rn. 117)
Process of discovery (§ 14 Rn. 42 f.)
Process of justification (§ 14 Rn. 42 f.)
Prüfungsschritte, Sechs ~ zur Rechtslösung (§ 14 Rn. 69 ff.)

Radbruch'sche Formel (§ 2 Rn. 133 ff.)
ratio decidendi/tragende Gründe einer Entscheidung s. *Bindungswirkung von Entscheidungen*
Rechtsanalogie/Gesamtanalogie (§ 6 Rn. 140 ff.)
Rechtsanwendungsgleichheit (§ 1 Rn. 42)
Rechtsdogmatik (§ 9 Rn. 2 ff.)
Rechtserkenntnisquelle (§ 2 Rn. 6 f., § 3 Rn. 1 ff.)
Rechtsfortbildung (§ 13 Rn. 21 ff.), gesetzesimmanente ~, gesetzesübersteigende ~, ~ praeter legem, ~ contra legem s. *Grenzen zulässiger Rechtsfortbildung*, gesetzeskonkretisierende ~, gesetzesvertretende ~, gesetzeskorrigierende ~, zulässige ~ (§ 1 Rn. 48 ff., § 6 Rn. 91 ff.)
Rechtsidee (§ 2 Rn. 139 f., § 9 Rn. 10)
Rechtsprechung/Richterrecht (§ 3 Rn. 3 ff., 22 ff., 28, 75, § 13 Rn. 19)
Rechtsprechungsänderung (§ 3 Rn. 31 ff., 41, 91)
Rechtsprinzip (§ 9 Rn. 11 ff.)
Rechtsquelle (§ 2 Rn. 2 ff.)
Rechtsschöpfung (§ 4 Rn. 34, § 14 Rn. 46 ff.)
Rechtsschutz, (kein) anderweitiger ~ (§ 13 Rn. 56 f.)
Rechtssicherheit (§ 13 Rn. 63 ff.)
rechtsvergleichende Auslegung (§ 3 Rn. 76 ff., § 7 Rn. 78 ff., § 13 Rn. 61 f., § 14 Rn. 106 f.)
Rechtsverweigerungsverbot (§ 1 Rn. 52, § 5 Rn. 73, § 6 Rn. 73)
Redaktionsversehen (§ 6 Rn. 46 ff., § 12 Rn. 69, 79)
Regelungslücke s. *Lücke*
Regelungswidersprüchen, Vermeidung von ~ (§ 5 Rn. 52 ff.)
Relativität der Rechtsbegriffe (§ 6 Rn. 17 ff.)
Richter als Unionsrichter (§ 1 Rn. 28 f.)
richterliche Selbstbeschränkung/judicial self-restraint s. *Superrevisionsinstanz*
Richterrecht/Rechtsprechung (§ 3 Rn. 3 ff., 22 ff., 28, 75, § 13 Rn. 19)
Richtigkeitsgewähr (§ 14 Rn. 74 f.)
Richtlinien s. *Wirkung von europäischen Richtlinien*
richtlinienkonforme Auslegung/interpretation in conformity with the directive (§ 12 Rn. 46 ff., 90 ff.)
richtlinienkonforme Rechtsfortbildung (§ 12 Rn. 54 ff.)
richtlinienorientierte Auslegung (§ 12 Rn. 93)
Rückwirkung von Gesetzen (§ 2 Rn. 44 ff.)

saltus in concludendo/Sprung im Schließen (§ 5 Rn. 46 f.)
Savigny'scher Auslegungskanon (§ 4 Rn. 17 ff., § 14 Rn. 70)

Savigny'scher Auslegungskanon bei Willenserklärungen (§ 6 Rn. 187 ff.)
Schutzpflichtenlehre der Grundrechte *s. Drittwirkung von Grundrechten zwischen Privaten*
Schweigen des Gesetzgebers (§ 6 Rn. 64 ff., § 13 Rn. 39 ff.)
Schweigen, beredtes/Lücke, unechte ~ (§ 6 Rn. 64 ff., 92)
Singularia non sunt extendenda/Ausnahmen sind eng auszulegen (§ 4 Rn. 123, 140 ff.)
Sinn und Zweck einer Norm *s. teleologische Auslegung*
soft law (§ 3 Rn. 17 f.)
sonstige Erwägungen einer Entscheidung/obiter dictum *s. Bindungswirkung von Entscheidungen*
Sprung im Schließen/saltus in concludendo (§ 5 Rn. 46 f.)
stare decisis rule *s. Bindungswirkung von Entscheidungen*
Stufenbau des Rechts (§ 2 Rn. 36, 52 ff., 116 ff.)
subjective direct effect *s. Wirkung von europäischen Richtlinien*
subjektive Theorie/subjektive Auslegung (§ 6 Rn. 60, 63 ff., § 13 Rn. 37)
Subsumtion (§ 4 Rn. 2 ff.)
Superrevisionsinstanz (§ 11 Rn. 24 ff., 85, § 13 Rn. 110 f.)
Supremacy *s. Anwendungsvorrang von europäischem Recht*
Synthese (§ 1 Rn. 86 ff.)
System des Gesetzes *s. systematische Auslegung*
System, offenes ~, geschlossenes ~ (§ 13 Rn. 29 ff.)
systematische Auslegung (§ 4 Rn. 92 ff.)

teleologische Auslegung/Zweck einer Norm (§ 5 Rn. 1 ff., 12 ff., § 6 Rn. 159 ff.)
teleologische Extension (§ 6 Rn. 160 ff.)
teleologische Reduktion (§ 6 Rn. 92 ff., 174 ff., § 11 Rn. 68)
teleologische Reduktion auf Null *s. Anwendungsbereich einer Norm darf nicht leerlaufen*
Telos als Prämisse (§ 5 Rn. 7 ff.)
These (§ 1 Rn. 93 ff.)
Topiklehre (§ 14 Rn. 49 ff.)
Topoi *s. Topiklehre*
tragende Gründe einer Entscheidung/ratio decidendi *s. Bindungswirkung von Entscheidungen*
Typenlehre (§ 14 Rn. 60 ff.)

Übermaßhaftung, Vermeidung einer ~ (§ 5 Rn. 71 f.)
überschießende Umsetzung (§ 12 Rn. 90 ff.)
Umgehungsargument/Normen dürfen nicht umgangen werden (§ 6 Rn. 135 ff.)
Umkehrschluss/argumentum e contrario (§ 6 Rn. 93 ff.)
unbilligen Härte, Vermeidung einer ~ (§ 5 Rn. 71 ff., § 6 Rn. 100 ff., § 13 Rn. 48 ff.)
unionskonforme Auslegung/europarechtskonforme ~/Interprétation (§ 12 Rn. 2 ff.)
unionsrechtlicher Staatshaftungsanspruch (§ 12 Rn. 123 ff.)
unmittelbare Anwendbarkeit von europäischem Recht/unmittelbare Wirkung von europäischem Recht/direct effect (§ 12 Rn. 3 ff., 7 f., 23)
unmittelbare Drittwirkung von Grundrechten *s. Drittwirkung von Grundrechten zwischen Privaten*
unmittelbare Geltung von europäischem Recht/direct applicability (§ 2 Rn. 82 ff.)
unmittelbare Wirkung von europäischem Recht/direct effect/unmittelbare Wirkung von europäischem Recht (§ 12 Rn. 4 ff., 7 f.)
unpraktikable Ergebnisse *s. Praktikabilität; s. Vermeidung ~*
Untätigkeit des Gesetzgebers (§ 13 Rn. 53 ff.)
Untragbarkeitsargument/argumentum ad absurdum (§ 5 Rn. 62 ff., 107, § 6 Rn. 103 ff.)
Ultra-vires-Verstoß (§ 2 Rn. 96 ff., § 13 Rn. 114 ff.)

Verallgemeinerungsfähiger Rechtssatz, Bildung eines ~ (§ 6 Rn. 140, 150, § 7 Rn. 52 ff.)
verfassungskonforme Auslegung (§ 11 Rn. 35 ff., 47 ff., 52 ff.)
verfassungskonforme Rechtsfortbildung (§ 11 Rn. 64 ff.)

Verfassungsneuerfindung § 11 Rn. 4a
verfassungsorientierte Auslegung (§ 11 Rn. 38 ff.)
Verfassungstradition *s. Kontinuitätsargument*
Verfassungswandel (§ 6 Rn. 72, § 13 Rn. 44, 97)
Verfassungswidrigkeit (§ 11 Rn. 30 ff.)
Vergleichsfallmethode (§ 7 Rn. 44 ff., § 8 Rn. 1 f.)
Verhältnismäßigkeit, Grundsatz der ~ (§ 10 Rn. 25a, 70 ff., 93 ff.)
Vermeidung unbilliger Ergebnisse (§ 5 Rn. 71, § 6 Rn. 100 ff., § 13 Rn. 48 ff., § 14 Rn. 74 f.)
Vermeidung unpraktikabler Ergebnisse (§ 5 Rn. 62 ff.)
Vermutungsregel (§ 1 Rn. 98, § 14 Rn. 84 ff.)
Vermutungswirkung (§ 3 Rn. 19 f., 62 ff., 67 ff., 71)
Verpflichtung zur eindeutigen Umsetzung von Richtlinien (§ 12 Rn. 104 ff.)
Versuch einer vermittelnden Rechtsansicht (§ 5 Rn. 105 f.)
Vertragszweck (§ 6 Rn. 182, 187 f., 195)
Vertrauen, (kein) berechtigtes ~ (§ 13 Rn. 70 ff., 81)
Völkerrechtsfreundliche Auslegung (§ 12 Rn. 130 ff.)
Vorlageverpflichtung im Rahmen des Vorabentscheidungsverfahrens (§ 12 Rn. 115 ff.)
Vorläufervorschriften der Norm/historische Auslegung (§ 4 Rn. 146 ff., § 6 Rn. 41 ff.)
Vorrangregel (§ 1 Rn. 97, § 14 Rn. 78 ff.)
Vorrangwirkung *s. Anwendungsvorrang von europäischem Recht* (§ 12 Rn. 33 ff.)
Vorverständnis (§ 1 Rn. 70 ff.)
Vorwirkung *s. richtlinienkonforme Auslegung*

Wertungsjurisprudenz (§ 5 Rn. 22 ff.)
Wesentlichkeitstheorie (§ 13 Rn. 83 ff.)
Wille des Gesetzgebers im Gesetzgebungsverfahren/genetische Auslegung *s. historische Auslegung*
Wirkung von europäischen Richtlinien, horizontale ~, vertikale ~ (§ 12 Rn. 36 ff.)
Wortlaut *s. grammatische Auslegung*
Wortlautgrenze *s. grammatische Auslegung; s. nullum crimen, nulla poena sine lege*

Zirkelschluss/petitio principii (§ 5 Rn. 35 ff.)
Zurechnungskriterien *s. Bewegliches System* (§ 8 Rn. 4 ff., 35 ff.)
Zweck einer Norm/teleologische Auslegung (§ 5 Rn. 1 ff., 12 ff., § 6 Rn. 159 ff.)

Rechtsprechungsübersicht[1]

Deutsche Gerichte

Reichsgericht

Strafsachen
RG, Urt. v. 1.5.1899, 739/99, RGSt 32, 165 (§ 4 Rn. 74)

Zivilsachen
RG, Urt. v. 11.4.1901, VI 443/00, RGZ 48, 114 – Illoyale Handlungen (§ 2 Rn. 25)
RG, Urt. v. 14.12.1903, II 185/03, RGZ 56, 229 (§ 8 Rn. 16)
RG, Urt. v. 5.1.1905, VI 38/04, RGZ 60, 6 – Quasi-negatorischer Unterlassungsanspruch (§ 6 Rn. 141 ff.)
RG, Urt. v. 7.11.1908, I 638/07, RGZ 69, 401 – Nietzsche-Briefe (§ 6 Rn. 15)
RG, Urt. v. 11.1.1912, VI 86/11, RGZ 78, 171 – Zeppelin (§ 6 Rn. 156)
RG, Urt. v. 2.6.1920, II 549/19, RGZ 99, 147 – Haakjöringsköd (§ 6 Rn. 186)
RG, Urt. v. 21.5.1927, V 476/26, RGZ 117, 121 – Edelmann (§ 2 Rn. 21 f.)
RG, Urt. v. 10.2.1930, VI 270/29, RGZ 127, 218 – Gasuhr (§ 10 Rn. 83)
RG, Urt. v. 18.12.1931, II 514/30, RGZ 134, 342 – Benrather Tankstelle (§ 5 Rn. 155)
RG, Urt. v. 30.1.1940, GSZ 3/38, V 76/38, RGZ 163, 348 (§ 5 Rn. 67)
RG, Urt. v. 7.5.1941, VI 72/40, RGZ 167, 85 (§ 15 Rn. 50 f.)

Landgericht

Zivilsachen
LG Hanau, Urt. v. 30.6.1978, 1 O 175/78, NJW 1979, 721 – 25 Gros Rollen (§ 15 Rn. 20 f.)
LG Frankfurt, Urt. v. 13. 1.1992, 2/24 S 274/91, NJW-RR 1992, 630 – Gecko als Reisemangel (§ 4 Rn. 62)

Landesarbeitsgericht

LAG Berlin, Urt. v. 20.6.1986, 10 Sa 24/86, BB 1987, 470 (§ 5 Rn. 38)

Oberlandesgericht

Zivilsachen
OLG Koblenz, Beschl. v. 29.3.1995, 2 W 105/95, RIW 1995, 775 – Österreich (§ 12 Rn. 26)
OLG Frankfurt, Urt. v. 23.4.2002, 5 U 278/01, NJW 2002, 1958 – Penny Stock (§ 3 Rn. 70)

---

[1] Aufgenommen wurden nur Entscheidungen, wenn diese im Textteil zitiert wurden.

OLG Koblenz, Beschl. v. 15.3.2006, 1 Ss 341/05, NStZ-RR 2006, 218 – „Zauberpilze" (§ 4 Rn. 62)
OLG Rostock, Urt. v. 20.7.2006, 7 U 117/04, NJW 2006, 3650 (§ 5 Rn. 140)
OLG Naumburg, Urt. v. 8.5.2008, 2 U 9/08, NJW 2009, 779 – Kündigung eines Ghostwritervertrages (§ 6 Rn. 203)
OLG München, Urt. v. 20.6.2013, 14 U 103/13, VersR 2013, 1025 – Widerruf von Lebensversicherung (§ 12 Rn. 62, 75)
OLG Köln, Beschl. v. 10.7.2014, 19 U 57/14, BeckRS 2015, 01551 (§ 7 Rn. 38)

Verwaltungsgerichtshof

VGH Mannheim, Beschl. v. 18.3.2021, 1 S 774/21, BeckRS 2021, 5184 – Betreutes Wohnen im Mühlehof (§ 14 Rn. 21a f.)

Bundesgerichtshof

Strafsachen
BGH, Urt. v. 21.11.1950, 4 StR 20/50, BGHSt 1, 1 – Salzsäure (§ 6 Rn. 12)
BGH, Urt. v. 6.6.1952, 1 StR 708/51, BGHSt 3, 109 – Züchtigungsrecht (§ 15 Rn. 25)
BGH, Urt. v. 18.3.1954, 3 StR 87/53, BGHSt 6, 70 – Beweiswert des Blutgruppengutachtens (§ 5 Rn. 34)
BGH, Urt. v. 18.12.1954, II ZR 76/54, BGHZ 16, 71 – Praxistausch zwischen Ärzten (§ 6 Rn. 203)
BGH, Urt. v. 19.7.1956, 1 StR 224/56, NJW 1956, 1408 – Anwendung des Jugendstrafrechts auf Heranwachsende (§ 6 Rn. 47 f.)
BGH, Beschl. v. 22.9.1956, GSSt 1/56, BGHSt 9, 385 – Heimtücke (§ 11 Rn. 69)
BGH, Urt. v. 13.9.1957, 1 StR 338/57, BGHSt 10, 375 – Bespanntes Fuhrwerk (§ 1 Rn. 80, § 4 Rn. 69)
BGH, Urt. v. 5.11.1969, 4 StR 519/68, BGHSt 23, 141 – Trunkenheitsfahrt (§ 5 Rn. 65)
BGH, Urt. v. 15.8.1978, 1 StR 356/78, BGHSt 28, 100 – Niere (§ 4 Rn. 61)
BGH, Urt. v. 11.2.1982, 4 StR 689/81, BGHSt 30, 375 – Beschuhter Fuß (§ 15 Rn. 24 ff.)
BGH, Urt. v. 3.11.1992, 5 StR 370/92, BGHSt 39, 1 – Mauerschützen (§ 2 Rn. 137)
BGH, Beschl. v. 25.10.2006, 1 StR 384/06, NJW 2007, 524 – Pflanzenbegriff des Betäubungsmittelrechts (§ 4 Rn. 62a)
BGH, Beschl. v. 23.4.2007, GSSt 1/06, BGHSt 51, 298 – Rügeverkümmerung (§ 13 Rn. 74 f.)
BGH, Beschl. v. 17.4.2008, 4 StR 634/07, NStZ-RR 2009, 50 (§ 6 Rn. 95 ff.)
BGH, Beschl. v. 10.1.2017, 5 StR 532/16, BGHSt 62, 13 (§ 6 Rn. 50)

Zivilsachen
BGH, Urt. v. 23.5.1951, 2 ZR 71/50, BGHZ 2, 176 – Baugeräte (§ 6 Rn. 7)
BGH, Urt. v. 5.2.1952, GSZ 4/51, BGHZ 5, 62 – Unfallhaftung aus Werkvertrag (§ 6 Rn. 115 ff.)
BGH, Urt. v. 10.6.1952, GSZ 2/52, BGHZ 6, 270 – Enteignung (§ 6 Rn. 127)
BGH, Urt. v. 21.10.1954, IV ZR 171/52, BGHZ 15, 87 – Reichsbahnanleihe (§ 4 Rn. 157, 166)
BGH, Urt. v. 17.10.1955, III ZR 84/54, BGHZ 18, 226 – Ursächlichkeit einer Impfung für Tod (§ 15 Rn. 49 ff.)
BGH, Urt. v. 14.7.1956, V ZR 223/54, BGHZ 21, 319 – Parkplatz (§ 13 Rn. 33)
BGH, Urt. v. 22.11.1956, II ZR 222/55, BGHZ 22, 186 (§ 10 Rn. 79 f.)
BGH, Urt. v. 22.1.1957, VI ZR 334/55, NJW 1957, 669 (§ 5 Rn. 43)
BGH, Urt. v. 26.9.1957, III ZR 190/56, BGHZ 25, 238 – Salvarsanschäden (§ 4 Rn. 151)
BGH, Urt. v. 14.2.1958, I ZR 151/56, BGHZ 26, 349 – Herrenreiter (§ 11 Rn. 73)

BGH, Urt. v. 20.5.1958, VI ZR 104/57, BGHZ 27, 284 – Heimliche Tonbandaufnahme (§ 15 Rn. 22 f.)
BGH, Urt. v. 9.12.1958, VI ZR 203/57, BGHZ 29, 46 – Elektroschock II (§ 11 Rn. 56)
BGH, Urt. v. 19.12.1958, IV ZR 87/58, BGHZ 29, 137 – Handschuhe (§ 3 Rn. 77)
BGH, Urt. v. 13.7.1960, V ZR 90/59, LM § 133 BGB (C) Nr. 17 = JZ 1961, 494 – Glasbausteine (§ 6 Rn. 191 ff.)
BGH, Urt. v. 6.10.1964, VI ZR 176/63, BGHZ 42, 210 – aktive Parteifähigkeit von Gewerkschaften (§ 11 Rn. 78)
BGH, Urt. v. 8.10.1964, VI ZR 201/63, NJW 1965, 685 – Soraya (§ 14 Rn. 47)
BGH, Urt. v. 30.6.1966, K ZR 5/65, BGHZ 46, 74 – Preisbindung für Schallplatten (§ 4 Rn. 23, 40)
BGH, Urt. v. 26.11.1968, VI ZR 212/66, BGHZ 51, 91 – Hühnerpest (§ 15 Rn. 13 ff.)
BGH, Urt. v. 15.5.1970, V ZR 20/68, BGHZ 54, 56 (§ 5 Rn. 49)
BGH, Urt. v. 25.1.1971, III ZR 208/68, BGHZ 55, 229 – Wasserrohrbruch (§ 13 Rn. 30 f.)
BGH, Urt. v. 11.1.1972, VI ZR 187/70, BGHZ 58, 40 – Zusammenstoß von Skiläufern (§ 15 Rn. 5 f.)
BGH, Urt. v. 27.9.1972, IV ZR 225/69, BGHZ 59, 236 – Rechtlich nur vorteilhaftes Selbstkontrahieren (§ 6 Rn. 104 ff.)
BGH, Urt. v. 18.12.1973, VI ZR 113/71, BGHZ 62, 54 – Sachverständigenhaftung (§ 5 Rn. 59)
BGH, Urt. v. 21.1.1975, VIII ZR 101/73, BGHZ 63, 382 – Gebrauchtwagenkauf (§ 8 Rn. 23 f.)
BGH, Urt. v. 19.3.1976, I ZR 75/74, NJW 1976, 1583 – Art. 12 Abs. 3 Warschauer Übereinkommen (§ 3 Rn. 79)
BGH, Urt. v. 18.5.1979, V ZR 70/78, BGHZ 74, 293 (§ 5 Rn. 106)
BGH, Urt. v. 28.2.1980, VII ZR 183/79, BGHZ 76, 179 – Schwimmbad (§ 7 Rn. 50)
BGH, Urt. v. 18.12.1981, V ZR 233/80, BGHZ 82, 398 – Heilung des Vorvertrages (§ 6 Rn. 136 ff.)
BGH, Beschl. v. 4.10.1982, GSZ 1/82, BGHZ 85, 64 (§ 3 Rn. 37)
BGH, Urt. v. 18.1.1983, VI ZR 114/8, BGHZ 86, 240 – wrongful life (§ 13 Rn. 61 f.)
BGH, Urt. v. 29.11.1983, VI ZR 137/82, NJW 1984, 801 – Eishockey-Puck (§ 5 Rn. 138 ff.)
BGH, Beschl. v. 9.7.1986, GSZ 1/86, BGHZ 98, 212 – Nutzungsentschädigung (§ 7 Rn. 54)
BGH, Urt. v. 11.2.1987, IVa ZR 194/85, BGHZ 100, 60 – § 71 VVG (§ 10 Rn. 93)
BGH, Urt. v. 25.3.1987, VIII ZR 43/86, NJW 1987, 2004 (§ 6 Rn. 38)
BGH, Urt. v. 10.12.1987, III ZR 220/86, BGHZ 102, 350 – Waldsterben (§ 5 Rn. 71 f.)
BGH, Urt. v. 9.2.1988, VI ZR 48/87, NJW 1988, 1588 – Gastwirt (§ 15 Rn. 27 ff.)
BGH, Urt. v. 4.5.1988, VIII ZR 196/87, NJW 1988, 2109 – Ankauf durch Angestellten (§ 56 HGB) (§ 4 Rn. 153 f., § 6 Rn. 130 f.)
BGH, Urt. v. 9.1.1989, IX ZR 124/88, BGHZ 106, 269 (§ 11 Rn. 58)
BGH, Urt. v. 4.7.1989, VI ZR 309/88, NJW 1989, 2947 (§ 15 Rn. 7 f.)
BGH, Urt. v. 13.7.1989, III ZR 122/88, BGHZ 108, 273 – Wildschutzzaun (§ 5 Rn. 136 ff.)
BGH, Urt. v. 19.9.1989, VI ZR 349/88, BGHZ 108, 305 – Haftung des Arbeitnehmers gegenüber Dritten bei gefahrgeneigter Arbeit (§ 13 Rn. 59)
BGH, Urt. v. 6.10.1989, V ZR 152/88, BGHZ 109, 15 – Parteifähigkeit einer Siedlergemeinschaft (§ 13 Rn. 57)
BGH, Beschl. v. 2.5.1990, XII ZB 63/89, BGHZ 111, 199 – Amtspflegschaft für nichteheliche Ausländerkinder (§ 3 Rn. 81)
BGH, Urt. v. 11.7.1990, IV ZR 160/89, BGHZ 112, 122 (§ 5 Rn. 75 ff.)
BGH, Urt. v. 6.12.1991, V ZR 311/89, BGHZ 116, 251 (§ 5 Rn. 51)
BGH, Urt. v. 9.6.1992, VI ZR 49/91, NJW 1992, 2474 (§ 6 Rn. 156)
BGH, Urt. v. 24.6.1992, VIII ZR 203/91, BGHZ 119, 35 – Verjährungsfrist beim Kauf auf Probe (§ 6 Rn. 152 ff.)
BGH, Urt. v. 7.7.1992, VI ZR 1/92, BGHZ 119, 137 (§ 15 Rn. 11 ff.)
BGH, Beschl. v. 13.1.1993, VIII ARZ 6/92, BGHZ 121, 116 – § 569a BGB a.F. analog (§ 5 Rn. 90, § 6 Rn. 74 f., § 13 Rn. 45 f., 58, 64 f.)
BGH, Urt. v. 16.11.1993, VI ZR 105/92, BGHZ 124, 128 – wrongful life (§ 7 Rn. 68 f.)
BGH, Urt. v. 15.11.1994, VI ZR 56/94, BGHZ 128, 1 – Caroline von Monaco (§ 5 Rn. 143)

BGH, Urt. v. 14.3.1995, VI ZR 34/94, NJW 1995, 2631 – Oberleitung (§ 3 Rn. 40)
BGH, Urt. v. 29.2.1996, IX ZR 153/95, BGHZ 132, 119 – Blanko-Bürgschaft (§ 3 Rn. 32, 38)
BGH, Urt. v. 26.11.1997, VIII ZR 322/96, BB 1998, 393 – Spielautomat (§ 9 Rn. 36)
BGH, Urt. v. 5.2.1998, I ZR 211/95, BGHZ 138, 55 – Vergleichende Werbung (§ 12 Rn. 86 ff.)
BGH, Urt. v. 26.5.1998, VI ZR 183/97, BGHZ 139, 43 – Feuerwerkskörper I (§ 5 Rn. 93, § 7 Rn. 51)
BGH, Urt. v. 9.6.1998, VI ZR 238/97, BGHZ 139, 79 – Feuerwerkskörper II (§ 6 Rn. 21)
BGH, Urt. v. 22.12.1999, VIII ZR 111/99, NJW 2000, 1254 – Sammlermünze (§ 9 Rn. 53)
BGH, Urt. v. 21.1.2002, II ZR 2/00, BGHZ 150, 1 – Haftungsbeschränkung (§ 3 Rn. 40)
BGH, Urt. v. 28.2.2002, I ZR 318/99, NJW 2002, 2312 (§ 6 Rn. 203)
BGH, Urt. v. 9.4.2002, XI ZR 91/99, BGHZ 150, 248 – Heininger (§ 12 Rn. 94)
BGH, Urt. v. 25.11.2002, II ZR 133/01, BGHZ 153, 47 – Macrotron (§ 11 Rn. 22)
BGH, Urt. v. 13.3.2003, VII ZR 370/98, BGHZ 154, 185 – Sitztheorie in der EU (§ 3 Rn. 27)
BGH, Urt. v. 28.11.2003, V ZR 99/03, NJW 2004, 603 – Wurzelüberwuchs (§ 15 Rn. 59 ff.)
BGH, Urt. v. 19.7.2004, II ZR 402/02, BGHZ 160, 149 – Infomatec (§ 8 Rn. 43 ff.)
BGH, Urt. v. 9.5.2005, II ZR 287/02, NJW 2005, 2450 – EM TV (§ 5 Rn. 54)
BGH, Urt. v. 19.2.2008, XI ZR 170/07, BGHZ 175, 276 – Persönliche Haftung des Anlageberaters (§ 13 Rn. 32a)
BGH, Urt. v. 25.2.2008, II ZB 9/07, WM 2008, 641 (§ 3 Rn. 57)
BGH, Urt. v. 26.11.2008, VIII ZR 200/05, BGHZ 179, 27 – Quelle (§ 12 Rn. 58 ff., 69 ff., 74, 110)
BGH, Urt. v. 16.12.2008, VI ZR 170/07, BGHZ 179, 157 – Pflegebetten (§ 5 Rn. 90)
BGH, Urt. v. 21.9.2009, II ZR 174/08, BGHZ 182, 272 – Umschreibungsstopp (§ 3 Rn. 65)
BGH, Urt. v. 24.11.2009, VI ZR 219/08, BGHZ 183, 227 – Esra (§ 5 Rn. 86)
BGH, Urt. v. 22.6.2010, VI ZR 212/09, BGHZ 186, 56 – Phoenix (§ 13 Rn. 32a)
BGH, Urt. v. 11.8.2010, XII ZR 192/08, NJW 2010, 3362 – Thor Steinar (§ 8 Rn. 21)
BGH, Urt. v. 22.3.2011, XI ZR 33/10, BGHZ 189, 13 – CMS Spread Ladder Swap (§ 5 Rn. 149, § 8 Rn. 24)
BGH, Urt. v. 9.11.2011, XII ZR 136/09, BGHZ 191, 259 – Auskunftsanspruch des Scheinvaters (§ 11 Rn. 87)
BGH, Urt. v. 13.12.2011, ZR 51/10, BGHZ 192, 90 – IKB (§ 6 Rn. 43, § 8 Rn. 46, § 13 Rn. 32a)
BGH, Urt. v. 21.12.2011, VIII ZR 70/08, BGHZ 192, 148 – Weber (Fliesen) (§ 15 Rn. 40 ff.)
BGH, Urt. v. 2.2.2012, III ZR 60/11, WM 2012, 458 – Treuhandabrede (§ 8 Rn. 19)
BGH, Urt. v. 16.10.2012, X ZR 37/12, BGHZ 195, 126 (§ 6 Rn. 187 f.)
BGH, Urt. v. 17.10.2012, VIII ZR 226/11, BGHZ 195, 135 – Aus- und Einbaukosten bei Kaufverträgen zwischen Unternehmern (§ 12 Rn. 96)
BGH, Beschl. v. 8.10.2013, II ZB 26/12, NJW 2014, 146 – FRoSTA (§ 11 Rn. 22, § 15 Rn. 56 ff.)
BGH, Urt. v. 13.6.2013, IX ZR 155/11, NJW 2013, 2965 – Rechtsanwaltspflichten (§ 14 Rn. 13)
BGH, Urt. v. 7.5.2014, IV ZR 76/11, BGHZ 201, 101 – Widerruf von Lebensversicherungen (§ 12 Rn. 75)
BGH, Urt. v. 28.10.2015, VIII ZR 158/11, BGHZ 207, 209 – Kostensteigerungen des Energieversorgers (§ 12 Rn. 80)
BGH, Urt. v. 18.11.2020, VIII ZR 78/20, NJW 2021, 1008 – Unionswidrige Verjährungsfrist für Gewährleistungsansprüche (§ 12 Rn. 80)

Bundesarbeitsgericht

BAG, Beschl. v. 25.9.1957, GS 4/56 u.a., BAGE 5, 1 – gefahrgeneigte Arbeit (§ 13 Rn. 49 f.)
BAG, Urt. v. 5.12.1957, 1 AZR 594/56, NJW 1958, 516 – faktischer Arbeitsvertrag (§ 6 Rn. 101)
BAG, Urt. v. 10.6.1980, 1 AZR 822/79, BAGE 33, 140 Rn. 110 – Arbeitskampfrecht (§ 10 Rn. 93)
BAG, Urt. v. 14.3.1989, 8 AZR 447/87, BAGE 61, 209 – Harz (§ 12 Rn. 73, 82)
BAG, Beschl. v. 27.9.1994, GS 1/89 (A), BAGE 78, 56 – Haftung des Arbeitnehmers für Arbeitsschäden (§ 13 Rn. 50)

BAG, Urt. v. 5.3.1996, 1 AZR 590/92, BAGE 82, 211 – Kalanke (Bremer Frauenquote) (§ 12 Rn. 82)
BAG, Urt. v. 8.5.1996, 5 AZR 971/94, BAGE 83, 95 – Nichtraucherflug (§ 5 Rn. 47)
BAG, Urt. v. 13.12.2007, 6 AZR 145/07, BAGE 125, 208 – Vertretungszusatz: allgemeiner, nichtjuristischer Sprachgebrauch (§ 4 Rn. 62)
BAG, Urt. v. 24.3.2009, 9 AZR 983/07, BAGE 130, 119 – Urlaubsentgelt (§ 3 Rn. 51)

Bundesfinanzhof

BFH, Urt. v. 17.12.2007, GrS 2/04, BFHE 220, 129 – Vererblichkeit des Verlustabzugs (§ 3 Rn. 38)

Bundesverwaltungsgericht

BVerwG, Urt. v. 14.2.1975, IV C 21/74, BVerwGE 48, 56 – Neubau B42 (§ 10 Rn. 16b)
BVerwG, Urt. v. 29.4.1977, 7 C 41/89 u.a., BVerwGE 85, 273 – Funktionslosigkeit von Bebauungsplänen (§ 2 Rn. 5)
BVerwG, Urt. v. 22.3.1985, 4 C 73/82, BVerwGE 71, 163 – Neubau B16 (§ 10 Rn. 16c)
BVerwG, Urt. v. 17.2.1993, 11 C 47/92, BVerwGE 92, 81 – Rückforderung von rechtswidrigen Beihilfen (§ 12 Rn. 31)
BVerwG, Beschl. v. 6.5.1993, 4 N 2/92, BVerwGE 92, 266 – Heilung von Bebauungsplänen (§ 2 Rn. 5)
BVerwG, Urt. v. 6.12.1996, 7 C 64/95, BVerwGE 102, 282 – Ermessensgebundener Umweltinformationsanspruch (§ 12 Rn. 51)
BVerwG, Urt. v. 24.9.1998, 4 CN 2/98, BVerwG 107, 215 (§ 5 Rn. 3)
BVerwG, Urt. v. 6.4.2016, 4 CN 3/15, NVwZ 2016, 1481 – Antragsfrist (§ 2 Rn. 5)
BVerwG, Urt. v. 31.1.2017, 6 C 2/16, BVerwGE 157, 249 – Preisanpassung TKG (§ 12 Rn. 75)
BVerwG, Urt. v. 9.2.2017, 7 A 2/15, BVerwGE 158, 1 – Elbvertiefung (§ 10 Rn. 16c)

Bundesverfassungsgericht

BVerfG, Urt. v. 16.3.1955, 2 BvR 1/54, BVerfGE 4, 144 – Abgeordneten-Entschädigung (§ 10 Rn. 40)
BVerfG, Urt. v. 15.1.1958, 1 BvR 400/51, BVerfGE 7, 198 – Lüth (§ 10 Rn. 21, 98, § 11 Rn. 4 f., 12 f., 45 f.)
BVerfG, Beschl. v. 17.5.1960, 2 BvL 11/59 u.a., BVerfGE 11, 126 – Nachkonstitutioneller Bestätigungswille (§ 4 Rn. 23)
BVerfG, Urt. v. 14.12.1965, 1 BvR 413, 416/60, BVerfGE 19, 206 – Kirchenbausteuer (§ 4 Rn. 128, 133)
BVerfG, Beschl. v. 15.12.1965, 1 BvR 513/65, BVerfGE 19, 342 – Untersuchungshaft (§ 10 Rn. 25 f., 42)
BVerfG, Urt. v. 6.6.1967, 2 BvR 375, 53/60 u.a., BVerfGE 22, 49 – Kriminalstrafe (§ 2 Rn. 28a)
BVerfG, Beschl. v. 14.2.1968, 2 BvR 557/62, BVerfGE 23, 98 – Ausbürgerung I (§ 2 Rn. 135)
BVerfG, Beschl. v. 14.5.1969, 2 BvR 238/68, BVerfGE 26, 41 – Grober Unfug (§ 4 Rn. 79)
BVerfG, Beschl. v. 16.7.1969, 1 BvL 19/63, BVerfGE 27, 1 – Mikrozensus (§ 14 Rn. 47)
BVerfG, Beschl. v. 26.5.1970, 1 BvR 83/69 u.a., BVerfGE 28, 243 – Dienstpflichtverweigerung (§ 4 Rn. 128 f., § 10 Rn. 11, 38)
BVerfG, Beschl. v. 14.2.1973, 1 BvR 112/65, BVerfGE 34, 269 – Soraya (§ 1 Rn. 50 f., § 6 Rn. 71, § 11 Rn. 65, 71 ff., 77, § 13 Rn. 16, 51, 58, 61, § 14 Rn. 117)
BVerfG, Urt. v. 5.6.1973, 1 BvR 536/72, BVerfGE 35, 202 – Lebach (§ 10 Rn. 21, 47 ff., 51, 98)
BVerfG, Beschl. v. 29.5.1974, 2 BvL 52/71, BVerfGE 37, 271 – Solange I (§ 2 Rn. 95)

BVerfG, Urt. v. 25.2.1975, 1 BvF 1/74 u.a., BVerfGE 39, 1 – Schwangerschaftsabbruch I (§ 11 Rn. 5, 8, § 13 Rn. 96)
BVerfG, Urt. v. 21.6.1977, 1 BvL 14/76, BVerfGE 45, 187 – Lebenslange Freiheitsstrafe (§ 11 Rn. 69)
BVerfG, Urt. v. 21.6.1977, 2 BvR 308/77, BVerfGE 45, 363 (§ 7 Rn. 24, 29)
BVerfG, Urt. v. 16.10.1977, 1 BvQ 5/77, BVerfGE 46, 160 – Schleyer (§ 11 Rn. 8a, § 15 Rn. 52)
BVerfG, Beschl. v. 1.3.1978, 1 BvR 333/75 u.a., BVerfGE 47, 327 – Hessisches Universitätsgesetz (§ 11 Rn. 3, 53)
BVerfG, Beschl. v. 15.3.1978, 2 BvR 927/76, BVerfGE 48, 48 (§ 4 Rn. 78 f.)
BVerfG, Beschl. v. 9.5.1978, 2 BvR 952/75, BVerfGE 48, 246 – Ehrenamtlicher Richter (§ 4 Rn. 93)
BVerfG, Beschl. v. 31.5.1978, 1 BvR 683/77, BVerfGE 48, 327 – Ehenamen I (§ 11 Rn. 31)
BVerfG, Beschl. v. 8.8.1978, 2 BvL 8/77, BVerfGE 49, 89 – Kalkar I (§ 13 Rn. 85)
BVerfG, Beschl. v. 11.10.1978, 1 BvR 84/74, BVerfGE 49, 304 – Sachverständigenhaftung (§ 5 Rn. 59, § 11 Rn. 81 f., § 13 Rn. 59, 71, § 14 Rn. 80 f.)
BVerfG, Beschl. v. 25.7.1979, 2 BvR 878/74, BVerfGE 52, 131 – Arzthaftungsprozess (§ 11 Rn. 56)
BVerfG, Beschl. v. 16.1.1980, 1 BvR 249/79, BVerfGE 53, 135 – Schokoladenosterhase (§ 10 Rn. 45)
BVerfG, Beschl. v. 3.6.1980, 1 BvR 185/77, BVerfGE 54, 148 – Eppler (§ 14 Rn. 47)
BVerfG, Beschl. v. 7.10.1980, 1 BvL 50/79 u.a., BVerfGE 55, 72 (§ 10 Rn. 40)
BVerfG, Beschl. v. 5.11.1980, 1 BvR 290/78, BVerfGE 55, 159 – Falknerjagdschein (§ 10 Rn. 44)
BVerfG, Urt. v. 16.2.1983, 2 BvE 1/83 u.a., BVerfGE 62, 1 – Bundestagsauflösung I (§ 10 Rn. 5)
BVerfG, Urt. v. 15.12.1983, 1 BvR 209/83 u.a., BVerfGE 65, 1 – Volkszählung (§ 11 Rn. 75)
BVerfG, KBeschl. v. 19.3.1984, 2 BvR 1/84, NJW 1984, 1293 – Sprayer von Zürich (§ 10 Rn. 30)
BVerfG, Beschl. v. 14.5.1985, 1 BvR 233, 341/81, BVerfGE 69, 315 – Brokdorf (§ 11 Rn. 54)
BVerfG, KBeschl. v. 24.7.1986, 1 BvR 331/85 u.a., NJW 1987, 180 – Gurtanschnallpflicht (§ 2 Rn. 13)
BVerfG, Beschl. v. 22.10.1986, 2 BvR 197/83, BVerfGE 73, 339 – Solange II (§ 2 Rn. 95)
BVerfG, Beschl. v. 24.3.1987, 1 BvR 147, 478/86, BVerfGE 74, 297 – 5. Rundfunkentscheidung (§ 14 Rn. 32 f.)
BVerfG, Beschl. v. 12.5.1987, 2 BvR 1226/83 u.a., BVerfGE 76, 1 – Familiennachzug (§ 10 Rn. 25 f.)
BVerfG, Beschl. v. 8.6.1988, 2 BvL 9/85 u.a., BVerfGE 78, 249 – Fehlbelegungsabgabe (§ 2 Rn. 34)
BVerfG, Beschl. v. 14.9.1989, 2 BvR 1062/87, BVerfGE 80, 367 – Tagebuch (§ 10 Rn. 20, 22)
BVerfG, Beschl. v. 3.4.1990, 1 BvR 1186/8, BVerfGE 82, 6 – Tod des Mieters und nichteheliche Lebensgemeinschaft (§ 6 Rn. 74 f., § 11 Rn. 43 f.)
BVerfG, Beschl. v. 5.4.1990, 2 BvR 413/88, BVerfGE 82, 30 – Befangenheit Kirchhof (§ 1 Rn. 77)
BVerfG, Beschl. v. 26.6.1991, 1 BvR 779/85, BVerfGE 84, 212 – Aussperrung (§ 3 Rn. 3, 37)
BVerfG, Beschl. v. 23.10.1991, 1 BvR 850/88, BVerfGE 85, 69 (§ 11 Rn. 70)
BVerfG, Beschl. v. 2.3.1993, BvR 1213/85, BVerfGE 88, 103 – Streikeinsatz von Beamten (§ 13 Rn. 90)
BVerfG, Urt. v. 28.5.1993, 2 BvF 2/90, BVerfGE 88, 203 – Schwangerschaftsabbruch II (§ 7 Rn. 68)
BVerfG, Urt. v. 12.10.1993, 2 BvR 2134/92 u.a., BVerfGE 89, 155 – Maastricht (§ 2 Rn. 94, § 5 Rn. 98, 13 Rn. 112)
BVerfG, Beschl. v. 19.10.1993, 1 BvR 567/89 u.a., BVerfGE 89, 214 – Bürgschaftsverträge (§ 9 Rn. 39, 46 ff., § 11 Rn. 24, 59 f.)
BVerfG, Urt. v. 12.7.1994, 2 BvE 3/92 u.a., BVerfGE 90, 286 – Out-of-area-Einsätze (§ 4 Rn. 155, § 13 Rn. 85)
BVerfG, Beschl. v. 10.1.1995, 1 BvR 718/89 u.a., BVerfGE 92, 1 – Sitzblockaden II (§ 4 Rn. 72 ff., 78, 117)

BVerfG, Beschl. v. 16.5.1995, 1 BvR 1087/91, BVerfGE, 93, 1 – Kruzifix (§ 5 Rn. 104, § 10 Rn. 52a f., § 14 Rn. 25)
BVerfG, Beschl. v. 10.10.1995, 1 BvR 1476/91 u.a., BVerfGE 93, 266 – „Soldaten sind Mörder" (§ 4 Rn. 79)
BVerfG, Beschl. v. 24.10.1996, 2 BvR 1851/94 u.a., BVerfGE 95, 96 – Mauerschützen (§ 2 Rn. 137, § 4 Rn. 83 f., § 13 Rn. 77 f.)
BVerfG, Urt. v. 15.7.1997, 1 BvL 20/94, BVerfGE 96, 260 – Normwiederholung (§ 7 Rn. 71)
BVerfG, Urt. v. 11.9.2007, 1 BvR 2270/05 u.a., BVerfGE 119, 181 – Rundfunkfinanzierungsstaatsvertrag (§ 13 Rn. 100)
BVerfG, Urt. v. 14.7.1999, 1 BvR 2226/94 u.a., BVerfGE 100, 313 – Handyüberwachung (§ 13 Rn. 108)
BVerfG, Beschl. v. 15.12.1999, 1 BvR 1904/95 u.a., BVerfGE 101, 331 – Berufsbetreuer (§ 10 Rn. 13)
BVerfG, Urt. v. 12.12.2000, 1 BvR 1762/95 u.a., BVerfGE 102, 347 – Schockwerbung I (§ 11 Rn. 16)
BVerfG, Urt. v. 6.2.2001, 1 BvR 12/92, BVerfGE 103, 89 – Unterhaltsverzichtsvertrag (§ 11 Rn. 17 f., 57)
BVerfG, KBeschl. v. 12.7.2001, 1 BvQ 28/01 u.a., NJW 2001, 2459 – Love Parade (§ 10 Rn. 30)
BVerfG, Urt. v. 20.3.2002, 2 BvR 794/95, BVerfGE 105, 135 – Vermögensstrafe (§ 14 Rn. 64)
BVerfG, Beschl. v. 26.6.2002, 1 BvR 558/91 u.a., BVerfGE 105, 252 – Glykol (§ 10 Rn. 30, 33)
BVerfG, Urt. v. 10.2.2004, 2 BvR 834, 1588/02, BVerfGE 109, 190 – Sicherungsverwahrung III (§ 11 Rn. 32 f.)
BVerfG, KBeschl. v. 4.8.2004, 1 BvR 1557/01, NVwZ 2005, 81 – Zusatzversorgungssysteme der DDR (§ 7 Rn. 71)
BVerfG, Beschl. v. 14.10.2004, 2 BvR 1481/04, BVerfGE 111, 307 – Görgülü (§ 12 Rn. 49, 132)
BVerfG, Beschl. v. 26.10.2004, 2 BvR 955/00 u.a., BVerfGE 112, 1 – Bodenreform III (§ 2 Rn. 123)
BVerfG, Beschl. v. 12.4.2005, 2 BvR 1027/02, BVerfGE 113, 29 – Anwaltsdaten (§ 6 Rn. 10)
BVerfG, Urt. v. 25.8.2005, 2 BvE 4/05 u.a., BVerfGE 114, 121 – Bundestagsauflösung III (§ 5 Rn. 96)
BVerfG, Urt. v. 15.2.2006, 1 BvR 357/05, BVerfGE 115, 118 – Luftsicherheitsgesetz I (§ 15 Rn. 34 f.)
BVerfG, Beschl. v. 7.11.2006, 1 BvL 10/02, BVerfGE 117, 1 – Erbschaftssteuer I (§ 11 Rn. 30, 34, § 13 Rn. 100)
BVerfG, Beschl. v. 13.6.2007, 1 BvR 1783/05, BVerfGE 119, 1 – Esra (§ 5 Rn. 86)
BVerfG, Beschl. v. 19.9.2007, 2 BvF 3/02, BVerfGE 119, 247 – Obligatorische Teilzeitbeschäftigung von Beamten (§ 11 Rn. 48)
BVerfG, Urt. v. 27.2.2008, 1 BvR 370/07, 595/07, BVerfGE 120, 274 – Online-Durchsuchung (§ 11 Rn. 75, § 14 Rn. 47)
BVerfG, Urt. v. 30.7.2008, 1 BvR 3262/07 u.a., BVerfGE 121, 317 – Rauchverbot in Gaststätten (§ 5 Rn. 131)
BVerfG, Beschl. v. 15.1.2009, 2 BvR 2044/07, BVerfGE 122, 248 – Rügeverkümmerung (§ 11 Rn. 80, 83 f., § 13 Rn. 7, 39, 74 f., 87 ff.)
BVerfG, Urt. v. 30.6.2009, 2 BvE 2/08, BVerfGE 123, 267 – Lissabon-Vertrag (§ 2 Rn. 97, § 5 Rn. 98, § 13 Rn. 112)
BVerfG, Beschl. v. 7.7.2009, 1 BvR 1164/07, BVerfGE 124, 199 – Hinterbliebenenrente für Lebenspartner (§ 15 Rn. 38 f.)
BVerfG, Urt. v. 9.2.2010, 1 BvR 1/09 u.a., BVerfGE 125, 175 – Hartz IV (§ 13 Rn. 104 ff.)
BVerfG, Urt. v. 2.3.2010, 1 BvR 256/08 u.a., BVerfGE 125, 260 – Vorratsdatenspeicherung (§ 10 Rn. 7, 56, § 13 Rn. 108)
BVerfG, Beschl. v. 6.7.2010, 2 BvR 2661/06, BVerfGE 126, 286 – Honeywell (§ 2 Rn. 98, § 5 Rn. 97)
BVerfG, Beschl. v. 21.7.2010, 1 BvR 420/09, BVerfGE 127, 132 – Sorgerecht nichtehelicher Väter (§ 11 Rn. 32)

BVerfG, Beschl. v. 23.10.2010, 2 BvR 2559/08 u.a., BVerfGE 126, 170 – Präzisierungsgebot Untreuetatbestand (§ 4 Rn. 79)
BVerfG, Beschl. v. 22.2.2011, 1 BvR 699/06, BVerfGE 128, 226 – Fraport (§ 11 Rn. 16a).
BVerfG, KBeschl. v. 26.9.2011, 2 BvR 2216/06 u.a., NJW 2012, 669 – § 5 HWiG (§ 12 Rn. 75)
BVerfG, Urt. v. 11.7.2012, 1 BvR 3142/07 u.a., BVerfGE 132, 99 – MVS/Lindner (§ 11 Rn. 22, § 15 Rn. 59 f.)
BVerfG, Urt. v. 12.9.2012, 2 BvE 6/12 u.a., BVerfGE 132, 195 – ESM- und Fiskalvertrag e.A. (§ 13 Rn. 92, 112 f.)
BVerfG, Beschl. v. 10.10.2012, 1 BvL 6/07, BVerfGE 132, 302 – Unechte Rückwirkung im Steuerrecht (§ 2 Rn. 46)
BVerfG, KBeschl. v. 17.1.2013, 1 BvR 121/11 u.a., ZIP 2013, 924 – § 264 Abs. 3 HGB (§ 12 Rn. 75)
BVerfG, KBeschl. v. 23.1.2013, 2 BvR 1645/10, BayVBl. 2013, 334 – Waffengesetze (§ 11 Rn. 8a)
BVerfG, Beschl. v. 17.12.2013, 1 BvL 5/08, BVerfGE 135, 1 – Echte Rückwirkung im Steuerrecht (§ 2 Rn. 49 f.)
BVerfG, Beschl. v. 14.1.2014, 2 BvE 13/13 u.a., BVerfGE 134, 366 – OMT-Beschluss (§ 13 Rn. 113)
BVerfG, Urt. v. 26.2.2014, 2 BvE 2/13 u.a., BVerfGE 135, 259 – Drei-Prozent-Sperrklausel EuWG (§ 13 Rn. 100)
BVerfG, Beschl. v. 27.1.2015, 1 BvR 471/10 u.a., BVerfGE 138, 296 – Kopftuch II (§ 4 Rn. 171, § 14 Rn. 25)
BVerfG, Beschl. v. 24.2.2015, 1 BvR 472/14, BVerfGE 138, 377 – Aufklärungsanspruch des Scheinvaters (§ 11 Rn. 79, 83 f., 88)
BVerfG, KBeschl. v. 4.11.2015, 2 BvR 282/13 u.a., NJW 2016, 1436 – Preisregulierung bei Arzneimitteln aus dem Ausland (§ 12 Rn. 26)
BVerfG, Urt. v. 21.6.2016, 2 BvR 2728/13 u.a., BVerfGE 142, 123 – OMT-Urteil (§ 13 Rn. 113)
BVerfG, KBeschl. v. 31.10.2016, 1 BvR 871/13 u.a., NVwZ 2017, 617 (§ 13 Rn. 85)
BVerfG, Beschl. v. 18.7.2017, 2 BvR 859/15 u.a., BVerfGE 146, 216 – PSPP-Beschluss (§ 13 Rn. 113 f.)
BVerfG, KBeschl. v. 17.11.2017, 2 BvR 1131/16, NJW-RR 2018, 305 – Preisanpassung TKG (§ 12 Rn. 80)
BVerfG, Beschl. v. 11.4.2018, 1 BvR 3080/09, BVerfGE 148, 267 – Stadionverbot (§ 11 Rn. 16a f.)
BVerfG, Urt. v. 12.6.2018, 2 BvR 1738/12 u.a., BVerfGE 148, 296 – Beamtenrechtliches Streikverbot (§ 12 Rn. 132)
BVerfG, Urt. v. 19.9.2018, 2 BvF 1/15 u.a., BVerfGE 150, 1 – Volkszählung II (§ 13 Rn. 84)
BVerfG, Beschl. v. 6.11.2019, 1 BvR 16/13, BVerfGE 152, 151 – Recht auf Vergessen I (§ 2 Rn. 105, § 10 Rn. 57d)
BVerfG, Beschl. v. 6.11.2019, 1 BvR 276/17, BVerfGE 152, 216 – Recht auf Vergessen II (§ 2 Rn. 106 ff., § 3 Rn. 93a, § 10 Rn. 57d, § 12 Rn. 118 f.)
BVerfG, Beschl. v. 14.1.2020, 2 BvR 1333/17, BVerfGE 153, 1 – Kopftuchverbot für Rechtsreferendare (§ 14 Rn. 30)
BVerfG, Urt. v. 26.2.2020, 2 BvR 2347/15, BVerfGE 153, 182 – Geschäftsmäßige Sterbehilfe (§ 11 Rn. 8b f.)
BVerfG, KBeschl. v. 15.4.2020, 1 BvR 828/20, NJW 2020, 1426 – Versammlung während Corona-Pandemie (§ 10 Rn. 12)
BVerfG, KBeschl. v. 29.4.2020, 1 BvQ 44/20, NVwZ 2020, 783 – Religionsausübung während Corona-Pandemie (§ 10 Rn. 12)
BVerfG, Urt. v. 5.5.2020, 2 BvR 859/15, BVerfGE 154, 17 – PSPP-Urteil (§ 1 Rn. 88, § 2 Rn. 99, 101 ff., § 13 Rn. 114 ff., 121 ff.)
BVerfG, KBeschl. v. 12.5.2020, 1 BvR 1027/20, NVwZ 2020, 1823 – Corona-Pandemie (§ 11 Rn. 8a)

Europäische Gerichte[2]

Europäisches Gericht

EuG, Urt. v. 5.4.2006, T-279/02, EU:T:2006:103 – Degussa (§ 1 Rn. 44)

Europäischer Gerichtshof

EuGH, Urt. v. 13.6.1958, 9/56 u.a., EU:C:1958:8 – Meroni (§ 13 Rn. 120)
EuGH, Urt. v. 16.12.1960, 6/60, EU:C:1960:48 – Humblet (§ 6 Rn. 9)
EuGH, Urt. v. 1.6.1961, C-15/60, EU:C:1961:11 – Simon (§ 6 Rn. 41)
EuGH, Urt. v. 5.2.1963, 26/62, EU:C:1963:1 – van Gend (§ 2 Rn. 86, § 5 Rn. 5, § 12 Rn. 5)
EuGH, Urt. v. 15.7.1964, 6/64, EU:C:1964:66 – Costa/E.N.E.L. (§ 2 Rn. 54 f., 83)
EuGH, Urt. v. 29.2.1969, C-23/68, EU:C:1969:6 – Klomp (§ 4 Rn. 174)
EuGH, Urt. v. 12.2.1974, C-152/73, EU:C:1974:13 – Sotgiu (§ 2 Rn. 72)
EuGH, Urt. v. 11.7.1974, 8/74, EU:C:1974:82 – Dassonville (§ 10 Rn. 67)
EuGH, Urt. v. 25.1.1977, C-46/76, EU:C:1977:6 – Bauhuis (§ 4 Rn. 141)
EuGH, Urt. v. 9.3.1978, 106/77, EU:C:1978:49 – Simmenthal II (§ 2 Rn. 83 ff.)
EuGH, Urt. v. 20.2.1979, 120/78, EU:C:1979:42 – Rewe/Bundesmonopolverwaltung (Cassis de Dijon) (§ 10 Rn. 68 f.)
EuGH, Urt. v. 9.7.1981, C-169/80, EU:C:1981:171 – Gondrand (§ 4 Rn. 91)
EuGH, Urt. v. 6.10.1982, C-283/81, EU:C:1982:335 – C.I.L.F.I.T. (§ 4 Rn. 85, 138, § 6 Rn. 9, § 12 Rn. 115 ff.)
EuGH, Urt. v. 10.4.1984, 14/83, EU:C:1984:153 – von Colson und Kamann (§ 12 Rn. 55 f., 65)
EuGH, Urt. v. 30.1.1985, C-143/83, EU:C:1985:34 – Kommission/Dänemark (§ 4 Rn. 180)
EuGH, Urt. v. 12.12.1985, C-165/84, EU:C:1985:507 – Krohn/Balm (§ 6 Rn. 177)
EuGH, Urt. v. 3.7.1986, 66/85, EU:C:1986:284 – Lawrie-Blum (§ 4 Rn. 144)
EuGH, Urt. v. 12.3.1987, 178/84, EU:C:1987:126 – Reinheitsgebot für Bier (§ 2 Rn. 91, § 4 Rn. 143, § 10 Rn. 73 f.)
EuGH, Urt. v. 4.2.1988, 157/86, EU:C:1988:62 – Murphy/Telecom (§ 12 Rn. 22)
EuGH, Urt. v. 21.6.1988, C-39/86, EU:C:1988:322 – Lair (§ 5 Rn. 55a)
EuGH, Urt. v. 22.5.1990, C-70/88, EU:C:1990:217 – Parlament/Rat: Klagebefugnis des Parlaments (§ 13 Rn. 117)
EuGH, Urt. v. 3.7.1991, C-62/86, EU:C:1991:286– Akzo Chemie (§ 5 Rn. 156)
EuGH, Urt. v. 19.11.1991, C-6/90 u.a., EU:C:1991:428 – Francovich (§ 12 Rn. 32, 123)
EuGH, Urt. v. 21.11.1991, C 269/90, EU:C:1991:438 – Technische Universität München (§ 1 Rn. 43)
EuGH, Urt. v. 21.1.1993, C-188/91, EU:C:1993:24 – Shell (§ 3 Rn. 72)
EuGH, Urt. v. 16.12.1993, C-334/92, EU:C:1993:945 – Wagner Miret (§ 12 Rn. 57)
EuGH, Urt. v. 14.7.1994, C-91/92, EU:C:1994:292 – Faccini Dori (§ 12 Rn. 37, 43 f., 46)
EuGH, Urt. v. 14.12.1995, C-317/93, EU:C:1995:438 – Nolte (§ 9 Rn. 67)
EuGH, Urt. v. 15.12.1995, C-415/93, EU:C:1995:463 – Bosman (§ 12 Rn. 13 f.)
EuGH, Urt. v. 5.3.1996, C-46/93 u.a., EU:C:1996:79 – Brasserie du Pêcheur (§ 9 Rn. 65, § 12 Rn. 32, 123)
EuGH, Urt. v. 20.3.1997, C-24/95, EU:C:1997:163 – Alcan (§ 12 Rn. 27 ff., § 13 Rn. 81)

---

[2] Urteile des EuGH und des EGMR werden nicht mehr mit der amtlichen Sammlung, sondern nur noch mit dem ECLI-Code zitiert. Bei Urteilen bis einschl. 1968 beziehen sich die Seitenangaben (Anfangsseite, konkrete Fundseite) auf das deutsche PDF-Dokument von Curia. Wenn auf den Urteilstatbestand verwiesen wird, wurden bis einschließlich 1985 die Seiten angegeben.

EuGH, Urt. v. 22.4.1997, C-180/95, EU:C:1997:208 – Draehmpaehl (§ 12 Rn. 84)
EuGH, Urt. v. 18.12.1997, C-129/96, EU:C:1997:628 – Inter-Environnement (§ 12 Rn. 86)
EuGH, Urt. v. 2.4.1998, C-296/95, EU:C:1998:152 – Queen/Commissioners of Customs and Excise (§ 6 Rn. 29 f.)
EuGH, Urt. v. 9.3.1999, C-212/97, EU:C:1999:126 – Centros (§ 5 Rn. 55)
EuGH, Urt. v. 11.1.2000, C-285/98, EU:C:2000:2 – Tanja Kreil (§ 12 Rn. 41)
EuGH, Urt. v. 27.6.2000, C-240/98 u.a., EU:C:2000:346 – Océano Grupo (§ 7 Rn. 15, 33)
EuGH, Urt. v. 5.10.2000, C-376/98, EU:C:2000:544 – Tabakrichtlinie (§ 13 Rn. 120)
EuGH, Urt. v. 18.1.2001, C-162/99, EU:C:2001:35 – Kommission/Italien (§ 12 Rn. 35, 105)
EuGH, Urt. v. 10.5.2001, C-144/99, EU:C:2001:257 – Transparenzgebot in AGB-RL (§ 12 Rn. 108)
EuGH, Urt. v. 20.9.2001, C-453/99, EU:C:2001:465 – Courage Ltd./Crehan (§ 5 Rn. 114, 116/117 f., § 9 Rn. 70, § 15 Rn. 29 f.)
EuGH, Urt. v. 13.12.2001, C-481/99, EU:C:2001:684 – Heininger (§ 5 Rn. 18)
EuGH, Urt. v. 4.6.2002, C-367/98, EU:C:2002:326 – Goldene Aktie Portugal (§ 5 Rn. 111)
EuGH, Urt. v. 11.3.2003, C-186/01, EU:C:2003:146 – Dory/BRD (§ 6 Rn. 179 f.)
EuGH, Urt. v. 12.6.2003, C-112/00, EU:C:2003:333 – Schmidberger (§ 2 Rn. 69)
EuGH, Urt. v. 30.9.2003, C-167/01, EU:C:2003:512 – Inspire Art (§ 3 Rn. 27, § 5 Rn. 111)
EuGH, Urt. v. 30.9.2003, C-224/01, EU:C:2003:513 – Köbler (§ 12 Rn. 124, 128)
EuGH, Urt. v. 6.11.2003, C-413/01, EU:C:2003:600, Rn. 44 ff. – Ninni-Orasche (§ 5 Rn. 55a)
EuGH, Urt. v. 1.4.2004, C-237/02, EU:C:2004:209 – Freiburger Kommunalbauten (§ 7 Rn. 15, 33)
EuGH, Urt. v. 27.1.2005, C-188/03, EU:C:2005:59 – Junk (§ 2 Rn. 71)
EuGH, Urt. v. 22.12.2005, C-144/04, EU:C:2005:709 – Mangold (§ 12 Rn. 14)
EuGH, Urt. v. 4.7.2006, C-212/04, EU:C:2006:443 – Adeneler (§ 12 Rn. 46 f., 77, § 13 Rn. 23, 81)
EuGH, Urt. v. 13.7.2006, C-295/04 u.a., EU:C:2006:461 – Manfredi (§ 5 Rn. 145, § 15 Rn. 30)
EuGH, Urt. v. 11.12.2007, C- 438/05, EU:C:2007:772 – Viking (§ 12 Rn. 14)
EuGH, Urt. v. 3.4.2008, C-306/06, EU:C:2008:187 – 01051 Telecom (§ 4 Rn. 85)
EuGH, Urt. v. 17.4.2008, C-404/06, EU:C:2008:231 – Quelle (§ 12 Rn. 58, 71)
EuGH, Urt. v. 6.5.2008, C-133/06, EU:C:2008:257 – Parlament/Rat (§ 13 Rn. 117)
EuGH, Urt. v. 22.12.2008, C-549/07, EU:C:2008:771 – Wallentin-Hermann (§ 5 Rn. 16)
EuGH, Urt. v. 20.1.2009, C-350/06 u.a., EU:C:2009:18 – Schultz-Hoff (§ 12 Rn. 40)
EuGH, Urt. v. 15.4.2010, C-215/08, EU:C:2010:186 – Friz (§ 9 Rn. 68)
EuGH, Urt. v. 7.12.2010, C-585/08 und C-144/09, EU:C:2010:740 – Pammer u.a. (§ 4 Rn. 145)
EuGH, v. 8.3.2011, Gutachten 1/09, EU:C:2011:123 – Europäisches Patentgericht (§ 1 Rn. 29 f.)
EuGH, Urt. v. 14.6.2011, C-360/09, EU:C:2011:389 – Pfleiderer (§ 15 Rn. 30)
EuGH, Urt. v. 16.6.2011, C-65/09 u.a., EU:C:2011:396 – Weber/Putz (§ 15 Rn. 40 ff.)
EuGH, Urt. v. 28.6.2012, C-19/11, EU:C:2012:397 – Geltl/Daimler AG (§ 7 Rn. 42 f.)
EuGH, Urt. v. 26.2.2013, C-617/10, EU:C:2013:105 – Åkerberg Fransson (§ 2 Rn. 103)
EuGH, Urt. v. 3.10.2013, C-583/11 P, EU:C:2013:625 – Inuit Tapiriit Kanatami u.a. (§ 4 Rn. 28, 172)
EuGH, Urt. v. 22.1.2014, C-270/12, EU:C:2014:18 – ESMA (§ 13 Rn. 120)
EuGH, Urt. v. 8.4.2014, C-293/12 u.a., EU:C:2014:238 – Vorratsdatenspeicherung (§ 15 Rn. 36 f.)
EuGH, Urt. v. 15.5.2014, C-359/12, EU:C:2014:325 – Timmel/Aviso Zeta (§ 6 Rn. 83)
EuGH, Urt. v. 16.6.2015, C-62/14, EU:C:2015:400 – Gauweiler/OMT (§ 13 Rn. 113)
EuGH, Urt. v. 19.4.2016, C-441/14, EU:C:2016:278 – Dansk Industri (§ 12 Rn. 57)
EuGH, Urt. v. 21.12.2016, C-203/15 u.a., EU:C:2016:970 – Tele2 Sverige (§ 10 Rn. 57)
EuGH, Urt. v. 14.3.2017, C-157/15, EU:C:2017:203 – G4S Secure Solutions (§ 14 Rn. 30)
EuGH, Urt. v. 11.12.2018, C-493/17, EU:C:2018:1000 – Weiss/PSPP (§ 13 Rn. 114)
EuGH, Urt. v. 22.1.2019, C-193/17, EU:C:2019:43 – Creso (§ 12 Rn. 14)

Europäischer Gerichtshof für Menschenrechte

EGMR, Urt. v. 25.4.1978, 5856/72, CE:ECHR:1978:0425JUD000585672 – Tyrer v. the United Kingdom (§ 6 Rn. 88)
EGMR, Urt. v. 28.6.1978, 6232/73, CE:ECHR:1978:0628JUD000623273 – Duration of Proceedings (§ 3 Rn. 99)
EGMR, Urt. v. 29.10.1992, 14234/88 u.a., CE:ECHR:1992:1029JUD001423488 – Open Door Counselling Ltd and Dublin Well Woman Centre v. Ireland (§ 10 Rn. 59 f.)
EGMR, Urt. v. 17.12.2009, 19359/04, CE:ECHR:2009:1217JUD001935904 – M. v. Germany (Rückwirkende Verlängerung der Sicherheitsverwahrung) (§ 7 Rn. 90)
EGMR, Urt. v. 18.3.2011, 30814/06, CE:ECHR:2011:0318JUD003081406 – Lautsi u.a. v. Italy (§ 10 Rn. 52b)
EGMR, Urt. v. 1.7.2014, 43835/11, CE:ECHR:2014:0701JUD00438 3111 – S.A.S. v. France (§ 13 Rn. 126, § 14 Rn. 30)

Ausländische Rechtsprechung

Australien
Mabo v. Queensland (No. 2) (1992) 175 C.L.R. 1 (§ 7 Rn. 66)
HP Mercantile Pty. Ltd. v. Commissioner of Taxation (2005) 143 F.C.R. 553 (§ 3 Rn. 87)

Vereinigtes Königreich
Corocraft Ltd. v. Pan American Airways Inc. [1969] 1 Q.B. 616 (§ 5 Rn. 3)
Maunsell v. Olins [1975] A.C. 373 (§ 14 Rn. 138)
McLoughlin v. O'Brian [1983] 1 A.C. 410 (§ 7 Rn. 61)
Alcock v. Chief Constable of South Yorkshire [1992] 1 A.C. 310 (§ 7 Rn. 61)
Pepper (Inspector of Taxes) v. Hart [1993] A.C. 593 (§ 14 Rn. 138)
White v. Jones (H.L.(E.)) [1995] 2 A.C. 207 (§ 3 Rn. 87)

Niederlande
Hoge Raad, Urt. v. 9.10.1992, NL:HR:1992:ZC0706, Ars Aequi 42 (1993), 123 – DES-dochters (§ 3 Rn. 87)

Österreich
OGH, Urt. v. 19.3.2013, 4Ob15/13d – Ausverkauf (§ 12 Rn. 75)
OGH, Urt. v. 25.3.2014, 9Ob64/13x (§ 12 Rn. 62a)
VfGH, Urt. v. 4.12.2017, G 258–259/2017–9 – Gleichgeschlechtliche Partnerschaft als Ehe (§ 13 Rn. 94)

Schweiz
BGer, Urt. v. 7.9.2012, BGE 138 II 440 (ß 14 Rn. 64)
BGer, Urt. v. 25.4.1995, BGE 121 III 219 (ß 6 Rn. 92)

USA
MacPherson v. Buick Motor Co., 111 N.E. 1050 (N.Y. 1916) – Gefährdungshaftung für Kfz-Hersteller (§ 7 Rn. 62a, 64)
McBoyle v. U.S., 43 F.2d. 273 (10th Cir. 1930) – Flugzeug als motor vehicle (§ 4 Rn. 70)
McBoyle v. U.S., 283 U.S. 25 (1931) – Todesstrafe für jugendliche Straftäter (§ 4 Rn. 70)
Crowell v. Benson, 285 U.S. 22 (1932) – verfassungskonforme Auslegung (§ 11 Rn. 35)
United States v. American Trucking Ass'ns, 310 U.S. 534 (1940) (§ 4 Rn. 156)
United States v. Caroll Towing Co., 159 F.2d 169 (2d Cir. 1947) – ökonomische Analyse (§ 5 Rn. 126 f.)

Brown v. Board of Education, 347 U.S. 483 (1954) – Gleichberechtigung der Rassen (§ 7 Rn. 65, § 14 Rn. 35)
Roe v. Wade, 410 U.S. 113 (1973) – Schwangerschaftsabbruch (§ 1 Rn. 71)
Regents of the University of California v. Bakke, 438 U.S. 265 (1978) (§ 5 Rn. 104)
Muscarello v. United States, 524 U.S. 125 (1998) – Beisichtragen einer Waffe (§ 4 Rn. 62a)
Chickasaw Nation v. United States, 534 U.S. 84 (2001) (§ 6 Rn. 2)
Atkins v. Virginia, 536 U.S. 304 (2002) – Todesstrafe für geistig Behinderte (§ 3 Rn. 92)
Roper v. Simmons, 543 U.S. 551 (2005) – Todesstrafe für jugendliche Straftäter (§ 3 Rn. 92)
Kimble v. Marvel Entertainment LLC, 135 S.Ct. 2401 (2015) – Overruling (§ 7 Rn. 62)
Obergefell v. Hodges, 135 S.Ct. 2584 (2015) – Gleichgeschlechtliche Partnerschaft als Ehe (§ 5 Rn. 104 f., § 6 Rn. 90)

Stichwortverzeichnis

Die Zahlen bezeichnen die Randnummern

Absolutheitsanspruch § 5 58
Absprachen im Strafprozess § 13 54, 73 ff.
Abwägung(s)
- als Konkretisierung § 9 25, § 14 122 f.
- auftrag § 10 8
- ausfall § 13 114 f.
- direktive § 10 16c
- Eingriffs- und Kompensationsbilanz § 10 16b f.
- parameter *s. Abwägungsgesichtspunkte*
- regel § 1 99, § 10 23, § 11 41 ff.
- verbot § 10 9
- vollständigkeit § 10 8a
- vorgang *s. Abwägungsgesichtspunkte, Gegenüberstellung*
Abwägungsgesichtspunkte § 10 11
- abstrakte Gewichtung § 10 11
- bilanzierend § 10 15
- Gegenüberstellung § 10 13 ff.
- konkrete Gewichtung § 10 12
Abwehrrechte *s. Grundrechte, Abwehrrechte*
Abwehrschicht § 11 10
Acte-clair-Doktrin § 3 53, § 4 64, § 6 9, § 12 115 f.
Adeneler – Entscheidung § 12 46 f., 77, § 13 81
Affirmative action § 5 104, § 6 90
AGB-Klauseln – Entscheidung § 7 33
Ähnlichkeitsargument § 6 112 ff., 117, 122 ff., § 7 48
Akerlof § 5 146
Akzeptanz § 1 119, § 3 34, § 5 101 ff., § 13 58 f., § 14 36, 110
Albert § 1 79
Alcan – Entscheidung § 12 27 ff., § 13 81
Alexy § 1 106, § 3 15, § 9 12, 14, § 10 23
Alkoholzufuhr – Fall § 4 12 ff.
Allgemeiner Gleichheitsgrundsatz *s. Gleichheitsgrundsatz*
Allgemeines Gleichbehandlungsgesetz § 12 84
Allgemeines Persönlichkeitsrecht *s. Persönlichkeitsrecht*
Allgemeines Schädigungsverbot § 1 110, § 10 84 ff., § 11 5
Allokationseffizienz § 5 122, 134
Alternativität, Grundsatz der ~ § 6 37
Altersdiskriminierung, Verbot der ~ § 12 14
Alterum non laedere *s. Schädigungsverbot, allgemeines*
Analogie *s. Einzelanalogie*
Analogieverbot § 1 80, 97, § 4 59 ff., 65 ff., 81, § 7 24 f.
Angemessenheit § 10 46 ff., 73 ff.
Anhang im europäischen Sekundärrecht § 7 31 f.
Ankauf durch einen Angestellten – Entscheidung § 4 153 f., § 6 130 f., § 13 57
Anpassungspflicht von nationalen Gesetzen § 12 109 ff.
Anthropologie § 2 138
Anwendbarkeit, unmittelbare § 2 52, § 12 1 ff., 7 f.
Anwendung(s)
- bereich europäischen Rechts § 2 110 ff., § 7 15, § 10 57 ff., § 12 118 f.
- bereich einer Norm § 5 53
- vorrang § 2 39, 85 ff., 93, 101, § 3 83, § 5 115, § 12 3, 16 ff.
Äquivalenzgrundsatz § 5 113 f.
Äquivalenzstörung § 8 41
Arbeitshypothese *s. These*
Arbeitsrecht
- Arbeitnehmerhaftung § 13 49 f.
- Arbeitskampfrecht § 13 53
- Europäischer Gerichtshof § 13 118
- Gewerkschaft § 11 78
- Schwangerschaftsvertretung § 5 18
Argumentation, substantielle § 14 120
Argumentationsfigur(en) § 1 94, 102 ff., § 4 18 f., § 13 24 ff.
- Abwägung § 13 127 ff.
- Gewichtung § 1 96 ff., § 13 113 f., § 14 64 ff., 77 ff., 127
Argumentationslastregel § 1 100, § 10 22, § 13 127, § 14 88
Argumentationslehre § 1 8, 63 ff., 78 ff., § 14 119
Argumentum a fortiori *s. Erst-Recht-Schluss*
Argumentum a maiori ad minus *s. Schluss, vom Größeren auf das Kleinere*

Argumentum a minori ad maius *s. Schluss, vom Kleineren auf das Größere*
Argumentum a simile *s. Ähnlichkeitsargument*
Argumentum ad absurdum § 5 62 ff., 107, § 6 96, 103 ff., § 7 48
Argumentum e contrario *s. Umkehrschluss*
Argumentum ex silentio § 5 45, § 6 67
Aristoteles § 1 63, 107 f., § 2 129, § 4 2, § 6 92, § 9 10, 35, § 14 52
Auctoritas *s. Autorität*
Audiatur et altera pars § 1 38
Aufenthaltserlaubnis – Fall § 5 41 f.
Aufklärungspflicht § 8 21 f.
Augustinus § 2 129
Auskunftsanspruch des Scheinvaters – Entscheidung § 11 87 ff.
Auskunftspflicht, fehlende – Entscheidung § 5 43
Ausländische Urteile § 3 75 ff. *s. auch Rechtsvergleichung*
Auslegung § 4 34 ff., § 7 1 ff.
- dynamische § 5 104, § 6 87 f., § 13 92
- extensive § 4 59 ff.
- folgenorientierte *s. Folgenorientierte Auslegung*
- gemeinschaftskonforme *s. Auslegung, europäische*
- genetische § 4 148, 156 ff., § 6 41 ff., 167
- gespaltene § 6 27 f., § 12 90 ff.
- grammatische *s. Wortlautauslegung*
- historische *s. Historische Auslegung; Wille des Gesetzgebers*
- im engeren Sinn § 12 17, 23, 46 ff.
- im weiteren Sinn § 4 37, § 6 172, § 12 17, 21 f., 35 ff.
- interessenorientierte *s. Interessenjurisprudenz*
- objektive § 6 69, § 13 37
- restriktive § 4 59 ff., § 6 92
- subjektive § 4 148 ff.
- systematische *s. Systematische Auslegung*
- teleologische *s. Teleologische Auslegung*
- überschießende § 12 92
- verfassungskonforme § 2 40, § 11 35 ff., 47 ff., 52 ff.
- verfassungsorientierte § 11 36 ff.
- von Ausnahmen *s. Ausnahmen sind eng auszulegen, s. Ausnahmen dürfen weit ausgelegt werden*
- von Verträgen *s. Vertragsauslegung*
- von Rechtsgeschäften *s. Vertragsauslegung*
- von Willenserklärungen *s. Vertragsauslegung*
- wertende *s. Wertungsjurisprudenz*

Auslegung, europäische § 2 105 f., § 7 15, § 10 56 f., § 12 118 f.
- autonome § 1 29, § 2 70 ff., § 3 83 f., § 4 183
- der Sprachfassungen § 3 97
- grundfreiheitenkonforme § 2 76
- grundrechtskonforme (GRCh) § 2 76
- primärrechtskonforme § 2 74 ff., § 12 20 ff.
- richtlinienkonforme § 2 63, § 3 83, § 5 115, § 12 46, 90 ff.
- unionskonforme § 2 40, § 12 2 ff., 19
Auslegung, völkerrechtliche
- autonome § 2 118 ff., § 3 79, 98
- völkerrechtsfreundliche § 2 101 f., § 12 130
Auslegungsfigur s. *Argumentationsfiguren*
Auslegungskanon § 1 102, § 9 1, 7c, § 10 4, 32, § 14 70
- Bedeutung § 4 22 ff.
- Begründung § 4 17 ff.
- bei Willenserklärungen § 6 187 ff.
- beim EuGH § 2 70 f., § 4 27 ff.
- im Ausland § 4 24 ff.
- Kritik § 4 30 ff.
Auslegungsmöglichkeiten § 11 47
Auslegungsregel *s. Auslegungsfigur*
Auslegungsziel
- Begriff § 1 95
- Telos § 5 8, § 6 1
- richtlinienkonforme Rechtsfortbildung § 12 65
- Verfassung § 11 39 ff.
- Gewichtung der Interpretationsfiguren § 14 95 a ff.
Ausnahmen dürfen weit ausgelegt werden § 6 32 ff.
Ausnahmen sind eng auszulegen § 4 94, 123 f., 140 ff., § 6 179
Ausreißer § 10 52b
Ausschüsse § 4 163
Austin § 2 7
Autorität § 3 6, 18, § 7 73 f.

Bar, von § 3 84 f., § 8 9 f.
Bartolus § 1 70
Basisrechtsakt § 7 41
Bausteintechnik § 4 7 f., 104
Bayer § 15 58
Bayerisches Straftäterunterbringungsgesetz – Entscheidung § 11 33
Beamtenrechtliches Streikverbot – Entscheidung § 12 132 f.
Bebauungsplan § 10 16
Beccaria § 4 34

Befassungs- und Befolgungspflicht § 3 13 ff., 25 ff.
- gesetzliche Beispiele § 3 73 f.
- im internationalen Einheitsrecht § 3 95, § 7 79
- von Gerichtsentscheidungen § 7 67
- von Empfehlungen § 12 97 ff.
Begriffs
- hof § 4 43 ff., 65
- kern § 4 38, 43 ff., 65
- pyramiden § 4 102, 107
Begriffsjurisprudenz § 4 34, 64, 102, § 5 19, § 6 34
Begründung(s)
- amtliche § 4 162
- defizit § 1 23
- last § 4 38
- lehre *s. Argumentationslehre*
- pflicht § 1 28 ff., 39, § 4 176 f., § 13 10, 106
- rationale § 1 23
Begründungsstil
- der anglo-amerikanischen Gerichte § 1 54 f., 57
- der Gerichte in den europäischen Staaten § 1 54 ff.
- des EuGH § 1 60 ff.
Behavioral Finance § 5 129b, c, 148
Beihilfe *s. Alcan – Entscheidung*
Beihilferecht § 5 120, § 12 27 ff.
Benrather Tankstellen – Entscheidung § 5 155 f.
Beschränkungsverbot *s. Grundfreiheiten, Beschränkungsverbot*
Beschuhter Fuß – Entscheidung § 7 57
Bespanntes Fuhrwerk – Entscheidung § 1 80
Bestimmtheitsgrundsatz § 4 79, § 7 9, 24 f., 29
Bestimmungslandprinzip § 10 65
Betreutes Wohnen im Mühlehof – Entscheidung § 14 21a
Bewegliches System § 3 19, 33, 69, § 8 2 ff., § 10 81
- Abwägungsregeln § 13 128, § 14 87
- Anwendungsfälle § 8 9 ff., 25
- Deliktsrecht § 8 9 ff.
- Konkretisierung § 8 26 ff.
- Sittenwidrigkeit *s. Sittenwidrigkeit*
Bier *s. Reinheitsgebot – Entscheidung*
Billigkeitskontrolle s. auch *Gerechtigkeit, Richtigkeitsgewähr*
- eigener Prüfungsschritt § 14 40, 74
- Einzelanalogie § 6 121
- folgenorientierte Auslegung § 5 73 ff.
- Leerformel § 1 105, § 14 74
- Rechtsfortbildung § 13 48 ff.
- teleologische Reduktion § 6 100 ff.
Bindungswirkung
- allgemeine § 2 6b, § 11 30, § 12 86
- ausländischer Urteile § 3 94 ff.
- faktische § 3 3 f., 11 f.
- mittelbare § 3 53
- norminterpretierender Verwaltungsvorschriften § 3 8, 54 ff.
- normkonkretisierender Verwaltungsvorschriften § 3 8, 56, 62
- primärer Rechtsquellen § 2 5, § 3 2 ff., 18
- sekundärer Rechtsquellen § 2 5, § 3 12 ff., 18
- von Empfehlungen und Verwaltungsvorschriften von Unionsorganen § 3 71 ff.
- von Entscheidungen des BVerfG § 3 47
- von Entscheidungen des EuGH § 3 51 ff.
- von Entscheidungen im anglo-amerikanischen Rechtskreis § 3 9, 15, 44 ff., § 7 58 ff.
- von Erklärungen von Rat und Kommission § 4 181
- von Rechtserkenntnisquellen § 2 6, § 3 3 ff., 12, 17
- von Rechtsvorschriften Privater § 3 8, 60 ff.
- von Richterrecht § 3 3 ff., 13 ff., 19, 22 ff., 28, 91, § 7 73 ff.
- zwischen Gerichten § 3 48 ff.
Blankettnormen § 7 5
Blankettverweise § 6 50
Böckenförde § 11 4b
Bosman – Entscheidung § 12 13 f.
Bounded rationality § 5 129
Boykottaufruf *s. Lüth – Entscheidung*
Brasserie du Pêcheur – Entscheidung § 12 126 ff.
Brown v. Board of Education – Entscheidung § 7 65, § 14 35
Brugger § 6 170, § 14 64
Bruns § 13 87
Bülow, von § 4 35
Bundespräsident
- materielles Prüfungsrecht – Fall § 5 44
- Mindestalter § 1 66, § 4 46, 64
Bundesrecht § 2 41 ff., 115
Bundestagsauflösung – Entscheidung § 5 96, § 10 5
Bundestagsdrucksache § 4 163 f.
Bundesverfassungsgericht
- als politisches Gericht § 13 97 ff.
- Entscheidungen *s. Bindungswirkung von Entscheidungen des BVerfG*

– Kooperationsverhältnis *s. Kooperationsverhältnis*
– Prüfungsintensität *s. Superrevisionsinstanz*
Bürge, tauglicher § 12 26
Bürgschaft vermögensloser Angehöriger – Entscheidung § 8 30, 35, 40, § 9 46, § 11 58 ff., 62
Burkaverbot – Fall § 14 27 ff.
Bydlinski § 3 6, 15, § 9 14

C.I.L.F.I.T. – Entscheidung § 6 9, § 12 115
Canaris § 3 19, § 4 102, § 9 12, 17, § 10 93
Canons of instruction § 4 26
Cardozo § 7 62a ff., § 14 48
Caroline von Monaco – Entscheidung § 5 143
Cassis de Dijon – Entscheidung § 10 67 ff.
Cassis-Formel § 10 66
Celsus § 1 105
Cheapest cost avoider § 5 124 ff., 136 ff., 147
Cicero § 2 129, § 14 52
Classic legal thought § 4 108a
Clausula rebus sic stantibus *s. Störung der Geschäftsgrundlage*
Clinique – Entscheidung § 2 78
Coase-Theorem § 5 125
Coing § 5 22, § 8 36
Common law § 13 99
Comply-or-explain-Regel *s. Entsprechenserklärung*
Conclusio *s. Schluss, -folgerung*
Contra legem-Grenze § 12 47, 55 ff., 62 ff., 76 ff., 82, 123
Corona-Pandemie
– Abwägung des Grundrechts auf Leben § 10 12
– Schutzpflicht § 11 8a
– Wesentlichkeitstheorie § 13 85
Corporate Governance Kodex *s. DCGK*
Corpus Iuris Civilis § 1 105 *s. auch Digesten*
Costa/E.N.E.L. – Entscheidung § 2 54 f., 83
Cost-benefit analysis *s. Kosten-Nutzen-Analyse*
Courage Ltd./Crehan – Entscheidung § 5 113 f., 117 f., § 9 70
Cross/Harris § 3 46
Culpa in contrahendo § 1 50, § 3 23 f.

Dassonville – Entscheidung § 10 67
Datenbank § 4 62a
DCGK § 3 7, 18, 63 ff., 73 f.
Déclaration des droits de l'homme et du citoyen § 1 111
Deduktion § 4 2, § 6 132, 140, § 7 46, 52, § 9 24, § 14 121 f.
Deep pocket doctrine § 5 145
Definition § 4 16a
Definitionsverweigerung § 10 6
Delegationsfunktion § 7 9, 16
Deliktsrecht *s. auch Haftungsrecht*
– Ergänzungsfunktion § 6 20
– Lücken § 10 88 ff.
– Unterscheidung zum Vertragsrecht § 4 110
De minimis non curat lex § 5 79 ff., 120
Delisting *s. Kapitalmarktrecht*
Demokratieprinzip § 9 63
Demoskopische Untersuchung § 4 62a
Denkgesetze, Verstoß gegen ~ § 5 31 ff.
Dernburg § 9 6a
Deutsche Industriebank *s. IKB – Entscheidung*
Dezision § 10 6, § 14 40 ff., 118, 130 ff. *s. auch Billigkeit, Gerechtigkeit*
Di Fabio § 13 107
Dialektik § 1 63
Digesten § 1 105, § 2 129, § 3 23, § 4, 17, 64, 152, § 5 2, § 6 6, 112
Direct applicability *s. Geltung, unmittelbare*
Direct Effect *s. Anwendbarkeit, unmittelbare*
Diskontinuitätsargument § 6 41
Diskriminierung
– direkte *s. Diskriminierung, unmittelbare*
– indirekte *s. Diskriminierung, mittelbare*
– mittelbare § 10 65 f.
– offene *s. Diskriminierung, unmittelbare*
– unmittelbare § 10 64
– versteckte *s. Diskriminierung, mittelbare*
Diskurstheorien § 1 106
Distinguishing § 7 60, 70
Dory – Entscheidung § 6 175
Draehmpaehl – Entscheidung § 12 84
Draft Common Frame of Reference § 8 25
Drei-Bereiche-Modell § 4 43 ff.
Drittwirkung *s. Primärrechtswirkung*
Droit constant *s. Kontinuitätsargument*
Dynamische Verfassungsinterpretation
– des BVerfG § 6 72, § 6 69, § 13 67, 99
– des EGMR § 6 87 f.
– des EuGH § 6 87 f., § 13 119
Durchführungsrechtsakt § 7 41
Dworkin § 9 12

Edelmann – Entscheidung § 2 21 f., § 5 51
Effektivitätsgrundsatz § 5 87 f., 113 ff.
Effet utile § 2 83, 92, § 3 53, § 5 108 ff., 113 ff., § 12 31 f., 103, § 13 80, 113 *s. auch Klagerecht privater Parteien; Staatshaftungsanspruch*

Ehe
- als Bündnis gleichgeschlechtlicher Personen § 13 94
- Legaldefinition § 4 49
Ehrlich § 14 109
Eigentumsfreiheit § 9 29, § 11 43 f.
Eindeutigkeitsregel s. *Wortlaut, Eindeutigkeit*
- Ablehnung § 6 3 ff., 185
Eingriffsbilanz § 10 16c
Einheit
- der Rechtsordnung § 4 94 125 f., § 6 17 ff., 29, § 12 52
- der Verfassung § 4 128 f.
Einheitsrecht, internationales § 3 79 ff., 95
Einzelanalogie § 1 73, § 6 112 ff., 122, 176 ff., § 7 44 ff., § 9 17, § 15 54 f.
Einzelermächtigung, begrenzte § 2 56 ff., 99 ff., § 3 53, § 6 181, § 9 61 ff.
Eishockey-Puck – Entscheidung § 5 138 ff.
ejusdem generis-Regel § 4 116 *s. auch Systematische Auslegung, innerhalb der Norm*
Empfängerhorizont § 6 187 f.
Empfehlungen § 12 97 ff.
Empirische Untersuchungen § 5 91 ff., 132, § 14 34 ff.
EM TV – Entscheidung § 5 54
EMRK *s. Europäische Menschenrechtskonvention*
Engisch § 4 10, 22, 58, 102, § 14 6 ff.
England *s. Vereinigtes Königreich*
Enneccerus § 5 22
Entscheidung s. auch *Sondervotum*
- Akzeptanz der ~ § 5 101 ff.
- Beschluss § 1 54
- falsche § 1 79 f.
- gerechte § 1 99
- Kammerbeschluss (BVerfG) § 1 41
- Leitsatz § 7 70
- richtige § 1 74, 80
- überzeugende § 1 86 ff.
- Urteil § 1 54
- vertretbare § 1 74 ff., 78 ff.
Entscheidungsprärogative § 5 99
Entsprechenserklärung (Comply-or-explain-Regel) § 3 63 ff., 73
Erarbeitungsprozess § 9 7d
Erbschaftsteuer I und II – Entscheidung § 11 34, § 13 100
Erforderlichkeit § 10 45, 59 f., 70 ff.
Ergänzende Vertragsauslegung § 6 195 ff.
- Voraussetzungen § 6 198 ff.
- Verhältnis zum dispositiven Recht § 6 201
- Verhältnis zur Störung der Geschäftsgrundlage § 6 204
Ergebniskontrolle *s. Billigkeitskontrolle*
Erhaltung der Norm § 5 53 f., 112, § 11 35, 70, § 12 25
Erin Brockovich – Fall § 14 20
Erklärungsfahrlässigkeits-Theorie § 5 30
Erklärungstheorie § 4 98, § 5 29, § 6 183
Erst-Recht-Schluss § 6 117, 123 ff., 134, § 7 48
Erstzuständigkeit des Gesetzgebers § 1 46, § 13 91
Erwägungsgründe § 4 138, 177, § 5 16 ff., 134
Esra – Entscheidung § 5 86
Esser § 1 6 ff., 70, 112 f., § 9 7, § 14 65, 108, 111 f.
Ethik § 2 15 ff., 129
Europäische Grundrechte *s. Grundrechte, europäische*
Europäische Menschenrechtskonvention § 2 125, § 3 82, 98, § 12 130 ff.
- Living instrument § 6 88
Europäisches Recht
- Anwendung *s. Anwendungsbereich europäischen Rechts*
- Auslegung *s. Auslegung, europäische*
- Konkretisierungsspielräume § 2 102, § 7 15, § 10 56 ff.
Europäische Rechtsquellen § 2 59 ff.
- Normenhierarchie § 2 36, 74 ff., 127, *s. auch lex-superior-Regel*
- Primärrecht § 2 59 ff., 74 ff., § 3 96, § 4 140 ff., 172
- Sekundärrecht § 2 61 ff., § 4 137 f., 172 f., 183, § 5 16, § 12 33 ff.
- Tertiärrecht § 2 65, 75
Europäische Union § 2 53, 82
Europäischer Gerichtshof *s. auch Motor der Europäischen Union*
- Entscheidungen *s. Bindungswirkung von Entscheidungen des EuGH*
- Prüfungsintensität § 7 15, § 10 56
Europäisches Zivilgesetzbuch § 9 69
Europäisierung
- der Methodenlehre § 1 31, § 14 137
- des Rechts § 3 75
Europarecht § 12 1 ff.
Evidenzkontrolle § 10 52, § 13 104, 106, § 14 120
Ewigkeitsgarantie § 1 114, § 2 101, 122
Extra legem, intra ius § 9 3

Faccini Dori – Entscheidung § 12 43
Fachgericht
- als Verfassungsgericht § 11 21 ff.
- BVerfG als Superrevisionsinstanz, *s. Superrevisionsinstanz*
Fahrradunfall – Entscheidung § 7 37 f.
Fallbereich § 14 8, 11 ff.
Fallgruppe(n) § 8 26 ff.
- Bildung § 4 31
- Chancen und Risiken § 8 31 ff.
- Entwicklung neuer ~ § 8 42 ff., 47 ff.
- Europäischen Rechts § 8 50 f.
- normen § 8 27 ff., 33 f.
- tatbestandsähnliche Voraussetzungen § 8 27 ff.
- Unterprinzip § 8 35
- Ziel einer ~ § 8 26
- zulässiger Rechtsfortbildung § 11 68 ff.
- Zurechnungskriterien § 8 36 ff.
Fallhermeneutik *s. Hermeneutik, Fallhermeneutik*
Fallnormtheorie § 4 11, 30
Falsa demonstratio non nocet § 6 46, 171, 193
Falsifizieren § 1 79, § 14 125, 129
Favor legis *s. Erhaltung der Norm*
Fehlerhafter Arbeits- oder Gesellschaftsvertrag – Entscheidung § 6 101
Fernstraße § 10 16b
Feuerwerkskörper I – Entscheidung § 5 93, § 7 51
Feuerwerkskörper II – Entscheidung § 6 21
Fikentscher § 4 11, 24, 30, § 14 6 ff.
Fiktion § 2 9, § 4 54 ff.
Filterfunktion § 11 47
Fleet – Entscheidung § 14 39
Flexibilitätsfunktion § 7 10
Fliesen – Entscheidung § 12 113, § 15 40 ff.
Flume § 4 1, § 9 43 ff., 55 f.
Folgenorientierte Auslegung § 4 32, § 5 56 ff., 61 ff., 107 ff., § 13 47 ff.
- Begriff § 5 56 ff.
- durch den EuGH § 5 107 ff.
- Grenzen § 5 58 ff., § 6 57
- teleologische Gegenfiguren § 6 2, 57 ff.
Formalargument § 1 83, 94, § 6 2 ff., 8, 34, 67
Forschungsfreiheit-Entscheidung § 11 53
Fortgeltung, befristete § 11 32 ff.
Fortschritt, technischer § 7 10
Fragmentarität des Strafrechts § 4 73
Francovich – Entscheidung § 12 123
Fraport – Entscheidung § 11 16a
Freiheitsbeschränkung § 11 57 ff.
Freiheitsstrafe, lebenslang § 11 69
Freirechtsschule § 1 70
FRoSTA/Delisting II-Entscheidung § 15 56 ff.
Fünf-Stufen-System § 13 25, 129 ff.

Gadamer § 1 70, § 14 65, 114
Gastwirt – Entscheidung § 8 15
Gasuhr – Entscheidung § 10 83
Gebot der Rückverweisung an den Gesetzgeber § 13 103, 106
Gebrauchsdogmatik § 1 25, § 9 4 ff.
Gebrauchtwagenkauf – Entscheidung § 8 23 f.
Gebrechlichkeit § 12 53
Geeignetheit § 10 44, 59 ff., 71
Gefährdungshaftung § 4 112 f., § 6 156 f., § 13 30 ff., 35
- Enumerationsprinzip *s. Haftung*
Gefährliches Werkzeug – Fall § 4 74, 117, 122
Gefangenendilemma § 5 153
Gegenfiguren § 5 2, § 6 1 ff., 58 f.
Gegenschlusswirkung § 7 28
Gegenseitige Anerkennung § 2 68
Geltung(s)
- anspruch § 1 106, § 3 18, 63
- des Völkerrechts § 2 122 f.
- erhaltende Reduktion § 5 88
- grund § 1 112
- unmittelbare § 2 52, 82 ff., 94, § 12 4
Generalklauseln § 3 62, § 4 78, 110, 116, 159, § 5 135, § 11 11 ff., 60, § 14 71
- Fallgruppen *s. Fallgruppen*
- im anglo-amerikanischem Recht *s. ejusdem generis-Regel*
- im europäischen Recht § 7 15, 30 ff.
- Konkretisierung § 3 66, § 5 105, § 7 3 ff., 16 ff., § 8 1 ff.
- Rechtssicherheit § 7 5 ff.
Gerechtigkeit(s) s. auch *Billigkeitskontrolle*
- als Leerformel § 2 139 f., § 9 10
- als Rechtsidee § 1 107 ff., § 9 10
- anspruch juristischer Methoden § 1 105, § 14 115
- ars aequi et boni § 14 40
- ausgleichende ~ (iustitia commutativa) § 1 107
- folgenorientierte Auslegung § 5 73
- Gebot der ~ § 6 94, 148
- materielle § 3 31 ff., 58 f., § 4 84
-Naturrecht § 2 132 ff.
- prozedurale *s. Verfahrensgewährleistung*
- und Rechtsphilosophie § 1 105, § 14 114 f.

– verteilende ~ (iustitia distributiva) § 1 108
– Vertrags ~ § 9 39
– wiederherstellende ~ (iustitia restitutiva) § 1 110
Gerhard § 13 113
Gesamtanalogie § 6 134, 140 ff., 179 ff., § 9 17 f.
Geschäftsgrundlage s. *Störung der ~*
Gesellschaftsrecht
– Argumentum ad absurdum und Inspire Art § 5 111
– Kollision von Prinzipien im Gesellschaftsrecht und Erbrecht § 10 77 ff.
– Konkretisierung durch Leitlinien – Schrempp § 7 41 f.
– verfassungskonforme Auslegung beim Delisting/Macrotron § 11 22
Gesetzesanalogie *s. Einzelanalogie*
Gesetzesgeschichte *s. Historische Auslegung*
Gesetzesmaterialien § 4 147 ff., 156 ff., 161 ff., 171
– europäische § 4 172, 178 ff.
Gesetzespositivismus § 1 48, § 2 134 f.
Gesetzesumgehung § 5 48 ff., 55, § 6 5 f.
Gesetzesvorbehalt § 3 11, § 4 66, 72, § 9 7e
– allgemeiner § 13 83 ff., 87 f.
– von Grundrechten § 10 37 ff.
Gesetzesvorrang § 13 91
Gesetzeszweck § 4 26, § 5 1 ff., § 6 159 ff., § 13 43
– als Prämisse § 5 7 ff.
– ausdrücklicher § 5 12 f.
– Begriff § 5 2 ff.
– interner § 5 11
– konkludenter § 5 14 f.
– Kritik § 5 6
– mehrfach § 6 170 f.
– normsystemimmanenter § 5 8
Gesetzgebung § 1 34, § 3 17
– symbolische § 2 11
Gesetzgebungskompetenz § 2 42
– europäische § 2 58
Gesetzgebungsverfahren § 2 32, § 4 156 f., 161 ff.
– europäisches § 4 178, 182
Gesetzlichkeitsprinzip § 1 36, § 2 44, 128, § 4 38, 65 ff.
Gestaltung(s)
– schicht § 11 10
– schöpferische § 7 3
Gewaltenteilung § 1 34 f., § 2 81, § 3 5, 26, 54, § 6 69, § 13 91
Gewichtung der Auslegungsfiguren *s. Argumentationsfigur*
Gewohnheitsrecht § 3 8, 22 ff., 36, § 6 151
– internationales *s. Völkergewohnheitsrecht*
– Verbot § 4 66, 81 f.
Ghostwritervertrag – Entscheidung § 6 203
Glasbausteine – Entscheidung § 6 192 f.
Gleichgeschlechtliche Ehe § 2 26, § 4 49, § 5 104 f., § 6 90, § 13 94
Gleichheitsgrundrecht *s. Grundrechte, Gleichheitsrechte*
Gleichheitsgrundsatz § 6 114, § 10 40, § 11 16a, 30 f.
Goethe § 1 19, § 14 2
Goldene Aktie – Entscheidung § 5 111
Grammatik § 9 2
Großprojekte § 10 16a f.
Grünbücher § 4 182
Grundfreiheiten § 10 62 ff.
– Beschränkung § 10 63 ff.
– Beschränkungsverbot § 10 67
– Diskriminierungsverbot *s. Diskriminierung*
– Prüfungsstufen § 10 24 ff., 62
– Rechtfertigung § 10 63 ff.
– Verhältnismäßigkeit § 10 70
Grundgesetz *s. Verfassung*
Grundlagenfächer § 1 15 f., § 14 98 ff.
Grundrechte § 4 128 f., § 11 2 ff.
– Abwägung § 10 26 ff.
– Abwehrrechte § 10 24, 33, § 11 3, 9 ff., 23, 57, 68
– allgemeine Handlungsfreiheit § 10 93, § 11 43, 60, § 12 26, § 13 92
– Ausstrahlungswirkung § 11 13 f., 38 ff.
– Belästigung § 10 34
– Beeinträchtigung *s. Grundrechtsbeeinträchtigung*
– Berufsfreiheit § 3 29, § 10 12, 18, 22, 30, 93
– Eigentumsfreiheit § 9 29, § 11 43 f.
– Eingriff § 10 33 ff.
– europäische *s. Grundrechte, europäische*
– Gewährleistungsgehalt *s. Grundrechte, Schutzbereich*
– Gleichheitsrechte § 10 36 ff., 39 ff.
– Konkretisierung § 10 55 ff.
– Menschenwürde § 1 110 ff., § 10 9 f., 57b f., § 11 4 ff., 8 ff., 15 ff., 69, 75, § 13 103 ff.
– Pressefreiheit § 5 143, § 9 41, § 10 6, § 11 79, § 14 45
– Prüfung § 10 54
– Prüfungsstufen § 10 25
– Rechtfertigung § 10 37 ff.
– Schutz *s. Grundrechtsschutz*
– Schutzbereich § 10 27 ff.

- Schutzpflichten § 10 24, 35, 52, § 11 5 ff., 17 ff.
- Schranke *s. Grundrechte, Rechtfertigung*
- Schranken-Schranke § 10 41 ff.
- Tatbestand *s. Schutzbereich*
- Theorie der ~ § 9 12
- Verhältnismäßigkeit § 10 42 ff.
- Verletzung *s. Grundrechtsverletzung*
- Versammlungsfreiheit § 2 97, § 10 28, 30, § 11 54, 70
- weiter Anwendungsbereich § 10 31
- Wirkung *s. Grundrechtswirkung*
- Zwischenschichten § 10 17

Grundrechte, europäische s. *Kooperationsverhältnis*
- Doppelprüfung § 10 58
- Quellen § 10 57
- Schranken-Schranke § 10 59 f.
- Verhältnismäßigkeit § 10 59 f.

Grundrechtecharta *s. Grundrechte, europäische*
Grundrechtsbeeinträchtigung § 13 67 ff.
Grundrechtsinnovation § 10 17
Grundrechtsschutz § 2 95, § 13 67 ff., 108
Grundrechtsverletzung
- Dritter § 11 79 ff.
- offensichtliche § 11 71 ff.
- schwere § 11 86 ff.

Grundrechtswirkung § 11 11 ff.
- als Schutzpflichten *s. Grundrechte, Schutzpflichten*
- mittelbare Drittwirkung § 10 17, § 11 11 ff.
- unmittelbare Drittwirkung § 11 15 f.

Grüneberg § 13 9 f., § 14 40
Grundsatz der loyalen Zusammenarbeit § 1 28 ff., § 2 112, § 8 33
Grundsatzentscheidung § 1 26, § 7 73 f.
Gurtpflicht – Entscheidung § 2 13

Haakjöringsköd – Entscheidung § 6 186
Habermas § 1 106
Haftung
- Arbeitnehmerhaftung § 13 49 f.
- Arzthaftung § 13 35
- Enumerationsprinzip § 6 155, § 13 30 f.
- Ergänzungsfunktion § 6 20 f.
- Gefährdungshaftung s. *Gefährdungshaftung*
- Genugtuung- und Präventionsfunktion § 5 142
- Kapitalmarktrechtliche Informationshaftung § 5 134, § 6 50, § 8 43 ff.
- Produzentenhaftung § 7 62 ff., § 15 14 ff.
- Punitive damages s. *Punitive damages*
- Sachverständigenhaftung s. *Sachverständigenhaftung*
- Staatshaftung s. *Staatshaftungsanspruch*
- Tierhalterhaftung § 4 52, § 15 8
- Übermaßhaftung s. *Übermaßhaftung*
- Verschuldenshaftung s. *Verschuldenshaftung*

Handlungsgebot § 11 6
Hard cases § 1 2, 18
Hard law § 3 4
Harmonisierung s. *Mindestharmonisierung, Vollharmonisierung*
Hart § 2 138
Härte, unbillige § 5 71 ff., § 6 100, § 13 48 ff.
Harz – Entscheidung § 12 73
Hassemer § 5 58
Haupt § 13 33
Heck § 4 43, 102, § 5 19 f., § 6 60
Hedemann § 7 5
Hegel § 1 88
Heimtücke § 11 69
Heininger – Entscheidung § 12 94
Herkunftslandprinzip § 10 75
Hermeneutik
- Fallhermeneutik § 14 5 ff.
- Sachverhaltshermeneutik § 3 21, § 4 30, § 14 11 ff., 69

Hermeneutische Spirale § 1 70 *s. Vorverständnis*
Herren der (europäischen) Verträge § 2 56, 74, 99 f., § 4 172, § 13 123
Herrschaft der Toten über die Lebenden § 6 66, 88
Herrschende Meinung § 5 101 ff.
Hierarchie
- von Rechtsgütern § 4 120, § 10 11 f., § 14 77
- von Rechtsquellen *s. Lex-superior-Regel*

Hillgruber § 6 60
Hinterbliebenengeld § 5 144
Hinterbliebenenrente für Lebenspartner § 11 63
Hintergrund, nationalrechtlicher § 4 183
Hin- und Herwandern des Blickes § 3 21, § 12 64
Hinweispflicht im Prozess § 14 22
Hirsch § 6 60
Historische Auslegung § 4 18, 23 ff.
- durch den EuGH § 4 172 ff.
- im engeren Sinne § 4 148 ff., 173 ff.
- im weiteren Sinne § 4 146 ff., 172
- teleologische Gegenfiguren § 6 41 ff.

Historische Schule § 4 102, 108a
Hobbes § 9 30

Höherrangiges Recht § 2 36, 82 ff.
Holmes Jr. § 5 91, § 13 99
Homo oeconomicus § 5 122 f.
Honsell § 4 171, § 11 59, 62
Honeywell – Entscheidung § 2 98 f.
Höpfner § 5 6
Huber, P. § 1 88
Hughes § 13 97
Hühnerpest – Entscheidung § 15 13 ff.
Hume § 3 20
Hundebiss – Fall § 14 18

Identitätsvorbehalt § 2 96 ff.
IDW-Standards § 3 66
IKB – Entscheidung § 6 43, § 8 46 ff., § 13 32a
Imperativentheorie § 2 7
Indirect effect § 12 3, 46
In dubio
– favor laboris § 5 18, § 6 40
– pro consumente § 5 18, § 6 40
– pro libertate § 5 17, § 6 40
Induktion § 6 132, 140, § 7 46, § 14 121
– Kombination mit Deduktion § 6 134, 140, § 7 52
Infomatec – Entscheidung § 8 43 ff.
Information overload s. *Informationsüberflutung*
Informations
– asymmetrien § 5 146 f.
– gefälle s. *Informations-asymmetrien*
– überflutung § 5 148 f.
– zugang § 12 51
Inkommensurablen § 10 6
Inländerdiskriminierung § 2 89
Innovation § 14 46 ff., 123
Inspire-Art – Entscheidung § 3 27, § 5 111
Integrationsverantwortung § 2 95, § 13 106
Intentionalism § 4 147
Interessen
– abwägung § 1 10
– ausgleich § 10 86, 96 ff.
– jurisprudenz § 5 19 ff., 77
– theorie § 2 29
Internalisierung externer Effekte § 5 124
Interpretatio
– extensiva § 4 36
– restrictiva § 4 36
Interpretation
– Interprétation § 4 36, § 6 172, § 12 17
– Interpretationsregel § 1 102
Isensee § 14 115a

Jellinek § 11 3, § 14 60
Judicial activism § 10 56, § 13 95, 100
Judicial self-restraint § 11 26, § 13 92 ff.
Jugendstrafrecht – Entscheidung § 6 47 f.
Juristische Ausbildung § 1 18 ff.
Juristisches Denken § 14 124 ff.
Juristische Entdeckung s. *Juristische Kreativität*
Juristische Kreativität § 1 20
– überzeugendste Lösung § 1 86 ff.
– Innovation § 8 2 ff., § 14 46 ff.
Jury § 5 145
Justinian § 1 105
Jhering, von § 4 21, § 12 6
– culpa in contrahendo § 6 151
– Interessenjurisprudenz § 5 19
– naturhistorische Methode § 4 102

KAGG – Entscheidung § 2 49 f.
Kaldor-Hicks-Theorem § 5 125, 135
Kalkar – Entscheidung § 1 110, § 13 85
Kant § 3 20
Kantorowicz § 1 70
Kapitalmarktrecht § 5 147, § 8 42 ff., § 13 32a
– Bildung neuer Fallgruppen – § 826 BGB und Infomatec § 8 42 ff.
– Delisting § 3 70, § 11 22, § 13 87
– Informationsüberflutung – CMS Spread Ladder Swap § 5 149
– Kapitalmarkteffizienzhypothese § 5 134
– Konkretisierung durch Leitlinien – Schrempp § 7 41 f.
– MAR § 2 66, 113, § 4 50, § 5 119, 147, § 6 23, 50, 85, § 7 42, § 13 32a
– MiFiD II § 2 66, 113
– Redaktionsversehen und Blankettverweise – 1. FiMaNoG § 6 50
– Schutzgesetzfähigkeit § 5 119, § 13 32a
– Vermeidung von Wertungswidersprüchen – EM-TV § 5 54
Kapitalmarkteffizienzhypothese § 5 134
Kartellklage – Entscheidung § 8 52
Kartellrecht § 5 117 f., 155 f. s. *auch Klagerecht privater Parteien; Courage; Effet utile*
Kaufmann § 6 113
Kelsen § 2 52, 134, § 3 20, § 5 100
Kipp § 6 52
Kipp'sche Doppelwirkung § 6 52 ff.
von Kirchmann § 6 75
Klagerecht
– eines nicht rechtsfähigen Vereins – Entscheidung § 11 78, § 13 57
– privater Parteien § 15 29 f.
Klassische Methodenlehre s. *Methodenlehre, klassische*
Kleinigkeiten s. *de minimis non curat lex*

Koch, H. § 4 43
Kollisionsregel § 2 36 ff., 87 ff., § 4 130 ff.
Kombinationstheorie § 12 15, § 14 124
Kommissionsvorschläge § 4 178
Kompensationsbilanz § 10 16c
Kompetenzgrenzen
- zwischen Parlament und Gericht § 13 82 ff.
- zwischen Mitgliedsstaat und EU § 2 100 ff.
- des EuGH § 13 117 f. s. *Herren der Verträge*
- zwischen verschiedenen Gerichten § 13 109 ff.
- zur Rechtsfortbildung § 11 66
Kompetenzkatalog § 2 57
Köndgen § 3 7
Konfuzianisches Denken § 5 105
Konkretisierung von Recht § 7 1 ff., § 13 101 f.
- Abgrenzung § 4 34 ff., § 7 1 ff.
- Bewegliches System s. *Bewegliches System*
- durch Abwägung § 10 6 f.
- durch den europäischen Gesetzgeber § 7 30 ff.
- durch Gerichte § 7 44 ff.
- durch Gesetzgeber § 7 16 ff.
- durch private Regelwerke § 7 40 ff.
- durch Verwaltung § 7 35 ff.
- Vergleichsfallmethode s. *Vergleichsfallmethode*
- von Generalklauseln § 7 5 ff.
- und Zwischenschritte § 7 2
Konkretisierungsspielraum bei der Anwendung europäischen Rechts § 2 102
Konsens s. *Akzeptanz*
Konstruktion § 1 11, § 9 7a ff.
- im Verfassungsrecht § 10 4 ff., 24
Konsultationspflicht § 6 79
Kontinuitätsargument § 4 152, 170, § 6 41
- im Europarecht § 4 173 f.
- in der Rechtsprechung des BVerfG § 4 155
Kontradiktorischer Gegensatz s. *Logik*
Kontrahierungszwang § 9 33 f., 51
Kontrolle
- des Gesetzgebers § 11 26 ff.
- der Rechtsprechung § 11 23 ff.
Kontrollfunktion § 1 115
Kooperationsverhältnis zwischen BVerfG und EuGH § 1 88, § 2 101, § 13 110 ff., 115 ff.
- Anwendung und Auslegung von Recht § 2 102 ff.
- Anwendungsvorrang europäischen Rechts § 2 85
- Erstinterpretationsrecht des BVerfG § 2 109, 115
- Gestaltungsspielraum des nationalen Gesetzgebers § 2 95
- Identitätsvorbehalt § 2 96 ff.
- Trennungsthese § 2 95
- Ultra-vires-Kontrolle § 2 98 ff.
- Überlappungsthese § 2 106 ff.
- Vorabentscheidungsverfahren § 12 118 f.
- Wahrung der Verfassungsidentität § 2 101
Kooperationsverhältnis zwischen BVerfG und EGMR § 2 125, § 10 57, § 12 136 f.
Kooperationsverhältnis zwischen EuGH und EGMR § 10 57
Kosten-Nutzen-Analyse § 5 122 ff., 136 ff.
Kramer § 4 33, § 14 137
Kriele § 3 15, § 14 85, 114
Krohn – Entscheidung § 6 177
Kruzifix – Entscheidung § 5 104, § 10 52a f.
Kudlich § 11 41
Kumulativer Methodeneinsatz § 14 124
Kunstterrorist § 10 95, 98

Laesio enormis s. *Preiskontrolle*
Lamfalussy-Verfahren § 2 65, § 7 41
Landesrecht § 2 41
Langdell § 4 108a
Larenz § 2 10, § 4 22, § 5 25, § 6 31, 158, § 13 33
- Haltung zur Rassenideologie § 14 101
- zum Rangverhältnis der Argumentationsfiguren § 14 64
- zur Rechtsfortbildung § 13 13 ff.
- zu Rechtsprinzipien § 9 11
- zum Vertrag mit Schutzwirkung zugunsten Dritter § 10 84
Law and Economics-approach § 5 123
Leading cases s. *Grundsatzentscheidung*
Learned Hand § 5 126 f., 140
Lebach – Entscheidung § 10 21, 47 ff.
Lebenserfahrung, allgemeine § 5 92 f.
Lebenslange Freiheitsstrafe – Entscheidung § 11 69
Lebensverhältnisse § 13 44
Leerformel § 1 94, § 6 76, § 7 5, § 13 10 f., 102
Legal realism § 5 91, 123
Legaldefinition § 2 10, § 4 49 f., 87, § 6 5a, 22 f.
Legalismus § 1 35
Legitimationslehre § 1 7 ff., 45 ff., 109
Legitimer Zweck § 10 43

Leitbilder § 10 17 f.
Lenaerts § 13 126
Lerche § 10 17
Lex-mitior-Regel § 6 49
Lex-posterior-Regel § 4 132, § 6 50
– Europarecht § 2 90, § 4 139
– Relativierung § 6 39
Lex-specialis-Regel § 4 134 f., § 5 52, § 7 17 ff., 30
– Europarecht § 2 88, § 4 139
– Relativierung § 6 37 f.
Lex-superior-Regel § 2 36 ff., 42, § 11 35a
– Alternative *s. Recht, vernetztes*
– Bundesrecht und Landesrecht § 2 41 ff.
– Europarecht § 2 74 ff., § 4 139
– Pyramide § 2 43, 127
– Völkerrecht § 2 121 ff.
Lindner § 10 18a
Lissabon – Entscheidung § 2 97, § 5 98, § 13 112
living constitution § 6 72, § 10 4, § 14 46
living originalism § 6 80b, § 13 98
Llewellyn § 2 10
Locke § 1 34, § 2 129, § 13 83
Logik § 4 2, § 5 31 ff., § 6 52 ff., 94
– kontradiktorischer Gegensatz § 1 22, § 5 31
Lohnanspruch an Feiertagen § 12 14
Longa inveterata consuetudo § 3 23, § 7 73
Love-Parade – Entscheidung § 10 30
Loyalitätspflicht *s. Grundsatz der loyalen Zusammenarbeit*
Lübbe-Wolff § 13 113
Lücke § 6 107 ff.
– anfängliche § 6 111
– bewusste § 4 170, § 6 64 ff., 111
– im Vertrag § 6 191
– nachträgliche § 6 111
– planwidrige § 6 108 ff., 135 ff., 150, 155, § 15 46 f., 49
– unbewusste § 6 111
– unechte § 6 67, 92
Lückenhaftigkeitsargument § 6 42
Lüth – Entscheidung § 11 4 f., 12 f.

Maastricht – Entscheidung § 2 96, § 5 98
Mabo v. Queensland § 7 66
Mac Pherson v. Buick Motor Company § 7 63 ff.
Macrotron – Entscheidung § 11 22
Mandatory requirements *s. Cassis-Formel*
Manfredi – Entscheidung § 15 30
Marktmissbrauch § 5 155 ff., § 9 33
MAR – Entscheidung § 6 50
Market share liability § 3 87
Marleasing – Entscheidung § 12 46, 50
Masing, § 2 50, 106
Maßstabbildung § 9 7b, § 14 31 f.
Maßstäbe
– innerrechtliche § 7 14
– teil § 14 31 ff.
Materialien
– amtliche *s. Gesetzesmaterialien*
– gesetzesimmanente § 4 158 ff., 176 ff.
Matthäus § 4 49, § 6 107
Mauerschützen – Entscheidung § 2 130, § 4 84, § 13 77 f.
Mayer-Maly § 8 37
Mehrebenensystem § 1 27, § 2 52, 127, § 12 62b
Mehrheitslösung § 7 87
Meier-Hayoz § 13 10
Meinungsfreiheit § 11 45 ff.
Menschenbild
– paternalistisches *s. Paternalismus*
– freiheitlich-liberales § 1 107, § 2 26, § 9 30, 41, § 13 99
– Verbraucher *s. Verbraucherleitbild*
Menschenwürde § 1 107, 112 ff.
Merkl § 2 36, 52
Metamethodik § 14 67, 127
Methodenchaos § 14 64
Methodenehrlichkeit *s. Methodentransparenz*
Methodeneinsatz
– kumulativer § 14 124
Methodenlehre
– Begriff § 9 7 ff.
– Europäische § 14 136 ff.
– klassische § 14 1
– Moderne § 14 3 f., 121 ff., 135
– Postmoderne § 1 6 f., § 14 2
– Quellen § 14 97 ff., 116
Methodenpluralismus § 1 6, § 14 64
Methodentransparenz § 1 47, § 14 125 ff.
Mietnachfolge § 6 74 f., § 11 43 f.
Miller § 5 129
Mindestharmonisierung § 2 110 ff., § 7 32 f.
– Eins-zu-Eins-Umsetzung § 2 114
– Mindestklausel § 2 78
– Optionalklausel § 2 67, 69
– Rückverweisungsklausel § 2 67
– überschießende Umsetzung § 12 90 ff.
Missbrauch juristischer Methoden § 14 100 ff.
Mittelmeinung § 5 105
Mitverschulden § 4 113, § 9 20
Modellgesetze § 3 17 f.

Moderne Methodenlehre s. *Methodenlehre, moderne*
Möllers, Ch. § 6 60, § 13 105
Montesquieu § 1 34, 39, 48, § 4 34
Moral § 2 15 ff., 25 ff., 128, 131
Moral hazard-Problematik § 5 150
Motor der Europäischen Union, EuGH als der ~ § 6 87, § 13 118
Müller, F. § 1 72, § 14 7 ff.
Müller, P. § 13 100
Multilevel-system s. *Mehrebenensystem*
Mutter-Kind-Abteil § 1 3 ff., 27, 73, 75, 82, 84 ff., 90 f.

Nachfristsetzung § 12 79
Namensrecht § 11 31
Natur der Sache § 6 158, § 9 6a f., 10
Naturrecht § 1 112 ff., § 2 128 ff., § 3 21
Neuner § 13 12, 18
Nichteheliche Lebensgemeinschaft – Entscheidung § 5 90, § 6 74 f., § 11 43, § 13 45 f., 64
Nichtigkeit
- Ausnahmen § 11 32 ff.
- einer Norm § 11 30 f.
Nichtraucher – Entscheidung § 5 47, 104
Nicht rechtsfähiger Verein s. *Klagerecht eines ~*
Nipperdey § 5 22, § 14 40, 124
Normangleichung § 5 52 ff.
Normative Kraft des Faktischen § 5 95 ff.
Normative Richtigkeitserwartung § 14 75
Normbereichslehre § 14 7 ff., 31 ff.
Normenkontrollverfahren
- abstraktes § 11 26
- konkretes § 11 26 ff.
Normerhaltung s. *Erhaltung der Norm*
Normerschleichung § 5 55a
Normoptimierung § 11 38, 42
Normquelle, außerrechtliche § 7 13
Normvermeidung § 5 55
Noscitur a sociis s. *Systematische Auslegung, innerhalb der Norm*
Notwehr § 4 126, § 10 93
Nudging (Stupsen), § 5 129a
Nulla poena sine lege s. *Gesetzlichkeitsprinzip*
Nullum crimen sine lege s. *Gesetzlichkeitsprinzip*
Nullsummenspiel § 5 152
Nußberger § 1 1, 88a, § 14 30
Nutzungsersatz – Entscheidung § 5 67 ff.
Nutzungsmöglichkeit, entgangene – Entscheidung § 7 54, § 8 29

Obersatz § 4 2 ff.
Obiter dictum § 3 39, 45, § 7 59, 68
Objektive Theorie § 6 60 ff., 69 ff., § 13 37
Oertmann § 14 48
Öffentlicher Dienst – Entscheidung § 4 144
Ökonomische Analyse des Rechts § 5 122 ff., 133 ff.
- Bedeutung für die Methodenlehre § 5 133 ff.
- durch den EuGH § 5 155 ff.
- Grenzen § 5 128 ff., § 6 57
- normative § 5 122
- positive § 5 122
- Zielsetzung § 5 122 ff.
One-right-answer-thesis § 1 64, 68 ff., § 14 78
Open-Door – Entscheidung § 10 59 f.
Opinio necessitatis § 3 23, 36
Optimierungsgebot § 9 12, 40
- im Planungsrecht s. *Abwägungsdirektive*
Ordre-public-Vorbehalt § 5 145, § 10 64 ff.
Osterloh § 13 107
Overruling § 3 15, § 7 62 f., 71

Pacta sunt servanda s. *Vertragsbindung*
Pandektenwissenschaft § 4 102
Papinian § 3 100
Pareto-optimal § 5 124, § 10 45
Parteifähigkeit, aktive § 11 78, § 13 57
Parteiwille § 9 29 f.
- hypothetischer § 6 195 f.
Partnerschaftsvermittlung – Entscheidung § 5 75 ff.
Passagiermaschine, Abschuss einer ~ – Entscheidung § 10 53, § 15 34 f.
Paternalismus § 5 130, 148, § 8 24
Paulus § 3 100
Pawlowski § 6 161
Penny-Stocks – Entscheidung § 3 70
Perplexität § 6 42 ff., 67
Persönlichkeitsrecht, Verletzung § 6 15, 65, § 10 19 f., § 11 71 ff., § 12 73
Persuasive authorities § 3 45, 85, 94
Petitio principii s. *Zirkelschluss*
Planfeststellungsbedürftige Vorhaben § 10 16b f.
Planung, großflächige § 10 16a ff.
Platon § 1 63, 105, § 2 129
political correctness § 2 18 f.
political question doctrine § 13 92
Politisches Gericht § 13 92, 97
Popper § 1 79
Positive Forderungsverletzung § 6 151
Postmoderne Methodenlehre s. *Methodenlehre*

Pound § 14 109
Präambel *s. Materialien, gesetzesimmanente*
Praeter legem *s. Lücke, bewusste*
Pragmatischer Methodenpluralismus § 14 2, 64
Präjudizien § 3 6 ff., 15 f., 43 ff., 90, 95, § 7 45, 58 ff., 73 ff.
Praktische Konkordanz § 10 23, 47
Praktikabilität § 5 61 ff., 87 ff., 109, 121, § 13 63 ff.
Prämisse § 1 93 ff.
Präsident der USA – Fall § 1 67
Praxistauschvertrag – Entscheidung § 6 203
Preiskontrolle § 8 41, § 9 35 f., 52 ff.
Preisregulierung § 9 54a
prima facie *s. Vermutungsregel*
Primärrechtswirkung § 12 3 ff., 9
– mittelbare Drittwirkung § 12 12 ff.
– Schutzpflichten § 12 12 ff.
– unmittelbare Drittwirkung § 12 10 ff.
Primärrecht § 2 59 ff., 74 ff., § 4 140 ff., 172
Principal-Agent Problem § 5 150 f.
Principles of European Interpretation *s. Europäische Methodenlehre*
Prinzip des Sozialen § 9 40 f.
Prinzipien *s. Rechtsprinzipien*
Prisoner dilemma *s. Gefangenendilemma*
Privatautonomie § 1 111, § 2 28a, § 4 99, § 5 29, § 11 60
Privatrecht § 2 28a f.
– europäisches § 4 183
– internationales § 3 77 f.
Process of discovery § 14 42 f., *s. Juristische Entdeckung*
Process of justification § 14 42 f., 130
Programmsätze *s. Materialien, gesetzesimmanente*
Proportionalität *s. Angemessenheit*
Prozedurale Waffengleichheit § 9 48
Prüfungsfolge der Argumentationsfiguren § 14 69 ff.
Prüfungsintensität § 10 56, § 14 76, 124, s. *kumulativer Methodeneinsatz*
Prüfungskompetenz § 2 94 ff.
PSPP-Urteil Vorwort § 1 88 f., § 2 99 ff., § 13 114 ff., 121 ff.
Punitive damages § 5 145, § 7 86
Purposivism § 4 156, § 5 3, § 13 98

Qualifizierte Nachfolgeklauseln – Entscheidung § 10 78 ff.
Quasi-negatorischer Unterlassungsanspruch – Entscheidung § 6 141 ff.
Quelle – Entscheidung § 12 58 f., 69 ff., 110

Rabel § 14 131
Radbruch § 1 109, § 2 131 ff., § 6 69 f., § 14 42
Radbruch'sche Formel § 2 131 ff., § 3 21, § 5 73, § 14 115b
Rangverhältnis der Argumentationsfiguren § 14 64 ff.
Ratio decidendi § 3 3, 44, § 7 59, 68
Ratio legis *s. Gesetzeszweck*
Rational Choice-System § 5 123
Rational nachprüfbares Verfahren § 1 47, 113, § 13 106
Rationalitätsanspruch § 14 67 ff.
Reasoning from case to case § 7 44
Recherche *s. Sachverhalt*
Recht
– Definition und Abgrenzung von § 2 2 ff., 20 ff.
– Endzwecke § 9 10
– Objektives, subjektives Recht § 2 3
– öffentliches und privates § 2 28 ff.
– Sollensnormen § 2 7 ff., § 3 20
– Stufenbau § 2 36 ff., 52 ff., 121 ff., § 14 72, *s. auch lex-superior-Regel*
- vernetztes § 3 9
– Vollzug § 2 11 ff.
Recht auf Maßlosigkeit § 10 96
Recht auf Vergessen II – Entscheidung § 2 106 ff., § 3 93a, § 12 118 f., § 13 124 ff.
Rechtsakt, delegierter § 7 41
Rechtsanalogie *s. Gesamtanalogie*
Rechtsansicht, vermittelnde § 5 105 f.
Rechtsanthropologie § 7 83
Rechtsanwaltshaftung § 3 6, § 14 12
Rechtsanwendungsgleichheit § 1 42
Rechtsbegriffe
– Relativität, s. *Relativität, der Rechtsbegriffe*
– normative § 4 56 f.
– deskriptive § 4 58
– unbestimmte § 7 5 ff., 24 ff., § 8 26 f., 31, *s. auch Generalklausel*
Rechtsdogmatik § 9 2 ff., § 10 52, § 13 101 f., § 14 57, 112, 129
– Dimensionen § 9 3
– Elemente § 9 2
– Funktionen § 9 8 f.
– und Methodenlehre § 9 7 ff.
Rechtsdurchsetzung
– europäischen Rechts § 5 108 ff., § 12 103 ff.
Rechtserkenntnisquelle § 2 6, § 3 1 ff., 28, 94, 100
Rechtsethologie § 2 11

Rechtsfortbildung § 1 48 ff., § 6 13, 91 ff., § 13 1 ff., § 14 73, 80 f.
- Abgrenzung § 4 37, § 6 13
- als Gewohnheitsrecht § 3 22 ff.
- Begriff § 13 21 ff.
- contra legem § 1 46, § 11 86 ff., § 12 76 ff., § 13 18, 23
- durch den EuGH § 6 172 ff.
- Einzelanalogie s. *Einzelanalogie*
- folgenorientierte Überlegungen § 13 47, 58
- Gesamtanalogie s. *Gesamtanalogie*
- gesetzesimmanente § 13 14
- gesetzeskonkretisierende § 13 19
- gesetzesübersteigende § 13 15 ff.
- Grenzen zulässiger § 11 79 ff., § 13 4 ff., 81, 122 ff.
- praeter legem s. *Rechtsfortbildung, gesetzesübersteigende*
- primärrechtskonforme § 12 24 ff., § 13 79
- richtlinienkonforme § 12 54 ff., 60 ff., § 13 80
- teleologische Reduktion s. *Teleologische Reduktion*
- unzulässige § 13 8, 24 ff.
- verdeckte § 1 23, § 6 173, § 13 9 ff., § 14 92, 131
- verfassungskonforme § 11 21 ff., 64 ff.
- zulässige § 13 8

Rechtsfortbildungsfunktion § 7 10
Rechtsfrieden § 1 109 ff., § 9 10
Rechtsgeschäft § 4 108
Rechtsgemeinschaft s. *Rechtsunion*
Rechtsgestaltung, unzulässige s. *judicial activism*
Rechtsgüterschutz § 1 110
Rechtsidee § 2 139 f., § 6 158, § 9 10
Rechtsinstitut § 6 181, § 9 14, 24
Rechtskreislehre § 7 81 f.
Rechtsliteratur § 3 100 ff.
- gerichtliche Zitierpraxis § 1 55 ff.

Rechtsmethodik § 13 101 ff.
Rechtsordnung § 1 110, § 5 9, 15, 24
- autonome § 3 9
- Einheit der s. *Einheit, der Rechtsordnung*
- europäische § 2 53 ff.
- widerspruchsfreie § 1 117, § 4 92 ff., 109 ff.

Rechtsphilosophie § 1 105, § 14 114 ff.
Rechtspluralismus § 3 9
Rechtspositivismus § 1 48, § 2 128, § 3 20
Rechtsprechung(s)
- änderung s. *Bindungswirkung von Richterrecht*
- gefestigte § 4 79, § 7 73
- höchstrichterliche § 3 15, 19, 38, 95
- ständige § 7 73

Rechtsprechungslinie § 7 52
Rechtsprinzipien § 9 11 ff., § 10 76
- Abwägung von § 9 25, § 10 81 ff.
- Begründung § 9 15 ff.
- Definition § 9 13
- des Primärrechts § 9 63
- des Sekundärrechts § 9 63
- Einzelwertungen § 9 28
- ethische s. *Ethik*
- europäische § 9 62 ff.
- historische Ableitung § 9 16
- Kollision von § 10 6 f., 76 ff.
- Konkretisierung § 9 15, 23 ff.
- übergesetzliche § 2 131, 139 f., s. *auch Rechtsidee*
- Unterprinzipien § 9 28
- Verhältnis § 9 27

Rechtsquelle § 2 2 ff.
- enger Begriff § 3 3 ff.
- Europarecht s. *europäische Rechtsquellen*
- primäre § 2 5, § 3 2 ff., 18
- sekundäre § 2 5, § 3 12 ff., 18, 21, 25 ff., 53, 57 73 f.
- Völkerrecht § 2 116 f.
- weiter Begriff § 3 9 ff.

Rechtssatz
- allgemeiner § 7 53
- verallgemeinerungsfähiger s. *tertium comparationis*

Rechtsschöpfung § 4 34 ff., § 14 46 ff.
Rechtssicherheit § 1 118, § 2 44 ff., 132, § 3 29 ff., 41 ff., 69 f., § 13 63 ff.
Rechtssoziologie § 3 21, § 5 91 ff., § 14 109
Rechtstheorie § 14 108
Rechtsunion § 10 57, § 12 120, § 13 122
Rechtsvergleichung § 3 75 ff., 86 ff., § 7 78 ff., § 14 106 f.
- Bindungswirkung ausländischer Urteile § 3 94 f., s. *Bindungswirkung*
- des EGMR § 3 98 f., § 7 87 ff.
- des EuGH § 3 96 f., § 7 87 ff.
- freiwillige § 3 86 ff., 94, 97 ff., § 7 81 ff.
- funktionale § 7 81 ff.
- horizontale § 3 84
- verpflichtende § 3 76 ff., 95 f., § 7 79 f.
- wertende § 7 85 ff.

Rechtsverweigerungsverbot § 1 52, § 5 73, § 6 73
Rechtsweg § 2 29
- angemessene Verfahrensdauer § 9 67, § 12 131
- Rechtsweggarantie § 10 57a

Rechtswertungsfreier Raum § 10 10
Redaktionsversehen
- nationaler Gesetzgeber § 6 5a, 46 ff., § 12 69, 79
- europäischer Gesetzgeber § 6 89
Reduktion, teleologische *s. Teleologische Reduktion*
Regelbeispiel § 7 17 ff.
Regelsberger § 4 21
Regelungen Privater § 3 8, 60 f.
Regelungswidersprüche *s. Normangleichung*
Regelungszweck *s. Gesetzeszweck*
Regierungsentwurf § 4 162
Reichenbach § 14 42
Reinheitsgebot – Entscheidung § 2 91, § 4 143, § 10 74 f., § 12 128
Relativität der Rechtsbegriffe § 4 127, § 6 17 ff., § 12 52
Respondeat superior § 10 88
Rettungsfolter – Entscheidung § 10 10
Reurecht – Entscheidung § 6 102, § 15 20 f.
Rezeptionsfunktion § 7 12
Rhetorik § 1 63, § 6 2, § 5 2, § 14 67, 98
Richter
- als Ersatzgesetzgeber § 11 66, § 13 97 ff.
- europäischer *s. Unionsrichter*
- Roboter-Richter § 1 47
richterliche Dezision *s. Dezision*
richterliche Selbstbeschränkung *s. Judicial self restraint*
Richterrecht § 2 5, § 3 3 ff., 22 ff., 28, 75, § 8 2 ff., 33, § 13 19
- als Gewohnheitsrecht § 3 23 f.
- Hierarchie des § 7 75 ff.
Richtigkeitsgewähr *s. auch Billigkeitskontrolle*
- als Billigkeitskontrolle § 14 74 ff.
- durch Verhandlungen § 9 30, 39
- durch Verfahren § 3 67
Richtlinien
- Anwendungsbereich § 2 110 ff.
- Auslegung im weiteren Sinn § 12 17 ff.
- Drittwirkung *s. Richtlinienwirkung*
- Erwägungsgründe § 5 16
- richtlinienkonforme Auslegung *s. Auslegung, europäische, richtlinienkonforme Rechtsfortbildung*
- Umsetzungsfragen § 12 86 ff., 103 ff., 114, 122
- Vorrangwirkung § 12 35 ff.
Richtlinienorientierte Auslegung § 12 65, 93
Richtlinienkonforme Rechtsfortbildung § 12 54 ff., 62 ff.
- contra legem-Grenze § 12 76 ff.
- genereller Umsetzungswillen § 12 62, 68, 75
- Gesamtrechtsordnung § 12 61
- konkreter Umsetzungswillen § 12 78
- Systembruch § 12 81
Richtlinienwirkung § 3 54, § 12 35 ff. *s. Rechtsfortbildung, richtlinienkonforme*
- horizontale Drittwirkung § 12 42 ff.
- Korrekturwirkung § 12 50
- Sperrwirkung § 12 50
- vertikale Wirkung § 12 36 ff.
- Vorwirkung § 12 50, 86
Riesenhuber § 14 137
Roe v. Wade § 1 71, § 7 65, § 11 6
Rohsachverhalt *s. Sachverhalt*
Rousseau § 2 129
Rückbewirkung von Rechtsfolgen *s. Rückwirkung, echte*
Rückert § 9 42
Rücksichtnahmepflicht – Fall § 2 11 f.
Rückwirkung(s) § 3 69, § 5 74
- echte § 2 45 ff., § 3 31 f.
- unechte § 2 45 ff., § 3 31 f.
- verbot § 2 44, 124 f., § 4 84 f., § 12 47, 62d, 76 f.
- von Urteilen § 3 38 ff.
Rügeverkümmerung – Entscheidung § 3 40, § 11 80, § 13 74 f., 89
Rüthers § 1 105 f., § 5 6, § 13 4, § 14 104

Sachbeschädigung
- Hund als ~ – Fall § 6 24
Sachverhalt § 4 3 ff.
- Rohsachverhalt § 14 16 ff.
- Sachverhaltshermeneutik *s. Hermeneutik, Sachverhaltshermeneutik*
- Sachverhaltsquetsche § 14 11
Sachverständigenhaftung – Entscheidung § 5 59 f., § 11 81 f., § 13 71
Saltus in concludendo § 5 46 f.
Salzsäure – Entscheidung § 4 60 f., § 6 12
Sammlermünze – Entscheidung § 9 53
Sanktionen § 2 11 ff.
Satzung § 2 5, 31, 35
Savigny, von § 4 17 ff., 26 f., 34, § 6 63, 82, § 14 64, 70
Schaden § 1 110, § 2 14a, § 4 57, § 6 144 ff., 165 ff., § 7 61 ff., § 8 3 ff., 29, § 9 20
- immaterieller Schaden *s. Schmerzensgeld; Persönlichkeitsrecht, Verletzung*
Schadensersatzanspruch § 3 40, 69, 90, § 4 63, § 6 151 ff., § 7 38, § 8 15, § 10 98, § 12

84, § 14 17, 39, § 15 5 s. *auch allgemeines Schädigungsverbot, Kartellrecht, Klagerecht privater Parteien*
- Vertrauensschutz § 3 40, 69
- als Gesamtanalogie § 6 151 ff.
Scheinbegriff § 10 18a
Scheinbegründung § 1 23, § 9 23, § 14 132
- ars aequi et boni § 14 40
- Billigkeit § 14 74 ff.
- Dezionismus § 14 41
- Fiktion § 4 168, § 8 18, § 9 52, § 12 62
- Formalargumente § 6 2 ff.
- Gerechtigkeit § 14 115 ff.
- Natur der Sache § 9 6a
- verdeckte Rechtsfortbildung § 13 10
Schleier § 14 29 s. *auch Burkaverbot - Fall*
Schluss
- deduktiver s. *Deduktion*
- Erst-Recht- s. *Erst-Recht-Schluss*
- -folgerung § 4 5
- induktiver s. *Induktion*
- logischer § 4 2 ff.
- Umkehr- s. *Umkehrschluss*
- vom Besonderen auf das Besondere § 6 133
- vom Größeren auf das Kleinere § 6 124
- vom Kleineren auf das Größere § 6 126 f.
- vom Sein auf Sollen s. *Sein-Sollen-Dichotomie*
- vom Stärkeren auf das Schwächere s. *Erst-Recht-Schluss*
- Zirkel- s. *Zirkelschluss*
Schmerzensgeld § 4 111, § 5 144
Schmidt-Rimpler § 9 39
Schmitt, C. § 14 41
Schockschaden - Entscheidung § 7 61
Schockwerbung - Entscheidung § 11 16
Schranke s. *Grundrechte, Rechtfertigung*
- verfassungsimmanente s. *Verfassungsimmanente Schranke*
Schrempp - Entscheidung § 7 42
Schuldturm § 11 59
Schutzgebotsschicht § 11 10
Schutzgesetz
- im Kapitalmarktrecht § 5 119, § 13 32a
- im UWG § 5 13
Schutzlücke § 11 75, § 13 48 ff., 67 f., 88 f.
Schutznormtheorie § 5 3
Schutzpflichten s. *Grundrechte, Schutzpflichten*
Schwangerschaftsabbruch - Entscheidung § 3 93, § 11 7 f.
Schwarzkauf vor dem Notar - Entscheidung § 5 49
Schweigen des Gesetzgebers § 5 45, § 6 64, 67, § 13 39 ff.
Schwimmbad - Entscheidung § 7 49
Sein-Sollen-Dichotomie § 3 20 f., § 5 95, 100
Sekundärrecht s. *Europäische Rechtsquellen*
Selbstbestimmung § 1 111, § 2 138, § 10 94, § 11 16c, 56 ff.
- beiderseitige § 9 43 ff.
- Vertragskorrektur § 9 49
Selbstverantwortung § 10 86 ff.
Sense clair-Theorie s. *acte clair Doktrin*
Signalling § 5 147
Simon § 5 129, § 14 2
Singularia non sunt extendenda s. *Ausnahmen sind eng auszulegen*
Sittenwidrigkeit § 8 39 ff.
- deliktsrechtliche § 8 46 ff.
- eines Vertrages § 5 106, § 11 61 ff.
- Inhaltssittenwidrigkeit § 8 16 ff., 41, § 9 36 f., 53 ff.
- Umstandssittenwidrigkeit § 8 16 ff.
Sittlichkeit § 2 15 f., 20 ff.
Sitzblockade - Entscheidung § 4 61, 71 f.
Sitztheorie - Entscheidung § 3 27
Skifahrer - Entscheidung § 3 68
Smith, Adam § 5 122, § 9 30
Soft law § 2 6, § 3 4, 13, 17 f.
Solange I und II - Entscheidung § 2 94 f.
Sollensnorm s. *Recht, Sollensnorm*
Sondervotum § 1 54, § 2 50, § 11 83, § 13 99
Sophisten § 1 63
Soraya - Entscheidung § 1 51, § 6 70 f., § 12 65, § 13 58
Sozialadäquanz § 5 82
Sozialtypisches Verhalten § 13 33
Special justification § 7 62
Spezifizierungsleistung § 7 2
Spieleisenbahn - Entscheidung § 6 104 f.
Spieltheorie § 5 152 ff.
Sprachgebrauch(s) § 4 48
- allgemeiner § 4 48, 62 ff., 73, 86 ff.
- geltungszeitlicher § 6 11
- juristischer § 4 48 ff., 62a, 86 ff., § 6 10
- mehrsprachig § 4 86 f.
- nationaler § 2 72
- Wandel des ~ § 4 12 ff., § 12 52
Sprayer-von-Zürich - Entscheidung § 10 30 f.
Sprung im Schließen s. *saltus in concludendo*
Staatshaftungsanspruch, unionsrechtlicher § 5 104, 117, § 8 51, § 9 64, § 12 123 ff.
Staatstheorie § 14 111

Stadionverbot – Entscheidung § 11 16a f.
Stare decisis (rule) § 3 15, 44, § 7 58
Staub § 14 48
Sterbehilfe § 11 8b f.
Stern § 10 11
Steuerrecht § 13 84, 100
– Erbschaftsteuer § 11 34
– Rückwirkung § 2 49 f.
Stoll § 5 19
Stopp-Regel § 14 131
Störung der Geschäftsgrundlage § 3 24, § 9 37 f., 55 ff.
Strafgesetze, unbestimmte § 4 77 ff., § 7 24 ff.
Strafrecht
– s. *Absprachen im Strafprozess*
– s. *Gesetzlichkeitsprinzip*
– s. *Fragmentarität des Strafrechts*
– Strafzumessungsregel § 7 28
Streitkultur, juristische § 1 20
Streu – Fall § 8 13
Strom – Entscheidung § 4 74
Stryk § 1 39
Subjektive Theorie § 6 60 ff., 80, § 13 4
Subjektiv-objektive Theorie § 6 77 ff.
Subjektstheorie § 2 29 f.
Subordinationstheorie § 2 29 f.
Subsidiaritätsprinzip § 2 58, § 8 34, § 9 63
Subsumtion § 4 2 ff.
Suitability test s. *Geeignetheit*
Suizid § 11 8b
Superrevisionsinstanz § 10 94, § 11 24, § 13 110 f.
Supremacy s. *Anwendungsvorrang*
Supranationale Rechtsform § 2 68
Syllogismus § 4 2
Synthese § 1 86 ff.
System des Gesetzes
– äußeres § 4 102 ff.
– des BGB – Fall § 4 111
– des BGB § 4 102 ff., 109 ff.
– geschlossenes § 6 110, § 13 29 ff., 36
– inneres § 4 109 ff., § 6 146, 150 ff.
– offenes § 4 112, § 13 34 ff.
Systematische Auslegung § 4 23, 92 ff., § 7 16
– Ausnahmen sind eng auszulegen s. *Ausnahmen sind eng auszulegen*
– durch den EuGH § 4 136 ff.
– innerhalb der Norm § 4 114 ff., 121 f., § 6 14, 27 f.
– innerhalb des Gesetzes § 4 118 ff., § 6 16, 25 f.
– lex posterior s. *Lex-posterior-Regel*
– lex specialis s. *Lex-specialis-Regel*
– lex superior s. *Lex-superior-Regel*
– teleologische Gegenfiguren § 6 14 ff.
Systematisierungsfunktion § 1 117, § 9 3

Tanja Kreil – Entscheidung § 12 41
Tanzbär – Fall § 6 127
Tatbestand § 4 3, § 7 24 ff.
Tatbestandliche Rückanknüpfung s. *Rückwirkung unechte*
Tautologie § 5 33
Teilgleichheit § 7 45 ff.
Teleologische Auslegung § 4 20 ff., 32, § 5 1 ff., 26 ff., § 6 1 ff., 159 ff.
– teleologische Gegenfiguren § 6 2 ff., 52 ff., 59
Teleologische Extension § 6 160 ff.
Teleologische Reduktion § 6 92 ff., 174 f.
– auf Null § 5 53
– Rechtsfortbildung § 11 68 ff.
Telos s. *Gesetzeszweck*
Tertium comparationis § 6 117, 132, 140, 162 f., § 7 46, 52 ff., 81, § 10 36
Textualism, § 4 64a, § 6 89 ff., § 13 98
Theaterkritiker – Entscheidung § 9 33, 41
Theologie § 4 9
These § 1 93 ff.
Thomasius § 4 17, 26, 156
Thon § 2 7
Tödlicher Unfall – Entscheidung § 6 115 ff.
Tonbandaufnahme – Entscheidung § 6 149
Topiklehre § 14 49 ff.
Topoi s. *Topiklehre*
Torggler § 14 126. 131
Transaktionskosten § 5 125
Transformationsgesetz § 12 37, 130
Transparenzgebot § 12 62c, 104 ff., 108
Trennungsgebot § 10 16c
Trennungsthese § 2 128
Trierer Weinversteigerung – Fall § 4 96 ff., § 5 28 ff., 106
Typenlehre § 14 60 ff.

Übergangsregelung § 11 32
Übermaßhaftung § 5 71 f.
Übermaßverbot § 10 42, 93 ff., § 11 9 f.
Überschießende Umsetzung § 12 90 ff.
Überschwemmung – Fall § 6 165 ff.
Ultima Ratio § 11 35 ff., 54
Ultra-vires-Kontrolle § 2 96 ff., § 13 113 ff.
Umgehungsargument § 6 135 ff., § 7 48
Umgehungsverbot s. *Gesetzesumgehung*
Umkehrschluss § 6 93 ff., 113, 129 ff., § 7 48
Umsatzsteuer – Entscheidung § 6 203
Ungleichbehandlung § 10 25, 36, 39

Ungleichheit § 6 96, 129 ff., § 7 45 ff.
Unionsabkommen s. *völkerrechtliche Verträge, der EU*
Unionsgrundrechte § 10 57 s. *auch Primärrechtswirkung*
Unionskonforme Auslegung s. *Auslegung, europäische*
Unionsrichter § 1 28 f.
Unionstreue s. *Grundsatz der loyalen Zusammenarbeit*
Unlogisches Recht § 6 52
Unsicherheitsargument § 6 42
Untätigkeit des Gesetzgebers § 13 19, 53 ff.
Untermaßverbot § 10 24, 35, § 11 9 f.
Untersatz § 4 2 ff., § 7 2
Untragbarkeitsargument s. *argumentum ad absurdum*
Unvereinbarkeitserklärung § 11 32 ff.
Unverzüglich – Fall § 6 23
Urlaubsanspruch-Entscheidung § 12 40
Urteile, ausländische § 2 6 f., § 3 75 ff., § 13 61 f. s. *auch Rechtsvergleichung*
US-amerikanische Verfassung § 1 67, § 15 1 f.

Van Gend – Entscheidung § 12 4 f.
Verbandsklage § 5 145
Verbraucher
– leitbild § 6 40, § 14 56
– erwartung § 10 75
– schutzniveau § 5 13, § 6 40
– schutzrecht § 7 31, § 9, 58, § 15 31 ff.
Verbrauchsgüterkauf § 12 59, 69 ff., 79, 90, 101, 110
Verein § 13 57
Vereinigtes Königreich § 1 57, § 4 64, 70, 146 f., § 5 3, § 7 84, § 12 75
Vereinigungstheorie s. *Subjektiv-objektive Theorie*
Vereitelung der Ausübung einer Rechtsposition § 5 85 f.
Verfahrensgewährleistung § 9 30
Verfassung s. *dynamische Verfassungsinterpretation, s. Grundrechte*
– Funktionen § 11 2 ff.
– Hüter der ~ § 11 21 ff.
– Wandel der ~ § 6 72, § 13 44, 90
– Wertordnung § 11 4 f.
Verfassungsbeschwerde § 11 23 ff.
Verfassungsgericht(s) s. *Kooperationsverhältnis*
– verbund § 13 123
Verfassungsimmanente Schranke § 10 38
Verfassungskonkretisierung
– durch Abwägung § 10 3 ff.
– kollisionslösend § 10 6 f.
Verfassungsprinzipien § 3 93
Verfassungsrecht
– spezifisches § 11 24
Verfassungsrechtsgüter § 10 38
Verfassungstradition § 2 95, § 3 96, § 4 155, 175
Verfassungsüberlieferung der Mitgliedstaaten s. *Verfassungstradition*
Verfassungswidrigkeit § 11 30 ff.
Vergleichbarkeit § 6 139, 142
– fehlende s. *Ungleichheit*
Vergleichende Werbung § 12 88
Vergleichsfallmethode § 6 134, § 7 44 ff., 69 ff.
– des EuGH § 7 72, § 8 1 f., 26, 31
Verhaltens
– prävention § 5 138 f., 142 ff.
– steuerung § 2 10, § 5 122, 132, 142
Verhältnismäßigkeitsgrundsatz § 2 58 f., § 10 25 f., 42a
– im engeren Sinne s. *Angemessenheit*
– im Europarecht für Grundrechtsprüfung § 2 58, § 10 70 ff.
– im Europarecht für Kompetenzabgrenzung § 10 70, § 13 115 ff.
– im Öffentlichen Recht für Grundrechtsprüfung § 10 41 ff.
– im Zivilrecht § 10 93 ff.
Verifizieren § 1 79
Veritas § 3 15, 36
Verjährungsvorschriften – Entscheidung § 6 152 ff.
Verkehrssitte § 2 17, § 4 98, § 5 92
Verkehrsunfall – Entscheidung § 5 78
Verletzung von Grundrechten s. *Grundrechtsverletzung*
Vermutung(s)
– regel § 1 98, § 12 46, § 13 127, § 14 84
– unwiderlegbare § 4 53
– widerlegbare § 3 62, § 4 51, § 7 20, 28
– wirkung § 3 16, 19, 59, 62 ff., 67 ff., 71
Verordnung
– nationale s. *Rechtsverordnung*
– europäische § 2 62, 65, 85, § 5 115
Versammlungsfreiheit § 11 54, 70
Verschleifungsverbot s. *Bestimmtheitsgrundsatz*
Verschulden bei Vertragsverhandlung s. *culpa in contrahendo*
Verschuldenshaftung § 4 113, 124, § 13 30 ff.
– Enumerationsprinzip s. *Haftung*
– Sphärentheorie § 15 15
– vermutetes Verschulden § 15 13 ff.

Vertrag *s. Regelungen Privater*
- faktischer § 13 33
- mit Schutzwirkung zugunsten Dritter § 3 23, 87, § 10 82 ff.
- parität § 11 59 f.
- völkerrechtliche *s. Völkerrechtliche Verträge*
Vertragsauslegung § 6 182 ff.
- einfache § 6 182
- ergänzende *s. Ergänzende Vertragsauslegung*
- historische § 6 189
- objektiv-normative § 6 187 ff.
- natürliche § 6 184 ff.
- systematische § 6 189
- teleologische § 6 190 ff.
- Wortlaut § 6 189
Vertragsbindung § 9 21, 28, 31 ff., 49, 59
Vertragsfreiheit § 1 111, § 6 40, 75, § 11 16c, 43 f.
Vertragsverletzungsverfahren § 12 84, 117, 120 ff.
Vertragszweck § 6 182, 187 f., 195
Vertrauensfrage – Entscheidung *s. Bundestagsauflösung – Entscheidung*
Vertrauensgrundsatz § 9 17, 28, 42, 66
Vertrauensschutz § 2 44, § 3 31 ff., 41 f., 58 f., 69 f., § 13 76 ff., 81
Verwaltung
- norminterpretierende § 3 54
- normkonkretisierende § 3 8, 56
- öffentliche § 2 72, § 4 144
- Verwaltungsvorschriften § 3 1 ff., 7, 54 ff., 71 ff.
Verweisungen § 3 62, 96, § 4 104 ff.
Verweisungsfunktion § 7 12
Verwerfungsregel *s. Falsifizieren*
Verwerfungskompetenz § 2 95, § 11 66
Vesting § 14 42
Viking – Entscheidung § 12 14
Viren – Entscheidung § 4 63
Völkerrecht § 2 116 ff., 121 ff., § 3 30, 76, § 12 130 ff.
- Völkergewohnheitsrecht § 2 60, 116 ff., 121, 125 f., § 3 30, § 4 176
- Völkerrechtliche Verträge § 2 60, 75, 116 ff., § 4 176, § 5 5
- der EU § 2 60, 75
Volksgenosse § 14 101
Vollharmonisierung § 2 66, § 7 34
Vollzugsdefizit § 2 14
Volkmann § 9 4, § 13 99
Von Colson und Kamann – Entscheidung § 12 55, 65
Vorabentscheidungsverfahren § 12 62b, 91, 115 ff., § 13 123
Vorlageverpflichtung § 3 53, § 12 115 ff.
Vorläufernormen § 4 148 ff., § 6 41
Vorrangregeln § 13 127
- komparative § 10 22
- zwingende § 1 97, § 10 19
Vorrang der Verfassung § 11 50 f.
Vorratsdatenspeicherung – Entscheidung § 10 61
Vorverständnis § 1 70 ff., § 2 70, § 3 97, § 14 130
Vorvertrags-Grundstückskauf – Fall § 6 136 ff., 171
Vorzugsregel, interpretatorische § 12 49
Voßkuhle § 13 107

Wagner § 10 90
Wahlrecht § 13 113
Wahrheitsanspruch § 1 64 ff., 88
Warenkauf-RL § 2 111, § 5 13, 16a, § 6 40
Warenverkehrsfreiheit § 10 66 ff.
Weber, Max § 3 29, § 14 60
Wechselwirkungslehre § 10 47
Wehrdienst § 12 41
Weißbücher § 4 182
Werte *s. Rechtsideen*
Wertordnung *s. Verfassung*
- objektive § 11 3 ff.
Wertungsjurisprudenz § 1 99, § 4, 35, 92, 109 ff., § 5 19 ff.
Wertungsparallelität § 4 127, § 6 17
Wertepluralismus, europäischer § 10 57c, § 13 126
Wertvorstellungen
- Wandel der ~ § 7 10, § 11 75
Wesentlichkeitstheorie § 1 36, § 4 77, § 13 83 ff.
Westermann § 5 22 ff.
Wettbewerbsrecht
- Generalklausel § 7 9
- Legaldefinition § 4 50
- Schutzgesetz § 5 13
Widerlegen *s. Falsifizieren*
Widerrufsrecht – Fall § 9 58
Wiedemann § 13 12
Wilburg § 8 3 ff., 9, 53, *s. auch Bewegliches System*
Wildschutzzaun – Entscheidung § 5 137 f.
Wille des Gesetzgebers § 4 146 ff., § 5 7 ff., 25, § 6 41 ff., § 11 66, § 12 62c
- eindeutiger § 4 170, § 12 76, 84
- entgegenstehender § 11 71 ff.

– historischer *s. Wille des Gesetzgebers, subjektiver*
– nicht formulierter *s. Schweigen des Gesetzgebers*
– normativer § 6 45
– objektiver § 6 69 ff. *s. auch objektive Theorie*
– subjektiver § 6 63 ff., § 11 65 ff., 75, § 12 60, § 13 37, *s. auch subjektive Theorie*
– subjektiv-objektiver *s. subjektiv-objektive Theorie*
– widersprüchlicher § 6 42 ff., 67
Willenserklärung
– fahrlässige *s. Trierer Weinversteigerung – Fall*
– konkludente § 6 197
Willenstheorie § 4 99, § 5 29, § 6 183
Willkürprüfung § 10 40
Windscheid § 4 21, § 6 63
Wissenschaft und Rechtswissenschaft
– Rationalität § 1 119
– Wahrheit § 1 120
Wittgenstein § 4 41, § 6 11, § 14 108
Wortlaut *s. Wortlautauslegung*
– Eindeutigkeit § 4 43 ff., 64, § 6 3 ff., § 13 28
– Entgrenzung § 4 80
– Mehrdeutigkeit § 4 43 ff.
– Offenheit § 13 28
Wortlautauslegung § 4 19, 39 ff.
– durch den EuGH § 4 85 ff.
– teleologische Gegenfiguren § 6 3 ff.
Wortlautgrenze § 4 36 ff., § 6 10, 172, § 12 21, 67
– in Frankreich und England § 4 36
– im europäischen Recht § 6 172 ff.
– im Strafrecht § 1 37, 97, § 4 66 ff., 90 f.
– im Zivilrecht § 4 42
Wrongful life – Entscheidung § 3 90, § 13 62
Wurzelüberwuchs – Entscheidung § 14 79

Zehn Gebote – Fall § 2 24, § 15 3 f.
Zirkelschluss § 4 10, § 5 35 ff., 55, § 6 52, 66, 107
Zitelmann § 6 107
Zopfabschneide – Fall § 6 95, 103
Zumutbarkeit *s. Angemessenheit*
Zweckmäßigkeit § 9 10
Zwingende Allgemeinwohlinteressen *s. Cassis-Formel*
Zwischenschritte
– und Generalklauseln § 7 2
– und Grundrechte § 10 25